RANGTAFEL

SA	NSFK	NSKK	RADm	RADw
	Reichsminister der Luftfahrt			
tabschef	Korpsführer	Korpsführer	Reichsarbeitsführer	
bergruppenführer	Obergruppenführer	Obergruppenführer		
ruppenführer	Gruppenführer	Gruppenführer	Obergeneral-arbeitsführer	
rigadeführer	Brigadeführer	Brigadeführer	Generalarb.führer Generalarbeitsarzt	
berführer	Oberführer	Oberführer		
tandartenführer	Standartenführer	Standartenführer	Oberstarbeitsführer Oberstarbeitsarzt	Stabshauptführerin
bersturmbann-führer	Obersturmbann-führer	Oberstaffelführer	Oberarbeitsführer Oberarbeitsarzt	Stabsoberführerin
turmbannführer	Sturmbannführer	Staffelführer	Arbeitsführer Arbeitsarzt	Stabsführerin
auptsturmführer	Hauptsturmführer	Hauptsturmführer	Oberstfeldmeister Arbeitsfeldarzt	Maidenhaupt-führerin
bersturmführer	Obersturmführer	Obersturmführer	Oberfeldmeister Hpt.mus.zugführer	Maidenober-führerin
turmführer	Sturmführer	Sturmführer	Feldmeister Obermus.zugführer	Maidenführerin
			Unterfeldmeister Musikzugführer	Maidenunter-führerin
aupttruppführer		Haupttruppführer		
bertruppführer	Obertruppführer	Obertruppführer		
ruppführer	Truppführer	Truppführer	Obertruppführer	Jungführerin
berscharführer	Oberscharführer	Oberscharführer		
charführer	Scharführer	Scharführer	Truppführer	Kameradschafts-älteste
			Untertruppführer Hauptvormann	
			Obervormann	
ottenführer	Rottenführer	Rottenführer	Vormann	
rsturmmann	Sturmmann	Obersturmmann		
nmann	NSFK-Mann	Sturmmann	Arbeitsmann	Arbeitsmaid
värter				

JUSTIZ UND NS-VERBRECHEN

JUSTIZ UND NS-VERBRECHEN

SAMMLUNG DEUTSCHER STRAFURTEILE

WEGEN

NATIONALSOZIALISTISCHER TÖTUNGSVERBRECHEN 1945-1999

AMSTERDAM UNIVERSITY PRESS
2008

K.G. SAUR VERLAG MÜNCHEN
2008

JUSTIZ UND NS-VERBRECHEN

SAMMLUNG DEUTSCHER STRAFURTEILE

WEGEN

NATIONALSOZIALISTISCHER TÖTUNGSVERBRECHEN 1945-1999

BAND XXXIX

Die vom 05.06.1973 bis zum 26.07.1974 ergangenen Strafurteile
Lfd. Nr. 795 – 813

Bearbeitet im
Seminarium voor Strafrecht en Strafrechtspleging 'Van Hamel'
der Universität Amsterdam

von

PROF. MR. C. F. RÜTER
DR. D. W. DE MILDT

unter Mitwirkung

von

L. HEKELAAR GOMBERT

AMSTERDAM UNIVERSITY PRESS
2008

K.G. SAUR VERLAG MÜNCHEN
2008

Diese Veröffentlichung kam zustande mit finanzieller Unterstützung
der Rechtswissenschaftlichen Fakultät der Universität Amsterdam,
der Senatsverwaltung für kulturelle Angelegenheiten von Berlin,
und der Pressestiftung Tagesspiegel, Berlin

Anschrift der Redaktion:
Instituut voor Strafrecht, Universiteit van Amsterdam
Postbus 1030, NL-1000 BA Amsterdam
www.jur.uva.nl/junsv

Bibliografische Information der Deutschen Nationalbibliothek

Die Deutsche Nationalbibliothek verzeichnet diese Publikation in der Deutschen Nationalbibliografie;
detaillierte bibliografische Daten sind im Internet unter http://dnb.d-nb.de abrufbar.

ISBN 978 90 5356 725 8 (Amsterdam University Press)
ISBN 978 3 598 23830 7 (K. G. Saur Verlag,
ein Imprint der Walter de Gruyter GmbH & Co. KG)
NUR 824

Library of Congress Catalog Card Number: 68-58003

VORBEMERKUNG ZUM NEUNUNDDREISSIGSTEN BAND

In diesem Band werden die Urteile der westdeutschen Strafverfahren veröffentlicht, die mit einem in der Zeit vom 5.Juni 1973 bis zum 26.Juli 1974 ergangenen Landgerichtsurteil abgeschlossen wurden.

Die in diesem Zeitabschnitt ergangenen Entscheidungen befassen sich u.a. mit der Deportation bzw. Erschiessung von Juden in Krosno, Wolbrom, Sanok, Biala Podlaska und Slonim [1], mit der Tötung von Juden in den Zwangsarbeitslagern Boryslaw, Drohobycz, Trepce, Majowka und Debica [2] sowie mit der Tätigkeit des Einsatzkommandos 11b auf der Krim und im Kaukasus [3].
In diesem Band findet sich auch das erste von insgesamt drei westdeutschen Verfahren [4], in denen Angeklagte wegen ihrer Beteiligung an der Liquidierung des Warschauer Ghettos verurteilt werden sowie das einzige westdeutsche Verfahren, dass sich mit Tötungen und tödlichen Misshandlungen im Warschauer Pawiakgefängnis befasst [5].
Noch drei weitere Verfahren haben Seltenheitswert: das erste Verfahren ist das einzige, in dem die im Rahmen der Partisanenbekämpfung erfolgte Vernichtung eines Dorfes und dessen Einwohner zu einer Verurteilung geführt hat [6]. Das zweite Verfahren ist das einzige, in dem wegen einer tödlich ausgegangenen 'verschärften Vernehmung' eine Verurteilung erfolgt ist [7]. Das dritte Verfahren wird zum Unikum, weil das Schwurgericht der Auffassung ist, die Tötung russischer Partisanen durch Motorabgase in einem sog. Gaswagen sei weder grausam noch heimtückisch und somit nur (verjährter) Totschlag [8] - eine Ansicht, die zwar beim 5.Strafsenat des Bundesgerichtshofes keinen Bedenken begegnet, jedoch weder vorher noch nachher in einem anderen 'Gaswagenurteil' je vertreten worden ist [9].

Vergleiche mit der Ahndung von NS-Verbrechen in der DDR ermöglichen die Verfahren Nr.795 und 809, da in diesen Verfahren abgeurteilte Sachverhalte auch Gegenstand eines Urteils des Bezirksgerichts Erfurt bzw. des Stadtgerichts Berlin [10] sind.

Die in diesem Band veröffentlichten Verfahren werden, ausser durch das Inhaltsverzeichnis (mit einer Kurzbeschreibung des Gegenstandes des Verfahrens), durch das *Verfahrensregister*, in dem die Verfahren nach verschiedenen Tat-, Täter- und Opferkriterien aufgelistet sind, erschlossen.

[1] Verfahren Nr.796, 797, 799, 804 und 810.

[2] Verfahren Nr.798, 799, 801 und 802.

[3] Verfahren Nr.807.

[4] Verfahren Nr.812, 821 und 822.

[5] Verfahren Nr.795.

[6] Verfahren Nr.806. In den beiden übrigen Verfahren wegen Verbrechen dieser Art erfolgte Freispruch; siehe Verfahren Nr.776 und 842.

[7] Verfahren Nr.808. In den übrigen Verfahren wegen verschärfter Vernehmung mit tödlichem Ausgang erfolgte Freispruch; siehe Verfahren Nr.442, 731, 891.

[8] Verfahren Nr.809.

[9] Siehe die Verfahren Nr.231, 298, 362, 526, 552, 560, 594, 601, 603, 606, 624, 632, 656, 658, 663, 679, 750, 702, 703, 720, 750, 765, 769, 777, 807, 816, 864 und 892.

[10] Siehe DDR-Justiz und NS-Verbrechen Bd.II S.397 ff. (Verfahren Nr.1049) bzw. Bd.I S.487 ff. (Verfahren Nr.1018).

Die Darstellung der *Rechtsgrundlagen* dieser Verfahren und der Abdruck des Wortlauts der für das Verständnis der Urteile wichtigen Gesetze, Verordnungen und Dokumente (die *'Hilfsmittel'*) erfolgen im Registerband. Sie können bis zum Erscheinen dieses Gesamtregisters (bei Abschluss der Serie) dem *Registerband zu den Bänden I-XXII* und dem *Vorläufigen Verfahrensregister zu den Bänden XXIII ff.* entnommen werden.

Die Auswahl und Bearbeitung der Urteile und die Systematik ihrer Veröffentlichung folgen den Richtlinien und Kriterien, die im ersten Band (S.XIII ff.) sowie im dreiundzwanzigsten Band (S.V) dargelegt worden sind.

INHALTSVERZEICHNIS

Die in diesem Band veröffentlichten Entscheidungen:

VERFAHRENSREGISTER

Lfd.Nr.795

Tatkomplex
Andere Massenvernichtungsverbrechen,
NS-Gewaltverbrechen in Haftstätten,
Kriegsverbrechen

Tatort
Warschau
(Pawiakgefängnis)

Tatzeit
42-44

Gerichtsentscheidungen
LG Hamburg vom 05.06.1973, (50) 2/72
BGH vom 04.03.1975, 5 StR 617/74

INHALTSVERZEICHNIS

der unter Lfd.Nr.795 veröffentlichten Urteile

LG Hamburg vom 05.06.1973, (50) 2/72

BGH vom 04.03.1975, 5 StR 617/74

(50) 2/72

Im Namen des Volkes

In der Strafsache gegen

1.) Dr. Ludwig Hermann Karl Hahn [1], geboren am 23.Januar 1908 in Eitzen Krs.Uelzen,
2.) Thomas Wip. [2], geboren am 28.August 1907 in Gern Bezirk Eggenfelden,

wegen Mordes,

hat das Landgericht Hamburg - Schwurgericht - in der Sitzung vom 5.Juni 1973 für Recht erkannt:

> Der Angeklagte Dr. Hahn wird unter Freisprechung im übrigen wegen Beihilfe zum Mord gemäss §§49, 211 StGB zu einer Freiheitsstrafe von 12 (zwölf) Jahren verurteilt. Die Untersuchungshaft wird angerechnet.
> Der Angeklagte Wip. ist schuldig der Beihilfe zum Mord in zwei Fällen gemäss den §§49, 211, 74 StGB. Insoweit wird gemäss §47 Abs.II MStGB von Strafe abgesehen. Im übrigen wird der Angeklagte freigesprochen.
> Der Angeklagte Dr. Hahn hat die Kosten des Verfahrens sowie seine notwendigen Auslagen zu tragen, soweit er verurteilt worden ist.
> Der Angeklagte Wip. hat die Kosten des Verfahrens sowie seine notwendigen Auslagen zu tragen, soweit das Gericht von Strafe abgesehen hat. Im übrigen trägt die Staatskasse die Verfahrenskosten und die notwendigen Auslagen der Angeklagten.
> Der Angeklagte Wip. hat die Kosten der Nebenklage des Nebenklägers Osi. sowie dessen notwendigen Auslagen zu tragen, soweit diese Nebenklage diesen Angeklagten betrifft. Im übrigen haben die Nebenkläger die Kosten ihrer Nebenklagen sowie ihre notwendigen Auslagen selbst zu tragen.
> Der Angeklagte Wip. ist nicht wegen erlittener Untersuchungshaft zu entschädigen.

GRÜNDE

A. Die persönlichen Verhältnisse der Angeklagten

I. Lebenslauf des Angeklagten Dr. Ludwig Hahn

Der unvorbestrafte Angeklagte Dr. Ludwig Hahn wurde am 23.Januar 1908 als jüngstes von fünf Kindern eines Landwirts in Eitzen Kreis Uelzen geboren. Der älteste Bruder meldete sich 1914 freiwillig an die Front und fiel neunzehnjährig, der zweite Bruder übernahm später den Hof des Vaters.

[1] Rechtskräftig hins. Hahn durch Urteil des BGH vom 4.3.1975, 5 StR 617/74, Lfd.Nr.795b. Siehe auch Lfd.Nr.821.

[2] Dieses Urteil ist hinsichtlich Wip. rechtskräftig. Ein Rechtsmittel wurde nicht eingelegt bzw. zurückgenommen.

Der Angeklagte wuchs in einem betont deutschnational eingestellten Elternhaus auf. Er besuchte das Johanneum, ein Realgymnasium in Lüneburg, und machte dort 1927 das Abitur. Anschliessend studierte er Rechtswissenschaften, und zwar vom Sommersemester 1927 bis zum Sommersemester 1929 in Jena, im Wintersemester 1929/1930 in Göttingen und ab Sommersemester 1930 wieder in Jena. In Jena wurde er in einer Landsmannschaft aktiv. In Göttingen kam er erstmals über einen Bundesbruder mit dem Nationalsozialismus in engere Berührung. Am 1.2.1930 trat er unter der Mitgliedsnummer 194463 in die NSDAP ein. Ausserdem wurde er Mitglied im NS-Studentenbund. Am 1.6.1930 trat er der SA bei.

Am 27.Juni 1931 bestand er in Jena die Erste juristische Staatsprüfung mit der Note "ausreichend mit plus". Am 25.Juli 1932 promovierte er an der Universität Jena mit dem Prädikat "cum laude" über das Thema "Der Begriff des Zwangsgeldes in den §§30 und 76 des Preussischen Polizeiverwaltungsgesetzes vom 1.Juni 1931".

Mit Rücksicht auf den juristischen Vorbereitungsdienst verliess er im Juli 1931 die SA. Am 21.April 1933 trat er in die allgemeine SS ein, seit April 1933 gehörte er dem NS-Rechtswahrerbund an. In der SS sah er etwas Ausgewähltes, in der Hervorhebung der arischen Abstammung ein betontes Deutschtum. Die Grundsätze der SS, unter ihnen die unbedingte Treue zum Führer, bejahte er, wie er es in der Hauptverhandlung ausgedrückt hat, hundertprozentig.

Nachdem er als Referendar seit 1931 die vorgeschriebenen Ausbildungsstationen durchlaufen hatte, bestand er am 29.April 1934 die Grosse juristische Staatsprüfung mit der Note "befriedigend". Noch als Referendar hatte er auf Grund der Vermittlung eines Konreferendars seit 1934 ehrenamtlich beim SD gearbeitet. Die nachrichtendienstliche Tätigkeit sagte ihm jedoch nicht zu.

1935 heiratete er seine jetzige Ehefrau Charlotte geb. Ste., die Tochter eines Mühlenbesitzers aus dem Unstruttal. Aus der Ehe gingen vier Kinder, nämlich ein Sohn, geboren am 12.Mai 1936, und drei Töchter, geboren am 24.August 1937, am 15.November 1940 und am 11.Mai 1946, hervor.

Als Assessor kam der Angeklagte am 1.Juni 1935 zum SD-Hauptamt nach Berlin. Er wurde in das Stabsamt berufen und dem Referat "Angeschlossene Verbände" zugeteilt. Aufgabe des Referats war die Aufdeckung von parteiinternen Missständen. Der Angeklagte hatte, nachdem er Ende 1934 SS-Rottenführer geworden war, inzwischen den Rang eines SS-Unterscharführers erhalten. Einen Beamtenstatus hatte er noch nicht. Da auch diese Aufgabe nicht seinen beruflichen Vorstellungen entsprach - er empfand seine Kollegen und sich als "Reinmachefrauen der Partei" - wurde er auf sein Gesuch, entsprechend seiner Ausbildung eingesetzt zu werden, am 1.Januar 1936 zur Gestapo - Stapoleitstelle Hannover - versetzt. Diese Versetzung entsprach seinem Wunsch, als Verwaltungsfachmann in den politischen Bereich zu kommen. Nachdem er "einmal in dem Apparat drin war", wie er sich in der Hauptverhandlung ausgedrückt hat, "wollte er dem jungen Staat helfen und ihn schützen". Ab April 1936 wurde er ständiger Vertreter des Dienststellenleiters.

Nachdem er im Herbst 1935 SS-Hauptscharführer geworden war, wurde er am 20.April 1936 zum SS-Untersturmführer befördert. In der Zeit vom 8.August 1936 bis 3.Oktober 1936 und vom 2.Januar bis 1.März 1937 nahm er an Wehrmachtsübungen und -lehrgängen teil. Im Herbst 1936 wurde er in das Geheime Staatspolizeiamt nach Berlin - Ref. II E, "Wirtschaft", - versetzt. Hier blieb er bis Ende 1936 und erhielt dort den Beamtenstatus eines Regierungsassessors.

Eine Beurteilung aus der damaligen Zeit vom 30.Oktober 1936, vertretungsweise unterzeichnet von Heydrich, lautet:

"Der zum 1.Januar 1936 zur probeweisen Beschäftigung einberufene Assessor Dr. Ludwig Hahn war bis zum 1.September 1936 der Staatspolizeistelle Hannover zugeteilt und findet seitdem als Hilfsreferent im Geheimen Staatspolizeiamt in Berlin Verwendung. Angesichts seiner über dem Durchschnitt liegenden Fähigkeiten und Leistungen konnte ich ihn bereits Ende April dieses Jahres mit der ständigen Vertretung des Leiters der gen. Staatspolizeistelle beauftragen. Dr. Hahn ist für den politischen Dienst hervorragend befähigt. Er verfügt über ein klares sicheres Urteil und gewandtes Auftreten. Dank seiner guten juristischen Durchbildung ist es ihm in verhältnismässig kurzer Zeit gelungen, sich in die Arbeitsgebiete der Verwaltung einzuarbeiten und ein beachtliches Mass von Kenntnissen und Erfahrungen anzueignen. Die ihm übertragenen Aufgaben erledigt Dr. Hahn mit viel Geschick. In charakterlicher Hinsicht verdienen sein offenes Wesen und seine kameradschaftliche Haltung besonders hervorgehoben zu werden. Seine Führung in und ausser Dienst ist ohne Tadel. Seine Probedienstzeit kann als abgeschlossen gelten. Ich bitte daher, wegen seiner Übernahme in die preussische innere Staatsverwaltung unter Ernennung zum Regierungsassessor schon jetzt das Erforderliche zu veranlassen."

Am 23.April 1937 wurde der Angeklagte zum Chef der Stapoleitstelle für das Land Thüringen in Weimar berufen. Mit Unterbrechungen wie Wehrmachtsübungen und Teilnahme am Polenfeldzug blieb er bis Januar 1940 in diesem Amt. Am 30.Januar 1938 wurde er SS--Obersturmführer, am 1.August 1938 SS-Hauptsturmführer und am 26.September 1938 SS--Sturmbannführer. In der zweiten Hälfte 1938 wurde er zum Regierungsrat ernannt.

Am 9.Juni 1938 gab der Hauptmann der Gendarmerie, Hauck, folgende politische Beurteilung über ihn ab:

"Reg.Assessor Hahn ist seit dem 23.April 1937 in Weimar und mir seit dieser Zeit bekannt. Der Umstand, dass Hahn alter Parteigenosse und Leiter der Staatspolizeileitstelle Weimar ist, gestattet eine kurze politische Beurteilung.
Dr. Hahn wurde s.zt. auf Vorschlag des Staatssekretärs Ortlepp nach Weimar als Leiter der Staatspolizeistelle berufen.
Politisch ist Hahn in jeder Beziehung vollkommen einwandfrei; er wird dementsprechend auch von seinen Vorgesetzten beurteilt. Er besitzt auch das volle Vertrauen aller Dienststellen der Partei.
Im SS-Sicherheitsdienst bekleidet Hahn den Rang eines Obersturmführers".

Während seiner Weimarer Zeit wurde der Angeklagte Mitglied des Vereins "Lebensborn". Er erhielt in dieser Zeit den Julleuchter. Der Angeklagte nahm am Polenfeldzug als Leiter des Einsatzkommandos 1 teil, welches zu der von dem Zeugen Stre. geführten Einsatzgruppe I gehörte. Die Einsatzgruppe I, deren offizielle Aufgabe es war, in dem ihr zugewiesenen rückwärtigen Teil des Heeres für Ruhe und Ordnung zu sorgen und die, aus vier bis fünf Einsatzkommandos bestehend, räumlich wie eine Armee eingesetzt wurde, wurde in der zweiten Augusthälfte 1939 in Wien zusammengestellt. Das Einsatzkommando 1 unter Führung des Angeklagten rückte, der kämpfenden Truppe folgend, über das Sudetenland und Kattowitz bis zur Demarkationslinie am San vor. Der letzte Dienstsitz des Angeklagten in diesem Gebiet war Rzeszow. Nach dem Polenfeldzug erhielt der Angeklagte das EK II.

Mit Bildung der Zivilverwaltung im Generalgouvernement wurde er Anfang 1940 Kommandeur der Sicherheitspolizei (KdS) in Krakau als Nachfolger des Zeugen Huppenkothen [3].

[3] Siehe Lfd.Nr.420.

Im Sommer 1940 erhielt der Angeklagte von Heydrich den Posten eines Beraters des slowakischen Innenministers Mach in Pressburg. Diese Beraterfunktion bezog sich auf polizeiliche Fragen. Er blieb bis Ende Juli 1941 in Pressburg, seine dortige Tätigkeit wurde lediglich für sieben oder acht Wochen unterbrochen, in denen er abgeordnet wurde, um eine Einsatzgruppe nach Saloniki und Athen zu verlegen. Ende Juli 1941 wurde der Angeklagte als Kommandeur der Sicherheitspolizei und des SD nach Warschau versetzt. Seine Familie folgte ihm am 1.Oktober 1941. Er bewohnte in Warschau zunächst eine Villa am Stadtrand, musste jedoch im Herbst 1943 auf Befehl des Reichssicherheitshauptamtes (RSHA) seinen Wohnsitz in das Dienststellengebäude in der Aleja Szucha verlegen, weil die Bedrohung durch die polnische Widerstandsbewegung stark zugenommen hatte.

Am 9.November 1941 erhielt der Angeklagte den Rang eines SS-Obersturmbannführers. Am 12.September 1941 war seine Ernennung zum Oberregierungsrat erfolgt. 1943 wurde ihm das Kriegsverdienstkreuz erster und zweiter Klasse, 1944 das Eiserne Kreuz erster Klasse verliehen.

Mit Wirkung vom 20.April 1944 wurde der Angeklagte SS-Standartenführer. Anlässlich dieser Beförderung wurde vom RSHA unter dem 31.März 1944 folgende Beurteilung über ihn abgegeben:

> "Seit 1933 gehört Dr. Hahn der Sicherheitspolizei an und war nach informatorischer Tätigkeit im Reichssicherheitshauptamt ständig Leiter von Dienststellen. Er ist ein alter bewährter Nationalsozialist und tatkräftiger SS-Führer, der die ihm übertragenen Aufgaben stets gemeistert hat. Vielseitige Erfahrung, sorgfältige Arbeitsweise und führungsmässige Eignung zeichnen ihn besonders aus".

Mit seiner Beförderung zum Standartenführer erfolgte gleichzeitig seine Ernennung zum Regierungsdirektor.

Nachdem er Ende Sommer 1944 Warschau verlassen und mit Teilen seiner Dienststelle nach Sochaczew gegangen war, wurde ihm im November 1944 in Berlin mitgeteilt, dass er für die Führung einer Einsatzgruppe im Westen vorgesehen sei. Die Einsatzgruppe L, die fünf Einsatzkommandos umfasste, kam bei der Ardennenoffensive unter der Führung des Angeklagten mit dem Befehl der Bekämpfung von Staatsfeinden im Operationsgebiet zwar zum Einsatz, die Offensive lief sich aber fest, und die Einsatzgruppe wurde Anfang 1945 wieder aufgelöst.

Am 30.Januar 1945 wurde der Angeklagte von Berlin aus zur Sperr- und Auffanglinie bei der Heeresgruppe Weichsel abgeordnet, deren Aufgabe es war, die zurückflutenden Truppen zu erfassen und zu neuen Einheiten zusammenzustellen. Die dortige Tätigkeit des Angeklagten dauerte aber nur fünf Tage. Auf eigenen Wunsch meldete er sich in Berlin zur weiteren Verwendung. Er wurde als Chef des Stabes beim Höheren SS- und Polizeiführer (HSSPF) Elbe, von Alvensleben, in Dresden eingesetzt. Seine dortige Aufgabe bestand u.a. darin, Transporte aus der Stadt, auf welche gerade der schwere Bombenangriff stattgefunden hatte, herauszubringen. Er verliess Dresden am 10.März 1945. Dem Wunsch von Alvenslebens, ihn als Verbindungsmann zu dem Gauleiter von Halle zu behalten, lehnte er ab, weil er seine Fähigkeiten für wichtigere Aufgaben zur Verfügung stellen wollte. Er wurde daraufhin als KdS Nord-Westfalen für die Dienststelle Münster eingesetzt. Obwohl sich seine Dienststelle in Münster befand, hielt er sich in der Folgezeit überwiegend in Recklinghausen auf, weil der dortige Gauleiter einen Abwehrfachmann in seiner Umgebung haben wollte.

Kurz vor Schliessung des Ruhrkessels gelangte der Angeklagte zu seiner Dienststelle zurück, deren Angehörige bereits zum Abmarsch bereitstanden. Er konnte den Abmarsch verhindern, bildete das Personal zu einer Kompanie um und stellte sie zur Verteidigung der Stadt zur Verfügung. Zum kämpferischen Einsatz kam es aber nicht, weil die Kompanie am Ostrand der Stadt lag und an diesem Punkt ein Angriff nicht erfolgte.

Am 8.April 1945 kam der Absetzbefehl. Der Angeklagte schlug sich mit seinen Leuten zum Teutoburger Wald durch, wo er von den Alliierten überrollt wurde. Er besorgte sich Zivilkleidung und gelangte über Hannover nach Norden. Er wurde von den Russen festgenommen und an die Engländer ausgeliefert. Er gab sich als Landwirt aus und wurde für drei Tage in ein Gefangenenlager in Lüneburg gebracht. Anschliessend lebte er bis 1949 als Landarbeiter unter falschem Namen im Harz. Seinen tatsächlichen Namen gab er nicht preis, weil er eine Auslieferung an Polen befürchtete. Erst 1949, als sich seiner Ansicht nach die Verhältnisse normalisiert hatten, nahm er seinen Namen wieder an. In der Zeit von 1945 bis 1949 hatte er ständigen Kontakt mit seiner Familie.

1949 erhielt er eine Stellung als Reisender in einer Textilfabrik in Wuppertal und zog mit seiner Familie zusammen. Eineinhalb Jahre später wurde er Verkaufsleiter dieser Firma. Im Herbst 1951 ging er zu einem Versicherungsmakler nach Mülheim, für den er 1953 ein Aussenbüro in Hannover aufbaute.

Ende 1953 wurde er stellvertretender Organisationsleiter bei der Karlsruher Lebensversicherung. 1955 wurde er zur Filiale Hamburg versetzt und blieb hier bis Ende 1958. Von 1959 bis zu seiner Verhaftung am 1.Juli 1960 war er bei einem Versicherungsmakler tätig, nach seiner Haftentlassung am 14.Juli 1961 nahm er diese Tätigkeit wieder auf. Das Arbeitsverhältnis wurde endgültig gelöst, als er am 7.Dezember 1965 erneut in Untersuchungshaft kam. Auf Grund des Haftverschonungsbeschlusses des Hanseatischen Oberlandesgerichts wurde er am 21.Dezember 1967 aus der Haft entlassen. Nachdem er zunächst keinen Arbeitsplatz finden konnte, wurde er später für die Firma IOS tätig. Das Arbeitsverhältnis mit dieser Firma wurde im Februar 1968 auf Grund eines Artikels im "Stern" offiziell gekündigt, inoffiziell arbeitete er dort weiter. 1970 bemühte er sich erneut um eine Beschäftigung in der Versicherungsbranche. Er brachte verschiedenen Gesellschaften Verträge und wurde am 1.Januar 1970 mit einem Gehalt von DM 1.000,- und 10% Provision bei einer Versicherungsgesellschaft eingestellt. Seit dem 1.Mai 1972, also seit Beginn der Hauptverhandlung, ist er arbeitslos. Der Angeklagte erhält eine Rente vom DM 82,50 auf Grund eines Unfalls im Jahre 1947.

Er bewohnt zusammen mit seiner Ehefrau ein auf deren Namen eingetragenes Haus in Bünningstedt bei Ahrensburg. Das Grundstück ist noch belastet. Seine Ehefrau ist seit dem 1.Mai 1966 als Apothekenhelferin tätig.

Diese Feststellungen beruhen auf den Angaben des Angeklagten Dr. Hahn in der Hauptverhandlung. Das Schwurgericht ist davon überzeugt, dass die Angaben des Angeklagten insoweit der Wahrheit entsprechen. Sie stimmen für die Zeit bis dahin überein mit Seite 3 des handschriftlichen Lebenslaufes des Angeklagten vom 7.Oktober 1936 und dem Personalbericht des SD-Führers des SS Oberabschnitts Elbe vom 28.Dezember 1937, die dem Angeklagten vorgehalten und von ihm als zutreffend anerkannt worden sind. Das gleiche gilt für die Beurteilung vom 30.Oktober 1936, unterzeichnet von Heydrich, die politische Beurteilung durch den Hauptmann der Gendarmerie, Hauck, vom 9.Juni 1938 und die Beurteilung durch das RSHA anlässlich der Beförderung zum SS-Standartenführer vom 31.März 1944.

Der Angeklagte befand sich vom 1.Juli 1960 bis zum 14.Juli 1961 und vom 7.Dezember 1965 bis zum 21.Dezember 1967 in Untersuchungshaft.

Während der Hauptverhandlung wurde im Laufe des Jahres 1972 eine Erkrankung des Angeklagten, der bis dahin ohne schwerwiegende körperliche oder geistige Erkrankungen durchs Leben gegangen war, an einem Prostatacarcinom festgestellt. Diese Erkrankung machte während der Hauptverhandlung zwei operative Eingriffe und eine Serie von Bestrahlungen erforderlich. Der Angeklagte befand sich zu diesen Behandlungen zweimal im Allgemeinen

Krankenhaus Hamburg-St.Georg, wo die Hauptverhandlung in stark reduziertem Masse fortgesetzt worden ist.

Sofort nach Bekanntwerden der Erkrankung des Angeklagten hat das Gericht einen gerichtsärztlichen Allgemeinmediziner, den Sachverständigen Dr. Hil., und etwas später den neurologisch-psychiatrischen Sachverständigen Dr. Imm., Chefarzt am Allgemeinen Krankenhaus Hamburg-Ochsenzoll, damit beauftragt, den Gesundheitszustand des Angeklagten für die bis dahin vergangene Zeit sowie seit der Bestellung als Sachverständige zu beurteilen. Diese beiden Sachverständigen haben den Angeklagten dann während der gesamten restlichen Hauptverhandlung in gesundheitlicher Hinsicht überwacht.

Bei alledem ist das Schwurgericht auf Grund der gründlichen, widerspruchsfreien und überzeugenden Gutachten der beiden bestellten Sachverständigen und auf Grund eigener Wertung zu der sicheren Überzeugung gelangt, dass der Angeklagte Dr. Hahn im Rahmen der jeweils seinem Gesundheitszustand angepassten Verhandlungsgestaltung immer verhandlungsfähig war. Zweifel an der Sachkunde der Sachverständigen oder der Überzeugungskraft ihrer Gutachten haben sich nicht ergeben. Beide Sachverständige haben sich, nicht zuletzt auf besondere Weisung des Gerichts, ihre wohlfundierten Ansichten stets in enger Fühlungnahme mit den jeweils behandelnden Ärzten gebildet, ohne jemals die Wertung durch Kollegen in unzulässiger Weise ungeprüft an die Stelle der eigenen kritischen und sachverständigen Würdigung gesetzt zu haben. Dessen hat sich das Gericht durch Befragung der Sachverständigen immer wieder gründlich versichert. Beide Sachverständige haben den Angeklagten und seine gesundheitliche Entwicklung über Monate in und ausserhalb der Hauptverhandlung genau verfolgt. Es ist weder dargetan worden noch sonst ersichtlich, dass jemals ein weiterer Sachverständiger, sei er auch Facharzt auf einem noch anderen Gebiet, auf Grund überlegener Kenntnisse oder Forschungsmittel zu anderen Ergebnissen hätte kommen können. Dabei darf nicht übersehen werden, dass hier zwei zu bewertende Faktoren gegeneinander abgewogen und miteinander in Beziehung gesetzt werden mussten, nämlich der gesundheitliche Zustand des Angeklagten einerseits und die Belastung durch ein Strafverfahren, gerade durch das vorliegende mit seinen Besonderheiten, andererseits. Für diese Aufgabenstellung speziell verfügen die bestellten Sachverständigen als Gerichtsmediziner bzw. oft bestellte gerichtliche Sachverständige über besonderen Sachverstand und grosse Erfahrung.

Dasselbe gilt für die Frage, ob und gegebenenfalls wieweit die Gesundheit des Angeklagten Dr. Hahn möglicherweise durch die Hauptverhandlung beeinträchtigt bzw. der Genesungsprozess behindert worden sein kann. Das Schwurgericht war sich durchaus bewusst, dass es insoweit eine Belastungsgrenze gibt, nach deren Überschreitung der staatliche Strafanspruch angesichts der strikten Ausrichtung jeglichen einfachen Rechts an der richtunggebenden Wertordnung der Grundrechte, insbesondere gegenüber dem Grundrecht auf körperliche Integrität, hätte zurückstehen müssen. Diese Grenze ist jedoch im vorliegenden Verfahren niemals erreicht, geschweige denn überschritten worden. Vielmehr haben die Bekundungen der Sachverständigen, die sich ihrerseits zur Ermittlung der Bewertungstatsachen auch insoweit der Auskünfte der behandelnden Ärzte, der Krankenblätter und natürlich eigener Untersuchungen bedient haben, eindeutig ergeben, dass der Krankheitsverlauf bei dem Angeklagten Dr. Hahn zu keinem Zeitpunkt durch das Verfahren nennenswert beeinflusst worden ist, vielmehr noch während des Verfahrens eine deutliche Besserung eintrat. Dabei ist sich das Schwurgericht darüber im Klaren, dass jedes Strafverfahren mit einem schweren Schuldvorwurf eine starke, insbesondere psychische Belastung darstellt. Diese allgemeine Belastung ist jedoch bei dem Angeklagten Dr. Hahn trotz dessen Erkrankung nicht viel schwerer gewesen, da das Gericht Dauer und Art der Verhandlung unter ständiger sachverständiger Beratung der jeweiligen Gesundheitssituation angepasst hat.

Als Ergebnis der gesundheitlichen Beurteilung steht daher zur Überzeugung des Schwurgerichts fest:

a) Der Angeklagte Dr. Hahn war im Rahmen der gesundheitsangepassten Hauptverhandlung immer voll verhandlungsfähig. Er war jederzeit in der Lage, seine Interessen vernünftig wahrzunehmen, die Verteidigung in verständiger und verständlicher Weise zu führen, Prozesserklärungen abzugeben und entgegenzunehmen.

b) Die oft stark eingeschränkte Hauptverhandlung hat diesen Angeklagten niemals so belastet, dass seine Gesundheit - den Genesungsprozess eingeschlossen - nennenswert beeinträchtigt, geschweige denn in grundgesetzwidriger Weise geschädigt worden ist.

Es war und ist zwar nach aller ärztlicher und allgemeiner Voraussicht fest damit zu rechnen, dass gegen den schwer erkrankten Dr. Hahn eine einmal unterbrochene Hauptverhandlung nie wieder neu hätte begonnen werden können. Eine so stark eingeschränkte Verhandlungsdauer bereits am Anfang eines solchen Verfahrens gegen einen mehr als 65-jährigen Mann hätte den Angeklagten das Ende eines Wiederholungsverfahrens möglicherweise nicht erleben lassen. Obwohl sich das Gericht dieser naheliegenden Möglichkeit und der entsprechenden Bedeutung einer Verfahrensunterbrechung bewusst war, hat es sich bei der Frage der Verhandlungsfähigkeit und der zumutbaren Belastung ausschliesslich davon leiten lassen, welcher medizinische Status in der jeweiligen Prozesssituation vorlag und wie er zu bewerten war. Danach hat es die Frage der Verhandlungsfähigkeit und der zumutbaren Belastbarkeit beurteilt.

II. Lebenslauf des Angeklagten Thomas Wip.

Der unvorbestrafte Angeklagte Thomas Wip. wurde am 28.August 1907 in Gern, Bezirk Eggenfelden in Niederbayern, als Sohn eines Ofensetzers geboren. Er hatte neun Geschwister. Ab 1914 besuchte er für sechs Jahre die Volksschule. 1920 musste er aus finanziellen Gründen den Schulbesuch abbrechen. Er kam zu einem Bauern, um in der Landwirtschaft zu arbeiten, und ging gleichzeitig in den folgenden drei Jahren zur Sonntagsschule, einer Art Fortbildungsschule.

Mit 16 Jahren begann er eine Ofensetzerlehre, die er nach zweijähriger Lehrzeit beendete. Nach dem Lehrabschluss arbeitete er zunächst bei seinem Vater. Nachdem die Geschäfte dort immer schlechter gingen, begab er sich auf Wanderschaft, übte jedoch wegen der ungünstigen wirtschaftlichen Verhältnisse nicht immer seinen erlernten Beruf aus, sondern zog von Ort zu Ort und nahm jede sich bietende Arbeit an. 1926 kehrte er zurück und arbeitete erneut bei seinem Vater. 1928 bekam er einen Arbeitsplatz bei den Deutschen Linoleumwerken in Bietigheim/Württemberg, wo er ununterbrochen zunächst bis 1940 arbeitete.

Im Jahre 1932 heiratete er. Aus der Ehe gingen drei Söhne hervor, die 1932, 1935 und 1940 geboren wurden.

Ende 1933 trat er in die SA ein, 1935 in die SS. 1936 wurde er Mitglied der NSDAP. Der damaligen politischen Entwicklung stand er positiv gegenüber. Er sah in erster Linie die Verminderung der Arbeitslosigkeit, weil er auf Grund der Erfahrungen in seiner Jugend ein Interesse an einem festen Arbeitsplatz und gesicherten wirtschaftlichen Verhältnissen hatte. Ein weitergehendes politisches Interesse hatte er, wie er in der Hauptverhandlung bei seiner Vernehmung zur Person angegeben hat, nicht.

Um sich eine Lebensstellung aufzubauen, bemühte er sich Anfang 1940 um Aufnahme in die Schutzpolizei, die damals mit entsprechenden Aufrufen geworben hatte. Auf seine Bewerbung erhielt er die Mitteilung, dass er seine militärische Ausbildung zunächst bei der Waffen-SS ableisten müsse. Das geschah ab April 1940 beim 12.Infanterieregiment in Posen/-Dreskau. Die Ausbildung dauerte drei bis vier Monate. Der Aufforderung, sich auf Lebenszeit zur Waffen-SS zu verpflichten, kam er nicht nach. Er nahm vielmehr im Herbst 1940 seine Arbeit bei den Deutschen Linoleumwerken in Bietigheim wieder auf.

Nebenbei bemühte er sich weiterhin um Aufnahme in die Schutzpolizei. Nachdem er bereits die Nachricht erhalten hatte, dass er dort zum 1.November 1940 eintreten könne, erhielt er einen Gestellungsbefehl zur Waffen-SS zum 31.Oktober 1940. Auf seine Rücksprache sagte man ihm, er habe dem Gestellungsbefehl Folge zu leisten. Auf seinen Einwand, dass er sich bei der Schutzpolizei eine Lebensstellung aufbauen wolle, wurde ihm mitgeteilt, dass das auch bei der Waffen-SS möglich sei; seine Weigerung, zur Waffen-SS zu gehen, deute darauf hin, dass er etwas gegen diese Organisation oder den Führer habe. Er meldete sich daraufhin in Berlin und kam von dort aus nach Pretzsch an der Elbe. Hier musste er zunächst an einem Test mit schriftlichen Arbeiten etc. teilnehmen, der für ihn negativ ausfiel.

Von Pretzsch aus wurde er Ende 1940 zur Sicherheitspolizei nach Warschau versetzt. Ohne weitere Vorbereitung wurde er sofort zum Dienst als Wachmann im Pawiakgefängnis, dem dortigen Gefängnis der Sicherheitspolizei, eingeteilt. Von Zeit zu Zeit hatte er in der Kanzlei des Gefängnisses nach Dienstschluss den dort sonst wachhabenden Beamten zu vertreten. Bei diesen Gelegenheiten hatte er das Telefon zu bedienen und Neuaufnahmen zu registrieren.

Der Angeklagte Wip. erreichte in Warschau den SS-Rang eines Rottenführers. Er tat im Pawiakgefängnis Dienst als Wachmann bis zum Warschauer Aufstand im Sommer 1944 mit folgenden Unterbrechungen, die sich zeitlich nicht mehr exakt feststellen lassen: 1/4 oder 1/2 Jahr war er als Wachmann bei Garagen in der Dynasistrasse eingesetzt. Zwei Wochen tat er vertretungsweise Dienst im Vorzimmer des Kommandeurs Dr. Hahn. Er versah dort Portierdienste. Ein halbes Jahr oder eine kürzere Zeit hatte er Wachdienst in einem Wohngebäude für Dienststellenangehörige in der Litevskastrasse. Ein Dreivierteljahr war er zum Dienst auf dem SS-Gut Falenti eingeteilt. Er hatte die dort arbeitenden Häftlinge zu bewachen.

Im Anschluss an seine Dienstzeit in Falenti war er ununterbrochen im Pawiak tätig. Während des Warschauer Aufstandes 1944 wurde der Angeklagte damit beauftragt, aus Sandek Ukrainer als Verstärkung zur Niederschlagung des Aufstandes zu holen. Nach seiner Rückkehr wurde er im Dienststellengebäude in der Aleja Szucha und im Bunker in der Litevskastrasse als Wache eingesetzt.

Mit Verlegung der Dienststelle des KdS kam er nach Sochaczew, später nach Litzmannstadt. Von Litzmannstadt aus wurde er in Richtung Frankfurt/Oder in Marsch gesetzt. Er wurde von den Russen überrollt und gelangte schliesslich in seine Heimat, die von den Amerikanern besetzt war. Er meldete sich bei den amerikanischen Besatzungsbehörden in Ludwigsburg, um Papiere zu bekommen. Er gab an, dass er bei der Sicherheitspolizei in Warschau tätig gewesen sei und wurde daraufhin für vier Monate in einem Lager in Kornwestheim inhaftiert. Anschliessend erhielt er Papiere, wurde nach Heilbronn entlassen und kam von dort in ein Lager nach Frankreich. Hier arbeitete er ein Jahr oder etwas länger in einer Eisengiesserei, erkrankte dort an Wassersucht und kam in ein Lazarett. Später war er als Zivilarbeiter bei einem Bauunternehmer, bei dem er auch wohnte, tätig. Er blieb dort eineinhalb Jahre bis kurz vor Weihnachten 1949. Dann kehrte er zu seiner Familie nach Bietigheim zurück, zu der er während der Gefangenschaft ständigen Kontakt hatte halten können. Er nahm seine frühere Arbeit bei den Deutschen Linoleumwerken wieder auf.

Auf Grund des Haftbefehls des Amtsgerichts Hamburg vom 29.April 1965 wurde der Angeklagte am 26.Januar 1966 in Untersuchungshaft genommen. Gemäss Beschluss des Hanseatischen Oberlandesgerichts wurde er am 4.Juli 1966 aus der Haft entlassen. Bis zu seiner Pensionierung Anfang 1972 war er anschliessend wieder bei den Deutschen Linoleumwerken tätig. Er erhält seitdem eine Rente von DM 850,-, seine Ehefrau bezieht eine Rente von DM 300,-.

Diese Feststellungen beruhen auf den Angaben des Angeklagten Wip. in der Hauptverhandlung. Das Schwurgericht hält diese Angaben für glaubhaft und ist von ihrer Richtigkeit überzeugt.

B. Feststellungen zur Zeitsituation

I. Die Grundzüge der nationalsozialistischen Polen- und Judenpolitik

Die den Angeklagten zur Last gelegten Straftaten können nur vor dem Hintergrund der Politik, die die Nationalsozialisten gegenüber Polen und Juden verfolgten, gewürdigt werden.

1. Die Grundzüge der nationalsozialistischen Polenpolitik 1939 bis 1945

Obwohl mit Beginn des Polenfeldzuges nach bisherigen Erkenntnissen keine klar umrissene Konzeption der künftigen Besatzungspolitik gegenüber Polen im einzelnen bestand, hatte die nationalsozialistische Führung doch bereits im September 1939 feste Vorstellungen hinsichtlich des weiteren Schicksals des Landes.

Heydrich umriss diese Ziele in einer Amtschefbesprechung im RSHA am 7.September 1939 folgendermassen:

> "4. Für Polen ist keine Protektoratsregierung, sondern eine völlig deutsche Verwaltung vorgesehen. Das erfordert dementsprechend auch einen starken Einsatz von Stapo und Kripo. -
> Die führende Bevölkerungsschicht in Polen soll so gut wie unschädlich gemacht werden. Die restlich verbleibende niedrige Bevölkerung wird keine besonderen Schulen erhalten, sondern in irgendeiner Form heruntergedrückt werden".

Gegenüber den Amtschefs und Einsatzgruppenleitern erläuterte er diese Pläne am 21.September 1939 eingehender:

> "Die Entwicklung im ehemaligen Polen ist zunächst so gedacht, dass die ehemaligen deutschen Provinzen deutsche Gaue werden und daneben ein Gau mit fremdsprachiger Bevölkerung mit der Hauptstadt Krakau geschaffen wird. -
> Dieser fremdsprachige Gau soll ausserhalb des neu zu schaffenden Ostwalls liegen. Der Ostwall umfasst alle deutschen Provinzen, und man hat praktisch davor als Niemandsland den fremdsprachigen Gau. Als Siedlungskommissar für den Osten wird der RFSS eingesetzt. -
> Die Lösung des Polenproblems - wie schon mehrfach ausgeführt - unterschiedlich nach der Führerschicht (Intelligenz der Polen) und der unteren Arbeiterschicht des Polentums. -
> Ziel ist: Der Pole bleibt der ewige Saison- und Wanderarbeiter, sein fester Wohnsitz muss in der Gegend von Krakau liegen".

Hitler selbst erklärte am 17.Oktober 1939 in einer Besprechung mit dem Chef des OKW:

> "9. Wir wollen keinen polnischen "Musterstaat" bilden, sondern
> 1. Voraussetzung für militärischen Aufmarsch,
> 2. Verhindern, dass polnische Intelligenz sich als Führerschicht aufmacht.
> ...
> 10. Führung des Gebietes muss ermöglichen, das Reichsgebiet zu reinigen von Juden und Polaken. Es soll niederer Lebensstandard dort bleiben. Wir nur Arbeitskräfte dort schöpfen!
> 11. Harter Volkstumskampf gestattet keine gesetzlichen Bindungen. Gouvernement soll polnischer Nation geringe Lebensmöglichkeiten geben und der militärischen Sicherheit die Grundlage erhalten!
> ...

13. Verwaltung klar in Befehlskompetenzen und nicht von Bln. abhängig!! Wir wollen nicht dort machen, was wir hier machen! Verantwortung nicht ein Ministerium von Bln., und keine deutsche Verwaltungseinheit!
Keine Abhängigkeit von Bln. u. Ob.d.H.!! Die Methoden werden mit unseren Prinzipien unvereinbar sein!"

Am 23.Oktober 1939 wies Staatssekretär v. Weizsäcker auf einer Konferenz der Staatssekretäre, in der Fragen der künftigen Besatzungspolitik besprochen wurden, darauf hin,

"dass das Generalgouvernement Polen nicht im völkerrechtlichen Sinn als Okkupationsgebiet (etwa wie Belgien im Kriege 1914/18) bezeichnet und behandelt werden dürfe, da sonst völkerrechtliche Regeln Platz griffen, denen wir uns zweifellos nicht unterwerfen wollten".

Die deutsche Politik in Polen entsprach in der Folgezeit diesen Grundgedanken. Allerdings mussten die weitgesteckten Ziele z.T. eingeschränkt oder zeitweise eingestellt werden, weil kriegswirtschaftliche Gründe dazu zwangen. Der Plan der völligen wirtschaftlichen Destruktion Polens wurde durch die Anordnung Görings, die Wirtschaftskraft des Gebietes planmässig in den Dienst der deutschen Wirtschaft zu stellen, bereits am 30.Dezember 1939 aufgegeben, obwohl dies den weltanschaulichen Grundsätzen der Besatzungspolitik entgegenstand. Auch die Absicht, das zerstörte Warschau nicht wieder aufzubauen, sondern in den Rang einer Provinzstadt abfallen zu lassen, wurde nicht verwirklicht. Warschau war als Verkehrszentrum und industrieller Mittelpunkt unentbehrlich, obwohl es damit auch das geistige Zentrum Polens blieb.

Im übrigen wurde jedoch der Plan, sich rechtlich nicht zu binden, die geistige Führung des Landes auszuschalten und den Ausbildungsstand der Bevölkerung niedrig zu halten, verfolgt und grösstenteils realisiert. Verantwortliche Träger dieser weltanschaulich orientierten Politik war der Reichsführer SS als Chef der deutschen Polizei und als späterer Reichskommissar zur Festigung des deutschen Volkstums. Unter den Hauptämtern des Reichsführers SS kam dabei dem Reichssicherheitshauptamt eine entscheidende Rolle zu. Himmler selbst wies auf die zentrale politische Aufgabe der Sicherheitspolizei hin: "Unter den SS-Hauptämtern hat allein das Reichssicherheitshauptamt die Möglichkeit, durch seine überwiegende politische Arbeit diesen ständigen unmittelbaren Kontakt mit jeder politischen Entwicklungsphase zu halten".

Die Aufgabe, die weltanschaulichen Gegner Deutschlands in Polen, insbesondere die polnische Führungsschicht, auszuschalten, oblag zunächst den mit dem Heer einrückenden Einsatzgruppen der Sicherheitspolizei. Entsprechend einer Vereinbarung zwischen dem Oberkommando des Heeres und dem Chef der Sicherheitspolizei - bestätigt durch ein Schreiben des OKH vom 31.Juli 1939 - hatten sie "alle reichs- und deutschfeindlichen Elemente im Feindesland und rückwärts der fechtenden Truppe" zu bekämpfen.

Der Ermessensspielraum für die Führer der Einsatzgruppen und -kommandos war weit gefasst. Nach den Richtlinien waren alle Personen festzunehmen, die "sich den Massnahmen der deutschen Amtsstellen widersetzten oder offensichtlich gewillt und auf Grund ihrer Stellung und ihres Ansehens in der Lage waren, Unruhe zu stiften".

Welche Personen darunter zu verstehen waren, erläuterte Himmler auf der bereits erwähnten Amtschefs- und Einsatzgruppenleiterbesprechung vom 21.September 1939:

"Von dem politischen Führertum sind in den okkupierten Gebieten höchstens noch 3% vorhanden. Auch diese 3% müssen unschädlich gemacht werden und kommen in KZs. Die Einsatzgruppen haben Listen aufzustellen, in welchen die markanten Führer erfasst werden, daneben Listen der Mittelschicht: Lehrer,

> Geistlichkeit, Adel, Legionäre, zurückkehrende Offiziere usw. Auch diese sind zu verhaften und in den Restraum abzuschieben."

Angesichts dieser weit gefassten Kompetenzen erhob das OKH Einwendungen gegen den Einsatz der Einsatzgruppen, insbesondere, nachdem dem Generalstabschef des Heeres, Halder, bekannt geworden war, dass die Sicherheitspolizei nach einer vom SD geführten A-1-Kartei 30.000 namhafte Polen verhaften und in KZs überführen sollte.

Die Einwendungen des Heeres blieben ohne Erfolg. Die Wehrmacht musste die Tätigkeit der Einsatzgruppen dulden und konnte sich lediglich mit Heydrich darauf einigen, dass eine rasche Beendigung der Militärverwaltung in Polen in Aussicht genommen wurde. Heydrich berichtete in einer Amtschefbesprechung im RSHA am 19.September 1959 über sein Gespräch mit dem Generalquartiermeister Wagner, "dass die Einsatzgruppenleiter der Sicherheitspolizei wohl den AOKs unterstehen, aber unmittelbar Weisungen vom Chef der Sicherheitspolizei erhalten".

Obwohl der Oberbefehlshaber in einem Schreiben vom 21.September 1939 die Oberbefehlshaber der Heeresgruppen, Armeen und Militärbezirke und die Kommandeure und Verbände des Heeres mit dem Hinweis, dass die Einsatzgruppen der Polizei im Auftrag und auf Weisung des Führers gewisse volkspolitische Aufgaben im besetzten Gebiet durchzuführen hätten, die ausserhalb der Verantwortlichkeit der Oberbefehlshaber liege, zu beruhigen versuchte, blieben die Spannungen zwischen dem Heer und der Sicherheitspolizei bestehen.

Die Ursache des Konfliktes, der bis zum Ende des Krieges weiter bestand und von Zeit zu Zeit zum offenen Ausbruch kam, lag in den unterschiedlichen Rechts- und Ordnungsvorstellungen von Wehrmacht und Sicherheitspolizei. Während die Wehrmacht nur nach Aktionen gegen die Besatzungsmacht gegen die Bevölkerung vorging, erstreckte sich der Kampf der Sicherheitspolizei nicht nur auf die aktiven, sondern auch auf alle potentiellen Gegner.

SS-Brigadeführer Dr. Werner Best formulierte diese Auffassung in "Die Deutsche Polizei" 1941 folgendermassen:

> "Zur Sicherung der Volksordnung gegen Störung und Zerstörung ist ausser der Herstellung und Erhaltung der äusseren Ordnung erforderlich, dass jede Tätigkeit, die bewusst auf die Störung und Zerstörung der Volksordnung gerichtet ist, abgewehrt und verhütet wird, auch wenn sie die äussere Ordnung nicht oder noch nicht stört."

Die Befehle der Einsatzgruppen entsprachen von Anfang an diesen Vorstellungen. Ein Aktenvermerk Heydrichs für den Reichsführer SS vom 2.Juli 1940 lautet:

> "Bei allen bisherigen Einsätzen: Ostmark, Sudetenland, Böhmen, Mähren und Polen, waren gemäss Sonderbefehl des Führers besondere polizeiliche Einsatzgruppen (Sicherheitspolizei und Ordnungspolizei) mit den vorrückenden, in Polen mit den kämpfenden Truppen vorgegangen und hatten auf Grund der vorbereiteten Arbeit systematisch durch Verhaftung, Beschlagnahme und Sicherstellung wichtigsten politischen Materials heftige Schläge gegen die reichsfeindlichen Elemente in der Welt aus dem Lager von Emigration, Freimaurerei, Judentum und politisch-kirchlichem Gegnertum sowie der zweiten und dritten Internationale geführt.
> Das Zusammenarbeiten mit der Truppe unterhalb der Stäbe und in vielen Fällen auch mit den verschiedenen Stäben des Heeres war im allgemeinen gut; lediglich über grundsätzliche Fragen der Staatsfeindbekämpfung bestand in vielen Fällen bei den höheren Befehlshabern des Heeres eine grundsätzlich andere Auffassung. Diese Auffassung, die zum grossen Teil aus Unkenntnis der weltanschaulichen Gegnerlage heraus entstand, verursachte dann Reibungen und

Gegenweisungen gegen die vom Reichsführer-SS nach den Weisungen des Führers sowie des Generalfeldmarschalls durchgeführten politischen Tätigkeit. Während bis zum polnischen Einsatz diese Schwierigkeiten im allgemeinen durch persönliche Fühlungnahme und Aufklärung zu meistern waren, bestand diese Möglichkeit beim polnischen Einsatz nicht. Ursache lag jedoch hier darin, dass die Weisungen, nach denen der polizeiliche Einsatz handelte, ausserordentlich radikal waren (z.B. Liquidierungsbefehl für zahlreiche polnische Führungskreise, der in die Tausende ging), dass den gesamten führenden Heeresbefehlsstellen und selbstverständlich auch ihren Stabsmitgliedern dieser Befehl nicht mitgeteilt werden konnte, so dass nach aussen hin das Handeln der Polizei und SS als willkürliche, brutale Eigenmächtigkeit in Erscheinung trat."

Am 21.September 1939 erhielt die Sicherheitspolizei eine weitere Handhabe, gegen die potentiellen Gegner des Nationalsozialismus vorzugehen. An diesem Tage ordnete der Oberbefehlshaber des Heeres an, dass Standgerichte, die bisher nur von Angehörigen der Wehrmacht gebildet werden durften, nun von einem Kommandeur eines Polizeiregiments oder -bataillons oder dem Führer eines Einsatzkommandos und zwei Angehörigen ihres Befehlsbereiches besetzt werden konnten und dass deren Urteile der Überprüfung durch den RFSS unterlagen.

Auf Anregung Heydrichs wurde das Standrecht der Polizei auch nach der Ablösung der Militärverwaltung in Polen beibehalten und nach Errichtung des Generalgouvernements durch die Verordnung zur Bekämpfung von Gewalttaten im Generalgouvernement vom 31.Oktober 1939 verankert. Es diente in der Folgezeit auch zur Tarnung eines weltanschaulichen Kampfes, der sich insbesondere weiter in der Liquidierung der polnischen Führungsschicht ausdrückte.

Zur Verfolgung der nationalsozialistischen Polenpolitik, deren Grundziele eingangs dargelegt wurden, wurde Himmler mit neuen zusätzlichen Vollmachten ausgestattet. Er erhielt den Auftrag, die eroberten ehemaligen deutschen Provinzen sowie weitere Gebiete, die ihnen zugeschlagen wurden, völlig mit Deutschen zu besiedeln. Die Polen mussten aus diesen Regionen entfernt und in ihren Entwicklungsmöglichkeiten beschränkt werden.

Am 7.10.1939 wurde der RFSS von Hitler zum Reichskommissar zur Festigung des deutschen Volkstums ernannt. Er war in dieser Eigenschaft den Militär- und Zivilbehörden gegenüber weisungsberechtigt, er konnte Verordnungen erlassen und sie mit Hilfe seines Machtapparates durchsetzen. Es wurde geplant, in der Zeit von November 1939 bis Februar 1940 aus den in das Reich eingegliederten Ostgebieten etwa eine Million Polen und Juden in das Generalgouvernement umzusiedeln. Da verschiedene technische und organisatorische Hindernisse der Realisierung dieses Planes entgegenstanden, befahl Himmler, dass "die Räumung von Juden und Polen in den neuen Ostprovinzen durch die Sicherheitspolizei durchgeführt werde" (Fernschreiben Heydrichs vom 28.11.1939). Heydrich beauftragte seinerseits am 21.12.1939 Eichmann mit der "zentralen Bearbeitung der sicherheitspolizeilichen Aufgaben bei der Durchführung der Räumung im Ostraum".

Die Grundsätze, die Himmler bei seinem Vorgehen gegen die polnische Bevölkerung verfolgte, waren zunächst die Zersplitterung in einzelne Völkerschaften, um jegliche Art von Nationalbewusstsein auszuschalten, die bildungsmässige Niederhaltung des "Untermenschenvolkes" und die Aussiebung und Integrierung der Kinder "guten Blutes" im Reich. Diesen Grundsätzen lag die nationalsozialistische Weltanschauung, dass die Polen grundsätzlich rassisch minderwertig und dementsprechend zu behandeln seien, zugrunde.

In einer Dokumentation vom 25.5.1940 über die Behandlung von Fremdvölkischen im Osten, die auch der Sicherheitspolizei zur Kenntnisnahme gegeben wurde, heisst es:

> "Die Bevölkerung des Generalgouvernements setzt sich dann zwangsläufig nach einer konsequenten Durchführung dieser Massnahmen im Laufe der nächsten 10 Jahre aus einer verbleibenden minderwertigen Bevölkerung, die noch durch abgeschobene Bevölkerung der Ostprovinzen sowie all der Teile des deutschen Reiches, die dieselbe rassische und menschliche Art haben (Teile z.B. der Sorben und Wenden) zusammen.
> Diese Bevölkerung wird als führerloses Arbeitsvolk zur Verfügung stehen und Deutschland jährlich Wanderarbeiter und Arbeiter für besondere Arbeitsvorkommen (Strassen, Steinbrüche, Bauten) stellen; sie wird selbst dabei mehr zu essen und zu leben haben als unter der polnischen Herrschaft und bei eigener Kulturlosigkeit unter der strengen, konsequenten und gerechten Leitung des deutschen Volkes berufen sein, an dessen ewigen Kulturtaten und Bauwerken mitzuarbeiten und diese, was die Menge der groben Arbeit anlangt, vielleicht erst ermöglichen."

Diese Politik wurde, nachdem sie 1939 bereits eingeleitet worden war, ab Mai 1940 konsequent von Himmler verfolgt. Sie entsprach den Weisungen Hitlers, die der Generalgouverneur Dr. Frank auf einer Polizeisitzung in Krakau am 30.Mai 1940 folgendermassen wiedergab:

> "Was wir jetzt an Führerschicht in Polen festgestellt haben, das ist zu liquidieren, was wieder nachwächst, ist von uns sicherzustellen und in einem entsprechenden Zeitraum wieder wegzuschaffen."

Auf einer Polizeisitzung vom 30.Mai 1940 in Krakau wurde die sogenannte "Ausserordentliche Befriedungsaktion" (AB-Aktion) geplant und vorbereitet, deren Ziel die erneute Dezimierung der politischen und geistigen Führungsschicht war. Der Befehlshaber der Sicherheitspolizei und des SD im Generalgouvernement erklärte, dass mit dieser Grossaktion "eigentlich nunmehr die planmässige Arbeit der Sicherheitspolizei begonnen habe", wobei wieder betont wurde, dass die Sicherheitspolizei nicht nur bei Widerstand gegen das Besatzungsregime in Aktion zu treten habe, sondern dass die Sicherheit schon durch die Existenz einer polnischen Oberschicht und einer gut ausgebildeten und intelligenten Mittelschicht gefährdet werde.

Um den Eindruck der willkürlichen Aktion zu vermeiden, betonte der Generalgouverneur gegenüber dem SSPF und den Organen der Sicherheits- und Ordnungspolizei:

> "Daher wird auch für diese Fälle der AB-Aktion das summarische polizeiliche Standgerichtsverfahren durchgehalten, wie ich es mit dem Kameraden Stre. vereinbart habe, damit auf keinen Fall der Eindruck einer willkürlichen Aktion oder ein ähnlicher Eindruck entsteht".

Dennoch führten diese Massnahmen, die eine weitgehende Rechtlosigkeit der Polen bewirkten, zu immer stärkerer Beunruhigung der Bevölkerung. Diese Rechtlosigkeit fand im Herbst 1942 einen Niederschlag in der Vereinbarung zwischen dem RFSS und dem Reichsjustizminister Thierack über die Strafrechtspflege gegen Polen und Angehörige der Ostvölker. Das RSHA äusserte sich darüber in einem Schnellbrief an die Sicherheitsorgane vom 5.11.1942:

> "I. Der Reichsführer SS hat mit dem Reichsjustizminister Thierack vereinbart, dass die Justiz auf die Durchführung ordentlicher Strafverfahren gegen Polen und Angehörige der Ostvölker verzichtet.
> Die fremdvölkischen Personen sollen künftig der Polizei abgetreten werden. Entsprechend sollen Juden und Zigeuner behandelt werden. Die Vereinbarung ist vom Führer gebilligt worden.
> ...
> II. Dieser Vereinbarung liegen folgende Erwägungen zugrunde:
> Polen und Angehörige der Ostvölker sind fremdvölkische und rassisch minderwertige Menschen, die im deutschen Reichsgebiet leben. Hieraus ergeben sich

> für die deutsche Volksordnung erhebliche Gefahrenmomente, die zwangsläufig dazu führen, die Fremdvölkischen einem anderen Strafrecht zu unterstellen als deutsche Menschen."

In dem Schreiben heisst es ferner:

> "Mit anderen Worten, die Tat eines Fremdvölkischen ist nicht unter dem Gesichtspunkt der justizmässigen Sühne, sondern unter dem Gesichtswinkel der polizeilichen Gefahrenabwehr zu sehen. Hieraus ergibt sich, dass die Strafrechtspflege gegen Fremdvölkische aus den Händen der Justiz in die Hände der Polizei überführt werden muss".

Die polizeilichen Massnahmen und die weitgehende Rechtlosigkeit der Bevölkerung führte zu immer stärkerer Unruhe unter den Polen und aktivierte den Widerstand. Generalgouverneur Dr. Frank erkannte diese Lage und erklärte im Beisein von SS-Obergruppenführer Kaltenbrunner auf einer Arbeitssitzung über die Sicherheitslage am 31.Mai 1943:

> "Das Generalgouvernement ist 1939 vom Führer als eine Art Ausnahmeverwaltung errichtet worden. Das Generalgouvernement ist sozusagen ein latenter Ausnahmezustand. Das geht z.B. daraus hervor, dass wir Polizeistandgerichte aufrecht erhalten haben, die als Exekutivorgan die sofortige Vollstreckung durchführen können. Wir sind in diesem Ausnahmezustand soweit gegangen, dass wir der einheimischen Bevölkerung abweichend von derjenigen anderer Gebiete Opfer aufgebürdet haben, die mit zur Steigerung der Unsicherheit im Lande beigetragen haben."

Bereits am 15.4.1943 hatte Frank sich auf einer Arbeitssitzung in Krakau über die Sicherheitslage im Generalgouvernement bei dem Befehlshaber der Sicherheitspolizei (BdS) darüber beklagt, dass die Sicherheitspolizei ständig Menschen ohne Standgerichtsverfahren erschiesse. Er verwies auf die Geiselerschiessungen und fügte hinzu, dass es eigentlich "selbstverständlich wäre, dass alle diese Erschiessungen, die ohne Gerichtsverfahren durchgeführt würden, in einem regulären Verfahren ihren Unterbau fänden, was zur Folge haben würde, dass nicht jene grosse Unruhe in die Bevölkerung getragen würde."

In der Verordnung zur Bekämpfung von Angriffen gegen das deutsche Aufbauwerk im Generalgouvernement vom 2.Oktober 1943 wurde ausdrücklich bestimmt, dass für die Aburteilung derjenigen, die nach §1 wegen Verstosses gegen Gesetze, Verordnungen oder behördliche Anordnungen und Verfügungen mit dem Tode zu bestrafen waren, die Standgerichte der Sicherheitspolizei zuständig seien. Trotz dieser Vorschriften und der Gegenvorstellungen Franks, der sich am 19.6.1943 in einem geheimen Bericht an Hitler gewandt hatte, kam es immer wieder vor, dass Erschiessungen ohne vorheriges Standgerichtsverfahren durchgeführt wurden.

Der Widerstand der polnischen Bevölkerung verstärkte sich angesichts dieser Situation, zumal da die Polen nach den Ausrottungsmassnahmen gegenüber den Juden fürchteten, das gleiche Schicksal zu erfahren. 1942 wurden tatsächlich planmässige Umsiedlungen von Polen vorgenommen, nachdem Hitler erwogen hatte, das Generalgouvernement nicht mehr als vorläufige Heimat der Polen anzusehen, sondern es vollkommen in den deutschen Siedlungsraum einzubeziehen.

Frank berichtete am 25.März 1941 über eine Unterredung mit Hitler vom 16.März 1941:

> "Das Generalgouvernement als Zweckgründung steht vor seinem Ende, und zwar vor seinem Ende in der Methode, in der wir es aufgebaut haben. -
> Das Generalgouvernement wird vor allem entjudet werden. Es wird aber auch den charakteristischen Anblick eines noch vorherrschenden polnischen Lebens verlieren; denn mit den Juden werden auch die Polen dieses Gebiet verlassen. Der Führer ist entschlossen, aus diesem Gebiet im Laufe von 15 bis 20 Jahren

> ein rein deutsches Land zu machen. Das Wort von der Heimstätte des polnischen Volkes wird auf dieses Gebiet nun nicht mehr anwendbar sein. Damit ist eine völlige Umformung des Zieles der Arbeit in diesem Gebiet gegeben und es ist ein Fortschreiten in eine völlig neue Entwicklung."

Die neue Entwicklung drückte sich in einer Einschränkung der Lebens- und Entwicklungsmöglichkeiten und schliesslich in den bereits erwähnten Umsiedlungsmassnahmen aus. Die Bevölkerung war verbittert und die Regierung konstatierte nach der Aktion:

> "Die gesamte Bevölkerung verfiel in den Glauben, dass die bisherige Aussiedlung den Anfang einer Gesamtaussiedlung der Polen aus dem Gebiet des Generalgouvernements bedeute. Allgemein wurde die Auffassung vertreten, dass es den Polen ähnlich ergehen werde als den Juden."

Die Folge war ein weiteres Anwachsen des Widerstandes der polnischen Bevölkerung gegen die deutschen Besatzungsorgane, welches wiederum immer weitere und schärfere Vergeltungsaktionen der Sicherheitsorgane nach sich zog.

Dennoch konnte die Sicherheitspolizei bis zum Ende der deutschen Herrschaft in Polen nicht die Voraussetzungen für eine vollkommene Realisierung der seit 1939 verfolgten Polenpolitik schaffen, die, wie eine im Oktober 1944 im Reichssicherheitshauptamt letztmalig geführte Diskussion über diese Fragen zeigt, von folgenden vier Punkten ausging:
1. dem tausendjährigen Kampf zwischen dem deutschen und dem polnischen Volk, der polnischen Kriegsschuld und der Ermordung Zehntausender Volksdeutscher im September 1939,
2. der biologischen Unterwertigkeit des grössten Teiles des polnischen Volkes und der aus einer Vermischung erwachsenden Gefahr für den deutschen Volkskörper,
3. der Tatsache, dass grosse Teile des Gebietes, das Polen 1939 bewohnten, dem Reich wieder eingegliedert (eingegliederte Ostgebiete) bzw. der übrige Teil als künftiger deutscher Siedlungs- und Volksboden angesehen wurde,
4. einem baldigen Kriegsende.

Die zur nationalsozialistischen Polenpolitik festgestellten Tatsachen sind allgemein bekannt und in der Hauptverhandlung erörtert worden. Ausserdem beruhen sie auf dem Gutachten des historischen Sachverständigen Prof.Dr. Joc., denen das Schwurgericht insoweit folgt.

2. Die Grundzüge der nationalsozialistischen Judenpolitik unter besonderer Berücksichtigung der Verhältnisse im Generalgouvernement

Der Antisemitismus war als ausdrückliche politische Zielsetzung bereits in dem Parteiprogramm der NSDAP vom 24.Februar 1920 enthalten. Unter Punkt 4. war bestimmt, dass nur ein Volksgenosse Staatsbürger sein könne. Nach dem Parteiprogramm sollte nur Volksgenosse sein, wer deutschen Blutes war. Juden sollten damit von der Staatsbürgerschaft ausgeschlossen sein. Dieses Postulat entsprach der nationalsozialistischen Ideologie, die das Ideal der Rasse zu ihrem Wertprinzip erhoben hatte. Nur die arische Rasse galt als hochwertig und kulturfähig; innerhalb dieser Rasse wurde dem deutschen Volk als "Hort der nordischen Rasse" die Führungsrolle zuerkannt. Mit der Machtübernahme 1933 begann das Regime schrittweise, seine gegen die Juden gerichteten Ziele zu realisieren.

In der Zeit von 1933 bis 1935 erfolgten zunächst Einzelmassnahmen auf Grund der durch Notverordnungen und das Ermächtigungsgesetz gewonnenen Möglichkeiten. Die erste umfassendere antijüdische Massnahme war der eintägige Boykott jüdischer Geschäfte am 1.April 1933, von den Nationalsozialisten dargestellt als Antwort auf die "Boykott- und Greuelhetze der Juden im In- und Ausland".

Durch die Nürnberger Gesetze vom 15.September 1935 und die dazu ergangenen zahlreichen Durchführungsverordnungen wurde eine weitere Phase antisemitischer Politik eingeleitet. Der jüdische Teil der Bevölkerung wurde zu Bürgern minderen Rechts disqualifiziert. Nach dem Reichsbürgergesetz war Reichsbürger nur der Staatsangehörige deutschen und artverwandten Blutes, das sogenannte Blutschutzgesetz verbot unter anderem Eheschliessungen zwischen Juden und Staatsangehörigen deutschen und artverwandten Blutes. Die in den folgenden Jahren erlassenen Gesetze und Verordnungen drängten die Juden in eine nicht nur politische, sondern auch juristische, soziale und schliesslich allgemein menschliche Isolation. Sie wurden Schritt für Schritt aus allen Berufen und Stellungen ausgeschaltet. Durch Verordnung vom 14.November 1935 wurden alle jüdischen Bürger endgültig aus der Beamtenschaft entlassen. Sie wurden vom Wehrdienst ausgeschlossen, für jüdische Kinder mussten gesonderte Schulen errichtet werden. Der Abstammungsnachweis wurde mehr und mehr verlangt.

Aus Sorge vor wirtschaftlichen Erschütterungen insbesondere in der Aussenhandelspolitik war lediglich die Stellung der Juden in der Wirtschaft verhältnismässig wenig angetastet worden. Diese Situation änderte sich schlagartig mit dem Pogrom vom 9./10.November 1938, der sog. Reichskristallnacht. Etwa 250 Synagogen wurden angezündet, etwa 20.000 Juden in Haft genommen. Den Vorwand dazu lieferte das Attentat eines Juden Herschel Grynspan auf den deutschen Botschaftsangehörigen vom Rath in Paris am 7.November 1938. Den Juden wurde eine Busszahlung von einer Milliarde Reichsmark auferlegt, bestimmte jüdische Geschäfte wurden zwangsarisiert, jüdische leitende Angestellte aus der Wirtschaft entfernt. Das Jahr 1938 nahm, verstärkt durch weitere Verordnungen, den Juden endgültig die wirtschaftliche Existenzmöglichkeit.

Ihrer Zurückdrängung auf den einzelnen Lebensgebieten folgte die "Zurückdrängung aus dem Lebensraum des deutschen Volkes", wie es später in dem Protokoll der Wannseekonferenz vom 20.Januar 1942 hiess.

Im Januar 1939 wurde durch Befehl Görings die "Reichszentrale für die jüdische Auswanderung" errichtet und Heydrich unterstellt. Ihre Aufgabe war es, Massnahmen zur Vorbereitung einer verstärkten Auswanderung der Juden zu treffen, den Auswanderungsstrom zu lenken und die Durchführung der Auswanderung im Einzelfall zu beschleunigen. Die räumliche Lösung der Judenfrage, d.h. die Säuberung des deutschen Lebensraumes von Juden auf "legale Weise", wie es z.B. der 1940 im RSHA entworfene sog. Madagaskarplan vorsah, wurde jedoch nie ernstlich in Angriff genommen.

An die Stelle der staatlich gelenkten Auswanderungswelle trat die sog. "Endlösung der Judenfrage", die systematische Massenvernichtung der Juden. Sie wurde spätestens im Sommer 1941 von Hitler befohlen. Im Protokoll der Wannseekonferenz heisst es dazu:

> "III. Anstelle der Auswanderung ist nunmehr als weitere Lösungsmöglichkeit nach entsprechender vorheriger Genehmigung durch den Führer die Evakuierung der Juden nach dem Osten getreten.
> Diese Aktionen sind jedoch lediglich als Ausweichmöglichkeiten anzusprechen, doch werden hier bereits jene praktischen Erfahrungen gesammelt, die im Hinblick auf die kommende Endlösung der Judenfrage von wichtiger Bedeutung sind. Im Zuge dieser Endlösung der europäischen Judenfrage kommen rund 11 Millionen Juden in Betracht, die sich wie folgt auf die einzelnen Länder verteilen: ..."

Göring beauftragte Heydrich mit Schreiben vom 31.Juli 1941 mit den entsprechenden Vorbereitungsmassnahmen. In dem Schreiben heisst es:

> "In Ergänzung der Ihnen bereits mit Erlass vom 24.Januar 1939 übertragenen Aufgabe, die Judenfrage in Form der Auswanderung oder Evakuierung einer den Zeitverhältnissen entsprechend möglichst günstigen Lösung zuzuführen, beauftrage ich Sie hiermit, alle erforderlichen Vorbereitungen in organisatori-

scher, sachlicher und materieller Hinsicht zu treffen für eine Gesamtlösung der Judenfrage im deutschen Einflussgebiet in Europa.
Soferne hierbei die Zuständigkeiten anderer Zentralinstanzen berührt werden, sind diese zu beteiligen.
Ich beauftrage Sie weiter, mir in Bälde einen Gesamtentwurf über die organisatorischen, sachlichen und materiellen Vorausmassnahmen zur Durchführung der angestrebten Endlösung der Judenfrage vorzulegen."

Auf der bereits erwähnten, unter Leitung Heydrichs abgehaltenen Wannseekonferenz vom 20.Januar 1942, an der u.a. Staatssekretär Dr. Bühler vom Amt des Generalgouverneurs und der für das Generalgouvernement zuständige Befehlshaber der Sicherheitspolizei und des SD Dr. Schöngarth teilnahmen, wurden die erarbeiteten Richtlinien bekanntgegeben.
Heydrich führte laut Protokoll aus:

"... Unter entsprechender Leitung sollen im Zuge der Endlösung die Juden in geeigneter Weise im Osten zum Arbeitseinsatz kommen. In grossen Arbeitskolonnen, unter Trennung der Geschlechter, werden die arbeitsfähigen Juden strassenbauend in diese Gebiete geführt, wobei zweifellos ein Grossteil durch natürliche Verminderung ausfallen wird.
Der allfällig verbleibende Restbestand wird, da es sich bei diesem zweifellos um den widerstandsfähigsten Teil handelt, entsprechend behandelt werden müssen, da dieser, eine natürliche Auslese darstellend, bei Freilassung als Keimzelle eines neuen jüdischen Aufbaues anzusprechen ist. (Siehe Erfahrung der Geschichte)".

Das Protokoll lautet weiter:

"... der Beginn der einzelnen grösseren Evakuierungsaktionen wird weitgehend von der militärischen Entwicklung abhängig sein. Bezüglich der Behandlung der Endlösung in den von uns besetzten und beeinflussten europäischen Gebieten wurde vorgeschlagen, dass die in Betracht kommenden Sachbearbeiter des Auswärtigen Amtes sich mit den zuständigen Referenten der Sicherheitspolizei und des SD besprechen."

Im Generalgouvernement war Anfang 1940 Auschwitz als Arbeitslager eingerichtet und 1941 zum Vernichtungslager ausgebaut worden. Ebenfalls 1941 war mit dem Ausbau des Vernichtungslagers Belzec begonnen worden. Später folgten u.a. die Vernichtungslager Majdanek, Sobibor und Treblinka. Juden aus Deutschland, aus den besetzten Gebieten und ab 1942 auch aus dem Generalgouvernement wurden - oft nach einer Durchgangsstation in einem der Ghettos - in diese Lager gebracht und dort zum grössten Teil sofort oder später getötet.

Die Massenvernichtung im Generalgouvernement begann im Frühjahr 1942 unter der Tarnbezeichnung "Aktion Reinhard", die von dem SSPF Lublin, Globocnik, geleitet wurde. Vor dieser Aktion hatten die Zivilverwaltung und die SS- und Polizeistellen bereits zahlreiche Massnahmen ergriffen, die das Ziel hatten, die jüdische Bevölkerung zu entrechten, ihren Lebenswillen zu brechen und sie dadurch zu dezimieren. Systematisch wurde die Kluft zwischen dem jüdischen Bevölkerungsteil einerseits und dem polnischen und ukrainischen Bevölkerungsteil andererseits vertieft.

Die der Wehrmacht folgenden Einsatzgruppen der Sicherheitspolizei hatten am 21.September 1939 von Heydrich den Befehl erhalten, die Juden in den grossen Städten zu konzentrieren. In jeder jüdischen Gemeinde waren Ältestenräte zu bilden, die "im Sinne des Wortes voll verantwortlich zu machen waren für die exakte und termingerechte Durchführung aller ergangenen und zu ergehenden Weisungen". Gesetzlich bestimmt wurde die Institution der Judenräte durch die Verordnung über die Einsetzung von Judenräten von 28.November 1939.

Am Tage des Amtsantritts des Generalgouverneurs Dr. Frank am 26.Oktober 1939 wurde durch Verordnung der Arbeitszwang der Juden ohne Entlohnung und Fürsorge eingeführt - im Gegensatz zur Arbeitspflicht der Polen mit vorgesehener Entlohnung und Fürsorge.

Der jüdischen Bevölkerung wurde untersagt, ihren Wohnsitz ohne schriftliche Genehmigung zu verlegen oder zu verlassen. Durch Verordnung vom 23.November 1939 wurden die Juden gezwungen, sich auf eigene Kosten mit weisser Armbinde und dem Davidstern zu kennzeichnen. Ihnen wurde verboten, öffentliche Verkehrsmittel zu benutzen, Päckchen und Pakete mit der Post zu befördern und öffentliche Schulen zu besuchen.

Durch die 3. Verordnung über Aufenthaltsbeschränkungen im Generalgouvernement vom 15.10.1941 (VOBl. GG 1941 S.595) wurde ein nur für Juden geltender §4 eingefügt, dessen erster Absatz lautete:

> "Juden, die den ihnen zugewiesenen Wohnbezirk unbefugt verlassen, werden mit dem Tode bestraft. Die gleiche Strafe trifft Personen, die solchen Juden wissentlich Unterschlupf gewähren".

Im Sinne dieser Massnahme führte der Generalgouverneur Dr. Frank auf einer Regierungssitzung vom 16.Dezember 1941 in Krakau aus:

> "Mit den Juden, - das will ich Ihnen auch ganz offen sagen - muss so oder so Schluss gemacht werden. Der Führer sprach einmal das Wort aus: Wenn es der vereinigten Judenschaft wieder gelingen wird, einen Weltkrieg zu entfesseln, dann werden die Blutopfer nicht nur von den in den Krieg gehetzten Völkern gebracht werden, sondern dann wird der Jude in Europa sein Ende gefunden haben. Ich weiss, es wird an vielen Massnahmen, die jetzt im Reich gegenüber den Juden getroffen werden, Kritik geübt. Bewusst wird - das geht aus den Stimmungsberichten hervor - immer wieder versucht, von Grausamkeit, Härte usw. zu sprechen. Ich möchte Sie bitten: Einigen Sie sich mit mir zunächst, bevor ich jetzt weiterspreche, auf die Formel: Mitleid wollen wir grundsätzlich nur mit dem deutschen Volk haben, sonst mit niemandem auf der Welt. Die anderen haben auch kein Mitleid mit uns gehabt. Ich muss auch als alter Nationalsozialist sagen: Wenn die Judensippschaft in Europa den Krieg überleben würde, wir aber unser bestes Blut für die Erhaltung Europas geopfert hätten, dann würde dieser Krieg nur einen Teilerfolg darstellen. Ich werde daher den Juden gegenüber grundsätzlich nur von der Erwägung ausgehen, dass sie verschwinden. Sie müssen weg. Ich habe Verhandlungen zu dem Zwecke angeknüpft, sie nach dem Osten abzuschieben. Im Januar findet über diese Frage eine grosse Besprechung in Berlin statt, zu der ich Herrn Staatssekretär Dr. Bühler entsenden werde. Diese Besprechung soll im RSHA bei SS-Obergruppenführer Heydrich gehalten werden. Jedenfalls wird eine grosse jüdische Wanderung einsetzen.
> Aber was soll mit den Juden geschehen? Glauben Sie, man wird sie im Ostland in Siedlungsdörfern unterbringen? Man hat uns in Berlin gesagt: Weshalb macht man diese Scherereien; wir können im Ostland oder im Reichskommissariat auch nichts mit ihnen anfangen, liquidiert sie selber!
> ...
> Wir müssen die Juden vernichten, wo immer wir sie treffen und wo es irgend möglich ist, um das Gesamtgefüge des Reiches hier aufrecht zu erhalten.
> ...
> Die Juden sind auch für uns aussergewöhnlich schädliche Fresser. Wir haben im Generalgouvernement schätzungsweise 2,5, vielleicht mit den jüdisch Versippten und dem, was alles dran hängt, jetzt 3,5 Millionen Juden. Diese 3,5 Millionen Juden können wir nicht erschiessen, wir können sie nicht vergiften, werden aber doch Eingriffe vornehmen können, die irgendwie zu einem Ver-

> nichtungserfolg führen, und zwar im Zusammenhang mit dem vom Reich her zu besprechenden grossen Massnahmen. Das Generalgouvernement muss genauso judenfrei werden, wie es das Reich ist ..."

Auf der Wannseekonferenz vom 20.Januar 1942 erklärte sein Staatssekretär Dr. Bühler, dass es begrüsst werde, wenn mit der Endlösung im Generalgouvernement begonnen werde, weil es dort keine Transportprobleme von übergeordneter Rolle gäbe und arbeitsmässige Gründe den Lauf der Aktion nicht behindern würden. In dem Protokoll der Konferenz heisst es hierzu:

> "Die Juden müssten so schnell wie möglich aus dem Gebiet des Generalgouvernements entfernt werden, weil gerade hier der Jude als Seuchenträger eine eminente Gefahr bedeutet und er zum anderen durch fortgesetzten Schleichhandel die wirtschaftliche Struktur des Landes dauernd in Unordnung bringt. Von den in Frage kommenden 2½ Millionen Juden sei überdies die Mehrzahl der Fälle arbeitsunfähig.
> Staatssekretär Dr. Bühler stellt weiterhin fest, dass die Lösung der Judenfrage im Generalgouvernement federführend beim Chef der Sicherheitspolizei und des SD liegt und seine Arbeiten durch die Behörden des Generalgouvernements unterstützt würden. Er hätte nur eine Bitte, die Judenfrage in diesem Gebiet so schnell wie möglich zu lösen."

Spätestens im Frühjahr 1942 erhielt der SSPF Lublin, Globocnik, von Himmler den Auftrag zur Durchführung der "Aktion Reinhard", der Vernichtung der Juden im Generalgouvernement.

Die Transportfrage löste die Reichsbahn gemeinsam mit der Generaldirektion der Ostbahnen (Gedob). Mit Schreiben vom 28.Juli 1942 teilte der Staatssekretär im Reichsverkehrsministerium und stellvertretende Generaldirektor der Deutschen Reichsbahn, Dr.ing. Ganzenmüller, dem SS-Obergruppenführer Wolff [4] im Persönlichen Stab des RFSS mit:

> "... Seit dem 22.7. fährt täglich ein Zug mit je 5.000 Juden von Warschau über Malkinia nach Treblinka, ausserdem zweimal wöchentlich ein Zug mit 5.000 Juden von Przemysl nach Belsek [5]. Gedob steht in ständiger Fühlung mit dem SD in Krakau. Dieser ist damit einverstanden, dass die Transporte von Warschau über Lublin nach Sobibor (bei Lublin) solange ruhen, wie die Umbauarbeiten auf dieser Strecke diese Transporte unmöglich machen (ungefähr Oktober 1942). Die Züge wurden mit dem Befehlshaber der Sipo im GG vereinbart, SS- und PF des Distriktes Lublin, SS-Brigadeführer Globotschnigg [6], ist verständigt".

Nach der ersten Vernichtungsaktion im Sommer 1942 berichtete Generalgouverneur Dr. Frank auf der Regierungssitzung vom 24.August 1942:

> "Die Versorgung der bisher mit 1,5 Millionen Juden angenommenen Bevölkerungsmenge fällt weg, und zwar bis zu einer angenommenen Menge von 300.000 Juden, die noch im deutschen Interesse als Handwerker oder sonstwie arbeiten."

Im Oktober 1942 ordnete Himmler an, dass die noch in den Rüstungs- und Wehrmachtsbetrieben arbeitenden Juden in der SS unterstehenden besonderen Lägern zusammenzufassen

[4] Siehe Verfahren Nr.580.

[5] Sic!

[6] Sic!

seien. In einem entsprechenden Vermerk heisst es: "Jedoch auch dort sollen eines Tages dem Wunsche des Führers entsprechend die Juden verschwinden".

Die totale Ausrottung der jüdischen Bevölkerung im Generalgouvernement, die von der Regierung noch auf der Wannseekonferenz dringend gefordert worden war, brachte ausser der damit verbundenen Unruhe auch Nachteile für die wirtschaftlichen Interessen der Regierung mit sich. Auf der Regierungssitzung in Krakau am 9.Dezember 1942 bedauerte Staatssekretär Dr. Bühler, dass dadurch "nicht unwichtige Arbeitskräfte in den altbewährten Judenschaften" genommen seien. In dem Protokoll der Sitzung heisst es:

> "Es ist klar, dass der Arbeitsprozess erschwert wird, wenn mitten in diesem Arbeitsprogramm des Krieges der Befehl kommt, alle Juden sind der Vernichtung anheim zu stellen. Die Verantwortung hierfür trifft nicht die Regierung des Generalgouvernements. Die Weisung der Judenvernichtung kommt von höherer Stelle ..."

Als Ergebnis der Massnahmen gegen die Juden sind von den mindestens 2,5 Millionen Juden im Generalgouvernement über 2,2 Millionen dem Vernichtungsprogramm zum Opfer gefallen.

Diese vom Schwurgericht festgestellten Tatsachen sind allgemein bekannt und historisch gesichert. Sie sind in der Hauptverhandlung erörtert worden. Soweit sie nicht durch allgemein zugängliche Quellen für jedermann nachprüfbar sind, ist ihre Richtigkeit durch die Bekundungen des historischen Sachverständigen Prof.Dr. Joc., denen sich das Schwurgericht anschliesst, bestätigt worden.

<u>II. Der verwaltungsmässige Aufbau der Behörden im Generalgouvernement unter besonderer Berücksichtigung des Sicherheitsapparates in seiner Gliederung und Funktion</u>

Zur Durchsetzung der politischen und wirtschaftlichen Ziele der nationalsozialistischen Führung wurden mit Errichtung des Generalgouvernements eine dreistufige Verwaltung und ein umfangreicher Sicherheitsapparat aufgebaut.

Die verwaltungsmässige Spitze im Generalgouvernement bildete der Generalgouverneur Dr. Frank. Er unterstand ausschliesslich und unmittelbar Hitler. Die Verwaltungsleitung des Generalgouvernements war dem Staatssekretär Dr. Bühler unterstellt. Der Regierung des Generalgouvernements nachgeordnet waren die Gouverneure der fünf Distrikte Krakau, Warschau, Lublin, Radom und Galizien. Distriktsgouverneur von Warschau war Dr. Fischer. Jeder Distrikt gliederte sich territorial in Kreis- und Stadthauptmannschaften, an deren Spitze jeweils, dem Distriktsgouverneur nachgeordnet, ein Kreis- oder Stadthauptmann stand.

Die Polizeikräfte des Generalgouvernements waren beim Höheren SS- und Polizeiführer (HSSPF), dem Stellvertreter Himmlers im Generalgouvernement, zusammengefasst. Er war formell dem Generalgouverneur unterstellt. Da vorauszusehen war, dass die Fragen der Machtsicherung im Generalgouvernement einen breiten Raum einnehmen würden und Himmler als Reichskommissar für die Festigung deutschen Volkstums Vertreter und Dienststellen brauchte, ernannte er bereits mit Wirkung vom 4.Oktober 1939 den SS-Obergruppenführer Friedrich Wilhelm Krüger zum HSSPF beim Verwaltungschef des Militärbefehlshabers Lodz und am 26.Oktober 1939 zum HSSPF im Generalgouvernement. Am 31.Oktober 1939 erhielt er die Bezeichnung HSSPF-Ost. Krüger hatte dieses Amt bis zum November 1943 inne. Sein Nachfolger wurde der SS-Obergruppenführer Wilhelm Koppe.

Die Unterstellung des HSSPF unter den Generalgouverneur hatte praktisch wenig Bedeutung. Bei Konflikten zwischen den Anordnungen des Generalgouverneurs und denen Himmlers oder des RSHA hatten in der Regel letztere den Vorrang. Dieser Zustand führte zu starken

Spannungen zwischen SS und Polizei auf der einen und der Regierung des Generalgouvernements auf der anderen Seite, die insbesondere in einem ständigen Konflikt zwischen Frank und Krüger zum Ausdruck kamen. Frank musste schliesslich der Errichtung eines Staatssekretariats für das Sicherheitswesen im Generalgouvernement zustimmen, die durch Führererlass vom 7.Mai 1942 offiziell geregelt wurde. Zum Staatssekretär wurde der HSSPF eingesetzt.

Als neue Regelung im Generalgouvernement wurden beim Sitz der Distriktsgouverneure SS- und Polizeiführer (SSPF) ernannt. Sie waren wie der HSSPF dem Generalgouverneur formell den Distriktsgouverneuren unterstellt. Aufgabe der SSPF war es, den Distriktsgouverneur in allen polizeilichen Fragen zu beraten. Ihm und der Verwaltung gegenüber vertrat der SSPF die Sicherheits- und die Ordnungspolizei. Der SSPF hatte die Anordnungen des Distriktsgouverneurs zu befolgen, soweit nicht Befehle des HSSPF oder des RFSS entgegenstanden. Er hatte den taktischen Einsatz der Polizei zu koordinieren und die Massnahmen verschiedener Polizei- und SS-Dienststellen aufeinander abzustimmen. Besondere Aufgaben ergaben sich insoweit aus den Massnahmen der Bevölkerungsumsiedlung.

SSPF in Warschau waren nacheinander der SS-Gruppenführer Paul Moder (1940/41), der als Zeuge vernommene SS-Standartenführer Arpad Wig. [7] (bis April 1942), der SS-Oberführer Ferdinand v. Sammern-Frankenegg (bis April 1943), der SS-Brigadeführer Jürgen Stroop (bis Herbst 1943), der SS-Brigadeführer Franz Kutschera (von Oktober 1943 bis zum 1.Februar 1944), für kurze Zeit der SSPF von Radom Dr. Herbert Böttcher und vom März 1944 bis Januar 1945 der SS-Brigadeführer Paul Otto Geibel.

Die Sicherheitspolizei war auf der Gouvernementsebene durch einen Befehlshaber der Sicherheitspolizei (BdS) mit Sitz in Krakau repräsentiert. Er unterstand direkt dem RSHA in Berlin. Befehlshaber der Sicherheitspolizei war zunächst der Zeuge und damalige SS-Brigadeführer Bruno Stre., sein Nachfolger wurde SS-Oberführer Dr. Schöngarth, ihm folgte SS-Brigadeführer Walter Bierkamp. Dem Befehlshaber der Sicherheitspolizei waren auf der Distriktsebene die Kommandeure der Sicherheitspolizei und des SD unterstellt. KdS und des SD im Distrikt Warschau waren nacheinander der SS-Obersturmbannführer Meisinger, der SS-Sturmbannführer Johannes Müller und ab 1.August 1941 der Angeklagte Dr. Ludwig Hahn.
Entsprechend dem Befehlshaber der Sicherheitspolizei gab es einen Befehlshaber der Ordnungspolizei auf der Gouvernementsebene, dem die Kommandeure der Ordnungspolizei und der Gendarmerie in den einzelnen Distrikten unterstanden.

Die Kommandeure der Sicherheitspolizei und der Ordnungspolizei, ausserdem die Führer der allgemeinen SS und des Selbstschutzes mit ihren Stäben waren - zumindest formell - den SSPF untergeordnet. Für die KdS ergaben sich damit folgende Befehlswege: RSHA - BdS - KdS, in Sonderfällen auch vom RSHA direkt zum KdS, und RFSS - HSSPF - SSPF - KdS. Durch diese Befehlswege war jedoch kein klarer Instanzenzug geschaffen worden. Wann welcher Befehlsweg beschritten wurde, welches seine Bedeutung war und vor allem die Kompetenzen der einzelnen Sicherheitsorgane lassen sich nachträglich nicht sicher abgrenzen. Die Schwierigkeit der Abgrenzung beruht darauf, dass Hitler selbst eine klare Festlegung der Zuständigkeiten und eine präzise Formulierung der jeweiligen Aufträge nicht wünschte, um nicht den Handlungsspielraum und die Aktivität seiner Mitarbeiter und Unterführer einzuengen. Himmler schloss sich dieser Handhabung an. Am 16.September 1942 erklärte er den SS- und Polizeiführern in seiner Feldkommandostelle Hegewald: "Hier im Osten muss ein

[7] Siehe Lfd.Nr.875.

Satz für uns alle gelten: Die Hauptsache ist, dass etwas geschieht, von wem, ist gleichgültig."
Himmler entschied meist an Ort und Stelle, welche Aufgaben auszuführen, welche Einsätze zu leiten waren und wer diese durchzuführen bzw. daran teilzunehmen hatte.

Angesichts dieser besonderen Umstände lässt sich die Stellung, Funktion und Zuständigkeit insbesondere der Sicherheitsorgane nur durch einen Überblick über die Stellung der Polizei z.Z. der Errichtung des Generalgouvernements beurteilen. Die Sicherheitspolizei, die aus Gestapo und Kripo seit 1933 planmässig aufgebaut worden war, setzte sich personalmässig zu einem Teil aus lang ausgebildeten Beamten der politischen Polizeiabteilungen der Länder zusammen. In den Führungspositionen sassen weltanschaulich zuverlässige SS-Führer, die in der Geheimen Staatspolizei, der Kriminalpolizei oder im SD des RFSS ausgebildet worden waren.

Die Grundsätze, die Heydrich beim Aufbau der Sicherheitspolizei verfolgte, wurden in einem von ihm sanktionierten Artikel des "Völkischen Beobachters" vom 23.Januar 1936 wie folgt formuliert:

> "Alle Angehörigen der Geheimen Staatspolizei sind sich bewusst, dass ihnen mit dem steten Kampf gegen die negativen und zerstörenden Erscheinungen die schwerste, aber zugleich auch eine der ehrenvollsten und notwendigsten Aufgaben im nationalsozialistischen Staate auferlegt ist. Sie fühlen sich bewusst als der Schnittpunkt von Staat und Bewegung, indem sie bestrebt sind, als tadellos arbeitender Behördenapparat die Anordnungen der Staatsführung und die Verwirklichung der Gesetze reibungslos zu vollziehen, - indem sie sich aber zugleich als der Teil der nationalsozialistischen Bewegung fühlen, der noch heute Brust an Brust mit den Gegnern der Kampfzeit ringt und so die Erfolge der nationalsozialistischen Revolution verteidigt."

Um die Sicherheitspolizei zu einem zuverlässigen und vor allem schnell funktionierenden Instrument zu machen, legte Heydrich Wert auf einen reibungslosen Kontakt zwischen der Zentrale und den ausführenden Behörden. Entscheidend war, dass die Schlagkraft nicht durch Zwischeninstanzen beeinträchtigt wurde. Von der Erteilung des Befehls im RSHA bis zur Ausführung an den verschiedenen Orten durften höchstens Stunden vergehen. Der direkte Befehlsweg vom Chef der Sicherheitspolizei und seinem Amt bis zu den Stapoleitstellen und ab 1939 zu den Kommandeuren der Sicherheitspolizei sollte für alle eiligen exekutiven Massnahmen die Regel sein. Die Inspekteure der Sicherheitspolizei und des SD, die mit Wirkung vom 1.Oktober 1936 geschaffen wurden, erhielten in rein fachlichen stapo- und kripomässigen Belangen nur Leit- und Ordnungsbefugnisse. Heydrich legte nicht nur Wert darauf, dass die Sicherheitspolizei ein schlagkräftiges Instrument wurde, sondern auch darauf, dass mit diesem Instrument die politischen Ziele der Staatsführung verfolgt werden konnten. Das geschah durch sorgfältige Personalauswahl und die konsequente Erziehung im Sinne der nationalsozialistischen Weltanschauung. Daluege, der Chef der Ordnungspolizei, erklärte nach dem Tode Heydrichs dazu:

> "Ein übernommener beamteter Apparat wurde in der Sicherheitspolizei des RFSS ein politisch unerschütterliches Kampfkorps, das sehr bald den berüchtigten Weltorganisationen des Secret Service und der GPU ein immer mehr gefürchteterer und verhassterer Gegner wurde. In seinem Korps erzog er (Heydrich) seine Führer und Männer zu den besten politischen Soldaten und erzog sie in einer so harten Zucht, wie es seine nationalen und internationalen einmaligen grossen Aufgaben für den vom Führer geforderten Weltentscheidungskampf forderten".

Die Verhältnisse bei der Ordnungspolizei waren ähnlich denen bei der Sicherheitspolizei. Sie war lange und eingehend auf ihre Aufgaben vorbereitet worden, gut durchorganisiert, zentral geleitet und schlagkräftig im Instanzenzug aufgebaut. Die weltanschauliche Geschlossenheit der Verbände war zwar nicht so stark wie bei der Sicherheitspolizei, das lag jedoch daran, dass ständig personelle Veränderungen und Umschichtungen durch Abkommandierung zur Wehrmacht, zur Waffen-SS, zur Feldgendarmerie oder zu anderen Verbänden stattfanden.

Am 13.November 1937 wurde durch Erlass des Reichs- und Preussischen Ministers des Inneren die Institution des HSSPF geschaffen. Seine Funktion wurde in dem Erlass folgendermassen umschrieben:

> "Es ist notwendig, für den Mob-Fall alle dem Reichsführer SS und Chef der deutschen Polizei unterstehenden Kräfte - Ordnungspolizei, Sicherheitspolizei, SS-Verbände - innerhalb der Wehrkreise einem gemeinsamen Führer zu unterstellen. Im Einvernehmen mit dem Herrn Reichskriegsminister und Oberbefehlshaber der Wehrmacht ordne ich daher für den Mob-Fall die Einsetzung eines Höheren SS- und Polizeiführers in jedem Wehrkreis an."

Entsprechend dem Erlass wurde in jedem Wehrkreis ein HSSPF ernannt, der Himmlers persönlicher Vertreter und ranggleich mit dem Kommandierenden General zuständig für die Fragen der SS und der inneren Sicherheit sein sollte. Die Dienststellen, Verbände und Stäbe der SS erhielten damit zwar eine einheitliche Befehlsspitze. Die neugeschaffenen HSSPF hatten jedoch angesichts der unklaren Kompetenzen und Zuständigkeiten und angesichts ihres geringen Personalbestandes Schwierigkeiten, sich gegenüber den reibungslos arbeitenden Apparaten der Sicherheits- und Ordnungspolizei durchzusetzen und zu behaupten. Die Verbände der Waffen-SS und die Sicherheitspolizei nahmen teilweise kaum Notiz von den HSSPF und unterliessen es manchmal sogar, sie pflichtgemäss zu unterrichten. Heydrich musste auf die Beschwerden der HSSPF die Amtschefs und Dienststellenleiter ermahnen und anweisen, "dass die HSSPF Kenntnis von den sicherheitspolizeilichen Aufgaben erhalten".

Dies war die allgemeine Situation, als im Oktober 1939 mit dem Aufbau des Sicherheitsapparates im besetzten Polen begonnen wurde. Dabei ist davon auszugehen, dass die Lage der auf Distriktsebene eingesetzten SSPF der der HSSPF entsprach.

Bei der Beurteilung der Bedeutung und des Zuständigkeitsbereiches der in diesem Verfahren besonders interessierenden Dienststellen der SSPF auf der einen und der der KdS auf der anderen Seite ist neben der entwicklungsmässigen Verteilung der Schwergewichte auch der Umfang und die Beweglichkeit der Dienststellen zu sehen. Die Dienststellen der KdS und der SSPF waren kaum miteinander zu vergleichen. Wie bereits beim HSSPF erwähnt, war die Dienststelle des SSPF personalmässig schwach besetzt. Sie umfasste allenfalls 20-30 Mann, die sich aus einigen Unterführern und Mannschaftsdienstgraden zusammensetzten. In der Dienststelle des KdS waren dagegen ohne Berücksichtigung der Aussenstellen zeitweilig 800 bis 1000 Fachkräfte und Bedienstete tätig.

Die geringe personelle Besetzung der Dienststelle des SSPF brachte es mit sich, dass der SSPF in der Regel nicht exekutiv tätig werden konnte, sondern sich dafür an die Kommandeure der Sicherheits- oder Ordnungspolizei oder an die Einheiten der Waffen-SS wenden musste. Ausnahmen in dieser Richtung waren in der Dienstanweisung für die Höheren SS- und Polizeiführer vom 18.Dezember 1939 ausdrücklich angeordnet. Dort heisst es unter Ziffer 6.:

> "Der Höhere SS- und Polizeiführer übernimmt den Befehl über die Waffen-SS und die Allgemeine SS, die Ordnungspolizei und die Sicherheitspolizei und den SD in allen Fällen, in denen ein gemeinsamer Einsatz für bestimmte Aufgaben erforderlich ist."

Derartige Einsätze unter dem Oberbefehl des HSSPF oder eines SSPF gab es im Generalgouvernement mehrfach, so beim Einsatz gegen Widerstandsgruppen, bei den grossen Aussiedlungsaktionen der Juden 1942, bei der Vernichtung des Warschauer Ghettos im April, Mai 1943 und bei den Umsiedlungsaktionen im Raum Zamosc in der Zeit von November 1942 bis Sommer 1943. Durch diese Massnahmen wurde aber die Zuständigkeit der Sicherheits- und Ordnungspolizei in ihren Bereichen nicht grundsätzlich angetastet. Den Einsätzen, bei denen der HSSPF oder ein SSPF den Oberbefehl hatte, lag stets ein spezieller Befehl zugrunde. Ausserdem konnten sie mit den Kräften einer Dienststelle nicht durchgeführt werden. Nachdem das Amt des Staatssekretärs für das Sicherheitswesen errichtet worden war, wurden die Sachgebiete der Ordnungs- und Sicherheitspolizei in dem "Erlass über die Überweisung von Dienstgeschäften auf den Staatssekretär für das Sicherheitswesen" vom 23.Juni 1942 umrissen. Zu den in der Anlage B aufgeführten Zuständigkeitsbereichen der Sicherheitspolizei gehörten u.a.:

3. Passwesen und Ausländerpolizei
5. Ein- und Ausreise (Passierscheine)
7. Ein- und Auswanderung
11. Ausarbeitung von Verordnungsentwürfen auf dem Gebiete der Sicherheitspolizei; Erlass von Polizei-Verordnungen zur Aufrechterhaltung der Sicherheit; Stellungnahme zu Verordnungsentwürfen, die das Gebiet der Sicherheitspolizei berühren;
13. Beteiligung an allen Angelegenheiten von sicherheitspolizeilicher Bedeutung, z.B. in Kirchen-, Fürsorge-, Kriegsgefangenen- und Staatsangehörigkeitsfragen.
18. Judenangelegenheiten.

Die Zuständigkeit der Sicherheitspolizei in diesen Bereichen ist grundsätzlich niemals eingeschränkt worden. Die Erlasse und Schnellbriefe in Fragen der Schutzhaft, der Staatsfeindbekämpfung und in allen entscheidenden Judenangelegenheiten gingen in der Regel vom RSHA an die Staatspolizeistellen und die Kommandeure der Sicherheitspolizei, während die Befehlshaber und Inspekteure der Sicherheitspolizei und die HSSPF sie nur zum Zwecke der Unterrichtung erhielten. z.T. wurden Anordnungen in diesen Sachgebieten nicht einmal dem HSSPF nachrichtlich zugeleitet, wie etwa die Anordnung des RFSS vom 27.8.1941 über die "Festnahme staatsfeindlicher Elemente nach Beginn des Feldzuges gegen die Sowjetunion", die über das RSHA lief.

Das gleiche galt für einen neuen Erlass über die "verschärfte Vernehmung". Die Zuständigkeit in allen Fragen der Schutzhaft blieb ausschliesslich bei den Dienststellen der Sicherheitspolizei, die Kommandeure der Sicherheitspolizei wurden mit Runderlass des Chefs der Sicherheitspolizei und des SD vom 4.Mai 1943 sogar ermächtigt, die "Anordnung der Schutzhaft und die Einweisung in KZs für sämtliche polnischen Häftlinge - in eigener Zuständigkeit zu treffen".

Auch die grundsätzliche Zuständigkeit der Sicherheitspolizei in Judenangelegenheiten ist niemals ausdrücklich und grundsätzlich aufgehoben oder eingeschränkt worden. Die Judenangelegenheiten waren in dem Erlass über die Überweisung von Dienstgeschäften auf den Staatssekretär für das Sicherheitswesen vom 23.Juni 1942 als Zuständigkeitsgebiet genannt worden, obwohl die grossen Aussiedlungsaktionen und Vernichtungsmassnahmen, die von den SSPF geleitet wurden, entweder bereits stattgefunden hatten oder unmittelbar bevorstanden. Wenn trotzdem die Zuständigkeit in Judenangelegenheiten der Sicherheitspolizei zugewiesen wurden, dann nur, weil es sich bei den Massnahmen, die von den SSPF geleitet wurden, um Fälle handelte, in denen nach der Dienstanweisung für die Höheren SS- und Polizeiführer "ein gemeinsamer Einsatz für bestimmte Aufgaben" stattfand. Dadurch wurde die allgemeine Verantwortung der Sicherheitspolizei jedoch nicht eingeschränkt. Auch die Zuständigkeit der Sicherheitspolizei für die ausländischen Juden blieb grundsätzlich erhalten. Nach den erhaltenen Aktenbeständen des Auswärtigen Amtes bearbeitete das RSHA die Angelegenheiten aller ausländischen Juden und setzte sich jeweils zur Abstimmung mit dem

Auswärtigen Amt in Verbindung. Ging es um den Verbleib von Auslandsjuden, so wurden die entsprechenden Anfragen an die zuständige Stelle der Sicherheitspolizei gerichtet. Diese Zuständigkeit blieb erhalten.

In einem Schreiben des Auswärtigen Amtes an den Vertreter des Auswärtigen Amtes beim Generalgouverneur in Krakau vom 2.März 1943 heisst es:

> "Der Chef der Sicherheitspolizei und des SD wird in diesen Tagen einen Erlass an seine Dienststelle richten, in dem die Frage der Behandlung von Juden ausländischer Staatsangehörigkeit im deutschen Machtbereich umfassend geregelt wird.
> In dem Erlass wird u.a. folgendes ausgeführt: Zur Behebung aufgetretener Zweifelsfragen gebe ich bekannt, dass Juden der nachstehend aufgeführten Länder ... und staatenlose Juden in sämtliche im dortigen Bereich gegen Juden allgemein getroffenen oder noch zu treffenden Massnahmen einzubeziehen sind."

In dem Schreiben heisst es weiter:

> "Ich ersuche um genaue Beachtung vorstehender Anordnung, damit Vorstellungen ausländischer Regierungen von vornherein vermieden werden.
> Hierzu ist folgendes zu bemerken:
> 1. Das AA hat den Chef der Sicherheitspolizei und des SD gebeten, von der Abschiebung von insgesamt 30.000 Juden holländischer, belgischer, französischer, norwegischer und sowjetrussischer Staatsangehörigkeit zunächst abzusehen, um diese Personen für Austauschzwecke zur Verfügung zu halten."

Die Bearbeitung der Angelegenheiten der Juden ausländischer Staatsangehörigkeit lag also federführend bei der Sicherheitspolizei. Der angekündigte Erlass, der an die Befehlshaber der Sicherheitspolizei in Krakau, Riga und Kiew, jedoch nur nachrichtlich an den HSSPF Krüger in Krakau ging, erging am 5.März 1943.

Zusammenfassend kann gesagt werden, dass die im Erlass vom 23.Juni 1942 aufgeführten Zuständigkeitsgebiete der Sicherheitspolizei nicht ausdrücklich eingeschränkt worden sind. Grundsätzlich war die Stellung des SSPF und der Umfang seiner Behörde nicht geeignet, ihm ohne weiteres die Einschaltung in die Zuständigkeitsbereiche der Sicherheitspolizei zu ermöglichen. Die Verantwortung in diesen Bereichen, also auch in den Judenangelegenheiten, ging nur dann auf den HSSPF bzw. auf den SSPF über, wenn ein entsprechender Befehl vorlag und es sich um eine sog. "gemeinsame Aktion" im Sinne der Dienstanweisung für die Höheren SS- und Polizeiführer vom 18.Dezember 1939 handelte.
Andererseits kann jedoch nicht ausgeschlossen werden, dass im Einzelfall auch dann, wenn diese Voraussetzungen nicht vorlagen, die Kompetenzen durchbrochen worden sind, etwa weil es aus Zweckmässigkeitsgründen geboten erschien. Das gilt insbesondere auch für den Distrikt Warschau.

Diese Feststellungen beruhen auf dem Gutachten des historischen Sachverständigen Prof.Dr. Joc., dem sich das Schwurgericht insoweit anschliesst. Sie sind in der Hauptverhandlung erörtert worden. Im übrigen handelt es sich um allgemein bekannte Tatsachen, von deren Richtigkeit sich jeder durch zuverlässige und allgemein zugängliche Quellen überzeugen kann.

III. Die Dienststelle des Kommandeurs der Sicherheitspolizei und des SD in Warschau

Die Dienststelle des KdS und des SD in Warschau wurde 1939 mit Errichtung des Generalgouvernements gebildet und - wie andere KdS-Dienststellen im Generalgouvernement auch - überwiegend mit Angehörigen der Einsatzgruppen besetzt. Sie war in einem ehemaligen polnischen Behördengebäude in der Aleja Szucha untergebracht. Mit den ihr unterstehenden Aussenstellen umfasste sie etwa 2.000 Mitarbeiter und Bedienstete.

In ihrer Aufgliederung entsprach die Dienststelle dem RSHA. Sie bestand zunächst aus vier, später aus fünf Abteilungen, und zwar

Abt.I/II Verwaltung und Recht
Abt.III SD
Abt.IV Gestapo
Abt.V Kripo.

Die Besetzung der einzelnen Abteilungen, die sich in Referate und Unterreferate aufteilten, wechselte während der Dienstzeit des Angeklagten Dr. Hahn mehrmals.
Er selbst war vom 1.August 1941 bis zum Herbst 1944 Leiter der Dienststelle. Sein Vertreter war bis Ende 1943 der Leiter der Abt.III, Dr. Kah, anschliessend dessen Nachfolger, Dr. Buchberger. Das Dienstzimmer des Angeklagten befand sich im 1.Stock des Gebäudes. Einmal wöchentlich fanden dort regelmässig unter Vorsitz des Angeklagten Dr. Hahn Abteilungsleiterbesprechungen statt. Leiter der Abt.I/II "Verwaltung und Recht" war zu Beginn der Dienstzeit des Angeklagten Dr. Hahn kurzfristig der Polizeirat Jakob. Sein Nachfolger wurde der Polizeirat und SS-HStF Füssel. Vertreter Füssels war der SS-HStF Schweitzer.

Das Dienstzimmer des Leiters der Abt.I/II befand sich im Erdgeschoss. Die Angehörigen seiner Abteilung sassen im Parterre und im 1.Stock des Dienstgebäudes. Der Abt.I/II waren verwaltungsmässig das Hausgefängnis im Keller des linken Flügels des Dienstgebäudes und das Pawiakgefängnis, auf das noch im einzelnen eingegangen werden wird, unterstellt. Das Pawiakgefängnis diente der Sicherheitspolizei als eine Art Untersuchungsgefängnis.

Die Abteilung III - Sicherheitsdienst -, deren Aufgabe Nachrichtenermittlung und Berichterstattung war, wurde von Ende 1941 / Anfang 1942 bis Ende 1943 von dem SS-StBF Dr. Kah geleitet. Seine Vorgänger waren E. [8] und Rausch, sein Nachfolger war, wie bereits erwähnt, der SS-StBF Dr. Buchberger. Vertreter des Leiters der Abt.III war der Zeuge Pot. Die Abteilung bestand aus vier Referaten mit insgesamt etwa 20 bis 25 Mitarbeitern.

Das Referat III A wurde von dem SS-HStF Karl Müller geleitet. Aufgabe dieses Referates war u.a. die Berichterstattung über die deutsche und polnische Verwaltung, über die Stimmung der deutschen Bevölkerung in Warschau.
Das Referat III B, dessen Leiter zunächst der SS-HStF Rudi Müller und ab Januar 1943 der SS-UStF Hampel war, befasste sich mit Volkstumsfragen.
Das Aufgabengebiet des Referates III C umfasste Kultur, Kunst und Kirchen. Es wurde zunächst von SS-StBF Bonifer, später von SS-OStF Schnartendorf geleitet.
Das Referat III D - Wirtschaft - hatte über die wirtschaftliche Lage in den deutschen und polnischen Betrieben, über wirtschaftliche Kapazitäten, über die Ernährungslage, die Lage auf dem schwarzen Markt, Rohstofflieferungen usw. zu berichten. Leiter dieses Referates, in dem etwa 10 bis 15 Mitarbeiter tätig waren, war von Sommer 1940 bis Juni 1943 der als Zeuge vernommene ehemalige SS-UStF Dr. Stb.

Der SD hatte keine exekutiven Aufgaben. Wöchentlich oder zweiwöchentlich wurde ein Bericht zusammengestellt, der - teils über den Kommandeur, teils ohne seine Einschaltung oder Benachrichtigung - an die SD-Stelle beim BdS in Krakau oder direkt an das RSHA nach Berlin ging. Diese Berichte waren Zusammenfassungen der Berichte der einzelnen Referate.

[8] Siehe Lfd.Nr.526.

Sie erstreckten sich auch auf die Situation im Ghetto. Die Unterlagen hierfür lieferten z.T. jüdische V-Leute.

Exekutiv tätig und dementsprechend wesentlich stärker besetzt waren die Abteilungen IV und V.

Die Abteilung IV - Gestapo - stand von 1940 bis 1944 unter Leitung des SS-StBF Walter Stamm. Seine Vertreter waren u.a. die SS-UStF Höh. und W. Das Dienstzimmer Stamms lag im 2.Stock des Gebäudes. Die Angehörigen seiner Abteilung sassen sowohl im 2. wie im 3.Stockwerk. Sie mussten sich in bestimmten nicht mehr feststellbaren Zeitabständen auf dem Korridor vor seinem Dienstzimmer versammeln. Sie nahmen bei diesen Gelegenheiten Bekanntmachungen entgegen und wurden im Vorzimmer zu Einsätzen eingeteilt.
Die Besetzung der Referate der Abteilung IV wechselte oft und liess sich in der Hauptverhandlung zum Teil nicht mehr im einzelnen feststellen.

Das Referat IV A befasste sich u.a. mit Kommunisten, Bandenwesen und Sabotageabwehr. In diesem Referat waren zeitweilig die Zeugen Höh., Nik. und W. tätig.
Das Aufgabengebiet des Referates IV B umfasste Juden und Kirchen. Leiter war zunächst der SS-OStF Sche. [9], der von SS-OStF Bö. abgelöst wurde. Bö. leitete das Referat nicht bis zur Auflösung der Dienststelle in Warschau 1944. Wer sein Nachfolger wurde, konnte nicht mehr festgestellt werden.
Unter den Unterreferaten, in die sich das Referat IV B aufgliederte, war das Referat IV B 4 für Juden zuständig. Zumindest faktischer Leiter dieses Referates war der SS-UStF Karl Brandt. Ob organisatorisch ein weiterer Dienststellenangehöriger zwischen Stamm und Brandt geschaltet war, ist ungeklärt geblieben. Mitarbeiter im Judenreferat waren u.a. Mende und Knoll.

Brandt hatte während der Dienstzeit des Angeklagten Dr. Hahn in Warschau ein Dienstzimmer im 3.Stock des Gebäudes in der Aleja Szucha. Er hielt sich jedoch mit weiteren Gestapoangehörigen seit der Aussiedlungsaktion im Sommer 1942 vorwiegend in einer Befehlsstelle in der Zelasznastrasse 103 im Ghetto auf. Wielange diese Befehlsstelle dort existiert und wielange Brandt sich mit seinen Leuten dort aufgehalten hat, hat sich in der Hauptverhandlung nicht feststellen lassen. Zumindest bestand sie noch während der Niederlegung des Ghettos unter Leitung des SSPF Stroop im Frühjahr 1943.
Wer die Befehlsgewalt über das dort untergebrachte Kommando hatte und ob diese Befehlsstelle der Dienststelle des KdS Warschau angegliedert war, ist in der Hauptverhandlung offen geblieben.

Das Referat IV C hatte u.a. Schutzhaftangelegenheiten zu bearbeiten. Leiter war zunächst der SS-OStF Bö., später der SS-OStF B.-T. Das Schutzhaftreferat war für die Zusammenstellung der für das KZ vorgesehenen Häftlinge zuständig. Auf Grund der in dem Referat aufgestellten und nach Berlin gesandten Listen ordnete das RSHA die Schutzhaft an. Durch den bereits erwähnten Runderlass des Chef der Sicherheitspolizei und des SD vom 4.Mai 1943 wurde die Befugnis zur Anordnung der Schutzhaft und zur Einweisung ins KZ für sämtliche polnischen Häftlinge auf die KdS delegiert.
Für die Schutzhäftlinge gab es bei der Dienststelle des KdS Warschau eine gesonderte Kartei, weil die Dienststelle auch nach der Einweisung in die KZs für diese Häftlinge weiterhin zuständig blieb.

[9] Siehe Lfd.Nr.656.

Zum Aufgabengebiet des Referats IV D gehörten Emigranten, polnische Offiziere und Auswanderer.
Das Referat IV E bearbeitete die Gebiete Fahnenflucht, Wirtschaftsspionage und Grenzdelikte. Leiter war zumindest für eine gewisse Zeit der SS-OStF Jopke, sein Vertreter war der SS-OStF Reschke.

Ein Unterreferat von IV E war das sog. Ausländerreferat (IV E 3). Es befasste sich mit Ausländern sowie Grenz- und Passangelegenheiten. Zeitweilig wurde es von dem SS-OStF Nik. geleitet. Sein Vertreter war der Zeuge Gri., der dem Referat seit Oktober 1939 angehörte. Weitere Mitarbeiter im Ausländerreferat waren der Zeuge O. [10], von Oktober 1939 bis zum 17.Juli 1944 der Zeuge Nem., ausserdem Schieratzke, Glöckner und Peters. Dem Ausländerreferat oblag es u.a., auf Grund eines Befehls des RSHA Juden mit ausländischer Staatsangehörigkeit festzustellen und zum Zwecke des Austausches mit Deutschen in den Feindstaaten zu sammeln. Angehörige des Ausländerreferates begleiteten Transporte ausländischer Juden in Internierungslager in Vittel und in Oberbayern. In einigen Fällen kam es zu dem geplanten Austausch.

Das Referat IV N - Nachrichtenwesen - unterstand nicht dem Leiter der Abteilung IV Stamm, sondern unmittelbar dem Kommandeur. Durch diese Massnahme sollte die Selbständigkeit des Nachrichtendienstes gewährleistet werden. Aufgabe des Referates war die zentrale Führung der für die Abteilung IV arbeitenden V-Leute. Es wurde von dem SS-UStF Birkner geleitet. Mitarbeiter waren die Zeugen Erich Mül. und Hun. [11], ferner Hugo Köhler, zeitweise auch Vossberg, der später Exekutivbeamter im Pawiakgefängnis wurde.

Eine besondere Einrichtung des BdS, die nur haushaltsmässig der Dienststelle des KdS Warschau unterstand, war das Referat IV AS unter Leitung des SS-HStF Spilker. Es hatte die Bekämpfung der polnischen Widerstandsbewegung zu koordinieren. Sein Sitz befand sich in Warschau, weil sich hier das Zentrum des Widerstandes organisiert hatte. Es setzte sich aus Mitarbeitern jedes KdS im Generalgouvernement zusammen.

Die Abteilung V - Kriminalpolizei - wurde von dem SS-StBF Geissler geleitet. Sein Vertreter war der SS-HStF Strunz. Die Kriminalpolizei war in einem gesonderten Gebäude untergebracht.

Die von den Exekutivabteilungen festgenommenen Personen sowie diejenigen, die einmal aktenmässig durch die Dienststelle erfasst oder aus anderen Verfahren bekannt geworden waren, wurden in einer zentralen Kartei registriert. Ob in den einzelnen Referaten ausserdem noch Karteien über die von dem jeweiligen Referat bearbeiteten Personen oder ob dort lediglich deren Akten geführt wurden, konnte in der Hauptverhandlung nicht geklärt werden.

Ausser der eigentlichen Dienststelle unterstanden dem KdS Warschau noch etwa zwanzig Aussenstellen.

Diese Feststellungen beruhen auf den insoweit glaubhaften Angaben des Angeklagten Dr. Hahn sowie den Aussagen der Zeugen W., Pot., Mül., Häm., Chm., Fah., Wei., S., St., Bö., Nik., Hun., B.-T. und O. Das Schwurgericht hält diese Zeugenaussagen, soweit sie die hier festgestellten Tatsachen betreffen, für glaubhaft und ist von der Richtigkeit der Angaben überzeugt.

[10] Siehe Lfd.Nr.822.

[11] Siehe Lfd.Nr.822.

IV. Zustände und allgemeines Geschehen in Warschau von 1939 bis 1944

Für die Würdigung der den Angeklagten vorgeworfenen Straftaten ist es notwendig, sich das allgemeine Geschehen und die damaligen Zustände in Warschau zu vergegenwärtigen.

Warschau hatte als grösste Stadt Polens vor der deutschen Besetzung 1939 ca. 1,3 bis 1,5 Millionen Einwohner, 1940 lebten etwa 410.000 bis 430.000 Juden in der Stadt. Nach Bildung des jüdischen Wohnbezirkes wurden aus den Kreisen des Distrikts Warschau westlich der Weichsel und aus dem Kreis Minsk weitere ca. 72.000 Juden zwangsweise nach Warschau umgesiedelt, so dass sich die Bevölkerung im Warschauer Ghetto auf etwa eine halbe Million Menschen belief. Diese Zahl erhöhte sich durch illegale Einwanderung von Juden bis Mitte 1942. Genaue Bevölkerungszahlen für diesen Zeitpunkt sind in der Hauptverhandlung nicht festgestellt worden.

Der jüdische Wohnbezirk lag westlich der Weichsel fast im Zentrum der Stadt. Er war von einer hohen Mauer umgeben und konnte nur mit besonderen Papieren durch Einlasstore, die von deutscher und polnischer Polizei bewacht wurden, betreten werden.

Die jüdischen Angelegenheiten verwaltete ein aus 24 Mitgliedern bestehender Judenrat, der von der Sicherheitspolizei eingesetzt worden war. Obmann dieses Judenrates war bis zu seinem Selbstmord im Juli 1942 ein Mann namens Czerniakow.

Mit Verordnung des Generalgouverneurs vom 19.April 1941 wurde der Gouverneur des Distrikts ermächtigt, die zur Ordnung des jüdischen Wohnbezirks in Warschau erforderlichen Massnahmen und Anordnungen zu treffen. Der Distriktsgouverneur Fischer seinerseits setzte für diese Aufgaben einen Kommissar für den jüdischen Wohnbezirk, Auerswald, ein, unter dessen Aufsicht der Judenrat die Angelegenheiten der jüdischen Einwohner des Ghettos wahrzunehmen hatte.

Die Juden waren im Ghetto auf kleinstem Raum zusammengepfercht. Die Ernährungslage war ausserordentlich schlecht. Die Überbevölkerung und die damit zusammenhängenden völlig unzureichenden versorgungsmässigen und hygienischen Verhältnisse führten zu Seuchen und Unterernährung. Die Sterberate stieg bis 1941 ständig an. Die Leichen der Verstorbenen blieben auf den Strassen liegen, bis sie mit Handkarren abgefahren und verbrannt wurden.

Im Sommer 1942 wurde die bereits erwähnte erste grosse "Umsiedlungsaktion" im Rahmen der Endlösung der Judenfrage unter dem Tarnbegriff "Aktion Reinhard" vorgenommen. Zur Durchführung dieser Aktion kam ein Sonderkommando aus Lublin unter der Leitung des SS-StBF Höfle nach Warschau. Die Sicherheitsorgane, unter ihnen der KdS Warschau, hatten zur Unterstützung der Aktion Dienststellenangehörige abzustellen. Als der Obmann des Judenrates den Zweck der Aktion erkannte und sich nicht mehr in der Lage sah, die von den Verantwortlichen geforderten Kontingente an Juden, darunter Frauen, Kinder und Alte, zu stellen, beging er Selbstmord. Sein Nachfolger wurde Lichtenbaum, der gemeinsam mit dem Rechtsanwalt Wielikowski und einem gewissen Szolcman nach dem Tode Czerniakows die Verwaltung der jüdischen Angelegenheiten weiterführte.

Bei der Sommeraktion 1942, die sich bis in den September hinzog, wurden ca. 400.000 Juden in Vernichtungslager, hauptsächlich nach Treblinka, gebracht und dort vergast. Gegen Ende der Aktion wurde das Ghetto räumlich verkleinert. Die zweite "Umsiedlungsaktion" fand im Januar 1943 statt. Ihr fielen etwa 18.000 Juden zum Opfer.

Die endgültige Liquidierung des Ghettos begann am 19.April 1943. Die Bewohner des Ghettos, denen inzwischen bekannt geworden war, dass "Umsiedlung" Tod bedeutete, leisteten bewaffneten Widerstand. Der SSPF von Sammern-Frankenegg, dem die Leitung dieser Aktion oblag, wurde am 19.April durch den wesentlich brutaleren SS-Brigadeführer Jürgen Stroop abgelöst. Bei der nach ihm benannten "Stroop-Aktion" kamen noch einmal einige Tausend Juden ums Leben. Der Rest wurde in die Vernichtungslager Maidanek und Treblinka transportiert. Das Ghetto wurde niedergebrannt.

Nach der Niederlegung des Ghettos war Warschau - wie beabsichtigt - nahezu "judenrein". Die wenigen Überlebenden, die sich in Bunkern oder auf der arischen Seite der Stadt hatten verbergen können, wurden kurzerhand erschossen, sobald sie aufgegriffen wurden.

Während die Massnahmen der deutschen Sicherheitsorgane gegenüber den Juden ihren Grund fast ausschliesslich in deren Rassezugehörigkeit hatten, richteten sich die Massnahmen gegen die polnische Bevölkerung auf die Ausschaltung des potentiellen und tatsächlichen Widerstandes. Eine Massnahme gegen den potentiellen Widerstand war die Ausrottung der polnischen Intelligenz, so die Erschiessungen in den Wäldern von Palmiry und an anderen Orten in der Umgebung von Warschau. Daneben kam es immer häufiger zu Vergeltungserschiessungen als Reaktion auf Attentate gegen Deutsche. Mit der steigenden Aktivität der polnischen Widerstandsbewegung wurden die Massnahmen der deutschen Sicherheitsorgane schärfer und zahlreicher. Der Widerstand der polnischen Bevölkerung fand seinen Höhepunkt im Warschauer Aufstand vom 1.August 1944, der von den deutschen Einsatzkräften niedergeschlagen wurde. Die Aufständischen Armee unter General Bor-Komorowski musste am 2.Oktober 1944 kapitulieren.

Dieser vom Schwurgericht festgestellte Sachverhalt ist allgemein bekannt und für jedermann durch historisch gesicherte, zugängliche Quellen nachprüfbar. Er ist in der Hauptverhandlung erörtert worden. Ausserdem beruhen die Feststellungen auf den insoweit glaubhaften Aussagen der Zeugen Tys., Hof., Wei. und O. [12]. Das Gericht ist der Überzeugung, dass die Angaben der Zeugen, soweit sie den Feststellungen zugrunde liegen, zutreffend sind.

V. Das Pawiakgefängnis [13]

Das Pawiakgefängnis - von den Deutschen Dzielnagefängnis genannt - unterstand dem Kommandeur der Sicherheitspolizei und des SD und diente, wie bereits erwähnt, der Sicherheitspolizei als eine Art Untersuchungsgefängnis.

Das Gefängnis, ein rechteckiger Komplex, lag im Ghetto und wurde im Norden durch die Pawiastrasse, im Osten durch die Wieziennastrasse und im Süden durch die Dzielnastrasse begrenzt. Im Westen schlossen sich an das Terrain des Pawiak das Frauengefängnis, die sog. Serbia, und - zur Pawiastrasse - Wohnhäuser an. Die Serbia wurde im Norden und Westen durch die Rückseite von Wohnhäusern und im Süden durch die Dzielnastrasse umgrenzt. Das Terrain des Pawiak umfasste 182 x 69 m, das der Serbia 100 x 30 m. Insgesamt umschloss der Komplex von Männer- und Frauengefängnis ca. 1,5 ha. Er war teils von Gebäuden, teils von einer etwa 6 m hohen Mauer, die mit Glasscherben und Stacheldraht besetzt war, umgeben. Das Gebiet des Pawiak war von dem der Serbia durch eine Mauer mit einem Tor getrennt. Die dem Pawiakgefängnis gegenüberliegenden Häuser in der Dzielnastrasse waren spätestens seit Frühjahr 1943 zerstört. Es standen nur noch unbewohnte Ruinen, deren Innenhöfe als Erschiessungsplätze benutzt wurden.

[12] Siehe Lfd.Nr.822.

[13] Mit den hier erörterten Ereignissen im Pawiakgefängnis beschäftigt sich auch das ostdeutsche Verfahren Nr.1049; siehe DJuNSV Bd.II S.397 ff.

Das Hauptgebäude des Pawiakgefängnisses war ca. 150 m lang und verlief mit seiner Breitseite parallel zur Dzielnastrasse. Der Haupteingang befand sich in der Mitte der zur Dzielnastrasse gerichteten Seite. Das Gebäude bestand aus Keller, Parterre, 1. und 2.Stockwerk. In jedem Stockwerk verlief in der Längsrichtung des Gebäudes ein Korridor, zu dessen beiden Seiten die Zellen der einzelnen Abteilungen lagen. An den beiden Enden des Gebäudes befanden sich in jedem Stockwerk Toiletten. Im Keller waren - von der Dzielnastrasse aus gesehen - im linken Flügel die Abteilung 3 mit der Leichenhalle, im rechten Flügel die Abteilung 7 untergebracht. An den Haupteingang im Parterre, zu dem vom Hof eine Treppe hinaufführte, schlossen sich - ebenfalls von der Dzielnastrasse aus gesehen - nach rechts u.a. die Hauptkanzlei und das Büro des sog. stellvertretenden Gefängniskommandanten an. Es folgten auf beiden Seiten des Korridors die Zellen der Abteilung 1. Die Abteilung 1 diente als Isolierstation für wichtige und von der Sicherheitspolizei für gefährlich gehaltene Häftlinge. Sie hatte mehrere Einzelzellen. Auf der in Richtung Pawiastrasse liegenden Seite des Korridors gegenüber dem Wartezimmer, der Hauptkanzlei und dem Büroraum befanden sich zwei Vernehmungszimmer und die Wachstube der ukrainischen Hilfsmannschaften. Gegenüber dem Haupteingang führte das Treppenhaus in die oberen Stockwerke bzw. in den Keller. Links vom Haupteingang gelangte man an der Waffenkammer, einem Kanzleizimmer und den Räumen der Oberwachtmeister vorbei zu den Zellen der Abteilung 2.
Den Funktionsräumen gegenüber lagen in Richtung Pawiastrasse die Wachstube der Deutschen und ein Friseurzimmer.

Im 1.Stock waren rechts über der Abteilung 1 die Abteilung 3 und links die Abteilung 4 untergebracht. In der Mitte des Stockwerks über dem Haupteingang befand sich eine grosse Doppelzelle. Über dieser Doppelzelle lag im 2.Stock die ehemalige Gefängniskapelle, die z.Z. der deutschen Besatzung als Vernehmungsraum benutzt wurde. An die ehemalige Gefängniskapelle schloss sich nach rechts - von der Dzielnastrasse aus gesehen - die Abteilung 5 und nach links die Abteilung 6 an.

Die Fenster der Zellen waren vergittert. Zu einem Teil - wahrscheinlich in den oberen Stockwerken - waren sie spätestens im Jahre 1944 zusätzlich mit Blechblenden versehen, die, sofern sie nicht beschädigt waren, nur den Blick auf einen kleinen Ausschnitt des Geländes und des Himmels zuliessen.

Vor dem Hauptgebäude erstreckte sich ein Hof bis an die Mauer, die den Komplex in ca. 18 m Entfernung vom Hauptgebäude zur Dzielnastrasse abgrenzte. Das Haupttor des Gefängnisses lag dem Haupteingang des Gebäudes gegenüber. Es war auf beiden Seiten durch Wachhäuser abgesichert und durch ein schweres eisernes und ein Gittertor verschlossen. An der Ecke Dzielna-/Wieziennastrasse befanden sich ein Wachturm und Garagen. Hinter dem Hauptgebäude in Richtung Pawiastrasse lag ein grösserer Hof, der teils von der Aussenmauer, teils von Gebäuden, die sich in der Ecke Wiezienna-/Pawiastrasse und an der Pawiastrasse in Richtung Serbia befanden, umgrenzt war. In dem Gebäude in der Ecke Wiezienna-/-Pawiastrasse waren ab 1943 die Werkstätten untergebracht. Hier stand ein weiterer Wachturm.

Die Gebäude an der Pawiastrasse, die dem westlichen Flügel des Hauptgebäudes gegenüberlagen, beherbergten von Osten nach Westen die Depositenkammer, den Kesselraum, die Schlosserei, den Bade- und Desinfektionsraum, die grosse und die kleine Küche und die Krankenabteilung. Die Krankenabteilung bestand aus fünf Spitalzellen, zwei Krankenstuben, einem Behandlungszimmer und einem Operationsraum. Es gab etwa 20 Spitalbetten und -plätze in der Krankenstube. Die Ausrüstung des Operationssaales war notdürftig. Es gab einen Operationstisch, eine OP-Lampe, ein Sterilisationsgerät für die Instrumente, einen Röntgenapparat und ein Mikroskop. Medikamente und Verbandsmaterial erhielt das Spital weitgehend über das "Patronat", eine polnische Hilfsorganisation.

An die Krankenabteilung schloss sich nach Süden ein Lagerhaus an, welches nach Westen unmittelbar an die Mauer grenzte, die die Serbia vom Pawiak trennte. An dieser Grenzmauer stand direkt an der Dzielnastrasse ein weiterer Wachturm, östlich davon ein kleineres Gebäude, in dem das Verpflegungsmagazin und Werkstatträume untergebracht waren. Das Gebäude der Serbia lag mit der Breitseite direkt an der Dzielnastrasse. Es entsprach in seiner inneren Aufteilung dem Hauptgebäude des Pawiak. Im Erdgeschoss befand sich auf der zur Dzielnastrasse gerichteten Seite des Korridors das Sekretariat und die Geschäftsstelle des Gefängnisleiters sowie ein Kanzleizimmer. Auf der gegenüberliegenden Seite des Korridors lagen ein Baderaum, eine Kapelle und ein Durchgangszimmer. Der restliche Teil des Erdgeschosses in Richtung Pawiak bestand aus Zellen der Abteilung 1. Am östlichen Ende lagen die Toiletten. Im 1.Stock der Serbia war die Abteilung 2, im 2.Stock die Abteilung 3 untergebracht. Im westlichen Teil des 2.Stockes befand sich die Krankenabteilung für die Frauen.

Nach Westen schloss sich an das Hauptgebäude der Serbia ein Bau an, in dem zeitweise Internierte untergebracht waren. Vor diesem Gebäude lag in nördlicher Richtung ein Wirtschaftshof, der auf der anderen Seite, also in Richtung Pawiastrasse, durch die sog. "Schwarzwäscherei", in der die Wäsche der Gefangenen gewaschen wurde, durch die sog. "Weisswäscherei" für die Wäsche der Angehörigen der Dienststelle in der Aleja Szucha, durch eine Dunkelzelle für die weiblichen Häftlinge und einen weiteren Lagerraum begrenzt wurde.

Die normale Aufnahmekapazität des Pawiak betrug 750 bis 800 Häftlinge, die der Serbia 200 bis 250. Das Gefängnis war jedoch fast immer überbelegt, zeitweise mit insgesamt 3.000 Personen. Der überwiegende Teil der Gefangenen waren Polen, der Prozentsatz der Juden war gering. Die Juden arbeiteten meist als Handwerker in den Werkstätten. Wenn das Gefängnis überbelegt war, wurde durch Häftlingstransporte in Konzentrationslager Platz geschaffen. Während der Zeit der deutschen Besetzung hat es im Pawiakgefängnis insgesamt ca. 90.000 Gefangene gegeben.

Wirtschaftlich und verwaltungsmässig unterstand das Gefängnis der Abteilung I/II der Dienststelle des KdS. Spätestens ab 1943 hatte diese Abteilung ständig einen Verwaltungsbeamten im Gefängnis, dessen Büro sich im Gebäude der Serbia befand. Die Funktion dieses sog. Gefängniskommandanten übten nacheinander Jung, Grabert und von Mai 1943 bis Juli 1944 der Zeuge Pie. aus. Der letzte Kommandant war der Zeuge B.-T. Er übernahm diesen Posten erst kurz vor dem Warschauer Aufstand.

Der eigentliche Haftvollzug unterlag den Weisungen der Abteilung IV der Dienststelle des KdS. Durch die Abteilung IV wurde auch der grösste Teil der Häftlinge eingewiesen. Sie war durch Exekutivbeamte im Gefängnis vertreten. Exekutivbeamter auf höchster Ebene im Gefängnis war der sog. stellvertretende Gefängniskommandant. Stellvertretende Gefängniskommandanten waren nacheinander Hiersemann, Vossberg und später Frenser. Exekutivbeamte der Abteilung IV waren weiterhin u.a. Frühwirt [14] und Bürckl.

Das Wachpersonal bestand zu Beginn der deutschen Besetzung noch aus Polen, wurde jedoch bald von Deutschen und Ukrainern abgelöst. Die Wachleute machten - zumindest in den späteren Jahren - in zwei 24-stündigen Schichten Dienst. Jeweils um die Mittagszeit wechselten sich die zwei von den Zugführern Wulfes und Hanisch geleiteten Züge ab. Zu dem von Wulfes geleiteten Zug, der bei vielen Gefangenen besonders gefürchtet war, gehörte der Angeklagte Wip. Der von Hanisch geführte Zug wurde von den Häftlingen als der relativ menschlichere bezeichnet.

[14] Im Urteil auch 'Frühwirth' und 'Fruehwirt' geschrieben.

Die Wachleute unterstanden den Weisungen der Abteilung IV. Während des Dienstes wurden sie so aufgeteilt, dass sie jeweils eine Abteilung des Gefängnisses unter sich hatten, manchmal gemeinsam mit einem oder mehreren Ukrainern.

Leiter der Kanzlei war der SS-USchF Brockmann, der Hauptschreiber in der Kanzlei der als Zeuge vernommene ehemalige polnische Häftling Wan.

Mit der Einlieferung eines Häftlings wurde im allgemeinen eine Einlieferungsanzeige übergeben, die den Namen des Häftlings, das Geburtsdatum, das einliefernde Referat und die Unterschrift eines Beamten enthielt. Auf der Einlieferungsanzeige wurde durch den Leiter der Kanzlei die Einlieferung des Häftlings quittiert, die Anzeige wurde nach dessen Unterbringung in die Dienststelle in der Aleja Szucha geschickt. Für den Häftling wurde eine Zellenkarte ausgestellt, in der die Abteilung, in die er kommen sollte, notiert war. Diese Zellenkarten blieben in den jeweiligen Abteilungen des Gefängnisses, in denen von Abteilungsschreibern entsprechende Karteien geführt wurden. Eine zweite Karte wurde für die sog. eiserne Kartei ausgefüllt, in der alle Personalien des Häftlings vermerkt waren. Die eiserne Kartei war in schmalen eisernen Schubladen untergebracht. Sie wurde alphabetisch geführt, links lagen die Zugänge, rechts die Abgänge. Schliesslich gab es noch ein Register und das Hauptbuch. In das Hauptbuch wurden die Häftlinge in der Reihenfolge ihrer Einlieferung mit allen Personalien eingetragen.

Es gab auch Häftlinge, die ohne Einlieferungsanzeige vorübergehend ins Gefängnis kamen und ohne weitere Registrierung kurzfristig wieder abgeholt wurden. Juden, die zur Erschiessung vorgesehen waren, wurden - zumindest seit der Liquidierung des Ghettos - überhaupt nicht registriert. Sie kamen in die Abteilung 7 und wurden nur zahlenmässig erfasst.

Wenn ein Häftling das Gefängnis verliess, gleichgültig, ob er zur Erschiessung oder in ein KZ kam, wurde in den späteren Jahren in die Kartei, in das Register und das Hauptbuch lediglich der Vermerk "Überführung" mit dem jeweiligen Datum gestempelt. Die Karteikarte wurde auf die rechte Seite zu den Abgängen gesteckt. Wohin der Häftling kam, wurde nicht notiert. Wurde allerdings ein Häftling entlassen, so bekam seine Karte den Vermerk "Entlassung".

In der Krankenabteilung waren zunächst freie Ärzte, die bereits vor der deutschen Besatzung im Pawiak gearbeitet hatten, und Häftlingsärzte tätig. Die freien Ärzte wurden später abgeschoben. Zu den Häftlingsärzten, die danach die Krankenabteilung allein versorgten, gehörten die Zeugen Dr. Anna C.-Sli., Dr. Sli. und Dr. Lo. Die Kapazität des Spitals liess nur die Behandlung eines kleinen Teiles der Kranken zu. Die Aufnahme von jüdischen Häftlingen in das Spital war untersagt. Die hygienischen Verhältnisse des Gefängnisses waren schlecht. Die Häftlinge lagen teils auf Strohsäcken, teils auf dem Zellenboden. Die Verpflegung reichte kaum, um die Gefangenen am Leben zu erhalten. Teilweise konnte die Verpflegung nur durch die Unterstützung des polnischen Patronats gesichert werden, welches die Gefangenen mit Lebensmitteln versorgte.

Diese Feststellungen hat das Schwurgericht auf Grund der Angaben der Angeklagten Dr. Hahn und Wip. sowie der Aussagen der Zeugen Hir., Bronislaw Mi., Nis., Se., Wan., Wei., Wod., Wur., B.-T., Nik. und Pie. getroffen. Das Gericht hält diese Angaben, soweit sie den hier festgestellten Sachverhalt betreffen, für glaubhaft und ist von ihrer Richtigkeit überzeugt.

C. Die Tatkomplexe

I.
I.1, II.12 der Anklage (sogenannte Aktion Polski)

1.) Schon vor Beginn der ersten grossen sogenannten Umsiedlung von Juden aus dem Warschauer Ghetto im Sommer 1942 hatte das Ausländerreferat der von den Angeklagten Dr. Hahn geleiteten Dienststelle, das Referat IV E 3, dem u.a. die Zeugen Nik., Jopke, Gri., Nem. und O. [15] angehörten, auf Anweisungen des RSHA und in Zusammenarbeit mit dem Auswärtigen Amt Ausländer, auch nichtpolnische Juden, erfasst und zur Vorbereitung eines Austausches gegen im Ausland internierte Deutsche in der Serbia untergebracht. Die Ausländer blieben dort bis zu ihrem Abtransport, der vom Ausländerreferat mit der Reichsbahn jeweils abgestimmt wurde. In mehreren Fällen wurden 1942 und Anfang 1943 kleinere Gruppen bis zu etwa 20 Personen unter Aufsicht von Angehörigen des Ausländerreferats in Lager ausserhalb des Generalgouvernements, nach Süddeutschland und Vittel in Frankreich, transportiert. Einige dieser Internierten gelangten von dort aus später tatsächlich in ihre Heimatländer.

Nach der Niederlegung des Warschauer Ghettos und der Tötung bzw. dem Abtransport der restlichen Juden aus dem Ghetto in Konzentrationslager in den Monaten April und Mai 1943 sammelten sich vornehmlich im Juni 1943 mehrere hundert Juden im Hotel Polski in der Dlugastrasse 25. Sie hatten gehört, dass es möglich sei, sich dort als Ausländer registrieren zu lassen und hofften, auf diese Weise der Vernichtung zu entgehen und gegen Deutsche im Ausland ausgetauscht zu werden. Diese Menschen wurden im Hotel Polski vom Ausländerreferat mit Hilfe jüdischer V-Leute als Ausländer erfasst. Das geschah im Einvernehmen mit dem RSHA ohne strenge Prüfung der Papiere. So war es auch polnischen Juden, die sich Pässe oder sogenannte Promessen wahrscheinlich von jüdischen V-Leuten verschafft hatten, möglich, als Ausländer anerkannt zu werden. Die meisten liessen sich als Süd- oder Mittelamerikaner eintragen. Etwa 300 Juden, die Angehörige in Palästina hatten oder dies zumindest erklärten, wurden in eine sogenannte Palästina-Liste aufgenommen. Die Sammlung und Registrierung erstreckte sich über mehrere Wochen. Einmal war auch der Angeklagte Dr. Hahn im Hotel Polski, um sich über die Vorbereitungen für den Abtransport zu informieren.

Insgesamt etwa 2000 bis 3000 als Ausländer registrierte Juden wurden schliesslich in zwei grossen Transporten Ende Juni und Anfang Juli 1943 nach Bergen-Belsen gebracht. Von dort sind einige Monate später diejenigen, die sich als Mittel- oder Südamerikaner hatten erfassen lassen, nach Auschwitz transportiert und dort getötet worden. Diejenigen Personen aus dem Hotel Polski dagegen, die sich in die sogenannte Palästina-Liste hatten eintragen lassen, blieben in Bergen-Belsen und sind kurz vor Kriegsende befreit worden.

Nachdem der letzte der beiden Transporte aus dem Hotel Polski abgegangen war und inzwischen möglicherweise das RSHA dem Ausländerreferat mitgeteilt hatte, dass die Austauschaktion beendet sei, hielten sich in diesem Hotel noch weitere Juden auf, die eine Registrierung als Ausländer erhofften. Sie waren dorthin möglicherweise kurz vor oder erst nach dem letzten Abtransport gekommen. Diese Juden, insgesamt mehrere hundert Personen, und zwar Männer, Frauen und Kinder, wurden etwa Mitte Juli 1943 auf Lastkraftwagen verladen und in das Pawiak-Gefängnis transportiert. Dort wurden sie auf dem Innenhof zwischen der Rückfront des Hauptgebäudes und der Mauer zur Pawia-Strasse geführt und einer Selektion unterzogen. Auf dem Hof waren Tische aufgestellt, an denen Deutsche in Uniform sassen oder standen. Einer von ihnen war der Leiter des Judenreferats IV B 4, der Untersturmfüh-

[15] Siehe Lfd.Nr.822.

rer Brandt. Er leitete die Selektion. Die Juden mussten vortreten, ihre Personalien angeben und ihre Papiere vorzeigen. Einige Dutzend, von denen es hiess, sie hätten "gute Pässe", sowie zwischen zehn und zwanzig Personen, die sich als Handwerker bzw. Fachleute gemeldet hatten, u.a. die Zeugen Jakob und Josef Atl., Osi. und Ge., wurden ausgesondert.

Die übrigen Juden, mindestens 250 Personen, wurden nach Abschluss der Selektion in die Abteilungen VII und VIII im Keller des Pawiak-Gefängnisses geführt. Diese Menschen wurden am nächsten oder übernächsten Tag auf dem gegenüberliegenden Trümmergrundstück Dzielnastrasse 25-27, wahrscheinlich von einem Kommando der Schutzpolizei in Gegenwart eines Angehörigen der Sicherheitspolizei, erschossen. Sie waren zunächst auf dem vorderen Hof des Gefängnisses zur Vorbereitung ihrer Erschiessung in kleine Gruppen von jeweils Männern, Frauen, Frauen mit Kindern aufgeteilt worden. Sodann musste eine Gruppe nach der anderen zu Fuss die Dzielnastrasse überqueren, auf der Wachleute des Pawiakgefängnisses, darunter auch der Angeklagte Wip., absperrten. Auf der anderen Strassenseite an einem Torbogen, wenige Meter von dem Erschiessungsplatz entfernt, hatten sie jeweils zu warten, bis sie für die Erschiessung an die Reihe kamen, insbesondere bis die vorher dem Erschiessungskommando zugeführten Opfer getötet worden waren. Ihren Tod vor Augen, mussten sie zum Teil auch den Tod ihrer Angehörigen und Freunde aus unmittelbarer Nähe miterleben. Die Erschiessung, die sich über mehrere Stunden erstreckte, wurde mit auf Einzelfeuer eingestellten Maschinenpistolen durchgeführt. Die Opfer mussten sich mit dem Gesicht zur Erde hinlegen und wurden von hinten erschossen.

Auf Befehl des stellvertretenden Gefängniskommandanten Vossberg sperrten der Angeklagte Wip. und andere Wachleute des Gefängnisses auf der Dzielnastrasse ab, um eine Flucht der zu erschiessenden Juden zu verhindern. Wip. trug seine Pistole, Kaliber 7,65, entsichert in der Hand, bewegte sich zwischen dem Eingang zum Gefängnisgelände und dem Ruinengrundstück Dzielnastrasse 25-27 hin und her, stand vorübergehend am bzw. im Torbogen, richtete sein Augenmerk in erster Linie auf die über die Strasse gehenden und am Torbogen wartenden Juden und beobachtete mindestens zeitweise den Erschiessungsvorgang. Nach seiner nicht widerlegten Einlassung kam, als er im Torbogen stand, eine junge jüdische Frau auf ihn zu, fiel auf die Knie, umfasste seine Beine und bat ihn unter Hinweis darauf, dass sie Geld und Schmuck im Hotel Polski habe, sie zu retten; er will sich darauf in der Vorstellung, er könne diese Frau, die ihm leid tat, vielleicht loskaufen, an einen ihm unbekannten Ober- oder Hauptsturmführer, der in der Nähe auf dem Erschiessungsplatz stand, gewandt und ihm den Vorfall berichtet haben; dieser soll ihn jedoch etwa mit den Worten angeherrscht haben: "Lassen Sie dieses Weib! Haben Sie da irgendwelche Interessen? Ziehen Sie los oder ich stelle Sie gleich dazu!" Der Angeklagte Wip. begab sich darauf wieder an seinen Platz am bzw. im Torbogen. Die junge Frau wurde sodann, wie alle anderen, erschossen.

Dem Angeklagten Wip. war spätestens in dem Zeitpunkt, als er den Befehl zum Absperren erhielt und ihm erklärt wurde, wo er abzusperren habe, bewusst, dass die Juden erschossen werden würden. Er hatte auch erkannt, dass die Erschiessung dieser Menschen Unrecht sei. Unwiderlegt war er jedoch, als er zum Absperrdienst befohlen wurde, überzeugt, schwer, unter Umständen mit dem Tode bestraft zu werden, wenn er sich "drücke" oder weigere, diesen Befehl auszuführen, und sah sich in dieser Beurteilung durch den späteren Vorfall mit dem Ober- oder Hauptsturmführer bestätigt.

2.) a) Der Angeklagte Dr. Hahn hat sich im einzelnen wie folgt eingelassen:

Er erinnere sich daran, dass Juden sich im Hotel Polski gesammelt hätten, um als Ausländer registriert und gegen deutsche Staatsbürger im Ausland ausgetauscht zu werden. Bei der Prüfung der Papiere sei das Ausländerreferat im Einvernehmen mit dem RSHA sehr grosszügig verfahren, denn es habe die Tendenz bestanden, möglichst viele Juden mit ausländischer Staatsangehörigkeit in das neutrale Ausland zum Austausch gegen dort lebende Deutsche zu bringen. Er sei auch einmal im Hotel Polski gewesen und habe sich angesehen, wie Vorbereitungen zum Abtransport von Juden getroffen worden seien. Tatsächlich seien dann auch Transporte abgegangen. Ihm sei jedoch nicht bekannt, dass nicht alle Juden, die sich im Hotel Polski gesammelt hätten, abtransportiert worden seien. Irgendwelche Anordnungen, denen zufolge im Juli 1943 Juden aus dem Hotel Polski in das Pawiakgefängnis gebracht, dort einer Selektion unterzogen und anschliessend zum grössten Teil erschossen worden seien, habe er nicht getroffen. Er sei auch nicht im Pawiakgefängnis gewesen und habe dort irgendwelche Massnahmen gegen Juden, die vorher im Hotel Polski gewesen seien, geleitet. Er habe nicht einmal Kenntnis davon gehabt, dass Juden aus dem Hotel Polski in das Pawiakgefängnis transportiert und anschliessend erschossen worden seien. Wenn das geschehen sei, so sei jedenfalls er dafür nicht verantwortlich. Er vermute, dass der SSPF Stroop Juden, die sich möglicherweise nach Abschluss der Ausländeraktion noch im Hotel Polski eingefunden hätten, habe erschiessen lassen. Das sei möglich gewesen, denn der SSPF habe seit Beginn der sogenannten Umsiedlung der Juden aus dem Warschauer Ghetto im Juli 1942 absolute Befehlsgewalt in allen Judenangelegenheiten gehabt. Zwar habe das sogenannte Judenreferat IV B 4 unter der Leitung des Untersturmführers Brandt weiterhin bei der Dienststelle des KdS bestanden. Dieses Referat habe aber nur formal und verwaltungsmässig, also nur organisatorisch zu seiner Behörde gehört, exekutiv befehlsmässig habe Brandt mit seinen Leuten jedoch direkt dem SSPF unterstanden. Dieser habe sich daher, ohne ihn unterrichten zu müssen, unmittelbar an Brandt und dessen Leute wenden, aber auch unmittelbar in das Pawiakgefängnis eingreifen können, soweit es sich um Juden gehandelt habe.

b) Der Angeklagte Wip. hat eingeräumt, bei der Erschiessung der Juden aus dem Hotel Polski auf Befehl des stellvertretenden Gefängniskommandanten Vossberg zusammen mit anderen Wachleuten auf der Dzielnastrasse abgesperrt zu haben, um eine Flucht der zu erschiessenden Juden zu verhindern. Er hat allerdings erklärt, bei diesen Juden habe es sich nur um Männer und Frauen gehandelt, Kinder habe er nicht gesehen. Es seien 30 bis 35 Personen gewesen, möglicherweise aber auch mehr. Er hat zugegeben, ihm sei bewusst gewesen, dass diese Menschen nur wegen ihrer Rassezugehörigkeit erschossen worden seien. Er habe die Juden nicht als Untermenschen, sondern als seinesgleichen betrachtet. Ihm sei auch klar gewesen, dass die Tötung dieser Menschen Unrecht sei. Nach seiner Einlassung war er jedoch überzeugt, den Befehl zum Absperren angesichts seiner Zwangslage dennoch ausführen zu müssen.

3.) a) Die Einlassung des Angeklagten Dr. Hahn konnte nicht mit hinreichender Sicherheit widerlegt werden. Es ist nicht bewiesen, dass er mit der Tötung der Juden aus dem Hotel Polski befasst war, ja dass er auch nur vorher davon erfahren hat.

Insbesondere steht nicht fest, dass er im Zusammenhang mit dieser Aktion, sei es im Hotel Polski, sei es auf dem Gelände des Pawiakgefängnisses gewesen ist und dort irgendwelche Massnahmen angeordnet, geleitet oder zumindest miterlebt hat.

Kein Zeuge hat bekundet, den Angeklagten Dr. Hahn in oder bei dem Hotel Polski gesehen zu haben, als die Juden abgeholt und zum Pawiakgefängnis abtransportiert wurden. Die Zeugen Jakob und Josef Atl., die in Israel kommissarisch vernommen und deren Aussagen in der Hauptverhandlung verlesen worden sind, sowie Jacob Nis. und Karol Doe. glaubten zwar, sich daran zu erinnern, den Angeklagten Dr. Hahn im weiteren Verlauf der Aktion auf dem Gelände des Pawiakgefängnisses gesehen zu haben. Ihre Aussagen waren insoweit jedoch zu unsicher, uneinheitlich und standen darüber hinaus im Widerspruch zu den Bekundungen anderer Zeugen.

Die Zeugen Jakob und Josef Atl., Nis. und Doe. hatten sämtlich den Angeklagten Dr. Hahn vorher nicht gesehen. Der Zeuge Josef Atl., nach dessen Aussage der Angeklagte Dr. Hahn und Brandt gemeinsam bei der Selektion als Respektspersonen im Mittelpunkt gestanden haben, hat sich zwar darauf berufen, er habe hinterher von Mithäftlingen erfahren, dass einer der Deutschen, die die Selektion geleitet hätten, der Angeklagte Dr. Hahn gewesen sei. Ob diese Information richtig war, vermochte er indessen selbst nicht zu beurteilen. Möglicherweise beruhte sie lediglich auf einem Gerücht, das sich im Pawiakgefängnis unter den Häftlingen gebildet hatte. Bezeichnenderweise hatte der frühere Mithäftling Ack., von dem Josef Atl. damals u.a. unterrichtet worden war, seinerseits ebenfalls nur gehört, dass der Angeklagte Dr. Hahn an der Selektion teilgenommen habe. Das ergibt sich aus der in der Hauptverhandlung verlesenen Aussage dieses Zeugen. Der Zeuge Jakob Atl., der den Angeklagten Dr. Hahn nicht nur als Befehle erteilender Anführer der Selektion bezeichnete, vielmehr meinte, ihn auch am nächsten Morgen beim Herausführen der Juden zum Erschiessen auf dem vorderen Hof des Pawiakgefängnisses wahrgenommen zu haben, hat recht pauschal, aber auch abweichend von seinem Sohn Josef Atl., mit dem zusammen er die Selektion erlebte, erklärt, alle hätten bei der Selektion gesagt: "Das ist der Dr. Hahn!". Der Zeuge Doe. hat bekundet, der Angeklagte Dr. Hahn sei zusammen mit Brandt auf dem vorderen Hof des Gefängnisses hin und her gegangen. Auch er hatte nur von Mithäftlingen gehört, eine der beiden Personen sei Dr. Hahn. Er hat zudem das Geschehen in entscheidenden Punkten anders als die übrigen polnischen und jüdischen Zeugen geschildert, so dass schon nicht ausgeschlossen werden kann, dass er die Aktion gegen die Juden aus dem Hotel Polski mit einem anderen Vorfall verwechselt hat. Der Zeuge Nis., der erklärt hat, der Angeklagte Dr. Hahn sei am nächsten Tag nach der Ankunft der Juden aus dem Hotel Polski erschienen, die Juden hätten sich flehentlich an ihn gewandt, er aber habe abgewinkt, hat seine Annahme, diese Person sei Dr. Hahn gewesen, nicht überzeugend zu begründen vermocht. Seine Schlussfolgerung beruht darauf, dass diese Person in einem offenen, schönen Auto zum Tor hineingefahren sei und alle dann vor dieser Person stramm gestanden hätten; das hätten sie grundsätzlich nur getan, wenn es die "erste Figur" gewesen wäre.

Gegen eine Anwesenheit des Angeklagten Dr. Hahn auf dem Gelände des Pawiakgefängnisses im Rahmen der Aktion gegen die Juden aus dem Hotel Polski sprechen aber vor allem die Aussagen der Zeugen Leon Wan., Josef und Bronislav Mi. und Julien Hir. Besonderes Gewicht kommt der Aussage des Zeugen Wan. zu. Er war zum damaligen Zeitpunkt schon mehr als drei Jahre im Pawiakgefängnis inhaftiert, hatte als Kanzleischreiber eine herausragende Stellung unter den Funktionshäftlingen, kannte nicht nur die Wachleute, sondern auch mehrere Angehörige der Dienststelle in der Aleja Szucha und war verhältnismässig gut über das Geschehen im Gefängnis orientiert. Er hat bekundet, er habe die Selektion durchgehend beobachtet, zeitweise habe er aus dem Fenster der Kanzlei gesehen, zeitweise sei er draussen gewesen und habe von dort aus zugesehen; die erste Figur, die alles geleitet habe, sei Brandt gewesen; dieser habe die erste Rolle gespielt; Mende, ein Angehöriger des Judenreferats und Untergebener Brandts, sei auch dagewesen; den Angeklagten Dr. Hahn habe er dagegen nicht gesehen. Da der Zeuge Wan. den gesamten Vorgang beobachtet hat, ist es nicht wahrscheinlich, dass er den Angeklagten Dr. Hahn, wäre dieser da gewesen, übersehen hätte. Dieser Zeuge, der auch im weiteren Verlauf insbesondere das Hinausführen der Juden zum Erschiessen beobachtete, hat erklärt, den Angeklagten Dr. Hahn auch bei dieser Gelegenheit nicht gesehen zu haben. Seine Angaben werden durch die Aussagen der Zeugen Josef und Bronislav Mi. sowie Julien Hir. bestätigt. Auch sie haben die Selektion beobachtet. In Übereinstimmung mit dem Zeugen Wan. haben sie den Untersturmführer Brandt als Leiter der Selektion bezeichnet. Den Angeklagten Dr. Hahn haben sie dagegen nicht gesehen.

Nach allem ist nicht bewiesen, dass der Angeklagte Dr. Hahn im Rahmen der Vernichtungsaktion gegen die restlichen Juden aus dem Hotel Polski entweder in diesem Hotel oder später auf dem Gelände des Pawiakgefängnisses irgendwelche Massnahmen angeordnet, geleitet oder miterlebt hat.

Es steht auch nicht fest, dass der Angeklagte Dr. Hahn - wie auch immer - in <u>sonstiger</u> Weise mit dieser Aktion befasst war. Aus seiner dienstlichen Stellung als KdS ergibt sich dies nicht mit hinreichender Sicherheit. Denn es konnte insbesondere seine Einlassung nicht widerlegt werden, das Judenreferat unter Leitung des Untersturmführers Brandt sei zwar formal und verwaltungsmässig, also organisatorisch seiner Behörde eingegliedert gewesen, habe aber exekutiv-befehlsmässig direkt dem SS- und Polizeiführer unterstanden, er habe daher mit der Tötung von Juden aus dem Hotel Polski - einer Angelegenheit des Judenreferats - nichts zu tun gehabt.

Die jüdischen und polnischen Zeugen konnten dazu naturgemäss keine Angaben machen, da sie im allgemeinen nur die Auswirkungen der internen deutschen Entscheidungen und Befehlsabläufe wahrnahmen. Auf Grund der Aussagen der deutschen Zeugen und des mündlich erstatteten Gutachtens des historischen Sachverständigen Prof. Joc. konnten hinreichend sichere Feststellungen nicht getroffen werden.

Die meisten deutschen Zeugen haben zur Frage einer befehlsmässigen Ausgliederung des Untersturmführers Brandt und seiner Untergebenen aus der Behörde des Angeklagten Dr. Hahn keine oder nur recht pauschale Bekundungen gemacht. So haben die Zeugen Gri. und Nem., beide ehemalige Angehörige des Ausländerreferats, die kommissarisch vernommen und deren Aussagen in der Hauptverhandlung verlesen worden sind, von weitreichenden Befugnissen des SSPF, insbesondere in Judenfragen, gesprochen. Nur wenige Zeugen haben sich hierzu etwas detaillierter geäussert. Ihre Aussagen sind indes uneinheitlich. So hat der Zeuge Josef Blösche, ein ehemaliger Angehöriger des Judenreferats, der 1969 in der DDR zum Tode verurteilt [16] und inzwischen hingerichtet worden ist, in seinen Aussagen vor dem Stadtbezirksgericht Berlin-Mitte vom 17.3. und 22.7.1969, die in der Hauptverhandlung verlesen worden sind, angegeben, sein Vorgesetzter Brandt habe während der sogenannten Umsiedlungsaktion im Jahre 1942 sowie während der Stroop-Aktion in den Monaten April, Mai 1943 und auch anschliessend befehlsmässig direkt dem Angeklagten Dr. Hahn unterstanden. Demgegenüber hat der Zeuge Max Jes., seinerzeit Stabsführer in der Dienststelle des SSPF Warschau, dessen Aussagen vom 27.4. und 17.10.1961 ebenfalls verlesen worden sind, jedenfalls für die beiden genannten Aktionen in den Jahren 1942 und 1943 eine direkte befehlsmässige Unterstellung der im Ghetto eingesetzten Angehörigen der Sicherheitspolizei unter die SSPF von Sammern-Frankenegg und Stroop bejaht. Zu diesen Angehörigen der Sicherheitspolizei habe vor allem der Leiter des Judenreferats, der Untersturmführer Brandt, gehört.

Der historische Sachverständige Prof. Joc. hielt in seinem zum Deutschen Sicherheitsapparat im ehemaligen Generalgouvernement mündlich erstatteten Gutachten eine Ausgliederung des Judenreferats entsprechend der Einlassung des Angeklagten Dr. Hahn zwar aus historischer Sicht für wenig überzeugend - und darin ist das Gericht mit ihm einig - konnte sie für den konkreten Einzelfall aber auch nicht sicher ausschliessen. Gegen die Richtigkeit der Einlassung des Angeklagten spricht, dass nach dem "Erlass für die Überweisung von Dienstgeschäften auf den Staatssekretär für das Sicherheitswesen" vom 3.Juni 1942, Anlage B Nr.18, grundsätzlich die Sicherheitspolizei in Judenangelegenheiten zuständig war, ferner, dass grundsätzlich der SS- und Polizeiführer entsprechend der "Dienstanweisung für die höheren SS- und Polizeiführer vom 18.12.1939", Nr.6, nur bei sogenannten Grossaktionen selbst exekutiv tätig werden sollte. Andererseits hat der Sachverständige darauf hingewiesen, dass in der damaligen Praxis die Kompetenzen des SSPF nicht fest abgegrenzt waren, ihr Umfang und ihre Ausgestaltung im Einzelfall insbesondere von der jeweiligen Persönlichkeit des SSPF abhingen. Der Sachverständige vermochte jedenfalls nicht sicher auszuschliessen, dass der SSPF in Warschau auch ausserhalb sogenannter Grossaktionen in Judenangelegenheiten

[16] Siehe DJuNSV Bd.II S.397 ff. (Verfahren Nr.1049).

unmittelbare Befehlsbefugnisse gegenüber dem Judenreferat der Dienststelle des Angeklagten Dr. Hahn hatte.

Die spezielle Aktion gegen die Juden aus dem Hotel Polski kann aber auch ein später Ausläufer der Ghettoliquidierung gewesen sein, für die der damalige SSPF Stroop seine umfassenden Vollmachten, die er für die Niederlegung des Ghettos hatte, in Anspruch genommen hat. Auch diese Möglichkeit konnte nicht mit hinreichender Sicherheit ausgeschlossen werden.

Zwar war ursprünglich einmal das Ausländerreferat in die Registrierung der Juden im Hotel Polski eingeschaltet. Anhaltspunkte dafür, dass jedenfalls die Juden, die sich nach dem letzten Abtransport in das Lager Bergen-Belsen noch im Hotel Polski befanden, nicht mehr der Zuständigkeit des Ausländerreferats unterstanden, sondern möglicherweise der des Judenreferats IV B 4, ergeben sich aber einmal daraus, dass der Untersturmführer Brandt, der Leiter dieses Referats, die Selektion auf dem Gelände des Pawiakgefängnisses leitete, zum anderen aus der Aussage des Zeugen Nem. Danach ist wahrscheinlich im Juli 1943, nachdem der letzte Transport aus dem Hotel Polski abgegangen war, vom Reichssicherheitshauptamt ein Befehl gekommen, wonach die Aktion zur Sammlung und Registrierung von Juden zu stoppen sei. Der Zeuge Gri., damals der Vorgesetzte von Nem. im Ausländerreferat, hat einen entsprechenden Befehl zwar nicht bestätigt, aber auch nicht ausschliessen können. Ist aber ein derartiger Befehl vom RSHA erteilt worden, dann war es nur konsequent, die Juden, die sich noch im Hotel Polski aufhielten und noch nicht registriert waren, den übrigen Juden gleichzustellen, mit der Folge, dass nunmehr das Judenreferat IV B 4 für diese Menschen zuständig wurde. Dieses Referat unterstand unwiderlegt dem direkten Befehl des SSPF. SSPF war aber zu jener Zeit der Brigadeführer Stroop, der - wie sich aus den Aussagen vieler Zeugen, insbesondere der seines damaligen Untergebenen Jes. ergibt - die Juden aufs äusserste hasste, der gerade zuvor das jüdische Ghetto mit unvorstellbarer Grausamkeit niedergelegt hatte und der alles daran setzte, auch den letzten Warschauer Juden zu erfassen und der Vernichtung zuzuführen. Das Schwurgericht konnte nicht mit hinreichender Sicherheit ausschliessen, dass dieser Mann, den der Angeklagte Dr. Hahn jedenfalls formal unterstand, ohne Einschaltung des Angeklagten, vielleicht aber auch nur unter dessen nachträglicher Unterrichtung die restlichen Juden aus dem Hotel Polski mit Hilfe des Untersturmführers Brandt und seiner Leute durch das Pawiakgefängnis hat schleusen und erschiessen lassen. Bei dieser Würdigung war auch von Bedeutung, dass nicht ein Zeuge irgendeine dienstliche Handlung des Angeklagten Dr. Hahn im Rahmen der Aktion gegen die Juden aus dem Hotel Polski bekundet hat und - wie ausgeführt - nicht bewiesen worden ist, dass der Angeklagte Dr. Hahn im Zusammenhang mit dieser Aktion jemals im Hotel Polski oder aber im Pawiakgefängnis gewesen ist.

Der Angeklagte Dr. Hahn kann in diesem Fall auch nicht als Mittäter oder Gehilfe des SSPF bestraft werden, etwa weil er diesem seinen Behördenapparat und das ihm unterstehende Pawiakgefängnis zur Verfügung gestellt hätte, denn es ist nicht bewiesen worden, dass der Angeklagte Dr. Hahn vorher von der Tötung der restlichen Juden aus dem Hotel Polski gewusst hat. Schliesslich hat das Gericht auch keine ausreichenden Anhaltspunkte dafür, dass der Angeklagte etwa grundsätzlich und pauschal mit allen Tötungshandlungen des SSPF, die in den Bereich des KdS hineinreichten, einverstanden gewesen wäre.

Nach allem war der Angeklagte Dr. Hahn im Fall I.1. der Anklage freizusprechen.

b) Der Angeklagte Wip. war - wie ausgeführt - bei der Erschiessung der Juden aus dem Hotel Polski auf Befehl Vossbergs mit eingesetzt, um eine Flucht der zu Erschiessenden zu verhindern. Das steht auf Grund seiner Einlassung und der Aussagen vieler jüdischer und polnischer Zeugen fest, die seine Darstellung im wesentlichen bestätigt haben. Es ist aber auch bewiesen, dass es sich bei den Opfern nicht nur um Männer und Frauen handelte, vielmehr auch Kinder erschossen worden sind. Das haben viele jüdische und polnische Zeugen übereinstimmend bekundet, so u.a. Bronislav Mi., Jakob Wur. und Leon Wan.

Das Gericht hat keine Zweifel an der Richtigkeit dieser Aussagen. Darüber hinaus ist den Aussagen der jüdischen und polnischen Zeugen zu entnehmen, dass mit Sicherheit mindestens 250 Juden im Rahmen dieser Aktion getötet worden sind, und der Angeklagte nicht nur zeitweilig, sondern während der gesamten Dauer der Erschiessung abgesperrt hat. Schliesslich hat der Angeklagte Wip. nach seinen eigenen Angaben die Umstände, unter denen die Juden getötet wurden, gekannt. Ihm war auch bewusst, dass diese Menschen einzig und allein der Rasse wegen in den Tod geschickt wurden.

Seine Einlassung, er habe den ihm erteilten Befehl in dem Bewusstsein ausgeführt, bei Verweigerung oder einem "Sich-drücken" schwer, unter Umständen mit dem Tode bestraft werden zu können, sowie seine Angaben über den Vorfall mit dem Ober- oder Hauptsturmführer sind indes nicht widerlegt worden. Sichere Anhaltspunkte dafür, dass es sich insoweit um blosse Schutzbehauptungen des Angeklagten handelt, haben sich nicht ergeben.

II.
I.2., II.12. der Anklage (Tötung der Gefangenen der Abteilung 3)

1.) In der Nacht vom 19. auf den 20.Juli 1944 - dieser Zeitpunkt ist nach der Beweisaufnahme auf Grund zahlreicher Zeugenaussagen nicht mehr zweifelhaft - wurde in der im ersten Stockwerk des Hauptgebäudes des Pawiak-Gefängnisses gelegenen Abteilung 3, in der nur polnische Gefangene untergebracht waren, von einer kleinen Gruppe dieser Gefangenen mit Unterstützung eines ukrainischen Wachmannes ein bewaffneter Ausbruchsversuch unternommen. Der ukrainische Wachmann hatte einige Häftlinge aus den Zellen herausgelassen und ihnen Waffen verschafft. Der Ausbruchsversuch wurde jedoch schon bald von einem deutschen Gefangenen, dem Zeugen Be., der eine vom SS- und Polizeigericht Krakau gegen ihn verhängte Freiheitsstrafe im Pawiak-Gefängnis verbüsste, entdeckt. Be., der sich dort als deutscher Häftling verhältnismässig frei bewegen konnte, half dem Wachpersonal, die kleine Gruppe der Gefangenen der Abteilung 3 in das erste Stockwerk zurückzudrängen. Dabei fielen auf beiden Seiten Schüsse. Mit Hilfe von Angehörigen der Dienststelle in der Aleja Szucha wurde der Ausbruchsversuch nach einigen Stunden endgültig niedergeschlagen. Die wenigen bewaffneten Gefangenen wurden entwaffnet und wieder in den Zellen verwahrt. Etwa fünf Gefangene waren bei der Niederschlagung dieses Fluchtunternehmens ums Leben gekommen. Auf deutscher Seite hatte es einen Verletzten gegeben. Der von dem Vorfall benachrichtigte Angeklagte Dr. Hahn war, während die Schiessereien noch andauerten, im Pawiak-Gefängnis erschienen, liess sich über das bisherige Geschehen berichten, verfolgte an Ort und Stelle die weitere Entwicklung, traf Massnahmen zur Niederschlagung des Ausbruchsversuchs und überwachte diese.

Als die Sicherheitspolizei nach einigen Stunden wieder Herr der Lage war, meldete der Angeklagte Dr. Hahn noch im Laufe dieser Nacht den Ausbruchsversuch seinen vorgesetzten Dienststellen in Krakau, dem Befehlshaber der Sicherheitspolizei und des SD und dem Höheren SS- und Polizeiführer. Von einer dieser vorgesetzten Dienststellen erhielt er nach seiner unwiderlegten Einlassung am folgenden Tage den Befehl, sämtliche Insassen der Abteilung 3 erschiessen zu lassen. Diesen Befehl gab der Angeklagte Dr. Hahn zur Ausführung an den Leiter der Abteilung IV seiner Dienststelle, Stamm, weiter. Welche innere Einstellung der Angeklagte zu dem Vorgang, bei der Meldung nach Krakau und bei der Weitergabe des von dort erhaltenen Befehls hatte, konnte in der Hauptverhandlung nicht mehr geklärt werden. Einige Tatsachen sprechen dafür, und auch der Angeklagte hat diese Möglichkeit nicht ausgeschlossen, dass der Befehl ihm in der damaligen Situation seiner Härte wegen ungelegen kam und er ihn nur widerwillig weitergab.

Am 21.Juli 1944 wurde dieser Befehl ausgeführt. Sämtliche Häftlinge der Abteilung 3 mit Ausnahme von etwa vier Gefangenen, die dort nur nachts untergebracht waren - zu diesen gehörten die Zeugen Dr. Lo. und Dr. Sli. - wurden unabhängig davon, ob sie irgendetwas mit dem Ausbruchsversuch zu tun hatten, auf einem Ruinengrundstück im Ghetto erschossen. Es handelte sich - wie der Angeklagte Dr. Hahn wusste - um insgesamt mindestens 150 Männer, ausnahmslos Polen. Ein Teil dieser Opfer war möglicherweise wegen Waffenbesitzes oder Unterstützung der Widerstandsbewegungen standgerichtlich zum Tode verurteilt worden. Der Anteil solcher Gefangener machte jedoch höchstens ein Drittel der insgesamt getöteten 150 Insassen der Abteilung 3 aus. Sowohl dem Angeklagten Dr. Hahn als auch dem Befehlsgeber war bekannt, dass allenfalls ein Teil der Getöteten standgerichtlich zum Tode verurteilt war.

Die Gefangenen der Abteilung 3 wurden, nachdem sie aus den Zellen herausgeführt worden waren, auf Lastkraftwagen zu einem verborgenen Erschiessungsplatz transportiert und dort nacheinander in kleinen Gruppen von 5-6 Männern von einem Erschiessungskommando, möglicherweise einer Einheit der Schutzpolizei, in Anwesenheit eines Angehörigen der Sicherheitspolizei erschossen. Ihren Tod vor Augen, hatten die Opfer nahe der Erschiessungsstelle zu warten, bis sie an der Reihe waren, und mussten dabei noch aus unmittelbarer Nähe die Erschiessung ihrer Mithäftlinge miterleben. Dass die Erschiessung der allgemeinen Übung entsprechend unter diesen Umständen durchgeführt werden wurde, wusste sowohl der Angeklagte Dr. Hahn bei der Weiterleitung des erhaltenen Erschiessungsbefehls als auch sein Befehlsgeber bei der Erteilung dieses Befehls.

Der Angeklagte Wip., der damals Wachmann in der Abteilung 3 war, in der Nacht vom 19. auf den 20.Juli 1944 jedoch keinen Dienst hatte und nicht im Pawiak-Gefängnis eingesetzt war, wirkte bei der Ausführung des von dem Angeklagten Dr. Hahn erhaltenen und weitergeleiteten Erschiessungsbefehls mit. Wip. schloss die Zellen in der Abteilung 3 auf und führte die Gefangenen mit hinaus. Dabei war er sich bewusst, dass diese Gefangenen - wie es dann auch geschah - unter den beschriebenen, damals üblichen und auch ihm bekannten Umständen erschossen werden würden. Wegen der Vielzahl der Gefangenen mussten die Lastkraftwagen mehrmals vom Gefängnis zum Erschiessungsplatz fahren. Mindestens für den letzten Transport war der Angeklagte Wip. zur Sicherung abkommandiert worden. Er fuhr, mit einer Pistole bewaffnet, auf dem Trittbrett des Lastkraftwagens mit. Zur Bewachung der zu erschiessenden Häftlinge musste er sodann bis zum Ende der Erschiessungsaktion in der Nähe der Erschiessungsstelle bleiben; er erlebte dort zumindest teilweise die sukzessive gruppenweise Tötung aus unmittelbarer Nähe mit. Ihm war die Gesamtzahl der Getöteten von mindestens 150 bekannt. Auch er hielt allenfalls ein Drittel dieser Opfer für standgerichtlich zum Tode Verurteilte.

Diese Feststellungen beruhen im wesentlichen auf den Angaben der Angeklagten Dr. Hahn und Wip.

2.a.) Der Angeklagte Dr. Hahn hat sich im einzelnen wie folgt eingelassen:

Bei den Insassen der Abteilung 3, in der der Ausbruchsversuch unternommen worden sei, habe es sich um standgerichtlich zum Tode verurteilte und solche Häftlinge gehandelt, die nach dem Sachstand mit Sicherheit ein Todesurteil zu erwarten gehabt hätten. Konkrete Vorstellungen, wie gross der Anteil der zum Tode Verurteilten sei, habe er nicht gehabt. Er habe auch gemeint, es handele sich um eine Vergeltungserschiessung.

Nachdem der Ausbruchsversuch unter seiner Leitung und in seiner Anwesenheit endgültig niedergeschlagen und die Sicherheitspolizei wieder Herr der Lage gewesen sei, habe er über das Geschehen fernmündlich und per Fernschreiben dem Befehlshaber der Sicherheitspolizei und des SD und dem Höheren SS- und Polizeiführer in Krakau berichtet. Wenn er auch nicht mehr wisse, was er im einzelnen gemeldet habe, sei er jedoch sicher, dass seine Meldung keinen Vorschlag über irgendwelche Gegenmassnahmen enthalten habe. Er erinnere sich daran, dass er nach der Meldung, ohne besondere Anordnungen zu treffen, wieder ins Bett gegangen sei. Am folgenden Tage habe er dann vom Höheren SS- und Polizeiführer über den SS- und Polizeiführer oder vom Befehlshaber der Sicherheitspolizei und des SD den Befehl erhalten, sämtliche Insassen der Abteilung 3 erschiessen zu lassen. Diesen habe er zur Ausführung an den Leiter der Abteilung IV, Stamm, zur Ausführung weitergeleitet. Dabei sei er davon ausgegangen, dass die Häftlinge der Abteilung 3 unter den damals bei Massenerschiessungen üblichen allgemein bekannten Umständen, nämlich nacheinander in kleinen Gruppen, erschossen werden würden. Das sei technisch gar nicht anders möglich gewesen. Ihm sei bekannt, dass der Erschiessungsbefehl tatsächlich ausgeführt worden sei. Ob vor der Erschiessung noch ein Appell stattgefunden habe, wisse er nicht. Er habe jedenfalls keinen Appell abgehalten. Er vermute, dass die Häftlinge von einem Kommando der Schutzpolizei in Anwesenheit eines Angehörigen der Abteilung IV, der Gestapo, im Führerdienstgrad erschossen worden seien.

b) Der Angeklagte Wip., der damals schon längere Zeit als Wachmann in der Abteilung 3 eingesetzt war, nach seiner Darstellung jedoch in der Nacht, in der der Ausbruchsversuch unternommen wurde, keinen Dienst hatte, hat Art und Umfang seiner Mitwirkung im Rahmen der Erschiessungsaktion, das Herausführen der Häftlinge aus den Zellen, die Sicherung mindestens eines Transportes zur Erschiessungsstelle und die Bewachung der zu erschiessenden Häftlinge selbst geschildert. Im einzelnen hat er sich wie folgt eingelassen:

In der Abteilung 3 seien etwa 180-200 Gefangene untergebracht gewesen. Es habe sich um eine ganz normale Abteilung gehandelt. Insbesondere seien dort nicht etwa besonders gefährliche oder schwer belastete Häftlinge oder gar Todeskandidaten konzentriert gewesen. Soweit ihm bekannt sei, habe es eine spezielle Abteilung für standgerichtlich zum Tode Verurteilte oder sichere Todeskandidaten im Pawiak-Gefängnis nicht gegeben. Besondere Sicherheitsvorkehrungen hätten für die Abteilung 3 nicht gegolten. Wenn er auch nicht gewusst habe, welche Delikte man den Häftlingen zur Last gelegt habe und ob einzelne zum Tode verurteilt gewesen seien, habe er die Insassen der Abteilung 3 in der Mehrzahl nicht für zum Tode Verurteilte gehalten. Ihm sei sogar bei mehreren Häftlingen auf Grund von Gesprächen mit diesen klar gewesen, dass sie nicht erschossen, sondern allenfalls in Konzentrationslager geschickt worden wären, wenn der Ausbruchsversuch nicht unternommen worden wäre. Er habe auch die meisten der Insassen der Abteilung 3 für unschuldig an diesem Fluchtunternehmen gehalten. Als er die Häftlinge aus den Zellen herausgelassen habe, sei ihm bereits bekannt gewesen, dass die ganze Abteilung erschossen werden würde. Dass dies, wie damals bei Massenerschiessungen üblich, nacheinander in kleinen Gruppen geschehen würde, habe er von vornherein gewusst.

Bevor er die Häftlinge aus den Zellen herausgelassen habe, sei er noch in der Hoffnung, die Tötung der ganzen Abteilung abwenden zu können, in einigen Zellen gewesen und habe die Gefangenen aufgefordert, die Schuldigen an dem Ausbruchsversuch zu nennen. Ein Angehöriger der Dienststelle in der Aleja Szucha habe das gesehen und ihm erklärt: "Das geht nicht! Jetzt kommt Ihr zum Aufpassen, und vorher habt Ihr geschlafen."

3. a) Auf Grund der eigenen Angaben des Angeklagten Dr. Hahn steht fest, dass er zumindest in der von ihm dargestellten Art im Rahmen dieser Erschiessungsaktion tätig geworden ist. Er hat, was die Meldung an seine vorgesetzten Dienststellen sowie den ihm erteilten und von ihm weitergeleiteten Erschiessungsbefehl anbelangt, den Ablauf des Geschehens klar und widerspruchsfrei geschildert. Dass er dies nicht bis in alle Einzelheiten vermochte, stellt

seine in den ... [17] abgerundete Darstellung schon mit Rücksicht auf den seit dem Geschehen verstrichenen erheblichen Zeitraum von annähernd 30 Jahren nicht in Frage.

Darüber hinausgehende Feststellungen, etwa, dass der Angeklagte Dr. Hahn, ohne dass ihm ein entsprechender Befehl erteilt wurde, von sich aus die Erschiessung der Häftlinge der Abteilung 3 angeordnet oder dass er diese auch nur vorgeschlagen hat, konnten dagegen nicht getroffen werden. Zeugenaussagen oder andere Beweismittel standen dem Gericht insoweit nicht zur Verfügung.

Die Beweisaufnahme hat jedoch entgegen den Behauptungen des Angeklagten Dr. Hahn ergeben, dass in der Abteilung 3 nicht nur zum Tode Verurteilte und sichere Todeskandidaten im Sinne eines bevorstehenden Standgerichtsverfahrens gesessen haben. Es handelte sich vielmehr um eine ganz normale Mischung polnischer Gefangener, einschliesslich von Funktionshäftlingen, wie sie auch sonst im Pawiak-Gefängnis untergebracht waren.

So hat der deutsche Zeuge Rüh., ein ehemaliger Angehöriger des Wachpersonals, in seiner in der Hauptverhandlung verlesenen Aussage bereits generell ausgeschlossen, dass es im Pawiak-Gefängnis überhaupt eine besondere Abteilung für standgerichtlich zum Tode Verurteilte gegeben habe. Eine gesonderte Unterbringung derart gefährlicher Häftlinge wäre auch, so hat dieser Zeuge ausgeführt, aus Sicherheitsgründen unangebracht gewesen. Die polnischen Zeugen Dr. Sli. und Dr. Lo. haben übereinstimmend bekundet, in der Abteilung 3 hätten ganz gewöhnliche Häftlinge, vor allem auch mehrere Funktionshäftlinge gesessen. Beide Zeugen waren mehrere Jahre lang im Pawiak-Gefängnis als Ärzte tätig und übersahen den internen Bereich insbesondere auch der Abteilung 3, in der sie zur Zeit des Ausbruchsversuchs untergebracht waren, recht gut. Ihre Aussagen, die im wesentlichen der Einlassung des Mitangeklagten Wip. entsprechen, stützen sich auf eigene Erkenntnisse, die diese Zeugen damals gesammelt haben. Der über die Verhältnisse im Pawiak-Gefängnis als ehemaliger Kanzleischreiber besonders gut unterrichtete Zeuge Wan. hat die Abteilung 3 sogar als die "der sogenannten Leichten" bezeichnet; dort seien vor allem Leute untergebracht gewesen, die man im Bericht des Gefängnisses, z.B. in der Küche, im Kesselhaus oder in anderen Räumen beschäftigt habe. Die Abteilung 3 sei eine verhältnismässig ruhige Abteilung gewesen. Der Zeuge Wan. hielt sich zwar zur Zeit des Ausbruchsversuches nicht mehr im Gefängnis auf - er ist zwei Tage vorher, am 17.Juli 1944, geflohen -, der Beweiswert seiner Aussage für die hier zu beurteilende Frage wird dadurch jedoch nicht geschmälert. Denn es ist mit Sicherheit auszuschliessen, dass sich etwa innerhalb dieser zwei Tage die Belegung der Abteilung 3 grundlegend änderte.

Auf Grund der Aussagen aller dieser Zeugen und der Angaben beider Angeklagten hat das Gericht unter vorsichtiger Berechnung zu Gunsten der Angeklagten angenommen, dass höchstens ein Drittel der insgesamt getöteten Insassen der Abteilung 3 zum Tode verurteilt war. Ein höherer Prozentsatz ist mit Sicherheit auszuschliessen.

Insgesamt aber sind mindestens 150 Männer, ausschliesslich Polen, erschossen worden. Diese Mindestzahl ergibt sich wie folgt: Die Abteilung 3 war, als der Ausbruchsversuch unternommen wurde, mit 180 bis 200 Häftlingen belegt. Das folgt aus der Einlassung des Mitangeklagten Wip. und den Aussagen zahlreicher Zeugen, u.a. Dr. Sli. und Dr. Lo. Dabei handelt es sich, wie sich ebenfalls aus der Einlassung des Angeklagten Wip. und einer Vielzahl von Zeugenaussagen ergibt, um die damals übliche Belegungsstärke einer Abteilung. Die Zahl der am 21.Juli 1944 Getöteten war möglicherweise etwas niedriger. Eine kleine Gruppe von etwa 4 Häftlingen, zu denen die Zeugen Dr. Lo. und Dr. Sli. gehörten, ist von

[17] Zwei Worte in der Urteilsausfertigung unleserlich.

der Erschiessung ausgenommen worden. Einige Gefangene, insgesamt etwa fünf, sind bei der Niederschlagung des Ausbruchsversuchs ums Leben gekommen. Schliesslich sind möglicherweise, was einige Zeugen berichtet haben, ohne dass dies hinreichend geklärt werden konnte, am Morgen des 20.Juli 1944, also einen Tag vor der Erschiessung aller übrigen Häftlinge der Abteilung 3, ohne Beteiligung der Angeklagten etwa 8 bis 10 Gefangene dieser Abteilung, die als Rädelsführer galten, getötet worden. Das Gericht hat daher, wiederum unter vorsichtiger Schätzung zu Gunsten der Angeklagten, angenommen, dass in Ausführung des dem Angeklagten Dr. Hahn erteilten und von ihm weitergeleiteten Erschiessungsbefehls mindestens 150 Menschen getötet worden sind.

Dass mindestens so viele polnische Gefangene erschossen werden würden, war dem Angeklagten Dr. Hahn klar, als er den Befehl zur Ausführung weiterleitete. Die Anzahl der Insassen der Abteilung 3 entsprach - wie oben festgestellt - der damals üblichen Belegungsstärke einer Abteilung. Dass der Angeklagte Dr. Hahn zumindest über die übliche Belegung der Abteilungen des ihm unterstehenden Gefängnisses unterrichtet war, kann keinem Zweifel unterliegen. Ausserdem hatte der Angeklagte - auch das steht ausser Zweifel - einen zumindest annähernden Überblick über die Grösse der Abteilung 3 gewonnen, als er sich in der Nacht vom 19. zum 20.Juli 1944 im Gefängnis aufhielt, sich dort über das Geschehen informierte und die Niederschlagung des Ausbruchsversuchs persönlich überwachte.

Dass die Erschiessung einer ganzen Abteilung nacheinander in kleinen Gruppen erfolgen würde, war für den Befehlsgeber ebenso klar wie für den Angeklagten Dr. Hahn. Dafür waren die Erfahrungen mit derartigen Massenerschiessungen, wie sie der Art nach üblicherweise erfolgten, Mitte 1944 bereits viel zu gross. Beide - der Befehlsgeber und der Angeklagte Dr. Hahn - wussten auch, dass allenfalls ein Teil der Opfer standgerichtlich zum Tode verurteilt war. Das war für ein Untersuchungsgefängnis der Gestapo selbstverständlich und kann keinem Zweifel unterliegen. Es ist aber auch mit Sicherheit auszuschliessen, dass der Angeklagte Dr. Hahn etwa angenommen habe, von den Opfern sei mehr als ein Drittel zum Tode verurteilt gewesen. Die Einlassung des Angeklagten, er habe das ganze für eine Vergeltungserschiessung gehalten, ist widerlegt worden. Diese gänzlich vage gebliebene Behauptung des Angeklagten passt schon nicht zu dem, was er zu den eigentlichen Vergeltungserschiessungen gesagt hat. Im übrigen fehlen hier sämtliche Voraussetzungen einer Vergeltungserschiessung, wie sie sonst in Warschau üblich waren. Das war und ist so offensichtlich, dass das Gericht zu der Überzeugung gelangt ist, dass der Angeklagte Dr. Hahn sich seine angebliche Meinung, es habe sich um eine Vergeltungserschiessung gehandelt, als reine Schutzbehauptung ausgedacht hat.

Das Gericht hat nun sehr eingehend zu klären versucht, mit welcher inneren Einstellung zu dem erhaltenen Erschiessungsbefehl und dessen Ausführung der Angeklagte Dr. Hahn diesen Befehl an den Leiter der Abteilung IV, Stamm, weiterleitete. Manches spricht dafür, dass er die Tötung der Häftlinge als eigene Tat gewollt hat: In erster Linie seine herausgehobene Stellung in der sicherheitspolizeilichen Hierarchie des ehemaligen Generalgouvernements, aber auch seine grundsätzlich kritiklose Einstellung gegenüber dem nationalsozialistischen Gewaltregime einschliesslich der rücksichtslosen sicherheitspolizeilichen Massnahmen. Dennoch ist ein genügend sicherer Beweis für eine solche innere Einstellung des Angeklagten Dr. Hahn zur Tat nicht zur Überzeugung des Gerichts erbracht worden. Eigene verwertbare Angaben des Angeklagten liegen hierzu nicht vor, und die Feststellungen zum äusseren Ablauf des Tatgeschehens reichen nicht aus, um die Möglichkeit auszuschliessen, dass der Angeklagte lediglich einen fremden Willen vollzogen hat, den er sich nicht zueigen machte. Die Staatsanwaltschaft macht es sich hier zu einfach, wenn sie meint, es kämen nur noch Hitler, Göring, Himmler, Kaltenbrunner und einige andere als Täter in Betracht, wenn der Angeklagte Dr. Hahn hier nicht Täter wäre. Dabei wird nämlich verkannt, dass es in einer Hierarchie des Mordes, wie sie für den nationalsozialistischen Machtapparat typisch war, im Einzelfall auch oberhalb von den Tätern, welche die Mordbefehle letzten Endes ausführten, noch wieder Gehilfen geben kann. Das wird zwar in der Regel nicht so gewesen sein, konnte aber - je nach dem persönlichen Engagement und der sonstigen subjektiven Situation - vorkommen. Im vorliegenden Fall kann es zum Beispiel so gewesen sein, dass der Angeklagte Dr. Hahn den Befehl, ohne sich überhaupt nähere Gedanken zu machen, ja möglicherweise sogar widerwillig an den Abteilungsleiter Stamm weitergegeben hat. Es ist dabei zu berücksichtigen, dass der Angeklagte Dr. Hahn und die von ihm geleitete Behörde gerade in jenen Tagen in allergrössten Schwierigkeiten waren. Die Tätigkeit der polnischen Widerstandsbewegungen nahm rapide zu. Die Rote Armee näherte sich der Weichsel. Der Warschauer Aufstand stand kurz bevor. Alles das wusste der Angeklagte, der immer wieder grundsätzlich und unwiderlegt betont hat, er sei während seiner gesamten Tätigkeit in Warschau, insbesondere aber auch in zugespitzten Situationen, darauf bedacht gewesen, die Verhältnisse nicht zu eskalieren. In seiner Dienststelle herrschte, worauf die Zeugin Chm. glaubhaft hingewiesen hat, ein grosses Durcheinander, da bereits für den 22.Juli 1944 die Evakuierung von Dienststellenangehörigen aus Warschau vorgesehen war. Auch die zum objektiven Geschehen festgestellten Tatsachen rechtfertigen nicht den Schluss darauf, dass der Angeklagte sich das Wollen des Befehlsgebers und damit auch die Tat zueigen gemacht hat.

Dabei darf auch eines nicht übersehen werden: Während für die Beteiligten dieses Strafverfahrens das Pawiak-Gefängnis länger als ein Jahr der Mittelpunkt ihrer beruflichen Betrachtungen war, war es seinerzeit für den Angeklagten nur ein Instrument in seinem grossen Sicherheitsapparat, das in seinem Bewusstsein, zumal in jenen Tagen, kaum eine zentrale Rolle gespielt haben dürfte. Das Gericht vermochte jedenfalls nicht auszuschliessen, dass der Angeklagte Dr. Hahn in der damaligen prekären, aufs Äusserste zugespitzten Situation den fraglichen Mordbefehl weitergegeben hat, ohne ihn besonders zu beachten, geschweige denn, sich mit ihm im Sinne eigenen Wollens zu identifizieren. Das Gericht verkennt nicht, dass diese Gesichtspunkte ambivalent sind: Sie können auch für einen gegenteiligen Schluss sprechen. So kann es auch so gewesen sein, dass dem Angeklagten Dr. Hahn der Tötungsbefehl angesichts seiner schwierigen Situation durchaus gelegen kam und seinen eigenen dienstlichen Interessen entsprach. Dann hätte er die Tötung der Häftlinge als eigene Tat gewollt. Das muss aber nicht so gewesen sein, und im Zweifel war die geringere Beteiligungsform anzunehmen.

Es ist auch nicht etwa bewiesen worden, dass der Angeklagte die Meldung an seine vorgesetzten Dienststellen bereits in dem Bewusstsein erstattet hat, er werde einen solchen Befehl auslösen. Ebensowenig ist bewiesen worden, dass der Angeklagte durch die Art seiner Meldung, deren Wortlaut in der Hauptverhandlung auch nicht annähernd geklärt werden konnte, den Mordbefehl provoziert hat. Es kann zwar nicht ausgeschlossen werden, dass der Angeklagte in seiner Meldung einen Vorschlag gemacht hat. Er hat das jedoch in Abrede genommen, und mangels Zeugenaussagen oder anderer Beweismittel konnte das Gegenteil nicht festgestellt werden. Nach allem konnte das Gericht nach dem Grundsatz in dubio pro reo nur davon ausgehen, dass der Angeklagte Dr. Hahn lediglich einen fremden Willen vollzogen hat, den er sich nicht zueigen machte. Dass er - wovon das Gericht überzeugt ist - den Erfolg der Tat, die Tötung der Häftlinge an sich, billigte und förderte, steht dem nicht entgegen. Denn das ist bereits Voraussetzung für eine blosse Beihilfe und zwingt nicht zur Annahme der Täterschaft.

b) Dass der Angeklagte Wip. bei der Ausführung des Erschiessungsbefehls - wie oben unter Ziffer 1.) festgestellt worden ist - mitgewirkt hat, steht auf Grund seiner eigenen Angaben fest. Er hat Art und Umfang seiner Tätigkeit im Rahmen dieser Erschiessungsaktion glaubwürdig geschildert. Darüber hinausgehende Feststellungen konnten nicht getroffen werden. Der Angeklagte Wip. wusste bereits in dem Zeitpunkt, als er die Häftlinge aus den Zellen herausliess, dass sämtliche Insassen der Abteilung 3 getötet werden würden. Ihm war bekannt, dass es sich um mindestens 150 Menschen handelte. Auch er ging von Anfang an davon aus, dass eine so grosse Menge in kleinen Gruppen nacheinander erschossen werden würde. Alles dies ergibt sich aus seinen eigenen Angaben, ebenso, dass er zutreffend die Mehrzahl der Opfer für unschuldig an dem Ausbruchsversuch und allenfalls ein Drittel für zum Tode Verurteilte hielt.

III.
I.3., II.12. der Anklage (Erschiessung von 40 jüdischen Handwerkern)

Den Angeklagten Dr. Hahn und Wip. ist weiter zur Last gelegt worden, im Juli 1944 die Erschiessung von 40 jüdischen Handwerkern aus dem Pawiak-Gefängnis im Anschluss an die Flucht von 10 jüdischen Handwerkern angeordnet bzw. daran mitgewirkt zu haben. Insoweit hat die Hauptverhandlung gegen beide Angeklagten keinen Schuldnachweis ergeben, so dass sie freizusprechen sind.

Folgende Feststellungen hat das Gericht getroffen:

Etwa Ende Mai 1944 flohen 10 jüdische Häftlinge aus dem Pawiak-Gefängnis. Sie gehörten zu der dort inhaftierten Gruppe jüdischer Handwerker, die in den Gefängnis-Werkstätten arbeiten mussten, aber auch ausserhalb des Gefängnisses zu Arbeiten für die Dienststelle des Angeklagten Dr. Hahn eingesetzt wurden. Die Flucht gelang den jüdischen Handwerkern aus einem Werkstattgebäude. Nach Entdeckung der Flucht wurden sogleich die restlichen im Gefängnis zurückgebliebenen jüdischen Handwerker in die Abteilung 4 im Hauptgebäude verlegt. Ob anschliessend ein Teil dieser jüdischen Handwerker im Zusammenhang mit der Flucht der 10 jüdischen Handwerker erschossen worden sind, konnte nicht mit hinreichender Sicherheit festgestellt werden.

Der Angeklagte Dr. Hahn hat sich wie folgt eingelassen: Ihm sei weder bekannt, dass einmal 10 jüdischen Handwerkern eine Flucht aus dem Pawiak gelungen sei, noch, dass im Anschluss daran Juden erschossen worden seien. Im übrigen wäre, falls dies geschehen sei, für diese Massnahme der SS- und Polizeiführer zuständig gewesen. Die jüdischen Handwerker hätten wie alle anderen Juden dessen absoluter Befehlsgewalt unterstanden.

Auch der Angeklagte Wip. hat angegeben, er wisse weder etwas von einer solchen Flucht noch von einer anschliessenden Erschiessung jüdischer Handwerker.

In der Beweisaufnahme hat sich zwar auf Grund einer Vielzahl von Zeugenaussagen, insbesondere der Bekundungen der Zeugen Hir. und D., die sich an der Flucht beteiligt hatten, ergeben, dass tatsächlich etwa Ende Mai 1944 zehn jüdische Handwerker aus dem Pawiak--Gefängnis geflohen sind. Es ist indes schon nicht gelungen, mit Sicherheit festzustellen, dass im Anschluss an diese Flucht, geschweige denn im Zusammenhang mit ihr, jüdische Handwerker erschossen worden sind.

Der Zeuge Dr. Sli., der - wie oben unter II.3.) bereits ausgeführt worden ist - die damaligen Verhältnisse im Pawiak-Gefängnis als Häftlingsarzt recht gut kannte und der sich an die Flucht der 10 jüdischen Handwerker erinnerte, hat sehr bestimmt erklärt, für diese Flucht habe es niemals eine Vergeltung gegeben, insbesondere sei dafür niemand erschossen worden; damals seien überhaupt nur noch wenige Juden im Pawiak gewesen. Auch der damals dort als Schneider tätige jüdische Zeuge Bronislaw Mi., der sich ebenfalls an die Flucht der 10 Handwerker erinnerte, hat eine Erschiessung im Anschluss an diese Flucht verneint. Er hat erklärt, persönliche Repressalien dieser Art habe es nicht gegeben. Eine Reihe von Zeugen glaubte zwar zu erinnern, dass nach der Flucht aus der Gruppe der restlichen im Pawiak zurückgebliebenen jüdischen Handwerker etwa 40 herausgesucht und erschossen worden seien. Die Aussagen dieser Zeugen vermögen indes die Zweifel, die sich auf Grund der Bekundungen der Zeugen Dr. Sli. und Bronislaw Mi. ergeben, nicht auszuräumen. So hatten die Zeugen Izb. und Meir Bie. nach ihrer Darstellung nur von der Erschiessung gehört. Der

Zeuge Sch. hat erklärt, das ganze Geschehen stehe ihm nicht mehr deutlich vor Augen, und er könne nicht mehr sagen, was er eigentlich selbst erlebt und was er nur gehört habe. Ähnlich hat der Zeuge Josef Atl. ausgesagt. Während der Zeuge Stanley Osi. berichtet hat, vor der Erschiessung habe ein Appell auf dem Gefängnisgelände stattgefunden, hat der Zeuge Josef Mi. erklärt, es habe kein Appell stattgefunden, die zu Erschiessenden seien vielmehr anhand von Listen direkt aus den Zellen herausgeholt worden. Ob eine Erschiessung durchgeführt worden ist, konnten beide Zeugen auf Grund eigener Wahrnehmungen nicht angeben. Der Zeuge Wan. hat ausgesagt, 40 jüdische Handwerker seien nach der Flucht ausgesondert, vor das Gefängnistor geführt und dort erschossen worden. Demgegenüber hat der Zeuge Wur. bekundet, er habe gesehen, wie die jüdischen Handwerker auf dem Gefängnishof in einen Lastkraftwagen verladen worden seien; sie seien dann zur Zamenhofstrasse 19 gefahren und dort erschossen worden. Der Zeuge Wol. hat schliesslich erklärt, im Jahre 1944 seien etwa 30 jüdische Handwerker erschossen worden, weil man diese Menschen nicht mehr benötigt habe. Auf grund dieser unterschiedlichen Zeugenaussagen und der Bekundungen der Zeugen Dr. Sli. sowie Bronislaw Mi. konnten eindeutige Feststellungen nicht getroffen werden.

Aber selbst, wenn man die Erschiessung als solche und den nicht sicher herstellbaren Zusammenhang zwischen Flucht und Erschiessung annehmen wollte, ergibt sich keine nachweisbare Schuld der Angeklagten. Das Gericht ist zwar mit der Staatsanwaltschaft der Überzeugung, dass jedenfalls die jüdischen Handwerker im Jahre 1944, als Stroop nicht mehr SS- und Polizeiführer war, nicht aus der Zuständigkeit der Dienststelle des Angeklagten Dr. Hahn ausgeklammert waren. Es hat sich jedoch kein brauchbarer und überzeugender Hinweis dafür ergeben, dass der Angeklagte Dr. Hahn von diesem Vorfall, wenn er stattgefunden hat, vorher überhaupt erfahren hat. Das aber wäre die mindeste Grundvoraussetzung für seine Verurteilung, sei es als Täter, sei es als Gehilfe oder auch als Vorgesetzter im Sinne des §357 StGB. Selbstverständlich war diese Kenntnis nicht, wenn man berücksichtigt, dass die Erschiessung von Juden im Jahre 1944 für die deutschen Sicherheitsorgane kein besonderes Vorkommnis war. Dass eine solche Massnahme, von der noch dazu, wie mehrere Zeugen berichtet haben, keine echten Handwerker, sondern nur "unproduktive Juden" erfasst worden sein sollen, auf einer unteren Ebene in der Dienststelle des Angeklagten Dr. Hahn ohne dessen Unterrichtung angeordnet und durchgeführt worden ist, kann nicht ausgeschlossen werden.

Es konnte auch nicht festgestellt werden, dass der Angeklagte Dr. Hahn etwa generell für den Fall einer Flucht von Häftlingen irgendwelche Gegenmassnahmen, insbesondere Erschiessungen, angeordnet hatte.

Der Angeklagte Dr. Hahn war nach allem freizusprechen.

Da sich auf Grund der Beweisaufnahme auch kein sicherer Anhaltspunkt für eine irgendwie geartete Mitwirkung des Angeklagten Wip. an einer solchen Erschiessungsaktion ergeben hat, war auch dieser Angeklagte, insoweit gemäss dem Antrage der Staatsanwaltschaft, freizusprechen.

<u>IV.</u>
<u>I.4., II.12. der Anklage (Einzelerschiessungen in der Dzielnastrasse)</u>

Den Angeklagten ist in diesem Punkt zur Last gelegt worden, von 1942 bis 1944 zahlreiche Exekutionen einzelner Pawiakhäftlinge oder kleiner Gruppen von Pawiakhäftlingen auf den Grundstücken Dzielnastrasse 25-27 angeordnet oder daran mitgewirkt zu haben. Dazu ist festgestellt worden:

Von der Niederlegung des Warschauer Ghettos im Mai 1943 an bis einschliesslich Juli 1944 ist auf den Trümmergrundstücken Dzielnastrasse 25 und 27, schräg gegenüber dem Pawiak--Gefängnis, eine unbekannte Anzahl von Menschen erschossen worden.

Der Angeklagte Dr. Hahn hat sich wie folgt eingelassen: Bei den dort erschossenen Menschen könne es sich um standrechtlich zum Tode verurteilte Polen, aber auch um Juden gehandelt haben, die ohne Einschaltung seiner Dienststelle auf Veranlassung des SS- und Polizeiführers getötet worden seien. Schliesslich könne er nicht ausschliessen, dass Angehörige des Wachpersonals willkürlich Erschiessungen durchgeführt hätten.

Der Angeklagte Wip. hat angegeben: Er habe zwei- bis dreimal auf Befehl des stellvertretenden Gefängniskommandanten Vossberg kleinere Gruppen von Häftlingen, und zwar ausnahmslos Polen, zu den Grundstücken Dzielnastrasse 25 und 27 hinübergeführt; die Polen seien dann dort von einem Erschiessungskommando der Schutzpolizei erschossen worden. Es habe sich um grössere Erschiessungsaktionen, möglicherweise Vergeltungserschiessungen, gehandelt. Juden - ausgenommen die Aktion Polski - und Kinder habe er niemals zum Erschiessen geführt. Er habe auch in keinem Fall Häftlinge selbst erschossen.

Zwar hat die Beweisaufnahme durch eine Vielzahl polnischer und jüdischer Zeugenaussagen ergeben, dass in dem angegebenen Zeitraum eine unbekannte Anzahl von Menschen auf den Trümmergrundstücken Dzielnastrasse 25 und 27 erschossen worden sind. Im übrigen aber ist es, wie die Staatsanwaltschaft zutreffend ausgeführt hat, nicht mehr gelungen, nähere Einzelheiten festzustellen, die eine strafrechtlich relevante Schuld der Angeklagten begründen könnten.

So hat sich insbesondere nicht mehr feststellen lassen, um welche Art von Häftlingen aus dem Pawiak es sich dabei gehandelt hat, um Polen oder Juden oder beide Gruppen, ob es sich zum Beispiel um standrechtlich Verurteilte handelte oder nicht. Waren es standgerichtlich zum Tode verurteilte Polen, wären, wie im einzelnen zum Komplex V (Geiselerschiessungen) ausgeführt wird, die Mordvoraussetzungen nicht bewiesen. Auch blieb offen, ob die Erschiessungen selbst überhaupt von Angehörigen der Sicherheitspolizei durchgeführt wurden und der KdS in diese Vorgänge eingeschaltet war. Wenn es sich um Juden handelte, können Initiative und Ausführung auch vom SS- und Polizeiführer ausgegangen sein. Ebenso wäre der Angeklagte Dr. Hahn strafrechtlich nicht verantwortlich, wenn solche Erschiessungen, wie es sowohl polnische und jüdische Zeugen geschildert haben, zum Beispiel die Zeugen Leon Wan. und Bronislaw Mi., willkürlich und damit ohne Wissen des Kommandeurs in Gestalt von Übergriffen einzelner Angehöriger der Sicherheitspolizei erfolgt sind.

Die Beweisaufnahme hat auch zu keinem sicheren Schuldnachweis gegen den Angeklagten Wip. geführt. Es ist nicht bewiesen, dass er an derartigen Erschiessungen auch in solchen Fällen mitgewirkt hat, in denen es sich nicht um standgerichtlich zum Tode verurteilte Polen handelte, geschweige denn, dass er an willkürlichen Erschiessungen beteiligt war. Die unterschiedlichen und verständlicherweise auch recht unsicheren Angaben der Zeugen, die sich zu diesem Anklagekomplex geäussert haben, ergaben kein eindeutiges Bild. In dieser Beurteilung stimmt das Gericht mit der Staatsanwaltschaft überein.

Zwar hat der Zeuge Sch. in seiner Vernehmung in Haifa am 24.April 1972 ausgesagt, er habe aus seiner Zelle der 4.Abteilung, also im ersten Stock, wo er am Anfang seiner Haftzeit für zwei bis drei Wochen untergebracht gewesen sei, gesehen, wie Wip., Fruehwirt und Müller fast täglich eine kleine Gruppe von Gefangenen, und zwar Juden, hinübergeführt hätten, und wie die Beamten dann ohne die Gefangenen zurückgekehrt seien. Dieser Zeuge hat aber auch bekundet, er habe die Namen der Aufseher damals noch gar nicht gekannt, sie seien ihm erst nachträglich von anderen Gefangenen genannt worden. Er habe die Beobachtungen auch aus dem Zellenfenster gemacht, das mit einer Sichtblende versehen gewesen sei.

Das Gericht weiss aber von einer ganzen Reihe von Zeugen, dass man an diesen Sichtblenden vorbei nur in den Himmel oder auf einen eng begrenzten Sektor am Gebäude, jedenfalls aber nicht auf die andere Strassenseite hat sehen können. Ähnliche Unsicherheiten, die angesichts des inzwischen verstrichenen erheblichen Zeitraums verständlich sind, ergeben sich bei anderen Zeugenaussagen. So glaubte der Zeuge Wol. sich in der Hauptverhandlung daran zu erinnern, aus einem ebenfalls mit einer Sichtblende versehenen Zellenfenster gesehen zu haben, dass Wip. eine Frau mit einem Kleinkind auf dem Arm nach drüben führte und anschliessend das Kind auf dem - nach Darstellung fast aller anderen hierzu gehörten Zeugen von aussen überhaupt nicht einsehbaren - Ruinengrundstück erschoss, obwohl dieser Zeuge in seiner Vernehmung vom 23.6.1965, wie ihm vorgehalten wurde, erklärt hatte, Erschiessungen selbst nicht beobachtet zu haben, und obwohl er, wie ihm auch vorgehalten wurde, in derselben Vernehmung, bei der er laut Protokoll ausdrücklich nach Wachtmeistern des Pawiak gefragt worden ist, Wip. nicht genannt hat. Dieser Zeuge hat auf die Frage nach der Stellung des Angeklagten Wip. erklärt, alle, die im Pawiak Dienst gemacht hätten, hätten ihm unterstanden. Auch die Aussage des Zeugen Meir Bie., der glaubte, den Angeklagten Wip., der populärer als Präsident Nixon gewesen sei, beim Hinüberführen eines kleinen Mädchens beobachtet zu haben, ergab kein sicheres Bild. Seine Darstellung unterschied sich, wie in der Hauptverhandlung erörtert worden ist, in wesentlichen Punkten von seinen früheren Aussagen im Vorverfahren. Die Widersprüche konnten nicht ausgeräumt werden. Der Zeuge Josef Atl., der in Haifa kommissarisch vernommen und dessen Aussage in der Hauptverhandlung verlesen worden ist, hat zwar bekundet, er habe gesehen, dass auch der Angeklagte Wip. einige Male Häftlinge zu den Trümmergrundstücken Dzielnastrasse 25-27 hinübergeführt habe, nähere Einzelheiten, insbesondere, ob es sich in diesen Fällen um Juden oder Polen handelte, konnte er indes - verständlicherweise - nicht mehr angeben.

Nach allem konnte das Gericht nur davon ausgehen, dass der Angeklagte Wip. ausschliesslich erwachsene Polen zur Erschiessung hinübergeführt hat. Das allein kann nicht zu einer Verurteilung dieses Angeklagten führen. Denn dabei kann es sich, und etwas anderes ist jedenfalls nicht bewiesen worden, in den betreffenden, konkreten Einzelfällen um die Erschiessung standgerichtlich zum Tode verurteilter Polen gehandelt haben. Damit wären die Mordvoraussetzungen nicht erfüllt. Insoweit wird Bezug genommen auf die Ausführungen zum Komplex V (Geiselerschiessungen).

Beide Angeklagten waren daher gemäss dem Antrag der Staatsanwaltschaft in diesem Anklagepunkt freizusprechen.

V.
I.5. der Anklage (Geiselerschiessungen)

Als Reaktion auf die rücksichtslose nationalsozialistische Polen- und Judenpolitik bildeten sich während des Krieges im Generalgouvernement mehrere polnische Widerstandsbewegungen, die aus dem Untergrund Angehörige und Einrichtungen der deutschen Besatzungsmacht sowie des deutschen Nachschubs an die Ostfront angriffen. Diese Untergrundtätigkeit stellte sich ihrer Natur nach nicht als ein Kampf einer bewaffneten Macht nach den Regeln des Krieges im Sinne der Haager Landkriegsordnung dar. Das war auch weder beabsichtigt noch möglich, sei es etwa in Gestalt einer levee en masse. Die Aktivitäten dieser Kräfte nahmen mit der Dauer des Krieges zu, was nicht zuletzt auch auf die sich steigernde Härte der deutschen Besatzungspolitik zurückzuführen war. Die Widerstandskräfte wurden, das hat die Beweisaufnahme durch die Vernehmung polnischer Zeugen eindeutig ergeben, von dem Widerstandswillen der grossen Masse der polnischen Bevölkerung getragen. Dementsprechend gross war das Mass an praktischer Unterstützung, das diesen Widerstandskräften von der polnischen Bevölkerung zuteil wurde. Dem entsprach, gerade im Zentrum Warschau, der Grad an Schwierigkeiten der deutschen Sicherheitsbehörden, diesen Widerstandskräften zu begegnen.

Als ein Mittel der Bekämpfung wählte die Sicherheitspolizei im Distrikt Warschau, den kriegswirtschaftlich und für den Nachschub an die Ostfront wichtigsten Platz im Generalgouvernement, ein Verfahren, das wie folgt ablief:

Im Pawiak-Gefängnis befanden sich fast ständig Häftlinge, die vom Standgericht der Sicherheitspolizei wegen Waffenbesitzes, Zugehörigkeit zur Widerstandsbewegung oder Unterstützung einer Widerstandsbewegung zum Tode verurteilt worden waren. War nun ein erfolgreicher Überfall der Untergrundbewegung erfolgt, so wurde eine bestimmte Anzahl solcher zum Tode verurteilter Polen auf den Strassen und Plätzen Warschaus öffentlich durch Erschiessen, seltener durch Erhängen, hingerichtet. Diese Hinrichtungen führten Erschiessungskommandos der Ordnungspolizei in Anwesenheit eines Angehörigen der Sicherheitspolizei durch. Anschliessend wurden in der Warschauer Öffentlichkeit Plakate in deutscher und polnischer Sprache veröffentlicht, in denen die betreffende Angriffsaktion der Widerstandsbewegung beschrieben und mitgeteilt wurde, dass daraufhin eine bestimmte Anzahl wegen anderer Dinge zum Tode verurteilter Polen öffentlich hingerichtet worden sei. Es folgte die Bekanntgabe der Namen und Geburtsdaten weiterer Gefangener, die durch das Standgericht der Sicherheitspolizei zum Tode verurteilt worden seien. Diese Verurteilten, so hiess es, seien für einen Gnadenerweis in Aussicht genommen. Die Bekanntmachungen endeten mit einer Aufforderung an die Bevölkerung, die meist folgenden oder einen ähnlichen Inhalt hatte: "Die Bevölkerung Warschaus sowie der Kreishauptmannschaft Warschau-Land wird daher aufgefordert, alles zu tun, um weitere Überfälle auf Deutsche oder in deutschen Diensten stehende Polen zu verhindern oder zur Ergreifung der Täter mitzuwirken, damit weitere Hinrichtungen unterbleiben und die zum Tode verurteilten Personen zur Begnadigung vorgeschlagen werden können".

Die in den Bekanntmachungen genannten Verurteilten wurden dann jeweils hingerichtet, sobald es wieder zu einem erfolgreichen Überfall der polnischen Untergrundbewegung gekommen war.

Der Angeklagte Dr. Hahn hat sich hierzu wie folgt eingelassen:

Die völkerrechtswidrigen Angriffe der polnischen Untergrundbewegungen hätten im Verlaufe des Krieges rapide zugenommen. Er selbst sei immer bemüht gewesen, die Gewaltanwendung nicht zu eskalieren. Die Bekämpfung der Widerstandsbewegungen hätte aber die Hauptarbeit der von ihm geleiteten Behörde ausgemacht. Die Vergeltungserschiessungen, die er als solche nicht bestreite, hätten daher notgedrungen nach und nach zugenommen. Es seien aber ausnahmslos nur zum Tode verurteilte Polen im Rahmen von Geiselerschiessungen erschossen worden. Diese Todesurteile seien von Standgerichten seiner Dienststelle entsprechend den damals geltenden formalen und materiellen Vorschriften erlassen worden. Dabei habe es sich zwar um recht summarische Verfahren gehandelt. Auch sei der damalige Beschuldigte oft nicht zugegen gewesen, wenn gegen ihn verhandelt worden sei. Ein Todesurteil sei aber nur dann verhängt worden, wenn der Betroffene jedenfalls im Ermittlungsverfahren die Verletzung der betreffenden Vorschrift eingestanden habe oder aber die Beweismittel gegenüber dem Bestreiten absolut sicher gewesen seien. Die damaligen gesetzlichen Minimalanforderungen an derartige Verfahren seien, soweit er das übersehen könne, immer eingehalten worden. Im übrigen habe er, der Angeklagte, niemals selbst die konkrete Anordnung zur Vornahme einer Vergeltungserschiessung getroffen. Das habe vielmehr der SS- und Polizeiführer getan, der ihm dann die Ausführung, gelegentlich auch die - vorgeschobene - Urheberschaft auf den Notifikationsplakaten übertragen habe.

In der Beweisaufnahme ist die Einlassung des Angeklagten nicht widerlegt worden, und auch sonst hat sich in diesem Anklagepunkt kein Beweis für ein strafbares Verhalten des Angeklagten Dr. Hahn ergeben. Das Gericht hat sich daher dem Antrag der Staatsanwaltschaft angeschlossen und den Angeklagten insoweit freigesprochen.

Es ist in der Beweisaufnahme schon nicht gelungen, den Urheber der Entscheidungen über die jeweiligen Hinrichtungen sicher festzustellen. Die Plakate trugen als Urheber bisweilen die Behördenbezeichnung "Der SS- und Polizeiführer", in anderen Fällen "Der Kommandeur der Sicherheitspolizei und des SD". Nach welchen Gesichtspunkten bisweilen der SSPF, in anderen Fällen wieder der KdS als Urheber in Erscheinung traten, konnte nicht geklärt werden. Auch besonders gut informierte Zeugen wie etwa der polnische Historiker Ba. konnten insoweit keine Aufklärung geben.

Nun wäre zwar eine Verurteilung des Angeklagten Dr. Hahn auch als Mittäter oder jedenfalls als Gehilfe denkbar. Die festgestellten Tatsachen reichen jedoch nicht aus, die Vergeltungserschiessungen im vorliegenden Fall als Mord im Sinne des §211 StGB zu werten. Das liegt vor allem an zweierlei:

1. Es ist nicht ein Fall bewiesen worden, in welchem nicht tatsächlich nur zum Tode verurteilte Polen hingerichtet worden sind. Auf diesen Gesichtspunkt hat die Staatsanwaltschaft mit Recht hingewiesen. Damit handelt es sich bei den Geiselerschiessungen nicht um die Erschiessung wahllos herausgegriffener, unbeteiligter Bürger des besetzten Landes, sondern um Urteilsvollstreckungen, deren Einzelheiten nach Ort, Zeit und Art der KdS im Rahmen seiner Kompetenz bestimmen konnte. Dass der Angeklagte dabei in unzulässiger Weise in ein Gnadenverfahren eingegriffen, insbesondere einer Gnadenentscheidung des Gnadenausschusses beim Amt des Generalgouverneurs in Krakau unerlaubt vorgegriffen hätte, hat die Beweisaufnahme nicht ergeben. Nun ist zwar kein Fall bekannt geworden, in welchem ein Gnadenerweis tatsächlich erfolgt wäre. Das kann aber, und so stellt es der Angeklagte dar, daran gelegen haben, dass es durch immer wieder neue Angriffe der Untergrundbewegungen und entsprechende Repressionen nie so weit gekommen ist. Ein Mordvorwurf gegen den Angeklagten kann nicht allein damit begründet werden, dass er die - zulässige - Vollstrekkung der Todesurteile mit einer abschreckenden Wirkung der Bevölkerung gegenüber versehen hat.

In diesem Zusammenhang hat das Gericht sehr eingehend geprüft, ob die standgerichtlichen Verurteilungen durch das Standgericht der Sicherheitspolizei überhaupt zu rechtmässigen Todesurteilen hatten führen können. Es ist insoweit ein gewisser Verdacht nachgeblieben, dass dieses ausserordentlich summarische Standgerichtsverfahren, an dem der Betroffene zumeist gar nicht selbst teilnahm, nicht einmal den Minimalanforderungen auch an ein Standgerichtsverfahren genügte, sondern dass es sich möglicherweise nur um ein scheinlegales Verfahren handelte, um unter dem Deckmantel sogenannter Justiz zu morden. Das ist indessen, wie auch die Staatsanwaltschaft meint, nicht bewiesen worden. Das materielle Besatzungsrecht sah die Todesstrafe u.a. für Waffenbesitz und Zugehörigkeit zur Widerstandsbewegung vor. Ebenso war die Todesstrafe für die Unterstützung einer Widerstandsbewegung vorgesehen. Diese Tatbestände, ebenso wie die Zuständigkeit der Standgerichte der Sicherheitspolizei, ergeben sich aus den damaligen gesetzlichen Bestimmungen, vor allem
a) aus der Verordnung zur Bekämpfung von Gewalttaten vom 31.Oktober 1939 (VBlGG S.10),
b) aus der Verordnung über Sondergerichte im Generalgouvernement vom 15.November 1939 (VBlGG S.34),
c) aus der Verordnung über die deutsche Gerichtsbarkeit vom 19.Februar 1940 (vgl. insoweit insbesondere §1 Abs.3),
d) aus der Verordnung zur Bekämpfung von Angriffen gegen das deutsche Aufbauwerk im Generalgouvernement vom 2.Oktober 1943 (VBlGG 1943, S.589).

Soweit es hier um materiell-rechtliche Tatbestände geht, handelt es sich nicht um materiell--gesetzliches Unrecht, etwa aus dem Gesichtspunkt des Übermasses, da in Warschau eine immer stärker werdende Widerstandsbewegung aus der Anonymität der Millionenstadt heraus einen - wenn auch nur zu verständlichen - Kampf auf Leben und Tod führte. Auch in

Deutschland, wo es einen derartigen Widerstand gegen die Besatzungsmacht nicht gab, galten nach Kriegsende alliierte Bestimmungen in Übereinstimmung mit dem Völkerrecht, nach denen z.B. der Waffenbesitz unter Todesstrafe gestellt war. Wohl muss ein so pauschaler gesetzlicher Tatbestand wie etwa jener des §1 der Verordnung zur Bekämpfung von Angriffen gegen das deutsche Aufbauwerk im Generalgouvernement vom 2.Oktober 1943 wegen seiner Unbestimmtheit starken Bedenken begegnen. Nach heutiger verfassungsrechtlicher Betrachtungsweise wäre eine solche Vorschrift mit grosser Sicherheit nichtig. Nach den tatsächlichen und rechtlichen Gegebenheiten während des Krieges indessen kann aber jedenfalls nicht unterschiedslos festgestellt werden, dass sich in jedem Falle strafbar gemacht hat, wer eine derartige Vorschrift angewandt hat.

Die Beweisaufnahme hat auch keinen Fall ergeben, in welchem ein Pole vom Standgericht der Sicherheitspolizei in Warschau trotz fehlenden Straftatbestandes verurteilt worden wäre oder aber, obwohl keine genügenden Beweise vorlagen. Zwar geht das Schwurgericht davon aus, dass manche Geständnisse durch Gewaltanwendung herbeigeführt worden sind. Zahlreiche Zeugen haben bekundet, dass bei den Verhören der Sicherheitspolizeibeamten geschlagen, oft auch unter Anwendung mechanischer Mittel physisch gequält worden sei. Es ist aber kein konkreter Fall bezeugt und bewiesen worden, in welchem ein auf diese Weise herbeigeführtes Geständnis falsch gewesen wäre. Damit fehlt es auch an einem Beweis dafür, dass jemals ein erpresstes falsches Geständnis eines Unschuldigen im Sinne der damaligen Vorschriften zu einem Todesurteil und damit zu einer anschliessenden Hinrichtung, insbesondere im Rahmen von Geiselerschiessungen, geführt hat, ganz abgesehen davon, dass dann das Wissen des Angeklagten Dr. Hahn um einen so gelagerten Fall hätte bewiesen werden müssen, was ebenfalls nicht geschehen ist.

Nach alledem hat das Schwurgericht mangels anderweitigen Beweises davon auszugehen, dass im Rahmen von Geisel- bzw. Vergeltungserschiessungen nur solche Polen hingerichtet worden sind, gegen die in einem gesetzlich abgesicherten Verfahren und wegen rechtlich zulässiger Tatbestände auf Todesstrafe erkannt worden war. Schon deshalb rechtfertigt sich der Antrag der Staatsanwaltschaft auf Freisprechung des Angeklagten Dr. Hahn in diesem Anklagepunkt.

2. Ferner ist, abgesehen von der Frage der Urteilsvollstreckung, auch nicht bewiesen worden, dass das damals völkerrechtlich zulässige Mass an Repression mit den Geisel-Erschiessungen in den in der Hauptverhandlung behandelten Fällen überschritten worden ist. Das Völkerrecht lässt Geiselerschiessungen selbst von unbeteiligten Bürgern eines besetzten Landes zu, wenn aus der Mitte der Bevölkerung des besetzten Landes heraus gewaltsame Angriffe gegen die bewaffnete Macht des besetzenden Staates erfolgen. Zumindest muss dies für die Zeit des 2.Weltkrieges festgestellt werden. Zwar sollte diese Art der Repression in der Regel nur erfolgen, wenn die Regierung des besetzten Landes durch Vertrag Sühnegefangene gestellt hat. Dieses Erfordernis war aber jedenfalls dann entbehrlich, wenn eine solche handlungsfähige Regierung, wie im vorliegenden Fall, gar nicht existierte. Auch hatte einer Geisel-Erschiessung der Versuch vorauszugehen, die jeweils Schuldigen zu ermitteln und es, falls das Erfolg hatte, bei ihrer Bestrafung bewenden zu lassen. Dieser Versuch ist aber von der Dienststelle des Angeklagten praktisch ständig unternommen worden. Schliesslich entspricht das geschilderte Vorgehen der Sicherheitspolizei auch dem sogenannten Notifikationserfordernis des Völkerrechts, d.h. dem Gebot, künftige Geiselmassnahmen für den Fall etwaiger Übergriffe konkret anzukündigen. Zwar soll diese Notifikation ebenfalls grundsätzlich gegenüber der Regierung des besetzten Landes erfolgen. Die allgemeine Bekanntgabe an die Bevölkerung genügt aber völkerrechtlich dann, wenn - wie im vorliegenden Fall - eine handlungsfähige Regierung nicht besteht. Schliesslich entspricht die öffentliche Exekution auf Strassen und Plätzen auch dem völkerrechtlichen Gebot, ein standgerichtliches Verfahren nicht heimlich durchzuführen (kamouflieren). Dem Angeklagten Dr. Hahn ist auch nicht bewiesen worden, gegen das Gebot der Proportionalität bei Geisel-Massnahmen verstossen zu

haben. Es muss schon bezweifelt werden, ob dieses völkerrechtliche Gebot im 2.Weltkrieg bereits galt. Der amerikanische Militärgerichtshof hat diesen Grundsatz noch in seinem Urteil vom 19.Februar 1948 im sogenannten "Süd-Ost-Prozess" [18] abgelehnt. Wenn dieses Prinzip aber, etwa nachdem auch im Völkerrecht geltenden Grundsatz von Treu und Glauben, doch bereits bestanden haben sollte, dann hat der Angeklagte nicht nachweislich dagegen verstossen. Denn es ist in diesem Verfahren kein konkreter Einzelfall bezeugt, durch Urkunden belegt oder sonstwie bewiesen worden, in welchem der Angeklagte mit seiner Entscheidung oder Mitwirkung daran das Verhältnis von 1 : 10 getöteten Personen überschritten hätte.

Nun wäre auch folgende Argumentation denkbar, mit der sich das Schwurgericht ebenfalls auseinandergesetzt hat:

Der deutsche Angriff auf Polen und das deutsche Ziel der Versklavung der polnischen Bevölkerung - und beides stellt das Gericht als bewiesen fest - hätten dem polnischen Volk insgesamt das Recht gegeben, sich mit allen Kräften und Mitteln gegen ihren Untergang als Volk zu wehren. Dieser Gedanke würde bedeuten, dass sich das polnische Volk mit seinem Widerstand in einer Art kollektiver Notwehr befunden hat, und gegen eine berechtigte Notwehr ist eine Notwehr des Angreifenden nun einmal begrifflich nicht denkbar. Dieser einfache, scheinbar überzeugende Gedankengang entspricht moralisch-historischen Denkkategorien, kann aber nun einmal nicht als völkerrechtlicher Grundsatz mit der Folge anerkannt werden, dass sich jeder Angehörige der bewaffneten Macht des Angreifers widerstandslos von jedem Bürger des besetzten Landes töten lassen muss, anderenfalls er sich strafbar macht. Man kann es auch anders ausdrücken: Die Haager Landkriegsordnung und die übrigen völkerrechtlichen Regeln über die Kriegführung gelten selbstverständlich auch zu Gunsten eines Angreifers, selbst zu Gunsten eines Angreifers mit verwerflichen politischen Absichten. Jede andere Völkerrechtsordnung wäre im Interesse der Kombattanten unerträglich, zumal da sich oft erst nach einem Kriege herausstellt, wer als Angreifer zu gelten hat. Nun brauchte das Gericht letzten Endes nicht zu entscheiden, ob die Akte der polnischen Widerstandsbewegung völkerrechtswidrig waren oder nicht. Es kam hier nur darauf an festzustellen, dass sich derjenige nicht strafbar gemacht hat, der sich auf deutscher Seite mit völkerrechtlich zulässigen Mitteln dieser Angriffe erwehrt hat. Dem steht rechtlich gleich, wer - wie der Angeklagte - solche Angriffe auf andere Angehörige der Besatzungsmacht mit völkerrechtlich zulässigen Mitteln abgewehrt hat (Nothilfe). Das alles gilt unabhängig davon, dass etwas anderes als die Hinrichtung standgerichtlich verurteilter Polen im vorliegenden Verfahren ohnehin nicht bewiesen worden ist.

Nach alledem ist der Angeklagte auch aus diesem Grunde gemäss dem Antrage der Staatsanwaltschaft insoweit freizusprechen.

VI.
I.6. der Anklage (Verbringung von Pawiak-Häftlingen in Konzentrationslager)

Dem Angeklagten Dr. Hahn ist ferner zur Last gelegt worden, die Verbringung von mindestens 5.000 Häftlingen aus dem Pawiak-Gefängnis in Konzentrationslager angeordnet und mit der Tötung eines erheblichen Teils dieser Häftlinge gerechnet und das auch billigend in Kauf genommen zu haben.

Dazu ist auf Grund der Hauptverhandlung festgestellt worden:

[18] Prozess gegen Generäle der Südostfront (Geisel-Prozess) vor dem Amerikanischen Militärgerichtshof Nr.V (Fall 7).

In den Jahren 1942 bis 1944 sind von der Dienststelle des Angeklagten Dr. Hahn mit seinem Wissen und Willen und auf seinen Befehl polnische Pawiak-Häftlinge in Konzentrationslager übergeführt worden, hauptsächlich nach Auschwitz. Ein Teil der dortigen Häftlinge ist ums Leben gekommen.

Der Angeklagte Dr. Hahn hat sich dazu wie folgt eingelassen:

Bei den vom Pawiak-Gefängnis in Konzentrationslager verbrachten Häftlingen habe es sich nicht um Juden, sondern um Polen gehandelt. Die Schutzhaftbefehle habe er unterschrieben. In welches Konzentrationslager, zum Beispiel Auschwitz, Buchenwald, Stutthof, Ravensbrück, die Häftlinge hätten transportiert werden sollen, habe jeweils das Reichssicherheitshauptamt bestimmt. Die in die Konzentrationslager übergeführten Häftlinge hätten in Rüstungsbetrieben arbeiten müssen. Es seien standgerichtlich verurteilte Polen, aber auch solche gewesen, die im Verdacht der Widerstandstätigkeit gestanden hätten, aber noch nicht abgeurteilt gewesen seien. In vielen Fällen seien Häftlinge, die man für weitere Ermittlungen in Warschau gebraucht habe, aus Auschwitz zurückgeholt worden. Ihm sei bekannt, dass aus Auschwitz Todesmeldungen über dort ums Leben gekommene Häftlinge per Fernschreiber an seine Dienststelle gelangt seien. Er habe darüber aber keinen Überblick gehabt. In den einzelnen Konzentrationslagern, ausgenommen Treblinka, sei er selbst niemals gewesen. Er sei davon ausgegangen, dass die polnischen Häftlinge in die Konzentrationslager geschickt würden, um dort zu arbeiten, nicht etwa, um dort vernichtet zu werden.

Es kann kein Zweifel daran bestehen, dass - wie der Angeklagte Dr. Hahn auch selbst angegeben hat - die von ihm geleitete Dienststelle mit seinem Wissen und Willen, ja auf seinen Befehl, in den Jahren 1942 bis 1944 polnische Pawiak-Häftlinge in Konzentrationslager, vor allem nach Auschwitz, geschickt hat, ohne dass die Dienststelle bestimmenden Einfluss auf die Auswahl des Lagers gehabt hat. Es ist des weiteren nicht nur historisch gesichert und gerichtsbekannt, sondern es hat auch die Vernehmung zahlreicher, insbesondere polnischer Zeugen, unter anderem der Zeugen Doe., Law., Kar., Wod. und Ba., ergeben, dass von den Häftlingen in Auschwitz viele ums Leben gekommen sind. Zur Überzeugung des Schwurgerichts steht auch fest, dass der Angeklagte Dr. Hahn durchweg Kenntnis von den an seine Dienststelle gerichteten Todesmeldungen aus den Konzentrationslagern erhielt, solange derartige Meldungen überhaupt erfolgten. Es sind jedoch erhebliche Unklarheiten geblieben, die das Gesamtbild als zu unscharf, insbesondere den Zusammenhang zwischen der Verbringung in die Konzentrationslager und dem späteren Tod bei polnischen Gefangenen als zu unsicher erscheinen lassen, um eine eindeutige Mordfeststellung gegen den Angeklagten Dr. Hahn, in objektiver wie in subjektiver Hinsicht, zu treffen.

So muss zunächst einmal berücksichtigt werden, dass polnische Häftlinge nicht, wie es bei den Juden der Fall war, planmässig und unterschiedslos nur ihrer Volkszugehörigkeit wegen in den Konzentrationslagern vernichtet wurden. Kein Zeuge hat berichtet, dass etwa auch polnische Häftlinge in den Konzentrationslagern vergast worden wären. Die Zeugen Doe., Law., Kar. und Wod., sämtlich ehemalige Gefangene in Auschwitz, haben geschildert, dass sie und auch andere polnische Häftlinge unter sehr schweren Bedingungen hätten arbeiten müssen. Der Zeuge Doe. und der damals über die Verhältnisse in den Konzentrationslagern recht gut unterrichtete Zeuge Ba. haben übereinstimmend bekundet, polnische Gefangene, die aus dem Pawiak-Gefängnis nach Auschwitz gebracht worden seien, habe man dort nicht vergast. Das deckt sich mit der Aussage des deutschen Zeugen Mül., der bekundet hat, dass es auch in Auschwitz und Treblinka Arbeitslager [19] gegeben habe, die gerade zur Ausnutzung der Arbeitskraft gefangener Polen gedient hätten. Nun umfasst der Anklagepunkt I.6.

[19] Zum Arbeitslager Treblinka ('Treblinka I') siehe Lfd.Nr.761.

zwar nicht nur polnische Gefangene. Feststellungen darüber, dass auf Anordnung oder unter Mitwirkung des Angeklagten Dr. Hahn auch Juden aus dem Pawiak-Gefängnis in Konzentrationslager geschickt worden seien, haben sich aber im Rahmen dieses Verfahrens nicht treffen lassen. Davon geht auch die Staatsanwaltschaft in ihrem Plädoyer aus. Bei den aus dem Pawiak-Gefängnis in Konzentrationslager verbrachten Polen aber haben sich keine für einen Mordvorwurf gegen den Angeklagten Dr. Hahn ausreichenden Feststellungen über das Schicksal dieser Gefangenen, geschweige denn über die hierauf bezogene Vorstellung des Angeklagten Dr. Hahn, treffen lassen.

Die Staatsanwaltschaft hat in ihrem Plädoyer gemeint, der Angeklagte Dr. Hahn habe unter anderem auf Grund von Berichten des SD und der Untergrundorganisation gewusst, dass die Verschickung nach Auschwitz den Tod des betreffenden Gefangenen bedeuten konnte und dass die diesbezügliche Wahrscheinlichkeit gross war. Derartige Berichte haben aber in der Hauptverhandlung nicht vorgelegen, so dass nicht beurteilt werden konnte, ob derartige Berichte nur Juden betrafen oder aber zwischen Juden und Polen nicht erkennbar differenzierten. Auch Zeugen haben dazu nichts bekundet.

Vor allem aber hat die Beweisaufnahme ergeben, dass der rechtliche oder tatsächliche Status der nach Auschwitz verbrachten Pawiak-Gefangenen ein durchaus unterschiedlicher war, wobei hier nur auf drei Hauptgruppen hingewiesen werden soll:

a) Es gab unwiderlegt standgerichtlich zum Tode Verurteilte, deren Urteil aus irgendwelchen Gründen nicht in Warschau vollstreckt werden sollte und die nur zur Vollstreckung dieses Urteils in das Konzentrationslager kamen. Insoweit kann ein Mordvorwurf, wie auch die Staatsanwaltschaft ausgeführt hat, nicht begründet werden. Das folgt aus den Ausführungen in diesem Urteil zum Komplex V (Geiselerschiessungen), auf die Bezug genommen wird. Darauf, dass es derartige Vollstreckungen in Auschwitz gegeben hat, hat auch der Nebenklägervertreter Prof. Kau. hingewiesen und sich hierfür auf entsprechende Feststellungen im ersten Auschwitzurteil [20] gestützt. Das Gegenteil, nämlich dass derartige Vollstreckungen in Auschwitz nicht stattgefunden haben, ist in diesem Verfahren jedenfalls nicht bewiesen worden.

b) Es gab eine weitere, nicht ganz kleine Gruppe von Gefangenen, für die zwar ein standgerichtliches Verfahren nicht möglich oder opportun war, die aber aus tatsächlichen oder angeblichen Sicherheitsgründen nicht freigelassen werden sollten, die aber auch, etwa für weitere Aussagen, zur Verfügung der Warschauer Gestapo bleiben sollten. Mehrere Zeugen, u.a. Dr. Lo. und Wan., haben bekundet, dass derartige Auschwitzhäftlinge auch tatsächlich nach Warschau zurückgebracht, dort vernommen und in seltenen Fällen sogar entlassen worden, jedenfalls aber nicht nach Auschwitz zurückgekehrt sind.

c) Die dritte Kategorie schliesslich bestand aus solchen Gefangenen, vernommenen wie unvernommenen, an denen die Sicherheitspolizei in Warschau kein Interesse mehr hatte, die einfach wegen Überfüllung des Pawiak-Gefängnisses nach Auschwitz abgeschoben wurden und die das allgemeine Schicksal der dortigen nichtjüdischen Häftlinge teilen sollten und teilten.

Es ist nun nichts Verlässliches darüber festgestellt worden, zu welchen Kategorien die einzelnen Transporte aus Warschau bzw. die einzelnen Häftlinge von dort und wozu die Überlebenden einerseits und die ums Leben Gekommenen andererseits jeweils gehörten. Nur mit dem Mittel der Wahrscheinlichkeitsrechnung lässt sich der Schuldnachweis nicht führen, ganz

[20] Siehe JuNSV Bd.XXI S.411 f. (Verfahren Nr.595)

abgesehen davon, dass selbst eine Häftlingszahl von 5000 für insgesamt drei Jahre, wie sie die Staatsanwaltschaft unbewiesenermassen annimmt, vor dem Hintergrund der erheblichen Gesamthäftlingszahl in Auschwitz in den Jahren 1942 bis 1944 eine viel zu unsichere Berechnungsgrundlage wäre, so schlimm das Schicksal eines jeden einzelnen war. Dabei ist auch zu berücksichtigen, dass der Angeklagte Dr. Hahn niemals nachgewiesenermassen in Auschwitz gewesen ist, einen unmittelbaren Eindruck von den dortigen Verhältnissen also nicht hatte. Es konnte in diesem Verfahren auch nicht geklärt werden, welche späteren und für den Angeklagten unvorhersehbaren Entscheidungen, die das Schicksal der Auschwitz-Häftlinge bestimmt haben, nach [21] vielleicht zum Teil lange nach dem Abtransport aus Warschau von anderen Stellen getroffen worden sind. Hierzu gehören z.B. willkürliche Tötungen durch untergeordnete Lagerbewacher, wie sie der Nebenklägervertreter Prof. Kau. sehr eindrucksvoll geschildert hat, ebenso wie Entscheidungen der Lagerleitung in Auschwitz. Auch das, was der Zeuge Doe., der selbst am 24.August 1943 nach Auschwitz transportiert worden ist, dazu bekundet hat, trägt zu den Bedenken des Gerichts bei, die einem Schuldspruch entgegen standen: Dieser Zeuge hat nämlich berichtet, dass die allgemeinen Verhältnisse in Auschwitz sich für die Angehörigen seines Transportes nach einiger Zeit merklich besserten, dass insbesondere die Ernährung besser geworden sei. Danach gab es also in der Überlebenschance erhebliche Schwankungen, die die einweisende Dienststelle nicht voraussehen konnte; mindestens ist das nicht bewiesen. Bemerkenswert ist auch, dass diesem Zeugen, wie er berichtet hat, bereits auf der Dienststelle des Angeklagten gesagt worden war, "es würde den Kopf wohl nicht kosten, er käme wohl nach Auschwitz".

Nun hat der Angeklagte Dr. Hahn, jedenfalls durchweg, Kenntnis von den Todesmeldungen aus den Konzentrationslagern erlangt. Daraus ergibt sich indes kein sicherer Schuldnachweis. Nähere Einzelheiten konnten, was die Meldungen anbelangt, nicht festgestellt werden, insbesondere blieb offen, auf welche der oben aufgeführten Häftlingsgruppen sie sich bezogen. Möglicherweise war die Anzahl derartiger Meldungen in den Phasen der Zeit von 1942 bis 1944 recht unterschiedlich. Es konnte jedenfalls nicht geklärt werden, ob und gegebenenfalls ab wann sich dem Angeklagten Dr. Hahn auf Grund derartiger Meldungen die Vorstellung aufdrängte, die Verschickung nach Auschwitz bedeute mit einiger Wahrscheinlichkeit den Tod, und ob er mit dieser Vorstellung Pawiak-Häftlinge in das Konzentrationslager Auschwitz schicken liess, die dort dann ums Leben gekommen sind, zumal da die Todesrate für nichtjüdische polnische Häftlinge in Auschwitz und damit ihre Vorhersehbarkeit für Aussenstehende Schwankungen unterworfen war. Darüber hinaus hätten für die spätere Tötung von Häftlingen in einem Konzentrationslager die Mordqualifikationen festgestellt werden müssen. Diese werden zwar in aller Regel vorgelegen haben; das muss aber bei polnischen Häftlingen, die nicht nur ihrer Volkszugehörigkeit wegen dorthin kamen, nicht in jedem Fall so gewesen sein.

Es blieben daher zahlreiche Unklarheiten, die einer Verurteilung des Angeklagten Dr. Hahn, sei es auch als Gehilfe, entgegenstanden.

Bei dieser Beweiswürdigung hat das Schwurgericht nicht verkannt, dass in dem Konzentrationslager Auschwitz, in dem ein Menschenleben wenig galt, der grauenvolle Tod unzähliger Menschen, Juden wie Polen, von Männern, Frauen und Kindern, an der Tagesordnung war. Eine Verurteilung dieses Angeklagten scheitert indessen, wie dargelegt, daran, dass über die konkrete Einflussnahme der Sicherheitspolizei in Warschau und die Vorstellung des Angeklagten Dr. Hahn über das weitere Schicksal der polnischen Häftlinge vor dem Hintergrund unterschiedlicher Häftlingskategorien und Sterbeziffern keine ausreichenden Feststellungen getroffen werden konnten.

[21] Sic!

Der Angeklagte Dr. Hahn ist nach allem in diesem Anklagepunkt freizusprechen.

VII.
I.7. der Anklage (Todesfolterungen)

1. Gemäss Erlass des Chefs der Sicherheitspolizei und des SD vom 1.Juli 1937, neugefasst durch Erlass vom 12.Juni 1942, durften gegenüber bestimmten Häftlingen verschärfte Vernehmungen durchgeführt werden, wenn nach dem Vorermittlungsergebnis festgestellt war, dass der Häftling über wichtige staats- und reichsfeindliche Sachverhalte, Verbindungen oder Planungen Auskunft geben konnte, seine Kenntnisse aber nicht preisgeben wollte und diese im Ermittlungswege nicht feststellbar waren. Zur Herbeiführung von Geständnissen über eigene Straftaten durften verschärfte Vernehmungen nicht angewandt werden. Die Verschärfung sollte laut Erlass je nach Sachlage in einfachster Verpflegung, hartem Lager, Dunkelhaft, Schlafentzug, Ermüdungsübungen oder auch in der Verabreichung von Stockschlägen bestehen. Sofern mehr als 20 Stockschläge erteilt wurden, war ein Arzt hinzuzuziehen. Zuständig für die Anordnung der verschärften Vernehmung war ursprünglich das RSHA gewesen, die Anordnungsbefugnis wurde jedoch später u.a. auf die KdS delegiert.

Auch in der Dienststelle des KdS Warschau wurde von diesem Zwangsmittel Gebrauch gemacht. Bei den zunächst vom RSHA, später von dem Angeklagten Dr. Hahn angeordneten verschärften Vernehmungen wurden die Häftlinge von den Verhörpersonen teilweise schwer misshandelt. Nach dem Ergebnis der Beweisaufnahme hat es Fälle gegeben, in denen die Folterungen zu dem Tod der Häftlinge geführt haben.

Die Hauptverhandlung hat indes nicht ergeben, dass der Angeklagte Dr. Hahn von diesen Tötungsfällen Kenntnis hatte. Es steht insbesondere nicht fest, dass er davon ausging, dass bei einer von ihm angeordneten verschärften Vernehmung mit der Tötung des Häftlings zu rechnen war und er dies wissentlich geschehen liess, ja auch nur dieses Ergebnis billigend in Kauf nahm.

2. Der Angeklagte Dr. Hahn hat sich dahingehend eingelassen, dass er zwar verschärfte Vernehmungen angeordnet habe, dass ihm aber von Folterungen, geschweige denn von Todesfällen bei derartigen Vernehmungen nichts bekannt gewesen sei. Weder er noch seine Familie hätten je Schreie im Dienststellengebäude gehört. Es habe sich auch ihm gegenüber niemand über Schreie beschwert. Über den Verlauf der verschärften Vernehmungen habe er sich nicht unterrichten lassen, denn ihn habe nur das sachliche Ergebnis interessiert. Er sei davon ausgegangen, dass die vorgesehenen Grenzen niemals überschritten worden seien.

3. Die Feststellungen des Gerichts beruhen, soweit sie die Formalien der verschärften Vernehmungen betreffen, auf den Ausführungen des historischen Sachverständigen Prof.Dr. Joc., denen das Gericht sich anschliesst, und den insoweit glaubhaften Angaben des Angeklagten Dr. Hahn.

Die Feststellung, dass es bei den verschärften Vernehmungen zu Folterungen und Misshandlungen mit Todesfolge gekommen ist, stützt das Gericht auf die Aussagen der Zeugen Dr. Anna C.-Sli., Bie., Irene Chm., Doe., Friedel Gan., Helene Grü., Rita Has., Hir., Bronislaw Mi., Mül., Dr. Sli., Wan., Wur., Wod., sowie die in der Hauptverhandlung verlesenen Aussagen der Zeugen Jakob Atl., Ba., Ka., Kar., Schoschana Kli., Wanda Kon., Law. und Dr. Lo. Das Schwurgericht hält die Bekundungen dieser Zeugen für glaubhaft. Sie führten zu der Überzeugung, dass ihre Angaben insoweit richtig sind.

Dem Angeklagten Dr. Hahn ist in der Hauptverhandlung nicht widerlegt worden, dass er von den Tötungsfällen nichts gewusst und auch nicht mit solchen gerechnet hat. Insoweit stimmt das Schwurgericht mit der Auffassung der Staatsanwaltschaft überein. Nicht einer der Zeugen hat bekundet, dem Angeklagten sei bekannt gewesen, dass bei verschärften Vernehmungen Misshandlungen zum Tode der Häftlinge geführt haben. Die Einlassung des Angeklagten ist aus damaliger Sicht nicht einmal unglaubhaft. Es liegt nahe, dass verschärfte Vernehmungen mit tödlichem Ausgang vor dem Kommandeur als Misserfolg verborgen gehalten wurden, weil damit der beabsichtigte Erfolg, von dem Vernommenen Informationen zu erhalten, endgültig zunichte gemacht worden war.

Auch die von den Zeugen Dr. Lo. und Dr. Sli. geschätzte Anzahl von 150 bis 170 Todesfällen im Gefängnis - zu den übrigen Todesfällen nach verschärften Vernehmungen konnten diese Zeugen nichts sagen - zwingt im Verhältnis zu der Anzahl der verschärft vernommenen Häftlinge nicht zu dem Schluss, die Vernehmenden oder gar der Kommandeur hätten auch nur mit bedingtem Tötungsvorsatz gehandelt. Nach den Angaben des Zeugen Wan., der über die Verhältnisse im Pawiak-Gefängnis einen guten Überblick hatte, sind während des Krieges insgesamt ca. 90.000 Häftlinge im Pawiak-Gefängnis gewesen. Von ihnen ist nach den Angaben mehrerer Zeugen der überwiegende Teil verschärft vernommen worden. Im Verhältnis hierzu ist die Anzahl der Todesfälle bei aller Verwerflichkeit des Vorgehens nicht so hoch, dass allein aus diesem Umstand davon ausgegangen werden muss, dass die Vernehmenden oder gar der Kommandeur einen möglichen Tod der Häftlinge in Kauf nahmen.

Der Angeklagte Dr. Hahn ist daher in diesem Anklagepunkt in Übereinstimmung mit dem Antrag der Staatsanwaltschaft freizusprechen.

VIII.
I.8., II.1-10. der Anklage (Erhängungen)

1. Zur Zeit der deutschen Besetzung sind im Pawiak-Gefängnis Häftlinge durch Erhängen ums Leben gekommen.

Dem Angeklagten Wip., der unter den Häftlingen den Spitznamen "Wieczatiel", der Hänger, hatte, wird von der Anklage vorgeworfen, er habe in mindestens zehn Fällen Menschen in den Zellen des Gefängnisses erhängt, u.a. den englischen Flieger Hickman in der Sylvesternacht 1943/44. Dem Angeklagten Dr. Hahn wird vorgeworfen, dies als Vorgesetzter vorher gewusst und gebilligt zu haben. Die Hauptverhandlung hat, wie auch die Staatsanwaltschaft überzeugend vorgetragen hat, nicht mit hinreichender Sicherheit ergeben, dass überhaupt Häftlinge in den Zellen von fremder Hand erhängt worden sind, geschweige denn, dass der Angeklagte Wip. an derartigen Erhängungen beteiligt war und der Angeklagte Dr. Hahn davon wusste, insbesondere vorher davon Kenntnis hatte.

2. Der Angeklagte Wip. hat erklärt, er habe niemanden erhängt, nicht einmal eine Erhängung gesehen. Es sei vorgekommen, dass Häftlinge sich selbst erhängten. Zwei bis dreimal habe er diese Fälle auf Befehl Vossbergs oder Wulfes an die Dienststelle melden müssen, wenn er in der Kanzlei tätig gewesen sei. Die Leichen habe er nicht gesehen. Ob es sich dabei tatsächlich um Selbsterhängungen gehandelt habe und ob Fremderhängungen als Selbsterhängungen gemeldet worden seien, sei ihm nicht bekannt gewesen.

Er habe auch nicht gewusst, dass er im Pawiak-Gefängnis den Spitznamen "Wieczatiel" gehabt habe. Für einen derartigen Spitznamen habe kein Grund bestanden. Er habe damals im Gefängnis einen einzigen englischen Häftling, wohl einen Flieger, kennengelernt. Dieser müsse 1943/44 für 8 bis 14 Tage in der Abteilung 1 gewesen sein. Er habe ihn betreut und sei von ihm sogar nach England eingeladen worden. An seinen Namen könne er sich nicht erinnern. Er sei zu einer Zeit weggekommen, in der er keinen Dienst gehabt habe. Man habe ihm erzählt, dass der Engländer zum Austausch nach Berlin überstellt worden sei.

3. Der Angeklagte Dr. Hahn hat erklärt, dass er von Erhängungen durch Wip. nichts wisse. Ihm seien nur Selbsterhängungen gemeldet worden und auch das nicht häufig. Er habe nur von den Fällen erfahren, die für ihn von besonderer Wichtigkeit gewesen seien.

Richtig sei, dass geflohene und wieder gefasste englische Kriegsgefangene im Gefängnis gewesen seien. Sie seien auf Anforderung des RSHA nach Berlin gebracht worden. Der Name Hickman sei ihm aus der damaligen Zeit nicht bekannt gewesen. Er wisse auch nicht, ob ein englischer Kriegsgefangener im Pawiak-Gefängnis ums Leben gekommen sei.

4. Die Einlassungen der Angeklagten sind in der Hauptverhandlung nicht widerlegt worden. Keiner der Zeugen hat eine Erhängung von fremder Hand, abgesehen vielleicht von einem hier nicht angeklagten Fall, in dem geflohene und wieder gefasste Häftlinge an einer Kohlenwaage erhängt worden sein sollen, beobachtet. Nicht ein Zeuge hat Angaben darüber machen können, auf Grund welchen Vorfalles der Angeklagte Wip. den Spitznamen "Wieczatiel" hatte. Kein Zeuge hat überzeugend bekunden können, dass und welche Gefangenen gehängt worden sind.

Die Zeugen Dr. Sli. und Dr. Lo., auf die sich die Anklage im wesentlichen gestützt hat, haben erklärt, dass sie einen Erhängungsvorgang nie gesehen hätten und dass aus medizinischer Sicht den Leichen Erhängter nicht anzusehen gewesen sei, ob diese Menschen sich selbst erhängt hätten oder ob sie von fremder Hand erhängt worden seien.

Die äusseren Umstände, aus denen der Zeuge Dr. Sli. auf einen Tod durch Fremderhängung geschlossen hat, sind nicht zwingend. Er hat ausgesagt, er habe ein einziges Mal eine noch hängende Leiche gesehen. Nach den Umständen sei es unmöglich gewesen, dass dieser Häftling sich selbst erhängt habe. Er habe das daraus geschlossen, dass die Zelle, in der er die Leiche gesehen habe, bis auf eine an der Wand befestigte Pritsche, einen Strohsack und einen Kübel leer gewesen sei, dass das an dem zwei Meter über dem Boden liegende Fenstergitter befestigte Seil, an dem die Leiche gehangen habe, nur etwa 30 cm lang gewesen sei und dass sich die Füsse des Erhängten etwa 50 cm über dem Boden befunden hätten. Abgesehen davon, dass der Zeuge diesen konkreten Fall nicht in Zusammenhang mit dem Angeklagten Wip., geschweige denn mit Dr. Hahn, bringen konnte, ist nach dem Gutachten des medizinischen Sachverständigen Dr. Kla., dem sich das Schwurgericht anschliesst, auch unter den geschilderten Umständen nicht mit hinreichender Sicherheit auszuschliessen, dass es sich um eine Selbsterhängung gehandelt hat. Der Sachverständige hat dem Gericht entsprechende Möglichkeiten überzeugend geschildert.

Alle anderen Zeugen, die sich zu den Erhängungen geäussert haben, nämlich Josef Mi., Nis., Wur., Dr. Olga C.-Sli. und Wan. sowie die kommissarisch vernommenen Zeugen Dr. Lo. und Ba., deren Aussagen in der Hauptverhandlung verlesen worden sind, beziehen sich auf die Erzählungen anderer, wobei Identität und Wahrheitsgehalt dieser Berichtspersonen nicht überprüft werden konnten.

Schliesslich reicht auch die Aussage des Zeugen Wan. über die Erhängung des englischen Kriegsgefangenen Hickman und ein angeblich diese Erhängung betreffendes Telefongespräch des Angeklagten Wip. nicht aus, um damit die Fremderhängung durch Wip. oder gar deren vorherige Kenntnis und Billigung durch den Angeklagten Dr. Hahn zu beweisen. Der Zeuge hat weder den Erhängungsvorgang noch die Leiche gesehen. Es steht nicht fest, ob es überhaupt eine Fremderhängung war, noch weniger, dass Wip. daran beteiligt war und Dr. Hahn davon wusste.

Aus dem von dem Zeugen geschilderten Telefongespräch, bei dem der Angeklagte Wip. seinen Gesprächspartner mit "Herr Kommandeur" angeredet haben und von seiner Seite das Gespräch mit den Worten "So ist es, so ist es, er hat sich selbst erhängt" beendet haben soll, ist nicht zu entnehmen, dass Wip. tatsächlich den Engländer erhängt hat, noch weniger, dass Dr. Hahn, der von Dienststellenangehörigen grundsätzlich mit seinem SS-Rang, nicht aber mit "Herr Kommandeur" angeredet wurde, vorher von diesem Vorfall Kenntnis hatte. Der Zeuge konnte über den näheren Inhalt des Telefongespräches nichts sagen. Er hat lediglich angegeben, er habe dem Gespräch entnommen, dass Wip. eine Erklärung abgegeben habe. Über den näheren Inhalt der Erklärung konnte der Zeuge dagegen, abgesehen von den genannten Bruchstücken, nichts sagen.

Da die Beweisaufnahme keine hinreichenden Anhaltspunkte für die den Angeklagten zur Last gelegten Taten erbracht hat, ist auch insoweit für beide Angeklagten, ebenfalls in Übereinstimmung mit dem Antrag der Staatsanwaltschaft, auf Freispruch zu erkennen.

IX.
I.9. der Anklage (Untauglich versuchte Tötung eines jüdischen V-Mannes im Mai 1943)

1. Die Abteilungen III und IV der Dienststelle des KdS Warschau beschäftigten besoldete V-Leute, darunter Juden. Die jüdischen V-Leute wurden überwiegend im Ghetto, aber auch im arischen Teil der Stadt eingesetzt. Die Anklage wirft dem Angeklagten Dr. Hahn vor, im Mai 1943 auf Grund eines Fernschreibens des BdS in Krakau mit dem Inhalt, jüdische V-Leute seien künftig nicht mehr zu beschäftigen und die noch beschäftigten zu liquidieren, dem Zeugen Erich Mül. als Angehörigem des für die V-Leute der Abteilung IV zuständigen Referats IV N den Befehl zur Ausführung dieser Anordnung gegeben zu haben. Zur Ausführung des Befehls soll es nach der Anklage nur deshalb nicht gekommen sein, weil der einzige für die Dienststelle noch arbeitende V-Mann bereits von polnischer Polizei erschossen gewesen sei.

In der Hauptverhandlung konnte nicht mit hinreichender Sicherheit festgestellt werden, dass ein derartiger Befehl gekommen ist und dass der Angeklagte Dr. Hahn dem Zeugen Mül. gegenüber die Ausführung dieses Befehls angeordnet hat.

2. Der Angeklagte Dr. Hahn hat sich dahin eingelassen, dass er sich an einen Befehl, wonach jüdische V-Leute zu liquidieren gewesen seien, nicht erinnere. Wenn tatsächlich ein solcher Befehl gekommen wäre, so hätte er diese grundsätzliche Frage mit Sicherheit nicht mit einem Oberassistenten wie dem Zeugen Mül., sondern mit dem Referatsleiter Birkner besprochen, den er in keinem Falle übergangen hätte.

3. Die Bekundungen des einzigen Zeugen dieses angeblichen Vorfalles, Erich Mül., reichen nicht aus, um den Nachweis dafür zu erbringen, dass Dr. Hahn den Befehl zur Liquidierung der jüdischen V-Leute gegeben bzw. weitergegeben hat.

Der Zeuge Mül. hat in der Hauptverhandlung ausgesagt, der Angeklagte habe im Juni 1943 vom BdS ein Fernschreiben mit dem Befehl bekommen, die jüdischen V-Leute zu liquidieren. Dr. Hahn habe bei ihm angerufen und zunächst nach der Anzahl der in dem Referat beschäftigten jüdischen V-Leute gefragt. Da er nicht gewusst habe, worauf die Frage abgezielt habe, habe er angegeben, sie hätten vier jüdische V-Leute, er selbst drei und ein Dolmetscher des Referates einen. Dabei habe er zu seinen V-Leuten Angehörige der Familie Margolin gezählt, die er im Auftrage der Wehrmacht betreut habe. Nach dieser Auskunft habe der Angeklagte gesagt: "Ich habe ein Fernschreiben. Danach sind die jüdischen V-Leute zu liquidieren. Das müssen wir nachholen." Er habe diese Äusserung so verstanden, dass sie als Angehörige des Referates IV N die Liquidierung zu veranlassen gehabt hätten. In welcher Form das habe geschehen sollen, habe er nicht gewusst. Normalerweise hätte das die Exekutive besorgt. Sie hätten die Leute festnehmen und dem Referat IV B 4 zur Verfügung stellen müssen. Es sei klar gewesen, dass Liquidierung Tötung bedeutet habe.

Im Anschluss an das Telefongespräch habe Dr. Hahn das Fernschreiben in das Referat geschickt. Dort sei es auch später abgeheftet worden. Der Dolmetscher habe ihn gefragt, was er im Hinblick auf das Fernschreiben mit seinem V-Mann machen solle. Er, der Zeuge, habe ihm erklärt, dass er versuchen werde, seine V-Leute zu retten. Der Dolmetscher habe sich daraufhin ebenfalls um die Rettung seines V-Mannes bemüht, dabei jedoch erfahren, dass dieser bereits tot gewesen sei.

Obwohl der jüdische V-Mann, den er, der Zeuge, gehabt habe, sowie diejenigen Mitglieder der Familie Margolin, die er Dr. Hahn gegenüber ebenfalls als V-Leute ausgegeben habe, noch am Leben gewesen seien, habe er gemeldet, dass das Referat keine jüdischen V-Leute mehr habe. Sein V-Mann sei später - wahrscheinlich nach Festnahme durch die polnische Polizei und Überstellung an die Sicherheits- oder Ordnungspolizei - getötet worden, die Angehörigen der Familie Margolin seien bis auf eine Frau später von den Polen als Kollaborateure erschossen worden.

Die Aussage des Zeugen Mül., es sei ein Befehl zur Liquidierung der jüdischen V-Leute gekommen, steht in einem gewissen Widerspruch zu den Bekundungen der Zeugen Helene Grü. und Pot., wonach es Anfang 1944 noch jüdische V-Leute gegeben habe. Es erweckt zumindest Zweifel, dass ein Befehl des BdS, wie ihn der Zeuge Mül. geschildert hat, nicht ausgeführt worden wäre, wenn er vorgelegen hätte. Da die angebliche Anordnung des BdS nach den Angaben Mül.s jüdische V-Leute generell betraf, ist es auch ohne Bedeutung, ob es sich bei den jüdischen V-Leuten, von denen die Zeugen Grü. und Pot. gesprochen haben, möglicherweise um V-Leute der Abteilung III gehandelt hat.

Unabhängig davon, dass bereits nach diesen beiden Zeugenaussagen Zweifel darüber bestanden, dass der von Mül. geschilderte Befehl überhaupt gekommen ist, konnte das Schwurgericht nur auf Grund der Aussage dieses einen Zeugen keine sichere Überzeugung von der Schuld des Angeklagten Dr. Hahn in diesem Anklagepunkt gewinnen. Widersprüche zwischen der jetzigen Aussage und den früheren Bekundungen des Zeugen, die ihm in der Hauptverhandlung vorgehalten und nicht überzeugend aufgelöst worden sind, sowie innerhalb seiner jetzigen Aussage in der Hauptverhandlung lassen die Möglichkeit offen, dass der Zeuge sich über den Inhalt des Telefongespräches oder den damaligen Gesprächspartner irrt.

Das Gericht zieht damit nicht die subjektive Glaubwürdigkeit des Zeugen Mül., der über ein gutes Gedächtnis verfügt, in Zweifel. Nach dem Gutachten des Sachverständigen Dr. Imm., dem das Gericht sich anschliesst, steht fest, dass das Erinnerungsvermögen des Zeugen durch zwei Gehirnoperationen nicht beeinträchtigt worden ist. Das Gericht berücksichtigt lediglich, dass der Vorfall, an den der Zeuge sich im einzelnen erinnern will, 30 Jahre zurückliegt und dass bereits eine geringe Abweichung im Inhalt des Telefongespräches möglicherweise einen ganz anderen Hergang bedeuten würde. Dabei ist es weder möglich noch erforderlich, alle theoretischen Möglichkeiten einer derartigen Abweichung aufzuzeigen. Ausreichend ist, dass es Varianten gibt, bei denen das Verhalten des Angeklagten, wenn er überhaupt der Partner des Telefonates war, straflos wäre. Eine dieser Varianten wäre, dass der Inhalt des Fernschreibens zwischen dem Angeklagten und dem Zeugen nur besprochen, von einer Ausführung aber noch nicht die Rede gewesen wäre.

Dass das an sich gute Erinnerungsvermögen des Zeugen in einzelnen Punkten lückenhaft und unzuverlässig ist, zeigen die wenn auch im einzelnen nicht schwerwiegenden Widersprüche zwischen seinen Aussagen. So hat er unterschiedliche Angaben über die Anzahl der jüdischen V-Leute, die z.Zt. des von ihm geschilderten Befehls in dem Referat beschäftigt waren, gemacht. Bei seiner Vernehmung durch die Staatsanwaltschaft am 27.Juni 1961 hat er angegeben, er habe damals - vermutlich unter Einbeziehung der Familie Margolin - vier jüdische V-Leute gehabt, ausserdem habe ein Dolmetscher des Referats einen V-Mann beschäftigt. Insgesamt waren das nach seinen damaligen Angaben fünf V-Leute.

In seiner Aussage vor dem Schwurgericht am 27.Juni 1972 hat er erklärt, das Referat habe zu diesem Zeitpunkt nur noch einen jüdischen V-Mann gehabt, er habe aber Dr. Hahn gegenüber angegeben, in dem Referat seien insgesamt noch vier V-Leute beschäftigt, wobei er Angehörige der Familie Margolin hinzugerechnet habe, weil er nicht gewusst habe, was die Frage Dr. Hahns bezweckt habe. Einer der von ihm angegebenen V-Leute sei ein Hilfspolizist gewesen, der V-Mann eines Dolmetschers, der bereits tot gewesen sei, als der Dolmetscher ihn vor der Liquidierung habe retten wollen. In derselben Vernehmung hat der Zeuge ausgesagt, er habe neben den Angehörigen der Familie Margolin selbst noch einen V-Mann gehabt, der zunächst am Leben geblieben, später aber vermutlich von der polnischen Polizei festgenommen und von der Sicherheitspolizei liquidiert worden sei. Danach muss das Referat ohne Berücksichtigung der Angehörigen der Familie Margolin nicht, wie zunächst angegeben, einen, sondern noch zwei jüdische V-Leute gehabt haben. In seiner Vernehmung vor dem Schwurgericht am 4.Juli 1972 hat er erklärt, er habe dem Angeklagten Dr. Hahn auf seine Frage nach der Anzahl der noch beschäftigten V-Leute geantwortet, sie hätten insgesamt noch vier jüdische V-Leute, er drei und der Dolmetscher einen. Im Gegensatz zu seinen Angaben in der Vernehmung vom 27.Juni 1961 hatte das Referat damit einschliesslich des V-Mannes des Dolmetschers vier jüdische V-Leute, nicht fünf, wie damals angegeben.

Ein weiterer Widerspruch zwischen seinen Angaben in der Vernehmung durch die Staatsanwaltschaft am 27.Juni 1961 und seiner Aussage vor dem Schwurgericht am 4.Juli 1972 ergibt sich daraus, dass er 1961 ausgesagt hat, er habe die Familie Margolin mit chilenischen Pässen ausgestattet, während er am 4.Juli 1972 erklärt hat, er habe der Familie polnische Pässe besorgt. Auf Vorhalt seiner früheren Aussage hat er entgegnet, er wisse nicht, wie der Vermerk über die chilenischen Pässe in das frühere Protokoll gekommen sei.

Entsprechend verhält es sich mit der Schilderung eines Vorfalles in Bromberg, bei dem Vossberg nach der Darstellung des Zeugen, die er in der Hauptverhandlung gegeben hat, freiwillig vorgetreten sein soll, um zwei Polen zu erschiessen, nachdem seine Kameraden sich geweigert hatten, dem Erschiessungsbefehl nachzukommen. In seiner Vernehmung vom 27.Juni 1961 hatte er erklärt, Vossberg habe auf Befehl des Untersturmführers Reese geschossen. Auf diesen Widerspruch hingewiesen, hat der Zeuge behauptet, das frühere Protokoll sei insoweit falsch.

Unterschiedlich sind auch die Darstellungen des Zeugen über das Schicksal des Schutzbriefes, welcher ihm von dem Sekretär des polnischen Roten Kreuzes beim Warschauer Aufstand ausgestellt worden sein soll. In der Vernehmung vom 27.Juni 1961 und auch in der Vernehmung vor dem Untersuchungsrichter am 5.Oktober 1967 hat der Zeuge erklärt, der Schutzbrief sei ihm bei seiner Gefangennahme in der Tschechei abgenommen worden; dieser Brief habe ihn vor der Gefangenschaft bewahrt, nur im Hinblick auf diese Bescheinigung sei er freigelassen worden.

In seiner Vernehmung vor dem Schwurgericht am 27.Juni 1972 hat der Zeuge ausgesagt, er habe den Schutzbrief noch in Warschau vernichtet. Auf Vorhalt seiner früheren Aussagen ist er bei dieser Behauptung geblieben, hat allerdings eingeräumt, dass es wohl doch richtig sei, dass er ihn in der Tschechei noch gehabt habe, erinnern könne er sich freilich nicht mehr daran. Dieser Widerspruch ist deshalb so auffallend, weil der Schutzbrief nach der früheren Aussage des Zeugen dadurch, dass er ihn vor der Gefangenschaft bewahrt hat, eine entscheidende Rolle für ihn gespielt haben soll.

Schliesslich hat er seine frühere Aussage, er sei im Monatsdurchschnitt zweimal wöchentlich persönlich mit dem Angeklagten Dr. Hahn zusammengekommen, in seiner Vernehmung vor dem Schwurgericht dahingehend geändert, dass er einmal wöchentlich nicht bei Dr. Hahn persönlich, sondern in seinem Vorzimmer gewesen sei.

Diese Widersprüche sind dem Zeugen sämtlich und im einzelnen unter Hinweis auf die Fundstellen vorgehalten und mit ihm erörtert worden. Sie blieben im wesentlichen unaufgelöst und begründen jedenfalls in ihrer Summierung erhebliche Zweifel daran, dass sich dieser einzige Zeuge zu diesem Anklagekomplex noch zuverlässig an den genauen Wortlaut und den Partner eines Telefongespräches, welches vor 30 Jahren geführt worden sein soll, erinnert. Diese Zweifel gaben zu Gunsten des Angeklagten den Ausschlag.

Dr. Hahn ist daher in diesem Anklagepunkt freizusprechen.

X.
II.11. der Anklage (Tötungen durch lebensgefährliche Gymnastik auf glühender Asche)

1. Einige der Wachleute des Pawiak-Gefängnisses, unter ihnen Bürckl und Frühwirth, quälten die oft körperlich bereits geschwächten Häftlinge dadurch, dass sie ihnen befahlen, auf dem Hof des Gefängnisses bestimmte gymnastische Übungen zu machen. Nachdem man dazu übergegangen war, die Asche aus dem Kesselhaus nicht mehr abzufahren, sondern auf dem Hinterhof zwischen dem Kesselhaus und dem Werkstattgebäude an der Ecke Pawia-/Wieziennastrasse auszuschütten, liessen Wachleute zum Teil barfüssige Häftlinge über die noch heisse Asche laufen und robben. Manche Häftlinge erlitten dabei erhebliche Brandwunden und Verletzungen. Es konnte jedoch, wie auch die Staatsanwaltschaft überzeugend ausgeführt hat, nicht festgestellt werden, dass Häftlinge auf Grund dieser Verletzungen gestorben sind. Auch der Angeklagte Wip. war bei diesen grausamen und menschenunwürdigen Quälereien zugegen. Die Beweisaufnahme hat allerdings keine Klarheit darüber gebracht, ob und inwieweit er dabei selbst Befehle gegeben oder auf andere Weise mitgewirkt hat.

2. Der Angeklagte Wip. hat eingeräumt, zugegen gewesen zu sein, als Bürckl und Frühwirth Häftlingen der Abteilung 4, in der er damals Dienst tat, befahlen, Übungen u.a. auch auf glühender Asche zu machen. Er hat erklärt, dass der Anlass für diese Strafübung ein Kassiber gewesen sei, den Häftlinge der Abteilung 4 über die Mauer geschossen hätten. Bürckl und Frühwirth, die den Kassiber bemerkt hätten, seien auf die Abteilung gekommen und hätten ihn angeschrien: "Ihr schlaft, und die machen Schweinereien!"

Sie hätten die Schleuder, mit der der Kassiber abgeschossen worden sei, in einer Gemeinschaftszelle der Abteilung gefunden und die Häftlinge, die ihn abgeschossen hatten, aufgefordert, sich zu melden. Nachdem niemand reagiert habe, hätten sie durch ihn die Zellen aufschliessen lassen und die Häftlinge in den Hof gebracht. Er habe abgeschlossen und sei ihnen nach unten gefolgt. Im Hof habe man die Häftlinge bereits laufen und marschieren lassen. Zwischendurch hätten sie sich auf Befehl Bürckls hinlegen müssen. Der Hof sei zu zwei Dritteln zwischen dem Kesselhaus und dem Gebäude Ecke Pawia-/Wieziennastrasse mit Asche bedeckt gewesen. Er habe nicht gewusst, dass die Asche noch heiss gewesen sei. Das habe er erst bemerkt, als die Häftlinge geschrien hätten. Er habe Bürckl deshalb Vorhaltungen gemacht, dieser habe jedoch nur gesagt, das sei ihm gleichgültig. Auf seinen Einwand, die feindliche Propaganda werde die "Gymnastik auf glühenden Kohlen" ausnutzen, habe Bürckl schliesslich nachgegeben und die Übungen abgebrochen.

Zwei Häftlinge hätten anschliessend hinaufgetragen werden müssen. Was aus ihnen geworden sei, wisse er nicht. In seiner Gegenwart und solange er Dienst gehabt habe, seien sie nicht gestorben.

Dieser Vorfall habe sich etliche Zeit nach seinem Dienstantritt im Pawiak im November / Dezember 1940 ereignet. Er erinnere sich deshalb daran, weil in der ersten Zeit nach seinem Dienstantritt die Asche noch abtransportiert worden sei. Erst später habe man sie im Hof liegen lassen, weil die Bedrohung durch die Widerstandsbewegung zugenommen habe und der Abtransport deshalb zu gefährlich gewesen sei. Dieser Vorfall sei der einzige dieser Art, an den er eine Erinnerung habe.

3. Die Einlassung des Angeklagten Wip. ist durch die Beweisaufnahme nicht widerlegt worden. Es ist nicht nachgewiesen worden, dass es unter seiner Mitwirkung, ja auch nur in seiner Anwesenheit zu Verbrennungen mit Todesfolge gekommen ist. Auf Grund seiner Einlassung sowie der Aussagen der Zeugen Joseph Mi., Nis., Wan., Wur. und der in der Hauptverhandlung verlesenen Aussagen der Zeugen Jakob und Josef Atl., Sch., Kar. und Dr. Lo., die das Gericht für glaubhaft hält und von deren Richtigkeit es überzeugt ist, steht zwar fest, dass derartige Übungen mehrfach durchgeführt worden sind und dass Wip. zumindest einmal, wie er es selbst zugibt, zugegen war.

Die Bekundungen der Zeugen Joseph Mi. und Nis. jedoch, die ausgesagt haben, es habe nach derartigen Misshandlungen Tote gegeben, sind zu unbestimmt, um das Gericht davon zu überzeugen, dass Übungen auf der Asche kausal für den Tod von Gefangenen waren. Der Zeuge Nis. hat nach seinen Angaben ohnehin nur beobachtet, dass zwei Häftlinge mit verbrannten Füssen und hohem Fieber hinausgeführt worden sind. Er hat eingeräumt, dass er nicht wisse, ob und wie diese Gefangenen umgekommen seien.

Der Zeuge Joseph Mi. hat bekundet, er habe miterlebt, wie nach einer Gymnastik auf heisser Asche, bei der Wip., Wulfes, Frühwirth und andere Wachtmeister zugegen gewesen seien, ein Häftling liegengeblieben sei. Daraus, dass dieser anschliessend nicht in seine Zelle, sondern in das Leichenhaus gebracht worden sei, habe er geschlossen, dass der Häftling tot gewesen sein müsse. Selbst wenn nach der Aussage des Zeugen ein Kausalzusammenhang zwischen den Misshandlungen auf der Asche und dem Tod des Häftlings naheliegt, so ergeben seine Bekundungen doch nicht mit genügender Sicherheit, dass Wip. gerade bei diesem Vorfall mitgewirkt hat.

Vor allem aber ist sehr zweifelhaft, jedenfalls aber nicht bewiesen worden, ob es sich bei dem von dem Zeugen Joseph Mi. geschilderten Vorfall um jenen handelt, den die Anklage dem Angeklagten Wip. zur Last legt. Die Anklage hat einen Vorfall im Winter 1940/41 zum Gegenstand. Die Zeitangaben des Zeugen sind dagegen vage. Er hat zunächst behauptet, es sei 1943, eventuell auch 1942 gewesen. Auf Vorhalt seiner früheren Aussage, in der er als Zeitpunkt 1940 angegeben hatte, hat er gemeint, 1940 habe man mit derartigen Misshandlungen begonnen.

Die Bekundungen des Zeugen im Zusammenhang mit diesen äusserst unbestimmten Zeitangaben reichen somit nicht aus, um den Angeklagten Wip. der ihm in der Anklage vorgeworfenen Tat zu überführen. Er ist deshalb freizusprechen.

D. Rechtliche Würdigung

I. Verjährung

Die vom Schwurgericht festgestellten Straftaten der Angeklagten sind nicht verjährt.

Die Verjährung ist gemäss §68 Abs.1 und 2 StGB spätestens durch die Vernehmung der Angeklagten durch den Untersuchungsrichter am 27.November und am 18.Dezember 1968 wirksam unterbrochen worden. Die Verjährungsfrist war zu diesem Zeitpunkt noch nicht abgelaufen.

Unabhängig davon, ob die Mitwirkung der beiden Angeklagten bei der Erschiessung der Häftlinge der Abteilung 3 des Gefängnisses im Juli 1944 und die Mitwirkung des Angeklagten Wip. bei der Erschiessung der Juden aus dem Hotel Polski im Sommer 1943 rechtlich als

Mord oder als Beihilfe zum Mord zu qualifizieren ist, betrug die Frist selbst nach §67 Abs.1 StGB alter Fassung in jedem Falle 20 Jahre. Diese Frist war massgeblich, weil sowohl Mord als auch Beihilfe zum Mord im Zeitpunkt der Begehung der Taten mit der Todesstrafe als Regelstrafe oder lebenslangem Zuchthaus unter besonderen Umständen bedroht waren. Die Regelstrafandrohung ergab sich aus §211 StGB in der Neufassung durch das Gesetz zur Änderung des Reichsstrafgesetzbuches vom 4.September 1941 (RGBl. I S.549). Für die Beihilfe zum Mord folgte die Regelstrafandrohung aus §211 StGB in Verbindung mit §4 der Gewaltverbrecherverordnung vom 5.Dezember 1939 (RGBl. I S.2378). Nach §4 der Gewaltverbrecherverordnung war für die Beihilfe zu einem Verbrechen oder Vergehen allgemein die Strafe zulässig, die das Gesetz für die vollendete Tat vorsah.

§50 Abs.2 StGB, wonach sich heute die Höchststrafe des Gehilfen auf 15 Jahre Freiheitsstrafe ermässigt (§§49, 44, 211 StGB n.F.), wenn diesem besondere persönliche Eigenschaften, Verhältnisse oder Umstände fehlen, welche die Strafbarkeit des Täters begründen, hat hinsichtlich der festgestellten Straftaten der Angeklagten keinen Einfluss auf die Dauer der Verjährungsfrist.

Der Tatbeitrag der Angeklagten bezog sich jeweils auf grausame Tötungen, also eine Mordqualifikation, die nach ständiger Rechtsprechung des Bundesgerichtshofs, der sich das Schwurgericht anschliesst, nicht täter-, sondern tatbezogen ist (BGH, Urteil vom 28.März 1972 - 5 StR 60/72 - [22]). §50 Abs.2 StGB bezieht sich jedoch nur auf täterbezogene Merkmale. Soweit es sich um die Beihilfe des Angeklagten Wip. zur Erschiessung der Juden aus dem Hotel Polski handelt, sind ausserdem die Voraussetzungen des §50 Abs.2 StGB erfüllt, weil der Angeklagte Wip. als Gehilfe ebenfalls aus niedrigen Beweggründen handelte.

Der Lauf der Verjährungsfrist begann am 1.Januar 1950. Vom Tatzeitpunkt bis zum 8.Mai 1945, dem Tag der Kapitulation der deutschen Wehrmacht, ruhte gemäss §69 StGB die Verjährungsfrist, weil einer Strafverfolgung dieser Taten unter nationalsozialistischer Herrschaft der als Gesetz erachtete Führerwille entgegenstand (BGH NJW 1962, S.2308; BGHSt. 18, 367). Die Zeit vom 8.Mai 1945 bis zum 31.Dezember 1949 bleibt bei der Berechnung der Verjährungsfrist ebenfalls ausser Ansatz. §1 des Gesetzes über die Berechnung strafrechtlicher Verjährungsfristen vom 13.April 1965 (BGBl. I S.315), abgeändert durch Art.57 des Ersten Gesetzes zur Reform des Strafrechts vom 26.Juni 1969 (BGBl. I S.671), bestimmt, dass die Verjährungsfristen für die Verfolgung von Verbrechen, die mit lebenslanger Freiheitsstrafe bedroht sind, während dieser Zeit geruht haben. Beihilfe zum Mord war zur Zeit des Inkrafttretens dieses Gesetzes mit lebenslangem Zuchthaus bedroht. Die Verjährungsfrist lief demgemäss frühestens am 31.Dezember 1969 ab. Zu diesem Zeitpunkt waren - abgesehen von anderen die Verjährung unterbrechenden richterlichen Handlungen - die Angeklagten bereits zu den späteren Anklagepunkten im einzelnen durch den Untersuchungsrichter vernommen worden.

II. Rechtliche Würdigung der festgestellten Taten

1. Aktion Polski (II.12. der Anklage)

Der Angeklagte Wip. hat nach den Feststellungen des Gerichts Mitte Juli 1943 Beihilfe zum Mord an mindestens 250 Juden, die zuvor aus dem Hotel Polski in das Pawiak-Gefängnis transportiert worden waren, geleistet.

[22] Siehe Lfd.Nr.899.

Die Erschiessung der Juden aus dem Hotel Polski war Mord im Sinne des §211 Abs.2 StGB, weil die Tötung aus niedrigen Beweggründen und grausam erfolgte.

Das Motiv der Tötung war die Rassezugehörigkeit der Erschossenen. Die Juden hatten sich nichts zuschulden kommen lassen, was - auch nach damaligen Vorschriften - möglicherweise todeswürdig gewesen wäre. Sie wurden erschossen, weil sie nach nationalsozialistischer Anschauung rassisch minderwertig waren.

Die Erschiessung war grausam. Den Opfern wurden, bedingt durch die sukzessive Erschiessung einzelner Gruppen, seelische Qualen zugefügt, die über die einer Tötung an sich hinausgingen. Den eigenen sicheren Tod vor Augen und in der Erkenntnis, dass sie kein todeswürdiges Verbrechen begangen hatten, mussten sie jeweils warten, bis die vorher dem Erschiessungskommando zugeführten Leidensgenossen, unter denen sich Angehörige und Freunde befanden, getötet worden waren. Ein Teil von ihnen musste diesen Vorgang wiederholt miterleben, und die Schüsse des Exekutionskommandos immer wieder mitanhören, weil die Erschiessung sich über geraume Zeit erstreckte. Bei der Exekution selbst mussten sie sich mit dem Gesicht zur Erde auf den Boden legen und wurden von hinten erschossen. Diese die Tötung begleitenden Umstände, durch die den Opfern aus gefühlloser und unbarmherziger Gesinnung seelische Qualen bereitet wurden, waren grausam. Durch sie wurde die Erschiessung selbst zu einer grausamen Tötung. Nach ständiger Rechtsprechung des Bundesgerichtshofes, der das Gericht insoweit gefolgt ist, braucht die Grausamkeit der Tötung nicht in der Ausführungshandlung im engeren Sinne und in dem durch sie verursachten Leiden liegen, sie kann sich auch wie im vorliegenden Falle aus den Umständen ergeben, unter denen die Tötung eingeleitet und vollzogen wird (BGH, Urteil vom 28.3.1972 - 5 StR 60/72 - [23], BGH, Urteil vom 5.2.1970 - 4 StR 272/68 - [24]).

Die Erschiessung der Juden aus dem Hotel Polski war rechtswidrig. Rechtfertigungsgründe liegen nach dem Ergebnis der mündlichen Verhandlung nicht vor. Sie sind nicht einmal in Ansätzen erkennbar.

Der nicht sicher identifizierte Befehlsgeber handelte vorsätzlich. Die Umstände, die die Mordqualifikationen ausmachten, waren ihm bekannt. Er nahm sie zumindest billigend in Kauf. Er wusste, dass Juden erschossen wurden, die kein todeswürdiges Verbrechen begangen hatten, sondern allein wegen ihrer nach damaliger Anschauung minderwertigen Rasse getötet wurden. Dem Befehlsgeber war auch bekannt, dass die Erschiessung sukzessive in kleinen Gruppen durchgeführt wurde, weil dies bei grösseren Exekutionen zum Tatzeitpunkt der Übung entsprach. Auch die damit verbundenen seelischen Qualen der Delinquenten nahm er zumindest billigend in Kauf.

Der Angeklagte Wip. hat zu dem Mord an den Juden aus dem Hotel Polski vorsätzlich Beihilfe geleistet, denn er hat nach seinen eigenen, insoweit glaubhaften Angaben auf Befehl Vossbergs beim Hinüberführen der Juden vom Pawiakgelände zum Erschiessungsplatz in den Ruinengrundstück Dzielnastrasse 25-27 Absperrdienste geleistet, um eine Flucht dieser Juden zu verhindern und den reibungslosen Ablauf des Erschiessungsvorganges zu sichern.

Nach dem festgestellten Sachverhalt liegen Anhaltspunkte für eine Mittäterschaft des Angeklagten Wip. nicht vor. Sein Handeln war jedoch Beihilfe im Sinne des §49 Abs.1 StGB, da durch seinen Tatbeitrag der geplante Ablauf der Haupttat gefördert wurde. Hierfür ist nicht erforderlich, dass sein Handeln für den Erfolg der Haupttat kausal war (RGSt. 58, 113;

[23] Siehe Lfd.Nr.899.

[24] Siehe Lfd.Nr.648b.

RGSt. 67, 191, 193; RGSt. 71, 176, 178; RGSt. 73, 55, 54; BGH, Urteil vom 16.12.1954, abgedr. in VRS Bd.8 S.199; BGHSt. 20, 89, 90). Die Frage der Ursächlichkeit seines Tatbeitrages für den Taterfolg braucht daher nicht erörtert zu werden.

Die Beihilfehandlung war rechtswidrig. Rechtfertigungsgründe liegen auch insoweit nicht vor.

Der Angeklagte hat schuldhaft Beihilfe zum Mord geleistet. Er handelte vorsätzlich. Als er zum Absperrdienst abkommandiert wurde, wusste er, dass die Juden erschossen werden würden und dass er durch das Absperren den reibungslosen Ablauf des Erschiessungsvorganges unterstützen würde.

Niedrige Beweggründe lagen nicht nur bei dem Befehlsgeber, sondern auch bei ihm persönlich vor. Er wusste, dass es Juden waren, die nicht wegen begangener Verbrechen, sondern allein wegen ihrer Rasse erschossen wurden. Wenn er in Kenntnis dieser Umstände Absperrdienste leistete, um die reibungslose Tötung dieser Juden zu sichern, so machte er sich damit die niedrigen Beweggründe des Befehlsgebenden persönlich zueigen.

Ihm waren ausserdem die Umstände, die die Mordqualifikation der Grausamkeit ausmachten, bekannt. Als er auf der Dzielnastrasse mit dem Absperrdienst begann, nahm er die Art der Erschiessung wahr. Er wusste, dass die Opfer, den eigenen Tod vor Augen, die Tötung ihrer Leidensgenossen miterleben mussten. Er ging auch davon aus, dass der ihm nicht bekannte Befehlsgeber mit dieser Art der Erschiessung einverstanden war und sie mindestens billigend in Kauf nahm, denn sie entsprach 1943 ständiger Übung bei Massenerschiessungen.

Der Angeklagte handelte in dem Bewusstsein, durch seine Hilfeleistung Unrecht zu tun. Er hielt es, wie er selbst erklärt hat, schon damals für Unrecht, die Juden zu erschiessen. Unter diesen Umständen war er sich bewusst, dass der von ihm geleistete Absperrdienst, der den Erschiessungsvorgang förderte, nicht rechtmässig war.

Schuldausschliessungsgründe liegen nicht vor.

Das Verhalten des Angeklagten Wip. ist nicht nach §47 Abs.1 MStGB entschuldigt.

Nach den §§1-3 der Verordnung über eine Sondergerichtsbarkeit in Strafsachen für Angehörige der SS und die Angehörigen der Polizeiverbände bei besonderem Einsatz vom 17.Oktober 1939 (RGBl. I. S.2107) unterstand der Angeklagte den Vorschriften des zur Tatzeit geltenden Reichsmilitärstrafgesetzbuches. Gegen die Rechtswirksamkeit der Verordnung vom 17.Oktober 1939 bestehen keine Bedenken (BGHSt. 5, 239, 241). §47 Abs.1 MStGB findet Anwendung, wenn durch die Ausführung eines Befehls in Dienstsachen ein Strafgesetz verletzt wird. Der Befehl Vossbergs zur Absperrung war ein Befehl in Dienstsachen, denn er gebot dem Angeklagten ein festumrissenes Handeln ohne Möglichkeit eigenen Ermessens und eigener Sachentscheidung.

Als Befehlsempfänger war der Angeklagte Wip. jedoch nicht nach §47 Abs.1 MStGB entschuldigt, weil er positiv und sicher im Sinne von §47 Abs.1 Nr.2 MStGB wusste, dass der Befehl ein Verbrechen bezweckte. In dem Augenblick, in dem er zur Absperrung abgestellt wurde, war ihm klar, dass die Juden erschossen werden sollten. Er war sich bewusst, dass diese Erschiessung zu Unrecht erfolgte und er durch das Absperren dazu beitrug, dass der Erschiessungsvorgang reibungslos verlaufen konnte, denn das Absperren hatte den Sinn, ein Fliehen der Häftlinge zu verhindern. Da der verbrecherische Zweck des Befehls ihm damit positiv bekannt war, traf die strafrechtliche Verantwortlichkeit nicht allein den Befehlsgeber, sondern auch den Angeklagten als Befehlsempfänger.

Die Schuld des Angeklagten Wip. entfällt nicht etwa deshalb, weil er sich in einem entschuldbaren Verbotsirrtum über seine allgemeine Gehorsamspflicht befunden hätte. Nach höchstrichterlicher Rechtsprechung, der das Gericht insoweit folgt, ist die Anwendung der für den Verbotsirrtum entwickelten Grundsätze durch §47 MStGB nicht ausgeschlossen, wenn der Befehlsunterworfene den verbrecherischen Zweck des Befehls zwar erkannt, dennoch aber geglaubt hat, den Befehl ausführen zu müssen, weil er aus falsch verstandener Gehorsams- oder Treuepflicht auch Befehle für bindend hielt, die auf die Begehung strafbarer Handlungen gerichtet waren (BGHSt. 22, 223, 225).

Der Angeklagte Wip. hat sich über die Verbindlichkeit und die rechtfertigende Kraft des Befehls keine Gedanken gemacht. Er ist dem Befehl nachgekommen, weil es für ihn der einfachste und komplikationsloseste Weg war, denn er war grundsätzlich überzeugt, schwer, unter Umständen mit dem Tode bestraft zu werden, wenn er sich vor der Befehlsausführung drücke oder sie verweigere. Dieser bedrohlichen Konsequenz wollte er von vornherein aus dem Wege gehen. Dabei hat er jedoch Überlegungen, ob er dem Befehl, dessen verbrecherischen Zweck er erkannt hatte, deshalb folgen müsse, weil er aus Gehorsams- oder Treuepflicht für ihn verbindlich war und weil er dessen Ausführung deshalb für gerechtfertigt hielt, nicht angestellt. Er ist dem Befehl lediglich nachgekommen, um Schwierigkeiten zu vermeiden. Solange er sich aber keine Gedanken über die Verbindlichkeit und die rechtfertigende Kraft des Befehls gemacht hat, hat er sich auch nicht in einem entsprechenden Irrtum befunden, der als Verbotsirrtum sein Handeln unter bestimmten Voraussetzungen hätte entschuldigen können.

Der Angeklagte Wip. ist schliesslich auch nicht deshalb entschuldigt, weil er infolge tatsächlichen oder vermeintlichen Nötigungsstandes im Sinne von §52 StGB, hier wegen sog. Befehlsnotstandes, zur Ausführung des Befehls gezwungen worden wäre.

Nach §52 StGB muss die Tat dem Täter in einem solchen Falle durch unwiderstehliche Gewalt oder durch Drohung mit einer Gefahr für Leib oder Leben abgenötigt worden sein. Das war hier nicht der Fall. Der Angeklagte ist dem Befehl zur Absperrung widerspruchslos nachgekommen, weil dies, wie bereits erwähnt, der komplikationsloseste Weg war. Die Tatsache, dass er damit dem Risiko einer schweren Bestrafung, von der er für den Falle der Befehlsverweigerung überzeugt war, entgehen wollte, bedeutet nicht, dass er aus einer Notstandssituation im Sinne des §52 StGB heraus gehandelt hat. Der Angeklagte hätte sich durch gewissenhafte Prüfung aller Möglichkeiten ernsthaft bemühen müssen, die Straftat auf andere Weise zu vermeiden. Er hat diese Prüfung nach seinen eigenen glaubhaften Angaben unterlassen. Deshalb kann er sich nicht mit Erfolg auf §52 StGB berufen. Der Angeklagte Wip. hat gezeigt, dass er die Tat nicht unter unausweichlichem Gefahrenzwang, sondern mehr resigniert und in blindem Gehorsam ausgeführt hat, weil dies ihm unter den gegebenen Umständen als der bequemste Ausweg und damit der Weg des geringsten Widerstandes erschien (vgl. hierzu BGH, Urteil vom 7.4.1970 - 5 StR 308/69 - [25]; BGHSt. 18, 311).

Der Angeklagte Wip. hat die Möglichkeit einer Befehlsverweigerung überhaupt nicht konkret in Betracht gezogen. Er hat seine geistigen und seelischen Kräfte - zumindest zunächst - nicht aktiviert, um einen Ausweg zu suchen. Dass er dazu grundsätzlich in der Lage war, zeigt der von ihm in diesem Zusammenhang geschilderte Vorfall mit der Jüdin, die ihn um ihr Leben anflehte und für die er auch tatsächlich einen - wenn auch erfolglosen - Rettungsversuch unternahm. In diesem Fall hat er ernstlich nach einem Ausweg gesucht, nicht aber in dem Zeitpunkt, in dem er den Befehl zum Absperren entgegennahm und ausführte. Den Absperrdienst hat der Angeklagte nicht unter dem Druck einer Gefahr für Leib oder Leben, aus dem

[25] Siehe Lfd.Nr.670b.

es für ihn trotz ernsthafter Bemühungen keinen Ausweg gab, geleistet, sondern weil es ein Weg war, bei dem er keine Schwierigkeiten zu erwarten hatte. Sein Verhalten ist unter diesen Umständen nicht nach §52 StGB entschuldigt.

Der Schuldausschliessungsgrund des §54 StGB kommt schon deshalb nicht in Betracht, weil es sich nicht um eine Tat handelte, die der Angeklagte aus eigenem Entschluss begangen und deren Bild er selbst bestimmt hat. Der Notstand nach §54 StGB würde im übrigen aus den gleichen Gründen entfallen, die zur Ablehnung des §52 StGB geführt haben.

Der Angeklagte Wip. hat rechtswidrig und schuldhaft Beihilfe zum Mord an den Juden aus dem Hotel Polski geleistet. Das Schwurgericht sieht jedoch insoweit von einer Bestrafung gemäss §47 Abs.2 MStGB ab.

Der Angeklagte hat zwar nicht aus einer Notstandslage im Sinne von §52 StGB heraus gehandelt. Er befand sich aber in einer notstandsähnlichen Situation, die nach höchstrichterlicher Rechtsprechung, der das Gericht folgt, ein Absehen von Strafe nach §47 Abs.2 MStGB rechtfertigt, sofern die Schuld gering ist. Wie bereits dargelegt, hat der Angeklagte einigermassen glaubhaft, mindestens aber unwiderlegt erklärt, den ihm erteilten Befehl in dem belastenden Bewusstsein ausgeführt zu haben, bei Verweigerung oder einem "Sich-Drücken" schwer, unter Umständen mit dem Tode bestraft zu werden. Wie richtig der Angeklagte von vornherein den nahezu unausweichlichen, in seinen Augen unter Umständen lebensgefährlichen Befehlsdruck eingeschätzt hat, zeigt der bereits erwähnte Vorfall mit der Jüdin aus dem Hotel Polski. Hier wurde ihm von dem wachhabenden Ober- oder Hauptsturmführer konkret der Tod angedroht, falls er sich der Erschiessung der Frau widersetze. Dieser allgemeine Befehlsdruck, unter dem sich der Angeklagte befand und der durch den Vorfall mit der Jüdin konkretisiert wurde, entsprach in seiner Schwere dem Grad der Schuld, die der Angeklagte durch sein Handeln auf sich geladen hatte. Die massive und bedrohliche Befehlseinwirkung auf den sehr einfach denkenden, leicht zu beeinflussenden Angeklagten, sein Rettungsversuch für die Jüdin und die Geringfügigkeit seines Tatbeitrages - nicht der Tat selbst - lassen die persönliche strafrechtliche Schuld als gering im Sinne des §47 Abs.2 MStGB erscheinen. Der Angeklagte hatte nach dem Mass seiner persönlichen Fähigkeiten nur beschränkt die Möglichkeit, sich der Übermacht der Staatsautorität zu entziehen. Der Rettungsversuch für die Jüdin zeigte ihm sofort seine Grenzen. Er war der Typ des kleinen, seit Jahren auf Gehorsam gedrillten Befehlsempfängers, dessen Fähigkeiten zu eigenverantwortlichem Denken gering waren und der nicht die Intelligenz hatte, einen wirksamen Ausweg zu finden. Das Gericht verkennt nicht, dass bei der Schwere der Schuld die Schwere der Haupttat berücksichtigt werden muss. Die Mitwirkung des Angeklagten hat sich jedoch auf das blosse Absperren beschränkt, ohne dass ein Eingreifen seinerseits nötig war und erfolgte.

Im Hinblick auf die geringe Schuld - der Vorfall mit der Jüdin zeigt, dass er seinen Tatbeitrag noch mindern wollte - wäre die gesetzliche Mindeststrafe von drei Jahren Freiheitsentzug (§§49 Abs.1, 44 Abs.2 StGB) nicht mehr gerecht und eine unerträgliche Härte für den Angeklagten. Das Schwurgericht hat dabei auch berücksichtigt, dass von einem Mann wie dem Angeklagten Wip., der zweifellos gefehlt hat, nicht verlangt werden kann, dass er in seiner Situation einsichtiger und moralisch und charakterlich gefestigter hätte sein sollen als der gesamte über ihm stehende Staatsapparat und damit der damalige Gesetzgeber in der Gestalt Hitlers.

Das Schwurgericht hat aus diesem Grunde von der Möglichkeit, nach §47 Abs.2 MStGB von einer Bestrafung abzusehen, Gebrauch gemacht.

2. Tötung der Gefangenen der Abteilung 3 (I.2., II.12. der Anklage)

a) Beteiligung des Angeklagten Dr. Hahn

Der Angeklagte Dr. Hahn ist nach dem vom Schwurgericht festgestellten Sachverhalt wegen Beihilfe zum Mord an mindestens 100 nicht zum Tode verurteilten Häftlingen der Abteilung 3 des Pawiak-Gefängnisses gemäss §§211, 49 StGB zu bestrafen.

Die Erschiessung der nicht zum Tode verurteilten Gefangenen der Abteilung 3 des Pawiak-Gefängnisses im Juli 1944 war Mord im Sinne des §211 Abs.2 StGB, denn diese Häftlinge wurden grausam getötet. Sie wurden in Gruppen von fünf bis sechs Personen erschossen. Die jeweils nächste Gruppe musste in unmittelbarer Nähe des Exekutionsplatzes warten, bis die vorhergehende getötet worden war. So wurden aus gefühlloser und unbarmherziger Gesinnung den Häftlingen grosse seelische Qualen zugefügt, weil sie ständig den eigenen sicheren Tod vor Augen hatten und dann noch aus unmittelbarer Nähe miterleben mussten, wie ihre Mithäftlinge erschossen wurden. Diese seelisch qualvollen Umstände, unter denen die Erschiessung durchgeführt wurde, begründen das Mordmerkmal der Grausamkeit im Sinne des §211 Abs.2 StGB. Nach ständiger Rechtsprechung des Bundesgerichtshofes, der sich das Schwurgericht anschliesst, braucht die Grausamkeit nicht in der Ausführungshandlung im engeren Sinne zu liegen, sie kann sich auch aus den Umständen, unter denen die Tötung eingeleitet und vollzogen wird, ergeben.

Demgegenüber hat das Schwurgericht nicht feststellen können, dass die Erschiessung aus niedrigen Beweggründen angeordnet wurde. Die näheren äusseren und inneren Umstände der Befehlsgebung konnten in der Hauptverhandlung nicht aufgeklärt werden. Die Beweisaufnahme hat nicht ergeben, welches die entscheidenden Motive für den Erschiessungsbefehl waren. Es ist offengeblieben, ob bei der Willensbildung des nicht näher identifizierten Befehlsgebers der Fluchtversuch und das damit möglicherweise verbundene Sicherheitsrisiko allein der Anlass für den Befehl waren oder ob noch weitere Umstände, etwa die damalige Anschauung über die angebliche rassische Minderwertigkeit der Polen oder das menschenverachtende Bewusstsein, straflos töten zu können, eine Rolle gespielt haben.

Die Erschiessung war rechtswidrig, soweit es sich um mindestens 100 nicht oder noch nicht zum Tode verurteilte Häftlinge handelte. Soweit Häftlinge getötet worden sind, die bereits - wenn auch nur standrechtlich - zum Tode verurteilt worden waren, war die Erschiessung als Vollstreckung eines Urteils gerechtfertigt. Es wird insoweit auf die Ausführungen, die zu dieser Frage unter dem Anklagepunkt "Geiselerschiessungen" (s.o. « unter » V.) gemacht worden sind, verwiesen. Es ist nicht bewiesen worden, dass gerade die diese Häftlinge betreffenden Standgerichtsverfahren nicht den rechtlichen Minimalanforderungen entsprachen. Eine Teilfreisprechung hatte jedoch insoweit nicht zu erfolgen, da die Häftlingserschiessung als ganzes nur als eine Handlung Gegenstand der Hauptverhandlung war.

Die Erschiessung der nicht zum Tode verurteilten Gefangenen war auch nicht als wie immer geartete Repressalmassnahme gerechtfertigt. Zwar waren zur Tatzeit Repressalerschiessungen unter kriegführenden Staaten unter bestimmten Voraussetzungen völkerrechtlich sanktioniert. Unter bestimmten Umständen wurde die Tötung auch schuldloser feindlicher Staatsangehöriger im besetzten Gebiet als Reaktion auf gewaltsame Angriffe der Bevölkerung des besetzten Landes gegen die bewaffnete Macht des besetzenden Staates als rechtmässig angesehen. Die Erschiessung der Häftlinge der Abteilung 3 hatte jedoch mit einer derartigen völkerrechtlich sanktionierten Repressalie nichts gemein. Sie war nicht eine Antwort auf ein völkerrechtswidriges Verhalten der Bevölkerung des besetzten Landes, sondern auf einen Angriff von Menschen, die sich, fernab von der Allgemeinheit, in einem Gefängnis fest in der Gewalt der deutschen Sicherheitspolizei befanden. Der Angriff war weder geeignet, eine Parallelwirkung in der Bevölkerung zu entwickeln, noch war er aus der Anonymität der Millionenstadt Warschau erfolgt oder hatte dort Rückhalt gefunden. Mit der Niederschlagung des Ausbruchsversuches war er beendet. Die Gefangenen waren wieder sicher verwahrt. Der Gefahr einer möglichen Wiederholung musste und durfte keinesfalls durch die Erschiessung der gesamten Abteilung, zu der die Aufständischen gehörten, begegnet werden. Der Befehlsgeber hätte verschiedene, weit weniger gravierende Massnahmen ergreifen können, um das Sicherheitsrisiko, welches möglicherweise von der Abteilung 3 nunmehr ausging, auszuschalten. Die Gefangenen hätten auf verschiedene Abteilungen oder gar Gefängnisse verteilt werden können, man hätte die Sicherheitsmassnahmen verstärken können. Die Erschiessung war auch deshalb keine erlaubte Repressalie im völkerrechtlichen Sinne, weil die Gefangenen an einem verborgenen Platz unter Ausschluss der Öffentlichkeit erschossen wurden. Durch diese Handhabung wurde der eigentliche Rechtfertigungsgrund einer Repression, der Beugezweck, nämlich die Abschreckung vor weiteren völkerrechtswidrigen Angriffen, geradezu vermieden. Als Beugemittel wäre die Erschiessung von vornherein wirkungslos und schon deshalb auch im Sinne der damaligen Rechtsanschauungen kein Rechtfertigungsgrund gewesen.

Der nicht näher identifizierte Befehlsgeber handelte vorsätzlich. Er kannte die Umstände, welche die Mordqualifikation ausmachten. Nach den Erfahrungen, die man 1944 im Bereiche der Sicherheitspolizei mit Massenerschiessungen hatte, wusste er, dass die Erschiessung einer ganzen Abteilung eines Gefängnisses nur sukzessive in Gruppen durchgeführt werden konnte und würde. Das Gericht hat keinen Zweifel, dass er es aus gefühlloser und unbarmherziger Gesinnung zumindest billigend in Kauf nahm, dass ein grosser Teil der Delinquenten, den nahen Tod vor Augen, unter seelischen Qualen auf ihre Erschiessung warten mussten, bis die vorangegangenen Mithäftlinge liquidiert worden waren.

Der Vorsatz entfällt nicht etwa deshalb, weil der Befehlsgeber irrtümlich die tatsächlichen Voraussetzungen eines Rechtfertigungsgrundes angenommen hätte.

So ist der Befehlsgeber nicht irrtümlich davon ausgegangen, dass sich in der Abteilung 3 nur zum Tode verurteilte Häftlinge befanden, die Erschiessung also lediglich die Vollstreckung von Todesurteilen war. Nach dem Ergebnis der Beweisaufnahme liegen keine Anhaltspunkte dafür vor, dass er sich über die Belegung des Gefängnisses eine andere Vorstellung gemacht hat als die, die der Belegung eines Untersuchungsgefängnisses entsprach, in dem - auch unter Berücksichtigung der damaligen Verhältnisse - zumindest der überwiegende Teil der Häftlinge noch nicht rechtskräftig verurteilt worden war. Der Angeklagte Dr. Hahn hat nach der Überzeugung des Gerichts bei seiner Meldung des Vorfalles nach Krakau auch keine abweichenden Angaben, etwa dass sich in der Abteilung 3 nur zum Tode verurteilte Häftlinge befanden, gemacht. Ihm war, wie bereits ausgeführt worden ist, bekannt, dass allenfalls ein Drittel der Häftlinge dieser Abteilung zum Tode verurteilt war. Für die Annahme, er habe seinen Vorgesetzten in Krakau über die Belegung der Abteilung falsche Angaben gemacht, findet sich weder nach der Einlassung des Angeklagten noch nach dem sonstigen Ergebnis der Beweisaufnahme eine Stütze. Das Gericht ist vielmehr vom Gegenteil überzeugt.

Der Befehlsgeber irrte auch nicht über die tatsächlichen Voraussetzungen einer nach damaliger Anschauung rechtmässigen Repressalerschiessung. Auf Grund der Meldung des Angeklagten Dr. Hahn war er, wie dieser glaubhaft erklärt hat, über das Geschehen in der Nacht vom 19. auf den 20.Juli 1944 informiert. Ihm war damit bekannt, dass ein Ausbruchsversuch von Häftlingen stattgefunden hatte und dass sich diese nach dem Misslingen des Ausbruchs wieder fest in der Hand der Sicherheitspolizei befanden. Er wusste, dass ein völkerrechtswidriges Verhalten der Bevölkerung nicht vorlag, mithin Abschreckungsmassnahmen gegenüber der Bevölkerung im Hinblick auf künftige Wiederholungen nicht erforderlich waren. Es liegen nach der Einlassung des Angeklagten Dr. Hahn im übrigen auch keine Anhaltspunkte dafür vor, dass die Erschiessung als Repressalmassnahme angeordnet worden ist. Diese Möglichkeit entfällt nach der Überzeugung des Gerichts ebenfalls.

Der Angeklagte Dr. Hahn hat zu dem Mord an mindestens 100 nicht zum Tode verurteilten Häftlingen der Abteilung 3 des Pawiak-Gefängnisses vorsätzlich Beihilfe geleistet, indem er den Befehl zur Erschiessung an den Leiter der Abteilung IV seiner Dienststelle, Stamm, zur Ausführung weitergab.

Das Schwurgericht konnte nach dem Ergebnis der Beweisaufnahme nicht mit hinreichender Sicherheit feststellen, dass der Angeklagte als Mittäter gehandelt hat. Nach dem Grundsatz "in dubio pro reo" ist er deshalb nach der minder schweren Begehungsart, nämlich der Beihilfe zum Mord, zu bestrafen.

Massgeblich für die Abgrenzung von Täterschaft und Beihilfe ist die vom Bundesgerichtshof verfolgte, mit objektiven Momenten im Sinne der Tatherrschaftstheorie ausgefüllte sogenannte subjektive Tätertheorie, der das Schwurgericht sich anschliesst. Danach kommt es darauf an, ob der Angeklagte Dr. Hahn die Erschiessung der nicht zum Tode verurteilten Häftlinge als eigene Handlung durchführen oder ob er lediglich fremdes Handeln unterstützen wollte. Für die innere Einstellung des Angeklagten zu dem Erschiessungsbefehl und dessen Ausführung fehlen dem Gericht, wie bereits dargelegt, sowohl eigene verwertbare Angaben des Angeklagten wie auch entsprechende Zeugenaussagen oder andere Beweismittel. Das Schwurgericht war deshalb darauf angewiesen, die in der Hauptverhandlung festgestellten objektiven Merkmale und Umstände des Tatgeschehens als Indiz für die damalige Willensrichtung des Angeklagten heranzuziehen. Auch die insoweit zur Verfügung stehenden Anhaltspunkte sind nur allgemeiner Art. Konkrete, auf das hier zur Beurteilung stehende Tatgeschehen bezogene und zur Schlussfolgerung vom Objektiven auf das Subjektive geeignete Merkmale hat die Hauptverhandlung kaum ergeben.

Die allgemeinen Umstände, so die herausgehobene Stellung des Angeklagten in der sicherheitspolizeilichen Hierarchie im ehemaligen Generalgouvernement und seine grundsätzlich kritiklose Einstellung gegenüber dem nationalsozialistischen Gewaltregime einschliesslich der rücksichtslosen sicherheitspolizeilichen Massnahmen sprechen für einen Tätervorsatz. Sie haben aber nicht ausgereicht, um für sich oder in ihrem mosaikbildartigen Zusammenhang mit anderen Anknüpfungstatsachen aus dem Tatgeschehen dem Gericht im Wege der dargestellten Schlussfolgerung die Überzeugung zu vermitteln, der Angeklagte habe sich mit den Zielen und Absichten des Befehlsgebers weitgehend identifiziert und ein so enges objektives und subjektives Verhältnis zum Tatgeschehen gehabt, dass er die Erschiessung der Häftlinge nur als eigene Tat gewollt haben kann. Die damalige angespannte Situation in Warschau kurz vor dem von der Sicherheitspolizei bereits erwarteten Aufstand vom 1.August 1944, die Bedrohung durch die sich der Stadt nähernde Rote Armee, das Durcheinander in der Dienststelle vor der für den 22.Juli 1944 vorgesehenen Evakuierung der Behörde und schliesslich die von dem Angeklagten behauptete und nicht widerlegte Absicht, die Verhältnisse in Warschau gerade in dieser angespannten Situation nicht zu eskalieren, lassen es auch möglich erscheinen, dass er den Mordbefehl weitergegeben hat, ohne ihn besonders zu beachten, vielleicht sogar widerwillig, zumindest aber, ohne ihn sich im Sinne eigenen Wollens zueigen zu machen.

So hat das Schwurgericht dem Angeklagten ein eigenes Interesse an der Tat, wie es oft ein Hinweis auf den Täterwillen sein kann, nicht nachgewiesen. Dass er den Erfolg der Tat, die Ermordung der Häftlinge, an sich billigte, begründet noch kein eigenes Interesse und damit ein Indiz für einen Tätervorsatz. Auch der Gehilfe wird tätig, um den Erfolg der Tat zu fördern. Das Schwurgericht verkennt nicht, dass der Angeklagte ein darüber hinausgehendes eigenes Interesse an der Tat gehabt haben kann, weil er für Ruhe und Ordnung in dem ihm unterstehenden Gefängnis verantwortlich war. Das muss aber nicht so gewesen sein. Ruhe und Ordnung hätten sich, wie bereits dargelegt, auch auf andere Weise herstellen lassen können, so durch Aufteilung der Häftlinge oder Verschärfung der Sicherheitsvorkehrungen. Die Erschiessung der gesamten Häftlinge der Abteilung brauchte dem Angeklagten deshalb, insbesondere angesichts der sich steigernden Spannung in der Bevölkerung, nicht gelegen zu kommen. Auch die Tatsache, dass er sich in der Nacht des Ausbruchsversuchs persönlich in das Gefängnis fahren liess, um die Situation an Ort und Stelle zu beurteilen, zeigt lediglich ein Interesse an der Beseitigung des durch den Ausbruchsversuch entstandenen Gefahrenherdes, der der Beginn des bereits erwarteten Aufstandes der Warschauer Bevölkerung sein konnte, ist aber kein sicherer Anhaltspunkt dafür, dass der Angeklagte an der späteren Massnahme, der Erschiessung der Häftlinge, ein eigenes Interesse im Rahmen eines Tätervorsatzes gehabt hat. Der Gefahrenherd war bereits durch die Niederschlagung des Ausbruchsversuchs und die Verwahrung der Häftlinge beseitigt. Dem Angeklagten ist nicht widerlegt worden, dass seine Aufmerksamkeit für den Ausbruchsversuch erlosch, nachdem er sich davon überzeugt hatte, dass dieser gescheitert war und keine Anhaltspunkte dafür vorlagen, dass er sich zu einer allgemeinen Erhebung ausweiten würde.

Das Gericht hat berücksichtigt, dass das möglicherweise fehlende eigene Interesse des Angeklagten an der Tat den Täterwillen nicht ausschliesst, sofern andere konkrete Umstände für einen Tätervorsatz vorliegen, so, wenn der Angeklagte den Geschehensablauf in einem Masse beherrscht hätte, dass die Durchführung und der Ausgang der Tat massgeblich von seinem Willen abgehangen hätten. Das Schwurgericht hat Feststellungen darüber, dass der Angeklagte aus eigener Machtfülle und Entscheidungsfreiheit das "Ob, Wann, Wie und Wo" der Tat bestimmt hat, nicht mit hinreichender Sicherheit treffen können. Nachdem zu Gunsten des Angeklagten davon auszugehen war, dass ihm die Erschiessung befohlen worden war, ist nicht nachgewiesen worden, dass er dennoch Einfluss auf das "Ob" der Tatausführungen hatte. Das "Wann" der Tatausführung konnte der Angeklagte grundsätzlich nicht bestimmen, weil Befehle generell sofort auszuführen waren. Dass es in diesem Falle anders gewesen ist, hat die Beweisaufnahme nicht ergeben. Das "Wie", die Tötung durch Erschiessen, war nach der unwiderlegt gebliebenen Einlassung des Angeklagten in dem Befehl festgelegt. Auf die Bestimmung des Exekutionsplatzes hätte der Angeklagte wohl Einfluss nehmen können. Der Ort der Tatausführung war jedoch im vorliegenden Fall von untergeordneter Bedeutung, weil es nicht darum ging, die Entdeckung der Tat zu verhindern oder tatwesentlich zu erschweren.
Die Hauptverhandlung hat schliesslich, wie bereits ausgeführt, nicht ergeben, dass der Angeklagte durch einen Vorschlag in seiner Meldung an seine Vorgesetzten den Erschiessungsbefehl provoziert oder in seiner Gestaltung beeinflusst hat.

Wenn auch zusammenfassend manche Feststellungen zum Ablauf des Tatgeschehens und Züge in der Persönlichkeit des Angeklagten dafür sprechen, dass er die Tat als eigene gewollt hat, so reichen sie doch - insbesondere unter Berücksichtigung der angespannten Situation zur Tatzeit zu Gunsten des Angeklagten - nicht aus, um die Möglichkeit, dass er lediglich fremden Willen - möglicherweise sogar widerwillig - vollzogen hat, mit hinreichender Sicherheit auszuschliessen. Zu Gunsten des Angeklagten hatte das Gericht deshalb davon auszugehen, dass er nur Gehilfe war.

Die Beihilfehandlung des Angeklagten Dr. Hahn war rechtswidrig. Es handelte sich bei der Erschiessung der Häftlinge der Abteilung 3 weder um die Vollstreckung von Todesurteilen noch um eine gerechtfertigte Repressalie. Weitere Rechtfertigungsgründe sind nach dem Ergebnis der Hauptverhandlung nicht einmal ansatzweise ersichtlich.

Der Angeklagte hat schuldhaft gehandelt. Er hat den Befehl zum Mord an den nicht zum Tode verurteilten Häftlingen der Abteilung 3, über deren Belegungsstärke und -weise er sich im klaren war, vorsätzlich zur Ausführung weitergegeben. Die Tatumstände, die die Mordqualifikation begründeten, waren ihm bekannt. Er wusste, dass die Erschiessung grausam durchgeführt werden würde und dass der Befehlsgeber dies zumindest billigte. Sowohl dem Befehlsgeber wie auch dem Angeklagten war klar, dass die Häftlinge sukzessive in Gruppen erschossen werden würden. Es war ihm, wie dem Befehlsgeber, bekannt, dass diese Häftlinge eine qualvolle Zeit in der Erwartung des nahen Todes verbringen würden und dass ihnen diese Qualen aus gefühlloser und unbarmherziger Gesinnung zugefügt wurden.

Auch der Angeklagte Dr. Hahn hat sich nicht über die tatsächlichen Voraussetzungen eines Rechtfertigungsgrundes geirrt, der seinen Vorsatz ausschliessen würde. Nach der Überzeugung des Gerichts ist seine Einlassung, es habe sich nur um zum Tode verurteilte Häftlinge und solche gehandelt, die nach dem Sachstand mit Sicherheit ein Todesurteil zu erwarten gehabt hätten, durch die Beweisaufnahme widerlegt worden. Unabhängig davon, dass die Erschiessung von Häftlingen, die erst - wenn auch mit Sicherheit - ein Todesurteil zu erwarten hatten, nicht rechtmässig gewesen wäre, war dem Angeklagten die Belegung der Abteilung zu höchstens einem Drittel mit zum Tode verurteilten Häftlingen bekannt. Er war sich bewusst, dass die Weitergabe des Erschiessungsbefehls zur Ausführung den Tod von mindestens 100 nicht zum Tode Verurteilten bedeutete.

Die Einlassung, er habe gemeint, es habe sich um eine Vergeltungserschiessung gehandelt, ist nach der Überzeugung des Gerichts, wie bereits ausgeführt worden ist, eine reine Schutzbehauptung. Für eine Repressalerschiessung, wie auch der Angeklagte selbst sie damals verstanden hat, fehlen bei der Häftlingserschiessung nahezu alle Voraussetzungen.

Der Angeklagte handelte in dem Bewusstsein, Unrecht zu tun. Er war sich, zumal als Volljurist, darüber im klaren, dass die Erschiessung der Häftlinge, soweit sie nicht zum Tode verurteilt waren, und damit die Weitergabe des Erschiessungsbefehls zur Ausführung Unrecht war. Das steht zur Überzeugung des Gerichts fest.

Schuldausschliessungsgründe liegen nicht vor.

Die Beihilfehandlung des Angeklagten ist nicht nach §47 Abs.1 MStGB entschuldigt. Als Angehöriger der Sicherheitspolizei unterstand der Angeklagte Dr. Hahn gemäss den §§1 bis 3 der Verordnung über eine Sondergerichtsbarkeit in Strafsachen für Angehörige der SS und die Angehörigen der Polizeiverbände bei besonderem Einsatz vom 17.Oktober 1939 den Vorschriften des Reichsmilitärstrafgesetzbuches. Die Voraussetzungen des §47 Abs.1 MStGB sind jedoch nicht erfüllt. Zwar lag nach der unwiderlegt gebliebenen Einlassung des Angeklagten ein Befehl in Dienstsachen vor, er wusste jedoch positiv im Sinne von §47 Abs.1 Nr.2 MStGB, dass dieser Befehl ein Verbrechen bezweckte. Wie bereits dargelegt worden ist, waren ihm die Umstände, unter denen die Tat ausgeführt werden würde und auch wurde, bekannt. Über die tatsächlichen Voraussetzungen eines Rechtfertigungsgrundes hat er sich nicht geirrt. Er wusste, dass die angeordnete Erschiessung die Ermordung von mindestens 100 nicht zum Tode verurteilten Häftlinge bedeutete. Unter diesen Umständen kommt der Schuldausschliessungsgrund des §47 Abs.1 MStGB nicht in Betracht.

Der Angeklagte befand sich auch nicht in einem Verbotsirrtum, etwa über seine allgemeine Gehorsamspflicht. Er war sich bewusst, dass er sich an einer rechtswidrigen Tötung beteiligte, als er den Befehl zur Erschiessung der Häftlinge der Abteilung 3 an Stamm weitergab. Dass seine Handlungsweise nicht dadurch, dass er auf einen Befehl handelte, dessen verbrecherischen Zweck er erkannt hatte, gerechtfertigt sein würde, war ihm, falls er sich überhaupt derartige Gedanken gemacht hat, klar. Der Angeklagte hat sich somit nicht in einem Verbotsirrtum befunden.

Seine Tat ist schliesslich nicht durch Befehlsnotstand im Rahmen des §52 StGB entschuldigt. Nach seiner Einlassung liegen nicht einmal im Ansatz Anhaltspunkte dafür, dass ihm die Weitergabe des Befehls durch unwiderstehliche Gewalt oder durch Drohung mit einer Gefahr für Leib oder Leben abgenötigt worden ist, er etwa bei Verweigerung der Ausführung des Befehls mit empfindlichen oder gar lebensbedrohlichen Nachteilen zu rechnen gehabt hätte, vor. Dass eine Befehlsverweigerung jedenfalls für ihn in seiner gefestigten Stellung keine schwerwiegenden Folgen nach sich gezogen hätte, wusste der Angeklagte bereits aus dem von ihm in einem anderen Zusammenhang glaubhaft geschilderten Vorfall mit Stroop, bei dem er sich Stroops Befehl, Angehörige der Sicherheitspolizei in eine Menschenmenge schiessen zu lassen, widersetzte und die darauffolgende Auseinandersetzung bis nach Berlin verfolgte, wo sie von Kaltenbrunner beigelegt wurde.

Anhaltspunkte für weitere Schuldausschliessungsgründe sind nach dem Ergebnis der Hauptverhandlung nicht ersichtlich, insbesondere auch nicht für §54 StGB.

Der Angeklagte Dr. Hahn hat sich somit der Beihilfe zum Mord an mindestens 100 nicht zum Tode verurteilten Häftlingen der Abteilung 3 des Pawiak-Gefängnisses schuldig gemacht.

Bei der Strafzumessung hält das Gericht angesichts der erheblichen Schuld des Angeklagten als Mordgehilfen eine Strafe in der oberen Hälfte des nach Versuchsgrundsätzen gemilderten Strafrahmens von 3 bis 15 Jahren für angemessen. Das Einbezogensein des Angeklagten in den ganzen Geschehensablauf, wenn auch unterhalb der Tätergrenze, hat den Mordvorgang entscheidend gefördert; sein Tatbeitrag als Behördenchef war für die Durchführung der Haupttat von erheblicher Bedeutung. Auch die Anzahl der Opfer, mindestens 100 Häftlinge, hat das Gericht bei der Beurteilung des Ausmasses der Schuld berücksichtigt.

Strafmildernd ist beachtet worden, dass der Angeklagte seit Kriegsende ein in strafrechtlicher Hinsicht einwandfreies Leben geführt hat. Jegliches Resozialisierungsbedürfnis entfällt, wie es heute mehr und mehr in den Mittelpunkt strafrechtlicher Überlegungen rückt. Das Gericht hat deshalb von der Möglichkeit, nach den §§49, Abs.2, 44 Abs.2 StGB die Strafe nach Versuchsgrundsätzen zu mildern, Gebrauch gemacht. Dabei ist auf der Grundlage des §13 StGB berücksichtigt worden, dass die Strafe hier im wesentlichen nur noch von einem Gesichtspunkt, nämlich dem Sühnegedanken, getragen wird.

Unter Berücksichtigung dieser und aller übrigen tat- und täterbezogenen Merkmale ist eine Freiheitsstrafe von 12 Jahren angemessen, auf welche die Untersuchungshaft angerechnet wird. Angesichts der erheblichen Schuld des Angeklagten, die zu einem möglicherweise auf ihm damals lastenden Befehlsdruck in keinem Verhältnis steht, kommt ein Absehen von Strafe nach §47 Abs.2 MStGB nicht in Betracht.

b) Beteiligung des Angeklagten Wip.

Der Angeklagte Wip. hat sich nach den Feststellungen des Gerichts ebenfalls der Beihilfe zum Mord an mindestens 100 nicht zum Tode verurteilten Häftlingen der Abteilung 3 des Pawiak-Gefängnisses im Juli 1944 schuldig gemacht (§§211, 49 StGB).

Sein Tatbeitrag bestand darin, dass er am Exekutionstage die Zellen in der Abteilung 3 aufschloss, die Häftlinge mit hinunter in den Hof führte, mindestens auf dem letzten Lastkraftwagen, der die Häftlinge zur Erschiessungsstelle brachte, als Bewachung auf dem Trittbrett mitfuhr und dann, ebenfalls als Bewachung, bis zum Ende der Erschiessungsaktion in der Nähe der Exekutionsstätte blieb. Der Angeklagte war auch hier lediglich Gehilfe. Aus den Tatumständen und aus der Person des Angeklagten ergeben sich keine Anhaltspunkte, die auf einen Tätervorsatz schliessen lassen könnten.

Die Beihilfehandlung war rechtswidrig. Rechtfertigungsgründe waren ausser denen, die bereits bei der Prüfung der Rechtswidrigkeit der Haupttat ausgeschlossen worden sind, nach dem Ergebnis der Hauptverhandlung nicht einmal im Ansatz ersichtlich.

Das Verhalten des Angeklagten war schuldhaft. Er hat vorsätzlich Beihilfe zum Mord an den nicht zum Tode verurteilten Häftlingen der Abteilung 3 geleistet. Als er die Zellen aufschloss, um die Häftlinge herauszulassen, wusste er bereits, dass die gesamte oder fast die gesamte Abteilung 3 erschossen werden würde. Er kannte ungefähr die Gesamtzahl der Häftlinge in dieser Abteilung und wusste, dass allenfalls ein geringer Teil, höchstens ein Drittel, zum Tode verurteilt war. Er wusste auch, dass die Häftlinge unter den ihm bekannten, damals üblichen Umständen erschossen werden würden, wie er es später auch tatsächlich beobachtet und in der Hauptverhandlung glaubhaft geschildert hat. Er war sich bewusst, dass diesen Häftlingen aus gefühlloser und unbarmherziger Gesinnung seelische Qualen zugefügt wurden, indem sie auf ihren eigenen Tod warten und gleichzeitig aus unmittelbarer Nähe die Erschiessung ihrer Mithäftlinge miterleben mussten. Dass dies angesichts dieser damals üblichen Erschiessungsmethode zumindest mit Billigung des ihm nicht bekannten Befehlsgebers als Täter erfolgte, war dem Angeklagten Wip. klar.

Er war sich bewusst, durch seine Hilfeleistung Unrecht zu tun. Nach seiner eigenen glaubhaften Einlassung hielt er die meisten Häftlinge der Abteilung 3 für an dem Fluchtunternehmen unbeteiligt. Aus diesem Grunde hatte er sich an dem Tag nach dem Fluchtversuch bemüht, die Teilnehmer zu veranlassen, sich zu melden, um die Liquidierung der ganzen Abteilung zu vermeiden. Wenn er dennoch später dadurch, dass er die Zellen öffnete, die Häftlinge mit hinunterführte und den Transport sowie den Erschiessungsplatz absicherte, dazu beitrug, dass die Erschiessung ungestört und reibungslos durchgeführt werden konnte, war er sich darüber im klaren, dass er damit Unrecht tat. Das steht zur Überzeugung des Gerichts fest.

Die Voraussetzungen für einen Schuldausschluss liegen nach dem Ergebnis der Hauptverhandlung nicht vor.

Das Verhalten des Angeklagten Wip. ist nicht nach §47 Abs.1 MStGB entschuldigt. Er wusste, dass es Unrecht war, alle oder fast alle Häftlinge der Abteilung 3 ohne nähere Untersuchung des Ausbruchsversuchs und ohne Feststellung und Aburteilung der Schuldigen zu erschiessen. Er wusste im Sinne des §47 Abs.1 Nr.2 MStGB positiv, dass jede Handlung, die diese unrechtmässige Erschiessung ermöglichte oder förderte, ebenfalls verbrecherisch war und folglich ein auf eine derartige Handlung gerichteter Befehl ein Verbrechen bezweckte. Dass darunter auch der Befehl fiel, die Häftlinge zur Erschiessung aus den Zellen zu führen sowie den Transport und den Erschiessungsplatz abzusichern, war dem Angeklagten Wip. klar. Er kann sich deshalb nicht auf §47 Abs.1 MStGB berufen.

Der Angeklagte befand sich nicht in einem Verbotsirrtum über seine allgemeine Gehorsamspflicht, der unter bestimmten Umständen seine Schuld hätte ausschliessen können. Wie bei der Beihilfe zur Erschiessung der Juden aus dem Hotel Polski im Sommer 1943 hat er sich nach der Überzeugung des Gerichts auch hier über die Verbindlichkeit und die rechtfertigende Kraft des Befehls keine Gedanken gemacht. Er hat den Befehl befolgt, weil er Schwierigkeiten, die er grundsätzlich bei einer Befehlsverweigerung fürchtete, von vornherein vermeiden wollte. Überlegungen, ob er dem Befehl, dessen verbrecherischen Zweck er erkannt hatte, deshalb nachkommen müsse, weil er ihn für verbindlich und sein Handeln für gerechtfertigt hielt, hat er nicht angestellt. Damit ist für einen Verbotsirrtum keine Grundlage vorhanden.

Der Angeklagte hat schliesslich auch nicht etwa unter dem Druck eines Befehlsnotstandes gehandelt, der im Rahmen des §52 StGB sein Handeln entschuldigen könnte. Die Tat ist dem Angeklagten nicht durch unwiderstehliche Gewalt oder durch Drohung mit einer Gefahr für Leib oder Leben abgenötigt worden, denn er ist auch hier dem Befehl widerspruchslos nachgekommen, weil es für ihn der komplikationsloseste Weg war. Um einen Ausweg zur Vermeidung der Straftat hat er sich nicht bemüht. Er hat die Möglichkeit einer Befehlsverweigerung überhaupt nicht in Betracht gezogen, sondern lediglich resigniert den Weg gewählt, der mit den geringsten Schwierigkeiten verbunden war. Solange der Angeklagte jedoch nicht ernsthaft unter Anspannung aller ihm zu Gebote stehenden geistigen und seelischen Kräfte nach einem Ausweg gesucht hat, um die Straftat zu vermeiden, sondern von vornherein den für ihn ungefährlichsten Weg, nämlich die Begehung der Straftat, gewählt hat, kann er sich auf §52 StGB nicht mit Erfolg berufen.

§54 StGB kommt aus den Gründen, die bereits bei der rechtlichen Würdigung der Beihilfe zum Mord an den Juden aus dem Hotel Polski dargelegt worden sind, nicht in Betracht.

Das Gericht sieht auch hier nach §47 Abs.2 MStGB von einer Bestrafung ab. Der Angeklagte Wip. befand sich auch im vorliegenden Fall in einer notstandsähnlichen Konfliktsituation. Er stand unter dem belastenden Eindruck, wie er es bereits bei der Erschiessung der Juden aus dem Hotel Polski zumindest unwiderlegt geschildert hat, bei Befehlsverweigerung schwer, unter Umständen mit dem Tode bestraft zu werden. Die Erfahrung, die er bei der Aktion Polski im Juli 1943 mit seinem Rettungsversuch für die Jüdin gemacht hatte, hatte diesen Eindruck noch verstärkt. Hinzu kommt, dass der allgemeine Befehlsdruck, unter dem der Angeklagte wie andere auch stand, sich durch die weitere Verhärtung des NS-Gewaltregimes einerseits und die Verschlechterung der politischen Lage für den nationalsozialistischen Staat andererseits noch erhöht hatte.

Gemessen an dem auf ihm lastenden Druck war die Schuld des Angeklagten nicht erheblich, obwohl sich das Gericht auch hier darüber im klaren ist, dass die Haupttat ausserordentlich schwerwiegend war. Der Tatbeitrag des Angeklagten war jedoch gering. Er hat an der Erschiessung selbst nicht teilgenommen, sondern hatte wiederum nur Sicherungsaufgaben, bei denen er nicht einmal zum Eingreifen kam, wahrzunehmen. Nach seiner unwiderlegt gebliebenen Einlassung hat er sich sogar bemüht, eine Erschiessung der gesamten Abteilung 3 zu verhindern, indem er die an dem Fluchtversuch Beteiligten aufforderte, sich zu melden.

Unter Berücksichtigung der Persönlichkeit des Angeklagten, wie sie bereits bei der rechtlichen Würdigung seiner Teilnahme an der Aktion Polski dargelegt worden ist, und der Berücksichtigung aller Umstände der Tat und der damaligen Situation wäre auch hier die gesetzliche Mindeststrafe von drei Jahren Freiheitsentzug nicht mehr gerecht und eine unerträgliche Härte für den Angeklagten. Das Gericht sieht deshalb auch hier nach §47 Abs.2 MStGB von einer Bestrafung ab.

E. Nebenentscheidungen

Da der Angeklagte Dr. Hahn zu einer zeitigen Freiheitsstrafe verurteilt worden ist, wird die erlittene Untersuchungshaft nach §60 Abs.1 Satz 1 StGB auf die Freiheitsstrafe angerechnet.

Die Kostenentscheidung beruht auf den §§465 Abs.1, 467 Abs.1 und §471 StPO, die Nichtentschädigung des Angeklagten Wip. auf §4 Abs.1 Nr.1 des Gesetzes über die Entschädigung von Strafverfolgungsmassnahmen vom 8.März 1971. Eine Entschädigung für die erlittene Untersuchungshaft des Angeklagten Wip. entspricht nicht der Billigkeit, weil die Belastung dieses Angeklagten sich innerhalb des Spielraumes des §47 Abs.2 MStGB nahe am Erfordernis einer Strafe bewegt.

Lfd.Nr.795b

5 StR 617/74

Im Namen des Volkes

In der Strafsache gegen

den Rentner Dr. Ludwig Hahn aus Bünningstedt, geboren am 23.Januar 1908 in Eitzen Kreis Uelzen,

wegen Beihilfe zum Mord.

Der 5.Strafsenat des Bundesgerichtshofs hat in der Sitzung vom 4.März 1975 für Recht erkannt:

> Die Revisionen des Angeklagten, der Staatsanwaltschaft sowie der Nebenklägerinnen C.-Sli. und We. gegen das Urteil des Schwurgerichts in Hamburg vom 5.Juni 1973 werden verworfen.
> Der Angeklagte hat die Kosten seines Rechtsmittels zu tragen. Die Kosten der Revision der Staatsanwaltschaft und die durch sie verursachten Mehrauslagen des Angeklagten fallen der Landeskasse zur Last.
> Jede Nebenklägerin hat die Kosten ihres Rechtsmittels und die dadurch verursachten Mehrauslagen des Angeklagten zu tragen.

GRÜNDE

Das Schwurgericht hat den Angeklagten wegen Beihilfe zum Mord an mindestens einhundert Polen zu zwölf Jahren Freiheitsstrafe verurteilt. Insoweit hat nur der Angeklagte Revision eingelegt.

Im übrigen ist der Angeklagte freigesprochen worden. Ein Teil der Freisprüche ist rechtskräftig. Gegen zwei der Freisprüche richten sich die Revision der Staatsanwaltschaft bezw. die Rechtsmittel der Nebenklägerinnen.

Sämtliche Revisionen bleiben erfolglos.

<u>Die Revision des Angeklagten</u> betrifft den Fall C II der Urteilsgründe.

<u>I. « Formellrechtliche Rügen »</u>

1. Gegen die Verhandlungsfähigkeit des Angeklagten während des gesamten Verfahrens bestehen keine Bedenken. Das hat das Schwurgericht in überzeugender Weise dargelegt. Der Beschwerdeführer behauptet selbst nicht, er sei auch nur zeitweilig ausserstande gewesen, der Hauptverhandlung zu folgen oder sich sachgerecht zu verteidigen.

Gleichwohl meint die Revision, das Verfahren hätte nicht durchgeführt werden dürfen. Der Angeklagte habe sich zwei Operationen, anschliessend Bestrahlungen, unterziehen müssen. Die Hauptverhandlung habe "den Heilungsprozess in Frage gestellt, ... die Gefahr hoher Strafanträge, die Möglichkeit einer Verurteilung" hätten den Angeklagten "ungeheurem psychischen Druck ausgesetzt", damit "Leben und Gesundheit des Angeklagten gefährdet."

Damit kann die Revision nicht durchdringen. Strafverfahren wegen Massentötungen bringen in aller Regel schwere Belastungen mit sich, nicht zuletzt für die beteiligten Hinterbliebenen der Opfer. Indessen kann auch ein gesundheitlich gefährdeter Angeklagter nicht verlangen, man solle ihn von solchen Belastungen freistellen. Wegen seines Gesundheitszustandes ist die Hauptverhandlung in besonders schonender Weise durchgeführt worden. Das Schwurgericht hat die jeweilige Belastbarkeit durch zwei Sachverständige überwachen lassen, an deren Sachkunde kein Zweifel besteht. Der wiederholten Feststellung, die Gesundheit des Angeklagten habe sich während des Verfahrens deutlich gebessert, tritt auch die Revision nicht entgegen. Weder das Schwurgericht noch etwa der Senat hatten Anlass, vom Beschwerdeführer benannte weitere Sachverständige zu hören.

2. Die Besetzungsrüge versagt.

Der Hilfsgeschworene Kel. ist am 2.Mai 1972 von der Teilnahme an den Sitzungen entbunden worden, nachdem er auf Verlangen des Vorsitzenden ein amtsärztliches Attest beigebracht hatte. Am 28.April 1972 teilte die Amtsärztin Dr. Ni. mit, sie habe Herrn Kel. untersucht; "das Amt eines Geschworenen würde ihn beim derzeitigen Gesundheitszustand so stark belasten, dass er in kürzester Zeit zusammenbrechen würde". Er sei "auf jeden Fall im derzeitigen Zustand vom Amt des Geschworenen zu befreien" (Bd.50 S.8417 d.A.). An der Richtigkeit des amtsärztlichen Gutachtens und seiner Übermittlung durch die Geschäftsstelle brauchte der Vorsitzende nicht zu zweifeln. Dass ein erst später (am 4.Mai 1972) schriftlich abgefasstes Gutachten gewisse Einschränkungen enthielt, berührt die Rechtmässigkeit der am 2.Mai 1972 verfügten Entbindung nicht.

<u>II. « Die Sachrüge »</u>

Die Sachrüge ist ebenfalls unbegründet.

Der Angeklagte, damals SS-Obersturmbannführer, Kommandeur der Sicherheitspolizei und des Sicherheitsdienstes in Warschau, liess am 21.Juli 1944 auf Befehl des Höheren SS- und Polizeiführers sämtliche Insassen einer Abteilung des Pawiak-Gefängnisses in Gruppen von jeweils fünf bis sechs Mann erschiessen.

1. Dass die Tötung von wenigstens einhundert polnischen Häftlingen rechtswidrig war und der Angeklagte das erkannte, legt das Schwurgericht einwandfrei dar. Hiergegen erhebt auch die Revision keine Einzeleinwendungen.

2. Zu Unrecht meint der Beschwerdeführer, das Merkmal der Grausamkeit sei nicht hinreichend ausgewiesen. Hierzu stellt das Schwurgericht fest: Die Häftlinge wurden nacheinander in kleinen Gruppen erschossen. "Ihren Tod vor Augen, hatten die Opfer nahe der Erschiessungsstelle zu warten, bis sie an der Reihe waren, und mussten dabei noch aus unmittelbarer Nähe die Erschiessung ihrer Mithäftlinge miterleben" (UA S.116, 202 [26]).

Nach diesen Feststellungen, so meint die Revision, hätten die Opfer die Schüsse nur hören können. Indessen genügte auch das, um die Zeitspanne, "die die Wartenden in unmittelbarer Nähe des Exekutionsplatzes durchleben mussten", mit "seelischen qualvollen" Leiden auszufüllen. Sie rechtfertigen es, die Tötung schon wegen dieser Begleitumstände als grausam anzusehen (BGH 5 StR 148/73 vom 11.Juni 1974 [27]).

[26] = Seite 45 und 74 dieses Bandes.

[27] Siehe Lfd.Nr.760b.

Zur inneren Tatseite stellt das Schwurgericht fest, "sowohl dem Befehlsgeber wie dem Angeklagten war klar, ... dass diese Häftlinge eine qualvolle Zeit in der Erwartung des nahen Todes zubringen würden, und dass ihnen diese Qualen aus gefühlloser und unbarmherziger Gesinnung zugefügt wurden" (UA S.116, 214 [28]). Was die Revision hiergegen vorbringt, ist tatsächlicher Art, zudem abwegig.

3. Der Strafausspruch hält ebenfalls der rechtlichen Nachprüfung stand. Das Schwurgericht hat nicht schlechthin "das Einbezogensein des Angeklagten in den ganzen Geschehensablauf" strafschärfend gewertet, sondern darauf abgestellt, dass dieser Angeklagte durch seinen "Tatbeitrag als Behördenchef den Mordvorgang entscheidend gefördert" hat. Die - bei Prozessen solcher Art nahezu übliche - lange Verhandlungsdauer hat das Schwurgericht mit Sicherheit nicht übersehen. Hierauf brauchte es in den Strafzumessungsgründen nicht ausdrücklich hinzuweisen.

Die Entscheidung entspricht insoweit dem Antrag des Generalbundesanwalts.

Die Revision der Staatsanwaltschaft wendet sich mit der Sachrüge gegen die Freisprechung des Angeklagten im Fall C I der Urteilsgründe. Das Rechtsmittel ist nahezu offensichtlich unbegründet.

Das Schwurgericht hat nach Anhörung zahlreicher Zeugen, sorgfältiger Prüfung der Kompetenzen einzelner SS-Befehlshaber in Polen und erschöpfender Beweiswürdigung dargelegt, aus welchen Gründen nicht auszuschliessen sei, dass der Angeklagte an der Erschiessung der Juden im Juli 1943 nicht beteiligt war. Es hält für möglich, dass der vernichtungswütige SS- und Polizeiführer Stroop diese Überlebenden aus dem Warschauer Ghetto ohne Unterrichtung und Zutun des Angeklagten ermorden liess. Was die Revision der örtlichen Staatsanwaltschaft hiergegen vorbringt, konnte vom Generalbundesanwalt nicht vertreten werden.

Die Revisionen der Nebenklägerinnen beanstanden mit der Sachrüge den Freispruch im Fall C VI der Urteilsgründe.

Nach den Feststellungen liess der Angeklagte in den Jahren 1942 bis 1944 polnische Häftlinge aus dem ständig überbelegten Pawiak-Gefängnis in Konzentrationslager überführen, hauptsächlich nach Auschwitz. Dort kam ein Teil der Häftlinge um.

Die Nebenklägerinnen und mit ihnen der Generalbundesanwalt halten diesen Freispruch für verfehlt. Ihnen muss jedenfalls in einem Punkte zugestimmt werden. Es liegt in der Tat fern, dass ein langgedienter SS-Angehöriger vom Range, dem Aufgabenbereich und der Kommandogewalt dieses Angeklagten nicht gewusst und gebilligt haben sollte, dass jedenfalls ein Teil der Häftlinge in den Lagern ermordet werden würde, vor allem in Auschwitz. Es ist indessen allein Aufgabe des Tatrichters, sich eine Überzeugung von der Schuld oder Nichtschuld des Angeklagten zu bilden. Kann er letzte Zweifel nicht überwinden, so muss das hingenommen werden, sofern dem Tatrichter bei der Überzeugungsbildung keine Rechtsfehler unterlaufen sind. Derartige Fehler sind nicht ersichtlich.

Das Schwurgericht geht zunächst von der als gesichert geltenden Erkenntnis aus, die Verschickung nach Auschwitz habe meist den Tod bedeutet. Es befasst sich sodann mit dem üblichen Schicksal der Juden und der nichtjüdischen Polen. Hierzu hat es deutsche, vor allem aber polnische Zeugen gehört, die Auschwitz überlebt haben. Diese haben bekundet, viele der polnischen Häftlinge seien umgekommen. Von Massenvernichtungen nichtjüdischer Polen

[28] = Seite 45 und 78 dieses Bandes.

hätten sie nichts gewusst. Sie selbst und andere Polen hätten im Lager unter sehr schweren Bedingungen arbeiten müssen; ihre Lage sei später besser geworden. Hierzu enthält das Urteil eine umfangreiche Beweiswürdigung. Sie ergibt, dass der Vorderrichter die Behauptung des Angeklagten, er habe nur mit einem Arbeitseinsatz der Häftlinge gerechnet, nicht anhand blosser theoretischer Erwägungen für unwiderlegt erachtet hat.

Von Beginn der Urteilsgründe an hebt das Schwurgericht immer wieder den Rang, die Kommandogewalt, die Erfahrungen des Angeklagten hervor. Es betont dessen kritiklose Übereinstimmung mit den Zielen der SS und den Massnahmen, die sie verwirklichen sollten. Wiederholt weist es auf die zahlreichen Todesmeldungen hin, die der Dienststelle des Angeklagten aus den Konzentrationslagern zugingen. Grundlage der Überzeugungsbildung sind daher ersichtlich nicht unrichtige, dem Angeklagten günstige Unterstellungen, sondern Feststellungen, die den Angeklagten stark belasten.

Auch aus diesen Feststellungen hat das Schwurgericht nicht die letzte Sicherheit gewonnen, dass der Angeklagte die Tötung der polnischen Häftlinge voraussah und billigte. Es hält für unwiderlegbar, dass der Angeklagte die propagierten Ziele der NS-Politik in Polen dahin verstanden habe, auch in den Lagern sollte lediglich die Arbeitskraft der Polen ausgebeutet werden. Die naheliegende Möglichkeit, dass der Angeklagte dennoch mit der Ermordung von Häftlingen rechnete, hat das Schwurgericht nicht übersehen. Konnte es gleichwohl auch unter Verwendung aller vorhandenen Beweismittel und nach gründlicher Würdigung der belastenden Feststellungen letzte Zweifel an der Schuld des Angeklagten nicht überwinden, so lässt sich diese fehlende persönliche Gewissheit des Tatrichters aus Rechtsgründen nicht beanstanden. Eine zulässige Aufklärungsrüge innerhalb der Frist des §245 StPO ist nicht erhoben.

Lfd.Nr.796

Tatkomplex
Andere Massenvernichtungsverbrechen

Tatort
Korczyna, Krosno, Rymanow

Tatzeit
41-42

Gerichtsentscheidungen
LG Bonn vom 03.07.1973, 8 Ks 1/72

INHALTSVERZEICHNIS

des unter Lfd.Nr.796 veröffentlichten Urteils

LG Bonn vom 03.07.1973, 8 Ks 1/72

8 Ks 1/72

Im Namen des Volkes

In der Strafsache gegen

den Schneidermeister Oskar Bäcker [29], geboren am 2.Februar 1909 in Hartfeld, Distrikt Lemberg (Polen), Deutscher, wohnhaft in 53 Bonn-Beuel,
- in dieser Sache in Untersuchungshaft gewesen vom 11.Mai 1965 bis zum 13.Dezember 1967 aufgrund Haftbefehls des Amtsgerichts Bonn vom 11.Mai 1965 - 43 Gs 1709/65 - und erneut in Untersuchungshaft seit dem 19.Juni 1973 aufgrund vorgenannten Haftbefehls in Verbindung mit dem Beschluss des Schwurgerichts vom selben Tage -

wegen Mordes und Beihilfe zum Mord

hat das Landgericht - Schwurgericht Bonn aufgrund der am 19.Januar 1973 begonnenen Hauptverhandlung in der Sitzung vom 3.Juli 1973 durch die an diesem Tage tätigen Berufsrichter und Schöffen für Recht erkannt:

> Der Angeklagte wird unter Freisprechung im übrigen wegen Mordes in vier Fällen, gemeinschaftlichen Mordes auf Befehl in einem Fall und versuchten Mordes in einem Fall - Verbrechen nach §§211, 74, 47, 43 StGB, 47 MilStGB - zu einer lebenslangen Freiheitsstrafe verurteilt.
> Für die Dauer von 5 Jahren wird ihm die Fähigkeit aberkannt, öffentliche Ämter zu bekleiden.
> Der Angeklagte trägt die Verfahrenskosten und die ihm erwachsenen notwendigen Auslagen, soweit er verurteilt wird. Soweit er freigesprochen wird, fallen die Verfahrenskosten und die ihm erwachsenen notwendigen Auslagen der Landeskasse zur Last.

GRÜNDE

A. Allgemeine Feststellungen

I. Der Lebenslauf des Angeklagten

Der jetzt 64-jährige Angeklagte wurde am 2.Februar 1909 in Hartfeld, Kreis Grodek, Distrikt Lemberg (Polen) als Sohn des Stellmachers Johann Bäcker und dessen Ehefrau Katharina Bäcker geborene Mensch geboren. Seine Eltern waren Volksdeutsche und hatten wie er die polnische Staatsangehörigkeit. Sein Vater verstarb Ende des 2.Weltkrieges auf der Flucht aus Polen. Seine Mutter ist schon Ende 1942 oder Anfang 1943 verstorben. Der Angeklagte wuchs neben wohl 12 Geschwistern im Elternhaus auf und besuchte vom 7. bis zum 14.Lebensjahr mit Erfolg die einklassige Volksschule in seiner Geburtsstadt. Dort begann er nach der Schulentlassung eine Schneiderlehre, die er 1924 mit der Gesellenprüfung (Note "gut") abschloss. Bis 1925 blieb er bei seinem Lehrmeister tätig. Dann verzog er nach Lemberg. Dort arbeitete er zunächst als Schneidergeselle in verschiedenen Schneiderwerkstätten und später, in den Jahren 1933 und 1934, als Schneider und Bügler in einer chemischen Reinigungsanstalt. Ende 1934 wechselte er nach Warschau, wo er bis kurz vor Ausbruch des

[29] Rechtskräftig durch Beschluss des BGH vom 28.8.1974, 2 StR 242/74.

Krieges zwischen Deutschland und Polen im September 1939 in einem chemischen Reinigungsbetrieb als Schneider und Bügler beschäftigt war. Wegen der drohenden Kriegsgefahr kehrte er dann in sein Elternhaus zurück. Zur polnischen Wehrmacht wurde er nicht mehr eingezogen.

Als ihm nach dem Einmarsch der deutschen Truppen bekannt wurde, dass der Distrikt Lemberg bis zum San sowjetischer Verwaltung unterstellt werden sollte, flüchtete er nach Przemysl, um sich von dort weiter nach Westen durchzuschlagen. Etwa 10 Kilometer westlich von Przemysl traf er auf Angehörige der deutschen Grenzpolizei, die ihn nach Sanok mitnahmen. Da er die polnische und deutsche Sprache gut beherrschte, wurde er bei dem Grenzpolizeikommissariat in Sanok als Dolmetscher eingestellt. Nach etwa 2 Wochen wurde er einem Kommando des Grenzpolizeikommissariats zugeteilt, das beauftragt war, in Krosno/Westgalizien ein neues Grenzpolizeikommissariat einzurichten, das später eine Aussenstelle des Grenzpolizeikommissariats Jaslo/Westgalizien wurde. Bei der Dienststelle in Krosno, die Ende 1943 für 3 Monate vorübergehend nach Jaslo zurückverlegt worden war, blieb er als Kriminalangestellter bis zum Abzug der deutschen Besatzung Ende 1944.

Der Angeklagte hatte am 2.Februar 1942 seine Einbürgerung als deutscher Staatsbürger beantragt. Wegen seines Aufenthalts ausserhalb des Reichsgebiets hatte ihm die Einbürgerungsurkunde vom 2.Februar 1942 nicht schon sogleich ausgehändigt werden können. Dies und damit der Erwerb der deutschen Staatsangehörigkeit durch Einbürgerung erfolgten frühestens Anfang 1943, eher Ende 1944. Der Angeklagte galt auch als SS-Bewerber. 1944 unterzeichnete er bereits Schreiben als "SS-Scharführer".

In Krosno hatte er schon bald die polnische Staatsangehörige Maria Arl., die jetzige Zeugin Kl. kennengelernt, mit der er seit 1943 in einer gemeinsamen Wohnung in Krosno zusammenlebte. Am 22.Dezember 1943 wurde ihnen ein Sohn geboren. Am 29.November 1944 schlossen sie in Ostrowo miteinander die Ehe, die bisher offiziell nicht geschieden wurde. Dennoch hat seine Ehefrau in der Volksrepublik Polen wieder geheiratet und führt dort heute den Namen ihres jetzigen Ehemannes Kl.

Nachdem die Dienststelle Krosno 1944 wegen des Herannahens der Front aufgelöst worden war, gelangte der Angeklagte über Krakau, die Tschechoslowakei und Purkau 1945 nach Linz (Österreich), wo er bis zum Frühjahr 1946 in einer Schneiderei arbeitete. Dort lebte er unter dem Namen "Rudolf Becker" und dem falschen Geburtsjahr 1910. Aus Krosno stammende Juden, unter ihnen die Zeugen Mordechai und Elijahu Ma., erkannten ihn in Linz und veranlassten die amerikanische Militärpolizei einzuschreiten. Diese nahm den Angeklagten fest und lieferte ihn in das Gerichtsgefängnis Linz ein. Einige Tage danach wurde er nach Gmunden im Salzkammergut verlegt und nach der Vernehmung durch Angehörige des amerikanischen CIC in ein Internierungslager bei Salzburg gebracht. Nach etwa 14 Monaten kam er in das Internierungslager Dachau, wo er etwa einen Monat später am 23.Mai 1947 nach insgesamt 15-monatiger Internierungshaft entlassen wurde.

Nach seiner Entlassung arbeitete er vorübergehend in Schmalnau bei Fulda und Klothen bei Brückenau, und zwar zuerst in der Landwirtschaft und danach in einer Schneiderwerkstatt. In der zweiten Hälfte des Jahres 1948 kam er nach Bonn, wo er in verschiedenen Schneiderwerkstätten als Schneider beschäftigt war. Nach einem vorübergehenden neunmonatigen Aufenthalt in der Schweiz kehrte er 1951 nach Bonn zurück, wo er aufgrund einer Sondergenehmigung eine eigene Schneiderwerkstatt eröffnete. 1957 legte er vor der Handwerkskammer in Köln die Meisterprüfung für das Schneiderhandwerk ab, die er im praktischen Teil mit "gut" und im theoretischen Teil nach Wiederholung bestand. Seine Schneiderwerkstatt betreibt er heute im Hause der Frau Helene Arn. in Bonn-Beuel, ...strasse 161. Mit Frau Arn., die er 1958 näher kennenlernte, lebt er heute zusammen.

In vorliegender Sache befand er sich vom 11.Mai 1965 bis zum 13.Dezember 1967 und befindet er sich wieder seit dem 19.Juni 1973 in Untersuchungshaft.

II. Judenpolitik und Polizeiorganisation, insbesondere im Generalgouvernement

Die Taten und Tatvorwürfe, die Gegenstand dieses Verfahrens sind, sind auf dem Hintergrund der nationalsozialistischen Macht- und Rassenpolitik und der zu ihrer Durchsetzung geschaffenen Organisation zu sehen.

1. Die Judenpolitik

Nach den Zielen der nationalsozialistischen deutschen Staatsführung sollten alle Mitglieder der jüdischen Bevölkerung zunächst in Deutschland dann auch in den nach Kriegsausbruch 1939 besetzten Gebieten aus dem öffentlichen und wirtschaftlichen Leben ausgeschaltet, diskriminiert und isoliert werden. Gesetze und Verordnungen, die die Juden rechtlos stellten, trugen mit dazu bei. Im sog. Generalgouvernement, das nach Beendigung des Krieges gegen Polen aufgrund Erlasses vom 12.Oktober 1939 aus dem polnischen Staatsgebiet, soweit es nicht dem Deutschen Reich eingegliedert worden war, gebildet worden war, gehörten hierzu Verordnungen über die Kennzeichnungspflicht, den Arbeitszwang und Aufenthaltsbeschränkungen für Juden sowie deren allmähliche Zusammenfassung in Wohnbezirken und Ghettos in schliesslich nur noch grösseren Städten, die verkehrs- und transportmässig günstig gelegen waren.

Etwa im Frühjahr 1941 fasste Hitler den schriftlich nicht fixierten Entschluss, die im deutschen Machtbereich lebenden europäischen Juden, wozu wesentlich auch die in Polen lebenden gehörten, physisch zu vernichten. Die letzten entscheidenden organisatorischen Massnahmen zur systematischen Ausrottung des Judentums wurden am 20.Januar 1942 in der berüchtigten "Wannsee-Konferenz" beschlossen. Mit der Durchführung des Massenmordes an der jüdischen Bevölkerung - von den nationalsozialistischen Gewalthabern "Endlösung der Judenfrage" genannt - wurden der Reichsführer-SS und Chef der deutschen Polizei Himmler und der ihm nachgeordnete Chef des Reichssicherheitshauptamtes Heydrich beauftragt, die auf unmittelbare Weisung Hitlers alle Vernichtungsbefehle erteilten.

Im Generalgouvernement, das aus den Distrikten Krakau, Lublin, Radom und Warschau und dazu ab 1.August 1941 dem bisher von der Sowjetunion besetzten (Ost-)Galizien als fünften Distrikt bestand, wurden zur Vernichtung der dortigen zahlenmässig starken jüdischen Bevölkerung im Spätsommer 1941 die grossen Vernichtungslager Chelmno, Belzec, Majdanek, Sobibor, Treblinka und Auschwitz errichtet und ab Dezember 1941 / Anfang 1942 in Betrieb genommen. Die Liquidierung der jüdischen Wohnbezirke und Ghettos im Generalgouvernement und der Transport der jüdischen Bevölkerung in die vorgenannten Lager erfolgte unter der irreführenden Bezeichnung "Aussiedlung".

2. Die SS- und Polizeiorganisation

Zur Durchführung der Massnahmen im Rahmen der Judenpolitik bedienten sich Himmler und Heydrich eines umfassenden SS- und Polizeiapparates, der ihnen zwei voneinander unabhängige Befehlswege bis hin zu den unteren Polizeibehörden offenliess.

Dem Reichsführer-SS und Chef der deutschen Polizei unterstanden u.a. die SS, die Sicherheitspolizei, die aus der geheimen Staatspolizei (Gestapo) und der Kriminalpolizei bestand, der Sicherheitsdienst (SD) und die Ordnungspolizei. Sein örtlicher Vertreter und Chef der SS und deutschen Polizei im Generalgouvernement war der höhere SS- und Polizeiführer Ost in Krakau, dem zum einen die SS- und Polizeiführer unterstanden und der zum anderen unmittelbare Weisungsbefugnis gegenüber dem Befehlshaber der Sicherheitspolizei und des SD sowie dem Befehlshaber der Ordnungspolizei besass. Diese wiederum waren den Kommandeuren der Sicherheitspolizei und des SD bezw. den Kommandeuren der Ordnungspolizei übergeordnet, denen gegenüber zusätzlich den SS- und Polizeiführern unmittelbare Weisungsbefugnis zustand.

3. Zur Polizeiorganisation in Jaslo und Krosno

Der Kommandeur der Sicherheitspolizei und des SD in Krakau unterhielt innerhalb des Distrikts Krakau Aussenstellen, u.a. eine in der in West-Galizien gelegenen Kreisstadt Jaslo. Diese Dienststelle trug die Bezeichnung "Aussenstelle des Kommandeurs der Sicherheitspolizei und des SD in Krakau". Da sie im Grenzbereich lag und auch grenzpolizeiliche Aufgaben wahrnahm, wurde sie "Grenzpolizeikommissariat Jaslo" genannt. Leiter der Dienststelle war in den ersten Jahren Kriminalkommissar und SS-Hauptsturmführer Raschwitz.

Im Herbst 1939 war in der nahe Jaslo gelegenen Stadt Krosno, einer Stadt mit damals ca. 12000 Einwohnern, ein schon oben (A.I.) erwähntes, zunächst selbständiges Polizeikommissariat unter Leitung des Zeugen und damaligen Kriminalobersekretärs und SS-Untersturmführers Albert Schu. errichtet worden. Es wurde im Frühjahr 1940 in eine Aussenstelle des Grenzpolizeikommissariats Jaslo umgewandelt und führte dann die Bezeichnung "Grenzpolizeikommissariat Jaslo - Aussenstelle Krosno" und später "Grenzpolizeiposten Krosno". Die Leitung der Aussenstelle übernahm Ende März 1940 der bisherige Vertreter von Schu. Kriminalsekretär und SS-Untersturmführer Gustav Schmatzler, der nach Beendigung des 2.Weltkrieges in der Volksrepublik Polen zum Tode verurteilt und hingerichtet wurde. Sein ständiger Vertreter wurde der Zeuge und spätere Kriminaloberassistent und SS-Oberscharführer Ludwig von D. Zur Aussenstelle Krosno gehörten in der Regel 6 bis 8 Dienststellenangehörige, darunter neben Schmatzler und von D. der Zeuge Anton Neum., der heute nicht mehr auffindbare Paul Stenzel, der Angeklagte und zeitweise der Zeuge Erich Piecha [30] sowie der frühere Mitangeklagte W.

III. Massnahmen gegen die jüdische Bevölkerung in Krosno

In Krosno, das später auch Kreisstadt wurde, war der Anteil der jüdischen Bevölkerung relativ hoch. Eine genaue Zahl konnte nicht festgestellt werden. Nach Beendigung des deutsch-polnischen Krieges 1939 lebten zumindest 2500 Juden dort. Anschliessende Bevölkerungsbewegungen - auch im Zusammenhang mit dem deutsch-sowjetischen Krieg - liessen diese Zahl noch steigen, so dass von mehreren tausend jüdischen Einwohnern ausgegangen werden kann. Diese sahen sich den üblichen Verfolgungsmassnahmen wie Kennzeichnungspflicht, Arbeitszwang, Aufenthaltsbeschränkungen, Vermögensbeschlagnahme, Enteignung und Verpflichtung zu Kontributionen ausgesetzt. Im Gegensatz zu vielen anderen polnischen Städten bestand aber in Krosno ein geschlossenes Ghetto zunächst noch nicht. Allerdings ergab es sich, dass die jüdische Bevölkerung überwiegend in einem Stadtbezirk wohnte.

In Krosno fanden 1941 und 1942 drei für dieses Verfahren bedeutsame grössere Aktionen gegen die jüdische Bevölkerung auch unter Mitwirkung Angehöriger der Aussenstelle Krosno statt.

1. Die "Pelzaktion"

Ende Dezember 1941 wurde die sog. "Pelzaktion" durchgeführt.

[30] Siehe Lfd.Nr.688.

Unter dem 24.Dezember 1941 übersandte der Befehlshaber der Sicherheitspolizei und des SD im Generalgouvernement Schöngarth ein Fernschreiben an die SS- und Polizeiführer in den fünf Distrikten mit dem Befehl, alle Pelzwaren bei der jüdischen Bevölkerung sofort zu beschlagnahmen und zu sammeln. In dem Fernschreiben heisst es u.a. wörtlich:

> "Der Reichsführer-SS hat befohlen, dass die bei Juden gefundenen und beschlagnahmten ... Pelzmäntel, Pelze und Felle, gleich welcher Art, zu sammeln sind. Die Zahl ist mir laufend durch Fernschreiben zu melden, erstmalig am 29.12.1941 ... Den Judenräten ist anzudrohen, dass sowohl sie als auch die Juden, die nach Ablauf einer zu setzenden Frist noch im Besitze eines Pelzes oder Felles angetroffen werden, erschossen werden."

Durch Zeitungen, Plakatanschläge in der Stadt, Ausrufen durch die polnische Polizei und über den Judenrat wurde der jüdischen Bevölkerung in Krosno der Inhalt des Befehls bekanntgemacht. Das Pelzwerk wurde eingesammelt. Zu befohlenen Erschiessungen ist es hierbei nach den in der Hauptverhandlung getroffenen Feststellungen nicht gekommen.

2. Die grosse "Aussiedlungsaktion"

Im Sommer 1942, wahrscheinlich am 10.8.1942, folgte die sogenannte "Aussiedlungsaktion" mit dem Ziel, auch Krosno überwiegend "judenrein" zu machen.

Befehlsgemäss versammelte sich nahezu die gesamte jüdische Bevölkerung von Krosno in den frühen Morgenstunden auf der Targowica, dem Pferdemarkt von Krosno. Angehörige der Sicherheitspolizei, der deutschen Schutzpolizei, der Waffen-SS, der polnischen Hilfspolizei und ukrainischer Hilfseinheiten hatten den Platz umstellt. Zunächst wurden die arbeitsfähigen jüngeren jüdischen Männer und Frauen selektiert, von der Targowica weggeführt und einer Arbeitsstelle zugewiesen. Die nichttransportfähigen, alten, kranken und gebrechlichen Juden wurden ausgesondert, auf Lastkraftwagen gepfercht, abtransportiert und in unmittelbarer Nähe von Krosno erschossen. Nähere Einzelheiten hierzu konnten in der Hauptverhandlung nicht festgestellt werden. Die übrige auf der Targowica versammelte jüdische Bevölkerung wurde unter unmenschlichen Bedingungen in einen auf dem Bahnhof von Krosno bereitgestellten Eisenbahnzug verladen, in das Vernichtungslager Belzec transportiert und dort getötet. Aus dem Lager Belzec soll nur ein Mensch lebend entkommen sein.

Am Abend des Aussiedlungstages wurde nun auch in Krosno für die noch dort verbliebene jüdische Bevölkerung ein bewachtes und geschlossenes Ghetto um den Franziskanerplatz in den Franziskaner- und Spoldzielczastrassen errichtet.

3. Die Liquidierung des Ghettos

Am 4.12.1942 kam es zur sogenannten "Liquidierung des Ghettos". Befehlsgemäss versammelte sich an diesem Tage nahezu die ganze restliche jüdische Bevölkerung von Krosno, die zu einigen 100 Personen im Ghetto lebte, auf dem Franziskanerplatz zum Abtransport. An dieser Aktion beteiligten sich wiederum Angehörige der Sicherheitspolizei, der deutschen Schutzpolizei, der Waffen-SS, der polnischen Hilfspolizei und ukrainischer Hilfseinheiten. Es wurden etwa 25 arbeitsfähige jüdische Männer und Frauen ausgesondert und zu ihren Arbeitsplätzen abgeführt. Die übrige Bevölkerung wurde nach Reichshof (Rzeszow) in ein Lager gebracht. Während der Aufstellung auf dem Franziskanerplatz und anschliessend an den Abtransport wurden die Häuser des Ghettos durchsucht. Einige Juden, die sich versteckt hatten und aufgespürt wurden, wurden an Ort und Stelle erschossen.

Nur wenige der 25 Ausgesonderten, der nach Reichshof Gebrachten und der Aufgespürten sind später dem Tod entgangen.

Die allgemeinen Feststellungen beruhen auf den hierzu in der Hauptverhandlung verlesenen Urkunden, den Angaben des Angeklagten, soweit ihnen gefolgt werden konnte, den glaubhaften Aussagen der vereidigten jüdischen Zeugen Josef und Salek Be., Emil Dav., Chawa Drä., Lazar Elo., Mathilda Fei., Jacob Fes., Abraham Fri., Josef Fru., Helene Gel., Marek Gol., Luba Lin., Elijahu und Mordechai Ma., Rosa Mar., Ewa Marg., Shmuel Rub., Maria Ta., Dora Voe. und Dow Wil., der vereidigten polnischen Zeugen Wladyslawa Glo., Stanislaw Soc., Tadeusz Sol. und Gabriel Szn. und der vereidigten - insoweit glaubwürdigen - deutschen Zeugen Hans Bar. [31], Ludwig von D., Anton Neum., Erich Piecha [32], Albert Schu., Walter Tho. [33] und Frieda W. sowie dem überzeugenden Sachverständigengutachten des gem. §79 StPO unvereidigt gebliebenen Historikers und Politologen Dr. Wolfgang Sche.

B. Tatsächliche Feststellungen zu den Taten des Angeklagten

I. Fall 2 der Anklage - Frau Fürst -

Während der "Pelzaktion", wohl nach Ablauf der Ablieferungsfrist, traf der Angeklagte gegen Ende 1941 / Anfang 1942 auf der Korczynskastrasse in Krosno mit der Jüdin Frau Fürst - möglicherweise auch First - zusammen. Frau Fürst war ebenfalls unter dem Mädchennamen ihrer Mutter Pinelles bekannt, weil ihre Eltern die Ehe nicht in standesamtlicher sondern nur religiöser Form geschlossen hatten. Als Vornamen sind von den Zeugen die Namen Toni, Esther, Tauba, Hilda und Rachel genannt worden. Frau Fürst war etwa 20 bis 30 Jahre alt und verheiratet, lebte aber nicht mit ihrem Ehemann zusammen. Sie galt allgemein als hübsch. Sie verkaufte auf der Korczynskastrasse in einem kleinen Laden bescheidensten Umfanges Lebensmittel, Süssigkeiten, Tabakwaren und Getränke. In unmittelbarer Nähe dieses Geschäfts begegneten sich Frau Fürst und der Angeklagte, bei dem noch ein anderer nicht näher zu identifizierender Mann in Uniform war. Die nähere Tageszeit war nicht mehr festzustellen, jedoch war es hell. Frau Fürst war noch im Besitz eines nicht mehr näher bestimmbaren Pelzstückes. Von den Zeugen wurden ein Pelzstück, eine Pelzweste, ein Muff mit Pelzbesatz oder ein Paar Pantoffel mit Bommeln genannt. Über das Pelzstück kam es in dem Geschäft zwischen Frau Fürst und dem Angeklagten zu einem kurzen Wortwechsel. Sie äusserte sich sinngemäss, sie sei am Tage zuvor nicht dazu gekommen, das Stück abzuliefern; sie habe dies am gleichen Tage nachholen wollen. Auf Aufforderung des Angeklagten begab sie sich sodann vor das Geschäft. Der Angeklagte und der unbekannte uniformierte Mann folgten ihr unmittelbar. Nach wenigen Schritten schoss der Angeklagte von sich aus aus kurzer Entfernung von hinten unvermittelt mit seiner Pistole auf Frau Fürst. Sie brach tödlich getroffen zusammen. Zuvor hatte sie noch "Mama" gerufen. Der Angeklagte gab vorbei- und hinzukommenden Passanten auf, "das Mist" wegzuschaffen. Die Leiche der Frau Fürst, die zunächst vor dem Laden dort, wo sie hingefallen war, lag, wurde ins Geschäft gebracht, in dem auch der Angeklagte nochmals gewesen ist, ehe er und der andere Mann, der in keiner Weise aktiv in Erscheinung getreten war, weggingen.

Frau Fürst wurde später beerdigt. Der Vorfall erregte in Krosno grosses Aufsehen. Er war in aller Munde, weil der Anlass als nichtig und das Geschehen als sinnlos galten.

II. Fall 3 der Anklage - Rabbiner Epsztein -

Im Juli 1942 wurden in Korczyna, einem etwa 5 Kilometer von Krosno entfernten, zum Zuständigkeitsbereich der Aussenstelle Krosno gehörenden kleinen Ort mit starkem jüdischen

[31] Siehe Lfd.Nr.762 und 780.

[32] Siehe Lfd.Nr.688.

[33] Siehe Lfd.Nr.655.

Bevölkerungsanteil, von der Gestapo unter Zuhilfenahme der polnischen Polizei 6 oder 7 Juden festgenommen. Es handelte sich um vermögende und einflussreiche Personen. Unter ihnen befand sich auch der Rabbiner Moshe Epsztein. Epsztein, ein älterer, kränkelnder Mann, wurde von einem polnischen Polizisten gegen Abend zu Hause abgeholt. Er wie auch die anderen sollten Auskunft über den Verbleib von Leuten des zuvor nahegelegenen russischen Zolls geben. Es bestand nämlich der Verdacht, in der Gegend von Korczyna hätten Menschen Unterschlupf gefunden, die bis zum Beginn des Russlandfeldzuges beim russischen Zoll an der nahen Teilungslinie beschäftigt gewesen waren. Auch sollten Flüchtlinge aus dem von 1939 bis 1941 sowjetisch besetzten Gebiet Polens herübergekommen sein. Die Festgenommenen machten hierzu keine Angaben. Deshalb sollten sie getötet werden. Mit Abwehrmassnahmen gegen Partisanen stand dieses Vorgehen nicht in Zusammenhang.

Von den 6 oder 7 ausgesuchten Juden wurden 5 oder 6 alsbald in der Nacht auf dem Gelände der polnischen Polizeistation erschossen. Epsztein überlebte die Exekution und konnte trotz einer Schussverletzung am Kopf entweichen. In dem Hause einer Familie Infeld fand er Zuflucht. Später, gegen Morgen, als man die Erschossenen beerdigen wollte, wurde bemerkt, dass Epsztein unter den Leichen fehlte. Durch Ausrufen in den Strassen liess die Gestapo bekanntmachen, dass Epsztein sich stellen solle oder auszuliefern sei, anderenfalls 40 weitere Juden erschossen würden. Wie andere machte sich daraufhin auch der Zeuge Shmuel Rub. auf, Epsztein zu suchen. Er fand ihn im Hause Infeld, wo schon andere Juden zusammengekommen waren. Epsztein entschloss sich auf die ihm mitgeteilte Drohung der Gestapo, sich zu opfern. Auf einer Trage, vielleicht einem Bett, liess er sich von vier Juden zum Hause der polnischen Polizei tragen. Einer der Träger war der Zeuge Shmuel Rub. Auf dem Gelände der Polizei befand sich der Angeklagte. Er forderte Epsztein auf, sich zu erheben, was dieser wegen seines Zustandes nicht konnte und sinngemäss auch erwiderte. Daraufhin erschoss der Angeklagte Epsztein aus der Nähe mit zwei Pistolenschüssen ins Gesicht. Die Leiche Epszteins wurde zusammen mit den anderen fortgeschafft und beerdigt.

Es war in diesem einzigen Fall nicht auszuschliessen, dass der Angeklagte den Rabbiner Epsztein nicht nur aufgrund eigenen Tötungswillens sondern auch aufgrund eines konkreten Befehls eines Vorgesetzten erschoss.

<u>III. Fall 4 der Anklage - Frau Heller und Kinder -</u>

Am 4.12.1942, einem Freitag zu Beginn des jüdischen Chanukka-Festes, sollte das Ghetto Krosnos aufgelöst werden.

Das Ghetto befand sich in den in Form eines L verlaufenden Franziskaner- und Spoldzielczastrassen rund um den Franziskanerplatz, auch Eierplatz genannt. Seine räumliche Ausdehnung war nicht gross. Die Franziskanerstrasse verlief von der Einmündung in die Sienkiewiczastrasse, die Hauptstrasse Krosnos, her von Südwesten nach Nordosten. Sie war an ihrem an der Sienkiewiczastrasse gelegenen südwestlichen Anfang ca. 8 Meter breit. An ihrem nordöstlichen Teil stiess sie auf die Mauer zum Garten des Franziskanerklosters. Ihre südöstliche Seite verlief geradlinig. Diese war mit Häusern bebaut, in denen damals die jüdischen Familien Koszajowa, Dym (oder Dima), Lan., Plattner und Pasternak lebten. Nur ein Grundstück war in der Reihe unbebaut; auf ihm lagerten Fässer der mit Petroleum und anderen Brennstoffen handelnden Familie Lan. An der nordwestlichen Seite der Franziskanerstrasse lag von der Einmündung in die Sienkiewiczastrasse an ein vielleicht 20 oder 25 Meter langgestrecktes Haus, das einer Familie Fischbein gehörte. Am nordöstlichen Giebel dieses Hauses sprang die Franziskanerstrasse nach Nordwesten zurück. Etwa an der rückseitigen Front des Hauses Fischbein schloss sich alsdann das Gebäude einer Familie Palant an, das mit seiner Längsachse aber ebenfalls parallel zur Franziskanerstrasse stand. In dieser Ecke zwischen den Häusern Fischbein und Palant war eine Zapfstelle für Kraftstoffe. Nordöstlich vom Hause Palant weitete sich die Franziskanerstrasse sodann zum eigentlichen Franziskanerplatz nach Nordwesten. Von der nördlichen Ecke des Platzes führte die Spoldzielczastrasse in der Verlängerung der Gartenmauer des Franziskanerklosters von Südosten nach Nordwesten zum Rynek, dem Marktplatz Krosnos. Auch diese Strasse war auf beiden Seiten bebaut, nordöstlich kurz hinter dem Platz zunächst mit der Franziskanerkirche, südwestlich mit Wohnhäusern. Die Länge des Franziskanerplatzes von der Zapfstelle bis zur nordöstlich gelegenen Klostergartenmauer betrug rd. 30 Meter. Zum Ghetto gab es zwei Ein- bzw. Ausgänge. Hierfür waren im Südwesten die Franziskanerstrasse ca. 12 Meter vor ihrer Einmündung in die Sienkiewiczastrasse und ebenso im Nordwesten die Spoldzielczastrasse am Ende des Platzes kurz vor der Franziskanerkirche jeweils mit Durchgängen abgemauert.

In den Morgenstunden des 4.12.1942 erschienen im Ghetto Angehörige der örtlichen Gestapo und Mitglieder der oben unter A.III.3. genannten Einheiten. Auch der Angeklagte war dort. Gleichzeitig sammelten sich die bis dahin noch in Krosno verbliebenen Juden auf dem Franziskanerplatz, wie es ihnen zuvor - wohl am Abend des 3.12. - aufgegeben worden war. Aus den zusammengekommenen Juden, der Zahl nach vielleicht 300, wurden etwa 25 arbeitsfähige Männer und Frauen ausgesucht und hervorgerufen. Diese hatten bereits bislang auf dem Flugplatz bei Krosno gearbeitet oder waren dafür in der Zukunft vorgesehen. Sie mussten sich in mehreren Reihen in der Franziskanerstrasse mit dem Rücken zum Hause Fischbein aufstellen. Unter ihnen befanden sich die Zeugen Lin., Mar. und Marg. sowie ein Herr Heller, der von Beruf Glaser war. Dessen Ehefrau war mit den beiden gemeinsamen Kindern unter den anderen Juden auf dem Platz. Frau Heller war zwischen 20 und 30 Jahre alt; mit Vornamen hiess sie Rachel, Roza oder Ruschka, mit Mädchennamen Klacksberg, Klaxbart, Klagsbalt oder so ähnlich. Die beiden Kinder waren sehr jung, wohl im Alter zwischen 1 und 5 Jahren. Frau Heller wandte sich an den Angeklagten, der auf dem Platz mit einer Pistole in der Hand herumlief und auch schon durch die Häuser gegangen war. Vermutlich wollte sich Frau Heller nicht von ihrem Manne trennen lassen. Der Angeklagte wechselte einige nicht mehr genauer festzustellende Worte mit ihr. Dabei hielt Frau Heller beide Kinder oder eines von ihnen auf dem Arm oder beide oder eines von ihnen an der Hand. Schliesslich bewegten sich die vier vom Hause Fischbein in Richtung der auf dem Platz befindlichen Zapfsäule und des in Richtung ihrer Bewegung dahinterliegenden Hauses der Familie Palant. Dort, im Bereich zwischen der Tanksäule und dem Hause Palant, schoss der Angeklagte von sich aus Frau Heller und die beiden Kinder ohne triftigen Grund mit mehreren gezielten Schüssen aus seiner Pistole nacheinander nieder. Alle drei fanden dadurch den Tod. Die Schüsse fielen, als oder kurz bevor die für die Arbeit auf dem Flughafen ausgesonderten Juden durch den südwestlichen Ausgang hinausgeführt wurden.

Frau Heller und die Kinder hat man später auf dem jüdischen Friedhof begraben.

IV. Fall 7 der Anklage - Asher Bojgen -

In der Nacht vom 5. zum 6.12.1942 - das ist die Nacht von Samstag auf Sonntag nach der Liquidierung des Ghettos - durchsuchte der Angeklagte die Häuser des Ghettos in Krosno nach zurückgebliebenen Juden. Der jüdische Zeuge Dow Wil. und seine Vettern Asher Bojgen und Hirsch Katz, die sich nicht befehlsgemäss am 4.12.1942 auf dem Franziskanerplatz im Ghetto gemeldet hatten, hatten sich auf dem Dachboden eines Hauses im Ghetto versteckt. Dort wurden sie um Mitternacht von dem Angeklagten, der in Begleitung von zwei bewaffneten polnischen Polizisten erschien, aufgespürt. Er zwang sie mit vorgehaltener Pistole und unter Schlägen, ihm ins Erdgeschoss zu folgen und sich dort in dem Zimmer, in dem bislang der jüdische Ordnungsdienst untergebracht gewesen war, mit dem Gesicht zur Wand aufzustellen. Nachdem er erfolglos versucht hatte, von ihnen die Verstecke weiterer Juden zu erfahren, begab er sich mit einem der polnischen Polizisten auf die Suche nach weiteren Ghettobewohnern, während die Gefangenen zurückblieben und von dem anderen polnischen Polizisten bewacht wurden. Nach kurzer Zeit kehrte der Angeklagte mit dem Juden Israel Haferling und dessen Kind oder Enkelkind, die er aufgespürt hatte, zurück. Er befahl auch ihnen, sich mit dem Gesicht zur Wand aufzustellen. Darauf fragte er Asher Bojgen, der der Tür am nächsten stand, ob er der Bruder des "kleinen Buchbinders" sei. Der "kleine Buchbinder" war Nachum Bojgen, der - wie man sich erzählte - zu einem früheren Zeitpunkt von dem Angeklagten erschossen worden sein soll. Nachdem Asher Bojgen die Frage bejaht hatte, zwang der Angeklagte ihn, mit ihm durch die Zimmertür, die unmittelbar ins Freie führte, nach draussen vor das Gebäude zu gehen. Die anderen jüdischen Gefangenen wurden währenddessen von den polnischen Polizisten bewacht. Vor der Tür gab der Angeklagte aus seiner Pistole zwei Schüsse auf Asher Bojgen ab. Dieser fiel mit einem Aufstöhnen zu Boden. Ob er sogleich tot war oder infolge der Schüsse des Angeklagten später verstarb oder überlebte, liess sich in der Hauptverhandlung nicht sicher feststellen. Danach betrat der Angeklagte wieder das Zimmer. Die Zurückgebliebenen hatten das Geschehen ausserhalb des Raumes zwar nicht sehen können. Der Zeuge Dow Wil. hatte jedoch durch die offengebliebene Tür die Schüsse und das Stöhnen seines Vetters gehört. Im Zimmer forderte der Angeklagte den Zeugen Dow Wil. mit dem Befehl "los!" auf, ihm nach draussen zu folgen. Der Zeuge fürchtete, der Angeklagte wolle ihn erschiessen, flehte diesen an, ihn mit Rücksicht auf seine Jugend leben zu lassen, und zeigte ihm seine Arbeitserlaubniskarte vor. Darauf versetzte der Angeklagte dem Zeugen mit der Hand einen Schlag ins Gesicht und befahl ihm und den übrigen Juden, das Haus zu verlassen. Beim Verlassen des Gebäudes erblickte Dow Wil. den Asher Bojgen im Schein des aus der Tür fallenden Lichtes reglos mit dem Rücken auf dem Boden liegen. Er konnte zwar nicht sein Gesicht sehen, erkannte ihn aber an seiner Kleidung.

V. Weitere - nicht angeklagte - Tötungen oder versuchte Tötungen durch den Angeklagten

1. Kleinkind an der Synagoge

Wahrscheinlich noch vor der "Aussiedlungsaktion" im Sommer 1942 traf der Angeklagte in Krosno auf der Treppenplattform vor der Synagoge am Wislok ein dort auf einer Bettdecke sitzendes Kleinkind von etwa 8 Monaten an. Vermutlich war es das Kind von Flüchtlingen aus Lodz, die in der Synagoge lebten. Der Angeklagte trat an das Kind heran, hielt seine Handfeuerwaffe an dessen Kopf und erschoss es. Über Blutspritzer auf seiner Kleidung war er ungehalten. Das Kind wurde von dem Zeugen Fru. und anderen auf dem jüdischen Friedhof in Krosno beerdigt.

2. Jude "Am Blich"

Allenfalls wenige Tage nach Abschluss der "Aussiedlungsaktion" durchsuchte der Angeklagte in Krosno die Häuser nach zurückgebliebenen Juden. In der Gegend "Am Blich", in der Nähe der Synagoge, entdeckte er in einem kleinen Raum eines alten Schuppens einen etwa 80-jährigen Juden, der bettlägerig war. Der Angeklagte wollte wissen, warum der Mann nicht zur Targowica gekommen sei. Während des Gesprächs schoss der Angeklagte auf den sich aufrichtenden Greis, der darauf zu Boden stürzte. Sein Tod hat nicht sicher festgestellt werden können.

3. Jüdin beim Zollamt

Etwa zur selben Zeit traf der Angeklagte auf der Suche nach Juden im Erdgeschoss des Hinterhauses des damaligen deutschen Zollamts in Krosno eine dort wohnende ca. 60- bis 70-jährige jüdische Frau an. Als er in den von ihr bewohnten Raum kam, forderte er sie auf, sich in eine Ecke ihres Zimmers zu begeben. Die Jüdin drehte sich weisungsgemäss um und wandte ihm den Rücken zu. Da gab er vor den Augen des deutschen Krosnoer Zollamtvorstehers Scho. und dessen damals 15jähriger Tochter einen Schuss auf die alte Frau ab. Als sie darauf zu Boden stürzte, ging er einige Schritte auf sie zu und schoss zum zweiten Mal auf sie. Ihr Tod hat nicht sicher festgestellt werden können.

4. 3 Juden an der Synagoge

Etwa zur selben Zeit, wahrscheinlich am 19.8.1942, spürte der Angeklagte in Krosno einen Mann und eine Frau, beide ältere Juden und namentlich nicht bekannt, sowie den damals ca. 67-jährigen jüdischen Glaser Israel Be. auf. Die drei hatten sich nach der Aussiedlung in der Synagoge am Wislok unter dem Dach versteckt. Zunächst führte der Angeklagte den Mann und die Frau gemeinsam aus dem rückwärtigen Ausgang der Synagoge hinaus. Er ging einige Schritte hinter ihnen her und tötete sie dann durch Schüsse in den Hinterkopf. Den Zeugen Josef und Salek Be. und deren Onkel bezw. Vater, der üblicherweise jüdische Beerdigungen besorgte, befahl er, die Opfer auf ein eigens hierzu bestelltes Pferdefuhrwerk zu laden. Danach holte er Israel Be., den Grossvater der Zeugen Be., aus der Synagoge und tötete auch ihn durch Genickschuss aus seiner Pistole vor den Augen der Enkel. Die Leichen der drei Opfer wurden gemeinsam zum jüdischen Friedhof gefahren und im Beisein der Zeugen Be. begraben.

5. Estera Engelhard

Etwa zur selben Zeit traf der Angeklagte in Krosno auf einer kleinen Strasse Estera Engelhard, ein etwa 15-jähriges Mädchen. Vor der sich 15 bis 20 Meter entfernt in einem Hauseingang versteckt haltenden damals 18-jährigen Zeugin Maria Ta. schoss er Estera Engelhard mit der Pistole in den Kopf. Das Mädchen stürzte auf die Strasse. Nachdem der Angeklagte sich entfernt hatte, konnte es von der Zeugin Ta. und hinzugekommenen Anwohnern identifiziert werden. Der Tod des Mädchens hat nicht sicher festgestellt werden können.

6. Alte Jüdin auf Schlitten

Am 4.12.1942, dem Tag der Liquidierung des Krosnoer Ghettos, wurde eine Gruppe von 50 bis 100 Juden, bewacht von deutscher und polnischer Polizei, vom Ghetto zum Bahnhof in Krosno getrieben. Am Ende der Kolonne zogen zwei 14- bis 15-jährige Jungen, die Brüder Taubenfeld, auf einem provisorischen Schlitten eine alte, in Tücher eingeschlagene Frau. Ihr Gesicht war verdeckt. Der damals 46-jährige polnische Zeuge Szn. beobachtete dies aus etwa 30 Meter Entfernung und hielt die Frau für die Grossmutter der beiden Jungen. Der Angeklagte ging hinter dem Schlitten. Am Marktplatz angekommen, schoss er auf die alte Frau. Sie blieb liegen. Die Jungen jagte er fort und liess sie sich der Kolonne anschliessen. Der Tod der alten Frau hat nicht sicher festgestellt werden können.

VI. Zur inneren Tatseite

Der Angeklagte entschloss sich in allen Fällen, mit Ausnahme der Tötung Epszteins, allein von sich aus unbeeinflusst durch einen Befehl oder auch nur irrig angenommenen Befehl, tätig zu werden. Bei der Erschiessung Epszteins hat ein nicht ausschliessbarer Befehl eines Vorgesetzten seinen Entschluss zunächst veranlasst.

Er hatte in allen Fällen beim Abfeuern des Schusses oder der Schüsse die Absicht, das jeweilige Opfer zu töten. Dabei wollte er stets - auch im Falle Epsztein - das Tatgeschehen mit eigenem Gestaltungswillen beherrschen. Das gelang ihm. Im Fall Epsztein wirkte er zur Tötung des Rabbiners bewusst und gewollt mit dem befehlenden Vorgesetzten zusammen. In keinem der Fälle hat schon mit letzter Sicherheit festgestellt werden können, dass der Angeklagte aus eigenem Hass und eigener Geringschätzung gerade gegen die jüdische Rasse gehandelt hat. Er wurde aber stets tätig in dem Machtbewusstsein, als Angehöriger der Gestapo nach seiner eigenen Willkür über Leben und Tod der mit ihm in Berührung kommenden Juden zu entscheiden. Die Ideologie der NS-Staatsführung hatte er erkannt. Er wusste, dass danach Juden als minderwertig, zur Ausbeute bestimmt und leicht dem Tod preiszugeben angesehen waren. Deshalb glaubte er, auch eigenmächtig töten zu können, weil er erwartete, wegen der Einstellung der Staatsführung nie bestraft, aber von Vorgesetzten oder übergeordneten Dienststellen noch gelobt zu werden.

Der Beweggründe seiner Tötungshandlungen, die als besonders gemein, verwerflich und verächtlich zu werten er geistig im Stande war, war er sich ebenso bewusst wie des Unrechts seines Verhaltens und auch des Erschiessungsbefehls im Fall Epsztein. Diesen Befehl hielt er nicht irrig für verbindlich.

Es ist ausgeschlossen, dass der Angeklagte unter dem Druck einer wirklichen oder vermeintlichen Gefahr gehandelt hat.

Anhaltspunkte, an seiner vollen Zurechnungsfähigkeit zu zweifeln, haben sich nicht ergeben.

Die Feststellungen zu den Taten des Angeklagten beruhen auf seinen Angaben, soweit ihnen zu folgen war, sowie auf den - soweit glaubhaften - eidlichen Bekundungen der Zeugen Stefania Bäcker, Bar. [34], Josef und Salek Be., Cis., Cho., Dav., Erika und Ludwig von D., Drä., Elo., Fei., Fes., Fin., Fri., Fru., Gel., Glo., Gol., Gr., Hac., Dr. Hod., Kap., Dr. Ke., Lan., Lin., Mac., Mar., Marg., Elijahu und Mordechai Ma., Sol Mos., Mus., Neum., Piecha [35], Poa., Rub., Rup., Nathan Schl., Scho., Schu., Szn., Soc., Sol., Szy., Ta., Voe., Wn., Frieda W. und Wil. und den uneidlichen Bekundungen der Zeugen Zofia Arl., Leopold Bäcker, Bor., Maria Kl. sowie Izchak und Maria No., ferner auf dem überzeugenden Gutachten des Sachverständigen Dr. Sche. und den Urkunden, die Gegenstand der Hauptverhandlung waren.

C. Die Einlassung des Angeklagten

I. Allgemein

Der Angeklagte bestreitet alle ihm vorgeworfenen Taten. Er lässt sich ein, zwar von September 1939 bis zum Abrücken der deutschen Besatzung 1944 bei der Gestapodienststelle in Krosno tätig gewesen zu sein, aber niemals einen Menschen getötet zu haben; solches könne er auch niemals fertigbringen; es sei von ihm auch zu keiner Zeit verlangt oder ihm befohlen worden. An Aktionen, bei welchen Menschen ums Leben gekommen seien, habe er nicht teilgenommen. Allerdings habe er damals dann und wann erfahren, dass man den Juden Unrecht zugefügt habe; auch von Tötungen an Juden habe er gelegentlich gehört. Das habe ihm dann leid getan. Hass habe er den Juden gegenüber nicht gehegt. Er habe viele von ihnen in Krosno gekannt und einzelnen gelegentlich geholfen. Für die Ziele der Machthaber des dritten Reiches gegenüber der jüdischen Rasse habe er sich niemals interessiert; er sei immer ein unpolitischer Mensch gewesen; auf der Dienststelle in Krosno sei über diese Dinge so gut wie niemals gesprochen worden.

Er erinnere sich an verschiedene Angehörige der Dienststelle der Gestapo in Krosno. Deren Chef Schmatzler, dessen Stellvertreter von D. sowie Stenzel und Neum. seien ihm im Gedächtnis. Die genauen Aufgaben der Dienststelle seien ihm im einzelnen niemals bekannt gewesen. Er selbst habe als Dolmetscher für Schmatzler arbeiten müssen, der ihn bei Vernehmungen und Verhandlungen innerhalb und ausserhalb der Dienststelle zugezogen habe. Darüber hinaus sei er im wesentlichen aber ein "Mädchen für alles" gewesen. Insbesondere Schmatzler habe ihn mit Besorgungen, Bestellungen und Benachrichtigungen kreuz und quer durch den Ort geschickt. Auch in der Küche der Dienststelle habe er arbeiten müssen. Er

[34] Siehe Lfd.Nr.762 und 780.

[35] Siehe Lfd.Nr.688.

habe immer das Gefühl gehabt, von den anderen Angehörigen des Kommissariats nicht für voll genommen zu werden; Schmatzler habe ihn oft einen "Schlawiner" genannt.

Dass er tatsächlich kein gleichwertiger Mitarbeiter der Gestapo gewesen sei, ergebe sich auch daraus, dass er lange Jahre, mindestens bis 1943 keine Uniform und Dienstwaffe besessen habe. Er habe aber auch privat keine Waffe gehabt. Erst zur Zeit seiner Eindeutschung habe er eine Uniform und eine Pistole erhalten. Schon alleine deswegen habe er die Taten, deren man ihn jetzt bezichtige, nicht begehen können.

Soweit ihn vor und in der Hauptverhandlung zahlreiche Zeugen belastet hätten, erkläre sich dies damit, dass ihn die Zeugen entweder gutgläubig mit anderen verwechseln oder böswillig aufgrund einer Intrige der Wahrheit zuwider beschuldigen würden. Die Möglichkeit einer irrtümlichen Verwechslung sei u.a. dadurch gegeben, dass sein inzwischen verstorbener Bruder Leopold ihm sehr ähnlich gesehen, bei der Gestapodienststelle in Jaslo, nicht weit von Krosno als Dolmetscher gearbeitet und gelegentlich auch in und bei Krosno zu tun gehabt habe. Schon während des Krieges habe man sie beide verwechselt. So erinnere er sich daran, dass man ihn eines Tages in einer Molkerei darauf angesprochen habe, er sei doch in den vergangenen Tagen dort gewesen; das sei aber nicht er sondern sein Bruder Leopold gewesen. Eventuell habe daher sein Bruder Leopold die Taten begangen. Dieser habe dazu seiner Frau, der Zeugin Stefania Bäcker, und auch Weihnachten 1965 der Zeugin Arn. gegenüber erklärt, er, der Angeklagte, sei unschuldig. Die Möglichkeit einer "grossen Intrige" der Belastungszeugen gegen ihn könne schon allein darauf beruhen, dass man ihn als einen Mitarbeiter der Gestapo in Krosno gerade habe, andere Dienststellenangehörige aber nicht oder zumindest wegen ihres schlechten Gesundheitszustandes z.Zt. nicht belangen könne. So sei er schon im Frühjahr 1946 von Juden aus Krosno - u.a. den Zeugen Mordechai und Elijahu Ma. - mit der unwahren Behauptung bei der amerikanischen Militärpolizei denunziert worden, er habe 6 Juden in einer Garage in Korczyna erschossen und sei der Chef der Gestapo in Krosno gewesen.

Die Führung des Namens "Rudolf Becker" und des falschen Geburtsjahrs 1910 seit 1945 bedeute nicht, dass er sich wegen der ihm zur Last gelegten Taten habe verborgen halten wollen. Schon früher habe er seinen Familiennamen mit "e" geschrieben. Vornamen und Geburtsjahr seines jüngeren Bruders habe er angenommen, weil er 1945 aus seiner blossen Zugehörigkeit zur Aussenstelle Krosno Nachteile befürchtet habe. In der Folgezeit habe er aus Angst vor einer Bestrafung wegen falscher Namensführung eine Berichtigung nicht vorgenommen und lediglich ab 1958 dem Vornamen Rudolf seinen Vornamen Oskar hinzugefügt.

Der Angeklagte will sich auf keinem der Lichtbilder in der Lichtbildmappe wiedererkennen. Er bezweifelt, dass die angeblich von ihm Getöteten überhaupt gelebt haben.

<u>II. Zu einzelnen Fällen</u>

Der Angeklagte lässt sich über seine allgemeine Verteidigung hinaus zu den nachstehenden Einzelfällen ergänzend wie folgt ein:

<u>1. Fall 2 der Anklage - Frau Fürst -</u>

Während der gesamten Pelzaktion im Winter 1941/1942, für die er ein genaues Datum nicht angeben könne, sei er bettlägerig erkrankt und deshalb nur im Hause gewesen. Er habe an einer schweren Erkältung gelitten, die sich über eine Grippe zu einer Lungenentzündung verschlimmert habe. Seine damalige Bekannte und spätere Ehefrau, die Zeugin Kl., habe ihn häufig am Krankenbett besucht; der Zeuge Dr. Hod., ein polnischer Arzt, habe ihn behandelt. Schon deshalb scheide er als Täter aus.

2. Fälle 4 und 7 der Anklage und B.V.6. dieses Urteils - Frau Heller und Kinder, Asher Bojgen und alte Jüdin auf Schlitten

Zur Zeit der Liquidierung des Ghettos im Winter 1942/1943, für die er auch ein genaueres Datum nicht nennen könne, sei er ebenfalls ans Bett gefesselt gewesen. Er habe an einer Blinddarmentzündung gelitten; der Zeuge Dr. Hod. habe ihn wiederum behandelt und ins Krosnoer Krankenhaus eingewiesen; dort sei er von dem inzwischen verstorbenen polnischen Arzt Dr. Lewicki operiert worden. Die Heilung habe sich wegen eingetretener Komplikationen verzögert. Einige Zeit nach der Entlassung, wohl im Februar 1943, habe er eine Erholungskur angetreten.

3. Fälle 9 der Anklage und B.V.2.-5. dieses Urteils - Aussiedlung und 4 nicht angeklagte Fälle

An der grossen Aussiedlungsaktion 1942 habe er nicht teilgenommen. Auf Weisung Schmatzlers habe er auf der Gestapodienststelle in Krosno Telefondienst versehen müssen, weil die anderen Dienststellenangehörigen draussen im Einsatz gewesen seien.

D. Die Beweiswürdigung

I. Grundsätzliches

Die Länge der Zeit zwischen den Taten und der Hauptverhandlung lässt es angezeigt erscheinen, folgende allgemeine Erwägungen den Bewertungen der Beweise zu den einzelnen Fällen vorauszuschicken.

1. Das Schwurgericht ist sich der besonderen Schwierigkeiten bei der Wahrheitsfindung stets bewusst gewesen. Diese resultieren vor allem aus der Tatsache, dass über Vorfälle zu befinden ist, die gut 30 Jahre zurückliegen, und dass zur Aufhellung der Sachverhalte als Beweismittel neben einigen Urkunden überwiegend nur Zeugen zur Verfügung stehen.

Neben allen anderen bei jeder Aussage eines jeden Zeugen zu beachtenden Gesichtspunkten, wie beispielsweise Widersprüchliches, Unwahrscheinliches, Unmögliches in der Schilderung oder wie Furcht, Hass, Rachsucht, Überheblichkeit, Verfeindung einerseits und Zuneigung, Liebe, Mitleid andererseits in der Person des Zeugen sind Erinnerungsfähigkeit und Erinnerungszuverlässigkeit Kriterien, denen hier besonderes Gewicht zukommt und bei deren Prüfung ein Höchstmass an Vorsicht und Sorgfalt aufzuwenden ist. Bei Beachtung der demnach gebotenen Umsicht und gesunden Skepsis ist das Schwurgericht in allen Fällen der Verurteilung und sonstigen Feststellungen zu der sicheren Überzeugung gelangt, dass die den Angeklagten belastenden Zeugen nicht nur subjektiv um eine wahrheitsgemässe Schilderung bemüht waren sondern auch objektiv die Wahrheit gesagt haben.

Es ist zunächst nach allgemeiner Lebenserfahrung nicht schlechthin ausgeschlossen, dass sich Zeugen an Ereignisse zurückerinnern, die Jahrzehnte zurückliegen. Das weiss jedermann von sich selbst. Hinzukommt, dass vorliegend von den Zeugen zu ihnen affektiv einprägsamen Erlebnissen ausgesagt worden ist, die viele von ihnen in relativ jungen Lebensjahren gemacht haben. Solche Wahrnehmungen graben sich im Gedächtnis ein und derartige Wahrnehmungen aus früherer Jugend werden nach allen Erfahrungen von älteren Menschen besser behalten als in jüngster Zeit Erlebtes. Dies gilt insbesondere für den Kern der Erlebnissituation. Das ihn umgebende, nach aussen immer weiter von ihm entfernt liegende Randgeschehen bleibt dem Gedächtnis weniger verhaftet. Dem Beiwerk einer beobachteten Tat legt der Mensch in aller Regel schon bei der Wahrnehmung weniger Bedeutung bei. Sofern er es überhaupt bewusst aufnimmt, geht es ihm im Laufe der Zeit wieder verloren. Die Erinnerung reduziert sich auf den Grundgehalt des Erlebten und verliert an Detailreichtum. Auch diese Erfahrung kennt jedermann von sich selbst. Den Dingen am Rande wird mitunter bei der Wiedergabe weniger oder überhaupt keine Bedeutung beigemessen.

Dies ist in der Hauptverhandlung bei der Vernehmung mancher Zeugen zu Tage getreten. Den Zeugen sind - und das gilt für alle noch nachstehend im einzelnen wiederzugebenden und zu würdigenden früheren Bekundungen - die früheren Aussagen, zum Teil durch Verlesung, vorgehalten worden. Auf Fragen oder Vorhaltungen zu Einzelheiten haben manche Zeugen erstaunt geäussert, was denn das solle, ob es denn darauf ankomme; gefragt, warum sie dies oder jenes in früheren Aussagen während der Ermittlungen nicht geschildert hätten, haben sie geantwortet, danach nicht gefragt worden zu sein. Deshalb ist es bezüglich der Darstellung des Randgeschehens nicht verwunderlich, dass bei vielen Zeugen auch bei bestem Willen und subjektiver Ehrlichkeit die Erinnerung blasser oder ganz verloren war oder dass Angaben nur auf ausdrückliches Befragen gemacht worden sind. Soweit dagegen ein Zeuge noch detaillierte Angaben gemacht hat, hat das Schwurgericht bei seiner Beweiswürdigung stets geprüft, ob der Zeuge, durch Fragen und Vorhaltungen veranlasst, Einzelheiten zu dem der Erinnerung verhaftet gebliebenen Kernerlebnis nur aus Vermutungen oder Fantasie hinzugefügt und damit zumindest zum Teil gegen seine Zeugen- und Wahrheitspflicht verstossen hat. - Zwar bieten Widersprüche innerhalb einer oder mehrerer Aussagen eines Zeugen oder Widersprüche zwischen den Darstellungen verschiedener Zeugen zu Punkten ausserhalb des Kernes der Ereignisse alleine noch keinen stichhaltigen Grund, an dem Wahrheitsgehalt der Bekundungen zum eigentlichen innersten Gehalt zu zweifeln. Das gilt auch für unterschiedliche Zeitangaben, die einzelne Zeugen im vorliegenden Verfahren oder in Entschädigungsverfahren gemacht haben. Gleichwohl hat das Schwurgericht solche Widersprüche, wann immer sie aufgetreten und nicht glaubhaft geklärt worden sind, in jedem Fall bei der Würdigung der einzelnen Zeugenaussage beachtet und sich durch sie zu besonderer Vorsicht mahnen lassen.

Wenn somit die Tatsache, dass die Taten rund 30 Jahre zurückliegen, allgemein nichts gegen die Beweisqualität der Zeugenbekundungen besagt, so hat das Schwurgericht ferner mit aller Sorgfalt darauf geachtet, ob insbesondere bei den früher verfolgten Zeugen über die normalen Altersveränderungen hinaus anormale Persönlichkeitsentwicklungen und -momente vorlagen, die bezüglich der Verwertbarkeit ihrer Aussage Anlass zu Bedenken geben konnten. Grund für diese Erwägungen ist, dass fast alle jüdische Zeugen Grauenvolles, teils am eigenen Leibe, mitgemacht haben. Internierungen, Schläge, Folterungen, Quälereien, Hunger, Krankheiten, Todesängste, seelische Qualen und physische Schmerzen können zu Wesens- und Persönlichkeitsveränderungen geführt haben, die zu Zweifeln an der Zuverlässigkeit eines Zeugen Anlass geben. Hirnschäden nach schweren Kopfverletzungen sind jedoch bei keinem der Zeugen bekannt geworden. Auch seelische Dauerschäden erheblichen Gewichtes, beispielsweise bewusstseins- oder erinnerungsverändernde Angstpsychosen oder ein neurotischer Verfolgungswahn, sind bei den den Angeklagten belastenden Zeugen nicht zu Tage getreten. Dennoch haben gelegentliche Äusserungen von Zeugen, wie: "Ich kann die Dinge nicht vergessen, auch wenn ich will" oder "ich habe die Bilder immer noch vor mir" oder "ich träume davon noch immer", dem Gericht Anlass zur besonderen Zurückhaltung und Überprüfung gegeben, ob nicht eine Beweisbeeinträchtigung vorliege. Konnten Zweifel nicht ausgeräumt werden, sind aufgrund der Aussage solcher Zeugen keine Feststellungen zum Nachteil des Angeklagten getroffen worden.

Der Gegenstand des Verfahrens und die Einlassung des Angeklagten, es liege ein Zeugenkomplott vor, haben das Gericht auch von Anbeginn verpflichtet, bei jedem Zeugen besonders darauf zu achten, ob Hass- und Rachegefühle Grund für den Zeugen sein könnten, ein falsches Zeugnis abzulegen. So wurde stets geprüft, ob eine bewusste oder unbewusste Tendenz zu erkennen war, Wissen und Gewissen nicht gehörig anzustrengen, entgegen wirklicher Erinnerung etwas falsch zu schildern, wirklich erinnerliche Tatsachen zu verschweigen, zu verschleiern, zu verfälschen oder zu übertreiben. Jedoch haben auch die jüdischen Zeugen überwiegend mit einem erstaunlichen Mass an Ruhe, Objektivität, Leidenschaftslosigkeit und abgeklärtem Abstand zu dem grauenvollen Leid ausgesagt, dass ihren Glaubensbrüdern, Bekannten und Verwandten, vielfach engsten Angehörigen wie Ehegatten, Kindern und Eltern und ihnen selbst zugefügt worden ist. Nachhaltige Hass- und Rachegefühle waren nur in wenigen Fällen festzustellen. Als Ausdruck solcher Empfindungen sind allerdings nicht die insbesondere in den Niederschriften über frühere Vernehmungen während der Ermittlungen zu findenden Wendungen anzusehen, der Angeklagte sei ein "Mörder", er sei der "grösste Mörder von Krosno" gewesen. Durch die Vernehmung der Zeugen, in deren früheren Aussagen sich solche Formulierungen finden, hat das Schwurgericht bezüglich der Zeugen, auf deren Aussage es seine Feststellungen gestützt hat, die Überzeugung gewonnen, dass diese auf den ersten Blick störend wirkende Pauschalcharakterisierung keine auf Rache oder Hass gegründete, aussageverfälschende Voreingenommenheit beinhaltet.

Dass einige Zeugen bei der Wiedergabe ihrer Erlebnisse erkennbar erschüttert waren und mit Erschöpfung und Tränen rangen, ist ohne weiteres verständlich. Dass der Angeklagte von den Zeugen nicht geschätzt, in ihren Augen nicht geachtet ist, kann niemanden verwundern nach dem, was passiert ist. Dies berührt aber die Neutralität und Objektivität der Zeugen nicht. Ihr Bemühen, gleichwohl eine nüchterne und zurückhaltende Schilderung zu geben, ist auch tatsächlich deutlich erkennbar gewesen. Wo allerdings ausnahmsweise - wie bei den Zeugen Ne., Ha., Schw., Guz. und Wsn. - auch heute noch beeinflussende Gefühle der Rache und des Hasses merkbar oder vermutbar wurden, sind die Aussagen dieser Zeugen nicht zum Nachteil des Angeklagten verwertet worden.

2. > Das Gericht hat nicht alle Zeugen selbst vernehmen können. Der schlechte Gesundheitszustand mancher Zeugen oder die Weigerung ausländischer Zeugen, vor dem Schwurgericht zu erscheinen, haben es verschiedentlich notwendig gemacht, die Zeugen im Wege der Rechtshilfe oder durch einen beauftragten Richter vernehmen zu lassen. Sofern nicht der beauftragte Richter im Einzelfall der verlesenen Vernehmungsniederschrift einen Vermerk über seinen persönlichen Eindruck von dem Zeugen zugefügt hat, der alsdann durch seine Verlesung ebenfalls Gegenstand der Beweisaufnahme geworden ist, fehlte dem Schwurgericht bei der Urteilsfindung zwangsläufig der persönliche Eindruck von dem Zeugen. Einer Bewertung zugänglich war nur die verlesene Aussage selbst, wie sie in dem Protokoll festgehalten und im Wege des Urkundenbeweises gem. §251 StPO in die Hauptverhandlung eingeführt war. Der Tatsache der daraus resultierenden naturgemäss geschmälerten Erkenntnisgrundlage hat das Gericht bei der Verwertung dieser Beweismittel Rechnung getragen. Entsprechendes gilt für das gem. §249 StPO eingeführte Ergebnis von Augenscheinseinnahmen durch den ersuchten Richter.

Durch die Teilnahme richterlicher Mitglieder des Schwurgerichts sowie von Vertretern der Staatsanwaltschaft und Verteidigung an den Vernehmungen bezw. Augenscheinseinnahmen durch ersuchte Richter in Israel, Polen und den USA ist die erschöpfende Erledigung der Rechtshilfeersuchen gefördert worden.

<u>II. Zur Identifizierung des Angeklagten</u>

Die Frage der Identifizierung eines Täters bringt umso grössere Schwierigkeiten mit sich, je später sie einem Zeugen gestellt wird. Die Identität des Angeklagten mit dem Täter der ihm nachgewiesenen Taten steht jedoch fest. Wenn der Angeklagte jetzt in Zweifel ziehen will, dass die Bilder 5, 25, 27 und Bl.6 der Bildmappe 45 Js 33/64 StA Dortmund ihn zeigen, so sind diese Zweifel ersichtlich unbegründet. Bei einem Vergleich der Bilder mit dem Angeklagten springt die Identität des Angeklagten mit dem Abgebildeten geradezu ins Auge. Das erklärt, dass die meisten Zeugen, deren Aussagen in anderem Zusammenhang wiederzugeben und zu würdigen sind und worauf Bezug genommen wird, in der Person des Angeklagten den Gestapoangehörigen Oskar Bäcker wiedererkannten. Darüber hinaus ist von zahlreichen

Zeugen - für die das vorstehend Bemerkte gilt -, und zwar auch von denjenigen, denen die Bilder erstmalig vorgelegt worden sind, ebenfalls die auf den aufgezählten Bildern dargestellte Person sicher als der Angeklagte und frühere Täter wiedererkannt worden. Die Möglichkeit, dass der Angeklagte von den Zeugen bei ihrer Wahrnehmung der einzelnen Tat nicht eindeutig erkannt sondern verwechselt worden ist, ist zur Überzeugung des Gerichts ausgeräumt. Krosno war ein verhältnismässig kleiner Ort mit 1939 etwa 12000, später etwas mehr Einwohnern. Die Dienststelle der Gestapo war mit etwa 6 bis 8 Beamten besetzt. Dass diese der Bevölkerung, insbesondere der jüdischen bekannt waren, muss nach den in Krosno gegebenen Umständen angenommen werden. So haben denn zahlreiche Zeugen heute noch die Namen von Angehörigen der Gestapodienststelle nennen und die Personen auf den Bildern finden können. Hinsichtlich des Angeklagten kommt hinzu, dass er Dolmetscher war. Er wurde bei vielen Kontakten mit der nicht deutsch sprechenden Einwohnerschaft hinzugezogen. Er war nach eigener Darstellung fast täglich im Ort unterwegs, um Aufträge zu erledigen; er kannte viele Einwohner Krosnos, auch viele Juden. Dies zwingt zu der Feststellung, dass auch er vielen bekannt geworden ist.

Hinzukommt der damals auffällige und Gesprächsstoff liefernde Umstand, dass der Angeklagte als volksdeutsches Mitglied der Gestapo zugleich ein Verhältnis mit der Polin Maria Arl., der Zeugin Kl., hatte, aus dem im Jahre 1943 ein Sohn hervorging und das später zur Eheschliessung führte. Bezeichnenderweise haben sich zahlreiche Zeugen an diese Tatsache erinnern können, was beweist, dass darin ein starkes, unverwechselbares Merkmal für die Identifizierung der Person des Angeklagten liegt.

Haben damals die Zeugen von Fall zu Fall in dem Täter den ihnen wohlbekannten Krosnoer Gestapoangehörigen Oskar Bäcker erkannt und erkennen sie diesen heute im Sitzungssaal oder auch nur auf den Bildern zweifelsfrei als den Täter wieder, dann steht zur Überzeugung des Schwurgerichts fest, dass der Angeklagte, der seine Zugehörigkeit zur Gestapodienststelle in Krosno selbst einräumt, der Täter war und somit eine Verwechslung ausgeschlossen ist. Dabei ist auch berücksichtigt worden, dass bezüglich von Haar- und Augenfarbe, Kleidung und sonstigen Sachattributen des Angeklagten von den Zeugen zum Teil unterschiedliche, sich aber durch den Zeitabstand erklärende Angaben gemacht wurden.

Damit ist aber auch die Einlassung des Angeklagten widerlegt, möglicherweise habe man seinen Bruder Leopold für ihn gehalten. Ein Vergleich des heutigen Aussehens und der aus der damaligen Zeit stammenden Bilder des Angeklagten mit dem Bild dieses Bruders (Nr.23 der Bildmappe 45 Js 33/64 StA Dortmund) zeigt überzeugend die unverwechselbaren Unterschiede zwischen beiden. Leopold Bäcker war über 10 Jahre älter. Er trug zumindest meistens einen Schnäuzer und hatte damals schon so ergrautes Haar, wie es keiner der Zeugen bei der Beschreibung des Angeklagten angegeben hat und wie es heute beim Angeklagten noch nicht festzustellen ist, der auch eigener Einlassung zufolge einen Lippenbart zu keiner Zeit getragen hat.

III. Zu den Einzelfällen

1. Frau Fürst

Die Feststellungen hierzu beruhen auf den eidlichen Bekundungen einmal der Zeugen Mei., Marg., Drä., Rub., Cho., Szn., Mus., Salek Be. und Sol Mos., die von dem Geschehen mehr oder weniger gesehen haben, zum anderen der Zeugen Poa., Elijahu und Mordechai Ma., Elo., Wil., Ta., Schl., Gol., Dr. Hod. und Voe., die davon gehört haben. Sie fussen weiter auf den eidlichen Aussagen der Zeugen Kap., Stefania Bäcker, Rup., Ludwig von D.,

Schu. und Bar. [36], der uneidlichen Bekundung der Zeugin Zofia Arl., dem Gutachten des Sachverständigen Dr. Sche. und auf den Urkunden, die Gegenstand der Hauptverhandlung waren.

a) Die jüdische Zeugin Fella Mei., zur Tatzeit 26 Jahre alt, hat vor dem israelischen Rechtshilferichter bekundet, sie sei mit Frau Fürst sehr bekannt gewesen. Sie habe aus einer Entfernung von etwa 5 Metern wahrgenommen, dass der Angeklagte - wahrscheinlich in Zivilkleidung - in Begleitung eines anderen Mannes in Uniform mit Frau Fürst vor dem Geschäft zusammengetroffen sei. Die drei seien ins Geschäft gegangen, wo es wegen eines Stückes Pelz, das Frau Fürst hinter der Ladentheke hervorgeholt habe, zu einem Wortwechsel gekommen sei. Wohl auf Vorhaltungen des Angeklagten, weshalb dieser Pelz noch nicht abgeliefert worden sei, habe Frau Fürst geäussert, dass sie dies versäumt habe, aber noch am selben Tage nachholen wolle. Der Angeklagte habe Frau Fürst gesagt, sie solle hinausgehen. Frau Fürst habe dies getan. Der Angeklagte und dessen Begleiter seien ihr gefolgt. Dabei habe allein der Angeklagte plötzlich nach seiner Pistole gegriffen und damit Frau Fürst, die "Mama" gerufen habe, wenige Schritte vor dem Geschäft aus einer Entfernung von etwa 1 bis 1½ Metern erschossen. Zu den umherstehenden Leuten habe er gesagt: "Schafft weg das Mist!" Der Uniformierte habe keine Pistole in der Hand gehabt.

Die ebenfalls jüdische Zeugin Ewa Marg., zur Tatzeit 24 Jahre alt, hat geschildert, 1941 ein oder zwei Tage nach dem christlichen Weihnachtsfest auf dem Wege zu einer Freundin am Geschäft der Frau Fürst vorbeigekommen zu sein. Sie habe gesehen, wie der Angeklagte mit einer Pistole in der Hand Frau Fürst aus dem Laden "geschubst" habe; dabei habe er sie mit einer Hand "am Kragen" gehalten. Sie, die Zeugin, habe dann, als sie etwa 10 Schritte vorbeigewesen sei, hinter sich einen Schuss gehört, sich Bruchteile von Sekunden umgedreht und Frau Fürst am Boden liegen sehen. Sonst habe sie bewusst nur den Angeklagten wahrgenommen. Sie sei "ganz hin", bestürzt und "wie blind" gewesen und habe sich nichts Klares mehr vorstellen können.

Der jüdische Zeuge Shmuel Rub., damals gerade 14 Jahre alt, hat hierzu bekundet: Zusammen mit seiner Schwester, die mit Frau Fürst befreundet gewesen sei, habe er diese an einem Montag Ende 1941 / Anfang 1942 in ihrem Laden aufgesucht. Frau Fürst habe sie ein Stück in die 100 bis 150 Meter entfernte eigentliche Stadt begleiten wollen; der Angeklagte sei ihnen allein entgegengekommen und an ihnen vorbeigegangen. Ein oder zwei Minuten später sei ein Schuss gefallen. Er und seine Schwester seien weggelaufen. Zuvor habe er sich aber noch einmal umgedreht und aus einer Entfernung von ca. 10 Metern Frau Fürst mit einer blutenden Wunde am Hinterkopf ganz in der Nähe des Geschäftes hinfallen und dann mit dem Gesicht auf dem Boden liegen sehen. Der Angeklagte habe dort mit einer Waffe in der Hand gestanden. Später seien er und seine Schwester zum Laden zurückgekommen; andere hätten die Leiche der Frau Fürst in den Laden getragen. Alles sei wegen eines Muffs mit einem kleinen Stückchen Pelzbesatz geschehen, den Frau Fürst bei sich getragen habe.

Die Zeugin Chawa Drä., eine Jüdin von damals 18 Jahren, war - nach ihrer verlesenen Aussage vor dem Rechtshilferichter in Tel Aviv - auf dem Wege zu einer Freundin, die in dem Hause gewohnt habe, in dem sich auch das Geschäft der Frau Fürst befunden habe. Sie, die Zeugin, sei dem Angeklagten in der Nähe des Geschäftes begegnet und fast sicher, dass dieser in das Geschäft hineingegangen sei und dass sie später einen Schuss gehört habe. Auf dem nachfolgenden Heimweg habe sie Frau Fürst auf der Strasse liegen sehen, neben ihr seien Blutspuren gewesen.

[36] Siehe Lfd.Nr.762 und 780.

Der polnische Zeuge Kazimir Cho., z.Zt. der Tat 26 Jahre alt, hat bekundet, er habe aus dem Hause, in dem er auf der Korczynastrasse gearbeitet habe, den Angeklagten aus Richtung Stadt in Richtung des nahegelegenen Ladens der Frau Fürst am Fenster vorbeigehen sehen. Etwa 15 Minuten später sei ein Schuss gefallen; zusammen mit anderen sei er sofort vor die Tür gelaufen; Frau Fürst habe vor dem Geschäft gelegen, der Angeklagte habe mit den Händen in der Tasche bei ihr gestanden. Zunächst seien andere nicht dagewesen. Später allerdings seien andere Menschen hinzugekommen. Andere hätten ihm erzählt, der Angeklagte habe bei Frau Fürst eine Pelzweste unter der Theke vorgefunden.

Der Zeuge Gabriel Szn., ein Pole von damals 45 Jahren, hat ausgesagt, er habe kurz nach Bekanntwerden der Anordnung, die Pelze abzuliefern, den Angeklagten aus dem Geschäft kommen sehen. In einer Entfernung von ca. 50 Metern vom Laden sei er mit ihm zusammen getroffen. Während seiner, des Zeugen, Annäherung an das Geschäft habe sich davor eine Gruppe von Passanten angesammelt. Als er, der Zeuge, dann am Geschäft gewesen sei, habe die Leiche der Frau Fürst im Laden gelegen. Sie sei, so habe er gehört, erschossen worden, weil sie ein Kaninchenfell als Weste angehabt habe.

Die Polin Teresa Mus., damals 24 Jahre alt, hat als Zeugin bekundet, sie habe im August oder auch Dezember 1941 die ihr nicht namentlich, aber vom Ansehen bekannte Frau Fürst zum Warentausch aufsuchen wollen. Bei der Annäherung an das Geschäft habe sie aus etwa 3 Metern Entfernung den Angeklagten in Zivil aus dem Laden kommen und in Richtung Stadt fortgehen sehen. Einen Schuss habe sie davor nicht gehört. Eine Pistole habe sie nicht in seiner Hand gesehen. Sie habe die angelehnte Tür geöffnet und vor der Theke die erschossene Frau Fürst liegen sehen, ohne allerdings Verletzungen zu bemerken. Jemand anderen als den Angeklagten habe sie bei ihrer Annäherung an das Geschäft davor mit Sicherheit nicht gesehen. Ob bei ihrem Fortgehen dort Leute gewesen seien, könne sie nicht sagen, da sie wie betäubt gewesen sei.

Der jüdische Zeuge Salek Be., der heute in den USA lebt und damals gerade 15 Jahre alt war, hat ausgesagt, er und sein Vater hätten die Leiche begraben. Sie habe, als er zum Geschäft gekommen sei, links von der Tür vor dem Geschäft gelegen. Ein bis zwei Meter von der Eingangstür entfernt seien Blutspuren gewesen.

Der Zeuge Sol Mos., der damals 22 Jahre alt war, hat bekundet, er habe bei der Beerdigung geholfen. Er glaube, es sei Blut am Kopf der Frau Fürst gewesen. Aus den Aussagen dieser Zeugen, die ihre Bekundungen alle mit dem Eid bekräftigt haben, ergibt sich zur Überzeugung des Gerichts, dass der Angeklagte Frau Fürst auf die oben festgestellte Art und Weise erschossen hat.

Es kann zwar zunächst nicht verkannt werden, dass sich die Schilderungen der Zeugen nicht in allen Punkten decken. Diese Widersprüche können aber letztlich ebensowenig wie die bei einzelnen Zeugen in ihren mehrfachen Bekundungen zu Tage getretenen Abweichungen ernsthafte Zweifel an der Täterschaft des Angeklagten begründen. Es handelt sich im Ergebnis nicht um Widersprüche zum Kerngeschehen sondern um Ungereimtheiten zu Randereignissen. Bezüglich des Geschehens im Kern, verstanden als der Mindestsachverhalt, der den gesetzlichen Tatbestand der §§212, 211 StGB ausfüllt, stehen die Bekundungen der Zeugen Mei., Marg., Drä., Rub. und Cho. miteinander so weitgehend in Einklang, dass sie ein klares Bild vom Ablauf der Dinge ergeben und dadurch erheblich an Überzeugungskraft gewinnen. Deswegen hat das Gericht auch keine Bedenken, den nur kommissarisch vernommenen Zeugen Mei. und Drä. zu folgen.

Die Zeugin Mei. hat das Geschehen aus nächster Nähe beobachtet. Sie war bei einer Entfernung von ca. 5 Metern ununterbrochen Augen- und Ohrenzeugin dessen, was sich vor ihr ereignete. Sie hat den Angeklagten und seinen Begleiter kommen und gehen, insbesondere den Angeklagten Frau Fürst niederschiessen sehen. Ihre Schilderung ist plastisch und gut nachzuempfinden. Sie ist nicht nur in sich frei von Widersprüchen sondern inhaltlich gleich mit der früheren Darstellung. Die Wiedergabe der Ereignisse durch diese Zeugin findet eine weitgehende Bestätigung durch die Zeugen Marg., Cho., Rub. und Drä. Die drei Erstgenannten haben den Angeklagten vor und nach einem von ihnen gehörten Schuss in unmittelbarer Nähe des Tatortes gesehen, die Zeugin Marg. und der Zeuge Rub. sahen zudem eine Pistole in seiner Hand. Die Zeugin Drä. hat ihn dort ebenfalls vorher wahrgenommen und später die Leiche des Opfers vor dem Laden gesehen, nachdem sie - dessen ist sie sich fast sicher - einen Schuss gehört hatte. Die Darstellung eines Teils des Geschehens durch die Zeugin Mei. entspricht derjenigen durch die Zeugin Marg.: Beide Zeuginnen nehmen wahr, wie der Angeklagte hinter seinem Opfer aus dem Laden herauskommt. Vor den Augen der Zeugin Mei. schiesst der Angeklagte auf Frau Fürst. Diesen Schuss hört die Zeugin Marg. hinter sich im Weitergehen. Mit einem kurzen Blick zurück sieht sie aus einer Entfernung von ca. 10 Schritten Frau Fürst am Boden liegen. Dasselbe Bild nehmen auch die Zeugen Rub. und Cho. bald nach dem von ihnen ebenfalls gehörten Schuss wahr. Zusätzlich beobachten sie auch den Angeklagten bei dem Opfer stehend. In seiner Hand sieht der Zeuge Rub. die Pistole.

Kein unlösbarer Widerspruch von Bedeutung liegt darin, dass der Angeklagte nach der Schilderung der Zeugin Mei. beim Verlassen des Geschäftes nur hinter Frau Fürst hergegangen ist, während er nach der Zeugin Marg. Frau Fürst mit einer Hand am Kragen vor sich hergeschubst und in der anderen Hand die Pistole gehalten haben soll. Diese von der Zeugin Marg. beobachtete Einzelheit mag der Zeugin Mei. entgangen oder entfallen sein. Beides ist denkbar und verständlich, für den Tatnachweis letztlich aber nicht entscheidend. Keine Unstimmigkeit ist darin zu sehen, dass die Zeugin Mei. den Angeklagten plötzlich seine Pistole hat greifen sehen, welche die Zeugin Marg. in seiner Hand sah, als er das Geschäft verliess. Denn die Darstellung der Zeugin Mei. muss nicht so verstanden werden, als dass der Angeklagte nicht schon beim Verlassen des Geschäftes die Waffe in der Hand gehabt hätte. Der genaue Moment, zu dem vom Angeklagten innerhalb des Bewegungsablaufes die Pistole ergriffen worden ist, kann auch nach der Aussage der Zeugin Mei. unmittelbar vor oder in dem Hinausgehen gelegen haben.

Auch innerhalb der verschiedenen - früheren und jetzigen - Darstellungen der Zeugin Marg. liegt kein unaufgeklärter Widerspruch. Zwar hat die Zeugin in ihrer Aussage vom 3.11.1972 bekundet, der Angeklagte habe Frau Fürst aus dem Geschäft gezogen und sie habe sich nach dem Schuss aus Angst nicht mehr umgedreht. Jetzt gibt sie an, Frau Fürst sei hinausgeschubst worden und sie, die Zeugin, habe sich nach dem Schuss kurz nach hinten gewandt. Die unterschiedlichen Angaben über die Art des Hinausbringens von Frau Fürst auf die Strasse finden ihre Erklärung in dem sichtbaren Bemühen der Zeugin Marg. um bessere, richtige Erinnerung. Bezüglich des Umdrehens konnte die Zeugin das Gericht jetzt davon überzeugen, dass sie bei einem raschen Zurückwenden des Kopfes und einem Blick von Sekundenbruchteilen nicht davon sprechen wollte, sich umgedreht zu haben.

Auch der polnische Zeuge Cho. hat bei seiner Vernehmung vor dem Schwurgericht glaubhaft erklären können, warum in der Niederschrift seiner Aussage vom 15.6.1972 nichts zu dem nach seiner jetzigen Aussage von ihm gehörten Schuss festgehalten ist: Er sei danach nicht gefragt worden, von sich aus habe er dem keine Bedeutung beigemessen. Ein derartiges Verhalten eines Zeugen ist - wie oben unter D.I. schon ausgeführt - häufiger festzustellen gewesen. Es muss nach den in der Hauptverhandlung gemachten Erfahrungen damit erklärt werden, dass manche der Zeugen ungefragt, also von sich aus nur äusserst zurückhaltend und auf das ihnen wesentlich Erscheinende beschränkt Auskunft geben. Eine gewisse Scheu, öfter auch ein starker Widerwille, erneut mit den schrecklichen Erinnerungen an die Vergangenheit konfrontiert zu werden, ist verständlicher Grund für diese Tatsache. Diese Feststellung des Gerichts in der Hauptverhandlung ist von dem Zeugen Dr. Ke. glaubhaft bestätigt worden. Auch er hat dieses Verhalten von Zeugen als Untersuchungsreferent bei der Israelpolizei bei Vernehmungen zu NS-Verbrechen im Laufe seiner fast 10-jährigen Tätigkeit immer wieder beobachtet.

Keine Unstimmigkeit sieht das Gericht darin, dass der Zeuge Cho. nach seiner früheren Vernehmung die Leiche der Frau Fürst in dem Geschäft, nach seiner Aussage in der Hauptverhandlung davor gesehen hat. Denn beides ist je nach dem Zeitpunkt der Wahrnehmung richtig, weil der Leichnam vom Ort der Tötung auf der Strasse später ins Geschäft gebracht worden ist und beim Abtransport zur Beerdigung wieder hinausgeschafft wurde. Der Zeuge hat sich bei seiner jetzigen Aussage jedenfalls mit Entschiedenheit glaubhaft dazu festgelegt, die Leiche habe, als er gleich nach dem Schuss herausgelaufen sei, vor dem Laden bei dessen Eingang gelegen. Wenn der Zeuge für den Zeitraum zwischen Vorbeigehen des Angeklagten an seiner, des Zeugen, Arbeitsstätte und dem Schuss 15 Minuten angegeben hat, erschüttert dies seine Glaubwürdigkeit nicht. Zwar wären bei dem geringen Abstand zwischen Arbeitsstätte und Laden Fürst 15 Minuten zu lang für den eigentlichen Hinweg des Angeklagten zum Geschäft, das Gespräch mit Frau Fürst und deren Erschiessung. Der Zeuge muss den Angeklagten aber nicht auf dem direkten Weg zum Laden gesehen haben. Der Angeklagte kann sich noch kurz woanders in der Nähe aufgehalten haben. Auch ist ein Verschätzen in der Zeit möglich.

In den Bekundungen der Zeugin Drä. sind keine Widersprüche zu erkennen. Wie jetzt vor dem Rechtshilfegericht hat sie im wesentlichen ihre Beobachtungen auch zu Protokoll vom 18.3.1963 bekundet. Sie hat sie nun lediglich mit dem Hinweise abgeschwächt, ihr Gedächtnis sei schwächer geworden. Sie hat jetzt gesagt, dass sie fast sicher sei, den Angeklagten in das Geschäft der Frau Fürst gehen gesehen, einen Schuss gehört und die Leiche auf der Strasse liegen gesehen zu haben. Das war der früheren Aussage zufolge damals der Zeugin gänzlich sicher in Erinnerung. Es zeugt aber zur Überzeugung des Schwurgerichts nur von der Ehrlichkeit der Zeugin, wenn sie jetzt die Dinge entsprechend ihrem von ihr selbst als schwächer empfundenen Gedächtnis mit Zurückhaltung wiedergibt. Am 18.3.1963 gab die Zeugin wie bei ihrer jetzigen kommissarischen Vernehmung an, sich an das genaue Datum nicht entsinnen zu können. Das Schwurgericht sieht nach allem die Bekundungen auch dieser Zeugin als wahr an, nicht zuletzt deswegen, weil sie sich zwanglos in die Aussagen der Zeugen Mei., Marg. und Cho. einfügen.

Auch die Darstellung des Zeugen Rub. bietet im Ergebnis keinen Anlass, an der Richtigkeit der Schilderungen der Zeuginnen Marg. und Mei. zu zweifeln. Sie bestätigt diese im Gegenteil. Der Zeuge Rub. hat ebenfalls das Zusammentreffen des Angeklagten mit Frau Fürst erlebt, den Schuss gehört, Frau Fürst auf offener Strasse hinfallen und den Angeklagten mit einer Pistole in der Hand in deren Nähe stehen sehen. Insoweit decken sich die Aussagen der Zeugen ohne nennenswerte Abweichungen. Allerdings kann nicht verkannt werden, dass die Schilderungen des Zeugen Rub. in der Vergangenheit nicht immer vollständig gleich geblieben sind. So hat der Zeuge nach den Niederschriften seiner Vernehmungen vom 21.3.1963 und 16.7.1965 als Zeitpunkt des Vorfalles Juli 1941 und ausweislich des Protokolls vom 4.10.1972 angegeben, dass der Angeklagte noch einen weiteren Schuss auf das bereits am Boden liegende Opfer abgegeben habe. Der Zeuge hat jedoch die Zeitangabe Juli 1941 als seiner Meinung nach Schreibfehler erklärt. Genau genommen meint der Zeuge damit einen Hörfehler. Das ist überzeugend, zumal der in einigen Formulierungen übereinstimmende Wortlaut verschiedener in die Hauptverhandlung eingeführter Protokolle in manchen Fällen die Vermutung rechtfertigt, dass der Vernehmungsbeamte das - falsche - Datum in das Protokoll einführte. Im übrigen hatte der Zeuge Rub. aber auch schon 1972 das Datum richtig gestellt und bereits 1963 und 1965 das Ereignis in den Rahmen der Pelzaktion gestellt. Diese wurde erwiesenermassen auf die Anordnung Schöngarths hin nach dem 24.12.1941 durchgeführt. Das ergibt sich zur Gewissheit des Schwurgerichts auch aus dem Fernschreiben Schöngarths vom 24.12.1941, das in der Hauptverhandlung verlesen wurde aus einer Dokumentensammlung, deren Zuverlässigkeit nach dem Sachverständigen Dr. Sche. nicht anzuzweifeln ist. An einen zweiten Schuss hat der Zeuge sich jetzt nicht mehr erinnern können. Ein solcher ist auch zur Überzeugung des Schwurgerichts nach den dazu eindeutigen Aussagen der Zeugen Mei., Marg., Cho. und Drä. nicht gefallen. Damit aber war die frühere Aussage des Zeugen Rub. insoweit objektiv unrichtig. Das Gericht führt dies auf einen Irrtum des Zeugen zurück, der dadurch verständlich wird, dass der Zeuge am Jahreswechsel 1941/42 gerade 14 Jahre alt war und überraschend und unvorhergesehen Zeuge eines Vorfalls wurde, der ihn sofort in Angst und Panik versetzte. Glaubhaft hat er demgemäss ausgesagt, dass er mit seiner Schwester weggelaufen sei. Wenn er bei dieser Sachlage nicht zu allen Ereignissen vor und nach dem Schuss sichere Angaben machen kann und Irrtümern in dem einen oder anderen Punkt erlegen ist, wird dies erklärlich. Zu diesen Ungenauigkeiten bezw. Irrtümern zählt das Schwurgericht die Angaben des Zeugen vom 21.1.1963, Frau Fürst, seine Schwester und er hätten sich vor dem Schuss zum Geschäft der Frau Fürst begeben, er habe sich nach dem Schuss in das Geschäft geflüchtet und dort verborgen, und seine Darstellung vom 4.10.1972, Frau Fürst sei, nachdem sie mit ihm und seiner Schwester einige Schritte in Richtung Stadtmitte gegangen sei, nach dem Schuss des Angeklagten neben ihnen zu Boden gefallen. Schon am 21.1.1963 hat der Zeuge - wie auch jetzt in der Hauptverhandlung - den Ort, an dem Frau Fürst zu Boden fiel, in die Nähe des Geschäftseinganges gelegt. Stets hat er die Entfernung zwischen sich und dem Angeklagten mit ca. 10 Metern angegeben. Am 4.10.1972 meinte er, ins Arbeitsamt, vielleicht auch den Laden der Frau Fürst geflohen zu sein. Seine jetzigen Richtigstellungen hat er für das Gericht, das sich dabei auf die Aussagen der Zeugen Mei., Marg., Drä. und Cho. stützt, letztlich glaubhaft mit besserer Überlegung erklärt.

Nur auf den ersten Blick widersprüchlich erscheint die Aussage des Zeugen Rub. in der Hauptverhandlung, ein bis zwei Minuten, nachdem der Angeklagte an ihm, seiner Schwester und Frau Fürst vorbeigegangen sei, sei ein Schuss gefallen, durch den Frau Fürst zu Boden gestreckt worden sei. Das könnte bedeuten, der Zeuge, seine Schwester und Frau Fürst seien eine bis zwei Minuten lang nach der Begegnung mit dem Angeklagten weiter in Richtung Stadt gegangen und Frau Fürst sei alsdann neben den Geschwistern Rub. erschossen worden. Letzteres behauptet der Zeuge aber gerade nicht. Ebenso wie die Zeugen Mei., Marg., Cho. und Drä. legt er den Tatort in unmittelbare Nähe des Geschäftes. Gleichzeitig will er Frau Fürst ca. 10 Meter von sich entfernt fallen gesehen haben. Die Geschwister Rub. und das Opfer können sich also nicht die eine bis zwei Minuten vom Geschäft fortbewegt haben. Der vermeintliche Widerspruch lässt sich indessen bei verständiger Würdigung der Aussage des Zeugen Rub. unschwer lösen. Der Zeuge fürchtete sich vor dem Angeklagten. Er hatte nach seiner glaubhaften Aussage vorher gerüchtweise gehört, der Angeklagte habe Nachum Bojgen erschossen. Der Angeklagte hatte schon vor der Pelzaktion den Ruf, gefährlich zu sein. Der Zeuge will bei der Annäherung des Angeklagten vor Angst gezittert haben. Das Gespräch zwischen Frau Fürst, seiner Schwester und ihm sei verstummt. Bei diesem anfänglichen Eindruck der Gefahr und der auf den Schuss folgenden Panik ist es verständlich, wenn der damals junge, auf die Geschehnisse unvorbereitete Zeuge manches nicht wahrnimmt oder behält. So kommt das Schwurgericht zu folgender Klärung: Frau Fürst trennt sich alsbald, nachdem sie mit dem Zeugen und dessen Schwester vor das Geschäft gegangen und der Angeklagte entgegengekommen ist, von den Geschwistern Rub., was der Zeuge nicht weiter bemerkte oder zumindest nicht mehr im Gedächtnis behalten hat. Es ereignen sich alsdann die Dinge so, wie sie von den Zeugen Mei., Marg., Cho. und Drä. wahrgenommen und geschildert worden sind. Erst durch den Schuss wird schliesslich die Aufmerksamkeit des Zeugen Rub., der sich in der Zwischenzeit mit seiner Schwester nicht weit vom Geschäft aufgehalten hat, wieder voll geweckt, er sieht Frau Fürst zu Boden stürzen und daneben den Angeklagten stehen, und nun laufen er und seine Schwester durch Angst und Panik getrieben weg. Bei dieser Sicht der einzelnen Abschnitte im Gesamtgeschehen fügt sich auch die Darstellung des Zeugen Rub. in die Schilderung der Zeugen Mei., Marg., Cho. und Drä. ein.

Die vorstehenden Ausführungen zu den Beobachtungen und Angaben des Zeugen Rub. im Fall Fürst geben dem Schwurgericht allerdings Anlass zu der Bemerkung, dass es in diesem Fall, wäre es auf die Aussage des Zeugen Rub. allein angewiesen, mangels deren voller Überzeugungskraft nicht zur Feststellung der Täterschaft des Angeklagten gekommen wäre, wenngleich durchaus von der subjektiven Glaubwürdigkeit des Zeugen - was noch darzulegen sein wird - auszugehen ist. Andererseits aber sind die Angaben des Zeugen Rub. in keiner Weise geeignet, seine mit den Aussagen der anderen Zeugen übereinstimmenden Darstellungen und vor allem die Schilderungen dieser anderen Zeugen in ihrem Beweiswert anzuzweifeln.

Gegen die Richtigkeit der Darstellung der Zeugen Mei., Marg., Cho. und Rub., die Tat sei auf der Strasse geschehen, sprechen nicht die Bekundungen der polnischen Zeugen Mus. und Szn., sie hätten die Leiche im Geschäft gesehen. Diese Tatsache besagt nicht, dass Frau Fürst dort erschossen wurde. Die Zeugen Mus. und Szn. haben dies auch nicht bekundet. Weder die Zeugin Mus. noch der Zeuge Szn. waren unmittelbare Tatzeugen. Keiner von ihnen hat den Angeklagten schiessen sehen oder einen Schuss gehört. Dass sie die Leiche im Laden sahen, stützt nur die Aussage des Zeugen Rub., man habe die Leiche später in das Geschäft getragen. Es liegt nahe, dass dies entsprechend der von der Zeugin Mei. gehörten Aufforderung des Angeklagten geschah, "das Mist wegzuschaffen". Angesichts dieses rüden und gefühllosen Verhaltens des Angeklagten kann es auch nicht verwundern, dass er sich noch nach der Tat an Ort und Stelle aufgehalten und die Ausführung seiner Anordnung beobachtet hat und alsdann nochmals in das Geschäft hineingegangen ist, aus dem die Zeugen Mus. und Szn. ihn sodann nach ihrer übereinstimmenden Aussage herauskommen sahen. Die Schilderungen der Zeugen Mus. und Szn. hierzu sind daher glaubhaft. Ihnen wird die Glaubhaftigkeit auch nicht dadurch genommen, dass der Zeuge Szn., nachdem der Angeklagte das Geschäft verlassen hatte, vor dem Laden eine Gruppe von Passanten sich ansammeln sah, während die Zeugin Mus. ausser dem Angeklagten zuvor und danach niemanden wahrgenommen haben will. Sie hat aber ausgesagt, sie sei nach dem Anblick der Leiche wie betäubt gewesen. Damit erklärt sie selbst die fehlenden Wahrnehmungen bei ihrem Weggang. Das Schwurgericht ist aber auch überzeugt, dass sie wegen dieser seelischen Beeinträchtigung nur noch das Kerngeschehen in Erinnerung hat und dass ihre feste Behauptung, mit Sicherheit bei ihrer Annäherung an das Geschäft nur den Angeklagten davor gesehen zu haben, auf ihrer bei ihrer Vernehmung deutlich zu Tage getretenen Eigenwilligkeit beruht.

Den übrigen Beobachtungen der Zeugen Szn. und Mus. steht ferner nicht entgegen, dass der Angeklagte und sein Begleiter entsprechend der Darstellung der Zeugin Mei. nach der Aufforderung des Angeklagten, "das Mist" wegzuschaffen, gegangen seien. Das Gericht sieht es als durchaus wahrscheinlich an, dass der Zeugin Mei. das nochmalige Hineingehen des Angeklagten in das Geschäft entgangen ist oder dass sie diesen Umstand vergessen hat. Bezeichnenderweise hat die Zeugin auch nicht davon gesprochen, dass man die Leiche in den Laden gelegt habe. Es handelt sich bei diesen Einzelheiten wiederum um Dinge ausserhalb des eigentlichen inneren Kerngeschehens. Es entspricht der allgemeinen Lebenserfahrung, dass der eine Zeuge vom Randgeschehen mehr gesehen und im Gedächtnis behalten hat als der andere, dem diese Dinge damals entgangen oder inzwischen in Vergessenheit geraten sind. Hinzukommt, dass selbstverständlich der Vorgang einer unvermittelten Erschiessung auf offener Strasse die Aufmerksamkeit jedes Augenzeugen derart fesselnd in Anspruch nimmt, dass ihm die Dinge, die drumherum passieren, leicht entgehen können. So ist es auch zu erklären, dass keiner der vorerwähnten Zeugen die Darstellung der Zeugin Mei. bestätigt hat, der Angeklagte sei von einem Uniformierten begleitet worden. Dass die übrigen Zeugen diesen anderen Mann damals entweder nicht bewusst bemerkt oder diesen Umstand in der Zwischenzeit wieder vergessen haben, ist einfühlbar, weil er auch nach der Schilderung der Zeugin Mei. zum Tatgeschehen nichts beigetragen hat und, von seiner blossen Anwesenheit abgesehen, in keiner Weise aktiv in Erscheinung getreten ist.

Auch die unterschiedlichen, oben unter B I. aufgeführten Angaben der Zeugen zur Art des Pelzstückes, das sich noch im Besitz der Frau Fürst befand, erklären sich aus der Länge der inzwischen verflossenen Zeit und der relativen Bedeutungslosigkeit dieses Umstandes selbst. Es war den Zeugen damals klar, dass Anlass der Tat irgendein minderwertiges Stück Pelz oder Fell war; was genau es war, ist ihnen deshalb nicht bedeutsam erschienen oder nicht erinnerlich geblieben.

Finden sich demnach in den Aussagen der Zeugen keine stichhaltigen Anhaltspunkte, die gegen den Wahrheitsgehalt der Schilderungen sprechen könnten, so kommt hinzu, dass diejenigen der erwähnten eigentlichen Tatzeugen, die vom Gericht selbst vernommen worden sind, einen durchaus glaubwürdigen und überzeugenden Eindruck gemacht haben. Das gilt für die Zeugen Marg., Cho., Szn. und Rub. und im Ergebnis letztlich auch für die Zeugin Mus. Das Bemühen der Zeugen, sich in der Erinnerung zu konzentrieren und auf das zu beschränken, was sie noch sicher wissen, ist bei den vier erstgenannten Zeugen ebenso sicher zu Tage getreten, wie ihre Aussagen nach der Art und Weise ihrer Äusserungen erkennbar frei von Vorurteilen waren.

Die Zeugin Marg., heute 65 Jahre alt und Hausfrau in Israel, leidet zwar an Asthma, hat ansonsten aber geistig einen frischen Eindruck gemacht. Ihre Erinnerungsfähigkeit war erkennbar gut. Dies hat sie nicht zuletzt durch die genauen und nach dem Ergebnis der Augenscheinseinnahme und den Aussagen unter anderem der Zeugen Mei., Drä., Mar., Lin. und Rup. zutreffenden Angaben zu den Örtlichkeiten im Ghetto Krosnos unter Beweis gestellt. Sie hat ihre Aussage ruhig, sicher, aber abwägend gemacht.

Das gilt ebenso für den heute 58 Jahre alten Rentner aus Krosno Cho. Er war bei seinen Bekundungen sehr gesammelt und zurückhaltend. Seine Schilderungen waren ungefärbt. Er hat das Gericht zu überzeugen vermocht, dass seine Bemühungen um Objektivität nicht darunter litten, dass er es nach seiner Meinung für denkbar hält, der Angeklagte sei für das Schicksal seines Vetters, der im Kriege in Krosno umgekommen ist, verantwortlich.

Auch bei dem polnischen Zeugen Szn., der heute 77 Jahre alt ist und als Rentner in Krosno lebt, sind keine durchschlagenden Gesichtspunkte erkennbar geworden, an seiner Objektivität zu zweifeln. Dies gilt trotz seiner Angabe, 1943 habe die Gendarmerie seine Frau erschossen. Für sein Alter verfügt der Zeuge über ein gutes Erinnerungsvermögen. Dies ist bei seiner Aussage vor dem Schwurgericht deutlich geworden. Seiner Fähigkeit, sich an Dinge zu erinnern, die vor 30 und mehr Jahren passiert sind, steht nicht entgegen, dass der Zeuge sich an kürzer zurückliegende Ereignisse schwerer erinnern kann. Wenn er zunächst nicht mehr wusste, dass ihm im Januar 1972 eine Aussage des inzwischen verstorbenen, überzeugend von ihm und dem Zeugen Cho. als unglaubwürdigen Trinker geschilderten, nur im Ermittlungsverfahren vernommenen Zeugen Urb. vorgehalten worden ist, so zeigt dies nur ein Nachlassen der Merkfähigkeit von kürzlich Erlebtem. Sein Altgedächtnis ist - wie in solchen Fällen oft zu beobachten - nach der Überzeugung des Schwurgerichts zuverlässig. Wenn er weiter bei seiner Vernehmung vom 15.6.1972 über die Erschiessung der Frau Fürst nur vom Hörensagen berichtete und sein nachträgliches Zusammentreffen mit dem Angeklagten sowie seine anschliessende Ankunft am Geschäft nicht erwähnte, erklärt sich dies hinreichend damit, dass er auch nicht Augenzeuge der eigentlichen Tat war, deren Hergang bei der Vernehmung geklärt werden sollte.

Die 66-jährige jüdische Zeugin Mus., die noch heute als Hausfrau in Krosno lebt, war bei ihrer Vernehmung zwar redselig, weitschweifig und eigenwillig. Nicht immer vermochte sie erkennbare blosse Vermutungen von beobachteten Tatsachen zu trennen. So blieb sie fest bei der als Tatsache geschilderten Überzeugung, der Angeklagte habe eine Pistole besessen, obwohl sie einräumen musste, niemals eine Pistole bei ihm gesehen zu haben. Gleichwohl hat das Gericht auch hier die Überzeugung gewonnen, dass die Zeugin bei ihren Bekundungen zum Tatgeschehen mit den oben getroffenen Einschränkungen glaubwürdig ist. Die Schwächen ihrer Aussage beruhen auf ihrer wenig ausgeprägten Fähigkeit zur geistigen Konzentration bei der Wiedergabe des Erlebten und einer gewissen intellektuellen Unbeweglichkeit und daraus resultierenden Starrsinnigkeit und auf ihrer geäusserten Überzeugung, der Angeklagte habe ihre ganze Familie in Rymanow nahe Krosno umgebracht. Soweit die Bekundungen der Zeugin verwertet wurden, ist es für das Schwurgericht aber ausgeschlossen, dass diese Angaben auf Vermutungen oder gar Fantasie beruhten. Die subjektive Ehrlichkeit der Zeugin steht fest. Eine nachhaltige Voreingenommenheit der Zeugin gegenüber dem Angeklagten ist nicht erkennbar geblieben.

Schliesslich ist auch der heute 45 Jahre alte, in Israel als Verwaltungsangestellter tätige Zeuge Rub. nach dem Eindruck, den das Schwurgericht in der Hauptverhandlung von seiner Persönlichkeit gewonnen hat, glaubwürdig. Bei ihm handelt es sich um einen sehr zurückhaltenden, verbindlich-freundlichen und "leisen" Menschen. Er hat sich erkennbar in besonderem Masse angestrengt, sich zu erinnern und alsdann als sicher nur zu sagen, was seiner Erinnerung entsprach. Er erschien gefühlsmässig unberührt von den Erlebnissen und sehr distanziert-nüchtern. Wenn sich seine Vernehmung schwieriger gestaltete als die Anhörung anderer Zeugen, so lag dies neben der leisen Sprechweise des Zeugen daran, dass er zwischen jiddischem Deutsch, Hochdeutsch und Neuhebräisch öfter wechselte, wodurch die Arbeit der Dolmetscherin immer wieder erschwert wurde und Missverständnisse auftauchten, die jedoch ausgeräumt werden konnten.

Die Glaubwürdigkeit der oben erwähnten Zeugen und die Glaubhaftigkeit ihrer Angaben werden nicht durch die Aussage des in New York konsularisch vernommenen jüdischen Zeugen Jack Bre. berührt.

Der jetzt 67-jährige, damals 36-jährige Zeuge Bre., der heute in den Vereinigten Staaten lebt, hat ausgesagt, er sei - möglicherweise 1943 - bei starkem Schneesturm in Begleitung eines Freundes auf der Korczynastrasse in Richtung Stadtmitte gegangen. Sie seien etwa 100 Meter von dem Geschäft Fürst entfernt gewesen, als er davor 3 oder 4 Gestapoleute wahrgenommen habe. Unter diesen seien wahrscheinlich der Dienststellenleiter von Jaslo Raschwitz, Stenzel und auch der Angeklagte, der Uniform getragen habe, gewesen. Ein weiterer Gestapomann habe Frau Fürst aus dem Geschäft herausgeführt. Dann sei diese plötzlich hingefallen. Er, der Zeuge, habe keinen Schuss gehört; er könne auch nicht sagen, wer geschossen habe. Er sei sicher, dass ausser ihm und seinem Freund niemand anderes von dem Vorfall etwas gesehen habe. Er habe Frau Fürst an der Schläfe blutend auf Strasse und Bürgersteig liegen sehen, als er dann an ihr vorbeigegangen sei.

Die Schilderung ist unglaubhaft. Der Zeuge ist unglaubwürdig. Die Angaben der Zeugen Mei., Marg., Drä., Rub., Cho., Szn. und Mus. verdienen im verwerteten Umfang den Vorzug. Der Zeuge Bre. vermischt nach der Überzeugung des Schwurgerichts zumindest Erdachtes und Erlebtes, wenn er überhaupt am Tatort war. Selbst wenn man dem Zeugen wie den übrigen Zeugen zugute halten muss, dass er sich bezüglich der Randereignisse irren kann, so bleibt doch seine Behauptung, keiner sei ansonsten am Tatort gewesen, aufgrund der unabhängig voneinander gemachten Aussagen der vorgenannten Zeugen widerlegt. Die Darstellung des Zeugen Bre. ist dazu in sich unwahrscheinlich. Auch nach seinen Angaben hat sich der Vorfall am Tage abgespielt. Das Auftreten von vier oder fünf Gestapoleuten und das Erschiessen einer jungen Frau auf offener Strasse durch einen von ihnen muss mit so hoher Wahrscheinlichkeit die Aufmerksamkeit von Passanten und Anwohnern erregt haben, dass es nach der Überzeugung des Schwurgerichtes hier ausgeschlossen ist, dass vom Erscheinen der Gestapo über das Erschiessen der Frau Fürst bis zum Augenblick des Vorbeigehens des Zeugen am Tatort nach 100 Metern Wegstrecke kein Mensch etwas gesehen oder gehört hat und dass keiner auf der Strasse gewesen ist. Auch hat kein anderer Zeuge den Jasloer Dienststellenleiter Raschwitz erwähnt. Unwahrscheinlich ist, dass der Zeuge Bre.

trotz direkter Sicht auf den Tatort auf 100 Meter keinen Schuss gehört hat. Ungenau ist seine Zeitangabe mit möglicherweise 1943. Niemand sonst hat von einem Schneesturm gesprochen. Der Zeuge Bre. selbst hat in einem nach dem Krieg verfassten, in der Hauptverhandlung auszugsweise verlesenen Erlebnisbericht eine Begegnung mit drei Gestapobeamten und die Erschiessung einer jungen Frau wegen eines Pelzkragens anlässlich der Pelzaktion an einem schönen Wintertag geschildert. Dafür, dass der Zeuge zumindest zu Übertreibungen neigt oder dass er möglicherweise sogar die Erschiessung der Frau Fürst gar nicht miterlebte, spricht auch die Darstellung in seinem Erlebnisbericht, "... so etwas passierte fast alle 10 Schritte ...". Die Beweisaufnahme hat in diesem Sinne - mit Ausnahme der noch unten D.IV.1. zu würdigenden Aussagen der Zeugen Schw., Ha. und, insoweit, Marg. - nichts ergeben; im Gegenteil ist die Erschiessung der Frau Fürst von vielen Zeugen übereinstimmend als einer der ersten Fälle einer Tötung von Menschen auf offener Strasse geschildert worden.

Die Aussage des Zeugen Bre. ist daher nicht geeignet, die anderslautenden Bekundungen der anderen Zeugen zu erschüttern.

Für das Schwurgericht ist auch sicher, dass die Zeugen entgegen der Einlassung des Angeklagten kein Komplott gegen diesen geschmiedet haben. Das gilt auch für die im Zusammenhang mit den weiteren Fällen noch zu behandelnden Zeugen, bezüglich deren Glaubwürdigkeit auf die dortige Beweiswürdigung Bezug genommen wird. Aus den Aussagen und dem Verhalten der Zeugen haben sich hinsichtlich eines Komplotts keine Verdachtsmomente ergeben. Auch die äusseren Umstände sprechen dagegen. Die Zeugen, die den Angeklagten belastet haben und deren Aussagen bei der Verurteilung des Angeklagten berücksichtigt wurden, leben in Israel, den USA, Polen, Schweden und auch der Bundesrepublik. Sie haben überwiegend die Nationalität ihres heutigen Heimatlandes, sind teils jüdischen, teils christlichen Glaubens, und viele von ihnen kennen sich nicht. Aber selbst hinsichtlich derer, die sich kennen, ist es äusserst unwahrscheinlich, dass sie weltweit und über ein Jahrzehnt, über welches sich die Ermittlungen und Vernehmungen in etwa erstreckt haben, in einem derartigen Kontakt zueinander gestanden haben, um ein Komplott treffen und durchhalten zu können. Hinzukommt, dass zumindest für die deutschen Zeugen Scho. und von D., die den Angeklagten eindeutig belasten, kein Motiv zur Teilnahme an bezw. Einbeziehung in ein Komplott ersichtlich ist. Auch ist die Einlassung des Angeklagten zum Teil durch Urkunden widerlegt worden. Seine durch keinerlei konkrete Anhaltspunkte untermauerte Einlassung ist daher nur eine blosse Vermutung.

b) Frau Fürst fand durch den Schuss des Angeklagten den Tod. Dies steht fest aufgrund der Bekundungen der Zeugen Mei., Drä., Rub., Cho., Szn. und Mus., die ihrer Meinung nach Frau Fürst tot gesehen haben, und aufgrund der Aussagen der Zeugen Salek Be. und Sol Mos. Der Zeuge Salek Be. hat nach seiner Aussage gemeinsam mit seinem Vater, dem Inhaber des jüdischen Beerdigungsinstituts, Frau Fürst begraben, der Zeuge Mos. - wie von ihm geschildert - dabei geholfen. An den Bekundungen dieser Zeugen zu zweifeln, ist kein Anlass gegeben. Allerdings hat das Schwurgericht in seinem Beschluss vom 1.6.1973, mit welchem der Antrag der Verteidigung auf die Anordnung von Exhumierungen abgelehnt worden ist, ausgeführt, dass der Zeuge Salek Be. - was zugunsten des Angeklagten zu unterstellen sei - über die Lage der von ihm bestatteten Toten nicht zutreffende Angaben gemacht habe. Daran hält das Schwurgericht fest. Es bleibt aber auch bei seiner in dem genannten Beschluss bereits dargelegten Überzeugung, dass eine unrichtige Angabe des Zeugen über die Lage der von ihm als 15-Jährigen vor 31 Jahren auf dem jüdischen Friedhof bestatteten Leichen nicht notwendigerweise dazu führt, seine Glaubwürdigkeit und die Richtigkeit und Vollständigkeit seiner Aussage im übrigen ernsthaft in Zweifel zu ziehen. Das Schwurgericht ist von der Glaubwürdigkeit des Zeugen und von der Richtigkeit und Vollständigkeit seiner Aussage im übrigen überzeugt. Der Zeuge hat bei seiner Vernehmung einen sicheren Eindruck gemacht. Seine Aussage wird von dem glaubwürdigen Zeugen Sol Mos. bestätigt, der ebenfalls bei der Beerdigung half.

c) Der Angeklagte ist als Täter eindeutig identifiziert. Die aufgeführten Tatortzeugen haben ihn als Täter mit Sicherheit und zuverlässig erkannt. Das haben sie mit Nachdruck bekundet. Das Gericht glaubt ihnen auch insoweit. Denn ihre Wahrnehmungsmöglichkeiten zur Zeit der Tat waren gut. Die Zeugen, die den Angeklagten aus wenigen Metern gesehen haben, kannten ihn zur Tatzeit schon hinreichend genau. Eine Verwechselung seiner Person mit einem anderen ist ausgeschlossen.

Der Zeugin Mei. war der Angeklagte eindeutig bekannt, weil er seit den Jahren 1939/1940 häufig in deren Geschäft gekommen war. Die Zeugin Marg. ist dem Angeklagten erstmals im Jahre 1939 und danach mehrfach begegnet. Der Zeuge Rub., der zwar in Korczyna wohnte, aber jede Woche zumindest einmal in Krosno war, hatte ihn schon vorher häufig gesehen. Den Zeugen Szn., Mus. und Cho. war der Angeklagte bekannt und ein Begriff. Alle diese Zeugen haben den Angeklagten zutreffend in einer jeden Zweifel ausschliessenden Weise auf einem oder mehreren der Lichtbilder der Fotomappe erkannt. Die Möglichkeit, dass der Angeklagte wegen Ähnlichkeit mit einem anderen Angehörigen einer deutschen Dienststelle oder einer für diese tätigen Einheit verwechselt werden konnte, ist allein schon nach den glaubhaften Bekundungen der vorgenannten Zeugen sowie auch der auf Antrag der Verteidigung kommissarisch vernommenen, 1919 geborenen polnischen Zeugin Cis. ausgeschlossen. So hat beispielsweise die Zeugin Cis., die den Angeklagten wiedererkannte, bekundet, sie habe in den Jahren 1941 bis 1943 keinen Gestapoangehörigen gekannt, der dem Angeklagten täuschend ähnlich gesehen habe. Sie verwechsele ihn bei ihrer Aussage nicht. Die Beschränkung in der Aussage auf die Zeit von 1941 bis 1943 besagt nicht, dass die Zeugin später jemanden kennengelernt hätte, der dem Angeklagten ähnlich sah. Die Formulierung erklärt sich aus der zeitlichen Einengung auf einen von der Zeugin geschilderten Vorfall, den als solchen das Schwurgericht jedoch nicht zur Urteilsgrundlage gemacht hat, weil dieser nicht unmittelbar zu dem dem Rechtshilfeersuchen zugrundeliegenden Beweisthema gehörte und insoweit die Voraussetzungen von §223 Abs.2 StPO nicht gegeben waren. Weiter haben beispielsweise die Zeugen Mei. und Cho. ausgesagt, dass der Angeklagte deutlich anders als der in seiner Verteidigung in diesem Zusammenhang wiederholt genannte Stenzel aussah. Auch der deutsche Zeuge Neum., der im übrigen sichtliche Zurückhaltung zeigte, hat die Möglichkeit einer Verwechslung bestimmt verneint. Bei dem unverkennbar unterschiedlichen Aussehen des Zeugen und des Angeklagten ist das Schwurgericht überzeugt, dass diese Aussage von dem Zeugen Neum. nicht zu seinem eigenen Schutz gemacht wurde. Wenn in diesem Zusammenhang der dem Angeklagten unähnliche frühere Mitangeklagte W., bezüglich dessen im übrigen auf B.V. dieses Urteils verwiesen wird, bekundet hat, man habe Leopold und Oskar Bäcker gut verwechseln können, irren sei menschlich, ergibt sich schon aus der Formulierung der Aussage, den oben unter D.II. gemachten Ausführungen und der unten H.III. (Garagen-Fall) vorgenommenen Beweiswürdigung, auf die verwiesen wird, die Unglaubwürdigkeit dieser Aussage.

d) Auch die Einlassung des Angeklagten, er sei nicht der Täter gewesen, weil er zu jener Zeit an Grippe und Lungenentzündung bettlägerig erkrankt gewesen sei, ist nach dem Beweisergebnis widerlegt. Die Zeugen haben ihn gesehen, also lag er nicht krank zu Bett. Seine Einlassung findet auch keine Stütze im sonstigen Beweisergebnis. Der im Wege der Rechtshilfe vernommene, noch heute praktizierende 68-jährige polnische Arzt und Zeuge Dr. Hod. kann sich nicht erinnern, den Angeklagten wegen Grippe und Lungenentzündung behandelt zu haben. Insbesondere vermag aber auch die Zeugin Kl., seine formal noch immer mit ihm verheiratete Ehefrau, ihn nicht zu entlasten. Die von dem polnischen Rechtshilfegericht uneidlich vernommene Zeugin Kl. hat zunächst bekundet, der Angeklagte habe sich vor Weihnachten 1941 erkältet und sei deshalb bettlägerig gewesen. Er sei dann vorzeitig für ein oder zwei Tage aufgestanden und ins Freie gegangen. Dadurch habe er sich einen Rückfall zugezogen, der sich zu einer Lungenentzündung verschlimmert habe. Selbst wenn man diese Darstellung der Zeugin als richtig unterstellt, ist damit nicht ausgeschlossen, dass der Angeklagte die Tat an den ein oder zwei Tagen beging, an denen er die Wohnung verliess. Allerdings hat die Zeugin dann ihre Aussage zunächst dahin präzisiert, nach dem Rückfall und während der ernsten Erkrankung habe sie mit dem bettlägerigen Angeklagten über die Plakate der Pelzaktion gesprochen. Wenn dies richtig ist, spricht dies stark gegen die Täterschaft des Angeklagten. Am Schluss ihrer Vernehmung vor dem polnischen Rechtshilferichter hat die Zeugin schliesslich ausgesagt, in Gesprächen mit der Zivilbevölkerung von der Erschiessung der Frau Fürst gehört zu haben. Dies sei auf jeden Fall zu der Zeit gewesen, als der Angeklagte an Erkältung erkrankt gewesen sei. Heute könne sie nicht mehr sagen, ob es während des Grippe- oder des Lungenentzündungsstadiums gewesen sei. Diese Bekundung wiederum schliesst die Täterschaft des Angeklagten nicht aus.

Die Zeugin Kl. ist aber auch - wie schon ihre vorstehend wiedergegebenen, wechselnden, nicht mit der Vernehmungsart des ersuchten Richters zu erklärenden unpräzisen Angaben zeigen - unglaubwürdig. Was von der Genauigkeit ihrer Zeitangaben zu halten ist, zeigt sich schon darin, dass sie bei ihrer kommissarischen Vernehmung das Datum ihrer Eheschliessung mit dem Angeklagten von dem durch zwei verschiedene Urkunden bewiesenen 29.November 1944 in den Oktober 1944 verlegte. Zusätzlich hat sie bei ihren früheren Vernehmungen bei den Angaben zur Person zumindest schon in dem einen Punkt bewusst die Unwahrheit gesagt, dass sie zu dem Angeklagten in einem fremden Verhältnis stehe, mit ihm also nicht verheiratet sei oder gewesen sei. Tatsächlich ist die Ehe bis heute förmlich nicht aufgehoben. Diesen falschen Eindruck über ihr persönliches Verhältnis zu dem Angeklagten hat sie dann bei ihrer anschliessenden, nunmehr eidlichen Vernehmung zur Sache am 26.7.1967 und 19.9.1969 aufrechterhalten. Hinzukommen aber auch schon frühere Unsicherheiten in den verschiedenen Aussagen der Zeugin. 1967 hat sie die Erkrankung des Angeklagten allgemein in den Winter 1942 gelegt. In ihrer vor dem polnischen Zeugen Rechtsanwalt Kap. zur Vorlage in diesem Verfahren abgegebenen schriftlichen Zeugenerklärung vom 3.4.1968 datiert sie die Erkrankung in die Zeit der Pelzaktion, die bewiesenermassen Dezember 1941 / Januar 1942 war. Sie spricht dabei von ständiger ärztlicher Behandlung des bettlägerigen Angeklagten und erwähnt nicht, dass er zwischendurch für ein oder zwei Tage aufgestanden sei. Wenn diese 1967 und 1968 aufgetretenen Ungenauigkeiten, entsprechend den Angaben anderer Zeugen, auch mit Erinnerungschwierigkeiten erklärt werden können, folgt die Unglaubwürdigkeit der Zeugin Kl. für das Schwurgericht aber auch daraus, dass sie bei ihrer kommissarischen Vernehmung vom 20.3.1973 objektiv eine Falschaussage gemacht hat. Ihre Bekundung, der Angeklagte sei während der Liquidierung des Krosnoer Ghettos an einer Blinddarmentzündung erkrankt gewesen, ist nämlich unrichtig. Das ist urkundlich bewiesen und wird unten unter D.III.3.d) - worauf verwiesen wird - ausgeführt.

Ein Motiv der Zeugin Kl., zur Entlastung des Angeklagten auch wahrheitswidrig auszusagen, ist erkennbar. Sie hat wegen ihrer Verbindung mit dem Angeklagten nach dem Kriege erhebliche Nachteile in Kauf nehmen müssen. Ihr in Polen lebender Sohn hat den Angeklagten zum Vater. So liegt es nicht fern, ihre eigene Benachteiligung über eine Entlastung des Angeklagten als ungerechtfertigt erscheinen zu lassen und gleichzeitig dazu beizutragen, dass sie und ihr Sohn nicht mit dem Makel, Ehefrau bezw. Sohn eines Mörders zu sein, behaftet sind.

Nach alledem vermag das Gericht den Bekundungen dieser Zeugin keinen entlastenden Wert beizulegen, auch wenn die Zeugin bei ihrer jetzigen Vernehmung in Polen auf die als Dolmetscherin anwesende Zeugin Rup. - wie von dieser glaubhaft bekundet - einen im Grunde genommen neutralen Eindruck gemacht hat. Die Zeugin Rup. hat aber auch bekundet, dass es nach ihrem Eindruck der Zeugin Kl. lieb wäre, wenn dem Angeklagten durch diesen Prozess nichts passiere.

Schliesslich ergeben auch die Bekundungen der Zeugin Stefania Bäcker, der heute 81 Jahre alten Ehefrau des 1966 verstorbenen Bruders Leopold des Angeklagten, nichts für die Einlassung des Angeklagten, zur Tatzeit krank zu Bett gelegen zu haben. Die Zeugin vermochte sich nicht an den genauen Zeitpunkt zu erinnern, zu welchem sie und ihr Mann den Angeklagten in Krosno besucht und krank zu Bett angetroffen haben. Nach ihrer jetzigen Aussage meint sie, dies sei im späten Herbst oder frühen Winter des Jahres 1941 gewesen. In ihrer Aussage vom 2.3.1967 hat sie den Besuch in den März, Herbst und November des Jahres 1942 gelegt und den Zeitpunkt des Herbstes 1941 als wohl ausgeschlossen hingestellt. Selbst die heutige, mit guten Gründen berichtigte Zeitangabe der Zeugin ist indessen zu vage, um einen auch nur ernsthaft erwägenswerten Anhaltspunkt zu geben. Soweit die Zeugin durchaus glaubhaft bestätigt hat, ihr Ehemann habe erklärt, sein Bruder sei unschuldig, ihm sei die Tat nicht zuzutrauen, ergibt sich daraus dennoch kein Zweifel an der Täterschaft des Angeklagten, weil damit etwa - wie er angedeutet hat - möglicherweise sein Bruder Leopold als Täter in Betracht käme, mit dem er verwechselt worden sein will. Dass dies nicht der Fall ist, ergibt sich aus dem Vorstehenden.

e) Es stellt zwar keinen weiteren Beweis dar, wenn die Zeugen Poa., Elijahu und Mordechai Ma., Elo., Wil., Ta., Schl., Gol., Dr. Hod. und Voe. von dieser Tat des Angeklagten unmittelbar oder kurz danach - wie sie glaubhaft ausgesagt haben - gehört haben, wobei die Zeugin Voe. von dem deutschen Polizisten Josef Misch unterrichtet wurde. Das Bild wird aber in gewissem Sinne abgerundet. Keiner der Zeugen hat damals davon gehört, dass ein anderer als der Angeklagte der Täter gewesen sei, sieht man von den Zeugen Kl., Elo., Zofia Arl. und Kap. ab. Der Zeugin Kl. soll erzählt worden sein, der Gestapobeamte Stenzel habe Frau Fürst erschossen; der Zeuge Elo., der an sich über starken Gedächtnisverlust klagte, hat sich dennoch erinnert, ihm sei berichtet worden, Frau Fürst sei von dem Angeklagten und einem anderen erschossen worden. Irgendwelche Folgerungen lassen sich hieraus nicht herleiten, jedoch ist es erklärlich, dass niemand der Zeugin Kl. den Angeklagten als Täter nennen wollte, weil ihr Verhältnis zu ihm allgemein bekannt war. Den Berichten gegenüber dem Zeugen Elo. lag wahrscheinlich die Tatsache zu Grunde, dass der Angeklagte tatsächlich in Begleitung eines anderen am Tatort war. Wenn die Mutter der Zeugin Kl., die inzwischen verstorbene Zeugin Zofia Arl., dem polnischen Zeugen Rechtsanwalt Kap. nach dessen glaubhafter Aussage 1967 angegeben hat, Frau Fürst sei von einem Stenzel erschossen worden, muss sie dies Wissen über die Zeugin Kl. oder wie diese erworben haben. Die Zeugin Arl. hatte gegenüber dem Zeugen Kap. und in ihrer verlesenen staatsanwaltschaftlichen Vernehmung vom 17.10.1967 eigene Beobachtungen nicht behauptet und nach dem Zeugen Kap. nur geschildert, den Angeklagten bei Judentransporten gesehen zu haben.

f) Widerlegt ist ferner die Einlassung des Angeklagten, er habe frühestens 1943 eine Waffe gehabt; deshalb könne er auch nicht Frau Fürst oder jemanden anderen erschossen haben.

Die oben getroffenen Feststellungen und die noch nachfolgend zu erörternden, auf die Bezug genommen wird, liefern schon aus sich heraus den Beweis für die Unrichtigkeit dieser Einlassung. Der Angeklagte hat die Taten mit einer Pistole begangen. Denn zahlreiche Zeugen, so hier die Zeugen Mei., Rub. und Marg. haben ihn mit einer Handfeuerwaffe auf sein Opfer schiessen oder mit der Pistole in der Hand stehen sehen. Der heute 75-jährige deutsche Zeuge Franz Scho., der von Ende 1940 bis Ende 1942 / Anfang 1943 in Krosno und dort Vorsteher des Zollamtes war, hatte Mitte 1942 den Angeklagten mit einer Pistole auf eine alte Frau schiessen sehen. Der deutsche Zeuge Ludwig von D. hat glaubhaft bekundet, der Angeklagte habe von Anbeginn an eine Pistole des Kalibers 7,65 besessen. Demgegenüber findet die Einlassung des Angeklagten in den Aussagen der Zeugen Schu. und Bar. [37] keine

[37] Siehe Lfd.Nr.762 und 780.

Stütze. Der Zeuge Schu. war nur bis zum März 1940, also nur innerhalb eines hier nicht interessierenden Zeitraumes in Krosno. Der Zeuge Bar., Adjutant des Höheren SS- und Polizeiführers in Krakau, hat nur sagen können, er wisse nicht, ob Volksdeutsche als Kriminalangestellte bei der Kriminalpolizei beschäftigt gewesen seien und Uniform und Pistolen besessen hätten. Er glaube es nicht. Er hat aber auch hervorgehoben, dass er zur Organisation in Krosno nichts sagen könne. Der Sachverständige Dr. Sche. hat in seinem Gutachten die Frage der Berechtigung volksdeutscher Angehöriger der Sicherheitspolizei zum Tragen von Waffen nicht beantworten können. Von einem generellen Verbot sei ihm nichts bekannt. Die Bediensteten seien vielmehr nach den einzelnen Gegebenheiten ausgerüstet und mit Waffen versehen worden.

Ebenfalls können die Aussage der Zeugin Kl. und die Erklärungen der Zeugin Zofia Arl. die Einlassung des Angeklagten nicht stützen. Abgesehen von den erörterten Bedenken gegen die Glaubwürdigkeit der Zeugin Kl. hat diese nur bekunden können, den Angeklagten niemals in Uniform und mit einer Pistole gesehen zu haben. Naturgemäss konnte sie nicht sagen, dass er beides tatsächlich nicht gehabt habe. Denn sie ist in der hier relevanten Zeit weder nach der Einlassung des Angeklagten noch nach ihrer Aussage Tag und Nacht an der Seite des Angeklagten gewesen. Entsprechendes gilt für die vom Zeugen Kap. glaubhaft wiedergegebene Äusserung der Zeugin Arl., der Angeklagte habe keine Pistole gehabt. Die Tatsache, dass der Angeklagte eine Pistole hatte, und die Beobachtungen der Zeuginnen schliessen mithin einander nicht aus.

Soweit in diesem Zusammenhang die Verteidigung beantragt hat, die Brüder Jan und Dzislaw Arl. dazu zu vernehmen, dass der Angeklagte frühestens 1943 eine Uniform und Pistole erhalten habe und vorher auch nicht auf andere Weise in den Besitz einer Pistole gekommen sei, ist der Beweisantrag gem. §244 Abs.3 Satz 2 StPO abzulehnen. Zwar waren die Zeugen auch schon durch den Vorsitzenden des Schwurgerichts gem. §221 StPO geladen worden, aber nicht erschienen. Die Ladung erfolgte jedoch zur Aufklärung der inneren Einstellung des Angeklagten gegenüber der jüdischen Rasse. Insoweit haben sich dann auch noch keine sicheren Feststellungen treffen lassen. Demgegenüber ist der vorstehende Beweisantrag im Ergebnis so zu verstehen, dass die Zeugen bestätigen sollen, sie hätten bei dem Angeklagten bis zum Jahre 1943 niemals eine Uniform und Pistole gesehen oder er habe ihnen - nach ihrer Überzeugung glaubhaft - versichert, keine Uniform und Pistole zu besitzen. Diese Beweistatsachen sind indes aus tatsächlichen Gründen bedeutungslos. Sie sind nicht geeignet, die zu treffende Entscheidung irgendwie zu beeinflussen. Die Feststellung, bei einem Menschen diesen oder jenen Gegenstand niemals gesehen zu haben, oder dessen Versicherung, eine Sache nicht zu besitzen, besagen nicht, dass er diese nicht gehabt hat. Es könnte durchaus als richtig angesehen werden, wenn die Zeugen bekunden würden, den Angeklagten nicht mit Uniform und Pistole gesehen oder vom Angeklagten jene Erklärung gehört zu haben. Letzteres hat auch die Zeugin Kl. geschildert; ebenso haben viele der anderen Zeugen den Angeklagten überwiegend oder ausschliesslich in Zivil gesehen. Dies alles ist aber bedeutungslos für die allein entscheidende Frage, ob der Angeklagte im Falle Fürst oder den nachstehend zu erörterten Fällen, für die diese Ausführungen entsprechend gelten, eine Pistole hatte.

Sofern der Beweisantrag dazu dienen soll, die Glaubwürdigkeit von Zeugen zu erschüttern, die den Angeklagten in Uniform gesehen haben wollen, gelten die vorstehenden Darlegungen entsprechend.

g) Soweit der Angeklagte sich schliesslich einlässt, er sei unfähig gewesen, überhaupt eine Tötung zu begehen, steht schon nach dem Ergebnis der Hauptverhandlung und Beweisaufnahme das Gegenteil fest. Das Gericht ist darüber hinaus der Überzeugung, dass es den Menschen, der schlechthin ausser Stande wäre, andere zu töten, nicht gibt. Gerade die Ereignisse während des dritten Reiches haben die vielfach als unverständlich empfundene Tatsache bewiesen, dass Personen, die unter normalen gesellschaftlichen Verhältnissen mit Anstand ein ordentliches Leben geführt und niemals einem anderen ein Haar gekrümmt hätten, unter dem Einfluss des Zeitgeistes und je nach den äusseren Lebensumständen, in die sie gestellt waren, zu den abscheulichsten Verbrechen in der Lage waren.

Abzulehnen ist in diesem Zusammenhang gem. §244 Abs.3 Satz 2 StPO der Hilfsbeweisantrag der Verteidigung, durch ein psychiatrisch-psychologisches Gutachten zu der Behauptung Beweis zu erheben, dass der Angeklagte aufgrund seiner psychischen Persönlichkeitsstruktur unfähig war und ist, die ihm vorgeworfenen Greueltaten zu begehen. Das Beweismittel ist völlig ungeeignet. Bei vernünftiger Betrachtung und nach eigener Sachkunde ergibt sich zur Gewissheit des Schwurgerichts, dass kein Gutachter die Beweisbehauptung positiv bejahen kann. Wie schon dargelegt, gibt es einen Menschen, der a priori zu diesem oder jenem nicht fähig wäre, nicht. Einen Sachverständigen, der einem Menschen bescheinigen könnte, dass er vor 30 Jahren nicht fähig gewesen wäre, Taten, wie sie dem Angeklagten in der Anklage vorgeworfen werden, zu begehen, kann es ebenfalls nicht geben. Wollte jemand von sich behaupten, dass er solches könne, dann wäre er zur Überzeugung des Gerichts kein Sachverständiger.

h) Hinreichend sicher sind auch die gewonnenen Erkenntnisse über das Opfer. Die genannten Zeugen stimmen darin überein, dass es sich um eine junge Frau von 20 bis 30 Jahren gehandelt hat, die auf der Korczynastrasse in einem kleinen Laden Sachen zum Essen, Trinken und Rauchen verkaufte. Auffällig ist die Übereinstimmung der Zeugen, die Frau als schön empfunden zu haben. Wenn sie teils als Fürst, teils als First bekannt war, so ist dies wegen des fast gegebenen Gleichlautes in der Aussprache ohne Bedeutung. Dass sie Pinelles geheissen haben soll, hat ihre Cousine, die heute 45 Jahre alte Zeugin Rosa Poa., überzeugend erklärt: Pinelles hiess die Mutter, Fürst der Vater, beide waren nur nach religiösem Ritus, nicht nach staatlichem Gesetz verheiratet. Nach der Darstellung dieser Zeugin hiess Frau Fürst mit Vornamen Toni. Es spricht sehr viel dafür, dass diese Angabe der Verwandten Poa. richtig ist. Auch der Zeuge Szn. hat diesen Vornamen genannt. Damit ist nicht ohne weiteres gesagt, dass Frau Fürst nicht auch unter dem einen oder anderen der von den Zeugen genannten Namen bekannt gewesen sein kann. Sie mag mehrere von den Namen Esther, Tauba, Hilda, Rachel gehabt haben; von Polen, Juden oder Deutschen mag der eine oder andere vorzugsweise benutzt worden sein. Möglicherweise ist sie auch nur als Verkäuferin im Geschäft einer Verwandten tätig gewesen, wie es von den Zeugen Poa. und Szn. angegeben wurde. Das kann zur Verwechselung mit dem Vornamen einer Inhaberin geführt haben. Letztlich kann aber auch ein nur verständlicher Irrtum bei dem einen oder anderen Zeugen vorliegen.

Soweit der Angeklagte bezweifeln will, dass Frau Fürst überhaupt gelebt habe, ergibt sich der Beweis für das Gegenteil schon aus dem Vorstehenden.

Dem steht die von dem Zeugen Kap. glaubhaft bekundete Tatsache nicht entgegen, dass er bei der Suche nach Unterlagen bezüglich Frau Fürst und der Opfer der noch nachfolgend abzuhandelnden Taten, für die diese Ausführungen entsprechend mitgelten, weder beim Kreisgericht in Krosno noch beim dortigen Standesamt noch bei den Verwaltungen der Friedhöfe oder anderen Stellen, auch nicht in Korczyna, Eintragungen habe ermitteln können.

Nach den Auskünften des Präsidiums des Wojewodschaftsrates in Rzeszow vom 9.4.1973, des Standesamtes Krosno vom 11.4.1973, des Gemeindeamtes in Korczyna vom 10.4.1973 und des Präsidiums des Kreisrates in Krosno vom 17.2.1973, die glaubhaft sind, ergibt sich folgendes: In Krosno und Korczyna oblag die Personenstandsregistrierung bis zum 1.1.1946 den gesetzlich anerkannten Glaubensvereinigungen. Die Geburtsregister der israelitischen Personenstandsämter in Krosno und Korczyna sind nur teilweise erhalten geblieben. In der Zeit der deutschen Besetzung wurden in den Sterbebüchern nur natürliche Todesfälle vermerkt. Die Unterlagen über den Einwohnerstand in Krosno und Umgebung von der Zeit von

1919-1944 sind abhanden gekommen. Bei dieser Sachlage ist das Fehlen von Urkunden über Eintragungen in Personenstands- und Melderegistern erklärlich. Hinzukommt, dass unbekannt ist, wo die Opfer geboren wurden und wo die verehelichten unter ihnen geheiratet haben. Wenn es dennoch dem Zeugen Kap. in einem anderen Fall gelungen ist, eine Todesurkunde für eine im Februar 1942 erschossene Person zu beschaffen, muss dies als Ausnahme angesehen werden.

Als Ergebnis der Beweisaufnahme steht somit fest, dass der Angeklagte Frau Fürst erschossen hat.

2. Rabbiner Epsztein

a) Diese Feststellungen beruhen auf den eidlichen Bekundungen des einzigen bekannten Tatzeugen Shmuel Rub. und der Zeugen Elijahu und Mordechai Ma. sowie Henrich Gr. Der Zeuge Rub. hat die Tat so, wie sie oben festgestellt ist, geschildert. Die Zeugen Ma. haben den Hintergrund der Aktion so dargelegt, wie er ihnen seinerzeit überzeugend von zwei Brüdern Ringelheim erzählt worden ist, und die näheren Umstände dargestellt, unter denen Epsztein zu Hause abgeholt worden ist. Der Zeuge Gr. hat angegeben, sein inzwischen verstorbener Bruder Elijahu habe mitgeholfen, Epsztein zur Dienststelle der polnischen Polizei zu tragen, und ihm später erzählt, dort habe der Angeklagte Epsztein erschossen.

Das Schwurgericht hat keinen Anlass, den Zeugen nicht zu glauben. Der Zeuge Rub. hat seine Darstellung zu diesem Fall sicher und plastisch, zudem im wesentlichen ohne Unstimmigkeit zu seinen früheren Bekundungen gemacht. Wenn er 1963 die Tat in den Januar 1942 legte, nur von einigen bei Nichtauslieferung Epszteins zu erschiessenden Juden sprach, mit anderen Epsztein zum Polizeiposten geführt haben will und das Begräbnis nicht erwähnte, so hat er doch schon vor der Hauptverhandlung 1972 als Tatzeit Juli 1942 und die Zahl der möglichen Geiseln mit 40 angegeben sowie erwähnt, dass Epsztein auf einem Bett zum Polizeiposten und später mit den anderen Leichen zum Friedhof gebracht worden sei. In der Hauptverhandlung nannte er für die Bestimmung der Tatzeit mit Juli 1942 die einen Monat nach der Erschiessung Epszteins liegende Aussiedlung in Korczyna vom 11.8.1942 als überzeugenden Bezugspunkt. Die anderen Klarstellungen und Ergänzungen beruhen nach der Gewissheit des Schwurgerichts auf dem sichtbaren Bemühen des Zeugen um bessere Erinnerung. Stets hat er als seine Entfernung zum Ort der Erschiessung zwischen 15 und 25 Meter angegeben. Wenn er früher nicht ausdrücklich von zwei Schüssen sondern allgemeiner davon gesprochen hat, der Angeklagte habe auf Epsztein geschossen, ist dies kein Widerspruch und kann dem entscheidende Bedeutung nicht beigemessen werden.

Die Überzeugung des Schwurgerichts davon, dass der Zeuge Rub. die Wahrheit gesagt hat, gründet sich über das bereits oben D.III.1.a) zu seiner Person Gesagte hinaus auf folgende Überlegungen: Der zur Tatzeit 14½ Jahre alte Zeuge hatte 1942 schon seit längerem in Korczyna gelebt. Er kannte die jüdischen Einwohner dieses Ortes. Er kannte auch die Mitglieder der Gestapodienststelle Krosno, weil er jede Woche zu den Markttagen nach Krosno kam. Deshalb war ihm der Angeklagte gut bekannt. Er hatte ihn auch etwa ein halbes Jahr zuvor bei der Erschiessung der Frau Fürst erlebt. Es ist daher nicht zweifelhaft, dass der Zeuge Rub., wie von ihm sicher bekundet, den Angeklagten als den Täter auf dem Gelände der polnischen Polizei erkannt hat, zumal er die Tat aus 15 bis 25 Meter Entfernung beobachtete. Hier hat seine alleinige Aussage volle Überzeugungskraft. Im Gegensatz zu den Umständen, unter denen er im Falle Fürst Zeuge geworden war, stand er jetzt - was seine Rolle als zuverlässiger Beobachter betrifft - in einer wesentlich günstigeren Ausgangsposition. In Krosno hatten sich die Dinge für ihn unerwartet plötzlich hinter seinem Rücken ereignet. In panischer Angst war er fortgelaufen. In Korczyna wusste er wie jeder andere Beteiligte, was kommen würde. Die vorausgegangene Erschiessung der 5 oder 6 anderen Juden und die im Ort verbreitete Drohung der Gestapo waren deutlich und unmissverständlich. Die Aufmerksamkeit des Zeugen war daher auf den Ablauf der Dinge geschärft und konzentriert. Wachen Sinnes erlebte er die Tat aus 15 bis 25 Metern mit. Nach der Überzeugung des Schwurgerichts sind deshalb Wahrnehmungs- und Beobachtungsfehler wie auch ein Irrtum des Zeugen bei der Wiedergabe des Erlebten ausgeschlossen. Die relative Jugend des Zeugen im Jahre 1942 steht dem nicht entgegen. Auch ein Junge von 14/15 Jahren vermag in der hier gegebenen Situation derartige Ereignisse eindeutig und klar zu erkennen und unverwaschen im Gedächtnis zu behalten. Die Jugend, die Erlebnisse im Falle Fürst und die dabei geschilderte Angst des Zeugen vor dem Angeklagten begründen keine durchdringenden Zweifel daran, dass der Zeuge diesmal den Mut aufbrachte, sich mit Epsztein in die Nähe des Angeklagten zu begeben. Es galt das Leben von 40 Menschen zu retten. Man hoffte mit dem Opfer Epszteins weitere Erschiessungen zu verhindern und erwartete, dass nur er getötet werde. Der Zeuge und seine Familie gehörten nicht zum Kreis der vermögenden und einflussreichen Personen, aus denen die 6 oder 7 Geiseln ausgesucht waren. Gerade seine Jugend machte es wahrscheinlich, dass ihm persönlich nichts geschah. Schliesslich musste jemand helfen, den gehunfähigen Epsztein zum Polizeiposten zu bringen. Nach der Ablieferung brachte sich auch der Zeuge mit 15 bis 25 Meter Abstand aus der engsten Gefahrenzone. Für seine Glaubwürdigkeit spricht schliesslich, dass er sich offen dazu bekennt, an der Auslieferung Epszteins beteiligt gewesen zu sein.

Das Gericht ist nach allem von der Wahrheit der Aussage des Zeugen Rub. überzeugt.

Auch den Bekundungen der damals 19 und 25 Jahre alten Zeugen Elijahu und Mordechai Ma. hat das Schwurgericht letztlich Glauben geschenkt, obwohl Anhaltspunkte gegeben waren, die eine persönliche Voreingenommenheit der Zeugen gegenüber dem Angeklagten besorgen liessen. Diese Bedenken resultierten einmal aus der Tatsache, dass die Zeugen den Angeklagten 1946 in Linz erkannt und der amerikanischen Militärpolizei gemeldet hatten und dass der Zeuge Elijahu Ma. damals zuvor gegen den Angeklagten massiv handgreiflich geworden war. Sie ergaben sich zum anderen daraus, dass der Zeuge Elijahu Ma. bei seiner Vernehmung vor dem Gericht nicht nur wie sein Bruder Mordechai aufgeregt sondern zeitweilig erregt war, weil beide aufgrund von Schilderungen Dritter vermuteten, dass der Angeklagte in den Jahren 1941/42 einen ihrer Brüder erschossen habe. Dennoch sind die Aussagen glaubhaft, denn sie sind, soweit sie die eigenen Beobachtungen der Zeugen beim Abholen Epszteins betreffen frei von Widersprüchen. Die Zeugen wohnten im selben Haus wie Epsztein. Es ist durchaus glaubhaft, wenn sie erlebt haben, wie dieser von einem polnischen Polizisten mit der Aufforderung abgeholt wurde, den Verbleib vermeintlich untergeschlüpfter früherer Mitarbeiter des russischen Zolls oder zurückgekehrter Flüchtlinge aus dem ursprünglich russisch besetzten polnischen Gebiet zu nennen. Dem steht wiederum nicht entgegen, dass sie bei ihrer früheren Vernehmung dazu nichts gesagt haben. Dies erklärt sich daraus, dass bei ihrer früheren Aussage das Schwergewicht ihrer Bekundungen erkennbar bei anderen Komplexen lag. Im Falle Epsztein waren sie keine Zeugen der Tat. Sie haben dies auch zu keiner Zeit behauptet sondern immer darauf hingewiesen, dass sie davon nur gehört hätten. Dies wiederum ist ein gutes Indiz für ihre Aufrichtigkeit.

Auch die Aussagen der Zeugen bezüglich des Anlasses und Hintergrundes der Aktion sind glaubhaft und gut einfühlbar. Zwar sind sie insoweit nur mittelbare Zeugen, weil sie lediglich von ihnen selbst Gehörtes wiederzugeben wussten. Es überzeugt aber, dass Menschen, die vordem beim russischen Zoll gewesen oder im Spätsommer des Jahres 1939 auf der Flucht aus der Gegend um Krosno/Korczyna hinter die Teilungslinie zwischen dem russisch und deutsch besetzten Gebiet gelangt und nun nach dem weiteren Vormarsch der deutschen Truppen zurückgekehrt waren, sich verborgen gehalten haben und gesucht wurden. So hat auch die Zeugin Marg. glaubhaft geschildert, dass andere jüdische Mitbürger, die Brüder Glück, verfolgt wurden und schliesslich getötet worden sein sollen, weil sie aus dem ehemals russisch besetzten Gebiet nach Krosno zurückgekehrt waren. Dass ferner der Verdacht, solche Leute hielten sich an einem den Juden bekannten, von diesen aber nicht preisgegebenen Ort versteckt, eine Geiselaktion der geschilderten Art auslösen konnte, entspricht nach allem, was gegen die Juden verübt worden ist, dem Vorgehen der SS und Polizei gegenüber der jüdischen Bevölkerung.

Das Gericht ist deswegen auch von der Wahrheit der Bekundungen der Zeugen Ma. überzeugt.

Ebenso hat das Schwurgericht dem damals 23jährigen, heute 54 Jahre alten jüdischen Zeugen Gr. geglaubt, der die Schilderung des Zeugen Rub. über den Transport Epszteins zur polnischen Polizeidienststelle unter Einräumung der Teilnahme seines Bruders an der Auslieferung bestätigte. Dass seine auf Schilderungen seines Bruders beruhenden Angaben über die Täterschaft des Angeklagten als alleiniger Beweis nicht ausreichen würden, versteht sich von selbst. Sie runden aber das Bild ab.

Überzeugende Anhaltspunkte dafür, dass die Erschiessung der 6 bis 7 Geiseln auch mit Abwehrmassnahmen gegen Partisanen im Zusammenhang stand, haben sich nicht ergeben.

b) Wenngleich der Angeklagte - bei seinem völligen Tatleugnen konsequent - sich nicht auf das Vorliegen eines Befehls berufen hat, so war das Schwurgericht, wie in den anderen Fällen auch hier gehalten zu überprüfen, ob und in welcher Weise die Tötung Epszteins durch den Angeklagten durch einen konkreten Befehl eines Vorgesetzten veranlasst wurde.

Das Schwurgericht hat in diesem Fall einen solchen Befehl nicht mit Sicherheit ausschliessen können. Es liegen für die Annahme eines konkreten Befehls zwar wenig Anhaltspunkte vor, aber es ist wahrscheinlich, dass die Verhaftung und spätere Erschiessung der 6 oder 7 Geiseln von dem Leiter einer Dienststelle der Sicherheitspolizei, möglicherweise der in Krosno, geplant und angeordnet worden ist. Dafür spricht, dass die polnische Hilfspolizei die Verhaftungen auf Anordnung der Gestapo vornahm, dass gezielt vermögende und einflussreiche Personen ausgewählt wurden, dass die Erschiessung weiterer 40 Geiseln durch öffentlichen Ausruf angedroht wurde und dass die Exekution bei der polnischen Polizeidienststelle erfolgte. Dass der Angeklagte diese Aktion von sich aus veranlasst hätte, ist unwahrscheinlich. Dafür war sie zu gross und zu gezielt angelegt. Sieht man deshalb die gesamte Aktion als ein von übergeordneter Stelle initiiertes Unternehmen, dann kann nicht ausgeschlossen werden, dass dem Angeklagten möglicherweise die Erschiessung Epszteins, wenn man ihn gefunden habe, befohlen war.

3. Frau Heller und Kinder

Die Feststellungen hierzu beruhen auf den Bekundungen der Zeugen Drä., Marg., Lin., Fru. und Mar., die von dem Geschehen wesentliche, insgesamt den Angeklagten überzeugend überführende Teilakte gesehen haben, ferner auf den Aussagen der Zeugen Salek Be. und Sol Mos., von denen beide an der Beerdigung der Frau Heller und der Zeuge Salek Be. auch an der Bestattung der beiden Kinder teilgenommen haben, darüber hinaus auch auf den Schilderungen der Zeugen Elo., Fri., Fes., Szn. und Wil., die den Angeklagten beim Rahmengeschehen dieser Tat beobachtet haben, und schliesslich zu den Einzelheiten der Örtlichkeit auf der Niederschrift der Augenscheinseinnahme des polnischen Rechtshilferichters vom 23.3.1973 und den Erklärungen der Zeugin Rup. Alle Zeugen sind vereidigt worden.

a) Im einzelnen haben die Tatzeugen folgendes bekundet:

Die Zeugin Drä. hat vor dem Rechtshilfegericht in Tel Aviv ausgesagt, Frau Heller sei eine Freundin von ihr und damals etwa 22 Jahre alt gewesen. Sie habe mit Vornamen Ruschka geheissen. Bei der Liquidierung des Ghettos um die Zeit des Chanukkafestes im Winter 1942 habe sie auf dem Franziskanerplatz zunächst in Sprechweite von Frau Heller und ihren beiden kleinen Mädchen gestanden. Herr Heller sei nicht mehr bei ihnen gewesen. Frau Heller sei mit den Kindern zu dem Angeklagten gegangen. Sie, die Zeugin, sei ihnen mit den Blikken gefolgt. Frau Heller und der Angeklagte hätten miteinander gesprochen; was, habe sie nicht hören können. Dann habe sie sich abgewandt. Danach seien mehrere Schüsse gefallen. Sie habe sich wieder umgedreht und Frau Heller sowie die beiden Kinder auf dem Boden liegen sehen. Der Angeklagte habe neben ihnen gestanden, ob mit einer Waffe in der Hand, könne sie nicht sagen. Andere Gestapoleute seien nicht in unmittelbarer Nähe gewesen.

Die Zeugin Marg. hat ausgesagt, der Vorfall habe sich am 4.12.1942 anlässlich der Auflösung des Ghettos abgespielt. Dies Datum habe sich als das eines schicksalhaften Tages in ihr Gedächtnis eingegraben. Der Angeklagte habe mit einer Pistole in der Hand Frau Heller an ihr, der Zeugin, vorbei in Richtung der Benzinstation vor sich hergeschoben. Einen anderen Gestapoangehörigen habe sie in diesem Augenblick nicht gesehen. Sie habe dann die Augen zugemacht, Schüsse gehört, daraufhin den Kopf nach links gewandt und Frau Heller mit den Kindern am Boden liegen sehen. Dann sei sie mit der Gruppe der Ausgesonderten aus dem Ghetto abmarschiert.

Die heute 51, damals 21 Jahre alte jüdische Zeugin Luba Lin. hat bekundet, man habe sich an einem Sonntag im November/Dezember 1942 auf dem Platz im Ghetto versammeln müssen. Dort habe sie hinter sich Frau Heller sprechen hören. Dann seien Schüsse gefallen. Sie, die Zeugin, habe sich nach rechts hin umgedreht und Frau Heller sowie die Kinder am Boden liegen sehen. Der Angeklagte habe allein und mit der Pistole in der Hand neben ihnen gestanden; er habe die Pistole auf die am Boden Liegenden gerichtet, und es sei ein weiterer Schuss gefallen.

Der jetzt 55-jährige, damals 25 Jahre alte jüdische Zeuge Josef Fru. hat bei seiner Vernehmung vor dem Konsul in New York ausgesagt, das Ghetto sei am Tage der Anzündung der ersten Kerze des Chanukkafestes, möglicherweise 1943 geräumt worden. Er sei aufmerksam geworden, als Frau Heller mit den Kindern auf den Armen aus der Menge der umstehenden Menschen auf das Haus Palant zugelaufen sei. Der Angeklagte sei hinterhergelaufen und habe gerufen, sie solle stehen bleiben. Aus einer Entfernung von ca. 10 Metern habe er einen Schuss gehört und Frau Heller mit ihren beiden Kindern zu Boden fallen sehen. Dann habe er weggesehen und weitere Schüsse gehört. Er habe keine Waffe in der Hand des Angeklagten, der ihm den Rücken zugewandt habe, gesehen. Möglicherweise habe er ihn bei der Rückkehr von Frau Heller sogar von vorne gesehen; jedenfalls sei er gänzlich sicher, dass es sich bei dem Mann, der Frau Heller und den Kindern nachgesetzt sei, um den Angeklagten gehandelt habe.

Die heute 55-jährige, damals 24 Jahre alte ebenfalls jüdische Zeugin Rosa Mar. hat ausgesagt, am Abend des 3.12.1942 habe Schmatzler ihrer Mutter und ihr gesagt, sie müssten sich am Morgen des nächsten Tages mit wenig Gepäck auf dem Franziskanerplatz einfinden. Am 4.12.1942, dem ihr unvergesslichen Tag, an welchem ihre Mutter nach Reichshof gebracht und dort umgebracht worden sei, habe dann die Liquidation des Ghettos stattgefunden. Auch der Angeklagte sei auf dem Franziskanerplatz gewesen. Sie meine, er habe wie die anderen Gestapoleute eine Pistole in der Hand gehabt. Als sie in der Gruppe der Ausgesonderten vor dem Haus Fischbein mit dem Gesicht zur Sienkiewiczastrasse zum Abmarsch bereitgestanden habe, habe sie die Stimme von Frau Heller und dann rechts hinter sich drei Schüsse gehört. Beim Umsehen habe sie aus einer Entfernung von 5 bis 10 Metern gesehen, wie Frau Heller und die Kinder am Boden gelegen hätten. Wer geschossen habe und ob nur ein Gestapoangehöriger daneben gestanden habe, wisse sie nicht.

Diese Schilderungen ergeben ein in sich geschlossenes Bild vom Ablauf des Geschehens. Dabei ist davon auszugehen, dass die Zeugen von dem Vorgang teils zeitlich verschiedene, teils zeitlich gleiche Abschnitte aus teils unterschiedlicher Position zum Tatort miterlebten und sahen. Die Zeugin Drä. beobachtete, dass sich Frau Heller zu dem Angeklagten begab und mit ihm sprach. Auch die Zeuginnen Lin. und Mar. hörten Frau Heller sprechen. Dann wandte sich die Zeugin Drä. ab. Die Zeugin Marg. sah, wie sich der Angeklagte, der eine Pistole in der Hand hielt, mit Frau Heller und deren Kindern an ihr vorbei in Richtung der Tankstelle begab. Sie schloss die Augen und hörte die Schüsse fallen. Der Zeuge Fru. sah, wie Frau Heller auf das Haus Palant zulief und der Angeklagte ihr nachsetzte. Er hörte einen Schuss und sah Frau Heller zu Boden fallen. Er schaute dann weg, hörte aber weitere Schüsse in dem Augenblick, als durch das Schiessen die Zeugen Drä. und Marg. zum erneuten, die Zeugen Lin. und Mar. zum ersten Hinsehen veranlasst wurden. Die Zeugen Drä., Marg., Lin. und Mar. sahen Frau Heller und die Kinder am Boden liegen; die Zeugen Drä. und Lin. bemerkten darüber hinaus den Angeklagten neben der auf der Erde liegenden Gruppe. Die Zeugin Lin. nahm dabei noch wahr, wie ein weiterer Schuss fiel, als der Angeklagte unmittelbar neben den am Boden liegenden Opfern stand und mit ausgestrecktem Arm eine Pistole auf sie gerichtet hielt.

Hinsichtlich dieses Kerngeschehens sind die Bekundungen der Zeugen frei von Widersprüchen. Die Aussagen stimmen überein, wo die Zeugen zeitgleiche Beobachtungen gemacht haben. Sie greifen bruchfrei und nahtlos ineinander, wo die Zeugen im Bewegungsablauf der Ereignisse zeitlich aufeinanderfolgende Ausschnitte wahrgenommen haben. Allein schon diese inhaltliche Übereinstimmung und innere Folgerichtigkeit in den Schilderungen der Zeugen zum Kerngeschehen ist dem Gericht eine überzeugende Gewähr dafür, dass die Bekundungen aller genannter Zeugen, auch der nur im Wege der Rechtshilfe vernommenen Zeugen Drä. und Fru., der Wahrheit entsprechen. Ernsthafte Zweifel sind nicht aufgekommen.

Darüber hinaus stimmen die Zeugenaussagen aber auch zum Randgeschehen im wesentlichen überein. Die Zeuginnen Marg., Mar. und Lin. konnten sich beispielsweise noch genau erinnern, dass sie im Begriff waren mit der Gruppe der zum Arbeitseinsatz auf dem Flugplatz Ausgesonderten das Ghetto zu verlassen, als sich der Vorfall ereignete, und dass sie unmittelbar darauf abmarschierten.

Es sind auch nicht unvereinbare Unterschiede zu den früheren Aussagen ein und desselben Zeugen aufgetreten. Zwar drängte sich ein Widerspruch in den verschiedenen Aussagen der Zeugin Marg. zunächst dadurch auf, dass die Zeugin bei ihrer Vernehmung vom 29.4.1964 laut Protokoll ausgesagt haben soll, nähere Einzelheiten der im Dezember 1942 durchgeführten Aktion seien ihr nicht bekannt, sie habe diese persönlich nicht miterlebt, sie habe sich bereits auf dem Flugplatz befunden. Erst bei den Vernehmungen vom 25.7.1965 und 8.12.1972 hat sie dann im wesentlichen wie in der Hauptverhandlung bekundet. Die Zeugin hat für die 1964 protokollierte Aussage keine Erklärung, weil sie meint, stets dasselbe angegeben zu haben, und weil sie sicher sei, bei der Liquidierung des Ghettos dabei gewesen zu sein. Der Widerspruch erklärt sich indes, wenn man berücksichtigt, dass die Zeugin 1964 in einem Ermittlungsverfahren gegen den Zeugen von D. vernommen wurde, über dessen angebliche Beteiligung sie lediglich vom Hörensagen berichtete. Nur in diesem Zusammenhang erwähnte sie Erschiessungen, u.a. die des Rabbiners Führer und dann ihre Abwesenheit wegen ihres Aufenthaltes auf dem Flugplatz. Bei dieser Sachlage ist es durchaus möglich, dass die eindeutige Protokollierung über ihre Abwesenheit während der ganzen Liquidierung und nicht erst nach der Aufstellung der Ghettobewohner auf einem Missverständnis beruhte, das unerkannt blieb, weil die Zeugin bezüglich der Teilnahme des damaligen beschuldigten von D. an der Liquidierung nicht von grossem Beweiswert war. Möglich ist aber auch, dass die Zeugin sich in einer ersten Abwehrreaktion auf ihre Abwesenheit während der ganzen Aktion berief, um nicht mit den grausamen Erinnerungen konfrontiert zu werden. Ein ähnliches Verhalten hat das Gericht bei verschiedenen Zeugen festgestellt, die beispielsweise Einzelheiten schrecklicher Erlebnisse erst zögernd auf Befragen schilderten oder mit Attesten ihre Vernehmungsunfähigkeit nachwiesen, wie dies bei den Zeugen Deu. und Eheleute No. der Fall war. Auch die Zeugin Marg. hatte sich zunächst mit Vorlage eines Attestes entschuldigt. Aufgrund des in der Hauptverhandlung von der Zeugin Marg. gewonnenen Eindrucks ist das Schwurgericht jedoch sicher, ihrer jetzigen Aussage in vollem Umfange folgen zu können.

Auch bei einem Vergleich der mehrfachen Bekundungen eines der anderen Zeugen treten keine wesentlichen Abweichungen zu Tage. Zwar hat die Zeugin Lin. bei ihrer Vernehmung vom 26.8.1972 noch ausgesagt, Herr Heller hätte zurückbleiben und mit einem anderen Frau Heller und die Kinder beerdigen müssen. Dies dürfte nach dem Ergebnis der Beweisaufnahme mit hoher Wahrscheinlichkeit unzutreffend sein. Die Zeugin hat dann auch in der Hauptverhandlung ihre diesbezügliche Aussage korrigiert und bekundet, sie wisse nicht, ob Herr Heller bei den Opfern geblieben oder am nächsten Tag vom Flugplatz nach Krosno zurückgekehrt sei. Die Glaubwürdigkeit der Zeugin im übrigen wird dadurch indes nicht beeinträchtigt. Die Zeugin Mar. hat den Tatablauf immer gleich geschildert. Die jetzige Bekundung der Zeugin Drä. ist allerdings gegenüber der früheren Aussage vom 18.3.1963 schwächer. Damals hatte die Zeugin gesagt, sie habe gesehen, wie der Angeklagte einige Schüsse zunächst auf die Mutter und dann auf die Kinder abgegeben habe. Dies ist ihr nun vorgehalten worden. Sie hat dazu darauf hingewiesen, dass ihr Gedächtnis schwächer geworden sei. Dieser Eindruck der Zeugin selbst von ihrer Erinnerungskraft wird durchaus richtig sein. Jedenfalls kann die Tatsache nicht bedeuten, die 1963 umfassendere und heute geminderte Erinnerung der Zeugin sei schlechthin unzuverlässig. Im Gegenteil sieht das Gericht gerade darin, dass die Zeugin angibt, ihr Gedächtnis sei schwächer geworden, ein starkes Indiz für die Glaubwürdigkeit der Zeugin Drä. Sie lässt sich massgeblich von ihrer Erinnerung leiten, soweit ihr diese ganz sicher ist. Wie gut das Gedächtnis dieser Zeugin im übrigen dennoch ist, beweist die Tatsache, dass sie ebenso wie die Zeugen Marg. und Fru. noch heute die Örtlichkeit des Ghettos genau beschreiben und die Bewohner der um den Franziskanerplatz liegenden Häuser nennen konnte. Dass die Angaben der Zeugin hierzu im wesentlichen richtig sind, folgt aus der weitgehenden Übereinstimmung mit den Feststellungen des polnischen Richters bei seiner Augenscheinseinnahme vom 23.3.1973 und den Ausführungen der Zeugen Marg., Fru. und Rup.

Die Glaubwürdigkeit der Zeugen Drä., Lin., Mar., Marg. und Fru. und die Glaubhaftigkeit ihrer Aussagen zum Kerngeschehen werden nicht dadurch erschüttert, dass die Zeugen nicht alle präzise angeben konnten, wieviele Schüsse sie gehört hatten, dass ihre Aussagen bezüglich der Kleidung des Angeklagten am Tage der Auflösung des Ghettos, ob er Zivil oder Uniform getragen habe, voneinander abweichen und dass die Zeugen Lin. und Mar. nicht übereinstimmend bekundeten, ob sie in dem Augenblick, als sie die Schüsse hörten, noch parallel zur Wand des Hauses Fischbein oder bereits dem Ghettoausgang zugewandt standen und nach links oder rechts blickten, um sich zu vergewissern, was dort geschehen war. Angesichts der für die Zeugen am Tage der Auflösung des Ghettos aussergewöhnlichen Situation auf dem Franziskanerplatz, ihrer überaus starken psychischen Belastung, weil sie einem ungewissen Schicksal entgegen gingen, und der inzwischen vergangenen Zeit von mehr als 30 Jahren ist den ungeklärt gebliebenen Fragen und den voneinander abweichenden Schilderungen der Zeugen in unwesentlichen Detailpunkten zum Randgeschehen keine die Überzeugungskraft ihrer Aussagen beeinträchtigende Bedeutung beizumessen. Wenn berücksichtigt wird, dass nach den Bekundungen der Mehrzahl der Tatzeugen am Tage der Auflösung des Ghettos an verschiedenen Stellen wiederholt geschossen wurde, dass die Zeugen in Angst und Sorge um ihr und ihrer nächsten Angehörigen zukünftiges Schicksal und im Bewusstsein drohender Lebensgefahr auf dem Platz warteten, dann entspricht es allgemeiner Lebenserfahrung, dass sich unter den gegebenen Umständen ihnen unwichtig erscheinende Einzelheiten ihrem Gedächtnis nicht oder nicht vollständig oder nicht zuverlässig eingeprägt haben. Fest steht jedenfalls, dass die Zeugen von den angegebenen unterschiedlichen Standpunkten den Tatort einsehen und die geschilderten Beobachtungen machen konnten. Die Überzeugung des Schwurgerichts von der Glaubwürdigkeit der Zeugen Lin., Mar. und

Marg. ist auch begründet aufgrund des von ihnen in der Hauptverhandlung hinterlassenen persönlichen Eindrucks.

Die Zeugin Lin., die als Buchhalterin in Israel lebt, erschien sehr zurückhaltend und selbstkritisch. Sie war ruhig und mit Erfolg bemüht, sachlich und beherrscht auszusagen. Sie ist zwar herzkrank, geistig aber frisch. Auch die Zeugin Mar., die jetzt als Hausfrau in Israel wohnt, war gefasst und konzentriert. Weder sie noch die Zeuginnen Lin. und Marg. wirkten gegenüber dem Angeklagten emotional voreingenommen. Im Gegenteil haben diese Zeuginnen gezeigt, dass sie in einem erstaunlichen Masse Abstand zu den Geschehnissen halten können, von denen sie selbst wie ihre Leidensgenossen in der Vergangenheit so hart betroffen waren. Das begründet die Überzeugung, dass sie nicht eine Gelegenheit zu nutzen suchten, durch ihr Zeugnis an dem Angeklagten Rache zu nehmen. Lediglich ein gewisser Widerwille gegen das erneute Wachrufen der Erinnerung wurde erkennbar. Dennoch beeinträchtigt dies die Wahrheitsfindung nicht, denn die Zeugen blieben bei ihren Darstellungen präzise und um Vollständigkeit, soweit ihre Erinnerung reichte, bemüht. Bezüglich der kommissarisch vernommenen Zeugen Drä. und Fru. vermittelte der Inhalt ihrer protokollierten Aussagen die Überzeugung von ihrer Glaubwürdigkeit. Auch diese Zeugen haben deutlich unterschieden zwischen dem, was sich nach ihrer sicheren Erinnerung vor ihren Augen abgespielt hat, und dem, was sie von anderer Seite gehört haben oder nur für möglich hielten. Bei dieser Sachlage sind auch keine durchgreifenden Bedenken dadurch begründet, dass der Zeuge Fru. glaubt, der Angeklagte habe seine Schwester Miriam erschossen.

b) Frau Heller und ihre Kinder fanden durch die Schüsse des Angeklagten den Tod. Dies steht nach den Bekundungen der Zeugen Salek Be. und Sol Mos. fest. Der Zeuge Salek Be. holte - wie er aussagte - die Leichen vom Franziskanerplatz ab, wo er sie am Zaun des Hauses Palant fand, also dort, wo die Tatzeugen die Tat gesehen haben. Später beerdigte er die Opfer auf dem jüdischen Friedhof. Der Zeuge Sol Mos. half, seiner sicheren Bekundung zufolge, - bei der Bestattung der Ehefrau Heller. An die der Kinder kann er sich nicht mehr erinnern. Das besagt bei der Vielzahl der damaligen Todesfälle jedoch nicht, dass die Aussage des Zeugen Salek Be. unrichtig oder zweifelhaft ist, soweit sie nicht durch den Zeugen Sol Mos. gestützt wird. Vielmehr bestehen bei Berücksichtigung der Beobachtungen der Zeugen Drä., Marg., Lin., Fru. und Mar. keine Bedenken, beiden Zeugen auch hier voll zu folgen. Im übrigen wird auf die Ausführungen unter D.III.1.b) zur Glaubwürdigkeit der Zeugen verwiesen.

c) Auch hier steht fest, dass der Angeklagte der Täter war. Keiner der vorerwähnten Tatzeugen hat Zweifel in dieser Richtung geäussert. Entschieden haben sie die Möglichkeit einer Verwechslung ausgeschlossen. Diese kommt nach der Überzeugung des Schwurgerichts mit Rücksicht auf die geringe Grösse des Franziskanerplatzes und die danach kurze Entfernung zwischen Tatort und Position der Zeugen auch nicht in Betracht. Alle Zeugen, letztlich auch die Zeugin Lin., kannten ihn gut genug, um ihn hinreichend sicher identifizieren zu können. Die Zeugin Drä. kannte ihn von Requirierungen im elterlichen Geschäft und hatte ihn im Zusammenhang mit der Erschiessung der Frau Fürst beobachtet. Die Zeugen Marg. und Mar. hatten ihn vielmals zuvor gesehen. Der Zeugin Lin. war er vorher zur Warnung von ihrer Schwester gezeigt worden, als man ihm begegnete und sich vor ihm versteckte. Der Zeuge Fru. hatte vordem wiederholt für die Gestapo in Krosno gearbeitet, woher ihm der Angeklagte bekannt war. Wird darüber hinaus berücksichtigt, dass der Angeklagte in Krosno als schon damals langjähriger Angehöriger der durchschnittlich mit 6 bis 8 Mann besetzten Gestapodienststelle ein Begriff war, so bleibt kein Raum, an den Aussagen der Zeugen, sie hätten den Angeklagten eindeutig als Täter erkannt, zu zweifeln. Mit Ausnahme der Zeugin Lin. haben die vorgenannten Tatzeugen den Angeklagten sicher auf einem oder mehreren der Bilder der Lichtbildmappe und - soweit sie vor dem Schwurgericht vernommen wurden - auch im Sitzungssaal wiedererkannt. Lediglich die Zeugin Lin. hat gezögert und zu Bild Nr.5 bezw. zu den Bildern auf Bl.6 der Mappe, die alle den Angeklagten zeigen, geäussert, das könne er sein, sie sei jedoch nicht sicher. Zur Person des im Sitzungssaal anwesenden Angeklagten hat sie erklärt, sie glaube, das sei jener Bäcker. Auch diese Zeugin hat indessen fest bekundet, dass sie damals in der Person des Täters unzweideutig denjenigen erkannt habe, der ihr zuvor von der Schwester als der Krosnoer Gestapoangehörige Bäcker gezeigt worden sei. Damit hat auch diese Zeugin den Angeklagten hinreichend identifiziert.

Bei dieser Sachlage ist es nach der Überzeugung des Schwurgerichts ausgeschlossen, dass ein anderer als der Angeklagte die Tat begangen hat. Abgesehen von der Zeugin Deu., auf deren Aussage noch im folgenden einzugehen ist, hat kein Zeuge jemals angegeben, einen anderen als Täter gesehen zu haben. Zwar ist ohne weiteres von der Darstellung der Zeugen auszugehen, es seien mehrere Gestapoleute oder Mitglieder anderer Einheiten mit gezogener Pistole auf dem Platz gewesen. Aber das aufgezeigte Gesamtergebnis der Zeugenschilderungen zum Ablauf der Handlung, innerhalb derer allein der Angeklagte von dem Moment, in welchem Frau Heller ihn anspricht, bis zu dem Augenblick, in welchem erstmals geschossen wird, in der Nähe der Opfer hervortritt, schliesst die Annahme der Täterschaft eines anderen aus. Die Zeugen Drä., Fru. und Lin. haben mit Sicherheit bekundet, kein anderer Gestapoangehöriger habe sich im Augenblick ihrer Beobachtungen in unmittelbarer Nähe des Tatortes aufgehalten. Die Zeugin Marg. hat dies entsprechend geschildert für den davorliegenden Zeitpunkt, als der Angeklagte Frau Heller und Kinder an ihr vorbeiführte. Die Zeugin Lin. hat darüber hinaus sicher gesehen, dass der Angeklagte allein mit ausgestrecktem Arm eine Pistole auf die am Boden liegende Frau Heller und Kinder gerichtet und einen weiteren Schuss abgegeben hat. Angesichts dieses plastischen, von der Zeugin Lin. überzeugend nachgezeichneten Bildes bedeutet die Darstellung der Zeugin Mar., sie wisse nicht, wer geschossen habe, es seien auch andere Gestapoangehörige mit einer Pistole in der Hand auf dem Platz gewesen, nicht, dass ein anderer geschossen hätte.

Die Überzeugung von der Täterschaft des Angeklagten wird auch nicht durch die Bekundungen der Zeugin Deu. erschüttert. Nach ihrer Aussage vom 24.1.1967 vor dem deutschen Konsul in New York will diese Zeugin allerdings gesehen haben, dass der Zeuge Hac. die Tat begangen habe. Indessen hat die Zeugin diese Aussage schon in ihrer Vernehmung vom 7.3.1967 vor demselben Konsul widerrufen: Sie habe gar nicht gesehen, wer von den Gestapoangehörigen geschossen habe; teils hätten Umstehende gerufen, Hac. habe Frau Heller erschossen, teils hätten sie - wahrscheinlich sogar überwiegend - gerufen, der Angeklagte habe dies getan. Nach ihrer Schilderung soll sich der Vorfall bei einem LKW vor mehreren Gestapoangehörigen ereignet haben. Nach Vorhalt der Aussagen der Zeugen Ewa Marg. (evtl. Rosa Mar.) und Drä. hat sie dann deren Bekundungen als richtig bestätigt. Dies alles zeigt, dass die Zeugin über ein eigenes Erinnerungsbild nicht verfügt und unglaubwürdig ist. So hat sie selbst eingeräumt, bei Vernehmungen sehr aufgeregt zu sein und dadurch zur falschen Aussage zu kommen. Dass dies zutrifft, zeigt sich auch darin, dass sie im vorliegenden Verfahren wegen der Gefahr der Verstärkung psychischer Störungen (Angstträume und Angstzustände) nicht in der Hauptverhandlung und auch nicht vor dem ersuchten Konsul vernommen werden konnte. Wenn bei dieser Sachlage der Zeuge Hac. vor dem Schwurgericht unter Eid entschieden bestritten hat, die Tat begangen zu haben, ist dies bei aller Skepsis, die bei einer solchen Bekundung grundsätzlich angebracht erscheint, glaubhaft. Hierbei verkennt das Schwurgericht nicht, dass der Zeuge verdächtigt wird, etwa in demselben Zeitraum in Jaslo und Gorlice an Gewaltverbrechen gegen die jüdische Bevölkerung beteiligt gewesen zu sein. Das Strafverfahren gegen ihn ist wegen seiner krankheitsbedingten Verhandlungsunfähigkeit eingestellt worden. Es ist auch wahrscheinlich, dass Angehörige des Grenzpolizeikommissariats Jaslo, dem der Zeuge auch angehörte, bei der Ghetto-Liquidierung in Krosno eingesetzt waren. Seiner Bekundung kommt deshalb an sich geringer Beweiswert zu. Bei den Gesamtumständen ist sie dennoch glaubhaft.

d) Schon nach dem Gesagten ist hier die Einlassung des Angeklagten ausgeräumt, er könne nicht der Täter sein, weil er am Tage der Ghetto-Liquidierung mit einer Blinddarmentzündung im Krankenhaus gelegen habe oder deswegen auch nur zuvor zu Hause bettlägerig gewesen sei. Die Bekundungen der Tatzeugen besagen das Gegenteil. Hinzukommen die diese zugleich stützenden Angaben des heute 66-jährigen Zeugen Elo., der den Angeklagten ebenfalls bei der Aktion auf dem Franziskanerplatz gesehen hat. An der Richtigkeit dieser in allen Vernehmungen gleichgebliebenen Darstellung des Zeugen, der damals fast 36 Jahre alt war, zu zweifeln, besteht trotz seiner von ihm eingeräumten Erinnerungsschwierigkeiten im übrigen wegen des glaubwürdigen Eindrucks, den er bei Gericht gemacht hat, kein Anlass. Auch der damals fast 16-jährige, heute 46-jährige jüdische Zeuge Fri. hat den Angeklagten nach seiner, des Zeugen, vorsichtig abwägenden, präzisen, mit den früheren Bekundungen übereinstimmenden, glaubhaften Aussage am Tag der Liquidierung im Ghetto gesehen. Dieselbe Beobachtung hat der damals 14-jährige Zeuge Fes. gemacht. Zu diesem Bild passt die glaubhafte Aussage des damals 46-jährigen polnischen Zeugen Szn., der den Angeklagten eine Gruppe von 50 bis 100 Juden auf dem Weg vom Ghetto zum Bahnhof begleiten sah.

Die Einlassung des Angeklagten ist aber auch durch Urkunden widerlegt. Dazu bedarf es weiteren Ausholens:

Hierfür ist zunächst von Bedeutung, dass nach der Überzeugung des Schwurgerichts als Datum der Liquidierung des Ghettos und damit der hier erörterten Taten des Angeklagten der 4.12.1942 - ein Freitag - feststeht. Die Zeugin Mar. hat dieses Datum mit Bestimmtheit genannt und einleuchtend ihre sichere Erinnerung daran damit erklärt, dass an diesem Tage ihre Mutter nach Reichshof gebracht und dort umgebracht worden sei. Die Zeugin Marg. hat überzeugend angegeben, dass sich dies Datum als das eines schicksalhaften Tages in ihr Gedächtnis eingegraben habe. Der Zeuge Fru. hat zwar nicht diese Zeitangabe gemacht. Er hat aber die Liquidierung des Ghettos auf den Tag gelegt, an dem die erste Kerze des 8 Tage dauernden Chanukkafestes angezündet wurde. Dies aber war - wie von dem Zeugen Landesrabbiner Emil Dav. anhand eines sogenannten ewigen Kalenders glaubhaft belegt - im Jahre 1942 der 4.12. Das Chanukkafest war ebenso dem in Stockholm konsularisch vernommenen Zeugen Fes. eine Orientierungshilfe. Mit sichtbarem, in seiner protokollierten Aussage zum Ausdruck kommenden Bemühen um präzise Erinnerung hat er nach Schwanken in dem Zeitraum vom 4. bis allenfalls 11.12.1942 letztlich gemeint, Freitag, den 4.12.1942 als Tag der Liquidierung angeben zu können. Die Zeugin Drä. hat ebenfalls die Vorfälle als um die Zeit des Chanukkafestes geschehen geschildert. Der Zeuge Dow Wil. schliesslich hat glaubhaft bekundet, er habe sich bei der Ghettoräumung von Freitag bis Samstag zwei Tage lang versteckt gehalten, bis er vom Angeklagten samstags nachts bei dessen Suche nach Zurückgebliebenen aufgespürt worden sei. Das wiederum bestätigt, dass die Liquidierung an einem Freitag, wie es der 4.12.1942 war, erfolgte. Bei dieser Sachlage ist es unerheblich, dass nach Angaben der Zeugin Lin. die Auflösung des Ghettos an einem Sonntag im November/-Dezember 1942 erfolgt sein soll. Die Verwechselung eines Feiertags mit einem Sonntag ist erklärlich. Soweit der Zeuge Salek Be., der auch das Chanukkafest erwähnte, die Dauer der Liquidierung mit zwei Wochen angegeben hat, wonach der Zeuge Wil. den Angeklagten dann auch an einem späteren Wochenende gesehen habe könnte, beruht dies darauf, dass der Zeuge Be. auch die "Aufräumung" des Ghettos in diese Zeitangabe miteinbezogen hat. Das hat er auf Befragen selbst erläutert. Es folgt auch aus den Bekundungen der übrigen o.g. Zeugen, wonach der Abtransport der Ghettobewohner im wesentlichen an einem Tag vorgenommen wurde. Dies entspricht auch der von den Machthabern im Generalgouvernement geübten Praxis. Soweit der Zeuge Josef Be. von gruppenweisem Abtransport gesprochen hat, hat er gleichzeitig erläutert, damals auf dem Flugplatz und nicht im Ghetto gewesen zu sein, so dass diese Bekundung die getroffene Feststellung nicht erschüttert.

Nicht nachzugehen brauchte das Schwurgericht dem gestellten Antrag der Verteidigung, den Direktor des jüdisch-historischen Instituts in Warschau Dr. Horn als Zeugen dazu zu vernehmen, dass die Liquidierung des Ghettos nicht am 4. sondern am 5.12.1942 erfolgte. Durch diese Feststellung soll die Unglaubwürdigkeit des Zeugen Dow Wil. in diesem und im nachfolgenden Fall Asher Bojgen und damit wohl auch die der Zeugen, die den 4.12.1942 nannten, dargetan werden. Es handelt sich hier um einen Beweisermittlungsantrag, über den im Rahmen von §244 Abs.2 StPO zu entscheiden ist. Denn Dr. Horn soll ersichtlich nicht aufgrund eigener Beobachtung zur Tatzeit sondern nach seinen Forschungsergebnissen aussagen und dabei Wissensquellen offenbaren, die das Gericht dann gegebenenfalls als Beweismittel nutzen könnte.

Das Schwurgericht hat seiner Aufklärungspflicht durch die vorgenommenen Beweiserhebungen jedoch schon hinreichend genügt. Es ist aufgrund der Zeugenaussagen und des überzeugenden, widerspruchsfreien, von zutreffenden tatsächlichen Voraussetzungen ausgehenden Gutachtens des Sachverständigen Dr. Sche. von der Richtigkeit des 4.12.1942 als Datum der Liquidierung überzeugt. Die Vernehmung des Zeugen Dr. Horn verspricht keine weitere - andere - Aufklärung, denn der Sachverständige Dr. Sche., der aufgrund jahrelangen intensiven Quellenstudiums und Beobachtung sowie Auswertung sog. NSG-Verfahren umfassendes Fachwissen besitzt, hat bei seinem Gutachten die Untersuchungen des jüdisch-historischen Instituts in Warschau verwertet, sie für den Distrikt Krakau als "recht global" bezeichnet und danach als Liquidierungsdatum "Anfang Dezember" 1942 angegeben. Benutzte er aber - nach Auffassung des Schwurgerichts zuverlässig - die Unterlagen, über die Dr. Horn verfügt, dann ist dessen Vernehmung als Zeuge wie auch als Sachverständiger überflüssig.

Der Angeklagte wird dadurch nicht benachteiligt. Denn selbst wenn die Liquidierung am 5.12.1942 gewesen wäre - eine Unterstellung dieses Datums entsprechend §244 Abs.3 Satz 2 letzte Alternative StPO ist hier allerdings nicht erforderlich - wäre damit die Unglaubwürdigkeit des Zeugen Dow Wil. sowie der Zeugen Mar., Marg., Fru. und Fes. nicht überzeugend dargetan. Die Unglaubwürdigkeit soll sich daraus ergeben, dass der Zeuge Wil. angegeben hat, an einem Samstag nachts, gemeint ist die Nacht von Samstag auf Sonntag, vom Angeklagten aufgespürt worden zu sein. Wäre dies nicht die Nacht vom 5. zum 6. sondern die vom 12. zum 13.12.1942, dann hätte dies aus noch darzulegenden Gründen nicht möglich sein können. Der Zeuge Wil. hätte sich indirekt auf den 12./13.12.1942 festgelegt, wenn er behauptet hätte, sich anlässlich der Liquidierung auf einem Dachboden versteckt zu haben und nach etwa 8 Tagen an einem Samstag vom Angeklagten entdeckt worden zu sein. Auf eine solche Behauptung hätte allenfalls seine Schilderung in der Vernehmung vom 18.1.1963 hindeuten können, er habe "einige Tage" auf dem Dachboden zugebracht. Der Zeuge Wil. hat jedoch schon in seiner Aussage vom 20.10.1972 und dann auch in der Hauptverhandlung seiner Angaben dahin präzisiert, dass er sich nur 2 Tage lang von Freitag bis Samstag versteckt gehalten habe, bis er entdeckt worden sei. Dann kann und muss der Zeuge den Angeklagten aber notwendigerweise in der Nacht vom 5. zum 6.12.1942 gesehen haben, wenn die Liquidierung erst am 5.12.1942 gewesen sein sollte. Von der Planung der Aktion waren u.a. die Zeugen Mar., Fru. und Fes. schon am Vorabend unterrichtet. Dann ist es einleuchtend, wenn der Zeuge Wil. ebenfalls diese frühe Kenntnis hatte und sich schon am 4.12. versteckte. Bei den herrschenden Verhältnissen ist es jedoch ausgeschlossen, dass er sich erst am 11.12. verbarg, da er solange nicht dem Abtransport entgangen wäre. - Bezüglich der allgemeinen Glaubwürdigkeit der Zeugen Mar., Marg., Fru. und Fes. wäre ein eventueller Irrtum in der Datenangabe nicht erheblich gewesen.

Ist somit weiterhin der 4.12.1942 als Tag der Ghettoliquidierung erwiesen, dann ist die Einlassung des Angeklagten, an diesem Tage wegen einer Blinddarmentzündung im Krankenhaus oder auch nur zu Hause gelegen zu haben, auch mit Hilfe von Urkunden widerlegt.

Durch das Buch über den Krankenstand und durch das Operationsbuch des Krosnoer Krankenhauses ist bewiesen, dass der Angeklagte erst am 12.12.1942 eingeliefert und am Blinddarm operiert und am 27.12.1942 wieder entlassen worden ist. Nach den glaubhaften Bekundungen der vom polnischen Rechtshilfegericht vernommenen heute 72-jährigen polnischen Zeugin Szy., die von 1925 bis 1960 im Krankenhaus in Krosno Verwaltungsangelegenheiten, darunter die Buchhaltung erledigte, wurde das Buch über den Krankenstand von ihr geführt. Die Eintragungen in das Operationsbuch besorgten die operierenden Ärzte. An der Echtheit der in Polen befindlichen Urkundenoriginale, von denen in der Hauptverhandlung beglaubigte Fotokopien vorlagen, und an der Richtigkeit der Eintragungen zu zweifeln, besteht für das Schwurgericht kein Anlass. Die Eintragungen in den beiden Büchern ergänzen sich und stimmen in der fortlaufenden wechselseitigen Numerierung überein. Ihr Inhalt zur Diagnose und Operation deckt sich mit der Einlassung des Angeklagten und den Bekundungen des Zeugen Dr. Hod., der nach seiner glaubhaften Aussage den Angeklagten noch am Tage seiner Konsultation in das Krankenhaus zur sofortigen Blinddarmoperation einwies und hierbei assistierte. Die im Buch über den Krankenstand enthaltenen Zeitangaben bezüglich des damaligen Krankenhausaufenthalts der deutschen Zeugin Erika von D. stimmen mit deren Aussagen überein. Der entscheidende Zeitpunkt des Aufenthaltes des Angeklagten im Krankenhaus ist durch die von den Urkunden ausgewiesene Art der Eintragungen festgelegt. Die dem Gericht überlassenen Auszüge geben eindeutig wieder, dass die Krankeneinlieferungen und Operationen chronologisch notiert sind. Dies ist hinsichtlich der gesamten Bucheintragungen von der Zeugin und Dolmetscherin Rup. glaubhaft bestätigt worden, die sich die alten Originalunterlagen an Ort und Stelle eingehend angesehen hat. Es ist demnach für das Schwurgericht ausgeschlossen, dass die Urkunden oder auch nur ihr Inhalt falsch sein könnten.

Für die Möglichkeit, dass der Angeklagte vor dem 12.12.1942 schon längere Zeit, jedenfalls schon in der Zeit vom 4. bis 6.12.1942 bettlägerig erkrankt war, fehlt ein hinreichend konkreter Anhaltspunkt. Gegen eine solche Annahme spricht zunächst schon die in beiden Büchern übereinstimmend festgehaltene Diagnose "appendicitis acuta". Diese wird durch die überzeugende Aussage des Arztes Dr. Hod. bestätigt. Eine akute Entzündung lässt es wahrscheinlich erscheinen, dass es sich um eine plötzlich aufgetretene Erkrankung handelt. Dass dies hier tatsächlich der Fall war, steht zur Überzeugung des Gerichts fest aufgrund der Tatsache, dass der Angeklagte in den jahrelangen Ermittlungsverfahren und während des Hauptverfahrens bis zum Bekanntwerden des Auffindens der Krankenhausurkunden und der Aussage der Zeugin Kl. im März 1973 in dieser für ihn so wichtigen Frage wiederholt ausdrücklich betont hat, während der Liquidierung im Krankenhaus gelegen zu haben und anschliessend in Kur gewesen zu sein. Wenn er im Zusammenhang dann von Bettlägerigkeit gesprochen hat, heisst das nicht, dass er sich schon zuvor auf bettlägerige Erkrankung vor der Krankenhauseinweisung berufen hat.

Etwas anderes hat auch kein Zeuge bekunden können. Weder sein 1966 verstorbener Bruder Leopold Bäcker noch seine heute 81-jährige Schwägerin Stefania Bäcker oder seine damaligen Mitarbeiter von D., Neum. und Piecha [38] haben nähere Angaben gemacht. Leopold Bäcker will ihn nur einmal kurz vor seiner Heirat (das ist der 29.11.1944) privat in Krosno aufgesucht haben. Die Zeugin Stefania Bäcker hat nur von einem kurzen Besuch am Krankenbett des Angeklagten im Spätherbst oder frühen Winter 1941 berichtet. Wenn auch altersbedingte Erinnerungsfehler bei ihr nicht auszuschliessen sind und sie in ihrer richterlichen Vernehmung vom 2.März 1967 den März, Herbst und November 1942 als Zeitpunkt dieses Besuchs erwähnte, so sind Angeklagter und Zeugin sich jedoch darin einig, dass dieser Besuch nur anlässlich der Lungenentzündung erfolgt sein soll. Für einen Besuch zur Zeit der Blinddarmentzündung besteht kein Anhaltspunkt. Auch die Zeugin Erika von D., die nach ihren eigenen Angaben und den Eintragungen im Buch über den Krankenstand vom 28.11.1942 bis 5.12.1942 zur Entbindung im Krankenhaus lag, wusste bezüglich einer Erkrankung des Angeklagten nichts Bestimmtes. Zwar hat die Zeugin Kl. bei ihrer kommissarischen Vernehmung angegeben, der Angeklagte sei 4 oder 5 Tage vor seiner Einlieferung

[38] Siehe Lfd.Nr.688.

ins Krankenhaus bereits bettlägerig gewesen. Diese Darstellung - ihre Richtigkeit unterstellt - besagt indes nur, dass der Angeklagte frühestens am 7.12.1942 ernsthaft erkrankt gewesen sein kann; denn die Einlieferung war festgestelltermassen am 12.12.1942. Im übrigen ist nach dem Beweisergebnis aber auch die weitere von der Zeugin Kl. gemachte, allgemein gehaltene Aussage, der Angeklagte sei "während der Liquidierung ... am Blinddarm erkrankt", gemeint: nicht einsatzfähig gewesen, ebenso unrichtig wie auch ihre gegenüber dem Zeugen Rechtsanwalt Kap. am 3.4.1968 abgegebene schriftliche Erklärung, der Angeklagte habe sich während der im Dezember 1942 stattgefundene Liquidierung des Ghettos im Krankenhaus befunden. Auch dies beweist neben den oben D.III.1.d) aufgeführten Gründen die Unglaubwürdigkeit der Zeugin Kl.

Damit steht fest, dass der Angeklagte am 4.12.1942 an der Liquidierung teilgenommen hat.

e) Die Opfer sind auch hier hinreichend bestimmt. Die Familie Heller war den Tatzeugen bekannt. Die Zeugen Drä. und Lin. haben Frau Heller als ihre Freundin bezeichnet. Der Zeuge Fru. wohnte bis zum Tattage im selben Hause wie die Familie Heller. Auch die Zeuginnen Marg. und Mar. kannten Frau Heller und wussten, dass Herr Heller von Beruf Glaser war. Das Alter der Frau Heller und der Kinder ist von den Zeugen mit 22 bis 30 und 1 bis 5 Jahren geschätzt worden. Die unterschiedlichen Angaben zum Vornamen der Frau Heller, die zum Teil auf der Verwendung der jüdischen bezw. polnischen Version beruhen dürften, besagen nichts. Als Mädchenname der Frau Heller sind die immerhin noch phonetisch ähnlich klingenden Namen Klacksberg, Klaxbart, Klagsbalt angegeben worden. Ebensowenig ist von Bedeutung oder auch nur verwunderlich, wenn kein Zeuge die Vornamen der Kinder nennen konnte und dass zu ihrem Geschlecht übereinstimmende Angaben nicht gemacht wurden. Im übrigen wird auf die Ausführungen unter D.III.1.h) verwiesen.

Nach allem steht fest, dass der Angeklagte Frau Heller und deren beide Kinder am 4.12.1942 nacheinander erschossen hat.

4. Asher Bojgen

Die Feststellungen hierzu beruhen auf der glaubhaften Bekundung des jetzt 47-jährigen, damals knapp 17-jährigen vereidigten jüdischen Zeugen Dow Wil., der die Tat so, wie sie unter B.IV. festgestellt ist, geschildert hat.

Hinsichtlich der Glaubwürdigkeit des Zeugen bestehen zur Überzeugung des Schwurgerichts keine berechtigten Zweifel. Seine Aussage bei seiner Vernehmung in der Hauptverhandlung stimmt im wesentlichen überein mit seinen früheren Aussagen bei seinen polizeilichen Vernehmungen vom 18.1.1963, 16.7.1965 und 2.10.1972. Bei seiner Vernehmung in der Hauptverhandlung hat er zur Identifizierung das äussere Erscheinungsbild des Angeklagten in den Jahren 1941/42 zutreffend beschrieben und ihn auf den Lichtbildern, 5, 25 und 27 sowie den Passbildern Bl.6 der Lichtbildmappe sicher als den früheren Gestapoangehörigen Bäcker in Krosno identifiziert. Der Zeuge hat glaubhaft erklärt, er habe in dem Angeklagten, den er in den Jahren 1941/42 oftmals gesehen und genau gekannt habe und dessen Gesichtszüge damals dieselben gewesen seien wie heute, sofort den Gestapoangehörigen wiedererkannt, der sie in jener Nacht aufgespürt habe. Die vorstehenden Ausführungen zum Beweisermittlungsantrag hinsichtlich des Datums der Ghettoliquidierung - D.III.3.d) - gelten auch hier.

Das Schwurgericht hat jedoch nicht mit der erforderlichen Sicherheit festzustellen vermocht, dass die auf Asher Bojgen abgegebenen Schüsse dessen Tod herbeiführten. Nach der Darstellung des Zeugen Wil. deutet zwar alles darauf hin, dass Asher Bojgen durch die vom Angeklagten abgegebenen Schüsse getötet wurde, weil der Zeuge ihn kurze Zeit nach den Schüssen reglos auf der Erde liegend erblickte und ihn danach nicht mehr wiedersah und auch kein Lebenszeichen mehr von ihm erhielt. Es konnte jedoch nicht zweifelsfrei festgestellt werden, wohin die vom Angeklagten abgefeuerten Schüsse trafen und ob sie tödlich waren. Es ist möglich, wenngleich wenig wahrscheinlich, aber zugunsten des Angeklagten anzunehmen, dass Asher Bojgen durch die Schüsse des Angeklagten nur verletzt wurde und überlebte oder später aus Gründen, die nicht mit den Schüssen in Zusammenhang standen, den Tod fand.

5. Weitere Tötungen oder versuchte Tötungen

Zur zusätzlichen Darstellung der Persönlichkeit des Angeklagten hat das Schwurgericht die oben - B.V.1.-6. - geschilderten weiteren, nicht angeklagten Taten beispielsweise festgestellt, ohne es noch für erforderlich zu halten, zahlreichen anderen gleichgelagerten Verdachtsmomenten nachzugehen.

Dabei beruhen die Feststellungen auf den ausnahmslos eidlichen Bekundungen
a) des heute 55-jährigen, damals ca. 25 Jahre alten, nun in den USA lebenden jüdischen Zeugen Josef Fru. zu B.V.1., Kleinkind an der Synagoge,
b) des heute 52-jährigen, damals ca. 22 Jahre alten, auch jetzt noch in Krosno wohnenden polnischen Zeugen Stanislaw Soc. zu B.V.2., Jude "Am Blich",
c) des heute 75-jährigen, damals 45 Jahre alten, nach dem Krieg wieder in der Bundesrepublik Deutschland wohnenden deutschen Zeugen, Zollinspektor i.R. Franz Scho. zu B.V.3., Jüdin beim Zollamt,
d) der damals 15- und 13-jährigen, heute 46 und 44 Jahre alten, beide nun in den USA lebenden jüdischen Zeugen Salek und Josef Be. zu B.V.4., drei Juden an der Synagoge,
e) der damals 18-jährigen, jetzt 49 Jahre alten und in Frankfurt/M. wohnenden jüdischen Zeugin Maria Ta. zu B.V.5., Estera Engelhard, und
f) des damals 46-jährigen, heute 77 Jahre alten, auch jetzt noch in Krosno lebenden polnischen Zeugen Gabriel Szn. zu B.V.6., alte Jüdin auf Schlitten.

Die Zeugen haben die jeweiligen Taten - wie festgestellt - im wesentlichen ohne Widerspruch zu ihren früheren Angaben geschildert. Hinsichtlich ihrer Glaubwürdigkeit und der sicheren Identifizierung des Angeklagten durch sie bestehen keine durchdringenden Zweifel. Bezüglich der Zeugen Fru., Scho., Salek Be. und Szn. wird zunächst auf die oben D.II.1. und 3. gemachten Ausführungen verwiesen.

Ergänzend hierzu und zu den bisher noch nicht erwähnten Zeugen ist anzufügen:

Zwar hat der Zeuge Scho. den Angeklagten auf den Fotos nicht sicher wiedererkannt. Er hat bezüglich dreier der ihm vorgelegten 25 bis 30 Bilder die zutreffende und hinsichtlich zweier falsche Vermutung geäussert, das könne evtl. der Angeklagte sein. Zu zwei Aufnahmen des Angeklagten hat er nichts sagen können. Dagegen hat er aber den Angeklagten persönlich identifiziert. Dies hat er glaubhaft damit erklärt, dass er 1940 eine Zeitlang neben den Diensträumen der Gestapodienststelle gewohnt und den Angeklagten mehrfach gesehen habe. Seine Erinnerung an ihn sei wachgehalten worden, weil er in Duisburg auf einen Kollegen desselben Namens getroffen sei, der sogar etwas Ähnlichkeit mit dem Angeklagten gehabt habe und anderswo bei der SS gewesen sei.

Die Schilderungen der Vettern Be. sind glaubhaft trotz der Jugend beider Zeugen im Zeitpunkt der Beobachtung, denn sie haben die Tötung ihres Grossvaters in ihrer und ihres Vaters bezw. Onkels Gegenwart mit besonderer persönlicher Anteilnahme und Betroffenheit miterlebt und deshalb diesen Vorgang wie auch die vorausgegangene Erschiessung der beiden alten Juden klar und fest in Erinnerung behalten. Wenn der Zeuge Josef Be. in einem ihm vorgehaltenen Schreiben vom 12.12.1972 die Tat auf Mitte Dezember, etwa eine Woche nach der Liquidierung des Ghettos gelegt hatte, handelte es sich dabei um eine in der Hauptverhandlung aufgeklärte Verwechslung der Aussiedlungsaktion mit der Ghettoliquidierung.

So hat der Zeuge auch beide Male verneint, bei der Liquidierung im Ghetto gewesen zu sein, aber jedesmal angegeben, sich bei der Aussiedlung mit den anderen auf der Targowica versammelt zu haben. Die Zeitangabe Mitte Dezember beruhte ersichtlich darauf, dass das Schreiben vom 12.12.1972 die Beantwortung eines fragebogenähnlichen Schreibens der Staatsanwaltschaft enthielt. Der Zeuge Salek Be. hat dann auch unter Bezugnahme auf ein entsprechendes Datum des jüdischen Kalenders überzeugend die Tat auf den 19.8.1942 etwa eine Woche nach der Aussiedlungsaktion gelegt. Es entspricht auch der nach den getroffenen Feststellungen damals in Krosno geübten Praxis, dass nach Juden geforscht wurde, die sich noch versteckt hielten. - Beide Zeugen haben den Angeklagten in Person und auf mehreren Lichtbildern zweifelsfrei identifiziert.

Der Zeuge Soc. hat die Tat gut beobachten können. Er hat nach seiner glaubhaften Bekundung in seiner Eigenschaft als Mitglied der polnischen Krosnoer Feuerwehr, der er seit dem 9.6.1942 angehört habe, zur Tatzeit den Angeklagten auf dessen Befehl begleiten müssen, um jüdische Häuser ausserhalb des Ghettos zu plombieren. Er habe unmittelbar hinter dem Angeklagten gestanden, als dieser seine Pistole gezogen und den alten Juden niedergeschossen habe. Der Zeuge hat den Angeklagten in der Hauptverhandlung und auf mehreren Lichtbildern mit Bestimmtheit als den früheren Gestapoangehörigen Oskar Bäcker und Täter identifiziert und sachlich, abwägend, präzise und detailliert ausgesagt.

Auch die Zeugin Ta. konnte nach ihrer glaubhaften Aussage, obgleich in einem Hauseingang versteckt, das Tatgeschehen aus 15 Metern gut beobachten. Sie habe gesehen, dass der Angeklagte in die Tasche gegriffen und eine Pistole in der Hand gehalten habe. Dann habe sie einen Schuss gehört und später festgestellt, dass das Mädchen am Kopf getroffen war. Als der Angeklagte sich vom Tatort entfernt habe, sei er unmittelbar an ihrem Versteck vorbeigegangen, so dass sie ihn zweifelsfrei habe erkennen können. Sie habe ihn zur Tatzeit genau gekannt, weil er häufig gemeinsam mit Schmatzler nachts in angetrunkenem oder betrunkenem Zustand in ihre elterliche Wohnung aus der daruntergelegenen Gaststätte hinaufgekommen sei und sie und ihren Bruder misshandelt habe. Dies und die Vermutung der Zeugin, der Angeklagte habe ihren Grossvater getötet, sowie ihre Angabe, sie habe u.a. aufgrund der Misshandlungen des Angeklagten erhebliche andauernde gesundheitliche, auch nervliche Schäden davongetragen, machten allerdings die besonders kritische Überprüfung dieser Zeugenaussage erforderlich. Die präzise Erinnerung der Zeugin zu den tatsächlichen Verhältnissen in Krosno, ihre sicheren zutreffenden Erläuterungen zu den ihr vorgelegten Lichtbildern mit Identifizierung des Angeklagten sowie ihre zurückhaltende Schilderung in Fragen anderer Taten vermitteln jedoch dem Schwurgericht die Überzeugung auch ihrer Glaubwürdigkeit.

Nur in den Fällen B.V.1. und 4. haben die Zeugen auch die Opfer beerdigt. Deshalb hat auch nur insoweit deren Tod festgestellt werden können. Im übrigen hat nicht mit Sicherheit ausgeschlossen werden können, dass die Personen trotz der Schussverletzungen überlebten.

Soweit der Angeklagte sich eingelassen hat, er sei zur Zeit der Aussiedlung zum Telefon- und Innendienst bestellt gewesen, ist dies aufgrund der Beobachtungen der glaubwürdigen Zeugen widerlegt und ebenso wie seine Behauptungen über seine Erkrankungen bei der Pelzaktion und Ghettoliquidierung als Schutzbehauptung anzusehen.

Wenn auch die Zeugen glaubhaft die Fälle B.V.1.-5. um die Zeit der Aussiedlungsaktion gelegt haben, so brauchte dennoch auch hier nicht dem von der Verteidigung in diesem Zusammenhang gestellten Beweisermittlungsantrag nachgegangen zu werden, den Zeugen Dr. Horn dazu zu vernehmen, dass eine Aussiedlungsaktion in Krosno weder im August noch genau am 10.August 1942 stattgefunden habe, sondern dass ausser der Liquidierung im Dezember 1942 zwei Aktionen, nämlich im April und Oktober 1942 erfolgt seien.

Auf die auch für die Fälle V.1. bis 5. entsprechend geltenden Ausführungen unter D.III.3.d) wird verwiesen. Anhand gerade der Unterlagen des jüdisch-historischen Instituts Warschau hat der Sachverständige Dr. Sche. mit näherer Begründung den 10.8.1942 als Tag der Aussiedlung in Krosno angegeben. Dies Datum oder August 1942 oder Sommer 1942 oder die Aussiedlung bei grosser Hitze haben auch die Zeugen Fru., Soc., Scho., Salek und Josef Be., Ta., Poa., Mar., Wil., Sol Mos., Fri., Wn., Fin., Mac., Ludwig von D., No., Neum., Dr. Hod., Fes., Gol., Voe., Fei. und Bor. genannt. Das Gericht sieht deshalb auch den Sommer 1942, wahrscheinlich den 10.8.1942 als Datum der Aussiedlung und die oben V.1.-5. angegebenen Tatzeiten als hinreichend ermittelt und festgestellt an. Im übrigen kommt es aber auch nicht entscheidend darauf an, ob die von den Zeugen in die Zeit der Aussiedlungsaktion gelegten Tötungen oder Tötungsversuche durch den Angeklagten im August oder April oder Oktober 1942 lagen. Die Zeugenaussagen verlieren selbst bei einer Unstimmigkeit bezüglich der Zeitangabe zu der oder den Aussiedlungsaktion(en) nach der Überzeugung des Schwurgerichts hinsichtlich der übrigen Sachverhaltsschilderungen nicht ihre Glaubhaftigkeit.

Damit steht fest, dass der Angeklagte auch die unter B.V.1.-6. festgestellten Taten begangen hat.

IV. Zur inneren Tatseite

Da der Angeklagte alle ihm vorgeworfenen Tötungshandlungen bestritten hat, kann auf seine innere Einstellung zur jeweiligen Tat nur aufgrund des äusseren Geschehensablaufs geschlossen werden.

1. Das selbständige Handeln des Angeklagten

a) Das Schwurgericht ist überzeugt, dass der Angeklagte sich in den Fällen Fürst, Frau Heller und Kinder sowie Asher Bojgen - B.I.III. und IV. - allein von sich aus, unbeeinflusst durch einen konkreten Befehl oder auch nur irrig angenommenen Befehl entschloss, in Tötungsabsicht auf die Opfer zu schiessen und dabei das Tatgeschehen mit eigenem Gestaltungswillen allein zu beherrschen wie es ihm auch gelang.

Das ergibt sich aus dem Ablauf der vorgenannten Taten.

Zunächst hat die Hauptverhandlung nichts dafür ergeben, dass der Angeklagte im Fall Fürst auf Weisung das Geschäft und Frau Fürst aufgesucht hat, um, falls er einen Verstoss gegen die Pelzablieferungsverpflichtung feststellte, deswegen Frau Fürst zu erschiessen.

Zwar hat der damals 19-jährige, jetzt 50 Jahre alte Zeuge Schw., der heute Pelzhändler in Kanada ist, unter Eid angegeben, 10 bis 15 Minuten nachdem er Frau Fürst tot auf der Strasse habe liegen sehen, aus 10 bis 15 Meter Entfernung beobachtet zu haben, dass der Angeklagte vor einer Apotheke in der Nähe der Gestapodienststelle den Juden Knobel erschoss. Auch will er während der Pelzaktion aus 7 Metern Entfernung durch ein Treppenfenster gesehen haben, dass der Angeklagte im Hof des Judenrates ebenfalls den ca. 60-jährigen Juden Gärtner erschossen habe, weil dieser sich geweigert habe, einem Mitglied des jüdischen Ordnungsdienstes seinen Pelz auszuhändigen. Bei der Aktion sei man beim Einsammeln der Pelze von Haus zu Haus gegangen und habe wahllos geschossen, ohne dass allerdings jeder mit einem Pelz Angetroffene erschossen worden sei. Ferner hat der damals 22-jährige, heute 54 Jahre alte Zeuge Ha., der jetzt als Buchhalter in Israel lebt, eidlich ausgesagt, er habe während der Pelzaktion gesehen, dass der Angeklagte auf der Treppe im Hause des Judenrates einen alten Juden erschossen habe, weil dieser einen schmalen Pelzkragen an seinem Mantel nicht abgegeben hatte. Die Zeugin Marg. war sich nicht sicher, ob am Tage der Erschiessung der Frau Fürst noch 6 Personen, Ausgesiedelte aus Lodz, bei denen man Pelz gefunden habe, erschossen worden seien. Gesehen habe sie das nicht.

Das Schwurgericht hat die Aussagen der Zeugen Schw. und Ha. nicht gegen den Angeklagten verwertet, weil sie durch starke, teils wiederholte, ungezügelte Hass- und Zornausbrüche gegen den Angeklagten den unausräumbaren Eindruck der Voreingenommenheit hinterliessen. Hinzukommt bezüglich des Zeugen Schw. die Möglichkeit einer Neigung zur Übertreibung, denn kein anderer Zeuge hat, abgesehen von dem Erlebnisbericht des Zeugen Bre., den Ablauf der Pelzaktion mit diesen zahlreichen Erschiessungen geschildert. Die vorsichtige, zweifelnde, eher fragende Aussage der Zeugin Marg. ist so vage, dass sich daraus für das Schwurgericht nicht einmal genügender Anhalt für die blosse Möglichkeit weiterer Tötungen an jenem Tattage ergibt. - Das Gericht hat sich aber auch nicht veranlasst gesehen, die Aussagen der Zeugen Schw. und Ha. zugunsten des Angeklagten zu verwerten. Dies wäre erforderlich gewesen, wenn aufgrund der Aussagen eine von vorgesetzter Stelle bindend angeordnete Erschiessungsaktion nicht hätte ausgeschlossen werden können. Aber selbst wenn die Schilderungen zutreffend wären, lässt sich daraus nicht schliessen, dass dem Angeklagten die Tötung der Frau Fürst von einem Vorgesetzten, z.B. dem Dienststellenleiter befohlen worden wäre. Das zeigt die Angabe des Zeugen Schw., es sei wahllos geschossen worden. Der einzelne Schütze konnte sich also entscheiden, ob er schiessen wollte oder nicht. Die Aussage des Zeugen Ha. enthält keinen Hinweis auf weitere Taten und weitere Täter. Bei einer durch konkreten Befehl gesteuerten Pelzsuchaktion mit Erschiessungsanweisung wäre jedoch mit weit grösserer, von der Krosnoer Bevölkerung und weit mehr Zeugen beobachteter Aktivität zu rechnen gewesen.

Das Schwurgericht ist ferner überzeugt, dass sich der Angeklagte nicht durch das Fernschreiben des Befehlshabers der Sicherheitspolizei und des SD im Generalgouvernement Schöngarth vom 24.12.1941 (s. oben A.III.1.) zur Erschiessung der Frau Fürst befohlen glaubte. Das Schreiben enthielt nur Erschiessungsandrohungen. Entsprechende Todesstrafenandrohungen mit Erwähnung von Sondergerichten waren auch schon vorher in Verordnungen, die gegen die jüdische Bevölkerung gerichtet waren, so in der Verordnung über Aufenthaltsbeschränkung enthalten. Auch existierten nach dem Gutachten des Sachverständigen Dr. Sche. wohl - urkundlich nicht zu belegende - sogenannte "Schiessbefehle", die unter gewissen Voraussetzungen, beispielsweise beim Antreffen von Juden auf Landstrassen, im Ergebnis die Erschiessung der Betroffenen "erlaubten". Der Angeklagte hat nach der Gewissheit des Gerichts diese Verordnungen, "Schiessbefehle" und auch das Fernschreiben Schöngarth gekannt, denn er war in einer kleinen Dienststelle mit ständigem persönlichen Kontakt der Dienststellenangehörigen tätig. Zur selben Gewissheit hat er aber auch den Unterschied zwischen Androhung, "Gestattung" und bindender Anordnung der Erschiessung mit seiner mittelmässigen Intelligenz, die ihn immerhin zur Ablegung der Schneidermeisterprüfung befähigte, bei seiner wachen Einsatzbereitschaft und wegen seiner zur Tatzeit zweijährigen Zugehörigkeit zur Dienststelle Krosno verstanden. So ist er auch nicht etwa gegenüber dem Judenrat tätig geworden, nachdem er bei Frau Fürst das Pelzstück fand. Dafür, dass der Angeklagte hier irrig einen Befehl auf anderer Grundlage annahm, hat sich nichts ergeben. Es bleiben auch keine Bedenken aufgrund der Tatsache, dass der Angeklagte als Volksdeutscher innerhalb der Hierarchie der Gestapodienststelle Krosno nur als Kriminalangestellter und erst späterer SS-Anwärter eingestuft war und nach seinen eigenen Angaben nur als Dolmetscher und "Laufbursche" fungiert haben will.

Das selbständige Handeln des Angeklagten im Fall Fürst schliesst das Schwurgericht zusätzlich aus seinem nicht durch einen Befehl oder irrig angenommenen Befehl beeinflussten Vorgehen in den Fällen Heller und Asher Bojgen.

Die Erschiessung der Frau Heller und ihrer Kinder macht besonders deutlich, dass der Angeklagte nicht auf Befehl seiner unmittelbaren Dienstvorgesetzten oder in Annahme eines solchen Befehls sondern aus eigenem Antrieb gehandelt hat. In seiner für ihn unerwartet eintretenden Situation, die sich während der Liquidierung des Ghettos entwickelte, als Frau Heller mit ihren Kindern aus der Reihe heraustrat, fällte er kurz entschlossen einen eigenen Machtspruch, indem er Frau Heller, die seiner Anweisung nicht sofort gehorchte, und deren Kinder nacheinander niederschoss. Ebensogut hätte er ihr befehlen, notfalls sie mit körperlicher Gewalt oder Drohung zwingen können, sich mit ihren Kindern wieder einzureihen. Bei dieser Sachlage braucht nicht entschieden zu werden, ob sogar der Aussage des Zeugen Bar. [39] gefolgt werden kann, es hätten keine allgemeinen Befehle bestanden, bei Aussiedlungen - und dazu muss im Ergebnis auch die Liquidierung zählen - Sich-Weigernde zu erschiessen. Ebensowenig ist im Ergebnis bedeutsam, dass bei der Liquidierung wahrscheinlich auch von anderen Angehörigen der eingesetzten Einheiten im Ghetto Juden an verschiedenen Stellen erschossen wurden. Beides deutet nämlich nicht auf einen bestimmten Erschiessungsbefehl im Fall Heller hin. Das Schwurgericht sieht es ferner für ausgeschlossen an, dass der Angeklagte irrig diese Erschiessung für befohlen gehalten hat, weil er es hier mit einer Frau und zwei kleinen Kindern zu tun hatte, die sich im Ergebnis nicht gegen einen Abtransport wehren konnten, und weil der Angeklagte dennoch schoss.

Auch die Umstände im Falle Asher Bojgen lassen klar erkennen, dass der Angeklagte nicht eine in bindender Weise angeordnete oder vermeintlich angeordnete Erschiessung bewirkte sondern allein bestimmte, ob und wer auf welche Weise erschossen werde. Aus einer Anzahl von Juden, die sich aus Anlass der Liquidierung des Ghettos versteckt hatten und von ihm aufgespürt worden waren, wählte er nach eigenem Ermessen und Gutdünken Asher Bojgen als Opfer aus und schoss auf ihn in Tötungsabsicht, nachdem er sich zuvor vergewissert hatte, dass er der Bruder des "kleinen Buchbinders" war. Obwohl er auch den Zeugen Dow Wil. - wie zuvor dessen Vetter Asher Bojgen - aufgefordert hatte, ihm vor das Haus zu folgen, wo er die Schüsse auf Asher Bojgen abgegeben hatte, nahm er ihn nach eigenem Belieben nicht vor das Haus und schoss er nicht auf ihn, nachdem Wil. ihm eine Arbeitskarte vorgelegt und ihn angefleht hatte, ihn mit Rücksicht auf seine Jugend leben zu lassen. Er änderte seinen Plan und brachte ihn und die übrigen gefangenen Juden ins Polizeigewahrsam, ohne vorher zu prüfen, ob auch einer der anderen im Besitz einer Arbeitskarte war oder nicht. Es hatte somit in seiner Hand gelegen, auch Asher Bojgen ebenso wie die übrigen ins Polizeigewahrsam zu führen. Dennoch hatte er nach eigenem Ermessen seinen Tod beschlossen.

Die Tatsache, dass er bei allen drei Ereignissen die Schüsse mit Tötungsvorsatz auf seine fünf Opfer abgab und nach eigenem Belieben und Gutdünken die Vornahme als solche sowie die Art und Weise jeder Erschiessung bestimmte, also Planung, Durchführung und Ausgang jeder Tat von seinem Willen abhing, zeigt, dass er das Tatgeschehen auch allein beherrschte.

b) Im Falle der Erschiessung des Rabbiners Epsztein ist nach dem oben B.II. und D.III.2.b) Gesagten zugunsten des Angeklagten davon auszugehen, dass ihm von einem seiner Dienstvorgesetzten dienstlich die Erschiessung des Rabbiners befohlen worden war. Dennoch ist das Schwurgericht der Überzeugung, dass er hier nicht nur das Vorgehen des Vorgesetzten fördern sondern aufgrund eines zumindest stillschweigend hergestellten Einverständnisses im bewussten und gewollten Zusammenwirken mit dem Vorgesetzten das Tatgeschehen mit eigenem Gestaltungswillen mitbeherrschen wollte und auch mitbeherrscht hat.

Es entspricht dem von der Person und der damaligen Einstellung des Angeklagten aufgrund seines Verhaltens in den Fällen Fürst, Heller und Asher Bojgen gewonnenen Bild, dass er sich auch schon im Fall Epsztein nicht damit begnügte, gleichsam als verlängerter Arm seines Vorgesetzten allein für diesen Epsztein zu töten. Vielmehr hat das Schwurgericht aus

[39] Siehe Lfd.Nr.762 und 780.

diesem Bild geschlossen, dass er auch hier das Tatgeschehen weitgehend nach eigenem Gutdünken mitbeherrschen wollte und mitbeherrschte. Durch die eigenhändige Erschiessung und die Art und Weise ihrer Durchführung nahm er selbst bestimmenden Einfluss auf den Ablauf der Tat. Er schoss auf den verletzt liegenden Rabbiner, als dieser nicht mehr in der Lage war, sich zur Exekution von der Trage zu erheben. So tötete er ihn jetzt schon durch zwei Pistolenschüsse ins Gesicht und führte damit den gemeinschaftlich mit seinem Dienstvorgesetzten beabsichtigten Taterfolg herbei.

c) Auch in den unter B.V. festgestellten weiteren 6 nicht angeklagten Fällen handelte der Angeklagte in der vorstehend D.IV.1.a) angeführten Weise.

Das zeigt schon die Auswahl der Opfer. Niemand konnte ein Interesse an ihrem Tod haben. Das Kleinkind wurde ausserhalb einer Aussiedlungsaktion getötet. Dasselbe gilt für Estera Engelhard, die nach den damaligen Gepflogenheiten altersmässig schon als Arbeitskraft in Betracht kam. Die alte Jüdin auf dem Schlitten war bereits unterwegs auf dem Weg zum Bahnhof und damit zum Abtransport von Krosno fort nach Reichshof. Auch für die 5 Juden "Am Blich", beim Zollamt und an der Synagoge ist ein konkreter oder vermeintlicher Erschiessungsbefehl ausgeschlossen. Das ergibt schon das vom Zeugen Soc. glaubhaft geschilderte Verhalten des Angeklagten in einem anderen Fall um dieselbe Zeit. Damals habe man in Krosno im Ortsteil Kroscienko in der heutigen "Strasse des polnischen Militärs" beim Plombieren der Wohnungen in einer eine ca. 40-jährige Jüdin mit einem etwa 7 Jahre alten, krank im Bett liegenden Jungen angetroffen, die angab, wegen des kranken Kindes noch dort zu sein. Der Angeklagte habe beide dann abgeführt und anderen Polizisten übergeben. Auch hier zeigt sich, dass der Angeklagte willkürlich bestimmte, wen er wann tötete und wen er am Leben liess.

Auch diese 6 Fälle bestätigen schon jeder allein die bereits oben - B.VI. und D.IV.1.a) und b) - gewonnene Überzeugung vom jeweils selbständigen Vorgehen des Angeklagten.

2. Die Motive des Angeklagten

Die Motive des Angeklagten bei Begehung der einzelnen Taten haben sich bisher nur zum Teil sicher aufklären lassen.

a) Aufgrund des bisherigen Ergebnisses der Beweisaufnahme hat noch nicht mit letzter Sicherheit nachgewiesen werden können, dass der Angeklagte bei den einzelnen Vorfällen aus eigenem Hass und eigener Geringschätzung gegen die jüdische Rasse zu seinen Taten veranlasst wurde.

Zwar haben sich hierfür Verdachtsmomente ergeben, die ihn schwer belasten. Dazu zählt vor allem die Vielzahl der festgestellten eigenmächtigen vollendeten oder versuchten Tötungen von - bisher - ausnahmslos Juden ohne triftigen Grund bei beliebigen Anlässen. Hinzukommen Misshandlungen, wie sie die Zeugin Ta. schilderte, seine vom Zeugen Rub. wiedergegebene Äusserung an der Post: "Bist Du ein Jude? Dann lauf schnell!", die vom Zeugen Salek Be. beschriebene Untersuchung, ob der 22-jährige Steiner beschnitten sei, und dessen Mitnahme ins Gefängnis, die Fälle des verstorbenen, wahrscheinlich früher einmal vom Angeklagten wegen "Rassenschande" verhafteten deutschen Zeugen und Krosnoer Fuhrunternehmers und Sägewerksbesitzers Rit., der Angeklagte habe Juden "wie Dreck" behandelt und die Bekundung seines früheren Kollegen in Krosno von D., für den Angeklagten sei es eine Lust gewesen, Polen und Juden zu verfolgen und ins Gefängnis einzuliefern, es habe ihm Freude gemacht, den Juden eins auszuwischen, er habe sie nicht gerade geliebt und für falsch gehalten. Wenn demgegenüber die Zeugin Kl. den Zeugen Kap. am 3.4.1968 zur Vorlage in diesem Verfahren schriftlich erklärte, der Angeklagte sei dem Hitler-Regime gegenüber unfreundlich, jüdischen Personen dagegen freundlich gesinnt gewesen, habe systematisch Erschiessungsbefehle der Gestapo nicht befolgt und demgegenüber Juden geholfen, und wenn sie diese Angaben bei ihrer uneidlichen Vernehmung vor dem polnischen Rechtshilferichter auch überwiegend aufrechterhalten hat, kann dies den Angeklagten wegen der oben D.III.1.d) und 3.d) dargelegten Unglaubwürdigkeit der Zeugin Kl. nicht entlasten. Auch die Heirat einer Polin, die unter ihren Verwandten eine deutschstämmige Grossmutter aufwies, spricht nicht gegen eine stark negative Einstellung gegenüber Juden. Einer abschliessenden Beweiswürdigung bedarf es jedoch nicht. Denn das Schwurgericht hat über die Frage des eigenen Rassenhasses des Angeklagten nicht entscheiden wollen, ohne vorher gem. §244 Abs.2 StPO hierzu auch die Brüder Arl. als Zeugen zumindest durch den ersuchten Richter gehört zu haben, weil der Angeklagte sie in diesem Zusammenhang am 22.5.1968 als Entlastungszeugen benannte. Die in Polen lebenden Zeugen haben jedoch krankheitsbedingt in der Hauptverhandlung nicht erscheinen können. Durch ihre nachträgliche Vernehmung im Wege der Rechtshilfe wäre das Verfahren aber wegen der damit verbundenen technischen Schwierigkeiten unvertretbar verlängert worden.

b) Das Schwurgericht ist jedoch zu der Überzeugung gelangt, dass der Angeklagte in dem Machtbewusstsein tätig wurde, als Angehöriger der Gestapo nach seiner eigenen Willkür über Leben und Tod der mit ihm in Berührung kommenden Juden zu entscheiden, dass er den verbrecherischen Rassenhass der NS-Staatsführung erkannte und dass er die vollendeten oder versuchten Tötungshandlungen sowohl in den angeklagten wie auch in den zusätzlich festgestellten Fällen beging in der berechnenden Erwartung, wegen der Einstellung der NS--Staatsführung nie bestraft, aber von Vorgesetzten oder übergeordneten Dienststellen noch gelobt zu werden.

Wie die Einstellung der Staatsführung gegenüber den Juden war, hat der Angeklagte seit seiner Zugehörigkeit zur Dienststelle Krosno auch schon vor der Erschiessung der Frau Fürst gesehen. Kennzeichnungspflicht, Arbeitszwang, Aufenthaltsbeschränkungen, Vermögensbeschlagnahme, Enteignungen, Eintreibungen von Kontributionen wie auch die Pelzaktion - manches unter Todesstrafe- oder Erschiessungsandrohungen - liessen ihn erkennen, dass der NS-Staat Juden als Menschen minderen Werts und als zur Ausbeutung bestimmte Objekte ansah. Die Todesdrohungen bei nichtigem Anlass vermittelten ihm schon vor der Pelzaktion die Gewissheit, dass Juden als leicht dem Tod preiszugeben bewertet wurden. Nach der Erschiessung der Frau Fürst wurde dies für ihn bestätigt, da Massnahmen gegen ihn ausblieben, er wahrscheinlich noch gelobt wurde. Der von seiner Persönlichkeit aufgrund seines Vorlebens, der Feststellungen in den Fällen Fürst, Epsztein, Heller und Asher Bojgen und seiner Lebensführung nach Kriegsende gewonnene Eindruck begründet die Überzeugung des Gerichts, dass der Angeklagte stets ein den jeweilig bestehenden Macht- und Gesellschaftsverhältnissen konformes Verhalten zu zeigen bemüht war. Das führte ihn in Krosno zu den einzelnen Tötungen in der Annahme, damit den Zielen der Staatsführung entgegenzukommen und nicht Gefahr einer Bestrafung zu laufen sondern sich vor den anderen Dienststellenangehörigen auszuzeichnen. Das führte gleichzeitig zu seiner Erkenntnis, dass er hier als Angehöriger der Gestapo die Macht hatte, allein von sich aus über Leben und Tod einzelner ungestraft entscheiden zu können, und dass er auch so entschied. Aus dieser Haltung heraus schoss er ebenfalls auf Epsztein, ohne den Versuch zu unternehmen, selbst vom Einsatz bei dieser Aktion befreit zu werden oder jedenfalls die Exekution anderen zu überlassen.

Diese Feststellungen hinsichtlich der Beweggründe des Angeklagten bei den angeklagten Taten werden bestätigt durch jeden einzelnen der oben B.V.1.-6. festgestellten Fälle, in denen er ersichtlich aus denselben Motiven handelte. Die den Beweggründen zugrundeliegenden, oben dargelegten Erkenntnisse, Ziele und Erwartungen des Angeklagten begründen die Gewissheit, dass er sich der Motive seiner vollendeten oder versuchten Tötungshandlungen bewusst war. Seine Einlassung, er habe sich als unpolitischer Mensch für diese Dinge nicht interessiert, ist damit widerlegt. Aufgrund seiner mittelmässigen Intelligenz war er auch im

Stande zu bewerten, dass seine Tatmotive besonders gemein, verwerflich und verächtlich waren.

3. Das Unrechtsbewusstsein des Angeklagten

a) Das Schwurgericht ist davon überzeugt, dass sich der Angeklagte zur Tatzeit des Unrechts der von ihm begangenen Taten bewusst war. Dem steht nicht entgegen, dass die nationalsozialistischen Machthaber - als Staat autorisiert - ihre Ideologie propagierten, das Judentum zu vernichten und die Juden als "rassisch minderwertig" auszumerzen. Die willkürliche Tötung unschuldiger jüdischer Menschen - Männer, Frauen und Kinder - durch den Angeklagten stellt eine so grobe und offensichtliche Verletzung des auf der gemeinsamen Rechtsüberzeugung aller Kulturstaaten basierenden, auch zur Tatzeit verbindlichen Grundgedankens der Menschlichkeit und Gerechtigkeit dar, dass sie ein sicheres Anzeichen dafür ist, dass der Angeklagte im Bewusstsein handelte, Unrecht zu tun. Die wenigen für das menschliche Zusammenleben unentbehrlichen Grundsätze, die zu dem Kernbereich des Rechts gehören, wie er im Rechtsbewusstsein aller Kulturvölker lebt, waren auch ihm zur Überzeugung des Schwurgerichts bekannt. Denn die Eindrücke, nach denen sich solche Überzeugungen bilden, empfing er bei seinem Aufwachsen in Hartfeld und Polen zu einer Zeit, bevor das NS-Regime dort nach dem Waffenstillstand 1939 seine Ideologie entfaltete und bevor er seine Tätigkeit bei der Gestapo aufnahm. Das Schwurgericht verkennt nicht, dass der Antisemitismus keine typisch deutsche oder nationalsozialistische Erfindung war. Den Antisemitismus gab und gibt es zum Teil noch in vielen Teilen der Welt. Der Angeklagte wuchs aber in einer Umwelt auf, die willkürliche Tötung und Vernichtung der Juden mit Billigung des Staates als Auswuchs des Antisemitismus nicht kannte. Wenn der Angeklagte nun zur Gestapo gelangte, die vom nationalsozialistischen Staat zu einem allgemein gefürchteten Werkzeug der Unterdrückung, der Willkür und des Terrors ausgebildet worden war, dann hat er zur Gewissheit des Schwurgerichts auch das Unrecht der dort und von ihm praktizierten Methoden erkannt. Alle von ihm vorgenommenen Erschiessungen und Erschiessungsversuche liessen auch unter den damals bestehenden Kriegsverhältnissen ihre Ungesetzlichkeit selbst für einen primitiven Menschen offen erkennen. Dass man bei den in den Einzelfällen gegebenen Umständen Menschen nicht ohne ein gerichtliches Todesurteil hinrichten durfte, war selbstverständlicher Inhalt des allgemeinen, auch des Angeklagten Rechtsbewusstseins.

Ein starkes Indiz, wenn auch nicht alleiniger Beweis für das Unrechtsbewusstsein des Angeklagten zu den Tatzeitpunkten ist sein Verhalten seit 1945. Er änderte die Schreibweise seines Familiennamens, den er jedenfalls in den deutschen Schriftstücken im Zusammenhang mit den Einbürgerungs- und Heiratsgenehmigungsverfahren stets mit "ä" statt nunmehr "e" schrieb. Er nahm den Vornamen und das Geburtsjahr seines jüngeren Bruders an. Er machte dies über Jahre nicht rückgängig. Erst als er Frau Arn. kennenlernte, fügte er den falschen Vornamen wieder den eigenen hinzu. Er erkundigte sich nicht bei polnischen Dienststellen sondern nur über den Pfarrer und das DRK nach seiner Ehefrau Maria und seinem Sohn. Mit letzterem korrespondierte er erst seit 1967. Bereits 1965 war er im vorliegenden Verfahren verhaftet worden. Er gab dem Bruder Leopold, als dieser ihn nach dem Grund der anderen Schreibweise des Familiennamens fragte, nach dessen Zeugenaussage zumindest keine Erklärung ab. So verhält sich auch ein mittelmässig intelligenter Gestapoangehöriger nicht, der meint, er habe sich über die Zugehörigkeit zu dieser Organisation hinaus nichts zuschulden kommen lassen. Die Indizierung gilt auch unter Berücksichtigung des Umstands, dass der Angeklagte bei der Auflösung der Krosnoer Gestapodienststelle infolge der Kriegsereignisse Ende 1944 als einziger Dienststellenangehöriger zunächst allein in Krosno zurückblieb und erst danach nach Krakau ging. Die Front hatte Krosno noch nicht erreicht. Er war bewaffnet. Die Einheiten des Kommandeurs der Sicherheitspolizei und des SD in Krakau waren ca. 150 km entfernt. Juden gab es höchstens noch vereinzelt in Krosno. Er war noch genug geschützt. Polnische Partisanen hatten damals aus ihrer Sicht sicher Wichtigeres zu tun, als gegen ihn vorzugehen.

b) Der Angeklagte war sich nach der Überzeugung des Schwurgerichts ebenfalls der Unrechtmässigkeit der Anordnung der Erschiessung Epszteins wie auch der Durchführung der Erschiessung eindeutig bewusst. Es handelte sich um keinen Einsatz im Zusammenhang mit Abwehrmassnahmen gegen Partisanen. Vielmehr sollten frühere Mitarbeiter des russischen Zolls und zurückgekehrte Flüchtlinge aus dem ehemals russisch besetzten polnischen Gebiet aufgespürt werden. Dass wegen der Verweigerung von Auskünften über den Aufenthaltsort der Gesuchten Geiselerschiessungen von Personen, die nicht einmal selbst zu dem gesuchten Kreis gehörten, "etwas Unrechtes" sind, ist so einleuchtend, dass auch der Angeklagte bei seiner mittelmässigen Intelligenz sowie seiner Vorstellungs- und Begriffswelt dies eindeutig erkannt hat.

4. Keine irrige Annahme eines verbindlichen Befehls im Fall Epszteins

Wenn auch ein Befehl vorlag, so hat der Angeklagte dennoch nicht irrig geglaubt, dieser sei für ihn trotz des erkannten verbrecherischen Zwecks verbindlich und müsse ausgeführt werden. Zur Überzeugung des Schwurgerichts hat sich der Angeklagte, wie sich auch aus den obigen Ausführungen D.IV.1. ergibt, auf die Bezug genommen wird, gar keine Gedanken und Vorstellungen über das Gehorchenmüssen gemacht, denn nicht die Ergebenheit gegenüber dem Befehl und nicht der blinde Glaube an dessen Verbindlichkeit sondern seine verrohte innere Einstellung gegenüber der jüdischen Bevölkerung waren für sein Handeln massgebend. In dem Befehl sah er nur Anlass und Gelegenheit, jetzt nicht allein sondern im Zusammenwirken mit dem Befehlenden einen schutzlosen Juden zu töten.

5. Keine Konfliktsituation beim Angeklagten

Aufgrund der getroffenen Feststellungen ist ferner kein Raum für die Annahme, der Angeklagte habe in einem der Fälle unter dem Druck einer wirklich oder vermeintlich drohenden Lebensgefahr gehandelt.

Es liegen aufgrund der Beweisaufnahme keine Anhaltspunkte dafür vor, und der Angeklagte hat sich auch nicht darauf berufen, dass ihm die Erschiessungen oder Erschiessungsversuche durch Gewalt oder durch eine Drohung mit gegenwärtiger Gefahr für Leib oder Leben abgenötigt wurden, sein Wille also dadurch gebeugt wurde, oder dass ihm bei Nichtausführung der Taten ernsthaft eine gegenwärtige Gefahr für Leib oder Leben drohte oder dass er auch nur irrtümlich annahm, sich in einem Konflikt zwischen drängenden äusseren Einflüssen und seinem Wunsch, nicht zu schiessen, zu befinden.

6. Die Verantwortlichkeit des Angeklagten

Zur Überzeugung des Schwurgerichts steht weiter fest, dass der Angeklagte zu den verschiedenen Tatzeiten nicht durch Bewusstseinsstörung, krankhafte Störung der Geistestätigkeit oder wegen Geistesschwäche unfähig oder nur erheblich vermindert fähig war, das Unerlaubte seines Verhaltens einzusehen oder nach einer solchen Einsicht zu handeln. Dafür hat die Hauptverhandlung nichts ergeben; und der Angeklagte, der in einem anderen Zusammenhang eine auch psychiatrische Untersuchung beantragt hat, hat sich hierauf selbst nicht berufen. Psychische Erkrankungen in der Familie des Angeklagten sind - auch ihm - nicht bekanntgeworden. Der von ihm geschilderten Fall als Kind in einem Eisenbahnzug ist ersichtlich ohne nachhaltige Folgen geblieben. Seine Angaben über gelegentliche Schwindelanfälle, die in der Hauptverhandlung nicht auftraten, beziehen sich nur auf die letzten drei Jahre.

V. Abschluss

Das Schwurgericht hat sich schliesslich durch eidliche Vernehmung in der Hauptverhandlung oder Verlesung von Vernehmungsprotokollen informiert über das Wissen der im Vorstehenden noch nicht im einzelnen erörterten Zeugen Al., Bor., Fin., Guz., Kie., Kle., Mac., Ne., Izchak und Maria No., N., Rit., Morris Schl., Anna-Johanna Schm., Schr., We., Wn. und Wsn. Auch aus ihren Angaben wie ebenfalls den übrigen in der Hauptverhandlung verlesenen Urkunden hat sich bezüglich der oben getroffenen Feststellungen nichts Entlastendes zugunsten des Angeklagten ergeben. Das gilt insoweit auch für die Bekundungen des im hier interessierenden Rahmen im wesentlichen nur zu Fall 8 der Anklage vernommenen Mitangeklagten Georg W., bezüglich dessen das Verfahren gegen Ende seiner Vernehmung vom 27.4.1973 zur Überprüfung seiner Verhandlungsfähigkeit abgetrennt worden ist [40]. Da ein Gutachten hierüber nach stationärer Untersuchung zum Schluss der 5½ monatigen Hauptverhandlung in dieser Sache aber nicht erstattet werden konnte, hat das Schwurgericht den früheren Mitangeklagten schon, weil er ein unerreichbares Beweismittel war, nicht weiter hören können. Im übrigen gebot aber auch die Aufklärungspflicht nicht seine erneute ergänzende Vernehmung zu den obigen Fällen (§§244 Abs.2, 261 StPO; BGHSt. 10, 8, 11; 18, 238 ff.; NJW 1964, 1034 f.; JR 1969, 148 f.)

E. Rechtliche Würdigung

Der Angeklagte hat sich durch die Erschiessung der Frau Fürst, der Frau Heller und deren zwei Kinder des Mordes in vier Fällen, durch die Erschiessung des Rabbiners Epsztein des gemeinschaftlichen Mordes auf Befehl in einem Fall und durch die versuchte Erschiessung des Asher Bojgen des versuchten Mordes in einem Fall schuldig gemacht - Verbrechen nach §§211, 74, 47, 43 StGB, 47 Abs.1 Nr.2 MilStGB -.

Die Beurteilung aller Fälle hat gem. §2 Abs.2 Satz 2 StGB nach §211 StGB in der heute geltenden Fassung als dem mildesten Gesetz zu erfolgen. Denn nach §211 StGB n.F., der in seinen Tatbestandsmerkmalen mit §211 StGB i.d.F. vom 4.9.1941, 4.8.1953 und 25.6.1969 übereinstimmt, ist heute an die Stelle der Todesstrafe und lebenslangen Zuchthausstrafe eine lebenslange Freiheitsstrafe getreten.

Nach §211 StGB n.F. ist als Mörder zu bestrafen, wer einen Menschen aus niedrigem Beweggrund tötet. Diese Voraussetzungen sind hier gegeben.

I. 1. Der Angeklagte hat den Tod eines jeden seiner Opfer durch seine Schüsse herbeigeführt bezw. herbeizuführen versucht. Seine auf Frau Fürst, Frau Heller, deren zwei Kinder und den Rabbiner Epsztein abgegebenen Schüsse waren tödlich. Im Fall Asher Bojgen, dessen Tod nicht hat festgestellt werden können, betätigte er mit der Abgabe zweier Schüsse seinen Tötungsentschluss durch Handlungen, die den Anfang der Ausführung des Verbrechens darstellen (§43 StGB).

2. Der Angeklagte handelte in allen Fällen als Täter, da er jede Tat als eigene ausführen und nicht nur als Gehilfe fremdes Tun fördern und unterstützen wollte und da er das Tatgeschehen mit eigenem Gestaltungswillen beherrschte (s.o. B.IV., D.IV.1.).

Bei der Erschiessung der Frau Fürst, der Frau Heller und deren Kinder sowie bei der versuchten Erschiessung des Asher Bojgen war er Alleintäter (s.o. B.VI., D.IV.1.a)). Bei der Erschiessung des Rabbiners Epszteins war er Mittäter, da er aufgrund eines zumindest stillschweigend hergestellten Einverständnisses in bewusstem und gewolltem Zusammenwirken mit seinem Dienstvorgesetzten die Tötung Epszteins vornahm (s.o. B.VI., D.IV.1.b)), §47 StGB. Der Ausnahmefall, dass unter bestimmten Umständen der eigenhändige Schütze nur als Gehilfe angesehen werden kann, liegt hier nach den getroffenen Feststellungen nicht vor.

[40] Eine neue Hauptverhandlung gegen W. hat nicht stattgefunden.

Auch schliessen sich Handeln auf Befehl und Mittäterschaft nicht gegenseitig aus (vgl. BGH Urt. v. 7.10.1960 - 4 StR 242/60 [41] -; Urt. v. 16.3.1971 - 1 StR 687/70 [42] -).

3. Die Tötungen der Frau Fürst, des Rabbiners Epsztein, der Frau Heller sowie deren beider Kinder sind vollendeter und die versuchte Tötung des Asher Bojgen versuchter Mord, denn der Angeklagte hat in allen Fällen seine Opfer aus niedrigen Beweggründen getötet bezw. zu töten versucht.

Zwar hat noch nicht festgestellt werden können, dass der Angeklagte aus eigenem Hass und eigener Geringschätzung gegen die jüdische Rasse zu seinen Taten veranlasst wurde. Jedoch beging er die Taten in dem Machtbewusstsein, dabei als Angehöriger der Gestapo nach seiner eigenen Willkür über Leben und Tod der mit ihm in Berührung kommenden Juden zu entscheiden oder - im Fall Epsztein - mitzuentscheiden. Dabei knüpfte er berechnend an die verbrecherische Rassenideologie der NS-Staatsführung an in der vermeintlichen Gewissheit, für sein Verhalten nie bestraft sondern noch gelobt zu werden (s.o. B.VI., D.IV.2.b)) Wer so handelt, handelt aus niedrigen Beweggründen, weil der Tötungsbeweggrund als besonders gemein, verwerflich und verächtlich zu werten ist (vgl. BGH Urt. v. 13.11.1958 - 4 StR 214/58 [43] -; Urt. v. 7.7.1964 - 1 StR 37/64 [44] -; BGHSt. 18, 37, 39; BGH Urt. v. 19.5.1965 - 2 StR 68/65 [45] -; Urt. v. 21.7.1970 - 1 StR 119/69 [46] -). Die Erschiessung der beiden Kinder der Frau Heller ist zudem schon deshalb besonders verwerflich und verachtungswürdig und stuft den Beweggrund des Angeklagten auf einen niedrigen herab, weil die Erschiessung von Kleinkindern nach allgemeiner sittlicher Wertung auf der tiefsten Stufe einer Tötungshandlung steht (vgl. BGH Urt. v. 17.3.1967 - 4 StR 464/66 [47] -). Das gilt unter Berücksichtigung der besonderen bedrängten Situation der hilflosen, kindlichen, zumindest vom Vater schon getrennten Opfer bei der Liquidierung des Ghettos auch, obgleich das Alter der Kinder nicht näher als mit 1 bis 5 Jahren bestimmt werden konnte und damit hier zugunsten des Angeklagten davon ausgegangen werden muss, dass die Kinder 4 und 5 Jahre alt gewesen sind.

II. Die vom Angeklagten begangenen Taten sind und waren auch zur Tatzeit rechtswidrig. Zwar entsprachen sie den Zielen der nationalsozialistischen Machthaber, das Judentum zu vernichten und die Juden als "rassisch minderwertig" auszumerzen. Es besteht aber im Bewusstsein der zivilisierten Völker ein gewisser "Kernbereich des Rechts" der bestimmte, als unantastbar angesehene Grundsätze des menschlichen Zusammenlebens erfasst, die sich bei allen Kulturvölkern auf dem Boden übereinstimmender Grundanschauungen im Laufe der Zeit herausgebildet haben, allgemein als rechtsverbindlich gelten und die nach allgemeiner Rechtsüberzeugung von keinem Gesetz und keiner obrigkeitlichen Macht verletzt werden dürfen. Staatliche Terror- und Willkürmassnahmen, die den elementaren Grundgedanken der Menschlichkeit und der Gerechtigkeit deutlich missachten und grob verletzen und den Wert und die Würde der menschlichen Persönlichkeit verleugnen, schaffen kein Recht; ein ihnen

[41] Siehe Lfd.Nr.486c.

[42] Siehe Lfd.Nr.724b.

[43] Siehe Lfd.Nr.455b.

[44] Siehe Lfd.Nr.553b.

[45] Siehe Lfd.Nr.682b.

[46] Siehe Lfd.Nr.669b.

[47] Siehe Lfd.Nr.718c.

entsprechendes Verhalten ist und war Unrecht (vgl. BGHSt. 2, 234, 237; BGH Urt. v. 25.3.1971 - 4 StR 47-48/69 [48] -).

III. 1. Der Angeklagte hat vorsätzlich, nämlich bewusst und gewollt den Tod jedes seiner Opfer herbeigeführt oder herbeizuführen versucht. Er schoss mit Überlegung, kannte den Kausalverlauf und sah auch sicher den Erfolg seines Handelns voraus, dass nämlich die von ihm abgegebenen Schüsse zum Tode seines jeweiligen Opfers führten oder im Fall Asher Bojgen führen konnten.

Der Angeklagte war sich ferner der Beweggründe seiner Tötungshandlung bewusst (s.o. B.VI.; D.IV.2.b)). Dies genügt. Es kommt nicht darauf an, dass er sie selbst als "niedrig" beurteilte, denn ob ein Beweggrund niedrig ist, bestimmt sich nach den allgemeinen sittlichen Anschauungen (vgl. BGH Urt. v. 19.11.1954 - 2 StR 367/54 [49]). Darüber hinaus war er geistig im Stande, seine Motive als besonders gemein, verwerflich und verächtlich zu bewerten (s.o. B.VI.; D.IV.2.b)).

2. Der Angeklagte war sich weiter zu den Tatzeiten des Unrechts der von ihm begangenen Taten bewusst (s.o. B.VI; D.IV.3.).

3. Er wird im Fall Epsztein nicht von seiner Verantwortung hierfür befreit, weil er - auch - auf Befehl schoss.

Zwar bestimmt §47 Abs.1 Satz 1 MilStGB, dass der befehlende Vorgesetzte allein verantwortlich ist, wenn durch die Ausführung eines Befehls in Dienstsachen ein Strafgesetz verletzt wird. Dagegen trifft den gehorchenden Untergebenen nach §47 Abs.1 Satz 2 Nr.2 MilStGB nur Strafe, und dann auch nur die des Teilnehmers, wenn ihm bekanntgewesen ist, dass der Befehl des Vorgesetzten eine Handlung betraf, welche ein allgemeines oder militärisches Verbrechen oder Vergehen bezweckte. Auf Handlungen, die der Angeklagte 1941/1942 in Krosno und Korczyna als Gestapobediensteter auf Befehl beging, war und ist §47 MilStGB auch anzuwenden. Denn nach §3 der Verordnung über eine Sondergerichtsbarkeit in Strafsachen für Angehörige der SS und für die Angehörigen der Polizeiverbände bei besonderem Einsatz vom 17.10.1939 (RGBl. I S.2107) in Verbindung mit dem Erlass des damaligen Reichsführers SS und Chefs der deutschen Polizei vom 9.April 1940 gilt das Militärstrafrecht zur Tatzeit und damit auch heute unbeschränkt auch für die damaligen Angehörigen der SS und Sicherheitspolizei (vgl. Sommer, DJ 1944, 51, 56; BGH NJW 1954, 401). Entsprechend oben B.II. a.E. und D.III.2.b) ist ferner davon auszugehen, dass dem Angeklagten die Erschiessung Epszteins durch einen "Befehl in Dienstsachen" i.S. von §47 MilStGB aufgetragen war. Unter einem "Befehl in Dienstsachen" ist die dienstliche Anordnung eines Vorgesetzten an einen Untergebenen zu verstehen, die eine genau bestimmte Handlung oder Unterlassung gebietet und dem Befehlsempfänger keinen Raum für eigenes Ermessen lässt. Auch allgemeine dienstliche Anordnungen können Befehle in diesem Rechtssinne sein, wenn in ihnen zweifelsfrei bestimmt ist, was der Untergebene zu tun hat, und ihm kein Raum für eine eigene Entschliessung bleibt, sondern er, wie befohlen, handeln muss (vgl. BGH Urt. v. 10.6.1955 - 1 StR 558/54 [50] - bei LM §47 MilStGB Nr.3; BGH Urt. v. 9.6.1961 - 5 StR 49/61 [51] -). Dieses Merkmal ist der nicht ausschliessbaren Anordnung im Fall Epsztein (entgegen beispielsweise dem Fernschreiben Schöngarths) zuzuerkennen.

[48] Siehe Lfd.Nr.642b.

[49] Siehe Lfd.Nr.416b.

[50] Siehe Lfd.Nr.492b.

[51] Siehe Lfd.Nr.665c.

Dennoch entlastet dies alles den Angeklagten nicht, weil nämlich der Befehl verbrecherisch war und der Angeklagte dies auch erkannt hat.

Die Erschiessung des Rabbiners Epsztein und der übrigen Geiseln erfolgte nicht im Rahmen einer Partisanenbekämpfung, auch nicht, um schutzwürdige Belange der kämpfenden Truppe zu sichern. Vielmehr sollten frühere Mitarbeiter des russischen Zolls und zurückgekehrte Flüchtlinge aus dem ehemals russisch besetzten polnischen Gebiet aufgespürt werden. Die Erschiessung von Geiseln, die nicht einmal zum gesuchten Personenkreis gehörten, wegen der Verweigerung von Auskünften über den Aufenthaltsort der Gesuchten ist eindeutig rechtswidrig und durch keine Norm des im Generalgouvernement geltenden oder Kriegsrechts gedeckt. Der Erschiessungsbefehl bezweckte damit ein allgemeines Verbrechen. Dies und das darin liegende Unrecht hat der Angeklagte auch erkannt (s.o. D.IV.3.b)). Seine Verantwortlichkeit besteht deshalb gem. §47 Abs.1 Satz 2 Ziff.2 MilStGB fort. Welche Vorstellungen er sich von der inneren Einstellung des Befehlenden machte, ist unbeachtlich (vgl. BGH in NJW 1961 S.373 ff.).

4. Es erübrigt sich eine Prüfung der Frage, ob der Angeklagte bei Ausführung des Befehls im Fall Epsztein einem Verbotsirrtum unterlag (vgl. BGH LM Nr.7 zu §47 MilStGB). Denn der Angeklagte hat den Befehl nicht irrig für verbindlich gehalten (s.o. B.VI.; D.IV.4.).

5. Entschuldigungsgründe des Nötigungsnotstandes (§52 StGB), des allgemeinen Notstandes (§54 StGB), des vermeintlichen allgemeinen Notstandes sind nicht gegeben. Es ist ausgeschlossen, dass der Angeklagte in einer Konfliktsituation unter dem Druck einer wirklichen oder vermeintlichen Gefahr gehandelt hat (s.o. B.VI.; D.IV.5.). Die vier vorgenannten Entschuldigungsgründe setzen jedoch voraus, dass der Täter handelt, um der - wirklichen oder vermeintlichen - gegenwärtigen Gefahr für Leib oder Leben zu entgehen, und dass diese Gefahr nicht auf andere Weise abgewendet werden kann (vgl. BGH Urt. v. 25.3.1971 - 4 StR 47-48/69 [52] - und NJW 1972 S.834).

6. An der strafrechtlichen Verantwortlichkeit des Angeklagten bestehen keine Zweifel - s.o. B.VI; D.IV.6. -. Ein Schuldausschliessungs- oder Schuldminderungsgrund gem. §51 Abs.1 und 2 StGB ist damit nicht gegeben.

7. Der Angeklagte hat sich nach allem des Mordes in vier Fällen, gemeinschaftlichen Mordes auf Befehl in einem Fall und des versuchten Mordes in einem weiteren Fall schuldig gemacht. Alle sechs Fälle stehen im Verhältnis der Tatmehrheit zueinander, §74 StGB. Das gilt auch für die Erschiessungen der Frau Heller und ihrer Kinder, die trotz des engen räumlichen und zeitlichen Zusammenhangs als drei selbständige Taten anzusehen sind. Die Annahme einer gleichartigen Tateinheit ist nicht begründet, da der Angeklagte nicht durch einen einzigen Schuss oder Feuerstoss aus seiner Waffe auf die drei Opfer sondern aufgrund getrennter Willensbetätigungen durch mehrere, auf verschiedene Personen hintereinander abgegebene einzelne Schüsse die drei Menschen getötet und damit mehrere höchstpersönliche Rechtsgüter verletzt hat (vgl. BGH NJW 1962 S.645).

F. Die Strafzumessung

Die Strafe ist in den vier Fällen, in denen sich der Angeklagte des vollendeten Mordes schuldig gemacht hat, ohne auf Befehl gehandelt zu haben, jeglicher Strafzumessungserwägung unzugänglich. Nach §211 StGB n.F. ist gegen ihn wegen der Ermordung der Frau Fürst, der Frau Heller und der beiden Kinder Heller zwingend jeweils auf lebenslange Freiheitsstrafe zu

[52] Siehe Lfd.Nr.642b.

erkennen. Gem. §260 Abs.4 Satz 3 StPO ist allerdings in den Urteilstenor nur eine einmalige Verurteilung zu lebenslanger Freiheitsstrafe aufzunehmen (vgl. Löwe-Rosenberg 20.Aufl. Anm.9.c zu §260 StPO).

Bezüglich des Mordes an dem Rabbiner Epsztein gestatten §47 Abs.1 Nr.2 MilStGB, §§49 Abs.2, 44 Abs.2, 18 Abs.2 StGB, von der lebenslangen Freiheitsstrafe auf eine zeitige Freiheitsstrafe von 3 bis 15 Jahren überzugehen. Hinsichtlich des versuchten Mordes an Asher Bojgen eröffnet §44 Abs.2 StGB dieselbe Möglichkeit.

Zwar könnten im Fall Epsztein gewichtige Gründe dagegen sprechen. Die innere Rechtfertigung dafür, den auf Befehl handelnden dolosen Täter wie einen Gehilfen zu bestrafen, muss in einer Verlagerung der Hauptverantwortung für die Tat von denjenigen, der den Befehl ausführt, auf denjenigen, der die Tat befiehlt, gesehen werden. Dem gehorchenden Befohlenen ist in der Regel der strafrechtliche Erfolg nicht in dem starken Masse zuzurechnen wie dem Täter, der aus eigener Entscheidung gehandelt hat. Vorliegend hat allerdings der Angeklagte selbst - wie oben B.VI., D.IV.1.b) und 2.b) festgestellt - ein erheblich über die Mindestvoraussetzungen der Täterqualifizierung hinausgehendes Mass an Eigeninitiative entwikkelt. Dennoch hat das Schwurgericht anerkannt, dass der Befehl die Erschiessung Epszteins mitbewirkt hat, und deswegen von der Möglichkeit der Strafermässigung nach §49 Abs.2 StGB Gebrauch gemacht.

Im Fall Asher Bojgen bestehen gegen eine Strafmilderung nach §44 Abs.2 StGB keine Bedenken.

Bei der Festsetzung der zeitigen Freiheitsstrafe treten hier fallgemäss viele der sonst massgeblichen Gesichtspunkte, wie sie in §13 StGB aufgezählt sind, in den Hintergrund. Das beruht darauf, dass die Strafrechtsreformbemühungen und das neue Verständnis über den Strafzweck auf Fälle aktueller, teils auch alltäglicher Kriminalität ausgerichtet sind. Bei NS-Gewaltverbrechen handelt es sich dagegen um Delikte, für die wegen ihrer neuzeitgeschichtlichen Einmaligkeit und des durch sie bewirkten geballten Unrechts Grundlagen und Ziele der allgemeinen Reformbemühungen nicht passen. Eine Resozialisierung des Angeklagten ist nicht erforderlich. Er hat vor dem Kriege straffrei gelebt und sich nach dem Kriege innerhalb der Gesellschaft unauffällig geführt, sich in sie entsprechend seinem oben D.IV.2.b) festgestellten Konformitätsbestreben eingeordnet. Der Gedanke der allgemeinen Abschreckung kann angesichts der veränderten gesellschaftlichen und politischen Verhältnisse ebenfalls kaum erwogen werden. Es ist nicht zu befürchten, dass in absehbarer Zukunft andere potentielle Täter in ähnlicher Situation der Versuchung ausgesetzt sein werden, ähnliche Taten zu begehen. In den Vordergrund treten aber der Gesichtspunkt der Schuld und der Sühne. Auch wenn im Normalfall der Strafpraxis die Vergeltung als Strafzweck zu Recht nur äusserst zurückhaltend angeführt wird, kann dies für NSG-Verbrechen wegen des in ihnen liegenden besonders starken Unrechtsgehalts nicht gelten. Dies erfordert die Verteidigung der Rechtsordnung. Es würde das Vertrauen der Bevölkerung in die Unverbrüchlichkeit des Rechts und in den Schutz der Rechtsordnung vor kriminellen Angriffen erschüttern, wollte das Gericht das Verhalten des Angeklagten gegenüber dem Rabbiner Epsztein und Asher Bojgen mit geringer Strafe ahnden. Vergolten werden muss deshalb die subjektiv zurechenbare bösartige Tat. Dabei wird die Bösartigkeit gemessen an den Gefühlen und körperlichen sowie seelischen Schmerzen der Opfer (vgl. in diesem Zusammenhang auch BGH NJW 1972, 834 und Naucke NJW 1972, 832 f.).

Zur Schuld des Angeklagten bleibt nach den Darlegungen, mit welchen als mindester Voraussetzungen seine Taten als Morde qualifiziert worden sind und die insoweit bei der Strafzumessung unberücksichtigt bleiben müssen (§13 Abs.3 StGB) nur noch zu sagen: Zu seinen Gunsten ist zu bedenken, dass er vor und nach dem Zweiten Weltkrieg sich nichts in strafrechtlicher Hinsicht hat zu Schulden kommen lassen. Hinzukommt, dass sich sein Verhalten

1941/1942 ohne die damalige geschichtliche und politische Situation nicht erklären lässt. Die allgemeine Abwertung menschlichen Lebens und die perverse Propaganda zu Feind- und Rassenfragen haben den Boden bereitet, auf dem der Angeklagte seine Taten beging. So, aber auch nur so, kann man ihn als Opfer seiner Zeit sehen. Ohne seine persönliche Neigung aber wäre es ihm wie unzähligen anderen auch gelungen, die hier festgestellten Taten zu vermeiden. Wenn auch mit der Länge der verflossenen Zeit von gut 30 Jahren ein Strafanspruch schwächer und das Sühnebedürfnis geringer geworden sind, verlangen doch die in den zwei Schüssen auf den liegenden Epsztein zum Ausdruck kommende besondere kriminelle Energie des Angeklagten und der willkürliche Mordversuch des Angeklagten an dem ihm hilflos ausgelieferten Asher Bojgen nach wie vor eine empfindliche Bestrafung. Danach erscheinen insgesamt im Falle des Mordes an Epsztein eine Freiheitsstrafe von 9 Jahren und für den versuchten Mord an Asher Bojgen eine Freiheitsstrafe von 6 Jahren als gerechte Strafe erforderlich, aber auch genügend.
Daraus folgt gleichzeitig, dass im Fall Epsztein für ein Absehen von Strafe wegen geringer Schuld gem. §47 Abs.2 MilStGB kein Raum ist.

Aus den Einzelstrafen hat das Gericht gem. §74 StGB eine Gesamtfreiheitsstrafe von 12 Jahren gebildet, wobei nochmals alle vorstehend erörterten Gesichtspunkte, die für und gegen den Angeklagten sprechen, erwogen worden sind. Gem. §260 Abs.4 Satz 3 StPO erscheint diese Gesamtfreiheitsstrafe ebenfalls im Urteilstenor neben der einen lebenslangen Freiheitsstrafe nicht.

Eine Anrechnung der vom Angeklagten aus Anlass der Taten erlittenen Untersuchungshaft und 15-monatigen Internierungshaft ist angesichts der Verurteilung zur lebenslangen Freiheitsstrafe nicht möglich, §60 Abs.1 Satz 1 StGB. Gründe, die eine Ablehnung der Anrechnung aufgrund §60 Abs.1 Satz 2 StGB rechtfertigen würden, sind nicht ersichtlich gewesen.

G. Die Entscheidung gem. §31 StGB

Dem Angeklagten ist gem. §31 StGB in Verbindung mit Art.89 1.StrafrechtsreformG zwingend für die Dauer von 5 Jahren die Fähigkeit abzuerkennen, öffentliche Ämter zu bekleiden, da er zu mehr als einem Jahr Freiheitsstrafe verurteilt worden ist und nach früherem Recht zu Zuchthaus verurteilt worden wäre. Nach §32 StGB wird die Dauer des Verlustes der Fähigkeit von dem Tage an gerechnet, an dem die Freiheitsstrafe verbüsst, verjährt oder erlassen ist.

H. Die Freisprüche

Nach dem Vorwurf der Anklage soll sich der Angeklagte dreier weiterer Morde und in zwei Fällen der Beihilfe zum Mord schuldig gemacht haben. Diese Tatvorwürfe waren nicht mit der zu einer Verurteilung notwendigen Sicherheit nachzuweisen.

Im einzelnen ist dazu auszuführen:

I. Fall 1 der Anklage - Charles Gözler

Soweit die Anklage dem Angeklagten zur Last legt, im Herbst 1941 oder Anfang 1942 in dem nahe Krosno gelegenen Ort Rymanow gemeinschaftlich mit den Gestapoangehörigen Schmatzler und Ludwig von D. den jüdischen Kaufmann Charles Gözler (Götzler, Gezler oder Getzler) aus niedrigen Beweggründen und heimtückisch auf der Kellertreppe erschossen zu haben, war er nach dem Ergebnis der Hauptverhandlung der Tat nicht zu überführen.

Der Angeklagte hat auch diese Tat bestritten. Als Zeugen standen die beiden jüdischen Zeugen Israel Al., damals 26 und heute 57 Jahre alt, und Eliezer Wei., damals 16 und heute 47

Jahre alt, sowie der deutsche Zeuge Ludwig von D., der jede Beteiligung abgestritten hat, zur Verfügung.

Die Zeugen Al. und Wei. haben den Vorfall in die Zeit zwischen April und Juni 1942 gelegt. Der Zeuge Al. hat sowohl im Ermittlungsverfahren wie in der Hauptverhandlung stets nur angeben können, er habe aus 50 Metern Entfernung den Angeklagten ohne andere Gestapoangehörige mit zwei Mitgliedern des Judenrates zu Gözler und in dessen Haus hineingehen sehen. Von einem Judenratsmitglied und Gözlers Sohn, mit dem er befreundet gewesen sei, habe er später gehört, der Angeklagte habe Gözler auf der Kellertreppe hinterrücks erschossen. Der Zeuge Wei. hat bekundet, der Angeklagte und Schmatzler seien zum Judenrat gekommen, hätten nach Gözlers Geschäft gefragt und sich von dem Judenratsmitglied Sponder dorthin führen lassen. Schmatzler und Sponder seien vor dem Haus stehengeblieben. Der Angeklagte und ein dritter Gestapoangehöriger, vermutlich von D., hätten Gözler aufgefordert, mit ihnen in den Keller zu gehen. Gözler habe sich auf den Weg gemacht. Die beiden seien ihm gefolgt. Der Kellereingang sei von vorne nicht sichtbar gewesen. Deshalb sei er, der Zeuge, um das Haus zum Hintereingang gelaufen, um mitzuerleben, was geschehen werde. Das habe soviel Zeit gekostet, dass er nicht mehr habe wahrnehmen können, wieviel Personen und wie diese in den Keller gestiegen seien. Während des Herumlaufens habe er mehrere, er meine, vier Schüsse aus dem Keller gehört. Dann habe er den Hintereingang erreicht, den Kellereingang aus einer Entfernung von 2 bis 3 Metern beobachtet und gesehen, dass zuerst der andere Gestapobeamte und dann der Angeklagte aus dem Keller herausgekommen seien und ihre Pistolen eingesteckt hätten. Später habe er Gözler tot liegen sehen. - Bei seiner polizeilichen Vernehmung im Ermittlungsverfahren hatte der Zeuge Wei. ausgesagt, Schmatzler, Ludwig von D. und der Angeklagte seien zu dritt im Keller gewesen und in dieser Reihenfolge herausgekommen.

Das Schwurgericht hat eindeutige Feststellungen über das unmittelbare Tatgeschehen im Keller des Hauses Gözler nicht treffen können, weil die Zeugen Al. und Wei. nicht beobachten konnten, was sich im Keller ereignete. Darüber hinaus ist ungeklärt geblieben, wer von den anderen Gestapoangehörigen (Schmatzler, von D., ein Dritter oder Schmatzler und von D. oder Schmatzler und ein Dritter) und in welcher Reihenfolge diese mit dem Angeklagten dem Kaufmann Gözler in den Keller folgten, wer im Keller die tödlichen Schüsse auf Gözler abgab, ob überhaupt der Angeklagte als Täter oder Teilnehmer an der Erschiessung Gözlers beteiligt war und in welcher Reihenfolge die Gestapoangehörigen den Keller verliessen. Dem Bestreiten des Zeugen Ludwig von D. kann zwar im Hinblick auf den Verdacht seiner Teilnahme nur ein geringer Beweiswert beigemessen werden. Jedenfalls ist dadurch nicht erwiesen, dass der Angeklagte etwa entgegen den Aussagen der Zeugen Wei. und insbesondere Al. gar nicht im Haus und Keller Gözlers gewesen ist. Umgekehrt ist dadurch aber nicht bewiesen, dass nur der Angeklagte Gözler erschossen haben kann. Denn auch die Aussage des Zeugen Wei., er habe gesehen, dass Bäcker als letzter aus dem Keller herausgekommen sei und dabei seine Pistole eingesteckt habe, lässt keinen sicheren Schluss auf die Tatbeteiligung des Angeklagten zu. Es bestehen Zweifel, ob der Zeuge Wei. ihn zur Tatzeit sicher kannte und identifizieren konnte. Weder in der Hauptverhandlung noch bei seiner Vernehmung im Ermittlungsverfahren hatte er ein Bild des Angeklagten erkannt. Das Lichtbild Ludwig von D.s hat er für das des Angeklagten gehalten, in der Hauptverhandlung allerdings mit der Einschränkung, der Angeklagte habe damals keine Brille getragen.

Damit bleibt die Möglichkeit offen, dass nicht der Angeklagte sondern Ludwig von D. oder ein dritter Gestapoangehöriger den Keller als letzter verliess, weil er auch als erster hineingegangen war. Bei der Enge der Kellertreppe ist es nicht auszuschliessen, dass nur der Gözler unmittelbar Folgende jenen erschoss, und zwar dies so rasch, dass der oder die anderen keine Möglichkeit hatten, in irgendeiner Form die Tat zu fördern. Das Ziehen der Waffe auch durch den Angeklagten bis zum Verlassen des Kellers mag seinen Grund darin haben, dass er sich nach der Erschiessung in einer gefährlichen Situation wähnte. Aus dem in anderen Fällen festgestellten rücksichtslosen Verhalten des Angeklagten gegenüber seinen Opfern muss jedenfalls nicht zwingend auf seine Tatbeteiligung im Fall Gözler geschlossen werden.

Schliesslich wird der Angeklagte nicht dadurch überführt, dass er nach den Bekundungen der Zeugen Al. und Wei. am Tage nach der Erschiessung Gözlers beim Judenrat zu erreichen versucht haben soll, dass beurkundet werde, Gözler sei eines natürlichen Todes gestorben, und dass das Geschäft Gözlers nicht - wie in Todesfällen üblich - geschlossen werden durfte. Es ist nicht auszuschliessen, dass es sich hierbei um eine dem Schützen nach der Tat zugesagte Unterstützung durch den Angeklagten handelte, die nur im Interesse des Schützen verhindern sollte, dass die Tat Aufsehen erregte.

Nach allem war der Angeklagte im Fall Gözler mangels Beweises freizusprechen.

II. Fall 5 und 6 der Anklage - Rabbiner Führer und Frau Presser

Soweit dem Angeklagten in der Anklage weiter vorgeworfen wird, am 4.12.1942 in Krosno anlässlich der Liquidierung des Ghettos den Rabbiner Führer und die Frau Presser erschossen zu haben, weil sie sich versteckt hatten, hat die Hauptverhandlung ebenfalls nicht mit der zur Verurteilung des Angeklagten erforderlichen Sicherheit ergeben, dass er sich dieser Taten schuldig gemacht hat.

Der Angeklagte hat auch hier bestritten, diese Taten begangen zu haben. Die jüdische Zeugin Chawa Drä. hatte noch nach dem ihr vorgehaltenen Protokoll bei ihrer Vernehmung am 18.3.1963 bekundet, sie habe aus einer Entfernung von etwa 30 bis 35 Metern gesehen, wie der Angeklagte den Rabbiner Führer und die Frau Presser erschossen habe. Bei ihrer Vernehmung durch das israelische Rechtshilfegericht in Tel Aviv am 26.2.1973 hat sie ausgesagt, sie wisse heute nicht mehr, wer den Rabbiner Führer und Frau Presser erschossen habe. Sie habe wohl gesehen, dass der Angeklagte dabeigewesen sei, als diese alten und gebrechlichen Juden aus ihren Häusern, in denen sie sich versteckt hätten, geführt und getragen worden seien. Sie habe anschliessend auch Schüsse gehört, aber nicht gesehen, wer geschossen habe, denn sie habe nicht hingeschaut. Hinterher sei allgemein erzählt worden, der Angeklagte habe die beiden erschossen.

Es spricht kein konkreter Anhaltspunkt dafür, dass die Zeugin früher bewusst oder unbewusst die Unwahrheit gesagt hätte. Der Grund dafür, dass die jüngste Aussage der Zeugin von ihren früheren Bekundungen abweicht, dürfte darin liegen, dass ihr Gedächtnis - was sie auch selbst festgestellt und bekundet hat - gegenüber vor 10 Jahren schwächer geworden ist und ihr das Bild von diesen Ereignissen heute nicht mehr so plastisch vor Augen steht, wie dies früher der Fall war und bezüglich der Fälle Fürst und Heller heute noch der Fall ist. Da keine anderen Beweismittel bekannt sind, andere Zeugen, so die Zeugen Salek Be., Sol Mos. und Marg. nur von dem Vorfall gehört haben und aufgrund der Aussage der Zeugin Drä. keine für eine Verurteilung ausreichende Feststellung getroffen werden kann, ist der Angeklagte vom Vorwurf der Ermordung des Rabbiners Führer und der Frau Presser ebenfalls mangels ausreichenden Schuldbeweises freizusprechen.

III. Fall 8 der Anklage - Garagenfall

Soweit dem Angeklagten in der Anklage vorgeworfen wird, im Frühjahr 1942 in Krosno zusammen mit dem - allerdings nunmehr wegen einer anderen Tat verfolgten - früheren Mitangeklagten W. auf Anordnung seines Dienstvorgesetzten zwei jüdische Männer in der Garage der Gestapodienststelle in Krosno durch Genickschuss getötet und sich damit der gemeinschaftlichen Beihilfe zum Mord an zwei Menschen schuldig gemacht zu haben, hat die Hauptverhandlung ebenfalls nicht mit der zur Verurteilung des Angeklagten erforderlichen Sicherheit ergeben, dass er an dieser Erschiessung beteiligt war.

Der Angeklagte hat auch hier bestritten, die Tat begangen zu haben. Als Beweismittel stehen nur die Angaben des früheren Mitangeklagten W. zur Verfügung. Diese reichen jedoch nicht aus, den Angeklagten zu überführen. Zwar hat W. im Laufe des Ermittlungsverfahrens, das damals auch noch gegen ihn gerichtet war, nach den ihm bei seiner Vernehmung als Angeklagter vorgehaltenen Protokollen wiederholt angegeben, mit dem Angeklagten zwei Juden in der Garage der Krosnoer Dienststelle erschossen zu haben. Danach hat er auch die Angabe, ein polnischer Polizist Morawiak sei sein Mittäter gewesen, wieder berichtigt. Bei seiner richterlichen Vernehmung in der Hauptverhandlung hat W. zuerst erklärt, wenn er bei früheren Vernehmungen ausgesagt habe, er und Oskar Bäcker hätten gemeinsam zwei Juden in der Garage der Gestapodienststelle in Krosno erschossen, dann habe er sich bezüglich der Person des Mitbeteiligten geirrt, denn der andere Schütze sei Morawiak oder Leopold Bäcker, auf keinen Fall aber Oskar Bäcker gewesen. Auf Vorhalt hat er dann abschliessend eingeräumt, wenn er bei früheren Vernehmungen Oskar Bäcker als Mittäter bezeichnet habe, dann entspreche das der Wahrheit. Anschliessend hat er aber wieder auf die Möglichkeit eines Irrtums hingewiesen.

Da W. bei seinen wiederholten - auch richterlichen - Vernehmungen bezüglich der Person des Tatbeteiligten inhaltlich verschiedene, in sich widersprüchliche Aussagen gemacht hat und er bei seiner Vernehmung in der Hauptverhandlung auch gesundheitlich beeinträchtigt war, hat das Schwurgericht nicht zweifelsfrei feststellen können, dass der Angeklagte und der Schütze neben W. identisch sind. Dies gilt, obwohl der starke Verdacht besteht, dass W. heute bestrebt ist, den durch seine präzisen und detaillierten früheren Aussagen stark belasteten Angeklagten durch abweichende und widersprechende Darstellungen zu entlasten.

Nach allem ist der Angeklagte trotz eines bestehengebliebenen Tatverdachts auch von diesem Tatvorwurf mangels ausreichenden Beweises freizusprechen.

IV. Fall 9 der Anklage - Aussiedlungsaktion und Beihilfe zur Ermordung von 3.000 Juden

Dem Angeklagten ist schliesslich in der Anklage weiter vorgeworfen worden, sich am 10.8.1942 in Krosno aus eigenen niedrigen Beweggründen gemeinschaftlich mit anderen bei der "Aussiedlungsaktion" an dem Abtransport von mindestens 3.000 jüdischen Bewohnern der Stadt in das Vernichtungslager Belzec beteiligt zu haben in der Kenntnis, dass sie dort grausam und aus Rassenhass getötet werden würden. Dadurch soll er sich der gemeinschaftlichen Beihilfe zum Mord an mindestens 3.000 Juden schuldig gemacht haben. Insoweit hat die Hauptverhandlung jedoch ebenfalls nicht einen Tatnachweis mit der zur Verurteilung des Angeklagten erforderlichen Sicherheit ergeben.

Der Angeklagte hat bestritten, sich aktiv an der Aussiedlungsaktion beteiligt zu haben, und sich eingelassen, er habe auf ausdrücklichen Befehl des Dienststellenleiters Schmatzler innerhalb der Amtsräume der Gestapodienststelle in Krosno den Telefondienst versehen müssen.

Diese Einlassung ist bereits nach den obigen Ausführungen B.V.2.-5., D.III.5. insoweit widerlegt, als es sich um sein Verhalten um die Zeit der Aussiedlungsaktion handelt. Sie ist jedoch zur Überzeugung des Schwurgerichts auch für den eigentlichen Tag der Aussiedlung im Sommer 1942, wahrscheinlich dem 10.8.1942 widerlegt.

Nach den glaubhaften Aussagen der glaubwürdigen Zeugen Josef und Salek Be., Fri., Gel., Glo., Soc. und Wil., die alle den Angeklagten auf der Targowica und teils auch am Bahnhof gesehen haben, wirkte er bei der Aussiedlungsaktion aktiv mit, als die jüdischen Einwohner Krosnos auf dem Viehmarkt zusammengetrieben und am Bahnhof zum Abtransport in das Vernichtungslager Belzec in bereitstehende Eisenbahnwagen verladen wurden. Einige Zeugen konnten sich sogar an Einzelheiten in seinem Verhalten erinnern. Der Zeuge Fri. beobachtete, dass er auf der Targowica einen Angehörigen des jüdischen Ordnungsdienstes schlug, weil dieser die eigenen Eltern nicht zu der Gruppe der ausgesonderten älteren Juden stellen wollte, die später in unmittelbarer Nähe von Krosno erschossen wurden. Die Zeugin Glo. sah aus der Nähe, dass er mit der Peitsche auf Juden einschlug, als diese auf der Targowica nicht reglos verharrten und als sie ihm später zu langsam in die Eisenbahnwagen einstiegen.

Es konnte jedoch nicht mit der erforderlichen Sicherheit festgestellt werden, dass der Angeklagte bereits zur Tatzeit positiv wusste oder zumindest damit rechnete und es billigend in Kauf nahm, dass die nach Belzec transportierten jüdischen Bewohner von Krosno dort getötet wurden. Nicht wahrscheinlich ist, dass er auf dem Dienstweg positiv über die geplante Vernichtungsaktion unterrichtet worden war, denn der Zeuge Bar.[53] - zur damaligen Zeit Adjutant des Höheren SS- und Polizeiführers in Krakau - hat in Übereinstimmung mit den überzeugenden gutachtlichen Ausführungen des Sachverständigen Dr. Sche. glaubhaft bekundet, dass alle Massnahmen der Massenvernichtungen im Rahmen der "Endlösung der Judenfrage" streng geheim waren. Der Zeuge Rit., der als Fuhrunternehmer Lastkraftwagen für den Abtransport der in der Nähe zu erschiessenden Juden bereitstellen musste, hat glaubhaft ausgesagt, dass an der vorbereitenden Einsatzbesprechung im Amtszimmer des Kreishauptmanns zwar dieser sowie der Stadtkommissar und wohl auch der Leiter der Dienststelle Jaslo Raschwitz, aber nicht einmal der Krosnoer Gestapodienststellenleiter Schmatzler teilgenommen haben. Der Inhalt eines Tagesbefehls ist nicht bekannt. Der Sachverständige Dr. Sche. hat dahingehende schriftliche Unterlagen nicht ermitteln können. Zwar muss der Ablauf der Aktion im einzelnen geplant und organisiert worden sein. Das Ergebnis der Planung muss den aktiv Beteiligten auch bekannt gegeben worden sein. Es ist jedoch nicht auszuschliessen, wenn auch wenig wahrscheinlich, dass jeder nur über den Teilbereich unterrichtet wurde, den er zu erledigen hatte. So kann beispielsweise dem Angeklagten nur aufgetragen worden sein, bei der Sammlung der Juden auf der Targowica zum Abtransport mitzuwirken, zurückgebliebene herbeizuschaffen und dafür zu sorgen, dass die Versammelten zum späteren Gehorsam eingeschüchtert wurden, dass sie sich ruhig verhielten und dass sie sich willig in die drei Gruppen der Arbeitskräfte, der zu Fuss zum Bahnhof Abzuführenden und dort zu Verladenden und schliesslich der mit LKWs abzutransportierenden Gehunfähigen teilten und aufstellten. Ihm muss über das genaue Schicksal der einzelnen Gruppen jedoch nicht notwendigerweise Kenntnis gegeben worden sein.

Ob das Lager Belzec schon damals in Krosno als Vernichtungslager bekannt war, ist zweifelhaft geblieben. Der Sachverständige Dr. Sche. hat dazu keine konkreten Angaben machen können. Die allgemeine Geheimhaltung bezüglich der Massenvernichtungsunternehmungen spricht auch dagegen. Zwar haben einige Zeugen bekundet, ihnen sei klar gewesen, dass es sich um eine Vernichtungsaktion gehandelt habe, die meisten Zeugen aber haben ausgesagt, sie hätten am Morgen des Tages der Aussiedlungsaktion noch an eine Umsiedlung geglaubt, wenngleich sie um ihr und ihrer Angehörigen Leben gefürchtet hätten; erst später sei ihnen bekannt geworden, welch grauenhaftem Schicksal ihre Leidensgefährten zum Opfer gefallen seien. Angesichts der damaligen Geheimhaltung kann daher nicht ausgeschlossen werden, dass hier einige Zeugen einem Fehlschluss unterliegen. Sie erfuhren erst später von dem Geschehen in Belzec und glauben heute irrtümlich, diese Kenntnis schon am Tage der Aussiedlung gehabt zu haben.

Auch die Ereignisse während der Aktion selbst zwingen nicht zu der Annahme, der Angeklagte habe sicher daraus geschlossen, dass die nach Belzec transportierten Juden getötet wurden, oder wenigstens billigend damit gerechnet. Die Ereignisse räumen nicht mit hinreichender Sicherheit die Möglichkeit aus, auch der Angeklagte habe lediglich angenommen, die

[53] Siehe Lfd.Nr.762 und 780.

Juden kämen entsprechend der offiziellen Sprachregelung "Aussiedlung" in einen anderen Lebensraum, vielleicht in Arbeitslager oder an einen anderen Ort zu grösserer Konzentrierung. So war es doch die im Generalgouvernement geübte Praxis, die Juden an besonders verkehrsgünstig gelegenen Orten zum späteren - Aussenstehenden in dieser Zielsetzung jedoch nicht erkennbaren - schlagartigen Abtransport zu sammeln. So gesehen musste Krosno nicht unbedingt die vorletzte Station, sondern konnte es eine von vielen Zwischenstationen auf dem langen Leidensweg der jüdischen Bevölkerung sein. Dass die Juden nach den Bekundungen der Zeugen, so zum Beispiel des Zeugen Gol., die Häuser offen zurücklassen mussten und nur wenig Handgepäck mitnehmen durften, konnte noch auf der rücksichtslosen Ausbeutung der jüdischen Bevölkerung durch die NS-Machthaber beruhen. In diesem Zusammenhang ist weiter bedeutsam, dass bis zum Tage der Aussiedlung in Krosno im Gegensatz zu vielen anderen polnischen Städten noch nicht einmal ein abgeschlossenes Ghetto bestand. Auch war es hier noch nicht - wie anderen Orts - zu sogenannten "Typhus- und Fleckfieberaktionen" gekommen, die der Dezimierung der jüdischen Bevölkerung unter einem Vorwand dienten.

Zwar wird bei besonderer Brutalität, insbesondere bei zahlreichen Tötungen während einer Aussiedlung leichter darauf geschlossen werden können, dass ein aktiv beteiligter Gestapoangehöriger damit rechnet, dass der Abtransport der Juden deren baldiger Massenvernichtung dient. Es konnte aber nicht nachgewiesen werden, dass der Angeklagte während der Aktion Menschen tötete oder dabei war, wenn andere Gestapoangehörige töteten. Ebensowenig konnte nachgewiesen werden, dass er mitwirkte, als die nicht transportfähigen, alten, kranken und gebrechlichen Juden mit Lastkraftwagen weggebracht und in einem Wald in unmittelbarer Nähe von Krosno sofort erschossen wurden, oder dass er vorher von einem entsprechenden Plan wusste. Die Hauptverhandlung hat nicht ergeben, dass in Krosno selbst - wie für andere Orte, zum Beispiel Frystack bekannt geworden - abgesehen von der Massenerschiessung im Wald - besondere Greuel verübt und dass Alters- und Kinderheime sowie Krankenhäuser rigoros, teils durch Erschiessen ihrer Insassen an Ort und Stelle geräumt wurden.

Kein Zeuge hat für diesen Tag auch sicher behaupten können, den Angeklagten schiessen gesehen zu haben. Zwar hat der polnische Zeuge Soc. glaubhaft geschildert, der Angeklagte habe bei der Durchsuchung und Plombierung der jüdischen Häuser in mehreren Fällen - so dem unter B.V.2., Jude "Am Blich", festgestellten - zurückgebliebene Juden niedergeschossen. Der deutsche Zeuge Scho. hat dies entsprechend für die alte Jüdin beim Zollamt - s.o. B.V.3. - angegeben. Beide haben aber nicht mit letzter Sicherheit angeben können, dass dies am Tage der Aussiedlung gewesen sei, bevor die ca. 3.000 Juden mit dem Zug von Krosno abfuhren. Demgegenüber hat der Zeuge Soc. - was vom Schwurgericht als im vorliegenden Fall den Angeklagten entlastend bewertet worden ist - dann auch schildern können, dass der Angeklagte eine Frau mit einem kranken, 7-jährigen Kind nicht getötet sondern einem anderen Polizisten übergeben hat. Über die näheren Umstände bei der Exekution im Wald hat kein Zeuge berichten können.

Zwar steht die menschenunwürdige, quälende Behandlung der versammelten Juden auf der Targowica, bei ihrem Marsch zu den Eisenbahnwaggons, bei ihrem Hineintreiben in diese und bei dem Beladen der Wagen mit Juden in einer Weise, dass jedenfalls gesundheitliche Beeinträchtigungen und körperliche Qualen mit Sicherheit zu erwarten waren, fest. So hat der Zeuge Rit. angegeben, die Juden seien so schwer misshandelt worden, dass - wie er glaube - Angehörige der Wehrmacht dagegen eingeschritten seien. Von Hilfe durch Wehrmachtsangehörige in diesem und anderem Zusammenhang haben auch andere Zeugen, so die Zeugin Ta. berichtet. Die Zeugen Voe. und Fei. haben geschildert, wie ihr alter Vater - nicht vom Angeklagten - auf der Targowica geschlagen worden sei. Der Zeuge Gol. hat gesehen, dass eine alte Frau mit Kolbenschlägen auf einen LKW zum Abtransport getrieben wurde. Die Zeugin Marg. hat über Misshandlungen mit Peitschen, so durch den Jasloer

Dienststellenleiter Raschwitz berichtet. Es konnte jedoch nicht sicher festgestellt werden, inwieweit der Angeklagte - abgesehen von dem Hineinpferchen der Juden in die Waggons - von dieser quälenden Behandlung durch andere Kenntnis hatte. Manche Zeugen haben keine Misshandlungen gesehen, manche - so die Zeugen Bor., Gol., Marg. und Voe. - auch keine Schüsse gehört. Es ist nicht auszuschliessen, wenn auch hier wiederum wenig wahrscheinlich, dass der Angeklagte ausser Sicht- und Hörweite war, als sich diese vorstehend geschilderten Vorgänge ereigneten, und dass er vor Abschluss der Aktion durch niemanden von diesen Vorfällen erfuhr.

Auch die Tatsache, dass der Angeklagte die jüdischen Männer und Frauen durch Schläge und Peitschenhiebe in menschenunwürdiger Weise auf der Targowica und dem Weg zum Bahnhof wie auch dort misshandelte und sie selbst in die Eisenbahnwagen pferchte, lässt nicht zweifelsfrei darauf schliessen, dass er positiv wusste oder damit rechnete, dass die jüdischen Menschen in einer gross angelegten Vernichtungsaktion getötet werden sollten. Sein eigenes Verhalten kann ebenso nur Ausdruck seiner eigenen verrohten Einstellung gegenüber der jüdischen Bevölkerung gewesen sein. Das Ausmass der von der NS-Staatsführung geplanten Vernichtungsaktion überstieg zur damaligen Zeit wohl auch das Vorstellungsvermögen des Angeklagten.

Trotz eines bestehengebliebenen erheblichen Tatverdachts ist der Angeklagte nach allem auch von diesem Tatvorwurf mangels ausreichenden Schuldbeweises freizusprechen.

I. Die Nebenentscheidungen

1. Die Entscheidung hinsichtlich der Verfahrenskosten und der dem Angeklagten erwachsenen notwendigen Auslagen beruht auf §§464, 465, 467 StPO.

2. Der Haftbefehl des Amtsgerichts Bonn vom 11.5.1965 - 43 Gs 1709/65 - ist in seiner Fassung durch Beschluss des Schwurgerichts vom 19.6.1973 durch gleichzeitig mit diesem Urteil verkündeten Beschluss nach Massgabe und in Verbindung mit den Gründen dieses Urteils - s.o. A.-F. - unter Anordnung der Fortdauer der Untersuchungshaft aufrechtzuerhalten, da der Angeklagte insoweit überführt ist. Gem. §112 Abs.4 StPO und wegen Fehlens der Voraussetzungen nach §116 StPO ist der Angeklagte deshalb weiter in Untersuchungshaft zu halten.

Lfd.Nr.797

Tatkomplex
Andere Massenvernichtungsverbrechen

Tatort
Wolbrom

Tatzeit
41-42

Gerichtsentscheidungen
LG Stuttgart vom 11.07.1973, Ks 27/71

INHALTSVERZEICHNIS

des unter Lfd.Nr.797 veröffentlichten Urteils

LG Stuttgart vom 11.07.1973, Ks 27/71

Lfd.Nr.797

Ks 27/71

Im Namen des Volkes

Strafsache gegen

den am 22.12.1907 in Alzen Kreis Bielitz geborenen, in Backnang wohnhaften, verheirateten Schneidermeister Rudolf Be.

wegen NS-Gewaltverbrechen.

Das Schwurgericht in Stuttgart hat in der Sitzung vom 5.6.1973 m. Forts. am 6.6., 7.6., 13.6., 14.6., 18.6., 27.6., 29.6., 4.7. u. 11.7 1973 am 11.7.1973 für Recht erkannt:

> Der Angeklagte Rudolf Be. wird freigesprochen.
> Die Kosten des Verfahrens einschliesslich der dem Angeklagten erwachsenen notwendigen Auslagen fallen der Staatskasse zur Last.

GRÜNDE

A. Zur Person

Der Angeklagte wuchs zusammen mit noch sechs Geschwistern, darunter dem im Jahre 1907 geborenen Bruder Leo, in seinem Elternhaus in Alzen auf. Seine Kindheit verlief ohne Auffälligkeiten. Der Vater betrieb eine kleine Landwirtschaft und arbeitete zusätzlich als Tuchweber in einer Fabrik. Die Mutter war mit dem Haushalt und der Kindererziehung voll ausgelastet und ging daher keiner Erwerbstätigkeit nach. Die wirtschaftlichen Verhältnisse der Familie Be. waren zwar bescheiden, insgesamt aber dennoch ausreichend.

In den Jahren 1914-1920 besuchte der Angeklagte als durchschnittlicher Schüler die Volksschule Alzen. Anschliessend erlernte er das Schneiderhandwerk. Nach der Abschlussprüfung war er bis zum Jahre 1928 in seinem Beruf als Geselle tätig. Von 1928-1930 diente er 6 Monate lang bei der polnischen Armee und bekleidete zuletzt den Rang eines Unteroffiziers. Er arbeitete nach der Entlassung aus dem Militärdienst zunächst wieder als Schneidergeselle. Im Jahre 1935 bestand er die Meisterprüfung und eröffnete eine eigene Werkstatt, die er bis 1939 betrieb.

Den Einmarsch der deutschen Armee erlebte der Angeklagte in seinem Heimatort Alzen. Die Eingliederung in das Deutsche Reich wurde von der deutschstämmigen Bevölkerung Ostoberschlesiens begeistert begrüsst, zumal da ihr Verhältnis zu dem polnischen Einwohnerteil insgesamt unter nationalen Spannungen gelitten hatte. Durch eine grossangelegte Propagandakundgebung wurde bei dem Angeklagten, wie bei vielen seiner Landsleute, das Interesse für den deutschen Polizeidienst geweckt. Spontan entschloss er sich, das Schneiderhandwerk aufzugeben und Polizeibeamter zu werden. Nach einem dreimonatigen Lehrgang in Krakau begann er Ende 1939 / Anfang 1940 seine Laufbahn als Hilfspolizist an dem Polizeiposten Myslenice. Bis zum Rückzug im Februar 1945 war der Angeklagte mit Unterbrechungen durch verschiedene Schulungskurse in der Folgezeit an mehreren Dienststellen der Gendarmerie im Distrikt Krakau tätig. Unter anderem war er zumindest im Sommer 1942 bei dem Gendarmerieposten in Wolbrom stationiert. Er kam ferner wiederholt als Führer von Gendarmeriestützpunkten zum Einsatz, die vornehmlich der Ernteerfassung dienten. Sein letzter Dienstgrad war der eines Hauptwachtmeisters. Im Februar 1944 erlitt der Angeklagte durch eine explodierende Handgranate eine Hodenverletzung mit bleibenden Folgen und bei den Rückzugsgefechten im Frühjahr 1945 in Breslau einen Oberschenkeldurchschuss. Hier geriet er in russische Kriegsgefangenschaft, wurde jedoch alsbald den Polen übergeben. Im Herbst 1945 gelang es ihm, aus dem Gefangenenlager zu entfliehen. Über Frankfurt/Oder und Berlin, wo er seine Familie wiedertraf, gelangte er nach Leipzig und nahm hier eine Stelle als Schneider an.

Da nach Kriegsende ein Bruder des Angeklagten nach Plochingen übergesiedelt war, zog auch dieser 1947/48 nach Württemberg. Er hielt sich kurzfristig in einem Lager in Murrhardt auf und begründete sodann seinen Wohnsitz in Backnang, wohin ihm seine Familie aus Leipzig folgte. In den Jahren danach arbeitete er als selbständiger Schneidermeister bei einträglichem Verdienst. Wegen Lähmungserscheinungen in der rechten Hand und einer Lebererkrankung ist er seit 1970 invalidiert. Seine derzeitige Rente beträgt 616,- DM.

Der Angeklagte ist seit 1934 verheiratet und hat zwei nunmehr erwachsene Kinder. Er ist nicht vorbestraft.

Im Dritten Reich war er weder Parteimitglied noch Angehöriger der SS, letzteres auch nicht im Wege der Angleichung.

B. Sachverhalt

I. Wolbrom

Die Stadt Wolbrom liegt ca. 40 km nordwestlich von Krakau. Sie gehörte während der Zeit des Generalgouvernements der Kreishauptmannschaft Miechow, Distrikt Krakau, an. Vor dem Krieg hatte Wolbrom ca. 10.000-12.000 Einwohner. Der Anteil der jüdischen Bevölkerung betrug ca. 50%. Durch Zuwanderungen nach Kriegsausbruch, vornehmlich aus der unmittelbaren Umgebung von Krakau, stieg die Zahl der in Wolbrom wohnhaften Juden weiter an.

II. Die Situation der jüdischen Bevölkerung Wolbroms bis zur Aussiedlungsaktion

Im Rahmen der von den Machthabern des Dritten Reichs betriebenen, historisch bekannten Judenverfolgungsmassnahmen im Generalgouvernement, die in der Errichtung von Vernichtungslagern (Treblinka, Sobibor, Belzec) und der sukzessiven Tötung nahezu des gesamten in Polen lebenden Judentums kulminierten, fand auch in Wolbrom Anfang September 1942 die erste Aussiedlungsaktion statt, der - mit Ausnahme der arbeitsfähigen, in Arbeitslager abtransportierten jungen Männer - der Grossteil der jüdischen Bevölkerung zum Opfer fiel. Die von dieser Aktion nicht erfassten Juden in Wolbrom (Mitglieder des Judenrats, Arbeitskräfte, durch Protektion vorläufig verschont gebliebene Familien sowie Juden, die sich bis dahin versteckt gehalten hatten) wurden bei einer zweiten Aussiedlungsaktion im November 1942 verschleppt und vernichtet.

Bis zum Beginn der Aussiedlungsaktion war das Los der Juden in Wolbrom im Vergleich zu den Geschehnissen im überwiegenden Teil der von den Deutschen besetzten Gebiete einigermassen erträglich. Die jüdische Bevölkerung unterlag zwar auch hier den allgemeinen schikanösen und diffamierenden gesetzlichen Beschränkungen (Arbeitszwang, Kennzeichnungspflicht, Verbot der Benutzung von Eisen- und Strassenbahnen, des Aufenthalts in bestimmten Stadtteilen ausserhalb der Judenbezirke, des Ausgangs zur Nachtzeit u.a.). Auch wurde die Stadt Wolbrom durch Anordnung des Kreishauptmanns von Miechow vom 30.6.1942 zum Ghetto erklärt. Doch handelte es sich dabei um keine Ghettobildung der bekannt-berüchtigten Art. Vielmehr wurden die Juden in einem Wohnbezirk von Wolbrom ("Judenviertel") konzentriert, der weder abgesperrt noch bewacht war. Sie konnten sich dazuhin faktisch in der gesamten übrigen Stadt frei bewegen und verhältnismässig risikolos die Anordnung vom 30.6.1942 umgehen, da die einzige deutsche Polizeibehörde ausserhalb untergebracht war. Von Übergriffen in Form von Misshandlungen oder Tötungen durch Deutsche oder ortsansässige Handlanger des NS-Regimes blieben die Juden mindestens bis zum Beginn des Russlandfeldzugs im Juni 1941 verschont. Aber auch die ab diesem Zeitpunkt an ihnen verübten Exzesse und Tötungen fanden in Wolbrom nur so vereinzelt statt, dass sie bei der jüdischen Bevölkerung weder allgemein bekanntgeworden waren noch bis zuletzt für die Betroffenen einen hinreichenden Anlass bildeten, das von den Nationalsozialisten schon damals beschlossene Schicksal des Judentums zu ahnen. - Einem Teil der Juden Wolbroms war auch noch bis in das Jahr 1942 gestattet, die von ihnen betriebenen Geschäfte weiterzuführen, wenngleich meist unter der Kontrolle eines polnischen Kommissars. So durfte auch der Grossvater des Zeugen Moshe Jan. sein Ladengeschäft weiterhin behalten. Der Angeklagte selbst war dort nicht nur bis zuletzt Kunde, sondern soll sogar - nach jüdischen Zeugenaussagen - im Hause etwa in jeder zweiten Woche einmal zum Essen eingeladen gewesen sein. - Im Vergleich zu den geschichtlich bekannt gewordenen schrecklichen Ereignissen bei der Verfolgung des polnischen Judentums, wo die blutigen Peinigungen schon weit vor den Aussiedlungsaktionen begonnen hatten, nahm Wolbrom - möglicherweise infolge seiner Nähe zur Reichsgrenze - insgesamt eine Ausnahmestellung ein.

III. Der Gendarmerieposten in Wolbrom

Die Situation der Juden in Wolbrom war nicht zuletzt insofern entscheidend begünstigt, als hier trotz des prozentual hohen jüdischen Anteils an der Gesamteinwohnerschaft weder SS- noch SD-Einheiten stationiert waren. Die einzige uniformierte deutsche Behörde bildete der dem Gendarmeriezug Miechow untergeordnete, aus ca. 15 Mann bestehende Gendarmerieposten, der dazuhin ausserhalb der Stadt in einer ca. 2 km entfernten Gummifabrik untergebracht war. Da die Gendarmerie nur mit Fahrrädern und Pferdefuhrwerken als Beförderungsmittel ausgerüstet war, konnte durch das von den Juden aufgestellte Beobachtungs- und Benachrichtigungssystem das Herannahen eines Polizisten in der Stadt meist so rechtzeitig gemeldet werden, dass Verstösse gegen die Judengesetze von der Gendarmerie unbeobachtet blieben. Ihr Postenführer war - vermutlich bis Anfang 1942 - ferner ein Gendarmerieleutnant Müller, der auch bei den Juden als korrekter, sogar judenfreundlicher Mann galt. Während seiner Amtszeit durften sie sich vor Exzessen seiner untergebenen Beamten sicher fühlen. Die Lage änderte sich zum Nachteil der jüdischen Bevölkerung, als Müller von Gendarmerieleutnant Baumgarten als Postenführer abgelöst wurde. Baumgarten war bald bei den Juden nicht nur deshalb überaus gefürchtet, weil er eigenhändig einzelne von ihnen tötete und misshandelte. Er liess auch gelegentliche Übergriffe durch die ihm unterstellten Gendarmen zu. Zu der Besatzung des Postens in Wolbrom zählten im Sommer 1942 neben Baumgarten u.a. die Gendarmen Rath und Eigler sowie der Angeklagte Be.

IV. Die Aussiedlungsaktion

Die von der überörtlichen SD-Dienststelle in Krakau befohlene grosse Aussiedlungsaktion in Wolbrom, die unter der Leitung einer SS-Einheit durchgeführt wurde, begann am 5.9.1942. Sie wurde Tage vorher auf Plakaten angekündigt, in denen die jüdische Bevölkerung, auch aus den Nachbarorten Pilica und Czarnowice, aufgefordert wurde, sich an dem betreffenden Morgen um 6.00 Uhr mit Handgepäck auf dem Marktplatz zu versammeln. Für den Fall der Zuwiderhandlung war die Todesstrafe angedroht. In der Nacht zum 5.9.1942 wurde der jüdische Bezirk von einer unbekannten SS-Einheit umstellt. Zu Bewachungs- und Absperrungsarbeiten waren auch die Gendarmerie einschliesslich des Angeklagten Be., die polnische Polizei, Junakis (deutschhörige polnische Jugendorganisation) und der Baudienst herangezogen.

Entsprechend dem Aufruf sammelten sich im Verlauf des Morgens Tausende von Juden auf dem allmählich überfüllten Marktplatz. In der Mehrzahl bangten sie trotz des Schmerzes über den Verlust ihrer Heimat nicht um ihr Leben. Unter ihnen herrschte vielmehr überwiegend noch immer die Meinung, die Aktion gelte ihrer Aussiedlung und Konzentrierung in einem anderen Gebiet zum Zwecke des Arbeitseinsatzes. Ihr Glaube, der auf ihrer bis zuletzt zwar auch in Wolbrom eingeengten, dennoch relativ erträglichen Lage beruhte, wurde noch bestärkt durch eine von einem SS-Führer auf dem Marktplatz gehaltene Propagandarede. Die Juden wurden aufgefordert, zu einer 2 km entfernten, in der Nähe des Bahnhofs gelegenen Sumpfwiese, dem eigentlichen Sammelplatz, weiterzugehen. Von dort aus würden sie in einen eigens für Juden bestimmten Konzentrationsbereich abtransportiert. Allen, die sich nicht imstande glaubten, den Weg zum Sammelplatz zu Fuss zurückzulegen, insbesondere den alten und kranken Leuten, wurde scheinheilig angeboten, sich mit einem der bereitstehenden Pferdefuhrwerke dort hinfahren zu lassen. Mehrere Hunderte der versammelten Menschen gingen auf dieses Angebot ein, ohne das ihnen bevorstehende Schicksal zu erahnen. Sie wurden zunächst auf demselben Weg, der zum Sammelplatz führte, abtransportiert. Dann verliessen die Fuhrwerke diese Richtung und bogen in die Strasse zum jüdischen Friedhof ein. Dort wurden die Juden von SS-Angehörigen erwartet, sofort erschossen und in bereits vorbereiteten Massengräbern beerdigt.

Vom Marktplatz aus, auf dem wegen der versammelten Menschenmenge ein grosses Gedränge und Durcheinander herrschte, trat die Masse der Juden nach und nach gruppenweise in loser Marschordnung den Weg zum Sammelplatz an. Unterwegs wurden sie zwar durch laute Zurufe und möglicherweise auch gelegentlich durch Schläge von dem sie begleitenden Wachpersonal zur Eile angetrieben. Der Marsch verlief dennoch insgesamt ohne ernsthafte Zwischenfälle und Exzesse, insbesondere ohne Tötungen. Dagegen wurde auf dem Sammelplatz ein alter Bäcker namens P. von einem polnischen Polizisten angeschossen und von einem Angehörigen der Junakis sodann mit einem Spaten qualvoll erschlagen. Ferner erschoss ein Gendarm, vermutlich namens Eigler, eine junge Jüdin, die sich versteckt gehalten hatte. Ob hier weitere Tötungen stattfanden, konnte nicht geklärt werden. An den folgenden Tagen trennte man zunächst die Männer von den Frauen und Kindern. Welche Hilfskräfte daran beteiligt waren, blieb ungeklärt. Danach wurden die jüngeren, arbeitsfähigen Männer von den übrigen abgesondert und mit Zügen in Arbeitslager, vor allem nach Plaszow, verbracht. Die Frauen, Kinder und älteren Männer wurden auf dem Bahnhof in bereitstehende Viehwaggons getrieben und zusammengepfercht in ein Vernichtungslager, vermutlich nach Belzec, transportiert. Ein Teil von ihnen überlebte schon die Fahrt nicht. Alle übrigen wurden im Lager in den als Bade- oder Entlausungsräume getarnten Gaskammern getötet. Die Anzahl der jüdischen Opfer der ersten Aussiedlungsaktion in Wolbrom belief sich auf mindestens 6000 Menschen.

Der Angeklagte Be. war als damaliger Angehöriger des Gendarmeriepostens in Wolbrom bei der Aktion lediglich zu Bewachungsdiensten eingesetzt. An welchen Plätzen im einzelnen und in welcher Form er der ihm von der SS über seinen Vorgesetzten Baumgarten übertragenen Aufgaben nachkam, blieb ungeklärt. Möglicherweise stand er befehlsgemäss als Bewachungsposten in der äussersten Sicherungskette, also im Randbereich des Geschehens.

C. Beweiswürdigung

I. Die herangezogenen Beweismittel

Der festgestellte Sachverhalt beruht auf der Einlassung des Angeklagten und den eidlichen Bekundungen folgender Zeugen: Simon Wei., Szyja Way., Kan., Pac., En., Moshe Jan., Pal., Szp., Arie Lejb Jan., P., Spl., Bou., Vöc., Gei., Bul., Jen., Dar., Fle., Josefa Mos. und Erster Staatsanwalt Fli. Verlesen wurden die Protokolle über die seitherigen Vernehmungen der verstorbenen Zeugen Karl Mos. und Byr., nämlich: bezüglich Mos. die Protokolle über seine polizeilichen Vernehmungen vom 25.6.1963 (Band III Seite 450 ff.), seine Vernehmung durch die Staatsanwaltschaft vom 1.12.1966 (Band VIII, Seite 235 ff.) - jeweils gemäss §251 Abs.II StPO - und seine uneidliche richterliche Vernehmung vom 16.4.1970 (Band XVII, Seite 189 ff.) - gemäss §251 Abs.I Ziff.1 StPO -; bezüglich Byr. die Protokolle über seine Vernehmung durch die Staatsanwaltschaft vom 5.10.1967 (Band XII, Seite 129 ff.) - gemäss §251 Abs.II StPO - und über seine uneidliche richterliche Vernehmung vom 26.2.1970 (Band XVII, Seite 88 ff.) - gemäss §251 Abs.I Ziff.1 StPO. Hierzu wurden die Sterbeurkunden bezüglich der Zeugen Mos. (Band XXI, Seite 945) und Byr. (Band XXI, Seite 947) gemäss §256 StPO verlesen.

Weiterhin wurden folgende Schriftstücke unter Zustimmung aller Verfahrensbeteiligten gemäss §249 StPO bzw. §256 StPO verlesen: Der Verleihungsvorschlag vom 9.11.1943 (Anlage 1 zum Hauptverhandlungsprotokoll), die Protokolle des Amtsgerichts Wolbrom vom 22.11.1945 über die Vernehmung des Bürgermeisters mit dem dazugehörigen Fragebogen (Band IX, Seite 123-126), die VO über Sicherheit und Ordnung im Generalgouvernement vom 26.10.1939, die VO über die Einführung des Arbeitszwangs für die jüdische Bevölkerung des Generalgouvernements vom 26.10.1939, die VO über die Kennzeichnung von Juden und Jüdinnen im Generalgouvernement vom 23.11.1939, die VO über die Einsetzung von Judenräten vom 28.11.1939, die 1.DVO zur VO vom 26.10.1939 über die Einführung des Arbeitszwangs für die jüdische Bevölkerung des Generalgouvernements vom 11.12.1939, die 2.DVO zur VO vom 26.10.1939 über die Einführung des Arbeitszwangs für die jüdische Bevölkerung des Generalgouvernements vom 11.12.1939, die VO über die Benutzung der Eisenbahn durch Juden im Generalgouvernement vom 26.1.1940, die VO über die Benutzung öffentlicher Verkehrsmittel durch Juden im Generalgouvernement vom 20.2.1941, der Bericht über die Sitzung der Regierung des Generalgouvernements vom 16.12.1941 (Der Prozess gegen die Hauptkriegsverbrecher vor dem internationalen Militärgerichtshof Nürnberg, "Blaue Serie", dort Band XXIX, Seite 498 ff.), das Schreiben Himmlers an den Höheren SS- und Polizeiführer Ost vom 19.7.1942, die Anordnung des Kreishauptmanns in Miechow vom 30.6.1942 über die Bildung jüdischer Wohnbezirke (Band I, Seite 35/36), aus dem amtlichen Gemeinde- und Dorfverzeichnis (Band V, Seite 98 ff.) die Einwohnerzahl von Wolbrom (Seite 109), auszugsweise die Wiedergutmachungsakten des Zeugen Pal. (Band XIX, Seite 590-593), aus dem Runderlass RuPrMdJ vom 25.6.1936 Ziff.28 und 33 (Anlage 8 zum Hauptverhandlungsprotokoll), auszugsweise der Antrag des Angeklagten vom 24.6.1955 auf Erteilung einer Bescheinigung über die Nachversicherung aufgrund §72 des Bundesgesetzes zur Regelung der Rechtsverhältnisse der unter Artikel 131 GG fallenden Personen in der Fassung vom 1.9.1953 mit den angefügten Erklärungen der dortigen Zeugen Vöc., Barthel und Pysch (Anlage 8 zum Hauptverhandlungsprotokoll).

Soweit es sich bei den Verlesungsgegenständen um unbeglaubigte Fotokopien handelte, ergab sich die Übereinstimmung mit dem Original für das Gericht - unter Zustimmung der übrigen Verfahrensbeteiligten - aus Form und Inhalt der im Original meist schon zeitgeschichtlich allgemein bekannt gewordenen Ablichtungen.

Gegenstand eines Augenscheins waren die Lichtbilder (Lichtbildermappe), die Landkarten (Hülle Bd.XVII) und der Stadtplan von Wolbrom (Anlage 2 zum Hauptverhandlungsprotokoll).

II. Die Anklagevorwürfe

Dem Angeklagten wird vorgeworfen, er habe
1. an einem nicht mehr bestimmbaren Tag im Jahre 1941 auf dem Marktplatz in Wolbrom die jüdische Schlachterin Faygel-Laja Rotmensz erschossen,
2. an einem Tag im April oder Mai 1942 die Jüdin Lenczer in ihrer Wolbromer Wohnung durch sechs Schüsse in den Bauch getötet,

3. an der Aussiedlungsaktion in Wolbrom Anfang September 1942 teilgenommen und Beihilfe zu der Vernichtung von ca. 8000 Juden dadurch geleistet, dass er die alten und gebrechlichen - später erschossenen - Juden auf die Pferdefuhrwerke trieb, mehrfach wahllos in die Kolonne der Juden auf dem Weg zum Sammelplatz schoss, dort beim Zusammentreiben behilflich war, Befehle erteilte, an den Selektionen teilnahm und die für das Vernichtungslager bestimmten Juden in die Waggons drängte.

III. Die Einlassung des Angeklagten

Der Angeklagte bestritt die ihm angelasteten Taten. Er sei als Gendarm niemals in Wolbrom stationiert gewesen, somit auch nicht zu den in Frage stehenden Tatzeiten. Seine ursprüngliche Ansicht, er sei mit seinem im Krieg vermissten Bruder Leo verwechselt worden, der ebenfalls Gendarm im Generalgouvernement gewesen sei, halte er zwar nicht mehr aufrecht. Die jüdischen Zeugen müssten ihn jedoch anderweitig verwechseln, vermutlich mit einem Gendarm namens B., der im Jahre 1942 dem Polizeiposten Wolbrom angehört habe und von dort Ende 1942 / Anfang 1943 nach Kazimierza-Wielka versetzt worden sei. Er selbst habe nach seinem Einführungslehrgang in Krakau als Hilfspolizist in Myslenice begonnen. Im Sommer 1940 bis März/April 1942 habe er nach einem 4-wöchigen Aufenthalt in Skawina der Dienststelle Kalwaria angehört. Während dieser Zeit sei er ca. von August bis Oktober/-November 1940 als Zureiter in Bochnia tätig gewesen und habe darüber hinaus von Januar bis März/April 1941 und von Mai/Juni bis Ende 1941 Schulungskurse in Warschau bzw. Brieg und ferner im Januar 1942 einen Skilehrgang in Zakopane besucht. Die Zwischenzeiten habe er ausschliesslich in Kalwaria verbracht. Im März oder April 1942 sei er zum Gendarmerieposten in Kazimierza-Wielka versetzt worden, der - wie Wolbrom - zum Gendarmeriezug Miechow gehört habe. Von dort aus sei er zwar zu verschiedenen Stützpunkten (Razlawice, Brandocin, Bejsce) abkommandiert worden. In Wolbrom sei er jedoch nie gewesen. Erst im März 1944 sei er, nach einem Lazarettaufenthalt, Führer des Gendarmeriestützpunkts in Skala geworden, der zum Posten Wolbrom gehört habe. Nach der Auflösung dieses Stützpunkts und vorübergehenden Aufenthalten in Slomniki und Miechow sei er nach Kazimierza-Wielka zurückgekehrt und habe mit seiner Einheit im Februar 1945 den Rückzug angetreten.

Die Teilnahme an einer - nicht angeklagten - Aussiedlungsaktion in Slomniki im Juni oder Juli 1942 müsse er allerdings einräumen. Hierzu sei er von einer Dienststelle in Miechow mit noch zwei Kollegen aus Kazimierza-Wielka angefordert worden. Seine Aufgabe habe darin bestanden, einen Tag lang an einer kleinen Schule in Slomniki, in der sich eine grosse Anzahl von Juden versammelt hätte, Wache zu stehen. Er habe nicht gewusst, welchem wahren Zweck die Aktion gedient habe und angenommen, die Juden würden zwangsweise in ein Arbeitslager nach Plaszow verbracht, was er allerdings auch schon als Unrecht empfunden habe. Misshandlungen oder gar Tötungen von Juden habe er damals nicht beobachtet und auch nicht davon gehört.

IV. Nachweis der Stationierung des Angeklagten in Wolbrom

Die polizeiliche Laufbahn des Angeklagten im Gebiet des Generalgouvernements konnte wegen des Fehlens zuverlässiger Urkunden nicht im einzelnen überprüft und festgestellt werden. Nach dem Beweisergebnis ist der Angeklagte jedoch trotz seines hartnäckigen Bestreitens überführt, zumindest im Sommer 1942 dem Polizeiposten Wolbrom angehört zu haben und dort auch stationiert gewesen zu sein.

Zu dieser Überzeugung des Schwurgerichts trug schon das Aussageverhalten der Zeugen Bou., Vöc., Gei. und Bul. als ehemalige Kameraden des Angeklagten wesentlich bei. Diese Zeugen, die - bis auf Gei. - ihre eigene Anwesenheit im Raum Miechow/Wolbrom bezeichnenderweise erst für die Zeit nach Ablauf des kritischen Abschnitts der Jahre 1941/42 eingeräumt haben, suchten bei ihrer Einvernahme in der Hauptverhandlung wiederholt den Ausweg, sich auf Gedächtnislücken zu berufen, selbst bei Fragen, deren Beantwortung nach der Ansicht des Schwurgerichts auch nach einem Zeitablauf von über 30 Jahren möglich gewesen sein müsste. Demgegenüber war die sichere und übereinstimmende Erinnerung dieser Zeugen in der Hauptverhandlung daran, dass der Angeklagte nie in Wolbrom stationiert gewesen ist, auffällig. Dies gilt um so mehr, als Bou. und Vöc., mit Einschränkungen auch Gei., bei früheren Vernehmungen die nicht nur vorübergehende Zugehörigkeit des Angeklagten zum Gendarmerieposten Wolbrom unmissverständlich bekundet haben. Da die Zeugen Bou. und Vöc. bis zum Jahre 1943 anderweitig im Polizeidienst eingesetzt gewesen sein wollen, konnten sie - in den betreffenden Vernehmungen - die Anwesenheit des Angeklagten in Wolbrom zwar erst von dieser Zeit an bestätigen. Entscheidend war zunächst jedoch, dass der Angeklagte, der niemals in Wolbrom stationiert gewesen sein will und ursprünglich sogar seinen vermissten Bruder Leo vorgeschoben hatte, von früheren Kameraden überhaupt als ehemaliges Mitglied des Polizeiposten Wolbrom bezeichnet worden ist. Der Versuch der Zeugen Bou. und Vöc., den im Gegensatz zu ihrer Aussage in der Hauptverhandlung anderslautenden Inhalt ihrer polizeilichen Vernehmung auf Missverständnisse zurückzuführen, vermochte das Schwurgericht nicht zu überzeugen, zumal da beide auch nach dem Krieg den Beruf eines Polizeibeamten ausgeübt und daher über entsprechende Erfahrungen verfügt haben. Das Schwurgericht ist nach allem überzeugt, dass die ihrem Wortlaut nach auf Vorhalt unbestrittenen früheren Aussagen der Zeugen Bou. und Vöc., wonach der Angeklagte in Wolbrom stationiert gewesen ist, der Wahrheit entsprochen haben.

Soweit sich die Zeugen demgegenüber in der Hauptverhandlung unwissend stellten, beruhte dies offensichtlich auf der - wohl abgesprochenen - Absicht, nichts zu einer eventuellen Verurteilung des Angeklagten beizutragen. Das Gericht wird in seiner Ansicht bestärkt durch die - verlesenen - Bekundungen der verstorbenen Kameraden des Angeklagten Mos. und Byr. Diese Bekundungen kamen in einem Zeitpunkt zustande, in dem es noch nicht unmittelbar um Vorwürfe gegen den Angeklagten ging, so dass dessen Interessen auch noch nicht überschaubar waren. Eine eventuelle "Anpassung" der Aussagen an die Situation in der Hauptverhandlung war wegen des Ablebens der Zeugen nicht möglich. Bezeichnenderweise decken sich die auf diese Weise nicht mehr abgewandelten Angaben im Kern mit den früheren Aussagen der Zeugen Bou. und Vöc., die diese heute nicht mehr wahrhaben wollten. So ist vom Zeugen Mos. in drei Vernehmungen die Zugehörigkeit des Angeklagten zum Polizeiposten Wolbrom bestätigt worden. Seinen Ausführungen war darüber hinaus zu entnehmen, dass der dortige Einsatz des Angeklagten von längerer Dauer gewesen sein muss. Auch der Zeuge Byr. hat bei seiner ersten polizeilichen Vernehmung keinen Zweifel daran offengelassen, dass der Angeklagte in Wolbrom stationiert gewesen ist, allerdings bereits bei seiner zweiten Einvernahme - nach seiner ursprünglich anderslautenden Darstellung ebenfalls - wenig glaubhaft behauptet, ihn nur von der Polizeischule her zu kennen.

Der Angeklagte ist somit - bei sachgerechter Auslegung des Beweisergebnisses - schon durch seine eigenen Kameraden in seiner Einlassung widerlegt worden. Dadurch wurden die einheitlichen Bekundungen der jüdischen Zeugen, der Angeklagte sei Angehöriger der Gendarmerie in Wolbrom gewesen, in ihrem Beweiswert jedenfalls so weit abgestützt, dass das Schwurgericht keine Bedenken hatte, die dienstliche Anwesenheit des Angeklagten in Wolbrom wenigstens für den Sommer 1942 zweifelsfrei zu bejahen.

Die jüdischen Zeugen haben in ihrer Gesamtheit eine auf den Angeklagten zutreffende und in vielen Einzelheiten für ihn charakteristische Beschreibung abgegeben. Sie haben ihn im wesentlichen übereinstimmend als ca. 30 Jahre alten Mann von mittlerer Grösse und kräftiger Statur mit einem freundlichen, gesund aussehenden Gesicht dargestellt. Vom Zeugen Arie Lejb Jan. wurde er durchaus anschaulich als "Mussolini-Typ" bezeichnet. Auch die Tatsache, dass der Angeklagte der polnischen Sprache mächtig und ferner häufig beritten war, wurde von einer Reihe von Zeugen richtig wiedergegeben. Die Beschreibungen haben das Schwurgericht um so mehr überzeugt, als sie teilweise schon im Jahre 1963 abgegeben worden sind, somit zu einem Zeitpunkt, als sich das Verfahren noch nicht gegen den Angeklagten gerichtet und dieser bei den damaligen Vernehmungen nur die Rolle einer Nebenfigur gespielt hat. In der Hauptverhandlung haben ferner alle jüdischen Zeugen den Angeklagten aus einer grösseren Auswahl von Lichtbildern als die auf den Fotos Nr.35 und 36, ein Teil von ihnen auch auf Nr.37, dargestellte Person zutreffend bezeichnet. Bei der Bewertung dieses Ergebnisses durfte das Schwurgericht allerdings die Problematik der Identifizierung anhand von Lichtbildern nicht ausser Betracht lassen. So hat ein Teil der jüdischen Zeugen bei der ersten Bildvorlage im Verlauf des Ermittlungsverfahrens den Angeklagten nicht herausfinden können und erst nach dem Hinweis des Vernehmungsbeamten auf die richtigen Fotos erklärt, sich nunmehr an "Be." genau zu erinnern. Bei diesen Zeugen war daher die Gefahr nicht auszuschliessen, dass sie in der Hauptverhandlung nicht den Angeklagten, sondern das ihn darstellende Lichtbild wiedererkannt haben. Die Mehrzahl der jüdischen Zeugen, vor allem Arie Lejb Jan., Moshe Jan., Szp., En. und Pal., hat jedoch demgegenüber von vornherein spontan den Angeklagten auf den Fotos identifiziert. Hierdurch gewann ihre Aussage hinsichtlich der Beschreibung des Angeklagten zusätzlich an Gewicht.

Bei diesem Beweisergebnis bestand für das Schwurgericht an der Identität des Angeklagten mit dem von den jüdischen Zeugen belasteten Gendarm Be. aus Wolbrom kein Zweifel. Damit wurde der Angeklagte in seiner Vermutung, mit einem Kollegen namens B. verwechselt zu werden, widerlegt. Zwar haben die jüdischen Zeugen zum Teil bekundet, der Angeklagte sei in Wolbrom als "Be." und "B." bekannt gewesen. Es habe sich jedoch um ein und dieselbe Person, nämlich den Angeklagten, gehandelt. Lediglich der Zeuge Kan. hat behauptet, sowohl ein "Be." als auch ein "B." sei in Wolbrom als Gendarm stationiert gewesen. Dieser Zeuge, damals erst 18 Jahre alt, ist nach der Ansicht des Schwurgerichts im Übereifer möglicherweise einem Irrtum erlegen. Auffallend war nämlich, dass die deutschen Zeugen Bou., Vöc., Gei. und Bul., nach weiteren ehemaligen Kameraden aus Wolbrom befragt, zwar eine Reihe von Namen aufgezählt haben, dass jedoch keiner von ihnen von sich aus einen "B." erwähnt hat. Erst die gezielte Frage des Gerichts, ob auch ein Gendarm dieses Namens zu ihrer Zeit in Wolbrom existiert habe, ist von Bou., Vöc. und Gei. dahin beantwortet worden, dass diese Möglichkeit bestehe, ohne dass diese Zeugen auch nur einigermassen sichere eigene Anhaltspunkte hierfür nennen konnten. Lediglich Bul., dem aber der Name B. als der eines seiner ehemaligen Kollegen auch erst auf die direkte Frage des Gerichts eingefallen war, vermochte seine - späte - Erinnerung mit konkreten Anhaltspunkten zu belegen. Bul. hat aber andererseits die Gefahr einer Verwechslung zwischen Be. und B., der gross, schlank, schwarzhaarig und wesentlich jünger als Be. gewesen sein soll, wegen des stark voneinander abweichenden äusseren Erscheinungsbildes beider eindeutig verneint. Bei dieser Sachlage bedurfte die Frage, ob neben dem Angeklagten tatsächlich auch ein Gendarm namens B. in Wolbrom stationiert gewesen ist, umsoweniger weiterer Erörterungen, als Bul. zusätzliche Darlegungen machte, die es nahezu ausgeschlossen erscheinen lassen, dass der Angeklagte zur selben Zeit wie - möglicherweise - "B." in Wolbrom gewesen sein könnte. Dem entspricht es, dass der Hinweis auf eine Verwechslung mit "B." dem Angeklagten selbst erst sehr spät einfiel - ein deutliches Zeichen dafür, dass auch ihm selbst "B." kein lebendiger Begriff geworden, also wohl kaum mit ihm zusammen in Wolbrom stationiert gewesen ist.

Wie später (C V, 3a) eingehender auszuführen sein wird, haben die Zeugen En., Moshe Jan., Pal., P., Szp. und Spl. den Angeklagten der Teilnahme an der Aussiedlungsaktion Anfang September 1942 zuverlässig überführt. Ihnen wie auch den übrigen jüdischen Zeugen war der Angeklagte schon vorher als Gendarm bekannt gewesen. Somit steht zumindest für den Sommer 1942 sein Einsatz in Wolbrom fest.

Dagegen war der Nachweis nicht zu führen, dass der Angeklagte schon in den Jahren zuvor in Wolbrom stationiert gewesen war. Zwar hat die Mehrzahl der jüdischen Zeugen bekundet, ihn schon seit dem Jahre 1941 oder gar 1942 zu kennen. Das Schwurgericht hatte jedoch aufgrund der insoweit getroffenen Wahrunterstellung davon auszugehen, dass der Angeklagte bis ca. März/April 1941 an einem Lehrgang in Warschau teilgenommen hat. Auch seine Behauptung, die zweite Jahreshälfte 1941 auf der Polizeischule in Brieg verbracht zu haben, war ihm nicht zu widerlegen. Von seinen ehemaligen Kameraden haben unter Eid der Zeuge Dar. mit Sicherheit, der Zeuge Jen. mit Wahrscheinlichkeit den Kurs des Angeklagten in Brieg bestätigt.

Bei dieser Sachlage sind nach der Ansicht der Verteidigung die jüdischen Zeugen, die nahezu vollzählig die Anwesenheit des Angeklagten in Wolbrom schon in das Jahr 1941 oder noch früher verlegt haben, für seine Überführung deshalb ungeeignet, weil sie ihn entweder zu Unrecht belasten oder mit einer anderen Person verwechseln müssten. Dieses Argument ist jedoch nicht zwingend. Es übergeht die auch in Betracht zu ziehende Möglichkeit, dass sich nämlich die jüdischen Zeugen hinsichtlich der Zeitangaben ebensogut geirrt oder in dem Bestreben, ihre Erinnerung an den Angeklagten besonders fundiert erscheinen zu lassen, übertrieben haben könnten. (Die weitere Möglichkeit, dass die Zeugen Dar. und Jen. bewusst die Unwahrheit bekundet hätten oder hinsichtlich des Zeitpunkts des Lehrgangs in Brieg einem Irrtum unterlegen wären, hat das Schwurgericht unter Beachtung des für den Angeklagten geltenden Zweifelsgrundsatzes ausgeklammert.)

Ein Irrtum der jüdischen Zeugen über den Zeitpunkt des Dienstantritts des Angeklagten in Wolbrom wäre nach über 30 Jahren genauso verständlich, wie ihr eventuelles Bemühen, ihre - zweifelsfrei vorhandene - Erinnerung an den Angeklagten durch die Kundgabe einer übertrieben langen Zeit der Begegnung mit ihm in ihrer früheren Heimatstadt zu unterstreichen. Dass die betreffenden Zeugen in diesem Eifer hinsichtlich der Zeitangabe dem Anreiz zu einer gewissen Übertreibung unterlegen sind, folgt aus ihrer weiteren Bekundung, dem Angeklagten sei schon in den Jahren 1940/41 der Ruf eines "Mörders" und "Schiessers" vorausgegangen. Nach dem übrigen Beweisergebnis, auch nach den sonstigen Angaben derselben Zeugen, steht jedoch fest, dass bis zum Beginn des Russlandfeldzugs im Juni 1941 in Wolbrom überhaupt keine Tötungen und auch weit bis in das Jahr 1942 derartige Exzesse nur vereinzelt vorgekommen sind, so dass das Verhalten des Angeklagten der jüdischen Bevölkerung gegenüber im Jahre 1941 noch keinesfalls Anlass bieten konnte, den ihm angelasteten Ruf zu rechtfertigen. Von diesen Übertreibungen auf die generelle Unzuverlässigkeit der jüdischen Zeugen hinsichtlich deren Erinnerung an die Person des Angeklagten zu schliessen, bestand jedoch bei Würdigung des übrigen Beweisergebnisses kein Grund.

Nach allem war der Einsatz des Angeklagten als Gendarm in Wolbrom zwar nicht schon in den Jahren 1940/41, mit Sicherheit aber für den Sommer 1942 zu bejahen.

Die Tatvorwürfe im einzelnen.

1. Fall Rotmensz

Vom Vorwurf, eine jüdische Metzgersfrau namens Faygel-Laja Rotmensz erschossen zu haben, war der Angeklagte - im Einklang mit dem Antrag der Staatsanwaltschaft - freizusprechen.

Der einzige Tatzeuge, Szyja Way. hat hierzu bekundet, diese Tat sei mit Sicherheit schon 1940/41 verübt worden. Zu dieser Zeit ist aber nach dem Beweisergebnis der Angeklagte in Wolbrom nicht stationiert gewesen. Schon aus diesem Grund wird seine Täterschaft fraglich.

Ferner hat die Beweisaufnahme unüberbrückbare Zweifel über die Person des Opfers offengelassen. Nach der Aussage des Zeugen Kan. sind in Wolbrom etwa zur gleichen Zeit zwei ungefähr gleichaltrige Schlachterfrauen namens Rotmensz (Faygel-Laja bzw. Chana-Gitla mit

Vornamen) von deutschen Gendarmen getötet worden. Diese Darstellung ist vor allem deshalb glaubhaft, weil Kan. bekundet hat, er habe an den Beerdigungen beider Frauen mitgewirkt. Die Zeugen Szyja Way. und Simon Wei. haben, in der Hauptverhandlung nach dem Vornamen der ihrer Ansicht nach vom Angeklagten getöteten Frau Rotmensz befragt, beide unabhängig voneinander spontan mit "Gitla" oder "Gitel" geantwortet. Zwar hat Szyja Way. bei seiner Vernehmung im Rahmen der gerichtlichen Voruntersuchung ausweislich des Protokolls den Vornamen des Opfers mit "Faygel-Laja" angegeben. Jedoch ist hierzu vom Zeugen Erster Staatsanwalt Fli. als damaligem Untersuchungsrichter bekundet worden, er halte es für durchaus wahrscheinlich, dass dieser Vorname nicht von dem Zeugen Szyja Way. genannt, sondern von ihm, Fli., aufgrund seiner Aktenkenntnis zuerst erwähnt worden ist. Nach allem bleibt schon fraglich welche der beiden Frauen Rotmensz der Angeklagte getötet haben soll. Die Erschiessung der Jüdin Chana-Gitla Rotmensz ist nicht Gegenstand der Anklage.

Hinzu kommen Unklarheiten auf der Täterseite, die zugunsten des Angeklagten weitere Möglichkeiten offenlassen. Nach der Auskunft der Zeugen Kan. und Szp. soll die Jüdin Chana-Gitla Rotmensz, was beide vom Hörensagen erfahren haben, von dem Gendarmen Rath erschossen worden sein. Darüber hinaus wird in der Urkunde des Bürgermeisters von Wolbrom vom 22.11.1945 für die Tötung der "Schlachterehefrau Rotmensz, Vorname unbekannt" der Gendarm Baumgarten verantwortlich gemacht. Damit stehen den zwei Opfern namens Rotmensz drei in Betracht zu ziehende Täter gegenüber. Diese Situation zwingt zugunsten des Angeklagten zu der Annahme, dass die ihm angelastete Tat von einem der beiden anderen verübt worden ist.

Zwar hat der Zeuge Szyja Way. unter Eid erklärt, sich "hundertprozentig" sicher zu sein, dass der Angeklagte eine Frau Rotmensz vor seinen Augen erschossen hat. Dennoch war er - als einziger Augenzeuge - nicht geeignet, die verbliebenen Zweifel auszuräumen. Er hat einmal in der Hauptverhandlung den Vornamen des Opfers mit "Gitla" oder "Gitel" angegeben, so dass offenbleibt, ob die dem Angeklagten vorgeworfene Tat überhaupt mit der vom Zeugen beobachteten identisch ist. Dazuhin soll nach der Darstellung des Zeugen die Tötung bereits 1940/41 verübt worden sein. Aufgrund der übrigen Beweisaufnahme steht jedoch fest, dass zumindest bis zum Beginn des Russlandfeldzugs im Juni 1941 in Wolbrom noch keine derartigen Übergriffe stattgefunden haben. Auch ist als Tatzeit für die Erschiessung der Jüdin Rotmensz vom Zeugen Simon Wei. ca. Ostern 1942, vom Zeugen Kan. Sommer 1942 und in der Urkunde des Bürgermeisters von Wolbrom Frühjahr 1942 genannt worden. Ferner erschien die Identifizierung des Angeklagten durch den Zeugen dem Schwurgericht wenig zuverlässig. Er hat wiederholt ausdrücklich erklärt, den Angeklagten nicht zu kennen und ihn auch in Wolbrom vor der damaligen Tat nicht näher gesehen zu haben. Jedoch habe er den Täter auf dem Lichtbild Nr.36, das in seiner Heimatstadt in dem Schaufenster eines Fotogeschäfts ausgestellt gewesen sei, wiedererkannt. Wenn dieses Bild den Angeklagten darstelle, dann sei er auch der Mörder von Frau Rotmensz. Zwar hatte das Schwurgericht keine Zweifel, dass der Zeuge Szyja Way. davon überzeugt gewesen ist, den Angeklagten auf dem Foto wiedererkannt zu haben. Doch war nicht zu übersehen, dass dieses Bild für ihn den einzigen Anhaltspunkt bei der Identifizierung gebildet hat. Der Mörder von Frau Rotmensz ist für den Zeugen ganz offensichtlich von Anfang an nicht jemand gewesen, an dessen Person er, abgesehen von der Tat, auch nur die geringste reale Erinnerung knüpfen konnte, sondern der auf dem Foto im Schaufenster abgebildete Gendarm. Damit hat der Zeuge immer nur ein Lichtbild nach seiner Überzeugung wiedererkannt.

Hierauf konnte das Schwurgericht eine Verurteilung des auf dem Bild Nr.36 tatsächlich dargestellten Angeklagten wegen Mordes keinesfalls stützen. Zu seinen Gunsten war nach der Lebenserfahrung zumindest nicht auszuschliessen, dass in dem betreffenden Fotogeschäft Abbildungen anderer uniformierter Deutscher in ähnlicher Pose ausgestellt waren. Die Gefahr einer Verwechslung desjenigen Gendarmen, den der Zeuge als damals ca. Siebzehnjähriger durch die Fenstervorhänge der elterlichen Wohnung bei der Erschiessung der Jüdin

Rotmensz beobachtet hat, mit der Abbildung eines anderen Polizisten war somit schon für die damalige Zeit nicht restlos zu verneinen. Erst recht war der Zeuge, trotz seiner sicher wirkenden Bekundungen, bei dieser Sachlage überfordert, die Identität zweier Fotos, von denen er eines überhaupt nie in der Hand gehabt hat, nach ca. 30 Jahren zweifelsfrei mit einer zur Verurteilung des Angeklagten ausreichenden Sicherheit festzustellen. Schliesslich hat sich der Zeuge Szyja Way. in der Hauptverhandlung selbst insofern ins Zwielicht gebracht, als er angab, bei der Aussiedlungsaktion erfasst und nach ca. 3 Tagen vom Sammelplatz in ein Arbeitslager abtransportiert worden zu sein. Dementsprechend schilderte er Einzelheiten von Geschehnissen bei der Aktion. Bei einer eingehenden Vernehmung vor dem Untersuchungsrichter hat er demgegenüber bekundet, er habe sich schon vor der Aussiedlungaktion versteckt gehalten und somit von ihr nichts miterlebt. Er könne zu ihr nichts aussagen. Seine Erläuterung zu diesem eklatanten Widerspruch, er habe beim Untersuchungsrichter unter einer Aussiedlungsaktion lediglich den eigentlichen Abtransport mit dem Zug, nicht aber das Zusammentreiben und Festhalten der Opfer auf dem Sammelplatz verstanden, und habe aus dieser Sicht wahrheitsgemäss gesagt, die Aktion nicht miterlebt zu haben, vermochte das Schwurgericht nicht zu überzeugen, zumal da der Zeuge Erster Staatsanwalt Fli. als damaliger Untersuchungsrichter sich sicher war, dass der Zeuge vor ihm eigene Beobachtungen im Gesamtzusammenhang der Aktion ohne jede Einschränkung verneint hat. Dieser ungelöste Widerspruch war bei der Beurteilung der Verlässlichkeit des Zeugen Szyja Way. zu beachten. Er fiel neben den sonstigen Ungereimtheiten sogar besonders ins Gewicht. Insgesamt sah sich das Schwurgericht nicht in der Lage, durch die Aussage des Zeugen die eingangs dargestellten Unklarheiten auf der Opfer- und Täterseite zu beseitigen.

Da weitere Augenzeugen fehlen und die übrigen Zeugen nur - dazu noch voneinander abweichende - Gerüchte mitzuteilen vermochten, war der Angeklagte vom Vorwurf der Tötung der Jüdin Rotmensz freizusprechen.

<u>2. Fall Lenczer (bzw. Lencządzner)</u>

Auch vom Vorwurf, eine Jüdin namens Lenczer (oder Lenczner) im April/Mai 1942 in deren Wohnung mit sechs Schüssen getötet zu haben, war der Angeklagte entsprechend dem Antrag der Staatsanwaltschaft freizusprechen.

Der einzige Augenzeuge Szp. hat hierzu im wesentlichen folgende Tatschilderung gegeben: Er sei Nachbar von Frau Lenczer gewesen; zu beiden Häusern habe ein und derselbe Hof geführt. Eines Morgens im Frühjahr 1942 sei gegen 5.00 Uhr der Vater der später Getöteten bei ihm in der Wohnung erschienen und habe ihm unterbreitet, ein Wagen mit Kohlen werde im Verlauf des Vormittags für die Familie Lenczer abgeliefert. Er, Szp., solle das Hoftor öffnen; wenn er als Bäckermeister die Ladung in Empfang nehme, dann sei das weniger verdächtig. Gegen 7.00 Uhr habe ein polnischer Bauer die Kohlen gebracht. Er, Szp., habe ihn in den Hof gelassen und sich um die Ladung nicht weiter gekümmert. Einige Zeit später sei ein ihm bekannter Jude namens Srolek erschienen und habe sich erboten, die Kohlen abzuladen. Da dieser Srolek jedoch mit einer Frau zusammengelebt habe, die einen schlechten Ruf genossen habe, habe er, Szp., seine Dienste zurückgewiesen. Wie er später von anderen Juden erfahren habe, sei Srolek auf das Postamt gegangen und habe gegenüber dem deutschen Leiter des Postamts den Vater von Frau Lenczer dahin denunziert, dass unter den Kohlen auf dem Wagen im Hof einige Pakete Tabak versteckt seien. Hierauf habe der Postleiter die Gendarmerie telefonisch angerufen und dabei von der Anzeige so laut Mitteilung gemacht, dass sämtliche anwesenden Postkunden davon Kenntnis erlangt hätten. Im Hof bei Frau Lenczer sei später der Angeklagte in Begleitung des Postleiters erschienen, hätte die Kohlenladung untersucht und tatsächlich mehrere Pakete Tabak gefunden. Der Angeklagte habe dann gerufen, der Eigentümer der Kohlen solle sich melden. Da alle männlichen Familienmitglieder aus dem Haus geflüchtet gewesen seien, habe Frau Lenczer geöffnet. Der Angeklagte habe sie in die im 1.Stock befindliche Wohnung begleitet, dort gefragt, ob sie im

Besitz von Dollars sei und, während sie eine Schranktür geöffnet habe, wortlos seine Pistole gezogen und aus einer Entfernung von ca. 1 m Frau Lenczer sechsmal in den Bauch geschossen. Die Verletzte sei hierauf die Treppe hinunter in den Hof gegangen, habe gerufen, sie sei angeschossen worden und sei dann zusammengebrochen. Mit einem vom Postleiter angeforderten Krankenwagen sei sie anschliessend in das Krankenhaus in Miechow verbracht worden. Das alles habe er, Szp., von einem Fenster seiner Wohnung aus beobachten können. Einige Stunden später habe er vom Ehemann der Frau Lenczer erfahren, dass der Postleiter sofort vom Postamt aus, wiederum laut vor den anwesenden Kunden, mit dem Krankenhaus in Miechow telefoniert und dort die Anweisung erteilt habe, Frau Lenczer müsse auf jeden Fall sterben; wenn nicht die Schüsse zu ihrem Tod führen würden, solle man sie vergiften. Weiterhin habe er, Szp., einige Tage später von einem Fenster aus beobachtet, wie der Angeklagte und sein Kollege Rath Lenczer aufgesucht und ihn gefragt hätten, warum er die 120 Zloty für die an seiner Frau verschossene Munition noch nicht gezahlt habe. Als Herr Lenczer erwidert habe, nichts von einer derartigen Zahlungsverpflichtung gewusst zu haben, sei er von den Gendarmen brutal zusammengeschlagen worden.

Diese Darstellung des Zeugen Szp. enthält zu viele fragwürdige und unglaubhafte Punkte, als dass hierauf eine Verurteilung des Angeklagten hätte gestützt werden können. Schon der Vorstellung, dass eine in den Händen einer jüdischen Familie ganz besonders, aber auch für jeden anderen zu der damaligen Zeit derart gefährliche Habe wie eine ganze Wagenladung offensichtlich schwarz eingehandelter - die Bäckerei war nicht mehr in Betrieb - Kohlen offen durch die Stadt transportiert worden sein soll, konnte das Schwurgericht nicht folgen. Dass dann die alle gefährdende Ladung eine geraume Zeit im Hof stehengeblieben sein soll, dass die Familie Lenczer sich also nicht schleunigst um das Abladen und Verschwindenlassen der Kohlen gekümmert haben soll, erschien ebenfalls angesichts der überaus gefahrenträchtigen Situation kaum denkbar, zumal da andererseits der Vater der Getöteten dem Zeugen Szp. angeblich die Fuhre bereits um 5.00 Uhr morgens angekündigt hat, auf sie also mit Sorge und Bangen gewartet haben müsste. Auch die Darstellung hinsichtlich der Person des Denunzianten kann nicht überzeugen: einzig und allein der Umstand, dass Srolek mit einer "schlechten" Frau zusammengelebt habe, soll Veranlassung gewesen sein, die angebotene Hilfe, die zugleich Mitwisserschaft bedeutete, abzulehnen. Das ist unter den damaligen Verhältnissen schwerlich vorstellbar. Weshalb dann Srolek den Leiter des Postamts und nicht unmittelbar die Gendarmerie wegen der Anzeigeerstattung angegangen haben soll, bleibt offen; dies um so mehr, als im Gegensatz zur Aussage des Zeugen Szp. nach allen anderen jüdischen Zeugen die Leitung der Post in Wolbrom nicht, wie Szp. behauptete, in Händen eines deutschen Beamten gelegen hat. Als völlig unwahrscheinlich musste auch die Bekundung des Zeugen angesehen werden, dass der Postleiter die Telefongespräche mit der Gendarmerie und vor allem später mit dem Krankenhaus in Miechow, wo es um den Auftrag, das Opfer zu vergiften, ging, zu jedermanns Gehör geführt habe. Dass Frau Lenczer mit sechs Schüssen, die sie aus einer Entfernung von 1 m im Unterleib getroffen haben sollen, noch imstande gewesen sein soll, eine Treppe hinunter in den Hof zu gehen, ist ebenfalls mit der Lebenserfahrung nur schwer in Einklang zu bringen. Letztlich hielt es das Schwurgericht auch für wenig wahrscheinlich, dass die Gendarmerie vom Ehemann der Getöteten ein Entgelt für die verfeuerte Munition verlangt haben könnte. Zwar ist historisch bekannt, dass sich die SS z.B. in Lemberg vom Judenrat zu dessen gezielter Diffamierung die bei Exekutionen verwandten Stricke zahlen liess. Eine derartige Forderung gegenüber einem einzelnen Juden und dazuhin nahen Angehörigen eines Opfers ist aber nach der Kenntnis des Schwurgerichts bisher in keinem Fall festgestellt worden.

Diese dargelegten unwahrscheinlichen und wenig glaubhaften Punkte in der Aussage des Zeugen Szp. zum Fall Lenczer und Widersprüche zu früheren Vernehmungen (der Zeuge hat z.B. in der Hauptverhandlung erstmals den angeblichen Telefonanruf des Postleiters an das Krankenhaus Miechow erwähnt) beeinträchtigten den Wert des Beweismittels für sich allein schon erheblich. Hinzu kommt, dass Szp. bei keiner der vorangegangenen Einvernahmen im

Gegensatz zur Hauptverhandlung die Erschiessung von zwei Frauen durch den Angeklagten anlässlich der Aussiedlungsaktion vorgetragen, sondern im Gegenteil früher ausdrücklich betont hat, bei der Aktion nur Zeuge der Tötung eines Kindes durch Baumgarten geworden zu sein. Dabei ist er zum erstenmal bereits 1963 vernommen worden, zu einem Zeitpunkt somit, an dem sein Gedächtnis um 10 Jahre frischer gewesen ist. Bei dieser Sachlage war der Verdacht nicht auszuräumen, dass der Zeuge Szp. bei seiner nunmehrigen Tatschilderung infolge von verständlichen Gedächtnisschwierigkeiten Erlebtes mit Gehörtem oder Gelesenem vermengt hat. Das Schwurgericht sah sich daher nicht in der Lage, eine Verurteilung des Angeklagten ausschliesslich auf die Aussage dieses Zeugen zu stützen.

Der Zeuge Spl. ist nur Zeuge vom Hörensagen. Ausserdem bestehen gegen seine Verlässlichkeit in zweifacher Hinsicht Bedenken. Erstmalig bei seiner dritten Vernehmung im Rahmen der Voruntersuchung hat dieser Zeuge erwähnt, vom Fall Lenczer im Ghetto in Wolbrom gehört zu haben, jedoch damals ausdrücklich betont, keine Einzelheiten hiervon zu kennen. Dagegen hat er bei seiner kommissarischen Vernehmung in Israel zu der Erschiessung der Jüdin Lenczer konkrete Angaben gemacht, die auffallend mit denen des Zeugen Szp. übereingestimmt haben. Darüber hinaus hat Spl. in seinem Wiedergutmachungsverfahren zweimal unter Eid erklärt, bereits im Jahre 1940 aus Wolbrom geflohen zu sein und sich dort in der fraglichen Zeit überhaupt nicht aufgehalten zu haben. Bei dieser Sachlage hätte er von dem Mord an Frau Lenczer auf dem von ihm geschilderten Weg überhaupt nicht Mitteilung erlangen können. Diesen gravierenden Widerspruch vermochte der Zeuge Spl. nicht befriedigend zu erklären.

Da somit eine hinreichend verlässliche Überführung des Angeklagten nicht möglich war, hatte auch im Fall Lenczer seine Freisprechung zu erfolgen.

3. Die Aussiedlungsaktion im September 1942

a) Die Teilnahme des Angeklagten

Entgegen seinem Bestreiten ist das Schwurgericht davon überzeugt, dass der Angeklagte in seiner Eigenschaft als Gendarm in Wolbrom bei der Aktion eingesetzt gewesen ist.

Allerdings sah sich das Schwurgericht bei seiner Überzeugungsbildung nicht in der Lage, auf das Hauptargument der Staatsanwaltschaft zurückzugreifen, wonach der Angeklagte, wäre er an der Aktion nicht beteiligt gewesen, sich auf seine Freistellung "sicher" in der Hauptverhandlung berufen hätte. Eine solche Einlassung konnte vom Angeklagten mit Rücksicht auf das Grundkonzept seines Verteidigungsvorbringens, niemals in Wolbrom stationiert gewesen zu sein, logischerweise gerade nicht erwartet werden.

Vielmehr gründet sich die Überzeugung des Schwurgerichts auf die selbstverständliche und historisch hinlänglich bekannte Tatsache, dass bei solchen Massenbewegungen wie einer Aussiedlungsaktion auf jeden am Ort zur Verfügung stehenden Mann der SS, Polizei und Gendarmerie zurückgegriffen worden ist. Sämtliche jüdischen Zeugen, auch diejenigen von ihnen, die eine Beteiligung speziell des Angeklagten bei der Aktion nicht bekunden konnten (Arie Lejb Jan., Pac., Simon Wei.) sowie der Zeuge Fle. als damaliger Leiter des Arbeitsamts in Wolbrom haben den Einsatz der Gendarmerie eindeutig bestätigt, was allein schon deshalb selbstverständlich erscheint, weil die Gendarmerie die einzige ortsansässige uniformierte, mit Polizeigewalt ausgestattete deutsche Behörde gewesen ist. Unter diesen Umständen sah das Schwurgericht auch keinen Anlass, die Richtigkeit der Aussagen der Zeugen En., Moshe Jan., Pal., P., Szp. und Spl. anzuzweifeln, die übereinstimmend bekundet haben, den Angeklagten während der Aktion im Einsatz gesehen zu haben.

b) Der Tatbeitrag des Angeklagten

Das Schwurgericht teilt die Auffassung der Staatsanwaltschaft, dass die Art der Beteiligung des Angeklagten bei der Aussiedlungsaktion nach dem Ergebnis der Beweisaufnahme ungeklärt geblieben ist.

Zwar haben die Zeugen Moshe Jan., Pal. und Szp. unabhängig voneinander Tötungshandlungen des Angeklagten im Rahmen der Aktion bekundet. An der Verlässlichkeit dieser Aussagen bestehen jedoch durchgreifende Bedenken.

Der Zeuge Moshe Jan. hat in der Hauptverhandlung berichtet, der Angeklagte habe vor seinen Augen seinen Grossvater mit einer Pistole erschlagen, der unmittelbar darauf mit den Worten: "Bleib gesund, mein Sohn!" in seinen Armen verstorben sei. Die Tat habe bei ihm, dem Zeugen einen "unauslöschlichen Eindruck" hinterlassen. Angesichts dieser menschlich völlig verständlichen Gefühlsäusserung fiel auf, dass der Zeuge bei seiner ersten Einvernahme im Jahre 1963 den Vorfall überhaupt nicht erwähnt, sondern im Gegenteil erklärt hat, er könne keine Einzelheiten über verbrecherische Betätigungen des Angeklagten angeben. Bei seiner zweiten Aussage hat er noch Rath und Be. gemeinsam für die Tötung seines Grossvaters verantwortlich gemacht. Erst in der Hauptverhandlung beschränkte er sich auf den Angeklagten als Alleintäter. Auf den Vorhalt des Gerichts an den Zeugen, seine früheren Aussagen liessen sich mit seiner Beteuerung, der Eindruck des damaligen Geschehens sei für ihn unauslöschlich geblieben, nur schwer vereinbaren, vermochte er keine Erklärung abzugeben. Der Zeuge hat ferner bei seiner zweiten Vernehmung u.a. mitgeteilt, sein Grossvater sei am Todestag 82 Jahre alt gewesen, habe einen langen weissen Bart getragen und sei erst eine halbe Stunde nach den Misshandlungen verstorben. In der Hauptverhandlung hat er demgegenüber das Alter des Grossvaters mit 70 Jahren bezeichnet. Der Bart, den sein Grossvater als Rabbiner aus religiöser Überzeugung nie habe kürzen lassen, sei ihm schon geraume Zeit vorher von Deutschen mit einem Bajonett abgeschnitten worden, was der Grossvater als besondere Schmach empfunden habe. Sein Tod sei sofort nach dem Kolbenhieb des Angeklagten eingetreten. Auch diese Widersprüche, so verständlich sie aufgrund des langen Zeitablaufs waren, standen letztlich einer Überführung des Angeklagten entgegen.

Der Zeuge Pal. hat den Angeklagten der Tötung des "dicken" P., eines Bäckermeisters aus Wolbrom, auf dem Sammelplatz bezichtigt. Demgegenüber haben alle anderen jüdischen Zeugen, die zu diesem Vorfall Angaben machen konnten, in Übereinstimmung mit dem sehr verlässlich wirkenden Zeugen Fle. als Todesschützen einen polnischen Hilfspolizisten bezeichnet. Schon aus diesem Grund war eine Überführung des Angeklagten auch hinsichtlich dieses Vorwurfs nicht möglich. Hinzu kam, dass der Zeuge Pal. bei früheren Vernehmungen diese - angebliche - Verfehlung des Angeklagten nicht erwähnt hat. Hierauf angesprochen, erklärte der zur Tatzeit immerhin erst 16 Jahre alte Zeuge vollauf verständlich, er könne eine Verwechslung der damaligen Geschehnisse nicht ausschliessen.

Schliesslich hat der Zeuge Szp. den Angeklagten für die Tötung zweier Frauen während der Aktion - ohne eine Detailschilderung - verantwortlich gemacht. Dieser Zeuge ist dem Schwurgericht bereits im Fall Lenczer durch eine gewisse Fabulierfreudigkeit aufgefallen. Über die letztgenannten Erschiessungen hat er darüber hinaus erstmals bei seiner kommissarischen Vernehmung in Israel im Rahmen der Hauptverhandlung berichtet, nachdem er noch bei seiner Aussage im Jahre 1967 ausdrücklich erklärt hat, lediglich Zeuge einer von Baumgarten begangenen Tötung gewesen zu sein. Da er auch zu keinem substantiierten Vorbringen zu dem von ihm behaupteten Mord an zwei Frauen in der Lage war, konnte auf ihn auch insoweit eine dem Angeklagten nachteilige Feststellung nicht gestützt werden.

Eine durch den Angeklagten verübte Einzelerschiessung während der Aktion war nach allem nicht nachweisbar. Das Schwurgericht sah sich darüber hinaus nicht in der Lage, einen auch nur ungezielten Gebrauch der Waffe durch den Angeklagten, etwa in Form des wilden Umherschiessens, oder einen sonstigen tätlichen Übergriff mit hinreichender Sicherheit festzustellen. Im Gegenteil haben die in Deutschland vernommenen jüdischen Zeugen durchgehend den Ablauf der Aktion als zwar wegen der Massenansammlungen recht turbulent, aber im Hinblick auf Exzesse durch das Wachpersonal als relativ friedlich bezeichnet, was offenbar auf die ebenfalls von diesen Zeugen bestätigte Gutgläubigkeit der Juden hinsichtlich des Ziels der Aktion zurückzuführen war. Diesen Gesamteindruck vermochten auch die teilweise anderslautenden Bekundungen der in Israel angehörten Zeugen nicht zu verrücken. Bei der Bewertung ihrer Aussage war einmal zu berücksichtigen, dass ihre Lage während der kommissarischen Vernehmung in Israel psychisch gespannter war als die der unmittelbar in der Hauptverhandlung vernommenen Zeugen, da sie möglicherweise bei der Schilderung eines vergleichsweise gezügelten Ablaufs der Aktion im eigenen Land - verständlicherweise - auf Befremden hätten stossen können. Ihre Tendenz zu einer gewissen Dramatisierung der Geschehnisse im Sinne von Erfahrungen, wie sie bei Aktionen in anderen Orten gemacht werden mussten, - sie ist lediglich bei dem insgesamt ruhig und sachlich wirkenden Zeugen Arie Lejb Jan. nicht deutlich geworden -, fand zwar in der gegebenen Situation das volle Verständnis des Schwurgerichts, war aber gleichwohl bei der Bewertung der Angaben zu beachten. Auf die Bedenken gegen die Verlässlichkeit der Zeugen Szp. und Spl., der in seinem Wiedergutmachungsverfahren zweimal unter Eid bekundet hat, sich seit 1940 nicht in Wolbrom aufgehalten zu haben, somit auch nicht zur Zeit der Aktion, wurde bereits hingewiesen (C V, 2). Der Zeuge P. will zwar bei der Aktion Tote gesehen haben, ohne sie allerdings im Zusammenhang mit dem Angeklagten zu bringen. Schliesslich hat der Zeuge Arie Lejb Jan. bei seiner kommissarischen Vernehmung die Frage, ob er sich an Tötungen im Rahmen der Aktion erinnere, zunächst verneint und erst auf Vorhalt des ersuchten Richters erklärt, doch Tote wahrgenommen zu haben, ohne hierzu Einzelheiten nennen zu können. Nach allem waren die Aussagen dieser Zeugen nicht geeignet, das nach den Schilderungen der übrigen jüdischen Zeugen gezeichnete Gesamtbild, das hinsichtlich der Exzesse und einzelnen Roheiten einen vergleichsweise gemässigten Ablauf der Aktion zeigte, zu erschüttern.

Dennoch waren nach dem Beweisergebnis vereinzelte Tötungen von Juden während der Aktion nicht auszuschliessen. Konkrete Hinweise ergaben sich jedoch - abgesehen von der Erschiessung der alten und gebrechlichen Leute auf dem Friedhof - nur hinsichtlich der Fälle des von einem polnischen Polizisten angeschossenen Bäckers P. und einer jungen Jüdin, die offenbar in einem Versteck aufgegriffen und - nach der von Zweifeln unbelasteten Aussage des Zeugen Pac. - von dem Gendarm Eigler erschossen worden ist. Die Beweisaufnahme bot jedoch keine Anhaltspunkte dafür, dass der Angeklagte an diesen Exzessen in irgendeiner Form beteiligt gewesen ist, sie wahrgenommen oder auch nur rechtzeitig davon erfahren hat. Eine Teilnahme des Angeklagten an den Einzelerschiessungen hat auch die Staatsanwaltschaft nach dem Beweisergebnis zutreffend verneint. Sie hat dagegen ohne stichhaltige Belege hierfür unterstellt, dass dem Angeklagten die Vorkommnisse nicht entgangen sein konnten. Im Gegensatz zu dieser Ansicht hat die Beweisaufnahme jedoch - auch nach der erklärten Auffassung der Staatsanwaltschaft - keine verwertbaren Hinweise ergeben, wie sich die Aktion für den Angeklagten tatsächlich abgespielt, wo er sich zu welchem Zeitpunkt aufgehalten und welche Handlungen er im einzelnen verrichtet hat. Die Zeugen En., Moshe Jan., Pal., P., Szp. und Spl. haben lediglich - insoweit glaubhaft (C IV, 3a) bekundet, den Angeklagten überhaupt bei der Aktion im Einsatz gesehen zu haben. Welchen Standort er gerade eingenommen hat, als die Erschiessungen verübt worden sind, war indes nicht zu klären. Immerhin spielte sich auf den beiden von der Aktion beanspruchten Stellen, dem Markt- und dem eigentlichen Sammelplatz, und dem ca. 2 km langen Weg dazwischen eine turbulente Massenansammlung und -bewegung tausender aufgeregter Menschen ab, die sich über eine geraume Zeit hinzog. Unter Berücksichtigung dieser Situation war zugunsten des Angeklagten nicht auszuschliessen, dass ihm die vereinzelten Exzesse tatsächlich entgangen sind, dass er sich z.B. im Zeitpunkt der Erschiessungen auf dem Sammelplatz gerade am Markt aufgehalten oder auf dem Weg befunden hat.

Ebensowenig vermochte das Schwurgericht mit hinreichender Sicherheit eine Mitwirkung des Angeklagten beim Abtransport der alten und gebrechlichen Juden vom Marktplatz zum Erschiessungsort festzustellen. Auch insoweit konnten die jüdischen Zeugen keine verbindliche Auskunft darüber geben, ob der Angeklagte zu diesem Zeitpunkt gerade am Marktplatz eingesetzt gewesen ist. Aber selbst im Falle seiner Beteiligung wäre fraglich geblieben, ob er über das Ziel dieser Massnahme eingeweiht gewesen oder wenigstens den äusseren Geschehnisablauf richtig gedeutet und damit die wahren Zusammenhänge erkannt hat. Dieser Teil der Aktion ist, was sich eindeutig aus der Bekundung des Zeugen Arie Lejb Jan. ergab, von einer SS-Einheit - ohne Einschaltung der Gendarmerie bei der eigentlichen Exekution - durchgeführt worden. Dabei ist der Abtransport auf Fuhrwerken vom Marktplatz aus der jüdischen Bevölkerung gegenüber als hilfreiches Entgegenkommen für die Gehbehinderten getarnt worden. Auf dieses Manöver sind die Opfer nach dem Ergebnis der Beweisaufnahme hereingefallen und zunächst ohne Arg in den Tod gefahren. Darüber hinaus sind die Verschleierungsbestrebungen und Geheimhaltungsvorschriften der für die Aktion Verantwortlichen auch den deutschen Beteiligten gegenüber, die nicht zum Kern der Todes- und Vernichtungskommandos gehört haben, historisch bekannt. Zu diesem Kern hat jedoch die Gendarmerie eindeutig nicht gezählt. Das muss um so mehr für einzelne Gendarmen gelten, die, wie der Angeklagte, erst bei Kriegsbeginn "eingedeutscht" wurden und wegen ihrer polnischen Sprachkenntnisse und Kontaktmöglichkeiten zur Fremdbevölkerung ein gewisses Sicherheitsrisiko zumindest für die unfreiwillige Unterstützung der Feindpropaganda darstellten. Es kann auch nicht ohne weiteres unterstellt werden, dass eingeweihte Vorgesetzte angesichts derartiger Massenverbrechen bereit waren, ihre Mitwisserschaft ohne zwingenden Grund durch sachlich nicht gebotene Belehrungen über den Endzweck vor Untergebenen aufzudecken. Dies um so weniger gegenüber Leuten wie dem Angeklagten, die sich weder durch ihre Herkunft noch durch Zugehörigkeit zu irgendwelchen Parteigliederungen als Vertraute bei solch belastenden Vorkommnissen empfahlen. Ob der Angeklagte bei dieser Situation aufgrund eigener Beobachtungen oder einer Information von der Erschiessung der Alten und Gebrechlichen vor oder während der Tatausführung oder wenigstens noch während seines Einsatzes bei der Aktion Kenntnis erlangt hat, muss daher offenbleiben. Zwingende Indizien dafür liessen sich trotz einer gewissen Wahrscheinlichkeit angesichts der Zweifelsmöglichkeiten nicht finden.

Nach allem war dem Angeklagten weder die Mitwirkung an einer Tötungshandlung während der Aktion noch die Kenntnis hiervon mit ausreichender Sicherheit nachzuweisen. Auch konkrete und verlässliche Hinweise auf sonstige Übergriffe des Angeklagten fehlen. Art und Umfang seines Tatbeitrags blieben somit bis auf die Tatsache seines blossen Einsatzes ungeklärt. Das Schwurgericht war nach dem Zweifelsgrundsatz gehalten, von der dem Angeklagten günstigsten Möglichkeit auszugehen. Da Anknüpfungspunkte für ein darüber hinausgehendes Verhalten des Angeklagten nicht vorhanden waren, war diese Möglichkeit hinsichtlich des Tatbeitrags des Angeklagten in der einem Gendarmen, der weder einen Sonderauftrag hatte noch sich eigenmächtige Exzesse zuschulden kommen liess, bei einer Aktion funktionsmässig am ehesten zukommenden Aufgabe zu sehen. Es ist geschichtsbekannt, dass Aussiedlungsaktionen der in Wolbrom stattgefundenen Art unter der Regie von SD und SS im Kernbereich meist mit eigenen Einheiten, im allgemeinen mit den in SD- und SS-Dienststellen stationär gewordenen Resten der ehemaligen Einsatzkommandos, durchgeführt wurden. Der Einsatz von SS-Truppen in Wolbrom wurde auch von sämtlichen jüdischen Zeugen bestätigt. Andere Behörden, wie der Gendarmerie, wurden dann nur Hilfsdienste, vor allem Wach- und Absperraufgaben übertragen. Die Beweisaufnahme ergab keinen Hinweis für einen weitergehenden Auftrag an die Gendarmerie gerade in Wolbrom oder speziell an den Angeklagten. Das Schwurgericht musste sich daher auf die Feststellung beschränken, dass sich der Tatbeitrag des Angeklagten, wie er im folgenden der rechtlichen Beurteilung zugrunde zu legen war, befehlsgemäss in reinen Bewachungs- und Absperrdiensten erschöpft hat, und zwar möglicherweise in der äussersten Absperrkette, also am Rande des Geschehens.

Dem entspricht es, dass keine tragfähige Aussage vorliegt, die noch eine weitere Anwesenheit des Angeklagten am Sammelplatz nach dem Zusammentreiben der Opfer bestätigt.

D. Rechtliche Würdigung der Teilnahme des Angeklagten an der Aktion

I. Geltung des deutschen Strafrechts

Auf den Angeklagten als deutschen Staatsangehörigen ist gemäss der Verordnung über den Geltungsbereich des deutschen Strafrechts vom 6.5.1940 (RGBl. I, 754) das deutsche Strafrecht anzuwenden.

II. Täterschaft oder Beihilfe?

Die von Hitler und den übrigen Machthabern des Dritten Reichs aus Rassenhass angeordnete und von fanatischen und willfährigen Handlangern ausgeführte Vernichtung des Judentums beinhaltet nach der bekannten Rechtsprechung die grausam begangene Tötung von Millionen Menschen aus niederen Beweggründen (vgl. hierzu u.a. Urteil des BGH vom 18.5.1971, 1 StR 110/70 [54]). Auch das Tatbestandsmerkmal "mit Überlegung" (§211 a.F. StGB) ist erfüllt. Rechtfertigungs- und Schuldausschliessungsgründe standen diesem Täterkreis nicht zu. - Die Haupttäter haben sich daher im Rahmen der Septemberaktion in Wolbrom des Mordes an mindestens 6000 Juden schuldig gemacht. Zwar war nach den Zeugenaussagen davon auszugehen, dass die Opfer ganz überwiegend bis zum Beginn ihres Abtransports nicht mit der Vernichtung gerechnet haben. Jedoch steht ausser Zweifel, dass dem grössten Teil der Juden ihr Todesschicksal spätestens im Lager, möglicherweise aufgrund der menschenunwürdigen Begleitumstände schon während der Fahrt dorthin zur Gewissheit geworden ist. Daher sind auch die Tötungen der Juden aus Wolbrom trotz der dort herrschenden, eingangs beschriebenen (B II) Ausnahmesituation vor und während der Aktion auf grausame Weise begangen worden.

Nach den Gesamtumständen könnte der Tatbeitrag des Angeklagten bei der Aktion, nämlich die Absperrung und Bewachung der zum Abtransport in das Vernichtungslager versammelten Juden, nur als Beihilfe zu den verbrecherischen Handlungen der planenden, befehlenden und die Tötungen unmittelbar ausführenden Haupttätern gewertet werden. Die Aktion in Wolbrom war als Teilakt des von den Machthabern des Dritten Reichs errichteten Vernichtungssystems vorbereitet und eingeleitet worden. Sie wurde unter der Regie des SD und der SS durchgeführt. Die Gendarmerie wurde, wie andere Polizeieinheiten auch, lediglich zu Hilfsdiensten herangezogen. Der einzelne Gendarm hatte keinen bestimmenden Einfluss auf den wesentlichen Ablauf der Aktion. Bei dieser Sachlage muss beim Angeklagten mangels gegenteiliger Anhaltspunkte ein Täterwille verneint werden. Ihm kam lediglich die Funktion eines unmassgeblichen untergeordneten Helfers innerhalb einer Gesamtmaschinerie zu, weshalb allenfalls seine Bereitschaft, sich den Anweisungen der Taturheber zu unterwerfen, und somit sein Wille, eine fremde Tat zu fördern, zu bejahen wären. Auch ein unmittelbares Interesse des Angeklagten am Erfolg der Aktion, sei es politischer oder materieller Art, war nicht zu erkennen. Er könnte somit lediglich als Gehilfe zur Verantwortung gezogen werden.

III. Tatbestand

Der Angeklagte hat objektiv Beihilfe zur Tötung von mindestens 6000 Menschen im Vernichtungslager geleistet. Eine Beteiligung an den Erschiessungen der alten und gebrechlichen Juden auf dem Friedhof in Wolbrom sowie an den Einzeltötungen im Verlauf der Aktion war

[54] Siehe Lfd.Nr.671b.

dem Angeklagten nicht nachzuweisen (C, V, 3b). Die ihm sonach allein noch anzulastenden Absperr- und Bewachungsdienste waren geeignet, den Erfolg der Aktion zu fördern. Die Mordqualifizierungsmerkmale "aus niederen Beweggründen" und "grausam" sind vom Schwurgericht hinsichtlich der Haupttäter bejaht worden (D, II).

(Die Tat des Angeklagten wäre auch als Beihilfe zum Mord nicht verjährt. Für diese gilt, seitdem sie wie die Haupttat bestraft werden kann - was nach anerkannter Rechtsprechung seit der Verordnung gegen Gewaltverbrecher vom 5.12.1939 (RGBl. I, 341) der Fall war -, die Verjährungsfrist für Mord. Diese beträgt heute 30 Jahre, da die zur Tatzeit geltende Verjährungsfrist von 20 Jahren aufgrund des Ruhens der Verjährung bis zum 31.12.1949 (§1 des Gesetzes über die Berechnung strafrechtlicher Verjährungsfristen vom 13.4.1965, BGBl. I, 315) am 6.8.1969, dem massgeblichen Stichtag für die Anwendung des Artikel 3 des Neunten Strafrechtsänderungsgesetzes vom 4.8.1969 (BGBl. I, 1065), noch nicht abgelaufen gewesen wäre. Da die Haupttat durch das tatbezogene Merkmal der Grausamkeit qualifiziert wird, kam die Anwendung des §50 Abs.II StGB nicht in Betracht. Somit ist die Verjährungsfrist noch nicht abgelaufen.)

IV. Rechtswidrigkeit

Das Verhalten des Angeklagten ist aus keinem der in Betracht zu ziehenden Rechtfertigungsgründe gerechtfertigt, auch nicht unter dem Gesichtspunkt des "Handelns auf Befehl". Es war davon auszugehen, dass der Angeklagte bei der Aktion unter Befehl stand. Der Befehl zur Massenvernichtung des Judentums und zur Teilnahme an den diesem Endziel dienenden Aktionen verstiess jedoch eklatant gegen den unverletzbaren Kernbereich jeder denkbaren Rechtsordnung und beinhaltete so eindeutig extremes Unrecht, dass damit jede vorstellbare Befehlsgewalt weit überschritten wurde und auch jede pflichtgemässe Prüfung einen Irrtum über die Rechtswidrigkeit seitens des Befehlsgebers von vornherein ausschloss. Damit war der dem Angeklagten erteilte Befehl zur Mitwirkung an der Aktion rechtswidrig und zu seiner Rechtfertigung nicht geeignet.

V. Schuld

1. Vorsatz

Nach dem Beweisergebnis war schon fraglich, ob der Angeklagte vorsätzliche Beihilfe zur Tötung der von der Aktion erfassten Opfer geleistet hat. Da seine positive Kenntnis vom Endzweck der Aktion nach Ausschöpfung sämtlicher dem Schwurgericht zur Verfügung stehender Erkenntnisquellen nicht mit Sicherheit festzustellen war, konnte dem Angeklagten ein direkter Vorsatz nicht nachgewiesen werden. Die Staatsanwaltschaft hat einmal unterstellt, dass unter den deutschen Hilfskräften schon damals generell bekannt gewesen ist, welchem Zweck derartige Aktionen gedient haben. Sie hat ein Wissen um den wahren Hintergrund beim Angeklagten zudem aus den Erfahrungen gefolgert, die er - nach der Ansicht der Staatsanwaltschaft - im Verlauf der Aktion in Wolbrom und bei seiner - zugestandenen - Teilnahme an der Aktion in Slomniki gesammelt hat. Wenngleich die Wahrscheinlichkeit in der Tat dafür sprach, dass der Angeklagte wusste, um was es ging, so blieben beim Schwurgericht insoweit nach Abwägung aller Umstände doch Zweifel zurück, die aus der Wahrscheinlichkeit keine feste Überzeugung werden liessen.

Ob der Angeklagte aus seinen Beobachtungen der Vorkommnisse während der Aktion den zutreffenden Schluss auf deren Endzweck gezogen hat bzw. ob dieser Schluss aus objektiver Sicht unvermeidlich gewesen ist, war nicht zu klären. Wie bereits dargestellt (B IV), haben sich nach der Darstellung der Mehrzahl der jüdischen Zeugen die Geschehnisse in Wolbrom, gemessen an den bei anderen Aktionen bekannt gewordenen Greueln, erstaunlich gemässigt vollzogen. Wer nicht eingeweiht war, der konnte ebensowenig wie die Opfer dem äusserlich relativ ruhigen Verlauf den mit der Aktion bezweckten Erfolg entnehmen.

Ferner war der Nachweis nicht zu führen, dass der Angeklagte die Einzelerschiessungen beobachtet oder von der Hinrichtung der alten und gebrechlichen Juden am Friedhof noch während der Aktion Kenntnis erlangt hat. Aber selbst die - nicht mögliche - sichere Feststellung, dass dem Angeklagten die Einzelerschiessungen und Tötungen der Alten und Gebrechlichen rechtzeitig bewusst geworden wären, hätte nach der Ansicht des Schwurgerichts nicht ohne weiteres folgern lassen, dass er damit auch den Endzweck der Aktion erkannt hat. Denn der Schluss von den Tötungen am Rande der Aktion auf deren eigentlichen Endzweck war für einen Nichteingeweihten nicht unbedingt zu ziehen. Diesem konnten solche Erschiessungen durchaus noch als Einzelmassnahmen erscheinen, die mit dem Ziel der Gesamtaktion keine unmittelbare Verbindung hatten. (Der festgestellte Tatbeitrag des Angeklagten, der von deren Zweck nur wahrscheinlich, aber nicht mit letzter Sicherheit unterrichtet gewesen ist, bezog sich übrigens ausschliesslich auf die Aktion selbst, nicht dagegen auf die Einzelerschiessungen oder die Hinrichtungen am Friedhof. Es kann mangels entsprechender Anhaltspunkte nicht zu Lasten des Angeklagten unterstellt werden, dass sein Wille weiter gegangen sei als das Sammeln und den Abtransport der Opfer zu unterstützen. Die Tötungen stellten danach Exzesse dar, für die der Angeklagte nicht haftete.) Ob der Angeklagte schliesslich Einzelheiten beim Abtransport der für das Vernichtungslager bestimmten Juden mitbekommen und aus diesen Fakten die richtigen Folgerungen hinsichtlich des Ziels der Aktion gezogen hat, war ebenfalls nicht zu klären. Nach allem gaben die dem Angeklagten während des Verlaufs der Aktion sich bietenden Erkenntnisquellen und Wahrnehmungsmöglichkeiten kein zwingendes Indiz für sein positives Wissen her, dass die Aktion der Vernichtung der Juden gedient hat.

Auch das Geständnis des Angeklagten, an einer Aktion in Slomniki teilgenommen zu haben, berechtigt nicht zu der Behauptung, er habe aufgrund der dort gesammelten Erfahrungen das Vernichtungsziel der Aktion in Wolbrom mit Sicherheit erkannt. Denn einmal konnte das Schwurgericht den sich aufdrängenden Verdacht nicht gänzlich fallenlassen, dass diese Einlassung nicht der Wahrheit entsprach und der Angeklagte eine Mitwirkung an der Aktion in Slomniki anstatt der in Wolbrom deshalb eingeräumt hat, weil jener Komplex nicht Gegenstand des Verfahrens ist. Darüber hinaus hat der Angeklagte nur zugegeben, lediglich für einen Tag aus Kazimierza-Wielka abkommandiert gewesen zu sein und vor einem kleinen Schulgebäude Wache gestanden zu haben, ohne den Abtransport der Juden und irgendwelche Übergriffe oder gar Tötungen wahrgenommen zu haben. Er habe geglaubt, die Juden würden in das Arbeitslager Plaszow verbracht. Der Angeklagte hat somit auch nur eine Randrolle ähnlich der eingeräumt, die ihm nach der Ansicht des Schwurgerichts hinsichtlich der Aktion in Wolbrom nachzuweisen war. Die auf diesem - möglicherweise falschen - Geständnis basierende Meinung der Staatsanwaltschaft, der Angeklagte sei schon von Slomniki her mit der für ein Erfassen der Hintergründe der Aktion in Wolbrom erforderlichen Erfahrung ausgerüstet gewesen, schien dem Schwurgericht nach allem nicht haltbar. Die darüber hinausgehende Behauptung der Staatsanwaltschaft, der Angeklagte habe sicherlich nicht nur einen Tag an der Slomniki-Aktion teilgenommen, sondern seine Beobachtungen über mehrere Tage hinweg gesammelt, entbehrt jeden erkennbaren Anhaltspunkts.

Dem Angeklagten war letztlich auch nicht mit ausreichender Sicherheit nachzuweisen, dass er über die wahren Absichten, die mit der Aktion verbunden waren, durch Unterrichtung von offizieller Seite oder im privaten Gespräch informiert gewesen ist.

Zwar vermochte ihm das Schwurgericht nicht abzunehmen, dass ihm als Angehörigen der Gendarmerie die Sonderbehandlung der Juden in den einschlägigen Verwaltungs- und Rechtsvorschriften nicht bekannt gewesen ist. Hieraus war jedoch ein Wissen des Angeklagten auch über die Massenvernichtungen nicht mit Sicherheit abzuleiten. Trotz aller in den gesetzlichen

Bestimmungen enthaltenen Schikanen, Diffamierungen und unverhältnismässigen Strafandrohungen konnte bei einem Nichteingeweihten gerade wegen der Existenz einer gesetzlichen Regelung der irrige Eindruck entstehen, die Judenbehandlung erfolge dennoch in einem wenigstens nach aussen hin rechtlich geordneten Rahmen im Gegensatz zu der absoluten Willkür, von der die Vernichtung der Juden und die ihr dienenden Aussiedlungsaktionen bestimmt waren. Auch die jüdische Bevölkerung von Wolbrom als direkt Betroffene der gesetzlichen Sondermassnahmen vermochte hieraus bezeichnenderweise ihr Schicksal nicht abzulesen. Eine Unterrichtung des Angeklagten auf offiziellem Weg war als äusserst unwahrscheinlich auszuschliessen. Die Verschleierungsbemühungen der NS-Gewalthaber hinsichtlich der Judenvernichtungsmassnahmen und ihre Bestrebungen, den Kreis der Eingeweihten möglichst klein zu halten und vor allem auch ein Einsickern von Nachrichten über die Vernichtungslager in das Gebiet des Deutschen Reichs zu verhindern, sind geschichtsbekannt. Es galten strenge Geheimhaltungsvorschriften mit Strafandrohungen für den Fall der Zuwiderhandlung. Über die wahren Hintergründe der Aktion waren prinzipiell nur diejenigen informiert, die im Kernbereich des Geschehens tätig wurden, nämlich vor allem die SS- und Polizeiführungskräfte sowie die Angehörigen der Todeskommandos und Vernichtungseinheiten in den Lagern. Zu diesem Kreis der Eingeweihten zählte aber eindeutig die Gendarmerie nicht. Damit muss die Möglichkeit einer offiziellen Unterrichtung des Angeklagten mangels gegenteiliger Anhaltspunkte ausgeschieden werden.

Als letzte potentielle Informationsquelle für den Angeklagten war das vertrauliche Gespräch mit der Bevölkerung, mit Kameraden oder Vorgesetzten in Betracht zu ziehen. Aber auch insoweit konnte der Nachweis nicht erbracht werden, dass dem Angeklagten der Zweck der Aktion rechtzeitig bekannt geworden ist. Die Juden in Wolbrom waren nach dem Beweisergebnis wenigstens überwiegend bis zuletzt gutgläubig geblieben. Dass der polnische Bevölkerungsteil besser unterrichtet gewesen sein sollte, ist nicht anzunehmen. Auch Anhaltspunkte dafür, dass bei einem Kameraden des Angeklagten ein grösseres Wissen um die wahren Hintergründe zu vermuten war, lagen nicht vor. Schliesslich erschien auch zweifelhaft, dass der Angeklagte durch einen seiner Vorgesetzten auf vertraulicher Basis informiert worden sein könnte. Wie schon oben angedeutet (C V, 3b), konnten auch sie im allgemeinen kein Interesse daran haben, den Kreis der Mitwisser unnötig zu erweitern, schon um ihre Mitwisserschaft, vor allem gegenüber Untergebenen, nicht aufzudecken, aber auch aus Sorge, sonst als unzuverlässig angesehen werden zu können. Dazuhin konnte der Angeklagte durchaus als wenig zuverlässig erscheinender Gesprächspartner für eine heikle vertrauliche Mitteilung gelten. Er war weder SS- noch Parteimitglied. Ausserdem stammte er aus den ursprünglich polnischen Gebieten Ostoberschlesiens und wurde erst 1939 "eingedeutscht". Solche Personen wurden häufig geringschätzig als sogenannte "Wasserpolacken" oder "Beutegermanen" eingestuft. Ferner beherrschte der Angeklagte die polnische Sprache. Die Gefahr der Weitergabe eines inoffiziell erlangten, dazu höchst interessanten Wissens an die polnische Bevölkerung war daher zumindest nicht von der Hand zu weisen. All diese Umstände bildeten schlechte Voraussetzungen für eine vertrauliche Beziehung zu Vorgesetzten, die auch befehlsgemäss darauf zu achten hatten, dass derartige Nachrichten nicht über die nahegelegene Grenze in das Reichsgebiet einsickern konnten.

Nach allem war der hinreichend sichere Nachweis nicht zu führen, dass der Angeklagte vom Endzweck der Aktion - sei es durch eigene Beobachtungen, durch früher erworbene Erfahrungen oder durch entsprechende Unterrichtung - im Zeitpunkt seines Einsatzes Kenntnis hatte. Es konnte nicht übersehen werden, dass Wolbrom insgesamt bis zur Aktion ausnahmsweise ein Bild bot, aus dem Schlussfolgerungen auf die beabsichtigte Vernichtung der Juden keineswegs zwingend waren. Andere mögliche Erkenntnisquellen, aus denen der Angeklagte dieses Wissen bezogen haben könnte, mussten bei der notwendigen kritischen Prüfung als nicht hinreichend sicher angesehen werden. Daher war ihm eine mit direktem Vorsatz geleistete Beihilfe zum Mord an mindestens 6000 Juden nicht nachzuweisen. Dieses Ergebnis bedeutet keinesfalls, dass das Schwurgericht die Darstellung des Angeklagten für glaubwürdig erachtet hätte. Mangels eines ihn konkret belastenden Beweisergebnisses liess sich seine Darstellung jedoch nicht widerlegen. Auch die Staatsanwaltschaft konnte über die allgemeine Behauptung, aus den geschichtsbekannten Abläufen müsse eine damalige Kenntnis auch des Angeklagten über die wahren Hintergründe der Aktion gefolgert werden, keine greifbaren Anhaltspunkte für sein diesbezügliches Wissen benennen. Der Rückschluss vom jetzigen Kenntnisstand über das Schicksal der Juden auf die zutreffenden Vorstellungen auch des Angeklagten ist jedoch nicht möglich, da es keinen gesicherten Erfahrungssatz, sondern nur eine - zur Überführung nicht ausreichende - Wahrscheinlichkeit gibt, dass die heutigen Erfahrungen auch Randbeteiligten an einer Aktion damals schon geläufig gewesen sein mussten.

Die Annahme, dass der Angeklagte mit der späteren Vernichtung der von der Aktion erfassten Juden schon zum damaligen Zeitpunkt wenigstens gerechnet und trotz dieser Vermutung mit Billigung des - von ihm als möglich erachteten - Tötungserfolgs seinen Wachdienst als Tatbeitrag verrichtet, somit mit bedingtem Vorsatz gehandelt hat, ist zwar bei Berücksichtigung aller tatsächlich vorhanden gewesenen und potentiellen Informationsquellen naheliegend. Einen konkreten Anhaltspunkt dafür, dass der Angeklagte solche Erwägungen tatsächlich angestellt hat, konnte das Schwurgericht jedoch nicht finden, wenn es auch eines weiten Entgegenkommens bedurfte, die Einlassung des Angeklagten, er habe das wahre Schicksal der Juden nicht einmal erahnt, nicht als reine Schutzbehauptung zu bewerten. Bei der gegebenen Beweislage war jedoch nach dem Zweifelsgrundsatz auch die Annahme eines bedingten Vorsatzes nicht möglich, wenngleich der aus der Rückschau auf die Ereignisse der Septemberaktion und die Gesamtsituation der Juden im Generalgouvernement gewonnene Eindruck verblieb, dass der Angeklagte den wahren Zweck der Aktion nach allem hätte erkennen können und müssen. Dies reicht für den Nachweis eines bedingten Vorsatzes mangels echter Anknüpfungspunkte aber nicht aus.

Auf die subjektive Seite des Mordqualifizierungsmerkmals "grausam" brauchte unter diesen Umständen nicht mehr eingegangen zu werden.

2. Schuldausschliessungsgründe

a) Handeln auf Befehl (§47 MStGB)

Nach §3 der VO über eine Sondergerichtsbarkeit in Strafsachen für Angehörige der SS- und Polizeiverbände bei besonderem Einsatz vom 17.10.1939 fanden auf diesen Personenkreis die Vorschriften des Militärstrafgesetzbuchs (MStGB) sinngemäss Anwendung. Die VO wurde u.a. hinsichtlich der Ordnungspolizei ausserhalb der Reichsgrenzen auch auf den Einzeldienst ausgedehnt, zu dem der Angeklagte als Angehöriger des Gendarmeriepostens Wolbrom zählte. Daher war gemäss §2 Abs.II Satz 1 StGB bei der rechtlichen Würdigung seines Tatbeitrags §47 MStGB zu beachten.

Nach dieser Regelung war der Angeklagte an einen Befehl "in Dienstsachen" grundsätzlich gebunden. Dass er während seines Einsatzes bei der Aktion Befehlsempfänger war, steht nach dem Gesamtumständen ausser Zweifel. Die Leitung des Unternehmens lag in den Händen des SD und der SS. Die Gendarmerie war lediglich zu Hilfsdiensten herangezogen. Die den Gendarmen übertragene Aufgabe erschöpfte sich in Bewachungs- und Absperrdiensten. Für die Ausübung eines eigenen Ermessens bestand erkennbar kein Raum. Daher handelte es sich auch bei der Tätigkeit des Angeklagten um eine "Dienstsache" im Sinne des §47 MStGB.

Im gegebenen Fall war der an den Angeklagten gerichtete Befehl, an der Aktion in dem ihm übertragenen Umfang mitzuwirken, allerdings unverbindlich, da er der Tötung von mindestens 6000 Juden, somit der Begehung schwersten kriminellen Unrechts, diente und daher rechtswidrig war. Die Rechtswidrigkeit des Befehls wäre auch dann zu bejahen gewesen, wenn die Deportation, wie vom Angeklagten unwiderlegt angenommen worden ist, lediglich der Konzentration der Juden in speziellen Judenbezirken gegolten hätte. Denn auch die zwangsweise Vertreibung eines ganzen Bevölkerungsteils nur aus rassischen Gesichtspunkten ohne jede Notwendigkeit durch Kriegsereignisse und die sklavenartige Ausbeutung der Arbeitskraft in einem Lager hätten der Haager Landgerichtsordnung [55] eklatant widersprochen.

Nach §47 Abs.I Satz 2 Nr.2 MStGB würde den Angeklagten als Befehlsempfänger jedoch nur dann eine Mitverantwortung treffen, "wenn ihm bekannt gewesen ist, dass der Befehl des Vorgesetzten eine Handlung betraf, welche ein allgemeines oder militärisches Verbrechen oder Vergehen bezweckte", wobei sein positives Wissen von dem kriminellen Charakter des Befehls erforderlich gewesen wäre. Diese Voraussetzung wäre beim Angeklagten ohne weiteres zu bejahen gewesen, wenn ihm eine Kenntnis von dem mit der Aktion verfolgten Ziel, nämlich der Vernichtung der jüdischen Bevölkerung, nachzuweisen gewesen wäre. Sie könnte jedoch zweifelhaft sein, nachdem dieser Nachweis nicht geglückt ist, somit zugunsten des Angeklagten nicht auszuschliessen war, dass er sich "nur" eine Deportation vorgestellt hat. Auch bei einem bedingten Vorsatz, der jedoch vom Schwurgericht bereits nicht sicher festgestellt werden konnte, wären die Voraussetzungen des §47 Abs.I Satz 2 Ziff.2 MStGB, der positive Kenntnis verlangt, nicht erfüllt gewesen. Allerdings hat der Angeklagte eingeräumt, er habe schon die Deportation der Juden - aus Slomniki - in ein Arbeitslager als ein Unrecht empfunden. Ein gewisses allgemeines Unrechtsbewusstsein musste daher bei ihm bejaht werden. Daraus könnte auf sein positives Wissen von der Rechtswidrigkeit des Befehls geschlossen werden, obwohl es angesichts der im Dritten Reich geübten Hetze gegen das Judentum, das nach der damaligen Propaganda die arische Rasse zu unterwandern und zu zersetzen trachtete, und des dagegen gerichteten, offen diskutierten Vorhabens, die Juden zu deportieren, fraglich erscheinen könnte, ob ein Untergebener in der Situation des Angeklagten - trotz möglicherweise vorhandener Bedenken - wirklich positiv erkannte, dass ein Befehl, der "nur" der Konzentrierung der Juden in Arbeitslagern diente, rechtswidrig war. (Die Verfolgung einer Beihilfehandlung zu einer blossen Deportation wäre als Beihilfe zur Freiheitsberaubung u.a. in jedem Fall verjährt.)

Ob der Angeklagte nach allem schon gemäss §47 m StGB entschuldigt ist, kann aber letztlich dahinstehen. Eine Verurteilung scheitert auf alle Fälle an dem im folgenden erörterten Entschuldigungsgrund.

b) Irrtum über die Verbindlichkeit des Befehls

Der Angeklagte wäre selbst dann freizusprechen gewesen, wenn der - nicht geglückte - Nachweis seiner Kenntnis über den Vernichtungszweck der Aktion und somit auch über den verbrecherischen und rechtswidrigen Charakter des Befehls hätte geführt werden können. Denn zu seinen Gunsten war ein nicht vermeidbarer, sein Tatverhalten somit entschuldigender Verbotsirrtum nicht auszuschliessen.

Die Staatsanwaltschaft ist an diesem Problem mit dem schlichten Hinweis, der Angeklagte habe sich ja nicht auf einen Verbotsirrtum berufen, vorbeigegangen. Eine solche Argumentation war jedoch bei Berücksichtigung der Einlassung des Angeklagten nicht zulässig. Seine Verteidigung war von Anfang an darauf aufgebaut, nie in Wolbrom stationiert gewesen zu sein, an der dortigen Aktion folglich nicht teilgenommen und damit auch keine entsprechenden Befehle erhalten zu haben. Wie er in dieser Situation einen Irrtum über die Verbindlichkeit des Befehls als Verbotsirrtum hätte geltend machen können, bleibt unerfindlich. Nach-

[55] Gemeint ist wohl: Landkriegsordnung.

dem jedoch das Schwurgericht - im Einklang mit der Staatsanwaltschaft - von einer Mitwirkung des Angeklagten an der Wolbrom-Aktion ausging, war es aus Rechtsgründen, die zu den Fundamenten eines rechtsstaatlichen Verfahrens gehören, auch gehalten, von Amts wegen die nach dem Ergebnis der Beweisaufnahme sich damals dem Angeklagten bietende Lage, damit auch den insoweit zu seinen Lasten festgestellten Sachverhalt, nach der Möglichkeit eines Verbotsirrtums zu überprüfen.

Dass der Angeklagte während der Aktion unter Befehl im Sinne des §47 MStGB stand, wurde bereits dargelegt (D V, 2a). Dieser Befehl war rechtswidrig und für den Angeklagten damit unverbindlich. Es musste jedoch andererseits davon ausgegangen werden, dass der Angeklagte, getreu der damaligen Schulung und Einstellung, den Befehl für verbindlich und sein Tatverhalten deshalb für gerechtfertigt gehalten hat. Die "Heiligkeit" des Befehls und der unbedingte Gehorsam standen bei der Erziehung auch der Polizeitruppe, vornehmlich in den besetzten Gebieten, derart im Vordergrund, dass ein rechtliches Denken bei den Angehörigen dieser Einheiten nur noch in der politisch-militärisch verzerrten Form der damaligen Zeit vorausgesetzt werden konnte. Auch wenn der Angeklagte sich nicht darauf berufen hat (weil er sich, ohne seinem Verteidigungskonzept untreu zu werden, nicht darauf berufen konnte), war bei gerechter Würdigung der Tatzeitsituation anzunehmen, dass aus seiner damaligen Sicht der "Führer" und auch die weiteren Führungskräfte eine derart weitreichende Befehlsgewalt hatten, um von ihren Untergebenen nahezu alles, notfalls auch offensichtlich unrechtmässige Handlungen zu verlangen.

Indem der Angeklagte den Befehl für verbindlich hielt, irrte er nicht über die tatsächlichen Voraussetzungen eines in der Rechtsordnung an sich anerkannten Rechtfertigungsgrundes; vielmehr nahm er zu seinen Gunsten irrig eine nicht existente Rechtfertigungsmöglichkeit in Anspruch. Ihm war daher ein Verbotsirrtum zuzubilligen.

Der Verbotsirrtum war bei Berücksichtigung der Gesamtsituation und der individuellen Voraussetzungen beim Angeklagten nicht vermeidbar. Dieser wurde nach dem Beweisergebnis, von dem das Schwurgericht ungeachtet aller Vermutungen, die man über einen andersgearteten Ablauf der Dinge anstellen konnte, auszugehen hatte, bei der Aktion lediglich zu polizeiüblichen Dienstverrichtungen, nämlich zu Wach- und Absperrdiensten, und damit zur blossen Unterstützung der eigentlich tätigen und verantwortlichen SS-Gruppe befohlen. Die Aktion verlief wegen der Gutgläubigkeit und Duldsamkeit der jüdischen Bevölkerung ohne Zwischenfälle, die ein Einschreiten der Gendarmeriekräfte über die ihnen übertragene Aufgabe hinaus erforderlich gemacht hätten. Somit kam der Angeklagte über die Funktion einer absoluten Randfigur nicht hinaus. Er bewegte sich - unwiderlegbar - nur im äussersten Bereich des Geschehens, das schliesslich zum Tod der Opfer führte. Ausserdem handelt es sich bei ihm um einen - nach dem Eindruck in der Hauptverhandlung intelligenzmässig offensichtlich nicht übermässig begabten - Mann, der zudem erst wenige Jahre zuvor, wie viele seiner Bekannten, aus Freude über die Angliederung seiner Heimat an das Reich mit Begeisterung der deutschen Gendarmerie beigetreten war und deshalb vermutlich besonders dienstbeflissen, eifrig und willig gewesen ist. Von diesem Mann in der Rolle einer Randfigur zu erwarten, dass er sich in der Kürze des Geschehens unter Berücksichtigung des damals ohnehin fehlgeleiteten Gewissens über die Verbindlichkeit eines Befehls zu blossen polizeiüblichen Hilfsdiensten klarwerden konnte, ginge nach der Ansicht des Schwurgerichts an der Realität der damaligen Verhältnisse vorbei. Eine solche Forderung würde in der gegebenen objektiven und subjektiven Situation die vorhandenen Möglichkeiten und die individuellen Fähigkeiten des Angeklagten, sein Gewissen zu überprüfen, schlechthin übersteigen. Für ihn war daher der Verbotsirrtum nicht vermeidbar.

Diese Frage wäre dann anders zu beantworten gewesen, wenn der Angeklagte selbst vor oder während der Aktion über die ihm übertragene Aufgabe hinaus durch Einzeltaten hervorgetreten wäre und dadurch eine gegenüber der jüdischen Bevölkerung feindselige Gesinnung offenkundig gemacht hätte. Das gleiche gilt, wenn der Nachweis gelungen wäre, dass die Aktion einen ähnlich blutigen und grauenvollen Verlauf wie an anderen Orten genommen hätte, aus dem auch dem einzelnen Gendarm sich die Gewissheit hätte aufdrängen müssen, dass ein Befehl zur Teilnahme an derartigen offensichtlich verbrecherischen Greueltaten keinen Bestand haben konnte. Das Schwurgericht war aber gehalten, den Tatbestand aus den zur Verfügung stehenden Informationsquellen festzustellen, die für Einzelexzesse des Angeklagten oder für einen anderen Verlauf der Aktion keine zuverlässigen Anhaltspunkte boten. Von demselben Beweisergebnis ist auch die Staatsanwaltschaft ausgegangen. Die rechtlichen Folgerungen, die sie daraus gezogen hat, erschienen dem Schwurgericht jedoch in keiner Weise haltbar. Sie waren allein von dem untauglichen Argument getragen, der Angeklagte habe sich ja selbst nicht auf den Verbotsirrtum berufen. Das Gericht konnte sich als zu Objektivität verpflichtetes Organ der Rechtspflege angesichts der getroffenen Feststellungen und dem nach Sachlage zwingend zu unterstellenden Glauben an die Verbindlichkeit des Befehls mit einer so vereinfachten Betrachtungsweise einer gründlicheren Untersuchung der Irrtumsfrage nicht entziehen.

Nachdem dem Angeklagten lediglich die Verrichtung von Wach- und Absperrdiensten nachgewiesen werden konnte, war ihm aus den dargelegten Gründen ein unvermeidbarer Verbotsirrtum zuzubilligen und somit sein Freispruch unumgänglich. Dabei spielte die Vorstellung keine Rolle, dass eine anderslautende Entscheidung jetzt noch die strafrechtliche Verfolgung aller deutschen Polizeikräfte und zum Teil auch Wehrmachtsangehörigen, die in Ostraum bei Aussiedlungsaktionen zu blossen Absperrdiensten kommandiert worden sind, ohne darüber hinaus selbst in irgendeiner Weise in das von anderen Einheiten ausgeführte Kerngeschehen einzugreifen, nahelegen würde. Diese Konsequenz ist schon in früherer Zeit unter richtiger Bewertung der ausweglosen Verstrickung militärisch gebundener "kleiner Leute" in das damalige Unrechtssystem nicht gezogen worden. Sie wäre nach über 30 Jahren zeitlicher Distanz gerade in Fällen der hier gegebenen Art, wo es sich um den vom Tatkern entferntesten, damals kaum verweigerbaren Einsatz handelt, nicht nur nicht wünschenswert, sondern aus Beweisgründen nahezu immer zum Scheitern verurteilt. Hier gelten diese Bedenken zugunsten des Angeklagten um so mehr, als er im Rahmen der Aktion - nachweisbar - nichts getan hat, was über seine üblichen Pflichten als Gendarm hinausgegangen wäre. Das verbleibende Unbehagen darüber, dass der Angeklagte möglicherweise - aber unbewiesen - doch im Sinne der gegen ihn erhobenen Einzelvorwürfe schuldig geworden ist, konnte selbstverständlich keine andere Beurteilung des Falles rechtfertigen, etwa in dem Sinne, ihn anstelle der Mordvorwürfe auf alle Fälle "wenigstens" wegen Beihilfe zu verurteilen. Schliesslich war es hier auch nicht erlaubt, in der falschen Behauptung des Angeklagten, nie in Wolbrom gewesen zu sein, einen zwingenden Hinweis auf Schuld zu sehen, die es zu verschleiern gelte. Unter den besonderen Umständen, die für Verfahren wegen nationalsozialistischer Gewaltverbrechen massgeblich sind, ist es verständlich, wenn der Angeklagte schon bei dem Zugeständnis, als Gendarm in der kritischen Zeit in Wolbrom gewesen zu sein, Weiterungen in der Beweisführung gegen sich befürchtete. Dass das Abstreiten, in Tatortnähe gewesen zu sein, ein vielgebrauchtes Verteidigungsvorbringen der NS-Täter ist, weiss das Gericht; dies rechtfertigt keine andere Betrachtungsweise, da Schuldige und Unschuldige sich gleichermassen veranlasst sehen können, sich so zu verteidigen.

E. Freispruch und Nebenentscheidungen

Nach allem war der Angeklagte freizusprechen.

Das Schwurgericht übersah nicht, dass der Angeklagte diesen Freispruch möglicherweise nur dem Zeitablauf verdankt, der das Gedächtnis der Belastungszeugen erheblich beeinträchtigt haben kann und der eine einigermassen befriedigende Feststellung der Wahrheit bei der Verfolgung von NS-Verbrechern künftig noch weiter erschweren wird. Eine andere Entscheidung war aber nach dem Grundsatz "in dubio pro reo" im vorliegenden Fall nicht möglich.

Die Kostenentscheidung folgt aus §467 StPO.

Für die Feststellung einer Entschädigungspflicht der Staatskasse nach dem StrEG bestand kein Anlass.

Lfd.Nr.798

Tatkomplex
NS-Gewaltverbrechen in Haftstätten

Tatort
ZAL Boryslaw, ZAL Drohobycz

Tatzeit
4308, 440413, 440622

Gerichtsentscheidungen
LG Augsburg vom 13.07.1973, 113 Ks 9/71 StA Mü I

INHALTSVERZEICHNIS

des unter Lfd.Nr.798 veröffentlichten Urteils

LG Augsburg vom 13.07.1973, 113 Ks 9/71 StA Mü I

Lfd.Nr.798

113 Ks 9/71

Im Namen des Volkes

Das Schwurgericht des Landgerichts Augsburg erkennt in dem Strafverfahren gegen

Schö. Roman [56], geboren am 17.2.1912 in Eichendorfmühl, Kreis Ratibor/Oberschlesien, verheirateter Obermonteur, wohnhaft in Schrobenhausen, deutscher Staatsangehöriger

wegen Mordes (NSG)

in der öffentlichen Sitzung vom Freitag, den 13.Juli 1973, auf Grund der Hauptverhandlung vom 2.5.1973, 3.5.1973, 10.5.1973, 17.5.1973, 22.5.1973, 23.5.1973, 1.6.1973, 8.6.1973, 16.6.1973, 22.6.1973, 2.7.1973, 6.7.1973, 9.7.1973, und 13.7.1973 zu Recht:

1) Der Angeklagte wird freigesprochen.
2) Die Kosten des Verfahrens und die notwendigen Auslagen des Angeklagten trägt die Staatskasse.

GRÜNDE

Dem Angeklagten hat zur Last gelegen, als SS-Angehöriger der in den Jahren 1943 und 1944 zur Bewachung von Juden in den Zwangsarbeitslagern (ZAL) Drohobycz und Boryslaw in Galizien eingesetzt gewesen ist, in jener Zeit einmal gleichzeitig mindestens 2 Menschen und in zwei weiteren selbständigen Fällen je einen jüdischen Zwangsarbeiter vorsätzlich aus niedrigen Beweggründen erschossen und dadurch mindestens zwei rechtlich zusammentreffende, sowie zwei damit und auch untereinander sachlich konkurrierende Verbrechen des Mordes gemäss §§211, 73, 74 StGB begangen zu haben.

Das Schwurgericht hat jedoch in keinem dieser Fälle die für eine Verurteilung notwendige, volle Überzeugung gewinnen können, dass der Angeklagte die ihm zur Last liegenden Taten wirklich begangen hat. Der Angeklagte hat daher freigesprochen werden müssen.

I. Einführende Darlegungen

1) Lebenslauf des Angeklagten

Der Angeklagte wurde am 17.2.1919 in Eichendorfmühl Kreis Ratibor/Oberschlesien als drittes von 6 Kindern des Feuerungsmaurers Karl Muc. und dessen Ehefrau Mathilde, geborene Kon., geboren. 1939 liess der Angeklagte seinen Namen in "Schö." eindeutschen. Der Angeklagte besuchte 8 Jahre die Volksschule und absolvierte dann 3 Jahre lang eine Maurerlehre, die er 1936 mit der Gesellenprüfung erfolgreich abschloss. Anschliessend war er bei den Siemens-Plania-Werken in Ratibor als Heizungs- und Feuerungsmaurer beschäftigt, bis er 1938 vorübergehend zum Bau des Westwalls abgeordnet wurde. Einige Monate später begann der Angeklagte ein Beschäftigungsverhältnis bei den Didier-Werken in Breslau, wo er für den Säurebau umgeschult wurde.

[56] Siehe auch Verfahren Lfd.Nr.671.

1936 heiratete der Angeklagte Maria Wi. Aus dieser Ehe ging eine am 2.5.1937 geborene Tochter Rita hervor.

Am 1.10.1928 trat der Angeklagte der Hitlerjugend bei. Er brachte es dort bis zum Gefolgschaftsführer und erhielt schliesslich das Goldene HJ-Abzeichen. Am 1.2.1932 erlangte der Angeklagte die Mitgliedschaft bei der NSDAP. Am 9.11.1937 wurde er von der HJ in die allgemeine SS übernommen und dort am 9.11.1940 zum Scharführer befördert.

Nach Kriegsausbruch wurde der Angeklagte als Angehöriger der allgemeinen SS zur Hilfspolizei nach Ratibor einberufen und zum Objektschutz in Tschenstochau und Radom eingesetzt. Anfang 1940 kam der Angeklagte zum SS-Sonderdienst nach Lublin/Polen. Hier war er als Kraftfahrer und als Dolmetscher für die polnische Sprache tätig. Für diese Tätigkeit erhielt er das Kriegsverdienstkreuz II.Klasse. Im Winter 1940/41 versetzte man ihn nach Cholm/Polen. Dort hatte er Ukrainer und Polen beim Strassenbau zu bewachen. Im Sommer 1941 wurde der Angeklagte als Wachhabender in die nahe bei Krakau gelegene Sommerresidenz des Generalgouverneurs Frank beordert. Während dieser Zeit verurteilte ihn das Polizei- und SS-Gericht Krakau wegen einer in angetrunkenem Zustand begangenen Befehlsverweigerung zu 6 Monaten Straflager. Davon verbüsste er 3 Monate im SS-Straflager Danzig/-Matzkau. Ab März 1942 wurde der Angeklagte bewährungshalber zur Dienststelle des SS- und Polizeiführers nach Lemberg versetzt und von dort aus dem Aufsichtspersonal des ZAL Janowskastrasse in Lemberg zugeteilt. Hier waren ihm russische Kriegsgefangene in deutschen Diensten unterstellt, die die jüdischen Arbeitskommandos ausserhalb des Lagers zu bewachen hatten. Weil er schliesslich an Fleckfieber und Paratyphus erkrankte, wurde er vom 14.10. bis 22.11.1942 im Lazarett Lemberg stationär behandelt. Anschliessend erhielt er mindestens 8 Wochen Genesungsurlaub. Dann kehrte er wieder in das sogenannte Janowska-Lager zurück, bis er im Spätsommer 1943 zum ZAL Drohobycz/Polen versetzt wurde.

Die Leitung dieses Lagers hatte ab Anfang August 1943 der SS-Obersturmführer Hildebrand [57] übernommen. Der Angeklagte, der - wie schon gesagt - den Dienstrang eines Scharführers der allgemeinen SS hatte, stand Hildebrand vor allem als Dolmetscher für die polnische Sprache zur Verfügung. Nach der Auflösung des Lagers Drohobycz und der endgültigen Auflösung des dazugehörigen Zweiglagers Boryslaw, kam der Angeklagte anfangs August 1944 zunächst zum Stellungsbau in die Gegend von Przemysl und Neu-Sandez. Vier Wochen später erhielt der Angeklagte die Einberufung zur Waffen-SS nach Ellwangen. Von dort aus wurde er nach kurzer Ausbildung zur SS-Panzergrenadierdivision Norge verlegt, die an der ungarischen Front eingesetzt war. Hier erlitt der Angeklagte schon bald eine schwere Oberschenkelverwundung. Er kam deshalb in verschiedene Lazarette, zuletzt ins Lazarett Osterhofen in Niederbayern. Nach Kriegsende geriet er in amerikanische Kriegsgefangenschaft, aus der er im Juni 1946 entlassen wurde. Er liess sich in Schrobenhausen nieder. Seit 1952 ist der Angeklagte bei der Fa. Esser KG in Nürnberg als Obermonteur im Schornsteinfeuerungs- und Säurebau tätig. Er wird vorwiegend auswärts auf Montage eingesetzt und kommt in der Regel nur alle 14 Tage über das Wochenende nach Hause. Seine Ehefrau liegt wegen einer schweren Lähmung im Krankenhaus.

Durch Urteil des Schwurgerichts beim Landgericht Stuttgart vom 29.April 1968 (Aktenzeichen: Ks 5/65 der Staatsanwaltschaft Stuttgart) wurde der Angeklagte, unter Freispruch im übrigen, wegen zweier Verbrechen der Beihilfe zum Mord an insgesamt mindestens 51 Men-

[57] Siehe Lfd.Nr.355 und 653.

schen rechtskräftig zu einer Gesamtstrafe von 8 Jahren Zuchthaus verurteilt [58]. Dieser Verurteilung liegen folgende Sachverhalte zugrunde:

a) Im Juni 1943 wirkte der Angeklagte auf Befehl des Leiters des Janowska-Lagers in Lemberg, SS-Untersturmführer Willhaus, bei der Liquidierung des ebenfalls in Lemberg gelegenen ZAL Grodek-Jagiellonski mit. Auf Anweisung von Willhaus überwachte der Angeklagte die von den ukrainischen Wachmannschaften um das Lager gebildete Absperrkette, während etwa 50 jüdische Zwangsarbeiter, wovon der Angeklagte genaue Kenntnis hatte, im Lagergebäude erschossen wurden.

Der Angeklagte hatte diesen Sachverhalt von vorneherein unumwunden zugegeben.

b) Im Juni oder Juli 1943 erhielt der Angeklagte von Willhaus den Befehl, sich ins Ausbesserungswerk der Ostbahn in Lemberg zu begeben, dort nach einem angeblich versteckten Juden zu suchen und diesen an Ort und Stelle zu erschiessen. Der Angeklagte begab sich dorthin. In einem nahe der Kantine des Ausbesserungswerks befindlichen Pferde- und Schweinestall entdeckte er in einer Futterkiste den etwa 9 Jahre alten Sohn des Juden Chasin, den dieser dort versteckt hatte. Der Angeklagte zog das Kind aus der Kiste, erschoss es und warf die Leiche auf einen Misthaufen.

In diesem Fall hatte der Angeklagte den äusseren Geschehensablauf von Anfang an gleichbleibend, mit Einschränkungen, zugegeben.

Der Angeklagte verbüsste mehr als zwei Drittel der vom Schwurgericht Stuttgart ausgesprochenen Strafe; der Strafrest wurde zur Bewährung ausgesetzt.

2) Zeitgeschichtlicher Hintergrund der dem Angeklagten angelasteten Taten

Es ist allgemein bekannt, dass es das Ziel der Machthaber des Dritten Reiches war, die Juden zu vernichten. Hitler erteilte den entsprechenden Befehl etwa zu Beginn des Jahres 1941. Der Reichsführer der SS und Chef der deutschen Polizei, Himmler, organisierte sodann die Durchführung der "Endlösung der Judenfrage". Er begann diese "Endlösung" mit der Ausrottung der zahlenmässig starken jüdischen Volksteile Osteuropas. Dies geschah auf drei Wegen, nämlich durch Errichtung von Vernichtungslagern zu dem ausschliesslichen Zweck, die herangeschafften Juden zu töten, ferner durch die Aufstellung von Einsatzgruppen, die an der Ostfront hinter der kämpfenden Truppe herzogen und das Gebiet von Juden "säuberten" und schliesslich durch den Aufbau von Zwangsarbeitslagern (ZAL), in welchen die Arbeitskraft der Juden bis zur völligen Vernichtung ausgebeutet wurde.

3) Die Zwangsarbeitslager in Drohobycz und Boryslaw und deren Auflösung

Zwangsarbeitslager, wie soeben geschildert, bestanden unter anderem in den bereits erwähnten galizischen Städten Drohobycz und Boryslaw.

Drohobycz, das bei Kriegsbeginn etwa 35.000 Einwohner aufwies, liegt ca. 70 km südlich von Lemberg und die damals rd. 40.000 Einwohner zählende Stadt Boryslaw etwa 8 km südwestlich von Drohobycz. In Boryslaw wurde Erdöl gefördert, nach Drohobycz geleitet und dort raffiniert.

[58] Siehe Lfd.Nr.671.

Um diese kriegswichtige Industrie nebst Zulieferbetrieben in vollem Umfang weiterbetreiben zu können, wurden ab Ende 1941 vor allem in Drohobycz Zwangsarbeitslager für entsprechende jüdische Fachkräfte eingerichtet, während die übrige jüdische Bevölkerung, soweit sie nicht schon durch andere Aktionen umgekommen war, in die bereits erwähnten Vernichtungslager verbracht wurde.

Eines der ursprünglich 7 Zwangsarbeitslager in Drohobycz hiess "Keramische Werkstätten" (Dachowczarnia), wies etwa 600 bis 800 Insassen auf und unterstand örtlich der Polizei. Ein anderes Zwangsarbeitslager in Drohobycz, welches zur Firma Karpathen-Öl-AG gehörte (Beskidenlager), umfasste etwa 1.000 jüdische Arbeitskräfte und stand unmittelbar unter der Leitung der SS. Derselben Verwaltung und Leitung wie das zuletzt genannte Lager unterstand auch das einzige Zwangsarbeitslager in Boryslaw, das bei wechselnder Belegstärke bis zu 1.400 Insassen aufwies.

Nach und nach wurden auf Betreiben der SS und gegen den Widerstand der Industrie selbst die Zwangsarbeitslager aufgelöst und deren Insassen entweder sofort erschossen oder in Vernichtungslager verbracht. So wurde Ende August 1943, in Drohobycz an vorletzter Stelle, das Lager Keramische Werkstätten (Dachowczarnia aufgelöst. Sämtliche Insassen mussten zunächst in geschlossener Formation einige Kilometer weit bis zu dem Gefängnis im Gerichtsgebäude an der Stryjskastrasse in Drohobycz marschieren. Nachdem sodann ca. 100 Fachkräfte aussortiert und in das in Drohobycz von da an allein noch existierende Beskidenlager überführt waren, verbrachte man die übrigen Insassen des bisherigen Lagers Dachowczarnia in den nahe gelegenen Wald bei Bronica und erschoss sie dort.

Schliesslich wurden auch das Beskidenlager in Drohobycz und das ZAL in Boryslaw aufgelöst und deren Insassen in Vernichtungslager gebracht. Die entsprechenden Aktionen waren auf den gleichen Tag, nämlich auf den 13.4.1944 angesetzt. Während die Auflösung des Beskidenlagers in Drohobycz vollständig gelang, hatten sich in Boryslaw etwa 400 Juden, das entspricht etwa der Hälfte der damaligen Lagerbelegschaft, dem geplanten Abtransport in das Vernichtungslager Plaszow durch die Flucht in die umliegenden Wälder entzogen. Die deutsche Lagerleitung setzte deshalb willfährige Juden, nämlich den früheren Chef der jüdischen Lagerpolizei namens Eisenstein, den Lagerarzt Dr. Kapellner, sowie einen gewissen Herrn Händler und noch andere Juden ein, um die entflohenen jüdischen Zwangsarbeiter wieder in das Lager Boryslaw zurückzulocken. Dies gelang weitgehend. Hierauf wurde am 22.6.1944 erneut der Versuch unternommen, dieses Lager aufzulösen. Aber auch diesmal war der Aktion kein voller Erfolg beschieden. Wiederum war ein grosser Teil der Lagerbelegschaft rechtzeitig in die umliegenden Wälder geflohen. Schliesslich wurde das ZAL Boryslaw, nachdem eine grössere Anzahl der entflohen gewesenen Juden, vom Hunger getrieben, wieder zurückgekehrt war, am 22.7.1944 endgültig aufgelöst. Die Insassen wurden in diesem Falle ins Vernichtungslager Auschwitz verbracht. In der Nacht vom 6. zum 7.8.1944 rückte die sowjetische Armee in Boryslaw ein.

4) Die örtlichen Verhältnisse des ZAL Boryslaw

Das ZAL Boryslaw war Ende 1942 gegründet worden. Es lag am Rande der Stadt an der nach Chodnica führenden Mracznica-Strasse. Der kasernenartige Komplex war rechteckig angelegt. Eine Längsseite des Lagers verlief der Mracznica-Strasse entlang. Von dieser Strasse aus betrachtet, befand sich das Lagertor etwa am Ende des von links her gesehenen, ersten Drittels der bereits erwähnten Längsseite. Rechts an das Lagertor schloss sich ein mehrstöckiger Steinbau an, der sich bis zum rechten Ende der bereits mehrfach erwähnten Längsseite erstreckte und insoweit die Abgrenzung des Lagers darstellte. In dem Steinbau befanden sich an der, dem Lagertor zugewandten Stirnseite die Wache, im übrigen aber die Küche, ein Kartoffelkeller und Männerunterkünfte. Von dem rechten Ende dieses Steingebäudes und damit von der rechten vorderen Ecke des Lagers, erstreckte sich, als Begrenzung der rechten Schmalseite des Lagers, senkrecht von der Mracznica-Strasse wegführend, eine ca. 3 m hohe Steinmauer bis zur rechten, hinteren Lagerecke. Die hintere Längsseite und die linke Schmalseite des Lagers waren durch einen mit Stacheldraht bewehrten Maschendrahtzaun abgegrenzt. Von der rechten hinteren Lagerecke an, erstreckte sich an der hinteren Längsseite der Lagerbegrenzung entlang, dicht innerhalb des Maschendrahtzauns, jedoch nicht so lang, wie das bereits beschriebene, grossenteils die vordere Längsseitenabgrenzung des Lagers bildende Gebäude, ein weiteres Steinhaus. Im Erdgeschoss dieses Hauses hatten sich ursprünglich eine Garage und ein Pferdestall befunden, die jetzt aber zu einem Baderaum und zu einer Entlausungsstation umgebaut waren. Das Obergeschoss diente als Frauenunterkunft.

Von diesem Obergeschoss bis zum ersten Stock des die Wache, Küche, Kartoffelkeller und Männerunterkünfte enthaltenden Steingebäudes verlief, parallel zu der die rechte Schmalseite des Lagers abschliessenden Mauer, eine schmale, den ganzen Lagerhof überspannende Fussgängerbrücke. In kurzem Abstand links von dem Steinhaus, welches Bad, Entlausungsstation und Frauenunterkünfte beinhaltete, erstreckte sich, in Verlängerung der Baulinie hierzu, also ebenfalls innerhalb und entlang der hinteren Lagerbegrenzung verlaufend, ein kleines Haus, das im Erdgeschoss Werkstätten und im Obergeschoss weitere Frauenunterkünfte enthielt. Die linke Stirnseite dieses Gebäudes befand sich, immer noch von der Mracznica-Strasse her betrachtet, etwa in der Fluchtlinie der dem Lagertor zugewandten Stirnseite des die Wache, Küche usw. enthaltenden, grossen Gebäudes. In Verlängerung der durch die beiden bereits beschriebenen, innerhalb der hinteren Lagerlängsseite verlaufenden Häuser bestandenen Baulinie stand, unweit links von dem die Werkstätten und Frauenunterkünfte beinhaltenden Haus, eine Latrine. Dabei handelte es sich um einen überdachten Holzbau mit rechteckigem Grundriss. Die Latrine war innen in der Mitte abgeteilt. Die eine Hälfte war für Frauen, die andere für Männer bestimmt, wobei jede der beiden Abteilungen von aussen her durch einen gesonderten Eingang betreten werden konnte.

Links vom Lagertor erstreckte sich, senkrecht von der Mracznica-Strasse wegführend, ein langer Steinbau, der früher im Erdgeschoss Stallungen enthalten hatte. Nunmehr beinhaltete dieses Gebäude Männerunterkünfte, einen Haftraum, sowie in dem am weitesten vom Lagertor entfernten Teil eine Ausgabestelle für Essensmarken und im ersten Stock eine Krankenabteilung. In Verlängerung der Baulinie dieses Hauses stand die bereits erwähnte Latrine. Zwischen dieser und der, der Latrine zugewandten Stirnseite des zuletzt erwähnten Hauses befand sich ein Durchgang zu dem noch innerhalb der Abgrenzung der linken Schmalseite des Lagers stehenden, sogenannten "Weissen Haus", in welchem die jüdische Lagerprominenz wohnte. Es gab auch mehrere zu dem Lager gehörende Wachtürme, deren Zahl und Lage jedoch nicht mehr haben ermittelt werden können.

Das deutsche Lagerpersonal war in einem gesonderten Gebäude ausserhalb des Lagers untergebracht.

5) Das deutsche Lagerpersonal im ZAL Boryslaw

Deutscher Lagerkommandant war ab Anfang August 1943 der SS-Obersturmführer Friedrich Hildebrand [59], dem zugleich das Hauptlager (Beskidenlager) in Drohobycz unterstand. Hildebrand wohnte, auch noch bis zur endgültigen Auflösung des ZAL Boryslaw, stets in Drohobycz. Er kam mit einem Dienst-Pkw, vor allem nach der Auflösung des sogenannten Beskidenlagers in Drohobycz, wöchentlich etwa zwei- bis dreimal von dort nach Boryslaw und fuhr jeweils am selben Tage wieder nach Drohobycz zurück. Auch der Angeklagte wohnte bis anfangs August 1944 in Drohobycz und begleitete seinen Chef, SS-Obersturm-

[59] Siehe Lfd.Nr.355 und 653.

führer Hildebrand von dort aus als Kraftfahrer und Dolmetscher regelmässig hin und wieder zurück, wenn dieser seine soeben erwähnten, üblichen Fahrten nach Boryslaw unternahm. Nur in den letzten paar Tagen vor dem Einmarsch der sowjetischen Truppen in Boryslaw hielt sich der Angeklagte ausschliesslich dort auf.

Als ständiges Wachpersonal bis zur endgültigen Auflösung des ZAL Boryslaw waren dort dagegen die SS-Angehörigen Lingenfeld, der "alter Franzose" genannt wurde und Sommer, der ein Glasauge hatte, stationiert. Nach der Auflösung des Beskidenlagers in Drohobycz am 13.4.1944 wurde ferner der SS-Mann Mensinger [60] zum ständigen Wachpersonal des ZAL Boryslaw versetzt. Diese SS-Leute waren im wesentlichen nur zur Bewachung der ZAL Boryslaw eingesetzt, führten aber auch die Oberaufsicht über die jüdische Lagerpolizei, welche unmittelbar für Ruhe, Sauberkeit und Ordnung innerhalb des Zwangsarbeitslagers zu sorgen hatte.

II. « Tötungen von Juden in Drohobycz (Ende August 1943) »

Zu dem Vorwurf, der Angeklagte habe Ende August 1943 in Drohobycz eine unbekannte Anzahl von Juden, mindestens jedoch zwei Juden, erschossen:

Dem Angeklagten hat insoweit zur Last gelegen, er habe am Tage der Auflösung des Zwangsarbeitslagers "Keramische Werkstätten" (Dachowczarnia), als Bewacher neben einer Reihe anderer SS- und Polizeiangehöriger, die Kolonne der Juden begleitet, die zum Gerichtsgebäude in Drohobycz getrieben worden ist. Als sich die Juden zunächst geweigert hätten, in dieses Gebäude zu gehen und dadurch ein Menschenstau entstanden sei, hätten die Bewacher, darunter auch der Angeklagte, in die aufgestaute Gruppe von Juden geschossen. Der Angeklagte habe dabei eine unbekannte Anzahl von diesen, zumindest aber zwei Juden, erschossen.

Dieser Tatvorwurf erscheint jedoch zumindest nicht ausreichend erwiesen.

Der Angeklagte bestreitet gleichbleibend und von Anfang an, bei der Auflösung des ZAL "Keramische Werkstätten" (Dachowczarnia) überhaupt mitgewirkt zu haben. Insbesondere habe er den bereits erwähnten Marsch der Lagerinsassen zum Gerichtsgebäude an der Stryjska-Strasse in Drohobycz nicht begleitet. Diese Einlassung ist dem Angeklagten zumindest nicht ausreichend zu widerlegen.

Dem Gericht steht in diesem Falle nur ein einziges Beweismittel und auch das nur sehr beschränkt zur Verfügung. Es handelt sich um den jetzt 52 Jahre alten Zeugen Michad Fas., der bis vor wenigen Jahren in Polen gelebt hat und jetzt in der Bundesrepublik Deutschland in Dortmund wohnt. Durch diesen Zeugen, von dem allein die den Angeklagten hier belastenden Angaben stammen, kann der Angeklagte zumindest nicht ausreichend überführt werden.

Es wäre ganz allgemein schon problematisch, eine Verurteilung wegen eines fast 30 Jahre zurückliegenden, behaupteten, aber bestrittenen Kapitalverbrechens ausschliesslich auf die Aussage eines einzigen Zeugen zu stützen. Weitere Beweismittel für die dem Angeklagten angelastete Tat sind jedoch, wie bereits gesagt, nicht vorhanden. Dazu kommt, dass sich das Schwurgericht von dem Zeugen Fas. keinen persönlichen Eindruck hat verschaffen können. Michael Fas. leidet an einer ungewöhnlichen Form von bösartigem Hochdruck mit Nierenbeteiligung und therapeutischer Resistenz trotz wiederholter Klinikbehandlung. Sein Herz ist

[60] Siehe Lfd.Nr.646.

schwer geschädigt und leidet an Rhythmusstörungen. Vor allem aber leidet der Zeuge Fas. an einer schweren seelischen Depression. Dies hat sein behandelnder Arzt in Dortmund, Facharzt für innere Krankheiten Professor Dr.med. Lip., während des Prozesses überzeugend attestiert. Wie der Medizinaldirektor Dr.med. Sch. vom Gesundheitsamt der Stadt Dortmund, der diese Diagnose voll bestätigt, ferner überzeugend bekanntgegeben hat, ist der Gesundheitszustand und die psychische Verfassung des Zeugen Fas., der sich auch in ständiger nervenfachärztlicher Behandlung befindet, so stark reduziert, dass er - gleichgültig an welchem Ort, in welchem Raum und selbst, falls nur durch eine einzige Vernehmungsperson - weder jetzt noch zu einem absehbaren späteren Zeitpunkt vernommen werden könnte, ohne erheblichen Schaden an seiner Gesundheit zu nehmen. Das Gericht hat den Zeugen Fas., auch dessen eigener Bitte entsprechend, daher nicht, auch nicht durch einen beauftragten oder ersuchten Richter, vernehmen oder vernehmen lassen können. Schon aus diesem Grunde ist es dem Gericht im gegenständlichen Falle nicht möglich gewesen, zu der für eine Verurteilung notwendigen vollen Überzeugung davon zu gelangen, dass der Angeklagte die ihm allein auf Grund früherer Angaben des Zeugen Fas. angelastete Tat begangen habe.

Bei diesen früheren Angaben handelt es sich um Vernehmungen des Michael Fas. als Zeuge am 26.3.1965 und am 20.10.1967. Beide Aussagen hat der Zeuge zwar zu Protokoll eines polnischen Richters in Warschau gegeben, aber beide Male uneidlich. Dieser Umstand mindert die Beweiskraft der in der Hauptverhandlung verlesenen, damaligen Angaben des Zeugen.

Darüber hinaus ergeben sich für das Gericht auch aus dem Inhalt der beiden Vernehmungsprotokolle Zweifel an der Richtigkeit der damaligen Angaben des Zeugen.

So gibt Michael Fas. bei seiner Vernehmung vom 20.10.1967 unter anderem an, er sei zunächst in Drohobycz mit etwa 200 anderen, jüdischen Mitbürgern und Verwandten in dem Lager "Treuhandstelle" untergebracht gewesen. Dieses Lager sei am 8.6.1943 im Beisein des Angeklagten liquidiert worden, wobei die arbeitsfähigen Juden, darunter auch er, der Zeuge, in das ZAL Dachowczarnia verbracht worden seien. Das Schwurgericht hat zumindest Zweifel daran, dass die eben erwähnte Liquidierung vom 8.6.1943 im Beisein des Angeklagten stattgefunden habe. Der Angeklagte gibt nämlich an, er sei zunächst in Lemberg stationiert gewesen und dann im Spätsommer 1943, vermutlich Mitte oder gegen Ende August 1943, erstmals nach Drohobycz gekommen. Damals sei Hildebrand bereits der Leiter des Beskidenlagers gewesen. Der Zeuge Hildebrand bekundet hierzu, er habe anfangs August 1943 die Leitung des Beskidenlagers in Drohobycz und des ZAL Boryslaw übernommen. Er glaube, dies sei genau am 1.8.1943 gewesen. Da er der polnischen Sprache nicht mächtig gewesen sei, habe man ihm, als Lagerleiter, auf seine Anforderung eines Dolmetschers den Angeklagten nach Drohobycz geschickt. Der Angeklagte sei daher ziemlich zur gleichen Zeit wie er, wahrscheinlich sogar erst kurze Zeit nach ihm, Hildebrand, nach Drohobycz versetzt worden. Diese zeitlichen Angaben des Angeklagten und des Zeugen Hildebrand können nach der Überzeugung des Gerichts zutreffen. So ist auch im teilweise verlesenen Urteil des Schwurgerichts Stuttgart vom 29.4.1968 [61] festgestellt, dass sich der Angeklagte im "Juni 1943" und im "Juni/Juli 1943" in Lemberg, als Angehöriger des Lagerpersonals des Janowska--Lagers in Lemberg, jeweils Verbrechen der Beihilfe zum Mord schuldig gemacht hat und, dass der Angeklagte insoweit, auch in zeitlicher Hinsicht, von Anfang an geständig gewesen ist. Wenn aber der Angeklagte bis zum Juli 1943 zum Wachpersonal des Janowska-Lagers in Lemberg gehört hat, was auf Grund der nicht ganz von der Hand zu weisenden Einlassung des Angeklagten und der Aussage des Zeugen Hildebrand [62] zumindest nicht ausgeschlos-

[61] Siehe Lfd.Nr.671.

[62] Siehe Lfd.Nr.355 und 653.

sen werden kann, bestünde nur sehr wenig Wahrscheinlichkeit dafür, dass der Angeklagte am 8.6.1943 bei der Liquidation des Lagers "Treuhandstelle" in Drohobycz anwesend gewesen ist. Die entsprechende Aussage des Zeugen Fas. wäre dann, was nicht ausgeschlossen werden kann, falsch. Es kann daher auch nicht völlig ausgeschlossen werden, dass der Zeuge bei seinen Aussagen am 26.3.1965 und am 20.10.1967 hinsichtlich der Person des Angeklagten im Irrtum gewesen ist und jeweils bei Angabe des Namens "Schö." in Wirklichkeit einen anderen SS-Mann gemeint hat.

Auch sonst ergeben sich für das Gericht Zweifel an der Richtigkeit der Aussage des Zeugen Fas. Dieser hat bei seiner Vernehmung am 20.10.1967 in Warschau u.a. erwähnt, in dem Lager "Keramische Werkstätten" (Dachowczarnia) in Drohobycz gewesen zu sein. Dazu führt er wörtlich aus:

> "Ich war in diesem Lager bis zum August 1943, bis die Liquidierung dieses Lagers erfolgte. Bei einem Morgenappell wurden die Lagerhäftlinge von uniformierten SS-Männern, Mitgliedern der Schutzpolizei und ukrainischer Polizei in schwarzen Uniformen umstellt. Ich kann die genaue Zahl der an dieser Aktion beteiligten Deutschen und Ukrainer nicht angeben, aber auf alle Fälle waren es über 100. Unter ihnen befanden sich die mir bekannten Deutschen: Friedrich Hildebrand, Menzinger [63], Minkus, Schö., Güntner, Gabriel, Landau [64], Krauze, Hager. Ungefähr 1.000 Lagerhäftlinge, die sich damals im Lager befunden hatten, wurden zu dem ca. 3 km entfernten Gerichtsgebäude in Drohobycz an der Stryjska-Strasse getrieben. Unterwegs schlugen uns die eskortierenden SS-Männer und sie schossen und töteten diejenigen, welche nicht gehen konnten. Vor dem Gerichtsgebäude, in welchem sich auch das Gefängnis befand, staute sich eine Menge von zusammengetriebenen Juden, weil sie dort nicht hineingehen wollten. Damals warf einer der SS-Männer eine Granate in die Gruppe der vor dem Tor Stehenden und andere SS-Männer schossen in dieser Richtung in die Gruppe der Juden. Unter anderen hat der SS-Mann Schö. einige Schüsse abgegeben. Ich habe aus einer Entfernung von einigen zig Metern gesehen, dass Schö. in die Gruppe der zusammengeballten Juden geschossen hat, von welchen eine Reihe tot zusammenbrach. Ich befand mich damals in der Stryjska-Strasse einige zig Meter vom Gerichtsgebäude entfernt. Da sie befürchteten, dass sie ihr Leben einbüssen würden, gingen die Juden in das Gericht."

Das Schwurgericht ist nicht ohne weiteres davon überzeugt, dass es dem Zeugen bei der von ihm geschilderten Situation, nämlich innerhalb einer aufgestauten Marschkolonne aufgebrachter Menschen stehend, aus einer Entfernung von "einigen zig Metern" möglich gewesen ist, zu beobachten, dass neben anderen auch der Angeklagte geschossen habe. Zumindest hätte es dazu einer eingehenden weiteren Befragung des Zeugen bedurft, die jedoch, wie schon gesagt, nicht möglich gewesen ist.

Ganz abgesehen davon, ergeben sich jedoch auch Widersprüche zwischen der Aussage des Zeugen Fas. vom 20.10.1967 und seinen Bekundungen vom 26.3.1965. Auch in der zuletzt genannten Aussage gibt der Zeuge zwar an, dass die Liquidation des Lagers "Treuhandstelle" im Beisein des Angeklagten am 8.6.1943 durchgeführt worden sei. Der Angeklagte sei dann auch bei der Auflösung des Lagers Dachowczarnia dabei gewesen, ebenso Fritz Hildebrand, Menzinger, Minkus und andere, an deren Namen er sich "augenblicklich" nicht erinnere. In dieser Aussage belastet der Zeuge, trotz ebenfalls sehr langer Ausführungen, den Angeklag-

[63] Richtig: Mensinger - siehe Lfd.Nr.646.

[64] Siehe Lfd.Nr.531.

ten aber erstaunlicherweise nicht weiter, obwohl sich der Zeuge im März 1965 doch kaum schlechter an die Vorgänge im Jahre 1943 erinnert haben dürfte, als im Oktober 1967. Den Marsch zum Gerichtsgebäude in Drohobycz schildert der Zeuge am 26.3.1965 wörtlich, wie folgt:

> "Anschliessend wurden die Gefangenen und mit ihnen auch ich mit meinem Vater, in das Gerichtsgebäude in Drohobycz in der Stryjski-Strasse gebracht. Unterwegs schlug und peitschte die Bewachung unbarmherzig und schoss auf die Gefangenen, welche nicht mehr gehen konnten. In der Gruppe, in der ich war, wurden Protestrufe erhoben und einer der SS-Männer warf aus Wut eine Granate in unsere Gruppe und einige Gefangene kamen infolgedessen um. Wir wurden in das Gerichtsgebäude unter Begleitung von Schimpfworten, Schikanen und Schlägen gebracht. Wir wurden dort in die Gefängniszellen hineingetrieben."

Es fällt auf, dass der Zeuge 1965 berichtet hat, ein SS-Mann habe eine Granate in die Gruppe geworfen, zu welcher er, der Zeuge, gehört habe. Nach seiner Aussage vom Jahre 1967 soll der SS-Mann die Granate jedoch in eine andere, vor dem Tor des Gerichtsgebäudes aufgestaute Gruppe geworfen haben, von welcher er, der Zeuge, "einige zig Meter" entfernt gewesen sei. Auch ist der Tod einiger Gefangenen nach der Aussage des Zeugen vom Jahre 1965 allein auf die von einem SS-Mann geworfene Granate zurückzuführen, während der Zeuge 1967 zusätzlich angegeben hat, "dass Schö. in die Gruppe der zusammengeballten Juden geschossen hat, von welchen eine Reihe tot zusammenbrach".

Den beiden den Schilderungen liegen unterschiedliche Vorstellungen vom Ablauf desselben Geschehens zugrunde, ohne dass das Gericht die Möglichkeit hat, festzustellen, welche von den beiden Versionen den Tatsachen entspricht. In seiner Aussage von 1965 gibt der Zeuge zwar an, dass der Angeklagte bei der Auflösung des Lagers "Dachowczarnia" dabei gewesen sei, beschuldigt diesen aber nicht, geschossen, oder gar jemanden getötet zu haben. Wenn der Zeuge wirklich gesehen haben sollte, dass der Angeklagte in eine Gruppe von Juden geschossen hat, von welchen eine Reihe tot zusammengebrochen ist, dann erscheint es zumindest eigenartig, dass der Zeuge das nicht schon bei seiner ausführlichen Vernehmung am 26.3.1965, bei welcher der in Rede stehende Marsch vom Lager Dachowczarnia zum Gerichtsgebäude Drohobycz einer der Schwerpunkte der Aussage des Zeugen gewesen ist, angegeben hat. Auf jeden Fall erweckt dieser Umstand Zweifel an der Richtigkeit der Angaben des Zeugen vom 20.10.1967.

Das Gericht hat auch deshalb Bedenken, die Angaben des Zeugen Fas. vom 20.10.1967 dem Urteil als richtig zugrunde zu legen, weil nicht völlig ausgeschlossen werden kann, dass die von Professor Dr. Lip. und Medizinaldirektor Dr. Sch. attestierten schweren seelischen Depressionen des Zeugen Fas., die sehr wahrscheinlich auf dessen schreckliches Schicksal während des Krieges zurückzuführen sind, schon 1965 und 1967 mehr oder weniger stark vorgelegen haben und die Verlässlichkeit der Aussagen des Zeugen beeinträchtigt haben könnten.

Schliesslich bestehen Bedenken in die Richtigkeit der Angaben des Zeugen auch deshalb, weil dieser seine Aussagen aus Hass gemacht hat. In einem in der Hauptverhandlung verlesenen Brief des Zeugen Fas. vom 2.April 1965 an das Dokumentationszentrum jüdischer Verfolgter des Naziregimes in Wien teilt der Zeuge mit, dass er gerne Angaben über die Taten von Minkus, Menzinger [65] und des Angeklagten machen wolle. Wörtlich führt der Zeuge in diesem Schreiben u.a. aus: "Nach der Ermordung meiner Familie durch Hildebrand

[65] Richtig: Mensinger; siehe Lfd.Nr.646.

im Jahre 1943 beschloss ich, eine Gelegenheit zur Rache über diese Banditen zu suchen, und gerne würde ich zum Prozess nach Bremen fahren, um persönlich diesen Banditen alles zu beweisen." Der Hass des Zeugen ist zwar gut verständlich. Andererseits ist es aber erfahrungsgemäss gerade für einen hasserfüllten Zeugen, wenn überhaupt möglich, so doch besonders schwierig, objektive Angaben zu machen. Auch dieser Gesichtspunkt lässt Zweifel an der Richtigkeit der Aussagen des Zeugen Fas. bestehen.

Aus allen diesen Gründen hat das Gericht die verlesenen, früheren Aussagen des Zeugen Fas. nicht als ausreichenden Beweis dafür ansehen können, dass der Angeklagte die ihm in diesem Punkt der Anklage zur Last gelegte Tat wirklich begangen habe. Da andere Beweismittel fehlen, hat nach dem Grundsatz "im Zweifel für den Angeklagten" davon ausgegangen werden müssen, dass der Angeklagte bei der Auflösung des Lagers Dachowczarnia nicht mitgewirkt, insbesondere auch den Marsch der Lagerinsassen zum Gerichtsgebäude in Drohobycz nicht begleitet hat und sich in diesem Zusammenhang auch nicht an der Tötung von Menschen beteiligt hat. Der Angeklagte hat daher in diesem Punkt freigesprochen werden müssen.

III. « Tötung eines Juden im ZAL Boryslaw (13. April 1944) »

Zu dem Vorwurf, der Angeklagte habe am 13.April 1944 im ZAL Boryslaw den Juden Lipa Grünschlag erschossen:

Dem Angeklagten hat insoweit zur Last gelegen, er habe am späten Abend nach dem ersten, nur teilweise erfolgreichen Versuch der SS, das ZAL Boryslaw aufzulösen, im Hof des Lagers den Juden Lipa Grünschlag erschossen, der sich tagsüber versteckt gehalten gehabt habe und nach Einkehr der Ruhe im Lager gerade dabeigewesen sei, dieses heimlich zu verlassen.

Das Schwurgericht hat zwar auf Grund des Ergebnisses der Hauptverhandlung keinen Zweifel daran, dass der Lagerinsasse Lipa Grünschlag bei dem nächtlichen Versuch, aus dem ZAL Boryslaw zu fliehen, erschossen worden ist. Das Gericht ist aber keineswegs überzeugt, dass der Angeklagte diese Tat begangen hat oder daran sonst in irgendeiner Weise beteiligt gewesen ist.

Der Angeklagte bestreitet diese ihm angelastete Tat schon von Anfang an. Er erklärt, es sei durchaus möglich, dass sich ein solcher Vorfall zugetragen habe. Davon wisse er aber nichts und habe damit auch nichts zu tun. Mit Ausnahme einiger weniger Tage im August 1944 habe er stets in Drohobycz gewohnt und sei nur dann nach Boryslaw gekommen, wenn er seinen damaligen Chef Hildebrand bei dessen gelegentlichen Fahrten dorthin begleitet habe. In diesen Fällen sei er, der Angeklagte, jedoch immer am selben Tage wieder und stets spätestens am frühen Abend mit Hildebrand zusammen nach Drohobycz zurückgekehrt, so dass er, der Angeklagte, zur angegebenen Tatzeit gar nicht in Boryslaw gewesen sein könne.

Diese Einlassung ist dem Angeklagten zumindest nicht ausreichend zu widerlegen.

Als Beweismittel haben dem Gericht in diesem Falle zwar 15, davon 3 zwangsläufig nur verlesene, Zeugenaussagen zur Verfügung gestanden. Kein einziger von diesen Zeugen hat aber bekundet, etwa selbst wahrgenommen zu haben, dass Lipa Grünschlag vom Angeklagten erschossen worden sei. Auch sonst reichen diese Zeugenaussagen nicht aus, den Angeklagten der ihm angelasteten Straftat oder etwa der Teilnahme daran zu überführen. Weitere Beweismittel zu diesem Fall sind nicht vorhanden. Es kann auf keinen Fall ausgeschlossen werden, dass nicht der Angeklagte, sondern ein anderer die in Rede stehende Tat begangen hat.

1) Die Aussagen der Zeugen Hans Günter Sob., Friedrich Hildebrand und Philipp Mensinger

Bei diesen drei Zeugen handelt es sich um ehemaligen Angehörige der Waffen-SS. Der Zeuge Hildebrand [66] ist der Leiter des sogenannten Beskidenlagers in Drohobycz und des ZAL Boryslaw gewesen, während die beiden Zeugen Sob. [67] und Mensinger [68] dort zum Wachpersonal gehört haben. Das Schwurgericht misst den Aussagen dieser Zeugen, die alle drei wegen Judenerschiessungen bereits verurteilt sind, keinen hohen Beweiswert bei. Der Vollständigkeit halber sei jedoch darauf hingewiesen, dass diese Zeugen den Angeklagten in keiner Weise belasten, so dass auf deren Aussagen eine Verurteilung des Angeklagten nicht gestützt werden könnte.

Der Zeuge Sob. bekundet in nicht zu widerlegender Weise nur bis Anfang Mai 1943 in Drohobycz gewesen und dann endgültig nach Lemberg versetzt worden zu sein, so dass er den Angeklagten nie in Drohobycz oder Boryslaw gesehen habe und auch zur angegebenen Tatzeit schon lange nicht mehr im Bereich der beiden Lager gewesen sei. Von der ganzen Angelegenheit sei ihm, dem Zeugen, nichts bekannt. Er könne folglich keine sachdienlichen Angaben machen.

Die Zeugen Hildebrand und Mensinger bestätigen, dass der Angeklagte bis zum Rückzug, ausgenommen möglicherweise einige Tage vor dem im August 1944 erfolgten Einrücken der sowjetrussischen Truppen in Boryslaw, ständig in Drohobycz stationiert gewesen sei. Es sei ihnen, den Zeugen, nichts darüber bekannt, dass der Angeklagte, solange er in Drohobycz stationiert gewesen sei, sich jemals nachts in Boryslaw aufgehalten habe. Von der dem Angeklagten angelasteten Straftat sei ihnen nichts bekannt geworden. Der Zeuge Hildebrand bestätigt ferner die Angaben des Angeklagten, wonach dieser nur dann Veranlassung gehabt habe, nach Boryslaw zu fahren, wenn er, der Angeklagte, ihn, Hildebrand, begleitet habe, was regelmässig der Fall gewesen sei. Diese Fahrten hätten ihn und den Angeklagten immer am selben Tage und jeweils spätestens am Abend wieder nach Drohobycz zurückgeführt.

2) Die Aussagen der Zeugen Schimon Ra., Leon Gru., Aleksander Schw., Israel Ho. und Emanuel Schr.

Auch auf die Aussagen dieser Zeugen, bei welchen es sich um ehemalige Insassen des ZAL Boryslaw handelt, könnte eine Verurteilung des Angeklagten nicht gestützt werden. Die Bekundungen dieser Zeugen haben es, auch in Verbindung mit den übrigen Zeugenaussagen, nicht vermocht, das Gericht davon zu überzeugen, dass der Angeklagte den Juden Lipa Grünschlag getötet habe oder zumindest sonst an dessen Tötung beteiligt gewesen sei.

Keiner dieser Zeugen hat sich, wie diese glaubhaft angeben, zur Tatzeit im ZAL Boryslaw, also am Tatort, aufgehalten. Sie können deshalb vom Tod des Lipa Grünschlag nur gerüchtweise und nur sehr oberflächlich berichten. Die nur mittelbare Kenntnis von dem in Rede stehenden Vorfall beschränkt sich bei diesen Zeugen ausschliesslich darauf, dass der Angeklagte den Lagerinsassen Lipa Grünschlag erschossen habe. Näheres ist den Zeugen nicht bekannt. Diese vermögen nicht einmal zu sagen, von wem sie dies erzählt bekommen haben.

Die Zeugen Schimon Ra. und Leon Gru., dessen vor dem ersuchten Richter gemachte Aussage in der Hauptverhandlung verlesen worden ist, können darüber hinaus nicht einmal mehr annähernd sagen, wann sie von dem Gerücht, wonach der Angeklagte den Juden Grünschlag

[66] Siehe Lfd.Nr.355 und 653.

[67] Siehe Lfd.Nr.671 und 763.

[68] Siehe Lfd.Nr.646.

erschossen habe, erstmals etwas gehört haben. Der Zeuge Ho. bekundet, er habe noch im Sommer 1944 in Truskawiec, welches nahe bei Boryslaw liege, davon gehört. Der Zeuge Schwarz gibt an, er sei einige Tage nach dem 13.4.1944 wieder aus den Wäldern in das ZAL Boryslaw zurückgekehrt. Dort habe man sich ohne nähere Einzelheiten erzählt, dass Lipa Grünschlag vom Angeklagten erschossen worden sei. Auch der Zeuge Schr. berichtet, eines Tages aus den Wäldern wieder in das ZAL Boryslaw zurückgekehrt zu sein und von anderen, nicht mehr bekannten Lagerinsassen gehört zu haben, dass der Angeklagte den Lipa Grünschlag erschossen habe.

Das Schwurgericht nimmt zwar auf Grund dieser Zeugenaussagen an, dass schon wenige Tage nach dem 13.4.1944 in dem ZAL Boryslaw das Gerücht herumerzählt worden ist, der Angeklagte habe Lipa Grünschlag erschossen. Auf ein blosses, oberflächliches Gerücht könnte aber eine Verurteilung nicht gestützt werden. Das Gericht verkennt dabei nicht, dass auch ein Gerücht dem wirklichen Geschehensablauf entsprechen kann. Zureichende Anhaltspunkte dafür, dass das hier der Fall sei, bestehen jedoch nicht. Dies um so weniger, als nicht ausgeschlossen werden kann, dass das in Rede stehende Gerücht möglicherweise, wie noch dargelegt wird, allein von der Zeugin Bluma Wei. stammt, die sich, was ebenfalls nicht auszuschliessen ist, in der Person dessen, den sie für den Täter hält, geirrt haben kann.

3) Die Aussagen der Zeugen Mosche Bac., Regina Ra. und Sonja Ar.

Auch diese Zeugen, bei welchen es sich ebenfalls um damalige Insassen des ZAL Boryslaw handelt, vermögen den bisherigen, für eine Verurteilung des Angeklagten keineswegs ausreichenden Tatverdacht nicht zu verstärken.

a) Bei Mosche Bac. und Regina Ra. handelt es sich wiederum nur um Zeugen vom Hörensagen. Während sich Mosche Bac., wie er überzeugend bekundet, am 13.4.1944 und auch noch während der Nacht vom 13. zum 14.4.1944 innerhalb des ZAL Boryslaw in einer Schneiderwerkstatt versteckt gehalten, von dem fraglichen Vorfall selbst nichts gesehen und gehört, sondern davon vielmehr erst einige Tage später ganz allgemein erzählt bekommen habe, berichtet die Zeugin Ra. glaubhaft, sie habe sich der Aktion vom 13.4.1944 rechtzeitig durch die Flucht in die Wälder entzogen gehabt, sei einige Tage später wieder in das ZAL Boryslaw zurückgekehrt und habe dort gehört, dass Lipa Grünschlag vom Angeklagten erschossen worden sei. Während jedoch die bereits erwähnten Zeugen Schimon Ra., Leon Gru., Aleksander Schw., Israel Ho. und Emanuel Schr. nicht einmal haben angeben können, von wem sie dieses Gerücht gehört haben, erklären die Zeugen Mosche Bac. und Regina Ra., dies sei ihnen von Sonja Ar. erzählt worden. Doch auch diese gibt an, nur durch Erzählungen unbekannter anderer Personen erfahren zu haben, dass der Angeklagte der Täter gewesen sei. Es gilt somit hinsichtlich der Aussagen dieser drei zuletzt genannten Zeugen dasselbe, was bereits im letzten Absatz unter III Nr.2 dieser Urteilsgründe ausgeführt ist.

b) Dass die Zeugin Sonja Ar. nicht auf Grund eigener Wahrnehmung gewusst, sondern ebenfalls nur vom Hörensagen erfahren hat, wer Lipa Grünschlag erschossen haben soll, setzt das Gericht in Erstaunen. Lipa Grünschlag sei nämlich, wie diese Zeugin früher angegeben hat, im Lager ihr ständiger Lebensgefährte gewesen und während eines Fluchtversuchs, nur wenige Meter von ihr entfernt, erschossen worden.

Da Sonja Ar. noch vor Beginn der Hauptverhandlung, nämlich am 26.3.1973, in Israel verstorben ist und diese Zeugin niemals richterlich zu dem gegenständlichen Vorfall vernommen worden war, hat in der Hauptverhandlung nur das Protokoll über die am 27.9.1971 erfolgte polizeiliche Vernehmung dieser Zeugin verlesen werden können. Darin führt sie u.a. aus:

> "An Schö. kann ich mich gut erinnern. Er war mittelgross, von kräftiger Statur, mit gebräuntem Gesicht, an dem die vorstehenden Backenknochen auf-

> fielen. Meines Wissens stammte er aus Schlesien. Ich selbst habe Schö. nie anders als deutsch reden hören."

Die Beschreibung der Person des Angeklagten erscheint zutreffend, wenngleich es verwundert, dass die Zeugin den Angeklagten, der, wie schon gesagt, vor allem als Dolmetscher für die polnische Sprache eingesetzt gewesen ist, nie anders als in deutscher Sprache sprechen gehört haben will. Ausserdem gibt die Zeugin in dem Protokoll vom 27.9.1971 an, sie und Lipa Grünschlag hätten bereits am frühen Morgen des 13.4.1944 bemerkt gehabt, dass das Lager von deutschen Uniformierten umstellt gewesen sei. Sie, die Zeugin, und Lipa Grünschlag, hätten sich deshalb zusammen mit etwa 30 anderen jüdischen Lagerinsassen innerhalb des ZAL Boryslaw in einem Raum jenes Gebäudes versteckt, in dem man früher Seife produziert habe.

Wie sich aus den glaubhaften Angaben des Zeugen Emanuel Schr. ergibt, ist tatsächlich in der Anfangszeit des Lagers dort Seife hergestellt worden und zwar in jenem langen Steinbau, der früher im Erdgeschoss Stallungen enthalten gehabt und sich, von der Mracznica-Strasse her gesehen links vom Lagertor, in Richtung senkrecht von dieser Strasse weg verlaufend, bis nahe zur Latrine erstreckt hat.

Um das Versteck in diesem Gebäude zu erreichen, habe man sich, wie die Zeugin Ar. weiter angegeben hat, zunächst in einen Raum begeben müssen, in welchem sich ein fest installierter Ofen befunden habe. Nur durch die Bratröhre dieses Ofens habe man dann, was die Deutschen nicht gewusst hätten, einen weiteren Raum erreichen können, der das eigentliche Versteck gewesen sei. Nachdem am Abend des 13.4.1944 die Dunkelheit hereingebrochen und Ruhe im Lager eingetreten gewesen sei, habe Lipa Grünschlag einem nach dem anderen der damals in dem Versteck gewesenen Juden geholfen, dieses wieder zu verlassen. Diese Häftlinge seien sodann aus dem Lagerbereich geflohen. Zuletzt habe Lipa Grünschlag versucht, sie, die Zeugin, aus dem Lager zu führen. Wörtlich hat die Zeugin am 27.9.1971 dazu weiter angegeben:

> "Ich erinnere mich daran, wie er einige Meter vor mir über den dunklen Lagerplatz ging und zwar in Richtung des Weissen Hauses. Er trat auf ein Stück Blech. Das gab ein ganz lautes Geräusch und gleich darauf hörte ich einen Schuss. Ich weiss es sicher, dass Lipa auf das Blech getreten ist und nicht ich. Ich habe noch nie im Leben einen Schuss aus solcher Nähe gehört. Auf den Schuss hin brach Lipa zusammen. Ich kann nicht mehr sagen, wie weit ich zu diesem Zeitpunkt von Lipa entfernt war, denn ich war völlig ausser mir. Ich kann mich erinnern, dass es plötzlich hell wurde. Woher dieses Licht kam, ob von einem Scheinwerfer oder Reflektor oder etwa von einer Taschenlampe, kann ich nicht sagen. Ich kann mich auch nicht erinnern, zuvor schon das Licht eines Scheinwerfers wahrgenommen zu haben. In diesem Licht sah ich den am Boden liegenden Lipa und einen Mann in Uniform, der sich über ihn beugte. Wer dieser Mann war, konnte ich nicht erkennen. Ich fiel gleich darauf in Ohnmacht. Ich konnte die Uniformen von Wehrmacht, SS usw. nicht unterscheiden. Jeder Uniformierte war für mich ein Soldat. Als ich aus meiner Ohnmacht erwachte, befand ich mich mit einer Reihe anderer Juden im Lagergefängnis. Dort erzählten mir die Mitinsassen, dass Lipa Grünschlag von Schö. erschossen worden sei. Ich kann mich heute nicht mehr genau erinnern, ob Lipa ausser- oder innerhalb des Lagers erschossen wurde. Es war dunkel und hatte angefangen zu regnen und wir befanden uns auf der Flucht und hatten andere Gedanken."

Schliesslich hat die Zeugin bezüglich des Lipa Grünschlag u.a. noch wörtlich erklärt:

> "Ich sah ihn aber aus geringer Entfernung bewegungslos am Boden liegen und hatte den Schuss gehört. Ausserdem glaube ich mich zu erinnern, dass der Deutsche, der sich zu Lipa beugte, sagte: Er ist tot. Aus alldem schloss ich auf den Tod Lipas."

Die Zeugin Sonja Ar. hat also von sich aus, obwohl ihr der Angeklagte, wie sie selbst angegeben hat, damals gut bekannt gewesen ist und obwohl sie den tatgegenständlichen Vorfall noch vor Beginn ihrer Ohnmacht aus nächster Entfernung recht gut beobachtet gehabt hat, nicht sagen können, ob etwa der Angeklagte es gewesen ist, der sich über Lipa Grünschlag gebeugt gehabt hat.

Im übrigen muss zumindest nach dem Grundsatz "im Zweifel für den Angeklagten" davon ausgegangen werden, dass die Zeugin den allgemeinen Hinweis von anderen Lagerinsassen, wonach der Angeklagte der Täter gewesen sei, frühestens mehrere Tage nach dem 13.4.1944 erhalten hat, als das bereits erwähnte, entsprechende Gerücht im Lager herumerzählt worden ist. Der möglicherweise auf die Frage eingehende Teil der bereits wörtlich zitierten Aussage vom 27.9.1971, wann der Zeugin Ar. erstmals erzählt worden sei, wer Lipa Grünschlag erschossen habe, ist unpräzis. Der Aussage ist insoweit mit ausreichender Sicherheit nur zu entnehmen, dass dies der Zeugin im Lagergefängnis erzählt worden sei, wobei unklar bleibt, ob das noch in derselben Nacht oder etwa erst einige Tage später geschehen sein soll. Offen bleiben auch die in diesem Zusammenhang interessierenden Fragen, die ebenfalls nicht mehr aufgeklärt werden können, wie lange die Ohnmacht der Zeugin gedauert und wie lange sich diese im Lagergefängnis aufgehalten hat. Das Gericht würde es im übrigen als wenig wahrscheinlich beurteilen, dass im Haftraum eingesperrte Mithäftlinge, falls es solche schon am späten Abend desjenigen Tages wieder gegeben haben sollte, an welchem die deutsche Lagerverwaltung bemüht gewesen ist, das Lager vollständig zu räumen, gleich gewusst haben, dass Lipa Grünschlag erschossen worden ist und gar, wer ihn erschossen hat. Ausserdem muss nach dem bereits mehrfach erwähnten Zweifelsgrundsatz angenommen werden, dass die Zeugin Sonja Ar. den Fragen, wer Lipa Grünschlag erschossen hat und auch - weil für sie deshalb völlig nebensächlich - wann sie erstmals erfahren hat, wer ihn erschossen habe, zu keiner Zeit eine wesentliche Bedeutung beigemessen hat. Sie hat deshalb auch bei ihrer Vernehmung vom 27.9.1971 der zuletzt genannten Frage ersichtlich keine besondere Beachtung geschenkt. Das alles lässt die soeben erwähnte Aussage vom 27.9.1971 deutlich erkennen. Die Zeugin hat darin zugeben müssen, erstmals u.a. zum Tode Lipa Grünschlags am 13.2.1967 eine Aussage gemacht zu haben und bei dieser polizeilichen Aussage den Angeklagten und dass dieser laut Mitteilung anderer Lagerinsassen ihren damaligen Lebensgefährten Lipa Grünschlag erschossen haben soll, überhaupt nicht erwähnt zu haben.

4) Die Aussagen der Zeugen Dov Bernhard E. und Sender Gol.

Zunächst ergibt sich aus der in der Hauptverhandlung verlesenen Niederschrift über die richterliche Vernehmung des Zeugen Dov Bernhard E. zumindest eine Wahrscheinlichkeit dafür, dass der Angeklagte, wie von diesem stets angegeben, mit dem ZAL Boryslaw wenig Berührung gehabt hat. Der in Boryslaw als Bohrmeister tätig gewesene Zeuge E. gibt nämlich glaubhaft an, schon von Anfang an und ohne Unterbrechung bis zum 13.4.1944 Lagerinsasse des ZAL Boryslaw gewesen zu sein, den Angeklagten jedoch nie gekannt zu haben. Lediglich der Name des Angeklagten sei ihm, dem Zeugen, gelegentlich zu Ohren gekommen. Es erscheint zumindest wahrscheinlich, dass der Zeuge den Angeklagten kennengelernt hätte, falls dieser zu der nur wenige SS-Leute umfassenden Lagerbewachung in Boryslaw, die nur selten gewechselt hat, gehört hätte.

Im übrigen sprechen die Bekundungen der beiden Zeugen E. und Gol. zwar dafür, dass Lipa Grünschlag am späten Abend des 13.4.1944 bei dem Versuch, das ZAL Boryslaw heimlich zu verlassen, erschossen worden ist. Auch diese Aussagen ergeben aber keine auch nur annähernd ausreichenden Anhaltspunkte dafür, dass etwa der Angeklagte der Täter gewesen oder sonst an der Erschiessung Lipa Grünschlags beteiligt gewesen sei.

a) Dov Bernhard E. gibt an, sich am 13.4.1944 mit etwa 16 bis 18 anderen Juden im Keller jenes Hauses versteckt gehalten zu haben, welches sich, von der Mracznica-Strasse her betrachtet, links vom Lagertor befunden und senkrecht von der Strasse weg in Richtung zur Lagerlatrine hin erstreckt habe. Das Versteck sei ein Raum gewesen, in welchen man durch die Bratröhre eines Ofens habe gelangen können. Auch Lipa Grünschlag habe sich zur gleichen Zeit dort versteckt gehabt. Nachdem am 13.4.1944 die Dunkelheit hereingebrochen und Ruhe im geräumten Lager eingekehrt gewesen sei, hätten er, E., und die anderen damals mit ihm versteckt gewesenen Lagerinsassen das Versteck wieder verlassen. Es sei ihnen gelungen, in dem bereits erwähnten Gebäude eine zur Mracznica-Strasse hin gelegene, sonst unbenützte Eisentür von innen zu öffnen und durch diese Türe auf die Strasse zu entkommen. Die genannte Tür sei nur etwa 7 m weit von der auf der anderen Seite des Lagertors untergebracht gewesenen Wache entfernt gewesen. Lipa Grünschlag habe sich beim Verlassen des Verstecks hinter ihm, dem Zeugen, befunden. Er, E., könne daher nicht sicher sagen, ob Lipa Grünschlag ebenfalls die bereits erwähnte Eisentür zur Flucht benützt habe. Es habe nämlich auch die Möglichkeit bestanden, den besagten Keller durch eine Tür zu verlassen, die, etwa gegenüber der Wache, unmittelbar auf den Lagerhof geführt habe. Ausserdem hätte man den Keller auf der gegenüberliegenden Seite des Gebäudes durch ein Kellerfenster verlassen können, von welchem aus, schräg rechts gegenüber das "Weisse Haus" zu sehen gewesen sei. Jedenfalls hätten vor ihm, dem Zeugen, zwei Männer durch die geöffnete Eisentür das Lager verlassen, sodann habe er seine beiden Kinder durch diese Tür hinausgeschoben und sei unmittelbar danach selbst auf die Mracznica-Strasse hinausgetreten. Beim Weglaufen auf der Strasse hätten die Holzschuhe der Kinder Lärm gemacht. Daraufhin sei plötzlich eine Taschenlampe oder eine ähnliche Lampe aufgeblitzt, jemand habe von der Wache am Lagertor her "halt" gerufen, gleich darauf seien zwei Schüsse gefallen und ein Aufschrei sei zu hören gewesen. Er, der Zeuge, wisse jedoch, weder, wer geschossen habe noch, von wem der Haltruf gekommen und von wem der Aufschrei ausgestossen worden sei. Er, E., wisse auch nicht, wer durch die Schüsse getroffen worden sei. Ihm und seinen Kindern sei vielmehr die Flucht gelungen. Erst zu einer späteren Zeit, zumindest eine Reihe von Tagen später, sei er im Wald bei der Suche nach Essbarem aufgegriffen und wieder ins ZAL Boryslaw zurückgebracht worden. Dort habe er den inzwischen verstorbenen Leiter der jüdischen Lagermiliz, Eisenstein, getroffen. Von diesem habe er erfahren, dass in der geschilderten Fluchtnacht Lipa Grünschlag erschossen worden sein soll und zwar vom Angeklagten.

Auch Eisenstein ist jedoch nur ein Zeuge vom Hörensagen gewesen. Wie sich nämlich aus den Einlassungen des Angeklagten und aus den insoweit übereinstimmenden Bekundungen der Zeugen Hildebrand [69] und Dov Bernhard E. zur Überzeugung des Schwurgerichts ergibt, war auch Eisenstein am 13.4.1944 ins Vernichtungslager Plaszow abtransportiert worden. Erst als der Lagerleiter Hildebrand in der nachfolgenden Zeit keine andere Möglichkeit mehr gesehen hat, die vielen jüdischen Lagerinsassen befehlsgemäss in das ZAL Boryslaw zurückzuholen, die sich dem Abtransport nach Plaszow am 13.4.1944 durch die Flucht in die Wälder entzogen gehabt hatten, ist von ihm, Hildebrand, angeordnet worden, dass Eisenstein und einige andere prominente Juden aus dem Vernichtungslager Plaszow zurückzuholen seien, um die in den Wäldern um Boryslaw versteckten jüdischen Zwangsarbeiter mit falschen Versprechungen der SS wieder ins ZAL Boryslaw zurückzulocken. Weil die in Rede stehende Tat erst nach Abgang des Transports vom 13.4.1944 geschehen ist, bei welchem sich auch Eisenstein befunden gehabt hat, andererseits aber noch vor dessen Rückkehr ins ZAL Boryslaw, ist auch Eisenstein kein Tatzeuge gewesen. Da Anhaltspunkte dafür fehlen und auch nicht mehr erlangt werden können, woher Eisenstein sein mittelbares Wissen vom Tode Lipa Grünschlags und vom Täter gehabt hat, muss nach dem Grundsatz "im Zweifel für den Angeklagten" davon ausgegangen werden, dass Eisenstein, der frühestens mehrere Tage nach dem 13.4.1944 wieder ins ZAL Boryslaw zurückgekehrt ist, dem Zeugen Dov

[69] Siehe Lfd.Nr.355 und 653.

Bernhard E. ohne nähere Kenntnisse lediglich das im Lager kursierende Gerücht weitererzählt hat, Grünschlag sei vom Angeklagten erschossen worden.

b) Der Zeuge Sender Gol. bekundet, erst nach dem Kriege erfahren zu haben, dass der ihm persönlich bekannt gewesene Lipa Grünschlag erschossen worden sei. Auf Grund eines nach dem Kriege mit dem Zeugen Dov Bernhard E. geführten Gesprächs nehme er, Gol., jedoch an, dass er Ohrenzeuge dieses Vorfalls gewesen sei. Bereits am Morgen des 13.4.1944 seien nämlich alle Insassen des ZAL Boryslaw, soweit es ihnen nicht gelungen gewesen sei, sich rechtzeitig zu verstecken, aus dem Lager geführt, in Waggons verfrachtet und von Boryslaw abtransportiert worden. Er, der Zeuge, habe sich rechtzeitig in der unter der Küche des ZAL Boryslaw befindlichen Kanalisation verstecken können. Erst lange nach Einbruch der Dunkelheit und nachdem völlige Ruhe eingekehrt gewesen sei, habe er sein Versteck verlassen. Gefühlsmässig meine er, dass dies kurz nach Mitternacht, also schon am 14.4.1944 gewesen sei. Er habe sich sodann über den Lagerhof zu der ca. 3 m hohen Steinmauer geschlichen, die, von der Mracznica-Strasse her gesehen, das Lager nach rechts hin abgegrenzt habe. Es sei ihm gelungen, diese Mauer zu überklettern. Sodann habe er sich in völliger Dunkelheit, etwa senkrecht von der Aussenseite der Mauer weg, durch einen Garten und weiter an einer Hauswand entlang, bis zu einer nahe gelegenen Seitenstrasse hinbewegt, die aus seiner damaligen Gehrichtung gesehen, quer verlaufen und in Richtung nach rechts in die Mracznica--Strasse eingemündet sei. Bevor er diese Seitenstrasse überquert habe, sei er zunächst hinter einer Hausecke stehengeblieben. Plötzlich habe von links her jemand gerufen: "Halt! Stehen bleiben!" Unmittelbar darauf habe er, der Zeuge, zwei Schüsse gehört und einen ihm unbekannten uniformierten Mann, der ein Gewehr in der Hand getragen habe, in Richtung Mracznica-Strasse an sich vorbeilaufen sehen. Er, der Zeuge, meine, dass es sich dabei um denselben Vorfall handle, den auch der Zeuge Dov Bernhard E. geschildert habe. Sonst wisse er, Gol., zur Sache nichts zu sagen, da er nach dem geschilderten Vorfall in die Wälder geflohen und daraus erst nach Kriegsende wieder nach Boryslaw zurückgekehrt sei. Insbesondere wisse er, der Zeuge, nicht, wer damals gerufen und wer geschossen habe. Auch sei ihm nicht bekannt, auf wen geschossen worden sei. Ihm selbst hätten der Haltruf und die Schüsse jedenfalls nicht gegolten, da er bei seiner Flucht nicht entdeckt worden sei. Auch der von ihm erwähnte, uniformierte Mann habe ihn, den Zeugen, nicht gesehen.

5) Die Aussage der Zeugin Bluma Wei.

Auch bei dieser Zeugin handelt es sich um eine ehemalige Insassin des ZAL Boryslaw. Sie ist die einzige Zeugin, die den Angeklagten am späten Abend des 13.4.1944 im Zusammenhang mit der Tötung des Lipa Grünschlag im Hof des ZAL Boryslaw gesehen haben will und meint, dass der Angeklagte der Täter sei. Auch auf diese Aussage könnte jedoch eine Verurteilung des Angeklagten nicht gestützt werden. Selbst wenn diese Aussage als richtig beurteilt werden könnte, liesse sich daraus nicht mit der für eine Verurteilung notwendigen Sicherheit ableiten, dass etwa der Angeklagte auf Lipa Grünschlag geschossen hat. Das Schwurgericht hat jedoch schon erhebliche Zweifel an der objektiven Richtigkeit dieser Aussage überhaupt.

Die Zeugin gibt zusammengefasst an, sie habe sich am Tage der ersten Liquidation des ZAL Boryslaw, also am 13.4.1944, in jenem mehrstöckigen Gebäude versteckt gehabt, welches sich, von der Mracznica-Strasse her gesehen, vom Lagertor, an der soeben genannten Strasse entlang, bis zur rechten, vorderen Ecke des Lagers erstreckt habe. In diesem Gebäude habe sie, Bluma Wei., sich zunächst den ganzen Tag über mit Erfolg unter einer Treppe versteckt, die zum Kartoffelkeller geführt habe. Dieser habe sich im hinteren Teil des soeben erwähnten Gebäudes befunden, also nahe der ca. 3 m hohen Steinmauer, durch welche das Lager, von der Mracznica-Strasse her betrachtet, nach rechts abgegrenzt worden ist. Nachdem die Dunkelheit hereingebrochen und Ruhe im Lager eingetreten gewesen sei, habe sie, die Zeugin, sich aus ihrem Versteck hervorgewagt, sei die Kellertreppe hinaufgeschlichen und dann in der geöffneten Aussentür, die unmittelbar von der Kellertreppe aus in der Lagerhof geführt habe, stehengeblieben. Es sei ihre, der Zeugin, Absicht gewesen, sodann das Haus zu verlassen und über die bereits mehrfach erwähnte, von ihrem geschilderten Standplatz nicht weit entfernt gewesene Grenzmauer aus dem Lager zu fliehen. Noch während sie, Bluma Wei., mit Blickrichtung zum Lagerhof hinaus, in der besagten Türe stehend, horchend und spähend geprüft habe, ob sie es wagen könne, das Lager nunmehr über die Mauer zu verlassen, sei plötzlich im Lagerhof, links von ihr, jemand erschossen worden. Sie habe einen Schuss gehört. Gleichzeitig habe sie im Licht eines rotierenden Scheinwerfers gesehen, dass durch den Schuss ein Mensch umgefallen sei. Dies sei etwa 30 bis 40 m von ihr entfernt geschehen und zwar, von ihr aus betrachtet, vor dem langen Steinbau, der sich, von der Mracznica-Strasse her betrachtet, links vom Lagertor beginnend, senkrecht von der genannten Strasse weg, in Richtung zur Latrine hin erstreckt habe. Erst einige Tage später habe sie erfahren, dass es sich bei dem Getöteten um den ihr gut bekannt gewesenen Lipa Grünschlag gehandelt habe. Kurz nachdem der Schuss gefallen gewesen sei, habe sich ein Uniformierter über den am Boden liegenden Menschen gebeugt. Der Uniformierte sei der Angeklagte gewesen. Sie habe ihn erkannt, weil gerade in diesem Augenblick der Lichtkegel des rotierenden Scheinwerfers auf sein, des Angeklagten Gesicht gefallen sei. Dieser habe etwas in der Hand gehalten. Um welchen Gegenstand es sich dabei gehandelt habe, könne sie, die Zeugin, nicht sagen. Es habe sich um einen "normalen Gegenstand" gehandelt. Auf Grund dieser Zusammenhänge nehme sie an, dass der Angeklagte den Juden Lipa Grünschlag erschossen habe. Es sei ihr einige Stunden nach diesem Vorfall gelungen, über die schon erwähnte Mauer zu entkommen. Schon wenige Tage später sei sie, Bluma Wei., im Wald wieder aufgegriffen und sofort ins ZAL Boryslaw zurückgebracht worden. Hier habe sie dann erfahren, dass der in der Nacht vom 13. zum 14.4.1944 getötete Mensch Lipa Grünschlag gewesen sei.

Die Aussage der Zeugin Bluma Wei. stellt keine ausreichende Grundlage für eine Verurteilung des Angeklagten dar.

a) Zumindest nach dem Grundsatz "im Zweifel für den Angeklagten" muss davon ausgegangen werden, dass Bluma Wei., mit Ausnahme des Zeugen Chaim Seg. dessen nach Überzeugung des Gerichts vollkommen unzutreffende und daher im augenblicklichen Zusammenhang nicht weiter interessierende Aussage nachfolgend noch kurz erörtert wird, die einzige Zeugin ist, die den Angeklagten mit dem Tode des Lipa Grünschlag in Verbindung gebracht hat. Entsprechend der genauer nicht mehr aufklärbaren Sachlage muss zumindest nach dem bereits erwähnten Zweifelsgrundsatz angenommen werden, dass die Zeugin Wei., als sie einige Tage nach dem 13.4.1944 wieder ins ZAL Boryslaw zurückgebracht worden war und dort erfahren hatte, dass es sich bei dem in der Nacht vom 13. zum 14.4.1944 im Lagerhof erschossenen Menschen um Lipa Grünschlag gehandelt habe, als erste und einzige davon Kunde gegeben hat, der Angeklagte sei der Täter gewesen. Dementsprechend ist davon auszugehen, dass sich dieser allein von Bluma Wei. ausgegangene Täterhinweis sodann im Lager und ausserhalb des Lagers herumgesprochen hat, so dass die nur mittelbare Kenntnis aller anderen bereits erwähnten Zeugen allein auf dem damaligen Hinweis der Zeugin Bluma Wei. beruht.

Wie bereits unter II. dieser Urteilsbegründung festgestellt, wäre es schon ganz allgemein problematisch, eine Verurteilung wegen eines 29 Jahre zurückliegenden, behaupteten, aber bestrittenen Kapitalverbrechens im Ergebnis ausschliesslich auf die Aussage einer einzigen Zeugin zu stützen.

b) Die in der Hauptverhandlung etwas salopp aufgetretene Zeugin Bluma Wei. erscheint dem Schwurgericht darüber hinaus nicht ausreichend zuverlässig. Es bestehen, wie schon gesagt, Zweifel an der objektiven Richtigkeit ihrer Bekundungen. Die Zeugin hat nicht sorgfältig ausgesagt. Sie hat auf Vorhaltungen hin ihre Angaben in verschiedenen Punkten abgeändert oder eingeschränkt. Auch ist zumindest nicht auszuschliessen, dass die Zeugin Selbsterlebtes und später von anderen nur Gehörtes nicht auseinanderzuhalten vermag.

So hat sie bei ihrer Vernehmung vor dem Schwurgericht zunächst u.a. wörtlich bekundet:

> "Ich habe gesehen, wie Lipa Grünschlag aus einem Haus rausgelaufen ist und zu dem sogenannten "Weissen Haus" rüberlaufen wollte. In dem Moment fiel ein Schuss und Grünschlag fiel hin und blieb liegen."

Während der gleichen Vernehmung hat die Zeugin nach Vorhaltungen einräumen müssen, dass das erste, was sie von dem in Rede stehenden Vorgang überhaupt bemerkt gehabt hat, der von ihr bereits erwähnte Schuss gewesen sei. Sie habe von links einen Schuss gehört, sofort in diese Richtung geblickt und gleichzeitig im Licht eines rotierenden Scheinwerfers zunächst nichts weiter erkannt, als dass vor dem bereits genannten, langgestreckten Gebäude, welches früher im Erdgeschoss Stallungen beinhaltet gehabt habe, ein Mensch zusammengebrochen sei. Folglich kann die Zeugin nicht, wie sie schliesslich selbst einschränkend bekannt hat, gesehen haben, dass der zusammengebrochene Mensch, etwa zuvor, "aus einem Haus rausgelaufen ist." Das kann sie allenfalls vermutet, oder später etwa von Sonja Ar. erfahren haben.

Auf Vorhalt hat die Zeugin einschränkend auch angegeben, sie habe zur Tatzeit nicht gewusst, dass es sich bei dem zusammengebrochenen Menschen um Lipa Grünschlag gehandelt hat. Das habe sie erst erfahren, als sie einige Tage später ins Lager zurückgebracht worden sei.

Schliesslich hat die Zeugin auf Grund eigener Wahrnehmungen nicht wissen können, dass Lipa Grünschlag "zu dem sogenannten Weissen Haus rüberlaufen wollte." Dieses "Weisse Haus" hat man vom Lagerhof aus, wie die Zeugin Wei. selbst bestätigt, nur über einen Durchgang erreichen können, der, parallel zur Mracznica-Strasse, zwischen der Latrine und der, der Mracznica-Strasse abgewandten Stirnseite des bereits wiederholt erwähnten, langgestreckten Gebäudes verlaufen ist, in dessen Erdgeschoss ursprünglich Stallungen untergebracht gewesen sind. Die innerhalb des Lagerhofs vor diesem Gebäude gelegene Stelle, an welcher die von der Zeugin Wei. in der besagten Nacht beobachtete Person zusammengebrochen ist, von der auch das Gericht annimmt, dass es Lipa Grünschlag gewesen ist, hat sich, wie die Zeugin ebenfalls selbst bekundet, noch ein gutes Stück von der Einmündung des vom "Weissen Haus" herführenden, eben erwähnten Durchgangs zum Lagerhof entfernt befunden. Das stimmt auch gut mit den örtlichen Vorstellungen überein, die man auf Grund der Aussagen der Zeugen Dov Bernhard E. und Sonja Ar. von dem in Rede stehenden Vorfall haben kann, wobei das Gericht davon ausgeht, dass der von diesen beiden Zeugen geschilderte Vorfall mit dem Geschehen identisch ist, von dem die Zeugin Bluma Wei. hier berichtet. Das Schwurgericht hat sich jedoch unter anderem von Zweifeln daran nicht freimachen können, dass die Zeugin Wei. überhaupt eine halbwegs genaue Richtung hat feststellen können, in welche sich Lipa Grünschlag bewegt gehabt hat. Selbst wenn aber, etwa aus der Fallrichtung oder Lage des Erschossenen, eine entsprechende Gehrichtung zu erkennen gewesen wäre, hätte die Zeugin auf keinen Fall wissen können, dass Lipa Grünschlag zum "Weissen Haus" hat laufen wollen. Das hat damals ausser Lipa Grünschlag und Sonja Ar. wohl niemand gewusst. Auf keinen Fall aber hat es die Zeugin Wei. wissen können. Sie hätte also allenfalls bekunden können, dass der niedergeschossene Mensch, wie sie etwa aus dessen Fallrichtung ersehen habe, die Richtung zur Latrine eingeschlagen gehabt habe. Eine Gehrichtung zum "Weissen Haus" hätte Bluma Wei. erst erkennen können, wenn es Lipa Grünschlag gelungen gewesen wäre, bis kurz vor die Latrine zu gelangen und dort, um 90° nach links, in den bereits mehrfach erwähnten Durchgang einzubiegen. So weit ist Lipa Grünschlag aber, wie die Zeugin selbst bekundet, nicht annähernd gekommen. Es ist daher anzunehmen, dass Bluma Wei. irgendwann einmal nach dem 13.4.1944 davon gehört hat, Lipa Grünschlag habe auf seinem Fluchtweg zum "Weissen Haus" gelangen wollen und dies nun zumindest unbewusst so bekundet, als habe sie das selbst wahrgenommen.

Jedenfalls steht fest, dass die ursprüngliche Aussage der Zeugin Bluma Wei. in wesentlichen Punkten unrichtig gewesen ist. Unter diesen Umständen ist der Beweiswert der ganzen Aussage so gering, dass darauf allein eine verurteilende Entscheidung nicht gestützt werden könnte.

c) Das Schwurgericht hat insbesondere auch Zweifel an der Richtigkeit der Erklärung der Zeugin Wei. nicht ausräumen können, sie habe den Uniformierten, der sich über den Erschossenen gebeugt gehabt habe, als den Angeklagten erkannt. Das Gericht hält es zumindest für möglich, dass die unsichere Zeugin insoweit zur Tatzeit einem Irrtum unterlegen ist, den sie jetzt, wegen ihres falsch eingewurzelten Erinnerungsbildes nicht mehr beseitigen kann.

Ganz abgesehen davon, dass es schon fraglich erscheint, ob sich der Angeklagte, der unwiderlegbar auch am 13.4.1944 und danach in Drohobycz stationiert gewesen ist, am späten Abend dieses Tages überhaupt im geräumten ZAL Boryslaw aufgehalten hat und dass die Zeugin Sonja Ar., die zwar den Angeklagten schon vor der Tatzeit gut gekannt, den Uniformierten, der sich in ihrer nächsten Nähe kurz nach dem Schuss über Lipa Grünschlag gebeugt gehabt hat, aber nicht erkannt hat, ergeben sich auch aus der von Bluma Wei. geschilderten Tatsituation nicht unerhebliche Zweifel daran, ob diese im Tatzusammenhang wirklich den Angeklagten gesehen hat.

Die Sichtverhältnisse am Tatort sind zur Tatzeit, ebenso, wie auch noch nach der Tat, schlecht gewesen. Die Zeugin bekundet, damals sei die Dunkelheit bereits hereingebrochen gewesen. Im Lagerhof habe lediglich ein Scheinwerfer rotiert. Wo sich dieser befunden habe, hat die Zeugin nicht annähernd angeben können. Auch sämtliche anderen Zeugen haben hierzu keine Angaben machen können. Bluma Wei. ist vom Tatort ausserdem verhältnismässig weit entfernt gewesen. Wie sie selbst angibt, habe die Entfernung von ihrem damaligen Standplatz bis zu der Stelle, an welcher der Erschossene gelegen habe, ca. 30 bis 40 m betragen. Ausserdem ist die Erkennbarkeit dessen, der sich über Lipa Grünschlag gebeugt gehabt hat, auch dadurch herabgesetzt gewesen, dass der damals sich herabgebeugt Habende, wie die Zeugin in Übereinstimmung mit Sonja Ar. bekundet, uniformiert gewesen ist. Damals sind jedoch alle oder doch die meisten der in der Lagerverwaltung und insbesondere in der Lagerwache tätigen Nichtjuden uniformiert gewesen. Die Feststellung, die in Frage kommende Person sei uniformiert gewesen, vermag zu deren Identifizierung also nicht viel beizutragen. Auch ist der Angeklagte weder auffallend gross noch auffallend klein, so dass sich auch aus der Körpergrösse der betreffenden Person keine zwingenden Anhaltspunkte dafür ergeben haben können, dass es sich dabei etwa um den Angeklagten gehandelt habe. Dies um so weniger, als die in Frage kommende Person heruntergebeugt dagestanden ist, als die Zeugin sie gesehen hat. Da die Zeugin Wei., ebenso wie die Zeugin Ar., ferner über das Aussehen der Uniform der in Frage kommenden Person und darüber, ob diese eine Kopfbedeckung getragen hat, keinerlei Angaben hat machen können, muss nicht nur, weil es erfahrungsgemäss wahrscheinlich ist, sondern jedenfalls auch nach dem Grundsatz "im Zweifel für den Angeklagten" davon ausgegangen werden, dass die betreffende Person, ebenso wie die anderen im Lagerbereich tätig gewesenen Uniformierten, eine Uniform-Schirmmütze getragen hat.

Unter diesen Umständen erscheint es dem Gericht sehr zweifelhaft, ob die Zeugin Wei. die betreffende Person, die, wie schon gesagt, herabgebeugt gewesen ist, bei allgemeiner Dunkelheit, aus einer Entfernung von 30 bis 40 m und trotz des, wie nach dem Zweifelsgrundsatz angenommen werden muss, durch den Mützenschirm im Gesicht verursachten Schattens, im kurzen, wandernden Lichtschein eines rotierenden Scheinwerfers am Gesicht zutreffend hat erkennen können. Dies ist um so zweifelhafter, als sich die Zeugin damals schon viele entbehrungsreiche Stunden in grosser Angst vor dem Entdecktwerden versteckt gehabt hat, sodann durch den völlig unerwarteten, in nächtlicher Stille im Lagerhof gefallenen Schuss nach Überzeugung des Gerichts zudem in Todesangst versetzt worden war und in dieser

Situation, wie nach dem Grundsatz "im Zweifel für den Angeklagten" angenommen werden muss, vielmehr auf ihre Sicherheit, als darauf geachtet hat, welche bestimmte Person möglicherweise einen zunächst unbekannten anderen erschossen hat.

Unter all diesen Umständen kann nicht ausgeschlossen werden, dass die Zeugin einem Irrtum in der Person dessen unterlegen ist, der sich kurz nach dem Schuss über Lipa Grünschlag gebeugt gehabt hat. Jedenfalls hat das Schwurgericht, wie schon gesagt, erhebliche Zweifel in dieser Hinsicht nicht überwinden können.

d) Selbst wenn die Tatsachenbekundungen der Zeugin Bluma Wei. dem Urteil als zutreffend zugrunde gelegt werden könnten, was, wie schon gesagt, nicht der Fall ist, liesse sich daraus mit der zu einer Verurteilung notwendigen Sicherheit nichts weiter beweisen, als dass der Angeklagte ein unbeteiligter, interessierter Beobachter des ganzen Vorfalls gewesen ist.

Nach dem Grundsatz "im Zweifel für den Angeklagten" muss nämlich davon ausgegangen werden, dass diejenige Person, die als erste über Lipa Grünschlag gebeugt gewesen ist, nicht geschossen gehabt hat. Die Zeugin Wei. sagt, sie wisse nicht, wer geschossen habe. Sie habe niemanden schiessen sehen. Vielmehr habe sie lediglich einen Schuss gehört. Gleich nach dem Schuss habe sie Stimmen gehört. Als erster habe sich dann, wie sie angibt, der Angeklagte über den am Boden Liegenden gebeugt. Sekunden später seien auch noch andere uniformierte Personen dazugetreten. Diese habe sie nicht erkannt. Der Verdacht, geschossen zu haben, richtet sich unter diesen Umständen nicht nur gegen die erste Person, die an Lipa Grünschlag herangetreten ist, sondern auch in gleichem Masse gegen alle anderen unmittelbar nach dem Schuss zur Stelle gewesenen Uniformierten. Im übrigen steht keineswegs fest, dass die erste Person, die über Grünschlag gebeugt gewesen ist, etwa eine schussbereite Waffe bei sich geführt hat. Die Zeugin Wei. bekundet, der, wie sie sagt, Angeklagte, habe einen ihr näher nicht erinnerlichen, "normalen" Gegenstand in der Hand gehabt. Nach dem bereits erwähnten Zweifelsgrundsatz muss davon ausgegangen werden, dass es sich dabei nicht um eine Schusswaffe gehandelt hat.

Irgendwelche Anhaltspunkte dafür, dass derjenige, der sich als erster über Lipa Grünschlag gebeugt gehabt hat, hinsichtlich der in Rede stehenden Tat etwa mittelbarer Täter, Anstifter oder Gehilfe gewesen sei, haben sich nicht ergeben.

6) Die Aussage des Zeugen Chaim Seg.

Wie schwierig es für einen Zeugen ist, nach knapp 30 Jahren auch nur noch eine ungefähr richtige Vorstellung von bestimmten Vorgängen zu haben, beweist die Aussage des Zeugen Seg., der jetzt 44 Jahre alt ist, einen guten Eindruck hinterlässt und als Baudirektor bei einer grossen israelischen Firma arbeitet.

Dieser Zeuge gibt zum Tode des Lipa Grünschlag folgende Schilderung, die, wie er wiederholt erklärt hat, mit Sicherheit den Tatsachen entspreche:

Er, der Zeuge, habe sich von Anfang an im ZAL Boryslaw aufgehalten. Mit Lipa Grünschlag sei er sehr gut bekannt gewesen. Vermutlich anfangs Februar 1944, mit Sicherheit aber noch vor dem 3.3.1944, dem Todestag seiner, des Zeugen, Mutter, sei Lipa Grünschlag eines Vormittags im Haftraum des Lagers in dem Gebäude, das sich, von der Mracznica--Strasse her gesehen, links vom Lagertor, senkrecht von der Strasse weg bis nahe zur Latrine hin erstreckt habe, solange geschlagen worden, bis er tot gewesen sei. Anschliessend habe er, der Zeuge, den Angeklagten aus dem Haftraum kommen sehen. Die Mithäftlinge im Lager hätten gesagt, der Angeklagte habe Grünschlag erschlagen. Nur wenige Minuten, nachdem der Angeklagte den Haftraum verlassen gehabt habe, sei er, der Zeuge, in diesen Raum hineingegangen. Lipa Grünschlag, den er mit Sicherheit erkannt habe, sei tot am

Boden gelegen. Etwa eine Stunde später habe er, der Zeuge, zusammen mit anderen Lagerinsassen, den Leichnam Lipa Grünschlags in unmittelbarer Nähe des sogenannten Weissen Hauses begraben. Anderslautende Schilderungen des Todes von Lipa Grünschlag seien unrichtig.

Das Schwurgericht vermag dieser Aussage jedoch nicht zu folgen. Es stützt sich vielmehr auf die übereinstimmenden Angaben des Zeugen Dov Bernhard E. und Sonja Ar., wonach sich Lipa Grünschlag am 13.4.1944 zunächst in dem gemeinsamen, durch eine Bratröhre erreichbaren Versteck aufgehalten hat und auf die weitere Aussage der Zeugin Ar., wonach Lipa Grünschlag sodann am späten Abend des 13.4.1944, nur wenige Meter von ihr entfernt, im Freien auf der Flucht erschossen worden ist.

Zusammenfassend ist zu sagen, dass das Schwurgericht trotz sehr eingehender Beweisaufnahme erhebliche Zweifel an der Richtigkeit des Vorwurfs nicht hat ausräumen können, Lipa Grünschlag sei vom Angeklagten erschossen worden. Da weitere Beweismittel fehlen, muss vielmehr nach dem Grundsatz "im Zweifel für den Angeklagten" davon ausgegangen werden, dass dieser an der Tötung des Lipa Grünschlag in keiner, wie auch immer gearteten Weise beteiligt gewesen ist. Der Angeklagte hat daher auch in diesem Punkte freigesprochen werden müssen.

IV. « Tötung eines Juden im ZAL Boryslaw (22. Juni 1944) »

Zu dem Vorwurf, der Angeklagte habe am 22.Juni 1944 im ZAL Boryslaw den Juden Egid erschossen:

Dem Angeklagten hat insoweit zur Last gelegen, er habe am Vormittag dieses Tages, an welchem zum zweiten Mal und wiederum nur mit teilweisem Erfolg versucht worden war, das ZAL Boryslaw aufzulösen, den tuberkulosekranken Juden Egid, welcher aus einem Haus getragen und im Lagerhof, nahe der Latrine, auf den Boden gelegt worden sei, mit einer Pistole durch Kopfschuss getötet und dann zwei jüdischen Lagerinsassen, mit den Worten "begrabt den Dreck", befohlen, die Leiche zu beerdigen.

Das Schwurgericht hat jedoch Zweifel daran, dass der Angeklagte diese Tat begangen habe oder an dieser sonst in irgendeiner Weise beteiligt gewesen sei, nicht überwinden können.

Der Angeklagte bestreitet den geschilderten Vorfall schon von Anfang an; von einer solchen Tat wisse er nichts.

Dem Angeklagten ist zumindest nicht ausreichend zu widerlegen, dass er mit der in Rede stehenden Tat nichts zu tun gehabt habe.

Als Beweismittel haben dem Gericht in diesem Falle zwar 18, davon 6 notgedrungen nur verlesene, Zeugenaussagen zur Verfügung gestanden. Diese reichen jedoch nach der Überzeugung des Gerichts zu einer Überführung des Angeklagten nicht aus. Der überwiegende Teil der soeben erwähnten 18 Zeugen hat, falls überhaupt, lediglich vom Hörensagen und nur sehr oberflächlich von dem in Rede stehenden Vorfall Kenntnis erhalten. Die übrigen Zeugenaussagen sind dagegen in entscheidenden Punkten widersprüchlich und teilweise so unglaubwürdig, dass auch darauf eine Verurteilung nicht gestützt werden könnte. Weitere Beweismittel zu diesem Fall sind nicht vorhanden. Da niemand genau hat angeben können, wie der Name des laut Anklageschrift Getöteten richtig geschrieben wird und selbst die Zeugin Sala Fis., als Witwe des vermutlichen Onkels dieses Mannes nicht weiss, ob dessen Familienname "Egid" oder "Egit" gelautet hat, wird hier, soweit nicht anderslautende Aussagen wörtlich wiedergegeben werden, die Schreibweise "Egid" verwendet.

1) Die Aussagen der Zeugen Hans Günter Sob., Friedrich Hildebrand und Philipp Mensinger

Wie schon in dem unter III besprochenen Fall, wird der Angeklagte auch hier durch die Zeugen Sob. [70], Hildebrand [71] und Mensinger [72] nicht belastet.

Der Zeuge Sob. macht in nicht zu widerlegender Weise geltend, dass er sich von Anfang Mai 1943 an nicht mehr im Bereich der ZAL Drohobycz und Boryslaw aufgehalten habe, sondern von dieser Zeit an in Lemberg stationiert gewesen sei. Was sich im ZAL Boryslaw ab Anfang Mai 1943 zugetragen habe, wisse er daher nicht. Insbesondere habe er keine Kenntnis von einer etwa nach diesem Zeitpunkt im ZAL Boryslaw erfolgten Erschiessung eines Juden. Er, der Zeuge, könne folglich auch in diesem Falle keine sachdienlichen Angaben machen.

Der Zeuge Hildebrand bestätigt zwar, dass es "im Sommer" 1944, noch mehrere Wochen vor der endgültigen Auflösung des ZAL Boryslaw, einen zweiten Abtransport von Juden aus diesem Lager gegeben habe, wobei nur ganz wenige Lagerinsassen als Ordnungsdienst und zu Aufräumungsarbeiten zurückgeblieben seien. Der Zeuge vermag sich aber, wie er sagt, nicht mehr zu entsinnen, ob der Angeklagte an diesem Tage in Boryslaw gewesen sei. Er, Hildebrand, wisse nur noch, dass sich damals der SS-Mann Sommer, welcher ein Glasauge gehabt habe, sowie der SS-Mann Mensinger im ZAL Boryslaw aufgehalten hätten. Es habe, wie Hildebrand weiter angibt, in diesem Lager auch kranke Juden gegeben, die sich im Krankenrevier aufgehalten hätten. Ihm, dem Zeugen, sei jedoch nichts davon bekannt, dass am Tage der zweiten Räumung des Lagers ein kranker Jude oder überhaupt ein Lagerinsasse im ZAL Boryslaw erschossen worden sei. Wäre so etwas geschehen, dann hätte er, der Zeuge, es als Chef des Lagers sicher erfahren.

Auch der Zeuge Mensinger gibt an, von der Erschiessung eines Menschen im ZAL Boryslaw am Tage des zweiten Abtransports nichts zu wissen. Er, der Zeuge, habe sich an diesem Tage, wie auch sonst während der ganzen damaligen Zeit, zusammen mit dem SS-Mann Sommer in dem Lager aufgehalten. Auch Hildebrand sei an diesem Tage in Boryslaw gewesen. Von dem Angeklagten könne er, der Zeuge, dies nicht sicher sagen. Wenn im Lager ein Schuss gefallen wäre, dann hätte er, Mensinger, diesen sicher vernommen. Er habe dort jedoch während des ganzen Tages keinen Schuss gehört. Dass der Angeklagte an dem genannten Tage oder auch sonst irgendwann einmal im ZAL Boryslaw jemanden, insbesondere einen kranken Juden, getötet habe, könne nicht zutreffen. Von einer derartigen Begebenheit hätte er, der Zeuge, sicher Kenntnis erhalten.

2) Die Aussagen der Zeugen Schimon Ra., Regina Ra., Mosche Bac., Emanuel Schr., Israel Ho., Sender Gol. und Sonja Ar.

Diese ehemaligen Insassen des ZAL Boryslaw haben nach ihren glaubhaften Bekundungen, soweit überhaupt, nur vom Hörensagen eine recht oberflächliche Kenntnis davon erhalten, dass ein gewisser Egid im ZAL Boryslaw getötet worden sein soll. Auf eine solch oberflächliche und nur mittelbare Kenntnis könnte jedoch, wie schon ausgeführt, eine Verurteilung des Angeklagten nicht gestützt werden. Die Gefahr, dass die Aussagen dieser Zeugen, soweit diese zu der hier in Rede stehenden Tat überhaupt Angaben machen können, lediglich auf einem unzutreffenden Gerücht beruhen, ist auf keinen Fall ausschliessbar. Dies um so weniger, als auch die Aussagen der angeblichen Augenzeugen, wie noch dargelegt wird, unüber-

[70] Siehe Lfd.Nr.671 und 763.

[71] Siehe Lfd.Nr.355 und 653.

[72] Siehe Lfd.Nr.646.

brückbaren Zweifeln des Gerichts begegnen. Die Bekundungen der hier namentlich bereits aufgeführten 7 Zeugen haben es daher, auch in Verbindung mit den Aussagen aller anderen Zeugen, nicht vermocht, die Zweifel des Schwurgerichts daran auszuräumen, dass der Angeklagte einen Juden namens Egid oder irgendeinen anderen Menschen, im Zusammenhang mit der zweiten Räumung des ZAL Boryslaw oder zu irgendeiner Zeit in diesem Lager getötet habe oder sonst an einer solchen Tötung beteiligt gewesen sei.

Der Zeuge Schimon Ra. gibt glaubhaft an, er habe zwar irgendwann einmal gehört, dass der Jude Egid krank gewesen sei. Davon, dass man diesen getötet habe, sei ihm aber nichts bekannt. Er, der Zeuge, wisse auch nicht, ob im Zusammenhang mit der zweiten Räumung des ZAL Boryslaw überhaupt jemand getötet worden sei.

Die Zeugen Israel Ho. und Sender Gol. bekunden übereinstimmend, sie hätten zwar irgendwann einmal gehört, dass Egid getötet worden sei. Es sei ihnen aber nie bekannt geworden, wer diesen Juden getötet habe.

Die Zeugen Regina Ra., Mosche Bac. und Emanuel Schr., sowie Sonja Ar., die noch vor Beginn der Hauptverhandlung verstorben ist, weshalb die Niederschrift über ihre frühere polizeiliche Vernehmung hat verlesen werden müssen, haben angegeben, sie hätten gehört, dass der Angeklagte den Juden Egid, der krank gewesen sei, bei der zweiten Räumung des ZAL Boryslaw erschossen habe. Näheres darüber und vor allem auch, von wem sie dies erfahren haben, vermögen diese Zeugen jedoch nicht anzugeben. Der damals etwa 39 Jahre alt gewesene Mosche Bac. weiss lediglich noch, dass Egid ein junger Bursche gewesen sei, während der damals 15 Jahre alt gewesene Emanuel Schr. meint, Egid sei ein älterer Mann gewesen. Mosche Bac. bekundet ferner glaubhaft, er wisse sicher, dass die in Rede stehende zweite Räumung des ZAL Boryslaw am 22.Juni 1944 stattgefunden habe.

3) Die Aussagen der Zeugen Rosa Gru., Bluma Wei., Max Ste., Leon Gru., Chaim Seg., Aleksander Schw., Sala Fis. und Szlata Ba.

Auch bei diesen Zeugen handelt es sich um ehemalige Insassen des ZAL Boryslaw. Ihre Aussagen, soweit sie sich mit dem gegenständlichen Fall befassen, widersprechen sich jedoch in wesentlichen Punkten und sind darüber hinaus teilweise so unglaubwürdig, dass das Schwurgericht, auch bei Berücksichtigung aller anderen Zeugenaussagen, erhebliche Zweifel an der Richtigkeit des Vorwurfs nicht hat beseitigen können, der Angeklagte habe die ihm angelastete Tat begangen.

A.) Was diese Zeugen unmittelbar in bezug auf die Tat angeben

a) Die Bekundungen der Zeugen Rosa Gru., Bluma Wei. und Max Ste.

Der gegen den Angeklagten erhobene Vorwurf, den Juden Egid erschossen zu haben, beruht vor allem auf den zwar weitgehend übereinstimmenden, aber grossenteils unglaubwürdigen Aussagen der Zeugen Rosa Gru., Bluma Wei. und Max Ste. Da sich die in Israel lebenden Zeugen Rosa Gru. und Max Ste. strikt und nachdrücklich geweigert haben, zur Hauptverhandlung in die Bundesrepublik Deutschland zu kommen, haben die von dem ersuchten israelischen Richter aufgenommenen Niederschriften über die Aussagen dieser beiden Zeugen in der Hauptverhandlung verlesen werden müssen.

Die Tat sei, wie die drei genannten Zeugen als sicher bekunden, am Tage der zweiten Räumung des ZAL Boryslaw geschehen, hinsichtlich welcher der Zeuge Mosche Bac., wie schon gesagt, glaubhaft bekundet, sie habe am 22.Juni 1944 stattgefunden. An dieses Datum vermögen sich die Zeugen Rosa Gru., Bluma Wei. und Max Ste. allerdings nicht mehr genau zu erinnern. Rosa Gru. gibt an, dieser zweite Abtransport sei ihrer Erinnerung nach ungefähr

Ende Mai, Anfang Juni 1944 gewesen. Bluma Wei. erklärt, die in Rede stehende zweite Räumung des ZAL Boryslaw habe im Juni oder Juli 1944 stattgefunden, während Max Ste. als Zeitpunkt dieses zweiten Abtransports "Anfang Sommer 1944" angibt.

Gut übereinstimmend führen die drei Zeugen aus, die Tat sei geschehen, nachdem das Lager infolge des besagten zweiten Abtransports schon geräumt gewesen sei und sich mit Ausnahme einiger weniger Juden - Bluma Wei. gibt deren Zahl mit 10 bis 20 an, Ste. schätzt sie auf 10 bis 15 und Rosa Gru. spricht von 15 -, die als Ordnungsdienst und zu Aufräumungsarbeiten dabehalten worden seien, sowie solcher Juden, welchen es mit Erfolg gelungen gewesen sei, sich innerhalb des Lagers zu verstecken, keine Insassen mehr im ZAL Boryslaw befunden hätten.

Übereinstimmend erklären die drei Zeugen auch, es sei zur Tatzeit schon heller Tag gewesen. Rosa Gru. bekundet, die Tat habe sich morgens gegen 5 oder 6 Uhr zugetragen, während Max Ste. angibt, er könne zur Frage der Tageszeit eigentlich keine genauen Angaben mehr machen, meine jedoch, es müsse gegen Mittag gewesen sein. Die Zeugin Wei. berichtet, dass der in Rede stehende Abtransport sehr früh am Tage stattgefunden habe. Das Tatgeschehen habe sich sodann morgens gegen 7 oder 8 Uhr zugetragen.

Übereinstimmend geben die drei Zeugen ferner an, nach dem Abtransport der Lagerinsassen hätten SS-Leute im Lager nach versteckten Juden gesucht. Mehrere unbekannte Juden hätten schliesslich im Beisein und offenbar auf Befehl des SS-Mannes Sommer und des Angeklagten einen offensichtlich kranken Juden herangetragen und diesen im Lagerhof auf den Boden gelegt. Die Stelle, an welcher der kranke Jude auf den Boden gelegt worden sei, habe sich nahe des der Latrine nächstliegenden Teils des langgestreckten Steinbaues befunden, in dessen Erdgeschoss früher Stallungen untergebracht gewesen seien und der, von der Mracznica--Strasse her betrachtet, links vom Lagertor, senkrecht von der Strasse weg in Richtung zur Latrine verlaufen sei. Max Ste. gibt näher an, es habe sich um zwei unbekannte Juden gehandelt, die den kranken Juden herangetragen hätten. Sie hätten diesen aus dem soeben beschriebenen Haus herausgetragen und zwar, wie er, der Zeuge, hinterher habe feststellen können, auf einer Decke. Die beiden Juden hätten sich dann sogleich entfernt.

Hierauf habe der Angeklagte, wie die drei Zeugen ferner bekunden, mit dem SS-Mann Sommer gesprochen, wobei beide SS-Leute neben dem am Boden liegenden, kranken Juden gestanden seien. Schliesslich habe der Angeklagte seine Pistole gezogen und den am Boden liegenden Juden aus nächster Nähe erschossen. Die Zeuginnen Gru. und Wei. geben hierzu näher an, der Angeklagte habe Sommer in dem soeben erwähnten, vorangegangenen kurzen Gespräch aufgefordert gehabt, den am Boden liegenden Juden zu erschiessen. Sommer habe sich jedoch geweigert und sinngemäss geantwortet, er schiesse nicht auf kranke Juden. Hierauf habe dann der Angeklagte seine Pistole gezogen und den Juden erschossen. Alle drei Zeugen sprechen die Vermutung aus, dass der Angeklagte dem am Boden liegenden Juden dabei einen Kopfschuss gegeben habe. Genau hätten sie das jedoch nicht gesehen. Die Zeugin Wei. gibt ferner an, sie habe während dieses Vorgangs den Zeugen Max Ste. in der Nähe des Tatorts gesehen.

Rosa Gru. erklärt, sie habe nach der Erschiessung des am Boden liegenden Juden den Befehl des Angeklagten gehört, die Leiche wegzuschaffen. Diese sei dann von den jüdischen Hilfsordnern Max Ste. und Klinghofer weggetragen worden. Der Zeuge Ste. bestätigt diese Angaben und fügt noch hinzu, der Befehl, die Leiche wegzuschaffen, sei vom Angeklagten mit den Worten erteilt worden: "begrabt den Dreck". Er, der Zeuge, und Klinghofer hätten den toten Juden gleich darauf zwischen der Latrine und dem "Weissen Haus" begraben.

Alle drei Zeugen geben an, dass es sich bei dem getöteten Juden um einen gewissen Egid gehandelt habe. Die Zeugin Wei. erklärt, sie sei, auch schon unmittelbar vor der Tat, in ihrem Versteck in einer Werkstätte in dem kleinen Haus, welches sich zwischen der Latrine und jenem Steinbau befunden habe, der sich, von der Mracznica-Strasse her betrachtet, von der rechten hinteren Ecke des ZAL Boryslaw, innerhalb der hinteren Längsseite des Lagers, in Richtung zur Latrine hin erstreckt habe, von dem am Boden liegenden kranken Juden schätzungsweise nur etwa 8 m entfernt gewesen. Sie habe dabei, durch eine Ritze in der Wand spähend, mit voller Sicherheit erkannt, dass es sich bei diesem Mann um den ihr bekannt gewesenen Juden Egid gehandelt habe. Diesen habe sie am Gesicht erkannt. Die Zeugin Rosa Gru. gibt an, sie habe den am Boden liegenden Juden wegen ihrer ungünstigen Sichtposition nicht erkannt. Gleich nach der Tat jedoch, nachdem sie ihr Versteck in der Latrinengrube verlassen gehabt habe, sei ihr von dem Zeugen Ste., sowie von Klinghofer und von anderen überzeugend berichtet worden, dass der Getötete der ihr bekannt gewesene Egid gewesen sei. Der Zeuge Max Ste. führt aus, er habe den Toten nicht gekannt. Der inzwischen verstorbene Klinghofer habe diesen aber vermutlich gekannt, denn er, der Zeuge, erinnere sich, dass sie beide gleich nach der Beerdigung des Toten eine Frau aus der Latrine hätten herauskommen sehen, "die von dem Kot ganz schmutzig gewesen sei". Er, der Zeuge, glaube sich zu erinnern, dass er dabei entweder von der Frau oder von Klinghofer den Namen des Toten erfahren habe, der "Egid" gelautet habe. Auf jeden Fall aber habe er, der Zeuge, kurz nach der Tat mit Sicherheit erfahren, dass der Getötete ein gewisser Egid gewesen sei.

Zur Person dieses Egid machen die drei Zeugen folgende Angaben: Rosa Gru. schildert ihn als etwa 25 Jahre alten, grossen schlanken Menschen, der an Tuberkulose gelitten habe und infolge dieser Krankheit bettlägerig gewesen sei. Seine Eltern seien wohlhabend gewesen und hätten ihres Wissens ein Geschäft betrieben, in welchem Bücher verkauft worden seien. Der Zeuge Ste. gibt an, der Tote sei kein älterer Mensch gewesen, aber auch kein Kind mehr. Wie er, der Zeuge, hinterher erfahren habe, sei der Getötete lungenkrank gewesen. Bluma Wei. schildert den Getöteten, den sie, wie schon gesagt, bereits unmittelbar vor der Tat mit Sicherheit als den ihr bekannt gewesenen Egid erkannt gehabt habe, als ca. 19 bis 21 Jahre alt gewesenen, grossen schlanken Mann, der Brillenträger gewesen sein könnte. Man habe gesehen, dass Egid an Schwindsucht gelitten habe. Es könne stimmen, dass Egid Student gewesen sei.

<u>b) Die Angaben des Zeugen Leon Gru.</u>

Auch dieser in Israel lebende Zeuge hat sich nachdrücklich geweigert, zu einer Vernehmung in die Bundesrepublik Deutschland zu kommen, weshalb die von dem ersuchten israelischen Richter aufgenommene Niederschrift über die Aussage Leon Gru.s in der Hauptverhandlung hat verlesen werden müssen.

Dieser Zeuge gibt an, er habe die Tat nicht unmittelbar wahrgenommen, sondern vielmehr erst hinterher davon gehört. Er wisse nicht mehr, wer ihm von dem Tatgeschehen erzählt habe. Dieses habe sich jedenfalls am Tag des zweiten Abtransports aus dem ZAL Boryslaw zugetragen. Das sei im Juni 1944 gewesen. Ihm, dem Zeugen, sei es damals gelungen gewesen, sich im ZAL Boryslaw zu verstecken und so dem Abtransport zu entgehen. Sein, des Zeugen, Versteck habe sich im zweiten Stock desjenigen aus Stein gebauten Hauses befunden, das sich, von der Mracznica-Strasse her gesehen, rechts vom Lagertor, an der soeben erwähnten Strasse entlang, bis zur rechten vorderen Ecke des Lagers erstreckt habe. Der Raum, in welchem er, der Zeuge, versteckt gewesen sei, habe sich auf der dem Lagerhof zugewandten Seite dieses Hauses befunden. Er, der Zeuge, erinnere sich, dass die Lagerinsassen an diesem Tage, zum Zwecke des Abtransports, morgens etwa um 4 Uhr aus dem Lager und zur Bahn verbracht worden seien. Es sei ihm ferner erinnerlich, einige Zeit nachdem die Lagerinsassen das ZAL Boryslaw verlassen gehabt hätten, einen Schuss gehört zu haben. Es könnten jedoch auch mehrere Schüsse gewesen sein. Als er, der Zeuge, schätzungsweise eine bis zwei Stunden nachdem der Transport abgegangen und auch erst nachdem der soeben erwähnte Schuss gefallen gewesen sei, sein Versteck verlassen habe, sei ihm berichtet worden, der Angeklagte habe Egid erschossen. Es sei erzählt worden, man habe Egid, der krank und bettlägerig gewesen sei, herausgetragen. Der Angeklagte habe den SS-Mann Sommer aufgefordert, Egid zu erschiessen. Da Sommer jedoch erklärt habe, er schiesse nicht auf kranke Juden, habe der Angeklagte den Egid erschossen.

Er, der Zeuge, habe Egid gekannt. Dieser habe den Vornamen Izchack gehabt, sei jedoch Izio gerufen worden. Weiter gibt der Zeuge über Egid wörtlich an: "Er war ein junger Mensch, damals einige zwanzig Jahre alt. Ich kannte auch seine Eltern. Sie hatten ein Geschäft für Bücher und Schreibmaterialien. Izio Egid hatte studiert und war intelligent. Er war im Lager an den Lungen erkrankt".

c) Die Aussage des Zeugen Chaim Seg.

Dieser Zeuge gibt an, die Erschiessung des Juden Egid sei in der Zeit zwischen dem 3.3.1944 (das ist der Todestag der Mutter des Zeugen) und dem Tag der dritten Auflösung des ZAL Boryslaw, im Hof dieses Lagers erfolgt. Es habe sich um einen ganz gewöhnlichen Arbeitstag gehandelt. Nach dem Morgenappell seien die einzelnen Arbeitsgruppen zur Arbeit gegangen. Er, der Zeuge, habe sich in die Küche des Lagers begeben, die sich in dem gleichen mehrstöckigen Steinbau befunden habe, wie die Lagerwache, der Kartoffelkeller und die Männerunterkünfte. Er, der Zeuge, sei zur damaligen Zeit in der Küche beschäftigt gewesen. Er glaube, dass es noch am Vormittag des geschilderten Tages gewesen sei, als ihm jemand gesagt habe, es solle ein Jude erschossen werden, den man gefangen und ins Lager gebracht habe. Hierauf sei er, der Zeuge, aus der Küche in den Lagerhof hinausgegangen und habe in einer Entfernung von ca. 30 bis 35 m, nahe der Latrine einen Juden am Boden liegen sehen. Neben diesem Mann sei der Angeklagte gestanden. Ausser dem Angeklagten und dem am Boden liegenden Mann sei im ganzen Umkreis niemand zu sehen gewesen. Er, der Zeuge, sei sofort wieder in die Küche zurückgegangen. An anderer Stelle gibt der Zeuge an, er habe lediglich gesehen, wie sich der Angeklagte, mit einem Revolver in der Hand, von dem am Boden liegenden Mann entfernt habe. Auch in diesem Zusammenhang bekundet der Zeuge, ausser dem zuletzt genannten Mann und dem Angeklagten sei niemand zu sehen gewesen. Nach diesem Vorfall habe er, der Zeuge, erfahren, dass der am Boden gelegene Jude krank gewesen sei und Egid geheissen habe. Die Leute hätten gesagt, der Angeklagte habe Egid erschossen. Der Zeuge gibt auch noch weitere, etwas abweichende Versionen von dem in Rede stehenden Vorfall.

d) Die Aussage des Zeugen Aleksander Schw.

Auch dieser Zeuge gibt an, die Erschiessung des Juden Egid nicht selbst erlebt zu haben. Er, der Zeuge, habe jedoch noch am gleichen Tage davon gehört. Es habe sich um einen ganz normalen Arbeitstag gehandelt. Es könnte ein Tag im April 1944 gewesen sein. Als er, der Zeuge, von der Arbeit ins ZAL Boryslaw zurückgekehrt sei, habe ihm der inzwischen verstorbene Ordnungsmann Kupferberg berichtet, der Angeklagte habe den Juden Egid erschossen. Dieser habe sich versteckt gehabt und sei, nachdem er das Versteck verlassen gehabt habe, erschossen worden. Kupferberg habe ausserdem erzählt, dass der SS-Mann Sommer den Egid nicht habe erschiessen wollen. Hierauf sei dieser vom Angeklagten erschossen worden. Wie diese Erschiessung im einzelnen vor sich gegangen sei, habe er, der Zeuge Schw., nie erfahren. Kupferberg habe lediglich noch berichtet, dass er den getöteten Egid zwischen der Latrine und dem "Weissen Haus" beerdigt habe. Er, der damals 22 Jahre alt gewesene Zeuge Schw., habe Egid gekannt, könne von ihm aber nichts weiter sagen, als dass dieser älter gewesen sei, als er, der Zeuge, und dass Egid in der letzten Zeit vor seinem Tode krank gewesen sei.

e) Die Bekundungen der Zeuginnen Sala Fis. und Szlata Ba.

Die in den USA lebende Zeugin Fis. hat sich aus Alters- und Gesundheitsgründen nachdrücklich geweigert, vor dem erkennenden Gericht zu erscheinen. Es hat daher die Niederschrift über die beeidete Aussage dieser Zeugin vor dem ersuchten Konsul des deutschen Generalkonsulats in New York vom 13.6.1973, sowie die zum Inhalt jener Aussage gemachte Niederschrift über die konsularische Vernehmung der Zeugin vom 28.10.1971 in der Hauptverhandlung verlesen werden müssen.

Diese Zeugin bekundet, mit ihrem damaligen, inzwischen verstorbenen Ehemann Markus, dessen Familiennamen sie einmal mit "Egid" und das andere Mal mit "Egit" angibt, schon vom Jahre 1942 an (genauer vermag sie dies nicht mehr zu sagen) im ZAL Boryslaw gewesen zu sein. Dort seien sie beide bis zur ersten Räumung des Lagers geblieben, die am 13. oder 14.4.1944 stattgefunden habe. Sie, die Zeugin, und ihr damaliger Ehemann seien an diesem Tage mit dem gesamten Judentransport in das Vernichtungslager Plaszow verbracht worden und zu keiner Zeit mehr nach Boryslaw zurückgekehrt. Sie, die Zeugin, sei dort im übrigen nie Augenzeugin von Tötungshandlungen geworden. Eines Tages, noch einige Wochen oder Monate vor ihrem Abtransport nach Plaszow, sei ihr damaliger Ehemann Markus Egid nach der Arbeit ins ZAL Boryslaw zurückgekommen und habe weinend berichtet, dass sein Neffe Egid heute erschossen worden sei. Näheres darüber habe sie nicht erfahren. Ob im Zusammenhang mit diesem Bericht ihres inzwischen verstorbenen Ehemannes der Name des Angeklagten genannt worden sei, wisse sie nicht mehr.

In ihrer Aussage vom 13.6.1973 teilt die Zeugin Sala Fis. erstmals auch mit, sie habe sich 1960 in den USA mit der jetzt 72 Jahre alten Frau Szlata Ba. unterhalten, die ebenfalls Insassin des ZAL Boryslaw gewesen sei. Diese habe erwähnt, dass in diesem Lager, in der Nähe der Latrine, einmal ein kranker, auf einer Bahre liegender Mann erschossen worden sei. Ob Szlata Ba. diesen Vorfall selbst erlebt hat oder nur vom Hörensagen kennt, weiss die Zeugin Fis. nicht. Sie kann auch nicht sagen, ob die jetzt in Miami/USA lebende Szlata Ba. in diesem Zusammenhang irgendwelche Namen genannt hat. Da bezüglich der Zeugin Szlata Ba. die Niederschrift über deren richterliche Vernehmung vom 30.1.1967 durch das Schwurgericht beim Landgericht Bremen in dem Strafverfahren gegen Friedrich Hildebrand (Aktenzeichen der Staatsanwaltschaft Bremen: 29 Ks 1/66 [73]) vorliegt, ist diese Niederschrift mit dem ausdrücklichen Einverständnis aller Prozessbeteiligter in der gegenständlichen Hauptverhandlung verlesen worden. Die Zeugin hat damals, wie sich aus dieser Niederschrift ergibt, u.a. erklärt, sie habe sich seit der Gründung des ZAL Boryslaw in diesem Lager aufgehalten. Wörtlich hat die Zeugin ferner ausgeführt:

> "Bevor der erste Abtransport aus dem Lager Boryslaw stattfand, floh ich zusammen mit meiner zweiten Tochter aus dem Lager in den Wald. Dort lebten wir bis zu unserer Befreiung."

Ausserdem hat die Zeugin Ba., wie sich aus der verlesenen Niederschrift weiter ergibt, angegeben, sie erinnere sich aus der Zeit, die sie im ZAL Boryslaw verbracht habe, an die SS-Angehörigen Tomanek [74], Sob., Lingenheld, Hauser, Minkus, Mensinger und Hildebrand. Von dem gegenständlichen Angeklagten und der hier in Rede stehenden Tat ist in der verlesenen, 3½ Seiten langen Niederschrift mit keinem Wort die Rede.

[73] Siehe Lfd.Nr.653.

[74] Richtig: Thomanek - siehe Lfd.Nr.455 und 498.

B.) Nähere Würdigung der Aussagen dieser Zeugen

1) Das Schwurgericht hat vor allem erhebliche Zweifel an der objektiven Richtigkeit der Aussagen der Zeugen Rosa Gru., Bluma Wei., Max Ste. und Leon Gru. Insbesondere kann nicht ausgeschlossen werden, dass diese Zeugen Geschehnisse und Personen verwechseln.

a) So muss zumindest nach dem Grundsatz "im Zweifel für den Angeklagten" davon ausgegangen werden, dass gerade jener Jude Egid, hinsichtlich dessen die vier genannten Zeugen übereinstimmend bekunden, er sei als Lungenkranker, am Tage der zweiten Räumung des Lagers, morgens bzw. mittags, vom Angeklagten erschossen worden, in Wirklichkeit nicht krank gewesen und schon vor der ersten Räumung des Lagers, an einem ganz gewöhnlichen Arbeitstag, vermutlich bei der abendlichen Heimkehr von der Arbeit, von einem unbekannten Täter erschossen worden ist.

Eine Wahrscheinlichkeit hierfür ergibt sich aus den Bekundungen der jetzt 63 Jahre alten Zeugin Sala Fis., verwitwete Egid (oder Egit). Diese Zeugin hat bei ihrer Vernehmung am 28.10.1971 u.a. angegeben:

> "Es trifft zu, dass im Lager Boryslaw auch ein Neffe meines Mannes mit dem Namen Egid lebte. Er war damals vielleicht 24 Jahre alt und hatte vor Ausbruch des Krieges an der Universität studiert, ich glaube, Rechtswissenschaft. Ich entsinne mich noch, dass mein Mann eines Abends nach Hause kam und mir weinend erzählte, Schö. habe seinen Neffen Egid erschossen. Ich weiss aber nicht mehr, was mein verstorbener Mann weiter berichtet hat. Ich kann daher nicht sagen, ob das auf der Arbeitsstelle war oder auf dem Weg oder irgendwo sonst. Nach meiner Erinnerung war Egid damals jedenfalls nicht krank. Ich bin da ganz sicher. Es trifft nicht zu, dass er lungenkrank war. Er ist nie lungenkrank gewesen. Dieser Vorfall war vor unserer Verschickung nach Plaszow, das heisst vor Mitte April 1944. Nähere Zeitangaben kann ich nicht machen. Ich kann beim besten Willen zu diesem Vorfall und zu dem Verhalten des Schö. heute nichts weiter sagen."

Am 13.6.1973 hat die Zeugin u.a. wörtlich erklärt:

> "Ich weiss noch genau, dass wir am 13. oder 14.April 1944 nach Plaszow abtransportiert wurden. Zu dieser Zeit feierten wir nämlich das jüdische Osterfest. An sich durften wir zu dieser Zeit ausser den Matzos nichts essen. Im Hinblick auf die besonderen Umstände habe ich aber dennoch Brot gegessen. Die Verbindung zwischen dem Osterfest und dem Abtransport ist so deutlich in meiner Erinnerung, dass ein Irrtum ausgeschlossen ist. Es war dies der erste Abtransport aus dem Lager." "Auch mein erster Mann, Markus Egit, ist mit dem Transport am 13. oder 14.April 1944 nach Plaszow gebracht worden." "Egit, der Neffe meines Mannes, wurde von uns Jummik (phonetisch) gerufen. Daher nehme ich an, dass sein Vorname Abraham hiess. Meines Wissens ist Jummik ein Rufname oder Spitzname für Abraham. Er war damals, 1944, in den zwanziger Jahren. Näher kann ich sein Alter heute nicht mehr angeben. Er war ein schlanker Bursche von normaler Figur und normaler Grösse. Er hatte brünettes Haar. Weiter hatte er ein intelligentes Gesicht; er trug keine Brille. Er war nicht verheiratet. Seine Eltern hiessen Jonas Egit, er war der Bruder meines Mannes, und Esther Egit, geb. Löwenthal. Ob der Neffe meines Mannes mehrere Vornamen hatte, weiss ich nicht. Der Vorname Isaak sagt mir in diesem Zusammenhang nichts. Nach dem Besuch des Gymnasiums hatte der Neffe in Lemberg studiert. Einen Beruf hat er meines Wissens bis zur Verfolgung nie ausgeübt. Meines Wissens hat er in Lemberg Rechtswissenschaft studiert. Ich habe ihn das letzte Mal im Jahre 1940 oder 1941 gesehen und zwar noch vor der Errichtung des Ghettos. Er kam mit seinem Vater zusam-

men zu uns zu Besuch. Seine Eltern waren wohlhabende Leute. Sie hatten einen grossen Zeitungsvertrieb und ein Schreibwarengeschäft." "Ob sich dieser Neffe Egit oder Egid schrieb, weiss ich nicht. Eines Tage kam mein Mann weinend ins Lager und erzählte mir, er habe gerade gehört, dass sein Neffe getötet worden sei. Ich glaube, dass mein Mann in diesem Zusammenhang den Namen Schö. als den des Täters nannte. Ich bin mir jedoch nicht mehr sicher. Insoweit schränke ich meine Aussage vom 28.Oktober 1971 ein. Irgendwie habe ich in Erinnerung, dass dies geschehen sei, als die Männer von der Arbeit zurückkamen. Ob sich das aber auf die Rückkehr meines Mannes bezieht oder ob Abraham Egit erschossen wurde, als er von der Arbeit zurückkam, kann ich nicht sagen. Ich weiss auch nicht, wo er getötet wurde. Ebensowenig kann ich etwas über den Grund oder den Anlass der Erschiessung sagen. Jedenfalls kam mein Mann mit dieser traurigen Nachricht nach Hause, als wir noch im Lager Boryslaw waren. Es war einige Zeit vor unserem Abtransport. Ich kann nicht sagen, ob es sich um einige Wochen oder einige Monate gehandelt hat. Das war jedenfalls nicht im Juni 1944." "Es gab in Boryslaw noch eine andere Familie Egit oder Egid. Sie wohnte in einer Vorstadt. Ich habe diese Familie nicht gekannt und kann daher auch nicht sagen, wieviele Mitglieder sie umfasste und welches Alter die Familienangehörigen 1944 hatten."

Weiter berichtet die Zeugin wörtlich:

"Ich bleibe dabei, dass der Neffe Abraham nicht lungenkrank war. Er war nie lungenkrank gewesen. Es ist zwar richtig, dass ich Abraham das letzte Mal vor der Errichtung des Ghettos gesehen hatte, jedoch hat mein erster Mann sich laufend mit ihm getroffen. Abrahams Mutter war zu dieser Zeit versteckt und mein Mann hat Abraham häufig auch Geld zugesteckt, damit seine Schwägerin versorgt werden konnte. Nach meiner Erinnerung hatte mein Mann Abraham noch einige Tage vor dem Tage getroffen, an dem er weinend über seine Erschiessung berichtete."

Nach der Überzeugung des Schwurgerichts muss nach dem Grundsatz "im Zweifel für den Angeklagten" davon ausgegangen werden, dass der von Sala Fis. beschriebene, mit dem von den Zeugen Rosa Gru., Bluma Wei., Max Ste. und Leon Gru. gemeinten Egid identisch ist. Die Personenbeschreibung, die die Zeugin Sala Fis. von dem Neffen Egid ihres Ehemannes gibt, deckt sich mit den Angaben der vier anderen soeben genannten Zeugen über den von ihnen gemeinten Egid so sehr, dass es ein Zufall wäre, an den das Gericht nicht zu glauben vermag, wenn die Zeugen, einschliesslich Sala Fis., hier nicht von einer und derselben Person sprechen würden.

Schon auf Grund des Namens lässt sich eine Identität zumindest nicht ausschliessen. Nach den Angaben der Zeugin Fis. hat der in Rede stehende Jude "Egid" oder "Egit" geheissen. Dem stehen die Ausführungen der vier anderen Zeugen nicht entgegen, die den Namen des von ihnen genannten Mannes nur phonetisch wiedergeben können, wonach dieser entweder "Egit", "Egid", "Eget" oder "Eged" geheissen hat. Nach den Bekundungen der Zeugin Fis., welchen insoweit keine einzige Zeugenaussage entgegensteht, ist ferner davon auszugehen, dass dieser, wie auch immer geschriebene Name, selten vorgekommen ist. Dieser Zeugin ist ausser der Familie ihres verstorbenen Ehemannes nur noch eine Familie des Namens Egit oder Egid erinnerlich, die zu Beginn der Judenverfolgung in einer Vorstadt von Boryslaw gelebt habe. Es ist unbekannt, ob sich Mitglieder jener Familie zu irgendeiner Zeit im ZAL Boryslaw aufgehalten haben. Ebenso ist nicht bekannt, ob es ausser der Familie des verstorbenen Ehemanns der Zeugin Fis. jemals andere Personen gleichen oder ähnlich klingenden Familiennamens im ZAL Boryslaw gegeben hat. Nach dem bereits erwähnten Zweifelsgrundsatz muss deshalb davon ausgegangen werden, dass der hier in Rede stehende Jude Egid dem Familienstamm des verstorbenen Ehemannes der Zeugin Sala Fis., namens Markus Egid, zugehört hat. Nach dem gleichen Grundsatz muss ferner davon ausgegangen werden, dass es sich bei dem Juden Egid um den Sohn des Bruders von Markus Egid, nämlich des Jonas Egid und dessen Ehefrau Esther, geborene Löwenthal, gehandelt hat. Aus den Bekundungen der Zeugin Sala Fis. ergibt sich, dass aus der Familie ihres verstorbenen Ehemannes Markus nur dieser eine bestimmte junge Mann als jener Egid in Betracht kommen kann, der als Insasse des ZAL Boryslaw im Jahre 1944 erschossen worden ist. Nun erklärt zwar der Zeuge Leon Gru., dass der von ihm genannte Egid den Vornamen Izchack gehabt habe und Izio gerufen worden sei, während die Zeugin Fis. angibt, der in Rede stehende Neffe ihres verstorbenen Ehemannes sei Jummik gerufen worden. Damit kann aber die Identität, von welcher nach dem Zweifelsgrundsatz auszugehen ist, keineswegs ausgeschlossen werden. Die Zeugin Fis. bekundet nämlich ausdrücklich, dass sie nicht wisse, wie der Neffe ihres verstorbenen Ehemannes mit Vornamen geheissen hat. Da der junge Mann in ihrer Familie "Jummik" gerufen worden sei, nehme sie an, dass sein richtiger Vorname Abraham gelautet habe. Auch wisse sie nicht, ob der Neffe ihres verstorbenen Ehemannes mehrere Vornamen gehabt habe. Es kann folglich weder ausgeschlossen werden, dass "Jummik" nur ein familieninterner, sogenannter Spitzname gewesen ist, der mit dem richtigen Vornamen des in Rede stehenden Egid nichts zu tun gehabt hat noch, dass dieser mehrere Vornamen, darunter den Vornamen Izchack gehabt hat und auf Grund dieses Vornamens von seinen Bekannten im Lager Izio gerufen worden ist.

Darüber hinaus muss aber, wiederum nach dem Grundsatz "im Zweifel für den Angeklagten", auch auf Grund der Personenbeschreibungen eine Identität des von Sala Fis. erwähnten mit dem von den vier anderen Zeugen gemeinten Egid angenommen werden.

Egid wird nämlich sowohl von Sala Fis., als auch von den vier anderen Zeugen als junger, schlanker, nicht kleiner Mann beschrieben. Sala Fis. bekundet ferner, Egid sei bis zur Judenverfolgung Student gewesen. Leon Gru. berichtet dementsprechend, "Egid hatte studiert und war intelligent". Auch Bluma Wei. bestätigt, jener Egid von welchem sie spreche, könne Student gewesen sein. Sala Fis. gibt ausserdem an, die Eltern des Neffen Egid ihres verstorbenen Ehemanns seien wohlhabend gewesen und hätten in Boryslaw einen Zeitschriftenvertrieb und ein Schreibwarengeschäft gehabt. Rosa Gru. erklärt in guter Übereinstimmung damit, die Eltern des von ihr gemeinten Egid seien wohlhabende Leute gewesen, die ihres, der Zeugin, Wissens ein Geschäft betrieben hätten, in welchem Bücher verkauft worden seien. Leon Gru. bekundet in bezug auf den von ihm erwähnten Egid: "Ich kannte auch seine Eltern. Sie hatten ein Geschäft für Bücher und Schreibmaterialien".

Da das Gericht eine Identität des von Sala Fis. beschriebenen, mit dem von Rosa Gru., Bluma Wei., Max Ste. und Leon Gru. gemeinten Egid nicht auszuschliessen vermag, ist auf Grund der Aussage der Zeugin Sala Fis., zumindest nach dem Grundsatz "im Zweifel für den Angeklagten", davon auszugehen, dass der von den Zeugen Rosa Gru., Bluma Wei., Max Ste. und Leon Gru. gemeinte Egid nicht lungenkrank gewesen ist, auch nicht erst am 22.6.1944 oder sonst an einem Tag, an welchem das ZAL Boryslaw geräumt worden ist, auch nicht als Kranker, nicht am Morgen oder mittags und nicht vom Angeklagten, sondern zumindest schon mehrere Wochen vor dem 13.4.1944, als Arbeitsfähiger, wahrscheinlich abends auf dem Weg vom Arbeitsplatz ins Lager oder bei seiner Ankunft im Lager, von einem Unbekannten erschossen worden ist.

Bei dieser Sachlage, von der das Gericht, wie gesagt, auf Grund der gegebenen Beweissituation auszugehen hat, erweisen sich, jedenfalls nach dem Grundsatz "im Zweifel für den Angeklagten", die Aussagen der Zeugen Rosa Gru., Bluma Wei., Max Ste. und Leon Gru. in wesentlichen Punkten als falsch. Bluma Wei. kann dann nämlich nicht, wie sie es als sicher bekundet hat, am Tag der zweiten Lagerräumung, die am 22.6.1944 anzunehmen ist, unmittelbar vor dessen Tötung den Juden Egid erkannt haben. Auch hat das Gericht nach alledem erhebliche Zweifel daran, dass den Zeugen Rosa Gru., Max Ste. und Leon Gru., wie von diesen bekundet, unmittelbar nach der in Rede stehenden Tat gesagt worden sei, der Getötete sei Egid gewesen.

Wie nach alledem angenommen werden muss, haben die Zeugen Rosa Gru., Bluma Wei., Max Ste. und Leon Gru. auffallend übereinstimmend falsch den Juden Egid als Opfer eines am Tage der zweiten Räumung des ZAL Boryslaw angeblich begangenen Tötungsdelikts bezeichnet. Bluma Wei. hat objektiv falsch angegeben, sie habe das Tatopfer mit Sicherheit als den ihr bekannt gewesenen Egid erkannt und die Zeugen Rosa Gru., Max Ste. und Leon Gru. haben der objektiven Wahrheit zuwider bekundet, es sei ihnen unmittelbar nach der Tat gesagt worden, dass der Getötete Egid gewesen sei.

Es mag sein, dass in der Nähe der Latrine des ZAL Boryslaw tatsächlich einmal ein Jude erschossen worden ist. Darauf deutet der Bericht der Zeugin Sala Fis. vom 13.6.1973 hin, wonach sie vor längerer Zeit mit einem ehemaligen Schicksalsgefährten aus der damaligen Zeit gesprochen habe, dessen Namen sie jedoch nicht nennen könne. Dieser Mann habe ihr erzählt, er sei Augenzeuge von der Tötung eines Juden in der Nähe der Latrine des ZAL Boryslaw gewesen. Der Täter habe gleich nach der Tat angeordnet, dass die Leiche des Erschossenen an Ort und Stelle zu begraben sei. Der Erschossene sei sein, des Schicksalsgefährten der Zeugin Fis., Freund gewesen. Auf keinen Fall aber habe es sich dabei um den Neffen Egid dieser Zeugin gehandelt.

Nach der Überzeugung des Schwurgerichts kann nicht ausgeschlossen werden, dass die, wie angenommen werden muss, objektiv falschen Aussagen der Zeugen Rosa Gru., Bluma Wei., Max Ste. und Leon Gru., wonach der am 22.6.1944 nahe der Latrine des ZAL Boryslaw angeblich Erschossene der Jude Egid gewesen sei, die Folge von Gesprächen sind, die diese im frühesten Fall erstmals im Jahre 1965 polizeilich vernommenen Zeugen, viele Jahre nach der Befreiung, über die verschiedenen Lagervorkommnisse miteinander geführt haben und dass die Zeugen aus diesem Grunde und wegen des seit der Tat verstrichenen, langen Zeitraums von nunmehr ca. 29 Jahren, inzwischen nicht mehr zwischen wirklich Erlebtem und später nur Gehörtem zu unterscheiden vermögen.

Schon im Hinblick darauf hat das Gericht erhebliche Zweifel an der objektiven Richtigkeit der Aussagen der Zeugen Rosa Gru., Bluma Wei., Max Ste. und Leon Gru. insgesamt, also auch daran, dass der Angeklagte der Täter oder auch nur an der Tat beteiligt gewesen sei, nicht überbrücken können.

b) Das Schwurgericht kann nach dem Ergebnis der Hauptverhandlung ferner nicht ausschliessen, dass die Zeugen Rosa Gru., Bluma Wei., Max Ste. und Leon Gru., soweit sie vom Angeklagten, also von Roman Schö. sprechen, in Wirklichkeit, etwa infolge einer Namensverwechslung, einen anderen ehemaligen SS-Angehörigen meinen.

aa) Den Zeugen ist eine in den Akten befindliche Lichtbildtafel gezeigt worden. Darauf befinden sich 12 überwiegend gute Fotografien. Davon haben 10 Bilder das Format 8 x 12 cm. Ein weiteres Bild (Nr.4) ist etwas kleiner und eines (Nr.2) etwas grösser, als die übrigen Aufnahmen. Bei den erwähnten Fotografien handelt es sich, abgesehen von dem Bild Nr.2, welches den Zeugen Hildebrand [75] in ganzer Grösse darstellt, um Porträtaufnahmen von ehemaligen SS-Soldaten. Dabei stammt der überwiegende Teil der Aufnahmen aus der Kriegszeit und zeigt die dargestellten Personen in Uniform. Zwei Bilder (Nr.8 und Nr.10) stellen den Angeklagten dar. Das noch während des Krieges entstandene Bild Nr.10 zeigt den Angeklagten von vorne in der Uniform eines SS-Scharführers mit Uniform-Schirmmütze.

[75] Siehe Lfd.Nr.355 und 653.

Das Bild Nr.8, nach Auffassung des Schwurgerichts das fotografisch schlechteste und undeutlichste der ganzen Bildtafel, zeigt den Angeklagten, ebenfalls aus der damaligen Zeit, in Zivilkleidung ohne Kopfbedeckung unscharf im Profil. Die Bilder Nr.2, 6 und 12 stellen den Zeugen Hildebrand, das Bild Nr.9 den Zeugen Mensinger [76] und das Bild Nr.3 den Zeugen Sob. [77] dar. Die ausserdem abgebildeten SS-Leute sind hier unbekannt.

Die Zeugen Rosa Gru., Bluma Wei., Max Ste. und Leon Gru. erklären zwar teilweise und mehr oder weniger sicher, dass die Bilder Nr.8 und Nr.10 auf der Lichtbildtafel den Angeklagten darstellen.

So gibt Rosa Gru. an, die Bilder Nr.8 und Nr.10 könnten "vielleicht" Schö. darstellen. Diese Vermutung ist richtig. Die Zeugin nimmt ferner, jedoch unzutreffend an, das Bild Nr.5 zeige den Zeugen Mensinger. Sonst erkenne sie, die Zeugin Gru., auf der Bildtafel niemanden. Bluma Wei. erklärt zutreffend, das Bild Nr.8 stelle Schö. und das Bild Nr.12 "wohl Hildebrand" dar. Max Ste. gibt an: "Bild 8 ist, glaube ich, Schö. Bild 10, ob das Schö. ist? Bild 6 kann Hildebrand sein". Leon Gru. meint unrichtig, das Bild Nr.5 stelle Schö. dar. Dieser habe ein ähnliches Gesicht gehabt, wie die auf Bild Nr.1 abgebildete Person. Das Bild Nr.2 zeige, wie der Zeuge zutreffend angibt, Hildebrand. Dieses zuletzt erwähnte, erst nach dem Kriege aufgenommene Foto zeigt Hildebrand in Ganzaufnahme in Zivil. Leon Gru. gibt an, er sei bei dem Prozess gegen Hildebrand in Hamburg persönlich anwesend gewesen. Damit steht fest, dass der Zeuge Gru. den Zeugen Hildebrand jedenfalls von Hamburg her noch in Erinnerung hat.

Der Beweiswert dieses gesamten Ergebnisses der Vorhaltungen der Lichtbildtafel ist jedoch gering. Diese war nämlich einer ganzen Reihe von Zeugen schon während des Ermittlungsverfahrens vorgehalten worden. Auch Max Ste. und Leon Gru. bestätigen, dass sie diese Bildtafel schon von früher her kennen. Bluma Wei. erklärt, sie wisse nicht mehr genau, ob ihr diese Lichtbildtafel schon früher einmal gezeigt worden sei. Nach dem Zweifelsgrundsatz muss jedoch davon ausgegangen werden, dass dies der Fall gewesen ist. Rosa Gru. gibt an, dass auch ihr schon bei ihrer polizeilichen Vernehmung in dieser Sache eine Lichtbildtafel gezeigt worden sei, auf welcher auch der Angeklagte abgebildet gewesen sei. Sie, die Zeugin, meine jedoch, dass es sich damals um eine andere Lichtbildtafel gehandelt habe, als um die ihr jetzt vorgelegte. Da die den Zeugen in der Hauptverhandlung vorgelegte Lichtbildtafel die einzige fotografische Unterlage in den ganzen gegenständlichen Akten ist, kann es sich, wie zumindest nach dem Grundsatz "im Zweifel für den Angeklagten" angenommen werden muss, auch bei den der Zeugin Gru. damals vorgelegten Bildern nur um die hier in Rede stehende Lichtbildtafel gehandelt haben. Das Gericht vermag deshalb Zweifel daran nicht zu unterdrücken, dass es sich schon vor dem gegenständlichen Prozess herumgesprochen haben könnte, welche Bilder den Angeklagten und welche den ehemaligen Lagerkommandanten Hildebrand darstellen.

Zu Zweifeln in dieser Richtung gibt auch die Tatsache Anlass, dass kein Zeuge den ehemaligen SS-Mann Mensinger auf der Bildtafel wiedererkennt, obwohl das betreffende Foto sehr deutlich ist und Mensinger sich, wie er selbst glaubhaft bekundet, von April 1944 an bis zur endgültigen Auflösung des ZAL Boryslaw, im Gegensatz zum Angeklagten, ununterbrochen in diesem Lager aufgehalten hat. Die Zweifel des Gerichts gründen sich auch darauf, dass die Zeugen Rosa Gru., Bluma Wei. und Max Ste. vor allem auf dem Bild Nr.8 den Angeklagten erkennen wollen, obwohl diese undeutlichste aller vorhandenen Aufnahmen den Angeklagten ohne Kopfbedeckung und in Zivil zeigt, während die Zeugen übereinstimmend zu

[76] Siehe Lfd.Nr.646.

[77] Siehe Lfd.Nr.671 und 763.

erkennen geben, den Angeklagten nur immer in Uniform und fast nie ohne Uniform-Mütze gesehen zu haben. Dagegen erkennt Bluma Wei. den Angeklagten auf Bild Nr.10 überhaupt nicht und Max Ste. äussert hinsichtlich dieses Fotos starke Zweifel, obwohl diese verhältnismässig scharfe Aufnahme den Angeklagten in Uniform mit Uniform-Mütze und damit so zeigt, wie ihn die Zeugen nach ihren eigenen Angaben fast immer gesehen haben. Es könnte zwar sein, dass das Bild Nr.8 irgendeinen markanten Gesichtszug des Angeklagten zum Ausdruck bringt, der den Zeugen bekannt vorkommt. Diese Überlegung vermag aber die bereits geäusserten Zweifel des Gerichts nicht zu beseitigen.

bb) Die Zeugen beschreiben ferner die Person "Schö." zwar so, dass es auf den Angeklagten passen könnte. Doch sind diese Beschreibungen andererseits nicht solcher Art, dass sie nicht auch auf eine Reihe anderer Personen zutreffen könnten. Ausserdem lässt sich anhand dieser Personenbeschreibungen der Verdacht nicht völlig ausschliessen, dass sich die Zeugen irgendwann vor ihrer richterlichen Vernehmung über die Person des Angeklagten unterhalten haben und jetzt zwischen Tatsachen, die sie bei solchen Gesprächen erfahren und solchen, die sie aus 29jähriger Vergangenheit noch in Erinnerung haben, nicht mehr zu unterscheiden vermögen.

Die Zeugin Rosa Gru. gibt an: "Schö. war ein hübscher, dicklicher Mann, nicht gross, damals vielleicht 32 oder 33 Jahre alt". "Er mag vielleicht 1,70 m oder 2 bis 3 cm grösser gewesen sein". Er habe hellbraune Haare gehabt. "An den Winkeln über der Stirn war von beiden Seiten das Haar ausgegangen. Er hatte überhaupt nicht viele Haare." Bluma Wei. gibt folgende Personenbeschreibung: "Schö. war klein, untersetzt, hatte ein volles Gesicht und einen grossen Kopf". Max Ste. sagt: "Schö. war breitknochig. Seine Backenknochen waren breit. Er war breit gebaut, nicht gross. Ich glaube, er war jünger, als ich". Tatsächlich ist der Zeuge Ste. um 1 Jahr und etwas über 8 Monate älter, als der Angeklagte. Der Zeuge Leon Gru. sagt über Schö.: "Er mag damals ca. 30 Jahre alt gewesen sein. Er war von breitem Körperbau, mit breiten Gesichtsknochen. Er war nicht besonders gross." Leon Gru. schätzt die Grösse Schö.s auf 1,65 m und ergänzt dessen Beschreibung mit der Feststellung: "Er war nicht schlank, sondern stark gebaut".

Der Angeklagte ist zwar zur Zeit der ihm angelasteten Tat 32 Jahre alt gewesen. Er ist ferner, wie er zur Überzeugung des Gerichts angegeben hat, 1,74 m gross. Das Gericht hält es aber für ausgeschlossen, dass zum Beispiel die Zeugin Rosa Gru. nach nunmehr ca. 29 Jahren aus der Erinnerung zutreffend angeben kann, der Angeklagte sei damals "32 oder 33 Jahre alt" gewesen. Ebenso ausgeschlossen erscheint es, dass diese Zeugin mit ihrer Erklärung, der Angeklagte sei "vielleicht 1,70 m oder 2 bis 3 cm grösser" gewesen, nach so langer Zeit die Körpergrösse des Angeklagten bis auf einen Zentimeter genau aus der Erinnerung wiedergeben kann. Anhaltspunkte dafür, weshalb die Zeugin das damalige Alter des Angeklagten nicht etwa mit "ungefähr 30 Jahre", sondern sehr genau "32 oder 33 Jahre" und die Grösse des Angeklagten nicht etwa mit "ungefähr 1,70 m", sondern fast genau mit "vielleicht 1,70 m oder 2 bis 3 cm grösser" angeben kann, sind weder ersichtlich noch von der Zeugin angegeben worden.

Nach dem Grundsatz "im Zweifel für den Angeklagten" muss zunächst davon ausgegangen werden, dass die Zeugin schon im Jahre 1944 weder das genaue Alter noch die genaue Grösse des Angeklagten gekannt hat. Es ist nämlich nicht anzunehmen, dass ein SS-Mann seine Personalien, insbesondere sein Geburtsdatum, den jüdischen Lagerinsassen bekanntgegeben hat. Ferner muss davon ausgegangen werden, dass die Zeugin damals keine ausreichenden Anhaltspunkte für die fast genaue Grösse des Angeklagten gehabt hat, zumal dieser in seiner damaligen Uniform, vor allem durch Stiefel und Uniform-Mütze, erfahrungsgemäss den Eindruck einer grösseren, als der tatsächlichen Körperlänge hinterlassen hat. Die Zeugin Gru. gibt selbst an, dass sie den Angeklagten nie anders als in Uniform, wenn auch ein- oder zweimal ohne Uniform-Mütze, gesehen habe. Dass die Zeugin dennoch so unglaublich genaue Angaben über das damalige Alter und gleichzeitig über die Grösse des Angeklagten machen kann, erweckt den Verdacht, dass sie ihre Kenntnisse, wie nach dem bereits mehrfach erwähnten Zweifelsgrundsatz ferner angenommen werden muss, erst nach dem Kriege erlangt hat. Das erscheint vor allem deshalb keineswegs ausgeschlossen, weil u.a. gegen den Angeklagten in der Zeit ab Herbst 1966 bis zum Frühjahr 1968 schon einmal und zwar vor dem Schwurgericht bei dem Landgericht Stuttgart ein Prozess durchgeführt worden ist [78], bei welchem die Identitätsfrage ebenfalls eine Rolle gespielt hat und an welchem zahlreiche jüdische Zeugen teilgenommen haben. Es entspricht der Lebenserfahrung, dass dieser Prozess und die dabei zutage getretenen Tatsachen zumindest hinterher in Kreisen ehemaliger Lagerinsassen aus Polen, die jetzt in Israel leben, erörtert worden sind.

Zu Zweifeln Anlass bietet auch der folgende Vergleich. Der zur Tatzeit gerade 34 Jahre alt gewesene Zeuge Ste. gibt an: "Schö. war breitknochig. Seine Backenknochen waren breit. Er war breit gebaut, nicht gross. Ich glaube, er war jünger als ich." Der Zeuge Leon Gru. sagt hinsichtlich des Angeklagten übereinstimmend damit: "Er mag damals ca. 30 Jahre alt gewesen sein. Er war von breitem Körperbau, mit breiten Gesichtsknochen. Er war nicht besonders gross." Das klingt teilweise zu schlagwortartig und zu sehr nach vorangegangener gemeinsamer Unterhaltung, als dass das Gericht nicht in diesem Sinne Zweifel bekommen müsste. Dies um so mehr, als es viele andere Unterscheidungsmerkmale gibt, wie etwa die Form der Nase, der Ohren, der Augen, des Mundes und des Kinns, die Farbe der Augen, die Form der Hände, Rangabzeichen an der Uniform, Eigenheiten im Verhalten usw., von welchen die beiden Zeugen Ste. und Leon Gru. übereinstimmend keines erwähnen. Dazu kommt, dass die beiden Lichtbilder Nr.8 und Nr.10 auf der bereits besprochenen Bildtafel beim Angeklagten noch keine auffallenden Backenknochen erkennen lassen. Offenbar erst jetzt sind bei dem 61 Jahre alten, vorgealterten Angeklagten, dessen Gesicht eingefallen wirkt, Backenknochen in etwas stärkerem Masse zu erkennen. Weder aus den beiden Fotografien noch aus dem persönlichen Eindruck, den der Angeklagte in der Hauptverhandlung hinterlassen hat, rechtfertigt sich im übrigen der Hinweis der Zeugin Wei., der Angeklagte habe einen grossen Kopf. Das gleiche gilt für die Bemerkung der Zeugin Rosa Gru., der Angeklagte sei "ein dicklicher Mann" gewesen. Richtig ist dagegen, dass der Angeklagte etwas breitschultrig wirkt und sein Haaransatz auf dem bereits mehrfach erwähnten Bild Nr.8 "Geheimratsecken" aufweist. Diese Kennzeichen treten jedoch bei verhältnismässig vielen Männern auf. So zeigen beispielsweise auch die Bilder von den Zeugen Mensinger und Hildebrand in nicht geringerem Masse "Geheimratsecken", als das Bild Nr.8 vom Angeklagten. Dieser hat nunmehr eine Mittelglatze.

cc) Darüber hinaus machen die Zeugen Angaben über "Schö.", die geradezu gegen die Annahme sprechen, dass es sich dabei um den Angeklagten handele.

So gibt die Zeugin Rosa Gru. an: "Sommer sprach mit uns auch manchmal polnisch, während Schö. nur deutsch sprach." Auch der Zeuge Max Ste. erklärt, nachdem er den Angeklagten und Sommer zusammen erwähnt hat, abschliessend: "Sommer sprach etwas polnisch und konnte sich besser mit uns verständigen, deswegen waren die Beziehungen zu ihm manchmal bessere." Diese Angaben deuten jedoch, wie schon gesagt, stark auf eine andere Person, als den Angeklagten hin. Wie dieser nämlich in nicht zu widerlegender Weise angibt und der Zeuge Hildebrand insoweit glaubhaft bestätigt, sei er, der Angeklagte, im Spätsommer 1943 dem Zeugen Hildebrand als Dolmetscher für die Sprachen Deutsch und Polnisch zugeteilt worden. Zumindest nach dem Grundsatz "im Zweifel für den Angeklagten" muss davon ausgegangen werden, dass dieser innerhalb des deutschen Personals der beiden ZAL Drohobycz und Boryslaw derjenige gewesen ist, der am besten polnisch gesprochen hat.

[78] Siehe Lfd.Nr.671.

Wenn die Zeugen Rosa Gru. und Max Ste. demgegenüber zum Ausdruck bringen, Schö. habe sich im Gegensatz zu Sommer, der ein wenig polnisch gesprochen habe, in dieser Sprache nicht mit ihnen unterhalten können, dann muss zumindest nach dem soeben erwähnten Zweifelsgrundsatz angenommen werden, dass es sich bei dem vermeintlichen "Schö." nicht um den Angeklagten gehandelt hat.

Darauf deuten auch noch weitere Angaben der in Rede stehenden vier Zeugen hin. Rosa Gru. gibt nämlich an: "Schö. hat in einer Villa in Boryslaw ausserhalb des Lagers gewohnt. Hildebrand kam ins Lager nur bei besonderen Gelegenheiten, zu Selektionen, Aktionen, Abtransporten. Vielleicht kam er alle ein bis zwei Wochen ins Lager. Schö. dagegen war die ganze Zeit im Lager." Der Zeuge Max Ste. bekundet: "Von 1942, als ich ins Lager kam, bis zu dem Vorfall mit Egid, war Schö. ständig im Lager. Er wohnte ausserhalb des Lagers. Die SS-Leute hatten eine Wohnung auf der Anhöhe nicht weit vom Lager". Bluma Wei. berichtet: "Von Anfang 1944 an war Schö. ständig im Lager. Ich nehme an, dass er dort gewohnt hat". Auch alle diese Angaben deuten auf eine andere Person, als den Angeklagten hin. Wie dieser unwiderlegt und in Übereinstimmung mit den Zeugen Hildebrand, Mensinger, Chaim Seg. und Mosche Bac. angibt, habe er erst ab Spätsommer 1943 und solange sich Juden in dem ZAL Boryslaw aufgehalten hätten, in Drohobycz gewohnt. Von dort aus sei er stets nur dann und jeweils nur für Stunden nach Boryslaw gekommen, wenn er den Chef der beiden Lager, Hildebrand, dorthin habe begleiten müssen. Das sei wöchentlich allenfalls zwei- bis dreimal der Fall gewesen. Wenn die Zeugen Rosa Gru., Max Ste. und Bluma Wei. demgegenüber zum Ausdruck bringen, Schö. habe sich ständig im ZAL Boryslaw aufgehalten und mit Ausnahme der Zeugin Wei., die dies jedoch vermutet, bekunden, dieser Mann habe in Boryslaw auch gewohnt, dann muss auch im Hinblick darauf zumindest nach dem Grundsatz "im Zweifel für den Angeklagten" angenommen werden, dass es sich bei dem vermeintlichen "Schö." nicht um den Angeklagten gehandelt hat.

dd) Wie schwierig es ist, nach 29 Jahren noch Namen und Personen richtig auseinander zu halten, zeigt im übrigen der bereits erwähnte Bericht innerhalb der Aussage der Zeugin Sala Fis. über deren Gespräch mit einem ehemaligen Schicksalsgefährten aus der damaligen Zeit über die Erschiessung eines Lagerinsassen im ZAL Boryslaw, die in der Nähe der Latrine stattgefunden habe. Sala Fis. bekundet glaubwürdig, sie habe den Schicksalsgefährten, mit dem sie vor längerer Zeit in New York zusammengetroffen sei, gefragt, "ob er den Schö. kenne". Der Schicksalsgefährte habe mit der Gegenfrage geantwortet, "ob das der sei, der ein Glasauge oder eine schwarze Klappe über dem Auge getragen habe". Sie, die Zeugin, habe diese Frage jedoch nicht beantworten können. Der Schicksalsgefährte habe hierauf weiter gesagt, dass er Augenzeuge der soeben erwähnten, durch "Schö." vorgenommenen Erschiessung gewesen sei, "wenn Schö. in der Tat der Mann sei, der im Lager mit einem künstlichen Auge oder einer Augenklappe herumgelaufen sei". Der Täter habe noch angeordnet, dass die Leiche an Ort und Stelle begraben werden solle. Es ist ganz offensichtlich, dass der ehemalige Schicksalsgefährte der Zeugin Fis. in Wirklichkeit nicht Schö., sondern Sommer als den Täter bezeichnet. Soweit die Zeugen zu dessen Person überhaupt Angaben machen können, bekunden sie ausnahmslos, dass der Mann mit dem Glasauge der SS-Mann Sommer gewesen sei, der schon seit Kriegsende verschollen ist.

Da der erstmals gegen Ende der Hauptverhandlung erwähnte, trotz Nachfrage unbekannt gebliebene, ehemalige Schicksalsgefährte der Zeugin Fis. den Angeklagten nicht belastet, aus den glaubhaften Bekundungen dieser Zeugin auch hervorgeht, dass der in dem soeben erwähnten Fall Getötete nach den Angaben ihres Schicksalsgefährten auf keinen Fall Egid gewesen sei und die nähere Tatzeit nicht bekannt ist, hat das Schwurgericht in Übereinstimmung mit allen Prozessbeteiligten davon abgesehen, zum Zwecke einer gerichtlichen Vernehmung Ermittlungen nach diesem, vermutlich irgendwo in den USA lebenden, ehemaligen Schicksalsgefährten der Zeugin Sala Fis. anstellen zu lassen.

c) Das Schwurgericht bezweifelt darüber hinaus die objektive Richtigkeit der Aussage der Zeugin Rosa Gru. überhaupt.

Hierzu erscheint es notwendig, zunächst grössere Teile der Aussage dieser Zeugin zusammenhängend wiederzugeben. Die Zeugin gibt u.a. an, in der Nacht vor dem Morgen des zweiten Abtransports aus dem ZAL Boryslaw sei an alle Lagerinsassen der Befehl ergangen, sich "um 12 Uhr bei nacht" auf dem Lagerhof einzufinden. Um diesem Appell und, wie sie richtig vermutet habe, auch dem Abtransport zu entgehen, habe sie sich in die Latrine und zwar in die Abteilung für Frauen begeben. Wörtlich fährt die Zeugin fort:

> "Dort war ein Sitzbrett für etwa 10 Frauen. Ich sprang über das Brett in die Grube. Dort war eine tiefe Grube, die mit Kot und Jauche gefüllt war. Ich kroch unter den Fussboden aus Brettern, welcher für die dort Sitzenden war. Dort war die Grube nur ungefähr 1½ m tief und ich suchte mir einen Platz, wo ich mich in dem Kot sitzend halten konnte. Ich hörte dann, wie der alte Lagerchef in die Latrine kam, mit einem Stock an die Bretter klopfte und ungefähr rief: Alle Juden heraus aus dem Scheisshaus! Er hatte mich nicht gesehen, aber mich packte Angst und ich ergriff unter dem alten Gerümpel, das ich dort sah, einen alten Eimer, den ich mir über den Kopf stülpte. In dieser Situation blieb ich dort stundenlang, während etwa 5 bis 6 Stunden. Es war kalt und meine Zähne klapperten so stark, dass ich fürchtete, man würde mich hören und ich hielt mir mit einer Hand gewaltsam den Mund zu. Mir setzten auch die Ratten zu, welche dort waren, aber es gelang mir, sie mit Hilfe eines Stückes Holz von mir wegzujagen. Ungefähr zwischen 2 und 3 Uhr nachts begann man die Juden gruppenweise wegzuführen. Das dauerte bis etwa 4 Uhr morgens. Als der letzte Abtransport wegging, machte ich mir den Kopf etwas freier."
>
> "Gegen 5 bis 6 Uhr, als es schon heller wurde, wurde es still. Ich wollte die Zeit, wenn alle zum Morgenfrühstück gingen, benutzen, um aus meinem Versteck zu kommen und in mein Zimmer zu gehen. Inzwischen begannen einige Gestapoleute im Lager nach versteckten Juden zu suchen. Ich hörte die Schreie, dass sie riefen "alle heraus" oder ähnliche Worte. Ich konnte aus meinem Versteck durch den Zwischenraum zwischen dem untersten Brett und dem Erdboden nach aussen hindurchsehen, in der Richtung zum Appellplatz. Dann sah ich, dass jemand in einer Entfernung von vielleicht 5 bis 6 m von meinem Versteck aussen auf die Erde gelegt wurde. Ich war selbst in grosser Angst ...".
>
> "Darum konnte ich, was geschah, nicht genau beobachten. Auch wenn ich Füsse sah, konnte ich nicht genau beobachten, wieviel Leute es waren, welche den Mann dort auf den Boden legten. Ich erkannte nach den Stimmen unter denjenigen, welche dabei waren, als der Mann gebracht und auf die Erde gelegt wurde, Sommer und Schö. Ich erkannte sie auch nach ihrer Statur, weil sie beide dicklich waren, aber Schö. war noch dicker als Sommer. Ihre Gesichter konnte ich nicht sehen. Ich hörte, dass Schö. zu Sommer sagte: "Erschiessen". Ich erkannte Schö. an der Stimme. Die Stimme von Sommer kannte ich besonders gut. Ausser den beiden, Sommer und Schö., war niemand zugegen. Sommer sprach mit uns auch manchmal polnisch, während Schö. nur deutsch sprach. Schö. hatte eine tiefere, dunklere Stimme. Darum wusste ich damals zu unterscheiden, dass es Schö. war, welcher sagte: "Erschiessen". Ich hörte die Antwort von Sommer: "Einen kranken Juden erschiesse ich nicht." Dann sah ich, wie der zweite zu dem auf der Erde liegenden Juden ging und ich hörte einen Schuss. Ich war dann so betroffen, dass ich nicht sagen kann, ob es nur ein Schuss war, oder mehrere. Nicht nur aus den Umständen musste ich anneh-

men, dass es Schö. war, welcher auf den auf der Erde liegenden Juden schoss, sondern ich sah auch sein Gesicht von der Seite, als er sich niederbeugte, um zu schiessen. Ich sah seine rote Backe. Ich sah Schö. dabei nur im Profil. Sommer wandte sich inzwischen einige Schritte ab. Die Leiche des Juden wurde dann von den jüdischen Hilfsordnern Ste. und Klinghofer weggetragen. Sie wurden gleich nach dem Erschiessen dorthin gerufen."

"Als es nachher still wurde, nachdem alle Gestapoleute zum Frühstück nach ausserhalb des Lagers gegangen waren, kroch ich aus dem Loch heraus. Ein jüdischer Schuster, welcher für die Gestapo arbeitete, von dem Abtransport verschont worden war und in der Nähe wohnte, brachte mir Wasser zum reinigen. Ste. brachte mir auch notdürftige Kleider, so dass ich in mein Zimmer gehen konnte."

Auf Fragen hat die Zeugin ferner erklärt:

"Als ich durch die Ritzen der Latrinenwand blickte, stand ich. Das Wasser dort war so tief, dass ich nicht sitzen konnte. Meine Grösse ist 1,58 bis 1,60 m. Das Wasser stand mir fast bis an die Schulter".

"Mir wird jetzt vorgehalten, dass ich heute gesagt habe, dass ich bei der Erschiessung des Egid den Schö. im Profil gesehen hätte, während ich auf Seite 2 des Protokolls meiner polizeilichen Vernehmung vom 22.9.1971 gesagt habe, dass ich ihn nie im Profil gesehen hätte. Als ich ihn bei der Erschiessung des Egid sah, sah ich ihn nur so kurz und sonst habe ich ihn immer von vorne gesehen. Darum, als ich nach den Bildern gefragt wurde, sagte ich, dass ich ihn so im Profil wie auf den Bildern nie gesehen hätte".

"Von meinem Versteck in der Latrine hörte ich, wie Ste. und Klinghofer bei ihren Namen gerufen wurden. Ich habe sie beide auch nachher gesprochen, nachdem ich aus dem Versteck herausgekommen und wieder in meinem Zimmer war. Dann habe ich von beiden gehört, was passiert ist. Ich konnte beide aber nicht erkennen, als ich noch in meinem Versteck war, weil ich von dort nicht so deutlich sehen konnte".

"Nachdem mir vorgehalten wird, dass ich laut dem Protokoll meiner polizeilichen Vernehmung vom 20.6.1965 die Erschiessung des Grünschlag selbst gesehen hätte, muss ich erklären, dass das nicht richtig ist. Von der Erschiessung des Grünschlag hörte ich, nachdem ich aus dem Bunker gekommen war. Das Protokoll vom 20.6.1965 muss in dieser Beziehung auf einem Missverständnis beruhen."

"Dass ich heute die Situation so geschildert habe, dass bei der Erschiessung nur Sommer und Schö. zugegen waren, während ich bei meiner Aussage vom 22.9.1971 Seite 3 die Situation so geschildert habe, dass 4 oder 5 Angehörige der deutschen Lagerbewachung, darunter Sommer und Schö. um Egid herumstanden, erkläre ich, dass zu jener Zeit alle übrigen der Leute, welche bei der Aktion beteiligt waren, nicht im Lager waren und es waren im Lager nur noch Sommer, Schö., Kefir, Mensinger [79] und der alte Chef zurückgeblieben. Das sind die 5, welche ich gemeint habe. Bei Egid waren aber nur Sommer und

[79] Siehe Lfd.Nr.646.

> Schö. Wenn das bei meiner Vernehmung vom 22.9.1971 anders aufgeschrieben worden ist, dann war das ein Missverständnis infolge der Sprache".
>
> "Ich sagte vorher, dass Sommer, Schö., Kefir, Mensinger und der alte Chef im Lager geblieben wären, als alle übrigen schon weg waren. Das sagte ich, weil ich ihre Stimmen gehört habe, als sie herumgingen und riefen. An demselben Tage habe ich nach der Tötung des Egid Schö. nicht mehr gesehen. Ich habe am selben Tage noch gesehen den alten Chef und auch Kefir. Vielleicht auch Sommer. Kefir kannte ich sehr wenig."
>
> "Als ich unter dem Fussboden in der Latrinengrube sass oder stand, konnte ich nur durch den Zwischenraum zwischen dem Erdboden und der Aussenverschalung der Baracke nach aussen blicken. Dieser Zwischenraum mag ungefähr so breit gewesen sein, wie ich es jetzt zeige (die Zeugin zeigt auf einen Zwischenraum von 5 bis 7 cm). Wenn ich von dort heraussah, konnte ich die Personen, welche ich sah, ungefähr bis zum halben Körper sehen. Ich konnte die Fläche des Hofes sehen ...".
>
> "Mir wurde jetzt vorgehalten, dass ich bei meiner polizeilichen Vernehmung vom 22.9.1971, Blatt 3, gesagt habe: "Ich hörte, wie irgend jemand, wer weiss ich nicht, zu Sommer sagte, er solle Egid erschiessen". Heute habe ich es dagegen so geschildert, dass es Schö. war, der zu Sommer sagte, er solle Egid erschiessen. Heute habe ich den Vorfall richtig geschildert. Wenn es bei meiner polizeilichen Aussage anders aufgeschrieben ist, so kann ich es mir nur durch ein Missverständnis infolge der Übersetzung aus dem Polnischen ins Deutsche und umgekehrt, erklären."

Schliesslich gibt die Zeugin noch an, es sei bereits ganz hell gewesen, als sie von der Grube aus gesehen habe, dass Schö. den Egid erschossen habe. Ausserdem sagt die Zeugin auf Frage noch wörtlich:

> "Ich habe Angst gehabt, genau hinzugucken und daher kann ich nicht sagen, in welcher Weise Egid von den Männern herangetragen und auf den Boden gelegt wurde."

Das Gericht hält die Angaben der Zeugin Gru. für unwahrscheinlich. Nach dem Grundsatz "im Zweifel für den Angeklagten" geht es davon aus, dass es sich bei dieser Aussage um die Wiedergabe eines Erinnerungsbildes handelt, das aus Selbsterlebtem, später nur Gehörtem und aus jahrzehntelanger innerer Befassung mit vielen schrecklichen eigenen und fremden Erlebnissen aus der damaligen Zeit allmählich entstanden ist und das mit dem wirklichen damaligen Geschehen in wesentlichen Teilen nicht mehr übereinstimmt, wobei es weder der Zeugin noch dem Gericht möglich ist, dieses falsche Erinnerungsbild auf das damals wirklich Geschehene zurückzuführen.

aa) So bestehen erhebliche Zweifel daran, dass die Zeugin vorwiegend nachts stundenlang fast bis zu den Schultern in menschlichen Exkrementen gestanden habe und dann noch in der Lage gewesen sei, ohne fremde Hilfe aus der Latrinengrube zu klettern.

Es ist allgemein bekannt, dass sich in gefüllten Latrinengruben Gase bilden, die nicht selten den minutenschnellen Tod herbeiführen können, wie viele ländliche Unglücksfälle beweisen, in welchen Menschen in solche Gruben gefallen sind. Da die Zeugin während der überwiegenden Zeit des von ihr angegebenen Aufenthalts in der Latrinengrube noch dazu einen Eimer über den Kopf gestülpt gehabt haben will, wäre sie der Wirkung dieser Gase in ganz besonderem Masse ausgesetzt gewesen. Auf Grund der Lebenserfahrung muss davon ausgegangen werden, dass die Zeugin unter diesen Umständen nach Ablauf von 5 bis 6 Stunden zumindest so benommen und geschwächt gewesen ist, dass es ihr nicht mehr gelungen wäre, wie sie heute angibt, mit kältestarren, schmierig-glatten Händen und Gliedern aus der, wie sie weiter bekundet, ca. 1,50 m tiefen und wie angenommen werden muss, steilwandigen, überdeckten Grube und damit aus dem zähflüssigen Kot, der mit bekannt schwerem Gewicht auch an ihr und ihrer Kleidung gehaftet hätte, ohne fremde Hilfe herauszusteigen. Die Zeugin schildert jedoch objektiv unglaubhaft selbstverständlich, sie sei, nachdem wieder Ruhe im Lager eingekehrt gewesen sei, allein "aus dem Loch" herausgekrochen.

bb) Es bestehen ferner erhebliche Zweifel daran, ob die Zeugin in der von ihr geschilderten Lage überhaupt irgend etwas auf dem Lagerhof hätte beobachten können.

Dieser Vorstellung der Zeugin steht nämlich die Aussage des Zeugen Schimon Ra. entgegen. Dieser gibt durchaus glaubhaft an, bis zuletzt die meiste Zeit als Lagerhandwerker im ZAL Boryslaw gearbeitet und auch die Latrine gut gekannt zu haben. So weiss er noch, dass aus der Latrinengrube ein Kanal von 6-zolligen Rohren geführt und für einen weitgehenden Abfluss des Urins gesorgt habe, während der Kot in der Grube zurückgeblieben und von Zeit zu Zeit abgefahren worden sei. Wie Schimon Ra. weiter bekundet, sei die Latrinengrube durchwegs so tief gewesen, dass es niemandem, der sich in dieser Grube befunden hätte, möglich gewesen wäre, in horizontaler Blickrichtung über deren Rand hinauszusehen. Dieser hätte sich in jedem Falle über Kopfhöhe befunden. Die ohnehin nur 1,58 bis 1,60 m grosse Zeugin Gru. hätte folglich durch den, wie sie angibt, zwischen dem oberen Grubenrand und dem untersten Schalbrett der Latrine befindlichen, 5 bis 7 cm breiten Schlitz, wie nach dem Zweifelsgrundsatz angenommen werden muss, nur in steilem Winkel nach oben hinaussehen und deshalb niemals die Beobachtungen machen können, die sie bekundet und die einen damals horizontalen Durchblick vorausgesetzt hätten.

cc) Ferner bestehen, ganz unabhängig von den bisherigen Überlegungen, erhebliche Zweifel daran, ob die Zeugin gegen Ende des von ihr bekundeten 5 bis 6 Stunden dauernden Aufenthalts in der Latrinengrube überhaupt noch imstande gewesen ist, auch nur halbwegs zuverlässige Feststellungen über sie nicht ganz unmittelbar angehende Vorgänge auf dem Lagerhof zu treffen. Dazu ist die Zeugin, wie das Gericht nach dem erwähnten Zweifelsgrundsatz annimmt, infolge der erlittenen Strapazen nicht mehr imstande gewesen.

Über die bereits erwähnte, langdauernde Gas-, Feuchtigkeits- und Kälteeinwirkung hinaus muss nämlich berücksichtigt werden, dass die Zeugin nach mehrjährigem Lageraufenthalt unterernährt und dementsprechend schwach gewesen ist. Ausserdem sind auch ihre Arme und Hände voller Kot gewesen, nachdem sie, wie sie es selbst schildert, an einer tiefen Stelle in die Grube gesprungen war und dann, im fast schulterhohen Kot stehend, nicht stundenlang die Arme und Hände hat nach oben halten können. Da die Zeugin ferner angibt, sich mit der Hand den Mund zugehalten zu haben, hat sie sich spätestens damit auch das Gesicht mit menschlichen Exkrementen beschmutzt. Sie ist dadurch und durch die Ratten, die ihr nach ihren eigenen Bekundungen zugesetzt haben, auch einer mehrere Stunden dauernden, besonders ekelerregenden Situation ausgesetzt gewesen. Schliesslich hat die Zeugin ferner, wie sie erkennen lässt, unter Todesangst gelitten. Sie hat damit rechnen müssen, bei einer Entdekkung durch die SS-Leute sofort erschossen zu werden.

Angesichts dieser ganzen Situation, die an die Grenze dessen heranreicht, was ein Mensch auszuhalten imstande ist, kann es das Gericht der Zeugin zumindest unter Anwendung des Zweifelsgrundsatzes nicht abnehmen, dass sie nach 5 bis 6 Stunden dauerndem Aufenthalt in der Latrinengrube einen von insgesamt zwei Uniformierten, die von ihr bis dahin nur von den Füssen bis jeweils zur Körpermitte gesehen worden seien, an der Stimme als den Angeklagten erkannt habe. Dies um so weniger, als ihr, der Zeugin, mit Ausnahme der Stimme des SS-Mannes Sommer, die Stimmen anderer SS-Leute nicht besonders gut bekannt gewesen sind. Die Zeugin gibt nämlich an: "Die Stimme von Sommer kannte ich besonders gut". Die Zeugin bekundet ferner, dass sich zu der hier in Rede stehenden Zeit insgesamt zumindest 5 SS-Leute im Lager aufgehalten hätten. Gegen ein Erkennen der Stimme, als der des Angeklagten, spricht ferner der von der Zeugin selbst gegebene Hinweis, dass das Erkennen dieser Stimme lediglich auf dem Aussprechen des Wortes "erschiessen" beruht habe.

Das Schwurgericht kann es ferner angesichts der damaligen Situation zumindest nicht als ausreichend gesichert betrachten, dass die Zeugin den in Rede stehenden Uniformierten nach dem Umfang seines von ihr bis dahin allein gesehenen Unterkörpers als den Angeklagten erkannt habe. Die Zeugin gibt an, beide, nämlich Sommer und der Angeklagte, seien "dicklich" gewesen, der Angeklagte aber noch dicker als Sommer. Zum einen kann nach dem Ergebnis der Beweisaufnahme nicht davon ausgegangen werden, dass der Angeklagte dick gewesen sei. Eine solche Beschreibung vom Angeklagten gibt sonst niemand. Die Aussagen der Zeugen Ste. und Leon Gru. ergeben allenfalls, dass der Angeklagte stämmig gewesen sei. Auch lässt sich dieser unwiderlegt ein, er habe, wie auch noch heute, einen ganz normalen Leibesumfang gehabt und sei keineswegs dick oder dicklich gewesen. Zum anderen würde die Schilderung der Zeugin Gru. eine von ihr damals getroffene, zumal bei der von ihr beschriebenen Tatsituation nicht ganz einfach gewesene Unterscheidung zwischen "dicklich" und "noch dicker" voraussetzen, zu welcher die Zeugin jedoch, wie das Gericht nach dem bekannten Zweifelsgrundsatz annimmt, damals nicht mehr fähig gewesen wäre.

Schliesslich hat das Schwurgericht auch erhebliche Zweifel, ob die Zeugin in ihrer damaligen Situation in der Lage gewesen ist, zu erkennen, dass der Mann, der sich damals, wie die Zeugin angibt, vom Profil her zu sehen, kurz heruntergebeugt habe, um, wie sie weiter bekundet, Egid zu erschiessen, der Angeklagte gewesen sei. Diese Zweifel bestehen um so mehr, als die Zeugin schon im Zusammenhang mit ihrer Schilderung von dem verhältnismässig belanglosen Hinlegen des Egid vor die Latrine erklärt hat, sie sei in grosser Angst gewesen und habe deshalb, was geschehen sei, nicht genau beobachten können. Auf nochmalige Frage hat die Zeugin wörtlich erklärt: "Ich habe Angst gehabt, genau hinzugucken und daher kann ich nicht sagen, in welcher Weise Egid von den Männern herangetragen und auf den Boden gelegt wurde." Nach dem Grundsatz "im Zweifel für den Angeklagten" muss davon ausgegangen werden, dass die Zeugin erst recht in dem Augenblick, als es, wie sie nach ihren eigenen Angaben erkannt habe, an die Erschiessung des, wie sie meint, Egid, gegangen sei, ebenfalls aus Angst, zumindest ebenso ungenau hingesehen hat und deshalb tatsächlich nicht in der Lage ist, zu sagen, der Todesschütze sei der Angeklagte gewesen.

Dies gilt um so mehr, als die Zeugin, die, wie schon gesagt, erklärt, sie habe den Angeklagten, als er sich heruntergebeugt habe, um Egid zu erschiessen, im Profil gesehen, in der gleichen Aussage auf Vorhalt bestätigen muss, dass sie anlässlich ihrer polizeilichen Vernehmung vom 22.9.1971 bekundet hat, den Angeklagten nie im Profil gesehen zu haben. Die erläuternde Erklärung der Zeugin, sie habe den Angeklagten bei der Erschiessung des Egid nur ganz kurz im Profil gesehen und deshalb am 22.9.1971 angegeben, ihn nie im Profil gesehen zu haben, vermag den bestehenden Widerspruch um so weniger auszuräumen, als der Zeugin, wie sie andererseits zu erkennen gibt, gerade der kurze Moment, in dem sie den Angeklagten im Profil gesehen haben will, ganz besonders in Erinnerung geblieben sei.

dd) Schliesslich ergeben sich Zweifel an der Richtigkeit der Aussage der Zeugin Rosa Gru. auch aus weiteren Angaben, welchen das Gericht nicht folgen kann.

Die Zeugin gibt an, sie habe aus ihrem Versteck in der Latrinengrube die beiden Hilfsordner Ste. und Klinghofer nicht erkennen können. Sie habe aber gehört, dass diese bei ihren Namen gerufen worden seien. Deshalb habe sie gewusst, wer die Leiche Egids weggetragen habe. Der Zeuge Ste. gibt demgegenüber an: "Als wir gerufen wurden, um die Leiche zu beerdigen, wurden wir nicht bei unseren Namen gerufen." Nach dem Grundsatz "im Zweifel für den Angeklagten" muss davon ausgegangen werden, dass die Aussage der Zeugin Gru. auch insoweit nicht den Tatsachen entspricht.

Diese Zeugin bekundet ferner, nach der Aktion und während sie, die Zeugin, sich noch in ihrem Versteck befunden habe, hätten sich im Lager nur noch die SS-Leute "Sommer, Schö., Kefir, Mensinger und der alte Chef" aufgehalten. Auf weitere Frage hat die Zeugin angegeben, sie wisse das deshalb, weil sie deren Stimmen gehört habe, als diese SS-Männer herumgegangen seien und gerufen hätten. Da die Zeugin nach ihren eigenen Angaben, wie schon erwähnt, mit Ausnahme der Stimme des SS-Mannes Sommer, die Stimmen anderer SS-Leute nicht besonders gut gekannt hat, kann das Schwurgericht erhebliche Zweifel daran nicht unterdrücken, dass die Zeugin, zumal in ihrer damaligen verzweifelten Lage, u.a. die Stimmen von Kefir, Mensinger und des "alten Chefs" erkannt haben will. Dies gilt in ganz besonderem Masse für den SS-Mann Kefir, hinsichtlich dessen die Zeugin zusätzlich erklärt, sie habe ihn nur sehr wenig gekannt.

d) Das Gericht bezweifelt insgesamt auch die objektive Richtigkeit der Aussage der Zeugin Bluma Wei.

Weil nach dem Grundsatz "im Zweifel für den Angeklagten" davon ausgegangen werden muss, dass wesentliche Teile dieser Aussage objektiv falsch sind, kann das Gericht insbesondere auch insoweit Zweifel an der Richtigkeit dieser Aussage nicht unterdrücken, als die Zeugin Wei. angibt, der Angeklagte habe Egid getötet.

aa) Das Schwurgericht hat schon im Falle Lipa Grünschlag Zweifel an der Richtigkeit der Aussage von Bluma Wei. nicht unterdrücken können.

Dazu kommt, dass diese Zeugin im gegenständlichen Falle bekundet, mit Sicherheit den ihr bekannt gewesenen Juden Egid als denjenigen Lagerinsassen erkannt zu haben, der wenige Stunden nach der zweiten Räumung des ZAL Boryslaw herangetragen, nahe der Latrine im Lagerhof auf den Boden gelegt und hierauf vom Angeklagten erschossen worden sei, obwohl das Gericht, wie bereits eingehend dargelegt, zumindest nach dem Grundsatz "im Zweifel für den Angeklagten" davon ausgehen muss, dass es sich in dem von der Zeugin geschilderten Fall nicht um den von ihr gemeinten Egid gehandelt hat.

bb) Auch hinsichtlich der Bekundungen der Zeugin Bluma Wei. kann daher nach dem Grundsatz "im Zweifel für den Angeklagten" nicht ausgeschlossen werden, dass deren Aussage zumindest teilweise auf Gesprächen beruht, die die Zeugin erst nach der Befreiung mit ehemaligen Mitinsassen des ZAL Boryslaw, insbesondere mit der Zeugin Rosa Gru., geführt hat, wobei Bluma Wei. jetzt nicht mehr zwischen Selbsterlebtem und später nur Gehörtem zu unterscheiden vermag. Sie bestätigt, dass sich die ehemaligen Mitinsassen des genannten Lagers ab und zu versammeln und dass sie, die Zeugin, insbesondere mit Rosa Gru. bekannt sei. Mit dieser komme sie, Bluma Wei., über die gelegentlichen Treffen der ehemaligen Lagerinsassen hinaus, ab und zu in ihrem gemeinsamen Wohnort Herzlija zusammen. Dabei spreche man auch gelegentlich über die damaligen Vorgänge im Lager.

cc) Zumindest nach dem Grundsatz "im Zweifel für den Angeklagten" muss auch davon ausgegangen werden, dass die Zeugin Wei. über den gegenständlichen Vorfall jetzt genauere Angaben macht, als sie dazu während des Ermittlungsverfahrens imstande gewesen ist, wodurch ihre Glaubwürdigkeit zusätzlich stark erschüttert wird.

Schon der Zeugin Rosa Gru. hat vorgehalten werden müssen, sie habe bei ihrer polizeilichen Vernehmung am 22.9.1971 u.a. angegeben, "ich hörte, wie irgend jemand, wer weiss ich nicht, zu Sommer sagte, er solle Egid erschiessen", während sie in ihrer richterlichen Aussage bekundet: "Ich hörte, dass Schö. zu Sommer sagte: Erschiessen".

Der Zeugin Bluma Wei. hat vorgehalten werden müssen, sie habe bei ihrer polizeilichen Vernehmung am 24.9.1971 u.a. angegeben, "ich hörte, wie irgend jemand, wer weiss ich nicht, zu Sommer sinngemäss sagte, er möge den Mann erschiessen", während auch sie vor dem erkennenden Gericht hinsichtlich des Juden Egid bekundet: "Schö. sagte zu Sommer, dass er ihn erschiessen soll".

Die Zeugin Wei. bestätigt, dass ihre polizeiliche Aussage vom 24.9.1971 richtig aufgenommen worden sei und meint, dass sie, die Zeugin, sich jetzt eben genauer erinnere, als damals. Das vermag ihr das Schwurgericht jedoch nicht abzunehmen. Das Gericht ist vielmehr überzeugt, dass sich Bluma Wei. jetzt nicht besser an die Vorgänge im Jahre 1944 erinnern kann, als im Jahre 1971 und dass die jetzige, "genauere" Tatsachenkenntnis auf nachträglich Gehörtem beruht, ohne dass der einfachen Zeugin daraus ein Vorwurf gemacht werden kann.

Bluma Wei. hat ferner vorgehalten werden müssen, sie habe bei ihrer polizeilichen Vernehmung vom 24.9.1971 u.a. erklärt:

> "Sommer antwortete, er erschiesse keine kranken Juden. Daraufhin nahm der neben ihm stehende Schö. eine Pistole und schoss auf Egid. Ich glaube mich zu erinnern, dass er ihm in den Kopf schoss. Ich weiss sicher, dass Hildebrand [80] nicht am Tatort war, möglicherweise war Mensinger [81] anwesend. Die Leiche wurde von jüdischen Hilfsordnern weggeschafft. Vielleicht war der in Israel lebende Ste. dabei."

Vor dem erkennenden Gericht hat die Zeugin bekundet:

> "Ste., Sommer und Schö. habe ich bei Egid gesehen." "Als der Schuss gefallen ist, bin ich wieder in mein Versteck zurückgegangen". "Ich habe nicht gesehen, wer die Leiche von Egid weggetragen hat."

Die Zeugin bestätigt auch insoweit, dass ihre Aussage vor der Polizei richtig aufgenommen worden sei, meint aber auch hier, sich jetzt eben besser zu erinnern, als 1971. Es ist jedoch kein Grund ersichtlich und trotz Frage von der Zeugin auch nicht angegeben worden, weshalb diese im Gegensatz zu ihrer polizeilichen Aussage nunmehr besser wissen sollte, dass Mensinger nicht dabeigewesen sei, Ste. sich jedoch sicher am Tatort aufgehalten habe und sie, die Zeugin, gleich nach dem Schuss in ihr Versteck zurückgegangen sei, weshalb sie, ebenfalls in Widerspruch zu ihren polizeilichen Angaben, nicht wissen könne, wer die Leiche Egids weggetragen habe.

Schon auf Grund dieser Widersprüche allein könnte die Aussage der Zeugin Wei. einer Verurteilung des Angeklagten nicht zugrunde gelegt werden.

e) Das Schwurgericht bezweifelt ferner insgesamt die objektive Richtigkeit der Aussage des Zeugen Max Ste.

aa) Wie schon gesagt, hat das Gericht Zweifel daran nicht unterdrücken können, dass der Zeuge, soweit er von "Schö." spricht, in Wirklichkeit nicht den Angeklagten meint. Max Ste. bekundet nämlich, "Schö." habe sich seit 1942 ständig im ZAL Boryslaw aufgehalten, habe dort auch in einem Hause ausserhalb des Lagers gewohnt und man habe sich mit ihm nicht auf polnisch unterhalten können. Zumindest nach dem Grundsatz "im Zweifel für den Angeklagten" muss jedoch, wie schon dargelegt, der gegenständlichen Entscheidung zugrunde gelegt werden, dass der Angeklagte erstmals im Spätsommer 1943 in den Bereich der beiden ZAL Drohobycz und Boryslaw gekommen ist, bis auf die letzten wenigen Tage vor

[80] Siehe Lfd.Nr.355 und 653.

[81] Siehe Lfd.Nr.646.

dem Einrücken der sowjetischen Truppen ständig in Drohobycz gewohnt hat, nur immer stundenweise mit seinem Vorgesetzten Hildebrand im ZAL Boryslaw gewesen ist und von allen deutschen SS-Leuten im Bereich der beiden genannten Lager am besten polnisch gesprochen hat, so dass die Angaben des Zeugen Ste. nicht auf den Angeklagten passen. Auch darüber hinaus ergeben sich Zweifel an der Erinnerungsfähigkeit des Zeugen Ste.

So ist es ihm, wie er selbst angibt, nicht mehr möglich, sich mit Ausnahme einiger Gebäude, der Werkstätte, des Waschraums und einer Wasserpumpe an nähere Einzelheiten des ZAL Boryslaw zu erinnern, obwohl er sich schon von Anfang an, bis zur endgültigen Auflösung dieses Lagers dort aufgehalten gehabt hat. So kann er nicht mehr sagen, wo die Essensmarkenausgabe gewesen ist, wo sich das Ambulatorium befunden hat, wie das Lager beleuchtet gewesen ist und dass es dort, wie es von den anderen Zeugen übereinstimmend bekundet wird, eine den Lagerhof überspannende, also sehr auffallende Fussgängerbrücke gegeben hat.

Auch von der, teilweise in Drohobycz stationiert gewesenen deutschen Lagerbesatzung kennt der Zeuge von sich aus nur die Namen Schö., Sommer und Mensinger. Der Name Hildebrand fällt ihm, dem im Jahre 1910 geborenen Zeugen, erst wieder ein, nachdem man ihm diesen vorhält. Insoweit gibt er dann an, Hildebrand sei ein hübscher Mann und älter gewesen, als er, "nicht gerade von kleiner Gestalt, von kräftigem Bau". Der im Jahre 1902 geborene Zeuge Hildebrand [82] ist, wie er zur Überzeugung des Gerichts angegeben hat, 1,84 m gross; er ist aber nicht breitschultrig. Auch an den Namen Sob. [83] erinnert sich der Zeuge nur auf Vorhalt und weiss über diese Person nichts Näheres zu sagen, als dass dies ein "SS--Mann" gewesen sei. Bei Sommer erinnert sich der Zeuge Ste. daran, dass dieser ein Glasauge gehabt, etwas polnisch gesprochen und aus Schlesien gestammt habe. Das Gericht hat mangels entsprechender Angaben der anderen Zeugen keine Möglichkeit gehabt, festzustellen, ob die beiden letzten Angaben den Tatsachen entsprechen. Im übrigen sagt Ste. weiter: "Die Statur des Sommer kann ich nicht beschreiben, auch nicht seine Haarfarbe angeben." Dabei handelt es sich gerade bei Sommer, wie sich aus den übrigen Zeugenaussagen ergibt, um den SS-Mann, der am längsten und bis zuletzt im ZAL Boryslaw stationiert gewesen ist. Hinsichtlich des SS-Mannes Mensinger [84], der zunächst in Drohobycz und seit der Zeit nach dem ersten Abtransport im April 1944 bis zur endgültigen Lagerauflösung im ZAL Boryslaw stationiert gewesen ist, weiss der Zeuge nur, dass dieser jung und nicht dick gewesen sei. Im übrigen gibt der Zeuge hierzu an: "Es ist mir schwer, eine nähere Beschreibung von ihm zu geben". Die Namen Minkus, Kefir und Lingenfeld, bzw. des letzteren Spitznamen "Alter Franzose" und "Alter Chef", die die meisten anderen Zeugen als weitere SS--Leute genannt haben, welche zeitweise im ZAL Boryslaw aufgetreten sind, erwecken in dem Zeugen Ste. trotz entsprechender Vorhaltungen überhaupt keine Erinnerungen.

Das ist sicher und verständlicherweise auf den langen Zeitablauf von seither ca. 29 Jahren zurückzuführen. Um so mehr setzt es jedoch in Erstaunen, dass der Zeuge gerade an den in Rede stehenden Vorfall eine bis ins einzelne gehende Erinnerung hat. So, dass sich der Vorfall anfangs Sommer 1944, einige Stunden nach dem zweiten Abtransport aus dem Lager, an einer vom Zeugen auf dem Lagerplan ziemlich genau bezeichneten Stelle, nahe der Latrine und nahe der Werkstätte abgespielt habe, dass zwei ihm, dem Zeugen, unbekannt gewesene Juden einen Mann aus "dem Wohnhaus der Juden" herausgetragen und an der besagten Stelle niedergelegt hätten, dass zusammen mit den beiden erwähnten Juden auch Sommer und Schö. gekommen seien, dass sich die beiden Juden sodann in der Richtung zum Wohnblock entfernt hätten, dass Sommer und Schö. zu dem auf der Erde liegenden Mann hingegangen seien und

[82] Siehe Lfd.Nr.355 und 653.

[83] Siehe Lfd.Nr.671 und 763.

[84] Siehe Lfd.Nr.646.

dort etwas miteinander gesprochen hätten, was er, der Zeuge, nicht habe hören können, dass Schö. sodann seine Pistole aus der Gürteltasche gezogen, sich über den auf der Erde Liegenden gebeugt und auf ihn geschossen habe, dass er, der Zeuge, mit Klinghofer gerade den Hof gekehrt und dabei ca. 20 bis 25 m vom Tatort entfernt gewesen sei, dass der Getötete auf einer Decke gelegen habe, dass er, der Zeuge, und Klinghofer den Toten dann zusammen mit der Decke, zwischen Latrine und Weissem Haus begraben hätten, dass sie gleich nach dieser Beerdigung eine Frau aus der Latrine hätten herauskommen sehen, die voller Kot gewesen sei, dass sie dieser Frau Wasser zum reinigen gebracht hätten und dass er, der Zeuge, gleich darauf erfahren habe, dass es sich bei dem Getöteten um einen lungenkranken Juden namens Egid gehandelt habe.

Wenn es auch sein kann, dass sich der Zeuge an einen derartigen Vorfall deshalb besonders gut erinnert, weil es sich dabei um ein für ihn besonders bedrückendes Erlebnis gehandelt hat, kann sich das Schwurgericht dennoch nicht von dem Zweifel freimachen, dass der Zeuge hier ein Erinnerungsbild wiedergibt, das sich nicht nur aus Selbsterlebtem, sondern auch aus später erst Gehörtem, sowie aus jahrzehntelanger Befassung mit alledem erst allmählich gebildet hat und mit den Tatsachen nicht mehr übereinstimmt, wobei es niemandem mehr möglich ist, festzustellen, was von diesem Erinnerungsbild den wirklichen Geschehnissen und Gegebenheiten noch entspricht.

Gerade die folgenden, vom Zeugen bekundeten Tatsachen, sind für ihn doch von Anfang an völlig bedeutungslos gewesen, weshalb es besondere Zweifel auslöst, dass er diese Umstände, trotz seiner erheblichen Erinnerungslosigkeit im allgemeinen, nach so langen Jahren noch im Gedächtnis haben will; die Tatsachen nämlich, dass der Tatort nahe der Latrine und der Werkstätte gewesen sei, dass zwei ihm, dem Zeugen, unbekannt gewesene Juden den fraglichen Mann auf den Hof getragen hätten, dass sich diese beiden Juden sodann gleich in Richtung zum Wohnblock entfernt hätten, dass Sommer und Schö. zunächst etwas miteinander geredet hätten, dass Schö. seine Pistole aus der Gürteltasche gezogen und sich sodann über den am Boden Liegenden gebeugt habe, dass nach der Beerdigung des Getöteten eine kotverschmierte Frau aus der Latrine herausgekommen sei und dass er, der Zeuge, sodann den Namen Egid des Getöteten erfahren habe.

Gerade diese zuletzt aufgezählten Umstände deuten, wie zumindest nach dem Zweifelsgrundsatz angenommen werden muss, auf Gespräche des Zeugen Ste. mit den Zeuginnen Rosa Gru. und Bluma Wei. oder doch mit einer dieser beiden Frauen hin, für deren Aussagen nämlich gerade diese Einzelheiten von Bedeutung gewesen sind. Dementsprechend gibt der Zeuge auf die Frage, ob ihm der Name Rosa Gru. etwas sage, an: "Rosa Gru. war, glaube ich, die Frau im Lager, welcher wir Wasser brachten, um sich zu reinigen". Damals hat diese Zeugin jedoch, wie sie bekundet, noch Go. geheissen, nach dem Kriege hat sie infolge Verheiratung den Namen Flu. geführt und erst später, nach ihrer Ehescheidung und Wiederverheiratung, erstmals den Namen Gru. Dass sich Max Ste. mit dieser Zeugin nach dem Kriege unterhalten hat, ergibt sich auch aus seiner, auf Rosa Gru. bezogenen Erklärung: "Ich habe sie in den letzten Jahren nicht gesprochen."

cc) Zweifel an der objektiven Richtigkeit der Angaben des Zeugen Ste. ergeben sich ferner auf Grund der Aussage des Zeugen Aleksander Schw. Während nämlich Max Ste. angibt, Egid sei von Klinghofer und ihm, dem Zeugen, beerdigt worden, bekundet der Zeuge Schw., der mit ihm bekannt gewesene, jedoch verschollene Ordnungsdienstmann Kupferberg habe ihm, dem Zeugen, eines Tages nach der Rückkehr von der Arbeit berichtet, dass er, Kupferberg, an diesem Tage den erschossenen Egid in der Nähe des "Weissen Hauses" begraben habe. Es ist nicht völlig auszuschliessen, dass diese Aussage den Tatsachen entspricht.

dd) Schliesslich ergeben sich Zweifel des Gerichts an der objektiven Richtigkeit der Aussage des Zeugen Ste. auch daraus, dass nicht ausgeschlossen werden kann, der Zeuge habe seine

Erklärungen in der Vorstellung abgegeben, belastend aussagen zu müssen, weil er sonst den Verdacht nähren könnte, mit den Deutschen damals kollaboriert zu haben.

Der Zeuge ist, wie zumindest nach dem Grundsatz "im Zweifel für den Angeklagten" angenommen werden muss, im ZAL Boryslaw Angehöriger des sogenannten Ordnungsdienstes gewesen, wobei es dahingestellt bleiben kann, ob der Zeuge Ordner oder Hilfsordner gewesen ist. Ste. stellt das zwar in Abrede und erklärt: "Ich gehörte nicht zum Ordnungsdienst. Ich war einfacher Arbeiter im Lager, ein "Fräulein für alles"." Demgegenüber wird dieser Zeuge aber von Rosa Gru. als "Hilfsordner" und von Bluma Wei. als "Ordner" bezeichnet. Ferner steht auf Grund der eigenen Angaben des Zeugen Ste. fest, dass dieser trotz der Räumung des ZAL Boryslaw am 22.6.1944 mit wenigen anderen Juden im Lager hat zurückbleiben dürfen. Das hat, wovon das Schwurgericht überzeugt ist, eine ganz besondere Bevorzugung durch die deutsche Lagerbesatzung dargestellt. Es ist nach dem Zweifelsgrundsatz anzunehmen, dass eine solche Bevorzugung nur den Hilfskräften der deutschen Lagerbesatzung, nämlich den Angehörigen des Ordnungsdienstes, zuteil geworden ist. Diese Leute sind bei den anderen Juden sehr unbeliebt gewesen und auch heute noch erscheint es in diesen Kreisen als ehrenrührig, beim Ordnungsdienst gewesen zu sein. So gibt Sala Fis. bei ihrer konsularischen Vernehmung am 13.6.1973 auf Fragen, vor allem im Hinblick auf Klinghofer, welcher mit dem Zeugen Ste. am 22.6.1944 im Lager zurückgeblieben war, u.a. an:

> "Max Ste. kenne ich, er lebt jetzt meines Wissens in Israel. Der Name Klinghofer ist mir sehr gut bekannt. Er war leider auch ein Jude. Ich sage leider, weil er mit den Deutschen kollaboriert hat. Ob auch Ste. ein Kollaborateur war, weiss ich nicht."

Die Zeugin erklärt zwar gleich darauf:

> "Ich bin offenbar eben missverstanden worden. Ich kenne nur eine Frau Klinkhofer. Sie war die Frau eines Arztes. Ihr Mann war nicht mit in Boryslaw. Diese Frau führte als Mädchennamen den Namen Klinkhofer."

Es ist aber nur allzu offensichtlich, dass diese Erklärung lediglich den Versuch darstellt, die vorangegangene Bemerkung über Klinghofer rückgängig zu machen, ohne dass die Zeugin zunächst etwa falsch verstanden worden wäre.

Unter solchen Umständen könnte sich der Zeuge Ste. bei seiner Vernehmung in Israel, wovon jedenfalls nach dem Zweifelsgrundsatz ausgegangen werden muss, der schwierigen Situation gegenüber gesehen haben, entweder den Angeklagten belasten zu können oder, wie schon gesagt, den für ihn sehr unangenehmen Verdacht zu nähren, mit den Deutschen damals kollaboriert zu haben. Das Gericht vermag deshalb nach dem Grundsatz "im Zweifel für den Angeklagten" u.a. nicht auszuschliessen, dass sich der Zeuge dadurch hat verleiten lassen, den Angeklagten als den Täter zu bezeichnen, obwohl er, der Zeuge, sich dessen nicht sicher gewesen ist. Auf eine Konfliktsituation des Zeugen, wie soeben geschildert, könnten insbesondere die Tatsachen hindeuten, dass er im Ermittlungsverfahren nicht etwa von sich aus, sondern, wie er selbst bestätigt, erst nach einer Vorladung durch die Polizei Angaben gemacht und vor dem ersuchten Richter u.a. erklärt hat: "Schö. war besonders grausam", obwohl er, der Zeuge, gleich darauf bekennen muss, "keine Erfahrung gemacht" zu haben, "dass andere eine bessere Beziehung zu Juden hatten".

Nach alledem hat nach dem Zweifelsgrundsatz auch die Aussage des Zeugen Max Ste. der gegenständlichen Entscheidung des Schwurgerichts nicht als zutreffend zugrunde gelegt werden können.

f) Die Aussage des Zeugen Leon Gru. reicht, auch in Verbindung mit den Bekundungen der übrigen Zeugen, zu einer Überführung des Angeklagten ebenfalls nicht aus. Im übrigen hat das Gericht auch bei diesem Zeugen Zweifel an der objektiven Richtigkeit seiner Bekundungen insgesamt.

aa) Leon Gru. ist im wesentlichen nur Zeuge vom Hörensagen. Er gibt an, sich am Tage des zweiten Abtransports innerhalb des ZAL Boryslaw mit Erfolg versteckt zu haben. Er könne sich auch erinnern, nach dem Abmarsch der Lagerinsassen im Lager einen Schuss oder mehrere Schüsse gehört zu haben. Als er etwa eine bis zwei Stunden später aus seinem Versteck hervorgekommen sei, habe er erfahren, dass Schö. den Egid erschossen habe. Er, der Zeuge, habe gewusst, dass Egid krank und bettlägerig gewesen sei. Es sei erzählt worden, dass man ihn herausgetragen habe. Wie er, der Zeuge, ferner gehört habe, sei Sommer dabeigewesen. Dieser habe sich, wie hinterher geredet worden sei, mit der Begründung, er schiesse nicht auf kranke Juden, geweigert, den Egid zu erschiessen. Sodann habe der Angeklagte, wie er, der Zeuge, weiter gehört habe, den Egid erschossen. Von wem er, der Zeuge, das alles erfahren habe, könne er nicht mehr sagen. Hierzu gibt Leon Gru. ausserdem an: "Ich erinnere mich nicht, damals Einzelheiten über die Umstände der Erschiessung des Egid gehört zu haben. Erschiessungen waren damals nichts Ungewöhnliches und ich fragte nicht viel."

Soweit Leon Gru. aus eigenem Wissen bekundet, dass Egid krank und bettlägerig gewesen sei, hat das Gericht auf Grund der bereits eingehend besprochenen Aussage der Zeugin Sala Fis. erhebliche Zweifel an der Richtigkeit dieser Angaben. Im übrigen kann das Schwurgericht, wie auch schon an anderer Stelle dieser Urteilsgründe festgestellt, eine Verurteilung wegen eines schon 29 Jahre zurückliegenden, behaupteten, aber bestrittenen Kapitalverbrechens, nicht auf blosse Angaben vom Hörensagen stützen, zumal den als Augenzeugen aufgetretenen Personen aus Zweifelsgründen nicht geglaubt werden kann und der Zeuge Gru. nicht mehr weiss, von wem er den geschilderten Tatablauf erzählt bekommen hat.

bb) Darüber hinaus ist die vom Zeugen Leon Gru. gegebene Schilderung dessen, was er am Tattage erlebt haben will, so unwahrscheinlich, dass das Gericht der Aussage dieses Zeugen keinen Glauben schenken kann.

Nach der Art seines Verstecks befragt, in welchem er sich zur Tatzeit aufgehalten habe, gibt der Zeuge an:

> "Ich wohnte damals im 2.Stock. In unserem Zimmer hatten die Juden ein besonderes Versteck gebaut. Das Versteck sah aus wie ein Kamin, war konstruiert aus Holz und dann verputzt und getüncht. Innen war 1 qm Raum. Dort versteckten wir uns damals vier Menschen. Eisenstein und die anderen kannten zwar dieses Versteck. Ich konnte damals aber trotz grossen Bemühens kein besseres Versteck finden. Und damals wurden wir dort nicht entdeckt, zu unserem Glück."
>
> "Ich erinnerte mich damals auch, dass ich in meinem Versteck einen Schuss gehört hatte, einige Zeit nachdem der Transport weg war. Es ist mir schwer, heute zu sagen, ob es ein Schuss war oder mehrere, die ich hörte."

Weiter bekundet der Zeuge:

> "Ich habe mich damals bei dem zweiten Abtransport etwa um 12 Uhr nachts in dem vorhin von mir geschilderten Versteck, dem Bunker im Zimmer, versteckt. Gegen Morgen, als es draussen still geworden war und bereits Tageslicht war, sah ich durch eine Spalte in der Mauer, wo der Putz abgefallen war, meine spätere Frau, die aus der Latrine gekommen war. Das war für mich ein Zeichen, dass auch wir aus unserem Versteck hervorkommen konnten. Wir suchten im Lager etwas zu essen, fanden Brot und setzten uns hin, um zu frühstücken. Da erschienen etwa zwischen 7 und 8 Uhr am Morgen einige Gestapoleute und fanden uns beim Essen im Lager. Sie wunderten sich, dass wir uns hatten verstecken können, obwohl sie das ganze Lager abgesucht hätten; sie

taten uns aber nichts. Unter diesen Gestapoleuten war Hildebrand [85]. Ob auch Schö. dabei war, kann ich mich nicht erinnern."

Der Zeuge gibt ferner an, er habe damals zu seiner jetzigen Ehefrau, der Zeugin Rosa Gru., noch keinerlei Beziehungen gehabt. Es wäre ein Zufall besonderer Art gewesen, wenn der Zeuge, wie er berichtet, als er durch einen Mauerschlitz seines Verstecks blickte, gerade seine, was er damals noch nicht ahnen konnte, spätere Ehefrau, die völlig kotverschmutzt gewesen ist, beim Verlassen der Latrine gesehen hätte. Ein fast unglaublicher Zufall wäre es ferner gewesen, wenn der Zeuge, wie er ebenfalls bekundet, nach dem Verlassen seines Verstecks, in dem geräumten Lager Brot gefunden hätte. Es ist fast unvorstellbar, dass im Kriegsjahr 1944 in einem jüdischen Zwangsarbeitslager in Polen Brot liegengeblieben sein soll. Ebenso setzt es das Gericht in grosses Erstaunen, dass sich die SS-Leute, die bis dahin Jagd auf versteckte Juden gemacht hatten, in dem Augenblick, als sie den Zeugen und seine drei Schicksalsgefährten morgens gegen 7 oder 8 Uhr im Lager antrafen, nach der Aussage des Zeugen lediglich gewundert haben sollen, ohne diese vier Juden weiter beim "Frühstükken" zu stören.

Das Schwurgericht bezweifelt ein Zusammentreffen so erstaunlicher Begebenheiten und geht deshalb nach dem Grundsatz "im Zweifel für den Angeklagten" davon aus, dass die Aussage des Zeugen Leon Gru. nicht den Tatsachen entspricht.

2) Der Angeklagte könnte auch durch die Zeugin Szlata Ba., die von Sala Fis. am Rande erwähnt worden ist, nicht überführt werden.

Auch Szlata Ba. käme allenfalls nur als Zeugin vom Hörensagen in Betracht. Sie hat nämlich schon in dem Strafverfahren gegen Hildebrand am 30.1.1967 bei dem Schwurgericht Bremen [86] ausgesagt, noch vor dem ersten Abtransport aus dem ZAL Boryslaw, also noch vor dem 13.4.1944, in die Wälder geflohen und dort bis zu ihrer Befreiung durch die sowjetrussischen Truppen geblieben zu sein. Damit steht für das Schwurgericht fest, dass sich die Zeugin zu der hier interessierenden Zeit des zweiten Abtransportes nicht im ZAL Boryslaw aufgehalten hat und deshalb als unmittelbare Tatzeugin ausscheidet. Auf einen etwaigen Bericht der Zeugin vom blossen Hörensagen könnte jedoch eine Verurteilung des Angeklagten nicht gestützt werden. Das Schwurgericht hat es deshalb unter ausdrücklicher Zustimmung sämtlicher Prozessbeteiligter für ausreichend erachtet, die in Miami/USA lebende Zeugin nicht noch einmal zu vernehmen, sondern ihre eidliche Aussage vor dem Schwurgericht Bremen vom 30.1.1967 zu verlesen. Dies um so mehr, als die Zeugin in dieser Aussage zwar alle ihr im ZAL Boryslaw bekanntgewordenen SS-Leute vollständig aufgezählt, den Angeklagten dabei aber nicht erwähnt hat.

3) Ebenso reicht die Aussage des Zeugen Aleksander Schw., auch in Verbindung mit den übrigen Zeugenaussagen, zu einer Überführung des Angeklagten nicht aus.

a) Auch Aleksander Schw. ist fast ausschliesslich nur ein Zeuge vom Hörensagen. Er gibt an, etwa zwei bis drei Monate vor der Befreiung in den Wald geflohen und bis zum Eintreffen der sowjetrussischen Truppen nicht mehr ins Lager zurückgekehrt zu sein. Eines Tages noch vor dieser Flucht, es könnte im April 1944 gewesen sein, sei er an einem gewöhnlichen Arbeitstage abends von der Arbeit ins Lager zurückgekehrt und habe dort von Kupferberg, der innerhalb des Lagers für Sauberkeit zu sorgen gehabt habe, erfahren, dass Schö. einen Egid oder Eged erschossen habe. Kupferberg habe ferner gleichzeitig berichtet,

[85] Siehe Lfd.Nr.355 und 653.

[86] Siehe Lfd.Nr.653.

dass er den Egid in der Nähe des Weissen Hauses begraben habe. Wie ihm, dem Zeugen, von Kupferberg weiter erzählt worden sei, habe sich Sommer zuvor geweigert gehabt, den Egid zu erschiessen. Wörtlich gibt der Zeuge ferner an: "Wie Eged oder Egid erschossen wurde, weiss ich nicht. Ich kann mich nicht erinnern, wer Kupferberg war. Kupferberg und noch andere haben mir von dem Vorfall erzählt, als wir in der Schlange bei der Essensmarkenausgabe standen." "Es kann nicht sein, dass ich von der Sache erst nach dem Krieg oder nach der Befreiung erfahren habe." Der damals 22 Jahre alt gewesene Zeuge bekundet ausserdem: "Ich kannte Eged oder Egid auch schon vor seiner Erschiessung. Er war viel älter als ich. Mir ist von dem Egid nichts Besonderes bekannt. Die letzte Zeit war er krank. Ich habe nicht gefragt, wie die Erschiessung vor sich gegangen ist."

Auf solch eine Aussage vom blossen Hörensagen kann jedoch im gegenständlichen Falle, wie schon mehrfach ausgeführt, eine Verurteilung nicht gestützt werden, zumal sich das nur mittelbare Wissen des Zeugen als recht oberflächlich erweist.

b) Darüber hinaus steht das, was der Zeuge weit überwiegend als mittelbares Wissen bekundet, teilweise in deutlichem Widerspruch zu den Aussagen anderer Zeugen. So könnte zwar die von Aleksander Schw. angegebene Tatzeit, nämlich ein gewöhnlicher Arbeitstag "etwa" im April 1944 den Angaben der Zeugin Sala Fis. entsprechen, wonach Egid an einem solchen Tage, einige Wochen oder Monate vor dem 13.4.1944, erschossen worden sein soll. Dem stehen jedoch die Angaben der Zeugen Gru., Wei. und Ste. entgegen, wonach die Tat nur wenige Stunden nach der zweiten Lagerräumung begangen worden sei, die nach der Überzeugung des Gerichts am 22.6.1944 stattgefunden hat. Entgegen der Aussage der Zeugin Fis. bekundet der Zeuge Schw. jedoch als eigenes Wissen, Egid sei "die letzte Zeit" krank gewesen. Gleichzeitig gibt er, der Zeuge, an, Egid sei viel älter gewesen als er. Es liegt daher die Vermutung nahe, dass er Markus Egid meint, nämlich den, wie angenommen werden muss, Onkel jenes Egid, von dem die meisten anderen Zeugen sprechen. Markus Egid ist jedoch, wie auf Grund der Aussage der Zeugin Sala Fis. zur Überzeugung des Gerichts feststeht, weder krank gewesen noch im ZAL Boryslaw erschossen, sondern am 13.4.1944 als arbeitsfähiger Mann aus diesem Lager nach Plaszow abtransportiert worden. Dagegen entspricht die Erwähnung davon, dass Sommer sich geweigert habe, Egid zu erschiessen, den Angaben der Zeuginnen Rosa Gru. und Bluma Wei., während es in vollem Widerspruch zu den Bekundungen der Zeugen Max Ste. und Rosa Gru. steht, dass Kupferberg den Egid begraben haben soll.

Möglicherweise ist die Aussage des Zeugen richtig. Da seine Angaben aber in wesentlichen Punkten in Widerspruch zu den Bekundungen anderer Zeugen stehen, die ebenfalls nicht völlig unglaubwürdig sind, hat das Gericht auch hier Zweifel an der objektiven Richtigkeit der Aussage des Zeugen Schw. nicht überwinden können. Nach dem Grundsatz "im Zweifel für den Angeklagten" muss deshalb davon ausgegangen werden, dass auch diese Aussage nicht den Tatsachen entspricht.

4) Schliesslich bietet auch die Aussage des Zeugen Chaim Seg. keine ausreichende Grundlage für eine Verurteilung des Angeklagten.

a) Schon im Falle Lipa Grünschlag hat dem Zeugen Chaim Seg. nicht geglaubt werden können, weil seine, des Zeugen, Tatschilderung in jenem Falle, nach der Überzeugung des Gerichts, nicht den Tatsachen entspricht.

b) Im gegenständlichen Fall sind die Bekundungen des Zeugen zu widersprüchlich, als dass man ihnen Glauben schenken könnte. Auf den Vorhalt, dass er, der Zeuge, zur angegebenen Tatzeit gerade erst 15 Jahre alt gewesen sei, andererseits aber das ZAL Boryslaw nur für volle Arbeitskräfte geschaffen worden sei, hat der Zeuge angegeben: "Im Lager durfte ich herumlaufen. Ich war in der Küche als Küchenhelfer beschäftigt." Während der gleichen

Vernehmung hat der Zeuge im Gegensatz dazu bekundet: "Es war verboten, dass sich Kinder im Lager aufhielten. Ich habe mich immer versteckt, damit man mich nicht sehen konnte." Dies wiederum hindert den Zeugen nicht, im gleichen Augenblick zu berichten, dass er sofort ins Freie auf den Lagerhof gelaufen sei, nachdem man ihm gesagt habe, es solle dort gerade ein Mann, nämlich Egid, erschossen werden.

Auch in weiteren Punkten ist die Aussage des Zeugen Seg. widersprüchlich. So hat er zunächst angegeben:

> "Eines Tages hat man frühmorgens gesagt, dass ein Jude getötet werden soll. Warum dies geschehen sollte, habe ich nicht gewusst. Ich bin aus der Küche hinausgegangen und habe gesehen, dass Herr Schö. einen Mann erschossen hat. Nachher hat man gesagt, dass es Eged oder Egid war."

Ergänzend erklärt der Zeuge hierzu, er sei 30 bis 35 m vom Tatort entfernt gewesen. Kurz darauf, während der gleichen Aussage, verbessert sich der Zeuge nach Vorhaltungen dahin:

> "Ich war in der Küche beschäftigt und als ich von der Küche ins Freie gekommen bin, war der Mann schon gelegen. Schö. ist gegangen. Er hat seinen Revolver in der Hand gehalten. In der Küche hat man darüber gesprochen, dass ein Jude hinausgebracht wurde. Daraufhin bin ich ins Freie gegangen. Ich habe gesehen, dass jemand dalag, dass Schö. gerade wegging und dass er einen Revolver in der Hand hatte. Ausser Schö. und dem Erschossenen war im ganzen Umkreis niemand. Nachher hat man gesagt, dass der Erschossene Eged oder Egid war."

Endlich gibt der Zeuge in Abänderung dessen ausserdem an:

> "Ich bin in die Küche gegangen. Ich erinnere mich, wie mich jemand nach draussen rief. Draussen habe ich jemand liegen sehen. Nur Schö. war bei dem am Boden Liegenden gestanden. Sonst war niemand da. Ich habe nur Schö. gesehen. Es ging alles sehr schnell. Ich flüchtete dann in die Küche. Nachher wurde gesagt, dass ein Jude namens Eged oder Egid erschossen wurde. Man hat erzählt, dass er krank war. Man hat gut sehen können, wie Schö. die Waffe auf den am Boden Liegenden gerichtet hat."

Es ist trotz Vorhaltungen nicht möglich gewesen, zu klären, ob der Zeuge die in Rede stehende Situation kurz vor, während oder kurz nach der Tat gesehen haben will. Schliesslich bestätigt er auch, dass er diesen angeblich selbst beobachteten Vorfall bei seinen polizeilichen Vernehmungen vom 20.2.1966 und vom 9.11.1966 mit keinem Wort erwähnt habe, weil er nicht danach gefragt worden sei. Auf Vorhalt bestätigt er, der Zeuge, jedoch ferner, dass man ihm am 20.2.1966 ganz allgemein die Frage gestellt gehabt habe, ob er während seines Aufenthalts im ZAL Boryslaw Zeuge von Verbrechen geworden sei und bejahendenfalls von welchen. Die Antwort auf die Frage, weshalb er damals dennoch den jetzt in Rede stehenden Fall nicht erwähnt habe, ist der Zeuge schuldig geblieben.

c) Mit seinen Angaben setzt sich der Zeuge ferner in einigen wesentlichen Punkten auch in Widerspruch zu den Bekundungen anderer Zeugen.

So gibt der Zeuge an, am Tattag, der ein ganz gewöhnlicher Arbeitstag gewesen sei, seien nach dem Appell, wie üblich, etwa 90% der Lagerinsassen zur Arbeit gegangen. Das könnte zwar den Aussagen der Zeugen Sala Fis. und Aleksander Schw. entsprechen, steht aber in Widerspruch zu den Bekundungen der Zeugen Gru., Ste. und Wei., die, wie schon mehrfach erwähnt, erklären, die Tat sei wenige Stunden nach dem zweiten Abtransport aus dem Lager und damit nicht etwa an einem gewöhnlichen Arbeitstag geschehen. In deutlichem Gegensatz zu den Angaben der zuletzt genannten Zeugen steht es ferner, dass Egid, wie Seg. vom Hörensagen bekundet, kurz vor der Tat gefangengenommen worden sei und dass sich, wie er als Augenzeuge berichtet, zur Tatzeit ausser Schö. und dem am Boden liegenden Juden weit und breit niemand am Tatort befunden habe. Dagegen widerspricht es den Bekundungen der Zeugin Sala Fis., dass Egid, wie Seg. ferner angibt, krank gewesen sei.

Ganz unabhängig von den Widersprüchen in den eigenen Angaben des Zeugen Chaim Seg., ergeben sich Zweifel an der objektiven Richtigkeit seiner Aussage auch daraus, dass diese in einigen wesentlichen Punkten den Bekundungen anderer Zeugen widersprechen, die nicht etwa völlig unglaubwürdig sind. Nach dem Zweifelsgrundsatz muss deshalb auch in diesem Falle davon ausgegangen werden, dass die Aussage des Zeugen Seg. nicht den Tatsachen entspricht.

Zusammenfassend ist zu sagen, dass das Schwurgericht trotz sehr eingehender Beweisaufnahme erhebliche Zweifel an der Richtigkeit des Vorwurfs nicht hat überbrücken können, der Angeklagte habe Egid im Hof des ZAL Boryslaw oder etwa auf dem Wege von oder zu seiner Arbeitsstelle erschossen oder einen anderen Juden, der krank gewesen sei, in dem genannten Lager getötet. Es bieten sich ferner keine ausreichenden Anhaltspunkte dafür, dass der Angeklagte an einer solchen Tötung sonst etwa in irgendeiner Weise beteiligt gewesen sei.

Das Schwurgericht hat bei der Beweiswürdigung selbstverständlich berücksichtigt, dass sich ein Zeuge nach 29 Jahren nicht mehr an alle Einzelheiten erinnern kann, dass sich nach so langer Zeit auch sonstige Erinnerungsmängel bei ihm einstellen können und dennoch der Tatsachenkern seiner Aussage richtig sein kann. Dennoch hat sich hier das Gericht auf Grund einer ganzen Reihe von Anhaltspunkten vor allem nicht von dem Zweifel freimachen können, dass das, was vor allem die wesentlichen Zeugen hier vortragen, in wichtigen Punkten, zum Beispiel auch hinsichtlich der Täterfrage, nicht wirklich der Erinnerung an erlebte Tatsachen entspringt, sondern erst nachträglich durch Gerüchte und Erzählungen anderer ins eigene Erinnerungsbild aufgenommen worden ist, ohne dass sich die Zeugen dessen bewusst sind.

Nach alledem hat der Angeklagte auch in diesem Punkte freigesprochen werden müssen.

V. « Kostenentscheidung »

Die Kostenentscheidung beruht auf der Vorschrift des §467/I StPO.

Lfd.Nr.799

Tatkomplex
Andere Massenvernichtungsverbrechen,
Kriegsverbrechen

Tatort
Bukowsko, Lutowiska, Sanok, Ustrzyki-Dolne,
ZAL Trepce, ZAL Zaslaw

Tatzeit
4206-43

Gerichtsentscheidungen
LG Berlin vom 23.08.1973, 3 P(K)Ks 1/72

INHALTSVERZEICHNIS

des unter Lfd.Nr.799 veröffentlichten Urteils

LG Berlin vom 23.08.1973, 3 P(K)Ks 1/72

Lfd.Nr.799

(500) 3 P (K) Ks 1/72 (31/72)

Im Namen des Volkes

Strafsache gegen [87]

1. den Verkäufer Johann Bäcker, geboren am 3.März 1912 in Hartfeld, wohnhaft in 53 Bonn,
- zur Zeit in der Untersuchungshaft- und Aufnahmeanstalt Moabit, Berlin 21, Alt-Moabit 12a, Gef.B.Nr.2197/71 -,
2. den Rentner Hans Quambusch, geboren am 2.April 1905 in Geisweid/Siegen, wohnhaft in Berlin 20 (Spandau),
- zur Zeit in der Untersuchungshaft- und Aufnahmeanstalt Moabit, Berlin 21, Alt-Moabit 12a, Gef.B.Nr.1636/73 -,

wegen Mordes u.a.

Das Schwurgericht bei dem Landgericht Berlin hat auf Grund der Hauptverhandlung vom 26. und 29.März 1973, 2., 5., 9., 12., 16., 26., 27. und 30.April 1973, 4., 9., 11., 16., 18., 23., 25. und 30.Mai 1973, 1., 6., 8., 13. und 22.Juni 1973, 2., 6., 17., 20. und 30.Juli 1973, 6., 13., 16., 20. und 23.August 1973 in der Sitzung am 23.August 1973 für Recht erkannt:

> Es werden verurteilt:
> Der Angeklagte Bäcker wegen Mordes in 25 (fünfundzwanzig) Fällen und wegen Beihilfe zum Mord in einem Fall (§§211, 49, 74 StGB) zu lebenslanger Freiheitsstrafe,
> der Angeklagte Quambusch wegen Mordes in 20 (zwanzig) Fällen (§§211, 74 StGB) zu lebenslanger Freiheitsstrafe.
> Im übrigen werden die Angeklagten freigesprochen.
> Die Angeklagten tragen die Kosten des Verfahrens und die ihnen erwachsenen notwendigen Auslagen, soweit sie verurteilt worden sind; im übrigen fallen die Kosten und Auslagen der Angeklagten der Landeskasse Berlin zur Last.

GRÜNDE

I. « Die persönlichen Verhältnisse der Angeklagten »

1. Der jetzt 61 Jahre alte, nicht vorbestrafte Angeklagte Bäcker wurde in Hartfeld, einem Ort nahe Lemberg, geboren. Die wirtschaftlichen Verhältnisse der Familie waren durch die grosse Kinderzahl - der Angeklagte gab fünfzehn bis sechzehn an - sehr beengt. Obwohl der Angeklagte ein guter Volksschüler war, die geistigen Fähigkeiten für den von ihm erstrebten Beruf des Musiklehrers oder Pfarrers hatte und ein Onkel ihm diese Ausbildung auch ermöglichen wollte, durfte er auf Wunsch seines Vaters, eines Stellmachers, nur die deutschsprachige Volksschule besuchen und musste im Anschluss an die Schulentlassung im Jahre 1927 das Schneiderhandwerk erlernen. Der Angeklagte lernte und arbeitete später in Lemberg. Dort erlernte er die polnische Sprache und eignete sich auch ukrainische und russische Sprachkenntnisse an. Nach 1933 wurde der Angeklagte in Lemberg Mitglied der Jungdeut-

[87] Rechtskräftig hins. beider Angeklagten durch Beschluss des BGH vom 9.7.1974, 5 StR 112/74.

schen Partei, interessierte sich aber für die politischen Verhältnisse und Entwicklungen in Deutschland nur wenig. Bei Ausbruch des Zweiten Weltkrieges im September 1939 hielt sich der Angeklagte gerade in seinem Heimatort auf. Aus Angst vor polnischen Repressalien - das Verhältnis zwischen Volksdeutschen und Polen war nicht gut - setzte er sich nach Westen ab, traf bei Przemysl auf deutsche Truppen und leistete ihnen dort Dolmetscherdienste. Er dolmetschte dann alsbald bei der Sicherheitspolizei, mit der er noch im September 1939 nach Sanok in Südpolen kam. In dieser Stadt und ihrer Umgebung blieb der Angeklagte bis zum Vordringen des russischen Heeres im Sommer 1944. Er war der Gestapo im Grenzpolizeikommissariat Sanok bzw. der Aussenstelle im ca. 45 km entfernten, mit einem Zug täglich erreichbaren Ustrzyki-Dolne als Dolmetscher zugeteilt, machte einen mehrwöchigen Lehrgang zum Erlernen einfachster Verwaltungstätigkeiten mit und hatte den Dienstgrad eines SS-Unterscharführers. Am 13.August 1943 beantragte der Angeklagte seine Aufnahme in die NSDAP, die im Jahre 1944 erfolgte, nachdem er im Herbst 1943 Reichsdeutscher geworden war.

Nach dem Krieg lebte der Angeklagte zunächst in Kulmbach, legte dort die Meisterprüfung im Schneiderhandwerk ab und war auch vorübergehend selbständig. Seine in dieser Zeit geschlossene Ehe, aus der ein Kind hervorging, das heute etwa 21 Jahre alt ist, wurde 1958 geschieden. Zuletzt arbeitete der Angeklagte, der im Jahre 1955 nach Bonn übergesiedelt war, als Verkäufer im Kaufhaus Hertie. Seit dem 1.April 1971 befindet er sich in Berlin ununterbrochen in Untersuchungshaft, die vorläufige Festnahme erfolgte am 31.März 1971 in Bonn.

2. Der jetzt 68 Jahre alte, nicht vorbestrafte Angeklagte Quambusch wurde im Rheinland geboren und wuchs mit vier Brüdern im Elternhaus auf. Den Anforderungen des Gymnasiums war er nicht gewachsen, verliess die Schule etwa im Jahre 1921 und erlernte das Maurerhandwerk. Im Jahre 1932 trat er in die NSDAP ein, ferner in die SA, der er bis 1937 angehörte. Bald nach Beginn des Zweiten Weltkrieges wurde der Angeklagte zum 10.SS--Regiment nach Weimar eingezogen und gelangte über Danzig nach Krakau. Dort wurden im Herbst 1940 die Jahrgänge 1904 bis 1908 ausgemustert und vor die Wahl gestellt, an die Front oder zur Geheimen Staatspolizei zu gehen. Der im Jahre 1905 geborene Angeklagte trat in den Dienst der Geheimen Staatspolizei und arbeitete ab Anfang des Jahres 1941 als Kriminalangestellter und SS-Scharführer im Grenzpolizeikommissariat Sanok, offiziell in dem Referat Partisanen- und Widerstandsbekämpfung. Im Frühjahr 1943 wurde der Angeklagte nach Jaroslau versetzt, später dann nach Berlin, wo er das Kriegsende erlebte und in seine Wohnung in Spandau, zu seiner Familie - Ehefrau und zwei Kinder - zurückkehrte. Seine Familienangehörigen hatten auch zeitweilig bei ihm in Sanok gelebt. Bereits am 31.Mai 1945 wurde der Angeklagte wegen seiner Gestapozugehörigkeit verhaftet und bis zum 29.Dezember 1955 in verschiedenen ostzonalen Haftanstalten gefangen gehalten, angeblich auf Grund einer Verurteilung durch das sowjetische Militärtribunal aus dem Jahre 1948 zu lebenslangem Zuchthaus. Während seiner Inhaftierung war der Angeklagte wiederholt als Leiter einer aus deutschen Häftlingen bestehenden Baukolonne eingesetzt, die er, vorwiegend aus eigenem Interesse und um sich das Wohlwollen der sowjetischen Besatzungsmacht zu erhalten, erbarmungslos zur Arbeit antrieb, wobei er auch vor Misshandlungen und "Bestrafen" durch Entzug der ohnehin unzulänglichen Verpflegung nicht zurückschreckte. Wegen seines Verhaltens gegenüber Mithäftlingen wurde ihm nach seiner Rückkehr jede Entschädigung nach dem Häftlingshilfegesetz versagt.

Die erste Ehe des Angeklagten bestand von 1937 bis 1957, sie wurde aus beiderseitigem Verschulden geschieden. Der Angeklagte arbeitete bis 1967 in seinem Beruf als Maurer und wurde nach etwa einjährigem Krankenhausaufenthalt Rentner. Im Jahre 1968 heiratete der Angeklagte in zweiter Ehe eine 41 Jahre jüngere Frau. Die Ehe wurde im Mai 1972 geschieden, die Ehelichkeit des in dieser Ehe geborenen Kindes hat der Angeklagte erfolgreich angefochten. Am 31.Mai 1971 wurde auch der Angeklagte Quambusch vorläufig festgenommen. Seit dem 1.April 1971 befindet er sich ununterbrochen in Untersuchungshaft.

II. « Der Sachverhalt »

A) « Die Judenverfolgung, insbesondere im Raum Sanok »

Bereits lange Zeit bevor der Nationalsozialismus in Deutschland massgeblichen Einfluss gewann, sprachen sich seine führenden Vertreter, allen voran Adolf Hitler, gegen jede jüdische Beteiligung am Staatsleben und sogar gegen ein Verbleiben der Juden im Staatsverband aus, weil nach ihrer Meinung Deutschlands missliche Lage nach dem Ersten Weltkrieg fast ausschliesslich durch "jüdische Machenschaften" verursacht worden war. Nachdem diese Bewegung am 30.Januar 1933 die Regierung übernommen hatte, begann sie auch sehr schnell damit, ihre Ziele zu verwirklichen und auf die Öffentlichkeit dahin einzuwirken, in den Juden nur noch minderwertige, keines Schutzes würdige Menschen, kurzum "Untermenschen" zu sehen. Noch im Jahre 1933 wurde das Ausscheiden der jüdischen Beamten aus dem Staatsdienst angeordnet, jüdische Ärzte und Zahnärzte wurden zunächst auf die Behandlung von Privatpatienten beschränkt, später wurden sie ebenso wie die Rechtsanwälte von der Ausübung ihrer Berufe ausgeschlossen. Im Laufe der Zeit wurde allen Juden die wirtschaftliche Existenzgrundlage entzogen, sei es, dass ihr Vermögen und ihre Geschäfte beschlagnahmt oder sie anderweitig zur Herausgabe gezwungen wurden. Arbeitsplätze in abhängiger Stellung verloren sie meist, Aussicht auf neue Arbeitsplätze bestand nicht. Gegen alle im Reichsgebiet ansässigen Juden richteten sich die sogenannten "Nürnberger Gesetze" aus dem Jahre 1935, die unter anderem ausserehelichen Geschlechtsverkehr und Eheschliessungen zwischen Juden und deutschen Nichtjuden bei Androhung von Freiheitsstrafen verboten und auf Grund deren solche Beziehungen als "Rassenschande" bezeichnet wurde. Die im Jahre 1938 angeordnete Pflicht der Juden, ihren Vornamen die Namen "Sarah" oder "Israel" hinzuzufügen, diente ebenso dem Zweck, sie zu kennzeichnen, zu isolieren und zu demütigen, wie die spätere Kennzeichnung durch den Davidstern, den jeder Jude ab dem sechsten Lebensjahr zu tragen hatte. Schliesslich entlud sich der von der nationalsozialistischen Staatsführung bei jeder sich bietenden Gelegenheit geschürte Hass gegen die Juden in den Ausschreitungen der "Kristallnacht" in November 1938, an denen sich ganz überwiegend fanatische NSDAP-Angehörige und ihre Sympathisanten beteiligten.

Die Vorgänge im Zusammenhang mit diesem Ereignis boten den Machthabern viele Vorwände zu zahlreichen weiteren entrechtenden Massnahmen gegen Juden, von denen auch sofort Gebrauch gemacht wurde. Da trotz der seit 1933 gegen sie betriebenen Hetze und ihrer nahezu völligen Rechtlosigkeit noch immer viele Juden im Reichsgebiet lebten, und die Hoffnung der Machthaber, die Unterdrückten würden in weitaus grösserer Zahl auswandern, sich nicht erfüllt hatte, entstand der Plan, die Juden gewaltsam aus dem Reichsgebiet zu entfernen, zum Beispiel durch die zunächst ernsthaft erörterte, später allerdings wieder verworfene Aussiedlung nach Madagaskar.

Mit dem Beginn des Zweiten Weltkrieges boten sich dann aber für die Aussiedlungspläne in den von deutschen Truppen besetzten polnischen und russischen Gebieten Möglichkeiten, die von der Reichsführung sofort wahrgenommen wurden und die zu der, wenn auch möglichst geheimgehaltenen, physischen Vernichtungen mehrerer Millionen Juden führten.

Am 1.September 1939 begann der Zweite Weltkrieg mit dem deutschen Angriff auf Polen. Bereits acht bis zehn Tage später erreichten die deutschen Truppen den San in Südpolen und rückten auch in Sanok ein, einer an diesem Fluss gelegenen Stadt mit 15000 bis 20000 Einwohnern, von denen etwa ein Viertel oder sogar ein Drittel Juden waren. Südlich der Stadt, nicht weit entfernt, in den Bergen und Wäldern der Waldkarpaten, verlief die Grenze zur Slowakei, südöstlich die Grenze nach Ungarn, nach Osten bildete der San die Grenze zum sowjet-russischen Einflussgebiet, nachdem russische Truppen auch bis an den San vorgedrungen waren und Deutschland und die Sowjetunion Polen untereinander aufgeteilt hatten. Der kämpfenden deutschen Truppe folgten solche Wehrmachtsangehörigen und abgeordnete Zivilisten, die im Altreich Verwaltungs- und Polizeibeamte waren und die Aufgabe hatten, eine funktionsfähige Verwaltung und Polizei aufzubauen. Zu diesem Kreis gehörten zum Beispiel der Zeuge Otto Ho., der bereits am 12.September 1939, aus Stendal kommend, seinen Dienst in Sanok aufnahm, und der Zeuge Albert Sch., der ab September 1939 in Krosno im Grenzpolizeikommissariat die Polizeiführung übernahm. Den deutschen Firmen Kirchhoff und Otto Heil wurden sehr bald nach der Besetzung ausgedehnte Strassenbauarbeiten übertragen.

Um in dem eroberten polnischen Gebiet die Verwaltung wirkungsvoll zu machen, ohne die eine Durchsetzung der von Hitler, Himmler und anderen ausgedachten Massnahmen gegen die nichtdeutschen Einwohner, insbesondere die Juden, nicht möglich war, schuf man im Oktober 1939 das Generalgouvernement. Dem für die zivile Verwaltung zuständigen Generalgouverneur mit seiner Regierung unterstanden die vier Distriktsgouverneure der Distrikte Warschau, Radom, Lublin und Krakau. Jeder Distrikt war in mehrere Kreishauptmannschaften gegliedert, an deren Spitze jeweils ein Kreishauptmann stand, dessen Befugnisse denen eines Landrats im Altreich entsprachen und dessen Behörde auch so organisiert war. Sanok gehörte zum Distrikt Krakau und war eine selbständige Kreishauptmannschaft. Der erste Kreishauptmann war Dr. Schaar, der einige Zeit nach Beginn des Russlandfeldzuges durch Dr. Class abgelöst wurde, dem Anfang des Jahres 1943 Dr. Hofstetter nachfolgte. Dr. Class verstarb im Frühjahr 1973 auf der Insel Korsika. Im polizeilichen Bereich stand an der Spitze des Generalgouvernements, dem Generalgouverneur untergeordnet, der Höhere SS- und Polizeiführer. Auf Distriktsebene war der dem Distriktsgouverneur unterstellte SS- und Polizeiführer tätig, für den Distrikt Krakau im Tatzeitraum der SS-Oberführer Scherner, zu dessen Stab unter anderem die Zeugen Fel. [88] und Bar. [89] gehörten. In den Kreishauptmannschaften wurden die Befugnisse der Ordnungspolizei - wesentlichster Teil: die Schutzpolizei, und der Sicherheitspolizei: darunter Geheime Staatspolizei und Kriminalpolizei - in Grenzpolizeikommissariaten zusammengefasst. Das Grenzpolizeikommissariat Sanok war während des Tatzeitraums die Dienststelle beider Angeklagten. Anfangs gehörten mehrere Aussenposten hinzu, die jedoch spätestens 1941 alle aufgelöst wurden, so dass ab Ende des Jahres 1941 nur noch der in Ustrzyki-Dolne bestand, in dem der Angeklagte Bäcker unter anderem neben den Gestapoangehörigen Schmidtchen, Doppke, von Malottki und Müller Dienst tat.

Sanok wurde am 8.September 1939 von den deutschen Truppen besetzt. Unmittelbar anschliessend begann die Entrechtung und Diskriminierung der Juden in diesem Ort. Zunächst wurden sie aufgefordert, die Stadt und ihre Umgebung zu verlassen. Viele versuchten, über den San hinweg in russisch besetztes Gebiet zu gelangen. Weil sie dort nicht erwünscht waren, versuchten die Grenzposten, ihr Eindringen zu verhindern. Versuchten die Flüchtlinge zurückzukehren, mussten sie damit rechnen, vom deutschen Wachposten erschossen zu werden. Dann wurde in Sanok eine Synagoge zerstört und der Jude erschossen und in die Flammen geworfen, der die Thora, die heiligen Schriftrollen, zu retten versuchte. Die Juden mussten sich durch eine weisse Armbinde mit blauem Davidstern kennzeichnen, mindestens die deutschen Militärangehörigen grüssen und beim Vorbeigehen auf den Fahrdamm ausweichen. Zuwiderhandlungen wurden häufig mit Prügel geahndet. Das Organ der Juden war der Judenrat, der die Aufgabe hatte, Anordnungen und Befehle der deutschen Behörden an die Juden weiterzuleiten und für die Befolgung zu sorgen. An den Judenrat wandten sich die

[88] Siehe Lfd.Nr.619.

[89] Siehe Lfd.Nr.762 und 780.

Behörden auch, wenn sie oder die Baufirmen Arbeitskräfte benötigten. Die Juden waren zwischen dem 14. und 60.Lebensjahr zur Arbeitsleistung verpflichtet. Während die Männer vorwiegend bei Bauarbeiten, Möbeltransporten, Ladearbeiten, Tier- und Gerätepflege und für die Strassenreinigung eingesetzt wurden, bekamen Frauen und Kinder vorwiegend hauswirtschaftliche Tätigkeiten übertragen, mussten aber auch sehr häufig, selbst bei kalter Witterung, bis zum Unterbauch im kalten, reissenden Wasser des San stehend, Steine aus dem Fluss holen und zu den Schottermaschinen am Ufer tragen, in denen dann die für den Strassenbau benötigten Steine gebrochen wurden. Die Ernährung der Juden war völlig unzulänglich, sie waren im wesentlichen auf Lebensmittelkäufe auf dem Schwarzen Markt angewiesen, hatten aber kaum Geld dafür, weil sie stets nur geringfügige Löhne erhielten und diese später von den Arbeitgebern an die Gestapo gezahlt werden mussten, die dann, wenn überhaupt, das Geld auszahlte.

Auch die jüdischen Geschäftsinhaber verloren sehr bald ihre Existenzgrundlage. Entweder wurden ihre Geschäfte nach einer von den Behörden angeordneten Schliessung nicht mehr geöffnet oder sie durften nur noch die Ware ausverkaufen und bekamen keine weitere mehr. Jüdische Handwerker durften noch am längsten tätig sein, weil ihre Dienste auch von den Deutschen benötigt wurden. Deutsche Behörden und ihre Bediensteten liessen sich in jüdischen Privathäusern nieder, deren Bewohner ausziehen mussten. Einrichtungswünsche mussten die Juden durch Herausgabe ihrer Möbel befriedigen. Die aus ihren Häusern vertriebenen und auch sonst im Stadtgebiet verstreut wohnenden Juden mussten in mehrere jüdische Wohnbezirke innerhalb der Stadt umziehen, wo man sie besser unter Kontrolle hatte. Ausserdem durften die Juden die Stadt nur noch in 1 km Umkreis und nur zu bestimmten Stunden verlassen, im übrigen bedurften sie eines von der Kreishauptmannschaft auszustellenden Passierscheins, der aber nur in Ausnahmefällen erteilt wurde. Auf Fahrten ohne Passierschein stand die Todesstrafe. Nach Beginn des Russlandfeldzuges im Juli 1941 verschlechterte sich die Lage der Juden weiterhin schlagartig. Die Ausschreitungen gegen sie nahmen zu, und es kam häufig aus nichtigem oder gar keinem Anlass zu Erschiessungen von Juden; Schauplatz war vielfach der jüdische Friedhof in Sanok, den man von einem Hügel im Stadtpark einsehen konnte, ebenso aus den Häusern verschiedener Zeugen, zum Beispiel Kin., Dab. und Maria Net. geborene Dab. Im Winter 1941/42 mussten die Juden ihr Pelzwerk abgeben, für den Fall der Zuwiderhandlung waren strenge Strafen angedroht, wie überhaupt für fast alle Verstösse gegen die von der Regierung des Generalgouvernements erlassenen Anordnungen den Juden oder denen, die ihnen halfen, die Todesstrafe drohte. Verhängt und vollstreckt werden durfte sie allerdings nur nach vorausgegangener Verhandlung vor dem Sondergericht. Für den Zeugen Sch., den Leiter des Grenzpolizeikommissariats Sanok vom September 1941 bis 28.Februar 1942, war es deshalb selbstverständlich, Juden, die der Pelzablieferungspflicht nicht nachgekommen waren, zu verhaften, sie in das Gefängnis in Tarnow einzuliefern und dann die Überstellung an die für die Ahndung zuständige Behörde zu veranlassen. Sofortige Liquidierung der Juden war verboten und hätte für den Täter bei korrekter Anwendung der insoweit bestehenden deutschen Gesetze zu einem Strafverfahren geführt, wie neben dem Zeugen Sch. auch der Zeuge Bar. bestätigte.

Seit dem Frühjahr 1942 kam es auf der Gestapodienststelle in Sanok wiederholt zu Registrierungen, bei denen die Juden durch entsprechende Stempel in Arbeitsfähige und Nichtarbeitsfähige eingeteilt wurden, was einer Entscheidung über Leben und Tod gleichkam. Versuche, den Stempel, der Arbeitsfähigkeit und damit Weiterleben bedeutete, nach zunächst abschlägigem Bescheid doch noch zu erlangen, endeten, sofern sie entdeckt wurden, mit der sofortigen Tötung, meist auf dem jüdischen Friedhof, ausgeführt von Angehörigen der Gestapo. Weil sie sich den begehrten Stempel auf diese Weise verschaffen wollten, wurde zum Beispiel die Inhaberin eines Papiergeschäftes, Frau Wiener, erschossen, ein Maler namens Roth zu Tode geprügelt. Nach Juni 1941, insbesondere ab Frühjahr 1942, gehörte es für die jüdischen und polnischen Bewohner Sanoks fast zu den Alltäglichkeiten mitanzusehen, wie Gestapoangehörige, unter ihnen auch der Angeklagte Quambusch und der für tot erklärte Judenreferent Kratzmann, Gruppen von Juden zum jüdischen Friedhof führten, die dort, unter anderem von den beiden Genannten und weiteren Gestapoleuten, aus nichtigem oder keinem Anlass erschossen wurden, zum Beispiel deshalb, weil sie Mitgefühl mit verhafteten Glaubensgenossen gezeigt oder die Tätigkeit der Gestapo beobachtet hatten. Häufig genügte es einfach, Jude zu sein, um in den Zug der Todgeweihten eingereiht zu werden. Auf die Opfer, die sich fast immer nackt ausziehen mussten, wurde meist am Rand einer vorher vom jüdischen Beerdigungskommando, das der Judenrat auf Weisung der Gestapo zu stellen hatte, ausgehobenen Grube geschossen. Das Beerdigungskommando musste die Grube auch dann zuschaufeln, wenn einige der darin liegenden Menschen noch lebten. Häufig war die Zahl der nur Verwundeten so gross und die auf sie geworfene Sandschicht so dünn, dass das Blut sogar aus der Grube quoll und abfloss. In anderen Fällen mussten die jüdischen Opfer ihre Gräber zuvor selbst ausheben, oder es wurde der Judenrat, dem in Sanok unter anderem der Vater des Zeugen Abraham We. angehörte, nach der Erschiessung der Opfer aufgefordert, für deren Beerdigung zu sorgen. Jedenfalls waren sich sehr viele Juden ihrer ausweglosen Lage und des ihnen drohenden Schicksals bewusst und versuchten, zu fliehen oder sich zu verstecken. Mitglieder des Judenrats berichteten wiederholt dem zunächst bis August 1942 in der Kreishauptmannschaft Sanok tätigen Zeugen Ho., dass sie Gemeindemitglieder verloren hatten, womit sie nach dem Eindruck des Zeugen gewaltsame Tötung meinten, weil sie im Falle natürlichen Todes von "verstorben" sprachen. Das Judenratsmitglied We. erörterte mit dem Zeugen Lin., einem Angehörigen des Grenzpolizeikommissariats, sogar Fluchtpläne, von denen der Zeuge unter Hinweis darauf, dass es an anderen Orten nicht besser sei, abgeraten haben will. Im Sommer 1942 hatte jedenfalls bereits eine ganze Reihe Deutscher in Sanok den Verdacht, dass die physische Vernichtung der Juden durchgeführt werden würde. Versorgungsmässig waren sie seitens der Behörde dem Hungertod preisgegeben. Diese Absicht war so offensichtlich, - nach der Beschreibung mehrerer Zeugen sahen die Juden wie lebende Leichen aus -, dass der Zeuge Ahn., der Gendarmerieführer in Sanok, gegenüber dem Zeugen Bru., dem stellvertretenden Kreishauptmann, erklärte, Aussiedeln der Juden nach Madagaskar oder Austausch gegen LKWs sei menschlicher. Es häuften sich die Gerüchte über Judenaussiedlungen und Judenerschiessungen ausserhalb Sanoks, zum Beispiel in Tarnow, ferner die Berichte über Deportationen unter unwürdigsten Bedingungen in Richtung Lemberg. Gerade der Abtransport der Juden nach Osten mit unbekanntem Ziel, allenfalls der vagen Angabe, sie würden in neue Arbeitslager gebracht werden, liess es für viele Deutsche, zum Beispiel die Zeugen He. und Bru., Gewissheit werden, dass die Juden dort getötet werden würden.

Die Vorgänge anlässlich der Aussiedlungen in verschiedenen Städten, insbesondere die Nichtachtung jüdischen Lebens dabei, waren so grausam und unmenschlich, dass sich die zum Stab des SS- und Polizeiführers für den Distrikt Krakau gehörenden Zeugen Fel. [90] und Bar. [91], die eine Aussiedlung miterlebt hatten, zur Front meldeten bzw. es mehrmals zwar erfolglos, aber auch ohne nachteilige Folgen versuchten, um mit diesen Angelegenheiten nichts zu tun haben zu müssen. Für den verstorbenen Zeugen Hub. waren diese Berichte Anlass, sich mit dem Kreishauptmann Dr. Class in Verbindung zu setzen und ihn um eine menschenwürdige Organisation einer etwa für Sanok angeordneten Aussiedlung zu bitten. Den stellvertretenden Leiter des Grenzpolizeikommissariats Sanok, den Zeugen Sey., veranlassten bereits die Gerüchte über die Greueltaten bei den Aussiedlungen, sich, wenn auch erfolglos, um eine Versetzung zu bemühen, während es dem dem Sonderdienst angehörenden Zeugen Net. gelang, sich der Teilnahme an Aktionen gegen die Juden dadurch zu entziehen, dass er vorgab, an einem anderen Ort Dienstgeschäfte erledigen zu müssen.

[90] Siehe Lfd.Nr.619.

[91] Siehe Lfd.Nr.762 und 780.

Für den Kreis und die Stadt Sanok wurde die "Endlösung der Judenfrage" im Hochsommer 1942 eingeleitet. Rund 8 km südwestlich von Sanok lag der Ort Zaslaw, wo sich ein Grundstück mit nicht fertiggestellten Fabrikgebäuden, aber einem Gleisanschluss zum Bahnknotenpunkt Nowy Zagorce befand. Dieses Lager wurde eingezäunt und notdürftig für die Aufnahme von Menschen hergerichtet. Es diente etwa ab Mitte August als Aufenthaltsort für die Juden aus Sanok und Umgebung, zum Beispiel aus Lesko und Bukowsko. In Sanok selbst wurden die Judenwohnbezirke aufgelöst. Es entstand ein eingezäuntes, bewachtes Ghetto, das nur zu bestimmten Zeiten mit einem Passierschein verlassen werden durfte. Zuwiderhandlungen waren mit der Todesstrafe bedroht.

Anfang September 1942 wurde der Aussiedlungsbefehl für Sanok durch einen Kurier aus Krakau überbracht, weil diese Vorgänge trotz allem, was bereits bekannt geworden war, soweit wie möglich geheim bleiben sollten. Der Aussiedlungsbefehl enthielt das Datum, an dem die Aktion stattzufinden hatte, und überliess die weitere Durchführung dem Kreishauptmann und dem Leiter des Grenzpolizeikommissariats, zu jener Zeit Scheuringer. In der Stadt wurden daraufhin Anschläge ausgehängt, die das Aussiedlungsdatum - 10.September 1942 - bekanntgaben und die Juden aufforderten, sich an diesem Tag mit etwas Handgepäck vor ihren Häusern einzufinden, deren Schlüssel stecken bleiben musste. Personen, die sich der Aussiedlung entzogen oder solchen, die ihnen dabei halfen, drohte die Todesstrafe. Zur vorgesehenen Zeit fuhren von Polen gestellte Pferdewagen vor, die einen Teil der Juden samt Gepäck nach Zaslaw brachten; der Rest, insbesondere die Männer, mussten laufen. Möglicherweise wurden Alte, Kranke und Schwache sofort auf dem jüdischen Friedhof erschossen, mehrere Zeugen hörten jedenfalls davon. 300 Personen durften im Ghetto verbleiben. In Zaslaw angekommen, fanden die meisten wegen der Überfüllung - es waren rund 15000 bis 20000 Juden zusammengetrieben worden - kein Obdach sondern mussten die Nacht ohne Verpflegung und sanitäre Einrichtungen im Freien verbringen. Die Zahl der Lagerinsassen sank aber bald, weil einerseits die deutschen Firmen versuchten, ihre Arbeitskräfte zurückzubekommen, und weil andererseits mit dem Abtransport in das Vernichtungslager Belzec begonnen wurde. Innerhalb von vier Tagen nach der Aussiedlung aus Sanok, nach von der Gestapo vorgenommenen Selektionen, gingen von Zaslaw zwei Züge zu je 60 Waggons nach Belzec ab. In die völlig leeren Wagen, die wenn sie zum Truppentransport dienten, mit höchstens 48 Personen belegt werden durften, wurden mit Schlägen, ohne Rücksicht auf Familienzugehörigkeit, zwischen 90 und 120 Personen gepfercht. Von aussen wurden die Lüftungsklappen fast ganz, die Türen völlig mit Draht verschlossen. Gleichwohl kam es unterwegs immer wieder zu - teilweise erfolgreichen - Ausbruchsversuchen. So rettete sich zum Beispiel der Zeuge Gur. Das Lager Zaslaw bestand bis zum 15. oder 16.Januar 1943 und wurde mit dem Abtransport der letzten 1.000 Personen liquidiert. Viele seiner Insassen wurden während des Bestehens des Lagers im Rahmen grosser Aktionen im Wald auf einem Hügel nahe dem Lager erschossen oder, soweit sie nur verwundet waren, lebendig begraben. Bei diesen Massentötungen mussten sich die Opfer nackt ausziehen, weil die Kleider zur weiteren Verwendung benötigt wurden und deshalb in das Lager zurückgebracht und sortiert werden mussten. Die auch von den unbeteiligten Zeugen Fri. und Cz. wahrgenommenen Massengräber wurden beim Rückzug der deutschen Truppen geöffnet; die Überreste der Leichen wurden mit Phosphor übergossen und verbrannt.

B) Die Taten der Angeklagten

a) Bäcker

Nachdem sich der Angeklagte den Deutschen angeschlossen hatte, bekam er zunächst eine Armbinde und einen Ausweis, die ihn als Dolmetscher kennzeichneten. Ferner erhielt er eine Pistole, an der er, weil er niemals gedient hatte und sie nicht handhaben konnte, auch ausgebildet wurde. Später erhielt er eine SS-Uniform. Die Brüder Leopold und Oskar des Angeklagten waren als Dolmetscher in Jaslo bzw. Krosno, etwa 40 km nordwestlich von Sanok entfernt, in einer anderen Kreishauptmannschaft, bei der Gestapo tätig. Der Angeklagte Bäcker wurde von Anfang an Zeuge der judenfeindlichen Massnahmen in Sanok. So lange seine Dienststelle im Ort Sanok war, beschränkte er sich, soweit ersichtlich, auf die ihm übertragene Dolmetschertätigkeit. Die Juden kannten ihn als Dolmetscher, nannten ihn aber nicht im Zusammenhang mit Gewaltanwendungen ihnen gegenüber. Als aber nach Beginn des Russlandfeldzuges die Ausschreitungen gegenüber den Juden stark zunahmen und ihr Leben so gering geachtet wurde, dass beinahe jedermann, vor allem aber die Gestapo, sie grundlos und ungestraft töten durfte, zeigte der Angeklagte Bäcker durch sein Verhalten, dass er diese Einschätzung und Bewertung der Juden teilte und ihre Ausrottung sowie der von Polen und Ukrainern zu seiner eigenen Sache gemacht hatte. Denn er hätte Tötungshandlungen ohne nachteilige Folgen für sich ablehnen können, wie er es nach eigenen Angaben in Ustrzyki-Dolne auch einmal getan haben will, als er wahrheitswidrig in seiner Dienststelle behauptete, eine ihm befohlene Erschiessung eines Juden ausgeführt zu haben, während er das Opfer laufen liess, das am nächsten Tag vom Judenrat zur Gestapo gebracht wurde. Tatsächlich ging der Angeklagte in Ustrzyki-Dolne herum und notierte die Namen derjenigen, die später erschossen wurden. Wenn dort nur sein Vorname "Johann" genannt wurde, verfielen die Bewohner in Angst und Schrecken. Er beteiligte sich, teilweise mit dem Gestapoangehörigen Doppke, an nahezu allen Tötungshandlungen und erhielt von der Bevölkerung den Beinamen "Hauptmörder", "Befehlshaber des Todes". Auch in Ustrzyki-Dolne musste der Judenrat für die Beerdigung der Opfer sorgen. Den Auftrag erteilte meist der Angeklagte Bäcker mit den Worten: "Räumt den Scheissdreck weg".

1. Fall 1 der Anklage vom 21.Dezember 1972

Am 21.Juni 1942 begann die Liquidierung der Juden in Lutowiska, einer kleinen Stadt nahe Ustrzyki-Dolne. Etwa 800 Menschen wurden zusammengetrieben und in mehrere Gruppen aufgeteilt. Eine der Gruppen wurde in einem zur katholischen Kirche gehörenden Schuppen untergebracht und im Laufe der Nacht an grossen Gruben erschossen, die bereits vorher nahe dem Schuppen ausgehoben worden waren. Im Laufe des Vormittags des 22.Juni 1942 suchte der Zeuge Jerzy Har., der von den Exekutionen in der vorangegangenen Nacht wusste, die Apotheke auf. Dort erschienen Doppke und der Angeklagte Bäcker, die Alkohol verlangten. Doppke fügte erklärend hinzu, dass sie in der vergangenen Nacht sehr schwer gearbeitet hätten und sich jetzt einen antrinken müssten. Am Nachmittag wollten der Angeklagte und Doppke, gefolgt von mehreren Fuhrwerken, auf denen sich jüdische Vermögensstücke befanden, nach Ustrzyki-Dolne zurückkehren. Der Zeuge Jerzy Har. stand nahe der Stelle, an der in der vorangegangenen Nacht die Juden erschossen worden waren und hörte, wie einer der an der Strasse stehenden Ukrainer dem Angeklagten und Doppke zurief, warum sie die jüdische Familie Lautermann am Leben gelassen hätten. Die beiden Angesprochenen wendeten sofort ihr Fahrzeug, fuhren in den Ort hinein und kamen mit der Familie - sechs Personen - zu der Exekutionsstätte zurück. Aus etwa 10 m Entfernung beobachtete der Zeuge Jerzy Har., wie sich die Familienmitglieder auf Befehl der Gestapoangehörigen mit zur Erde gewandtem Gesicht hinlegten und von Doppke und dem Angeklagten Bäcker, die in die Knie gegangen waren, durch Kopf- oder Genickschüsse getötet wurden. Der Angeklagte Bäcker tötete durch Schüsse aus seiner Pistole mindestens einen Angehörigen der Familie Lautermann, weil er dadurch zu der von ihm begrüssten Judenvernichtung einen eigenen Beitrag leisten konnte. Das Schiessen des Angeklagten Bäcker auf die Familie Lautermann beobachtete auch der zu dieser Zeit 12 Jahre alte Zeuge Kaziemierz Har., der ebenfalls von den nächtlichen Erschiessungen wusste und nun in der Nähe der Exekutionsstätte Kühe hütete.

2. Fall 6 der Anklage vom 21.Dezember 1972

Ebenfalls im Sommer 1942 sah der Zeuge Kap. den Angeklagten Bäcker ganz allein mit einer Gruppe von zehn bis zwölf Juden zum jüdischen Friedhof in Ustrzyki-Dolne gehen. Der Angeklagte hatte den zur Gestapostelle gehörenden Wolfshund bei sich. Der Friedhof lag etwas ausserhalb der Stadt, hinter dem Fluss und den Bahngleisen, am Hang des Rownia--Berges, und konnte vom etwas tiefer gelegenen Marktplatz der Stadt gut eingesehen werden. Die Entfernung in der Luftlinie betrug etwa 200 bis 250 m. Unauffällig ging der Zeuge Kap. dem Zug nach und beobachtete aus rund 100 m Entfernung, dass sich die Opfer nackt ausziehen und nebeneinander am Rand einer schon früher ausgehobenen, noch Platz bietenden Grube aufstellen mussten, wo sie der Angeklagte Bäcker aus Rassenhass nacheinander erschoss.

3. Fall I a 6 der Anklage vom 8.Mai 1972

Am 16.Dezember 1942 sollten auf dem Hügel bei dem Lager Zaslaw jüdische Frauen erschossen werden. Gestapoangehörige, unter ihnen die Angeklagten Bäcker und Quambusch sowie der Lagerkommandant Müller und die für tot erklärten Gestapoleute Kratzmann und Scheuringer, trieben die Frauen, von denen viele in der Näherei arbeiteten, auf dem Appellplatz zusammen. Unter diesen Frauen befand sich die Zeugin Jaffa Wal., die Ehefrau des Zeugen Dr. Wal., die der Angeklagte Quambusch mit den Worten "Du auch" vom Arm ihres Mannes losriss, als beide über den Appellplatz zum Küchengebäude gingen. Weil der Zeuge um das Leben seiner Frau fürchtete, stellte er zunächst aus 40 bis 50 m Entfernung fest, dass 300 bis 400 Frauen auf dem Appellplatz versammelt waren. Anschliessend begab er sich in die Küche und beobachtete aus dem Küchenfenster das, was in rund 80 m Entfernung auf dem Platz geschah. Die erwähnten fünf, ihm gut bekannten Gestapoleute und mehrere andere, die der Zeuge nicht namentlich kannte, bildeten rechts von ihm einen Halbkreis. Als Schüsse fielen, versuchten die Frauen in panischer Angst zu fliehen; einigen, auch der Zeugin Wal., gelang es. Mit gezielten Schüssen wurden aber viele getötet. Auch die Angeklagten Bäcker und Quambusch schossen gezielt und töteten mindestens jeder eine der Frauen, weil sie auf diese Weise wieder einmal aus eigenem Antrieb zu der von ihnen voll unterstützten Judenausrottung beitragen wollten.

4. Fall 2 der Anklageschrift vom 21.Dezember 1972

An einem Sonntagvormittag im Winter 1942/43 sah der in Ustrzyki-Dolne wohnhafte Zeuge Szc., als er zur Kirche ging, dass auf fünf bis sechs Schlitten 25 bis 30 alte, kranke, gebrechliche und verlassene Polen und Ukrainer, entsprechend dem damaligen Sprachgebrauch "unnütze Fresser", in die Stadt gebracht wurden. Nach der Rückkehr aus der Kirche sah der Zeuge von Fenster seines Wohnhauses, aus dem er einen freien, ungehinderten Blick auf den ca. 200 m entfernten jüdischen Friedhof am Hang des Rownia-Berges hatte, dass die 25 bis 30 Personen zu den Resten eines Bunkers geführt und dort von Doppke und dem Angeklagten Bäcker erschossen wurden, wobei der Angeklagte Bäcker mindestens eines der Opfer tötete. Der Zeuge Szc. konnte beide auf Grund ihres Körperbaues unterscheiden. Doppke war wesentlich grösser als Bäcker. Ausserdem sah er beide oft, weil sein Fotogeschäft nahe der Gestapodienststelle lag. Der Angeklagte Bäcker suchte ihn darüber hinaus des öfteren im Laden auf, um Filme entwickeln zu lassen. Schliesslich hatte der Zeuge dem Angeklagten Bäcker Ende Dezember 1941 auf der Gestapodienststelle in Ustrzyki-Dolne einen "Leica"--Fotoapparat aushändigen müssen, für die der Angeklagte eine von ihm auf der Schreibmaschine geschriebene und eigenhändig unterschriebene Quittung gab. Diese Original-Quittung übergab der Zeuge in der Hauptverhandlung dem Schwurgericht. Der Angeklagte tötete einen der hilflosen, unschuldigen und ungefährlichen Menschen, weil er in seinen Augen ein "Nichts" war.

5. Fall 5 der Anklage vom 21.Dezember 1972

Ebenfalls an einem Tag im Winter 1942/43 beobachtete der Zeuge Szc. aus seinem im Stadtinneren gelegenen Geschäft, dass Doppke und der Angeklagte Bäcker 24 Juden in Richtung des jüdischen Friedhofs führten. Es handelte sich um Juden, die ca. 3 km von Ustrzyki--

Dolne entfernt aus einem für ein Vernichtungslager bestimmten Transport entkommen, von der ukrainischen Miliz inhaftiert und nach Ustrzyki-Dolne in das Gefängnis gebracht worden waren. Der Zeuge Szc. folgte dem Zug unauffällig bis zu dem Haus einer Bekannten. Von einer Veranda dieses Hauses hatte er einen freien, ungehinderten Blick auf den jüdischen Friedhof. In ca. 200 m Entfernung sah er, dass sich die Juden nackt ausziehen und nacheinander an den Rand einer Grube treten mussten. Weil der Zeuge die beiden Gestapoleute gut unterscheiden konnte, stellte er fest, dass Doppke und Bäcker zunächst abwechselnd je ein Opfer erschossen und so insgesamt 22 Personen, jeder elf, töteten. Lediglich die beiden letzten mussten einander beim Auskleiden helfen, nebeneinander an den Rand des Grabes treten, dann schossen Doppke und der Angeklagte etwa gleichzeitig auf je eines der Opfer, die nahezu gleichzeitig tödlich getroffen in die Grube fielen. Auch diese zwölf Personen tötete der Angeklagte Bäcker aus Hass gegen die Juden, deren Ausrottung er zu seiner eigenen Sache gemacht hatte.

6. Fall I b 3 der Anklage vom 8.Mai 1972

Im Dezember 1942 musste die Firma Kirchhoff ihr in Trepce, ca. 3 km von Sanok entfernt befindliches Arbeitslager auflösen und die etwa 600 bis 800 Zwangsarbeiter nach Zaslaw zurückführen. Die Juden wurden dort für eine Nacht in den Kartoffelkeller gesperrt und am nächsten Tag in Gruppen von 40 bis 50 Personen von Gestapoleuten, unter denen sich auch die Angeklagten Bäcker und Quambusch befanden, auf den Hügel ausserhalb des Lagers geführt und dort erschossen. Eine Tötungshandlung war dem Angeklagten Bäcker nicht nachzuweisen, der aber durch das Zuführen der Gruppen wenigstens anderen Gestapoleuten das Töten zahlreicher Juden ermöglichen wollte, weil die Juden in seinen Augen nichts anderes als den Tod verdienten.

b) Quambusch

Der Angeklagte Quambusch war im Sinne des nationalsozialistischen Sprachgebrauchs "alter Kämpfer". Bereits auf Grund der langen SA- und Parteizugehörigkeit waren ihm die Ziele und Pläne des Nationalsozialismus bezüglich der Juden nicht verborgen geblieben. Ausserdem erlebte er die im Reich unmittelbar nach der "Machtübernahme" einsetzende Entrechtung und Diskriminierung der Juden mit und trat freiwillig in den Dienst der Gestapo, als deren unheilvolle Rolle, insbesondere bei der Verfolgung dem Staate missliebiger Personengruppen, bereits weitgehend bekannt war. In Sanok schloss er sich bald dem Judenreferenten der Gestapo, dem für tot erklärten Kratzmann, an, mit dem er sehr oft zusammen gesehen wurde, so dass sie als "Zwillinge" - so der Zeuge Zuc. -, als "zwei Verschworene" - so der Zeuge Schalom Ste. - empfunden wurden. Als nach Juni 1941, dem Beginn des Russlandfeldzuges, die Ausschreitungen gegen die Juden zunahmen und bereits eine ganze Reihe von ihnen getötet wurde, hörten viele der Zeugen in vielen Fällen immer wieder den Namen des Angeklagten Quambusch als den einen der Täter und sahen selbst, wie er Juden zum Friedhof führte, was allgemein als Zeichen für eine bevorstehende Erschiessung gewertet wurde. Der Zeuge Dr. Wal. sah vom Hügel im Stadtpark, wie der Angeklagte Quambusch auf dem jüdischen Friedhof auf Juden schoss und hörte anschliessend, dass es sich um die Familie Feld gehandelt haben sollte. Anlässlich einer Vorweihnachtsfeier, an der der Zeuge Mi. als Kellner teilnahm, rühmte sich der Angeklagte in vorgerückter Stimmung gegenüber seinen Kameraden vieler Judenerschiessungen. Selbst diejenigen, die den Angeklagten allenfalls flüchtig oder gar nicht gesehen haben, wie die Zeugen Mayer Zie. und Ester Ei., waren vor ihm gewarnt worden. Dem Zeugen Zie. wurde erzählt, Quambusch töte wahllos Juden; gegenüber der Zeugin Ei. charakterisierten Dritte den Angeklagten als "Tier in Menschengestalt". Dem Zeugen Cz. war der Angeklagte durch Berichte Dritter als Spezialist für das Töten kleiner Kinder bekannt. Nach der Einrichtung des Lagers Zaslaw wurden dann unter anderen die Zeugen Dr. Schm. und He. auf den Angeklagten Quambusch als denjenigen aufmerksam gemacht, der sich in Zaslaw an Erschiessungen beteilige. Sogar noch in seiner

Haltung gegenüber toten Juden zeigte der Angeklagte Quambusch seine grenzenlose Verachtung und seinen abgrundtiefen Hass gegenüber dieser Rasse. Den Judenrat beauftragte er häufig mit den Worten "räumt den Mist von der Strasse" die Leichen zu begraben. Dem Zeugen Mordechai Sil. und einem anderen Juden befahl er an einem Sabbat, dem jüdischen Feiertag, auf dem jüdischen Friedhof in Sanok das Grab eines Rabbiners zu zerstören. Schliesslich urinierte er auf das Grab und erklärte auf die entsetzte Frage der beiden Arbeiter, was er tue, "der ist schon 30 Jahre im Grab, da muss er doch etwas saufen".

1. Fall II a 6 der Anklage vom 8.Mai 1972

Im Frühjahr 1942 führte der Angeklagte Quambusch eine Gruppe Juden in Richtung des jüdischen Friedhofs, die dort erschossen werden sollten. Die Juden schrien und lamentierten, so dass erheblicher Lärm auf der Strasse herrschte. Der Zeuge Str. wollte genau sehen, was mit seinen Glaubensbrüdern geschehen würde und folgte dem Zug in 8 bis 10 m Entfernung. Dadurch bemerkte er, dass die in einer der von dem Zug passierten Strassen wohnhafte Frau Roth das Fenster öffnete und hinaussah. Der Angeklagte nahm Frau Roth, die möglicherweise weinte, ebenfalls wahr, richtete seine Maschinenpistole auf sie, drückte ab und erschoss sie. Er handelte aus tiefem Hass gegen die Juden, deren Leben nach seiner Auffassung keine Schonung verdiente. Als der Zeuge Str. Frau Roth am Fenster zusammensinken sah, lief er sofort in ihre Wohnung und fand sie tot auf dem Fussboden liegend.

2. Fall II a 1 der Anklage vom 8.Mai 1972

Im Juni 1942 fuhren Kratzmann und der Angeklagte Quambusch mit einem Kraftfahrzeug nach Bukowsko, einem etwa 15 bis 20 km von Sanok entfernten Ort mit rund 3000 Einwohnern, davon 500 bis 600 Juden. Am Marktplatz sahen sie den Zeugen Schalom Ste. und dessen älteren Bruder Schlomo. Sie riefen die Brüder zu sich und wollten beide sofort abführen. Der Zeuge Schalom Ste. hatte sich aber von Anfang an etwas zurückgehalten, konnte fliehen und sich verstecken. Weil er die beiden Gestapoangehörigen kannte, die mindestens zweimal monatlich in Bukowsko erschienen, und weil er von den Gerüchten über ihre Beteiligung an Judenerschiessungen gehört hatte, beobachtete er aus seinem Versteck, was mit seinem Bruder geschah. Schlomo Ste. wurde, und das sah auch die Zeugin Bertha Grä., von den beiden Gestapoleuten in Richtung des christlichen Friedhofs geführt. Unterwegs versuchte er, auf ein freies Feld zu fliehen, stürzte aber am Fuss getroffen zu Boden, denn Kratzmann und der Angeklagte Quambusch schossen ihm nach, um seine Flucht zu verhindern. Der Verletzte versuchte, aufzustehen und doch noch zu entkommen. Während sich Kratzmann nicht mehr beteiligte und sich von dem Opfer abwandte, lief der Angeklagte Quambusch dem Angeschossenen nach und tötete ihn auf freiem Feld durch Kopfschuss, wie der Zeuge Schalom Ste. aus etwa 200 m Entfernung bei völlig freier Sicht deutlich sehen konnte. Am Abend desselben Tages wurden Schlomo Ste. und neun weitere Juden, die ebenfalls Kratzmann und Quambusch an diesem Tag getötet haben sollen, auf dem jüdischen Friedhof in Bukowsko begraben. Auf Weisung des Judenrats, dem die beiden Gestapomänner befohlen hatten, "den Mist" - die Leichen - von der Strasse zu räumen, halfen unter anderem die Zeugen Zuc. und Schalom Ste. bei dem Begräbnis. Diese Zeugen sowie der Zeuge Mosche Grä. sahen die Leiche des Schlomo Ste. Schalom Ste. stellte weiter fest, dass sein Bruder eine Schussverletzung am Fuss und einen Kopfschuss hatte.

3. Fall II a 2 der Anklage vom 8.Mai 1972

Im September oder Oktober 1942, jedenfalls einige Zeit nach der Aussiedlung der Juden aus Sanok nach Zaslaw, suchte der Judenreferent Kratzmann rund 100 Personen aus, die den Auftrag bekamen, das Ghetto in Sanok und die Häuser darin aufzuräumen. Unter ihnen waren die Zeugen Zuc. und Mosche Grä. Es wurden Gruppen von zehn bis fünfzehn Personen gebildet, von denen jeweils eine Person mit ihrem Leben dafür haftete, dass niemand floh. Die Arbeitsgruppen bekamen die Erlaubnis, wie nicht zu widerlegen war, die bei den Aufräumungsarbeiten entdeckten Nahrungs- und Genussmittel für sich zu behalten. Eines der Häuser, dessen jüdische Bewohner ausgesiedelt worden waren, wurde noch von einer polnischen Christin bewohnt, die zur Zeit der Aufräumungsarbeiten abwesend war. In Unkenntnis dieser Tatsache nahmen die jüdischen Arbeitskräfte auch in diesem Haus die vorgefundenen Nahrungs- und Genussmittel an sich, verzehrten sie und wurden deshalb von der Polin bei der Gestapo angezeigt, als sie die von ihr geforderten 200 Zloty nicht zahlen konnten. Zwischen 15.00 und 16.00 Uhr an diesem Tage mussten sich alle Arbeitsgruppen bei der Mühle in Dombrowka, einem Vorort Sanoks, versammeln. In dem von den Arbeitern gebildeten Halbkreis stand an der Wand der Mühle die von der Polin denunzierte Gruppe, die etwa 14 Personen umfasste, darunter ein Vater mit seinen halbwüchsigen Söhnen. Nahe der Gruppe standen neben anderen Gestapoangehörigen Kratzmann und der Angeklagte Quambusch. Allen Versammelten wurde in polnischer Sprache erklärt, dass sie jetzt Zeugen würden, wie Juden, die gestohlen hatten, erschossen werden. Als daraufhin der Vater hervortrat, um das Leben seiner unschuldigen Kinder bat und auch darauf hinwies, dass ihnen das Mitnehmen der Nahrungs- und Genussmittel gestattet worden sei, wurde er von Kratzmann oder Quambusch zu Boden geschlagen. Sodann mussten sich alle Gruppenangehörigen mit dem Gesicht zur Wand der Mühle aufstellen. Der Angeklagte Quambusch trat von der einen Seite an die Gruppe heran und tötete, während er zur Mitte ging, wo er auf Kratzmann traf, der an der anderen Seite begonnen hatte, aus Rassenhass mindestens einen der Juden durch Genick- oder Kopfschuss. Sogar die auf der Strasse stehenden Soldaten weinten bei dieser Exekution. Anschliessend wurden die Leichen auf einem mit Stroh ausgelegten Pferdefuhrwerk abtransportiert.

4. Fall II b 2 der Anklage vom 8.Mai 1972

Im September 1942, zur Zeit des Versöhnungsfestes - Yom Kippur -, wurden auf dem Hügel nahe dem Lager Zaslaw die aus Lesko stammenden 400 bis 500 Juden erschossen, die sich der Aussiedlung hatten entziehen können, später aber entdeckt und nach Zaslaw gebracht worden waren. In seinem Eifer, zu der von ihm rückhaltlos bejahten Judenausrottung wann immer möglich nach besten Kräften beizutragen, trieb der Angeklagte Quambusch nicht nur Gruppen zur Hinrichtungsstätte, sondern beteiligte sich dort an den vorbereiteten Massengräbern auch an der Erschiessung der Opfer, von denen er mindestens eines tötete.

5. Fall II a 20 der Anklage vom 8.Mai 1972

Am 16.Dezember 1942 sollten auf dem Hügel bei dem Lager Zaslaw jüdische Frauen erschossen werden. Wegen der Mitwirkung des Angeklagten Quambusch in diesem Fall wird auf die Feststellungen unter II B a 3 Bezug genommen.

6. Fall II a 21 der Anklage vom 8.Mai 1972

Ebenfalls am 16.Dezember 1942, unmittelbar im Anschluss an die Schiesserei auf dem Appellplatz, suchte der Angeklagte, wütend darüber, dass einige der Opfer durch Flucht entkommen waren, nach versteckten Mädchen, um sie zu töten und so seinen Rassenhass zu befriedigen. In der Näherei fand er weitere 14 Mädchen. Er trieb sie auf dem Appellplatz zu einem roten Haus und befahl ihnen zunächst, sich mit dem Gesicht zur Wand aufzustellen. Der Zeuge Dr. Wal., von der Küche auf dem Weg zu den Opfern auf dem Appellplatz, um festzustellen, ob seine Frau unter ihnen war, sah aus rund 40 m Entfernung, wie der Angeklagte Quambusch sich ein Brett bringen liess, um in dem etwas weichen Boden besseren Halt zu haben. Die Mädchen mussten sich nacheinander, mit dem Gesicht zur Erde, auf das Brett legen, und der Angeklagte tötete sie einzeln durch Genickschuss. Der Zeuge Mordechai Sil. beobachtete diese Ereignisse aus sogar nur einem bis zwei Meter Entfernung, weil er sich zufällig an dem roten Haus aufhielt und seine damals 17-jährige Tochter unter den Opfern wähnte. Er hörte, wie der Angeklagte die Mädchen mit den Worten "Ich werde es Euch leichter machen" aufforderte, sich auf das Brett zu legen. Der Zeuge Ascher Sc. kam hinzu, als die Mädchen sich auf das Brett legen mussten. Er beobachtete aus ca. 10 m Entfernung die Erschiessung von sechs Mädchen und wandte sich dann ab.

7.Fall II b 3 der Anklage vom 8.Mai 1972

Im Dezember 1942 musste die Firma Kirchhoff ihr in Trepce, ca. 3 km von Sanok entfernt befindliches Arbeitslager auflösen und die etwa 600 bis 800 Zwangsarbeiter nach Zaslaw zurückführen. Die Juden wurden dort für eine Nacht in den Kartoffelkeller gesperrt. Am nächsten Morgen half der Angeklagte Quambusch bei der Überführung der in mehrere Gruppen eingeteilten Häftlinge zu der Exekutionsstätte auf dem Hügel und schoss dort aus eigenem Antrieb auch mit, weil er sich das Ziel der völligen Judenausrottung zu eigen gemacht hatte. Er tötete mindestens eines der Opfer.

Anlässlich seiner Verhaftung verweigerte der Angeklagte Quambusch vor der Polizei die Aussage, erklärte aber, vor dem Vernehmungsrichter auch ohne Anwesenheit eines Verteidigers aussagen zu wollen. Der Zeuge Kit., der Richter am Amtsgericht Tiergarten, der dem Angeklagten am 31.März 1971 den Haftbefehl verkündete, gab ihm auf dessen Wunsch Gelegenheit, sich mit dem Zeugen Rechtsanwalt Kie., dem der Angeklagte Verteidigervollmacht erteilte, zu beraten. Nachdem der Zeuge Kie. den Haftbefehl gelesen hatte, fragte er den Angeklagten, was an den Vorwürfen wahr sei; dieser erklärte dazu, dass er zugeben müsse, 15 Juden umgebracht zu haben. Der Zeuge Kie. wies den Angeklagten auf die weitreichenden Folgen eines solchen Geständnisses hin und riet ihm, sich die Einlassung gegenüber dem Zeugen Kit. sehr genau zu überlegen, auch darauf hinzuweisen, wenn er sich nicht erinnere. Anschliessend wurde der Angeklagte durch den Zeugen Kit. vernommen, dem er gestand:

> "Ich habe Juden erschossen, vielleicht 15. Ich war beim Begleitkommando; wenn einer ausbuchsen wollte, musste ich schiessen. Das war Befehl des jeweiligen Dienststellenleiters". ... "Ich bestreite, aus Rassenhass oder sogar aus reiner Mordlust in den etwa fünfzehn Fällen geschossen zu haben, die ich einräume."

III. « Beweiswürdigung »

Die Angeklagten haben in der Hauptverhandlung von dem Recht Gebrauch gemacht, nicht zur Sache auszusagen. Der Angeklagte Bäcker wollte nicht ausschliessen, dass er möglicherweise mit einem seiner beiden in Krosno und Jaslo, ebenfalls bei der Gestapo diensttuenden Brüder verwechselt wurde. Der Angeklagte Quambusch hat darüber hinaus sein richterliches Geständnis vom 31.März 1971 mit der Begründung widerrufen, damals sehr aufgeregt und anwaltlich falsch beraten gewesen zu sein.

Durch das Ergebnis der Beweisaufnahme sind die Angeklagten im Sinne der Feststellungen unter II B überführt worden. Eine grosse Zahl von Zeugen hat die Angeklagten in der Hauptverhandlung sicher identifiziert, obwohl die Sitzordnung mehrfach verändert wurde, gerade um auszuschliessen, dass später zu vernehmende Zeugen etwa informiert werden würden. Das Schwurgericht hat seine Überzeugung von der Schuld der Angeklagten in allen Fällen nur auf die Bekundungen solcher Zeugen gestützt, an deren Glaubwürdigkeit keine Zweifel bestanden. Die Aussagen der Zeugen Bronislaw Kac., Aaron Hef. und Leiser Kel. haben in keinem Fall zu einem Schuldspruch geführt, sie sind völlig ausser Betracht geblieben auch dort, wo ihre Bekundungen von anderen Zeugen bestätigt worden sind. Das gilt auch für die zumeist auf Hörensagen beruhenden Aussagen der Zeugen Maurice und Harold Suf., die nicht besonders sicher in ihren Angaben wirkten. Ferner ist darauf verzichtet worden, die Aussage des geistig erheblich abgebauten und darüber hinaus bei seiner Vernehmung sehr erregten Zeugen Si. zur Überführung der Angeklagten zu verwerten. Als einziger der aus Polen angereisten Zeugen liess der Zeuge Kac. durch sein Auftreten in dem Schwurgericht den Verdacht entstehen, dass er sich vor seiner Aussage noch unter einem bestimmten Aspekt mit den damaligen Ereignissen befasst hatte. Dazu trug besonders bei, dass der Zeuge erstmals darüber aussagte, durch den Angeklagten Bäcker seiner wertvollen Habe beraubt und auf seine Veranlassung in das KZ Auschwitz gekommen zu sein, wo er medizinischen Versuchen ausgesetzt gewesen sei. Es war nicht zu klären, warum der Zeuge diese schwerwiegenden Tatsachen bei seiner richterlichen Vernehmung in Polen verschwiegen hat. Der Zeuge Hef. wirkte recht unsicher und verbarg im übrigen seine Emotionen nur schlecht. Der Zeuge Kel. schliesslich hat sich durch die Art seines Auftretens, wiederholtes Bezeichnen der Angeklagten als Mörder, das unübersehbare Bestreben, vor Gericht alles zu bestätigen, wenn es nur zur Verurteilung der ihm so sehr Verhassten führen würde, selbst entwertet. Im übrigen hat das Schwurgericht die Beweise folgendermassen gewürdigt:

Bäcker

Auf Grund der von dem Zeugen Szc. überreichten Quittung über die Ablieferung eines Fotoapparates, die der Angeklagte nach der Bekundung des Zeugen am 30.Dezember 1941 in Ustrzyki-Dolne ausstellte und unterschrieb und deren Unterschrift auch der Schriftsachverständige Töp. als von dem Angeklagten Bäcker stammend bezeichnete, ist das Schwurgericht überzeugt, dass der Angeklagte ab Ende des Jahres 1941 in Ustrzyki-Dolne Dienst tat.

Im Fall 1 bestehen an der Glaubwürdigkeit der Augenzeugen Jerzy und Kaziemierz Har., die den Angeklagten im Sitzungssaal wiedererkannten, keine Zweifel. Zwar war der Zeuge Kaziemierz Har. zur Tatzeit erst 12 Jahre alt. Diese Tatsache schliesst seine Glaubwürdigkeit nicht aus; dabei muss berücksichtigt werden, dass es sich um einen für den Jungen einmaligen, grausamen und deshalb besonders eindrucksvollen Vorgang handelte.

Die Aussage des einzigen Augenzeugen Kap. im Falle 2 war glaubhaft und frei von Widersprüchen. Auch er hat den Angeklagten Bäcker im Sitzungssaal wiedererkannt.

Die Glaubwürdigkeit des Zeugen Dr. Wal., der den Angeklagten ebenfalls im Sitzungssaal wiedererkannte - Fall 3 - war nach der Überzeugung des Schwurgerichts über jeden Zweifel erhaben. Dieser Zeuge kannte den Angeklagten gut, und aus Sorge um seine Ehefrau, die Zeugin Jaffa Wal., achtete er gerade besonders genau auf die Vorgänge auf dem Appellplatz in Zaslaw. Wie sehr sich der Zeuge um eine wahrheitsgemässe Aussage bemühte, geht nicht zuletzt daraus hervor, dass er auch in einem dem Angeklagten Bäcker zunächst zur Last gelegten Fall seine frühere belastende Aussage in der Hauptverhandlung nicht mehr aufrechterhielt.

Der einzige Augenzeuge in den Fällen 4 und 5, Szc., hat den Angeklagten Bäcker im Saal zunächst nicht erkannt, sondern ihn nur anhand eines Bildes identifiziert. Gleichwohl hatte das Gericht an der Glaubwürdigkeit dieses Zeugen keine Zweifel. Auch dieser Zeuge kannte den Angeklagten Johann Bäcker zur Tatzeit, die mehr als 30 Jahre zurückliegt gut, nicht zuletzt deshalb, weil der Angeklagte häufig Fotoarbeiten im Geschäft des Zeugen ausführen liess. Der Zeuge war sich nicht bewusst, jemals den Brüdern des Angeklagten begegnet zu sein, er war sich deshalb also sicher, bei den von ihm geschilderten Tötungshandlungen den Angeklagten Johann Bäcker gesehen zu haben.

Für den Fall 6 gab es drei Augenzeugen, nämlich Iwl., Mordechai Sil. und Sc., die sämtlich in Israel vernommen worden sind und den Angeklagten Bäcker anhand von Bildern identifiziert haben. Zweifel an der Glaubwürdigkeit dieser Zeugen gibt es nicht. Soweit der zum Beerdigungskommando bei der Aktion gehörende Zeuge Sc. im Gegensatz zu seiner früheren Aussage bekundet hat, dass der Angeklagte Bäcker bei der Vernichtung der Juden aus Trepce sogar mitschoss, ist ihm das Schwurgericht nicht gefolgt. Es war nicht mit letzter Sicherheit auszuschliessen, dass der Zeuge einem Irrtum erlegen ist und aus der nachgewiesenen Anwesenheit dieses Angeklagten auf seine Beteiligung an den Tötungshandlungen geschlossen hat.

Eine Entscheidung über den zu 4 für den Fall des Freispruchs gestellten Hilfsbeweisantrag der Staatsanwaltschaft war nicht erforderlich, weil das Schwurgericht zu einem Schuldspruch gelangt ist.

Quambusch

Im Fall 1 wird die glaubhafte Aussage des uneingeschränkt glaubwürdigen Zeugen Str., der die Angeklagten im Sitzungssaal sofort identifizierte, durch die Aussage des glaubwürdigen Zeugen Abraham We. unterstützt. Durch seinen Vater, der Mitglied des Sanoker Judenrats war, hatte er davon gehört, dass eine Frau, die das Schicksal der vor ihren Augen zum jüdischen Friedhof geführten Gruppe von Juden beweinte, durch die Gestapo erschossen worden war.

Das Schwurgericht hatte weiterhin keine Zweifel an der Glaubwürdigkeit des Zeugen Schalom Ste. und der Richtigkeit seiner Aussage über den Tod seines Bruders Schlomo, Fall 2. Der Zeuge hat den Angeklagten Quambusch im Sitzungssaal sofort identifiziert, er war der erste jüdische Zeuge, der in dem Verfahren vernommen wurde, konnte also auch nicht von Glaubensbrüdern unterrichtet werden sein. Zwar hat er anlässlich seiner ersten Vernehmung im Jahre 1963 anders ausgesagt. Seine Aussage im Jahre 1966 beschäftigte sich auf Grund anderer Fragestellung überhaupt nicht mit dem Angeklagten Quambusch, und in seiner Aussage aus dem Jahre 1969 schilderte der Zeuge die Ereignisse so, wie er es auch in der Hauptverhandlung tat. Seine Darstellung der Vorgänge in Bukowsko ist darüber hinaus von der Zeugin Bertha Grä. bestätigt worden, die erst durch das Fenster und dann durch die Tür ihres Geschäftes sah, dass zwei Gestapoleute, die ihr später als Quambusch und Kratzmann bezeichnet wurden, den Schlomo Ste. zum christlichen Friedhof führten, aus dessen Richtung sie alsbald danach einen Schuss hörte. Polen berichteten der Zeugin, dass Schlomo Ste. von der Gestapo erschossen wurde. Einen solchen Bericht, sogar unter ausdrücklicher Nennung Quambuschs als demjenigen, der Schlomo Ste. erschoss, erhielt der Zeuge Mosche Grä. unmittelbar nach der Tat durch den polnischen Bauern Bezrucz. Dass der Angeklagte Quambusch und Kratzmann mit dem Tod des Schlomo Ste. zu tun hatten, erfuhr an demselben Tage auch der ebenfalls in Bukowsko wohnende Zeuge Zuc.

Anlässlich der Tötung der Juden bei der Mühle von Dombrowka - Fall 3 - mussten der Zeuge Zuc., der den Angeklagten im Sitzungssaal identifizierte, und Mosche Grä., der den Angeklagten anlässlich seiner kommissarischen Vernehmung in Israel zutreffend beschrieb, zusehen, wie der Angeklagte Quambusch mindestens eines der unglücklichen Opfer erschoss. Irgendwelcher Anlass zu Zweifeln an der Glaubwürdigkeit der Zeugen bestand nicht, ihre Darstellung der Vorgänge war in allen Vernehmungen gleich. Unabhängig voneinander erfuhren weiterhin die Zeugen Gur., der den Angeklagten Quambusch ebenfalls im Sitzungssaal sofort identifizierte, Zie. und We. von diesem Geschehnis als solchem, das durch seine Grausamkeit selbst unter damaligen Verhältnissen auffiel.

Augenzeuge der Beteiligung des Angeklagten Quambusch an der Tötung der aus Lesko stammenden Juden im Lager Zaslaw - Fall 4 - war Ascher Sc., an dessen Glaubwürdigkeit zu zweifeln das Gericht keinen Anlass hatte. Bereits im Ermittlungsverfahren hat der Zeuge die Handlungsweise des Angeklagten Quambusch in gleicher Weise geschildert.

Zu der Glaubwürdigkeit des Zeugen Dr. Wal. - Fall 5 und 6 - sind bereits im Zusammenhang mit den dem Angeklagten Bäcker zur Last gelegten Taten Ausführungen gemacht worden, denen nichts hinzuzufügen ist. Auch gegenüber dem Angeklagten Quambusch hat der

Zeuge Dr. Wal. frühere belastende Aussagen (Kinderaktion und "Kunstschiessen") nicht aufrechterhalten. Ebenfalls uneingeschränkt glaubwürdig ist die Zeugin Jaffa Wal., die eines der Opfer im Rahmen der Frauenaktion werden sollte, der dann aber in der einsetzenden Panik die Flucht gelang. Sie erlebte vor ihrer Flucht einen Teil der Tätigkeit des Angeklagten Quambusch mit. Die Eheleute Wal. haben den Angeklagten im Sitzungssaal identifiziert. Die Zeugen Gur. und Mi. haben von der Frauenaktion als solcher, allerdings nichts über die Namen der Täter, gehört. Auch der Zeuge Mi. identifizierte den Angeklagten im Sitzungssaal sofort.

Augenzeugen der Tötung von 14 Mädchen aus der Lagerschneiderei in Zaslaw - Fall 6 - waren neben Dr. Wal. noch Mordechai Sil. und Ascher Sc. Auch die beiden zuletzt genannten Zeugen sind uneingeschränkt glaubwürdig; der in Israel vernommene Zeuge Sil. hat den Angeklagten Quambusch anhand eines Bildes identifiziert. Beide Zeugen befanden sich im Augenblick der Tat ganz nahe bei dem Angeklagten Quambusch, aus Angst um seine möglicherweise unter den Opfern befindliche Tochter beobachtete der Zeuge Sil. die Vorgänge besonders genau. Trotz dieser Erinnerungen an den Angeklagten Quambusch hat der Zeuge Sil. in mehreren Fällen seine früheren, den Angeklagten schwer belastenden Aussagen nicht aufrechterhalten. Diese Tatsache hat das Schwurgericht in seiner Überzeugung von der Glaubwürdigkeit dieses Zeugen bestärkt. Die Zeugen Gur. und Cha., letzterer identifizierte die Angeklagten im Sitzungssaal, haben von der Tötung der 14 Mädchen, allerdings ohne Nennung des Täternamens, gehört.

Im Fall 7 war der Angeklagte Quambusch früher geständig, einen Teil der aus dem Lager Trepce nach Zaslaw verbrachten Juden zur Erschiessung auf den Hügel nahe dem Lager geführt zu haben. Obwohl der Angeklagte sein Geständnis widerrufen hat, ist das Schwurgericht von der Richtigkeit überzeugt und der Auffassung, dass es gegen den Angeklagten verwertet werden kann. Der Angeklagte war am Tage seiner Verhaftung durchaus dazu in der Lage, seine Rechte zu wahren, wie sich bereits daraus ergibt, dass er eine verantwortliche Vernehmung bei der Polizei ablehnte, aber bereits dort ankündigte, vor dem Vernehmungsrichter auch ohne Einschaltung eines Verteidigers aussagen zu wollen. Gegenüber dem Vernehmungsrichter, dem Zeugen Kit., änderte er seine Meinung und bat um anwaltliche Beratung, die ihm daraufhin der Zeuge Kie. erteilte. Erst danach und trotz des Hinweises des Zeugen Kie., dass die Erklärung, 15 Juden getötet zu haben, weitreichende Folgen haben könne und der Angeklagte sie deshalb genau überlegen möge, legte Quambusch sein Geständnis ab. Er ist also durchaus nicht überrumpelt und etwa auf Grund falscher anwaltlicher Beratung zu dem Geständnis verleitet worden. Das Geständnis ist vielmehr nach den gesamten Umständen das Ergebnis freier Entschliessung, und es wird auch nicht dadurch unverwertbar, dass es der Zeuge Kie. nicht verhindert hat, wobei dahingestellt bleiben kann, ob anwaltliche Standesvorschriften es überhaupt gestatten, dass der Verteidiger ein Geständnis vereitelt. Der Zeuge Kie. jedenfalls hatte mit dem Aufzeigen der Nachteile, die ein Geständnis haben kann, seinen Verteidigerpflichten voll genügt. Wenn sich der Angeklagte in Kenntnis dieser Nachteile dennoch zu einem Geständnis entschloss, muss er sich daran festhalten und es gegebenenfalls gegen sich gelten lassen.

Dass der Angeklagte Juden aus Trepce auf den Hügel bei Zaslaw geführt hat, ergibt sich aber nicht nur aus seinem Geständnis sondern auch aus den glaubhaften Bekundungen der Zeugen Ma., Sc., Mordechai Sil. und Dr. Wal., die sämtlich den Angeklagten einmal oder mehrmals dabei beobachteten, wie er Gruppen begleitete. Über die Glaubwürdigkeit der bereits wiederholt erwähnten Zeugen Sc., Sil. und Dr. Wal. erübrigen sich weitere Ausführungen. Der Zeuge Ma. hat glaubhaft bekundet, dass er den Angeklagten Quambusch deshalb so genau beobachtete, weil sein, des Zeugen, Bruder auch unter den zur Erschiessung bestimmten, in den Zaslawer Kartoffelkeller gesperrten Juden war und er wissen wollte, was mit ihm geschah. Aus diesem Grunde sah der Zeuge den Angeklagten Quambusch neben anderen Gestapoleuten als Begleitung bei zwei Gruppen, hörte, nachdem die Gruppen an der

Exekutionsstätte auf dem Hügel eingetroffen waren, Schüsse und sah den Angeklagten nebst anderen Gestapoangehörigen mit blutbesudelter Kleidung zurückkehren. Auch die Juden aus Trepce mussten sich nackt ausziehen, ihre Kleidung wurde nach Beendigung der Aktion in das Lager zurückgebracht, der Zeuge Ma. musste beim Sortieren der Kleidung helfen und fand dabei den Mantel seines Bruders. Einen Zettel mit einigen von seinem Bruder geschriebenen Abschiedsworten erhielt der Zeuge von einem Ordnungsdienstmann.

Bereits die Schilderung des Zeugen Ma., dass der Angeklagte Quambusch mit blutbesudelter Kleidung von der Exekutionsstätte zurückkehrte, ist ein wesentliches Indiz dafür, dass der Angeklagte sich auch an der Erschiessung beteiligt hat. Durch die Bekundung der Zeugen Sc. und Cha. ist er nach der Überzeugung des Schwurgerichts der Beteiligung an der Erschiessung überführt. Der Zeuge Sc. gehörte zum Beerdigungskommando, das vorher die Gruben ausheben, während der Exekution die Schichten von Leichen mit Sand bedecken und schliesslich die Gräber ganz zuschaufeln musste. Dem uneingeschränkt glaubwürdigen Zeugen Cha., der ebenfalls zu der in den Keller gesperrten Trepce-Juden gehörte, gelang in der Nacht vor der Exekution die Flucht. Er verbarg sich auf dem Hügel nahe den Massengräbern und konnte deshalb am nächsten Morgen beobachten, dass auch der Angeklagte Quambusch auf die von ihm zuvor herbeigeholten Gruppen schoss und mindestens einen Juden tödlich traf.

Das den Angeklagten Quambusch betreffende Ergebnis der Beweisaufnahme wird schliesslich durch sein glaubhaftes richterliches Geständnis unterstützt, in dem er zugegeben hat, 15 Juden getötet zu haben. Die oben dargelegten Gründe für die Richtigkeit dieses Geständnisses gelten auch hier.

IV. « Rechtliche Würdigung »

Der Angeklagte Bäcker ist des Mordes in 25 Fällen, §§211, 74 StGB, und der Beihilfe zum Mord, §§211, 49 StGB, schuldig. Er tötete vorsätzlich 25 Menschen. Zwar hat er in den Fällen 2 und 5 der ihn betreffenden Feststellungen jeweils eine Menschengruppe erschossen. Gleichwohl liegt insoweit kein Fall gleichartiger Tateinheit vor, denn auch bei den Gruppen wurde der Tod der Menschen nicht durch eine Handlung des Angeklagten verursacht. Jede Tötungshandlung richtete sich jeweils nur gegen ein Opfer und beruhte in jedem Fall auf einer neuen Willensbetätigung (BGHSt. 16, 397 ff.).

Der Angeklagte Bäcker handelte aus niedrigen Beweggründen, das heisst aus solchen, die nach allgemeiner sittlicher Bewertung als Tötungsmotiv sittlich auf tiefster Stufe stehen und als besonders verwerflich, ja verächtlich anzusehen sind (BGHSt. 3, 132). Rassenhass ist ein solcher Beweggrund. Es kann davon ausgegangen werden, dass der Angeklagte bis zum Beginn des Zweiten Weltkrieges nur wenig über die politischen Verhältnisse in Deutschland, insbesondere über den Judenhass der Machthaber und die geplante physische Vernichtung der Juden wusste, zumal irgendwelche persönlichen Bindungen des Angeklagten zu entsprechenden Kreisen in Deutschland nicht bekannt geworden sind. Aber ab September 1939, seit dem Eintreffen des Angeklagten in Sanok, erlebte er die auf abgrundtiefem, hemmungslosen Hass gegen Juden und Zigeuner beruhenden demütigenden und entrechtenden Massnahmen der nationalsozialistischen Machthaber mit, die insbesondere durch die Abschneidung der Juden von ihren Erwerbs- und Ernährungsquellen einerseits, die Verpflichtung zur kräftezehrenden Zwangsarbeit andererseits für jeden erkennbar darauf abzielten, die Juden auszurotten. Er erlebte auch mit, wie nach dem Beginn des Russlandfeldzuges im Juni 1941 die mit der Auslöschung jüdischen Menschenlebens verbundenen Übergriffe, insbesondere der Gestapo, stark anstiegen, ohne dass die Sanktionen seitens deutscher Behörden folgten, die in Gesetzen und Verordnungen angedroht waren. Diesen von ihm erkannten Rassenhass billigte der Angeklagte Bäcker und machte ihn sich zu eigen, wie seine freiwillige Beteiligung an und sein Vorgehen in den festgestellten Fällen zeigt (BGH NJW 1969, 1727). Keinem seiner Opfer konnte etwas anderes vorgeworfen werden, als Jude oder Zigeuner zu sein, also den Bevölkerungsgruppen anzugehören, deren Leben ein Nichts war, das auszulöschen beinahe jedem, vor allem aber der Gestapo, willkürlich und ungestraft erlaubt war. Der Angeklagte war sich bewusst, dass er nur aus Rassenhass, also einem niedrigen Beweggrund tötete, denn wie sehr er die einfachsten und selbstverständlichsten sittlichen Grundsätze nahezu aller Kulturvölker aus Rassenhass verleugnete, zeigt sein Verhalten gegenüber den Toten, die er oft als "Scheissdreck" bezeichnete, wenn er den zuständigen Judenrat mit der Beerdigung der Opfer beauftragte.

In den Fällen 1 bis 5 ist der Angeklagte Bäcker nicht Gehilfe, sondern Täter. Hier wollte er nicht den nationalsozialistischen Machthabern Hitler, Himmler und Heydrich oder seinen unmittelbaren Vorgesetzten Hilfe leisten, sondern an der von ihm rückhaltlos gebilligten Judenvernichtung als Täter teilnehmen.

Dass er die Taten als eigene wollte, zeigt der Eifer, mit dem er zu Werke ging und der ihn insbesondere in Ustrzyki-Dolne als "Befehlshaber des Todes", "Hauptmörder" bekannt werden liess. Dabei hätte er unter Hinweis auf seine Dolmetschertätigkeit in vielen Fällen die Mitwirkung überhaupt ablehnen können. In keinem der fünf Fälle musste der Angeklagte im übrigen so handeln, wie er gehandelt hat, selbst dann nicht, wenn der Gestapoangehörige Doppke bei ihm war. Im Fall der Familie Lautermann hätte der Angeklagte entweder von der Denunziation keine Kenntnis zu nehmen brauchen oder sie unter Hinweis auf den vielstündigen Nachteinsatz und die Massentötungen unerledigt lassen können. Im Fall 2 war der Angeklagte ganz allein, er hätte die Opfer laufen lassen können. Bei der Frauenaktion in Zaslaw wäre Untätigbleiben oder absichtliches Vorbeischiessen in dem allgemeinen Durcheinander nicht aufgefallen. Schliesslich bestand in den Fällen 4 und 5 ebenso wie auch in den zuvor geschilderten Fällen die von dem Angeklagten nach seiner eigenen Einlassung in einem anderen Fall erfolgreich angewendete Möglichkeit, die Mitwirkung unter Hinweis auf die Belastung des eigenen Gewissens zu verweigern. Ohne nachteilige Folgen für sich hatte der Angeklagte nach seinen Angaben einem Erschiessungsbefehl nicht gehorcht und auf der Dienststelle auch noch wahrheitswidrig den Vollzug des Befehls gemeldet. Tatsächlich hat der Angeklagte in keinem der fünf Fälle auch nur versucht, seine Tätigkeit auf das unbedingt Notwendige zu beschränken, sondern sich stets eifrig und intensiv an der Erschiessung der Opfer beteiligt.

Bei der Vernichtung der aus Trepce nach Zaslaw transportierten Juden konnte die Tätigkeit des Angeklagten Bäcker nur als Beihilfe gewertet werden und zwar zum Mord, weil der Angeklagte aus eigenen niedrigen Beweggründen handelte. Zwar ist es wenig wahrscheinlich, dass der Angeklagte in diesem Fall durch die Zuführung der Gruppen nur fremdes Tun unterstützen wollte. Dieser Beitrag könnte aber nur dann für Täterschaft des Angeklagten herangezogen werden, wenn ein Fall der Mittäterschaft vorläge, und der Angeklagte im Rahmen der Vereinbarung diese Zuführung vornahm. Für Mittäterschaft liessen sich keine Feststellungen treffen, so dass es bei einem Schuldspruch wegen Beihilfe zum Mord bleiben musste.

Anhaltspunkte für das Vorliegen eines Nötigungs- oder Notstandes, §§52, 54 StGB, sind nicht gegeben und von dem Angeklagten auch nicht geltend gemacht worden.

Der Angeklagte Quambusch ist des Mordes in 20 Fällen schuldig, §§211, 74 StGB. Er tötete vorsätzlich 20 Menschen. Soweit er eine Gruppe erschoss, handelt es sich auch hier aus den bereits für den Angeklagten Bäcker dargelegten Gründen nicht um natürliche Handlungseinheit, sondern gegenüber jedem Mitglied der Gruppe um einen selbständigen Fall des Mordes.

Der Angeklagte, der sich freiwillig an der Erschiessung unschuldiger Menschen beteiligte, handelte aus dem niedrigen Beweggrund des Rassenhasses (BGH NJW 1969, 1727). Als altes NSDAP- und SA-Mitglied war er bereits seit langer Zeit mit der Denkweise der nationalsozialistischen Machthaber vertraut, die die jüdische Bevölkerungsgruppe als rassisch minderwertig bezeichnete, die vernichtet werden musste. Dass Hitler, Himmler und Heydrich es aber nicht nur bei Meinungsäusserungen beliessen, sondern durch entsprechende Massnahmen zielstrebig auf die Verwirklichung ihrer Vernichtungspläne hinarbeiteten, wusste der im Reich ansässige Angeklagte, dem die ständig fortschreitende Entrechtung und Diskriminierung der Juden nicht verborgen blieb. Wie sehr er den Rassenhass billigte, teilte und sich zu eigen machte, zeigt bereits sein Eintritt in die Geheime Staatspolizei im September 1940, deren unrühmliche Rolle beim Vorgehen gegen alles den Machthabern Missliebige hinlänglich bekannt war. Dabei hätte er sich diesem Dienst ohne weiteres durch Meldung zur Front entziehen können, wie der Angeklagte Quambusch selbst angegeben hat.

Als sich in Sanok die Gestapo immer häufiger ungestraft zum Herrn über Leben und Tod der Juden aufwerfen konnte, sah auch der Angeklagte gute Gelegenheiten, seinem Rassenhass nachzugehen, der damit der Beweggrund für sein weiteres Handeln wurde. Sein gesamtes Verhalten gegenüber den Juden erreichte einen sittlichen Tiefstand, es verdiente nur noch Verachtung, weil es ohne Prüfung eigener sittlicher Verantwortung allein vom Hass auf die Juden und dem Willen, sie auszurotten, getragen war. Obwohl dem Grenzpolizeikommissariat 20 bis 30 Deutsche angehörten, war der Angeklagte Quambusch derjenige, der den meisten Juden als fast ständiger Teilnehmer an den gegen Juden gerichteten Aktionen bekannt war, dem es auch auf ein jüdisches Menschenleben nicht ankam, wie beispielsweise der Zeuge Dr. Wal. nicht nur hörte, sondern auch mehrmals sah. Vor den Augen dieses Zeugen beteiligte sich der Angeklagte nicht nur an Erschiessungen auf dem jüdischen Friedhof in Sanok, sondern tötete auch, einfach aus Lust am Vernichten der Juden, einen jungen Mann, den er bei einer Massenerschiessung nur angeschossen hatte und der von dem Zeugen Dr. Wal. gesund gepflegt worden war. Angst und Qualen seiner ausgewählten Opfer berührten den Angeklagten nicht. Dem Juden Pechmann setzte er die Pistole an den Kopf und drückte ab, liess ihn lachend mit der Bemerkung "ab heute heisst Du Glücksmann" laufen, als die Waffe versagte, und erschoss ihn später doch. Auch den Zeugen Schalom Ste. wählte er als Opfer aus, überlegte es sich dann aber mit dem Bemerken "Du hast heute mehr Glück als Verstand". Sogar in dem Verhalten des Angeklagten gegenüber den toten Juden drückte sich noch sein Rassenhass und die Befriedigung über ihre Vernichtung aus. Der Angeklagte bezeichnete seine Opfer als "Scheissdreck" oder "Mist", wenn er den Judenrat mit der Beerdigung beauftragte. Am Sabbat, dem jüdischen Feiertag, befahl er die Zerstörung des Grabes eines Rabbiners, der Ruhestätte eines bei den Juden besonders angesehenen Mannes, und urinierte schliesslich auf das Grab, weil der Tote "was zu saufen haben müsse".

In allen ihn betreffenden Fällen handelte der Angeklagte Quambusch als Täter und zwar auch bei der Beteiligung an der Tötung der Juden aus Lesko und Trepce, die nur als Beihilfe zum Mord angeklagt waren. Nirgends wollte der Angeklagte den Machthabern Hitler, Himmler und Heydrich oder seinen unmittelbaren Vorgesetzten Hilfe leisten, sondern an der von ihm rückhaltlos gebilligten Judenvernichtung als Täter teilnehmen. Der in Sanok und Zaslaw weitgehend bekannte und in der Beweisaufnahme bestätigte Eifer, mit dem der Angeklagte an der Vernichtung mitwirkte, zeigt, dass er die Taten als eigene wollte. Rassenhass und Täterwille des Angeklagten traten in kaum noch zu überbietender Krassheit in den Fällen 1, 2, 3 und 6 hervor. Die "Schuld" der Frau Roth, einer Jüdin, bestand allein darin, dass sie aus dem Fenster sah und möglicherweise Anteilnahme an dem Schicksal der zur Exekution geführten Gruppe von Juden zeigte. Das genügte dem Angeklagten, der als einziger Gestapomann den Zug begleitete, die Frau zu töten.

Der Judenreferent Kratzmann hatte in Bukowsko die Verfolgung des angeschossenen Schlomo Ste. bereits aufgegeben. Dem Angeklagten Quambusch war der Gedanke an das Überleben des Opfers unerträglich, und er vollendete von sich aus, was er sich vorgenommen hatte: ein weiteres jüdisches Menschenleben auszulöschen.

Bei der Erschiessung der jüdischen Arbeitsgruppe in Dombrowka brauchte sich der Angeklagte nur auf die bestehende Anordnung zurückzuziehen, die der Zeuge Sch. bestätigte, dass Personen, die gegen bestehende Bestimmungen verstossen hatten, den zuständigen Verfolgungsbehörden zu übergeben waren. Diese Lösung drängte sich um so mehr auf, als ein Mitglied der Gruppe noch besonders darauf hinwies, die Wegnahme von Nahrungs- und Genussmitteln aus leerstehenden jüdischen Häusern sei erlaubt gewesen. Tatsächlich machte der Angeklagte Quambusch nicht einmal einen solchen Lösungsversuch, sondern begann sofort damit, Gruppenangehörige zu erschiessen.

Die 14 Mädchen aus der Schneiderei des Lagers Zaslaw tötete der Angeklagte, ebenso wie vorher die Frau Roth, ganz allein, aus eigenem, freien Entschluss, nur deshalb, weil er sich darüber ärgerte, dass die ursprünglich ins Auge gefasste Zahl der Opfer durch die Flucht einiger nicht erreicht werden konnte und, weil ihm der Gedanke unerträglich war, einige könnten sich dem ihnen willkürlich bestimmten Tod entziehen.

In den Fällen 4, 5 und 7 hätte es der Angeklagte Quambusch bei dem Zusammentreiben der Opfer, bzw. bei dem Führen der Gruppen zur Exekutionsstätte bewenden lassen können. Angesichts der vielen anwesenden Gestapomännern und der Unruhe und Aufregung unter den Opfern, wäre seine Zurückhaltung bei Tötungshandlungen nicht aufgefallen. Tatsächlich nutzte er aber die Gelegenheit zum Schiessen gern aus und tötete jeweils selbst auch mindestens ein Opfer.

Hinweise auf das Vorliegen eines Nötigungs- oder Notstandes §§52, 54 StGB, sind nicht ersichtlich und von dem Angeklagten auch nicht vorgebracht worden.

Der von dem Verteidiger des Angeklagten Quambusch, Rechtsanwalt Sche., für den Fall der Verurteilung gestellte Eventualbeweisantrag vom 20.August 1973 ist abgelehnt worden. Soweit darin behauptet wird, dass zwischen den Zeugen Morris Wro., Maurice Suf., Schalom Ste. und Aaron Hef. Absprachen in Bezug auf die Geschehnisse stattgefunden haben, die den Gegenstand des Hauptverfahrens gegen den Angeklagten Quambusch bilden, ist diese Tatsache für die Entscheidung ohne Bedeutung. Auf der Aussage des Morris Wro. kann das Urteil überhaupt nicht beruhen, weil er nur im Ermittlungsverfahren, nicht aber im Rahmen der Hauptverhandlung vernommen wurde. Die Bekundungen des Zeugen Maurice Suf. und Aaron Hef. sind für den Schuldspruch ausdrücklich ausser Betracht geblieben. Im übrigen sind die Absprachen so lange nicht entscheidungserheblich, als nicht ihr Inhalt bekannt und einer Würdigung zugänglich ist. Gerade der Inhalt der Absprachen ist der Verteidigung bisher aber nicht bekannt, er sollte durch die begehrte Beweiserhebung erst festgestellt werden. Das ist unzulässige Ausforschung. Der Inhalt der Absprachen würde ausserdem ausschliesslich die Glaubwürdigkeit der Zeugen betreffen; deren Beurteilung und Würdigung ist aber allein Aufgabe des Gerichts. Im übrigen waren bezüglich dieses Teils des Eventualbeweisantrages sachfremde Erwägungen nicht auszuschliessen. Die Tatsache, dass die benannten Zeugen miteinander über die Geschehnisse gesprochen haben, ist der Verteidigung seit dem 9.Juli 1973 bekannt. Das Protokoll über die an diesem Tag in Chicago durchgeführte konsularische Vernehmung, bei der der Verteidiger anwesend war, wurde am 30.Juli 1973 in der Hauptverhandlung verlesen. Angesichts dieser Sachlage ergab sich für das Gericht auch keine Pflicht, im Zusammenhang mit den behaupteten Absprachen etwas aufzuklären.

Soweit in dem Eventualbeweisantrag weiter behauptet wird, die Rechtsanwälte Krü. und Hen., die Verteidiger des Angeklagten Bäcker, könnten bekunden, dass der Angeklagte Quambusch weiten Teilen der Hauptverhandlung nicht folgen konnte, handelt es sich um völlig ungeeignete Beweismittel. Nach der Darstellung des Verteidigers des Angeklagten Quambusch beruht das Nichtfolgenkönnen auf der durch Alters- und Cerebralsklerose bedingt geschwächten Erinnerungs-, Merk-, Denk- und Aufnahmefähigkeit des Angeklagten. Ob ihn das hinderte, der Hauptverhandlung zu folgen, können, wenn überhaupt, allein Mediziner, nicht aber Juristen beurteilen. Diese Auffassung des Schwurgerichts hat der Verteidiger des Angeklagten Quambusch bisher auch geteilt, denn es ist richtig, dass er wiederholt im Verlauf der Hauptverhandlung die Untersuchung seines Mandanten auf Verhandlungsfähigkeit beantragte. In den daraufhin vorgenommenen, aber auch in den allein auf Veranlassung des Gerichts durchgeführten Untersuchungen haben mindestens fünf Ärzte, einige von ihnen sogar mehrmals, unabhängig voneinander immer die Verhandlungsfähigkeit des Angeklagten Quambusch festgestellt. Mehrere der medizinischen Sachverständigen gelangten dabei allerdings zu der auch von dem Schwurgericht getroffenen Feststellung, dass der Angeklagte Quambusch dazu neigt, in von ihm als unangenehm empfundenen Situationen absichtlich nicht mehr zuzuhören und seine Aufmerksamkeit anderen Dingen zuzuwenden.

Die Beweiserhebung darüber, dass der Angeklagte Quambusch wiederholt gegenüber seinem Verteidiger behauptete, der Hauptverhandlung nicht gefolgt haben zu können, wird abgelehnt, weil diese Tatsache so behandelt werden kann, als wäre sie wahr. Eines Eingehens auf den von der Staatsanwaltschaft für den Fall eines Freispruchs im Fall 3 gestellten Hilfsbeweisantrag bedurfte es nicht, weil der Angeklagte schuldig gesprochen wurde.

V. « Strafzumessung »

Bei der Strafzumessung für die zur Tatzeit strafrechtlich uneingeschränkt verantwortlichen Angeklagten kann zwar festgestellt werden, dass sie bisher nicht vorbestraft sind und ohne den Nationalsozialismus, der ihnen eine ungeahnte Machtfülle verlieh und dessen Organe auch in Fällen angemasster Macht nicht gegen sie vorgingen, niemals mit den Strafgesetzen in Konflikt geraten wären. Das Gesetz, §211 StGB, sieht jedoch für Mord nur lebenslange Freiheitsstrafe vor, die deshalb gegen den Angeklagten Bäcker in 25 Fällen und gegen den Angeklagten Quambusch in 20 Fällen auszusprechen war.

Der Angeklagte Bäcker war darüber hinaus wegen Beihilfe zum Mord zu bestrafen. In diesem Fall reicht der Strafrahmen von drei Jahren bis lebenslang, §211, 49 Abs.2, 44 Abs.1 und 2 StGB. Zugunsten des Angeklagten Bäcker wurden seine bisherige Unbescholtenheit und die Tatsache gewertet, dass die Form seiner Beihilfehandlung nicht besonders schwer war. Zu Ungunsten des Angeklagten und damit strafschärfend musste aber berücksichtigt werden, das mindestens 40 bis 50 Personen durch die Beihilfe des Angeklagten ihr Leben verloren. Unter Abwägung aller Umstände waren acht Jahre Freiheitsstrafe schuldangemessen.

VI. « Anklagepunkte, die nicht zur Verurteilung führen »

Beiden Angeklagten sind durch die Anklagebehörde zahlreiche weitere Taten zur Last gelegt worden, in denen sich aber ihre Schuld nicht mit der zur Verurteilung nötigen Sicherheit feststellen liess, so dass Freispruch erfolgen musste.

Bäcker

Anklage vom 8.Mai 1972

In den Fällen I a 1 und 4 stützte sich die Anklage nur auf den einzigen Augenzeugen Kac., dessen Aussage das Schwurgericht aus den unter III dargelegten Gründen nicht gefolgt ist. In den Fällen I a 2 und 3 wurde der Angeklagte allein durch die Aussage des Zeugen Kel. belastet, dem das Schwurgericht aus den unter III dargelegten Gründen nicht gefolgt ist.
Der Zeuge Dr. Wal. konnte sich im Fall I a 5 nicht mehr daran erinnern, ob der Angeklagte an der sogenannten Kinderaktion, bei der im Lager Zaslaw Säuglinge und Kleinkinder erschossen wurden, beteiligt war. Entgegen seiner früheren Schilderung im Fall I a 7 vermochte der Zeuge Mordechai Sil. jetzt nicht mehr zu bestätigen, dass der Angeklagte zwei in der

Lagertischlerei in Zaslaw aufgespürte Juden erschoss. Der Zeuge sah zwar, wie der Angeklagte die beiden Männer aus der Tischlerei hinausführte, hörte auch bald danach Schüsse und sah die Leichen am nächsten Morgen. Angesichts dieser Umstände kann aber nicht mit letzter Sicherheit ausgeschlossen werden, dass sich ausserhalb der Tischlerei ein weiterer Gestapoangehöriger aufhielt, der die Tat ausführte. Der Zeuge Sil. vermochte auch im Fall I a 8, entgegen seiner früheren Darstellung, nicht mehr anzugeben, durch wen der Lehrer Pietnicka und sein Sohn getötet worden waren. Er erinnerte sich nur noch daran, beide tot vorgefunden zu haben. Der Fall I a 9 war dem Gedächtnis des Zeugen nach seiner Bekundung völlig entfallen.
Im Fall I b 1 konnte sich der Zeuge Kel. trotz eingehender Vorhalte nicht an Tötungshandlungen des Angeklagten Bäcker erinnern. Neben diesem Zeugen gab es nur noch Zeugen vom Hörensagen.
Der Zeuge Dr. Wal. wiederholte seine frühere Bekundung im Fall I b 2 nicht, dem Zeugen Ascher Sc. folgte das Gericht nicht, weil er den Angeklagten in diesem Fall erstmals in der Beweisaufnahme belastete.

<u>Anklage vom 21.Dezember 1972</u>

Die Beschuldigungen in den Fällen 3 und 4 stützten sich ausschliesslich auf die Bekundungen des Zeugen Gol., der in der Beweisaufnahme erklärte, nur vom Hörensagen davon zu wissen.
Im Fall 6 musste in zehn Fällen Freispruch erfolgen, weil der einzige Augenzeuge Kap. ursprünglich eine Zahl von 20 Opfern genannt hatte, sich jetzt aber nur noch an 10 bis 12 erinnern konnte, so dass das Schwurgericht auch nur von zehn Opfern ausgegangen ist.
Im Fall 7 konnten sich die Zeugen Zyg. und Szc. nicht daran erinnern, die Tötung von Zigeunern durch den Angeklagten Bäcker beobachtet zu haben.

<u>Quambusch</u>

<u>Anklage vom 8.Mai 1972</u>

Den einzigen Augenzeugen Aaron Hef. in den Fällen II a 3 und 19 ist das Schwurgericht aus den unter III dargelegten Gründen nicht gefolgt. Für den Zug von Trepce nach Zaslaw konnte noch nicht einmal geklärt werden, ob er überhaupt von Gestapobeamten begleitet wurde. In den Fällen II a 4, 5, 7, 8, 9, 10, 11, 12, 13, 15 und 18 will der Zeuge Kel. die dem Angeklagten Quambusch zur Last gelegten Taten beobachtet haben. Neben den bereits dargelegten Gründen macht das Verhalten des Zeugen im Fall 18 seine Glaubwürdigkeit besonders fragwürdig. Nach früheren Bekundungen des Zeugen war eines der Opfer in diesem Fall sein Schwiegervater, der auf dem jüdischen Friedhof in Sanok wohnte und das Amt des Friedhofsverwalters und Totengräbers versah. Obwohl der Zeuge seinen Schwiegervater beinahe täglich besucht und aus seinem Haus einen grossen Teil der von ihm geschilderten Taten beobachtet haben will, also engen Kontakt zu diesem Mann hatte, wusste er bei seiner Vernehmung zu Fall 18 nicht mehr, ob der Schwiegervater dabei umgekommen war und meinte erst nach langen Vorhalten, dass es "vielleicht" so gewesen sei. Stattdessen nannte er jetzt als eines der Opfer seinen bis dahin niemals erwähnten Cousin. Der Zeuge Mordechai Sil. hat zwar im Fall II a 10 ebenfalls gesehen, wie der Angeklagte Quambusch den Juden Szeiner zum Friedhof führte. Er konnte sich aber, anders als früher, nicht mehr erinnern, Quambusch auch schiessen gesehen zu haben.

Weil ein strafbefreiender Rücktritt in den Fällen II a 14 (Kinderaktion) und 16 ("Kunstschiessen") nicht auszuschliessen war, musste Freispruch erfolgen. Der Zeuge Dr. Wal. beobachtete in beiden Fällen, dass der Angeklagte Quambusch in Zaslaw auf ein kleines Kind bzw. auf die von einem Häftling befehlsgemäss in den Mund genommene Zigarette schoss und dass beide Opfer zur Erde fielen, ohne dass der Zeuge feststellen konnte, ob sie tot waren. Das

Schwurgericht ist überzeugt, dass der Angeklagte in beiden Fällen aus niedrigen Beweggründen den Tod der Opfer wollte und wertet sein Verhalten als versuchten Mord. Weil der Angeklagte sich über seine Pläne und Vorstellungen nicht geäussert hat, muss zu seinen Gunsten davon ausgegangen werden, dass er nicht nur einen Schuss auf das Kind bzw. den erwachsenen Häftling abgeben, sondern bis zum sicheren Eintritt des Todes auf beide schiessen wollte, von diesem nicht beendigten Versuch aber abliess, obwohl ihn nichts an der Vollendung hinderte.

Der Zeuge Mordechai Sil. konnte sich zwar noch an die Erschiessung des Schuhgeschäftsinhabers Weinberger im Lager Zaslaw erinnern, Fall II a 17, nicht aber mehr daran, ob Quambusch oder Bäcker schossen. Völlig entfallen war dem Zeugen nach seiner Aussage der Fall II a 22.
Für die Beteiligung des Angeklagten Quambusch am Fall II b 1 gab es nur noch Zeugen von Hörensagen, nachdem sich der Zeuge Kel. nicht mehr erinnern konnte, die Tötungen beobachtet zu haben.

VII. « Nebenentscheidungen »

Es bestand kein Grund nach §60 StGB, die Untersuchungshaft nicht anzurechnen.

Die Kostenentscheidung beruht auf §§465, 467 StPO.

Lfd.Nr.800

Tatkomplex
NS-Gewaltverbrechen in Haftstätten

Tatort
Kopaigorod

Tatzeit
4207

Gerichtsentscheidungen
LG Nürnberg-Fürth vom 24.08.1973, Ks 7/72

INHALTSVERZEICHNIS

des unter Lfd.Nr.800 veröffentlichten Urteils

LG Nürnberg-Fürth vom 24.08.1973, Ks 7/72

Ks 7/72

Im Namen des Volkes

Das Landgericht Nürnberg-Fürth, Schwurgericht, erlässt in dem Strafverfahren gegen

Maiterth Johann [92], geboren am 2.Februar 1915 in Eibesdorf, Kreis Mediasch/Siebenbürgen, Landwirtschaftsinspektor, jetzt Kaufmann, wohnhaft in Kempten/ Allgäu, z.Zt. in Untersuchungshaft,

wegen Mordes,

auf Grund der Hauptverhandlung vom 14., 15., 17., 28., 30.November 1972, 8., 19., 27.Dezember 1972, 5., 16., 27.Januar 1973, 7., 16., 27.Februar 1973, 10., 15., 26.März 1973, 6., 17., 27.April 1973, 7., 16., 25.Mai 1973, 4., 15., 25.Juni 1973, 6., 13., 23.Juli 1973, 3., 14., 20., 21., 24.August 1973 folgendes Urteil:

I. Der Angeklagte Johann Maiterth wird wegen dreier Verbrechen des Mordes nach §§211, 74 StGB zu lebenslanger Freiheitsstrafe verurteilt.
II. Der Angeklagte trägt die Kosten des Verfahrens und die ihm erwachsenen notwendigen Auslagen.

GRÜNDE

I. « Die persönlichen Verhältnisse des Angeklagten; der zeitgeschichtliche Rahmen der Tätigkeit des Angeklagten »

1. Der Angeklagte ist am 2.Februar 1915 in Eibesdorf in Siebenbürgen/Rumänien geboren. Seine Kindheit verlebte er zusammen mit 5 Brüdern bei den Eltern. Sein Vater war Wagnermeister. Nach dessen frühem Tod im Jahre 1926 schlug sich die Mutter mit ihren Söhnen rechtschaffen durch das Leben. Nachdem der erstgeborene Sohn Michael schon im Alter von 4 Jahren verstorben war, war der Angeklagte der älteste und musste für die Kleinen mit sorgen.
Von 1921 bis 1929 besuchte der Angeklagte die Volksschule. Er war ein sehr guter Schüler. Im Herbst 1929 kam er auf die Landwirtschaftliche Lehranstalt in Mediasch. Dort blieb er drei Jahre und legte im Jahre 1932 das Staatsexamen ab. Anschliessend praktizierte er drei Jahre als Gutseleve in Aiud. Dann bekam er eine Anstellung als Gutsverwalter.

Von 1939 bis 1940 verwaltete er das Privatgut des rumänischen Königs in Baneasa bei Bukarest. Nachdem der König, Karl II., durch den Staatsführer Antonescu gezwungen, zu Gunsten seines Sohnes Michael abgedankt hatte und ausser Landes gegangen war, kehrte der Angeklagte in seine Heimat zurück. Dort wurde er bei einer Umsiedlungsaktion der Bessarabien-Deutschen tätig. Im Lager Galatz, das unter SS-Verwaltung stand, schätzte er die Pferde der Umsiedler. Auf Wunsch der SS-Lagerleitung begleitete er dann einen Pferdetransport nach Berlin. Dort kam er nach Erledigung seines Auftrages in ein Aussiedlerlager.

Im Jahre 1941 bewarb sich der Angeklagte um eine Anstellung beim Kaiser-Wilhelm-Institut für Züchtungsforschung in Müncheberg bei Berlin. Am 1.Februar 1941 wurde er als land-

[92] Rechtskräftig durch Beschluss des BGH vom 15.10.1974, 1 StR 470/74.

wirtschaftlicher Beamter eingestellt. Während dieser Zeit betrieb der Angeklagte, der noch immer rumänischer Staatsangehöriger war, die Einbürgerung. Am 23.Oktober 1941 erhielt er die deutsche Staatsangehörigkeit.

Am 17.November 1941 meldete sich der Angeklagte freiwillig zur Wehrmacht. Am 21.November 1941 wurde er auf Grund seiner landwirtschaftlichen Berufsausbildung zur Wehrwirtschaftsinspektion z.b.V. nach Kassel einberufen und der 4.Kompanie/Sonderführer-Lehrgang Kassel zugeteilt. Am 25.November 1941 trat er seinen Dienst an. Ohne militärische Ausbildung wurde er zum landwirtschaftlichen Sonderführer Z (Zugführer) im Range eines Leutnants ernannt und eingekleidet. Er trug ab sofort die Uniform eines Offiziers des deutschen Heeres. Die Waffenfarbe war grau-blau, die Schulterstücke waren schwarz-weiss-rot durchwirkt. Zur Uniform gehörten eine Feldbluse, eine Reithose, Reitstiefel, eine Schirmmütze mit Silberkordel, ein Schiffchen, ein Lederkoppel mit Pistole, ein Mantel und für besondere Anlässe ein Offiziersbarett. Wer die Unterschiede in der Uniform nicht kannte, musste einen Sonderführer für einen Offizier des Heeres halten.

Etwa Mitte Dezember 1941 kam der Angeklagte zusammen mit weiteren landwirtschaftlichen Sonderführern unter Führung des Rittmeisters von Malchus, eines Gutsbesitzers aus Pommern, über Kronstadt/Siebenbürgen nach Transnistrien, dem russischen Land zwischen Dnjestr und Bug, das nach der Eroberung durch deutsche und rumänische Truppen durch den deutsch-rumänischen Vertrag von Tighina vom 30.August 1941 unter rumänische Militärverwaltung gestellt war. In Tiraspol, wo der rumänische Gouverneur General Alexianu und auch die "Verbindungsstelle der deutschen Wehrmacht für Transnistrien" zunächst ihren Sitz hatten, wurde die Gruppe auf die einzelnen Präfekturen des Landes aufgeteilt. Der Angeklagte kam zunächst mit dem Sonderführer Dr. Sc., dem er wegen seiner guten rumänischen Sprachkenntnisse als Dolmetscher zugeteilt war, nach Tultschin, wo er etwa 2 Monate blieb. In diese Zeit fällt eine Erkrankung an Fleckfieber.

Im März 1942 kam der Angeklagte als Dolmetscher zu dem Sonderführer Joachim Con. nach Moghilev [93] und schliesslich von dort auf eigenen Wunsch in das etwa 40 Kilometer nördlich davon gelegene Kopaigorod, das Sitz einer Prätur war. Hier verübte der Angeklagte die Taten, die Gegenstand dieses Verfahrens sind.

Ende August 1942 wurde der Angeklagte zur Wehrwirtschafts-Ersatzabteilung 5 in Kassel zurückbeordert, wo er am 30.August 1942 eintraf. Das weitere Leben des Angeklagten verlief wieder völlig unauffällig.
Bis März 1943 kam er als landwirtschaftlicher Sonderführer noch zum Einsatz im Raum Briansk und später in Orel. Im April 1943 wurde er als Schütze, nunmehr einfacher Soldat, zur 7.Kompanie/Sicherungsbataillon 350 eingezogen. Am 17.September 1943 wurde er wegen körperlicher Mängel - Gelenkrheumatismus u.a. - zum Landesschützen-Ersatzbataillon 3 nach Strausberg bei Berlin versetzt. Am 15.November 1943 kam der Angeklagte zur Heeres-Unterkunftsverwaltung 93 nach Vesoul in Frankreich. Am 1.Juni 1944 wurde er zum Gefreiten ernannt. Am 8.September 1944 wurde er dem Armee-Verpflegungsamt 562 in Kolmar zugeteilt.

Am 15.November 1944 heiratete er in Kempten seine jetzige Ehefrau. Aus der Ehe sind drei Kinder hervorgegangen. Nach der Beendigung seines Heiraturlaubs wurde der Angeklagte über Karlsruhe zum Landesschützen-Ersatzbataillon 7 nach Freising geschickt und von dort am 15.Dezember 1944 in das Heeresverpflegungs-Hauptamt Kempten versetzt. Am 12.April

[93] = Mogilev-Podolsk (Ukraine).

1945 wurde er aus dem Wehrdienst entlassen. Anschliessend geriet er noch in französische Gefangenschaft, aus der er im Oktober 1946 entlassen wurde.

In Kempten baute sich der Angeklagte dann eine neue Existenz auf. Er versuchte sich zunächst im Gartenbau, war dann als Provisionsvertreter tätig und machte sich schliesslich selbständig. Er betrieb die Herstellung von Fruchtsäften und einen Lebensmittelhandel.

2. Die dem Angeklagten nachgewiesenen Straftaten sind in Auswirkung der von den nationalsozialistischen Machthabern betriebenen Vernichtungspolitik gegenüber den Juden begangen worden.

Die als Endlösung der Judenfrage geplante, systematische Ausschaltung des Judentums in Europa hatte ihren Ursprung in der pseudowissenschaftlichen nationalsozialistischen Rassenlehre, die schon im Parteiprogramm der NSDAP vom 24.Februar 1920 zur Doktrin und im Reichsbürgergesetz vom 15.September 1935 (RGBl. I S.1146 - Nürnberger Gesetze) und den hierzu ergangenen Verordnungen praktisch zum Gesetz erhoben worden war. Diese Lehre unterschied nicht nur verschiedenartige, sondern auch verschiedenwertige Rassen. Das Judentum wurde als nationales Unglück bezeichnet und für die soziale Not der damaligen Zeit verantwortlich gemacht.

Nach der sogenannten Machtübernahme im Januar 1933 begann die NSDAP mit der Verwirklichung ihres allseits propagierten Zieles, das Judentum zu vernichten und die Juden als "rassisch minderwertig" aus dem deutschen Volkskörper auszumerzen. Zu diesem Zweck wurden die genannten gesetzgeberischen Massnahmen erlassen, die zu der völligen Entrechtung und Diskriminierung der in Deutschland lebenden Juden, zu ihrer Ausschaltung aus dem öffentlichen und wirtschaftlichen Leben und zu ihrer Isolierung innerhalb des Volkskörpers führten. Damit waren die Juden zugleich wehrlos der Willkür der Polizeiorgane Himmlers und des Chefs des Reichssicherheitshauptamtes Heydrich ausgeliefert.

Nach den Erfolgen der deutschen Wehrmacht in den ersten Kriegsjahren begannen Hitler und seine engeren Mitarbeiter, insbesondere Göring, Himmler und Heydrich, die Judenfrage endgültig im Sinne ihrer Vorstellungen und Pläne zu lösen. Im Zuge der Vorbereitung des Russlandfeldzuges, spätestens im Frühjahr 1941, erteilte Hitler dem Reichsführer SS und Chef der deutschen Polizei Himmler den Befehl, die organisatorischen Voraussetzungen für die Vernichtung der Juden im deutschen Machtbereich zu schaffen. Zunächst sollte die Ausrottung der zahlenmässig starken jüdischen Bevölkerung Osteuropas erfolgen, die Hitler immer als besonders gefährlich bezeichnet hatte. Die erforderlichen Massnahmen wurden unter strengster Geheimhaltung im engsten Führungskreis erörtert. Als Tarnname für die Vernichtung wurde die Bezeichnung "Endlösung" gewählt.

Die Verwirklichung des grossangelegten Vernichtungsplanes sollte nach den Vorstellungen Himmlers und Heydrichs im wesentlichen durch Massenexekutionen und Vergasungen sowie durch Hunger, Seuchen und Zwangsarbeit erfolgen. Hierzu waren umfangreiche Vorbereitungen organisatorischer, verwaltungsmässiger, personeller und technischer Art erforderlich.

Die entscheidenden organisatorischen Massnahmen zur systematischen Ausrottung des Judentums wurden am 20.Januar 1942 in der berüchtigten "Wannsee-Konferenz" getroffen. Dabei wurde die Ausrottung durch Arbeit als besondere Vernichtungsstufe angeführt und unter anderem ausgeführt:

> "Unter entsprechender Leitung sollen im Zuge der Endlösung die Juden in geeigneter Weise im Osten zum Arbeitseinsatz kommen. In grossen Arbeitskolonnen, unter Trennung der Geschlechter werden die arbeitsfähigen Juden strassenbauend in diese Gebiete geführt, wobei zweifellos ein Grossteil durch natürliche Verminderung ausfallen wird.

Der allfällig endlich verbleibende Restbestand wird, da es sich bei diesem um den widerstandsfähigsten Teil handelt, entsprechend behandelt werden müssen, da dieser, eine natürliche Auslese darstellend, bei Freilassung als Keimzelle eines neuen jüdischen Aufbaues anzusehen ist (siehe die Erfahrung der Geschichte)."

In Rumänien gab es antisemitische Strömungen seit der Gründung der Vereinigten Fürstentümer der Wallachei und der Moldau. In der Verfassung von 1866 war die Einbürgerung nur für die "Fremden christlichen Glaubens" vorgesehen. Dies änderte sich durch Artikel 44 des Berliner Vertrages von 1878, der die politische Souveränität Rumäniens international festlegte und für "die Einheimischen des rumänischen Staates" wie für alle "Fremden" den gleichen "Genuss der bürgerlichen und politischen Rechte" vorsah. Ein Jahr später entschied man sich dann für einen Kompromiss. Danach wurden die Juden zwar nicht mehr grundsätzlich von der Einbürgerung ausgeschlossen, die vorgesehene individuelle Einbürgerung konnte jedoch nur mit ausdrücklicher Genehmigung der rumänischen Regierung erlangt werden. Mithin war es möglich, allen unerwünschten Personen die Gewährung der politischen Rechte zu versagen.

Nach dem ersten Weltkrieg, besonders nach der Verkündung der liberalen Verfassung von 1923, die allen Staatsangehörigen die bürgerliche und politische Rechtsgleichheit zusicherte, und die die Juden auch faktisch zu Vollbürgern machen wollte, verstärkte sich die antisemitische Bewegung in Rumänien. Dabei war der Kampf gegen das Judentum national und religiös, nicht wie im nationalsozialistischen Deutschland rassisch begründet.

Die Haltung der rumänischen Regierung in der Judenfrage änderte sich mit dem Kurswechsel der rumänischen Aussenpolitik im Mai und Juni 1940. Am 9.Juli beschloss das Kabinett Gigurtu, die Juden aus dem öffentlichen Dienst auszuschalten. Die Gesetze vom 4.Oktober, 17.November, 4.Dezember 1940 und 28.März 1941 hatten die Enteignung jüdischen Grundbesitzes auf dem Lande, die Enteignung von Waldungen in jüdischem Besitz, die Enteignung der den Juden gehörenden Schiffe und die Enteignung jüdischen Grundbesitzes in den Städten zum Inhalt. Zur Verwaltung der enteigneten Vermögenswerte wurde am 2.Mai 1941 ein "Hauptamt für Rumänisierung" geschaffen, das in die beschlagnahmten jüdischen Unternehmen "Rumänisierungskommissare" einsetzte.

War die Judenpolitik der rumänischen Regierung bis zum Beginn des Ostfeldzugs auf wirtschaftliche Massnahmen beschränkt, so setzten nach der Wiedereroberung der beiden Ostprovinzen ausgesprochene Terroraktionen ein. Es wurde behauptet, die jüdische Bevölkerung dieser Gebiete trage einen erheblichen Teil Schuld daran, dass nach der Wiederbesetzung 200000 Rumänen fehlten, von denen ein grosser Teil vor dem Abzug der Roten Armee deportiert oder hingerichtet worden sein soll. Zahlreiche Juden flohen vor den anrückenden deutschen und rumänischen Truppen.

Die Massnahmen der rumänischen Regierung führten schliesslich dazu, dass der deutsche Gesandte in Bukarest der Regierung raten musste, die "Ausschaltung jüdischer Elemente nur systematisch und langsam vorzunehmen". Ein Befehl, 60000 Juden zum Strassenbau in Bessarabien einzusetzen, musste rückgängig gemacht werden, um nicht die rumänische Wirtschaft und den deutsch-rumänischen Warenaustausch zu gefährden. Andererseits fürchtete das Reichssicherheitshauptamt, dass nicht genügend getan werde, und berief seinen Ende 1940 nach Bukarest entsandten Judenberater bei der Deutschen Gesandtschaft, SS-Hauptsturmführer Ric. [94], wegen der angeblich pro-jüdischen Haltung der rumänischen Regierung ab. Es bedurfte dringender Vorstellungen, ehe die Rückkehr Ric.s wieder genehmigt wurde.

Inzwischen hatte sich Hitler entschieden, die Judenfrage in ganz Europa auf radikale Weise zu lösen, was schliesslich am 20.Januar 1942 zu der bereits erwähnten "Wannsee-Konferenz" führte. Schon zuvor war der deutsche Gesandte in Bukarest am 10.November 1941 aufgefordert worden, der rumänischen Regierung "anheimzustellen", ob sie die Juden rumänischer Staatsangehörigkeit in Deutschland nach Rumänien zurückrufen oder ob sie sie von deutscher Seite mit "in die Ghettos im Osten" abschieben lassen wolle.

Die rumänische Regierung liess wissen, dass sie kein Interesse an der Rückkehr der Juden nach Rumänien habe und es der Reichsregierung überlasse, sie mit den deutschen Juden nach dem Osten abzuschieben. Die rumänische Regierung ging sogar noch über diese von deutscher Seite angeregte Massnahme hinaus. Sie erklärte, dass die deutschen Dienststellen die Aussiedlung der Juden aus Rumänien durchführen und sofort mit dem Abtransport aus den Bezirken Arad, Tunisoara und Turda beginnen möchten. Der Abschub der arbeitsfähigen Juden war für September 1942 vorgesehen. Nach Überschreitung der rumänischen Grenze sollten sie ihre rumänische Staatsangehörigkeit verlieren.

Die Abschiebungsaktion scheint begonnen zu haben, binnen kurzer Zeit aber wieder abgebrochen worden zu sein; denn die rumänische Regierung nahm ab Mitte 1942 eine völlig veränderte Haltung in der Judenfrage ein, die mit der Schwenkung der rumänischen Aussenpolitik nach dem Zusammenbruch der rumänischen Armeen bei Stalingrad zusammenfällt.

Am 12.Dezember wurde dem Auswärtigen Amt gemeldet, dass die rumänische Regierung darangehe, "die Auswanderung von 75000 bis 80000 Juden nach Palästina und Syrien" zu organisieren und ein radikales Vorgehen gegen die Juden, die nicht erwiesenermassen kommunistisch seien, ablehne. Die deutschen Einsprüche, insbesondere der Hinweis, dass der Gegner eine solche Massnahme als Schwäche ansehen werde, zeitigten keinerlei Erfolg. Bereits in den folgenden Wochen verliessen kleinere Transporte jüdischer Auswanderer Rumänien. Im Mai 1943 sicherte die rumänische Regierung einer Delegation des Internationalen Roten Kreuzes zu, der Auswanderung von Juden aus Transnistrien zuzustimmen, wenn das Rote Kreuz für den notwendigen Schiffsraum zum Abtransport sorge.

Der Angeklagte kannte zwar nicht die geschilderten Einzelheiten der deutschen und rumänischen "Judenpolitik", er kannte jedoch deren Auswirkungen und wusste insbesondere, dass auf Grund der extrem antisemitischen Einstellung der massgebenden deutschen Behörden und des deutschen Einflusses in Rumänien im Jahre 1942 demjenigen nichts geschah, der sich gegenüber Juden, und sei es auf noch so gravierende Weise, verging.

II. « Stellung, Aufgaben und anti-jüdische Massnahmen des Angeklagten in Kopaigorod »

1. Transnistrien ist das russische Gebiet zwischen Dnjestr und Bug mit der Hauptstadt Odessa. Nach der Eroberung durch rumänische und deutsche Truppen wurde Transnistrien durch den deutsch-rumänischen Vertrag von Tighina vom 30.August 1941 unter rumänische Verwaltung gestellt. Verstreut über das gesamte Gebiet richtete die rumänische Regierung für die örtlichen Juden Ghettos ein und deportierte die Masse der Juden aus Bessarabien und der Nordbukowina dorthin. Deutsche Dienststellen hatten mit den Ghettos nichts zu tun. Lediglich einzelne Arbeitslager am Bug, die zu dem deutschen Verwaltungsbereich hin bestanden, wurden von Deutschen geleitet.

[94] Siehe Lfd.Nr.876.

Moghilev, in das der Angeklagte, wie bereits erwähnt, im März 1942 kam, war Sitz einer Präfektur, der 7 Präturen - etwa Landkreisen vergleichbar - unterstellt waren. Eine davon war die Prätur Kopaigorod.

Vor oder nach einem Urlaub in Mediasch bei seiner Familie, aus dessen Anlass am 17.Juni 1942 Erinnerungsfotos gemacht wurden, trat der Angeklagte an den Sonderführer Con. mit der Bitte heran, ob er nicht nach Kopaigorod gehen und dort selbständig arbeiten könne. Er kannte bereits den dortigen Prätor und den dortigen Agronomen. Con. war mit den Absichten des Angeklagten einverstanden.

Die Aufgabe der landwirtschaftlichen Sonderführer, die versorgungsmässig der Verbindungsstelle der deutschen Wehrmacht für Transnistrien unterstellt waren, bestand darin, der deutschen Botschaft in Bukarest Zahlenmaterial zu liefern, Statistiken anzufertigen, zu versuchen, einen Einfluss auf die vollständige Erfassung und Steigerung der Ernte zu nehmen und insbesondere die landwirtschaftlichen Beamten der rumänischen Verwaltung, die sog. Agronomen, landwirtschaftlich zu beraten. Die Sonderführer hatten keinerlei Weisungsbefugnisse gegenüber den Rumänen, die Rumänen hatten keinerlei Weisungsbefugnisse gegenüber den Sonderführern.

Ende Juni / Anfang Juli 1942 traf der Angeklagte in Kopaigorod ein, einem etwa 40 km nördlich von Moghilev an dem Fluss Nemija gelegenen Landstädtchen von etwa 5000 Einwohnern, darunter 1500 einheimischen Juden. Zur Zeit der Ankunft des Angeklagten befanden sich in Kopaigorod noch zusätzlich mindestens 3000 rumänische Juden, die aus Bessarabien und der Bukowina vertrieben und hierher deportiert waren. Die Juden lebten in einem zum Ghetto bestimmten Ortsteil, zusammengepfercht auf engstem Raum, häufig 30 und mehr Personen in einem Zimmer.

Der Angeklagte hatte - wie Con. in Moghilev - die Aufgabe, den Agronomen der Prätur in landwirtschaftlichen Fragen zu beraten und das Einbringen der Ernte zu erfassen und zu überwachen. Der Angeklagte war, wie alle anderen Sonderführer, der rumänischen Verwaltung weder über- noch untergeordnet. Er hatte nichts zu befehlen und ihm konnte auch nichts befohlen werden.

Die Polizeiaufgaben in Kopaigorod wurden von einem rumänischen Gendarmerieposten wahrgenommen, der von einem Leutnant befehligt wurde. Die Uniform der rumänischen Gendarmerie war khakifarben. Sie unterschied sich schon hierdurch - auch für einen Laien erkennbar - deutlich von der deutschen Heeresuniform. Zur Unterstützung standen ukrainische Milizsoldaten zur Verfügung, die Zivilkleidung trugen und mit weissen Armbinden gekennzeichnet waren. Die Bewaffnung bestand aus Karabinern.

Der Angeklagte hatte sich auf Grund seiner guten rumänischen Sprachkenntnisse in Kürze zu den Rumänen beste Beziehungen erworben. Den Prätor Woda kannte er bereits von Moghilev her. Der Angeklagte war der einzige Deutsche in Kopaigorod, die Juden nannten ihn den "Deutschen", den "deutschen Offizier", den "Kommandanten". So trat er auch auf. Die Juden fürchteten ihn. Auch die Rumänen wagten nicht, soweit sie mit seinem Verhalten nicht ohnehin einverstanden waren, sich ihm zu widersetzen.

2. Eines Tages - einige Juden, darunter der Schreiner Haskal Dasc., verrichteten gerade in der Wohnung eines einheimischen Rabbiners, ausgerüstet mit Gebetsriemen, ihr Morgengebet - drückte der Angeklagte zusammen mit dem Prätor Woda die Türe ein und drang in den Raum. Die Juden - mit Ausnahme des Dasc., der unmittelbar neben der Türe stand und flüchten konnte - wurden zur Gendarmerie gebracht und dort geschlagen. Der Angeklagte und der Prätor bezichtigten sie, politische Versammlungen abzuhalten. Beide suchten jedoch nur einen Vorwand für ihren Plan, die Juden in ein, in der Nähe von Kopaigorod gelegenes

und mit Stacheldraht umzäuntes Gelände zu evakuieren, in dem lediglich ein etwa 100 Personen fassendes Gebäude stand. Dadurch wollte man an Geld und Wertsachen, besonders der reichen Juden, herankommen, indem diesen die Gelegenheit gegeben werden sollte, sich loszukaufen. Ausserdem sollten die verlassenen Wohnungen geplündert werden.

Am Donnerstag, dem 23.Juli 1942, dem Gedenktag an die zweimalige Zerstörung Jerusalems und des Tempels, erging an die Juden der durch den Angeklagten und den Prätor veranlasste Befehl sich, lediglich mit der allernötigsten Habe versehen, auf dem freien Platz im Ghetto zu versammeln. Dem Angeklagten und dem Prätor und möglicherweise noch anderen korrupten Rumänen kam dabei gelegen, dass der Gendarmerieleutnant abberufen war und die Stadt bereits verlassen hatte. Die nur noch von einem Feldwebel befehligten Gendarmen beugten sich der Autorität des Angeklagten und des Prätors und kamen deren Anordnungen nach.

Die Juden befolgten voller Angst den Befehl, der durch die Drohung Nachdruck erhielt, dass jeder erschossen werde, der in seiner Wohnung bliebe. Nur einige wenige, darunter der Schuster Schmuel Pas., wagten es, sich im Ghetto zu verstecken. Es dauerte fast den ganzen Tag bis sich die jüdische Bevölkerung auf dem Platz eingefunden hatte. Der Angeklagte war zumindest zeitweise zugegen. Einen alten Rabbiner, der ihm nicht schnell genug aus dem Weg ging, schlug er mit der Reitpeitsche.

Auf dem Platz kamen etwa 3000 bis 4000 Juden zusammen. Zunächst wurden einzelne Familien, die sich in der Lage erklärt hatten, ein Lösegeld bezahlen zu können, aussortiert und auf einer Seite des Platzes zusammengetrieben. Als dies die übrigen Juden bemerkten, begannen sie in grossen Massen über den Platz zu der bevorzugten Gruppe zu drängen. Der Angeklagte und der Prätor, die dadurch den ersten Teil ihres Planes vereitelt sahen, beschlossen nunmehr, sämtliche Juden zu evakuieren. Am späten Nachmittag mussten die Juden sich zu einem losen Zug formieren und sich in Marsch setzen. Von Gendarmen und der ukrainischen Miliz bewacht, wurde die Kolonne aus Kopaigorod herausgeführt und an dem Dorf Schepinki und der Eisenbahnstation Kopaj vorbei in den "Koscheronetzkij-Wald", wo das umzäunte Gelände lag, getrieben. Der Angeklagte begleitete die Kolonne zu Pferde. Auch Kranke, Kinder und Frauen mussten Kopaigorod verlassen.

Im Wald angekommen, trieb man die Menschen in das umzäunte Gelände, das nur schütter mit Bäumen bestanden war. In dem primitiven Gebäude innerhalb der Umzäunung fanden lediglich etwa 80 bis 100 Juden, im wesentlichen Kranke, Unterkunft, die anderen Tausende mussten unter freiem Himmel kampieren. Binnen kürzester Zeit herrschten die schlimmsten Verhältnisse. Regen setzte ein, die Menschen bauten sich primitive Hütten aus Ästen und Zweigen und gruben Erdlöcher, in denen sie hausten. Seuchen und Läuseplage und unendlicher Schmutz breiteten sich aus, da viele vor Schwäche ihre Notdurft nur noch verrichten konnten, wo sie gerade sassen oder lagen. Es gab keine Verpflegung, eine Wasserstelle befand sich nur ausserhalb des Lagers. Es war jedoch verboten, das Lager zu verlassen. Die Wachen hatten Schiessbefehl. Die Menschen tranken aus den Regenpfützen und kochten mit dem schmutzigen Wasser Suppen aus den Resten der von ihnen mitgebrachten Lebensmittel und schliesslich aus Gras und Laub. Hunderte starben bald an Entkräftung und Krankheit.

Wer noch Geld und Wertsachen hatte, konnte gelegentlich bei ukrainischen Bauern, die an die Umzäunung kamen, heimlich Lebensmittel kaufen oder eintauschen. Trotz des Schiessbefehls gelang es immer wieder einzelnen Mutigen, unbemerkt unter der Umzäunung hindurchzuschlüpfen, um Wasser oder in den nächstgelegenen Dörfern Nahrung zu holen.

In Kopaigorod wurden inzwischen die verlassenen Wohnungen der Juden geplündert und ganze Lastwagen voll mit ihren Habseligkeiten verschoben.

Der Angeklagte kam häufig zum Waldlager, umritt es und achtete darauf, dass das Verbot, die Umzäunung zu verlassen, eingehalten wurde. Er ernannte unter Mithilfe der rumänischen Gendarmen junge Juden innerhalb des Lagers zu "Ordnungsdienstlern" und drohte ihnen, dass jeder 2. von ihnen erschossen würde, falls sie nicht streng darauf achteten, dass niemand das Lager verlasse.

An einem der ersten Tage nach Errichtung des Waldlagers erschien der Angeklagte mit Gendarmen, liess die Juden am Lagertor versammeln und wählte auf Wunsch der rumänischen Zivilverwaltung 30 bis 40 Handwerker aus, die wieder nach Kopaigorod zurück durften. Sie waren dort für die Versorgung der Bevölkerung erforderlich. Dabei liess er auch den 37jährigen polnischen Juden Fabius Feibisch Orn. auf die Seite derjenigen treten, die das Lager verlassen durften, obwohl dieser kein Handwerker war. Orn. hatte nämlich schon am Tage zuvor versucht, vom Angeklagten, als dieser ins Lager ritt, die Genehmigung zu erhalten, mit seiner Familie nach Kopaigorod zurückzudürfen, weil er nicht rumänischer, sondern polnischer Staatsbürger sei. Der Angeklagte hatte ihn jedoch mit den Worten: "Du verfluchter schäbiger Jude!" aus dem Weg gejagt. Erst als Orn. ihm englische Mantelstoffe und Sohlenleder anbot, das er bei seiner Deportation bis nach Kopaigorod hatte retten können, hatte der Angeklagte ihm gesagt, er solle "sich morgen in die Reihe stellen".

Orn., von Beruf Rechtsanwalt, konnte nunmehr mit den ausgewählten Handwerkern das Waldlager verlassen und brachte dem Angeklagten in der Folgezeit die versprochenen Gegenstände. Der Angeklagte nahm sie an.

Unter den im Waldlager ausgewählten Handwerkern befand sich auch der damals 36-jährige Schneider Chaim Wal. mit seiner Familie. Als auch seine 34-jährige Ehefrau Miriam mit ihrem Kleinkind vortrat und den Angeklagten bat, ebenfalls mit ihrem Mann nach Kopaigorod zurückzudürfen, zog der Angeklagte seine Pistole und schrie: "Hau ab, Du Saujüdin!" Die Bedrohte flüchtete, als in diesem Augenblick ein rumänischer Gendarm an den Angeklagten herantrat, voller Angst zurück in die Masse der Juden.

Der Angeklagte genoss die sich selbst angemasste und von den Rumänen zunächst zumindest geduldete Machtstellung gegenüber den Juden, er fühlte sich als ihr absoluter Herr, der über ihr Leben und Sterben willkürlich bestimmten konnte.

III. « Erschiessung von Juden durch den Angeklagten »

1. Aus dem Streben heraus, sich selbst und anderen diese Machtstellung zu beweisen, liess er einige Tage nach den geschilderten Vorfällen die Juden erneut am Lagertor versammeln. Er hielt eine Ansprache, in der er u.a. sinngemäss erklärte, dass die Juden nicht hierhergebracht worden seien, um zu leben, sondern um zu sterben. Während der Rede wurde eine blutüberströmte Frauenleiche in das Lager getragen. Der Angeklagte wies darauf hin, dass es jedem so ergehen werde, der das Lager verlasse. Während er dies sagte, näherte sich dem Lager der aus Kopaigorod stammende schwerhörige Jude Nachman Gorodetzky, der für seine Familie Lebensmittel geholt hatte. Seine 8 bis 10jährige Tochter, die ihn warnen wollte, kroch unter dem Stacheldraht hindurch aus dem Lager und lief ihm entgegen.

Als der Angeklagte, durch die Rufe dieses Kindes "Papa, Papa" aufmerksam gemacht, beide bemerkte, verliess er seinen Platz, rannte durch das Lagertor und aussen am Lagerzaun entlang, bis zu der Stelle, wo Gorodetzky und seine Tochter gerade unter dem Zaun hindurch in das Lager zurückschlüpfen wollten. Der Angeklagte zog seine Pistole Kal. 7,65 und erschoss aus einer Entfernung von 1 bis 2 m den Vater und das Kind. Er gab insgesamt 3 Schüsse ab, einen auf den Vater und zwei auf das Kind, das sich nach dem ersten Schuss, der es traf, noch einmal aufgebäumt hatte.

Die Juden, die in der Nähe standen, sahen mit Schrecken zu. Die Mutter Gorodetzky konnte den Tod des Mannes und des Kindes nicht verwinden. Sie starb kurze Zeit darauf, weil sie keine Nahrung mehr zu sich nahm.

2. Aus derselben Gesinnung heraus handelte der Angeklagte, als er schon wenige Tage später wieder einmal zum Lager ritt und einen Juden bemerkte, der das Lager verlassen hatte, um Wasser zu holen. Er stieg ab und tötete den Mann, einen namentlich nicht bekannten rumänischen Juden mittleren Alters, durch einen Genickschuss.

Bei allen drei Erschiessungen handelte der Angeklagte in dem Bewusstsein, dass er für sein Tun nicht zur Rechenschaft gezogen würde, weil es sich bei den Getöteten "nur" um Juden handelte, die durch die nationalsozialistischen Machthaber und auch durch die damaligen Verantwortlichen in Rumänien als minderwertig eingeschätzt wurden.

IV. « Die Versetzung des Angeklagten nach Kassel »

Mindestens eine der Erschiessungen wurde nach einiger Zeit in Moghilev bekannt. Der Präfekt, Oberstleutnant Balianu, beschwerte sich bei dem Sonderführer Con., weil der Angeklagte durch sein Vorgehen seine Befugnisse überschritten und in die Kompetenzen der Rumänen eingegriffen hatte, und verlangte die sofortige Abberufung des Angeklagten. Con. meldete den Vorfall an Rittmeister von Malchus nach Tiraspol zur Verbindungsstelle der deutschen Wehrmacht für Transnistrien, nachdem er sich zunächst mit dem Angeklagten in Verbindung gesetzt und dieser die bekanntgewordene Erschiessung zugegeben hatte. Rittmeister von Malchus, der den Standpunkt der nationalsozialistischen Machthaber gegenüber den Juden nicht teilte, kam nach Moghilev, entschuldigte sich bei den Rumänen und veranlasste, dass der Angeklagte Transnistrien sofort verlassen musste. Irgendwelche weiteren Schritte wurden gegen den Angeklagten wegen der damaligen deutschen und rumänischen "Judenpolitik" nicht unternommen.
Am 30.August 1942 traf der Angeklagte bei der Wehrwirtschafts-Ersatzabteilung 5 in Kassel wieder ein.

Der Angeklagte war sich der Unrechtmässigkeit seines Vorgehens voll bewusst, weder seine Einsichtsfähigkeit noch sein Vermögen, sich entsprechend seiner Einsicht zu verhalten, waren in irgendeiner Weise eingeschränkt.

V. « Beweismittel »

Der Sachverhalt steht fest auf Grund der eigenen Einlassung des Angeklagten, soweit ihr gefolgt werden konnte, sowie folgender Beweismittel:

1. Zeugen:

Fac. Kurt, Hor. Rifka, Sch. Ascher, Fi. Chaim, Wei. Nissan, Fer. Maximilian, Schö. Karl, Ma. Zoltan, Pas. Schmuel, Spi. Samuel, Spi. Alexander, Mos. Jehuda, Got. Berl, Orn. Feibisch, Dr. von Köl. Bogislav, Dr. Sc. Eduard, Con. Joachim, Lie. Eugen, Fel. Rainer, Sze. Roswitha, Wal. Chaim, Dasc. Hascal, Wal. Miriam, Mos. Asrail, Maiterth Michael, Maiterth Susanne, Dor. Peter, Rol. Artur, Win. Heinrich, Far. Jevsej, Fis. Semen, Ko. Bruno, Maiterth Martin, Dr. Rüg. Josef, Fe. Manfred, Mos. Helena, Kar. Samuel, Thy. Wendeline, Schr. Heinrich.

2. Sachverständige:

Dr. Kli. Kurt-Gerhard, Dr. Bri. Bernhard, Dr. Bil. Andreas.

3. Andere Beweismittel:

Einbürgerungsantrag vom 23.Oktober 1941 (Fotokopie),
Einbürgerungsurkunde vom 23.Oktober 1941 (Fotokopie),
Allgemeine Heeresmitteilungen 1940 (Nr.200 und 426: Bestimmungen über Sonderführer),
Karte von Rumänien im Massstab 1:1000000, Ausgabejahr Warschau 1968,
französisches Kartenblatt "Odessa" im Massstab 1:1000000, Kartenblatt "Südosteuropa" im Massstab 1:300000,
Kartenblatt von Südosteuropa ohne Massstab,
Kartenblatt von Transnistrien ohne Massstab,
Lichtbildmappe I (27 Aufnahmen verschiedener Personen, darunter auf den Bildern Nr.9, 16 und 22 der Angeklagte)
Lichtbild von der Gegenüberstellung am 2.Verhandlungstag (15.11.1972),
Bild Nr.4 (im Umschlag Bl.411a d.A.),
Bild Nr.1 (im Umschlag Bl.411a d.A.),
Bild (im Umschlag Bl.388b d.A.),
Skizzen des Angeklagten und der Zeugen Wal. Chaim, Spi. Alexander, Mos. Asrail und Far. Jevsej,
Heft "Uniformen der Deutschen Wehrmacht, Nachtrag 1939/40, Heer - Kriegsmarine - Luftwaffe, von Eberhard Hettler, Hauptmann im Reichsluftfahrtministerium" Seite 22 (Nachdruck),
Deutsche Heereskarte, Massstab 1:300000, Sonderausgabe Juli 1940,
Einstellungsverfügung der Staatsanwaltschaft Frankfurt/Main vom 15.1.1969 aus 17 Js 1424/64 gegen Eugen Lie.,
Lichtbildmappe II (= Lichtbildmappe I, die Bilder jedoch in anderer Reihenfolge),
Lichtbildmappe III,
Auszug aus dem Bundeszentralregister für den Angeklagten.

VI. « Einlassung des Angeklagten und Beweiswürdigung »

1. Der Angeklagte bestreitet die ihm zur Last gelegten Taten.

Bei seiner 1.Vernehmung am 10.Oktober 1967 hatte er überhaupt abgestritten, jemals in Kopaigorod gewesen zu sein. Auch bei seiner 1.Vernehmung durch den Untersuchungsrichter am 4.August 1969 bestritt er, Sonderführer Z in Rumänien gewesen zu sein, selbst als ihm aus seinen Versorgungsakten vorgehalten worden war, dass er als Sonderführer Z in Rumänien eine Fleckfiebererkrankung durchgemacht hatte. Erst als ihm der Untersuchungsrichter Namen seiner damaligen Vorgesetzten vorhielt, gab er zu, Sonderführer Z und auch in Kopaigorod gewesen zu sein. Dann gab er auch zu, Augenzeuge von Judenerschiessungen gewesen zu sein. Davon aber, dass er auch selbst einmal die Pistole gezogen und angeblich in die Luft geschossen hatte, sagte er auch damals noch nichts. Diese Schilderung kam erst in der schriftlichen Erklärung vom 18.August 1969.

In der Hauptverhandlung hat er sich folgendermassen eingelassen:

Er sei, als Sonderführer Z eingekleidet, mit einer Gruppe landwirtschaftlicher Fachleute unter Führung des Rittmeisters von Malchus über Kronstadt/Siebenbürgen nach Tiraspol/-Transnistrien gekommen. Von dort aus sei er zusammen mit Dr. Sc. nach Tultschin geschickt worden. Dort hätten ihn wegen seiner sehr guten rumänischen Sprachkenntnisse die Rumänen gegenüber Dr. Sc. bevorzugt. Dieser habe deswegen bei Rittmeister von Malchus seine Versetzung durchgesetzt.
1942 sei er dann nach Moghilev gekommen und dort dem Sonderführer Joachim Con. zugeteilt worden. Con. und er hätten zwar an sich den gleichen Dienstgrad gehabt, er hätte jenen aber wegen seines höheren Alters als Vorgesetzten respektiert. In Moghilev sei ihm

dann schliesslich wohl das gleiche geschehen, wie zuvor in Tultschin: Con. sei wegen seines, des Angeklagten, besseren Verhältnisses zu den Rumänen eifersüchtig geworden. Er habe ihn deshalb nach Kopaigorod geschickt, damit er sich dort das Gebiet ausbaue. Seine Meldungen habe er an ihn, Con., schicken sollen.
Er sei dann im Juni oder Juli 1942 nach Kopaigorod gekommen, wann es genau gewesen sei, wisse er nicht mehr, das Getreide habe jedenfalls bereits zum Teil in der Reife gestanden.

Kopaigorod sei ein Ort mit ca. 700 bis 800 Einwohnern, also ein grösseres Dorf und keine Kleinstadt gewesen. Am Rande der Ortschaft hätten sich im Wald noch Kasernen befunden, in denen rumänisches Militär untergebracht gewesen sei. Eine Bahnstation sei abseits von Kopaigorod vorhanden gewesen. Die Ortschaft habe ein Verwaltungsgebäude besessen, das gegenüber der Kirche gelegen gewesen sei. Der Bürgermeister habe nicht dort, sondern in seinem Privathaus gewohnt. In dem Verwaltungsgebäude seien ein Dolmetscher, ein Schreiber, der Prätor und ein Agronom untergebracht gewesen. Ein Stück oberhalb der Prätur, die sich gegenüber der Kirche befunden habe, sei der Polizeiposten mit rumänischer Gendarmerie gewesen. Der Polizeiposten habe aus einem Leutnant, einem Feldwebel, einem Unteroffizier und einer ihm nicht bekannten Anzahl von Gendarmen bestanden. Es habe am Ort auch ukrainische Miliz gegeben, die Zivil getragen habe und nur durch eine Armbinde gekennzeichnet gewesen sei. Die Miliz habe der rumänischen Gendarmerie unterstanden. Der rumänische Leutnant habe Marenescu geheissen, sein Vater sei Major der Gendarmerie in Moghilev gewesen.

In Kopaigorod sei die normale Sprache der Bevölkerung russisch gewesen, lediglich die Rumänen hätten rumänisch gesprochen.

Die Juden hätten in den Häusern im Zentrum des Ortes gewohnt. Es habe sich um ca. 100 hierher evakuierte Juden gehandelt, die in der Einwohnerzahl von 700 bis 800 bereits enthalten gewesen seien. Bei seiner Ankunft in Kopaigorod habe es kein Ghetto gegeben. Auch in Moghilev habe ein solches nicht bestanden.

Ausser ihm selbst habe es in Kopaigorod seines Wissens keine Deutschen gegeben. Er habe in einem Haus gewohnt, das sich auf derselben Strassenseite wie die Prätur befunden habe, schräg gegenüber habe der Polizeiposten gelegen. Er habe allein in dem ebenerdigen Haus gewohnt. Bevor ihm diese Wohnung zur Verfügung gestellt worden sei, habe er einige Tage bei dem Prätor gelebt, den er im übrigen ebenso wie den Agronomen und den Polizeileutnant bereits in Moghilev kennengelernt habe.
Sein Essen habe er zusammen mit den rumänischen Verwaltungsbeamten in einer Kantine eingenommen. Dort sei im übrigen auch ein rumänischer Leutnant namens Tomesco verkehrt. Auf seine Frage, welche Aufgabe dieser Mann in Kopaigorod zu erfüllen hatte, habe man ihm immer nur ausweichende Antworten gegeben.

Judenerschiessungen habe er nicht begangen, ein solches Vorgehen liege nicht in seiner Art. Wenn er so veranlagt gewesen wäre, wäre er zur SS gegangen. Es treffe auch nicht zu, dass er die Juden in das Waldlager getrieben habe.

Über das Waldlager könne er folgendes sagen:

Als er eines Tages gegen Abend in die Ortschaft hineingeritten sei, habe er gesehen, wie der Polizeileutnant Marenescu mit seinen Leuten eine Gruppe von ca. 70 Juden aus dem Ort hinaustrieb. Er sei hingeritten und habe sich erkundigt, was vorgehe. Der Leutnant habe ihm erklärt, dass er erfahren habe, dass die SS demnächst nach Kopaigorod komme. Zu ihrem Schutz führe er deshalb die Juden in ein Waldlager, 4 km von Kopaigorod entfernt. Unter Bewachung seien die Juden dann zu dem Lager geführt worden. Sie hätten lediglich dabeigehabt, was sie tragen konnten. Das Waldlager sei eine ehemalige Viehkoppel gewesen mit

Stangen und 2 Stacheldrähten eingezäunt. Das Tor habe aus Schiebestangen bestanden. Im Lager habe sich ein Gebäude befunden, das etwa für 70 Leute Raum gehabt habe. Er habe den Leutnant ein Stück Richtung Waldlager begleitet und sei dann umgekehrt und zurückgeritten. Bis zum Waldlager selbst sei er nicht gekommen. Zuvor, als die Juden in Kopaigorod aufgefordert wurden, ihre Häuser zu verlassen, sei er nicht anwesend gewesen.

Am nächsten Abend sei er auf dem Weg, der vom Staatsgut, auf dem er in Erfüllung seiner Dienstaufgabe tätig gewesen sei, nach Kopaigorod führte, Richtung Kopaigorod geritten. Er habe aus der Ferne Schüsse gehört. Als er dann nähergekommen sei, habe er einen Mann und eine Frau am Strassenrand liegen sehen. Der Polizeileutnant habe mit einer Gruppe von Leuten dabeigestanden. Auf seine Frage, was passiert sei, habe er geantwortet, der Mann und die Frau hätten gegen seinen Willen das Waldlager verlassen und seien auf Anruf nicht stehengeblieben. Sie seien deshalb erschossen worden.
Als die Schüsse gefallen seien, sei er, der Angeklagte soweit entfernt gewesen, dass er die Leute nicht habe sehen können. Bei der Frau habe es sich auch um ein Mädchen handeln können, ein Kind sei es keinesfalls gewesen.

Am nächsten Tag, als er aus Kopaigorod in Richtung Staatsgut ritt, sei er wiederum dem Leutnant Marenescu begegnet. Sie hätten sich begrüsst. Der Leutnant habe, als er erfahren habe, dass er zum Staatsgut hinausreite, ihn gebeten, im Waldlager nachzusehen, ob die Miliz ihren Dienst auch richtig ausübe. Ihm sei dabei der Gedanke gekommen, er könne bei dieser Gelegenheit den Juden im Waldlager gut zureden, sie möchten sich ruhig verhalten. Er sei dann vom Hauptweg abgebogen und zum Lager geritten, wo er die Miliz kartenspielend angetroffen habe. Um sie zurechtzuweisen, habe er einen Appell abgehalten. Bald darauf seien die Juden alle aus Neugierde an den Eingang des Waldlagers gekommen. Er habe sie angesprochen und zu ihnen gesagt, sie sollten vernünftig sein und aushalten, denn sie seien zu ihrem eigenen Schutz hier, um der SS zu entgehen. Währenddessen habe er in dem Gestrüpp links von ihm einen Ruf "Stoi" gehört. Weil er sich an eine Erzählung erinnert habe, in der die ukrainische Miliz als schiessfreudig bezeichnet worden sei, habe er seine Pistole gezogen und ein paarmal in die Luft geschossen und gerufen "Geht zurück, geht zurück!". Er habe einen Aufschrei gehört, ein ukrainischer Milizangehöriger habe bereits geschossen gehabt. Ob jemand getroffen worden sei, wisse er nicht. Er habe einen solchen Schock bekommen, dass er sich aufs Pferd gesetzt habe und den ganzen Tag ziellos umhergeritten sei.

Von diesem Tag an sei er dann nie mehr zum Lager gekommen. Er sei vielmehr am darauffolgenden Tag nach Moghilev und von dort aus weiter nach Rumänien gefahren, um 2 Dolmetscher anzuwerben. Als er nach ca. 8 Tagen wieder nach Kopaigorod zurückgekommen sei, hätten sich die Juden nicht mehr im Waldlager, sondern bereits wieder im Ort befunden. Einige Zeit später sei der Major Marenescu, der Vater des Polizeileutnants von Kopaigorod nach Kopaigorod gekommen. Als er ihm zufällig begegnet sei, habe er zu ihm gesagt, er werde die Erschiessung der Juden ihm, dem Angeklagten, in die Schuhe schieben, denn die Deutschen hätten das alles in die Wege geleitet, im übrigen komme sein Sohn sonst vor ein Kriegsgericht. Er wisse, dass er, der Angeklagte, aus Siebenbürgen stamme. Wenn er sich gegen die Beschuldigung äussere, werde er, der Polizeimajor, sich an seinen, des Angeklagten, Angehörigen rächen.

Nach einiger Zeit habe ihn der Sonderführer Con. angerufen und ihm gesagt, von Rittmeister von Malchus sei ein Befehl da, nach welchem er sofort nach Tiraspol kommen solle, er habe einen Juden erschossen. Das gleiche habe ihm, als er nach Tiraspol gekommen sei, Rittmeister von Malchus gesagt. Er habe erklärt, dass er keinen Juden erschossen habe. Rittmeister von Malchus habe ihm daraufhin erklärt, was ein Major sage, das stimme. Er sei dann nach Kassel gekommen.

2. Das Schwurgericht ist auf Grund der Aussagen der Augenzeugen Spi. Samuel, Spi. Alexander, Ma. Zoltan, Wal. Miriam, Wal. Chaim, Hor. Rifka, Win. Heinrich, Fis. Semen und Mos. Jehuda davon überzeugt, dass der Angeklagte die im Abschnitt III festgestellten Taten begangen hat.

Die Zeugen haben in den wesentlichen Punkten folgende Aussagen gemacht:

a) Spi. Samuel, damals 45 Jahre alt:

Er sei im Oktober 1941 zusammen mit den übrigen Juden der Bukowina deportiert worden. Er sei über Atachi nach Moghilev und von dort in einer Fusskolonne bis nach Kopaigorod gebracht worden. Man habe dort unter sehr primitiven Verhältnissen gelebt. Nach einiger Zeit sei ein deutscher Offizier im Städtchen erschienen. Eines Tages habe dieser einige Juden angetroffen, die auf dem Marktplatz Gegenstände, die noch in ihrem Besitz waren, gegen Brot eingetauscht hätten. Ebenso habe er einige Juden dabei beobachtet, wie sie bei einem Rabbiner das Morgengebet verrichteten. Er, der Zeuge, habe gesehen, wie die Juden mit ihren Gebetsriemen auf die Strasse geschoben worden seien.

Noch am selben Tag sei der Befehl ergangen, dass sich alle Juden auf einem Platz zu versammeln hätten. Einige Stunden später sei der deutsche Offizier zu Pferde erschienen und habe den Befehl gegeben, dass jeder seine "tragbaren Sachen" holen und sich wieder auf dem Platz einfinden solle. Man sei dann zu einem Platz 6 km von Kopaigorod entfernt im Wald getrieben worden. Im Wald habe sich eine Art Kaserne befunden, wo etwa 100 Juden Unterkunft finden konnten. Der Rest von etwa 3000 Menschen habe im Freien kampieren müssen. Das Waldlager sei mit Stacheldraht umzäunt gewesen, ukrainische Wächter ohne Uniform hätten es bewacht. Die Juden hätten unter unmöglichen Bedingungen leben müssen, es seien täglich unzählige an Hunger, Schmutz und Krankheiten gestorben.

Der deutsche Offizier habe einige jüdische Ordnungsdienstler ernannt. Er sei täglich zum Lager gekommen und habe es umkreist. Eines Tages sei er in Begleitung von rumänischer Gendarmerie erschienen. Er habe befohlen, die Juden sollten sich in der Nähe des Eingangstores des Lagers versammeln. Man habe dann auf Tragbahren blutige Leichen ins Lager gebracht. Der deutsche Offizier habe den jüdischen Ordnungsdienst antreten lassen und gedroht, dass er jeden 2. erschiessen lassen würde. Er habe erklärt, dass keiner aus dem Lager zum Wasserholen herausgelassen werde und dass jeden das gleiche Schicksal erwarten würde, wie die hereingetragenen Toten, wenn er es wage, sich aus dem Lager zu entfernen. Ausserdem habe er sinngemäss gesagt, die Juden seien nicht in dieses Lager gebracht worden, um hier zu leben, sondern um hier zu "verrecken".

Während er noch gesprochen habe, habe man ein Geräusch vom Zaun her gehört. Ein Jude habe hier von aussen in das Lager zurückgewollt. Als der deutsche Offizier das Geräusch gehört habe, sei er aus dem Tor heraus, am Zaun entlang zu der Stelle gerannt. Er, der Zeuge, habe dann aus wenigen Metern Entfernung gesehen, dass der deutsche Offizier mit der Pistole auf einen Juden geschossen habe, daraufhin auch auf ein Mädchen, etwa 12 Jahre alt, und dass er auf das Mädchen, das sich noch gerührt habe, noch einen Schuss abgegeben habe. Daraufhin sei er wieder zum Lagereingang zurückgekehrt und habe seine Rede fortgesetzt. Er habe dabei erklärt, dass die übrigen Juden das gleiche Schicksal erwarte. Die Erschossenen seien dann im Wald ausserhalb des Lagers begraben worden.

Der Zeuge erkannte den Angeklagten auf Bild Nr.16 und Bild Nr.22 der Lichtbildmappe I sowie auf dem Lichtbild von der Gegenüberstellung am 2.Verhandlungstag. Er erklärte, dass ihm bereits bei seinen früheren Vernehmungen immer nur eine Lichtbildmappe mit vielen Bildern und niemals ein einzelnes Bild des Angeklagten vorgelegt worden sei.

b) Spi. Alexander, damals 15 Jahre alt:

Er sei als Sohn des Samuel Spi. ebenfalls im Oktober 1941 nach Kopaigorod gekommen. Im Frühsommer 1942 sei dort ein deutscher Offizier erschienen. Eines Tages seien sie aus den Wohnungen herausgetrieben worden und hätten sich auf einem Platz versammeln müssen. Gegen Abend seien sie unter Gendarmeriebewachung etwa 5 km weit in einen Wald und dort in ein Lager getrieben worden, das mit Stacheldraht umzäunt gewesen sei. Es seien dort über 2000 Menschen gewesen. Nur ein geringer Teil habe in dem einzigen Gebäude Unterkunft gefunden, die übrigen hätten unter freiem Himmel kampieren müssen. Sie hätten versucht, sich kleine Hütten aus Holzzweigen zu bauen. Es sei angeordnet worden, dass man das Lager, das durch nicht uniformierte Ukrainer bewacht worden sei, nicht verlassen dürfe. Für Verpflegung sei nicht gesorgt worden. Im Lager selbst habe es kein Wasser gegeben.

Eines Vormittags sei der deutsche Offizier in Begleitung rumänischer Gendarmerie erschienen. Die Juden hätten sich beim Tor des Lagers versammeln müssen. Der deutsche Offizier, den sie "der Deutsche" genannt hätten, da es keinen anderen in Kopaigorod gegeben habe, habe eine Ansprache gehalten, in der er in etwa gesagt habe: "Ihr wurdet nicht hierhergebracht, um zu leben, sondern um zu sterben." Während er gesprochen habe, habe man ein Geräusch vom Zaun her gehört. Der Deutsche sei aus dem Tor heraus, am Zaun entlang in Richtung dieses Geräusches gelaufen. Dort hätten ein Mann und ein Mädchen versucht, durch den Stacheldraht wieder zurück ins Lager zu gelangen. Der Deutsche habe auf die beiden Schüsse aus seinem Revolver gefeuert. Er wisse noch ganz genau, dass der Deutsche noch einen oder zwei Schüsse ganz nahe abgegeben habe, als er sich gebückt habe.

Die Szene sei ihm, obwohl er damals erst 15 Jahre alt gewesen sei, deshalb noch völlig deutlich vor Augen, weil er so etwas nie zuvor und nie danach erlebt habe.

Ob sich die Erschiessung am gleichen Tag zugetragen habe, an dem Leichen von aussen in das Lager getragen worden seien und der deutsche Offizier den jüdischen Ordnungsdienst bedroht habe, dass jeder 2. erschossen werde, falls nochmals jemand das Lager verlasse, wisse er nicht mehr.

Als sie später nach Kopaigorod zurückgekommen seien, seien ihre Wohnungen völlig geplündert gewesen.

Der Zeuge erkannte den Angeklagten auf Bild Nr.16 und Nr.22 der Lichtbildmappe I sowie auf dem Lichtbild von der Gegenüberstellung am 2.Verhandlungstag. Er erklärte, dass ihm die Lichtbildmappe bereits bei seiner ersten Vernehmung vorgelegt worden sei und dass er auch damals den Angeklagten sofort erkannt habe.

c) Ma. Zoltan, damals 37 Jahre alt:

Er sei 1941 von Rumänien nach Kopaigorod deportiert und dort in einem Ghetto zusammen mit ca. 3000 rumänischen und bessarabischen Juden untergebracht worden. Eines Tages im Sommer 1942 seien sie aufgefordert worden, sich auf dem Marktplatz zu versammeln. Am frühen Abend sei der deutsche Offizier erschienen und habe den Befehl erteilt, jeder solle sein Handgepäck holen. Sie seien dann in einer von Rumänen und Ukrainern bewachten Kolonne in ein Gelände im Wald geführt worden, wo sich ein Gebäude befunden habe, in dem ein Teil der Juden untergekommen sei. Die anderen hätten unter freien Himmel Quartier machen müssen.

Am nächsten Tag sei der deutsche Offizier erschienen und habe ca. 25 jüdische Burschen als "Lagerpolizisten" ausgewählt und diesen gedroht, dass von ihnen einer erschossen werde, wenn jemand das Waldlager verlasse. Ein andermal sei der deutsche Offizier erschienen und habe Facharbeiter unter den Juden ausgesucht.

Im Lager selbst sei kein Wasser gewesen. Sie seien deshalb in kleinen Gruppen zu einem Brunnen ausserhalb des Lagers geführt worden.

Eines Tages sei der deutsche Offizier wieder erschienen, habe alle Juden versammeln lassen und habe vom jüdischen Ordnungsdienst Leichen von ausserhalb ins Lager bringen lassen. Es habe sich dabei um Erschossene gehandelt, welche aus dem Lager hinausgegangen seien, um sich Lebensmittel zu beschaffen. Er habe gehört, dass die Erschiessungen durch den deutschen Offizier erfolgt seien. Während der Versammlung habe man beim Zaun ein Geräusch gehört. Der Deutsche sei in diese Richtung gelaufen. Er habe dort einen Vater und dessen Kind ausserhalb des Zaunes erschossen. Bei dem Kind habe es sich um ein etwa 10 Jahre altes Mädchen gehandelt. Das Kind habe, weil es sich nach dem ersten Schuss noch geworfen habe, noch einen 2.Schuss erhalten. Der Deutsche habe anschliessend zu den versammelten Juden gesagt, wer wolle, dass ihm das gleiche passiere, solle auch hinauskommen. Bei dem Offizier, der Vater und Tochter erschossen habe, habe es sich um denselben Mann gehandelt, den er beim Sammelplatz im Ghetto Kopaigorod gesehen habe. Dass er ein deutscher Offizier war, habe er an der Uniform gesehen, da er deutsche Offiziersuniformen bereits früher gesehen habe.

Dass der deutsche Offizier "Hans Maiterth" geheissen habe, habe er erfahren, als er nach 2 bis 3 Wochen zu Arbeiten aus dem Waldlager herausgenommen worden sei. Einen anderen deutschen Offizier habe es in Kopaigorod weder vor- noch nachher gegeben. Als er nach Kopaigorod zurückgekommen sei, seien dort sämtliche Wohnungen geplündert gewesen. Der Zeuge erkannte den Angeklagten auf den ihm vorgelegten Lichtbildern der Lichtbildmappe I und auf dem Bild von der Gegenüberstellung nicht.

<u>d) Wal. Miriam, damals 34 Jahre alt:</u>

Sie sei im Jahre 1942 über Moghilev nach Kopaigorod deportiert worden. Eines Tages sei proklamiert worden, dass sich alle auf einem Platz zu versammeln hätten. Dann sei der deutsche Offizier, den sie an seiner Uniform als solchen erkannt habe, angeritten gekommen. Sie habe unmittelbar neben seinem Pferd gestanden, er habe Befehle erteilt. Sie seien dann alle in den Wald getrieben worden. Der Deutsche habe den Zug begleitet. Sie seien in das Waldlager gekommen, das umzäunt gewesen sei. Sie hätten unter freiem Himmel gelegen, es habe zu regnen begonnen, ihr 5 bis 6-jähriges Kind habe in einer Regenpfütze gelegen, sie habe es auf sich gelegt, um eine Erkältung zu verhindern. Am nächsten Tag habe sie schiessen gehört und gesehen, wie man Leichen in das Lager getragen habe. Eines Tages habe man sich am Lagertor versammeln müssen. Während der Versammlung - sie selbst sei auf ihrem Platz sitzengeblieben - habe sie einen Vater und ein Kind gesehen, die am Stacheldrahtzaun nach einer Stelle gesucht hätten, an der sie in das Lager hineinkommen konnten. Der deutsche Offizier habe die beiden bemerkt. Sie habe ihn mit der Pistole in der Hand auf die beiden zulaufen sehen. Er habe auf das Kind einen Schuss abgegeben, dann einen auf den Vater und schliesslich nochmals auf das Kind, das wieder aufgesprungen gewesen sei. Die Szene habe sich in einer Entfernung von ca. 30 m von ihr abgespielt. Es habe sich um denselben deutschen Offizier gehandelt, der den Zug in das Waldlager begleitet habe.

Sie meine heute, dass es an demselben Tag gewesen sei, als der deutsche Offizier Leute ausgewählt habe, die zur Arbeit nach Kopaigorod kommen sollten. Darunter hätten sich auch ihr Mann und andere Verwandte befunden. Sie habe nicht allein mit dem Kind im Wald bleiben wollen und habe deshalb den Deutschen gebeten, sie und ihr Kind ebenfalls mitgehen zu lassen. Er habe seinen Revolver gezogen, sie damit bedroht und "Saujüdin" genannt. In diesem Augenblick sei ein rumänischer Gendarm auf ihn zugegangen, um ihm etwas zu sagen. Sie habe zwischenzeitlich unter den anderen Juden verschwinden können.

Als sie schliesslich nach Kopaigorod zurückgekommen sei, seien alle Häuser geplündert gewesen. Auf den ihr vorgelegten Lichtbildern der Lichtbildmappe I und auf dem Bild von der Gegenüberstellung erkannte die Zeugin den Angeklagten nicht.

e) Wal. Chaim, damals 36 Jahre alt:

Er sei von der Bukowina aus nach Kopaigorod in Transnistrien evakuiert worden. In dem kleinen Städtchen sei im Herbst 1942 ein deutscher Offizier erschienen. Eines Tages seien alle Juden von Kopaigorod versammelt und in einen Wald getrieben worden. Man habe ihnen gedroht, dass erschossen würde, wer weglaufe. Der Platz, zu dem sie gebracht worden seien, sei mit Stacheldraht umzäunt gewesen, er habe nur einen einzigen Eingang gehabt. Sie hätten unter freiem Himmel übernachten müssen. Am nächsten Tag sei der deutsche Offizier wieder erschienen und habe ca. 15 Facharbeiter ausgewählt. Unter diesen habe auch er sich befunden, da er Schneider von Beruf sei. Er sei mit seiner Ehefrau dort gewesen und als sie gesehen habe, dass er weg müsse, sei sie auf den deutschen Offizier zugetreten und habe ihn gebeten, auch sie mitgehen zu lassen. Daraufhin habe der Offizier zu ihr gesagt, "hau ab Du Jude" und habe sie mit seiner Pistole erschiessen wollen. Nur das Dazwischenkommen eines Dritten habe seiner Frau das Leben gerettet.

Als er zusammen mit den übrigen Facharbeitern nach Kopaigorod zurückgebracht worden sei, hätten sie unter Begleitung rumänischer Polizei von Haus zu Haus gehen müssen, um die zurückgelassenen Sachen der Juden zu sammeln. Man habe aus den Häusern Polster, Betten, Maschinen und andere Wertsachen herausgenommen, alles sei auf Lastwagen weggefahren worden.

Am nächsten Tag seien sie zur Arbeit in das Haus des deutschen Offiziers gebracht worden. Dabei habe er diesen deutsch, aber auch rumänisch sprechen hören. An den Namen Johann glaube er sich noch zu erinnern, nicht aber an Maiterth.

Es sei ihnen unter Lebensgefahr verboten gewesen, in der Folgezeit Kopaigorod zu verlassen und in das Lager zurückzugehen. Er habe sich jedoch, um seiner Frau und seinem Kind Lebensmittel zu verschaffen, des öfteren in das Waldlager zurückgeschlichen. Eines Tages, als er bei einem solchen Besuch bei seiner Frau gesessen habe, habe er plötzlich einen Schuss fallen hören, er habe seinen Kopf in die entsprechende Richtung gewandt und habe in einer Entfernung von ca. 25 m gesehen, wie ein junges Mädchen, welches versucht habe, durch den Stacheldraht zurückzukriechen, von dem deutschen Offizier erschossen worden sei. Das Kind habe nach dem 1.Schuss nochmals aufspringen wollen, so wie ein Hase, der flüchten wolle. Der deutsche Offizier habe deshalb noch einen Schuss auf das Kind abgegeben. Unmittelbar danach sei auch der Vater des Kindes, der noch gerufen habe: "O, mein Kind" erschossen worden. Danach habe der deutsche Offizier ins Lager hineingerufen, wer wieder hinausgehe, werde auch erschossen.

Bei dem erschossenen Mann habe es sich um einen ukrainischen Juden gehandelt.

Der Zeuge erkannte den Angeklagten auf den Bildern Nr.16 und 22 der Lichtbildmappe I.

f) Hor. Rifka, damals 34 Jahre alt:

Sie habe bei Kriegsausbruch zusammen mit ihrer Familie in Tschernowitz gewohnt. Von dort aus seien sie nach Moghilev, kurze Zeit darauf nach Kopaigorod deportiert worden. Kopaigorod sei ein grosses Dorf gewesen, wieviele Einwohner es gehabt habe, wisse sie nicht.

Eines Tages habe man ihnen gesagt, mit den Habseligkeiten, die sie tragen konnten, zusammen zu kommen und eine Kolonne zu bilden. Der Befehl habe, von wenigen Ausnahmen abgesehen, für alle Juden in Kopaigorod gegolten. Auf der Strasse habe sie dann den deutschen Offizier gesehen. Er habe mit den Ukrainern in Verbindung gestanden. Sie seien dann ungefähr 5 Stunden lang bis zu einem Wald getrieben worden, der mit Stacheldraht umzäunt gewesen sei. Auch auf dem Marsch habe sie den deutschen Offizier gesehen. Innerhalb der Umzäunung habe sich ein einziges Gebäude befunden, in dem die ganz alten Leute, u.a. ihre eigenen Eltern, untergebracht worden seien. Wieviele Menschen in das Waldlager gegangen seien, wisse sie nicht, nach ihrer Auffassung seien es aber zwischen 100 und 500 gewesen.

Im Wald hätte sie, zusammen mit ihrem Mann und ihren Kindern, darunter ihr 3 - 4 Monate alter Sohn unter einem Baum, etwa 2 m vom Stacheldraht entfernt, geschlafen. Wasser hätten sie, da sie Angst vor dem deutschen Offizier gehabt hätten, nachts von ausserhalb des Lagers geholt. Im Lager selbst habe es keines gegeben. Lebensmittel hätten sie gegen ihre Kleider bei ukrainischen Bauern, die an den Stacheldraht gekommen seien, eingetauscht. Es sei ihnen eingeschärft worden, dass sie das Lager nicht verlassen dürften.

Eines Tages sei der deutsche Offizier an das Lager geritten gekommen. Er habe das Pferd am Tor stehen lassen, sei ins Lager gegangen und habe den Befehl gegeben, man solle sich in Reih und Glied aufstellen. Ob der Offizier zusammen mit anderen gekommen sei, oder alleine, könne sie nicht mehr sagen. Während man sich aufgestellt habe, sei ein Mann mit einem Mädchen von aussen zum Lager gekommen und habe an der Stelle, wo sie gesessen habe, in das Lager gewollt. Er habe gesehen, dass am Tor das Pferd stand und dass im Lager ein "Rummel" gewesen sei, und habe wieder zurücklaufen wollen. Der Offizier sei zu diesem Zeitpunkt im Lager gewesen. Er sei dann ausserhalb des Lagers zu dem Mann und dem Kind hingelaufen und habe unterwegs den Revolver gezogen. Sie habe dann aus kürzester Entfernung gesehen, dass der Offizier auf den Juden und sein Kind geschossen habe und zwar zuerst auf das Kind und dann auf den Mann.

Als die Schüsse gefallen seien, sei der deutsche Offizier etwa 1-2 m von den beiden Personen entfernt gewesen. Andere Personen, Wachsoldaten oder rumänische Gendarmen hätten sich zu diesem Zeitpunkt nicht in der Nähe befunden. Der Mann und das Mädchen seien danach in die Grube gelegt worden, wo die Toten gelegen hätten, die verhungert gewesen seien.

Von ihrem Mann habe sie später erfahren, dass der Offizier, nachdem er wieder ins Lager zurückgekommen sei, zu den Leuten gesagt habe, sie sollten sich an dem Mann und dem Kind ein Beispiel nehmen, sie sähen, wie es sein würde, wenn jemand das Lager verlasse.

Die Zeugin erkannte den Angeklagten auf den ihr vorgelegten Lichtbildern der Lichtbildmappe I und bei der Gegenüberstellung nicht.

g) Win. Heinrich, damals 30 Jahre alt:

Er sei im Juni 1941 aus Kiew, wo er studiert habe, nach Kopaigorod, seiner Geburtsstadt zurückgekehrt. Im Sommer 1942 sei der deutsche Offizier nach Kopaigorod gekommen, das von den rumänischen Truppen besetzt gewesen sei. Er wisse zwar nicht, wie er geheissen habe, wisse aber, dass er sich mit der Beschaffung von landwirtschaftlichen Erzeugnissen für die Deutsche Armee beschäftigt habe. Eines Tages habe der deutsche Offizier befohlen, alle Juden auf dem Zentralplatz von Kopaigorod für ihren Abtransport in ein Speziallager zu versammeln. Sie seien dann in einer Kolonne zu Fuss in das Lager geführt worden. Sie seien von rumänischen Gendarmen und ukrainischen Polizisten bewacht worden. Die Entfernung zum Waldlager habe etwa 5 bis 6 km betragen. Bei dem Lager habe es sich um ein mit Draht umzäuntes Gelände gehandelt mit einer alten flächenmässig nicht grossen Militärkaserne und einem Brunnen, der allerdings erschöpft gewesen sei. Insgesamt seien bis zu 5000 Juden in dem Waldlager gewesen. Man habe aus gesammelten Baumästen Hütten gebaut. Die Bewachung des Lagers sei durch ukrainische Polizisten, die mit Gewehren bewaffnet gewesen seien, erfolgt. Eine organisierte Ernährung habe es nicht gegeben, nur solche Juden, die Wertgegenstände bei sich hatten, hätten Lebensmittel von Bauern eintauschen können, die an den Zaun gekommen seien. Die Sterblichkeitsziffer im Lager sei deshalb sehr hoch gewesen. Es sei streng verboten gewesen, das Lager zu verlassen.

Anfang oder Mitte August, genau wisse er es nicht mehr, sei der deutsche Offizier in Begleitung von rumänischen Gendarmen im Lager erschienen. Man habe sich versammeln müssen. Es sei dann auf einer Bahre die Leiche einer Frau in das Lager getragen worden. Er habe aus Gesprächen erfahren, dass sie zum Bahnhof Kopaj gegangen gewesen sei, um um Nahrung zu betteln, und dass sie vom deutschen Offizier erschossen worden sei. Der deutsche Offizier habe der Versammlung erklärt, dass jeder so enden werde, wie diese Frau, der versuchen sollte, sich aus dem Lager zu entfernen.

Mit ihm zusammen habe sich im Lager auch die Familie des Gorodetzky Nachman befunden. Gorodetzky sei ein ortsansässiger Bewohner von Kopaigorod gewesen. Er habe schlecht gesprochen und schwer gehört. Gorodetzky sei in Kopaigorod gewesen, um Nahrungsmittel zu besorgen. Während der Ansprache des deutschen Offiziers sei er zum Lager zurückgekommen. Als er sich dem Drahtzaun genähert habe, sei ihm vom Lager her seine 8 bis 9-jährige Tochter entgegengelaufen. Das Mädchen habe gewinkt und geschrieen. Der deutsche Offizier sei dadurch aufmerksam geworden, er sei hingegangen und habe den Vater mit einem und die Tochter mit zwei Schüssen getötet. Er, der Zeuge, meine zwar, dass der Deutsche vom Lagergelände aus geschossen habe, er könne aber nicht ausschliessen, dass er sich dabei täusche. Die Erschiessung habe sich jedenfalls in der Nähe des Lagerzaunes abgespielt.

Gorodetzky und seine Tochter seien später in einem Massengrab beerdigt worden. Die Ehefrau des Gorodetzky, die sich ebenfalls im Lager befunden habe, sei in der Folgezeit verrückt geworden und nach etwa 2 Wochen gestorben.

Am selben Tag habe der deutsche Offizier auf der Fahrt zurück nach Kopaigorod auch den Juden Serov erschossen. Dies wisse er allerdings nur von einem anderen Juden, der mittlerweile verstorben sei.

Bei dem deutschen Offizier habe es sich um den einzigen Deutschen in Kopaigorod während der Besetzung der Stadt durch die rumänischen Truppen von etwa Juni 1941 bis zum Einmarsch der Roten Armee gehandelt.

Der Zeuge erkannte den Angeklagten in den ihm vorgelegten Lichtbildmappen II und III nicht.

<u>h) Fis. Semen, damals 17 Jahre alt:</u>

Er habe im Jahre 1941 die 9.Klasse in Kopaigorod abgeschlossen. Noch im selben Jahr sei in Kopaigorod nach Einmarsch der rumänischen Truppen ein jüdisches Ghetto gegründet worden.

Die Gesamteinwohnerzahl Kopaigorods habe vor dem Krieg etwa 5000 betragen. Ursprünglich hätten sich im Ghetto nur die in Kopaigorod lebenden Juden befunden. Man habe aber dann begonnen, Juden aus Rumänien und aus benachbarten Städten und Dörfern dorthinzubringen. Um wieviele es sich schliesslich gehandelt habe, wisse er nicht, es seien aber sehr viele gewesen.

Eines Tages hätten sich die Bewohner des Ghettos auf dem freien Platz versammeln müssen. Man habe sie dann zurück in ihre Häuser geschickt, damit sie ihre Sachen und etwas zum Essen mitnehmen könnten. Es sei jedoch nicht erlaubt gewesen, mehr als ein Säckchen pro Person mitzunehmen. Als sie sich wieder auf dem Platz eingefunden hätten, habe man sie in einer Kolonne, eskortiert von Polizisten, über das Dorf Schepinki und den Bahnhof Kopaj in den Wald Koscheronetzkij und dort in ein mit Draht umzäuntes Gelände getrieben. Sie hätten sich dort Hütten aus Baumästen gebaut. Im Lager habe es kein Wasser gegeben. Es sei von ukrainischen Polizisten, die mit Gewehren bewaffnet gewesen seien, bewacht gewesen. Es hätten sich etwa 5000 Personen im Lager befunden. Organisierte Verpflegung habe es nicht gegeben. Man habe sich lediglich von dem Mitgebrachten und von dem ernähren können, was man am Zaun habe eintauschen können. Nach etwa 8 bis 10 Tagen hätten die Menschen begonnen, an Hunger und Krankheiten zu sterben.

Ende Juni 1942 sei der deutsche Offizier - es habe sich dabei um den einzigen deutschen Offizier in Kopaigorod gehandelt - zusammen mit rumänischer Gendarmerie im Lager erschienen. Auf dem Weg zum Lager habe er eine Frau erschossen gehabt, deren Leiche ins Lager getragen worden sei. Der Offizier habe die Juden versammeln lassen und habe ihnen erklärt: "Wenn jemand das Lager verlässt, so wird sein Weg so enden, wie er bei dieser Frau geendet hat." Nach Abschluss der Ansprache habe sich dem Lager von aussen der Jude Gorodetzky genähert, der in Kopaigorod in dem Haus neben ihm gewohnt habe. Bei ihm habe sich seine Tochter befunden. Der deutsche Offizier habe ihn bemerkt und habe ihn erschossen. Auch das Mädchen, das "Papa, Papa" geschrieen habe, habe er mit 2 Schüssen getötet.

Gorodetzky und seine Tochter seien später in einem Massengrab beerdigt worden. Die Ehefrau des Gorodetzky habe in der Folgezeit ihren Verstand verloren und sei nach 10 bis 12 Tagen gestorben.

Er habe gehört, dass am selben Tag von dem deutschen Offizier auch ein Jude namens Serov erschossen worden sei.

Der Zeuge erkannte den Angeklagten in den ihm vorgelegten Lichtbildmappen II und III nicht.

<u>i) Mos. Jehuda, damals 37 Jahre alt:</u>

Er sei im Oktober 1941 von Vatra Dorna über Atachi nach Moghilev transportiert worden. Dort habe er sich etwa einen Monat lang aufgehalten. Er sei dann zusammen mit Hunderten anderer Juden nach Kopaigorod getrieben worden, wo er im November 1941 eingetroffen sei. Kopaigorod sei ein kleines Städtchen gewesen, das an einem Fluss gelegen habe, dessen Namen er nicht mehr wisse. Es sei dort ein Ortsteil zum Ghetto bestimmt worden, er selbst habe sich in diesem aufgehalten, obwohl sein Bruder, der Dentist gewesen sei, mit der Familie ausserhalb des Ghettos habe leben dürfen. Er habe als Rabbiner im Ghetto eher die Möglichkeit gehabt, seinen religiösen Bedürfnissen nachzugehen.

Später sei ein deutscher Offizier namens Johann Maiterth in Kopaigorod erschienen. Er habe ihn in einer Uniform auf einem Pferd reiten sehen. Von der Uniform habe er nur noch in Erinnerung, dass sie völlig verschieden von der der rumänischen Gendarmerie gewesen sei. Er habe gehört, dass der deutsche Offizier den Auftrag gehabt habe, von den umliegenden Kolchosen Getreide zu sammeln.

Eines Tages seien alle Juden an einem bestimmten Ort in Kopaigorod zusammengetrieben worden. Man habe erzählt, dass der Befehl dazu von dem deutschen Offizier ausgegangen sei. Rumänische Gendarmen und ukrainische Miliz in Zivil mit Armbinden seien anwesend gewesen. Auch den deutschen Offizier habe er gesehen, er habe auch gehört, dass er gesprochen habe. Er wisse aber nicht, was er gesagt habe. Dass der Deutsche auch rumänisch gekonnt habe, habe er damals gehört.

Sie hätten dann zu Fuss einige Kilometer bis zu einem Wald nicht weit von Kopaigorod gehen müssen. Jeder habe etwas von seinen Habseligkeiten mitgenommen. Kranke Leute seien auf Wagen geladen worden. Es habe sich dabei insgesamt um so viele Menschen gehandelt, dass er sie nicht habe übersehen können. Im Wald habe man sie in ein mit Stacheldraht umzäuntes Gebiet getrieben, wo sich auch ein Gebäude befunden habe. Er selbst habe unter freiem Himmel leben müssen. Das Lager sei von ukrainischer Miliz in Zivil mit Armbinden bewacht gewesen. Rumänische Gendarmerie habe man auch ab und zu gesehen.

Im Waldlager habe schrecklicher Wassermangel geherrscht. Man habe deshalb das Lager durch den Stacheldraht verlassen, um Wasser zu holen. Es habe auch nichts zu essen gegeben. Die Ukrainer seien aber mit Lebensmitteln an den Stacheldrahtzaun gekommen. Wer noch Kleidung oder Geld gehabt habe, habe sich von ihnen etwas besorgen können. Sehr viele Juden seien an Hunger, Kälte und Ungeziefer gestorben.

Das Waldlager habe, daran erinnere er sich genau, am 9.Av [95], der am Beginn der Trauerzeit stehe, begonnen.

Er wisse, dass im Lager einmal ein Appell abgehalten worden sei, er selbst sei jedoch nicht dabei anwesend gewesen, da er krank gewesen sei. Er glaube, dass es nach diesem Appell gewesen sei, als er den deutschen Offizier eines Tages auf das Lager habe zureiten sehen. Ausserhalb des Lagers habe sich in einer Entfernung von 40 bis 50 m von ihm ein Jude befunden, der sich aus dem Lager geschlichen gehabt habe, um Wasser zu holen. Der deutsche Offizier sei vom Pferd gestiegen, habe seine Pistole gezogen und habe den Juden mit einem Genickschuss erschossen. Der jüdische Mann sei an Ort und Stelle umgefallen. Nach dem Erschiessen sei der Angeklagte auf sein Pferd gestiegen und weitergeritten. Was mit dem Erschossenen später geschehen sei, wisse er nicht, der Tote habe jedenfalls noch Stunden danach an der gleichen Stelle gelegen.

Der Erschiessungsvorgang habe schrecklich auf ihn gewirkt, er sehe ihn auch heute noch vor seinen Augen. Andere Erschiessungen habe er nicht gesehen, er wisse aber, dass der Angeklagte auch ein Mädchen und einen Mann erschossen haben solle. Insgesamt sei damals von 6 Erschiessungen gesprochen worden. Er habe auch gesehen, wie blutige Leichen in das Waldlager gebracht worden seien, er wisse jedoch nicht, wer sie getötet habe.

Der Zeuge erkannte den Angeklagten sowohl auf den Bildern Nr.16 und 22 der Lichtbildmappe I als auch später bei der Gegenüberstellung in der Hauptverhandlung.

3. Das Schwurgericht ist davon überzeugt, dass die aufgeführten Aussagen der Augenzeugen das vor mehr als 30 Jahren abgelaufene Geschehen in den Kernpunkten richtig wiedergeben.

Anhaltspunkte dafür, dass die Zeugen seither Krankheiten durchgemacht haben, die ihre Erinnerungs- und Merkfähigkeit beeinträchtigen könnten, sind nicht in Erscheinung getreten.

Die in der Hauptverhandlung vernommenen Augenzeugen Hor. Rifka und Mos. Jehuda haben ihre Aussagen auch ohne die geringsten Zeichen, etwa von Hass gegenüber dem Angeklagten, gemacht. Nach dem Eindruck in der Hauptverhandlung haben sie nur das angege-

[95] Der 9.Av ist im Jahre 1942 der 23.Juli.

ben, was tatsächlich ihrem Erinnerungsbild entspricht. Sie haben sich äusserst bemüht, ihr Gedächtnis anzustrengen und nur das zu schildern, was sie tatsächlich gehört und gesehen haben.

Bezüglich der nicht in der Hauptverhandlung vernommenen Augenzeugen Spi. Samuel, Spi. Alexander, Ma. Zoltan, Wal. Miriam, Wal. Chaim, Win. Heinrich und Fis. Semen, deren Aussagen verlesen wurden, fehlt zwar ein persönlicher Eindruck des Gerichts. Aber auch hier liegen keine Anhaltspunkte vor, die darauf schliessen liessen, dass die Zeugen nicht ebenso bemüht gewesen seien, nur das tatsächlich Erlebte zu schildern.

Das Schwurgericht verkennt nicht, dass es ausserordentlich schwierig ist, den objektiven Wahrheitsgehalt einer Aussage nach Ablauf einer so langen Zeit festzustellen. Eine Vielzahl von dem Zeugen selbst nicht bewussten Fehlerquellen können dazu führen, dass er eine zwar ihm subjektiv richtig erscheinende, mit den Tatsachen aber nur noch bedingt oder kaum mehr übereinstimmende Schilderung der Ereignisse gibt.

Die Zuverlässigkeit des Erinnerungsbildes der Zeugen hat das Schwurgericht u.a. insbesondere anhand folgender Kriterien geprüft:

Die Art des vor langer Zeit Erlebten. Ein für den Zeugen einmaliges Ereignis prägt sich besser ein als Alltägliches.
Die Bedeutung des Erlebten für den Zeugen persönlich. Ereignisse, die erhebliche Eingriffe in das Schicksal des Zeugen oder ihm nahestehender Personen darstellen oder zu solchen führen können, werden eher über lange Zeit im Gedächtnis bewahrt, als ein Geschehen, von dem er nur am Rande betroffen ist.
Die Stimmungslage, in der sich der Zeuge zum Zeitpunkt des Ereignisses befunden hat. So kann etwa stark empfundene Angst dazu führen, dass der eigentliche, das Angstgefühl hervorrufende Geschehenskern als solcher exakt, alles übrige aber nur ungenau und schattenhaft oder überhaupt nicht wahrgenommen wird.

Über diese Kriterien hinaus, die vor allem die Frage der Wahrnehmungsfehler und Wahrnehmungslücken betreffen, war bei den Zeugenaussagen, die sich auf einen so lange zurückliegenden Zeitraum beziehen, zu beachten, dass die individuelle Merkfähigkeit der Zeugen sehr verschieden sein kann; sie kann im Einzelfall daran gemessen werden, inwieweit und wie exakt sich der Zeuge an objektiv feststellbare Ereignisse aus der damaligen Zeit erinnert. Dabei war weiterhin zu beachten, dass bei Erinnerungen, die sich über längere Zeiträume erstrecken, Erinnerungslücken vorliegen werden, die, ohne dass der Zeuge dies weiss, mit Vorstellungsinhalten gefüllt werden, so dass es zu erheblichen zeitlichen Verschiebungen kommen kann. Ähnliche Fehler können sowohl bei der örtlichen als auch bei der personellen Einordnung von Ereignissen über die Länge der Zeit entstehen, so dass Geschehnisse an einen anderen Ort verlegt werden oder Personen mit Ereignissen in Zusammenhang gebracht werden, die nichts mit ihnen zu tun hatten.

Ebenso war die Gefahr zu berücksichtigen, dass die bei einem sich über längere Zeitdauer erstreckenden Geschehensablauf nach so langer Zeit zwangsläufig entstehenden Erinnerungslücken mit Gehörtem oder gar Gelesenem aufgefüllt werden, das der Zeuge dann besten Wissens als Selbsterlebtes wiedergibt. Solche Gedächtnisverfälschungen können auch durch mehrfache, in grösseren Zeitabständen erfolgende Vernehmungen entstehen, bei denen dem Zeugen etwa andere Aussagen vorgehalten werden. Es kann geschehen, dass der Zeuge schliesslich den Inhalt der fremden Aussage zu seinem eigenen Erleben macht.

Auch eine weitere Möglichkeit der Erinnerungsfälschung war bei der Wertung der Zeugenaussagen nicht ausser Betracht zu lassen. Es ist denkbar, dass ein Zeuge, der ein besonderes Ereignis, über das er aussagen soll, unter grosser Angst erlebt hat, dieses Kernerleben mit anderen Ereignissen, Umständen oder Personen in Verbindung bringt, die ihm zum damaligen Zeitpunkt auch Schrecken eingejagt haben, obwohl eine solche Verbindung in Wahrheit damals nicht bestand. Es kann dadurch zu Fehlvorstellungen bezüglich einer Tat und des Verhaltens eines anderen kommen, die in der Erinnerung keinen Zweifel aufkommen lassen, dass die betreffende Person bei dem betreffenden Ereignis anwesend oder beteiligt war.

Auch im vorliegenden Fall finden sich sowohl in den Aussagen der Tatzeugen als auch in den Aussagen der übrigen Zeugen zum damaligen Geschehen zahlreiche Widersprüchlichkeiten, Ungereimtheiten und offensichtliche Falschdarstellungen, die als Folgen von Wahrnehmungs- oder Erinnerungsstörungen und Erinnerungsfehlern anzusehen sind. Nur einige davon sollen beispielhaft angeführt werden:

Zeuge Alexander Spi.:
Der Offizier hielt den Appell in rumänischer Sprache.
Zeuge Win.:
Der Offizier hielt den Appell in deutscher Sprache ab.
Zeuge Orn.:
Die Uniform des Offiziers war grau, ohne schwarzen Kragen; es war eine deutsche Heeresoffiziersuniform.
Zeuge Got.:
Der Offizier war ähnlich wie die SS angezogen und trug am Arm eine Hakenkreuzbinde.
Zeuge Far.:
Der Offizier war 30 Jahre alt und stämmig.
Zeuge Pas.:
Der Offizier war 35 bis 40 Jahre alt.
Zeugin Hor.:
Der Offizier trug eine Mütze mit schmalem Schirm und gelber Kordel.
Zeuge Alexander Spi.:
Der Offizier trug eine Schiffchen-Mütze.
Zeuge Orn.:
Das Ghetto war nicht abgesperrt und nicht umzäunt.
Zeuge Far.:
Das Ghetto war hie und da mit einem Bretterzaun abgegrenzt.
Zeuge Got.:
Das Ghetto war mit Draht umzäunt.
Zeuge Fi.:
Im Waldlager befand sich kein Gebäude.
Zeuge Win.:
Im Lager gab es eine alte Kaserne.
Zeuge Far.:
Im Waldlager und ausserhalb des Waldlagers befand sich je ein Gebäude.
Zeuge Ma.:
Mann und Mädchen wurden ausserhalb des Lagers nach einem Wortwechsel zwischen dem Mann und einem Milizsoldaten erschossen, den ersten Schuss gab der Offizier auf das Kind, dann einen Schuss auf den Vater und dann wieder einen auf das Kind ab.
Zeuge Fis.:
Der Mann näherte sich dem Lager mit seiner Tochter, der Offizier schoss auf ihn, danach zweimal auf das Mädchen.
Zeuge Win.:
Gorodetzky kam von aussen, seine Tochter lief ihm von innen entgegen, der Offizier erschoss zuerst ihn, dann das Mädchen mit 2 Schüssen.

Zeugin Hor.:
Der Offizier schoss zuerst auf das Kind und dann auf den Mann.
Zeuge Fis.:
Die Frau des Gorodetzky wurde geisteskrank und starb nach 10 bis 12 Tagen.
Zeugin Hor.:
Von aussen kam ein Mann mit einem Kind, dessen Mutter schon gestorben war.

Die Reihe der Widersprüche könnte noch erweitert werden. Sie betreffen jedoch im wesentlichen nur Nebensächliches. In der Grunddarstellung stimmen hingegen die Aussagen der Augenzeugen überein. Auszunehmen ist hier allerdings die Erschiessung des einzelnen Juden, da über diese nur von dem Zeugen Jehuda Mos. ausgesagt worden ist. Auf sie wird deshalb noch gesondert eingegangen werden.

Von Bedeutung für die Überzeugung des Schwurgerichts, dass die Aussagen der Augenzeugen, was das Kerngeschehen anbelangt, unbezweifelbar richtig sind, war auch, dass sich unter ihnen 2 russische Zeugen, nämlich Win. und Fis. finden, die noch heute in Kopaigorod leben und die erst während der Hauptverhandlung bekannt geworden sind. Dass auch ihre Aussagen sowohl in den Kernpunkten als auch in sehr vielen Details mit den Aussagen der israelischen Zeugen übereinstimmen, ist deshalb von Gewicht, weil keinerlei Anhaltspunkte in Erscheinung getreten sind, dass zwischen ihnen und den israelischen Zeugen auch nur irgendwelche Kontakte vorhanden sind. Die Zeugen Win. und Fis. waren, wie auch der Zeuge vom Hörensagen Far. bis zu ihrer Ermittlung durch die russischen Behörden während der Hauptverhandlung unbekannt.

4. Für die Richtigkeit der oben ihrem wesentlichen Inhalt nach angeführten Aussagen der Augenzeugen im Kerngeschehen spricht weiterhin, dass sie durch die Angaben einer ganzen Reihe von Zeugen, die das eigentliche Tatgeschehen nur vom Hörensagen kennen, bestätigt werden. Dabei handelt es sich um die in der Hauptverhandlung vernommenen Zeugen Sch. Ascher, Fi. Chaim, Wei. Nissan und Orn. Feibisch und um die Zeugen Pas. Schmuel, Got. Berl, Dasc. Hascal und Far. Jevsej, deren Aussagen verlesen wurden. Bei keinem der Zeugen haben sich Anhaltspunkte ergeben, die gegen seine Glaubwürdigkeit sprechen würden. Für sie soll beispielhaft die Aussage des Zeugen Orn. ihrem wesentlichen Inhalt nach angegeben werden, da dieser als Vorsitzender des Judenrats in Kopaigorod die Verhältnisse besonders gut kannte und viel mit dem Angeklagten zu tun hatte.

Der damals 37-jährige Zeuge Orn. hat ausgesagt:

Er sei Anfang Herbst 1941 aus Wisnice weggegangen und nach Transnistrien gekommen. Es sei ihm gelungen gewesen, Gepäck und einige Wertgegenstände mitzunehmen. Er sei mit seiner Familie nach Moghilev gekommen. Nach etwa 10 Tagen sei es ihm gelungen, mit einem Lastauto nach Kopaigorod zu gelangen. Es habe sich dabei um ein Städtchen gehandelt, das unter rumänischer Verwaltung stand. Neben den ortsansässigen Juden hätten dort eine Vielzahl aus Moghilev kommender Juden gelebt. Er habe zunächst einige Monate in dem Dorf Romanka, 4 bis 5 km von Kopaigorod entfernt gewohnt. Schliesslich sei es ihm gelungen, für Kopaigorod selbst eine Aufenthaltsgenehmigung zu erhalten. Er sei dann seiner Schätzung nach etwa 1 oder 2 Monate vor Errichtung des Waldlagers in die Stadt, die einige Tausend Einwohner gehabt habe, gezogen.

Eines Tages sei der Befehl ergangen, sich auf dem Hauptplatz des Ghettos zu versammeln; wer nicht komme, werde erschossen. Er habe die wertvollsten Gegenstände, die er noch besessen habe, versteckt und sei zu dem Sammelplatz gegangen. Er habe dort eine Menge von Tausenden von Menschen angetroffen. Der deutsche Offizier, den er später als "Sonderführer Hans Maiterth" kennengelernt habe, sei zu diesem Zeitpunkt bereits in Kopaigorod gewesen. Er habe allerdings nur von ihm gehört gehabt. Man habe erzählt, dass er zur Getreidekontrolle da sei.

Auf dem Platz habe er bemerkt, dass einzelne Familien ausgesucht und auf eine Seite gestellt worden seien. Er habe erfahren, dass es sich dabei um Leute gehandelt habe, die versprochen hatten, Geld zu geben. Er habe sich zu dieser Gruppe der Bevorzugten hinübergeschlichen. Als immer mehr seinem Beispiel gefolgt seien, hätten alle wieder zurück in die Menge gemusst. Er glaube zwar, dass der Angeklagte auf dem Platz gewesen sei, er habe ihn jedoch nicht gesehen. Er sei dann zurück zu seiner Frau und zu seinen Kindern und habe sich versteckt. Nachdem zwischenzeitlich die übrigen Juden weggetrieben worden waren, habe er dem Bauern, bei dem er gewohnt habe, Geld gegeben. Dieser habe ihn dann samt seiner Familie in das Waldlager gefahren. Kurz vor dem Waldlager, an einer Wegeinmündung, habe er den deutschen Offizier zusammen mit anderen gesehen. Sie seien zu Pferd vom Waldlager zurückgekommen. Das Waldlager sei mit Stacheldraht umzäunt gewesen, ukrainische Miliz in Zivil habe es bewacht. Er habe erkannt, dass das Lager das Ende für die dort untergebrachten Menschen sei. Unter ihnen habe eine ungeheuere Verzweiflung geherrscht. Es habe weder Wasser noch Essen gegeben, es sei kalt und alles sei verlaust gewesen. Er sei mit seiner Familie nur wenige Tage in dem Lager geblieben. Die Verzweiflung habe ihn veranlasst, bereits an einem der ersten Tage an den Angeklagten heranzutreten und ihn unter dem Hinweis auf seine polnische Staatsbürgerschaft zu bitten, ihn aus dem Lager zu entlassen. Der Angeklagte habe ihm sinngemäss geantwortet: "Du bist ein verfluchter schäbiger Jude, marsch weg mit Dir!" Er sei ihm nachgelaufen und habe ihm einen englischen Mantelstoff und Kernsohlenleder für Stiefel angeboten, das er noch besessen habe. Daraufhin habe der Angeklagte ihm gesagt, er solle sich morgen in der Reihe melden. Später habe er erfahren, dass der Angeklagte den Auftrag gegeben hatte, alle Juden, bis auf einige wenige Bevorzugte, in das Waldlager zu bringen. Daraufhin sei die Gendarmerie bei ihm vorstellig geworden, weil sich unter den vertriebenen Juden wichtige Handwerker befunden hätten, die man in Kopaigorod gebraucht habe. Deshalb sei der Angeklagte am nächsten Tag zusammen mit dem Gendarmeriefeldwebel gekommen, um diese Leute auszuwählen und sie nach Kopaigorod zurückzubringen.

Am nächsten Tag habe er sich dann in die Reihe der Handwerker gestellt und sei von dem Angeklagten auch ausgewählt worden. Seine Bitte, auch Frau und Kinder mit aus dem Lager nehmen zu dürfen, habe der Angeklagte abgeschlagen. Trotzdem sei es ihm aber gelungen, seine Familie auf einem Wagen versteckt aus dem Waldlager zu bringen.

Als er nach Kopaigorod zurückgekommen sei, seien seine Sachen geplündert gewesen. Lediglich die Gegenstände, die er versteckt gehabt habe, seien noch vorhanden gewesen. Er habe dann den Mantelstoff und das Leder dem Angeklagten gebracht. Seine so gewonnenen Beziehungen zu dem Angeklagten, der ihm gesagt habe, er solle ihn "Herr Sonderführer" nennen, habe er dazu ausgenutzt, auch für die im Lager Verbliebenen Vorteile zu gewinnen. Es sei ihm gelungen, einmal einen Transport mit Lebensmitteln in das Lager zu bringen und dort eine Art Feldküche zu organisieren.

Er sei dann schliesslich eines Tages gerufen worden und man habe ihn zum Vorsitzenden des örtlichen Judenrates ernannt. In dieser Eigenschaft habe er in der Folgezeit viel mit dem Angeklagten zu tun gehabt. Eines Tages habe er erfahren, dass der Angeklagte im Waldlager einen Mann und ein Kind erschossen habe. Er sei einige Stunden danach aus irgendeinem Grund, den er nicht mehr wisse, zum Angeklagten gekommen. Dieser habe dabei sinngemäss zu ihm gesagt: "Hast Du gehört, was ich gemacht habe, so werde ich viele von Euch erschiessen." Später habe er erfahren, dass es sich bei dem erschossenen Mann um einen tauben ukrainischen Juden gehandelt habe, der ausserhalb des Waldlagers einen Wassergraben gekannt habe, wo er zusammen mit dem Kind Wasser habe holen wollen. Als das Kind den

Angeklagten im Lager erblickt habe, habe es "Datta, Datta" gerufen. Der Angeklagte habe das gehört und habe beide erschossen.

Der Angeklagte sei mit völliger Sicherheit zu diesem Zeitpunkt der einzige Deutsche in Kopaigorod gewesen. Der Angeklagte habe eine deutsche Offiziersuniform getragen, welcher Dienstgrad es gewesen sei, wisse er allerdings nicht mehr.

Er wisse nicht genau, wie lange der Angeklagte in Kopaigorod gewesen sei. Es habe plötzlich geheissen, dass er abberufen worden sei, weil er seine Vollmachten überschritten habe. Die Gendarmerie von Kopaigorod habe sich in Moghilev beschwert.

Der Zeuge Orn. hat den Angeklagten auf sämtlichen 3 Bildern, die die Lichtbildmappe I von ihm enthält, erkannt. Bei der Gegenüberstellung in der Hauptverhandlung, bei der der Angeklagte unter 4 Vergleichspersonen mit der Nr.3 sass, erklärte der Zeuge, dass Nr.3 und Nr.4 der deutsche Offizier von damals sein könnte, dass er aber mehr zu Nr.3 neige.

5. Auch die Aussage des Zeugen Jehuda Mos. ist glaubhaft. Zum einen wird sie in den, den eigentlichen Erschiessungsvorgang nicht betreffenden Einzelheiten vom übrigen Beweisergebnis bestätigt. Zum anderen sind keinerlei Anhaltspunkte dafür aufgetreten, dass der Zeuge Jehuda Mos. ein Motiv haben könnte, den Angeklagten zu Unrecht zu belasten. Er hat seine Aussage in der Hauptverhandlung sehr sicher und trotz der Schwere des Erlebens vor mehr als 30 Jahren ruhig und sachlich und ohne erkennbares besonderes persönliches Engagement gemacht. Den Angeklagten hat er von Anfang an in der Lichtbildmappe I als den Täter der Erschiessung erkannt. Auch in der Hauptverhandlung hat er ihn identifiziert ("wieder wiedererkannt").

Gegen die Richtigkeit seiner Aussage spricht auch nicht, dass in der Niederschrift über eine Vernehmung des Zeugen im März 1959 durch die israelische Dokumentationszentrale Yad Vashem in Jerusalem kein Hinweis auf diese Einzelerschiessung enthalten ist. Die damalige Vernehmungsniederschrift, die dem Zeugen auszugsweise vorgehalten worden ist, enthält lediglich an einer Stelle die Bemerkung, dass mehrere Ghettoinsassen beim Verlassen des Ghettos aufgegriffen und erschossen worden seien und an einer anderen Stelle, dass der deutsche Oberleutnant 6 Personen beim Verlassen des Waldlagers erschossen habe. Der Zeuge, der auf Vorhalt erklärt hat, dass die entsprechenden Stellen in das damalige Protokoll aufgenommen wurden, hat hierzu angegeben, dass es bei der damaligen Vernehmung nicht auf die Beschreibung von Einzelerschiessungen angekommen sei, dass der vernehmende Beamte vielmehr lediglich Wert darauf gelegt hat, überhaupt aufzunehmen, dass die Juden damals in das Waldlager getrieben und dass ein Teil von ihnen umgekommen ist und auch einige erschossen worden sind. Diese Angabe ist glaubhaft, weil es sich bei Yad Vashem um eine Einrichtung handelt, die das "Martyrium und Heldentum" der Juden überhaupt und nicht Einzelschicksale in Dokumenten festhalten will.

Gegen die Glaubwürdigkeit der Aussage des Jehuda Mos., insbesondere dagegen, dass er sich tatsächlich im Waldlager aufgehalten hat, spricht auch nicht, dass sein in Russland lebender Bruder Asrail Mos. bei seiner 1.Vernehmung durch die sowjetischen Behörden ausgesagt hat, dass sich sein Bruder Jehuda nie im Waldlager befunden habe. Bei seiner wesentlich eingehenderen Vernehmung in Moskau im Mai 1973 in Anwesenheit des die Anklage vertretenden Staatsanwalts sowie des Verteidigers musste der Zeuge Asrail Mos. nämlich einräumen, dass sein Bruder einige Zeit nach Begründung des Waldlagers bei ihm erschienen sei und ihm erzählt habe, dass er sich aus dem Waldlager heimlich entfernt habe. Er, Asrail Mos., habe dies lediglich nicht geglaubt. Im übrigen spricht auch die Aussage der in New York vernommenen Schwester Helena Mos. für die Richtigkeit der Angabe des Jehuda Mos., dass er im Waldlager gewesen sei. Die Zeugin hat nämlich im Gegensatz zu Asrail Mos. erklärt, dass sie ihren Bruder Jehuda während des gesamten Kopaigorodaufenthalts nur ein einziges Mal zufällig auf der Strasse getroffen habe und dass ihr nicht bekannt sei, dass er sich häufig oder auch nur überhaupt in der Wohnung der Familie aufgehalten habe.

Ob es sich jedoch bei dem von Jehuda Mos. geschilderten Fall um die Erschiessung des Mannes namens Serov gehandelt hat, wie die Zeugen Win., Fis. und Far. ausgesagt haben, konnte nicht mit ausreichender Sicherheit festgestellt werden.

6. Steht bereits auf Grund des bisher geschilderten Beweisergebnisses zur Überzeugung des Schwurgerichts fest, dass der Angeklagte die drei Erschiessungen begangen hat, so wird diese Überzeugung noch verstärkt, das Gesamtbild vom damaligen Geschehen noch abgerundet, durch die Aussagen der deutschen Zeugen Con. und Dr. von Köl.

Der Zeuge Con. hat angegeben, dass der Angeklagte wegen seiner guten Rumänischkenntnisse wahrscheinlich am Winterende 1941 zu ihm nach Moghilev gekommen sei. Der Angeklagte sei einige Zeit bei ihm tätig gewesen. Bereits zu diesem Zeitpunkt habe er nach seiner Erinnerung gute Beziehungen zu dem Prätor von Kopaigorod gehabt. Schliesslich sei der Angeklagte von sich aus mit der Bitte an ihn herangetreten, ob er nicht nach Kopaigorod gehen könne, um dort selbständig tätig zu sein. Er habe nichts dagegen gehabt, weil er sich wegen der guten Rumänischkenntnisse des Angeklagten und seinen eigenen Sprachschwierigkeiten manchmal etwas übergangen gefühlt habe.

Er wisse nicht mehr, wann der Angeklagte nach Kopaigorod gegangen sei. Es müsse aber im August gewesen sein, als er von dem rumänischen Polizeioffizier in Moghilev, der für den ganzen Präfekturbereich und damit auch für die Prätur Kopaigorod zuständig war, erfuhr, dass der Angeklagte in Kopaigorod einen Juden erschossen habe. Der rumänische Polizeioffizier sei dabei sehr erregt gewesen. Er habe damals nach seiner Erinnerung den Angeklagten nach Moghilev zurückbeordert. Er könne jedoch auch nicht ausschliessen, dass er mit ihm nur telefonisch gesprochen habe. Völlig sicher wisse er aber, dass der Angeklagte, als er ihm die Erschiessung des Juden vorgehalten habe, diese zugegeben und sich damit entschuldigt habe, dass sich der Jude verbotswidrig aus dem Ghetto entfernt habe. Er habe daraufhin an Rittmeister von Malchus berichtet. Dieser sei nach Moghilev gekommen und habe sich bei den rumänischen Behörden für das Verhalten des Angeklagten entschuldigt. Der Angeklagte sei wegversetzt worden.

Der Zeuge Con. ist glaubwürdig. Für ihn spricht zunächst bereits die ruhige Sachlichkeit, mit der er ausgesagt hat. Er wurde vom Gericht zweimal vernommen. Dass er bei seiner 2.Vernehmung seine ursprüngliche Angabe, der Angeklagte sei auf seine Weisung hin nach Moghilev zurückgekommen, nicht voll aufrechterhalten und erklärt hat, dass er nachdem er in der Zwischenzeit habe nachdenken können, nicht mehr mit Sicherheit ausschliessen könne, dass das Gespräch nur fernmündlich stattgefunden habe, zeigt, dass der Zeuge ausserordentlich bemüht war, keinesfalls mehr zu sagen, als seinem Erinnerungsbild entsprach. Umso schwerer wiegt es, dass er auch auf vielfachen Vorhalt mit völliger Sicherheit bei der Aussage blieb, dass der Angeklagte die ihm vorgehaltene Judenerschiessung zugegeben hat.

Der Angeklagte hat versucht, die Glaubhaftigkeit des Zeugen Con. in Frage zu stellen. Zum einen hat er angedeutet, der Zeuge Con. selbst könne als Täter der Judenerschiessungen in Kopaigorod in Betracht kommen und deshalb versuchen, ihn, den Angeklagten, zu belasten. Zum anderen hat er erklärt, der Zeuge Con. beschuldige ihn aus einem Hass- und Rachegefühl heraus. Er habe nämlich damals, als er noch in Moghilev gewesen sei, den Zeugen dabei überrascht, wie er versucht habe, ein jüdisches Mädchen zu vergewaltigen. Er, der Angeklagte, habe dies verhindert.

Das Vorbringen des Angeklagten stellt eine reine Schutzbehauptung dar. Für eine Täterschaft Con.s haben sich nicht die geringsten Anhaltspunkte ergeben. Sowohl der Zeuge Jehuda

Mos., dem der Zeuge Con. persönlich gegenübergestellt wurde, als auch der Zeuge Orn., dem ein Bild des Zeugen Con. aus der damaligen Zeit vorgelegt wurde, haben erklärt, dass sie sich an diesen Zeugen nicht erinnern könnten. Auch das Vorbringen von der versuchten Vergewaltigung hält das Gericht nach dem persönlichen Eindruck, den der Zeuge Con. gemacht hat und nach seiner Äusserung und Reaktion auf den Vorwurf des Angeklagten, den dieser im übrigen weder im Ermittlungsverfahren noch bei der 1.Vernehmung des Zeugen vorgebracht hatte, für völlig unglaubhaft.

Letztlich wird die Aussage Con. sowie das übrige Beweisergebnis auch noch dadurch untermauert, dass auch der Zeuge Dr. von Köl., der bei der Verbindungsstelle der deutschen Wehrmacht für Transnistrien in Tultschin tätig war, sich im Zusammenhang mit dem Namen des Angeklagten noch an die Beschwerde der Rumänen erinnern konnte, dass der Angeklagte nicht mehr tragbar sei, weil er einen Juden umgebracht habe.

7. Der Angeklagte hat im Laufe der Hauptverhandlung verschiedentlich Behauptungen aufgestellt oder auch nur Andeutungen gemacht, die ihn entlasten sollten. Sie haben sich sämtlich als falsch herausgestellt.

a) Er hat behauptet, das Kopaigorod, in dem er sich im Sommer 1942 einige Zeit als landwirtschaftlicher Sonderführer aufgehalten habe, sei ein kleines Dorf mit etwa 700 bis 800 Einwohnern gewesen, darunter etwa nur 70 bis 100 Juden. Diese Einlassung ist falsch. In der gesamten Sowjetunion gibt es nur ein Kopaigorod, nämlich das 40 km nördlich von Moghilev, am Fluss Nemija gelegene. Das ergibt sich aus der Aussage des Zeugen Rol. vom Osteuropa-Institut in München. Dieses Kopaigorod aber hatte, wie der dort aufgewachsene Zeuge Wei. und die noch heute dort wohnenden Zeugen Fis., Win. und Far. aussagen, 1942 etwa 5000 Einwohner, darunter etwa 1500 einheimische und weitere 3000 rumänische Juden, die aus der Heimat vertrieben und dorthin deportiert worden waren.

Die Beschreibung, die der Angeklagte selbst von Kopaigorod gibt hinsichtlich der Lage der Prätur, des Gendarmeriepostens, der Kirche, des Hauses, in dem er wohnte, der einige Kilometer entfernt gelegenen Eisenbahnstation deckt sich voll mit den Beschreibungen, die die Zeugen von dem Kopaigorod nördlich von Moghilev gegeben haben. Eine Skizze, die der Angeklagte gezeichnet hat, deckt sich mit den Skizzen der Zeugen Wei. und Far. in den wesentlichen Punkten.

Der Angeklagte hat selbst erklärt, dass der Prätor von Kopaigorod Woda geheissen hat. Der Zeuge Orn. hat, ohne dass ihm dieser Name genannt worden war, von dem Prätor Woda erzählt. Schliesslich wurde der Angeklagte auch einmal in Kopaigorod von seinem Vorgesetzten Con. aus Moghilev besucht. Con. aber kam in das Kopaigorod nördlich von Moghilev.

b) Der Angeklagte hat weiterhin behauptet, dass in dem Waldlager, das er bei Kopaigorod gekannt habe, lediglich 70 bis 100 Juden untergebracht gewesen seien. Er will daraus den Schluss gezogen wissen, dass es bei Kopaigorod 2 Waldlager gegeben habe und dass bei dem grossen, ihm unbekannten Lager, ein anderer in der von dem Zeugen angegebenen Art und Weise tätig geworden sei.

Auch hier handelt es sich um eine Schutzbehauptung des Angeklagten. Zum einen könnte auch das Bestehen eines 2. kleinen Waldlagers die geschilderten Aussagen der Zeugen nicht entkräften, zum anderen hat die gesamte Beweisaufnahme nicht den geringsten Anhaltspunkt für das Bestehen eines solchen Lagers ergeben.

c) Ausgehend von der Erklärung einiger Zeugen, der deutsche Offizier sei blond und blauäugig gewesen, stellte der Angeklagte die Behauptung auf, in Kopaigorod habe sich ein rumänischer Leutnant aufgehalten, der diese Eigenschaften besessen habe und blendend deutsch gesprochen habe. Ausserdem habe er, der Angeklagte, eine 2.Uniform besessen, von der er des öfteren festgestellt habe, dass sie in seiner Abwesenheit benützt worden sei.

Auch diese Einlassung ist nach der Überzeugung des Schwurgerichts falsch.

Die Aussage der Zeugen vom blauäugigen und blonden deutschen Offizier beruht mit Sicherheit auf einem der oben bezeichneten Erinnerungsfehler. Hier wurde eine Erinnerungslücke, nämlich das Fehlen der Erinnerung an die Augen- und Haarfarbe des Offiziers mit der Klischeevorstellung vom Typ des "blauäugigen, blonden Germanen" ausgefüllt. Dass der Angeklagte sich lediglich diesen Erinnerungsfehler zunutze gemacht hat, ergibt sich bereits daraus, dass er den Blonden, Blauäugigen erst erscheinen liess, nachdem die ersten Zeugen entsprechend ausgesagt hatten. Die Angaben der Zeugen, die ihn in der Bildmappe und bei der Gegenüberstellung als den Täter der Erschiessung erkannt haben, lassen sich durch diese Behauptungen ebensowenig erschüttern, wie die Aussage des Zeugen Con. über das Eingeständnis des Angeklagten.

d) Weitere Personen, die der Angeklagte im Verlauf der Hauptverhandlung als denkbare Täter angeführt hat, von denen er selbst aber ernstlich nicht behauptet hat, dass einer von ihnen der Täter der Erschiessungen tatsächlich gewesen sei, waren:

Ein anderer mittelgrosser, blauäugiger und blonder Hans Maiterth, von dem ihm die Zeugin Sze. 1962 erzählt hatte - die Vernehmung dieser Zeugin hat nicht den geringsten Anhalt dafür gegeben, dass jener Hans Maiterth etwas mit den Taten von Kopaigorod zu tun haben könnte -,
ein Wirtschaftsführer im Hauptmannsrang, von dem ihm in Gegenwart des Zeugen Con. in Moghilev eine Stabshelferin erzählt haben soll,
ein Waffeninspekteur im Leutnantsrang, der vom Zeugen Con. zur Feststellung von Beutewaffen in den Raum Kopaigorod gesandt worden sein soll,
sowie seinen Nachfolger als Landwirtschaftssonderführer in Moghilev bzw. Kopaigorod.

Der hierzu vernommene Zeuge Con. hat erklärt, dass er sich weder an eine deutsche Stabshelferin in Moghilev, noch an einen Wirtschaftsführer im Hauptmannsrang, noch an einen Waffeninspekteur im Leutnantsrang erinnern könne, ein Nachfolger für den Angeklagten sei nach Kopaigorod niemals gekommen.

e) Schliesslich ist noch zu erwähnen, dass der Angeklagte behauptet hat, er habe sich im Juli 1942 etwa 3 Wochen lang auf Urlaub bei seiner Mutter in Mediasch befunden und sei von dort aus unmittelbar nach Kassel gereist. Er will daraus geschlossen wissen, dass er zur Tatzeit nicht in Kopaigorod gewesen sein könne.

Auch diese Behauptung ist falsch.

Zwar haben die Zeugen Michael, Martin und Susanne Maiterth, zwei Brüder und eine Schwägerin des Angeklagten, erklärt, sie könnten sich genau daran erinnern, dass der Angeklagte im Juli und nicht im Juni 1942 auf Urlaub in Mediasch gewesen sei. Das Schwurgericht ist davon überzeugt, dass diese Aussagen falsch sind. Zum einen ist es bereits unwahrscheinlich, dass die Zeugen sich nach so langer Zeit, ohne hierfür einen besonderen Grund angeben zu können, sich noch mit der von ihnen behaupteten Sicherheit daran erinnern können, ob es sich um den Monat Juni oder Juli gehandelt hat. Zum anderen spricht gegen die Richtigkeit dieser Aussagen die Tatsache, dass sich, wie die 3 Zeugen und der Angeklagte auf Vorhalt einräumen mussten, auf 2 Familienfotos aus der damaligen Zeit eigenhändige Vermerke der Mutter Maiterth mit dem Wortlaut "Erinnerung an Deinen Urlaub im Juni 1942" bzw. "Erinnerung an Deinen Urlaub 17/VI 1942" befinden. Hiergegen haben zwar die

Zeugen und der Angeklagte eingewandt, dass sich ihre Mutter häufig in Daten geirrt habe. Selbst wenn dies als richtig unterstellt würde, erschiene es jedoch im vorliegenden Fall unwahrscheinlich, dass die Mutter Maiterth sowohl den Text, als auch die zweimal vorhandenen Zahlen gleichermassen falsch geschrieben hat. Letztlich kommt es jedoch hierauf nicht an, weil sich der Angeklagte und die Zeugen mit der Behauptung, der Angeklagte wäre im Juli 1942 in Mediasch gewesen und von dort unmittelbar nach Deutschland gefahren in Widerspruch zur eigenen Einlassung des Angeklagten sowie zur Aussage Con. setzen. Der Angeklagte hat nämlich während der Hauptverhandlung mehrfach erklärt, dass er auf das Gespräch mit dem Zeugen Con. hin, bei dem dieser ihm die Judenerschiessung vorgehalten hatte, von Kopaigorod unmittelbar nach Tiraspol und von dort nach Kassel gefahren sei. Auch aus der Aussage Con. geht hervor, dass der Angeklagte unmittelbar nach Bekanntwerden der Judenerschiessung und dem Eintreffen des Rittmeisters von Malchus in Moghilev entweder über Moghilev oder unmittelbar von Kopaigorod aus nach Tultschin und von dort nach Kassel beordert worden ist.

f) Auch die Behauptung des Angeklagten, die Erschiessungen seien in der von ihm geschilderten Art durch den Polizeileutnant von Kopaigorod vorgenommen bzw. veranlasst worden und dessen Vater habe ihm, den Angeklagten, lediglich die Schuld daran zuschieben wollen, um seinen Sohn zu entlasten, stellt eine reine Schutzbehauptung dar. Es ist bereits widersprüchlich, wenn der Angeklagte auf der einen Seite detailliert schildert, wie die Erschiessungen vor sich gegangen seien und auf der anderen Seite nach einer Art Doppelgänger für sich selbst sucht, der die Erschiessungen vorgenommen haben soll. Entscheidend ist jedoch, dass diese Einlassung des Angeklagten durch die Aussagen der jüdischen Zeugen, die den Angeklagten erkannt oder seinen Namen gewusst haben, sowie durch die Angaben des Zeugen Con. widerlegt ist.

g) Ebenso falsch ist die Behauptung des Angeklagten, es sei den jüdischen Zeugen eine Lichtbildtafel vorgelegt worden, in deren Mitte sein bis auf Postkartengrösse vergrössertes Passbild und aussen herum normale Passbilder bekannter NS-Grössen, darunter auch ein Bild Himmlers, aufgeklebt gewesen seien.

Bei den Akten befindet sich die Lichtbildmappe I mit insgesamt 27 gleichgrossen Passbildern verschiedener Männer, von denen 3, nämlich die Nr.9, 16 und 22 den Angeklagten und die übrigen in der Öffentlichkeit völlig unbekannte Männer in Zivil oder Uniform - meist ebenfalls eine Person in verschiedenen Posen auf mehreren Bildern - zeigen.

Der in der Hauptverhandlung vernommene Zeuge Schr., der anfangs als Richter am Landgericht die Voruntersuchung in diesem Verfahren geführt hat, hat unter Eid erklärt, dass dies die einzige Lichtbildmappe ist, die er je in diesem Verfahren gesehen hat und dass eine andere weder von ihm dem Angeklagten vorgelegt, noch an die Behörden in Israel gegeben worden ist. Eine Lichtbildtafel in der von dem Angeklagten behaupteten Form hat er nie gesehen.

Die Aussage des Zeugen Schr. wird durch die anderen Zeugenaussagen bestätigt:

Sämtliche Zeugen, denen die Lichtbildmappe I mit 27 Fotos vorgelegt wurde und die den Angeklagten auf einem oder mehreren Bildern erkannt haben, haben bestätigt, dass es sich dabei um dieselbe Lichtbildmappe handelt, die ihnen bereits bei ihren früheren Vernehmungen durch die Israel-Polizei und bei den kommissarischen Vernehmungen durch israelische Richter vorgelegt worden war.

Eine Lichtbildtafel in der vom Angeklagten behaupteten Form hat deshalb nach der Überzeugung des Gerichts nie bestanden.

h) Schliesslich hat der Angeklagte noch zu seiner Entlastung vorgetragen, er könne die Taten schon deshalb nicht begangen haben, weil sie seinem Wesen nicht entsprächen. Er sei insbesondere niemals judenfeindlich eingestellt gewesen.

Es kann davon ausgegangen werden, dass der Angeklagte keine grundsätzlich judenfeindliche Haltung eingenommen hat.

VII. « Rechtliche Würdigung »

Der Angeklagte hat sich durch seine Handlungen des dreifachen Mordes schuldig gemacht. Da er die Taten im Jahre 1942 beging, ist für die rechtliche Beurteilung der Tatbestand des §211 StGB n.F. nach der Novelle zum StGB vom 4.September 1941 (RGBl. I S.549) und der damit übereinstimmenden Fassung des Strafrechtsänderungsgesetzes vom 4.August 1953 i.V.m. dem 1.Gesetz zur Reform des Strafrechts vom 25.Juni 1969 (BGBl. I Seite 645) mit der Abweichung massgebend, dass anstelle der Todesstrafe lebenslange Freiheitsstrafe getreten ist.

Nach §211 StGB n.F. ist als Mörder zu bestrafen, wer einen Menschen u.a. "aus niedrigen Beweggründen" tötet. Als niedrig sind die Beweggründe dann anzusehen, wenn sie als Motiv für eine Tötung nach allgemeiner sittlicher Anschauung verachtenswert sind und auf tiefster Stufe stehen (vgl. BGHSt. 2, 63; 3, 133).

Diese Voraussetzung trifft auf den Angeklagten zu.

Sein von den Zeugen geschildertes Verhalten - als Beispiele seien nur genannt: das Auftreten gegenüber den betenden Juden in Kopaigorod, das Schlagen des alten Rabbiners auf dem Versammlungsplatz, die Äusserungen gegenüber Miriam Wal. und Orn. im Waldlager, seine Bemerkung gegenüber Orn. über die Erschiessung von Vater und Tochter, sowie nicht zuletzt die Erschiessungen selbst, die aus nichtigstem Anlass und nach reinem Gutdünken erfolgten und bei denen er auch nicht davor zurückschreckte, ein 8 bis 10-jähriges Kind zu töten - führt zwingend zu dem Schluss, dass der Angeklagte sich die von der Rassenlehre des 3. Reiches geprägte Haltung der deutschen und rumänischen Behörden bei seinem Aufenthalt in Transnistrien zunutze machte. Er liess in dem Bewusstsein, dafür letztlich nicht zur Verantwortung gezogen zu werden, alle natürlichen menschlichen Hemmungen fallen und schwang sich, um sich selbst und seiner Umwelt seine Machtstellung, die erstmals und einmalig für ihn war, zu beweisen, zum Herren über Leben und Tod der Juden in Kopaigorod auf. Er gab den hungernden und dürstenden Menschen, ohne hierzu auch nur einen Schein von Berechtigung gehabt zu haben - seine Aufgabe beschränkte sich ausschliesslich auf eine beratende und überwachende Funktion gegenüber der rumänischen Landwirtschaft - selbstherrlich den Befehl, das Waldlager, das er wiederum ohne jedes Recht mit veranlasst hatte, nicht zu verlassen und tötete sie bedenkenlos und willkürlich, nur um zu beweisen, dass gegen sein Verbot bei Todesstrafe nicht verstossen werden dürfe.

Ein solches Verhalten zeigt niedrigste, kaum mehr dem Menschlichen beizuordnende Instinkte - im besonderen und kaum zu überbietenden Mass gilt dies für die Erschiessung des Kindes.

Die Beweggründe des Angeklagten für seine Taten stehen damit auf der tiefsten Stufe sittlicher Wertung.

Die drei, dem Angeklagten nachgewiesenen Taten, stehen zueinander im Verhältnis der Tatmehrheit (§74 StGB). Dies gilt auch bezüglich der Erschiessung von Vater und Tochter, da der Angeklagte durch einzeln abgefeuerte Schüsse aufeinanderfolgend jeweils ein Opfer tötete. Es lagen insoweit getrennte Willensbetätigungen und damit getrennte Handlungen im natürlichen Sinne vor.

Irgendwelche Rechtfertigungs- oder Schuldausschliessungsgründe liegen nicht vor. Der Angeklagte hat weder im Auftrag noch auf Befehl eines Vorgesetzten sondern allein aus eigener Initiative gehandelt.

Der Angeklagte ist für seine Taten auch strafrechtlich voll verantwortlich. Irgendwelche Umstände, die dafür gesprochen hätten, dass die Fähigkeit des Angeklagten, das Unerlaubte seiner Taten einzusehen oder die Fähigkeit, nach dieser Einsicht zu handeln, aufgehoben oder auch nur erheblich vermindert gewesen wäre, sind nicht hervorgetreten.

Die Taten des Angeklagten sind auch nicht verjährt. Sie wurden unter dem Einfluss der nationalsozialistischen Gewaltherrschaft begangen und während dieser Zeit nicht verfolgt. Die Verfolgungsverjährung hat deshalb mindestens bis zum 8.Mai 1945 geruht. Die Verjährungsfrist hätte frühestens zu diesem Zeitpunkt zu laufen begonnen. Gemäss Gesetz über die Berechnung strafrechtlicher Verjährungsfristen vom 13.4.1965 (BGBl. I Seite 315) bleibt bei der Berechnung der Verjährungsfristen für die Verfolgung von Verbrechen, die mit lebenslanger Freiheitsstrafe bedroht sind, die Zeit vom 8.Mai 1945 bis zum 31.Dezember 1949 ausser Betracht. Auch in dieser Zeit hat die Verjährung der Verfolgung der dem Angeklagten zur Last liegenden Verbrechen deshalb geruht.

Der Angeklagte war daher dreier sachlich zusammentreffender Verbrechen des Mordes nach §§211, 74 StGB schuldig zu sprechen.

VIII. « Strafzumessung »

Der Mörder wird mit lebenslanger Freiheitsstrafe bestraft. Auf diese Strafe musste erkannt werden.

IX. « Kostenentscheidung »

Als Verurteilter hat der Angeklagte die Kosten des Verfahrens sowie seine notwendigen Auslagen zu tragen (§§464, 465 StPO).

Lfd.Nr.801

Tatkomplex
NS-Gewaltverbrechen in Haftstätten

Tatort
Starachowice

Tatzeit
43

Gerichtsentscheidungen
LG Traunstein vom 06.11.1973, 2 AK 127/73

INHALTSVERZEICHNIS

des unter Lfd.Nr.801 veröffentlichten Urteils

LG Traunstein vom 06.11.1973, 2 AK 127/73

Lfd.Nr.801

2 AK 127/73

Im Namen des Volkes

In dem Strafverfahren gegen

Kas. Gerhard, geboren am 26.Juli 1912 in Gross-Sörding, Kreis Breslau, verheirateter Rentner, Mitterfelden, deutscher Staatsangehöriger,

wegen Mordes (NSG)

hat das Schwurgericht des Landgerichts Traunstein in der Sitzung vom 6.November 1973 für Recht erkannt:

I. Der Angeklagte wird freigesprochen.
II. Die Staatskasse trägt die Kosten des Verfahrens und die dem Angeklagten entstandenen notwendigen Auslagen.

GRÜNDE

« I. Die Anklage »

Dem Angeklagten lag aufgrund der Anklage und des Eröffnungsbeschlusses folgender, den Tatbestand von 10 rechtlich zusammentreffender Verbrechen des Mordes nach §§211 Abs.II, 73 StGB darstellender Sachverhalt zur Last:

"Der Angeschuldigte war vom 15.11.1942 bis Anfang Juli 1944 bei den Stahlwerken Braunschweig GmbH, Abteilung Berg- und Hüttenwerke, in Starachowice im Distrikt Radom des ehemaligen Generalgouvernements als Zivilangestellter tätig. Ihm oblag die Aufklärung von Fällen der Sabotage und Wirtschaftsspionage im Werk. Er besass keine Exekutivbefugnisse. Zu dem Werk gehörten auch Zwangsarbeiterlager mit jüdischen Häftlingen. Mit der Leitung oder Aufsicht dieser Lager war der Angeschuldigte nicht befasst.
Zu einem näher nicht mehr feststellbaren Zeitpunkt im Jahre 1943 oder 1944 flohen aus dem Lager "Majowka" mehrere Häftlinge. Aus diesem Grunde wurden 10 jüdische Gefangene des Lagers in einem Steinbruch etwa 50 Meter hinter dem Lager durch ein ukrainisches Kommando erschossen. Der Angeschuldigte wirkte hierbei dadurch mit, dass er die Opfer unter den Häftlingen auswählte und sich mit ihnen und den ukrainischen Hilfswilligen an den Rand des Steinbruchs begab, wo sie ihre Gräber selbst schaufeln mussten. Dort wurden sie anschliessend erschossen. Unter ihnen befand sich Moshe Aaron Zemelman, ein kräftiger junger Mann. Zumindest diesen erschoss der Angeschuldigte eigenhändig, nachdem Zemelman ihm die Muskeln seiner Arme vorgezeigt hatte, um seine Arbeitsfähigkeit und damit Nützlichkeit für das Werk zu beweisen. Durch die Erschiessung sollten andere Häftlinge davor abgeschreckt werden, Fluchtversuche zu unterstützen oder selbst zu fliehen, um bei geglückter Flucht ihre Kameraden nicht in Gefahr derartiger Vergeltungsmassnahmen auszusetzen. Sie diente somit dem Zweck, die Zwangsarbeiter weiterhin ihrer Freiheit zu berauben."

II. « Beweismittel »

In der Beweisaufnahme hat das Gericht hierzu folgende Zeugen vernommen: Kurt Ba. (uneidlich), Israel Arb. (eidlich), Romek Kog. (eidlich), Heribert von Meh. (uneidlich), Eduard

Schi. (eidlich), Irene Lip. (eidlich), Israel Spi. (eidlich), Kurt Ode. (eidlich), Willi Schr. [96] (uneidlich), Erwin Bru. (eidlich).

In Anwesenheit sämtlicher Mitglieder des Gerichts sowie des Vertreters der Staatsanwaltschaft und des Verteidigers wurden durch die deutschen Konsulate in Toronto und Montreal, Kanada, folgende Zeugen kommissarisch unter Eid vernommen: Arnold Fin., Leona Fin., Ben La. (alias Baruch Lan.) und Schmul Leib Len. (genannt Sam L.). Die Vernehmungsprotokolle wurden in der Hauptverhandlung verlesen.

Ferner wurden verlesen: Beschluss des Landgerichts Hechingen i.S. Ba. vom 3.2.1972, Antrag der Staatsanwaltschaft Stuttgart i.S. Ba. vom 14.1.1972 (VUL 5/68), Niederschrift über die Aussage der Zeugin Anna Wil. vor dem deutschen Generalkonsulat in Toronto vom 25.10.1968, Niederschrift über die Vernehmung des Zeugen Len. durch den deutschen Konsul in Montreal vom 22.10.1968, Urteil des Landgerichts Düsseldorf 8 Ks 2/70 gegen Schr. vom 29.3.1971 - Tenor und Blatt 21 bis 37 [97], Urteil des Landgerichts Hamburg 35/70 i.S. Bec. vom 8.2.1972 Bl.29 bis 35, 63, 64 [98].

Zum Gegenstand der Verhandlung wurden gemacht: Lichtbilder von den jetzigen Örtlichkeiten in der Gegend des Lagers Majowka, Skizzen dieses Lagers, die die Zeugen Ba. sowie Arnold und Leona Fin. angefertigt hatten, Gegenüberstellungsfotos des Angeklagten und ältere Aufnahmen des Angeklagten.

III. « Das Lager Majowka und das Stahlwerk Starachowice »

Aufgrund des Ergebnisses der Beweisaufnahme und der Angaben des Angeklagten, soweit ihnen gefolgt werden konnte, hat das Schwurgericht zur Vorgeschichte und den Verhältnissen im Lager Majowka und dem Stahlwerk Starachowice, soweit diese Umstände für den Gegenstand des Verfahrens und das ergangene Urteil von Bedeutung sind, folgende Feststellungen getroffen:

1. Die Stadt Starachowice liegt etwa 50 km südlich von Radom (Polen). Sie hatte zur Zeit der deutschen Besetzung zwischen 20000 und 30000 Einwohner und gehörte zum Distrikt Radom. Die Stadt war unter anderem Sitz einer Aussendienststelle des Kommandeurs der Sicherheitspolizei (KdS) und des Sicherheitsdienstes (SD) in Radom, die von dem Polizeibeamten und SS-Untersturmführer Walter Bec. geleitet wurde. Gegen Bec. war vor dem Schwurgericht Hamburg ein Verfahren wegen der Tötung zahlreicher jüdischer Einwohner von Starachowice anhängig, das durch Urteil vom 8.2.1972 mit Freispruch Bec.s rechtskräftig abgeschlossen wurde [99].
Mittelpunkt des wirtschaftlichen Lebens war ein Berg- und Hüttenwerk, zu dem u.a. Erzgruben, ein Hochofenwerk, ein Stahlwerk, eine Eisengiesserei und eine Werkzeugmacherei gehörten. Das Werk war während des Krieges den Stahlwerken Braunschweig aus dem Konzern der Hermann-Göring-Werke angegliedert. Die Belegschaft belief sich auf mindestens 10000 Beschäftigte.

Im Rahmen der in diesen Jahren beginnenden Vernichtungspolitik der nationalsozialistischen Machthaber gegenüber den Juden wurde Anfang 1940 in Starachowice ein jüdisches Ghetto

[96] Siehe Verfahren Nr.751.

[97] = Band XXXV Seite 151, 156-161.

[98] = Band XXXVII Seite 14-16, 27.

[99] Siehe Verfahren Nr.768.

eingerichtet, und zwar in der Umgebung des Marktplatzes des Stadtteils Wierzbnik. In dem Ghetto wurden die Juden aus Starachowice und zahlreiche Juden aus anderen Ortschaften konzentriert. Schon damals arbeiteten viele der jüdischen Einwohner von Starachowice in den Stahlwerken.

In Fortführung der nationalsozialistischen Vernichtungspolitik gegen die Juden fand am 27.Oktober 1942 die "Aussiedlung" der in Starachowice lebenden Juden statt. Sie wurde, wahrscheinlich unter Leitung von Bec., durch Angehörige der SS, des SD und lettischer SS-Hilfstruppen durchgeführt. Sämtliche Juden wurden auf dem Marktplatz zusammengetrieben, wobei sich zahlreiche unmenschliche Gewalttaten ereigneten. Arbeitsfähige Juden, insbesondere solche, die bereits in den Hermann-Göring-Werken arbeiteten, wurden ausgesondert. Die übrigen, zumeist Frauen, Kinder und ältere Leute wurden abtransportiert und wahrscheinlich in Vernichtungslagern ermordet. Überlebende des Transports sind jedenfalls nicht bekannt geworden.

Die Arbeitshäftlinge wurden zunächst alle in ein Barackenlager mit der Bezeichnung "Strzelnica" [100] gebracht, das auf dem Gelände eines alten Schiessplatzes in der Nähe von Starachowice errichtet worden war. Die Lebensbedingungen der Häftlinge waren dort unerträglich schlecht, es fehlte besonders an Wasser und hygienischen Einrichtungen. Auch ereigneten sich schwere Übergriffe von Seiten der deutschen Machthaber, auf die an anderer Stelle noch einzugehen sein wird.

2. Kurze Zeit darauf, spätestens im Frühjahr 1943, wurden die meisten Insassen des Lagers Strzelnica in das näher (Entfernung etwa 1,5 km) am Werk gelegene Lager "Majowka" verlegt. Die örtliche Beschaffenheit und die Verhältnisse in diesem Lager waren folgende:

Das Lager war etwa 70 x 80 m gross und von einem doppelten Stacheldrahtzaun umgeben. An mindestens einer Ecke stand ein Wachturm. Der an der Nordseite befindliche Haupteingang lag an einer Strasse. Im Süden grenzte das Lager an eine steil abfallende, etwa 10 m hohe Geländekante, die allgemein als "Steinbruch" bezeichnet wurde und unter der sich wieder ebenes oder nur wenig abfallendes Gelände anschloss. Der Abbruch verlief teils senkrecht, teils in Form einer Böschung. An der Südseite der Lagerumzäunung befand sich ein Tor, durch das ein steiler Weg in das tiefer gelegene Gebiet unterhalb der Kante führte. Dieses Tor wurde zur Abkürzung des Anmarschweges zum Hochofenwerk benutzt, wenn die Häftlinge vom Werkschutz dorthin geführt wurden. Das Lager selbst bestand aus einer Anzahl von Baracken, deren Standort und Zahl nur mehr teilweise festgestellt werden konnte: Bei Betreten des Lagereinganges (Norden) befand sich rechts eine Wachbaracke. Entlang dem ostwärtigen Lagerzaun lag die Krankenbaracke und, südlich davon bis zur südöstlichen Lagerecke, die Frauenbaracke, welche durch einen weiteren Stacheldrahtzaun vom übrigen Lager getrennt war. Auf der gegenüberliegenden (westlichen) Seite des Lagers befanden sich nahe dem Lagereingang die Küche und eine Baracke für Versorgungseinrichtungen sowie die Unterkünfte der privilegierten Juden, nämlich der Handwerker, der jüdischen Lagerleitung (Ältestenrat) und der jüdischen Lagerpolizei. Dazwischen standen mehrere (ca. 4 bis 6) Männerbaracken, die zum Teil bis nahe an den südlichen Lagerzaun reichten und, ebenfalls in der Nähe dieses Zaunes, die Aborte.

Eine genaue Feststellung über die Anzahl der im Lager Majowka festgehaltenen Juden konnte nicht getroffen werden. Die Schätzungen der vernommenen Zeugen schwanken zwischen 700 (Schr.) und 2.500 Personen (Arb. Israel). Wahrscheinlich - in dieser Grössenordnung liegen die meisten Schätzungen - waren es 1.000 bis 1.500.

[100] In diesem Urteil sowie im Urteil des Verfahrens Nr.768 auch 'Strelnica' genannt.

Die Lebensbedingungen der Juden waren auch im Lager Majowka sehr schlecht. Bei härtester Arbeit, ständig unter Beschimpfungen und Misshandlungen zu Höchstleistungen angetrieben, bei völlig unzureichender Ernährung und menschenunwürdiger Unterbringung auf vierstöckigen, nur kriechend erreichbaren Pritschen ohne Decken und meist auch ohne Matratzen, kam es bei den Häftlingen zu zahlreichen Krankheits- und Todesfällen.

Als im Laufe des Jahres 1944 die Partisanentätigkeit mehr und mehr zunahm, wurde innerhalb des Geländes der Hermann-Göring-Werke ein neues, kleineres Lager errichtet, in das die Insassen des Lagers Majowka im Laufe des Juni 1944 verlegt wurden. Bereits im Juli 1944 wurde auch dieses Lager (im folgenden mit "Werkslager" bezeichnet) aufgelöst und die Häftlinge in das Konzentrationslager Auschwitz abtransportiert.

3. Hauptbetriebe der Hermann-Göring-Werke waren ein Stahlwerk mit Hochofenanlage (auch "unteres Werk" genannt), etwa 1 km südlich des Lagers Majowka gelegen und eine Munitionsfabrik, die sich etwa 1 km südöstlich des Lagers befand und in der Artilleriemunition hergestellt wurde.

Die Überwachung der Arbeiterschaft im Werk und die Aufsicht über die vorgenannten Lager war die Aufgabe des beim Werk angestellten "Abwehrbeauftragten". Diesen Posten hatte zunächst Ralf Alois Althoff inne. Gegen Ende des Jahres 1943 wurde Althoff wegen zahlreicher Übergriffe durch den Zeugen Kurt Ba. abgelöst. Dem Abwehrbeauftragten unterstanden zwei organisatorisch voneinander getrennte Institutionen, nämlich das Abwehrbüro und der Werkschutz.

a) Das Abwehrbüro, dessen Diensträume sich im Verwaltungsgebäude des Werkes befanden, hatte Fälle von Sabotage, Spionage, Diebstählen u.a. im Werk aufzuklären und zu diesem Zweck Vernehmungen von Personen, Durchsuchungen und sonstige Ermittlungen, soweit erforderlich auch ausserhalb des Werkes, vorzunehmen. Das Ergebnis wurde in einem Bericht zusammengefasst, den der Abwehrbeauftragte je nach dem Gegenstand der Untersuchung an die Betriebsleitung, an die örtliche Polizei oder an die Gestapo-Stelle in Radom weiterleitete. Die Beamten des Abwehrbüros hatten offiziell keine Exekutivbefugnisse. Ausser dem Abwehrbeauftragten selbst bestand das Büro nur aus von Meh., dem Angeklagten und einer Sekretärin.

b) Der Werkschutz war militärähnlich organisiert. Er bestand aus 80 bis 100 Ukrainern und etwa 10 Deutschen, die zumeist Vorgesetzte ("Wachführer") waren. Er hatte Bewachungsaufgaben im Werk und den Lagern. Die Werkschutzangehörigen waren mit Gewehren, die Wachführer mit Pistolen und zum Teil wahrscheinlich Maschinenpistolen bewaffnet. Der Werkschutz stand unter dem Kommando des Werkschutzleiters, der seinerseits Untergebener des Abwehrbeauftragten war. Werkschutzleiter war bis etwa 1942 / Anfang 1943 ein gewisser Meyer, der Opfer einer Fleckfieberepidemie im Lager Majowka wurde. Ihm folgte Kolditz, der nach einer von ihm am 23.9.1943 durchgeführten Erschiessung eines jüdischen Lagerpolizisten namens Chaim Kog., also wahrscheinlich gegen Ende des Jahres 1943 abgelöst wurde. Zu den sonstigen deutschen Mitgliedern des Werkschutzes gehörten u.a. der Zeuge Schr. [101].

c) Verbindungsglied zwischen der deutschen Lagerleitung und den jüdischen Häftlingen waren der jüdische Ältestenrat und die jüdische Lagerpolizei: Dem Ältestenrat oblag die innere Verwaltung des Lagers, zu der insbesondere die Verteilung der Lebensmittel und die Einteilung der Arbeitskräfte zu den Schichten gehörte. Mitglied dieses Ältestenrates, mögli-

[101] Siehe Verfahren Nr.751.

cherweise auch Vorsitzender, war Jeremia Wilczek. Eine Schwiegertochter Wilczeks arbeitete als Lagersekretärin. Eine Tochter Wilczeks, die Zeugin Lip. war Ehefrau des jüdischen Lagerpolizisten Chaim Kog., des Bruders des Zeugen Romek Kog. Die jüdische Lagerpolizei - sie war unbewaffnet - war für die Ordnung im Lager verantwortlich. Jüdische Lagerpolizisten traten verschiedentlich als Gehilfen des Werkschutzes in Erscheinung, sei es wenn Juden aus den Baracken herausgeholt werden mussten, sei es im Zusammenhang mit Exekutionen, bei denen jüdische Lagerpolizisten zugegen waren, wenngleich die Durchführung der Erschiessung dem Werkschutz oblag.

Aufgrund ihrer relativ guten Beziehungen zum Werkschutz und ihrer besonderen Funktionen im Lager hatten die Mitglieder des Ältestenrates und der Lagerpolizei im Verhältnis zu den übrigen Häftlingen eine privilegierte Stellung. Sie waren nicht nur in geringerem Masse der Willkür und den Misshandlungen durch Deutsche und Ukrainer ausgesetzt, sondern waren die Lagerhandwerker auch arbeitsmässig besser gestellt. Darüberhinaus hatten sie - wahrscheinlich aufgrund stillschweigender Duldung durch die deutsche Lagerleitung - die Möglichkeit sich zusätzliche Verpflegung zu verschaffen und - in Ausnahmefällen - auch das Lager zu verlassen. Zumindest einige Mitglieder der Gruppe der privilegierten Juden wurden auch vorrangig zu den allgemein begehrten Aussenarbeiten herangezogen.

Die Privilegien und die Tätigkeit der Angehörigen des Ältestenrates und der Lagerpolizei, die von diesen vor allem in dem Bestreben, das stets unmittelbar bedrohte eigene Leben zu retten, in Anspruch genommen wurden, hatten schwere Spannungen mit dem übrigen Häftlingen zur Folge. Von verschiedenen Zeugen wurde von Gerüchten gesprochen, dass diese Spannungen der Grund dafür gewesen seien, dass alle Mitglieder des Ältestenrates und der Lagerpolizei bei dem Transport nach Auschwitz im Sommer 1944 um ihr Leben kamen, während sie mit den anderen Häftlingen in Eisenbahnwaggons zusammengesperrt waren.

IV. « Erschiessungen von jüdischen Häftlingen des Werkslagers sowie der Lager Strzelnica und Majowka »

In der Beweisaufnahme hat sich ergeben, dass in der Zeit zwischen der Aussiedlung der Juden aus Starachowice und der Auflösung des letzten Lagers (des Werkslagers) im Sommer 1944 eine ganze Reihe von Gewalttaten an den jüdischen Häftlingen verübt wurde. Der Angeklagte und die Zeugen Ba. und von Meh. haben es zwar zum Teil in Abrede gestellt, dass derartige Übergriffe, zumindest solche willkürlicher Art, vorkamen. Aus den Aussagen der jüdischen Zeugen ergibt sich jedoch eindeutig, dass aus den Lagern Strzelnica, Majowka und dem Werkslager zahlreiche jüdische Häftlinge ermordet wurden.

In diesem Zusammenhang ist folgendes besonders hervorzuheben:

Die meisten jüdischen Zeugen konnten zu den ihnen erinnerlichen Tötungen konkrete Details angeben. Über derartige Ereignisse war in den an sich recht kleinen Lagern unter den Juden gesprochen worden. Ein Teil der Juden kannte sich aus Starachowice, ein Teil von der Arbeit und aus dem Lager. Zwar hat nur in wenigen Fällen ein Zeugen eigene Wahrnehmungen schildern können. Bei den Aussagen der Zeugen fällt jedoch auf, dass es jedenfalls in Majowka eine einigermassen begrenzbare Anzahl von Tötungen von Häftlingen gibt.

Es sind immer die gleichen Vorfälle die von den Zeugen beschrieben werden, Vorfälle, die aufgrund bestimmter, in den Aussagen wiederkehrender Einzelheiten hinreichend voneinander unterschieden werden können. Es kann zwar hieraus nicht gefolgert werden, dass im Lager Majowka weitere Morde nicht begangen worden sein könnten. Diese Möglichkeit bleibt offen. Die diesbezüglichen Angaben der Zeugen begründen aber eine hohe Wahrscheinlichkeit dafür, dass es keine weiteren Morde an grösseren Gruppen von Juden oder an solchen Einzelhäftlingen gab, die im Lager allgemein bekannt waren. Nur bezüglich des Lagers

Strzelnica ist eine solche Begrenzung nicht mit diesem hohen Wahrscheinlichkeitsgrad möglich, weil sich dort unter Althoff fast täglich willkürliche Erschiessungen ereignet haben sollen.

Im einzelnen handelt es sich bei den vorgenannten Tötungen um folgende Ereignisse:

1. Im Winter 1942/43 brach im Lager Strzelnica eine Fleckfieberepidemie aus. Althoff drang mit einer Maschinenpistole in die Krankenbaracke ein und erschoss sämtliche Kranken, die nicht flüchten konnten. Die Zahl der Opfer dürfte mindestens 50 betragen haben.

2. Um die gleiche Zeit führte Althoff eine Selektion durch, bei der etwa 120 Häftlinge auf Lastwagen in ein Wäldchen namens "Bugaj" gebracht und dort erschossen wurden.

3. Bereits im Lager Majowka nahm die sogenannte "Aktion Firlaj" ihren Anfang. Kolditz wählte etwa 150 Häftlinge aus, die auf LKWs in den Ort Firlaj gebracht und dort erschossen wurden. Die LKWs mit den Kleidern der Opfer kamen später wieder zurück. Während der Selektion wurde festgestellt, dass der jüdische Lagerpolizist Chaim Kog. in einer Baracke ein Mädchen versteckt hatte. Dies nahm Kolditz oder Schr. zum Anlass, Chaim Kog. zu erschiessen.

4. Ein Häftling namens Brenner hatte im Munitionswerk fehlerhafte Granathülsen die Abnahme passieren lassen. Er wurde von Ba. dem KdS Radom gemeldet und daraufhin durch Werkschutzangehörige im Werk erschossen.

5. Am 15.5.1944 waren zwei weibliche Häftlinge, die Frauen Feldman und Szuch der Arbeit ferngeblieben, weil sie sich wegen Krankheit arbeitsunfähig fühlten. Daraufhin wurde, wahrscheinlich vom KdS Radom, die Erschiessung der beiden Frauen angeordnet und durch Schr. vollzogen.

6. Im Frühjahr, wahrscheinlich März/April 1944 erschoss Schr. den älteren Juden Szmuel Wajsblum. Die Erschiessung dieses Häftlings war wahrscheinlich deshalb befohlen worden, weil Wajsblum versucht haben soll, Wertgegenstände zu retten, die er angeblich vergraben hatte. Hiermit in Zusammenhang soll auch das Verschwinden der Tochter Topka des Wajsblum stehen, deren Leiche nach Kriegsende gefunden wurde.

Gegen Schr. fand u.a. wegen der Erschiessung der beiden Frauen Szuch und Feldman und des Wajsblum ein Verfahren vor dem Schwurgericht Düsseldorf statt, in dem Schr. wegen der Erschiessung des Wajsblum zu einer Freiheitsstrafe von 6 Jahren verurteilt und das Verfahren im übrigen eingestellt wurde, und zwar im Falle Szuch/Feldman wegen Verjährung. Das Urteil ist noch nicht rechtskräftig [102].

7. Im Jahre 1943 oder 1944 machten zwei jüdische Studentinnen, die Schwestern Levkowitz, einen Fluchtversuch, für den sie sich falsche Papiere besorgt hatten. Der Versuch schlug jedoch fehl, beide wurden erschossen. Als Täter wurden im Laufe der Ermittlungen teils Ba., teils der Angeklagte Kas. genannt.

8. Im Sommer 1944 nach Bezug des Werkslagers führten Gerüchte über den auch tatsächlich bevorstehenden Abtransport der Juden in Vernichtungslager zu einem Massenfluchtversuch. Die Wachmannschaften eröffneten mit Schusswaffen und Handgranaten das Feuer auf die

[102] Siehe Verfahren Nr.751. Das Urteil des Schwurgerichts Düsseldorf ist durch Urteil des BGH vom 6.3.1974 rechtskräftig geworden mit Ausnahme der Einstellung des Verfahrens im Falle Szuch/Feldman.

Flüchtenden, von denen dadurch eine grosse Zahl ums Leben kam. Verwundete wurden an Ort und Stelle nachträglich erschossen.

9. Laut Anklage wurde im Jahre 1943 oder 1944 aus den Häftlingen von Majowka als Repressalie zur Unterbindung weiterer Fluchtversuche eine Gruppe von 10 Männern ausgewählt und durch ein Kommando aus Angehörigen des Werkschutzes erschossen. Die Leitung dieser Erschiessung und die Auswahl der Opfer wurde dem Angeklagten zur Last gelegt und ist Gegenstand dieses Verfahrens.

V. « Der Werdegang des Angeklagten »

Der Angeklagte wurde am 26.7.1912 in Gross-Sörding, Kreis Breslau als Sohn eines Sägewerksbesitzers geboren und hatte 5 Geschwister. Nach dem Besuch der Volksschule erlernte er das Schreinerhandwerk, das er von 1930 bis 1934 als Gehilfe ausübte. Er arbeitete dann als Kraftfahrer in Breslau bis 1937, ging dann in den elterlichen Betrieb zurück und wurde schliesslich 1938 zur Wehrmacht eingezogen. Nach dreimonatiger Grundausbildung kam er zum Heimatkraftfahrzeugpark, wo er als Fahrer für die Geheime Staatspolizei (Troppau) fuhr, von der er nach einiger Zeit als SS-Unterscharführer übernommen wurde. Er blieb jedoch weiter als Fahrer eingesetzt. Erst 1941 kam er als Kriminalassistentenanwärter ins Büro und von dort aus in einen Kurs der Polizeischule, um Kriminalbeamter zu werden. Er bestand jedoch die Prüfung nicht. Ende 1942 meldete sich der Angeklagte als Kraftfahrer zu den Hermann-Göring-Werken in Starachowice. Am 15.11.1942 wurde er dorthin versetzt, aber nicht als Kraftfahrer beschäftigt, sondern von Anfang an als Zivilangestellter im Büro des Abwehrbeauftragten. Anfang Juli 1944 erkrankte er, kam nach Bad Wildungen und wurde nach einem Genesungsurlaub im November 1944 zur Wehrmacht eingezogen. Er war Unteroffizier in der Reserve-Infanteriepanzerjägerkompanie 56. Mit seiner Einheit wurde der Angeschuldigte in der Slowakei eingesetzt und dort verwundet. Im Mai 1945 geriet er in russische Gefangenschaft.

Nach seiner Entlassung im Jahre 1947 kam er zu seiner Familie nach Weildorf in Oberbayern. Dort arbeitete er bis 1953 als selbständiger Schreiner. Dann zog er nach Mitterfelden um und ging dem Gewerbe eines Holzhändlers nach. Seit 1960 leidet der Angeklagte an der Bechterewschen Krankheit und ist berufsunfähig. Er bezieht eine Berufsunfähigkeitsrente. Nebenbei handelt er mit Möbel und betätigt sich als Bademeister.

Der Angeklagte ist nicht vorbestraft.

VI. « Die Erschiessung im Frühjahr 1944 »

Von der dem Angeklagten zur Last gelegten Erschiessung konnten insbesondere folgende Einzelheiten aufgeklärt werden:

1. Ungefähre Tatzeit:

Im Frühjahr 1944, wahrscheinlich im März oder April, traf im Lager Majowka ein Transport von etwa 150 Juden aus dem Konzentrationslager Lublin-Majdanek ein (Zeugen Arnold Fin., Len., Spi., Schi.). Zu diesen gehörte auch Moshe Aaron Zemelman (Zeugen Arnold und Leona Fin., Ben La.). Ein Teil dieser Leute arbeitete am Hochofen, wo auch der Zeuge Len. eingesetzt war. Der Zeitpunkt, zu dem die dem Angeklagten zur Last gelegte Erschiessung stattgefunden hat, wird dadurch einigermassen fixiert. Da Zemelman einerseits zu den Opfern gehörte (Zeugen Fin. und Ben La.), andererseits mit dem Transport aus Majdanek gekommen war (Zeugen Arnold und Leona Fin.), dieser aber im Frühjahr 1944 eintraf, kann die Erschiessung nicht vor Frühjahr 1944 stattgefunden haben. Fast alle Zeugen, die näheres über die Erschiessung sagen konnten, erklärten, dass sie im Bereich des zu dieser Zeit noch bestehenden Lagers Majowka und kurz vor dem Abtransport nach Auschwitz stattfand. Das Lager Majowka wurde etwa im Juni 1944 aufgelöst, der Abtransport nach Auschwitz war im Juli 1944. Mit grösster Wahrscheinlichkeit ereignete sich die Erschiessung daher in der Zeit zwischen April und Anfang Juni 1944. Dass unter den Opfern dieser Erschiessung Häftlinge waren, die aus dem Transport von Majdanek stammten, wird auch von den Zeugen Schi., Len. und Spi. bestätigt.

2. Anlass der Erschiessung:

Während der Zeuge Spi. ausgesagt hat, die Erschiessung sei befohlen worden, weil einige der aus Majdanek gekommene Häftlinge Nachrichten über Vernichtungslager und Massenvergasungen verbreitet hätten, erklären die übrigen Zeugen, soweit sie nähere Einzelheiten schildern, Grund der Erschiessung sei das mehrfache Entweichen von Häftlingen beim Marsch zur Arbeit gewesen. Das Gericht ist der Auffassung, dass beides zutrifft, und zwar in dem Zusammenhang, den der Zeuge Len. in seiner recht präzisen und glaubhaft wirkenden Aussage geschildert hat: Die aus Majdanek Eingetroffenen brachten Nachrichten des vorgenannten Inhalts mit. Sie verbreiteten dadurch Unruhe im Lager. Sie schmiedeten selbst Fluchtpläne und rieten auch den anderen Juden zur Flucht mit der Begründung, sie würden sonst eines Tages alle umgebracht werden. Dies hatte zur Folge, dass immer mehr Häftlinge während des Weges zur Arbeit entflohen, bis schliesslich von einer Frühschicht des Hochofens (30 Mann, Schichtdauer 6 bis 14 Uhr), 10 Mann fehlten, weil sie sich unterwegs abgesetzt hatten. Bereits gegen 8.00 Uhr traf ein telefonischer Befehl ein, dass zur Abschreckung aus der nächsten Hochofen-Schicht 10 Mann zu erschiessen seien.

3. Sonstige hinreichend aufgeklärte Einzelheiten:

Die Opfer wurden durch einen deutschen SS- oder Gestapo-Mann aus angetretenen Häftlingen ausgewählt. Sie wurden unter Leitung dieses Mannes von einem aus etwa 4 bis 6 Ukrainern bestehenden Kommando an einen Ort im Nahbereich des Lagers Majowka geführt und dort an vorbereiteten Gräbern erschossen. Zuvor waren einige Kranke aus der Krankenbarakke, wahrscheinlich im Austausch gegen gesunde Juden, hinzugenommen worden. Einer der Kranken wurde auf einer Bahre getragen.

Auf die zum Teil erheblich differierenden sonstigen Aussagen der Zeugen zu diesem Vorfall wird an anderer Stelle näher einzugehen sein.

VII. « Verdachtsmomente gegen den Angeklagten »

In der Hauptverhandlung hat sich eine Reihe schwerer Verdachtsmomente gegen den Angeklagten ergeben, die zwar eine Verurteilung noch nicht rechtfertigen, die aber als Verdachtsgründe nach wie vor bestehen und nicht ausgeräumt sind. Es sind dies vor allem folgende Umstände:

1. Der Angeklagte behauptet, er habe von der Existenz der zu den Hermann-Göring-Werke gehörenden Judenlager erst bei den Vernehmungen im Ermittlungsverfahren erfahren. Er sei nie in den Lagern gewesen. Mit den jüdischen Zwangsarbeitern habe er bei seiner Tätigkeit nie etwas zu tun gehabt. Er habe keinerlei Exekutivbefugnisse besessen. Es hätten sich gegenüber den Juden keine Misshandlungen oder Erschiessungen ereignet, am allerwenigsten sei er selbst an dergleichen beteiligt gewesen. Zuständig für die Juden sei nur der Werkschutz gewesen, mit dem er selbst nichts zu tun gehabt habe. Die gegen ihn erhobene Anschuldigung sei entweder frei erfunden oder es handle sich um eine Verwechslung oder einen Racheakt, ohne dass er sich vorstellen könne wofür. Er habe nur bei einigen schweren Fällen von Sabotage erfahren, dass Leute weggebracht worden seien, wisse aber nicht, was mit diesen Menschen geschehen sei.

Die Beweisaufnahme hat ergeben, dass diese Angaben des Angeklagten zu einem grossen Teil falsch sind: Der Angeklagte hat nicht nur von den Lagern gewusst, er ist auch mehrmals, allerdings nicht oft, in den Lagern gewesen (Zeugen Lip., Schr. [103], Arnold Fin., Leona Fin., Ben La.). Der Angeklagte wusste nicht nur von Misshandlungen jüdischer Häftlinge, sondern er hat auch selbst im Werk solche begangen und war als erbarmungsloser und brutaler Antreiber bei den Zwangsarbeitern im Werk allgemein gefürchtet (Zeugen Arb., Kog., Spi.). Er hat selbst den Zeugen Arb. bei der Arbeit so geschlagen, dass dieser auf ein glühendes Metallteil fiel und sich eine schwere Brandwunde am Bein zuzog. Der Angeklagte war zumindest beteiligt, als der Zeuge Kog. ausgepeitscht wurde. Ausgeschlossen ist auch, dass der Angeklagte von vorgefallenen Erschiessungen nichts wusste, denn sogar die Zeugen Ba. und von Meh. räumten ihr Wissen um einige Erschiessungen jüdischer Häftlinge ein, obwohl sie sonst allem Anschein nach bemüht waren, dem Angeklagten und sich selbst nicht durch zu ausführliche Preisgabe ihres Wissens zu schaden.

2. Entgegen den Angaben des Angeklagten steht auch fest, dass sich eine Erschiessung von 10 Häftlingen als Repressalie während des Bestehens des Lagers Majowka tatsächlich ereignet hat: Fast alle jüdischen Zeugen wussten von einem solchen Vorfall, über den damals viel gesprochen wurde.

3. Drei Zeugen (Arnold Fin., Leona Fin., Ben La.) haben ausgesagt, den Angeklagten als Anführer des ukrainischen Erschiessungskommandos erkannt zu haben, durch das die Opfer in den Steinbruch geführt und erschossen worden seien. Der Zeuge Kog. will immerhin gehört haben, dass der Angeklagte die Opfer ausgesucht habe.

4. Sowohl seiner Persönlichkeit als auch seiner Dienststellung nach kommt der Angeklagte als Täter in Frage. Es ist ohne weiteres möglich, dass der Angeklagte an dem betreffenden Tag als Vertreter des Abwehrbeauftragten auch den Werkschutz kommandierte. Der Zeuge Schr., selbst Wachführer beim Werkschutz, hat bekundet, dass der Angeklagte ihm gegenüber weisungsbefugt war. Auch hat das Gericht den Eindruck gewonnen, dass der KdS Radom (Bec.) wenigstens faktisch Befehlsgewalt über Abwehr und Werkschutz der Hermann-Göring-Werke besass und von ihr auch Gebrauch machte.

5. Für den Angeklagten spricht auch nicht gerade, dass er auch mit verschiedenen anderen Übergriffen schon in Zusammenhang gebracht wurde (Fall Levkowitz, Fall Feldman und Szuch).

VIII. « Die Zeugenaussagen und ihre Würdigung »

Wie bereits erwähnt, sind es die Eheleute Fin. und der Bruder der Frau Fin., Ben La., die in dem Anführer des Erschiessungskommandos den Angeklagten erkannt haben wollen. Für das Gericht steht es ausser Zweifel, dass diese drei Zeugen bei ihrer Vernehmung nach bestem Wissen und Gewissen bemüht waren, die Wahrheit zu sagen. Auf der anderen Seite haben andere Zeugen, die auf das Gericht einen ebenso zuverlässigen Eindruck gemacht haben, nicht den Angeklagten, sondern andere Deutsche als Täter bezeichnet. Die dadurch entstandenen Zweifel an der Identität des Angeklagten mit dem Anführer des Erschiessungskommandos konnten nicht ausgeräumt werden. Es kann weder der Aussage der Familie Fin./La. ein gegenüber den anderen Zeugenaussagen entscheidend höherer Beweiswert beigemessen werden, noch können die bestehenden Widersprüche, wie die Vertretung der Anklage angenommen hat, damit erklärt werden, dass es zwei verschiedene Erschiessungen von jeweils zehn Häftlingen gegeben haben müsse. Es ist möglich und auch wahrscheinlich, dass ein

[103] Siehe Verfahren Nr.751.

grosser Teil dieser Widersprüche damit zu erklären ist, dass die seit der Tat verstrichene lange Zeit das Erinnerungsvermögen der Zeugen beeinträchtigt hat. Es ist allgemein bekannt, dass das Gedächtnis mit zunehmendem zeitlichen Abstand zu einem Ereignis mehr und mehr schwindet und dass sich im Laufe der Jahre selbst Gesehenes mit Gehörtem und Vermutetem mischt ohne dass der das Ereignis schliesslich schildernde Mensch sich dessen bewusst wird, so dass er auch selbst der festen Überzeugung sein kann, etwas gesehen zu haben, was er in Wirklichkeit gehört und sich wiederholt bildhaft vorgestellt hat. Mehrere der Zeugen, etwa Frau Fin. oder der Zeuge Spi., haben diese Schwierigkeiten auch selbst erkannt. Hinzu kommt, dass die Bedingungen, unter denen die Zeugen ihre Beobachtungen machten, die Begründung dauerhafter und zuverlässiger Erinnerungen nicht gerade fördern konnten. Die Zeugen lebten in den Lagern unter furchtbaren Bedingungen. Unterernährt, entkräftet, ständig gedemütigt und brutal unter Misshandlungen zu harter Arbeit angetrieben lebten die Zeugen in ständiger Todesangst und in Angst um das ungewisse Schicksal der eigenen Familie, also in einem Zustande am Rande des körperlichen und seelischen Zusammenbruchs. So ist es weder verwunderlich, noch den Zeugen zum Vorwurf zu machen, wenn sie jetzt nach 29 Jahren bei der Wiedergabe der damaligen schrecklichen Erlebnisse mit Schwierigkeiten konfrontiert sind, die bei Aussagen seelisch unbelasteter Zeugen über wenig lange zurückliegende Ereignisse nicht auftreten. Auf der anderen Seite können diese Schwierigkeiten nicht dadurch gelöst werden, dass wegen des schweren Schicksales der Zeugen an die Beweisführung geringere Anforderungen als sonst gestellt werden.

Aus diesem Blickwinkel ist im Folgenden der Beweiswert der Aussagen der Eheleute Fin. und des Zeugen Ben La. zu prüfen und ist weiter zu untersuchen, ob er ausreicht, um den Angeklagten, trotz der Benennung anderer Deutschen als Täter in den Aussagen anderer Zeugen, mit Sicherheit als Täter zu überführen.

1. Der Beweiswert der Aussagen der Zeugen Arnold und Leona Fin. und Ben La. erfährt gewisse Einschränkungen dadurch, dass die Aussagen der Zeugen anlässlich der Hauptverhandlung unaufklärbare Widersprüche und Schwankungen teils untereinander, teils im Vergleich zu früheren Aussagen enthalten, und zwar auch in Punkten, die nicht als unerhebliche Nebensachen angesehen werden können.

Frau Fin. war während ihres Aufenthalts im Lager Majowka noch mit dem Zahnarzt Kurta aus Starachowice verheiratet. Dieser hat seine Praxis bis zur Aussiedlung in Starachowice ausgeübt. Später war er als Lagerzahnarzt in Majowka tätig. Von ihm habe die Zeugin erfahren, dass der Angeklagte schon vor der Aussiedlung bei ihm in Starachowice in Behandlung gewesen sei (kons. Vernehmung vom 24.10.1968, Bl.181 d.A.). Letzteres ist nicht möglich, denn der Angeklagte kam erst nach der Aussiedlung nach Starachowice. Immerhin muss der frühere Ehemann der Zeugin einen anderen Deutschen für Kas. gehalten haben. Damit ist zwar nicht gesagt, dass die Zeugin selbst während ihres ganzen Aufenthalts in Majowka in diesem Irrtum gelebt haben muss, denn sie hatte noch Gelegenheit, den Angeklagten kennen zu lernen, der auch später noch in die Praxis ihres Ehemannes gekommen sei. Die Zeugin hat auch sonst Tatsachen geschildert, die darauf hindeuten, dass sie den Angeklagten kannte, insbesondere hat sie ihn einigermassen zutreffend körperlich beschrieben und bekundet, dass er mehrfach zusammen mit von Meh. erschien, mit dem er in der Tat zusammenarbeitete. Auf der anderen Seite hat die Zeugin Fin. aber auch bei ihrer Vernehmung im Jahre 1968 (Bl.183 d.A.) ausgesagt und dies bei ihrer erneuten Vernehmung aufrechterhalten, der Angeklagte sei häufig, und zwar etwa zweimal wöchentlich in das Lager gekommen und habe dort Furcht und Schrecken verbreitet, ein Identifizierungsmerkmal, das von den nicht zur Familie Fin. gehörenden Zeugen nicht bestätigt wird. Vielmehr bekunden einige dieser Zeugen gerade das Gegenteil, nämlich dass der Angeklagte nur selten im Lager erschienen sei.

Bei ihrer konsularischen Vernehmung am 6.12.1966 in Toronto (Bl.1388 Akte Bec. [104]) hat die Zeugin Fin. ausgesagt:

> "Eines Tages sollte wegen der Flucht eines Mannes, den wir mit Spitznamen "Pintschele Pariser" nannten, ein Junge namens Moshe Aaron Zemelman erschossen werden, der aus dem Konzentrationslager Lublin nach Strelnica gekommen war. Er zeigte Kas. seine Muskeln, um zu beweisen, dass er noch arbeiten könne. Kas. aber befahl ihm, ein Grab zu schaufeln, erschoss ihn und urinierte anschliessend auf das Grab, das habe ich selbst gesehen."

Die Zeugin bezeichnet hier also nicht als Tatort das Lager Strzelnica, sie erwähnt auch mit keinem Wort die in ihren späteren Vernehmungen geschilderten Umstände der Erschiessung des Zemelman, nämlich, dass es sich hier nicht um eine Einzelaktion handelte, sondern dass Zemelman zu einer Gruppe von 10 Häftlingen gehörte, die zur Erschiessung geführt wurde. Dies fällt umso mehr auf, als die Zeugin sich bei ihrer Vernehmung im Jahre 1966 durchaus auch an Einzelheiten (ein Grab) erinnerte, bei deren Schilderung sich die später angegebenen Umstände (10 Mann) eigentlich auch hätten aufdrängen müssen. In der Aussage 1966 spricht aber alles für eine Einzelerschiessung ("ein Junge" sollte erschossen werden). Die Zahl 10 taucht in der Aussage 1966 nur einmal in anderem Zusammenhang auf. Auf Bl.1391 der Akte Bec. schildert die Zeugin nämlich einen Vorfall aus dem Lager Strzelnica. Althoff habe die Lagerinsassen antreten lassen, je 10 abgezählt und eigenhändig erschossen.

In ihrer Vernehmung 1966 hat die Zeugin ausgesagt, sie habe die Erschiessung des Zemelman selbst gesehen. Sie hat weiter bekundet, der Angeklagte Kas. habe wegen Diebstählen von Lederriemen im Werk öfters die Schuhsohlen kontrolliert und jeden wegen Sabotage erschossen, der Riemensohlen hatte (Bl.1389 d.A. Bec.). Dies habe sie wiederholt selbst gesehen. Bereits bei der nächsten Vernehmung im Jahre 1968 bekundete die Zeugin, letzteres habe sie nicht selbst gesehen, der einzige Vorfall, den sie selbst gesehen habe, sei die Erschiessung der 10 Häftlinge aus dem Lager Majowka gewesen, zu denen auch Zemelman gehörte. Bei ihrer nunmehrigen Vernehmung konnte die Zeugin auch von dieser Erschiessung nicht mehr sagen, was sie selbst gesehen hatte und was ihr erzählt worden war.

Die Staatsanwaltschaft hat in diesem Zusammenhang den Hilfsbeweisantrag gestellt, die in Toronto lebende Schwester des Aaron Zemelman als Zeugin darüber zu vernehmen, dass ihr die Zeugin Fin. im Jahre 1944 in Auschwitz die Erschiessung ihres Bruders eingehend und zwar so wie bei ihrer letzten Vernehmung im Jahre 1968 geschildert habe.

Der Beweisantrag war abzulehnen, denn auch wenn die Zeugin Zemelman im Sinne des Beweisantrags aussagen würde, so wäre damit nicht aufgeklärt, inwieweit ihr Frau Fin. im Jahre 1944 eigene Wahrnehmungen, Erzählungen, oder Gerüchte weiter berichtet hat. Es kann somit unterstellt werden, dass die Zeugin Fin. der Schwester des Zemelman im Jahre 1944 einen Bericht im Sinne ihrer letzten Aussage (1968) übermittelt hat. Der Schluss, es müsse sich bei dem Bericht im Jahre 1944 um eigene Wahrnehmungen der Frau Fin. gehandelt haben, ist nicht zwingend.

Der Zeuge Arnold Fin. hat den hier verhandelten Vorfall auch bei seiner ersten Vernehmung im Jahre 1966 etwa so geschildert wie heute. Die ursprüngliche Aussage, er habe die Erschiessung selbst gesehen, hat der Zeuge später dahin eingeschränkt, dass er nur gesehen habe, wie das Erschiessungskommando die Opfer in den Steinbruch führte, später habe er Schüsse gehört. Was bei der Beurteilung der Aussage des Zeugen Arnold Fin. jedoch nicht unberücksichtigt bleiben kann, ist die Tatsache, dass der Zeuge bei seiner Vernehmung am

[104] Siehe Verfahren Nr.768.

22.12.1966 vor dem deutschen Konsul in Toronto aussagte, er habe selbst gesehen, wie die Schwestern Levkowitz erschossen worden seien. Er erinnere sich auch noch deutlich an die Erschiessung von Frau Szuch und Feldman. Bei seiner zweiten konsularischen Vernehmung am 24.10.1968 hat der Zeuge ausgesagt, er habe viele Erschiessungen gesehen. Bei seiner Vernehmung anlässlich der Hauptverhandlung hat der Zeuge seine früheren Aussagen dahin eingeschränkt, dass er die Erschiessung der Schwestern Levkowitz selbst nicht beobachtet habe, es seien ihm vielmehr die noch frischen Leichen gezeigt worden. Seine Aussage, er habe viele Erschiessungen gesehen, schränkte der Zeuge dahin ein, dass sie sich auf andere Lager und Orte, z.B. Ghettos beziehe und nicht für das Lager Majowka gelte. Dort habe er selbst keine Erschiessung gesehen.

Auch der Zeuge Ben La. hat bei seiner ersten konsularischen Vernehmung am 10.2.1967 ausgesagt, er habe gesehen, wie der Angeklagte Zemelman und 9 andere Juden erschossen habe (Bl.1468 d.A. Bec.). Auch er hat seine Aussage jetzt dahin eingeschränkt, dass er die Erschiessung selbst nicht gesehen habe, er habe nur von jüdischen Lagerpolizisten gehört, dass alle 10 im Steinbruch erschossen worden seien.

Festzuhalten ist schliesslich noch, dass die Zeugen Fin. und La. den Angeklagten auf den vorgelegten Gegenüberstellungsfotos nicht erkannten und auf den alten Bildern des Angeklagten (Bl.7d) allenfalls eine Ähnlichkeit feststellen konnten. Eine persönliche Gegenüberstellung war nicht möglich, weil die Zeugen in Deutschland nicht erscheinen konnten und der Angeklagte nicht dazu gezwungen werden konnte, zur Gegenüberstellung mit nach Kanada zu reisen.

Auch untereinander sind die bezüglich der Person des Täters übereinstimmenden Aussagen der Zeugen Fin. und La. nicht frei von Widersprüchen. Während Ben La. sagt, er habe, ausserhalb der Baracke stehend, gesehen wie das Erschiessungskommando die 10 Häftlinge in das Lager und durch dieses in Richtung Steinbruch geführt habe, will Arnold Fin. den Trupp erstmals in der Nähe des Eingangs gesehen haben. Er habe beobachtet, wie der Täter Kranke aus der Krankenstation herausholte und dem Trupp eingliederte. Einer der Kranken sei auf einer Bahre getragen worden. Von diesem an sich recht eindringlichen Vorgang weiss weder Ben La. etwas, der ihn nach seinen Angaben über Standort und Dauer der Beobachtung eigentlich hätte sehen sollen, noch Frau Fin., die bei ihrer Vernehmung erklärte, sie habe gesehen, wie der Trupp durch das Lager geführt worden sei. Letzteres ist übrigens unvereinbar mit der Aussage der Zeugin vor dem Konsul am 24.10.1968, in der sie den Verlauf der im Lager stattgefundenen Selektion beschrieb, also nicht sagte, der Trupp sei bereits zusammengestellt gewesen, als er durch das Lager geführt worden sei.

2. Die vorgenannten Unklarheiten und Widersprüche berühren allerdings nicht unmittelbar den Kern des Geschehens, nämlich die Tatsache, dass in Majowka eine Erschiessung stattfand und - so die Aussagen der Zeugen La. und Fin. - dass der Angeklagte der Täter gewesen sei. Sie begründen aber doch gewisse Bedenken gegen die Zuverlässigkeit des Gedächtnisses und der Beobachtung dieser Zeugen, mit dem Ergebnis dass sie nicht geeignet sind, die weiteren, im Folgenden begründeten Widersprüchlichkeiten mit einer zur Verurteilung des Angeklagten ausreichenden Sicherheit zu klären und zu beseitigen:

Die Angaben der Zeugen über den genauen Ort der Erschiessung gehen auseinander. Der Zeuge Schi. sagt, es sei bei einer Grube beim Eingang des Lagers Majowka gewesen. Ähnlich lässt sich der Zeuge Len. ein, der bekundet hat, Ort der Erschiessung sei eine Grube ausserhalb des Lagers, unmittelbar hinter dem Zaun, aber nicht im Steinbruch gewesen. Beide sagen, die Erschiessung sei vom Lager aus zu sehen gewesen. Dagegen haben die Zeugen Fin. und La. ausgesagt, das Kommando sei in den Steinbruch gegangen, von dort habe man später die Schüsse gehört.

Während die Zeugen Fin. und La. ausgesagt haben, die Opfer hätten sich laut Berichten des jüdischen Ordnungsdienstes vor der Erschiessung selbst ihre Gräber schaufeln müssen, hat der Zeuge Len. bekundet, die Gräber seien vorher bereits von einer anderen Gruppe, zu der auch er selbst gehört habe, ausgehoben worden.

Auch die Bekundungen der Zeugen Fin. und La., beim Erscheinen des Erschiessungskommandos seien die Häftlinge in die Baracken gelaufen um nicht aufzufallen, wird von dem Zeugen Len. nicht bestätigt. Letzterer erinnert sich daran, dass damals befohlen worden sei, die Juden sollten aus ihren Baracken herauskommen und sich die Exekution ansehen. Dies erscheint einleuchtend, denn durch die Erschiessung sollte ein abschreckendes Exempel zur Unterbindung weiterer Fluchtversuche statuiert werden. Allgemein festzustellen ist in diesem Zusammenhang, dass gerade der Zeuge Len. sich an viele Einzelheiten aus dem Lager Majowka erinnert hat, die in sich folgerichtig erscheinen und die der Zeuge so lebendig schildern konnte, dass das Gericht den Eindruck hatte, der Zeuge hat diese Ereignisse nicht nur selbst beobachtet, sondern auch gut im Gedächtnis behalten. Dass der Zeuge bei Betrachtung der Gegenüberstellungsfotos in den abgebildeten Personen verschiedene Deutsche von Abwehr und Werkschutz zu erkennen glaubte, ändert an der Glaubhaftigkeit der übrigen Angaben dieses Zeugen nichts.

Anführer des Erschiessungskommandos war nach der Aussage des Zeugen Len. ein etwa 45 Jahre alter SS-Mann. Dieser sei mit "Oberscharführer" angesprochen worden, er sei in Uniform, gross und schlank gewesen. Er habe das Heraustreten der Hochofenschicht befohlen. Diese sei in 3 Reihen angetreten. Drei Mann aus der Schicht seien nicht erschienen. Nach ihnen sei nicht weiter gesucht worden. Der SS-Mann habe 10 Häftlinge ausgesucht, indem er auf ihre Gesichter gedeutet habe. Zwei von ihnen haben gesagt, sie seien noch jung und könnten arbeiten. Daraufhin seien statt ihrer zwei Kranke aus der Krankenstation hinzugenommen worden. Einer sei auf einer Bahre getragen worden, einer habe nur eine Unterhose angehabt. Der SS-Mann sei nicht Kas. gewesen. An den Namen des Angeklagten habe er sich zwar bei seiner letzten Vernehmung nicht erinnern können. Aufgrund eines Zeitungsartikels aus dem Jahre 1973 sei er ihm jedoch wieder eingefallen. Im Werk seien nämlich einmal zwei Zivilisten erschienen und hätten mit Erschiessungen gedroht, weil am Hochofen bei der Kalkzufuhr mangelhaft gearbeitet worden sei. Später habe er erfahren, dass einer dieser Zivilisten Kas. heisse. Der Anführer des Erschiessungskommandos sei aber keiner dieser beiden Männer gewesen.

Der Zeuge Spi. hat zu der Erschiessung der 10 Häftlinge bekundet, Bec., bei dem sich auch Ba., Schr. [105], der Angeklagte und andere befunden hätten, hätte die Leute aus Majdanek, zu denen auch er selbst gehörte, antreten lassen. Es sei gefragt worden, wer die Nachrichten über Vergasungen von Häftlingen in Majdanek verbreitet habe. 10 Leute hätten heraustreten müssen, seien dann weggeführt und erschossen worden. Man habe die Schüsse gehört, später seien dann Lastwagen gekommen. Über einen Tatbeitrag des Angeklagten hat der Zeuge nichts sagen können.

Dieser Zeuge wurde als einziger bereits im Jahre 1951 durch den deutschen Konsul in New York vernommen (Bl.1491 d.A. Bec.). Der Zeuge hat damals die Erschiessung nur insofern anders geschildert, als er bekundete, es seien 8 bis 10 Personen gewesen, die Bec. habe heraustreten lassen. Er habe sie zusammen mit seinem Stellvertreter etwa 100 m vom Lager weg in den Wald geführt und dort eigenhändig erschossen. Das habe er selbst gesehen. Den Stellvertreter habe er nicht schiessen sehen. Er habe auch gesehen, wie ein Lastwagen später die Leichen weggefahren habe.

[105] Siehe Verfahren Nr.751.

Dieser Vernehmung im Jahre 1951 kommt insofern besondere Bedeutung zu, als zwischen dem Vorfall und ihr nur knapp 7 Jahre liegen. Die damals von Spi. erstattete Anzeige gegen Bec. war es, die das Ermittlungsverfahren gegen diesen auslöste. In dem Verfahren gegen Bec. [106] fiel dann auch wegen verschiedener Übergriffe Verdacht auf den Angeklagten und andere Deutsche, die in Starachowice gewesen waren. Zu erwähnen ist in diesem Zusammenhang, dass die gleiche Erschiessung, die dem Angeklagten hier zur Last liegt, auch Gegenstand einer Voruntersuchung gegen Ba. war (Bl.6/7 des Antrags der Staatsanwaltschaft Stuttgart vom 14.1.1972). Das Verfahren gegen Ba. endete damit, dass dieser ausser Verfolgung gesetzt wurde.

Der Zeuge Schi., der nach seinen Angaben das Antreten und die Selektion beobachtet hat, bezeichnet als Täter Kolditz und Schr. Nachdem der Transport aus Majdanek gekommen sei, hätten Kolditz und Schr. einmal 10 Personen herausgesucht, zusammen mit den Ukrainern hinter das Lager geführt und dort erschossen. Ungeklärt ist, wen der Zeuge für Kolditz hielt, der damals bereits nicht mehr in Starachowice war. Die Person des Angeklagten war dem Zeugen jedenfalls vom Werk her bekannt, denn auch er beschrieb den Angeklagten als gefürchteten Antreiber, bei dessen Erscheinen im Werk Unruhe unter den Zwangsarbeitern entstanden sei.

IX. « Freisprechung des Angeklagten Kas. »

Die Staatsanwaltschaft hat bei Antragstellung in der Hauptverhandlung die Auffassung vertreten, die Widersprüche zwischen den Aussagen der Zeugen Arnold und Leona Fin. und Ben La. einerseits und den Aussagen der anderen Zeugen andererseits seien dadurch bedingt, dass in Wirklichkeit zwei Erschiessungen von je 10 Häftlingen stattgefunden hätten. Diejenige, welche unter Führung des Angeklagten stattgefunden habe, sei eine ganz andere als die von den Zeugen Len., Schi. und Spi. geschilderte. Das ergebe sich schon aus den verschiedenen Angaben der Zeugen über den Ort (Steinbruch - Lagerrand), die Täter (Angeklagter - andere), die Anlage der Gräber (selbst geschaufelt - von anderen ausgehoben) und den Dienstgrad der Täter (Angeklagter war Unterscharführer - Len. sagt, der Täter sei mit "Oberscharführer" angesprochen worden). Schliesslich hätte, wenn ein Austausch von Gesunden gegen Kranke stattgefunden hätte, auch Zemelman ausgetauscht werden müssen.

Diese Schlussfolgerung ist nicht nur nicht zwingend, sondern es gibt im Gegenteil eine ganze Reihe von Anhaltspunkten dafür, dass im Lager Majowka nur einmal eine Gruppe von 10 Häftlingen erschossen wurde und dass alle Zeugen die gleiche Erschiessung meinen:

1. Übereinstimmung im Zeitpunkt: Die Zeugen Arnold und Leona Fin. haben übereinstimmend ausgesagt, die Erschiessung habe sich im Sommer, und zwar einige Monate vor dem Abtransport nach Auschwitz ereignet. Dies deckt sich mit den Zeitangaben der übrigen Zeugen, die den Zeitpunkt teils ebenfalls mit "einige Monate vor dem Abtransport nach Auschwitz" angaben, teils aber auch dadurch fixierten, dass sie sich an die Zeit der Ankunft des Transports aus Majdanek erinnerten, nämlich Frühjahr 1944 und zumindest Zemelman ebenfalls mit dem Transport gekommen war.

2. Sowohl der Zeuge Arnold Fin. als auch der Zeuge Len., also zwei Zeugen, deren Angaben über die Erschiessung besonders weit differierten, haben ausgesagt, dass die Opfer der Erschiessung Leute waren, die am Hochofen gearbeitet hatten.

[106] Siehe Verfahren Nr.768.

3. Beide oben genannten Zeugen erinnern sich an einen besonderen, die Erschiessung kennzeichnenden Vorfall, nämlich die Hinzunahme von Kranken, darunter einen, der auf einer Bahre getragen wurde.

4. Die Zeugen Len., Spi. und Schi. bekunden, dass die Opfer zu dem aus Majdanek gekommenen Transport gehörten. Dies trifft auch auf Zemelman zu (Arnold und Leona Fin.).

5. Keiner der Zeugen hatte auch nur gerüchtweise etwas von einer zweiten Erschiessung von 10 Mann gehört, geschweige denn eine solche gesehen. Das Gericht hält es für völlig unwahrscheinlich, dass es zwei Erschiessungen von 10 Mann im Lager Majowka gab, ohne dass dies allgemein bekannt geworden wäre, denn beide Erschiessungen hätten

kurz hintereinander stattfinden müssen,
Leute vom Hochofen und aus Majdanek betreffen müssen,
durch Kranke aus der Krankenbaracke ergänzt worden sein müssen.

Wie bereits ausgeführt, war die Zahl der Erschiessungen in Majowka einigermassen begrenzt. Im Gegensatz zu Strzelnica konnten auch die deutschen Abwehr- und Werkschutzleute in Majowka nicht mehr ohne Konsequenzen so viele Häftlinge umbringen, wie sie wollten. Immerhin wurden sowohl Althoff als auch Kolditz versetzt, als ihre Verbrechen an Juden der Werksleitung der Hermann-Göring-Werke bekannt wurden. Die sonst aus Majowka bekannt gewordenen Tötungen sind so gelagert, dass eine Erschiessung von 10 Mann kein alltägliches Ereignis war, sondern ein besonderer Vorfall, von dem gesprochen wurde und den nicht nur die zur Kenntnis nahmen, die persönlich in irgend einer Weise davon betroffen waren. Wenn es also wirklich kurz hintereinander zwei bis in Einzelheiten gleich gelagerte Erschiessungen je einer Gruppe von 10 Mann gegeben hätte, so hätte doch wenigstens einer der sonst durchwegs recht gut informierten Zeugen auch von einer zweiten solchen Erschiessung wenigstens gehört haben müssen. Hierfür haben sich aber keinerlei Anhaltspunkte ergeben.

Die Staatsanwaltschaft hat noch den Hilfsbeweisantrag gestellt, den Zeugen Silberman, Bruder des "Pinschele Pariser" über die Erschiessung zu vernehmen, weil er im Lager gearbeitet habe und davon auszugehen sei, dass er von der Erschiessung gehört habe.

Der Beweisantrag war abzulehnen. Es ist weder dargetan, was der Zeuge gehört haben soll, noch inwieweit durch die Wiedergabe des eventuell Gehörten eine weitere Sachaufklärung möglich wäre. Im Laufe der Vernehmungen der Zeugen ist nur bekannt geworden, dass zu den aus Majdanek gekommenen, die zu fliehen versuchten, auch der Häftling mit dem Spitznamen "Pinschele Pariser" gehörte. Der ausschliessliche Umstand, dass ein Bruder dieses Mannes noch am Leben ist, macht diesen noch nicht zu einem Zeugen der möglicherweise im Anschluss an diese Flucht angeordneten Erschiessung ganz anderer Häftlinge. Die Staatsanwaltschaft hat im übrigen in der Anklageschrift mit Recht davon abgesehen, jeden früheren Insassen des Lagers Majowka als Zeugen zu benennen, nur weil davon auszugehen sei, dass auch er etwas über die Erschiessung gehört habe.

Nachdem der Angeklagte wegen der bestehenden Zweifel an seiner Identität mit dem Anführer des Erschiessungskommandos nicht mit ausreichender Sicherheit überführt ist, war er freizusprechen.

Die Kostenentscheidung beruht auf §467 StPO.

Lfd.Nr.802

Tatkomplex
NS-Gewaltverbrechen in Haftstätten

Tatort
ZAL Truppenübungsplatz Debica

Tatzeit
40-43

Gerichtsentscheidungen
LG Hannover vom 14.11.1973, 2 Ks 1/72

INHALTSVERZEICHNIS

des unter Lfd.Nr.802 veröffentlichten Urteils

LG Hannover vom 14.11.1973, 2 Ks 1/72

2 Ks 1/72

Im Namen des Volkes

In der Strafsache gegen

den Bundesbahnbetriebs-Inspektor a.D. und früheren SS-Sturmbannführer Hanns Proschinsky [107], geboren am 16.November 1907 in Amnéville, Kreis Metz/Lothringen, wohnhaft in 6941 Weinheim-Wünschmichelbach, zur Zeit in dieser Sache in Untersuchungshaft in der Justizvollzugsanstalt Hannover,

wegen Mordes,

hat das Schwurgericht bei dem Landgericht Hannover auf Grund der Hauptverhandlungstermine am 30.November, 4., 5., 7., 8., 11., 12., 14., 15., 19. und 28.Dezember 1972, 3., 4., 5., 8., 9., 11., 12., 15., 16., 18., 19. und 25.Januar, 1., 2., 9., 19. und 28.Februar, 6., 16., 19., 20., 21., 23., 26., 27., 29. und 30.März, 2., 6., 16. und 27.April, 7., 16., 23. und 29.Mai, 8., 18., 19. und 26.Juni, 6., 9., 19. und 30.Juli, 9., 20., 23., 24., 27., 28. und 29.August, 5., 10., 18. und 28.September, 5., 9., 12., 19., 29. und 31.Oktober, 1., 2., 5., 8., 12. und 14.November 1973 am 14.November 1973 für Recht erkannt:

> Der Angeklagte wird wegen Mordes in zwei Fällen zu zweimal lebenslanger Freiheitsstrafe verurteilt. Im übrigen wird der Angeklagte freigesprochen.
> Die Kosten des Verfahrens hat - soweit er verurteilt ist - der Angeklagte zu tragen. In den Fällen, in denen er freigesprochen worden ist, werden die Kosten des Verfahrens, einschliesslich der dem Angeklagten insoweit erwachsenen notwendigen Auslagen, der Staatskasse auferlegt.

GRÜNDE

1.Abschnitt
Allgemeine historische Feststellungen

A. Die Judenverfolgungen während der nationalsozialistischen Gewaltherrschaft

I. Die programmatischen Grundlagen

Die dem Angeklagten vorgeworfenen Tötungen von Juden haben ihre Grundlage in der Rassenpolitik des NS-Regimes. Zu den Zielsetzungen der Nationalsozialistischen Deutschen Arbeiterpartei (NSDAP) gehörte der Kampf gegen das "Judentum". Das kommt bereits in dem am 24.Februar 1920 von Hitler verkündeten Programm der NSDAP entschieden zum Ausdruck.

Punkt 24 Abs.2 Satz 2 dieses in der Folgezeit nicht abgeänderten Programms hatte folgenden Wortlaut:

> "Sie (die Partei) bekämpft den jüdisch-materialistischen Geist in und ausser uns ..."

Zu Punkt 4 enthält das Programm folgende Formulierung:

[107] Rechtskräftig durch Beschluss des BGH vom 4.2.1975, 5 StR 658/74.

"Staatsbürger kann nur sein, wer Volksgenosse ist. Volksgenosse kann nur sein, wer deutschen Blutes ist, ohne Rücksichtnahme auf Konfession. Kein Jude kann daher Volksgenosse sein."

Die auf dieser Grundlage angestrebte Diskriminierung jüdischer Mitbürger fand in den Punkten 5, 6 Abs.1, 7 und 23 Buchstabe a) ihren Ausdruck, die folgendermassen lauteten:

"5. Wer nicht Staatsbürger ist, soll nur als Gast in Deutschland leben können und muss unter Fremdengesetzgebung stehen.

6. Das Recht, über Führung und Gesetze des Staates zu bestimmen, darf nur dem Staatsbürger zustehen. Daher fordern wir, dass jedes öffentliche Amt, gleichgültig welcher Art, gleich ob im Reich, Land oder Gemeinde, nur durch Staatsbürger bekleidet werden darf.

...

7. Wir fordern, dass sich der Staat verpflichtet, in erster Linie für die Erwerbs- und Lebensmöglichkeit der Staatsbürger zu sorgen. Wenn es nicht möglich ist, die Gesamtbevölkerung des Staates zu ernähren, so sind die Angehörigen fremder Nationen (Nicht-Staatsbürger) aus dem Reiche auszuweisen.

...

23. Wir fordern den gesetzlichen Kampf gegen die bewusste politische Lüge und ihre Verbreitung durch die Presse. Um die Schaffung einer deutschen Presse zu ermöglichen, fordern wir, dass:

a) sämtliche Schriftleiter und Mitarbeiter von Zeitungen, die in deutscher Sprache erscheinen, Volksgenossen sein müssen,

..."

II. Die Rassendiskriminierungen und -verfolgungen jüdischer Mitbürger im NS-Staat bis zum Ausbruch des 2.Weltkrieges

Entsprechend den Zielen des Parteiprogramms der NSDAP setzte bald nach der Ernennung Hitlers zum Reichskanzler am 30.Januar 1933 die Entrechtung und Diskriminierung jüdischer Mitbürger ein. Die antijüdische Propaganda wurde über die nunmehr gleichgeschaltete Presse und den ebenfalls gleichgeschalteten Rundfunk verstärkt. Neben anderen von staatlichen Stellen geduldeten und gebilligten Willkür- und Terrorakten wurde zum Boykott jüdischer Geschäfte aufgerufen. Der Verwirklichung der Ziele der NSDAP dienten eine Reihe gesetzgeberischer Massnahmen, die jüdische Mitbürger aus dem öffentlichen Leben und aus der Wirtschaft ausschlossen und zur Auswanderung veranlassen sollten. Aufgrund des Gesetzes zur Wiederherstellung des Berufsbeamtentums vom 7.April 1933 (RGBl. I S.175 ff.) wurden jüdische Beamte aus ihren Ämtern entfernt.

Einen vorläufigen Höhepunkt erreichten die Diffamierungen und die Entrechtung jüdischer Mitbürger durch die zwei Nürnberger Gesetze vom 15.September 1935. Das Reichsbürgergesetz (RGBl. I S.1146) hatte für Juden den Verlust der staatsbürgerlichen Rechte zur Folge. §4 Abs.1 der Ersten Verordnung zum Reichsbürgergesetz vom 14.November 1935 (RGBl. I S.1333) enthielt nachstehende Regelung:

"Ein Jude kann nicht Reichsbürger sein. Ihm steht ein Stimmrecht in politischen Angelegenheiten nicht zu; er kann ein öffentliches Amt nicht bekleiden."

Das zweite Nürnberger Gesetz, das "Gesetz zum Schutze des deutschen Blutes und der deutschen Ehre" (RGBl. I S.1146) verbot unter Androhung drastischer Strafen die Eheschliessung zwischen Juden und Staatsangehörigen "deutschen oder artverwandten Blutes" sowie den ausserehelichen Verkehr zwischen Personen dieser Gruppen (sogenannte Rassenschande).

Berufsverbote für jüdische Ärzte und Rechtsanwälte wurden durch Verordnungen zum Reichsbürgergesetz vom 25.Juli 1938 (RGBl. I S.969) und vom 27.September 1938 (RGBl. I S.1403 ff.) ausgesprochen. Um Juden durch ihre Namensführung als solche äusserlich herauszustellen, wurde das zusätzliche Führen der Vornamen Israel bzw. Sara angeordnet (Zweite Verordnung zur Durchführung des Gesetzes über die Änderung von Familiennamen und Vornamen vom 17.8.1938 - RGBl. I S.1044). Zu von der NS-Führung organisierten pogromartigen Ausschreitungen gegen jüdische Bürger und deren Eigentum sowie gegen Gemeinden der jüdischen Glaubensgemeinschaft kam es in allen Teilen des Deutschen Reiches in der Nacht vom 9. zum 10.November 1938, der sogenannten Reichskristallnacht. Schutzlos waren jüdische Mitbürger Misshandlungen ausgesetzt, während ihre Wohnungen und Geschäfte beschädigt oder zerstört und Synagogen in Brand gesetzt wurden.

Der sogenannten Reichskristallnacht folgten Massnahmen, die die finanzielle Schädigung und die Ausschaltung der Juden aus dem Wirtschaftsleben bezweckten. Durch eine Verordnung des Beauftragten für den Vierjahresplan über eine Sühneleistung der Juden deutscher Staatsangehörigkeit vom 12.November 1938 (RGBl. I S.1579) wurde den jüdischen Mitbürgern die Zahlung einer "Kontribution" von einer Milliarde Reichsmark auferlegt. Eine weitere Verordnung vom 12.November 1938 "zur Ausschaltung der Juden aus dem deutschen Wirtschaftsleben" (RGBl. I S.1580) untersagte Juden vom 1.Januar 1939 an die unternehmerische und gewerbliche Betätigung.

Den zahlreichen Diskriminierungen der Juden folgten Massnahmen, die deren Auswanderung fördern sollten. So wurde durch eine Zehnte Verordnung zum Reichsbürgergesetz vom 4.Juli 1939 (RGBl. I S.1097 ff.) eine "Reichsvereinigung aller Juden" gebildet. Zweck dieser Vereinigung, der alle im Reichsgebiet wohnhaften Juden angehörten, war es, u.a. die Auswanderung der Juden zu fördern (§2 Abs.1 der Verordnung).

III. Die Diskriminierungen und Verfolgungen von Juden in den besetzten Gebieten Polens

Die militärische Besetzung Polens im September 1939 setzte Millionen jüdischer Staatsangehöriger dieses Landes dem Zugriff des NS-Systems aus. In dem durch Erlass Hitlers vom 12.Oktober 1939 (RGBl. I S.2077) gebildeten sogenannten Generalgouvernement - andere Teile des polnischen Staates (die sogenannten Reichsgaue Danzig-Westpreussen und Wartheland sowie die Regierungsbezirke Kattowitz und Zichenau) waren als zum Reichsgebiet gehörig erklärt worden - kam es sehr bald zu Massnahmen, die die Juden diffamierten und entrechteten.

Von besonderer Bedeutung war eine Verordnung über die Einführung des Arbeitszwanges für die jüdische Bevölkerung des Generalgouvernements vom 26.Oktober 1939 (Verordnungsblatt des Generalgouvernements Polen, Jahrgang 1939 S.6), die folgendermassen lautete:

> "§1. Für die im Generalgouvernement ansässigen Juden wird mit sofortiger Wirkung der Arbeitszwang eingeführt. Die Juden werden zu diesem Zweck in Zwangsarbeitstrupps zusammengefasst.
> §2. Die zur Durchführung dieser Verordnung erforderlichen Vorschriften erlässt der Höhere SS- und Polizeiführer. Er kann ostwärts der Weichsel Gebiete bestimmen, in denen die Durchführung dieser Verordnung unterbleibt. ..."

Die von dem Höheren SS- und Polizeiführer erlassenen Durchführungsvorschriften, die zunächst Meldepflichten und Umzugsbeschränkungen vorsahen, beseitigten für die jüdische Bevölkerung die Freizügigkeit und führten später zu der beabsichtigten Konzentrierung der Juden in den Ghettos oder in besonderen Judenwohnbezirken. Hierbei wurden in einem erheblichen Umfange Juden und auch Polen zwangsweise umgesiedelt.

Um Juden äusserlich zu kennzeichnen, ordnete der Generalgouverneur bereits im Jahre 1939 das Tragen weisser Armbinden mit dem Davidsstern an, wozu alle über 10 Jahre alten jüdischen Einwohner verpflichtet wurden. Eine ähnliche Kennzeichnungspflicht wurde später für die noch im damaligen Reichsgebiet verbliebenen Juden eingeführt, und zwar durch die Polizeiverordnung über die Kennzeichnung der Juden vom 1.September 1941 (RGBl. I S.547). Nach dieser Verordnung wurde Juden verboten, sich in der Öffentlichkeit ohne einen auf der linken Brustseite aufgenähten gelben Sechsstern mit der schwarzen Aufschrift "Jude" zu zeigen. In den sich anschliessenden Monaten wurden in einem verstärkten Masse Juden aus dem Deutschen Reich und aus anderen europäischen Ländern, in den zum Generalgouvernement erklärten Teil Polens deportiert.

Im Rahmen des angeordneten Arbeitszwangs mussten Juden in einem erheblichen Umfange unter meist harten Bedingungen in der Industrie arbeiten. Eine besonders grosse Anzahl wurde zu ungewohnten schweren körperlichen Arbeiten, z.B. im Strassenbau, verpflichtet.

IV. Die "Endlösung der Judenfrage"

Die in den besetzten polnischen Gebieten lebenden und sonst im deutschen Machtbereich befindlichen Juden wurden in ihrer grossen Mehrheit Opfer einer nach Umfang und Art der Ausführung geschichtlich beispiellosen Massenvernichtung. Ursprüngliche Pläne, die Auswanderung in das damalige britische Mandatsgebiet Palästina zu fördern oder auf der Insel Madagaskar ein Territorium für anzusiedelnde Juden zu schaffen, wurden fallen gelassen. Die später grösstenteils verwirklichte verbrecherische Idee, die im deutschen Machtbereich lebenden Juden systematisch zu töten, kam bereits in der Reichstagsrede vom 30.Januar 1939 zum Ausdruck, in der Hitler die Vernichtung der europäischen Juden wie folgt androhte:

> "Ich will heute wieder ein Prophet sein: Wenn es dem internationalen Finanzjudentum inner- und ausserhalb Europas gelingen sollte, die Völker noch einmal in einen Weltkrieg zu stürzen, dann wird das Ergebnis nicht die Bolschewisierung der Erde und damit der Sieg des Judentums sein, sondern die Vernichtung der jüdischen Rasse in Europa!
> ..."

Bestandteil eines umfassenden Ausrottungsplanes, der im Laufe der späteren Kriegsjahre zu systematischen Tötungsaktionen grössten Ausmasses führte, war der Einsatz von Juden zur Zwangsarbeit. Hierbei sollte infolge der harten Lebens- und Arbeitsbedingungen ein grosser Teil der jüdischen Arbeitskräfte ums Leben kommen. Dieses Ziel ergibt sich aus dem Besprechungsprotokoll der Wannsee-Konferenz vom 20.Januar 1942, das unter Ziff.III u.a. wie folgt lautet:

> "... Unter entsprechender Leitung sollen im Zuge der Endlösung die Juden in geeigneter Weise im Osten zum Arbeitseinsatz kommen. In grossen Arbeitskolonnen, unter Trennung der Geschlechter, werden die arbeitsfähigen Juden strassenbauend in diese Gebiete geführt, wobei zweifellos ein Grossteil durch natürliche Verminderung ausfallen wird.
> Der allfällig endlich verbleibende Restbestand wird, da es sich bei diesen zweifellos um den widerstandsfähigsten Teil handelt, entsprechend behandelt werden müssen, da dieser, eine natürliche Auslese darstellend, bei Freilassung als Keimzelle eines neuen jüdischen Aufbaues anzusprechen ist. (Siehe die Erfahrung der Geschichte).
> Im Zuge der praktischen Durchführung der Endlösung wird Europa von Westen nach Osten durchgekämmt.
> ..."

Zu einer erheblichen Zahl von Todesfällen kam es u.a. bei dem Einsatz jüdischer Arbeitskräfte auf dem Truppenübungsplatz Debica/Polen, in dessen Bereich der Angeklagte während des Krieges für die Dauer mehrerer Jahre als SS-Führer seinen Dienst ableistete.

Den systematischen Massentötungen von Juden gingen sogenannte Aussiedlungsaktionen voraus, die im wesentlichen im Laufe des Jahres 1942 durchgeführt wurden. Fast die gesamte jüdische Bevölkerung wurde aus den ihr zugewiesenen Ghettos oder Judenwohnbezirken zwangsweise ausgesiedelt und den Vernichtungslagern oder Einsatzkommandos zugeführt. Bei diesen "Aussiedlungen" ereigneten sich in einem grösseren Ausmass Morde an Juden.

Schauplatz einer "Aussiedlungsaktion" war u.a. das Lager für jüdische Arbeiter auf dem Truppenübungsplatz Debica. Im September 1942 wurden - von einem geringen Rest abgesehen - die auf diesem Truppenübungsplatz der SS beschäftigten Juden in ein Vernichtungslager abtransportiert.

Die im Rahmen der sogenannten Endlösung der Judenfrage durchgeführten, die systematische Ausrottung der jüdischen Bevölkerung bezweckenden Massenmorde wurden von Einsatzgruppen der Sicherheitspolizei und des SD und vor allem in Massenvernichtungslagern der SS ausgeführt. Die Massentötungen sowjetischer Juden durch Einsatzgruppen begannen im Sommer 1941 alsbald nach dem deutschen Angriff auf die UdSSR. Massenmorde grössten Ausmasses wurden an den polnischen und den aus anderen europäischen Ländern nach Polen deportierten Juden verübt. In den im besetzten Polen eingerichteten Vernichtungslagern der SS, insbesondere in Auschwitz, Belzec, Sobibor und Treblinka, begannen im Jahre 1942 die bis zum Herbst 1944 fortgesetzten Massenmorde durch Vergasungen, die die Existenz der im damaligen deutschen Machtbereich befindlichen Juden auslöschen sollten. Die Gesamtzahl der Opfer der nationalsozialistischen Judenvernichtung umfasste mehrere Millionen Menschen.

B. Der SS-Truppenübungsplatz Debica in Polen

I. Aufbau und Entwicklung des Truppenübungsplatzes

Für das zu beurteilende Tatgeschehen sind die allgemeinen Verhältnisse auf dem ehemaligen SS-Truppenübungsplatz Debica in Polen - dem Tatort aller noch zu erörternden Einzelfälle - von besonderer Bedeutung.

Über den Aufbau und die Entwicklung des Truppenübungsplatzes hat das Gericht folgende Feststellungen getroffen:

1.) Die Gründung des Truppenübungsplatzes

Vor dem 2.Weltkrieg wurden in einem Waldgebiet nordöstlich von Debica - einer zwischen den Städten Rzeszow und Tarnow gelegenen Kleinstadt - die Lignoza-Werke errichtet. In einem für Polen in den damaligen Grenzen zentral gelegenen Raum diente die Fabrik als Teil eines geplanten Rüstungszentrums der Herstellung von Munition. Nach der im September 1939 erfolgten Besetzung durch die Wehrmacht wurde die Fabrikation nicht wiederaufgenommen. In der 1.Hälfte des Jahres 1940 - wahrscheinlich in den Monaten April oder Mai - übernahm die Waffen-SS das Werksgelände, dessen Baulichkeiten Ausgangspunkt für den Aufbau eines Truppenübungsplatzes wurden. Zunächst erfolgte die Einquartierung eines ca. 10 Mann starken Aufbaustabs in den Gebäuden.
Nach den Plänen der SS-Führung entstand in dem Waldgebiet nordöstlich von Debica ein Truppenübungsplatz der Waffen-SS, der neben zahlreichen Dörfern und einzelnen bewohnten Häusern die Lignoza-Werke umfasste. Das Gelände des geplanten und seit Sommer 1940 errichteten Übungsplatzes hatte in Ost-West- und in Nord-Süd-Richtung eine Ausdehnung von jeweils ca. 25 Kilometer.

2.) Der Bereich des Truppenübungsplatzes; die Aussiedlung der Bevölkerung

Die Grenze des SS-Truppenübungsplatzes verlief im Westen in der Gegend der Strasse, die von Debica nach Mielec führt. Im Norden wurde der Platz durch eine Linie zwischen dem

Dorf Rzochow im Westen und der Kleinstadt Kolbuszowa im Osten begrenzt, während die Ostgrenze durch die Strasse zwischen Kolbuszowa und Wolica-Kaweczyn gebildet wurde. Die südliche Begrenzung war zwischen dieser Ortschaft im Osten und dem Dorf Brzeznica im Westen.

Die im Bereich des Truppenübungsplatzes wohnende Bevölkerung wurde zwangsweise umgesiedelt.

3). Die Unterbringung der Dienststellen und der SS-Einheiten; bauliche Massnahmen

Für die Unterbringung von Dienststellen, SS-Angehörigen und Arbeitskräften waren auf dem Gelände an geeigneten Gebäuden nur die Lignoza-Werke sowie eine Werkssiedlung vorhanden. Das Werksgelände befand sich im Südwesten des Gebietes und lag unmittelbar an der Nordseite einer Strasse, die kurz vor der schon im Platzbereich gelegenen Bahnstation Kochanowka von der Hauptstrasse Debica-Mielec abzweigte, diese Bahnstation berührte und etwa in östlicher Richtung durch den Wald zu dem Werk führte. Die Kommandantur des Truppenübungsplatzes wurde in den festen Gebäuden des Fabrikgeländes untergebracht. Der Unterkunft von SS-Führern und deren Familien dienten als Offizierssiedlung Wohngebäude der Lignoza-Werke, die zwischen der Bahnstation und dem Fabrikgelände südlich der Strasse im Walde errichtet worden waren.

Die für die Unterkünfte der Truppen bestimmten Gebäude sowie die weiteren für einen Truppenübungsplatz notwendigen militärischen Anlagen, insbesondere Schiessstände und Kampfbahnen, waren nicht vorhanden. Für die Unterbringung der militärischen Einheiten wurden in der Nähe der Kommandantur Unterkunftsringe gebaut. Bei jedem der Ringe handelte es sich um eine Anlage, die für die Aufnahme von Truppen in Stärke von etwa einem Regiment bestimmt war. Die in dem Waldgelände zu erstellenden Mannschaftsbaracken, Kraftfahrzeughallen und sonstigen Gebäude wurden jeweils zu beiden Seiten einer anzulegenden ringförmigen Strasse errichtet. Die Strassen in den Ringen waren mit der zur Kommandantur führenden im Rahmen des Aufbaus des Platzes in östlicher Richtung weiter verlängerten Strassen verbunden.

Insgesamt wurden 4 Unterkunftsringe angelegt, die mit den römischen Ziffern I bis IV bezeichnet wurden. Die Ringe I, II und III befanden sich südlich der Strasse, und zwar der Eingang zu Ring I in der Nähe der Einfahrt zur Kommandantur. Die Ringe II und III schlossen mit jeweils geringem Abstand in östlicher Richtung an. Nördlich der Strasse, und zwar östlich der Kommandantur, wurde der Ring IV gebaut. Ein weiterer als Ring V bezeichneter, jedoch nicht ringförmig angelegter Komplex mit Baracken wurde an der Strasse in der Nähe der Bahnstation Kochanowka errichtet.

Der Bau der Unterkunftsringe geschah unter einem erheblichen Zeitdruck. Bis Juni 1941 - am 22.6.1941 begann der von Hitler befohlene deutsche Angriff auf die Sowjetunion - sollten Unterkünfte für 35000 Mann geschaffen werden. Bereits im Spätherbst 1940 und im Winter 1940/41 wurde der Ring I zumindest teilweise mit Soldaten belegt. Über die Zeit der endgültigen Fertigstellung der Unterkunftsringe und über die Mannschaftsstärke der auf dem Übungsplatz stationierten Einheiten konnten keine sicheren Feststellungen getroffen werden.

4.) Der Arbeitseinsatz von Firmen

Die mit der Anlage der Unterkunftsringe und des Verkehrs- und Versorgungsnetzes verbundenen Arbeiten wurden von hierfür dienstverpflichteten Firmen ausgeführt. Mit dem Bau von Baracken sowie mit Betonarbeiten war die Firma Ernst Seibt, Baugeschäft und Baustoffhandel GmbH, Lauban/Schlesien, Hoch-Tief-Eisenbetonbau, beauftragt. Eine handwerkliche Arbeitsgemeinschaft von Malereigeschäften aus Berlin, der Mark Brandenburg und der

Grenzmark Posen-Westpreussen führte in den Baracken die Malerarbeiten durch. Die Firma Continentale Wasserwerks-GmbH Charlottenburg 2, Hardenbergstrasse 1, legte die Wasserleitungen und die Kanalisation an. Weiter war eine Wiener Firma Kastel & Wenzke - Be- und Entwässerung - eingesetzt. Im Strassenbau war eine Firma Krause aus Freystadt in Schlesien tätig. Die Firma Preisinger aus Linz/Donau baute Feldbahnen und war bei der Anlage von Vorflutergräben beschäftigt. Eine Rampe an der Bahnstation Kochanowka wurde von einer im übrigen nicht näher bekannten Firma Henning erstellt. Zum Arbeitseinsatz auf dem Truppenübungsplatz waren ausserdem die Firmen AEG aus Wien und Monsees aus Bremen herangezogen.

Die Arbeiten der Firmen und der Handwerker auf dem Truppenübungsplatz begannen im Sommer und Herbst des Jahres 1940. Eingesetzt waren weitgehend jüdische und polnische Arbeitskräfte, die in einem erheblichen Umfange den Firmen und den Malereigeschäften zugewiesen wurden. Dienstverpflichtete Fachkräfte der Firmen und der Handwerker, insbesondere Meister, Vorarbeiter und Poliere, leiteten die jüdischen und polnischen Arbeiter an und waren teilweise als örtliche Bauleiter der die Oberaufsicht führenden Bauleitung der Waffen-SS für den Fortgang der Arbeiten verantwortlich.

5.) Die militärischen Anlagen des Platzes

Neben dem Bau der Unterkünfte sowie des Verkehrs- und Versorgungsnetzes kam der Anlage von Schiessständen, Schiessbahnen und Kampfbahnen für die übende Truppe besondere Bedeutung zu. Diese Arbeiten liess die Waffen-SS unmittelbar ohne die Einschaltung von Firmen ausführen. Hierbei waren Hunderte von jüdischen und polnischen Arbeitern unter der Aufsicht von Angehörigen der Waffen-SS eingesetzt.

Im Herbst 1940 oder im Winter 1940/41 wurde mit einem zahlreiche Bahnen umfassenden Gewehrschiessstand begonnen, der im Walde zwischen der Bahnlinie Debica-Mielec und der Landstrasse zwischen den beiden Städten nördlich der Bahnstation Kochanowka und westlich der Kommandantur angelegt wurde. Dieser Schiessstand ist für das Verfahren besonders bedeutsam. Der für diese Baustelle verantwortliche Angeklagte soll in diesem Gelände wiederholt Grausamkeiten und Tötungen begangen haben.

Wegen der verhältnismässig kurzen Entfernung zur Bahnstation wird in den weiteren Urteilsgründen für diesen Schiessstand die Bezeichnung "Schiessstand Kochanowka" verwendet werden. Auf diesem im vollen Umfange nicht fertiggestellten und ausgebauten Schiessstand fanden im Sommer 1942 erstmalig Schiessübungen statt. Von polnischen Arbeitern wurde die Anlage als Schiessstand Nadleze (phon. Naduänche) bezeichnet.

In einem anderen Gebiet des Platzbereichs wurde ein Behelfsschiessstand errichtet, und zwar in der Nähe der Höhe 218, die sich einige Kilometer südlich der Unterkunftsringe am Waldrand befindet. In dieser Gegend wurde auch ein Pistolenschiessstand gebaut. Für das Schiessen mit Platzpatronen entstand nördlich oder nordwestlich der Kommandantur dicht bei einem Munitionsdepot und einem von der Bahnstation Kochanowka zur Kommandantur führenden Gleisanschluss eine weitere Schiessanlage.

Für die Übungen der Truppe unter gefechtsmässigen Bedingungen wurde eine Waldkampfbahn in den ausgedehnten Waldungen südöstlich der Unterkunftsringe II und III angelegt. Die dort beschäftigten polnischen Arbeiter nannten die Baustelle wegen der weiter südlich gelegenen gleichnamigen Ortschaft Schiessstand Paszczyna. Eine weitere Waldkampfbahn wurde in dem Gelände nördlich oder nordwestlich der Kommandantur erstellt. Ausserdem entstand eine Nahkampfbahn mit einer Handgranatenwurfanlage.

Von den Schiessständen und der Waldkampfbahn sind die Schiessbahnen zu unterscheiden, die etwa in der Mitte des Truppenübungsplatzes gebaut wurden. Diese Anlagen dienten dem Schiessen im freien Gelände und zwar auch auf bewegliche Ziele und waren u.a. für die Übung mit Explosivwaffen, einschliesslich Artillerie, geeignet. Für das Schiessen mit Geschützen auf feste Ziele gab es einen Artillerie-Schiessplatz, der ebenfalls in der Mitte des Truppenübungsplatzes eingerichtet war. Das Zielgebiet befand sich im Jahre 1944 in der Gegend des Dorfes Ocieka. Zu den militärischen Anlagen gehörte ausserdem ein Versuchsgelände für V-Waffen bei dem Dorf Blizna, das nördlich der Ortschaft Ocieka im nördlichen mittleren Bereich des damaligen Übungsplatzes lag.

6.) Die Wirtschaftsbetriebe

Neben der Hauptbestimmung als Ausbildungs- und Übungsgelände diente der Truppenübungsplatz wirtschaftlichen Nebenzwecken. In zunächst dezentralisierten Werkstätten führten jüdische Handwerker vielfältige Arbeiten für die SS-Kommandantur und die Standortverwaltung aus. Später - seit Herbst 1942 - wurden die handwerklichen Werkstätten in einen sogenannten Industriehof zusammengefasst, der bei der Bahnstation Kochanowka in dem sogenannten Ring V untergebracht war.
Im Rahmen des Truppenübungsplatzes wurde von der SS weiter ein Forstgut betrieben. Die Waldungen des Geländes wurden im Auftrage der Waffen-SS von einer Försterei verwaltet und bewirtschaftet.

7.) Das Kriegsgefangenenlager sowie die Arbeitslager

Ein Kriegsgefangenenlager wurde für die im Herbst 1941 in grösserer Zahl auf den Truppenübungsplatz gebrachten gefangenen sowjetischen Soldaten, die die erste Zeit im Freien verbringen mussten, in einem freien Gelände südwestlich der Höhe 218 gebaut. Nachdem der grösste Teil der Gefangenen umgekommen war, wurde dieses Lager Unterkunft für die jüdischen Arbeiter, die zuvor, wie noch auszuführen ist, an verschiedenen Stellen des Platzes untergebracht waren, sowie für die polnischen Zwangsarbeiter.

8.) Die Bestattungseinrichtungen

Verstorbene oder getötete Juden, Polen und Kriegsgefangene waren zunächst in Massengräbern begraben worden. Etwa seit Ende des Jahres 1941 - die sowjetischen Gefangenen waren einige Wochen zuvor auf dem Platz eingetroffen - wurden die Leichen verbrannt. Vom SS--Wirtschafts-Verwaltungshauptamt in Berlin erging eine entsprechende Anordnung. Auf Grund dieses Befehls mussten auch die bereits in den Massengräbern befindlichen Toten ausgegraben und verbrannt werden. Diese Massnahme wurde mit der Lage der Gräber in einem Wassereinzugsgebiet begründet. Die Leichenverbrennungen erfolgten auf der auch "Königinnenhügel" oder "Toter Mann" genannten Höhe 218. Es war in einem freien Gelände ein Rost angebracht worden, auf dem die Verbrennungen unter Verwendung von Holz stattfanden.
Für verstorbene Angehörige der Waffen-SS bestand in der Nähe der Bahnstation Kochanowka ein Soldatenfriedhof.

9.) Die Bezeichnung des Truppenübungsplatzes

Im amtlichen Sprachgebrauch der Waffen-SS wurde der Truppenübungsplatz zuerst mit "SS-Truppen-Übungsplatz Ost-Polen" benannt. Danach war der Name "SS-Truppen-Übungsplatz Debica" im Gebrauch, während die letzte Bezeichnung "SS-Truppen-Übungsplatz Heidelager" lautete. Unter den jüdischen und polnischen Arbeitskräften war der Ausdruck "Lager Pustkow" gebräuchlich, der mit dem gleichnamigen nördlich der Bahnstation Kochanowka gelegenen Ort zusammenhing.

10.) Die Räumung des Truppenübungsplatzes

Der Truppenübungsplatz war bis Ende Juli oder Anfang August 1944 von der Waffen-SS belegt. Die Räumung geschah im Rahmen des deutschen Rückzugs vor der in Vormarsch befindlichen Roten Armee.

11.) Die Tatsachenfeststellungen zu I

Die Feststellungen dieses Abschnitts beruhen auf den Angaben des Angeklagten, soweit diesen gefolgt werden konnte, auf den Aussagen der Zeugen Asc. (vom 14.12.1972), Bl. (vom 14.12.1972), Bor. (vom 14.12.1972), Dan. (vom 4.12.1972), Hei. (vom 6.7.1973), Ho. (vom 15.12.1972), Hol. (vom 5.12.1972), Scu. (vom 20.8.1973), Tho. (vom 11.12.1972) und Th. (vom 11.12.1972) - sämtliche Angehörige der ehemaligen Waffen-SS -, der Eheleute Gro. (vom 23.3.1973) - Zivilangestellte der ehemaligen Waffen-SS -, den Bekundungen des als Zeugen vernommenen ehemaligen jüdischen Lagerinsassen Ha. (vom 18.1.1973), den verlesenen Aussagen der kommissarisch vernommenen Zeugen Hor. (Vernehmung am 6.2.1973) - einem ehemaligen jüdischen Lagerinsassen - und Schä. (vom 23.10.1973) - einem auf dem Truppenübungsplatz dienstverpflichteten Handwerker -, den ebenfalls verlesenen Bekundungen der im Wege der Rechtshilfe vernommenen Zeugen Rag. (Vernehmung in Österreich am 1.6.1973) - einem auf dem Truppenübungsplatz dienstverpflichteten Angehörigen einer österreichischen Firma -, Fer. (Vernehmung in Polen am 22.9.1973), Jas. (Vernehmung in Polen am 29.6.1973), Stanislaw Mar. (Vernehmung in Polen am 21.9.1973) und Pra. (Vernehmung in Polen am 30.6.1973) - sämtlich ehemalige polnische Arbeiter auf dem Truppenübungsplatz - und auf den weiter verlesenen Aussagen des verstorbenen ehemaligen SS-Arztes Dr. Schr. (pol. Vernehmung vom 22.10.69, Bd.XIV Bl.80/83 d.A. und Vernehmung durch den Staatsanwalt am 27.11.1963 in den Beiakten der Staatsanwaltschaft Dortmund - Verfahren gegen Kops - Bd.IV Bl.85 bis 93).
Weiter liegen den festgestellten Tatsachen die in dem Sonderband I der Akten befindlichen Lichtbilder sowie die zum Sonderband XIV gehörigen Landkarten und Skizzen zugrunde, die wiederholt Gegenstand der Erörterungen der Hauptverhandlung und der Zeugenvernehmungen waren.

II. Die militärischen Dienststellen und standortfesten Truppenteile des Übungsplatzes

1.) Der Kommandant des Truppenübungsplatzes

Die Leitung des Truppenübungsplatzes stand dem dem SS-Führungshauptamt in Berlin-Wilmersdorf unterstehenden Kommandanten zu. Dieser hatte die Befehlsgewalt über den ihm zugeordneten Kommandanturstab, einige standortfeste Truppeneinheiten und für das Kriegsgefangenenlager. Ob und in welchem Umfange sich der Befehlsbereich des Kommandanten auch auf die bewachten Lager mit jüdischen und polnischen Arbeitern erstreckte, konnte nicht festgestellt werden.
Erster Kommandant des Platzes war der SS-Oberführer von Schele. Diesem folgte als Kommandant der SS-Standartenführer Nostiz. Letzter Kommandant des Übungsplatzes war der SS-Gruppenführer Voss.

2.) Der Kommandantur-Stab

Der Kommandantur-Stab war entsprechend einem Divisionsstab in verschiedene Abteilungen gegliedert. Vertreter des Kommandanten war der für die Truppen zuständige jeweilige Ia--Offizier, der zugleich Führer des Stabes war. In dessen Verantwortungsbereich fiel weiter das Lager für die sowjetischen Kriegsgefangenen.

Die Funktion des Ia-Offiziers wurde zunächst von dem SS-Standartenführer von Paris, anschliessend von dem SS-Obersturmbannführer Berndt von Ste. und zuletzt von einem dem Dienstrang nach nicht bekannten SS-Führer v. Baudissin ausgeübt.

Von besonderem Interesse für das Verfahren ist die Abteilung Ib des Kommandanturstabs. Der Angeklagte gehörte dieser als SS-Führer an und war später deren Leiter.

Die Abteilung Ib war für die Waffen und Geräte und für den Aufbau des Truppenübungsplatzes in militärischer Hinsicht verantwortlich. In ihren Bereich fielen u.a. die Schiessstände, die Waldkampfbahn und die Schiessbahnen, die Aufgaben des Sicherheitsoffiziers für das Schiessen, der Luftschutz und der Gasschutz sowie die Strassenunterhaltung, der Brückenbau und die Anlage einer Feldbahn, die rund um den Platz führen sollte.
Erster Leiter der Abteilung Ib war der SS-Sturmbannführer Bl. Nach dessen Verhaftung im März 1942 wurde der bisherige Stellvertreter, der Hauptsturmführer Albrecht neuer Ib-Offizier und der Angeklagte dessen Stellvertreter. Als im Februar 1944 Albrecht die Versetzung zur Truppe erhielt, wurde der Angeklagte Leiter der Abteilung. Diese Funktion hatte er bis zur Räumung des Truppenübungsplatzes im Sommer des gleichen Jahres inne.
Zum Vertreter wurde nunmehr der Obersturmführer Ho. ernannt, der seit Frühjahr 1941 - zunächst als Untersturmführer - der Abteilung Ib der Kommandantur als Leutnant-W zugeordnet war.

Dem Kommandanten war zur Unterstützung jeweils ein Adjutant (IIa) zugeordnet, dem auch der Schriftverkehr in den Personalangelegenheiten der SS-Führer oblag. Vom Frühjahr 1941 bis August 1942 war der Hauptsturmführer Bor., der spätere Führer des Wachbataillons, Adjutant. Sein Nachfolger wurde der SS-Führer Ses., dessen Rang unbekannt ist. Der dem Kommandanten zugeteilte Ordonnanzoffizier führte u.a. den Schriftverkehr in den Personalangelegenheiten der Unterführer und Mannschaften. Für das Gerichtswesen - Abtl.III - war ein Gerichtsoffizier eingesetzt.

Die gesundheitliche Betreuung des Truppenübungsplatzes unterstand dem Sanitätsoffizier (Abt.IVa), der zugleich Standortarzt war. Diese Tätigkeit oblag vom Januar 1941 bis zum 11.März 1942 dem SS-Obersturmbannführer Dr.med. Schr. und in der Folgezeit den SS--Ärzten Dr. Ottenhausen und Dr. Mec. Von Anfang 1943 bis zur Räumung des Truppenübungsplatzes war Dr. Schr. erneut für die ärztliche Betreuung verantwortlich. Der Abteilung V (Kraftfahrzeugwesen) unterstand eine Kraftfahrbereitschaft.

3.) Die Standortverwaltung

Die mit der Verwaltung des Truppenübungsplatzes verbundenen umfangreichen Verwaltungsaufgaben führten zu einer Aufteilung der Kommandanturverwaltung und zur Bildung einer verselbständigten von der Kommandantur unabhängigen SS-Standortverwaltung. Diese unterstand dem Verwaltungsamt der SS, dem späteren SS-Wirtschafts-Verwaltungshauptamt.
In den Zuständigkeitsbereich der Standortverwaltung fielen u.a. die Standortkasse, die Standortlohnstelle, die Unterkunftsstelle, Liegenschaften und Forsten sowie die Wirtschaftsbetriebe. Von der Lohnstelle wurden über besondere, die Namen der deutschen und ausländischen Arbeitskräfte enthaltenden Listen mit den Firmen die Löhne abgerechnet.

Die zur Standortverwaltung gehörige Unterkunftsstelle war für die Einrichtung der Baracken in den Ringen und im sonstigen Platzbereich, einschliesslich der Heizung und Stromversorgung, und deren Unterhaltung sowie für ein Bekleidungsmagazin verantwortlich. Die hiermit verbundenen umfangreichen Arbeiten wurden im wesentlichen von jüdischen Arbeitskräften ausgeführt. Leiter der Unterkunftsstelle war bis zum 30.11.1942 der Hauptsturmführer Ger.

4.) Die Bauleitung bzw. Zentralbauleitung

Eine weitere von der Kommandantur unabhängige selbständige SS-Dienststelle war die Bauleitung, die später den Namen Zentralbauleitung führte. Diese Dienststelle war - durch ein Waldgebiet von der Kommandantur getrennt - östlich der Bahnstation Kochanowka in der Nähe der Offizierssiedlung der SS und eines Massivbaus, der den Pferdestall der Bauleitung beherbergte, untergebracht.
Die Bauleitung bzw. Zentralbauleitung hatte - von einigen Ausnahmen abgesehen - für die auf dem Truppenübungsplatz vorzunehmenden Baumassnahmen die technische Leitung.
In verschiedene Abteilungen gegliedert war die Dienststelle für den Hoch- und Tiefbau, den Strassenbau und die Versorgungs- und Kanalisationsanlagen verantwortlich. Während die Bauausführung Sache der einzelnen Firmen und deren örtlicher Bauleiter war, oblagen der Bauleitung die Überwachung der Arbeiten sowie die Rohbau- und Gebrauchsabnahme. In ihren Zuständigkeitsbereich fiel insbesondere der Bau der Truppenunterkünfte in den Ringen. Insoweit handelte es sich um Baumassnahmen, die unter grossem Termin- und Zeitdruck vorzunehmen waren.
Für den Bau der Schiessstände, Schiessbahnen und ähnlicher militärischer Anlagen war die Bauleitung bzw. Zentralbauleitung nicht zuständig. Nachdem es im Herbst 1940 wegen des Baus des Schiessstandes Kochanowka zwischen der Bauleitung und der Kommandantur zu erheblichen Meinungsverschiedenheiten gekommen war, führte die Kommandantur - Abt.Ib - diese Baumassnahmen in eigener Verantwortlichkeit aus. Auch in der Folgezeit bestanden zwischen den Dienststellen der Kommandantur und der Bauleitung beträchtliche Spannungen.
Die Bauleitung unterstand dem SS-Hauptamt - Haushalt und Bauten - in Berlin. Leiter der Dienststelle war seit November 1940 bis zu seiner Verhaftung wegen angeblicher Wehrkraftzersetzung am 6.6.1941 der SS-Sturmbannführer Hei. Zum neuen Leiter wurde danach der bisherige Stellvertreter, der SS-Untersturmführer Pröschold, ernannt. Vom Ende des Jahres 1942 an war der SS-Obersturmführer Tho. etwa für die Dauer eines Jahres Chef der Zentralbauleitung. Dessen Nachfolger wurde der SS-Untersturmführer Medwet.

5.) Die standortfesten Truppenteile

a) Übersicht über die standortfesten Truppenteile

Neben den ständig wechselnden für Zwecke der Übung, Aufstellung und Abwicklung vorübergehend auf dem Übungsplatz befindlichen Truppen der Waffen-SS und auch des Heeres sowie der Luftwaffe gab es kleinere SS-Einheiten, die fest auf dem Platz stationiert waren und der Befehlsgewalt des Kommandanten unterstanden. Zu diesen gehörten die Stabs-Kompanie, das Wachbataillon, das Bau-Bataillon, eine Nachrichteneinheit, ein Feldgendarmerietrupp, eine Kraftfahr-Staffel und in späterer Zeit - anstelle des Wachbataillons - ein zu grossen Teilen aus Ukrainern bestehendes Schutzmannschaftsbataillon.

b) Das Wachbataillon

Das Wachbataillon führte zunächst die Bezeichnung "SS-Wachbataillon Oranienburg" und später den Namen "SS-Bataillon-SS-Truppenübungsplatz Debica". Die Einheit umfasste 3-4 Kompanien und war vom Herbst 1940 an im Ring I untergebracht. Ende 1942 wurde das Bataillon aufgelöst. Während der ersten Zeit unterstand das Wachbataillon unmittelbar der Befehlsgewalt des SS-Führungshauptamts in Berlin. Später wurde es dem Kommandanten des Truppenübungsplatzes unterstellt.
Kommandeur des Bataillons war zunächst der Obersturmbannführer v. Feil und danach der Hauptsturmführer Frh. von und zu der Tann. Im August 1942 wurde der Hauptsturmführer Bor. mit der Führung des Bataillons beauftragt, die er bis zur Auflösung der Einheit innehatte.

Zu den Aufgaben des Bataillons gehörten die Ausbildung von Rekruten und der Wachdienst auf dem Truppenübungsplatz.
Die Einheit hatte die Kommandantur, die Munitions- und Waffenlager, sowie die Lager für Kriegsgefangene und für jüdische und polnische Arbeiter zu bewachen. Wachtürme des Kriegsgefangenenlagers waren mit Angehörigen des Bataillons besetzt. Begleitkommandos waren für die Bewachung der Kriegsgefangenen und Zwangsarbeiter auf den Arbeitsstellen, auf dem Wege dorthin und auf dem Rückwege in das Lager verantwortlich. Ausserdem wurde das Bataillon wiederholt bei den razziaartigen sogenannten Aussiedlungen der Ghettos in den Städten Rzeszow und Tarnow eingesetzt.
Für den Schusswaffengebrauch bei der Bewachung der jüdischen und polnischen Arbeitskräfte bestanden keine besonderen Anordnungen. Allgemein galt der Befehl, dass auf Anruf zu schiessen sei. Zumindest zeitweise gab es die Sonderanweisung, dass Fliehende nicht nur fluchtunfähig geschossen, sondern durch den Schuss getötet werden sollten. Die Posten waren mit Karabinern bewaffnet, die Leiter von Wachkommandos auch mit Pistolen.
Den Gefangenenbegleitkommandos wurden am Lagertor Arbeitskräfte einer bestimmten Zahl übergeben, für deren Zurückbringen sie verantwortlich waren. Verstorbene oder Getötete mussten, damit die Zahl stimmte, bei der Rückkehr ins Lager mitgeführt und dort übergeben werden. Für den Fall einer gelungenen Flucht von Arbeitskräften wurde den Wachmannschaften ein Kriegsgerichtsverfahren angedroht.

c) Das Baubataillon

Im Laufe des Jahres 1940 wurde auf dem Truppenübungsplatz ein SS-Baubataillon aufgestellt, das jedoch nicht für Bauzwecke eingesetzt und zumindest zeitweise dem Kommandeur des Wachbataillons unterstellt war. Die Einheit diente - wie das Wachbataillon - der Ausbildung von Rekruten und Wachzwecken. Der Wachdienst umfasste die Objektbewachung, insbesondere auch die Wachen am Kriegsgefangenenlager und am Lager der Juden. Weiter waren Baustellen jüdischer und polnischer Arbeitskommandos sowie von sowjetischen Kriegsgefangenen durch Angehörige der Einheit zu bewachen. Welche Zeit das Bataillon auf dem Truppenübungsplatz stationiert war, bzw. wie lange die Einheit bestanden hat, konnte nicht festgestellt werden. Die Beweisaufnahme hat jedoch ergeben, dass sich im Sommer 1942 das Bataillon noch auf dem Platz befand.

d) Das Schutzmannschaftsbataillon

Nach der gegen Ende des Jahres 1942 erfolgten Auflösung des Wachbataillons wurde im Januar 1943 ein Polizeibataillon gebildet, das den Namen Schutzmannschaftsbataillon - abgekürzt Schuma-Bataillon - trug. Die auch Ukrainer-Bataillon genannte Einheit war aus deutschen und ukrainischen Offizieren und Unteroffizieren sowie aus ukrainischen Mannschaften zusammengesetzt. Das Bataillon unterstand in den ersten Wochen dem früheren Führer des Wachbataillons, dem SS-Hauptsturmführer Bor. Untergebracht war die Einheit in dem sogenannten Ring V in der Nähe der Bahnstation Kochanowka.
Das Schutzmannschaftsbataillon hatte Wachaufgaben, und zwar Objektbewachungen und das Bewachen polnischer Arbeitskolonnen auszuführen. Die Wachmannschaften waren mit Karabinern ausgerüstet. Grössere Wachkommandos hatten ausserdem eine Maschinenpistole. Weiter gab es in der Einheit Wachhunde. Als sich später Unzuverlässigkeiten zeigten, wurden ab Frühjahr oder Sommer 1944 die Wachen gemeinsam von Angehörigen des Schutzmannschaftsbataillons und anderer SS-Einheiten gestellt.

e) Die Nachrichteneinheit

Für den Bau und die Unterhaltung der Telefonverbindungen auf dem Truppenübungsplatz bestand eine Nachrichteneinheit der Waffen-SS, die zuerst von dem Oberscharführer Hermes und etwa von Anfang 1941 bis zu einer nicht feststellbaren Zeit im Jahre 1943 von dem

Obersturmführer bzw. Hauptsturmführer Th. geführt wurde. Die zunächst als Nachrichtenzug bestehende Einheit wurde später als Nachrichtenbau-Kommando oder als Nachrichtenkompanie bezeichnet und war - jedenfalls in späterer Zeit - in technischer Hinsicht unmittelbar dem SS-Führungshauptamt unterstellt.
Der Nachrichteneinheit war eine grosse Zahl jüdischer Arbeiter zugeordnet, die in einem Jüdischen Nachrichtenbau-Kommando zusammengefasst waren und auf dem Platz meist "Nachrichten-Juden" genannt wurden.
Auf dem ausgedehnten Truppenübungsplatz waren die Leitungen für ca. 1000 Anschlüsse zu legen. Häufig waren bis zu 25 verschiedene Bautrupps zugleich im Einsatz. Diese bestanden jeweils aus 2-3 SS-Männern und aus einer Anzahl von Angehörigen des Jüdischen Nachrichtenbau-Kommandos.
Der vorgesehene Einsatz der Nachrichtenkompanie bei Aussiedlungen in Ghettos wurde von dem Kompanie-Chef, Hauptsturmführer Th., verweigert. Dieser setzte sich deshalb telefonisch mit dem SS-Führungshauptamt in Berlin in Verbindung und erhielt den Bescheid, dass die Nachrichtentruppe als technische Einheit an derartigen Aktionen nicht teilzunehmen habe.

6.) Die Tatsachenfeststellungen zu Abschnitt II

Die Feststellungen dieses Abschnitts beruhen
auf den Angaben des Angeklagten, soweit diesen gefolgt werden konnte,
auf den Aussagen der Zeugen Asc. vom 14.12.1972, Bl. vom 14.12.1972, Bo. vom 16.1.1973, Bor. vom 4.12.1972, Dan. vom 4.12.1972, Erb. vom 4.12.1972, Fre. vom 5.12.1972, Gla. vom 29.3.1973, H. vom 23.3.1973, Hei. vom 6.6.1973, Ho. vom 15.12.1972, Hol. vom 5.12.1972, La. vom 8.12.1972, Lic. vom 8.12.1972, Ma. vom 23.3.1973, Me. vom 11.4.1973, Mie. vom 19.3.1973, Pa. vom 19.3.1973, Pan. vom 19.3.1973, Rei. vom 20.3.1973, Ri. vom 20.3.1973, S. vom 20.3.1973, Tho. vom 11.12.1972 und 23.3.1973, Th. vom 11.12.1972 und Uel. vom 23.3.1973 - sämtlich Angehörige der ehemaligen Waffen-SS -,
auf den Aussagen der als Zeugen vernommenen ehemaligen jüdischen Lagerinsassen Ha. vom 18.1.1973 und Seb. vom 12.1.1973, den Bekundungen des polnischen Zeugen Szu. vom 18./19.6.1973, den verlesenen Aussagen der kommissarisch vernommenen Zeugen Kre. (Vernehmung am 30.1.1973), Pur. am 9.4.1973, Sc. am 26.10.1973 und Wit. am 12.4.1973 - sämtlich Angehörige der ehemaligen Waffen-SS - sowie Hor. (Vernehmung am 6.2.1973) - einem ehemaligen jüdischen Lagerinsassen - und Schä. (Vernehmung am 23.10.1973) - einem auf dem Truppenübungsplatz dienstverpflichteten Handwerker -, den ebenfalls verlesenen Bekundungen der im Wege der Rechtshilfe vernommenen Zeugen Dr. T. (Vernehmung in New York am 14.2.1973) - einem ehemaligen jüdischen Lagerinsassen - und Wac. (Vernehmung in Österreich am 15.6.1973) - einem ehemaligen Angehörigen der Waffen-SS - und auf den weiter verlesenen Aussagen der verstorbenen Zeugen Ger. (polizeiliche Vernehmungen vom 9.10.1968 in Bd.XII Bl.190/191 d.A. und vom 10.10.1960 in den Beiakten der Staatsanwaltschaft Flensburg - 2 Js 486/60 - Verfahren gegen Fel. [108] u.a. - Bd.VI Bl.43/44), Dr. Mec. (richterliche Vernehmungen vom 9.4.1964 in den Beiakten der StA Dortmund - 45 Js 13/63 - Verfahren gegen Kops - Bd.IX Bl.70/72 und vom 22.7.1964 in den gleichen Beiakten Bd.XI Bl.124/126), Dr. Schr. (polizeiliche Vernehmung vom 22.10.1969 Bd.XIV Bl.80/83 d.A. und Vernehmung durch den Staatsanwalt vom 27.11.1963 in den Beiakten der StA Dortmund Bd.VI Bl.85/93), Ses. (polizeiliche Vernehmung vom 11.3.1970 Bd.XIV Bl.162/165 d.A. und richterliche Vernehmung vom 10.6.1964 in den Beiakten der StA Dortmund Bd.XI Bl.14/15) und von Ste. (richterliche Vernehmung vom 22.9.1960 in den Beiakten der StA Flensburg Bd.V Bl.150/154) - sämtliche ehemalige Angehörige der Waffen-SS.

[108] Siehe Lfd.Nr.619.

Weiter liegen den festgestellten Tatsachen die in dem Sonderband I der Akten befindlichen Fotos sowie die zum Sonderband XIV gehörigen Landkarten und Skizzen zugrunde, die wiederholt Gegenstand der Erörterungen der Hauptverhandlung und der Zeugenvernehmungen waren.

III. Der Einsatz jüdischer Arbeiter auf dem Truppenübungsplatz

1.) Allgemeines

Auf dem Truppenübungsplatz Debica waren mit dem Beginn des Aufbaus im Jahre 1940 jüdische Arbeiter beschäftigt. Bereits vor der Übernahme des Geländes durch die Waffen-SS mussten, den Aussagen des Zeugen Schu. zufolge, von der Gestapo in Debica inhaftierte Juden bei dem Barackenbau auf dem späteren Truppenübungsplatz arbeiten (Vernehmung in dem Hauptverhandlungstermin am 28.Februar 1973). Die Aufsicht oblag deutschen Vorarbeitern, die braune Uniformen - offensichtlich solche der SA - trugen.

Während der ersten Zeit gab es ausserdem Juden, die sich, unter dem allgemeinen Arbeitszwang stehend, für Arbeiten auf dem Truppenübungsplatz meldeten. Teilweise wurden jüdische Arbeitskräfte durch die Zweigstelle Pustkow des Arbeitsamts Debica vermittelt. Das geschah durch den Zweigstellenleiter Eilmes, einem Volksdeutschen und ehemaligen Offizier der polnischen Armee. Zu den auf diesem Wege auf den Truppenübungsplatz gelangten Juden gehörte der Zeuge Seb. (Vernehmung in dem Hauptverhandlungstermin am 12.Januar 1973).

Zunächst wurden die Juden teilweise noch wie freie Arbeiter behandelt und täglich mit der Bahn aus Debica und später auch aus Tarnow, Rzeszow und Ropczyce auf den Truppenübungsplatz und zurück gebracht. Ihre Unterbringung an einem geeigneten Ort im Platzbereich war vorerst nicht möglich. Noch im Jahre 1940 wurden die Bahnfahrten eingestellt, als im Gelände der Kommandantur ein Lager für die Juden eingerichtet wurde. Diese Feststellungen sind der Aussage des jetzt in Israel lebenden Zeugen Ha. (Vernehmung in dem Hauptverhandlungstermin am 18.Januar 1973) und den verlesenen Bekundungen des Zeugen Pra. (Vernehmung im Wege der Rechtshilfe in Polen am 30.Juni 1973) zu entnehmen.

Bei der Ankunft der jüdischen Arbeiter fand, wie ebenfalls von dem Zeugen Ha. glaubhaft bekundet, in der ersten Zeit eine oberflächliche Untersuchung statt. Bis Anfang 1941 wurden arbeitsunfähige Juden mit Zustimmung des Standortarztes von der Arbeit freigestellt.

Bereits im Laufe des Jahres 1940 und weiterhin 1941 wurden fortwährend Juden aus der Umgebung und aus anderen Teilen Polens, z.B. auch aus Warschau, zwangsweise zum Arbeitseinsatz auf den Truppenübungsplatz gebracht. Häufig wurden sie bei Razzien auf der Strasse oder in ihren Wohnungen eingefangen und auf den Platz verschleppt. U.a. wurden - entsprechend ihren glaubhaften Bekundungen - die Zeugen Bla., Eig., Grü., Kau., Jakob Sch., Dr. Scho., Wal. und Wiz. aufgegriffen und zur Arbeit auf den Truppenübungsplatz deportiert (Vernehmungen in den Hauptverhandlungsterminen am 4.Januar 1973, 11.Januar 1973, 12.Januar 1973, 19.Januar 1973 und 8.Januar 1973 sowie vor dem ersuchten Richter in Israel vom 7.März 1973, Verlesung der polizeilichen Aussage des Zeugen Wal. vom 10.August 1961 in den Beiakten der Staatsanwaltschaft Dortmund Bd.II Hülle Bl.44 und Vernehmung in dem Hauptverhandlungstermin am 12.Dezember 1972).

1941 oder 1942 traf nach einer sogenannten Ghetto-Aussiedlung ein Teil der Juden aus Mielec auf dem Truppenübungsplatz ein. Der etwa 20 km lange Weg musste unter Begleitung von SS-Wachen zu Fuss zurückgelegt werden. Die Feststellungen über diesen Transport beruhen auf den Aussagen des Zeugen Ha. (vom 18.Januar 1973) und werden teilweise von dem kommissarisch vernommenen Zeugen Hor. (Aussage vom 6.Februar 1973) bestätigt.

Nach der Ankunft eines anderen Transports verschleppter Juden ist auf diese geschossen worden. Das ergibt sich aus den glaubhaften Aussagen des Zeugen Mie., eines früheren Angehörigen des Wachbataillons (Vernehmung in der Hauptverhandlung am 19.März 1973). Demnach waren die Juden auf dem Wege von der Bahnstation Kochanowka in das in der Nähe befindliche Lager von SS-Leuten des Bataillons zu bewachen. In Zehner- oder Zwölferreihen mussten die Juden in einer Kolonne untergehakt gehen. Auf Befehl des Chefs der 2.Kompanie, des SS-Hauptsturmführers Wawrzik, wurde von den bewaffneten SS-Begleitern in die Kolonne geschossen.

Die jüdischen Arbeiter waren, wie den Aussagen der ehemaligen SS-Angehörigen Mie. und Th. zu entnehmen ist, zumindest zu einem erheblichen Teil sehr schlecht gekleidet (Vernehmungen in den Hauptverhandlungsterminen am 19.März 1973 und 11.Dezember 1972). So kamen viele Juden nur in Lumpen gehüllt an. Der Zeuge Th. hat weiter glaubhaft bekundet, dass ein Jude ein lediglich von einer Anzahl Sicherheitsnadeln - er nannte die Zahl von 87 Nadeln - zusammengehaltenes Kleidungsstück trug. Teilweise ergaben sich Verbesserungen, nachdem aus SS-Beständen ausrangierte Kleidungsstücke zur Verfügung gestellt wurden. Das geschah z.B. auf Veranlassung des Führers der Nachrichteneinheit Th., wie von diesem bekundet, für Angehörige des Jüdischen Nachrichtenbau-Kommandos (Aussage vom 11.Dezember 1972). Ebenso erreichte es der auf dem Truppenübungsplatz dienstverpflichtete Malermeister Schä., dass die in seinem Malerbetrieb arbeitenden Juden besser mit Textilien ausgestattet wurden (kommissarische Vernehmung des Zeugen Schä. vom 23.Oktober 1973).

Unzureichend war vielfach auch das Schuhwerk der jüdischen Arbeiter. Diese trugen, den Aussagen des Zeugen Schä. zufolge, Holzsohlen, die mit Papier oder Leder versehen waren. Nach den verlesenen Bekundungen des Zeugen Now. muss es auch vorgekommen sein, dass jüdische Arbeiter lediglich Fusslappen hatten (vgl. verlesene Vernehmung durch den ersuchten Richter in Israel vom 7.März 1973).

Auf dem Truppenübungsplatz befindliche Juden wurden überwiegend schlecht ernährt. Das ergibt sich aus den übereinstimmenden Aussagen der ehemaligen jüdischen Lagerinsassen Ehf., Eig. und Jakob Sch., der polnischen Zeugen Dmu. und Stanislaw Mar. und des ehemaligen Ib-Offiziers Bl. (verlesene Vernehmung durch den ersuchten israelischen Richter vom 12.März 1973, Vernehmungen in den Hauptverhandlungsterminen am 11.Januar 1973, 8.Januar 1973 und 10.September 1973, verlesene Vernehmung durch den ersuchten Richter in Polen vom 21.September 1973 sowie Aussage in dem Hauptverhandlungstermin am 14.Dezember 1972). Diese Bekundungen werden bekräftigt durch eine Reihe von Zeugenaussagen, wonach unterernährte Juden in das Krankenrevier aufgenommen werden mussten.

Dass sich in dem Krankenrevier für Juden auch Unterernährte befanden, sagen der ehemalige Lagerarzt Dr. T. und der dort als Krankenpfleger beschäftigt gewesene Zeuge Hor. übereinstimmend aus (verlesene Vernehmungen durch das ersuchte Generalkonsulat in New York vom 14.Februar 1973 und durch den kommissarischen Richter vom 6.Februar 1973). Nach den Bekundungen von Hor. hatten manche Kranke nur noch ein Gewicht von etwa 40 Kilogramm. Die Wassersucht war sehr verbreitet. Wegen der Unterernährung sind in einer grösseren Zahl jüdische Arbeiter verstorben. Das ist der verlesenen richterlichen Vernehmung des verstorbenen Sanitätsoffiziers Dr. Mec. zu entnehmen (vom 9.April 1964; Beiakte der Staatsanwaltschaft Dortmund Band IV Blatt 72 R). Bedeutsam ist weiter die Aussage des kommissarisch vernommenen Zeugen Schä., eines auf den Truppenübungsplatz dienstverpflichteten Malermeisters (verlesenes Protokoll vom 23.Oktober 1973). Demzufolge gab es in dem Krankenrevier Juden, die abgemagert wie Gerippe erschienen und fast leblos wirkten. Deshalb hat der Zeuge - entsprechend seinen Aussagen - die Vornahme von Malerarbeiten in der Krankenbaracke verweigert.

Aufgrund der Aussagen der jüdischen Zeugen Ehf., Hor. und Jakob Sch. ist jedoch davon auszugehen, dass in Teilbereichen - vor allem bei den für die Kommandantur Arbeitenden - die Verpflegung besser als sonst für Juden war (verlesene Vernehmung durch den ersuchten Richter in Israel vom 12.März 1973, verlesene kommissarische Vernehmung vom 6.Februar 1973 und Aussage in dem Hauptverhandlungstermin am 8.Januar 1973). Bei der Kommandantur und der Nachrichteneinheit ist es auch vorgekommen, dass SS-Leute - was nicht erlaubt war - jüdischen Arbeitern Lebensmittel oder Zigaretten zusteckten. Insoweit liegen übereinstimmende Bekundungen der israelischen Zeugen Eig., Jakob Sch. und des ehemaligen SS-Führers Th. vor (Vernehmungen vom 11.Januar 1973, 8.Januar 1973 und 11.Dezember 1972). Zu berücksichtigen ist weiter, dass, wie von dem Zeugen Bl. ausgesagt, eine Zeitlang einzelne Juden Lebensmittelpakete aus den Vereinigten Staaten erhielten.

Die Judenräte der Wohnorte bemühten sich, der Aussage des israelischen Zahnarztes Ha. zufolge, die Lebensbedingungen und die Behandlung der auf dem Truppenübungsplatz befindlichen Juden zu verbessern und gewährten SS-Angehörigen Geschenke (Vernehmung in dem Hauptverhandlungstermin am 18.Januar 1973). Hierbei handelte es sich um jüdisches Eigentum, beispielsweise um Pelzwaren, Stiefel und Getränke.

Am Anfang wurde den jüdischen Arbeitern, den Angaben der Zeugen Ha. und des verstorbenen Zeugen Naftali Schi. zufolge, ein Lohn ausgezahlt (Vernehmung in dem Hauptverhandlungstermin am 18.Januar 1973 und verlesene polizeiliche Aussage vom 19.Januar 1971 Band XV Hülle nach Bl.164 der Akten). Während der ersten Zeit gab es für jüdische Arbeiter teilweise auch Wochenendurlaub. Das ist den übereinstimmenden Aussagen der als Zeugen vernommenen ehemaligen jüdischen Lagerinsassen Ha., Kro., Schu. und Wiz. zu entnehmen (Vernehmungen in den Hauptverhandlungsterminen am 18.Januar 1973, 5.Januar 1973, 28.Februar 1973 und 12.Dezember 1972). Von dieser Vergünstigung waren von vornherein jedoch, wie die jüdischen Zeugen Dri., Ignaz Men. und Salomon Schi. übereinstimmend bekunden, die Arbeiter ausgenommen, die auf Baustellen der Firmen und der Waffen-SS eingesetzt waren (Vernehmungen in den Hauptverhandlungsterminen am 4., 8. und 9.Januar 1973). Die den deutschen Malerhandwerkern zugewiesenen Arbeiter bekamen dagegen, den Bekundungen des Zeugen Schä. zufolge, zumindest bis Ende 1940 Urlaub bewilligt (Vernehmung durch den beauftragten Richter am 23.Oktober 1973). Wie sich aus der Zeugenaussage Eig. (vom 11.Januar 1973) ergibt, ist es auch vorgekommen, dass für die Kommandantur und die Standortverwaltung beschäftigte Juden von Angehörigen besucht werden durften. Später - im Jahre 1941 bis zum Ausbruch des deutsch-sowjetischen Krieges und danach nur noch vereinzelt in Ausnahmefällen - wurde nur noch solchen jüdischen Arbeitern Urlaub gewährt, die für SS-Dienststellen oder für die Nachrichteneinheit tätig waren (vgl. Zeugenaussagen Kau. vom 19.Januar 1973, Salomon Schi. vom 9.Januar 1973 und Th. vom 11.Dezember 1972).

Für die auf dem Truppenübungsplatz beschäftigten Juden bestand ein sogenannter Judenrat, der Unterstützungs- und gewisse Selbstverwaltungsfunktionen hatte. Zumindest während der ersten Zeit, in der die jüdischen Arbeitskräfte noch bezahlt wurden, war der Judenrat, wie der Aussage des Zeugen Bl. und den verlesenen Bekundungen des ehemaligen Lagerführers Kops zu entnehmen ist, für die Verpflegung verantwortlich (Vernehmung in dem Hauptverhandlungstermin am 14.Dezember 1972 sowie verlesene Beschuldigtenvernehmung durch den Staatsanwalt vom 29.Oktober 1963 - Band VI der Beiakten der Staatsanwaltschaft Dortmund Blatt 37). In der Verwaltungsarbeit wurde die Lagerleitung der SS durch den Judenrat unterstützt, der z.B. Einfluss auf die Gewährung von Urlaub hatte (vgl. verlesene Beschuldigtenvernehmung von Kops durch den Staatsanwalt; Beiakten der Staatsanwaltschaft Dortmund Band VI Bl.37 und Aussage des Zeugen Schu. in der Hauptverhandlung am 28.Februar 1973). Dem Judenrat stand ein sogenannter Judenältester vor. Längere Zeit hatte diese Funktion der Lagerinsasse Immerglück inne (vgl. Zeugenaussage Ha. vom 18.Januar 1973). Einer der Gruppenleiter war der früher in Dortmund wohnhafte im Jahre 1938 zwangsweise nach

Polen abgeschobene deutsche Jude Leopold Arie Wal. (vgl. Zeugenaussage Ha. und verlesene polizeiliche Aussage von Wal. vom 10.August 1961; Beiakte der Staatsanwaltschaft Dortmund Band II Umschlag Bl.44).

Die auf dem Truppenübungsplatz befindlichen Juden unterlagen einem Kennzeichnungszwang. Zeitweise mussten sie einen Winkel tragen. Das ist den Aussagen des ehemaligen jüdischen Lagerinsassen Wiz. (vom 12.Dezember 1972) und des polnischen Zeugen Ucz. (vom 27.August 1973) sowie den verlesenen Bekundungen des im Wege der Rechtshilfe in Polen vernommenen Zeugen Pra. (vom 30.Juni 1973) zu entnehmen. Später bestand die Pflicht, eine weisse Armbinde mit dem blauen Davidstern anzulegen. Die der Kommandantur, Standortverwaltung und der Nachrichteneinheit zugewiesenen Juden hatten ausserdem Armbinden mit einer entsprechenden Aufschrift. Zu diesen Feststellungen gelangt das Gericht aufgrund der Aussagen der ehemaligen SS-Angehörigen Bl. und La. (vom 14. und 8.Dezember 1972), der jüdischen Zeugen Ha., Kro. und Seb. (vom 18., 5. und 12.Januar 1973) sowie der verlesenen Bekundungen des im Wege der Rechtshilfe vernommenen polnischen Zeugen Pra. (vom 30.Juni 1973) und des verstorbenen israelischen Zeugen Naftali Schi. (polizeiliche Vernehmung in Israel am 19.Januar 1973 Band XV Hülle Bl.165 der Akten).

Bei der Begegnung mit SS-Angehörigen waren die jüdischen Arbeiter verpflichtet, ihre Mütze abzunehmen. Der ehemalige Führer der SS-Nachrichteneinheit, der Zeuge Th., hat hierzu bekundet, dass er dieser von ihm als peinlich empfundenen Situation nach Möglichkeit ausgewichen sei (Vernehmung in dem Hauptverhandlungstermin am 11.Dezember 1972). Nach den übereinstimmenden Aussagen der israelischen Zeugen Jakob Sch. und Blas. ist es vorgekommen, dass SS-Leute Juden wegen des Nichtziehens der Mütze oder angeblich nicht rechtzeitigen Grüssens schlugen (Aussage in dem Hauptverhandlungstermin am 8.Januar 1973 sowie verlesene Vernehmung durch den ersuchten Richter in Israel vom 12.März 1973). Aus diesem Grunde lehnte es, seinen Bekundungen entsprechend, der Zeuge Blas. ab, eine Mütze zu tragen.

Was mit geflohenen Juden nach ihrer Wiederergreifung im allgemeinen geschah, konnte nicht festgestellt werden. Zwar haben die Zeugen Ignaz Men. und Wiz. ausgesagt, dass ihnen nach der Wiedereinlieferung in das Lager - bei dem Zeugen Men. handelte es sich um den 3.Fall des Wiederergreifens nach einer Flucht bzw. Nichtrückkehr vom Urlaub - die Nachricht überbracht wurde, es liege gegen sie ein Todesurteil vor, sie jedoch die frühere Tätigkeit fortsetzen durften (Vernehmungen vom 8.Januar 1973 und 12.Dezember 1972). Weiter hat der Zeuge Ignaz Men. bekundet, dass er nach seiner 1. und 2.Flucht im Lager geschlagen wurde. Bei den Zeugen Ignaz Men. und Wiz. handelte es sich jedoch um jüdische Arbeiter, die für die Bauleitung bzw. für die Fahrbereitschaft der Kommandantur arbeiteten und aus diesem Grunde - im Gegensatz zu den auf den Baustellen tätigen Juden - Fürsprecher bei der SS hatten. Deshalb lassen sich aus diesen Bekundungen keine Schlüsse ziehen, wie die zu den Bauarbeiten eingesetzten Juden im Falle der Wiederergreifung behandelt worden sind.

Über die Zahl der auf dem Truppenübungsplatz beschäftigten Juden lassen sich keine sicheren Feststellungen treffen. Insoweit liegen erheblich voneinander abweichende Bekundungen vor. Diese schwanken zwischen ein paar Tausend (Zeugenaussagen Bla. vom 3.Januar 1973 und Kro. vom 5.Januar 1973; ebenso Zeugenaussage Th. vom 11.Dezember 1972) und 500 bis 600 Lagerinsassen (vgl. Angaben des ehemaligen Lagerführers Kops bei seiner Beschuldigtenvernehmung am 5.November 1963; Band VI der Beiakten der Staatsanwaltschaft Dortmund Blatt 51; ebenso Vernehmung des Zeugen Wiz. in der Hauptverhandlung am 12.Dezember 1972). Die Zahlenangaben der meisten Zeugen liegen zwischen ca. 1.000 und 2.000 Personen (vgl. verlesene Zeugenaussagen Pra. - Vernehmung durch den ersuchten Richter in Polen vom 30.Juni 1973, Dr. Scho. - Vernehmung durch den ersuchten Richter in Israel am 7.März 1973, Urb. - Vernehmung durch den ersuchten Richter in Polen am 3.Juli 1973 und Wal. - polizeiliche Aussage vom 10.August 1961 in den Beiakten der Staatsanwaltschaft

Dortmund Band II Umschlag Bl.44; sowie Vernehmung des Zeugen Seb. in der Hauptverhandlung am 12.Januar 1973). Zur Überzeugung des Gerichts steht jedoch fest, dass der Bestand an Arbeitskräften - bedingt durch die Ankunft von Gruppen Deportierter, durch Krankheiten, Epidemien, Todesfälle und Tötungen, in der ersten Zeit auch wegen der Nichtrückkehr zur Arbeit - erheblichen Schwankungen unterworfen war.

Im Spätsommer oder Frühherbst 1942 - wahrscheinlich im September 1942 - wurde das damals in dem sogenannten Ring V in der Nähe der Bahnstation Kochanowka befindliche Judenlager geräumt. Diese Aktion wurde als "Aussiedlung des Judenlagers" bezeichnet. Der weitaus grösste Teil der jüdischen Lagerinsassen wurde unter Bewachung von dem Truppenübungsplatz abtransportiert. Hierbei handelte es sich vor allem um solche Arbeiter, die auf den Baustellen der Firmen oder der Waffen-SS, z.B. an dem Schiessstand Kochanowka, gearbeitet hatten.

Über die Ziele der Transporte konnten mit letzter Sicherheit keine Feststellungen getroffen werden. Mit hoher Wahrscheinlichkeit wurde der grösste Teil der Betroffenen in Vernichtungslager abtransportiert und dort im Rahmen der Massentötungen ermordet. Diese Annahme ist nicht nur wegen des Zeitpunkts der sogenannten Aussiedlung, sondern auch deshalb naheliegend, weil es sich bei den ehemaligen Lagerinsassen, die die nationalsozialistischen Judenverfolgungen überlebten und so in diesem Verfahren aussagen konnten - von einer Ausnahme abgesehen - um solche handelt, die nach der sogenannten Aussiedlung weiter auf dem Truppenübungsplatz verblieben waren. Nur der Zeuge Schu. gehörte zu den damals abtransportierten Juden, und zwar zu einer ersten kleineren Gruppe. Nach seiner Aussage (vom 28.Februar 1973) wurde er zur Arbeit in die Salzbergwerke von Wieliczka bei Krakau und später zum Arbeitseinsatz nach Deutschland gebracht.

Bei der sogenannten Aussiedlung des Judenlagers wurden kranke und nicht transportfähige Juden erschossen. Allein bei der Auflösung des Krankenreviers tötete, wie von dem Zeugen Dr. Scho. glaubhaft bekundet, ein SS-Offizier mit seiner Schusswaffe 20 bis 30 Juden, die sehr schwer erkrankt waren (verlesene Vernehmung durch den ersuchten Richter in Israel vom 7.März 1973). Über die Gesamtzahl der Opfer dieser Erschiessungsaktion waren genauere Feststellungen nicht möglich. Nach den Aussagen des Zeugen Seb. (Vernehmung in der Hauptverhandlung am 12.Januar 1973) wurden 250 Menschen getötet, während den Angaben von Naftali Schi. zufolge ca. 60 Personen erschossen wurden (verlesene polizeiliche Vernehmung vom 19.Januar 1971 in Band XV Hülle nach Bl.164 der Akten).

Am gleichen Tage, an dem die sogenannte Aussiedlung des Judenlagers erfolgte, trafen bewachte Kolonnen mit Polen zum Arbeitseinsatz auf dem Truppenübungsplatz ein. Nach den glaubhaften Angaben des polnischen Zeugen Urb. und des ehemaligen jüdischen Lagerinsassen Wal. wurden an diesem Tage ca. 2.000 bzw. ca. 1.500 polnische Zwangsarbeiter antransportiert (verlesene Aussagen der Rechtshilfevernehmung in Polen am 3.Juli 1973 sowie der polizeilichen Vernehmung in Israel am 10.August 1961; Beiakten der Staatsanwaltschaft Dortmund Band II Umschlag Bl.44). Weiter bestätigen der ehemalige jüdische Lagerarzt Dr. Scho. sowie der israelische Zeuge Seb., dass Transporte mit Polen an dem Tage ankamen, an dem die Juden weggebracht wurden (Vernehmungen vor dem ersuchten Richter in Israel am 7.März 1973 sowie in dem Hauptverhandlungstermin am 12.Januar 1973). Die polnischen Zwangsarbeiter mussten u.a. die jüdischen Arbeitskräfte auf den Baustellen, z.B. an dem Schiessstand Kochanowka, ersetzen.

Die zurückgebliebenen jüdischen Arbeiter - etwa 200 Personen - wurden in das ehemalige Kriegsgefangenenlager verlegt, in dem auch - von den Juden getrennt - die eintreffenden polnischen Zwangsarbeiter untergebracht wurden. Bei diesen Juden handelte es sich um besonders ausgewählte Handwerker oder sonst benötigte Fachkräfte, die für die Kommandantur, die Standortverwaltung, die Bauleitung oder die Nachrichteneinheit gearbeitet hatten.

Der Zeuge Jakob Sch. sagt in diesem Zusammenhang aus, dass er zu den bereits zum Abtransport ausgewählten Arbeitern gehörte und von dem Hauptsturmführer Ger. von der Unterkunftsverwaltung wieder herausgeholt wurde (Aussage vom 8.Januar 1973).

Vorübergehend - etwa für die Dauer von 2 bis 3 Wochen - war, wie von den Zeugen Jakob Sch., Schi. und Seb. bekundet worden ist, ungewiss, ob die wenigen noch dort befindlichen Juden auf dem Truppenübungsplatz verbleiben oder in ein Vernichtungslager gebracht werden sollten (Aussagen vom 8., 9. und 12.Januar 1973). Während der Zeit des Wartens wurde nicht gearbeitet. Danach fiel die Entscheidung, dass die nicht ausgesiedelten Juden auf dem Truppenübungsplatz einen sogenannten Industriehof errichten und dort Handwerkerarbeiten ausführen sollten.

Die allgemeinen Feststellungen über die sogenannte Aussiedlung des Judenlagers beruhen auf den Aussagen der als Zeugen vernommenen ehemaligen jüdischen Lagerinsassen Bla. (vom 3.Januar 1973), Dri. (vom 4.Januar 1973), Grü. (vom 23.August 1973), Ha. (vom 18.Januar 1973), Kau. (vom 19.Januar 1973), Kro. (vom 5.Januar 1973), Dov Sch. (vom 9.Januar 1973), Jakob Sch. (vom 8.Januar 1973), Salomon Schi. (vom 9.Januar 1973), Seb. (vom 12.Januar 1973) und Wiz. (vom 12.Dezember 1973) sowie auf den verlesenen Bekundungen der jüdischen Zeugen Dr. Scho. (Vernehmung durch den ersuchten Richter in Israel am 7.März 1973), Naftali Schi. (polizeiliche Vernehmung in Israel vom 19.Januar 1971; Band XV Hülle nach Bl.164) und Wal. (polizeiliche Vernehmung vom 10.August 1961); Beiakten der Staatsanwaltschaft Dortmund Band II Umschlag Bl.44). Die glaubhaften Aussagen werden durch die Zeugen Hol. - einem ehemaligen SS-Angehörigen - (Vernehmung am 5.Dezember 1972) und die verlesenen Angaben des ehemaligen Lagerführers Kops (Beschuldigtenvernehmung durch den Staatsanwalt am 5.November 1963; Beiakten der Staatsanwaltschaft Dortmund Band VI Bl.51) sowie durch den polnischen Zeugen Urb. (Vernehmung im Wege der Rechtshilfe am 3.Juli 1973) bestätigt.

Nach dem Ergebnis der Beweisaufnahme ist davon auszugehen, dass die sogenannte Aussiedlung bereits im Spätsommer oder Herbst 1942 und nicht erst später - etwa im Jahre 1943 - erfolgte. Zwar hat der Zeuge Kro. ausgesagt, er glaube, die Aktion sei 1943 gewesen (Vernehmung am 5.Januar 1973). Ebenso erlauben die von dem Zeugen Spi. angegebenen Zeitabschnitte den Schluss, dass die Aussiedlung erst 1943 stattgefunden haben kann (Vernehmung am 12.Januar 1973). Bei diesen Aussagen handelt es sich jedoch ebenso wie bei den Bekundungen des Zeugen Wiz. um zeitlich nicht genau bestimmte Angaben. Dieser Zeuge meint, sich an die zeitliche Nähe der Schlacht von Stalingrad erinnern zu können (Aussage vom 12.Dezember 1972).

Diesen weniger bestimmten, eine genauere zeitliche Festlegung vermeidenden auf das Jahr 1943 hinweisenden Zeitangaben stehen Aussagen einer Reihe von Zeugen gegenüber, die übereinstimmend und deutlich von dem Spätsommer oder Frühherbst 1942, insbesondere von dem Monat September, als Zeit der Aussiedlung ausgehen. Eine derartige von dem Gericht als bewiesen angesehene Zeit der Aussiedlung ist sowohl von jüdischen und polnischen als auch von deutschen Zeugen bekundet worden. Insoweit handelt es sich um Aussagen, denen nicht nur wegen ihrer genaueren Zeitangabe und ihrer Übereinstimmung ein grösseres Gewicht zukommt. Die sogenannte Aussiedlung war für diese Zeugen zumindest teilweise wegen der besonderen Begleitumstände ein derart einprägsames Ereignis, dass auch den zeitlichen Festlegungen besonderer Beweiswert zukommt. So verbindet sich in der Erinnerung des für die Sanitätsbaracke im Lager zuständig gewesenen Arztes Dr. Scho., der den September 1942 als Zeit angegeben hat, mit der Aktion die Erschiessung der schwer kranken und transportunfähigen Insassen des jüdischen Krankenreviers (Aussage vor dem ersuchten Richter in Israel am 7.März 1973). Ebenso erinnert sich der ehemalige Lagerinsasse Seb., der den Monat September 1942 benennt, an diese Tötungen sowie auch daran, dass der Lagerführer Kops eine Ansprache hielt, nach deren Inhalt - wie sich Kops ausgedrückt haben soll - es bald zu Jehova gehe. Ausserdem hat der israelische Zeuge Grü. als ungefähre Zeit der Aussiedlung die Monate Juli oder August 1942 angegeben (Aussagen vom 12.Januar und 23.August 1973).

Als Zeit der Aktion wird auch von ehemaligen Angehörigen der Waffen-SS der Spätsommer oder Frühherbst 1942 angeführt. Von dem Zeugen Hol. wird ein Zeitpunkt im Sommer 1942 für wahrscheinlich gehalten, während der ehemalige Lagerführer Kops in seiner verlesenen Beschuldigtenvernehmung den Herbst 1942 als ungefähre Zeit benannt hat (Vernehmung durch den Staatsanwalt am 29.Oktober 1963; Beiakten der Staatsanwaltschaft Dortmund Band VI Bl.35).

Darüber hinaus erfahren die weitgehend übereinstimmenden Bekundungen ehemaliger Lagerinsassen und früherer Angehöriger der Waffen-SS indirekt eine Bestätigung durch polnische Zeugen, die im Zusammenhang mit der sogenannten Aussiedlung oder kurz danach auf den Truppenübungsplatz deportiert worden sind. Nach den Aussagen der Zeugen Ada. und Szu. und des in Polen im Wege der Rechtshilfe vernommenen Zeugen Urb. waren bei der Ankunft dieser Zeugen nur noch kleinere Gruppen von Juden vorhanden (Vernehmungen in den Hauptverhandlungsterminen am 18. und 19.Juni 1973 sowie vor dem ersuchten Richter in Polen am 3.Juli 1973). Die Zeugen geben als Zeit ihrer Ankunft auf dem Truppenübungsplatz den November 1942 (Ada.), September/Oktober 1942 (Urb.) und den Oktober 1942 (Szu.) an. Daraus folgt, dass die Aussiedlungsaktion bereits zuvor stattgefunden haben muss.

Bei der Ende Juli oder Anfang August 1944 vorgenommenen Räumung des Truppenübungsplatzes durch die SS wurden die verbliebenen jüdischen Arbeiter mit der Bahn in die Vernichtungslager von Auschwitz verlegt. Dort entgingen sie aus nicht genau geklärten Gründen - zumindest zu einem grossen Teil - den Massentötungen. Jüdische Zeugen erwähnen in diesem Zusammenhang den SS-Scharführer Ruff, der den Transport nach Auschwitz begleitete und sich dort unter Berufung auf einen Brief des letzten Kommandanten des Übungsplatzes, des SS-Gruppenführers Voss, bzw. auf ein Telefongespräch mit diesem für ihr Überleben mit der Begründung eingesetzt haben soll, dass es sich um für die Rüstungsindustrie wichtige Fachkräfte handele. Entsprechende Bekundungen liegen von mehreren Zeugen vor, und zwar von Eig., Kau., Dov Sch., Jakob Sch., Salomon Schi. und Seb. sowie von dem kommissarisch vernommenen Zeugen Hor. (Vernehmungen am 11., 19., 9., 8., 9. und 12.Januar 1973 sowie kommissarische Vernehmung vom 6.Februar 1973). Diese jüdischen Zeugen und die weiteren in der Beweisaufnahme vernommenen ehemaligen Lagerinsassen Bla., Dri., Grü., Kro. und Wiz. (Aussagen vom 3., 4., 12. und 5.Januar 1973 sowie vom 12.Dezember 1972) gelangten in verschiedene im damaligen Reichsgebiet gelegene Konzentrationslager oder Arbeitslager, z.B. nach Gleiwitz, Blechhammer, Gross-Rosen und später nach Bergen-Belsen, Buchenwald, Flossenbürg, Hannover-Limmer, Mauthausen und Nordhausen, und wurden 1945 durch alliierte Truppen befreit.

2.) Die Lager für die jüdischen Arbeitskräfte

Als erste Unterkunft für die jüdischen Arbeiter diente ein Gebäude im Bereich der Kommandantur. Es handelte sich, wie von dem Zeugen Bl., dem damaligen Ib-Offizier des Kommandanturstabs, und dem ehemaligen jüdischen Lagerinsassen Wiz. übereinstimmend glaubhaft bekundet, um eine noch nicht fertiggestellte im Rohbaustadium befindliche Halle, einen Massivbau der ehemaligen polnischen Munitionsfabrik (Vernehmungen in den Hauptverhandlungsterminen am 14. und 12.Dezember 1972). In diesen Gebäuden waren, ihren Aussagen zufolge, die im Jahre 1940 auf den Truppenübungsplatz gelangten jüdischen Zeugen Dri., Eig., Kro., Ignaz Men., Salomon Schi. und Wiz. zunächst untergebracht (Vernehmungen in den Hauptverhandlungsterminen am 5.Januar, 8.Januar und 28.August 1973, 9.Januar 1973 und 12.Dezember 1972).

Während der ersten Zeit unterstand das Lager dem Unterscharführer Schmidt und seit August 1940 dem Unterscharführer Knipper. Diese Feststellung beruht auf den Aussagen des Zeugen Ha. (vom 18.Januar 1973) und auf der verlesenen polizeilichen Vernehmung des verstorbenen Zeugen Wal. (vom 10.August 1961; Beiakten der Staatsanwaltschaft Dortmund Band II Umschlag Bl.44). Wegen einer von ihm veranstalteten Sex-Show mit jüdischen Mädchen wurde der Unterscharführer Schmidt, der Aussage des Zeugen Ha. zufolge, von dem Posten des Lagerführers enthoben und durch Knipper ersetzt.

Die dem "Jüdischen Nachrichtenbau-Kommando" zugewiesenen Arbeiter wohnten bis etwa Juni 1941, wie von dem Zeugen Seb. bekundet, von dem sogenannten Judenlager getrennt, in einem anderen Gebäude im Kommandanturbereich, und zwar in einem mit einer Zentralheizung versehenen Kellerraum (Vernehmung am 12.Januar 1973). Bei einer grossen Entfernung zwischen dieser Unterkunft und der Arbeitsstelle wurden diese jüdischen Arbeiter - den Aussagen der Zeugen Bla. und Seb. entsprechend - vorübergehend auch ausserhalb untergebracht (Vernehmungen am 3. und 12.Januar 1973).

Im Herbst 1940 wurde das Lager für die jüdischen Arbeitskräfte in den Ring I verlegt. In diesem Lager waren, ihren Aussagen zufolge, u.a. die von ihrer bisherigen Unterkunft im Kommandanturbereich dorthin umquartierten Zeugen Dri., Eig., Kro., Ignaz Men., Salomon Schi. und Wiz. sowie die später auf den Truppenübungsplatz deportierten jüdischen Zeugen Now. (verlesene Vernehmung durch den ersuchten Richter in Israel vom 7.März 1973), Dov Sch. (Vernehmung vom 9.Januar 1973) und Jakob Sch. (Vernehmung vom 8.Januar 1973) untergebracht.

Über die ungefähre Zeit der Verlegung im Herbst 1940 - wahrscheinlich erfolgte diese Ende September oder im Oktober - konnten aufgrund der Aussage des Zeugen Jakob Sch. (Vernehmung am 8.Januar 1973) und der verlesenen Bekundungen des kommissarisch vernommenen Zeugen Schä. (Vernehmung am 23.Oktober 1973) sichere Feststellungen getroffen werden. Demzufolge wurde der Zeuge Jakob Sch. nach seiner Ankunft auf dem Truppenübungsplatz im Oktober 1940 sofort in dem Lager im Ring I untergebracht, während sich der Zeuge Schä. erinnert, dass er als Malermeister am 20.Oktober 1940 die Arbeiten im Ring I begann und sich das Judenlager damals in dem gleichen Ring befand.

Die Angehörigen des "Jüdischen Nachrichtenbau-Kommandos" wurden, der Aussage des Zeugen Seb. zufolge, vor dem 22.Juni 1941 - an diesem Tage begann der deutsche Angriff auf die Sowjetunion - in das Lager im Ring I verlegt (Vernehmung am 12.Januar 1973). Für die Kommandantur oder die Standortverwaltung beschäftigte Juden wohnten teilweise, wie z.B. die Zeugen Kau. und Dov Sch., weiterhin im Kommandanturbereich, und zwar bis zu der sogenannten Aussiedlung des Judenlagers im Herbst 1942 (Aussagen vom 19. und 9.Januar 1973). Die Zeugen Eig. und Schu. waren während ihrer Tätigkeit im Pferdestall der Kommandantur im Stallgebäude oder in dessen Nähe untergebracht (Aussagen vom 11.Januar und 28.Februar 1973). Dass für die Kommandantur beschäftigte Juden teilweise nicht in dem Lager an der Bahnstation zu wohnen brauchten, wird von dem Zeugen Bor., dem Adjutanten des Platzkommandanten und späteren Führer des Wachbataillons, bestätigt (Aussage vom 4.Dezember 1972). Weiter bestand für die für die Standortverwaltung tätigen Juden eine besondere Unterkunft. Das ergibt sich aus den verlesenen polizeilichen Aussagen des verstorbenen SS-Offiziers Ger. (vom 9.Oktober 1968, Bd.XII Bl.190 d.A.).

Für das im Ring I befindliche Lager war weiterhin der Unterscharführer Knipper als Lagerführer verantwortlich. Während der letzten Zeit des Bestehens dieses Lagers, und zwar kurz vor Beginn des deutsch-sowjetischen Krieges, übernahm der Oberscharführer Kops die Funktion des Lagerführers. Insoweit folgt das Gericht den verlesenen Angaben von Kops bei dessen Beschuldigtenvernehmung durch den Staatsanwalt (vom 25. und 29.Oktober 1963; Beiakten der Staatsanwaltschaft Dortmund Bd.VI Bl.31, 33 und 34). Das Lager im Ring I war, wie von den Zeugen Eig., Ignaz Men. und Wiz. und dem kommissarisch vernommenen Zeugen Schä. bekundet worden ist, in einer barackenartigen Garagenhalle untergebracht (Vernehmungen am 11.Januar 1973, 28.August 1973 und 12.Dezember 1972 sowie kommissarische Vernehmung am 23.Oktober 1973). Weiter hat sich im Zusammenhang mit diesem Lager aufgrund der verlesenen und insoweit glaubhaften Angaben des früheren Lagerführers Kops (Beschuldigtenvernehmung durch den Staatsanwalt am 29. und 30.Oktober 1963; Beiakten der Staatsanwaltschaft Dortmund Bd.VI Bl.33/34 und 41) folgendes ergeben: In der Garagenhalle mussten die jüdischen Arbeiter auf dreistöckigen Pritschen schlafen. Das Gebäude war von einem Drahtzaun umgeben, wurde jedoch nicht besonders bewacht. In der Nähe - noch innerhalb des eingezäunten Geländes - befand sich eine kleinere Baracke, in der die Verwaltung des Lagers und der Judenrat untergebracht waren.

Im Sommer 1941 - einige Zeit nach Ausbruch des deutsch-sowjetischen Krieges - wurde das Lager für die jüdischen Arbeiter aus dem Ring I in Baracken des sogenannten Rings V in die Nähe der Bahnstation Kochanowka verlegt. Dieser Umzug ist von den damals betroffenen Lagerinsassen Bla., Dri., Eig., Kro., Ignaz Men., Dov Sch., Jakob Sch., Salomon Schi., Seb. und Wiz. sowie auch von dem im Wege der Rechtshilfe vernommenen polnischen Zeugen Pra. (Vernehmung am 30.Juni 1973) übereinstimmend bekundet worden. Das Bestehen eines Lagers für jüdische Arbeiter im sogenannten Ring V an der Bahnstation war weiter dem polnischen Zeugen Ko. sowie den als Zeugen vernommenen ehemaligen SS-Angehörigen Asc., Bor., Fre., Kre., Lic. und Th. bekannt (Vernehmungen in den Hauptverhandlungsterminen am 27.August 1973, 23.März 1973 und 4.Dezember 1972, durch den beauftragten Richter am 30.Januar 1973 und in den Hauptverhandlungsterminen am 5., 8. und 11.Dezember 1972).

Nach der Beweisaufnahme ist davon auszugehen, dass die Verlegung des Lagers in den sogenannten Ring V im Sommer 1941 einige Zeit nach Beginn des deutsch-sowjetischen Krieges erfolgte. Das Gericht folgt den Aussagen der Zeugen Dri., Eig. und Seb., die dieses Ereignis zeitlich mit dem 22.Juni 1941, dem Beginn des Angriffs auf die Sowjetunion, in Zusammenhang bringen und gleichzeitig erwähnen, dass die Aktion danach stattgefunden hat (Vernehmungen in den Hauptverhandlungsterminen am 4., 11. und 12.Januar 1973). Ein Anhaltspunkt dafür, dass das Lager im Sommer 1941, und zwar in den Monaten Juli oder August verlegt wurde, ergibt sich aus der verlesenen Beschuldigtenvernehmung des damaligen Lagerführers Kops (Aussagen vor dem Staatsanwalt vom 25. und 29.Oktober 1963; Beiakten der Staatsanwaltschaft Dortmund Band VI Bl.31, 33 und 34). Demnach hat Kops einige Tage vor Beginn des Russlandfeldzuges die Leitung des Lagers übernommen, das noch im Ring I lag und nach etwa 6 Wochen in die Nähe der Bahnstation gelegt wurde. Zwar hat der Zeuge Schä. bei seiner kommissarischen Vernehmung (am 23.Oktober 1973) ausgesagt, die Verlegung sei lange vor Beginn des deutsch-sowjetischen Krieges erfolgt. Insoweit kann dem Zeugen Schä. nicht gefolgt werden. Seine Aussage ist in diesem Punkt vergleichsweise von einem geringeren Beweiswert. Nach der Überzeugung des Gerichts können sich die hiervon unmittelbar betroffenen Zeugen Dri. und Seb. und auch der ehemalige Lagerführer Kops an die Zeit der Verlegung besser als der an dem Vorgang unbeteiligte Zeuge Schä. erinnern.

Innerhalb des Lagers bei der Bahnstation Kochanowka bestand eine Trennung zwischen dem A-Lager (Arbeitslager) und dem Z-Lager (Zwangsarbeitslager). In dem Z-Lager waren die auf den Baustellen eingesetzten Arbeiter untergebracht, während die für Kommandantur, Standortverwaltung, Nachrichteneinheit und Bauleitung tätigen Juden in dem A-Lager wohnten. Dass in dem Lagerbereich eine entsprechende Unterteilung bestanden hat, wird von den ehemaligen Insassen des A-Lagers, den Zeugen Bla., Dri., Eig., Kro., Ignaz Men., Dr. Scho. und Wal. sowie weiter von dem im Platzbereich beschäftigt gewesenen jüdischen Zahnarzt Ha. bekundet (Vernehmungen in den Hauptverhandlungsterminen am 3., 4., 11. und 5.Januar und 28.August 1973, durch den ersuchten Richter in Israel am 7.März 1973, verlesene polizeiliche Aussage vom 10.August 1961 in den Beiakten der Staatsanwaltschaft Dortmund Band II Umschlag Bl.44; sowie Vernehmung in dem Hauptverhandlungstermin am 18.Januar 1973). Diese glaubhaften Aussagen werden von dem ehemaligen Lagerführer Kops bestätigt (Vernehmung durch den Staatsanwalt am 29.Oktober 1963; Beiakten der Staatsanwaltschaft Dortmund Band VI Bl.33).

Zu den Insassen des Z-Lagers gehörten auch, wie von dem kommissarisch vernommenen Zeugen Hor. bekundet, die von dem Ghetto in Mielec auf den Truppenübungsplatz deportierten Juden (Vernehmung durch den beauftragten Richter am 6.Februar 1973; vgl. auch Zeugenaussage Ha. vom 18.Januar 1973; siehe oben Seite 28/29 [109]).

Während der gesamten Zeit des Bestehens des Lagers war der Oberscharführer Kops Lagerführer. Das ergibt sich aus dessen Beschuldigtenvernehmung und aus den Bekundungen mehrerer ehemaliger Insassen des Lagers, und zwar der Zeugen Grü., Kro., Spi. und Wiz., des jüdischen Zahnarztes Ha. sowie aus den Aussagen des kommissarisch vernommenen Zeugen Schä. (Vernehmungen in den Hauptverhandlungsterminen am 12., 5. und 12.Januar 1973, 12.Dezember 1972 und 18.Januar 1973 sowie kommissarische Vernehmung vom 23.Oktober 1973).

Der Gesamtkomplex des aus einer Anzahl von Baracken bestehenden Lagers war mit Stacheldraht umzäunt. Das ist den Aussagen des ehemaligen Lagerinsassen Bla., des polnischen Zeugen Pra. sowie der ebenfalls verlesenen Beschuldigtenvernehmung des ehemaligen Lagerführers Kops zu entnehmen (Vernehmungen in der Hauptverhandlung am 3.Januar 1973 und durch den ersuchten Richter in Polen am 30.Juni 1973 sowie Beschuldigtenvernehmung vom 29.Oktober 1963; Beiakten der Staatsanwaltschaft Dortmund Band VI Bl.34).

Nach dem Ergebnis der Beweisaufnahme ist weiter davon auszugehen, dass das Lager durch Posten bewacht wurde. Der Zeuge Wit., ein ehemaliger Angehöriger des SS-Wachbataillons, konnte sich bei seiner kommissarischen Vernehmung erinnern, dass er u.a. auch an dem Judenlager bei der Bahnstation Wachdienst hatte (verlesene Aussage vom 12.April 1973). Dass der Lagerkomplex bewacht wurde, hat weiter der polnische Zeuge Pra. wahrgenommen (Vernehmung im Wege der Rechtshilfe am 30.Juni 1973). Weiter bestätigt der ehemalige Lagerführer Kops in seiner verlesenen Beschuldigtenvernehmung das Bestehen einer Wache (Vernehmung durch den Staatsanwalt am 30.Oktober 1963; Beiakten der Staatsanwaltschaft Dortmund Band VI Bl.41). Demgegenüber ist die Aussage des Zeugen Asc., das Lager bei der Bahnstation sei unbewacht gewesen, von geringerem Beweiswert (Vernehmung vom 23.März 1973). Dieser Zeuge war Angehöriger der Bauleitung und hat, seinen eigenen Angaben zufolge, das Lager nur einmal betreten (Aussage vom 14.Dezember 1972). Deshalb ist davon auszugehen, dass sich der Zeuge Asc. weniger gut als der zu den Wachmannschaften gehörige Zeuge Wit. und der ehemalige Lagerleiter Kops an die Lagerbewachung zu erinnern vermag.

Über die Einrichtung des Lagers hat sich aufgrund der insoweit glaubhaften Erklärungen des ehemaligen Lagerführers Kops bei der Beschuldigtenvernehmung vom 29. und 30.Oktober 1963 (Beiakten der Staatsanwaltschaft Dortmund Band VI Bl.34) folgendes ergeben: Neben der am Eingangstor befindlichen Baracke des Lagerführers bestanden je eine Baracke für die Küche, das Krankenrevier und die jüdische Verwaltung sowie eine Anzahl von Baracken für die Lagerinsassen. In diesen befanden sich für das Schlafen dreistöckige Pritschen. Für die Leichen war ein Schuppen bestimmt, der hinter den Baracken in der Nähe des Stacheldrahtzauns lag.

[109] = Seite 330 dieses Bandes.

Die Aufteilung des Bereichs in ein A-Lager und ein Z-Lager hatte zur Folge, dass die beiden Teile des Lagerkomplexes durch einen Stacheldrahtzaun voneinander getrennt waren. Hierzu gelangt das Gericht aufgrund der inhaltlich übereinstimmenden Aussagen der jüdischen Zeugen Bla., Dri., Ha., Kro. und Ignaz Men. (Vernehmungen in den Hauptverhandlungsterminen am 3., 4., 18., 5. und 8.Januar 1973).

Zwischen den Insassen der getrennten Lagerteile war ein Kontakt, wie den glaubhaften Aussagen des Zeugen Dri. und des kommissarisch vernommenen Zeugen Hor. sowie den verlesenen Bekundungen des Zeugen Wal. zu entnehmen ist, unter Strafandrohung verboten; (Vernehmungen in dem Hauptverhandlungstermin am 4.Januar 1973 und durch den kommissarischen Richter am 6.Februar 1973 sowie Vernehmung durch die Israel-Polizei vom 10.August 1961; Beiakten der Staatsanwaltschaft Dortmund Bd.II Umschlag Bl.44). So wurde der damalige Insasse des A-Lagers Ignaz Men. 3 Tage im Bunker des Z-Lagers eingesperrt, weil er einem im Z-Lager befindlichen Bruder durch den Drahtzaun Zigaretten zusteckte (Aussagen von Ignaz Men. vom 8.Januar und 28.August 1973).

Die in dem Z-Lager untergebrachten Juden hatten nicht nur nominell einen Zwangsarbeiter--Status. Sie mussten - in Arbeitskolonnen eingeteilt - auf verschiedenen Baustellen Zwangsarbeit leisten. Die Arbeitsbedingungen waren aussergewöhnlich schwer. Während der Arbeit und auf dem Wege zur Arbeitsstelle sowie auf dem Rückwege wurden die Arbeitskommandos von bewaffneten SS-Leuten bewacht. An diesem Wachdienst haben, ihren eigenen Bekundungen zufolge, die Zeugen And., Ma., Pa., Sche., Wim. und Ernst Zim. teilgenommen (Vernehmungen vom 2.Februar, 23.März, 19.März, 2.Februar, 19.März und 19.März 1973).

In dem Z-Lager herrschten, was noch im einzelnen zu erörtern ist, KZ-artige Zustände. Die dort untergebrachten Juden wurden durch Nummern, die auf der Rückseite des Jacketts aufgemalt waren, besonders gekennzeichnet. Das ergibt sich aus den Bekundungen der Zeugen Ha. und Ignaz Men. sowie des kommissarisch vernommenen Zeugen Schä. und wird ausserdem von dem ehemaligen Lagerführer Kops bei dessen Beschuldigtenvernehmung bestätigt (Vernehmungen in den Hauptverhandlungsterminen am 18.Januar und 28.August 1973 sowie kommissarische Vernehmung vom 23.Oktober 1973 und Vernehmung des Beschuldigten Kops durch den Staatsanwalt am 30.Oktober 1963; Beiakten der Staatsanwaltschaft Dortmund Bd.VI Bl.42).

Nach der im Spätsommer oder Herbst 1942 erfolgten sogenannten Aussiedlung des Judenlagers wurden die zurückgebliebenen jüdischen Arbeiter in das ehemalige Kriegsgefangenenlager verlegt. Bei der Übersiedlung wurde, der Aussage des ehemaligen jüdischen Lagerarztes Dr. Scho. zufolge, ein Jude durch einen ukrainischen Bewacher getötet, der anschliessend meldete, das Opfer sei "auf der Flucht erschossen" worden (Vernehmung durch den ersuchten Richter in Israel am 7.März 1973).

In dem südwestlich der Höhe 218 im freien Gelände angelegten ehemaligen Kriegsgefangenenlager wurden auch die polnischen Zwangsarbeiter, die im Zusammenhang mit der Aussiedlungsaktion sowie später auf den Truppenübungsplatz deportiert worden waren, untergebracht. In diesem sogenannten Russenlager haben sich bis zur Räumung des Truppenübungsplatzes durch die SS, ihren Bekundungen zufolge, u.A. die jüdischen Zeugen Bla., Dri., Eig., Kro., Ignaz Men., Samuel Men., Dov Sch., Jakob Sch., Spi. und Wiz. aufgehalten (Aussagen vom 3., 4., 11., 5., 8., 15., 9., 8. und 12.Januar 1973 sowie vom 12.Dezember 1972).

Das ehemalige Kriegsgefangenenlager führte, wie den Bekundungen des kommissarisch vernommenen Zeugen Schä. zu entnehmen ist, die Bezeichnung Stallag-Lager [110] (Aussage vom 23.Oktober 1973). Die für Juden und für Polen bestimmten Teile waren voneinander getrennt. Das haben sowohl die früheren jüdischen Lagerinsassen Bla. und Wiz. als auch die ehemaligen polnischen Zwangsarbeiter Ada., Paz. und Szu. sowie der im Wege der Rechtshilfe vernommene polnische Zeuge Jan. ausgesagt (Vernehmungen in den Hauptverhandlungsterminen am 3.Januar 1973, 12.Dezember 1972, 18.Juni 1973, 26.März 1973 und 18. und 19.Juni 1973 sowie durch den ersuchten Richter in Polen am 2.Juli 1973). Zwischen den für Juden und den für Polen bestimmten Lagerteilen war, wie dem polnischen Zeugen Paz. und dem ehemaligen SS-Angehörigen Bo. übereinstimmend erinnerlich, ein Stacheldrahtzaun gezogen, der einen zum Lagertor führenden Durchgang hatte (Vernehmungen in den Hauptverhandlungsterminen am 26.März und 16.Januar 1973). Kontakte zwischen den Insassen der getrennten Lagerteile waren, entsprechend den Aussagen der polnischen Zeugen Paz. und Szu., die von Kops bei seiner Beschuldigtenvernehmung bestätigt wurden, untersagt (Beschuldigtenvernehmung Kops vom 29.Oktober 1963; Beiakten der Staatsanwaltschaft Dortmund Band VI Bl.35).

Für das in dem ehemaligen Kriegsgefangenenlager befindliche Lager für jüdische und polnische Arbeiter war als Lagerkommandant der Hauptsturmführer Schittli verantwortlich. Diese Feststellung ist den Aussagen des ehemaligen Lagerinsassen Seb. und des kommissarisch vernommenen deutschen Zeugen Schä. sowie den verlesenen Bekundungen des inzwischen verstorbenen israelischen Zeugen Wal. zu entnehmen (Aussage in der Hauptverhandlung am 12.Januar 1973, kommissarische Vernehmung vom 23.Oktober 1973 und Vernehmung durch die Israel-Polizei am 10.August 1961; Beiakten der Staatsanwaltschaft Dortmund Band II Umschlag Bl.44). Der frühere Lagerführer, der Oberscharführer Kops, hatte, entsprechend seinen verlesenen Angaben, zunächst noch die Funktion eines Aufsehers inne und wurde nach einigen Monaten, wie auch in den verlesenen polizeilichen Aussagen des verstorbenen Zeugen Naftali Schi. erwähnt, verhaftet, als er im angetrunkenen Zustand zwei Mädchen aus dem polnischen Häftlingslager für Frauen zu einem Trinkgelage der SS-Bewacher holen wollte (Beschuldigtenvernehmung durch den Staatsanwalt vom 25.Oktober 1973; Beiakten der Staatsanwaltschaft Dortmund Band VI Bl.31; Vernehmung durch die Israel-Polizei vom 19.Januar 1971 in Band XV Bl.169 d.A.).

Im Jahre 1943 wurde der bisherige Lagerkommandant Schittli versetzt und durch den SS--Untersturmführer Klipp abgelöst, der diese Funktion bis zur Räumung des Truppenübungsplatzes innehatte. Dieser Wechsel in der Lagerführung ergibt sich aus den verlesenen Bekundungen des verstorbenen israelischen Zeugen Wal. (Beiakten der Staatsanwaltschaft Dortmund Band II Bl.44) und wird indirekt von dem im September 1943 in das Lager eingelieferten polnischen Zeugen Paz. bestätigt, der als Lagerführer Klipp genannt hat (Vernehmung am 26.März 1973). Zu den Mitarbeitern von Klipp gehörte, entsprechend den Bekundungen des Zeugen Eig., der zuletzt für den jüdischen Teil des Lagers verantwortliche SS-Scharführer Ruff, der, wie erwähnt, bei der Räumung des Platzes die jüdischen Arbeiter auf dem Transport nach Auschwitz begleitet hat (siehe oben Seite 41 [111]).

3.) Das Krankenrevier für jüdische Arbeiter

Für erkrankte oder verletzte jüdische Arbeiter bestand ein besonderes Krankenrevier, das dem jeweiligen Lager angeschlossen war. Zunächst befand sich eine Sanitätsstelle im Kommandanturbereich. Die Betreuung oblag jüdischen Ärzten. Während der ersten Zeit waren

[110] Gemeint ist wohl: Stalag-Lager.

[111] = Seite 336 dieses Bandes.

gleichzeitig der Zeuge Dr. T. und die inzwischen verstorbene Ärztin Frau Dr. Sachs in der Sanitätsstation tätig. Als Zahnarzt arbeitete dort der Zeuge Ha., der auch SS-Angehörige behandelte und im Krankenrevier bei dem Anlegen von Verbänden mithalf. Das ärztliche Personal brauchte zunächst nicht im Lager zu wohnen und suchte dieses nur zur Arbeit auf. Die Überwachung der jüdischen Ärzte wurde von dem jeweiligen Sanitätsoffizier (IV a) vorgenommen.

Nach der Verlegung des Judenlagers in eine Garagenhalle im Ring I wurde dort ein schuppenartiges kleineres Gebäude als Krankenstube eingerichtet. In dem später in dem sogenannten Ring V bei der Bahnstation Kochanowka befindlichen Lager war das Krankenrevier in einer Baracke untergebracht. Zu einer nicht festgestellten Zeit konnte der Lagerarzt Dr. T. wegen einer Typhuserkrankung die Arbeit nicht mehr fortsetzen. Später schied auch Frau Dr. Sachs als Lagerärztin aus. Das Krankenrevier wurde anschliessend von den jüdischen Ärzten Dr. Liebermann und eine sehr kurze Zeit von Dr. Hudes bzw. Dr. Kudes - der Name war nicht genau feststellbar - betreut. Letzter jüdischer Lagerarzt war der Zeuge Dr. Scho., der kurz vor der sogenannten Aussiedlung des Judenlagers - im August 1942 - die noch im sogenannten Ring V befindliche Krankenbaracke übernahm. Dem jüdischen Zahnarzt Ha. gelang es, von dem Truppenübungsplatz zu fliehen.

Eine Sanitätsstube war nach der Umquartierung der restlichen Juden in dem ehemaligen Kriegsgefangenenlager untergebracht. Hier wurden von Dr. Scho. hauptsächlich polnische Zwangsarbeiter und nur noch in wenigen Fällen Juden behandelt.

Die allgemeinen Feststellungen über das Krankenrevier und die jüdischen Lagerärzte beruhen auf den Aussagen der jüdischen Zeugen Bla., Dri., Ha., Kro. und Ignaz Men. (vom 3., 4., 18., 5. und 8.Januar 1973), den verlesenen Bekundungen des kommissarisch vernommenen jüdischen Zeugen Hor. (vom 6.Februar 1973) und der im Wege der Rechtshilfe vernommenen ehemaligen Lagerärzte Dr. Scho. und Dr. T. (richterliche Vernehmung in Israel am 7.März 1973 und Vernehmung durch das Generalkonsulat in New York am 14.Februar 1973) sowie den verlesenen Aussagen der verstorbenen ehemaligen Sanitätsoffiziere Dr. Mec. und Dr. Schr. (richterliche Vernehmung von Dr. Mec. vom 22.Juli 1964 in den Beiakten der Staatsanwaltschaft Dortmund Band XI Bl.125 R, Vernehmung von Dr. Schr. vom 27.November 1963 in den Beiakten der Staatsanwaltschaft Dortmund Band VI Bl.90 und polizeiliche Vernehmung von Dr. Schr. vom 22.Oktober 1969 Bd.XIV Bl.81/82 der Akten).

Während der ersten Zeit wurden Erkrankte und Verletzte vielfach von dem jüdischen Krankenrevier aus mit Zustimmung des SS-Arztes nach Hause entlassen oder beurlaubt oder zur weiteren Behandlung in die Krankenhäuser von Debica oder Tarnow verlegt. Dass zunächst noch Entlassungen oder Beurlaubungen erfolgten, ist von dem im Krankenrevier beschäftigt gewesenen jüdischen Zahnarzt Ha. ausgesagt worden (Vernehmung am 18.Januar 1973), während die Überweisung Verletzter in die Krankenhäuser den Zeugenaussagen Hor. und Dr. T. zu entnehmen ist. Verlegungen in die Krankenhäuser Debica oder Tarnow haben, den Bekundungen von Hor. zufolge, etwa bis zum Sommer 1941 stattgefunden.

Nach dem Ergebnis der Beweisaufnahme ist davon auszugehen, dass bei Sterbefällen und auch bei Erschiessungen von Juden im Krankenrevier Totenscheine ausgestellt und an die Kommandantur weitergeleitet worden sind. Das Gericht folgt in diesem Punkt den übereinstimmenden Aussagen des Zahnarztes Ha. und des ehemaligen jüdischen Krankenpflegers Hor. (Vernehmung vom 18.Januar 1973 und verlesene kommissarische Vernehmung vom 6.Februar 1973). Demnach ist bei erschossenen Juden auf den Scheinen als Todesursache "Auf der Flucht erschossen" angegeben worden. Den Bekundungen von Hor. zufolge wurde bei erschlagenen Juden dagegen "Herzschwäche" eingetragen. Dass Totenscheine als solche ausgestellt wurden, wird auch von den inzwischen verstorbenen Sanitätsoffizieren Dr. Mec. und Dr. Schr. bestätigt, deren Aussagen verlesen wurden (richterliche Vernehmung von Dr.

Mec. vom 22.Juli 1964 in den Beiakten der Staatsanwaltschaft Dortmund Band XI Bl.125 R, Vernehmung von Dr. Schr. vom 27.November 1963 in den Beiakten der Staatsanwaltschaft Dortmund Band VI Bl.90 und polizeiliche Vernehmung von Dr. Schr. vom 22.Oktober 1969 Band XIV Bl.81/82 der Akten).

Die übereinstimmenden Angaben der Zeugen Ha. und Hor. und der Sanitätsärzte Dr. Mec. und Dr. Schr. werden durch die gegenteiligen Bekundungen der Ärzte Dr. Scho. und Dr. T., wonach es für Juden keine Totenscheine gegeben haben soll, nicht widerlegt (verlesene Protokolle über die Vernehmungen durch den ersuchten Richter in Israel vom 7.März 1973 und durch das ersuchte Generalkonsulat in New York vom 14.Februar 1973). Der Zeuge Dr. T. brauchte von den Totenscheinen keine Kenntnis zu haben, weil dieser nicht allein als jüdischer Lagerarzt eingesetzt war und mit ihm die jüdische Ärztin Dr. Sachs in dem Krankenrevier arbeitete. Dass Frau Dr. Sachs die Totenscheine ausstellte, ist den Aussagen des Zeugen Ha. vom 18.Januar 1973 zu entnehmen, die von dem früheren Sanitätsarzt Dr. Schr. bestätigt werden. Dieser hat, seinen Angaben zufolge, die von der Ärztin Dr. Sachs ausgefüllten und abgezeichneten Scheine ohne weitere Nachprüfung unterschrieben (verlesene polizeiliche Aussage vom 22.Oktober 1969 Band XIV Bl.81/82 der Akten). Die Aussagen von Dr. Scho. erlauben allenfalls den Schluss, dass später die Ausstellung der Totenscheine unterblieben ist, denn dieser Zeuge übernahm erst im August 1942 - also kurze Zeit vor der sogenannten Aussiedlung - die ärztliche Betreuung der Juden.

Unter den jüdischen Arbeitern - später auch unter den polnischen Lagerinsassen - traten Typhus- und Ruhrepidemien auf. So hat der jüdische Zeuge Kau. wegen einer Fleckfiebererkrankung in der Krankenbaracke bei der Bahnstation Kochanowka gelegen (Vernehmung vom 19.Januar 1973). Der Zeuge Ri. musste als Angehöriger des Wachbataillons nach seiner Ankunft auf dem Truppenübungsplatz im Februar 1942 wegen einer Fleckfieberepidemie mehrere Monate in Quarantäne verbringen und durfte erst im Sommer 1942 Dienst bei der Truppe ausüben (Vernehmung vom 20.März 1973). Wegen einer Typhusepidemie wurde, dem polnischen Zeugen Ada. zufolge, im Sommer 1943 das frühere Kriegsgefangenenlager, in dem Polen und Juden untergebracht waren, gesperrt (Vernehmung am 18.Juni 1973). Massenerkrankungen an Typhus und auch an Ruhr bekundeten weiter die polnischen Zeugen Szu. und Urb. (Vernehmung in dem Hauptverhandlungstermin am 18.Juni 1973 und verlesenes Protokoll der Vernehmung durch den ersuchten Richter in Polen vom 3.Juli 1973). Nach den Bekundungen des Zeugen Urb., der im September oder Oktober 1942 auf den Truppenübungsplatz deportiert wurde, forderten die Seuchen zahlreiche Todesopfer.

4.) Die Tötungen und Misshandlungen jüdischer Arbeiter in den Lagern

In dem zum Z-Lager gehörenden Teil des Lagers an der Bahnstation Kochanowka waren die jüdischen Arbeiter in einem erheblichen Masse schweren Misshandlungen durch den Lagerführer Kops und durch SS-Aufseher ausgesetzt. Das gleiche gilt für das vorher im Ring I untergebrachte Judenlager, und zwar zumindest für die letzten Wochen seit Juni 1941, in denen dieses Lager dem Oberscharführer Kops unterstand.

Nach den glaubhaften Bekundungen des Zeugen Ha. sind in dem Z-Lager Juden öffentlich, also vor den Augen der anderen Lagerinsassen, mit Peitschen geschlagen worden (Vernehmung in dem Hauptverhandlungstermin am 18.Januar 1973). Von einer Auspeitschung, die sich noch im Ring I ereignet hatte, berichtet der Zeuge Wiz. (Vernehmung am 12.Dezember 1972). Demnach schritten Angehörige des Heeres und der Luftwaffe gegen die Misshandlung des Juden ein, worauf Kops von einem hinzukommenden SS-Offizier in den Rücken getreten wurde. Weiter steht nach den insoweit glaubhaften Angaben des Lagerführers Kops fest, dass in dem Bereich des Lagers im Ring I mindestens etwa 15 mal Juden ausgepeitscht wurden, und zwar mit jeweils 25 Schlägen auf das nackte Gesäss (Beschuldigtenvernehmung durch den Staatsanwalt vom 30.Oktober 1963; Beiakten der Staatsanwaltschaft Dortmund Band VI

Bl.38/39). Die Betroffenen wurden jeweils über einen Bock gelegt. Auf Befehl mussten Insassen des Lagers die Schläge austeilen. Kops gibt weiter zu, dass er in Einzelfällen Juden, die nicht kräftig genug zuschlugen, die Peitsche aus der Hand nahm und selbst - angeblich zu Demonstrationszwecken - zuschlug. In die gleiche Richtung weisen die verlesenen Aussagen des ehemaligen jüdischen Lagerarztes Dr. T., wonach jüdische Lagerinsassen wegen Nichtigkeiten mit Schlägen bestraft wurden (Vernehmung durch das Generalkonsulat in New York vom 14.Februar 1973).

Zeuge einer brutalen Misshandlung war der ehemalige Ib-Offizier Bl. Nach dessen Wahrnehmungen musste ein jüdischer Junge im Lager solange Kniebeugen ausführen, bis er zusammenbrach (Aussage vom 14.Dezember 1972). Danach wurde das Kind mit Wasser begossen und gezwungen, die Kniebeugen fortzusetzen. Dem Zeugen Bl. gelang es, den Jungen seiner Mutter zurückzugeben.

Nach der im Spätsommer oder Frühherbst 1941 erfolgten Verlegung der Juden in die Nähe der Bahnstation Kochanowka kam es in dem Teil des dortigen Lagers, der Z-Lager war und die auf den Baustellen eingesetzten Arbeiter betraf, zu einer Tötungswelle, der eine nicht feststellbare grössere Zahl jüdischer Zwangsarbeiter zum Opfer fiel. Glaubhaft wird von mehreren Insassen des benachbarten A-Lagers bekundet, dass in dem Z-Lager laufend getötet wurde, und zwar durch den Lagerführer Kops, dessen Stellvertreter Kleindienst, der von den jüdischen Arbeitern "Hopp hopp" bezeichnet wurde, sowie durch die Aufseher Hamann und Harke. Das ergibt sich aus den Aussagen der jüdischen Zeugen Bla., Dri., Grü., Ignaz Men., Jakob Sch. und Wiz. (vom 3., 4., 12. und 8.Januar 1973 und vom 12.Dezember 1972) und aus den verlesenen Bekundungen des verstorbenen israelischen Zeugen Wal. (polizeiliche Vernehmung vom 10.August 1961 in den Beiakten der Staatsanwaltschaft Dortmund Band II Umschlag Bl.44). Der Zeuge Grü. erwähnt in diesem Zusammenhang, dass er vom A-Lager aus tagtäglich derartige Tötungen beobachtet hat.

Dass in dem Z-Lager in einem erheblichen Umfange jüdische Zwangsarbeiter getötet wurden, ist darüber hinaus auch von dem damals für das Lager verantwortlichen Lagerführer Kops bei dessen verlesener Beschuldigtenvernehmung eingeräumt worden (Vernehmungen durch den Staatsanwalt vom 30.Oktober und 4.November 1963). Nach den insoweit glaubhaften Angaben von Kops soll dessen Stellvertreter Kleindienst wiederholt Juden erhängt haben. Den ersten Fall einer derartigen Tötung will Kops der Kommandantur gemeldet haben, wo ihm erklärt worden sei, er solle sich da heraushalten. Der Lagerführer Kops gibt weiter zu, dass er im Karzer einen Juden, der angeblich um sich schlug, mit der Pistole erschossen habe. Soweit Kops behauptet, nur dieses einzige Mal einen Lagerinsassen getötet zu haben, wird seine Darstellung aufgrund des Ergebnisses der Beweisaufnahme für unglaubwürdig gehalten. Während eines gegen ihn anhängigen Ermittlungsverfahrens wegen Mordes hat der ehemalige Lagerführer Kops am 7.September 1964 in der Untersuchungshaft Selbstmord begangen.

Im einzelnen hat sich über die Tötungen im Z-Lager folgendes ergeben:

Durch den Lagerführer Kops wurden häufig Juden an Baumstämme angebunden, wo sie stehen mussten, bis sie einen Sonnenstich bekamen. Kops schlug sodann die Opfer so lange bis sie starben. Im Frühjahr 1942 warf Kops einen Juden zu Boden, drückte dessen Kopf in eine Wasserpfütze und hielt diesen mit dem Fuss solange niedergedrückt, bis das Opfer erstickte. Wiederholt hat Kops gemeinsam mit seinem Stellvertreter Kleindienst mit Unterstützung anderer SS-Leute Juden in einer besonderen Baracke des Z-Lagers erhenkt. Viele jüdische Zwangsarbeiter wurden von Kleindienst durch Bajonettstiche im Hals getötet.

Die Feststellungen über einzelne Tötungshandlungen beruhen auf den verlesenen Bekundungen des verstorbenen israelischen Zeugen Wal., der die Tötungen vom A-Lager aus beobachtet hat oder die Leichen in die Totenkammer bringen musste (polizeiliche Vernehmung in Israel vom 10.August 1961; Beiakten der Staatsanwaltschaft Dortmund Band II Bl.44). Bedeutsam ist weiter die Aussage des Zeugen Jakob Sch., wonach Kleindienst, der Stellvertreter des Lagerführers, einen Strick zum Aufhängen von Juden in der Tasche mit sich führte.

Opfer der Tötungswelle wurden auch, wie den Aussagen des Zeugen Wiz. zu entnehmen ist, die während der Arbeitszeit im Lager zurückgebliebenen körperlich völlig geschwächten Juden, die als "Muselmänner" bezeichnet wurden (Vernehmung in dem Hauptverhandlungstermin am 12.Dezember 1972). Diese wurden mit dem Hals an Pritschen festgebunden und nach Schlägen erwürgt. Art und Umfang der Tötungen ergeben sich auch aus den Aussagen einiger jüdischer und eines polnischen Zeugen, die von dem Z-Lager aus Leichen auf den Verbrennungshügel (Höhe 218) bringen mussten. Dass derartige Transporte durch von Kleindienst unc Hacke [112] hierzu bestimmte Juden ausgeführt wurden, ist den verlesenen Aussagen des kommissarisch vernommenen Zeugen Hor. (vom 6.Februar 1973) zu entnehmen. An dem Abfahren der Leichen haben, ihren Bekundungen zufolge, die Zeugen Ignaz Men. und Wiz. teilgenommen (Aussagen vom 8.Januar 1973 und 12.Dezember 1972). Der Zeuge Men. erinnert sich, dass alle 2 Tage bis zu 10 Tote fortgeschafft wurden. Hierbei hat es sich um Erschossene, Erhängte und Erschlagene gehandelt. Der Zeuge Wiz. musste als der Fahrbereitschaft zugewiesener jüdischer Arbeiter mit einem Schlepper wiederholt die Leichen abfahren. Einzelne Fahrten umfassten bis zu etwa 30 bis 35 Tote. Die Leichen wiesen, soweit dem Zeugen bekannt, Schussverletzungen auf. Vor dem Aufladen wurden die auf dem Boden liegenden Leichen, wie von dem Zeugen Wiz. bekundet, verschiedentlich von Kops fotografiert. Bei seiner Beschuldigtenvernehmung hat der Lagerführer Kops die Möglichkeit eingeräumt, dass er einmal ein Bild von den Toten aufgenommen habe.

Zu dem Abfahren der Toten wurde zweimal auch der polnische Zeuge Ko. herangezogen (Aussagen vom 24. und 27.August 1973). Mit einem Pferdefuhrwerk musste er die Leichen von einem Schuppen im Judenlager bei der Bahnstation auf den Verbrennungshügel fahren. Bei einer dieser Fahrten wurden, wie von dem Zeugen Ko. bekundet, zwei den Transport begleitende Juden von Posten erschossen, weil sie angeblich nicht richtig arbeiteten, als das Fuhrwerk auf dem Wege im Sand steckenblieb.

Nach der im Spätsommer oder Frühherbst 1942 erfolgten sogenannten Aussiedlung des Judenlagers und der Verlegung der zurückgebliebenen Juden in das ehemalige Kriegsgefangenenlager sind nach dem Ergebnis der Beweisaufnahme Misshandlungen und Tötungen im Lagerbereich nur ausnahmsweise vorgekommen. Den verlesenen Aussagen des Zeugen Wal. ist zu entnehmen, dass in diesem Lager ein jüdischer Arbeiter durch einen Aufseher erhenkt wurde (polizeiliche Vernehmung vom 10.August 1961 in den Beiakten der Staatsanwaltschaft Dortmund Band II Umschlag Bl.44). Im übrigen erwähnen die ehemaligen Insassen im Zusammenhang mit diesem Lager keine Tötungen oder Misshandlungen. Bei diesen Zeugen handelt es sich um Juden, die als Handwerker und sonstige Fachkräfte benötigt wurden und zuvor nicht in dem berüchtigten Z-Lager, sondern in dem A-Lager oder auch an anderen Stellen untergebracht waren. Diese Feststellungen beruhen auf den Aussagen der ehemaligen Lagerinsassen Bla., Dri., Eig., Kro., Ignaz Men., Dov Sch., Jakob Sch., Seb., Spi., Schi. und Wiz. und den verlesenen Bekundungen des kommissarisch vernommenen Zeugen Schä., der als Handwerker für die SS dienstverpflichtet war (Vernehmungen in den Hauptverhandlungsterminen am 3., 4., 11., 5., 8., 9., 8., 12. und 9.Januar 1973 und 12.Dezember 1972 sowie kommissarische Vernehmung vom 23.Oktober 1973).

[112] Gemeint ist wohl: Harke.

5.) Die Behandlung der Juden bei der Arbeit; Tötungen und Misshandlungen

a) Der Arbeitseinsatz für die Kommandantur, Standortverwaltung, Bauleitung, Nachrichteneinheit sowie im Industriehof

Für die auf dem Truppenübungsplatz befindlichen Juden bestanden insgesamt sehr unterschiedliche Arbeitsbedingungen. Im Vergleich zu den auf den Baustellen eingesetzten Arbeitern waren die Verhältnisse der der Kommandantur, Standortverwaltung, Bauleitung und Nachrichteneinheit zugewiesenen Juden verhältnismässig erheblich besser. In diesen Bereichen wurden den Arbeitern keine derart schweren körperlichen Leistungen wie auf den Baustellen abgefordert. Aus diesem Grunde und wegen der im allgemeinen menschlicheren Behandlung hatten die für die genannten SS-Dienststellen tätigen Juden erheblich bessere Überlebenschancen. Das ergibt sich auch daraus, dass es sich bei den in dem Verfahren vernommenen jüdischen Zeugen ausnahmslos um solche handelt, die ganz überwiegend für die Kommandantur, die erwähnten Verwaltungsstellen und die Nachrichteneinheit und nur eine verhältnismässig geringere Zeit auf den Baustellen gearbeitet haben.

SS-Offiziere der Kommandantur, der Standortverwaltung, der Bauleitung und der Nachrichteneinheit setzten sich dafür ein, dass es in ihrem Zuständigkeitsbereich nicht zu Ausschreitungen gegen Juden kam und diese den Umständen entsprechend menschlich behandelt wurden. Wiederholt wird in diesem Zusammenhang von jüdischen Zeugen das Verhalten des Leiters der Unterkunftsverwaltung, des SS-Hauptsturmführers Ger. hervorgehoben, der sich sehr um die ihm zugeteilten jüdischen Arbeitskräfte bemüht und diese später teilweise auch vor der sogenannten Aussiedlung bewahrt haben soll. Insoweit wird auf die Aussagen der israelischen Zeugen Bla., Dri., Eig., Jakob Sch., Seb. und Spi. hingewiesen (Vernehmungen am 3., 4., 11., 8. und 12.Januar 1973). In ähnlicher Weise wurden der Hauptsturmführer Th. von der Nachrichteneinheit und der Untersturmführer Asc. von der Bauleitung von den ehemaligen jüdischen Lagerinsassen Bla. und Seb. bzw. Ignaz Men. positiv beurteilt (Aussagen vom 3., 12. und 8.Januar 1973). Zwar ist es auch gegenüber den bei der Kommandanturverwaltung, Standortverwaltung, Bauleitung und Nachrichteneinheit tätigen Juden zu Gewalttaten gekommen. Das geschah jedoch in einem vergleichsweise geringerem Masse, wobei es sich um Exzesstaten aussenstehender oder untergebener SS-Leute handelte, die zumeist ohne Wissen und gegen den Willen der zuständigen SS-Offiziere begangen wurden. So sind, den glaubhaften Bekundungen des Zeugen Schu. zufolge, vom SS-Personal des Pferdestalls der Kommandantur dort beschäftigte Juden geschlagen worden (Vernehmung in dem Hauptverhandlungstermin am 28.Februar 1973). Der Zeuge Spi. hat während seiner Tätigkeit in der im Kommandanturbereich gelegenen Wäscherei zwei- oder dreimal Schüsse wahrgenommen und später gesprächsweise gehört, dass ein Jude erschossen worden sei (Aussage vom 12.Januar 1973).

Nach den verlesenen Aussagen des verstorbenen Zeugen Naftali Schi. (vom 19.Januar 1971 Bd.XV Umschlag nach Bl.164) ist weiter davon auszugehen, dass bei den Arbeiten des "Jüdischen Nachrichtenbau-Kommandos" ein Jude, der nach vorher eingeholter Erlaubnis sich zum Wassertrinken entfernte, von einem Wachposten durch zwei Schüsse getötet wurde. Der Chef der Nachrichteneinheit, der Hauptsturmführer Th., hat daraufhin, der gleichen Aussage zufolge, die Bewachung der für die Nachrichteneinheit tätigen Juden unterbunden. Dass ein Angehöriger dieses Kommandos erschossen worden ist, wird auch von dem Zeugen Th. bestätigt (Vernehmung vom 11.Dezember 1972). Demnach soll der Vorgang der Kommandantur gemeldet und gegen den betreffenden Posten ein Kriegsgerichtsverfahren durchgeführt worden sein, dessen Ausgang dem Zeugen nicht bekannt ist.

Vor der etwa im April 1941 erfolgten Übernahme der Nachrichteneinheit durch den Hauptsturmführer Th. sind Angehörige des "Jüdischen Nachrichtenbau-Kommandos" von SS-Leuten der Nachrichteneinheit geschlagen worden. Nach dem sofortigen Verbot durch Th. ist es dann kaum noch zu Misshandlungen von sogenannten Nachrichtenjuden gekommen. Die entsprechenden glaubhaften Aussagen des Zeugen Th. vom 11.Dezember 1972 werden durch die ehemaligen Angehörigen des "Jüdischen Nachrichtenbau-Kommandos" Bla. und Seb. bestätigt, wonach die für den Telefonbau eingesetzten Juden nur wenig oder nicht geschlagen wurden (Vernehmungen vom 3. und 12.Januar 1973).

Neben den besseren Arbeitsbedingungen hatten die für die Kommandanturverwaltung, Standortverwaltung, Bauleitung und die Nachrichteneinheit tätigen Juden im Vergleich zu den auf den Baustellen eingesetzten jüdischen Arbeitern verschiedene Vergünstigungen. Diese bestanden nicht nur, wie bereits erörtert (siehe oben Seite 32 [113]), in der Gewährung von Urlaub und in der teilweise besseren Verpflegung (siehe oben Seite 31 [114]), sondern auch in einer begrenzten Bewegungsfreiheit im Platzbereich.

Die für die genannten SS-Dienststellen und die Nachrichteneinheit eingesetzten Juden konnten ohne Bewachung zur Arbeit gehen und wurden auch während der Arbeit nicht bewacht. Das ist den übereinstimmenden Aussagen der jüdischen Zeugen Bla., Ha. und Seb. und der ehemaligen SS-Angehörigen Asc., Fre. und Th. zu entnehmen (Vernehmungen in den Hauptverhandlungsterminen am 3., 18. und 12.Januar 1973, am 23.März 1973 sowie am 5. und 11.Dezember 1972). Teilweise gab es, wie von den Zeugen Eig. und Ha. bekundet, Ausweise, die die freie Bewegung in bestimmten Platzbereichen gewährleisteten (Vernehmungen vom 11. und 18.Januar 1973).
Im Juni 1941 wurden im Zusammenhang mit dem Angriff deutscher Truppen auf die Sowjetunion alle jüdischen Arbeiter vorübergehend unter strenge Bewachung gestellt. Das ergibt sich aus den übereinstimmenden Aussagen der Zeugen Eig., Kro., Seb. und Th. (vom 11., 5. und 12.Januar 1973 und 11.Dezember 1972). Nach der im Spätsommer oder Frühherbst 1942 erfolgten sogenannten Aussiedlung des Judenlagers und der Verlegung der zurückgebliebenen Juden in das ehemalige Kriegsgefangenenlager wurde die bisher gewährte begrenzte Bewegungsfreiheit, den Zeugenaussagen Bla., Dri. und Kau. zufolge, aufgehoben (Vernehmungen in den Hauptverhandlungsterminen am 3., 4. und 19.Januar 1973).

Die bei der Kommandanturverwaltung, der Bauleitung, der Standortverwaltung und der Nachrichteneinheit arbeitenden Juden waren auch deshalb bessergestellt, weil sie in dem A-Lager und teilweise auch ausserhalb eines Lagers wohnen durften (siehe oben Seite 44 [115]) und damit den schweren Misshandlungen und den Tötungen, zu denen es im Z-Lager kam, nicht ausgesetzt waren (siehe oben Seite 57-61 [116]).

Wegen der erörterten Vergünstigungen und ihrer Besserstellung bei der Arbeit wurden die bei der Kommandanturverwaltung und anderen SS-Stellen beschäftigten Juden, wie von dem Zeugen Ha. bekundet, von anderen auf dem Truppenübungsplatz befindlichen Juden als "Aristokraten" bezeichnet. Ausserdem war das Wort "Kommandanturjuden" in Gebrauch (vgl. verlesene Vernehmung des Zeugen Ehf. durch den ersuchten Richter in Israel am 12.März 1973).

Im Bereich der Kommandanturverwaltung, der Bauleitung und der Standortverwaltung waren jüdische Arbeiter für sehr unterschiedliche Aufgaben eingesetzt. So hatten die Zeugen Blas., Eig. und Samuel Men., kurze Zeit auch der Zeuge Ignaz Men., Magazinarbeiten auszufüh-

[113] = Seite 332 dieses Bandes.

[114] = Seite 332 dieses Bandes.

[115] = Seite 337 dieses Bandes.

[116] = Seite 343-345 dieses Bandes.

ren. Im Pferdestall der Kommandantur arbeiteten zeitweise die Zeugen Ehf., Eig., Dov Sch., Jakob Sch. und Schu., während die Zeugen Jakob Sch., Samuel Men. und Wei. auch zur Müllabfuhr herangezogen wurden und der Zeuge Dov Sch. mit einem Pferdefuhrwerk Fahrten vorzunehmen hatte. Als Dolmetscher für die polnische Sprache war zeitweise der Zeuge Blas. tätig. Mit 5 bis 6 weiteren Juden war der Zeuge Wiz. der Fahrbereitschaft der Kommandantur zugewiesen. In der Entlausungsstelle war der Zeuge Kau. beschäftigt. Die Zeugen Salomon Schi. und Spi. arbeiteten in der Wäscherei. Im Offizierskasino der Kommandantur war der Zeuge Now. für die Heizung und Warmwasserversorgung verantwortlich, der dort weiter als Pikkolo servieren und Schuhe putzen musste. Der Zeuge Dri. befand sich in der Kantinenverwaltung und der Zeuge Kro. in der Kantine der Bauleitung, in deren Verwaltung längere Zeit der Zeuge Ignaz Men. arbeitete, während der Zeuge Grü. im dortigen Pferdestall beschäftigt war. Diese Feststellungen beruhen auf den Aussagen der betreffenden Zeugen, und zwar von Dri. (vom 4.Januar 1973), Eig. (vom 4.Januar 1973), Grü. (vom 12.Januar 1973), Kau. (vom 19.Januar 1973), Kro. (vom 5.Januar 1973), Ignaz Men. (vom 8.Januar 1973), Samuel Men. (vom 15.Januar 1973), Dov Sch. (vom 9.Januar 1973), Jakob Sch. (vom 8.Januar 1973), Salomon Schi. (vom 9.Januar 1973), Schu. (vom 28.Februar 1973), Spi. (vom 12.Januar 1973) und Wiz. (vom 12.Dezember 1972) sowie auf den Bekundungen der im Wege der Rechtshilfe in Israel vernommenen Zeugen Blas., Ehf., Now. und Wei. (verlesene Protokolle vom 7., 12. und 13.März 1973).

Bei der sogenannten Aussiedlung des Judenlagers im Spätsommer oder Frühherbst 1942 blieb von den für die Kommandanturverwaltung, Bauleitung, Standortverwaltung und Nachrichteneinheit beschäftigt gewesenen Juden zumindest ein grosser Teil auf dem Truppenübungsplatz zurück. Das ergibt sich aus den Aussagen der Zeugen Kro., Jakob Sch., Seb., Spi. und Wiz. Diese Juden wurden zunächst zum Aufbau eines Industriehofs eingesetzt, in dem verschiedene teilweise dorthin verlegte Werkstätten zusammengefasst waren. Die für den Industriehof erforderlichen Baracken waren von den jüdischen Arbeitern aufzustellen. Von der Bahnstation Kochanowka aus mussten, entsprechend den Bekundungen des Zeugen Jakob Sch. (vom 8.Januar 1973), unter harten Arbeitsbedingungen die Barackenteile zu der etwa 2 km entfernten Baustelle getragen werden. Ausserdem waren Bauteile in das benachbarte Polenlager zu bringen, wobei es, dem Zeugen Seb. zufolge, zu Misshandlungen durch die ukrainischen Wachmannschaften gekommen ist, die von dem Lagerkommandanten Schittli verboten wurden und ein Strafexerzieren zur Folge hatten (Aussagen vom 12.Januar 1973).

Nach Fertigstellung der in dem neuen Industriehof errichteten Werkstätten - ein anderer Industriehof hat sich in dem sogenannten Ring V oder in dessen Nähe bei der Bahnstation befunden - wurden die Juden für unterschiedliche Handwerksarbeiten eingesetzt, die in den dortigen Werkstätten auszuführen waren. Ihren glaubhaften Bekundungen zufolge waren die Zeugen Bla., Kau. und Jakob Sch. in den Schusterwerkstätten tätig (Vernehmungen vom 3., 12. und 8.Januar 1973), während der Zeuge Salomon Schi., teilweise auch der Zeuge Kau., als Schneider zu arbeiten hatten (Vernehmungen vom 9. und 19.Januar 1973). In der Schlosserei und in der Installateurwerkstatt war der Zeuge Spi. beschäftigt (Aussage vom 12.Januar 1973). Sattlerarbeiten hatte der Zeuge Ehf. auszuüben (verlesene Vernehmung vor dem ersuchten Richter in Israel vom 12.März 1973).

Von dem Aufbau des Industriehofs und von Arbeiten im ehemaligen Kriegsgefangenenlager abgesehen, wurden jüdische Arbeiter nach der Aussiedlungsaktion im Spätsommer oder Frühherbst 1942 nicht mehr auf Baustellen eingesetzt. Das gilt sowohl für Baustellen von Firmen als auch für solche Bauvorhaben, die, wie z.B. Schiessstände, von der Waffen-SS unmittelbar ausgeführt wurden. Den Bekundungen des Zeugen Ehf., wonach bis etwa 1943 jüdische Arbeitskolonnen am Schiessstand Kochanowka und auch sonst ausserhalb des Lagers gearbeitet haben sollen, vermag sich das Gericht nach dem Ergebnis der Beweisaufnahme nicht anzuschliessen (Vernehmung durch den ersuchten israelischen Richter vom 12.März 1973).

Durch eine Reihe jüdischer und polnischer Zeugen sind die Angaben des Zeugen Ehf. als widerlegt anzusehen. Die auf dem Truppenübungsplatz verbliebenen Juden waren, wie den Aussagen der Zeugen Bla., Kau., Kro., Jakob Sch., Schi., Seb., Spi. und Wiz. zu entnehmen ist, ausschliesslich für den Aufbau des Industriehofs eingesetzt und zu Handwerkerarbeiten herangezogen. Dass Juden nach der Aussiedlung auf Baustellen ausserhalb des Lagers und des Industriehofs nicht mehr beschäftigt wurden, wird auch von ehemaligen polnischen Zwangsarbeitern bestätigt. Übereinstimmend bekunden die im Herbst 1942 in das Lager deportierten Zeugen Ada. und Szu., dass Juden als Facharbeiter eingesetzt wurden (Aussagen vom 18. und 19.Juni 1973). In die gleiche Richtung weist die Aussage des im September 1943 auf den Truppenübungsplatz verschleppten Zeugen Paz., wonach es keine jüdischen Arbeitskommandos gegeben hat (Vernehmung vom 26.März 1973). Weiter ergibt sich aus den Bekundungen der Zeugen Ada., Ge., Pie., Pok. und Urb., dass auf den ihnen bekannten Baustellen im Gelände neben den polnischen Zwangsarbeitern keine Juden mehr gearbeitet haben (Vernehmung vom 18.Juni 1973, verlesene Aussage vor dem ersuchten Richter in Warschau vom 27.Juni 1973, Vernehmung in dem Hauptverhandlungstermin am 10.September 1973 sowie verlesene Aussagen vor dem ersuchten Richter in Rzeszow vom 2. und 3.Juli 1973). Die Zeugen Ada., Pie. und Urb. erwähnen in diesem Zusammenhang ausschliesslich den Schiessstand Kochanowka.

b) Der Arbeitseinsatz auf den Baustellen der Firmen und der Waffen-SS

aa) Allgemeines

Für die auf den Baustellen eingesetzten jüdischen Arbeiter bestanden besonders harte Lebens- und Arbeitsbedingungen. Das gilt sowohl für die Baustellen der Firmen als auch für die Bauvorhaben, die, wie z.B. der Schiessstand Kochanowka, die Waffen-SS unmittelbar ausführte. Erschöpft, entkräftet und ausgehungert musste eine besonders schwere körperliche Arbeit ausgeführt werden. Viele waren dieser nicht gewachsen und starben vor Erschöpfung. Ausserdem kam es an vielen Baustellen zu schweren Misshandlungen durch Wach- und Aufsichtspersonal der SS, durch deutsche Meister und Vorarbeiter und durch jüdische Kapos. Tötungen während der Arbeit waren bei manchen Firmen und auf Baustellen der Waffen-SS an der Tagesordnung. Aus diesen Gründen stand für die hier eingesetzte Mehrheit der jüdischen Arbeiter auf die Dauer kaum die Chance des Überlebens. Einer Reihe von ihnen gelang es, zur Kommandanturverwaltung, Bauleitung, Standortverwaltung oder Nachrichteneinheit überzuwechseln und wegen der in diesen Bereichen erheblich besseren Verhältnisse zu überleben (siehe oben Seiten 62 ff. [117]).

Durch Flucht konnten sich die jüdischen Arbeiter nicht der schweren Arbeit und den drohenden Tötungen oder Misshandlungen entziehen, da sie auf den Baustellen und während des Weges vom Lager zur Arbeit und auf dem Rückwege von SS-Leuten bewacht wurden. Diese Bewachung der Arbeitskolonnen bestand von vornherein und nicht erst während der späteren Zeit, als die auf den Baustellen arbeitenden Juden in dem Z-Lager untergebracht waren. Das ergibt sich aus den Bekundungen der jüdischen Zeugen Dri., Ignaz Men. und Wiz., die von der Halle im Kommandanturbereich und dem Lager im Ring I aus vorübergehend auf Baustellen eingesetzt waren und in diesem Zusammenhang übereinstimmend von Wachposten berichten (Vernehmungen vom 4. und 8.Januar 1973 sowie vom 12.Dezember 1972).

Der Darstellung des Angeklagten, er habe nicht den Eindruck gehabt, dass die jüdischen Baustellenarbeiter schwach und entkräftet gewesen seien (Erklärungen in der Hauptverhandlung am 10.September 1973), kann sich das Gericht aufgrund des Ergebnisses der Beweis-

[117] = Seite 346 dieses Bandes.

aufnahme nicht anschliessen. Sowohl jüdische und polnische als auch deutsche Zeugen haben übereinstimmend bekundet, dass die Lebens- und Arbeitsbedingungen auf den Baustellen besonders hart, die Juden erschöpft und ausgehungert und den Anforderungen der schweren körperlichen Arbeit nicht gewachsen waren. Durch die entsprechenden Aussagen der jüdischen Zeugen Ehf., Jakob Sch. und Wiz., der polnischen Zeugen Dmu., Pie. und Stanislaw Mar. und des ehemaligen SS-Angehörigen Pa. sind die Angaben des Angeklagten zu diesem Punkt widerlegt (verlesenes Protokoll der Vernehmung durch den ersuchten Richter in Israel vom 12.März 1973 sowie Aussagen in den Hauptverhandlungsterminen am 8.Januar 1973, 12.Dezember 1972 und 10.September 1973, verlesenes Protokoll der Vernehmung vor dem ersuchten Richter in Polen am 21.September 1973 sowie Aussage in dem Hauptverhandlungstermin am 19.März 1973). Vielfach waren jüdische Arbeiter derart entkräftet und erschöpft, dass sie, wie von dem jüdischen Arzt Dr. T. und dem Zeugen Hor. bekundet, deshalb in das Krankenrevier aufgenommen werden mussten (verlesenes Protokoll der Vernehmung durch das ersuchte Generalkonsulat in New York vom 14.Februar 1973 und verlesene kommissarische Vernehmung vom 6.Februar 1973). Das Gericht ist der Überzeugung, dass der Angeklagte - entgegen seiner Darstellung - bei der Aufsicht von Baustellen gesehen hat, dass die dort eingesetzten jüdischen Arbeiter schwach und entkräftet waren.

Dass bei der schweren körperlichen Arbeit Juden vor Schwäche und Erschöpfung zusammenbrachen, ist weiter den Bekundungen der ehemaligen SS-Angehörigen Pa. und May. zu entnehmen (Vernehmungen in dem Hauptverhandlungstermin am 19.März 1973 und vor dem ersuchten Richter in Österreich am 26.Februar 1973). Der Zeuge Pa. hatte als Angehöriger des Baubataillons Juden auf Baustellen zu bewachen, wobei es, seiner Aussage zufolge, vorgekommen ist, dass Juden vor Schwäche und Entkräftung zusammenbrachen und nach dem Ende der Arbeit auf Tragen in das Lager gebracht wurden. Ebenso will der Zeuge May. beobachtet haben, dass Juden bei der Arbeit zusammenbrachen und dann weggetragen wurden. Derartige Arbeitskommandos, die entkräftete Juden in das Lager zurücktrugen, sind weiter von dem ehemaligen SS-Angehörigen Pur. gesehen worden (kommissarische Vernehmung vom 9.April 1973). Entsprechend den Bekundungen des jüdischen Zeugen Wiz. ist darüber hinaus davon auszugehen, dass vor Schwäche und Erschöpfung zusammengebrochene Juden verstorben sind (Vernehmung in dem Hauptverhandlungstermin am 12.Dezember 1972).

bb) Die Misshandlungen beim Arbeitseinsatz

In einem erheblichen Ausmass sind jüdische Arbeiter auf vielen Baustellen geschlagen und misshandelt worden. Das gilt insbesondere für Arbeitskommandos der im Strassenbau tätigen Firma Krause, der mit dem Aufstellen von Baracken und dem Ausheben von Entwässerungsgräben beschäftigten Arbeitskolonnen, das sogenannte Waldkommando, das die Waldrodearbeiten in den Unterkunftsringen auszuführen hatte, und für den Bau des Schiessstands Kochanowka.

Dass es im allgemeinen auf Baustellen in einem grossen Umfange zu Misshandlungen gekommen ist, wird übereinstimmend in glaubhafter Weise sowohl von jüdischen und polnischen als auch von deutschen Zeugen bekundet. Entsprechende Wahrnehmungen der jüdischen Zeugen Bla., Ha. und Wiz. werden besonders von dem ehemaligen SS-Offizier Th. bestätigt (Aussagen vom 3. und 18.Januar 1973 sowie vom 12. und 11.Dezember 1972). Dieser war als Chef der Nachrichteneinheit häufig in den verschiedensten Gegenden des Platzbereichs unterwegs und sah, seinen Bekundungen entsprechend, häufig, dass auf Baustellen Juden geschlagen und misshandelt wurden. Ebenso hat die polnische Zeugin Sab., die in der Abteilung Ib der Kommandantur Sekretärin und für die Betreuung der polnischen Arbeiter verantwortlich war, bei ihren zahlreichen Wegen im Platzbereich das Schlagen jüdischer Arbeiter auf Baustellen beobachtet.

Das Misshandeln von Juden auf den Baustellen bezeugen weiter die Zeugen And., Hol. und Pa., die zum Bewachen von Arbeitskolonnen eingesetzt waren (Zeugenaussagen vom 2.Februar 1973, 5.Dezember 1972 und 19.März 1973). Der Zeuge S., ein ehemaliger Angehöriger des Baubataillons, räumt die Möglichkeit ein, derartige Misshandlungen gesehen zu haben (Aussage vom 20.März 1973). Nicht selbst wahrgenommen, aber gehört haben die Zeugen Bl. und Sche., der als SS-Mann in einer Ausbildungseinheit zweimal jüdische Arbeitskommandos zu bewachen hatte, dass auf den Baustellen arbeitende Juden misshandelt worden sind (Vernehmungen vom 14.Dezember 1972 und 2.Februar 1973).

Von besonderer Bedeutung ist die glaubhafte Aussage des ehemaligen Ib-Offiziers Bl. über die Existenz eines Kommandanturbefehls, wonach Posten mit Knüppeln ausgerüstet werden sollten (Aussage vom 14.Dezember 1972). Zwar hat der damalige Kommandant, der SS--Oberführer von Schele auf die Vorstellungen des Zeugen Bl. hin die Anordnung bereits nach etwa 2 Tagen zurückgenommen. Dass ein derartiger Befehl überhaupt ergehen konnte, ist jedoch bezeichnend für die Einstellung gegenüber den auf den Baustellen tätigen jüdischen Arbeitern.

Nach den Aussagen des ehemaligen Wachmanns Pa., der dem Baubataillon angehörte und vom Juni 1941 bis Anfang 1943 auf dem Truppenübungsplatz war, hat allgemein ein Verbot bestanden, die zu bewachenden Juden zu schlagen (Vernehmung vom 19.März 1973). Der gleichen Zeugenaussage zufolge kam es jedoch trotzdem zu Misshandlungen. Dass etwaige entsprechende Verbote nicht beachtet wurden, ist weiter den Bekundungen des Zeugen Bl. zu entnehmen (vom 14.Dezember 1972). Dieser hat ausgesagt, der ihm damals als Ib-Offizier unterstellte SS-Hauptsturmführer Albrecht habe Polen sehr oft Kinnhaken versetzt. Alle seine, des Zeugen, Verbote seien da nutzlos gewesen.

An dem Schlagen von Juden beteiligten sich teilweise die SS-Wachmannschaften. Das war insbesondere in dem sogenannten Waldkommando, das für die Unterkunftsringe den Wald zu roden hatte, und bei dem Bau des Schiessstands Kochanowka der Fall. Über Misshandlungen an diesen Baustellen durch SS-Bewacher haben die israelischen Zeugen Bla., Eig., Kro., Ignaz Men., Samuel Men., Salomon Schi., Schu. und Seb. sowie die polnischen Zeugen Dmu. und Pok. übereinstimmend berichtet (Vernehmungen in den Hauptverhandlungsterminen am 3., 11., 5., 8., 15. und 9.Januar 1973, 28.Februar 1973, 12.Januar 1973 und 10.September 1973 sowie verlesene Aussage vor dem ersuchten Richter in Polen vom 2.Juli 1973). Die Bekundungen dieser Zeugen werden durch die im jüdischen Krankenrevier beschäftigt gewesenen Zeugen Ha., Hor. und Kro. bekräftigt. Demnach sind von den Baustellen im Walde und am Schiessstand Kochanowka Verletzte in das Krankenrevier gebracht worden (Vernehmung vom 18.Januar 1973, verlesene Aussage vor dem beauftragten Richter vom 6.Februar 1973 sowie Vernehmung vom 5.Januar 1973).

Im Waldkommando und am Schiessstand Kochanowka wurden, entsprechend den Zeugenaussagen Eig., Dmu., Ignaz Men., Pok. und Seb., die jüdischen Arbeiter mit Peitschen, Holzknüppel und Ästen geschlagen. Auf der Baustelle am Schiessstand Kochanowka war, wie den Bekundungen des Zeugen Pok. zu entnehmen ist, ein SS-Angehöriger besonders als Schläger gefürchtet, den polnische Arbeiter - ins Deutsche übersetzt - den "Schwarzen" nannten.

Neben der Gefahr, misshandelt zu werden, bestanden im Waldkommando und am Schiessstand Kochanowka besonders harte Arbeitsbedingungen. Bei dem Baumfällen kam es vor, dass, wie von dem Zeugen Seb. am 12.Januar 1973 bekundet, zur gleichen Zeit Bäume aus verschiedenen Richtungen niederfielen und Leben und Gesundheit der Arbeitenden gefährdeten. Baumwurzeln waren zu roden und mit der Hand herauszuziehen. Das ist den Aussagen der Zeugen Dmu., Schu. und Seb. zu entnehmen (Vernehmungen in den Hauptverhandlungsterminen am 10.September, 28.Februar und 12.Januar 1973). Besonders gefürchtet war das Ausführen des wiederholt erteilten schikanösen Befehls, aus kreuz und quer übereinanderliegenden gefällten Bäumen zuerst den untersten Baumstamm herauszuziehen. Dass derartige Befehle gegeben wurden und befolgt werden mussten, haben übereinstimmend die jüdischen Zeugen Eig. und Schi. sowie der polnische Zeuge Pie. bekundet (Vernehmungen vom 11. und 9.Januar und 10.September 1973). In den Waldkommandos gab es, wie von den Zeugen Ignaz Men. und Spi. angegeben wird, als Vorarbeiter Juden und Polen (Aussagen vom 8. und 12.Januar 1973). Den Bekundungen des israelischen Zeugen Ignaz Men. zufolge, der vorübergehend selbst Vorarbeiter war, kamen die Weisungen von den polnischen Vorarbeitern, während die jüdischen Vorarbeiter eine untergeordnete und mehr fiktive Stellung hatten.

Zu Misshandlungen bei der Arbeit kam es weiter bei jüdischen Arbeitskommandos, die auf Baustellen der Firmen arbeiteten. Nach der Aussage des Zeugen Samuel Men. befanden sich unter den Meistern und Vorarbeitern von Firmen Schläger (Vernehmung vom 15.Januar 1973).

Wegen der Misshandlungen war, den Bekundungen des jüdischen Zeugen Wiz. zufolge, die im Strassenbau eingesetzte Firma Krause - von der Ausnahme eines Arbeitskommandos abgesehen - besonders berüchtigt (Aussage vom 12.Dezember 1972). Der Zeuge hat bei der Firma Krause auf verschiedenen Baustellen gearbeitet und das Schlagen der jüdischen Arbeiter selbst gesehen. Dass auf Strassenbaustellen Juden misshandelt wurden, ist auch von dem ehemaligen Chef der SS-Nachrichteneinheit, dem Zeugen Th., beobachtet worden (Aussage vom 11.Dezember 1972). Die Aussagen der Zeugen Th. und Wiz. werden durch die Mitarbeiter des jüdischen Krankenreviers Hor. und Kro. bekräftigt. Demnach haben dort eingelieferte Verletzte erzählt, dass sie auf Baustellen der Firma Krause geschlagen worden seien (verlesene kommissarische Vernehmung vom 6.Februar 1973 und Aussage in dem Hauptverhandlungstermin am 5.Januar 1973).

Schläge bei der Arbeit sind weiter von dem im Strassen- und Barackenbau beschäftigt gewesenen jüdischen Zeugen Schu. bekundet worden (Aussage vom 28.Februar 1973). Misshandlungen bei der Arbeit hat ausserdem der Zeuge Pa. wahrgenommen, als dieser jüdische Arbeitskommandos bei der Anlage von Entwässerungsgräben zu bewachen hatte (Aussage vom 19.März 1973).

Auf den Baustellen wurden jüdische Arbeiter teilweise auch durch Kapos geschlagen. Von entsprechenden Beobachtungen bei ihrem Wacheinsatz haben die Zeugen And. und Hol. berichtet (Aussagen vom 2.Februar 1973 und 5.Dezember 1972). Weiter hat der ehemalige SS-Angehörige Pan. bei Geländemärschen gesehen, dass Kapos auf jüdische Arbeiter einschlugen.

Die Misshandlungen bei den Arbeitskommandos waren teilweise so erheblich, dass die Verletzten häufig in das jüdische Krankenrevier eingeliefert werden mussten. Das haben die jüdischen Lagerärzte Dr. Scho. und Dr. T., der im Krankenrevier tätige jüdische Zahnarzt Ha. sowie die jüdischen Krankenpfleger Hor. und Kro. übereinstimmend bestätigt (verlesene Aussagen vor dem ersuchten Generalkonsulat in New York vom 14.Februar 1973, vor dem ersuchten Richter in Israel vom 7.März 1973, Vernehmung in der Hauptverhandlung am 18.Januar 1973, verlesene kommissarische Vernehmung vom 6.Februar 1973 sowie Vernehmung in der Hauptverhandlung am 5.Januar 1973).

Nach den verlesenen Aussagen des ehemaligen Lagerarztes Dr. T. waren die Schlagverletzungen mitunter so schwer, dass die Betroffenen am ganzen Körper blau geschlagen und viele Wunden aufgeplatzt waren. Über ähnliche Wahrnehmungen berichtet der frühere Krankenpfleger Hor. Demnach sahen manche geschlagene Juden wegen der vielen Blutergüsse derart schwarz aus, dass davon gesprochen wurde, sie seien "zum Neger geschlagen" worden. Misshandelte Juden sind vielfach an den Folgen ihrer Verletzungen verstorben. Von derartigen Todesfällen haben die Zeugen Dr. T. und Hor. berichtet (verlesene Vernehmungen durch das ersuchte Generalkonsulat in New York vom 14.Februar 1973 und durch den kommissarischen Richter vom 6.Februar 1973). Zwar kann sich der jüdische Arzt Dr. T., der während der ersten Zeit im Krankenrevier arbeitete, nicht daran erinnern, dass verletzte Juden dort starben. Diesem Zeugen ist jedoch bekannt, dass viele Misshandelte während des Transports in die Krankenhäuser Debica und Tarnow verstorben sind. Dass es unter den Verletzten auch im Krankenrevier des Lagers zu Todesfällen gekommen ist, wird von dem dort längere Zeit - vom Sommer 1940 bis zum Jahre 1943 - beschäftigt gewesenen Zeugen Hor. bekundet. Diese Aussage ist von besonderem Beweiswert, weil der Zeuge Totenscheine vom Krankenrevier in die Schreibstube des Kommandeurs des Truppenübungsplatzes bringen musste. Bei erschlagenen Juden führten diese als Todesursache "Herzschwäche" auf.

<u>cc) Die Tötungen bei dem Arbeitseinsatz</u>

Während der Arbeit sind Juden in grosser Zahl auf verschiedenen Baustellen getötet worden. Erschiessungen kamen vor allem im Waldkommando, das in den Ringen Bäume zu roden hatte, am Schiessstand Kochanowka und bei der Firma Krause vor, ereigneten sich aber auch bei anderen Firmen und an anderen Arbeitsstellen. Vielfach wurden Juden während der Arbeit auch totgeschlagen.

Das Erschiessen war auf vielen Baustellen üblich und ereignete sich oft. Das ergibt sich vor allem aus den Bekundungen des kommissarisch vernommenen deutschen Zeugen Schä., der als Handwerker auf den Truppenübungsplatz dienstverpflichtet worden war (verlesene Aussage vom 23.Oktober 1973). Dieser Zeuge hat Erschiessungen durch Posten - nicht durch Offiziere - häufig selbst beobachtet. Seiner Aussage zufolge kam es derart oft zu derartigen Tötungen, dass, wie sich der Zeuge ausdrückte, "man dort abgebrüht" wurde und später viele von den Judenerschiessungen keine Notiz mehr nahmen. Ebenso hat der israelische Zeuge Spi. bekundet, dass das Zurückbringen von Toten von den Baustellen eine alltägliche Sache war, die die Insassen des Judenlagers kaum noch bewegte (Aussage vom 12.Januar 1973).

Dass das Töten von Juden auf den Baustellen ein alltäglicher Vorgang war, ist auch den insoweit glaubhaften Angaben des ehemaligen Lagerleiters Kops zu entnehmen (Vernehmung durch den Staatsanwalt vom 30.Oktober 1963; Beiakten der Staatsanwaltschaft Dortmund VI Bl.41 bis 43). Demnach sind in das Z-Lager an der Bahnstation Kochanowka mehr oder weniger täglich Tote von den Baustellen zurückgebracht worden. Zunächst hat es sich um wenige Fälle gehandelt, in denen die Posten als Todesursache "Erschiessen auf der Flucht" angaben. Als sich bald die Zahl der Todesopfer steigerte, will sich Kops bei den Wachkommandos nicht mehr nach der Ursache der Tötungen erkundigt haben.

Die Toten wurden von den jüdischen Zwangsarbeitern auf selbsthergestellten provisorischen Tragbahren von der Arbeitsstelle in das Z-Lager getragen und zunächst in den dort befindlichen Leichenschuppen gelegt. Soweit sich der Lagerleiter Kops erinnert, brachten die Arbeitskommandos täglich bis zu fünf Tote in das Z-Lager nach Beendigung der Arbeit zurück. Von Judenerschiessungen auf Baustellen hat damals der Zeuge Fre. gehört, der in der 1.Kompanie des Wachbataillons einer der Zugführer und später Adjutant des Bataillonskommandeurs bzw. Bataillonsführers war (Aussage vom 5.Dezember 1972).

Nach dem Ergebnis der Beweisaufnahme ist bewiesen, dass zwischen der im Z-Lager erfolgten Kennzeichnung der jüdischen Zwangsarbeiter mit einer Rücken-Nr. (siehe oben Seite

50 [118]) und den Tötungen Zusammenhänge bestanden haben. Den Wachkommandos sind zumindest zeitweise und für einzelne Baustellen die Nummern derjenigen Juden angegeben worden, die zu töten waren. Zwar hat der ehemalige Lagerleiter Kops bei der verlesenen Beschuldigtenvernehmung angegeben, den Wachmannschaften seien zum Nachweis der Zahl der zu Bewachenden lediglich sogenannte Stärkezettel ausgehändigt worden, während es zu einer Bezeichnung oder Benennung zu Tötender nicht gekommen sei (Aussage vor dem Staatsanwalt vom 30.Oktober 1963, Beiakten der Staatsanwaltschaft Dortmund Band VI Bl.42). Diese Darstellung ist durch die gegenteiligen Aussagen des israelischen Zeugen Ignaz Men. und des kommissarisch vernommenen deutschen Zeugen Schä., der als Handwerker auf den Truppenübungsplatz dienstverpflichtet worden war, widerlegt (Vernehmungen in dem Hauptverhandlungstermin am 28.August 1973 und durch den kommissarischen Richter am 23.Oktober 1973). Der Zeuge Ignaz Men. hat vom A-Lager aus die Bezeichnung zu Tötender beobachtet. Von dem Zeugen Schä. ist im Vorbeifahren am Z-Lager bei der Bahnstation wahrgenommen worden, dass den Posten die zu tötenden Leute genannt worden sind. Ausserdem haben der Lagerleiter Kops und dessen Stellvertreter Kleindienst mit dem Zeugen Schä. über die Bezeichnung zu Tötender gesprochen.

Die Bekundungen der Zeugen Ignaz Men. und Schä. werden durch die Zeugen Ha. und Pie. bekräftigt (Aussagen vom 18.Januar und 10.September 1973). Dem jüdischen Zahnarzt Ha. wurde während des Aufenthalts auf dem Truppenübungsplatz von Wachposten erzählt, sie handelten bei den Erschiessungen an der Arbeitsstelle auf Befehl des Lagerleiters Kops, der die dort zu tötenden Zwangsarbeiter bezeichnet habe. Weiter will der polnische Zeuge Pie. gehört haben, dass die Opfer vorher bezeichnet worden sind.

Dass bestimmte jüdische Zwangsarbeiter von den Posten getötet werden mussten, ist insbesondere auch den Bekundungen des kommissarisch vernommenen Zeugen Hor. zu entnehmen (Vernehmung am 6.Februar 1973). Demnach haben sich SS-Leute an den damals im jüdischen Krankenrevier tätigen Zeugen gewandt. Bestimmte Zwangsarbeiter sollten in die Krankenstube gelegt werden, damit die betreffenden SS-Angehörigen diese nicht zu erschiessen brauchten. Aufgrund derartiger Gespräche wurden Juden vorübergehend im Krankenrevier untergebracht. Wegen der räumlichen Verhältnisse war das aber nicht in dem gewünschten Umfang möglich.

Die Tötungen auf den Baustellen beschränkten sich nicht auf die Zeit, in der - vom Sommer 1941 bis zur sogenannten Aussiedlung des Judenlagers im Spätsommer oder Frühherbst 1942 - die jüdischen Arbeiter bei der Bahnstation Kochanowka untergebracht waren und dort das Z-Lager bestand. Bereits im Jahre 1940 und während der ersten Jahreshälfte und des Sommers 1941 wurden in Arbeitskommandos tätige Juden erschossen oder erschlagen. Das ergibt sich aus den entsprechenden Aussagen der Zeugen Eig. und Wiz. sowie aus den verlesenen Bekundungen des verstorbenen jüdischen Lagerinsassen Wal. (Vernehmungen in den Hauptverhandlungsterminen am 11.Januar 1973 und 12.Dezember 1972 sowie polizeiliche Vernehmung in Israel vom 10.August 1961 in den Beiakten der Staatsanwaltschaft Dortmund Band II Umschlag Bl.44).

In einem besonders grossen Umfange wurden jüdische Arbeiter bei den Waldkommandos in den Unterkunftsringen und auf der Baustelle des Schiessstands Kochanowka getötet. Nach den Aussagen des Zeugen Schu. wurden bei dem Herausziehen von Baumwurzeln Juden, die bei der schweren Arbeit nicht mitkamen, zur Seite gestellt und erschossen (Vernehmung vom 28.Februar 1973). Bei den Waldrodearbeiten sind ausserdem, wie von dem Zeugen Eig. be-

[118] = Seite 340 dieses Bandes.

kundet, jüdische Arbeiter von Aufsehern mit Holzknüppeln totgeschlagen worden (Vernehmung vom 11.Januar 1973).

Erschiessungen durch Wachposten haben sich in einem grösseren Ausmass am Schiessstand Kochanowka ereignet. Das haben die Zeugen Bla., Pie. und Stanislaw Mar. ausgesagt (Vernehmungen in den Hauptverhandlungsterminen am 3.Januar und 10.September 1973 sowie durch den ersuchten Richter in Polen vom 21.September 1973).

Von einer Erschiessung auf dieser Baustelle hat der Zeuge Bor. gehört, der Adjutant des Kommandanten des Truppenübungsplatzes und später Führer des Wachbataillons war (Vernehmung vom 4.Dezember 1972). Vom Hörensagen, und zwar durch ein Gespräch im Offizierskasino, war auch dem ehemaligen zur Abteilung Ib gehörigen SS-Führer Ho. eine Tötung an dem Schiessstand bekannt geworden. Hierbei soll es sich um eine "Erschiessung auf der Flucht" gehandelt haben (Vernehmung in dem Hauptverhandlungstermin am 15.Dezember 1972).

Bei den Tötungen am Schiessstand Kochanowka wurde in vielen Fällen den Juden befohlen, sich zu entfernen. Die Opfer wurden sodann hinterrücks durch den Wachposten mit dem Karabiner erschossen. Erschiessungen dieser Art sind übereinstimmend von dem israelischen Zeugen Bla. und von dem polnischen Zeugen Pie. bekundet worden. Nach den Angaben von Pie. wurden die Betroffenen meist aufgefordert, einen Zweig oder etwas ähnliches zu holen. Im Falle des blossen Anschiessens haben die Posten das Opfer mit einem weiteren Schuss aus der Nähe getötet. Den Angaben des Zeugen Pie. zufolge, der seit Herbst oder Ende 1941 auf dem Schiessstand arbeitete, soll der Angeklagte aus einer gewissen Entfernung derartige Erschiessungen gesehen haben, während nach der Aussage des Zeugen Bla. der Angeklagte zuvor mit den Posten gesprochen haben soll. Die insoweit bestehenden Abweichungen in den Zeugenaussagen sind nicht derart erheblich, dass sie die Erschiessungen durch Posten in der geschilderten Weise in Frage stellen.

Von Erschiessungen durch Wachposten ist weiter aufgrund der Aussagen des polnischen Zeugen Stanislaw Mar. auszugehen. Dieser hat, als er am Schiessstand Kochanowka für die Försterei mit dem Abmessen von abzutransportierendem Holz beschäftigt war, fast täglich beobachtet, dass Juden durch SS-Leute erschossen wurden.

Aufgrund der Aussage des polnischen Zeugen Pie. sind bei dem Bau des Schiessstands Kochanowka jüdische Zwangsarbeiter nicht nur erschossen, sondern auch durch Schläge getötet worden. Diese Angaben werden durch den Zeugen And. teilweise bekräftigt (Aussage vom 2.Februar 1973). Obwohl dieser Zeuge nur zwei- oder dreimal am Schiessstand Kochanowka Wachdienst hatte, beobachtete er nach dem Ende der Arbeit das Wegtragen von Leichen durch jüdische Zwangsarbeiter. Der Zeuge hörte damals, dass auf dieser Baustelle die Juden geschlagen wurden.

Die Aussagen der Zeugen Bla., Pie. und Stanislaw Mar. über Erschiessungen werden durch den Zeugen Dmu. nicht in Frage gestellt (Vernehmung vom 10.September 1973). Zwar hat der Zeuge, der als polnischer Arbeiter auf dem Schiessstand Kochanowka tätig war, keine Tötungen erlebt. Weiter kann sich dieser nicht erinnern, dort Schüsse gehört zu haben. Der Zeuge hat jedoch weiter bekundet, dass ihm andere Arbeiter damals von Erschiessungen entkräfteter Juden und vom Wegbringen von Toten von der Arbeitsstelle erzählten. Die Folgerung, dass sich auf dem Schiessstand Kochanowka keine Tötungen ereignet haben, lässt sich aus dieser Zeugenaussage nicht herleiten. Der Zeuge Dmu. hat, seinen Bekundungen entsprechend, nur zeitweise auf dieser Baustelle gearbeitet, und zwar vom Frühjahr 1941 an etwa für die Dauer eines Jahres und danach erneut mit längeren Unterbrechungen. Tötungshandlungen können sich auch während der Zeit, in der der Zeuge auf dem Schiessstand tätig war, ereignet haben. Wegen der Grösse und der Unübersichtlichkeit dieser Baustelle und der

Zahl der in verschiedenen Gruppen Arbeitenden ist es möglich und wahrscheinlich, dass der Zeuge ein derartiges Geschehen nicht beobachtet hat.

Nach den insoweit glaubhaften Angaben des Angeklagten umfasste der in einem Waldgebiet gelegene Schiessstand 5 oder 6 Schiessbahnen, von denen ein Stand eine Zielweite von 400 m und die übrigen Stände eine solche von 300 m hatten. Zwischen den einzelnen Bahnen waren Wälle aufgeschüttet, die eine Höhe bis zu 3 m aufwiesen. Die Gesamtanlage hatte eine Breite von über 80 m. Weiter ist nach den Angaben des Angeklagten, den Bekundungen des Zeugen Pie. und auch nach der Aussage des Zeugen Dmu. davon auszugehen, dass zur gleichen Zeit mehrere Hundert Menschen, und zwar Juden und Polen, auf dem Schiessstand gearbeitet haben.

Bei dieser Grösse der Baustelle und deren durch die Wälle und das Waldgebiet bedingten Unübersichtlichkeit und wegen der einzelnen Arbeitsgruppen, die auseinandergezogen in dem Gelände tätig waren, hätte der Zeuge nur solche Tötungen beobachten können, die in dessen Nähe geschehen wären.

Ebensowenig lassen sich Schlüsse daraus ziehen, dass sich der Zeuge Dmu. nicht erinnert, Schüsse gehört zu haben. Mit seiner entsprechenden Aussage schliesst der Zeuge derartige Wahrnehmungen nicht aus. Selbst wenn dieser keine Schüsse gehört haben sollte, kann es in dessen Gegenwart auf der Baustelle zu Erschiessungen gekommen sein. Schüsse an einem von ihm entfernteren Ort im Walde oder an einer weiter wegliegenden Sohle einer Schiessstandbahn hätte der Zeuge unter Umständen - etwa bei ungünstigeren Windverhältnissen oder bei lauteren Gesprächen am Arbeitsplatz - nicht wahrzunehmen brauchen.

Die von den Zeugen Bla., Pie. und Stanislaw Mar. bekundeten Erschiessungen werden auch nicht durch die Aussagen der ehemaligen SS-Angehörigen Bl., May. und Wac. in Frage gestellt, die auf dem Gelände des Schiessstands Kochanowka gewesen sind und dort keine Tötungen beobachtet haben wollen bzw. sich daran nicht erinnern können (Vernehmungen in dem Hauptverhandlungstermin am 14.Dezember sowie durch die ersuchten Richter in Österreich am 26.Februar 1973 und 5.Juni 1973).

Der ehemalige Ib-Offizier und in dieser Stellung dem Angeklagten vorgesetzte SS-Sturmbannführer Bl. hat, seinen Bekundungen zufolge, jede Woche die Baustelle des Schiessstands aufgesucht. Der Zeuge war vom Sommer 1940 bis zu seiner Verhaftung im März 1942 auf dem Truppenübungsplatz. Dass von ihm Erschiessungen nicht wahrgenommen worden sind, erlaubt nicht den Schluss, dass es zu derartigen Handlungen nicht gekommen ist. Als der für den gesamten Ib-Bereich zuständige Offizier war der Zeuge nicht ständig, sondern nur gelegentlich zur Inspektion auf der Baustelle, so dass sich dieser nur verhältnismässig kurze Zeit dort befunden hat. Weiter ist davon auszugehen, dass während der Gegenwart des Zeugen Erschiessungen und auch Misshandlungen bewusst unterlassen wurden. Der Zeuge Bl. hätte im Rahmen seiner Befehlsbefugnisse als Ib-Offizier Erschiessungen nicht geduldet. Der später verhaftete Zeuge zeigte, seinen auch insoweit glaubhaften Bekundungen zufolge, bei der Behandlung der Juden eine menschliche Einstellung. Das Gericht ist der Überzeugung, dass sich deshalb die auf dem Schiessstand eingesetzten SS-Leute auf die Anwesenheit des Zeugen einrichteten und in dessen Gegenwart nicht geschossen oder geschlagen haben.

Der ehemalige SS-Angehörige May. - im Zivilberuf ein Baumeister - hatte die von Laien ausgeführten Bauarbeiten an den militärischen Anlagen als Baufachmann in technischer Hinsicht zu überwachen und suchte aus diesem Grunde auch regelmässig den Schiessstand Kochanowka auf. Aufgrund seiner Bekundungen sind Tötungen auf dem Schiessstand schon wegen der vorsichtigen Art der Aussagen - der Zeuge will sich daran oder auch an Misshandlungen nicht erinnern - nicht auszuschliessen. May. weist auch ausdrücklich darauf hin, dass er wegen der fünfjährigen Kriegsgefangenschaft in der Sowjetunion sehr viel vergessen habe. Davon abgesehen ist zu berücksichtigen, dass der Zeuge - seinen Bekundungen zufolge - auch Pläne zu zeichnen hatte und mehr im Innendienst als bei Inspektionen im Gelände tätig war.

Der Zeuge Wac. hat als ehemaliger SS-Angehöriger - entsprechend seiner Aussage - im Sommer 1941 für die Dauer von etwa 3 Monaten eine Gruppe von 15 bis 20 polnischen Arbeitern beaufsichtigt, die Erdarbeiten am Schiessstand Kochanowka auszuführen hatte. Den Bekundungen von Wac., der von Tötungen nichts gehört haben will, kommt kein ausreichender Beweiswert zu. Die Aussagen des Zeugen müssen auf falschen Vorstellungen oder Erinnerungen beruhen. Dass, wie von Wac. bekundet, im Sommer 1941 - etwa während der Dauer von 3 Monaten - am Schiessstand Kochanowka keine Juden gearbeitet haben, widerspricht nicht nur dem Ergebnis der Beweisaufnahme, sondern auch den insoweit glaubhaften gegenteiligen Erklärungen des Angeklagten.

Bei der Wertung der Zeugenaussagen May. und Wac. geht das Gericht weiter davon aus, dass bei beiden Zeugen Verdrängungseffekte eingetreten sein können, die sich auf Tötungen und Misshandlungen am Schiessstand beziehen. Anhaltspunkte hierfür ergeben sich bei dem Zeugen May. aus der überaus vorsichtigen Art, in der dieser ausgesagt hat und aus seinem ausdrücklichen Hinweis auf den bei ihm eingetretenen Gedächtnisverlust. Dass der Zeuge Wac., der etwa 3 Monate am Schiessstand Kochanowka tätig war, den gleichzeitigen Einsatz jüdischer Arbeiter an dieser Baustelle in Abrede stellt und darüber hinaus nicht wissen will, ob es auf dem Truppenübungsplatz überhaupt Juden gegeben hat, deutet unter Berücksichtigung des Geschehens an dem Schiessstand ebenfalls auf Verdrängungseffekte hin.

Bei der Würdigung der glaubhaften Aussagen über Tötungen an dem Schiessstand Kochanowka ist zu berücksichtigen, dass zahlreiche jüdische Zeugen von diesen Vorfällen Kenntnis erlangt hatten. So hat der Zeuge Ehf. gesehen, dass die vom Schiessstand zurückkehrenden Arbeitskolonnen Tote mit sich führten (verlesenes Protokoll der Vernehmung durch den ersuchten Richter in Israel vom 12.März 1973). Entsprechend der Zeugenaussage Kau. war bei dem Zurückbringen von Toten durch Arbeitskommandos davon die Rede, das sei die Abteilung von Proschinsky (Vernehmung vom 19.Januar 1973). Dieser war der für den Schiessstand Kochanowka verantwortliche Offizier. Unter den auf dem Truppenübungsplatz befindlichen Juden wurde, dem Zeugen Wiz. zufolge, von Mordkommandos am Schiessstand Kochanowka gesprochen (Vernehmung vom 12.Dezember 1972). In die gleiche Richtung weisen die Aussagen der Zeugen Ha. und Seb., die im Zusammenhang mit diesem Schiessstand von einem "Himmelfahrtskommando" bzw. von einem "Höllenkommando" sprachen (Vernehmungen vom 18. und 12.Januar 1973).

Über die Zahl der auf der Baustelle des Schiessstands Kochanowka getöteten Juden konnten keine genauen Feststellungen getroffen werden. Es ist jedoch als bewiesen anzusehen, dass dort in einem grösseren Umfange Juden erschossen und totgeschlagen worden sind. Das folgt aus den Bekundungen der Zeugen Bla., Pie. und Stanislaw Mar. Obwohl der Zeuge Bla. als Angehöriger des "Jüdischen Nachrichtenbau-Kommandos" nur von Zeit zu Zeit und in nicht länger zusammenhängenden Abschnitten am Schiessstand gearbeitet hat, sind von ihm mehr als zehn Erschiessungen beobachtet worden. Nach den Aussagen des polnischen Zeugen Pie., der seit Herbst 1941 oder Ende 1941 über die Zeit der sogenannten Aussiedlung des Judenlagers hinaus etwa 2 Jahre am Schiessstand Kochanowka tätig war, gab es dort keinen Tag, an dem nicht Tote oder Verletzte in das Lager gebracht wurden. Erschiessungen hat es, dem polnischen Zeugen Stanislaw Mar. zufolge, fast täglich gegeben und an manchen Tagen wurden nach dem Ende der Arbeit mehr als zehn erschossene Juden weggetragen.

Zu Tötungen in einem grösseren Ausmass ist es auch auf vielen Baustellen der Firma Krause gekommen, die Strassenbauarbeiten ausführte. Dass bei dieser Firma allgemein Juden getötet wurden, ist den Aussagen des kommissarisch vernommenen deutschen Zeugen Schä. zu entnehmen (verlesenes Protokoll vom 23.Oktober 1973). Der jüdische Zeuge Wiz., der bei der Firma Krause im Strassenbau und an einer Kieskippe am Fluss Wisloka arbeiten musste, hat mehrfach Erschiessungen durch Wachposten bei dieser Firma beobachtet, die sich im Jahre 1940 und etwa in der ersten Jahreshälfte 1941 ereigneten. Nach der glaubhaften Schilderung des Zeugen waren Meister der Firma bestrebt, von jüdischen Arbeitern Wertsachen zu bekommen und stifteten deshalb die Wachen zum Erschiessen an. Derartige Erschiessungen, die die Abnahme von Wertgegenständen oder von Goldzähnen bezweckten, sind auch dem ehemaligen Sanitätsoffizier Dr. Mec. bekannt geworden (verlesene richterliche Vernehmungen vom 9.April und 22.Juli 1964 in den Beiakten der Staatsanwaltschaft Dortmund Band IX Bl.72 und Band XI Bl.124 R). Der Zeuge Wiz. erinnert sich noch an den Namen eines dieser Todesopfer, an einen aus Krakau stammenden Juden namens Kluger, der von dem Zeugen selbst mit begraben worden ist. Ein Einzelfall einer Tötung bei der Firma Krause ergibt sich aus den verlesenen Bekundungen des verstorbenen Zeugen Naftali Schi. (polizeiliche Aussage in Israel vom 19.Januar 1971 in Band XV Umschlag nach Bl.164 d.A.). Demnach ist ein jüdischer Arbeiter, dem beim Abladen ein Zementsack geplatzt war, von einem deutschen Vorarbeiter mit einer Peitsche bzw. einem Ochsenziemer totgeschlagen worden. Diese Aussagen über Tötungen bei der Firma Krause werden durch den Zeugen Hor. bekräftigt. Als Mitarbeiter im jüdischen Krankenrevier ist dem Zeugen bekannt geworden, dass sich unter den Erschossenen und Erschlagenen jüdische Arbeiter von den Baustellen der Firma Krause befanden (kommissarische Vernehmung vom 6.Februar 1973).

Erschiessungen haben ausserdem bei dem Bau eines Krankenreviers für die Waffen-SS im Ring I im Jahre 1942 stattgefunden. Das ergibt sich aus den Aussagen des in Polen im Wege der Rechtshilfe vernommenen Zeugen Pra., der an dieser Baustelle drei Erschiessungen von Juden durch SS-Leute gesehen hat (Vernehmung vom 30.Juni 1973).

Nach der Beweisaufnahme ist davon auszugehen, dass es nicht bei allen Arbeitskommandos und nicht bei allen eingesetzten Firmen zu Tötungen gekommen ist. So sind bei der Firma Seibt, den glaubhaften Bekundungen des dort beschäftigt gewesenen polnischen Zeugen Pra. zufolge, keine Arbeitskräfte getötet worden. Diese Firma war im Barackenbau eingesetzt und hatte auch Betonarbeiten auszuführen. Zu erwähnen ist weiter das von dem Schachtmeister Lehmann geleitete Arbeitskommando der Firma Krause, bei dem, der Aussage des Zeugen Wiz. entsprechend, keine Tötungen oder Misshandlungen geschehen sind (Vernehmung vom 12.Dezember 1972).

Die Aussagen deutscher, jüdischer und polnischer Zeugen über das Erschiessen und Totschlagen jüdischer Arbeiter auf verschiedenen Baustellen werden durch eine Anzahl von Zeugen bekräftigt, die von der Arbeit in das Judenlager zurückkehrende Kolonnen gesehen haben, die Tote, Kranke oder Erschöpfte mit sich führten, die meist auf behelfsmässig hergestellten Tragbahren mitgeschleppt wurden. Derartige Kolonnen mit Toten, Kranken und Erschöpften sind, ihren Aussagen zufolge, von den jüdischen Zeugen Blas., Dri., Ehf., Kau., Ignaz Men., Samuel Men., Jakob Sch., Schu., Seb. und Spi. beobachtet worden (Vernehmungen durch den ersuchten Richter in Israel am 12.März 1973, in der Hauptverhandlung am 4.Januar 1973, durch den ersuchten Richter in Israel am 12.März 1973 sowie in den Hauptverhandlungsterminen am 19., 8., 15. und 8.Januar, 28.Februar und 12.Januar 1973). Von dem Zeugen Kro. ist u.a. gesehen worden, dass dessen Onkel, Moses Zughaft, von der Arbeit tot in das Z-Lager bei der Bahnstation Kochanowka zurückgebracht wurde.

Von jüdischen Arbeitskolonnen, die Tote, Kranke oder Erschöpfte mit sich führten, haben weiter eine Reihe von Polen berichtet, und zwar die Zeugen Ko., Stanislaw Mar., Pie., Pra. und Ucz. (Vernehmungen in dem Hauptverhandlungstermin am 27.August 1973, vor dem ersuchten Richter in Polen am 21.September 1973, in dem Hauptverhandlungstermin am 10.September 1973, vor dem ersuchten Richter in Polen am 30.Juni 1973 und in dem Hauptverhandlungstermin am 27.August 1973).

Dass die Kolonnen jüdischer Arbeiter Tote oder Kranke oder Erschöpfte mit sich führten, blieb auch zahlreichen Angehörigen der Waffen-SS nicht verborgen. So haben, ihren Bekundungen entsprechend, die Zeugen And., Bor., Fre., Mie., Pur. und Rei. derartige Kolonnen beobachtet (Vernehmungen in den Hauptverhandlungsterminen am 2.Februar 1973, 4. und 5.Dezember 1972 und 19.März 1973 sowie kommissarische Vernehmung vom 9.April 1973 und in dem Hauptverhandlungstermin am 20.März 1973).

Diese Bekundungen von Zeugen werden durch die teilweise glaubhaften Erklärungen des Angeklagten in der Hauptverhandlung am 30.November 1973 bestätigt. Demnach hat auch der Angeklagte von der Arbeit zurückkehrende Kolonnen von Juden gesehen, die auf Tragen Menschen mit sich schleppten. Die Einlassung, dass er, der Angeklagte, nicht wisse, um welche Arbeitskommandos es sich hierbei gehandelt habe, wird dagegen als unglaubwürdig angesehen. Als der für den Schiessstand Kochanowka verantwortliche Offizier, der sich häufiger an dieser Arbeitsstelle aufhielt, hat der Angeklagte nach der Überzeugung des Gerichts auch beobachtet, dass von dort aus Tote, Kranke oder Erschöpfte weggetragen wurden.

Die Aussagen einer Reihe ehemaliger SS-Angehöriger, und zwar der Zeugen Asc., Kü., Mer., Pan., Ri., Schm., Wim., Wit. und Richard Zim., Arbeitskolonnen mit toten, kranken oder erschöpften Juden nicht gesehen zu haben, vermögen die gegenteiligen Bekundungen jüdischer, polnischer und deutscher Zeugen sowie die entsprechende Erklärung des Angeklagten nicht zu widerlegen (Vernehmungen in den Hauptverhandlungsterminen am 23. und 20.März 1973, vor dem ersuchten Richter in Österreich am 4.Juni 1973, in den Hauptverhandlungsterminen am 19., 20., 29. und 19.März 1973, vor dem beauftragten Richter am 12.April 1973 und in dem Hauptverhandlungstermin am 9.Juli 1973). Den Zeugen konnten bei der Weitläufigkeit des Geländes derartige Beobachtungen entgangen sein, zumal sie nicht oder nur kürzere Zeit oder gelegentlich zu Wachzwecken eingesetzt waren. Das gilt auch für den Zeugen Wit., der als Angehöriger des Baubataillons u.a. am Eingang des Judenlagers zur Wache eingeteilt war. Während seiner ca. halbjährlichen Dienstzeit auf dem Truppenübungsplatz, die etwa im August 1941 begann, hatte der Zeuge Wit. nur zeitweise Wachdienst, und zwar 2/3 mal wöchentlich. Das Judenlager war nur eines der hierbei zu bewachenden Objekte. Aus diesem Grunde ist es denkbar, dass auch der Zeuge Wit. - trotz des Wachdienstes am Lagereingang - keine Kolonnen mit Toten, Kranken oder Entkräfteten gesehen hat.

Dass es bei den jüdischen Arbeitskommandos Tote gegeben hat, ist auch der Aussage des im Wege der Rechtshilfe in Österreich vernommenen Zeugen Rag. zu entnehmen (Vernehmung vom 1.Juni 1973). Dieser war als Mitarbeiter der Firma Preisinger aus Linz/Donau im inneren Bereich des Truppenübungsplatzes - also nicht in der Nähe der Bahnstation und der Unterkunftsringe - bei dem Bau einer Feldbahn eingesetzt. Bei diesen Arbeiten hat der Zeuge beobachtet, dass Juden, die mit einer Feldbahn zur Arbeit und zurück transportiert wurden, bei der Rückkehr am Abend in einem Plateauwagen Tote, und zwar an einem Tage allein 3 Leichen, mit sich führten. Ob es sich hierbei um Erschlagene, Erschossene oder Verhungerte handelte, hat der Zeuge nicht wahrgenommen.

Die Feststellungen über das Töten von Juden auf den Baustellen werden durch eine Anzahl von Aussagen ehemaliger SS-Angehöriger, die von derartigen Handlungen und überhaupt von Tötungen auf dem Truppenübungsplatz nichts gesehen und gehört haben wollen, nicht in Frage gestellt. Zwar liegen entsprechende Bekundungen der Zeugen Hei., Hol., Kre., Kü., La., Lic., May., Me., Ru., Ri., Schm., Tho., Tom., Uel., Wac., Wim., Ernst Zim. und Richard Zim. vor (Vernehmungen in den Hauptverhandlungsterminen am 6.Juli 1973 und 5.Dezember 1972, durch den beauftragten Richter am 30.Januar 1973, in den Hauptverhandlungsterminen am 20.März 1973, 8.Dezember 1973, 8.Dezember 1973, durch den ersuchten Richter in Österreich am 26.Februar 1973, durch den kommissarischen Richter am 11.April

1973, in den Hauptverhandlungsterminen am 16.Januar 1973, 20. und 23.März 1973, 11.Dezember 1972, 23.Mai 1973, 23.März 1973, durch den ersuchten Richter in Österreich am 5.Juni 1973 sowie in den Hauptverhandlungsterminen am 19.März, 19.März und 9.Juli 1973). Ebensowenig wollen die Ehefrau des Angeklagten sowie die Eheleute Gro. etwas über Tötungen bemerkt oder gehört haben (kommissarische Vernehmung vom 23.Februar 1973 sowie Aussagen in dem Hauptverhandlungstermin am 23.März 1973), während dem Zeugen Asc. nur vom Hörensagen ein Vorfall bekannt geworden sein soll, der nicht mit den Arbeitskommandos, sondern mit dem Pferdestall der Bauleitung in Zusammenhang gebracht worden ist (Aussagen vom 14.Dezember 1972, 8.Januar und 23.März 1973). Dass diese Zeugen von Tötungen nichts wussten und davon auch nichts gehört haben wollen, vermindert nicht den Wert der gegenteiligen Aussagen von Zeugen, die derartige Handlungen selbst oder den Transport von Toten beobachtet haben. Wegen der Weitläufigkeit und Unübersichtlichkeit des Geländes, des Aufgabenbereichs der Zeugen oder einer nur kurzen Stationierung auf dem Truppenübungsplatz wird es für möglich gehalten, dass Angehörige der Waffen-SS und deutsche Zivilpersonen von Tötungen nichts bemerkt und davon auch nichts gehört haben. Davon abgesehen, können bei einzelnen Zeugen Verdrängungseffekte eingetreten sein, die den Wert ihrer Aussage mindern.

In dem unübersichtlichen Waldgebiet, in dem sich die Gebäude der Kommandantur, Standortverwaltung und Bauleitung sowie die Unterkunftsringe befunden haben, war es möglich, dass SS-Leute und deutsche Zivilpersonen Tötungen überhaupt nicht oder nur zufällig beobachten konnten. Zu berücksichtigen ist weiter, dass nach der Belegung der Ringe, die vom Herbst 1940 an erfolgte, dort nur noch in einem wesentlich geringerem Umfange gearbeitet wurde und dass die Baustelle am Schiessstand Kochanowka abseits der Strassen, der Unterkunftsringe und der SS-Dienststellen im Walde lag und zahlreiche SS-Leute daher überhaupt nicht oder nur selten in dieses Gebiet kamen. Unter diesen Umständen ist es unwahrscheinlich, dass in den Verwaltungsstellen der Kommandantur, der Standortverwaltung und der Bauleitung eingesetzte SS-Angehörige Tötungshandlungen oder den Transport von Toten wahrnehmen konnten. Das gleiche gilt für Zeugen, die den nicht standortfesten Truppenteilen der Waffen-SS angehörten und nur vorübergehend für Zwecke der Aufstellung, Übung oder Abwicklung auf dem Truppenübungsplatz stationiert waren.

Von den ehemaligen SS-Angehörigen, die nichts von Tötungen gesehen oder gehört haben wollen, waren die Zeugen Asc., Hei., La., Schm., Uel. und Richard Zim. überwiegend mit Verwaltungsaufgaben befasst und weitgehend im Innendienst tätig, während der Zeuge Kü. nicht standortfesten Truppenteilen angehörte. Der Zeuge Tom. war, seinen Aussagen zufolge, als sogenannter Kampffeldverwalter mit polnischen Arbeitern bei dem Bau der Schiessbahnen in der Mitte des Truppenübungsplatzes, also in einem von den Ringen und dem Schiessstand Kochanowka entfernteren Gebiet, tätig. Ähnlich verhält es sich mit den Eheleuten Gro., die ausserhalb des Truppenübungsplatzes für die Waffen-SS ein Forstgut bewirtschafteten. Ebenso will der Zeuge Ru., der für die Kommandantur eine bespannte Fahrschwadron aufzustellen hatte, nichts von Tötungen wahrgenommen oder gehört haben.
Die Möglichkeit, dass SS-Leute, die keinen Wachdienst hatten, Tötungshandlungen nicht oder nur zufällig beobachten konnten, wird von dem polnischen Zeugen Paz. ausdrücklich eingeräumt (Vernehmung am 26.März 1973).

Bei den Aussagen von Hol., Kre., Lic., Me., Ri., Wim. und Ernst Zim., die ebenfalls nichts von Tötungen gesehen oder gehört haben wollen, ist zu berücksichtigen, dass diese Zeugen auch Wachaufgaben hatten. Die Zeugen Hol. und Ri. können hierbei jedoch keine Tötungen von Juden beobachtet haben, weil sie erst im November 1942 bzw. im Jahre 1943 als Postenführer bzw. zur Postenkontrolle eingesetzt wurden. Zu dieser Zeit gab es keine Arbeitskolonnen mit Juden mehr, denn die sogenannte Aussiedlung des Judenlagers war bereits im

Spätsommer oder Frühherbst 1942 erfolgt (siehe oben Seite 39 [119]). Nur zu Objektbewachungen wurden, ihren Bekundungen entsprechend, die Zeugen Kre. und Me. herangezogen. Dagegen haben die Zeugen Lic., Wim. und Ernst Zim. auch jüdische Arbeitskommandos bewacht. Bei den Zeugen Lic. und Wim. ist das jedoch - den Aussagen entsprechend - nur 4 bis 5 mal bzw. 5 bis 6 mal geschehen, so dass aus diesen Aussagen allgemeinere Schlüsse nicht gezogen werden können. Zwar war der Zeuge Ernst Zim. eine längere Zeit - ungefähr ½ Jahr lang - etwa jeden 2.Tag zum Bewachen jüdischer Arbeitskommandos eingesetzt. Die Beobachtungen dieses Zeugen erlauben jedoch ebenfalls keine allgemeineren Schlüsse. Der Wacheinsatz des Zeugen beschränkte sich auf Kanalisationsarbeiten in Unterkunftsringen, so dass dieser nichts über das Geschehen auf anderen Baustellen - insbesondere im Waldkommando, beim Schiessstand Kochanowka und bei der Firma Krause - bekunden konnte.

Die Beweisaufnahme hat weiter ergeben, dass die allgemeine Kenntnis von Tötungen jüdischer Arbeiter auf dem Truppenübungsplatz auch unter dort stationierten Angehörigen der Waffen-SS verbreitet gewesen sein muss. Vielfach waren Erschiessungen - meist solche "auf der Flucht" - im Gespräch. Die Zeugen And., Bor., Dan., Erb., Fre., H., Mer., Sche. und Wit. haben ebenso wie die Zeugin Bra., die mit ihrem dort stationierten Ehemann auf dem Truppenübungsplatz wohnte, von Tötungen von Juden gehört (Vernehmungen in den Hauptverhandlungsterminen am 2.Februar 1973, 4.Dezember und 5.Dezember 1972, 23.März 1973, vor dem ersuchten Richter in Österreich am 4.Juni 1973, in dem Hauptverhandlungstermin am 2.Februar 1973 und vor dem beauftragten Richter am 12.April 1973).

Bedeutsam sind in diesem Zusammenhang die verlesenen Aussagen der inzwischen verstorbenen ehemaligen SS-Sanitätsoffiziere Dr. Mec. und Dr. Schr. Dass es unter den jüdischen Arbeitern zu Todesfällen unnatürlicher Art gekommen ist, war dem ehemaligen SS-Arzt Dr. Mec. bekannt (richterliche Vernehmungen vom 9.April und 22.Juli 1964 in den Beiakten der Staatsanwaltschaft Dortmund Band IX Bl.70 bis 72 und Bd.XI Bl.124 bis 126). Demzufolge soll es zu Tötungen meist dann gekommen sein, wenn dem Opfer Wertgegenstände oder Goldzähne abgenommen werden sollten. Weiter hält es Dr. Mec. für denkbar, dass bei Erschiessungen aus Tarnungsgründen angegeben wurde, der Betreffende sei auf der Flucht erschossen worden.

Der ehemalige Standortarzt Dr. Schr. hat dagegen nur einen Fall einer Erschiessung durch einen SS-Mann, der in einer Baracke der Unterkunftsringe erfolgte, bekundet, in dem er auch selbst den Tod des Juden feststellte (polizeiliche Vernehmung vom 22.Oktober 1969). Im übrigen will er von gewaltsamen Tötungen nichts gesehen und gehört haben. Durch die verlesenen Bekundungen von Dr. Schr. werden derartige Todesfälle jedoch nicht ausgeschlossen. Der Zeuge hat, seinen Angaben zufolge, das jüdische Krankenrevier nur in hygienischer Hinsicht überwacht und ist - von einem Ausnahmefall abgesehen - nicht den ihm durch Vorlage der Totenscheine bekannt gewordenen Sterbefällen nachgegangen. Den Schluss, dass es - zumindest zeitweise - zu gewaltsamen Tötungen in einem grösseren Umfange gekommen ist, erlaubt die Aussage des SS-Arztes, ihm sei in einem bestimmten Zeitraum die Anzahl der Todesfälle unter den Juden derart hoch erschienen, dass er den Verdacht des Menschenschmuggels mit Hilfe dieser Scheine gehabt habe. Da der Zeuge in diesem Zusammenhang keine Massenerkrankungen erwähnt und sich, seinen Aussagen zufolge, der Verdacht des Menschenschmuggels nicht bestätigte, muss es sich um gewaltsame Tötungen gehandelt haben. Aufgrund der getroffenen allgemeinen Feststellungen über die Verhältnisse in dem jüdischen Krankenrevier sind Totenscheine auch bei gewaltsamen Tötungen

[119] = Seite 335 dieses Bandes.

ausgestellt worden, wobei als Todesursache "Herzschwäche" bzw. "Erschiessen auf der Flucht" aufgeführt worden sind (siehe oben Seite 55 [120]).

Nach dem Ergebnis der Beweisaufnahme ist weiter davon auszugehen, dass SS-Angehörige, die Juden töteten oder misshandelten, in der Regel nicht strafrechtlich oder disziplinarisch geahndet wurden. Zwar hat der Zeuge Th. im Zusammenhang mit der Erschiessung eines Angehörigen des "Jüdischen Nachrichtenbau-Kommandos" bekundet, dass nach der Meldung des Vorgangs bei der Kommandantur gegen den betreffenden SS-Mann ein Verfahren vor dem Kommandantur-Gericht durchgeführt wurde, dessen Ausgang dem Zeugen nicht bekannt ist. Verfahren gegen Angehörige der Waffen-SS werden weiter von dem ehemaligen Sanitätsoffizier Dr. Mec. in dessen verlesenen Aussagen erwähnt (richterliche Vernehmungen vom 9.April und 22.Juli 1964 in den Beiakten der Staatsanwaltschaft Dortmund Band IX Bl.70 bis 72 und Band XI Bl.124 bis 126). Demnach ist in einem Falle, in dem das Erschiessen auf der Flucht unwahrscheinlich war, Meldung erfolgt und ein Verfahren eingeleitet worden. Der SS-Angehörige soll, wie Dr. Mec. gehört haben will, von dem Truppenübungsplatz versetzt und bestraft worden sein (Beiakten Band IX Bl.72). Weiter sind dem früheren SS-Arzt Dr. Mec. Fälle von Meldungen und gerichtlichen Verfahren bekannt, in denen Juden getötet wurden, um diesen Wertgegenstände abzunehmen. Ebenso berichtet der ehemalige Sanitätsoffizier Dr. Schr., dessen Aussagen verlesen wurden, im Zusammenhang mit dem ihm bekannten Fall einer Erschiessung (siehe oben Seite 97 [121]), dass der damalige Kommandant Nostiz sofort die Einleitung eines Verfahrens veranlasste und den betreffenden SS-Mann abführen liess (polizeiliche Vernehmung vom 22.Oktober 1969 Band XIV Bl.82 und Vernehmung durch den Staatsanwalt vom 27.November 1963 in den Beiakten der Staatsanwaltschaft Dortmund Band VI Bl.90). In die gleiche Richtung weist die verlesene Aussage des Zeugen Ses., der Adjutant des Kommandanten Voss war (polizeiliche Vernehmung vom 11.März 1970 Band XIV Bl.163/164 d.A.). Diesen Bekundungen zufolge soll der Kommandant wegen einer Erschiessung eines Juden einmal "einen fürchterlichen Krach gemacht" haben. Von der Ahndung von Tötungen geht offenbar auch der Zeuge Ri., ein ehemaliger Angehöriger des Wachbataillons aus, der "ziemlich sicher" sein will, dass SS-Leute bei Erschiessungen Rechenschaft ablegen mussten, zumal die Munition abzurechnen war (Vernehmung in dem Hauptverhandlungstermin am 20.März 1973).

Obwohl nach diesen Bekundungen Verfahren gegen SS-Angehörige wegen Erschiessungen von Juden stattgefunden haben, kann es sich nach der Überzeugung des Gerichts hierbei nur um Ausnahmen in Einzelfällen gehandelt haben. Der festgestellte grosse Umfang von Tötungen im Lager und auf Baustellen führt zwingend zu diesem Schluss. Die in einem grossen Ausmass erfolgten Tötungen waren nur möglich, weil den beteiligten SS-Angehörigen bekannt war, dass ihr Verhalten zumindest geduldet wurde und in der Regel keine strafrechtlichen oder disziplinarischen Folgen auslöste.

Dass Verfahren gegen SS-Angehörige die Ausnahme blieben, ist auch der verlesenen richterlichen Vernehmung des ehemaligen Sanitätsoffiziers Dr. Mec. zu entnehmen (vom 22.Juli 1964 in den Beiakten der Staatsanwaltschaft Dortmund Band XI Bl.125). Demzufolge sind sogenannte Erschiessungen auf der Flucht nur dann zur Ermittlung der Kommandantur gemeldet worden, wenn wegen der Art der Schussverletzung, z.B. bei einem Einschuss in der Stirngegend, ein Fluchtfall auszuschliessen war. Aus dieser Äusserung des ehemaligen SS--Arztes folgt, dass bei der Vielzahl der Fälle, in denen Einschüsse im Rücken oder im Hinter-

[120] = Seite 342 dieses Bandes.

[121] = Seite 361 dieses Bandes.

kopf vorlagen (siehe oben Seite 82 f. [122]), gegen die betreffenden SS-Leute keine Verfahren eingeleitet worden sind.

Vor allem sind - unter Umständen die erste Zeit des Aufbaues des Truppenübungsplatzes ausgenommen - Tötungen regelmässig deshalb nicht geahndet worden, weil der Arbeitseinsatz von Juden von der NS-Führung als Mittel der Dezimierung und Ausrottung der "jüdischen Rasse" angesehen wurde (siehe oben Seite 6 und 7 [123]).

Dass auf dem Truppenübungsplatz Ausnahmeverhältnisse bestanden und die auf den Baustellen eingesetzten Juden als Arbeitskräfte benötigt und geschont werden sollten, kann nicht angenommen werden. Zwar hat der verstorbene SS-Arzt Dr. Mec. in seiner verlesenen richterlichen Vernehmung vom 22.Juli 1964 die Ansicht geäussert, es habe ein Interesse an der Erhaltung der Arbeitskräfte bestanden (Beiakten der Staatsanwaltschaft Dortmund Band XI Bl.125). Weiter liegt die Aussage des Zeugen Asc. vom 23.März 1973 vor, wonach bei der Bauleitung ein Befehl zu lesen und abzuzeichnen war, der etwa folgendermassen lautete: "Wir kennen keine Polen, Russen und Juden, sondern nur Arbeitskräfte". Dieser Befehl stellt die nach dem Ergebnis der Beweisaufnahme in einem grossen Umfange stattgefundenen Tötungen nicht in Frage. Aufgrund des einem Bauamt ähnlichen Aufgabenbereichs, die Baumassnahmen technisch zu überwachen und die fertiggestellten Bauten abzunehmen (siehe oben Seite 20 [124]), hatte die Bauleitung auf die Bereitstellung der Arbeitskräfte sowie auf deren Einsatz und Bewachung keinen Einfluss. Dass bei der Kommandantur und den zum Wachdienst eingesetzten Einheiten die Anordnung bestanden hat, das Leben und die Gesundheit der auf den Baustellen tätigen Juden zu schonen, kann nicht angenommen werden. Gegen die Existenz eines derartigen Befehls sprechen die Verhältnisse in vielen der Arbeitskommandos. Weiter ist zu berücksichtigen, dass es - im Gegensatz zu den der Kommandanturverwaltung, Bauleitung, Standortverwaltung und Nachrichteneinheit zugewiesenen Fachkräften - wegen des Arbeiterreservoirs der deutschen Besatzungsmacht in Polen nicht notwendig war, die jüdischen Baustellenarbeiter zu schonen. Der Bedarf an ungelernten Arbeitskräften konnte - wie geschehen - durch Razzien in Ghettos oder durch polnische Zwangsarbeiter aufgefüllt werden.

Die Ansicht des Gerichts, dass unter Berücksichtigung der in dem besetzten Polen herrschenden Verhältnisse - insbesondere der beabsichtigten und teilweise begonnenen Massenvernichtungen - die Tötung von Juden auf dem Truppenübungsplatz in der Regel ohne Folge blieb, wird durch das Feldurteil des Obersten SS- und Polizeigerichts - St L 29/42 - in der Strafsache gegen Täubner vom 24.Mai 1943 bekräftigt. Das in dem Termin am 18.September 1973 verlesene Urteil hat u.a. Massentötungen an Juden zum Gegenstand, die im Herbst 1941 erfolgten. Diese wurden nicht als Mord oder Totschlag, sondern wegen "Verabsäumung der Dienstaufsicht" geahndet. Der Angeklagte SS-Untersturmführer Täubner ist nicht wegen der Judentötungen als solcher, sondern nur wegen der Art der Durchführung verurteilt worden. Das Fotografieren der Vorgänge und das Vorzeigen der Bilder im Bekanntenkreis beurteilte das Oberste SS- und Polizeigericht als militärischen Ungehorsam.

Die Urteilsgründe enthalten u.a. folgende Formulierungen:

> "Wegen der Judenaktionen als solcher soll der Angeklagte nicht bestraft werden. Die Juden müssen vernichtet werden, es ist um keinen der getöteten Juden schade. Wenn sich auch der Angeklagte hätte sagen müssen, dass die Vernichtung der Juden Aufgabe besonders dafür eingerichteter Kommandos ist, soll

[122] = Seite 355 dieses Bandes.

[123] = Seite 319 f. dieses Bandes.

[124] = Seite 327 dieses Bandes.

ihm zugute gehalten werden, dass er sich befugt gehalten haben mag, auch seinerseits an der Vernichtung des Judentums teilzunehmen. Wirklicher Judenhass ist der treibende Beweggrund für den Angeklagten gewesen. Er hat sich dabei allerdings in Alexandria zu Grausamkeiten hinreissen lassen, die eines deutschen Mannes und SS-Führers unwürdig sind. Diese Übergriffe lassen sich auch nicht, wie das der Angeklagte will, damit rechtfertigen, dass sie nur gerechte Vergeltungen für das Leid seien, das die Juden dem deutschen Volke angetan haben. Es ist nicht deutsche Art, bei der notwendigen Vernichtung des schlimmsten Feindes unseres Volkes bolschewistische Methoden anzuwenden. An solche grenzt die Handlungsweise des Angeklagten bedenklich. Der Angeklagte hat es zu einer so üblen Verrohung seiner Männer kommen lassen, dass sie sich unter seinem Vorantritt wie eine wüste Horde aufführten. Die Mannszucht ist vom Angeklagten in einer Weise aufs Spiel gesetzt worden, wie es schlimmer kaum denkbar ist. Mag der Angeklagte auch sonst für seine Männer gesorgt haben, so hat er doch durch sein Verhalten seine Dienstaufsichtspflicht gröblichst verabsäumt, wozu nach SS-mässiger Auffassung auch gehört, dass er seine Männer nicht seelisch verkommen lässt. Der Angeklagte hat sich deshalb insoweit nach §147 MStGB strafbar gemacht. Da diese Strafvorschrift jedoch nur Gefängnis oder Festung bis zu 15 Jahren als Strafrahmen vorsieht, ist die Anwendung des §5a der Kriegssonderstrafrechtsverordnung geboten, da eine derartige Auflösung der Mannszucht eine schwerere Strafe erheischt."

IV. Der Einsatz polnischer Arbeiter auf dem Truppenübungsplatz

1.) Allgemeines

Neben jüdischen Arbeitern waren auf dem Truppenübungsplatz Debica in grösserer Zahl auch polnische Arbeitskräfte beschäftigt. Während der gesamten Zeit des Aufbaus und des Bestehens des Truppenübungsplatzes gab es polnische Zivilarbeiter, die auch "freie Polen" genannt wurden. Diese wohnten in der Nähe des Truppenübungsplatzes. Bei der Arbeit und auf dem Wege dorthin sowie auf dem Rückwege wurden sie nicht bewacht.

Polnische Zwangsarbeiter wurden erstmalig im Zusammenhang mit der sogenannten Aussiedlung des Judenlagers, also im Spätsommer oder Herbst 1942, auf den Truppenübungsplatz gebracht (siehe oben Seite 39 f. [125]). Weitere Transporte mit polnischen Zwangsarbeitern, die sich teilweise zuvor im Gewahrsam der Gestapo befunden hatten, trafen in den folgenden Monaten und im Laufe des Jahres 1943 ein. Polnische Zwangsarbeiter wurden in dem südwestlich der Höhe 218 gelegenen ehemaligen Kriegsgefangenenlager untergebracht, in dem auch die von der sogenannten Aussiedlung nicht erfassten restlichen Juden lagen (siehe oben Seite 50 [126]).

Die polnischen Zivilarbeiter wurden zu den unterschiedlichsten Arbeiten herangezogen. Einige Polen waren unmittelbar für SS-Dienststellen, z.B. für die Kommandantur und Bauleitung, tätig. So hatte der Zeuge Ko. bei Vermessungsarbeiten mitzuwirken und arbeitete später im Stall der Bauleitung. Die Aufgabe eines Forsthüters hatte der Zeuge Stanislaw Mar. Andere Polen waren bei dem Holzeinschlag, bei dem Einbringen der Ernte sowie als Schlosser und Installateure beschäftigt.

[125] = Seite 335 dieses Bandes.

[126] = Seite 340 dieses Bandes.

Eine grössere Zahl von Polen arbeitete auf Baustellen, z.B. bei dem Aufstellen von Baracken und Holzhäusern, bei Flussregulierungen und im Gleisbau. Teilweise gehörten sie, wie z.B. bei der im Barackenbau und mit Betonarbeiten tätigen Firma Seibt, zum Personal der auf dem Truppenübungsplatz eingesetzten Firmen. Weiter waren polnische Zivilarbeiter bei dem Bau des Schiessstands Kochanowka beschäftigt. Bis zur sogenannten Aussiedlung des Judenlagers im Spätsommer oder Frühherbst 1942 waren dort zur gleichen Zeit jüdische Arbeitskolonnen im Einsatz, die nach dieser Aktion durch polnische Zwangsarbeiter abgelöst wurden.

Ein erheblicher Teil der polnischen Zwangsarbeiter musste bei dem Bau der Waldkampfbahn nördlich der Ortschaft Paszczyna arbeiten. Auf der von den polnischen Zeugen als Schiessstand Paszczyna bezeichneten Baustelle bestanden harte Arbeitsbedingungen. Die militärische Anlage wurde in einem lehmigen Waldgelände errichtet. Mehrere Hundert Menschen wurden zu der Arbeit herangezogen. Ausserdem hatten polnische Zwangsarbeiter im Lagerbereich Baracken aufzustellen sowie Strassen-, Gleisbau- und Bodenmeliorationsarbeiten vorzunehmen.

Diese Feststellungen beruhen auf den Aussagen der polnischen Zeugen Ada. (vom 18.Juni 1973), Bel. (vom 26.März 1973), Dmu. (vom 10.September 1973), Ko. (vom 24.August 1973), Paz. (vom 26.März 1973), Pie. (vom 10.September 1973) und Szu. (vom 18.Juni 1973), den verlesenen Aussagen der in Polen im Wege der Rechtshilfe vernommenen Zeugen Fer. (vom 22.Juli 1973), Ge. (vom 27.Juni 1973), Jas. (vom 29.Juni 1973), Jan. (vom 2.Juli 1973), Stanislaw Mar. (vom 21.September 1973), Och. (vom 22.September 1973), Pok. (vom 2.Juli 1973), Pra. (vom 30.Juni 1973) und Urb. (vom 3.Juli 1973) sowie teilweise auf den Angaben des Angeklagten.

Infolge der harten Arbeitsbedingungen und der schlechten Ernährung waren, wie von den Zeugen Ada. und Szu. bekundet, die polnischen Zwangsarbeiter entkräftet. Viele von ihnen brachen aus Schwäche zusammen. Entkräftung, Seuchen (siehe oben Seite 56 [127]) und Misshandlungen führten, wie der Zeugenaussage Szu. zu entnehmen ist, zu einem Massensterben. Der dadurch eingetretene starke Ausfall an Arbeitskräften wurde durch das Eintreffen neuer Transporte von Zwangsarbeitern ausgeglichen.

Nach den glaubhaften Aussagen des Zeugen Szu. (vom 19.Juni 1973) ist davon auszugehen, dass von dem im Herbst 1942 aus Lublin eingetroffenen Transport, der etwa 1.100 Menschen umfasste, im März 1943 noch 300 lebten. Von einer kleineren Gruppe von etwa 30 Personen, die Anfang Oktober 1942 von Krakau aus auf den Truppenübungsplatz deportiert wurden und zu der der Zeuge gehörte, waren nach einem Monat noch ca. 10 Menschen am Leben, während von einer 60 Personen starken Kolonne aus Warschau, den Aussagen von Szu. entsprechend, nur 15 Menschen und von einer anderen Gruppe mit 25 Polen kein Einziger überlebte.

Todesopfer hatte ein Transport aus der Gegend von Lublin, der Ende September oder Anfang Oktober 1942 eintraf, bereits bei der Ankunft zu beklagen. Nachdem einigen Polen durch Entfernen einiger Bretter aus verschlossenen Waggons die Flucht gelungen war, wurde von SS-Bewachern in die Fünferreihen der Kolonne geschossen, die auf dem Wege von der Bahnstation Kochanowka zum Lager war. Hierbei gab es eine Reihe von Toten. Diese Feststellungen beruhen auf den Aussagen der im Wege der Rechtshilfe vernommenen polnischen Zeugen Pra. und Urb. (vom 30.Juni und 3.Juli 1973).

[127] = Seite 343 dieses Bandes.

Die verstorbenen oder getöteten Polen wurden im Lager gesammelt, von dort aus auf die Höhe 218 gebracht und dort verbrannt (siehe oben Seite 15 f. [128]). Das ergibt sich aus den Bekundungen der Zeugen Ada. und Szu.

In der Situation der polnischen Zwangsarbeiter trat, wie der Zeugenaussage Szu. zu entnehmen ist, im März 1943 eine gewisse Verbesserung ein. Als Unterkünfte wurden bessere Baracken zur Verfügung gestellt. Die Zwangsarbeiter aus Lublin und Umgebung wurden teilweise entlassen und durch andere aus Krakau, Tarnow und anderen Städten und Ortschaften ersetzt. Zu den Entlassenen gehörte der Zeuge Urb., der seinen Aussagen zufolge, am 5.Februar 1943 das Lager verlassen durfte. Für eine bessere Verpflegung sorgte, wie von dem Zeugen Szu. weiter bekundet, ein von Polen gegründetes Hilfskomitee, das von einer Frau Helena Jablanowska aus Krakau geleitet wurde und Sendungen mit Lebensmittelpaketen veranlasste.

<u>2.) Die Misshandlungen polnischer Arbeiter</u>

Die auf dem Truppenübungsplatz tätigen polnischen Zivilarbeiter waren Misshandlungen durch SS-Leute ausgesetzt. Über deren Ausmass konnten keine genaueren Feststellungen getroffen werden. Nach dem Ergebnis der Beweisaufnahme ist jedoch davon auszugehen, dass zumindest einzelne SS-Angehörige, z.B. der Hauptsturmführer Albrecht und ein SS--Mann Tom., polnische Zivilarbeiter geschlagen haben. Ausserdem hat der Angeklagte, wie noch auszuführen ist, in einer Reihe von Fällen polnische Zivilarbeiter misshandelt.

Den Bekundungen des ehemaligen Sturmbannführers und Ib-Offiziers Bl. zufolge hat der Hauptsturmführer Albrecht - trotz entsprechender Verbote des Zeugen - Polen sehr oft Kinnhaken versetzt (Vernehmung in dem Hauptverhandlungstermin am 14.Dezember 1972). Die Misshandelten müssen polnische Zivilarbeiter gewesen sein, denn der Zeuge Bl. wurde bereits im März 1942 - also vor der Ankunft der ersten polnischen Zwangsarbeiter im Spätsommer oder Frühherbst des gleichen Jahres - verhaftet. Zeuge der Misshandlung eines Polen war der ehemalige SS-Obersturmführer Ho. (Vernehmung in dem Hauptverhandlungstermin am 15.Dezember 1972). Dieser hat, seiner Aussage entsprechend, beobachtet, dass Albrecht vom Pferd aus mit einer Reitpeitsche einen Polen schlug. Die Bekundungen der ehemaligen SS-Offiziere Bl. und Ho. werden durch die polnische Zeugin Sab., die frühere Sekretärin von Bl., die auch für die Betreuung der polnischen Zivilarbeiter zuständig war, bekräftigt (Aussage vom 6.Juli 1973). Demnach haben polnische Arbeiter über Misshandlungen durch Albrecht und durch einen SS-Angehörigen Tom. - nicht jedoch durch den Angeklagten - Klage geführt.

Die polnischen Zwangsarbeiter waren im Lager und bei dem Bau der Waldkampfbahn in einem erheblichen Umfange Misshandlungen ausgesetzt. Für dieses Bauvorhaben war der Angeklagte verantwortlich. Eine Reihe polnischer Zwangsarbeiter sind, wie im einzelnen noch auszuführen ist, auf dieser Baustelle von dem Angeklagten geschlagen worden. Misshandlungen wurden weiter von SS-Leuten, zu dem Schutzmannschaftsbataillon gehörigen ukrainischen Bewachern sowie von polnischen Kapos vorgenommen. Das ergibt sich aus den Bekundungen der ehemaligen polnischen Zwangsarbeiter Ada., Bel., Paz. und Szu. (Vernehmungen in den Hauptverhandlungsterminen am 26.März und 18.Juni 1973). Den Aussagen des Zeugen Paz. zufolge waren die Posten nicht nur mit Schusswaffen, sondern auch mit Knüppeln ausgerüstet.

[128] = Seite 324 dieses Bandes.

Bei den auf der Baustelle der Waldkampfbahn eingesetzten polnischen Zwangsarbeitern war - neben dem Angeklagten - ein zur Waffen-SS gehöriger Aufseher besonders gefürchtet, der von diesen - ins Deutsche übersetzt - "Schwarzer" oder "der Schwarze" genannt wurde. Dieser Aufseher wird sowohl von den Zeugen Ada., Bel., Paz. und Szu. als auch von den in Polen im Wege der Rechtshilfe vernommenen Zeugen Fer. und Jan. (verlesene Aussagen vom 22.September und 2.Juli 1973) als Schläger bezeichnet. Den Angaben des Zeugen Szu. zufolge hatte dieser SS-Mann wahrscheinlich den Namen Alfred Lauer. Nach den Bekundungen des Zeugen Paz. soll es sich um einen Unterscharführer gehandelt haben. Der als "Schwarzer" oder "der Schwarze" bezeichnete SS-Aufseher beobachtete, wie von den Zeugen Paz. und Szu. übereinstimmend ausgesagt, mit einem Fernglas die Arbeiter und erteilte oder verordnete dann Schläge, die mit Stöcken oder Peitschen ausgeführt wurden. Der Zeuge Jan. ist, seinen Bekundungen entsprechend, von diesem SS-Aufseher mit 25 Hieben auf dem Gesäss "bestraft" worden.

In dem für die polnischen Zwangsarbeiter bestimmten Teil des ehemaligen Kriegsgefangenenlagers kam es, besonders in der ersten Zeit bis etwa März 1943, in einem grossen Umfange zu Misshandlungen, die von SS-Angehörigen und von polnischen Kapos vorgenommen wurden. Diese Feststellung beruht auf den glaubhaften Bekundungen des Zeugen Szu. (vom 18. und 19.Juni 1973). Der Zeuge erwähnt in diesem Zusammenhang den früheren Leiter des Judenlagers Kops und die Lageraufseher Hamann und Harke. Den Aussagen von Szu. zufolge wurde mit Stöcken und Gummiknüppeln geschlagen. Vielfach wurden hundert, in Ausnahmefällen auch sechshundert Schläge angeordnet. Die von dem Zeugen bekundete etwa im März 1943 eingetretene Verbesserung der Verhältnisse könnte zeitlich und sachlich mit der Verhaftung von Kops zusammenhängen (siehe oben Seite 52 [129]).

Dass in dem Lager auch in späterer Zeit polnische Zwangsarbeiter misshandelt wurden, ist der Aussage des Zeugen Paz. zu entnehmen, der nach etwa dreimonatiger Gestapohaft im September 1943 in das Polenlager eingeliefert wurde. Demnach ist es im Lager in einem grossen Umfange zu Misshandlungen gekommen, die z.B. mit dem Bettenbau und mit beschädigter Kleidung und beschädigtem Schuhwerk zusammenhingen.

Die Bekundungen über das Misshandeln polnischer Zwangsarbeiter werden durch den in Israel im Wege der Rechtshilfe vernommenen Zeugen Dr. Scho. bekräftigt, der als Arzt im Krankenrevier des ehemaligen Kriegsgefangenenlagers auch Polen wegen Schlagverletzungen behandelt hat, und zwar ab Herbst 1942 (Vernehmung vom 7.März 1973). Dass das Misshandeln polnischer Zwangsarbeiter zumindest geduldet wurde, ist der Aussage des ehemaligen SS-Angehörigen Bo. zu entnehmen, der im Jahre 1944 polnische Arbeitskommando mit zu bewachen hatte (Vernehmung in dem Hauptverhandlungstermin am 16.Januar 1973). Demnach wurde den Posten gesagt, sie dürften schlagen, aber wenn das geschehe, dann müsse das in einer Weise erfolgen, dass die Geschlagenen nicht mehr sprechen könnten.

3.) Die Tötungen polnischer Zwangsarbeiter

Tötungen polnischer Zwangsarbeiter ereigneten sich auf Baustellen und im Lagerbereich. Bei dem Bau einer Schmalspurbahn nach Blizna hat der Zeuge Pok., seinen Aussagen zufolge, gesehen, wie ein SS-Wachposten einen Polen, der sich unter Zweigen verstecken wollte, mit einem Gewehrkolben erschlug (Vernehmung durch den ersuchten Richter in Polen vom 2.Juli 1973). Der Zeuge Schä., ein deutscher Handwerker, hat beobachtet, dass bei dem Bau des Führerheims in der Nähe der von der Bahnstation zur Kommandantur führenden Strasse ein dort für die Firma Krause tätiger Pole nach einer Verletzung durch eine Lorenbahn von

[129] = Seite 341 dieses Bandes.

einem Wachposten erschossen wurde, und zwar auf Verlangen eines Poliers Graetz (kommissarische Vernehmung vom 23.Oktober 1973).

Zwei Fälle von Tötungen sind dem ehemaligen SS-Angehörigen Bo. bekannt geworden, der erst im März 1944 auf den Truppenübungsplatz gelangte und dort auch im Wachdienst eingesetzt war (Vernehmung in dem Hauptverhandlungstermin am 16.Januar 1973). Demnach ist in einem Falle ein Posten wegen der Erschiessung eines bei der Arbeit angeblich geflohenen Polen vor der angetretenen Kompanie von dem Kompanieführer belobigt und mit 100 Zigaretten, einer Taschenuhr und 3 Tagen Urlaub belohnt worden. In dem anderen von dem Zeugen Bo. bekundeten Falle wurde ein von der Arbeit geflohener Pole nach der Verfolgung von Ukrainern des Schuma-Bataillons getötet und dessen Leiche zur Abschreckung auf einen Stuhl am Lagereingang gesetzt. Das Ausstellen des Toten am Lagereingang wird von dem polnischen Zeugen Bel. bestätigt (Vernehmung in dem Hauptverhandlungstermin am 27.März 1973). Nach dessen Aussage wurde an der Leiche bzw. an dem Stuhl ein Schild mit etwa folgenden Worten befestigt: "Ich habe gelebt, ich habe gearbeitet, ich bin geflohen, jetzt bin ich da und lebe nicht."

Über den Umfang der Tötungen von Polen bei der Arbeit sind keine sicheren Feststellungen getroffen. Dass es hierbei zu Tötungen gekommen ist, wird von dem polnischen Zeugen Paz. bestätigt, der ebenso wie der Zeuge Pok., auf dem Rückwege von Baustellen befindliche Kolonnen polnischer Zwangsarbeiter mit Toten und Verletzten gesehen hat (Vernehmungen in dem Hauptverhandlungstermin am 26.März 1973 und durch den ersuchten Richter in Polen am 2.Juli 1973).

In dem für Polen bestimmten Teil des ehemaligen Kriegsgefangenenlagers sind in einem grösseren Umfange Zwangsarbeiter getötet worden. In diesem Lagerbereich gab es eine Baracke, in der häufiger polnische Zwangsarbeiter um das Leben kamen. Insoweit liegen übereinstimmende Bekundungen des polnischen Zeugen Bel. (vom 27.März 1973) und des verstorbenen israelischen Zeugen Wal. (verlesene polizeiliche Vernehmung in Israel vom 10.August 1961; Beiakten der Staatsanwaltschaft Dortmund Bd.II Hülle Bl.44) vor. Der Zeuge Bel. erinnert sich an einen Einzelfall, in dem ein Pole nach der Entwendung von Brot aus Angst vor Repressalien zu flüchten suchte, sich zunächst im Lager eine Nacht verborgen hielt und dann nach der Entdeckung geschlagen, in diese Baracke Nr.8 geschleppt und dort getötet wurde. Nach dieser Aussage sind derartige Tötungen in der Baracke häufiger geschehen. Der israelische Zeuge Wal. konnte von dem für Juden bestimmten Teil des Lagers aus beobachten, dass die SS-Aufseher Hamann und Harke sowie andere SS-Leute polnische Zwangsarbeiter in ein als Haftbunker bezeichnetes Gebäude trieben, die am Morgen des nächsten Tages als Leichen herausgeholt wurden. Ein Einzelfall einer Tötung auf dem Appellplatz des Lagers ist in glaubhafter Weise von dem polnischen Zeugen Ada. bekundet worden (Vernehmung in dem Hauptverhandlungstermin am 18.Juni 1973). Dieser hat gesehen, dass ein bereits von SS-Leuten misshandelter Pole von einem Kapo erschlagen wurde.

Auf dem Appellplatz des Lagers erfolgte weiter eine öffentliche Hinrichtung eines nach der Flucht wiederergriffenen Polen, der nach Verlesung des Todesurteils in Gegenwart der angetretenen polnischen Zwangsarbeiter erhängt wurde. Dieser Tötung mussten, ihrer Aussage entsprechend, u.a. die Zeugen Ada., Bel. und Jan. zusehen (Vernehmungen in den Hauptverhandlungsterminen am 19.Juni und 27.März 1973 sowie durch den ersuchten Richter in Polen vom 2.Juli 1973). Ausserdem ist die Hinrichtung von dem für Juden bestimmten Teil des Lagers aus von dem Zeugen Wiz. beobachtet worden (Vernehmung in dem Hauptverhandlungstermin am 12.Dezember 1972). Nach dessen Wahrnehmungen mussten zwei Frauen - wahrscheinlich die Mutter und die Braut oder die Schwester des Betroffenen - bei der Hinrichtung zugegen sein. Ebenso hat der verstorbene israelische Zeuge Wal., seiner verlesenen Aussage zufolge, die Hinrichtung beobachtet (Aussage vor der Israel-Polizei vom 10.August 1961; Beiakten der Staatsanwaltschaft Dortmund Bd.II Umschlag Bl.44).

Auf Grund der Beweisaufnahme ist weiter davon auszugehen, dass polnische Zwangsarbeiter zumindest zweimal Opfer von Massenerschiessungen geworden sind. In dem von dem Zeugen Paz. bekundeten Falle wurden am 13.November 1943, am Namenstag der Mutter des Zeugen, etwa 50 Personen aufgerufen, von denen über 40 in einem Bunker oder in einer ähnlichen Anlage auf der Höhe 218 (Verbrennungshügel) erschossen wurden (Aussage vom 26.März 1973). Eine andere Massenerschiessung, die in der wärmeren Jahreszeit stattfand, ist von dem Zeugen Jan. wahrgenommen worden (verlesene Vernehmung durch den polnischen Richter vom 2.Juli 1973). Dessen Aussage zufolge wurden 24 junge Leute aus der Ortschaft Przewrotne bei dem Appell aufgerufen. Von seiner Arbeitsstelle aus beobachtete der Zeuge aus einer Entfernung von etwa 100 m, dass die Betroffenen sich auf der Höhe 218 ausziehen mussten, wo sie anschliessend erschossen wurden.

V. Die sowjetischen Kriegsgefangenen auf dem Truppenübungsplatz

Im Herbst 1941 traf ein grösserer Transport mit sowjetischen Kriegsgefangenen auf dem Truppenübungsplatz ein. Es handelte sich um eine wegen der schwankenden Zahlenangaben der Zeugen nicht genau feststellbare Zahl von mehreren Tausend Mann. Die Kriegsgefangenen waren bei ihrer Ankunft in einem erheblichen Masse unterernährt. Todesfälle gab es - der Aussage des kommissarisch vernommenen ehemaligen SS-Angehörigen Kre. zufolge - bereits während des Transports (Vernehmung vom 30.Januar 1973). Bei dem Eintreffen des Zugs auf der Bahnstation Kochanowka fielen Gefangene vor Hunger und Entkräftung aus den Waggons. Das ist den Bekundungen des israelischen Zeugen Ha. (vom 18.Januar 1973) zu entnehmen. Im übrigen beruhen die Feststellungen über das Eintreffen der Gefangenen, die Zeit ihrer Ankunft und über ihre unbestimmte Zahl von mehreren Tausend Mann auf den Aussagen der jüdischen Zeugen Ha. (vom 18.Januar 1973), Ignaz Men. (vom 8.Januar 1973), Samuel Men. (vom 15.Januar 1973) und Seb. (vom 12.Januar 1973) und des ehemaligen SS-Hauptsturmführers Th. (vom 11.Dezember 1972).

Die Aufnahme der Kriegsgefangenen war nicht oder nur völlig unzureichend vorbereitet. Es standen weder Unterkünfte noch Lebensmittel zur Verfügung. Auf den Feldern südwestlich der Höhe 218, dem späteren Verbrennungshügel, mussten die Gefangenen trotz des beginnenden Winters im Freien lagern und schlafen. Insoweit liegen übereinstimmende Bekundungen der israelischen Zeugen Ha. und Seb., des in Polen im Wege der Rechtshilfe vernommenen Zeugen Pra. (Aussage vom 30.Juni 1973) sowie der früheren SS-Führer Bl. und Th. (vom 14. und 11.Dezember 1972) vor.

Tötungen von Kriegsgefangenen ereigneten sich bereits bei deren Ankunft. Während des Fussmarsches von der Bahnstation Kochanowka auf die als Gefangenenlager bestimmte Fläche wurde, wie von den Zeugen Kau. und Samuel Men. bekundet, von Wachmannschaften auf die Gefangenen geschossen (Aussagen vom 19. und 15.Januar 1973).

Im Lager herrschte wegen des ausgehungerten und entkräfteten Zustands der Kriegsgefangenen, der schlechten Ernährung und der kalten Jahreszeit eine hohe Sterblichkeit. Das gilt besonders für die erste Zeit nach der Ankunft der Gefangenen. Bereits in der ersten Nacht sollen - den Aussagen des ehemaligen SS-Führers Th. zufolge - etwa 600 und in der zweiten Nacht ca. 500 Mann verstorben sein.

Im Laufe der Wochen und Monate trat durch Sterbefälle eine immer stärkere Minderung der Zahl der Kriegsgefangenen ein. Das haben sowohl die jüdischen Zeugen Ha., Kau. und Ignaz Men. sowie der polnische Zeuge Pra. als auch die ehemaligen SS-Angehörigen Asc., Bl., Ho., Kre., Pa. und Th. übereinstimmend bekundet (Aussagen in den Hauptverhandlungsterminen am 18., 19. und 8.Januar 1973, vor dem ersuchten Richter in Polen am 30.Juni 1973, in den Hauptverhandlungsterminen am 14., 15.Dezember 1972, vor dem beauftragten Richter am 30.Januar 1973 und in den Hauptverhandlungsterminen am 19.März 1973 und

11.Dezember 1972). Nach der Ausdrucksweise des Zeugen Asc. starben die Gefangenen "wie die Fliegen". Hohe Sterbeziffern werden auch von dem Standortarzt Dr. Schr. in dessen verlesener Vernehmung durch den Staatsanwalt eingeräumt, wobei neben der allgemeinen Entkräftung eine Ruhrepidemie als häufige Todesursache angegeben wird (Aussage vom 27.November 1973 in den Beiakten der Staatsanwaltschaft Dortmund Bd.VI Bl.92).

Unter den Gefangenen war der Hunger so gross, dass vereinzelt Menschenfleisch gegessen wurde. Die ehemaligen SS-Angehörigen Fre. und Th. haben übereinstimmend bekundet, dass zwei Kriegsgefangene deshalb erschossen worden sind, während der Zeuge Th. aussagt, dass Gefangene auf Grund eines Kriegsgerichtsurteils wegen Kannibalismus erhängt wurden. Diese Bekundungen werden durch den ehemaligen Ib-Offizier Bl. bekräftigt, zu dem der Standortarzt Dr. Schr. etwa folgendes über das Kriegsgefangenenlager gesagt hat: "Jetzt schneiden sie schon die Toten auf und holen die Innereien heraus".

Das im Freien befindliche Gefangenenlager wurde zunächst mit einem Stacheldrahtzaun abgegrenzt und danach, wie von den Zeugen Asc., Samuel Men., Kre. und Seb. bekundet, ausgebaut. Ausser den von den Gefangenen aufzustellenden Unterkunftsbaracken wurden Wachtürme und ein Lagertor errichtet.

Von den Wachtürmen aus ist wiederholt in die in dem Lager befindlichen Gefangenen geschossen worden. Das hat der kommissarisch vernommene Zeuge Kre. beobachtet, der zeitweise in der Krankenbaracke des Kriegsgefangenenlagers die Aufsicht führte (Aussage vom 30.Januar 1973). Nach dessen Bekundungen ist erstmalig auf die Gefangenen geschossen worden, als diese sich bei der Essenausgabe zu sehr drängten. Die Aussagen des ehemaligen SS-Angehörigen Kre. werden durch den israelischen Zeugen Dov Sch. bestätigt, der mit einem Pferdefuhrwerk Lebensmittel zum Lagertor zu befördern hatte und bei der Rückfahrt von einem Wachturm aus das Kommando "Feuer" und danach Schüsse hörte (Vernehmung am 9.Januar 1973). Weiter hat der israelische Zeuge Seb. bekundet, dass in das Lager geschossen worden ist (Aussage vom 12.Januar 1973). Vom Hörensagen hat der ehemalige SS-Angehörige Hol. erfahren, dass von den Wachtürmen aus in die zusammengedrängten Gefangenen Schüsse abgegeben worden sind (Vernehmung vom 5.Dezember 1972). Dem Zeugen ist ausserdem die Erschiessung eines Gefangenen bekannt geworden, der den Zaun des Lagers überklettern wollte. Trotz einer Meldung des Vorfalls bei der Kommandantur ist, der Zeugenaussage Hol. zufolge, keine Untersuchung eingeleitet worden.

Mehrfach erschienen in dem Kriegsgefangenenlager SS-Offiziere - zumindest teilweise waren diese von Oranienburg aus angereist - und suchten Gefangene aus, die sofort erschossen wurden. Das ergibt sich aus den Bekundungen des kommissarisch vernommenen Zeugen Kre., der selbst an Exekutionen teilnehmen musste, bei denen die Opfer mit Pistolen durch Genickschuss getötet wurden.

Die sowjetischen Kriegsgefangenen waren teilweise auch ausserhalb des Lagers zu Arbeiten eingesetzt. Das haben der ehemalige SS-Angehörige Kre. und der polnische Zeuge Pra. übereinstimmend bekundet (kommissarische Vernehmung vom 30.Januar 1973 und Vernehmung durch den ersuchten Richter in Polen vom 30.Juni 1973). Bei dem Arbeitseinsatz sind Gefangene getötet worden. Der Zeuge Pra. hat gesehen, dass ein SS-Mann einen Gefangenen erschoss, nachdem dieser bei dem Transport eines gepressten Heuballens zusammengebrochen war. Von dem jüdischen Zeugen Kau. ist eine andere Erschiessung beobachtet worden, die erfolgte, weil das Opfer mit einem Juden gesprochen hatte (Aussage vom 19.Januar 1973).

Dass sowjetische Gefangene während des Arbeitseinsatzes getötet worden sind, ergibt sich auch aus den Bekundungen der ehemaligen SS-Angehörigen Fre., Kre. und S., die von der Arbeit zurückkehrende Gefangenenkolonnen gesehen haben, die Tote, Kranke und Verletzte mit sich führten (Vernehmungen in dem Hauptverhandlungstermin am 5.Dezember 1972, durch den kommissarischen Richter am 30.Januar 1973 und in dem Hauptverhandlungstermin am 20.März 1973). Den Aussagen des Zeugen Kre., des Aufsehers in der Sanitätsbaracke für Kriegsgefangene, zufolge, wurde davon gesprochen, die Getöteten seien "auf der Flucht" erschossen worden.

Durch das Massensterben und die Tötungen reduzierte sich die Zahl der Gefangenen innerhalb einiger Monate von mehreren Tausend Personen auf einige Hundert Überlebende. Das ergibt sich aus den Bekundungen der ehemaligen SS-Leute Kre., Lic. und Th. und der israelischen Zeugen Ha., Ignaz Men. und Seb. (kommissarische Vernehmung am 30.Januar 1973 sowie Aussagen in den Hauptverhandlungsterminen vom 8. und 11.Dezember 1972 sowie vom 18., 8. und 12.Januar 1973). Wegen des geringen Restbestandes an Gefangenen ist das Kriegsgefangenenlager - wahrscheinlich im Frühjahr oder Sommer 1942 - aufgelöst worden. Der Erinnerung des ehemaligen SS-Arztes Dr. Mec. zufolge ist das zu Beginn des zweiten Halbjahres 1942 geschehen (verlesene richterliche Vernehmung vom 9.April 1964 in den Beiakten der Staatsanwaltschaft Dortmund Bd.IX Bl.71). Im Zusammenhang mit der sogenannten Aussiedlung des Judenlagers, die im Spätsommer oder Frühherbst 1942 erfolgte, wurde das Kriegsgefangenenlager mit Juden und Polen belegt (siehe oben Seite 36 ff. [130]). Zu dieser Zeit gab es auf dem Truppenübungsplatz keine sowjetischen Gefangenen mehr.

2.Abschnitt
Die Persönlichkeit des Angeklagten

A. Werdegang

Der Angeklagte Hanns Proschinsky wurde am 16.November 1907 in Amnéville (Stahlheim), Kreis Metz/Lothringen geboren. Bis zu den von dem Angeklagten nach dem 2.Weltkrieg betriebenen Namensänderungen bzw. Namensberichtigungen lauteten sein Vorname Jean (Johann) und die Schreibweise seines Familiennamens Prosinski. Nach den Unterlagen der Waffen-SS und der Reichsbahn wurde der Angeklagte als Hans Prosinski geführt. Die Eltern des Angeklagten waren von Italien aus nach Lothringen eingewandert. Der Vater war Oberschlesier, während die Mutter aus Tirol stammte. Zunächst besuchte der Angeklagte die Volksschule seines Heimatorts Amnéville (Stahlheim). Nach dem Ende des 1.Weltkrieges lehnten seine Eltern den Erwerb der französischen Staatsbürgerschaft ab, wurden von den französischen Behörden ausgewiesen und zogen in das Ruhrgebiet nach Mülheim, wo der Angeklagte den Besuch der Volksschule fortsetzte und anschliessend in einer Fortbildungsschule war.

Nach Beendigung der Schulzeit erlernte der Angeklagte das Elektrikerhandwerk. Dem erfolgreichen Abschluss der Lehrzeit folgte in den Jahren 1925 bis 1927 eine Tätigkeit als Elektriker. Während dieser Zeit besuchte der Angeklagte in Vorbereitung auf das angestrebte spätere Studium an einer Ingenieurschule in Abendkursen die Maschinenbauschule in Duisburg. Vom Herbst 1927 an diente der Angeklagte als Zeitfreiwilliger bei der Reichsmarine, und zwar bei der Marine-Artillerie. Er hatte die Absicht, die Laufbahn eines Deckoffiziers einzuschlagen, die jedoch alsbald abgeschafft wurde. Da ihm für die normale Offizierslaufbahn das Abitur fehlte, schied er im April 1928 als Matrose aus dem Militärdienst aus.

Im Anschluss an die Dienstzeit bei der Reichsmarine war der Angeklagte in der Landwirtschaft als Eleve, Maschinenführer und Verwalter tätig. Während der Winter besuchte er eine Landwirtschaftsschule in Ratingen bei Düsseldorf. Ein Anstellungsverhältnis als Assistent an

[130] = Seite 334 f. dieses Bandes.

dieser Schule wurde wegen eines durch die Wirtschaftskrise bedingten Personalabbaus alsbald wieder gelöst. Nach einer Tätigkeit als Verwalter einer landwirtschaftlichen Genossenschaft war der Angeklagte etwa von Herbst 1931 bis April 1933 arbeitslos.

Während des Besuchs der Landwirtschaftsschule kam der Angeklagte mit dem Bund der Artamanen in Berührung, der die Jugend an die landwirtschaftliche Arbeit heranführen sollte, darüber hinaus jedoch nationalistische und rassistische Zielsetzungen verfolgte. Diesem aus der Jugendbewegung hervorgegangenem völkischen Bund gehörte der Angeklagte vom 1.Mai 1928 bis zum 31.Dezember 1931 an. Dass der spätere Reichsführer der SS Heinrich Himmler Mitglied dieses Jugendverbandes war, will der Angeklagte erst später gehört haben.
Am 1.Juni 1931 trat der Angeklagte der NSDAP und zugleich der SA bei. Als sogenannter Alter Kämpfer - die Anerkennung als solcher erfolgte im Jahre 1936 - hatte er in der NSDAP die Mitglieds-Nummer 651096. Nach einer nur kurzen Mitgliedschaft in der SA trat der Angeklagte in die SS ein. Zur Begründung hierfür gibt er an, dass es ihm in der SA nicht gefallen habe und die SS "sauberer und straffer" gewesen sei.

Seit dem 30.Januar 1932 ist der Angeklagte verheiratet. Aus seiner Ehe mit Frau Anna Proschinsky geb. Schw., geboren am 1.Mai 1906 in Duisburg, sind sechs Kinder hervorgegangen, und zwar vier Söhne und zwei Töchter. Ein weiteres Kind ist während des Krieges verstorben.

Im Mai 1933 fand der Angeklagte eine Beschäftigung bei der Reichsbahn. Zunächst war er als ungelernter Arbeiter und später in seinem Beruf als Elektriker tätig. Im Jahre 1935 gelangte der Angeklagte in die technische Assistentenlaufbahn. Nach bestandener Prüfung war er als Technischer Reichsbahnassistent dem Reichsbahn-Ausbesserungswerk in Mülheim/-Ruhr zugewiesen.

Als Mitglied der allgemeinen SS wurde der Angeklagte am 9.November 1934 zum SS-Untersturmführer und am 30.Januar 1938 zum SS-Obersturmführer befördert. Auf Grund seiner Zugehörigkeit zur SS nahm er im Jahre 1934 mit Erfolg an einem Kompanieführerkurs der preussischen Polizei an der Höheren Polizeischule in Eiche bei Potsdam teil. Seinen Angaben zufolge hat der Angeklagte eine entsprechende Stelle in der Polizei deshalb nicht angestrebt, weil er keine Berufsstellung auf Grund der SS- und Parteizugehörigkeit erlangen wollte.

Auf eigenen Wunsch wurde der Angeklagte im Mai 1939 an das damalige Reichsbahn-Ausbesserungswerk in Linz/Donau versetzt. Wegen des Kriegsausbruchs kam es nicht mehr zu dem beabsichtigten Umzug der Familie von Mülheim/Ruhr nach Linz. Zu Beginn des Zweiten Weltkrieges befand sich der Angeklagte in der Ausbildung für die Inspektoren-Laufbahn, die aus kriegsbedingten Gründen abgebrochen werden musste.

Im September 1939 wurde der Angeklagte zu einer zur SS-Totenkopf-Division gehörigen Ersatzeinheit nach Linz-Ebelsberg eingezogen. Nach kurzer Zeit wurde er - seinem Dienstrang in der allgemeinen SS entsprechend - zum Obersturmführer der Reserve der Waffen-SS ernannt. In einem Artillerie-Regiment nahm der Angeklagte als Artillerie-Verbindungsoffizier und Ib-Offizier im Mai und Juni 1940 an dem Westfeldzug teil. Wegen des Vorwurfs, einer Französin Benzin aus Truppenbeständen überlassen und zu ihr ein Verhältnis gehabt zu haben, wurde gegen den Angeklagten ein Verfahren eingeleitet, das zunächst zur Abkommandierung nach Dachau führte. In einer Ersatzeinheit der Totenkopf-Division leistete er in der ersten Septemberhälfte etwa zwei Wochen lang Dienst in der Waffenmeisterei und meldete sich sodann umgehend auf den Truppenübungsplatz Debica. Das gegen den Angeklagten eingeleitete Verfahren wurde am 18.November 1940 eingestellt.

Von Mitte September 1940 bis zur Räumung Ende Juli oder Anfang August 1944 befand sich der Angeklagte - von einigen kürzeren Unterbrechungen abgesehen - auf dem Truppenübungsplatz Debica. Während dieser Zeit wurde er am 30.Januar 1942 zum Hauptsturmführer der Reserve der Waffen-SS befördert. Seine Familie zog von Mülheim/Ruhr auf den Truppenübungsplatz um, wo der Angeklagte in den Offiziershäusern wohnte, und zwar zunächst in der Querstrasse und sodann in der Kommandantenstrasse. Nur im Zusammenhang mit der Ausbombung seiner Wohnung in Mülheim/Ruhr sowie mit kürzeren Dienstreisen und Lehrgängen hat der Angeklagte vorübergehend - etwa bis zur Höchstdauer von einigen Wochen - den Truppenübungsplatz verlassen. Der weiter im Dienstverhältnis der Reichsbahn befindliche Angeklagte wurde am 1.April 1942 zum Technischen Reichsbahn-Sekretär und am 1.September 1943 zum Technischen Reichsbahn-Obersekretär befördert.

Nach der Räumung des Truppenübungsplatzes Debica gelangte der Angeklagte in die Gegend von Konitz/Westpreussen, wo ein Truppenübungsplatz aufgebaut werden sollte. Am 9.November 1944 erfolgte die Beförderung zum Sturmbannführer der Reserve der Waffen-SS. Bei dem militärischen Zusammenbruch im Jahre 1945 kam der Angeklagte über Danzig und die Halbinsel Hela auf dem Seewege nach Schleswig-Holstein, wo er nach der Kapitulation von der britischen Besatzungsmacht interniert wurde. Etwa drei Jahre lang befand er sich in verschiedenen Internierungslagern und wegen eines Spruchkammerverfahrens auch in Internierungshaft.

Durch rechtskräftiges Urteil des Spruchgerichts Stade vom 12.Januar 1948 wurde dem Angeklagten wegen "Zugehörigkeit zu einer verbrecherischen Organisation, nämlich der SS", eine zweijährige Gefängnisstrafe auferlegt, auf die von der Internierungshaft ein Jahr und acht Monate angerechnet wurden. - Im Rahmen der sogenannten Entnazifizierung wurde der Angeklagte zunächst von der Besatzungsmacht in die Gruppe II und später durch den Entnazifizierungs-Hauptausschuss in Stade ohne Auferlegung von Beschränkungen in die Gruppe der "unwesentlichen Unterstützer des Nationalsozialismus (Kategorie V)" eingestuft.

Aus dem Beamtenverhältnis war der Angeklagte von der Eisenbahndirektion Linz mit Wirkung vom 30.Juni 1945 wegen seiner Eigenschaft als "Alter Kämpfer" der NSDAP entlassen worden. Während der Zeit von 1948 bis März 1952 fand der damals im Kreis Bremervörde wohnhafte Angeklagte Arbeit in der Landwirtschaft.

Mit Wirkung vom 1.April 1952 wurde der Angeklagte von der Bundesbahn in das Beamtenverhältnis eingestellt. Im Jahre 1953 zog er nach Hannover um, wo er eine Planstelle als Technischer Bundesbahnobersekretär hatte und später zum Vorbereitungsdienst für die Laufbahn des gehobenen technischen Dienstes zugelassen wurde. Die Prüfung zum Technischen Bundesbahninspektor (maschinentechnische Fachrichtung) hat der Angeklagte nicht bestanden, und zwar auch zum zweiten Male nicht.

Auf Antrag des Angeklagten wurde durch das französische Tribunal 1.Instanz in Metz am 13.Juli 1957 die Richtigstellung der Geburtsurkunde in der Weise angeordnet, dass der Familienname des Vaters Pro<u>sch</u>insk<u>y</u> (statt Pro<u>s</u>insk<u>i</u>) lautet. Weiter betrieb der Angeklagte die Änderung seines Vornamens. Durch das Ordnungsamt der Stadt Hannover vom 19.März 1958 wurde der bisherige Vorname Jean in Hanns geändert.

Als Grund für die von ihm herbeigeführte Änderung der Schreibweise des Familiennamens hat der Angeklagte in der Hauptverhandlung am 30.November 1972 angegeben, im Kriege habe er in Polen festgestellt, dass sein Name falsch geschrieben werde. Da er schon immer, und zwar bereits vor seiner späteren Mitgliedschaft in der NSDAP und SS, auf Ahnenforschung grossen Wert gelegt habe, sei von ihm eine Namensberichtigung betrieben worden. Das Ende des Krieges habe er abwarten müssen, weil auf Veranlassung der SS sein Name eingedeutscht werden sollte, womit er nicht einverstanden gewesen sei. Die Absicht der Tarnung habe ihm ferngelegen. Nach seiner Darstellung hat der Angeklagte seinen französischen Vornamen Jean ändern lassen, weil er Hans gerufen wurde. Auf die Schreibweise mit einem Doppel-N habe er nur wegen der Herkunft des Namens von dem ungekürzten Vornamen Johannes Wert gelegt (Erklärung in dem Hauptverhandlungstermin am 30.November 1972).

Im Rahmen eines Disziplinarverfahrens ist der Angeklagte durch Urteil des Bundesdisziplinarhofs vom 26.März 1963 - III D 57/62 - von der Endstufe seiner Besoldungsstufe in die 12.Dienstalterstufe zurückgestuft worden. Als Dienstvergehen wurde festgestellt, dass der Angeklagte mit der unrichtigen Behauptung, aktiver Offizier gewesen zu sein, einen Antrag auf Angleichung seiner Beamtenstellung an den früheren angeblichen Offiziersdienstgrad als Major der Wehrmacht gestellt hatte, obwohl er Angehöriger der Waffen-SS und SS-Führer der Reserve war. Das Verfahren hatte weiter die gleichen wahrheitswidrigen Angaben des Angeklagten in einem Antrag auf Anerkennung der Flüchtlingseigenschaft zum Gegenstand. Der Bundesdisziplinarhof geht in seiner Entscheidung davon aus, dass der Angeklagte in beiden Fällen vorsätzlich die Wahrheitspflicht verletzt hat.

Der bei dem Maschinentechnischen Büro der Bundesbahndirektion Hannover tätige Angeklagte wurde am 1.März 1966 zum Technischen Bundesbahn-Hauptsekretär und am 9.Februar 1968 zum Technischen Bundesbahn-Betriebsinspektor befördert. Auf seinen Antrag erfolgte mit Ablauf des 31.August 1971 die Versetzung in den Ruhestand. Nach der Zurruhesetzung siedelte der Angeklagte von Hannover nach Wünschmichelbach bei Weinheim/Bergstrasse (jetzt Weinheim-Wünschmichelbach) über.

Durch den Untersuchungsrichter bei dem Landgericht Hannover - UR 3/71 - wurde gegen den Angeklagten in dieser Sache am 20.Juni 1972 Haftbefehl erlassen. Auf Grund dieses Haftbefehls befindet sich der Angeklagte seit dem 26.Juni 1972 in Untersuchungshaft.

Die Feststellungen über den Werdegang des Angeklagten beruhen auf dessen Erklärungen in den Hauptverhandlungsterminen am 30.November 1972, 23.März und 16.Mai 1973 und auf den in dem Termin am 16.Mai 1973 erörterten Unterlagen des Berlin Document Center (Sonderband II).

B. Der Aufgabenbereich des Angeklagten auf dem Truppenübungsplatz Debica

Während seiner Dienstzeit auf dem Truppenübungsplatz Debica, die Mitte September 1940 mit der Versetzung von der Ersatzeinheit in Dachau begann, war der Angeklagte als SS--Führer der Abteilung Ib des Kommandantur-Stabs zugeordnet. Ende März 1942 übernahm er zusätzlich die Funktion des Stellvertreters des Ib-Offiziers. Nach der Versetzung des Hauptsturmführers Albrecht zur Truppe, die im Februar 1944 erfolgte, wurde der Angeklagte zum Leiter der Abteilung Ib ernannt. Bis zu diesem Zeitpunkt waren ihm, seinen insoweit glaubhaften Angaben in den Hauptverhandlungsterminen am 30.November und 4.Dezember 1972 sowie vom 7.Mai und 19.Juli 1973 entsprechend, eine Reihe verschiedener Aufgaben übertragen. Insbesondere war er für einzelne Schiess- und Übungsanlagen und deren Bau verantwortlich, und zwar für den Schiessstand Kochanowka, die Schiessanlage nördlich oder nordwestlich der Kommandantur, die Nahkampfanlage mit einem Handgranatenwurfstand und die beiden Waldkampfbahnen, die nördlich der Ortschaft Paszczyna und in der Nähe der Kommandantur gebaut wurden.

Seiner eigenen insoweit glaubhaften Darstellung zufolge war der Angeklagte weiter für die Strassenunterhaltung, einschliesslich der Gräben und Übergänge, die Beschilderung des Platzes, den Neubau von Brücken und Stegen sowie deren Unterhaltung, die Schlosserei, die Kartenstelle und das Vermessungswesen, für Flussbegradigungs- und Entwässerungsarbeiten, für den Feldbahnbau vom Bahnanschluss aus, der als Rundumverkehr geplant war, für den Kinderspielplatz, den Friedhof der Waffen-SS, ein Wachhaus und für die Rundumverteidigung zuständig. Ausserdem war der Angeklagte Sicherheitsoffizier für das Schiessen sowie

Luftschutz- und Gasschutz-Offizier. Als Sportoffizier oblag ihm auch die Abnahme von Sportabzeichen. Umsiedlungen von im Platzbereich wohnenden Polen waren von ihm zu leiten. Für eine SS-Brigade Dietrich hatte der Angeklagte die Aufgaben eines Quartiermachers.

C. Das Verhalten des Angeklagten gegenüber jüdischen und polnischen Arbeitern

Über den Angeklagten hat die Beweisaufnahme ergeben, dass dieser bei den jüdischen und polnischen Arbeitern des Truppenübungsplatzes als brutaler Schläger und übler Antreiber sowie wegen seiner schikanösen Handlungsweise bekannt und in einem besonderen Masse gefürchtet war.

Jüdische und polnische Zeugen haben bei ihren Aussagen den Angeklagten ausserordentlich negativ charakterisiert. Der Zeuge Samuel Schi. [131] bezeichnete diesen als einen bestialischen Mörder, während die Zeugen Jakob Sch., Ehf. und Now. von einem "Unmenschen" bzw. einem "Sadisten" oder von "einem schlimmen Menschen, einem ganz schlechten Menschen" sprachen (Aussagen in den Hauptverhandlungsterminen am 8. und 9.Januar 1973 und vor dem ersuchten Richter in Israel am 12. und 7.März 1973). In ähnlicher Weise hatten die polnischen Zeugen Fer. und Stanislaw Mar. den Angeklagten als grausamen Menschen in Erinnerung, während nach der Aussage von Pok. der Angeklagte "als Juden- und Polenmörder" verrufen war (Vernehmungen vor dem ersuchten Richter in Polen vom 22. und 21.September und 2.Juli 1973).

Dass der Angeklagte bei den jüdischen und polnischen Arbeitern weitgehend in dem Ruf stand, der einzige Offizier zu sein, der diese schlug, kommt übereinstimmend in den Aussagen der israelischen Zeugen Seb. und Spi. und der polnischen Zeugen Dmu. und Pok. zum Ausdruck (Vernehmungen in den Hauptverhandlungsterminen am 12.Januar und 10.September 1973 sowie vor dem ersuchten Richter in Polen am 2.Juli 1973). In die gleiche Richtung weist die Bekundung des israelischen Zeugen Ha., er könne sich an keinen Offizier erinnern, der so wie der Angeklagte als Judenverfolger bekannt gewesen sei (Aussage vom 18.Januar 1973). Der polnische Zeuge Fer. erklärte in diesem Zusammenhang folgendes: "Meiner Meinung nach benahm sich Proschinsky nicht wie ein Soldat, sondern war übereifrig den Arbeitern gegenüber und schlug sie auf grausame Weise" (Vernehmung vor dem ersuchten Richter in Polen am 22.September 1973).

Wegen seiner Misshandlungen und Antreibermethoden hatten Juden und Polen vor dem Angeklagten Angst. Das haben die jüdischen Zeugen Blas., Eig., Now. und Jakob Sch. sowie die polnischen Zeugen Dmu., Ge., Leon Mar., Paz., Pok. und Pra. übereinstimmend in glaubhafter Weise bekundet (Vernehmungen vor dem ersuchten Richter in Israel am 12.März 1973, in den Hauptverhandlungsterminen am 11.Januar 1973, vor dem ersuchten Richter in Israel am 7.März 1973, in den Hauptverhandlungsterminen am 8.Januar 1973 und 10.September 1973, vor dem ersuchten Richter in Polen am 27.Juni 1973, in den Hauptverhandlungsterminen am 10.September und 23.März 1973 und vor dem ersuchten Richter in Polen am 2.Juli und 30.Juni 1973). Den Bekundungen des Zeugen Eig. zufolge hatten die jüdischen Arbeiter wegen der Misshandlungen vor keinem anderen SS-Angehörigen eine derartige Angst wie vor dem Angeklagten. Der Zeuge erklärte hierzu, der Angeklagte sei überall gewesen und man habe seine Aufgabe nicht gekannt. Seine Aufgabe sei es wohl gewesen, zu schlagen.

[131] Gemeint ist wohl: Salomon Schi.

Gefürchtet war der Angeklagte als Antreiber bei der Arbeit. Das ergibt sich aus den Aussagen jüdischer und polnischer Zeugen. Dass in dessen Gegenwart auf den Baustellen angestrengter gearbeitet wurde, haben der israelische Zeuge Now. und der polnische Zeuge Paz. übereinstimmend bekundet (Vernehmungen vor dem ersuchten Richter in Israel am 7.März 1973 und in dem Hauptverhandlungstermin am 26.März 1973). Auf Grund der glaubhaften Aussage des polnischen Zeugen Szu. (vom 18.Juni 1973) warnten Kapos die polnischen Arbeiter bei dem Erscheinen des Angeklagten etwa mit folgenden Worten: "Achtung! Proschinsky!" Auch durch SS-Leute wurden die polnischen Zwangsarbeiter, wie von dem Zeugen Ada. bekundet, vor dem Angeklagten gewarnt, wenn dieser die Baustelle der Waldkampfbahn nördlich von Paszczyna aufsuchte (Aussage vom 18.Juni 1973). Dass der Angeklagte in ähnlicher Weise bei den jüdischen Arbeitern gefürchtet war, ist den Bekundungen des Zeugen Spi. zu entnehmen (vom 12.Januar 1973). Demnach wurden in dem Stall der Kommandantur bei der Annäherung des Angeklagten warnend folgende Worte gerufen: "Der Hund kommt!" Weiter ist auf Grund der glaubhaften Aussagen der polnischen Zeugen Ge. und Szu. davon auszugehen, dass der Angeklagte auf den Baustellen die Beschleunigung des Arbeitstempos angeordnet und die Arbeiter angetrieben hat (Vernehmungen vor dem ersuchten Richter in Polen am 27.Juni 1973 und in dem Hauptverhandlungstermin am 18.Juni 1973).

Dass der Angeklagte auch ausserhalb der Baustellen gefürchtet war, ergibt sich aus den Bekundungen des im Wege der Rechtshilfe in Polen vernommenen Zeugen Pra. (vom 30.Juni 1973). Dieser Aussage zufolge haben sich die Leute versteckt, wenn sie sahen, dass dieser auf seinem roten Motorrad angefahren kam.

Bei dem Erscheinen des Angeklagten musste nicht nur mit Misshandlungen, sondern auch mit dem schikanösen Heranziehen zu Arbeiten gerechnet werden, für die die Betreffenden nicht eingeteilt waren. So ordnete, wie von dem Zeugen Seb. bekundet, der Angeklagte an, dass eine gerade von 12-stündiger Arbeit zurückkehrende Gruppe des "Jüdischen Nachrichtenbau-Kommandos" Steine schleppen musste (Aussage vom 12.Januar 1973). Von einem ähnlichen Vorfall berichtet der ebenfalls dem Nachrichten-Kommando zugewiesene Zeuge Bla. (Aussage vom 3.Januar 1973). Demnach musste der Zeuge mit weiteren sogenannten Nachrichten-Juden auf Veranlassung des Angeklagten nach der Rückkehr von der Arbeit eine ganze Nacht an der Bahnstation Kochanowka Kohlen oder Koks von Waggons auf Pferdefuhrwerke umladen. Wegen der Angst, von dem Angeklagten zu derartigen Nachtarbeiten herangezogen zu werden, haben, der Aussage des Zeugen Bla. zufolge, die Juden vom Nachrichten-Kommando die Strasse nicht verlassen. In die gleiche Richtung weist die Aussage des Zeugen Kau. (vom 19.Januar 1973). Dieser wurde auf dem Wege zur Entlausungsstation, wo der Zeuge arbeitete, von dem Angeklagten angewiesen, zunächst Steine abzuladen.

Weiter ordnete der Angeklagte, wie von dem Zeugen Jakob Sch. bekundet, im Pferdestall der Kommandantur in schikanöser Weise an, dass die dort tätigen jüdischen Arbeiter sich nicht setzen durften (Aussage vom 8.Januar 1973). - Bezeichnend für die Einstellung des Angeklagten ist es ausserdem, dass dieser in eine Gruppe polnischer Zwangsarbeiter, wie von dem Zeugen Paz. ausgesagt worden ist, Steine geworfen hat (Vernehmung am 26.März 1973).

Im Zusammenhang mit Misshandlungen hat der Angeklagte selbst eingeräumt, auf Baustellen häufiger Juden geschlagen zu haben, und zwar mit einer Peitsche, möglicherweise auch mit einem Stock (Hauptverhandlung am 30.November 1972). Das sei geschehen, wenn die Arbeiter "faul" gewesen seien oder ihn, den Angeklagten, "zum Narren gehalten" hätten (Erklärungen in dem Termin vom 27.August 1973). Da habe es "doch viele Momente" gegeben (Hauptverhandlung am 27.August 1973). Beispielsweise habe er bei dem Abtransport von Baumstämmen geschlagen, weil trotz des Anfassens von 30 Juden ein Stamm nicht fortbewegt worden sei (Erklärungen in den Hauptverhandlungsterminen am 30.November 1972 und

10.September 1973). Pausierende oder bei der Arbeit Wartende will der Angeklagte dagegen nicht geschlagen haben (Erklärung in der Hauptverhandlung am 27.August 1973). Schläge mit der Hand oder der Faust werden von ihm bestritten (Erklärung in dem Termin am 30.November 1972). Dass er auf dem Truppenübungsplatz wahrscheinlich der einzige Offizier war, der selbst Juden geschlagen hat, ist von dem Angeklagten auf Vorhalt zugegeben worden (Hauptverhandlung am 27.August 1973). Dagegen betont er ausdrücklich, nie einen Polen geschlagen zu haben (Termin am 10.September 1973).

Der Einlassung des Angeklagten kann auf Grund des Ergebnisses der Beweisaufnahme nur insoweit gefolgt werden, als dieser Misshandlungen eingestanden hat. Darüber hinaus ist jedoch bewiesen, dass von dem Angeklagten auch Polen misshandelt und Juden auch ausserhalb der Baustellen und auf andere und brutalere Weise, als von ihm eingeräumt, geschlagen worden sind. Im einzelnen sind hierzu folgende Feststellungen getroffen worden:

a) Besonders grausame Misshandlungen hat der Angeklagte im Pferdestall der Kommandantur begangen. Dort war ein Hengst, der Bobby gerufen wurde, bei dem Ausmisten mit einer Gabel verletzt worden. Die in dem Stall beschäftigten jüdischen Arbeiter wurden verdächtigt, obwohl ein SS-Angehöriger namens Homolka die Verletzungen verursacht hatte. Aus diesem Grunde wurden die in dem Stall beschäftigten Juden misshandelt. Das geschah in der Weise, dass der SS-Mann Homolka den Kopf der Juden zwischen die Beine klemmen musste, während ein anderer SS-Mann die Füsse festhielt und der Angeklagte mit einer Lederpeitsche schlug. Opfer der Misshandlungen waren u.a., ihren Bekundungen zufolge, die israelischen Zeugen Eig., Dov Sch. und Jakob Sch. Die Misshandlungen des Zeugen Eig. durch den Angeklagten fanden erst ein Ende, als der SS-Hauptsturmführer Ger. eingriff (Aussage von Eig. vom 11.Januar 1973).

Nachdem der Zeuge Dov Sch., um weitere Verfolgungen und den bereits angeordneten Entzug der Verpflegung von den jüdischen Stallarbeitern abzuwenden, sich bei dem Kommandeur des Truppenübungsplatzes als der angeblich Schuldige gemeldet hatte, wurde er später von dem Angeklagten deshalb zur Rede gestellt und geschlagen. Bereits durch den ersten Schlag mit der Hand in das Gesicht war der Zeuge Dov Sch. wie benommen. Durch die Schläge des Angeklagten verlor der Zeuge seine Zähne, der wegen dieser Misshandlungen Träger einer Zahnprothese ist.

Bei der Feststellung dieses Vorgangs folgt das Gericht den glaubhaften Bekundungen des Zeugen Dov Sch., die weitgehend von dem Zeugen Jakob Sch. bestätigt werden (Aussagen vom 9. und 8.Januar 1973). Dass sich der Zeuge Jakob Sch. - im Gegensatz zu seinem Bruder - nicht mit letzter Sicherheit an eine Beteiligung des Angeklagten an dem Verprügeln der Juden erinnern kann, mindert nicht den Wert der Bekundungen und lässt vielmehr erkennen, dass zwischen den beiden in Israel lebenden Brüdern Sch. die Aussagen nicht abgestimmt worden sind. Die Schilderung des Zeugen Dov Sch., wonach der Angeklagte mit einer Lederpeitsche geschlagen hat, wird von dem Zeugen Eig. insoweit bestätigt, als dieser als Schläger ebenfalls den Angeklagten angegeben hat (Vernehmung am 11.Januar 1973). Die Aussagen der Zeugen Eig., Dov Sch. und Jakob Sch. werden durch den vor dem ersuchten Richter in Israel vernommenen Zeugen Ehf. bekräftigt (Vernehmung am 12.März 1973). Diesem Zeugen war während des Aufenthaltes auf dem Truppenübungsplatz von dem Zeugen Eig. und den Brüdern Sch. erzählt worden, dass sie im Pferdestall der Kommandantur von dem Angeklagten schwer misshandelt worden sind.

b) Sadistische Züge zeigt das Verhalten des Angeklagten bei einem Vorfall, über den sich auf Grund der verlesenen Aussagen des in Polen im Wege der Rechtshilfe vernommenen Zeugen Stanislaw Mar. (vom 21.September 1973) folgendes ergeben hat:

Auf dem Schiessstand Kochanowka war ein beladenes Fuhrwerk umgekippt. Der Angeklagte gab einem dort arbeitenden besonders kräftig aussehenden Juden den Befehl, einen herabgefallenen Holzklotz wieder aufzuheben. Als das der jüdische Arbeiter nicht schaffte, schlugen dem Angeklagten unterstehende SS-Leute mit Peitschen auf ihn ein. Danach begann auch der Angeklagte, diesen sowie auch andere Juden mit einem Knüppel zu schlagen. Als er die Kraft verlor, drückte der Angeklagte den Knüppel dem Zeugen in die Hand und befahl diesem, den Juden, der den Holzklotz aufheben sollte, weiter zu schlagen. Da der Zeuge nur leicht schlug, rief der Angeklagte: "Nein, nein!" Er entriss dem Zeugen den Knüppel und schlug erneut auf den Juden ein.

Nachdem der Angeklagte von dem Schlagen müde geworden war, fragte er den Zeugen, warum er den Juden nicht schlagen wollte. Auf die Antwort des Zeugen, sein Gewissen erlaube ihm das nicht, sagte der Angeklagte, wenn er dem Juden die Pistole gebe und den Befehl erteile, ihn, den Zeugen, zu erschiessen, würde dieser entsprechend handeln. Der Angeklagte gab daraufhin seine Pistole dem Juden mit dem Befehl, den Zeugen zu erschiessen. Der jüdische Arbeiter zielte mit der Pistole auf den Zeugen und drückte diese ab. Aus der Waffe konnte sich kein Schuss lösen, weil der Angeklagte vor der Übergabe das Magazin entfernt hatte. Nach dem Abdrücken der Pistole durch den Juden sagte der Angeklagte zu dem Zeugen: "Dein Gewissen erlaubt es Dir nicht und der Jude würde Dich erschiessen." Nach den Bekundungen des Zeugen wurde der jüdische Arbeiter anschliessend weggeführt und von SS-Leuten erschossen.

Im Zusammenhang mit diesem Vorfall wurde auch der Zeuge Stanislaw Mar. von dem Angeklagten mit einem Knüppel misshandelt, und zwar derart schwer, dass er ein Jahr lang beim Gehen Schwierigkeiten hatte. Diese Schläge "begründete" der Angeklagte mit folgenden Worten: "Damit Du weisst, wie man Juden schlägt".

c) Im Zusammenhang mit einer Umsiedlung war ein in der Nähe des Truppenübungsplatzes wohnender Jude namens Ha. Misshandlungen durch den Angeklagten ausgesetzt. Dieser begegnete auf dem Rückwege nach dem Überbringen des Umsiedlungsbefehls dem Juden, der die vorgeschriebene Armbinde nicht trug und schlug diesen daraufhin mit der Peitsche über das Gesicht.
Diese Feststellungen beruhen auf den glaubhaften Aussagen des Zeugen Ha., des Bruders des Verletzten (Vernehmung vom 18.Januar 1973). Der bei dem Vorfall nicht anwesend gewesene Zeuge ist von dem Verletzten davon in Kenntnis gesetzt worden und hat die Wunden selbst gesehen. Weiter hatte der Angeklagte unmittelbar vor den Misshandlungen den Zeugen wegen dessen Aussiedlung aufgesucht und hierbei eine Reitpeitsche mit sich geführt.

d) Schlägen durch den Angeklagten war weiter der Zeuge Kau., wie von diesem bekundet, ausgesetzt (Aussage vom 19.Januar 1973). Als dieser auf dem Wege zu seiner Arbeitsstelle, der Entlausungsstation war, gab der Angeklagte ihm bei einer zufälligen Begegnung den Befehl, Steine abzuladen. Hierbei versetzte er dem Zeugen zunächst zwei oder drei Ohrfeigen.

e) Dass der Angeklagte häufiger jüdische Arbeiter mit der Reitpeitsche geschlagen hat, ergibt sich aus den Bekundungen der israelischen Zeugen Spi., Now. und Wei. (Vernehmungen in dem Hauptverhandlungstermin am 12.Januar 1973 und vor dem ersuchten Richter in Israel am 7. und 13.März 1973). Nach den Aussagen von Spi. geschah das bei jeder sich bietenden Gelegenheit. So schlug der Angeklagte wiederholt im Vorbeireiten mit der Peitsche auf Arbeiter, die sich am Strassengraben befanden. Ähnliche Beobachtungen hat der Zeuge Wei. bekundet. Demnach hat der Angeklagte vom Pferde aus auf jüdische Arbeiter mit der Peitsche eingeschlagen, um diese zum schnelleren Laufen zu veranlassen. Weiter hat der Zeuge Now. ein paar Mal gesehen, dass der Angeklagte Juden mit der Reitpeitsche schlug.

f) Die Misshandlungen jüdischer Arbeiter durch den Angeklagten waren vielfach derart schwer, dass diese in das Krankenrevier aufgenommen werden mussten. Das ist den Bekundungen der israelischen Zeugen Bla. und Dr. Scho. zu entnehmen (Vernehmungen in dem Hauptverhandlungstermin am 3.Januar 1973 und vor dem ersuchten Richter in Israel am 7.März 1973). Obwohl der Zeuge Dr. Scho. vor der sogenannten Aussiedlung des Judenlagers nur wenige Wochen - im August und September 1942 - jüdischer Lagerarzt gewesen ist, hörte er von im Krankenrevier behandelten verletzten Juden, dass sie von dem Angeklagten geschlagen worden sind. Dass bereits in einer wesentlich früheren Zeit von dem Angeklagten misshandelte Juden in dem Krankenrevier behandelt werden mussten, folgt aus der Aussage des Zeugen Bla. Demnach hatte auch die jüdische Lagerärztin Dr. Sachs unter ihren Patienten von dem Angeklagten Geschlagene (vgl. oben Seite 35 f. [132]).

g) Opfer von Misshandlungen des Angeklagten wurden in einem erheblichen Masse auch polnische Arbeiter. Übereinstimmend haben die polnischen Zeugen Ada., Dmu., Fer., Ge., Jan. und Pok. in glaubhafter Weise bekundet, dass sie von diesem geschlagen worden sind (Vernehmungen in den Hauptverhandlungsterminen am 18.Juni und 10.September 1973 und vor dem ersuchten Richter in Polen am 22.September, 27.Juni und 2.Juli 1973). Ausserdem haben die polnischen Zeugen Leon Mar., Och., Szu. und Urb. Misshandlungen polnischer Arbeiter durch den Angeklagten beobachtet (Vernehmungen in dem Hauptverhandlungstermin am 10.September 1973, vor dem ersuchten Richter in Polen am 22.September 1973, in dem Hauptverhandlungstermin am 18.Juni 1973 sowie vor dem ersuchten Richter in Polen am 3.Juli 1973). Durch diese zahlreichen Aussagen polnischer Zeugen ist die Darstellung des Angeklagten, er habe nie einen Polen geschlagen, widerlegt.

h) Der Zeuge Ada. wurde, seinen Bekundungen zufolge, von dem Angeklagten mit einem Spatengriff auf die Brust geschlagen (Vernehmung in dem Hauptverhandlungstermin am 18.Juni 1973). Das geschah, als der Zeuge, dem die Gegenwart des Angeklagten nicht bekannt war, bei der Arbeit in einem Graben einem anderen polnischen Zwangsarbeiter sagen wollte, dass er bei der Arbeit kein Wasser trinken dürfe und der Zeuge deshalb einen Augenblick nicht arbeitete. Bevor der von dem Angeklagten zur Rede gestellte Zeuge Ada. antworten konnte, nahm dieser dem Zeugen den Spaten ab und schlug damit.

i) Einige Schläge mit der flachen Hand ins Gesicht versetzte der Angeklagte, wie von diesem bekundet, dem Zeugen Ge. (Vernehmung vor dem ersuchten Richter in Polen am 27.Juni 1973). Auf der Baustelle der Waldkampfbahn nördlich der Ortschaft Paszczyna hatte sich der Zeuge auf seinen Spaten gestützt. Der Angeklagte ging auf ihn zu und schlug ihm etwa fünfmal mit der flachen Hand ins Gesicht.

j) Auf die gleiche Weise ist, seinen Aussagen entsprechend, auf dieser Baustelle der Zeuge Jan. von dem Angeklagten misshandelt worden, weil jener während der Arbeit geraucht hatte (Vernehmung vor dem ersuchten Richter in Polen am 2.Juli 1973).

k) Einer schweren Misshandlung war der Zeuge Pok. ausgesetzt, und zwar ebenfalls bei dem Bau der Waldkampfbahn nördlich von Paszczyna. Nach den Bekundungen des Verletzten konnten die Polen die schwere Arbeit, Teile einer Schmalspurbahn einschliesslich der Schwellen anzuheben, nicht richtig ausführen (Aussage vor dem ersuchten Richter in Polen vom 2.Juli 1973). Deshalb wurde der Zeuge von dem Angeklagten mit einem Knüppel derart stark am linken Arm geschlagen, dass die Folgen jetzt noch zu spüren sind und der Verletzte bei der Ausübung seiner Arbeit noch behindert ist.

[132] = Seite 333 f. dieses Bandes.

l) Besonders schwer waren die Folgen einer Misshandlung für den Zeugen Fer. Aus den glaubhaften Bekundungen dieses vor dem ersuchten Richter in Polen vernommenen Zeugen (Aussage vom 22.September 1973) ergibt sich folgendes:

Der in der Schlosserei eingesetzte Zeuge führte auf dem Wege von der Werkstatt nach Hause einige kleine Stücke Blech mit sich. Das für die Reparatur eines Eimers benötigte Metall hatte er von dem in der Werkstatt ihm vorgesetzten SS-Mann erhalten. Der Angeklagte beobachtete von seinem Motorrad aus den Polen, hielt an, stieg ab und sprach den Zeugen in Deutsch an, der ihm Polnisch antwortete. Nachdem er dem Zeugen das Blech entrissen hatte, schlug der Angeklagte damit auf den Polen ein. Anschliessend zog er die Pistole aus der Tasche und schlug damit dem Zeugen auf den Kopf, bis dieser vorübergehend für kurze Zeit bewusstlos war. Infolge der ihm von dem Angeklagten zugefügten Verletzungen trat eine auch jetzt noch anhaltende Minderung des Hörvermögens ein.
Nach den Misshandlungen durch den Angeklagten musste der Zeuge auf dessen Befehl sich in das für die Werkstatt zuständige Büro begeben, wo er von einem SS-Mann geschlagen wurde. In Gegenwart des Zeugen rief dort der Angeklagte die Gestapo an, die den Verletzten abholte und drei Wochen lang in Pustkow in Arrest behielt. Anschliessend wurde der Zeuge als Zwangsarbeiter auf den Truppenübungsplatz gebracht, wo er im Polenlager eine Häftlingsnummer erhielt.

m) Mit der Reitpeitsche wurde der Zeuge Dmu., seinen Aussagen zufolge, von dem Angeklagten misshandelt (Vernehmung vom 10.September 1973). Das geschah, weil der Zeuge einem Juden ein Stück Brot gegeben hatte.

n) Auf der Baustelle der Waldkampfbahn nördlich der Ortschaft Paszczyna sind polnische Zwangsarbeiter mehrfach vom Angeklagten mit der Reitpeitsche misshandelt worden. Diese Feststellung beruht auf der glaubhaften Aussage des Zeugen Szu. vom 18.Juni 1973.

o) Von dem Angeklagten sind auf der Baustelle des Schiessstands Kochanowka neben jüdischen Arbeitern auch Polen misshandelt worden. Nach den Bekundungen des polnischen Zeugen Och. hat der Angeklagte mit einem Stock oder mit sonstigen gerade greifbaren Gegenständen die bei dem Bau des Schiessstands eingesetzten Arbeiter geschlagen oder diese mit den Füssen getreten (Vernehmung durch den ersuchten Richter in Polen am 22.September 1973).

p) Eine weitere auf dem Schiessstand Kochanowka verübte Misshandlung ergibt sich aus der Aussage des polnischen Zeugen Urb. Demnach hat dort der Angeklagte den Leiter einer polnischen Arbeitsgruppe, Adamczuk, mit einem Stock geschlagen (Vernehmung durch den ersuchten Richter in Polen am 22.September 1973).
Zwar konnte sich der Zeuge Urb. an den Namen des Angeklagten nicht erinnern. Dass dieser auch in diesem Falle die Misshandlung vorgenommen hat, ist jedoch der Personenbeschreibung des Zeugen zu entnehmen, der von einem rothaarigen, sommersprossigen SS-Offizier sprach und vor allem den Angeklagten auf Grund des Fotos in dem Sonderband I als den betreffenden SS-Offizier wiedererkannt hat.

q) Dass der Angeklagte einen unter den polnischen Zwangsarbeitern befindlichen alten Mann mit einem Schaufelstiel auf den Kopf und auf den Rücken schlug, hat die Aussage des Zeugen Szu. (vom 18.Juni 1973) ergeben, der den Vorgang selbst gesehen hat. Zuvor hatte der Angeklagte befohlen, dass sich die Gruppe von Polen, zu der der Misshandelte gehörte, zu einer Stelle bewegen sollte. Von einer Schaufel brach sich der Angeklagte den Stiel oder einen Teil davon ab, um den polnischen Zwangsarbeiter zu schlagen.
Die Aussagen des Zeugen Szu. werden durch den Zeugen Ada. bekräftigt (Vernehmung vom 18.Juni 1973). Dieser Zeuge hat während seines Zwangsaufenthalts im Polenlager von der Misshandlung eines alten Polen durch den Angeklagten gehört.

r) Die Misshandlung eines polnischen Bauern durch den Angeklagten ist von dem Zeugen Leon Mar. bekundet worden. Entsprechend den Aussagen des Zeugen vom 10.September 1973 schlug der Angeklagte zuerst mit der Hand und dann mit der Pistole wahllos auf den Polen ein. Der Angeklagte hatte während einer Fahrt von seinem Motorrad aus gesehen, dass der Bauer unerlaubterweise auf einem Acker arbeitete. Von dem Zeugen ist der Vorfall aus einer Entfernung von etwa 35 m beobachtet worden, als er für seine Eltern die Kühe hütete.

s) In der Schlosserwerkstatt hat der Angeklagte den polnischen Arbeiter Stanislaw Michalek mit einem Knüppel geschlagen, weil dieser als sogenannter freier Arbeiter auf illegale Weise Briefe polnischer Zwangsarbeiter aus dem Truppenübungsplatz gebracht hatte. Dieser Feststellung liegt die Aussage des polnischen Zeugen Och. zugrunde (Vernehmung durch den ersuchten Richter in Polen am 22.September 1973).

Die Bekundungen zahlreicher jüdischer und polnischer Zeugen über Misshandlungen, Schikanen und Antreibermethoden werden durch andere Zeugen, insbesondere durch ehemalige SS-Angehörige, nicht in Frage gestellt. Zwar ist die Persönlichkeit des Angeklagten von einigen Zeugen, die als SS-Leute auf dem Truppenübungsplatz waren, positiv beurteilt worden. Der ehemalige Chef der Nachrichteneinheit, der Zeuge Th., erklärte, er habe den Angeklagten für einen "herzensguten Kameraden" gehalten und er könne es sich einfach nicht vorstellen, dass dieser gewalttätig gewesen sei. In seiner Aussage vom 11.Dezember 1972 gab der Zeuge an, Proschinsky habe zu den Kameraden gehört, die er am meisten geschätzt habe. Der Zeuge wies auf das vorbildliche Familienleben des Angeklagten, seine gut erzogenen Kinder und darauf hin, dass dieser nicht so viel wie andere getrunken habe. Zu einer günstigen allgemeinen Beurteilung des Angeklagten gelangten weiter die Zeugen Dan. und L. (Aussagen vom 14. und 8.Dezember 1972). Der Zeuge Dan., ein ehemaliger Unterführer der Kommandanturverwaltung, erklärte, dass sich der Angeklagte während einer gemeinsamen vierwöchigen Dienstreise nach Norwegen sehr menschlich gezeigt habe. Seine Bewertung des Angeklagten müsse zum Guten ausschlagen, während einige SS-Offiziere, zum Beispiel Albrecht und H., schlecht gewesen seien. Als ein ordentlicher und anständiger Mensch, der sich immer ruhig verhalten habe, wird der Angeklagte von dem Zeugen L. geschildert. Dieser gehörte als Kassenleiter der Standortverwaltung an. Seine Überzeugung von der Unschuld des Angeklagten äusserte der Zeuge Asc., ein früherer Offizier der Bauleitung, in der Hauptverhandlung am 23.März 1973. Zu dem Angeklagten gewandt erklärte der Zeuge etwa folgendes: "Ich glaube nicht, dass Sie jemand erschossen haben. Um da zu helfen, will ich Tag und Nacht opfern".

Diese den Angeklagten günstig beurteilenden Zeugenaussagen enthalten blosse Meinungsäusserungen und besagen nichts über das tatsächliche Verhalten des Angeklagten. Hierüber vermochten sich die genannten Zeugen nicht zu erklären, da sie mit dem Angeklagten entweder überhaupt nicht oder nur in einem geringen Umfange dienstliche Berührung hatten. Der Zeuge Asc. gehörte der von der Kommandantur organisatorisch und auch räumlich getrennten Bauleitung bzw. Zentralbauleitung an, während die Zeugen Dan. und L. mit Verwaltungsaufgaben befasst waren. Auch der Zeuge Th. hatte als Chef der Nachrichteneinheit ein völlig anderes Tätigkeitsgebiet als der Angeklagte.

Bemerkenswert ist in diesem Zusammenhang, dass ehemalige SS-Angehörige, die auf Grund ihres Aufgabenbereichs mit dem Angeklagten stärkeren Kontakt hatten, zu einer weniger günstigen und differenzierteren Beurteilung gelangen. Das gilt insbesondere für den Zeugen Ho., der wie der Angeklagte Offizier bei der Abteilung Ib des Kommandanturstabs war. Dessen Aussage vom 15.Dezember 1972 enthält zunächst die Bemerkung, dass der Angeklagte Nationalsozialist und immer gerecht und streng gewesen sei, was sich nicht nur den Polen und Juden gegenüber, sondern auch in der Erziehung der Kinder gezeigt habe. Proschinsky sei streng gegen sich selbst gewesen und habe das auch von anderen verlangt. Von der Erziehung der Kinder her könne er sich Reaktionen des Angeklagten wie Ohrfeigen vorstellen. Bei ihm könne "eine Sicherung durchgegangen" sein.

Den Bekundungen des Zeugen May., der als Angehöriger der Abteilung Ib auch Baustellen, insbesondere den Schiessstand Kochanowka, aufzusuchen hatte, ist zu entnehmen, dass der Angeklagte mit den Arbeitern herumgeschrien und diesen auch gedroht hat (Vernehmung vor dem ersuchten Richter in Österreich am 26.Februar 1973). Auch nach den Aussagen des ehemaligen SS-Angehörigen Wac., der etwa drei Monate am Schiessstand Kochanowka eingesetzt war, hat der Angeklagte - wenn auch nicht oft - mit polnischen Arbeitern geschimpft (Vernehmung vor dem ersuchten Richter in Österreich vom 15.Juni 1973). In die gleiche Richtung weist auch die Aussage der polnischen Zeugin Sab. (vom 6.Juli 1973), wonach der Angeklagte bei der Arbeit oft "Krach machte". Die Zeugin war bis April 1942 für die Betreuung der sogenannten freien polnischen Arbeiter verantwortlich.

Aus der Sicht des Zeugen Bl., der bis zu seiner Verhaftung im März 1942 als Ib-Offizier dem Angeklagten übergeordnet war, war dieser der richtige Mann für den Bau des Schiessstandes Kochanowka (Aussage vom 14.Dezember 1972). Der Zeuge meinte, der Angeklagte hatte "ein Herz im Leibe". Mit diesem habe er abgesprochen, dass Juden zusammen mit Polen beschäftigt werden sollten, um über die als sogenannte freie Arbeiter tätigen Polen Verbindungen zu den Angehörigen der Juden herzustellen. Diese Aussage gibt jedoch lediglich die Einschätzung des Angeklagten durch den Zeugen Bl. wieder und enthält keine Tatsachen, die das Verhalten des Angeklagten gegenüber den jüdischen und polnischen Arbeitern betreffen.

Positive Bekundungen über das Verhalten des Angeklagten haben sich bei der umfangreichen Beweisaufnahme fast nicht ergeben. Die Aussagen der polnischen Zeugen Bel., Sab. und Pra. sind nicht geeignet, die ausserordentlichen negativen Feststellungen über den Angeklagten zu erschüttern.

Wie von dem Zeugen Bel. (Aussage vom 26.März 1973) bekundet, hat sich der Angeklagte auf der Baustelle der Waldkampfbahn nördlich der Ortschaft Paszczyna nicht um die polnischen Zwangsarbeiter gekümmert und nur mit den Kapos und dem SS-Mann gesprochen, der als "Schwarzer" bezeichnet wurde. Diese Wahrnehmungen beschränken sich auf das Jahr vom Juli 1943 bis zum Juli 1944, in dem der Zeuge auf dieser Baustelle arbeiten musste. Dass der Zeuge während dieser Zeit keine von dem Angeklagten verübten Misshandlungen beobachtet hat, stellt die Aussagen der Zeugen Ge., Jan. und Pok., die auf dieser Baustelle von dem Angeklagten geschlagen worden sind, sowie des Zeugen Szu., der dort mehrfach das Schlagen mit der Reitpeitsche durch den Angeklagten gesehen hat, nicht in Frage. Bei der Würdigung der Zeugenaussage Bel. muss berücksichtigt werden, dass es sich bei der Waldkampfbahn nördlich Paszczyna um eine grosse Baustelle handelte, über die ein Gesamtüberblick zumindest für einen Zwangsarbeiter nicht möglich war. Mehrere Hundert Personen mussten in dem unübersichtlichen Waldgelände arbeiten (siehe oben Seite 104 [133]).

Ebensowenig können aus den Aussagen der Zeugin Sab. (vom 6.Juli 1973) für den Angeklagten günstige Folgerungen gezogen werden. Als Sekretärin in der Abteilung Ib der Kommandantur, die zugleich für die Betreuung der sogenannten freien polnischen Arbeiter zuständig war, will die Zeugin nichts von Misshandlungen durch den Angeklagten und über diesen von Polen nur gehört haben, dass Proschinsky etwas verlange, aber auch gerecht sei. Dagegen habe es Beschwerden wegen Misshandlungen durch die SS-Angehörigen Albrecht und Tom. gegeben. Diesen Bekundungen kommt ein nur geringer Beweiswert zu, weil die Zeugin

[133] = Seite 365 dieses Bandes.

über die Behandlung der polnischen Zwangsarbeiter nichts aussagen konnte und es sich bei den von dem Angeklagten geschlagenen Polen zum grösseren Teil um Zwangsarbeiter handelte. Bereits Ende April 1942 ist die Zeugin Sab. verhaftet worden. Zu dieser Zeit gab es auf dem Truppenübungsplatz noch keine polnischen Zwangsarbeiter, die erst im September oder Oktober 1942 eintrafen (siehe oben Seite 37 ff. [134]).

Den Bekundungen des polnischen Zeugen Pra. ist zwar zu entnehmen, dass der Angeklagte ihm im Zusammenhang mit dessen Aussiedlung geholfen hat (Vernehmung durch den ersuchten Richter in Polen am 30.Juni 1973). Der Angeklagte hat es dem Zeugen ermöglicht, in den von ihm gewünschten Ort umziehen zu dürfen. Dieser Einzelfall einer einem Polen erwiesenen Gefälligkeit erlaubt keine allgemeinen Schlüsse auf das Verhalten des Angeklagten und dessen Einstellung gegenüber den polnischen Arbeitern.

Nach der Überzeugung des Gerichts lassen die festgestellten Misshandlungen erkennen, dass der Angeklagte Hassgefühle gegenüber Juden und Polen hatte. Der durch die aktive Mitgliedschaft in der SS und durch die einseitige Hetzpropaganda des totalitären Staats hervorgerufene Hass hat das brutale Verhalten des Angeklagten ermöglicht, das mit hoher Wahrscheinlichkeit ohne diese Einflüsse nicht zum Ausdruck gekommen wäre. Gefördert wurde die Handlungsweise durch die dem Angeklagten bei der Waffen-SS zugefallene Befehlsgewalt, der er innerlich nicht gewachsen war. Im Zivilberuf war der Angeklagte in einer relativ untergeordneten Stellung bei der Reichsbahn tätig gewesen. Ohne eine entsprechende Ausbildung als Reserveoffizier hatte er auf dem Truppenübungsplatz dagegen die Befehlsgewalt über eine grosse Zahl von Personen und eine unbegrenzte Machtbefugnis über jüdische und polnische Arbeiter.

Die glaubhafte Äusserung des israelischen Zeugen Ha., dass er sich an keinen auf dem Truppenübungsplatz stationiert gewesenen Offizier erinnern könne, der so wie der Angeklagte als Judenverfolger bekannt gewesen sei (Aussage vom 18.Januar 1973), wird durch das festgestellte Fehlverhalten des Angeklagten bekräftigt. Schlüsse auf dessen Einstellung zu den Juden erlauben weiter die Bekundungen des israelischen Zeugen Seb. (vom 12.Januar 1973). Demnach hat der Angeklagte zu einer Gruppe jüdischer Nachrichtenleute, die aus arbeitstechnischen Gründen vorübergehend ausserhalb untergebracht waren, folgende Worte gesagt: "Was macht Ihr Scheissjuden hier?" Von dem Hauptsturmführer Ger., dessen menschliche Einstellung gegenüber Juden von israelischen Zeugen wiederholt erwähnt wurde (siehe oben Seite 20, 38 und 63 [135]) hatte der Zeuge Seb. auf dem Truppenübungsplatz gehört, dass der Angeklagte Ger. als "Judenknecht" und "Judenonkel" beschimpft hatte. Bemerkenswert ist weiter die Aussage der Ehefrau des Angeklagten, wonach sich der Angeklagte gegen das Abnehmen von Gardinen in seiner Wohnung durch einen Juden gewendet hat, und zwar mit der Begründung, es sei für den Haushalt genug anderes Personal vorhanden (kommissarische Vernehmung vom 23.Februar 1973).

Eine negative Einstellung zu den jüdischen Menschen zeigte der Angeklagte auch noch während der Hauptverhandlung. So erklärte er sich in dem Termin am 10.September 1973 über die Arbeit der Juden - fast wörtlich - wie folgt: "Die Arbeit war für die Juden nicht schwer. Sie konnten aber nicht regulär arbeiten. Man war bei ihnen schon froh, wenn sie etwas Sand auf der Schaufel hatten. Da sie noch nie wie etwa die Deutschen gearbeitet hatten, konnten sie nicht arbeiten. Ich hatte nicht den Eindruck, dass sie schwach oder entkräftet waren." Im Zusammenhang mit dem Roden der Bäume an dem Schiessstand Kochanowka äusserte sich der Angeklagte in dem Termin am 5.September 1973 etwa wie folgt: "Auf Einzelheiten will

[134] = Seite 334 f. dieses Bandes.

[135] = Seite 326, 335, 346 dieses Bandes.

ich jetzt nicht näher eingehen. Das geht ja doch nach Israel." Bezeichnend für die Einstellung zu den Juden ist auch die Einlassung des Angeklagten. Dieser hat eingeräumt, Juden geschlagen zu haben, das Schlagen von Polen dagegen ganz entschieden in Abrede gestellt (Erklärungen in dem Hauptverhandlungstermin am 10.September 1973).

Die Feststellungen über den Judenhass des Angeklagten werden durch die Aussagen des Zeugen Uel., des ehemaligen stellvertretenden Leiters der Standortverwaltung, nicht in Frage gestellt (Vernehmung am 23.März 1973). Dass der Angeklagte einmal in einem Gespräch die schlechte Ernährung der Juden beklagte und diese nicht für richtig hielt, weil die Juden für die Waffen-SS arbeiten mussten, erlaubt in Anbetracht seiner Handlungsweise und seiner anderen Äusserungen nicht den Schluss auf eine menschlichere Einstellung gegenüber den Juden.

3.Abschnitt
Besonderheiten der Beweiserhebungen

A. Allgemeines

Die Beweisaufnahme stellte das Gericht vor die Aufgabe, Vorgänge, die zum grösseren Teil mehr als 30 Jahre zurückliegen, festzustellen. Wegen der Länge der vergangenen Zeit konnte hierbei die Möglichkeit, dass bei Zeugen durch ihre Phantasie ausgefüllte Gedächtnislücken oder auch Erinnerungsfälschungen eingetreten sind, nicht von vornherein ausgeschlossen werden. Weiter kann das Gedächtnis von Zeugen durch spätere Geschehen sowie durch Gehörtes und Gelesenes beeinflusst worden sein. Das kann etwa durch Gespräche im Kreise von Leidensgefährten oder Kameraden oder auch durch Presseveröffentlichungen, Filme, Fernsehsendungen oder Bücher und schliesslich auch durch wiederholte Vernehmungen im Straf- und Ermittlungsverfahren geschehen sein.

Besonderes Gewicht kommt dem Umstand zu, dass die Zeugen verschiedenen Personengruppen zuzurechnen sind, die sich während ihres Aufenthaltes auf dem Truppenübungsplatz in sehr unterschiedlichen Situationen befunden haben. Im wesentlichen handelt es sich hierbei um die Gruppen der jüdischen Zeugen, der polnischen Zeugen und der ehemaligen SS-Angehörigen. Bereits durch die Zugehörigkeit zu einer dieser Gruppen und die darauf zurückzuführenden verschiedenen Erlebnisse können sich Unterschiede in der Wahrnehmung und Erinnerung sowie auch in der subjektiven Wertung des Geschehens ergeben haben.

Bei jüdischen und auch bei polnischen Zeugen war die Möglichkeit, dass Aussagen wegen des erlittenen Unrechts und der zugefügten Leiden nicht frei von - verständlichen - Gefühlen des Hasses und der Vergeltung waren, von vornherein nicht völlig auszuschliessen. Im Verlauf der Beweisaufnahme hat sich jedoch ergeben, dass jüdische und polnische Zeugen sich in einem erheblichen Masse um eine objektive Schilderung des Geschehens und eine differenzierende Darstellung ihrer Erlebnisse bemüht haben.

Fast alle in der Hauptverhandlung vernommenen jüdischen Zeugen haben auf die sehr unterschiedliche Behandlung durch die SS, denen sie auf Baustellen und in anderen Bereichen ausgesetzt waren, hingewiesen (siehe oben Seite 63 ff., 70 ff., 62 ff., 78 ff. [136]). Bei der Wertung der Aussagen hält es das Gericht für besonders erheblich, dass die meisten jüdischen Zeugen immer wieder betonten, dass es bei der SS (auf dem Truppenübungsplatz) auch sehr anständige, menschliche und gute Offiziere und sonstige SS-Leute gegeben hat. Insoweit wird auf die Bekundungen der Zeugen Bla., Dri., Eig., Ha., Kro., Ignaz Men., Dov Sch.,

[136] = Seite 346 f., 349 f., 353 f. dieses Bandes.

Jakob Sch., Salomon Schi., Seb. und Spi. sowie des kommissarisch vernommenen Zeugen Hor. hingewiesen (Vernehmungen am 3., 4., 11., 18., 5., 8., 9., 8., 9., 12. und 12.Januar 1973 sowie die kommissarische Vernehmung vom 6.Februar 1973). Charakteristisch für die Ansicht vieler israelischer Zeugen ist folgende Erklärung des Zeugen Eig.: "Es waren gute, noch bessere und auch schlechte Männer bei der SS". Ähnlich drückte sich der Zeuge Spi. aus, der hervorhob, dass es nicht nur vernünftige SS-Offiziere, sondern auch sonst vernünftige SS-Leute gegeben habe. Als guter bzw. anständiger SS-Mann bezw. als "Mensch" oder "Humanist" wurde von einer Anzahl jüdischer Zeugen der Hauptsturmführer Ger. von der Unterkunftsverwaltung erwähnt (Zeugenaussagen Bla., Dri., Ha., Ignaz Men., Dov Sch., Jakob Sch., Salomon Schi., Seb. und Spi.). Der Zeuge Spi. erklärte, dass "Ger. und andere wie ein Vater gesorgt" haben. Positive Äusserungen israelischer Zeugen sind u.a. über den Untersturmführer Asc. von der Bauleitung, den Hauptsturmführer Th., dem Chef der Nachrichteneinheit, und den Scharführer Ruff, der im letzten Judenlager eingesetzt war und im Sommer 1944 den Transport nach Auschwitz begleitete (siehe oben Seite 41 [137]), erfolgt (Aussagen von Bla., Ha., Kro., Ignaz Men., Dov Sch. und Seb.).

Dass die gleichen israelischen Zeugen, die sich über SS-Angehörige auch im günstigen Sinne erklärten, den Angeklagten äusserst negativ geschildert haben, erhöht nach der Ansicht des Gerichts den Beweiswert ihrer allgemeinen Bekundungen über den Angeklagten. Diese lassen wegen der Differenzierungen erkennen, wie sehr sich diese Zeugen um wahrheitsgemässe Aussagen bemüht haben. Zwar wird nicht verkannt, dass zwischen den in Israel lebenden Zeugen zumindest teilweise ein Kontakt bestanden haben kann und bei Gesprächen zwischen diesen erfahrungsgemäss über das erlittene gemeinsame Schicksal und möglicherweise auch über bevorstehende Vernehmungen, über die Person des Angeklagten, über dessen Verhalten und über die ihm vorgeworfenen Taten, die Gegenstand des Verfahrens sind, gesprochen worden ist. Weiter ist zu berücksichtigen, dass in Israel eine Vereinigung der ehemaligen jüdischen Lagerinsassen besteht, deren Vorsitzender, seinen Bekundungen zufolge, der Zeuge Seb. ist (Aussage vom 12.Januar 1973). Dass im Ermittlungsverfahren zwischen der Israel-Polizei und dieser Ehemaligen-Vereinigung zusammengearbeitet worden ist, ergibt sich aus der Aussage des israelischen Polizeibeamten Dew. (Hauptverhandlung am 2.April 1973).

Anhaltspunkte, dass durch die Ehemaligen-Vereinigung oder sonst durch Gespräche zwischen israelischen Zeugen die Aussagen inhaltlich beeinflusst worden sind, fehlen. Eine derartige Einflussnahme wird wegen des günstigen persönlichen Eindrucks der Zeugen sowie der Art ihrer Aussagen und deren Inhalt als ausgeschlossen angesehen. Keine Aussage eines israelischen Zeugen wirkte abgesprochen oder präpariert. Weiter haben sich in den Einzelheiten Abweichungen zwischen der Darstellung der Zeugen ergeben, die bei der Beweiswürdigung im einzelnen zu erörtern sind.

Der Wert der Aussagen israelischer Zeugen, die sich über das Verhalten des Angeklagten ausserordentlich negativ äusserten, wird durch entsprechende Bekundungen polnischer Zeugen erhöht. Dass zwischen den israelischen Zeugen einerseits und den Zeugen in Polen andererseits in diesem Verfahren Kontakte bestanden haben und Aussagen abgesprochen worden sind, ist unter Berücksichtigung der Verhältnisse auszuschliessen. Bei der Würdigung jeder einzelnen den Angeklagten belastenden Aussage muss berücksichtigt werden, dass dieser wegen seiner Grausamkeiten und Schikanen unter den jüdischen und polnischen Arbeitern gefürchtet und verhasst war (siehe oben Seite 125 ff. [138]). Dieser Gesichtspunkt zwingt das Gericht aus einem zweifachen Grunde zu besonderer Vorsicht. Wegen des brutalen Verhaltens ist die Möglichkeit, dass Zeugen von anderen Personen verübte Gewalttaten

[137] = Seite 336 dieses Bandes.

[138] = Seite 375 f. dieses Bandes.

bei dem Ausfüllen von Gedächtnislücken oder im Zusammenhang mit Erinnerungsfälschungen dem Angeklagten anlasten oder bei der Wiedergabe von Geschehnissen, an denen der Angeklagte beteiligt war, übertreiben, nicht von vornherein auszuschliessen. Das Ausmass der von dem Angeklagten verübten Grausamkeiten legt ausserdem den Schluss nahe, dass Aussagen von Zeugen - bewusst oder unbewusst - von Vergeltungsmotiven beeinflusst worden sein können. Diese angeführten Gesichtspunkte und Möglichkeiten hat das Gericht bei jeder einzelnen den Angeklagten belastenden Aussage überprüft.

In der Hauptverhandlung hat sich ergeben, dass ehemalige SS-Angehörige sich bemüht haben, die Verteidigung des Angeklagten zu unterstützen. Den Bekundungen des ehemaligen SS-Führers Ru., eines früheren SS-Kameraden des Angeklagten aus Mülheim/Ruhr, der zeitweise auf dem Truppenübungsplatz war, ist zu entnehmen, dass dieser Zeuge vor seiner Vernehmung in der Hauptverhandlung die Geschäftsstelle der HIAG in Moers aufgesucht hat und sich dort beraten liess (Aussage vom 16.Januar 1973). Der Zeuge ist dann auch, wie von ihm bekundet, bei seiner Ankunft auf dem Hauptbahnhof Hannover von einem örtlichen Vertreter der HIAG abgeholt worden. Ein etwaiger Versuch von HIAG-Mitgliedern, diese Zeugenaussage zu beeinflussen, ist jedoch ohne Bedeutung, denn der Zeuge Ru. konnte den Angeklagten in keiner Weise entlasten. In seinen Aussagen vom 29.März und 2.April 1973 hat der ehemalige SS-Führer Asc. eingeräumt, sich mit einem Rundschreiben an frühere auf dem Truppenübungsplatz stationierte SS-Angehörige gewandt zu haben, um zu einer Entlastung des Angeklagten beizutragen. Das erfolgte in Abstimmung mit dem Verteidiger. Auf Grund des Inhalts des dem Gericht in der Hauptverhandlung am 2.April 1973 überreichten Rundschreibens (Anlage zum Protokoll vom gleichen Tage) ist jedoch nicht davon auszugehen, dass der Zeuge Asc. versucht hat, auf den Inhalt zukünftiger Zeugenaussagen Einfluss zu nehmen. Dass darüber hinaus auch zwischen ehemaligen SS-Angehörigen Kontakte bestanden haben, die das Verfahren zum Gegenstand hatten, entspricht der allgemeinen Erfahrung. Dieser Umstand mindert jedoch nicht den Wert von Aussagen ehemaliger SS-Angehöriger. Anhaltspunkte, dass auf deren Inhalt Einfluss genommen wurde und es so zu unrichtigen Aussagen gekommen ist, fehlen.

Der Beweiswert von Aussagen ehemaliger SS-Angehöriger wird nicht dadurch gemindert, dass einzelne Zeugen dem Angeklagten ein - menschlich verständliches - kameradschaftliches Wohlwollen entgegenbrachten und diesen teilweise auch positiv beurteilten (siehe oben Seite 139 f. [139]). Im übrigen ergaben die Vernehmungen ehemaliger SS-Angehöriger sehr unterschiedliche Wahrnehmungen und teilweise auch Äusserungen, die eine starke Distanzierung von dem Geschehen auf dem Truppenübungsplatz zum Ausdruck brachten (Zeugenaussagen Bl., Hol. und Th. vom 14., 5. und 11.Dezember 1972 sowie kommissarische Vernehmung des Zeugen Kre. vom 30.Januar 1973).

Auf Grund des überzeugenden Gutachtens des ordentlichen Professors der Psychologie an der Universität Köln, Prof. Un., das in dem Hauptverhandlungstermin am 21.März 1973 erstattet worden ist, geht das Gericht davon aus, dass bei einzelnen als Zeugen vernommenen ehemaligen SS-Angehörigen, zum Beispiel bei Bewachern und sonstigem auf den Baustellen eingesetzten Personal, möglicherweise Verdrängungseffekte eingetreten sind. Diese können mit späteren Erlebnissen im Kriege oder während der Kriegsgefangenschaft oder auch mit einer sogenannten Schamsperre zusammenhängen, die zur Folge hatte, dass die als unangenehm, peinlich und belastend empfundenen Erinnerungen allmählich im Gedächtnis verblasst sind. Das kann bei SS-Angehörigen, entsprechend den überzeugenden Darlegungen des Sachverständigen, auch bei einer langerlebten Situation, die einen Alltäglichkeitscharakter annahm, eingetreten sein.

[139] = Seite 381 f. dieses Bandes.

In einer anderen Situation befanden sich die jüdischen und polnischen Zeugen. Als Schicksalsgefährten haben diese, wie von dem Sachverständigen überzeugend dargestellt, Tötungen und Misshandlungen intensiver miterlebt. Ihre Einstellung zu dem Geschehen und ihr gefühlsstarkes Miterleben führen dazu, dass die Erinnerung selbst nach Jahrzehnten nicht verblasst. Das gilt jedenfalls für den Erlebniskern, also für das wesentliche des Vorgangs, während Begleiterscheinungen, das sogenannte Randgeschehen, der Vergessenheit anheimgefallen sein oder Erinnerungsfälschungen unterliegen können.

Bei den Aussagen der jüdischen und polnischen Zeugen ist weiter zu berücksichtigen, dass diese während des zweiten Weltkrieges zum grösseren Teil noch verhältnismässig jung waren und die Zeugen mithin über Vorgänge ausgesagt haben, die, nunmehr zum Altgedächtnis gehörend, sich in ihrer Erinnerung gefestigt haben, ohne dass sich der inzwischen möglicherweise eingetretene Prozess einer Alterung nachteilig auszuwirken braucht. Auch insoweit folgt das Gericht dem überzeugenden Gutachten von Prof. Un.

B. Die Identifizierung und Wiedererkennung des Angeklagten durch die Zeugen; die Möglichkeiten der Personenverwechslung

Da der Angeklagte die Möglichkeit, es könne eine Personenverwechslung vorliegen, wiederholt erwähnt hat, kam der Frage der Identifizierung und Wiedererkennung des Angeklagten durch die Zeugen eine besondere Bedeutung zu. Trotz eines Zeitraumes von etwa 30 Jahren, der zwischen dem Geschehen und der Hauptverhandlung liegt, konnte der Angeklagte von fast allen Zeugen, die diesen vom Sehen her oder näher gekannt hatten, in zuverlässiger Weise wiedererkannt werden.

Schwierigkeiten, die sich nach einer derart langen Zeit bei einer Beweisaufnahme infolge eines bei Zeugen unter Umständen eingetretenen Gedächtnisverlustes und Veränderungen im Aussehen des Angeklagten zwangsläufig ergeben, wurden durch einige Umstände erleichtert. Besonders bedeutsam sind die Erklärungen des Angeklagten, der eingeräumt hat, nicht nur seit Mitte September 1940 als SS-Offizier auf dem Truppenübungsplatz, sondern in dieser Eigenschaft auch für die Baustellen des Schiessstands Kochanowka und der Waldkampfbahn nördlich von Paszczyna verantwortlich gewesen zu sein. Viele der jüdischen und polnischen Zeugen sind dem Angeklagten an diesen Baustellen häufiger begegnet. Das erhöht die Zuverlässigkeit ihrer Angaben, den Angeklagten damals richtig identifiziert und nunmehr auch wiedererkannt zu haben.

Zu berücksichtigen ist weiter, dass der Angeklagte charakteristische äussere Merkmale hatte und sich - von altersbedingten Veränderungen abgesehen - in den letzten 30 Jahren nur wenig verändert hat. Das ergibt sich aus einem Vergleich der in dem Sonderband I befindlichen Fotos des Angeklagten, die aus dessen Zeit auf dem Truppenübungsplatz stammen, mit dessen jetzigem Aussehen. In den charakteristischen den Angeklagten in der Kriegszeit kennzeichnenden Merkmalen - der betont langen, schmalen und hohen Gesichtsform, einer durch geringen Haarwuchs noch hervorgehobenen besonders hohen Stirn und einer für einen ehemaligen SS-Angehörigen recht kleinen Gestalt - sind demnach keine ins Gewicht fallenden äusserlichen Veränderungen eingetreten. Dass sich der Angeklagte im Aussehen nur verhältnismässig wenig geändert hat, kommt auch in den Aussagen der jüdischen Zeugen Bla., Kro. und Dov Sch. zum Ausdruck (vom 3., 5. und 9.Januar 1973).

Auf Grund der erwähnten äusserlichen Merkmale hat sich das Bild des Angeklagten bei vielen der Zeugen gut eingeprägt. Das wird besonders durch die Aussagen des in Österreich im Wege der Rechtshilfe vernommenen Zeugen Rag. sowie des kommissarisch vernommenen Zeugen Schä. deutlich (Vernehmungen am 1.Juni und 23.Oktober 1973). Als Angehöriger der Firma Preisinger war der Zeuge Rag. auf dem Truppenübungsplatz dienstverpflichtet worden und arbeitete bei dem Bau von Feldbahnen etwa im mittleren Bereich des Truppenübungsplatzes und auf dem Gelände für V-Waffen. Obwohl der Zeuge Rag. von seiner Tätigkeit her mit dem Angeklagten unmittelbar nichts zu tun hatte und auch dessen Namen nicht kannte, erklärte er bei dem Betrachten einiger in dem Sonderband I befindlichen Bilder des Angeklagten und eines weiteren Fotos, dieser Mann komme ihm bekannt vor. Öfter habe er ihn im Büro der Firma gesehen. - Ähnlich verhält es sich mit dem Zeugen Schä., der als Malermeister auf dem Truppenübungsplatz dienstverpflichtet war, den Angeklagten nicht kannte und bei einem der Fotos des Angeklagten im Sonderband I (Nr.25) ebenfalls sagte, der Mann komme ihm bekannt vor.

Bei den jüdischen und polnischen Zeugen muss berücksichtigt werden, dass der Angeklagte wegen der Misshandlungen, Schikanen und Antreibermethoden besonders gefürchtet war (siehe oben Seite 125 ff. [140]) und sich aus diesem Grunde die Zeugen dessen Aussehen besonders gut eingeprägt haben und damals den Angeklagten von anderen SS-Männern unterscheiden konnten. Das gilt besonders für die von dem Angeklagten Misshandelten (siehe oben Seite 130 ff. [141]) und für diejenigen Zeugen, die äusserten, vor diesem Angst gehabt zu haben (siehe oben Seite 126 f. [142]).

Die Unterscheidung des Angeklagten von anderen SS-Leuten und dessen Wiedererkennen werden weiter dadurch erleichtert, dass dieser Offizier war und in der Sicht einer Reihe jüdischer und polnischer Zeugen der einzige Offizier gewesen ist, der selbst Misshandlungen verübt hat. Insoweit wird auf die bereits genannten Aussagen der israelischen Zeugen Ha., Seb. und Spi. und der polnischen Zeugen Dmu., Fer. und Pok. hingewiesen (siehe oben Seite 126 [143]).

Durch die Offiziersuniform, die Rangabzeichen und die Offiziersmütze unterschied sich der Angeklagte von SS-Unterführern und SS-Mannschaften, die Juden und Polen misshandelten und töteten. In ihren Aussagen haben jüdische und polnische Zeugen zwischen Offizieren und sonstigen SS-Angehörigen (Unteroffizieren und Mannschaften) unterschieden und hervorgehoben, dass der Angeklagte ein Offizier gewesen ist. Insoweit wird auf die Bekundungen der Zeugen Blas., Dri., Ehf., Eig., Ha., Kro., Ignaz Men., Now., Jakob Sch., Salomon Schi., Seb., Spi. und Wei. sowie der Zeugen Ada., Bel., Dmu., Szu., Fer., Ge., Jas., Och., Paz., Pie., Pok. und Pra. hingewiesen, die gesehen oder gewusst haben, dass der Angeklagte ein Offizier war (Vernehmungen vor dem ersuchten Richter in Israel am 12.März 1973, in dem Hauptverhandlungstermin am 4.Januar 1973, vor dem ersuchten Richter in Israel am 12.März 1973, in den Hauptverhandlungsterminen am 11., 18., 5. und 8.Januar 1973, vor dem ersuchten Richter in Israel am 3.März 1973, in den Hauptverhandlungsterminen am 8., 9., 12. und 12.Januar 1973, vor dem ersuchten Richter in Israel am 13.März 1973, in dem Hauptverhandlungstermin am 18.Juni, 26.März, 10.September und 18.Juni 1973, vor dem ersuchten Richter in Polen am 22.September, 27. und 29.Juni 1973 sowie 22.September 1973, in den Hauptverhandlungsterminen am 26.März und 10.September 1973 sowie vor dem ersuchten Richter in Polen am 2.Juli und 30.Juni 1973). Aus diesen Gründen scheidet die Möglichkeit einer Verwechslung des Angeklagten mit SS-Unteroffizieren (Unterführern) und SS-Mannschaften aus.

Von besonderer Erheblichkeit ist es, dass der Angeklagte in der Hauptverhandlung sowohl von jüdischen und polnischen Zeugen als auch von ehemaligen SS-Angehörigen wiederer-

[140] = Seite 375 f. dieses Bandes.

[141] = Seite 377 ff. dieses Bandes.

[142] = Seite 375 dieses Bandes.

[143] = Seite 375 dieses Bandes.

kannt worden ist und darüber hinaus eine Reihe von Zeugen, die im Wege der Rechtshilfe vernommen worden sind, auf im Kriege entstandenen Fotos den Angeklagten erkennen konnten.

Fast alle in der Hauptverhandlung vernommenen jüdischen Zeugen haben, ihren glaubhaften Bekundungen zufolge, den Angeklagten dem Namen und der Person nach erkannt und vermochten diesen mit demjenigen zu identifizieren, der die von ihnen bezeugten Misshandlungen und Schikanen verübt hat. Im einzelnen handelt es sich um die Aussagen der Zeugen Bla. (vom 3.Januar 1973), Dri. (vom 4.Januar 1973), Eig. (vom 11.Januar 1973), Grü. (vom 12.Januar 1973), Ha. (vom 18.Januar 1973), Kro. (vom 5.Januar 1973), Ignaz Men. (vom 8.Januar 1973), Dov Sch. (vom 9.Januar 1973), Jakob Sch. (vom 9.Januar 1973), Salomon Schi. (vom 9.Januar 1973), Seb. (vom 12.Januar 1973) und Spi. (vom 12.Januar 1973). Von den jüdischen Zeugen, die den Angeklagten gekannt hatten, vermochte nur der Zeuge Kau. diesen nicht mit Sicherheit wiederzuerkennen. Dieser Zeuge betonte jedoch die Ähnlichkeit des Angeklagten mit dem ihm von dem Aufenthalt auf dem Truppenübungsplatz her bekannten Proschinsky (Vernehmung am 19.Januar 1973). Vom Namen und Ansehen her unbekannt war der Angeklagte lediglich den jüdischen Zeugen Samuel Men. und Wiz. (Aussagen vom 15.Januar 1973 und 12.Dezember 1972). Bei ihrer im Wege der Rechtshilfe erfolgten richterlichen Vernehmung vermochten die Zeugen Blas., Ehf. und Now. den Angeklagten anhand der in dem Sonderband I befindlichen aus dem Kriege stammenden Lichtbilder einwandfrei zu identifizieren (Aussagen vom 12. und 10.März 1973). Dem ebenfalls in Israel vernommenen ehemaligen jüdischen Lagerarzt Dr. Scho. war der Angeklagte dagegen nur dem Namen nach bekannt, weil er von im Krankenrevier behandelten Juden gehört hatte, sie seien von diesem geschlagen worden (Aussage vom 7.März 1973). Dem jüdischen Lagerarzt Dr. T. und dem jüdischen Krankenpfleger Hor. besagte dagegen der Name des Angeklagten nichts (Vernehmungen vor dem ersuchten Generalkonsulat in New York vom 14.Februar 1973 und vor dem beauftragten Richter am 7.Februar 1973).

In der Hauptverhandlung wiedererkannt und identifiziert wurde der Angeklagte auch von einer Reihe von Polen, und zwar von den Zeugen Ada., Ko., Leon Mar., Pie. und Ucz. sowie von der Zeugin Sab. (Vernehmungen am 18.Juni, 27.August, 10.September, 10.September, 27.August und 6.Juli 1973). Dem Zeugen Ada. war der Angeklagte nur vom Aussehen her und nicht dem Namen nach bekannt. Dagegen konnten die polnischen Zeugen Dmu. und Paz. den Angeklagten nicht mit Sicherheit wiedererkennen (Vernehmungen vom 10.September und 26.März 1973). Der Aussage der Zeugen Dmu. zufolge sieht der Angeklagte jedoch dem ihm von dem Truppenübungsplatz her bekannten Offizier Proschinsky ähnlich. Dieser Zeuge sowie die Zeugen Bel., Paz. und Szu. vermochten den Angeklagten jedoch auf Grund der in dem Sonderband I befindlichen Aufnahmen aus der Kriegszeit zu identifizieren.

Weiter wurde der Angeklagte bei den im Wege der Rechtshilfe in Polen erfolgten Vernehmungen anhand der vorgelegten Aufnahmen aus dem 2.Weltkrieg, die sich in dem Sonderband I befinden, von einer Reihe von Zeugen identifiziert, und zwar durch die Zeugen Fer., Jan., Stanislaw Mar., Och., Pok. und Urb. (Aussagen vom 22.September, 2.Juli, 21.September, 22.September, 2.Juli und 3.Juli 1973). Nicht dem Namen nach sondern nur vom Aussehen her war der Angeklagte dem Zeugen Urb. bekannt. Dagegen konnten die Zeugen Ge., Jas. und Pra. nicht mit letzter Sicherheit den Angeklagten auf den Bildern feststellen (Vernehmungen vom 27., 29. und 30.Juni 1973).

Weiter haben ehemalige SS-Angehörige den Angeklagten in der Hauptverhandlung identifiziert und wiedererkannt. Insoweit handelt es sich um die Zeugen Asc., Bl., Dan., Hei., Ho., La., Ru., Scu., Tho., Th., Tom., Uel. und Richard Zim. (Aussagen vom 14., 14. und 4.Dezember 1972, 6.Juli 1973, 15. und 8.Dezember 1972, 16.Januar und 20.August 1973, 11. und 11.Dezember 1972 sowie vom 23.Mai, 23.März und 9.Juli 1973). Dem grösseren

Teil der vernommenen ehemaligen SS-Angehörigen war der Angeklagte dagegen vom Namen und von der Person her nicht bekannt.

Die Bekundungen von Zeugen über die Identifizierung des Angeklagten werden durch übereinstimmende oder ähnliche Merkmale, die bei der Beschreibung des Äusseren des Angeklagten gegeben wurden, bekräftigt. Dessen Haarfarbe ist von einem grossen Teil der Zeugen entweder mit dunkelblond, rot bzw. rötlich oder brünett angegeben worden, und zwar von den jüdischen Zeugen Ha., Schu. und Seb., den polnischen Zeugen Bel., Fer., Jan., Leon Mar., Stanislaw Mar., Och., Paz., Pie., Pok. und Urb. sowie von dem ehemaligen SS-Angehörigen Ho. (Vernehmungen in dem Hauptverhandlungstermin am 26.März 1973, vor dem ersuchten Richter in Polen am 22.September und 2.Juli 1973, in dem Hauptverhandlungstermin am 10.September 1973, vor dem ersuchten Richter in Polen am 21. und 22.September 1973, in den Hauptverhandlungsterminen am 26.März und 10.September 1973, vor dem ersuchten Richter in Polen am 3.Juli 1973 sowie in dem Hauptverhandlungstermin am 15.Dezember 1972). Die sich aus den Beschreibungen der Zeugen ergebenden Unterschiede werden, da es sich um Nuancierungen handelt, die bei Zeugen erfahrungsgemäss Schwierigkeiten verursachen, für nicht erheblich gehalten. Die Zeugen haben die Haarfarbe jedenfalls in einer ähnlichen Weise beschrieben. In die gleiche Richtung weist auch die Aussage des israelischen Zeugen Eig., wonach die Haare des Angeklagten nicht schwarz und auch nicht blond gewesen sind (Vernehmung vom 11.Januar 1973). Als in diesem Punkt nicht zutreffend sind dagegen die abweichenden Aussagen der israelischen Zeugen Kro., Ignaz Men. und Jakob Sch., die Haarfarbe des Angeklagten sei blond gewesen, zu werten (Vernehmungen vom 5. und 8.Januar 1973). In Anbetracht der grossen Zahl gegenteiliger Bekundungen jüdischer und polnischer Zeugen und eines ehemaligen SS-Angehörigen müssen sich die Zeugen Kro., Ignaz Men. und Jakob Sch. entweder die Haarfarbe falsch eingeprägt oder sich - sie wohnen sämtlich in Israel und haben in deutscher Sprache ausgesagt - ungenau ausgedrückt haben. - Bedeutsam ist weiter, dass die israelischen Zeugen Ignaz Men. und Seb. sowie der ehemalige SS-Führer Hei. übereinstimmend bekundet haben, dass der Angeklagte etwas klein von Statur war (Vernehmungen vom 8. und 12.Januar sowie vom 6.Juli 1973). Dass der Angeklagte als SS-Angehöriger eine verhältnismässig geringe Körpergrösse hatte, ist auch dem Bildmaterial in dem Sonderband I, das wiederholt Gegenstand der Beweisaufnahme war, zu entnehmen.

Dass die Zeugen den Angeklagten richtig identifiziert und diesen nicht mit einem anderen SS-Angehörigen verwechselt haben, ergibt sich weiter aus einer Reihe häufig wiederkehrender, den Angeklagten betreffender Aussagen.

Eine Anzahl von Zeugen hat glaubhaft bekundet, dass der Angeklagte mit einem roten Motorrad fuhr, eine Peitsche mit sich führte und verschiedentlich polnisch sprach. Polnische Zeugen konnten sich im Zusammenhang mit der Person des Angeklagten daran erinnern, dass dieser auf einem roten Motorrad gefahren ist. Insoweit liegen übereinstimmende Bekundungen der Zeugen Bel., Fer., Jan., Jas., Paz., Pok. und Pra. vor (Vernehmungen in dem Hauptverhandlungstermin am 26.März 1973, vor dem ersuchten Richter in Polen am 22.September, 2.Juli und 29.Juni 1973, in dem Hauptverhandlungstermin am 26.März 1973 sowie vor dem ersuchten Richter in Polen am 2.Juli und 30.Juni 1973). Ohne den roten Anstrich zu erwähnen, haben weiter die polnischen Zeugen Dmu., Ko., Leon Mar. und Ucz. ausgesagt, dass der Angeklagte ein Motorrad benutzte (Vernehmungen in den Hauptverhandlungsterminen am 10.September, 24.August, 10.September und 27.August 1973). Die Wahrnehmungen polnischer Zeugen werden durch die ehemaligen SS-Angehörigen Scu. und Wac. bestätigt, die sich ebenfalls an ein von dem Angeklagten gefahrenes Motorrad, und zwar an ein rotangestrichenes Fahrzeug, erinnern konnten (Vernehmungen in dem Hauptverhandlungstermin am 20.August 1973 und vor dem ersuchten Richter in Österreich am 5.Juni 1973).

Dass jüdische Zeugen das Motorrad des Angeklagten nicht erwähnen und diesen häufiger reiten sahen (vgl. Zeugenaussagen Dri. vom 4.Januar 1973, Now. vom 7.März 1973 in

Israel sowie Spi. vom 12.Januar 1973) stellt die Aussagen polnischer Zeugen und ehemaliger SS-Angehöriger nicht in Frage. Diese Bekundungen führen vielmehr zu dem Schluss, dass der Angeklagte erst zu einer späteren Zeit, in der Juden nur noch im Industriehof arbeiteten, also nach der sogenannten Aussiedlung des Judenlagers im Spätsommer oder Frühherbst 1942, das Motorrad in Gebrauch hatte.

Das Mitführen einer Peitsche durch den Angeklagten ist sowohl von den israelischen Zeugen Dri., Ha., Ignaz Men., Now., Dov Sch., Salomon Schi., Spi. und Wei., als auch von den polnischen Zeugen Dmu., Stanislaw Mar. und Szu. wahrgenommen worden (Vernehmungen in den Hauptverhandlungsterminen am 4., 18. und 8.Januar 1973, vor dem ersuchten Richter in Israel am 7.März 1973, in den Hauptverhandlungsterminen am 9., 9. und 12.Januar 1973, vor dem ersuchten Richter in Israel am 13.März 1973, in dem Hauptverhandlungstermin am 10.September 1973, vor dem ersuchten Richter in Polen am 21.September 1973 und in dem Hauptverhandlungstermin am 18.Juni 1973). Diese Zeugenaussagen werden durch die insoweit glaubhaften Erklärungen des Angeklagten in dem Hauptverhandlungstermin am 30.November 1972, er habe auf Baustellen Juden mit einer Peitsche geschlagen, bestätigt. Weiter ist zu berücksichtigen, dass sich in dem Sonderband I eine Aufnahme (Nr.16 rechte Person) befindet, die den Angeklagten deutlich mit einer Peitsche zeigt.

Eine Anzahl polnischer Zeugen erinnert sich daran, dass der Angeklagte polnisch gesprochen oder geschimpft hat. Das haben die Zeugen Bel., Dmu., Fer., Stanislaw Mar., Paz. und Pok. bekundet (Vernehmungen in den Hauptverhandlungsterminen am 26.März und 10.September 1973, vor dem ersuchten Richter in Polen am 22. und 21.September 1973, in den Hauptverhandlungsterminen am 23.März 1973 und vor dem ersuchten Richter in Polen am 2.Juli 1973). Den polnischen Zeugen Jas. und Pra. war vom Hörensagen bekannt, dass der Angeklagte polnisch sprechen konnte (Vernehmungen durch den ersuchten Richter in Polen am 29. und 30.Juni 1973). Diese Aussagen polnischer Zeugen werden durch den ehemaligen SS-Angehörigen Tom. bekräftigt (Vernehmung am 23.Mai 1973). Dieser Zeuge hat bekundet, der Angeklagte habe die polnische Sprache verstanden. In einem gewissen Grade bestätigt werden diese Aussagen durch die Erklärungen des Angeklagten, er habe ein paar Worte Polnisch gesprochen (Hauptverhandlung am 5.Oktober 1973).

Die Identifizierung und das Wiedererkennen des Angeklagten durch die Zeugen werden wegen der Veränderungen des Vornamens und des Familiennamens nicht in Frage gestellt. Dass der Angeklagte nunmehr den Vornamen Ha<u>nn</u>s hat und der in der Geburtsurkunde enthaltene Name Jean geändert wurde, ist ohne Bedeutung. Während seiner Dienstzeit in der Waffen-SS wurde von dem Angeklagten anstelle dieses französischen Vornamens die deutsche Abkürzungsform Ha<u>n</u>s geführt. Die Änderung des Vornamens in Hanns ist bei dieser Sachlage nicht geeignet, Verwechslungen oder Irrtümer hervorzurufen.

Ebensowenig begründet die von Pro<u>s</u>insk<u>i</u> in Pro<u>sch</u>insk<u>y</u> geänderten Schreibweise des Familiennamens die Möglichkeit einer Verwechslung durch die Zeugen. Diese haben den Angeklagten von der Person her bzw. anhand der Lichtbilder aus der Kriegszeit und zum grösseren Teil auch auf Grund seines vielen Zeugen geläufigen Familiennamens wiedererkannt. Hierbei war für die Zeugen jedoch nur die ungefähre und nicht die genaue Schreibweise und Aussprache des Familiennamens von Bedeutung. Den Zeugen war - jedenfalls soweit es sich um Juden und Polen handelt - der Familienname des Angeklagten nur vom Wort und nicht von der Schrift her bekannt. Zwischen der Aussprache der Worte Prosinski und Proschinsky besteht jedoch nur ein derart geringer Ausspracheunterschied, dass die Gefahr einer daraus herzuleitenden Verwechslung ausscheidet. Im übrigen wird, wie von dem Zeugen Ge. bekundet, der Name des Angeklagten von den Polen stets als Prosinski mit dem Doppelbuchstaben s ausgesprochen, was phonetisch dem "sch" entspricht (Vernehmung vor dem ersuchten Richter in Polen am 27.Juni 1973). Das entspricht auch der Einlassung des Angeklagten. Dass der genauen Schreibweise des Familiennamens für das Wiedererkennen des Angeklagten keine Bedeutung zukommt, ergibt sich auch aus der Aussage des ehemaligen SS-Angehörigen Richard Zim. (vom 9.Juli 1973). Dieser erkannte in der Hauptverhandlung den Angeklagten wieder, wies jedoch darauf hin, dass dessen Name während des Krieges mit s (statt mit sch) geschrieben wurde.

Nach der Überzeugung des Gerichts scheidet auch wegen des Familiennamens des Angeklagten die Möglichkeit eines Irrtums oder einer Verwechslung aus. Der Angeklagte war Offizier (SS-Führer) und als solcher auch den Zeugen bekannt. Unter den ständig auf dem Truppenübungsplatz stationierten Offizieren befand sich jedoch, soweit feststellbar, kein Offizier mit einem gleichen oder ähnlichen Familiennamen. Insbesondere gab es in den Bereichen, für die der Angeklagte auch nach seinen eigenen Angaben zuständig war, zum Beispiel dem Schiessstand Kochanowka und die Waldkampfbahn Paszczyna, keinen SS-Führer, dessen Namen Anlass für eine Verwechslung geben konnte. Als Ib-Offizier hat der Zeuge Bl. den Schiessstand besichtigt (Aussage vom 14.Dezember 1972). Möglicherweise hat auch dessen Nachfolger, der Hauptsturmführer Albrecht, den Schiessstand Kochanowka aufgesucht (vgl. oben Seite 18 [144]). Vom Namen her scheidet eine Verwechslung des Angeklagten mit diesen SS-Offizieren aus.

Eine Verwechslung mit einem SS-Angehörigen Czerbinski, Czirbinski oder Sierpinski, einem aus Lodz stammenden Volksdeutschen, scheidet trotz einer gewissen Ähnlichkeit der Namen aus. Wie von der Zeugin Sab. bekundet, stand dieser SS-Mann im Unteroffiziersrang und hatte schwarze Haare (Aussage vom 6.Juli 1973). Davon abgesehen war dieser SS-Angehörige, den Aussagen des polnischen Zeugen Stanislaw Mar. zufolge, der die Schreibweise mit Sierpinski angibt, im Bürodienst für den Ib-Offizier Bl. und den Angeklagten als Dolmetscher tätig (Vernehmung vor dem ersuchten Richter in Polen am 21.September 1973). Das wird teilweise auch von dem Angeklagten bestätigt, der erklärte, der Dolmetscher Szirbinski habe ausschliesslich Bürotätigkeit gehabt und sei nie auf den Baustellen gewesen (Hauptverhandlung am 5.Oktober 1973). Unter diesen Umständen scheidet auch die entferntere Möglichkeit einer Verwechslung dieses SS-Angehörigen mit dem Angeklagten aus.

Auszuschliessen ist weiter eine Verwechslung des Angeklagten mit einer Person, die einen dem Familiennamen des Angeklagten ähnlichen Namen Rowinski führte und von dem israelischen Zeugen Dri. erwähnt wird (Aussage vom 4.Januar 1973). Den Bekundungen des Zeugen zufolge handelte es sich um einen polnischen Vorarbeiter im Waldkommando. Da dieser ein Zivilist war und keine Uniform der Waffen-SS trug, kann der Zeuge den Angeklagten nicht mit dem Vorarbeiter Rowinski verwechselt haben.

Die von dem Angeklagten angedeutete Möglichkeit einer Verwechslung seiner Person mit dem Kommandanten des Truppenübungsplatzes Nostiz scheidet ebenfalls aus. Zwar wies der Angeklagte darauf hin, dass der Standartenführer Nostiz klein von Gestalt gewesen sei (Erklärung in der Hauptverhandlung am 4.Dezember 1972). Eine Verwechslung des Angeklagten mit dem Kommandanten kann jedoch wegen der Unterschiede in der Funktion und auch wegen der stark voneinander abweichenden Nachnamen nicht vorliegen. Wegen seiner dem Gesamtbereich des Truppenübungsplatzes umfassenden Aufgaben kann sich der Standartenführer Nostiz - im Gegensatz zum Angeklagten - allenfalls ausnahmsweise auf Baustellen befunden haben. Davon abgesehen hatte der Kommandant Nostiz, wie den Aufnahmen Nr.34, 35 und 36 des Sonderbands I zu entnehmen ist, eine gänzlich andere Kopfform als der Angeklagte, und zwar einen betont breiten Kopf, so dass, auch aus diesem Grunde eine

[144] = Seite 326 dieses Bandes.

Verwechslung nicht möglich ist (über die Kopfform des Angeklagten vgl. oben Seite 151 f. [145]).

Dass jüdische und polnische Zeugen den Angeklagten mit dem SS-Hauptsturmführer Albrecht verwechselt haben, ist ebenfalls auszuschliessen. Zwar wäre eine Verwechslung denkbar. Wie der Angeklagte gehörte Albrecht als Offizier der Abteilung Ib der Kommandantur an. Nach den Bekundungen der ehemaligen SS-Offiziere Bl. und Ho. hat dieser auch polnische Arbeiter misshandelt und eine Peitsche mit sich geführt (Aussagen vom 14. und 15.Dezember 1972; vgl. auch oben Bl.106/107 [146]). Wegen dieser Schläge haben sich auch, wie von der Zeugin Sab. am 6.Juli 1973 bekundet, Polen beschwert. Dagegen haben andere polnische Zeugen und jüdische Zeugen über derartige Misshandlungen durch Albrecht nichts ausgesagt. Nach dem Ergebnis der Beweisaufnahme ist jedoch davon auszugehen, dass der Angeklagte und Albrecht völlig anders ausgesehen haben. Das ergibt sich aus den übereinstimmenden Aussagen der ehemaligen SS-Angehörigen Ho. und Uel., des israelischen Zeugen Seb. und der polnischen Zeugen Paz. und Sab., der ehemaligen Sekretärin des Ib-Offiziers Bl. (Vernehmungen in den Hauptverhandlungsterminen am 15.Dezember, 21.März, 12.Januar, 26.März und 6.Juli 1973). Der Hauptsturmführer Albrecht war, wie von den Zeugen Ho., Paz. und Seb. und Uel. bekundet, erheblich grösser als der Angeklagte. Ausserdem hatte Albrecht, den Aussagen der Zeugen Ho. und Paz. zufolge, schwarze Haare, während der Angeklagte eine hellere Haarfarbe besass (vgl. oben Seite 156 f. [147]).

Eine Verwechslung des Angeklagten mit einem SS-Angehörigen, der von polnischen Arbeitern "der Schwarze" oder "Schwarzer" gerufen wurde und Misshandlungen an Polen verübt hat (siehe oben Seite 107 [148]), kann ebenfalls nicht vorgelegen haben. Das ergibt sich aus den Aussagen der polnischen Zeugen Ada., Bel., Fer., Paz. und Szu. (Aussagen in den Hauptverhandlungsterminen am 18.Juni und 26.März 1973, vor dem ersuchten Richter in Polen am 22.September 1973 und in den Hauptverhandlungsterminen am 26.März und 18.Juni 1973). Die von dem Zeugen Ada. über diesen SS-Mann abgegebene Personenbeschreibung schliesst eine Verwechslung mit dem Angeklagten aus. Danach war der "Schwarze" bezeichnete SS-Aufseher gross und schlank und hatte dunkle Haare. Vor allem scheidet eine Verwechslung des Angeklagten mit diesem SS-Angehörigen deshalb aus, weil dieser, wie von den Zeugen Bel., Fer., Paz. und Szu. bekundet, kein Offizier und deshalb von dem Angeklagten zu unterscheiden war. Nach den Aussagen des Zeugen Szu. handelte es sich um einen Unterscharführer, während die Zeugen Fer. und Paz. es jedenfalls für wahrscheinlich halten, dass dieser SS-Aufseher einen Unteroffiziersrang hatte. Wegen der Unterschiede in der Uniform und wegen des Tragens der Offiziersmütze wird es für ausgeschlossen gehalten, dass die Zeugen den Angeklagten, der Offizier (SS-Führer) war, mit einem Unteroffizier (SS-Unterführer) verwechselt haben, der ausserdem sich im Aussehen von dem Angeklagten unterschied.

Diese Feststellungen haben allgemein die Frage der Identifizierung und Wiedererkennung des Angeklagten zum Gegenstand. Darüber hinaus muss in den angeklagten Fällen bei jedem der Tatzeugen die Identität des Angeklagten besonders überprüft werden.

[145] = Seite 387 dieses Bandes.

[146] = Seite 366 dieses Bandes.

[147] = Seite 390 dieses Bandes.

[148] = Seite 367 dieses Bandes.

4.Abschnitt
Die Einzelfälle von Tötungen durch den Angeklagten

A. Die Tötung eines durch eine Lore verletzten jüdischen Arbeiters am Schiessstand Kochanowka
(Punkt 11 der Anklage)

1.) Die Sachverhaltsfeststellungen

Im Zusammenhang mit dem Vorwurf der Anklage, am Schiessstand Kochanowka einen durch eine Lore am Fuss verletzten jüdischen Arbeiter getötet zu haben, hat das Gericht folgenden Sachverhalt festgestellt:

Bei den Arbeiten am Schiessstand Kochanowka wurde ein jüdischer Arbeiter durch eine Lore am Fuss verletzt, der durchgefahren wurde. Der Verletzte fiel um und kippte zur Seite. Ein Posten, der in der Nähe war, rief: "Aufstehen. Weitermachen!" Der Angeklagte befand sich in der Nähe. Er stieg einen Wall herab und ging zu dem Verletzten und rief dort etwa folgende Worte: "Aufstehen und Weitermachen!" Der Arbeiter schrie wegen der Schmerzen und antwortete: "Ich kann nicht, ich kann nicht!" Daraufhin zog der Angeklagte die Pistole und erschoss damit das Opfer aus einer geringen Entfernung mit einem Schuss, wahrscheinlich durch einen Kopfschuss. Der namentlich nicht bekannte Tote wurde in den Wald gebracht. Dort blieb er bis zur Rückkehr des Arbeitskommandos in das Lager liegen. An Ort und Stelle wurde eine provisorische Trage hergestellt, mit der der Getötete in das Lager gebracht wurde. Durch einen Posten erfolgte im Lager die Meldung, der Getötete sei "auf der Flucht erschossen" worden.

Über die Tatzeit konnten genauere Feststellungen nicht getroffen werden. Der Zeuge Bla., der als einziger der Zeugen das Tatgeschehen beobachtet hat, hat sich in seinen Bekundungen insoweit sehr unbestimmt geäussert und angegeben, der Vorfall könne 1941/1942 geschehen sein und er glaube, es sei im Frühjahr 1942 gewesen. Diese Aussage allein erlaubt im Zusammenhang mit den allgemeinen Feststellungen über die sogenannte Aussiedlung des Judenlagers zwar den Schluss, dass die Erschiessung nicht nach dieser im Spätsommer oder Frühherbst 1942 durchgeführten Aktion (siehe oben Seite 36 ff. [149]) stattgefunden haben kann. Nach dieser sogenannten Aussiedlung waren am Schiessstand Kochanowka und an anderen Baustellen - von dem Lagerausbau und dem Bau des Industriehofs abgesehen - jüdische Arbeiter nicht mehr beschäftigt (siehe oben Seite 68 ff. [150]). Weitergehende genauere zeitliche Festlegungen erlaubt die Zeugenaussage Bla. jedoch nicht.

Wegen des fortgeschrittenen Stadiums des im Bau befindlichen Schiessstands - die Vertiefungen für die Schussbahnen und Wälle waren bereits errichtet sowie die Telefonleitungen wurden gelegt - wird eine Tatzeit im Frühjahr oder Sommer 1942 als wahrscheinlich angesehen. Auch die Erklärungen des Angeklagten, im Sommer 1942 sei der 400-Meter-Stand fertig gewesen, weist auf eine derartige Tatzeit hin (Erklärung im Hauptverhandlungstermin am 5.September 1973). Mit letzter Sicherheit war die Tatzeit jedoch nicht feststellbar.

2.) Die Einlassung des Angeklagten

Der Angeklagte hat zwar eingeräumt, dass er als für den Bau des Schiessstands Kochanowka verantwortlicher Offizier auf Rundgängen auf diese Baustelle gekommen ist und dass dort

[149] = Seite 334 f. dieses Bandes.

[150] = Seite 348 f. dieses Bandes.

neben Polen jüdische Arbeiter beschäftigt waren (Erklärungen in den Hauptverhandlungsterminen am 30.November 1972 sowie vom 19.Juli und 5.September 1973). Das von dem Gericht festgestellte Tatgeschehen wird dagegen von dem Angeklagten in Abrede gestellt (Erklärungen in den Hauptverhandlungsterminen am 30.November 1972 sowie vom 3.Januar 1973).

Zu Einzelheiten hat sich der Angeklagte wie folgt eingelassen:

a) Die Erschiessung könne sich nicht bei ihm auf dem Schiessstand Kochanowka, möglicherweise jedoch auf einer völlig woanders gelegenen Baustelle, etwa auf einem Schiessplatz, für den er nicht verantwortlich gewesen sei, ereignet haben. Offenbar könne der Zeuge Bla. nicht zwischen einem Schiessstand und einem Schiessplatz unterscheiden (Erklärung in dem Hauptverhandlungstermin am 3.Januar 1973).

b) Zwar sei einmal auf dem Schiessstand Kochanowka eine Lore umgekippt. Die aus Holz selbstgefertigten Loren, von denen schon mal eine aus dem Gleis herausgesprungen sei, seien aber nicht geeignet gewesen, einen Fuss zu verletzen. Einmal sei jedoch ein Mann verletzt worden, der dann von den eigenen Kameraden in das Lager gebracht worden sei (Erklärung in dem Hauptverhandlungstermin am 3.Januar 1973).

c) Die Aussage des Zeugen Bla., die Lorenbahn sei zwischen dem Schiessstand und dem Wall verlaufen, und zwar stellenweise oben und stellenweise unten, sei unrichtig. In Wirklichkeit habe die Lorenbahn oben auf dem Damm gelegen. Zwischen dem letzten Wall und dem Wald habe es keine Lorenbahn gegeben (Erklärungen in dem Hauptverhandlungstermin am 3.Januar 1973).

d) Als früherer Angehöriger des Jüdischen Nachrichtenbau-Kommandos könne der Zeuge Bla. nicht am Schiessstand gewesen sein. Die dortige Telefonleitung sei nicht von Juden, sondern von SS-Leuten gelegt worden (Erklärungen in dem Hauptverhandlungstermin am 25.Januar 1973).

e) Unzutreffend sei auch die Bekundung des Zeugen Bla., die Telefonleitung sei am Rande des Walls unterirdisch verlegt gewesen. Am Schiessstand habe es nur ein Telefon gegeben, dessen Leitung über die Bäume verlegt worden sei. Einmal habe er sich mit seinem Motorrad in der Nähe des Schiessstands in ein herabhängendes bzw. nicht hoch genug gelegtes Kabel verfangen und die Strippe am Hals gehabt (Erklärungen in den Hauptverhandlungsterminen am 3. und 25.Januar 1973).

f) Der SS-Angehörige May. sei sein Vertreter und ständiger Begleiter bei seinen Rundgängen am Schiessstand gewesen. Dieser müsse wissen, dass sich eine derartige Erschiessung nicht ereignet habe (Erklärungen in dem Hauptverhandlungstermin am 25.Januar 1973).

3.) Die Beweiswürdigung

Die Feststellungen über den Sachverhalt beruhen auf den glaubhaften Aussagen des Zeugen Bla., die in dem Hauptverhandlungstermin am 3.Januar 1973 gegeben worden sind und denen das Gericht hinsichtlich der getroffenen Tatsachenfeststellung im vollen Umfange folgt. Durch die Bekundungen dieses Zeugen und die Aussagen weiterer Zeugen, die sich auf Nebenpunkte des Tatgeschehens beziehen, ist die Einlassung des Angeklagten widerlegt.

Der Zeuge Bla. hat, seiner Aussage zufolge, das Geschehen beobachtet, als er als Angehöriger des Jüdischen Nachrichtenbau-Kommandos (wegen des Nachrichtenbau-Kommandos vgl.

oben Seite 24 [151]) Telefonleitungsarbeiten am Schiessstand Kochanowka ausführte. Zur Tatzeit war der Zeuge, wie von ihm bekundet, nicht mehr als etwa 20 Meter von dem Verletzten entfernt und stand oben auf einem Wall. Von dieser überhöhten Stelle konnte der Zeuge den Vorgang gut beobachten, zumal sich der Angeklagte zunächst auf dem gleichen Wall wie der Zeuge befunden hat, bevor er von dem Wall herabstieg und sich zu dem Verletzten begab und diesen erschoss. Seinen Bekundungen zufolge hatte der Angeklagte bei der Erschiessung dem Zeugen den Rücken zugewandt.

Den Aussagen des Zeugen Bla. kommt ein hoher Beweiswert zu. Bei seiner Vernehmung zeigte sich der Zeuge, was noch im einzelnen zu erörtern ist, vorsichtig und eher zurückhaltend, gab eine sachliche und stark differenzierende Darstellung seiner Erlebnisse auf dem Truppenübungsplatz und war vor allem in der Lage, die mit der Erschiessung des durch eine Lore verletzten Juden zusammenhängenden Vorgänge in einer glaubhaften und widerspruchsfreien Weise zu schildern. Dass die Aussagen - bewusst oder unbewusst - durch Gefühle des Hasses oder der Vergeltung gegen ehemalige SS-Angehörige allgemein oder gegen den Angeklagten im Besonderen beeinflusst waren, ist mit Sicherheit auszuschliessen. Ähnlich wie andere israelische Zeugen betonte auch der Zeuge Bla. die unterschiedliche Behandlung der Juden auf dem Truppenübungsplatz und erwähnte ehemalige SS-Offiziere, die er positiv beurteile. Nach seinen Aussagen waren die SS-Leute bei der Nachrichteneinheit im allgemeinen nicht schlecht. Der Chef dieser Einheit, der Hauptsturmführer Th., wurde von dem Zeugen als "ganz loyal" und der Hauptsturmführer Ger. von der Unterkunftsverwaltung als "ein sehr anständiger Mann" bezeichnet. Diese Äusserungen zeigen, wie sehr der Zeuge um Differenzierungen bemüht war.

Obwohl der Zeuge den Angeklagten auch im Zusammenhang mit Erschiessungen durch Posten erwähnte und weiter hervorhob, dass die Arbeiten am Schiessstand Kochanowka wegen der Schläge gefürchtet gewesen seien, zeigte er in seinen Äusserungen und in seinem Verhalten keine Anzeichen der Rache oder des Hasses. Zu berücksichtigen ist weiter, dass der Zeuge - im Gegensatz zu einem grossen Teil der israelischen Zeugen - von dem Angeklagten nicht geschlagen worden ist. Die Möglichkeit, dass sich der Zeuge bei seiner Aussage für ein ihm von dem Angeklagten zugefügtes Unrecht rächen wollte, scheidet mithin aus. Das Gericht ist weiter der Überzeugung, dass bei dem Zeugen Bla. Gedächtnislücken und Erinnerungsfälschungen nicht vorliegen. Auf Grund der Bekundungen des Zeugen in der Hauptverhandlung und dessen Aussagen in einem Ermittlungsverfahren gegen ehemalige SS-Angehörige des Judenlagers ist vielmehr von einem besonders guten und zuverlässigen Gedächtnis auszugehen.

Bereits bei einer polizeilichen Vernehmung in Israel im Jahre 1961, die Gegenstand des Hauptverhandlungstermins am 3.Januar 1973 war, nannte der Zeuge von sich aus den Namen des Angeklagten, den er als Hauptsturmführer Pruszynski bezeichnete (Sonderband VII, Bl.22). Obwohl der Zeuge in einem Ermittlungsverfahren wegen der Tötungen im Judenlager, das sich gegen den ehemaligen Lagerführer Kops und andere richtete, nach dem Angeklagten nicht gefragt worden war, erwähnte er diesen und die Tötung eines durch eine Lore verletzten Juden. Dass in diesem Ermittlungsverfahren der Angeklagte als Beschuldigter nicht erwähnt war und dieser trotzdem bei den Vernehmungen von dem Zeugen Bla. und weiter von dem Zeugen Ignaz Men. erwähnt wurde, ist auch den entsprechenden Bekundungen des israelischen Polizeibeamten Dew. zu entnehmen (Aussage in dem Hauptverhandlungstermin am 2.April 1973). Die auf keiner Gedächtnisstütze beruhenden von sich aus erfolgten richtigen Angaben des Namens und des Dienstgrades des Angeklagten (geringfügige Abweichungen in der Schreibweise werden für bedeutungslos gehalten) und die erstmalige Erwähnung

[151] = Seite 328 f. dieses Bandes.

der Tötungshandlung sprechen für ein besonders gutes und verlässliches Gedächtnis des Zeugen, zumal bei der Vernehmung im Jahre 1961 das Tatgeschehen bereits etwa 20 Jahre zurückgelegen hat.

Die Ansicht des Gerichts, dass sich der Zeuge Bla. gut zu erinnern vermag, wird erhärtet durch Angaben des Zeugen über technische Details, die die Art des Verlegens der Telefonleitungen am Schiessstand Kochanowka und ähnliche Fragen betreffen und teilweise von anderen Zeugen bestätigt worden sind. So hat sich der Zeuge über die Anlage einer zuerst oberirdischen Telefonleitung am Schiessstand Kochanowka und das spätere Verlegen der Leitungen als Erdkabel sowie an die Möglichkeiten des Durchrufens vom Wall aus, wofür es möglicherweise Schaltkästen gegeben habe, erinnert. Dass Zeugen auch nach sehr langen Zeiträumen mitunter noch an sich unbedeutende Einzelheiten behalten haben, ist auf Grund der überzeugenden Darlegungen des Gutachtens von Prof.Dr. Un. möglich (Hauptverhandlungstermin am 21.März 1973).

Die Bekundungen des Zeugen über das Tatgeschehen werden - trotz des Zeitablaufs von etwa 30 Jahren - deshalb als besonders zuverlässig angesehen, weil dieser die Erschiessung aus der Nähe - aus einer Entfernung von etwa 20 Metern - beobachtet hat. Dass diese Vorgänge sich im Gedächtnis des Zeugen in einem ganz besonderen Masse eingeprägt haben, hängt nach der Überzeugung des Gerichts nicht nur mit der kurzen Entfernung zwischen dem Zeugen und dem Tatort, sondern auch mit den Begleitumständen zusammen, die das Geschehen in einem besonderen Masse charakterisieren.

Dass bei dem Betrieb einer Lorenbahn auf einer Baustelle einem Arbeiter ein Fuss durchfahren wurde, war bereits für sich für den Zeugen kein alltäglicher, sondern ein besonders einprägsamer Vorgang. Dieser wurde für den Zeugen dadurch zu einem unauslöschlich sich einprägenden Erlebnis, weil er die sich anschliessende Erschiessung des wehrlosen, verletzten und wegen der erheblichen Schmerzen schreienden Opfers gesehen hat. Wegen dieser besonderen Umstände und wegen des gefühlsstarken Miterlebens des Geschehens, das zur Tötung eines Schicksalsgefährten führte, ist davon auszugehen, dass sich der Zeuge auch nach ca. 30 Jahren noch an den Vorgang erinnert. Die Möglichkeit einer Vermischung verschiedener Erlebnisse durch den Zeugen ist nicht nur wegen der besonderen Begleitumstände auszuschliessen. Der Zeuge Bla. hat nicht nur eine farblose Darstellung des Geschehens, sondern eine Schilderung mit vielen Einzelheiten gegeben, die den Vorgang individualisieren und von anderen Tötungshandlungen unterscheiden. Bei anderen Erschiessungen am Schiessstand Kochanowka, an die sich der Zeuge erinnert und die nicht Gegenstand dieses Verfahrens sind, handelte es sich um solche durch Posten, die jüdische Arbeiter weggeschickt und dann hinterrücks erschossen haben. Zwar erwähnt der Zeuge den Angeklagten auch im Zusammenhang mit diesen Tötungen, die sich vor und nach der Erschiessung des durch eine Lore Verletzten ereignet haben. Nach der Darstellung des Zeugen hat der Angeklagte vor diesen Erschiessungen jeweils mit dem Posten gesprochen.

Dass der Zeuge Bla. das Geschehen genau beobachtet und sich eingeprägt hat, ergibt sich aus den bekundeten Einzelheiten, die glaubhaft und frei von inneren Widersprüchen sind. Demnach hat der Zeuge gesehen, dass der Angeklagte den Wall herabstieg und zu dem Verletzten ging, die Pistole aus der Pistolentasche herauszog, daran manipulierte und dann das Opfer durch einen Schuss aus einer Entfernung von etwa einem Meter tötete. Die Glaubwürdigkeit des Zeugen wird noch dadurch erhöht, dass sich dieser auch an den von einem Posten erteilten Befehl "Aufstehen und Weitermachen!" und an den späteren gleichen Befehl des Angeklagten sowie an die Antwort des Verletzten erinnert, die folgendermassen lautete: "Ich kann nicht, ich kann nicht!" Diese Begleitumstände geben dem Gesamtgeschehen einen hohen Grad der inneren Wahrscheinlichkeit, der noch dadurch erhöht wird, dass ein Jude getötet wurde, der wegen seiner Verletzungen wenigstens auf absehbare Zeit als Arbeitskraft ausfiel.

Aus der Sicht des unmenschlich denkenden und vom Rassenhass verblendeten Angeklagten handelte es sich bei dem Opfer ohnehin nur um einen "lästigen Esser".

Eine genaue Beobachtung des Vorgangs durch den Zeugen war von dem überhöhten Standort auf dem Wall und wegen der verhältnismässig kurzen Entfernung von ca. 20 Meter möglich. Zwar stand der Angeklagte, der Zeugenaussage zufolge, zwischen dem Zeugen und dem Verletzten und hatte ihm den Rücken zugewandt. Eine genaue Beobachtung des Geschehens durch den Zeugen konnte von dem erhöhten Standort auf dem Wall aus jedoch erfolgen. Insbesondere war es möglich, dass der Zeuge - trotz des ihm zugewandten Rückens des Angeklagten - sehen konnte, wie die Pistole aus der Tasche herausgezogen wurde und wie der Angeklagte an der Waffe manipulierte und den Schuss abgab. Hierbei ist zu berücksichtigen, dass sich der Zeuge auf einem Wall befand, während sich die Erschiessung unterhalb dieses Walls ereignete. Der Tatort lag also von der Wallkrone aus gesehen etwas seitlich. Deshalb verlief der Blickwinkel des Zeugen von seiner überhöhten Stelle aus nicht in einer geraden Richtung, sondern etwas seitlich von oben nach unten auf den etwa 20 Meter entfernten am Fusse des Walls befindlichen Tatort zu, so dass dem Zeugen durch den Rücken des Angeklagten das Gesichtsfeld nicht oder jedenfalls nicht völlig verstellt war.

Zu diesem Schluss gelangt das Gericht, weil die Wälle wie die Beweisaufnahme ergeben hat, eine nicht unbeträchtliche Höhe aufwiesen. Dass die Wälle eine erhebliche Höhe hatten, ist auf Grund des Bildmaterials in dem Sonderband I, und zwar der Aufnahmen Nr.3, 4, 15 und 20, als bewiesen anzusehen. Dem Foto Nr.4, das rechts den Angeklagten und links in einer Sohle zwischen Wällen Arbeitende zeigt, ist zu entnehmen, dass die Wälle bedeutend höher als die arbeitenden Menschen waren. Anhand dieses Bildes haben die israelischen Zeugen Ehf. und Ignaz Men. sowohl den Schiessstand Kochanowka als auch den Angeklagten identifiziert (Aussagen vor dem ersuchten Richter in Israel vom 12.März 1973 und in dem Hauptverhandlungstermin am 8.Januar 1973). Weiter konnten die israelischen Zeugen Blas., Ignaz Men. und Now. auf dem Foto Nr.3 den Schiessstand Kochanowka erkennen (Vernehmungen vor dem ersuchten Richter in Israel am 12.März 1973, in dem Hauptverhandlungstermin am 8.Januar 1973 und vor dem ersuchten Richter in Israel am 7.März 1973). Bei der Erörterung der Fotografien hat auch der Angeklagte den Schiessstand wiedererkannt, und zwar auf dem Bild Nr.20. Die Fotos Nr.3 und 20 zeigen ebenfalls, dass der Wall eine erhebliche Höhe aufwies. Nach den insoweit glaubhaften Erklärungen des Angeklagten hatte dieser eine Höhe von bis zu 3 Metern und an der Basis eine Breite von 7,50 Meter (Hauptverhandlung am 3.Januar und 5.September 1973). Davon abgesehen muss der Wall auch wegen seiner Funktion als Kugelschutz eine nicht unbeträchtliche Höhe gehabt haben.

Über den räumlichen Abstand zwischen dem Angeklagten und seinem Opfer hat der Zeuge Bla. nur eine ungefähre Entfernungsangabe von etwa einem Meter bekundet. Der Inhalt dieser Aussage ist nicht geeignet, die Glaubwürdigkeit des Zeugen zu beeinträchtigen.

Als Angehöriger des Jüdischen Nachrichtenbau-Kommandos war es für den Zeugen auch relativ ungefährlich, den Vorgängen zuzusehen. Die sogenannten Nachrichten-Juden unterstanden nicht der Befehlsgewalt des Angeklagten und waren daher durch diesen und dessen Leute nicht eingeschüchtert und konnten es im Vergleich zu anderen Juden eher wagen, einen derartigen Vorgang zu beobachten. Darauf hat auch der Zeuge Bla. mit folgenden Worten hingewiesen: "Ich konnte sehen, denn ich war nicht unter der Leitung von Proschinsky". Der Zeuge war als Angehöriger des Jüdischen Nachrichtenbau-Kommandos auch für den Angeklagten und dessen Bewachungspersonal als solcher zu erkennen, da er eine Armbinde mit einer entsprechenden Aufschrift trug (siehe oben Seite 34 [152] und Zeugenaussage Seb. vom

[152] = Seite 333 dieses Bandes.

12.Januar 1973) und eine andere Tätigkeit als die Baustellenarbeiter ausübte. Aus diesem Grunde und wegen der Befehlsverhältnisse hat für den Zeugen die Gefahr, als Beobachter des Geschehens durch den Angeklagten oder dessen Untergebene getötet zu werden, nicht bestanden. Andererseits war für den Angeklagten die Gegenwart von Angehörigen des Jüdischen Nachrichtenbau-Kommandos kein Anlass, von einer Erschiessung Abstand zu nehmen. Selbst wenn einer der sogenannten Nachrichten-Juden dem Hauptsturmführer Th., dem Chef der Nachrichteneinheit, von dem Vorgang berichtet hätte, hätte das für den Angeklagten zu keinen strafrechtlichen oder disziplinarischen Folgen geführt (siehe oben Seite 97 f. [153]).

Nach der Überzeugung des Gerichts vermochte der Zeuge Bla. den Angeklagten einwandfrei als den Täter zu identifizieren und in der Hauptverhandlung wiederzuerkennen. Die Möglichkeit einer Verwechslung mit einem anderen SS-Angehörigen ist auszuschliessen. Der Zeuge betonte, er sei sicher, dass der Angeklagte der Mann gewesen sei, der mit der Pistole den Verletzten erschossen habe und dass er diesen wiedererkenne, zumal sich das Aussehen des Angeklagten in 30 Jahren nicht viel geändert habe.

Bei der Würdigung dieses Teils der Zeugenaussage ist davon auszugehen, dass der Zeuge Bla. den Angeklagten zur Tatzeit dem Aussehen und dem Namen nach gekannt hat. Zwar hat der Zeuge als Angehöriger des Jüdischen Nachrichtenbau-Kommandos nicht ständig am Schiessstand Kochanowka gearbeitet, der zum Verantwortungsbereich des Angeklagten gehörte. Nur von Zeit zu Zeit - jeweils nach der Fertigstellung von Teilstücken der Wälle - hatte der Zeuge Telefonleitungsarbeiten am Schiessstand zu verrichten. Trotzdem war der Angeklagte dem Zeugen bereits zur Tatzeit hinreichend bekannt. Das ergibt sich aus dessen Bekundung, dass sich die ca. 10 Fälle von Erschiessungen jüdischer Arbeiter durch Wachposten, bei denen der Angeklagte zuvor mit den Posten gesprochen hatte (siehe oben Seite 172 [154]), teilweise vor und zum anderen Teil nach der Tötung des durch eine Lore Verletzten ereignet haben. Bereits im Zusammenhang mit diesen Erschiessungen hat sich bei dem Zeugen Bla. das äussere Erscheinungsbild des Angeklagten besonders eingeprägt.

Davon abgesehen hat der Zeuge den Angeklagten nicht nur vom Schiessstand Kochanowka her gekannt. Dieser hat, den Aussagen entsprechend, eine Gruppe sogenannter Nachrichten--Juden, zu der auch der Zeuge gehörte, am Abend bei der Rückkehr von der Arbeit - gegen den Widerspruch von Unteroffizieren der Nachrichteneinheit - zum Umladen von Kohlen oder Koks an der Bahnstation Kochanowka herangezogen, wobei fast die ganze Nacht gearbeitet werden musste. - Ein ähnliches schikanöses Verhalten des Angeklagten haben auch die jüdischen Zeugen Kau. und Seb. bekundet (siehe oben Seite 128 f. [155]). Der Zeuge Bla. wies weiter darauf hin, dass Juden des Nachrichtenbau-Kommandos aus Angst vor dem Angeklagten die Strasse nicht verlassen haben. Ob das Heranziehen zu den Umladearbeiten vor oder nach der Erschiessung des durch eine Lore Verletzten erfolgte, ist nicht von besonderer Bedeutung. Dieser Vorfall war geeignet, dass sich der Zeuge den Angeklagten einprägte. Sollte sich das Geschehen erst nach der Tötungshandlung ereignet haben, so hatte das die Folge, dass bereits vorhandene Eindrücke über das Aussehen des Angeklagten noch vertieft worden sind.

Die Möglichkeit einer Verwechslung mit einem anderen SS-Mann ist nicht gegeben. Dem Zeugen Bla. war - wie anderen Juden und Polen - bekannt, dass der Angeklagte Offizier war. Er erwähnte, dass der Angeklagte - im Gegensatz zu den mit Karabinern bewaffneten Wachposten - eine Pistole trug und eine Peitsche mit Handgriff oder auch eine Reitpeitsche

[153] = Seite 361 dieses Bandes.

[154] = Seite 397 dieses Bandes.

[155] = Seite 376 dieses Bandes.

mit sich führte. Zwar waren, den Aussagen des Zeugen entsprechend, auch Unteroffiziere (SS-Unterführer) mit einer Pistole ausgerüstet. Eine Verwechslung mit einem Unteroffizier kommt jedoch wegen der unterschiedlichen Uniform von Offizieren und Unteroffizieren nicht in Betracht. Wegen der für einen SS-Angehörigen verhältnismässig kleinen Gestalt des Angeklagten (siehe oben Seite 157 [156]) und sonstiger äusserlicher Merkmale (siehe oben Seite 151 f. [157]) konnte der Zeuge Bla., wie andere jüdische und polnische Zeugen sowie frühere SS-Angehörige, diesen von anderen SS-Leuten unterscheiden. Das wird besonders durch die Bemerkung des Zeugen, in den 30 Jahren habe sich der Angeklagte (im Aussehen) nicht viel geändert, deutlich. Davon abgesehen werden die Erklärungen des Zeugen über die Identifizierung und Wiedererkennung des Angeklagten auch dadurch bekräftigt, dass viele jüdischen und polnischen Zeugen und auch Angehörige der ehemaligen Waffen-SS in der Hauptverhandlung den Angeklagten zu identifizieren und wiederzuerkennen vermochten (siehe oben Seite 154 ff. [158]).

Das Gericht ist weiter der Überzeugung, dass der Zeuge Bla. den Angeklagten von seinem Standort richtig als den Täter erkennen konnte. Zunächst befanden sich der Zeuge und der Angeklagte auf dem gleichen Wall. Von hier aus sah der Zeuge, wie der Angeklagte den Wall zu dem Verletzten hinabstieg. Dass der Angeklagte bei der Erschiessung dem Zeugen den Rücken zugewandt hatte, schliesst dessen Identifikation als Täter nicht aus, denn der Zeuge hatte den Angeklagten bereits auf dem Wall und auf dem Wege zu dem Opfer einwandfrei erkannt.

Die Aussagen des Zeugen Bla. werden in einem gewissen Masse durch den Zeugen Stanislaw Mar. bekräftigt, der am 21.September 1973 in Polen im Wege der Rechtshilfe vernommen wurde. Dieser Zeuge, der für die Forstverwaltung auch zeitweilig am Schiessstand Kochanowka arbeitete, hatte gehört, einem Arbeiter sei an diesem Schiessstand der Fuss von einer Schmalspurbahn zerquetscht worden, worauf dieser Mann erschossen worden sei. Ob das Opfer ein Jude oder ein Pole und der Angeklagte im Zusammenhang mit diesem Vorfall im Gespräch war, konnte der Zeuge dagegen nicht bekunden.

Ausserdem ist den verlesenen Aussagen des verstorbenen israelischen Zeugen Naftali Schi. zu entnehmen, dass Juden wiederholt von Loren verletzt und sodann von SS-Leuten erschossen worden sind (Vernehmung durch die Israel-Polizei vom 19.Januar 1971 in Bd.XV der Akten Hülle hinter Bl.164; Leseabschrift Bl.171). Derartige Tötungen sollen sich meist bei der Firma Krause ereignet haben. Der Zeuge hat weiter auf eine Lorenbahn bei dem Schiessstandbau hingewiesen. - An einen Unfall bei dem Betrieb einer Lorenbahn, der zu einer Verletzung am Fuss oder an den Fusszehen führte, glaubt sich weiter - ohne Angaben von Einzelheiten - der ehemalige jüdische Lagerarzt Dr. T. erinnern zu können (Vernehmung vor dem ersuchten Generalkonsulat in New York am 14.Februar 1973). Für eine wahrheitsgemässe Darstellung des Zeugen Bla. spricht weiter der Umstand, dass dieser Zeuge sowohl bei der Israel-Polizei am 30.Dezember 1970 (Bd.XV Bl.93/94 d.A.) als auch vor dem ersuchten Richter in Israel am 24.Mai 1972 (Bd.XVIII Bl.6/7 d.A.) eine Schilderung gegeben hat, die in ihrem wesentlichen Inhalt mit der Aussage vor dem Schwurgericht am 3.Januar 1973 übereinstimmt. In allen Aussagen ergeben sich im Kerngeschehen, dem eigentlichen Vorgang der Erschiessung des durch eine Lore verletzten Juden, keine Abweichungen.

Zwar hat sich der Zeuge bei den beiden vorangegangenen Vernehmungen konkreter als in der Hauptverhandlung über die Tatzeit geäussert. Bei der polizeilichen Vernehmung am

[156] = Seite 390 dieses Bandes.

[157] = Seite 387 dieses Bandes.

[158] = Seite 388 f. dieses Bandes.

30.Dezember 1970 gab er als Tatzeit das Frühjahr oder den Sommer 1942 und bei der richterlichen Vernehmung am 24.Mai 1972 das Frühjahr 1942 an. Dass der Zeuge nunmehr in der Hauptverhandlung bekundet hat, der Vorfall könne sich 1941/1942 ereignet haben, er glaube, es sei im Frühjahr 1942 gewesen, stellt den Wert seiner Aussage nicht in Frage. Diese unbestimmt gehaltene Äusserung gibt vielmehr zu erkennen, wie vorsichtig und zuverlässig der Zeuge in seinen Bekundungen ist.

Für diese besondere den Wert der Zeugenaussagen Bla. erhöhende Vorsicht gibt es noch weitere Anhaltspunkte. So hat der Zeuge Erschiessungen durch Wachposten, die er am Schiessstand Kochanowka in mehr als 10 Fällen gesehen haben will, bekundet. Hierzu hat er im einzelnen angegeben, der Angeklagte habe jeweils mit dem Posten gesprochen, der dann die Juden wegschickte und hinterrücks erschoss. Er habe nicht gehört, was der Angeklagte gesagt habe. Insbesondere habe er keinen Befehl zum Erschiessen vernommen. Dass der Zeuge Bla. das Geschehen in dieser vorsichtigen Weise schilderte und nicht von Befehlen des Angeklagten an den Wachposten sprach, zeigt, wie differenziert und vorsichtig dieser Zeuge in seinen Äusserungen ist. - Die Vorsicht des Zeugen äussert sich auch darin, dass dieser die naheliegende Annahme, dass ein Schuss in den Kopf abgegeben wurde, nicht bekundete, sondern nur erklärte, er glaube, es sei ein Kopfschuss gewesen. - In die gleiche Richtung weist die Aussage, er, der Zeuge, habe bei dem Beobachten des Erschiessens des durch eine Lore Verletzten möglicherweise mit einem Feldfernsprecher zum Durchrufen auf dem Wall gestanden. Ob er damals aber gerade durchgerufen oder das Telefon hierfür angeschlossen habe, wisse er jedoch nicht.

Einige kleinere Abweichungen, die sich bei einem Vergleich der beiden vorangegangenen Aussagen mit den Bekundungen vor dem Schwurgericht ergeben, vermögen den Wert der Zeugenaussage Bla. nicht in Frage zu stellen. Insoweit handelt es sich um folgende Punkte:
a) Bei der richterlichen Vernehmung am 24.Mai 1972 (Bd.XVIII Bl.6/7 d.A.) bekundete der Zeuge, die Lore sei von vier Arbeitern geschoben worden. In der früheren polizeilichen Vernehmung vom 30.Dezember 1970 (Bd.XV Bl.93/94 d.A.) war dagegen unbestimmt, von mehreren Arbeitern die Rede, während der Zeuge vor dem Schwurgericht diesen Punkt nicht mehr erwähnt hat.
b) Weiter hat der Zeuge vor dem israelischen Richter und der Israel-Polizei ausgesagt, der Angeklagte habe dem Posten befohlen, der durch die Lore verletzte jüdische Arbeiter solle aufstehen und weiterarbeiten. Vor dem Schwurgericht hat der Zeuge Bla. dagegen bekundet, der Posten habe von sich aus dem Verletzten den Befehl gegeben: "Aufstehen und weitermachen".
c) Vor der Israel-Polizei hat der Zeuge am 30.November 1970 erklärt, dass der Posten nach der Aufforderung an den Verletzten, aufzustehen und weiterzumachen, diesen mit dem Fuss getreten habe, um ihn zum Aufstehen und Weitermachen zu bewegen. Entsprechende Aussagen über das Treten mit dem Fuss fehlen bei den späteren Aussagen vor dem israelischen Richter und vor dem Schwurgericht.
Die erörterten Abweichungen betreffen Nebenpunkte und nicht den eigentlichen Vorgang der Erschiessung durch den Angeklagten und werden von dem Gericht nicht für derart erheblich gehalten, dass sie die Glaubwürdigkeit des Zeugen in irgendeiner Weise zu erschüttern vermögen.

Ebensowenig wird der Beweiswert der Zeugenaussage Bla. dadurch in Frage gestellt, dass über die erste Vernehmung des Zeugen durch die Polizei in Israel, die am 8.Oktober 1961 stattgefunden hat, ein Protokoll vorliegt, das - jedenfalls in der deutschen Übersetzung - eine völlig andere Sachverhaltsdarstellung enthält (vgl. Sonderband VII Bl.20-24). Demnach soll der Angeklagte mit dem Posten gesprochen haben. Der Wachposten habe sodann den verletzten Juden in die Tiefe des Waldes gezogen und das Opfer dort erschossen. Diese erste Vernehmung des Zeugen Bla. geschah durch den jetzt in New York wohnhaften früheren israelischen Polizeibeamten Sko. und wurde in polnischer Sprache vorgenommen.

Das Gericht ist auf Grund des Ergebnisses der Beweisaufnahme der Überzeugung, dass bei dieser ersten Vernehmung des Zeugen Bla. Missverständnisse vorgelegen haben, die zu einer falschen inhaltlichen Protokollierung der Aussage geführt haben. Diese Missverständnisse beruhten auf sprachlichen Schwierigkeiten sowie auf Sachverhaltsverwechslungen, möglicherweise auch auf einem Versehen des Vernehmungsbeamten und der Protokollführerin.

Zu berücksichtigen ist weiter, dass die Vernehmung vom 8.Oktober 1961 kein Verfahren gegen den Angeklagten sondern Ermittlungen betraf, die sich gegen den ehemaligen Lagerführer Kops und sonstige zum Personal des Judenlagers gehörige SS-Leute richtete. Deshalb ist, wie von dem Zeugen Bla. bekundet, davon auszugehen, dass der Erschiessung des verletzten Juden durch den Angeklagten eine geringere Bedeutung als dem eigentlichen Gegenstand der Vernehmung beigemessen worden ist und nur eine oberflächliche Aufnahme der Aussage im Protokoll erfolgte.

Zu Zweifeln und Missverständnissen gibt bereits der in verschiedenen Übersetzungen vorliegende Text Anlass, der in der Übersetzung des Dolmetschers der polnischen Sprache, des Justizhauptwachtmeisters Gr., vom 24.Februar 1971 (Bd.I Bl.37a d.A.) folgendermassen lautet:

> "Zu derselben Zeit, als ich an der Verlegung der Fernsprechlinie neben dem Schiessstand arbeitete, wo auch die Juden mit verschiedenen Arbeiten beschäftigt waren, habe ich mit eigenen Augen gesehen, wie ein mir unbekannter junger Jude durch einen kleinen Waggon (Lore) überfahren wurde und zu schreien anfing: der deutsche Aufseher (Wachtposten) zog ihn unter dem Waggon hervor und ging zu dem SS Hauptsturmführer mit dem Namen Pruszynski, der für die Arbeiten auf dem Schiessstand verantwortlich war. Er hat mit ihm paar Minuten gesprochen und kehrte zu dem verletzten Juden zurück; er zog ihn in das Innere des Waldes und erschoss diesen dort. Ich weiss nicht, wie dieser Aufseher hiess".

Bei dieser Übersetzung ergibt sich die Unklarheit, welche Person - der Bewacher oder der Angeklagte - im vorletzten Satz mit dem Wort "Er" gemeint ist. Dass die Art der Formulierung missverständlich sein konnte und bei dem Verlesen oder Durchlesen des Protokolls ein derartiges Missverständnis nicht bemerkt wurde, ist in einem hohen Grade wahrscheinlich. Das kommt auch in der weiteren Übersetzung des Protokolls durch den Dolmetscher J.-Da. (Bd.I Bl.38 d.A.) zum Ausdruck, die folgendermassen lautet:

> "Einmal befand ich mich beim Anlegen von Telefonleitungen neben dem Schiessstand, wo ebenfalls Juden bei verschiedenen Arbeiten beschäftigt waren. Ich habe dort mit eigenen Augen gesehen, wie ein junger Jude durch einen Waggon überfahren wurde und zu schreien begann. Der deutsche Wachmann zog ihn unter dem Waggon hervor. In diesem Augenblick kam der SS-Hauptsturmführer Pruszynski herbei. Dieser war zuständig für die Beaufsichtigung der Arbeiten an dem Schiessstand. Er sprach noch einige Minuten mit dem Wachmann und begab sich dann zu dem verletzten Juden. Er zog ihn in die Tiefe des Waldes und erschoss ihn dort. Ich weiss nicht, wie der Wärter hiess".

Nach dieser Übersetzung soll der Angeklagte zunächst mit dem Posten gesprochen und sodann der Angeklagte - nicht der Wachposten - den Verletzten in die Tiefe des Waldes gezogen und ihn dort erschossen haben. Diese Übersetzung enthält die Anmerkung, falsch zu sein, da der Zeuge erklärt habe, dass der Wachmann den Juden erschoss.

Zu den mit dem Protokoll, der Protokollierung und der vorangegangenen Vernehmung zusammenhängenden Fragen hat die Beweisaufnahme folgendes ergeben:

Der der polnischen Sprache mächtige israelische Polizeibeamte Dew. hat hierzu bei seiner Vernehmung in der Hauptverhandlung am 2.April 1973 auf Befragen erklärt, er verstehe das in polnisch abgefasste Original-Protokoll so, dass der Wachmann und nicht der Angeklagte mit dem Verletzten in die Mitte des Waldes gegangen sei und dort die Erschiessung vorgenommen habe. Im gleichen Sinne hat sich der Dolmetscher Gr. in der Hauptverhandlung am 3.Januar 1973 geäussert. Die inhaltlich andere Übersetzung ist demzufolge falsch. Ein Missverständnis wird von dem Dolmetscher zwar für möglich gehalten, obwohl das Protokoll in gutem Polnisch abgefasst sei. Dass die Niederschrift in polnischer Sprache eindeutig sei, könne jedoch nicht gesagt werden.

Über den äusseren Hergang seiner Vernehmung durch die Israel-Polizei am 8.Oktober 1961 hat der Zeuge Bla. vor dem Schwurgericht folgendes bekundet:

Er, der Zeuge, habe in deutscher Sprache ausgesagt und in polnischer Sprache seien seine Aussagen protokolliert worden. Dann habe er den Fehler gemacht, vor seiner Unterschrift das Protokoll nicht richtig durchzulesen. Ihm sei die Niederschrift möglicherweise gar nicht vorgelesen worden. So habe er den Fehler nicht bemerkt. Im übrigen seien die Aussagen nur oberflächlich in das Protokoll aufgenommen worden. Ihm sei gesagt worden, um die Einzelheiten gehe es später, wenn die Leute gefunden seien. Zu dem in polnischer Sprache abgefassten Original-Protokoll (Bd.I Umschlag Bl.39 d.A.) erklärte der Dolmetscher Gr. in der Hauptverhandlung am 3.Januar 1973 auf Befragen: Die Niederschrift sei gleich in polnisch geschrieben worden, lasse jedoch nicht erkennen, in welcher Sprache die eigentliche Vernehmung erfolgt sei.

Über den Inhalt seiner polizeilichen Aussage vom 8.Oktober 1961 erklärte der Zeuge Bla. bei seiner Vernehmung vor dem Schwurgericht:

Seine Schilderung des Geschehens sei von vornherein richtig gewesen und entspreche seiner jetzigen Darstellung, dass der Angeklagte selbst den verletzten jüdischen Arbeiter getötet habe. - Vor der Israel-Polizei habe er über zwei verschiedene Vorgänge ausgesagt, aus denen im Protokoll eine Sache gemacht worden sei. Einmal habe er über Erschiessungen durch Posten gesprochen, wobei die Opfer in den Wald geschickt und dann niedergeschossen worden seien. Dabei habe es sich um viele Fälle gehandelt. Weiter habe er über den Einzelfall einer Erschiessung eines durch eine Lore Verletzten durch den Angeklagten berichtet. Diese verschiedenen Vorgänge seien durcheinandergebracht und zu einem Vorgang im Protokoll zusammengefügt worden. Der "Fakt" sei von ihm also richtig angegeben worden; nur das Protokoll sei falsch.

Wegen dieser Darstellung des israelischen Zeugen Bla. sind die Zeugen Sko. und Dew. vernommen worden.

Der ehemalige israelische Polizeibeamte Sko., der am 8.Oktober 1961 den Zeugen Bla. vernommen hatte, hat bei seiner Vernehmung vor dem ersuchten Generalkonsulat in New York erklärt: An die damalige Vernehmung könne er sich nicht erinnern. Erstens liege die Sache zulange zurück und zweitens habe es sich um eine verhältnismässig geringfügige Ermittlungsangelegenheit gehandelt. Mit Sicherheit habe er die Vernehmung in polnischer und nicht in deutscher Sprache durchgeführt, weil er die deutsche Sprache zwar verstehe, aber nicht so exakt beherrsche. Möglich sei ein Missverständnis in der Weise, dass er von einer Tötung durch den Posten und nicht durch den Angeklagten ausgegangen sei. Jedoch könne er sich nicht mehr erinnern. - Protokolle seien in der Regel den Zeugen erst vorgelesen und nach dessen Genehmigung unterzeichnet worden. Jedoch sei es vorgekommen, dass ein Zeuge auf die nochmalige Verlesung eines laut diktierten Protokolls verzichtet habe. Das sei bei knapper Zeit oder dann geschehen, wenn es ein Beteiligter eilig hatte. Zwei bis drei Zeugen habe er täglich vernommen und an Vernehmungstagen sei es nicht so gewesen, dass viele Zeugen auf den Termin warten mussten.

Der Zeuge Dew., der die spätere polizeiliche Vernehmung des Zeugen Bla. im Jahre 1970 vorgenommen hat, hat bei seiner Vernehmung in dem Hauptverhandlungstermin am 2.April 1973 ebenfalls die Möglichkeit eingeräumt, dass bei der ersten polizeilichen Vernehmung durch den Zeugen Sko. ein Missverständnis vorgelegen habe. Dieses führe er auf die Schreibkraft zurück. Viele solcher Fälle, die mit dieser - einer Frau Eb. - zusammenhängen, habe es gegeben. Wegen solcher Ungenauigkeiten sei Frau Eb. dann auch entlassen bzw. von diesem Posten entfernt worden. - Er selbst, der Zeuge Dew., habe bei seiner Vernehmung Bla. in deutscher Sprache vernommen, weil dieser jiddisch besser als polnisch spreche.

Diese glaubhaften Aussagen der Zeugen Sko. und Dew. bekräftigen die Darstellung des Zeugen Bla. über den Vorgang seiner ersten Vernehmung in einem erheblichen Masse. Zwar führen diese nicht in jedem Punkt zu einer Bestätigung der Aussagen des Zeugen Bla. über den Gang der Vernehmung, geben dessen Darstellung jedoch einen hohen Grad der Wahrscheinlichkeit. Missverständnisse bei der Vernehmung im Oktober 1961 werden von den Vernehmungsbeamten Sko. und im Zusammenhang mit der Protokollführerin Eb. auch von dem Zeugen Dew. nicht für ausgeschlossen gehalten. Von dem ehemaligen Polizeibeamten Sko. ist auch die Möglichkeit eingeräumt worden, dass das Protokoll nicht vorgelesen wurde.

Widersprüche zwischen den Aussagen der Zeugen Bla. und Sko. bestehen nur in einem einzigen Punkt. Während der Zeuge Bla. in der Hauptverhandlung bekundet, er sei bereits 1961 von der Israel-Polizei in deutscher Sprache vernommen worden, schliesst der frühere Vernehmungsbeamte Sko. diese Möglichkeit aus, da er selbst die deutsche Sprache nicht so exakt beherrsche. Denkbar ist es auch, dass der Zeuge Bla. ihm in polnisch gestellte Fragen in deutsch beantwortet hat. Nach der Überzeugung des Gerichts lässt sich der Widerspruch zwischen den Zeugenaussagen Bla. und Sko. nicht klären.

Auf Grund der Beweisaufnahme ist davon auszugehen, dass es bei der Vernehmung im Oktober 1961 zu Missverständnissen gekommen ist, weil der israelische Polizeibeamte Sko. die deutsche Sprache nicht exakt beherrschte, während andererseits der Zeuge Bla. besser deutsch bzw. jiddisch als polnisch sprach. Die damit verbundenen Schwierigkeiten der sprachlichen Verständigung waren auf die inhaltlich falsche Protokollierung der Aussage nach der Überzeugung des Gerichts nicht ohne Einfluss.

Weiter folgt das Gericht der Darstellung des Zeugen Bla., dass dieser schlecht verstanden worden und so - möglicherweise - zwei von ihm geschilderte Vorgänge - die Tötungen durch Posten und der Einzelfall einer Erschiessung durch den Angeklagten - bei der Erstvernehmung nicht getrennt, sondern durcheinandergebracht worden sind. Das Gericht hält es weiter für wahrscheinlich, dass sich der Zeuge, was bei einem Vergleich der unterschiedlichen Sachverhalte denkbar ist, unklar ausdrückte und auf diese Weise bei dem Vernehmungsbeamten und bei dem mitanwesenden deutschen Staatsanwalt B. einen Irrtum hervorgerufen hat.

Den Anhalt für eine Verwechslung der Sachverhalte gibt die protokollierte Äusserung, das Opfer sei "in die Tiefe des Waldes" geschleppt worden. In diesem Vorgang liegen Elemente der geschilderten Erschiessungen durch Posten, die ihre Opfer in den Wald geschickt und hinterrücks erschossen haben sollen. Wegen der sprachlichen Schwierigkeiten - evtl. auch wegen einer darauf zurückzuführenden unklaren Ausdrucksweise des Zeugen - sind Elemente dieser Handlungen in die Erschiessung des durch eine Lore Verletzten hineingelegt worden. Ein derartiges Missverständnis ist besonders deshalb naheliegend, weil nach den späteren Darstellungen des Zeugen das Opfer nach der Erschiessung unterhalb des Walles zunächst in den Wald gebracht wurde, wo der Tote bis zur Rückkehr des Arbeitskommandos in das Lager liegenblieb.

Für die Richtigkeit der in der Hauptverhandlung gegebenen Sachverhaltsdarstellung spricht vor allem, dass der Zeuge bei den späteren Vernehmungen durch die Israel-Polizei am

30.Dezember 1970 (Bd.XV, Bl.93/94) und vor dem ersuchten Richter in Israel am 24.Mai 1972 (Bd.XVIII, Bl.6/7) zwischen den beiden Sachverhalten klar differenziert und über die Erschiessung des durch eine Lore Verletzten eine Aussage gegeben hat, die in ihrem Kern mit den Bekundungen in der Hauptverhandlung übereinstimmt.

Bei der polizeilichen Vernehmung im Jahre 1970 ist eine den jetzigen Aussagen entsprechende Darstellung gegeben worden, ohne dass der Zeuge sich ausdrücklich von dem Inhalt seiner früheren Bekundungen distanziert hat. Dieser Umstand führt zu dem Schluss, dass der Zeuge, da ein entsprechender Vorhalt nicht erfolgte, sich eines Unterschieds zwischen seiner späteren polizeilichen Aussage im Jahre 1970 und der Protokollierung der früheren Aussage im Jahre 1961 nicht bewusst war und sich nicht erst während der Zwischenzeit bei dem Zeugen eine andere Erinnerung gebildet hat.

Erst bei der richterlichen Vernehmung im Jahre 1972 wurde der Zeuge Bla. durch einen Vorhalt des Staatsanwalts auf die Diskrepanz zwischen der Erstvernehmung vom Oktober 1961 einerseits und den späteren Aussagen andererseits aufmerksam gemacht. Hierauf hat der Zeuge - wie auch in der Hauptverhandlung - erklärt, bereits 1961 eine Erschiessung des Verletzten durch den Angeklagten und das Wegbringen der Leiche in die Tiefe des Waldes bekundet zu haben, so dass bei der Niederschrift ein Missverständnis in der Übersetzung vorliegen müsse. Dass der Zeuge schon im Jahre 1972 auf Vorhalt hin von einem Missverständnis gesprochen hat, erhöht den Wert seiner entsprechenden Bekundungen in der Hauptverhandlung.

Bei der Würdigung der Zeugenaussage Bla. muss weiter berücksichtigt werden, dass eine Erschiessung an der Unfallstelle am Rande des Walls wesentlich wahrscheinlicher als das im Jahre 1961 im Protokoll aufgenommene Wegschleppen des verletzten und noch lebenden Opfers in den Wald und dessen dortige Tötung ist. Schon wegen des damit verbundenen Aufwands an Körperkraft ist es ausserordentlich unwahrscheinlich, dass ein zu erschiessender Verletzter von dem Unfallort noch weggebracht und dann erschossen wurde, zumal es auf Grund der damaligen Verhältnisse nicht erforderlich und üblich war, auf die Nähe von Tatzeugen Rücksicht zu nehmen (vgl. siehe oben Seite 97 ff. [159]).

Für die Glaubwürdigkeit des Zeugen Bla. ist weiter auszuführen, dass dessen Aussagen über das Verlegen von Telefonleitungen am Schiessstand Kochanowka, die unterirdisch längs der Schussbahnen am unteren Rand der Wälle verliefen, durch die weitere Beweisaufnahme bestätigt worden sind. Die gegenteilige Einlassung des Angeklagten, es habe nur eine über die Bäume verlegte Leitung zum Schiessstand und dort nur einen Telefonanschluss gegeben, ist nicht nur durch den Zeugen Bla., sondern auch durch eine Reihe weiterer Zeugen widerlegt worden. Zu dem Ergebnis, dass es - entsprechend den Bekundungen des Zeugen Bla. - auf dem Schiessstand Kochanowka längs der Schussbahnen am unteren Rand der Wälle verlaufende unterirdische Telefonkabel gegeben hat, gelangt das Gericht auf Grund einer umfangreichen Beweisaufnahme, und zwar auf Grund folgender Erwägungen:

Zwar konnten sich eine Reihe von Zeugen, die am Schiessstand Kochanowka gewesen sind, an dort befindliche Telefonleitungen nicht erinnern. Es handelt sich hierbei um die ehemaligen SS-Angehörigen And., Pur., S. und Wac. und um die polnischen Zeugen Och. und Ucz. (Aussagen in dem Hauptverhandlungstermin am 2.Februar 1973, vor dem beauftragten Richter am 9.April 1973, in dem Hauptverhandlungstermin am 20.März 1973, vor dem ersuchten Richter in Österreich am 5.Juni 1973, vor dem ersuchten Richter in Polen am 22.September 1973 und in dem Hauptverhandlungstermin am 27.August 1973). Weiter hat der polnische

[159] = Seite 361 ff. dieses Bandes.

Zeuge Leon Mar. bekundet, dass er nach dem Kriege beim Spielen auf dem früheren Schiessstandgelände keine Kabel festgestellt habe. Diesen Aussagen folgt jedoch nicht, dass es am Schiessstand Kochanowka keine Telefonleitungen gegeben hat, sondern nur, dass den Zeugen deren Existenz unbekannt war.

Weiter haben eine Reihe von früheren SS-Angehörigen, die auf dem Schiessstand Kochanowka geschossen haben, ausgesagt, dass dort die Schiessergebnisse - wie auf anderen Schiessständen - durch Tafeln und Drehscheiben und die Fehlschüsse durch Winken mit einem Stab angezeigt wurden. Entsprechende Bekundungen liegen von den Zeugen And., Ber., Mer., Pur. und Wac. vor (Vernehmungen in den Hauptverhandlungsterminen am 2.Februar und 20.März 1973, vor dem ersuchten Richter in Österreich am 4.Juni 1973, vor dem beauftragten Richter am 9.April 1973 und vor dem ersuchten Richter in Österreich am 5.Juni 1973). Aus dem mechanischen Anzeigen der Schiessergebnisse ist jedoch nicht herzuleiten, dass es auf den einzelnen Bahnen des Schiessstands keine Telefone gab. Die telefonische Durchsage der Schiessergebnisse wäre im Vergleich zur Anzeige oder zum Winken, wobei jeder Schütze das Ergebnis sofort erfährt, zu unpraktisch und zu zeitraubend gewesen. Telefone konnten anderen Zwecken als dem Anzeigen dienen, etwa der Durchgabe von Befehlen von dem Bunker aus, die den Beginn, den Stopp oder die Beendigung des Schiessens oder einen anderweitigen Einsatz betrafen.

Dass es Telefonleitungen für die einzelnen Schiessstandbahnen gegeben hat, ist von den ehemaligen SS-Angehörigen Mie. und Ri. glaubhaft bekundet worden (Aussagen vom 19. und 20.März 1973). Den Bekundungen von Mie. zufolge waren auf den ersten Bahnen des Schiessstands Feldtelefone, während nach den Angaben von Ri. jede einzelne Bahn Telefonleitungen hatte. Über die Art der Verlegung der Telefonkabel konnten die Zeugen Mie. und Ri. nichts aussagen. Dagegen will der in Polen vernommene Zeuge Pra. gehört haben, dass die Leitungen über der Erde lagen, jedoch nicht auf Maste gelegt waren (Vernehmung am 30.Juni 1973). Im Gegensatz zu dieser Aussage will der Zeuge Dmu. vom Hörensagen erfahren haben, die Telefonkabel seien unterirdisch verlaufen (Vernehmung in dem Hauptverhandlungstermin am 10.September 1973).

Im Zusammenhang mit der Art der Verlegung der Kabel kommt den Aussagen der polnischen Zeugen Stanislaw Mar. und Pie. besonderes Gewicht zu (Vernehmungen vor dem ersuchten Richter in Polen vom 21.September 1973 und in dem Hauptverhandlungstermin am 10.September 1973). Beide Zeugen bekunden übereinstimmend, dass die Telefonleitungen am Schiessstand unter der Erde lagen. Der Zeuge Stanislaw Mar. hat selbst gesehen, wie elektrische Kabel unter die Erde gelegt wurden. An dem Schiessstand Kochanowka will der Zeuge Pie. auch selbst telefoniert haben. Beide polnische Zeugen bestätigen die Bekundungen des israelischen Zeugen Bla. über die Existenz unterirdischer Telefonleitungen am Schiessstand. Die übereinstimmenden Bekundungen der Zeugen Bla., Stanislaw Mar. und Pie. werden teilweise durch die Zeugen Seb. und Th. bekräftigt.

Der Aussage des Zeugen Seb. zufolge, der Arbeiter im Jüdischen Nachrichtenbau-Kommando gewesen war, sollen im Lagerbereich die Telefonleitungen zuerst provisorisch auf Maste und dann, als - wie sich der Zeuge ausdrückte - die deutschen Armeen vor Moskau und Sewastopol standen, als Erdkabel verlegt worden sein. Diese Bekundungen beziehen sich allerdings nicht unmittelbar auf den Schiessstand Kochanowka, sondern allgemein auf die Art der Verlegung im Bereich des Truppenübungsplatzes.

Besonders bedeutsam ist in diesem Zusammenhang die Aussage des Zeugen Th., des damaligen Chef der Nachrichteneinheit, der das Jüdische Nachrichtenbau-Kommando angeschlossen

war (siehe oben Seite 24 [160]). Nach der ersten Aussage des Zeugen in der Hauptverhandlung am 11.Dezember 1972 sollen am Schiessstand Kochanowka die Kabel zuerst oberirdisch und später unterirdisch verlegt worden sein. Zu den einzelnen Bahnen der Anlage soll es Abzweigungen gegeben haben. Deutlich zurückhaltender war die Aussage des Zeugen Th. bei seiner zweiten Vernehmung in dem Hauptverhandlungstermin am 2.Februar 1973. Der Zeuge berichtete allgemein über das Verlegen der Telefonleitungen auf dem Platz, das in folgenden drei Phasen verlaufen sei:
1. provisorisch (auf Bäumen),
2. postalisch (auf Telefonstangen) und
3. durch Erdkabel (mit Rücksicht auf Sabotageakte).
Ebenfalls sei geplant gewesen, für jede Bahn des Schiessstands Kochanowka eine Telefonverbindung herzustellen. Ob es dazu gekommen sei, wisse er nicht.

Wenn der Zeuge Th. bei seiner zweiten Vernehmung auch erklärt hat, seine früheren Bekundungen über unterirdische Telefonleitungen und Abzweigungen für die einzelnen Bahnen des Schiessstands beruhten auf Annahmen, so wird doch die Darstellung des Zeugen Bla. auch durch diese Bekundungen noch in einem erheblichen Masse bekräftigt.
Am 2.Februar 1973 hat der Zeuge Th. ausdrücklich erklärt, die Möglichkeit, dass jede Bahn eine Telefonleitung hatte, sei jedenfalls die Wahrscheinlichste.

Bei der Aussage des Zeugen Th. ist zu berücksichtigen, dass dieser als ehemaliger Nachrichten-Offizier eine besondere Sachkunde besitzt und die Methoden bei dem fernsprechtechnischen Ausbau des Truppenübungsplatzes genau gekannt hat. Dass dieser Zeuge das Vorhandensein einer Telefonleitung an den einzelnen Bahnen für wahrscheinlich gehalten und die dritte Ausbauphase durch Erdkabel erwähnt hat, erhöht zu diesen Punkten den Wert der Aussage des Zeugen Bla., die von derartigen unterirdischen Telefonleitungen an den einzelnen Bahnen ausgeht.

Die Bekundungen verschiedener Zeugen über die Existenz von Telefonleitungen am Schiessstand Kochanowka werden durch den Zeugen Bl., dem Ib-Offizier des Truppenübungsplatzes, nicht in Frage gestellt (Vernehmung vom 14.Dezember 1972). Dieser Aussage zufolge kann sich der Zeuge auf einen den Schiessstand Kochanowka betreffenden Antrag auf Telefonleitungen nicht erinnern. Ausserdem erklärte der Zeuge, derartige Telefonleitungen seien nicht notwendig gewesen. Da der Zeuge Bl. jedoch, seinen Bekundungen zufolge, im März 1942 verhaftet wurde, ist es nicht nur möglich, sondern in einem hohen Grade auch wahrscheinlich, dass die Telefonleitungen nach dessen Inhaftierung beantragt und eingerichtet wurden. Diese Arbeiten konnten ohnehin erst nach der Fertigstellung der Wälle bzw. von Abschnitten der Wälle und damit in einem fortgeschritteneren Aufbaustadium des Schiessstands vorgenommen werden.

Die Glaubwürdigkeit der Aussage des Zeugen Bla. wird noch dadurch erhöht, dass diese selbst in Nebenpunkten über fernmeldetechnische Einzelheiten, die als solche unerheblich sind, durch den Zeugen Th. bekräftigt worden sind. So hat dieser als ehemaliger Nachrichten-Offizier besonders sachkundige Zeuge bekundet, im Falle des Vorhandenseins von Abzweigungen für die einzelnen Schiessbahnen seien die Kabel jeweils auf der Sohle zwischen den Wällen verlegt worden, und zwar das letzte Kabel an der Innenseite des Walls (Vernehmung vom 2.Februar 1973). Die Verlegung an dieser Stelle entspricht in jeder Einzelheit der Darstellung, die der Zeuge Bla. in der Hauptverhandlung am 3.Januar 1973 gegeben hat.

[160] = Seite 328 f. dieses Bandes.

Weiter hat es der Zeuge Bla. als möglich bezeichnet, dass er bei seinen Beobachtungen auf dem Wall gestanden hat, um dort mit einem Telefon durchzurufen. Wenn er sich richtig erinnere, sei hierfür oben auf dem Wall ein Schaltkasten gewesen. Auch insoweit ist die Aussage des Zeugen Bla. teilweise durch den ehemaligen Nachrichten-Offizier Th. bestätigt worden, der von Zapfstellen an einem Pfahl sprach, an die ein Feldfernsprecher angeschlossen werden konnte (Aussage vom 2.Februar 1973). So wäre es jedenfalls bei einer Verlegung eines Erdkabels am Schiessstand gewesen.

Ebenso wird die Zeugenaussage Bla., am Schiessstand Kochanowka habe es zunächst eine oberirdische Leitung als Provisorium und dann unterirdisch verlegte Kabel gegeben, in einem gewissen Masse durch den Zeugen Th. bekräftigt, der erklärte, dass im allgemeinen in der letzten Ausbauphase die oberirdisch zunächst auf Bäumen und dann auf Telefonstangen gelegten Leitungen durch Erdkabel ersetzt wurden (Aussage vom 2.Februar 1973).

Auf Grund dieses Ergebnisses der Beweisaufnahme ist die Einlassung des Angeklagten, dass am Schiessstand Kochanowka nur eine oberirdisch über Bäume gelegte und keine unterirdische Telefonleitung existierte, widerlegt. Dass sich der Angeklagte - seinen Erklärungen entsprechend - einmal in der Nähe des Schiessstands in ein nicht hoch genug gelegtes bzw. sonst herabhängendes Kabel verfangen hat, steht der Feststellung über das Vorhandensein unterirdischer Leitungen nicht entgegen. Dieser Vorfall hat sich nach der Überzeugung des Gerichts in einem Anfangsstadium des Ausbaus ereignet, als die hochgelegten Leitungen noch nicht durch Erdkabel ersetzt waren.

Durch die gegenteiligen glaubhaften Aussagen des Zeugen Bla. ist weiter die Einlassung des Angeklagten widerlegt, dieser Zeuge könne nicht am Schiessstand Kochanowka gewesen sein, weil die dortige Telefonleitung von SS-Leuten und nicht von Juden gelegt worden sei. Die glaubhaften Bekundungen des Zeugen Bla., als Angehöriger des Jüdischen Nachrichtenbau-Kommandos an diesem Schiessstand gearbeitet zu haben, werden durch den in Polen im Wege der Rechtshilfe vernommenen Zeugen Pra. bekräftigt, der während seiner Zeit auf dem Truppenübungsplatz gehört hat, die Telefonverbindungen auf dem Schiessstand seien von Juden hergestellt worden (Aussage vom 30.Juni 1973). Dass Nachrichtenleute einer Infanterie-Kompanie Leitungen legten, ist - wie von dem Zeugen Th. bekundet - zwar eine andere Möglichkeit (Vernehmung am 2.Februar 1973). Für diese Möglichkeit haben sich während der umfangreichen Beweisaufnahme jedoch keinerlei Anhaltspunkte ergeben, so dass die Aussage des Zeugen Bla., am Schiessstand Kochanowka gearbeitet zu haben, durch den ehemaligen Nachrichten-Offizier Th. nicht in Frage gestellt wird.

Die Annahme des Angeklagten, der Zeuge Bla. könne zwischen einem Schiessplatz und dem Schiessstand Kochanowka nicht unterscheiden und dieser verwechsle hier den Tatort, ist nicht begründet. Der Zeuge hat immer - von einem offensichtlichen Versprechen abgesehen - von dem Schiessstand und nicht von einer Schiessbahn gesprochen. Der Schiessstand Kochanowka war für die jüdischen Arbeitskräfte auch ein fester Begriff, weil diese Arbeitsstelle wegen der dortigen Tötungen und Misshandlungen gefürchtet war und einen besonders schlechten Ruf hatte (siehe oben Seite 75, 81 ff. [161]). Weiter hat der Zeuge Bla. bei seiner Vernehmung die Lage des Schiessstands Kochanowka richtig beschrieben. Dieser soll demnach in der Nähe der Bahn und von dem Lager Kochanowka aus in nördlicher Richtung gelegen haben. Diese Beschreibung ist zutreffend (siehe oben Seite 13/14 [162]).

[161] = Seite 351, 354 f. dieses Bandes.

[162] = Seite 323 dieses Bandes.

Davon abgesehen ist auch auf Grund der Einlassung des Angeklagten eine Verwechslung zwischen dem Schiessstand und den Schiessbahnen auszuschliessen. Wiederholt hat der Zeuge von Wällen am Schiessstand gesprochen. Auf Befragen musste der Angeklagte einräumen, dass die Schiessbahnen - im Gegensatz zu dem Schiessstand - keine Wälle hatten und dort die freie Landschaft erhalten blieb (Erklärung in der Hauptverhandlung am 3.Januar 1973).

Die Einlassung des Angeklagten, die Loren am Schiessstand Kochanowka seien aus Holz gefertigt und im Falle des Herausspringens nicht geeignet gewesen, einen Fuss zu verletzen (Erklärung in dem Hauptverhandlungstermin am 3.Januar 1973), ist ebenfalls durch die Aussage des Zeugen Bla. widerlegt, wonach dem Verletzten der Fuss durchfahren wurde. Dass die Räder der Loren aus Holz waren, ist auch in einem hohen Grade unwahrscheinlich, weil die Loren, wie der Aufnahme Nr.15 im Sonderband I und auch den Erklärungen des Angeklagten vom 5.September 1973 zu entnehmen ist, auf einem Gleis liefen. Davon abgesehen hätte auch eine mit Erde beladene Lore aus Holz im Falle des Herausspringens aus dem Gleis wegen ihres Gewichts zu erheblichen Verletzungen am Fuss führen müssen. Im übrigen ist die Einlassung des Angeklagten in diesem Punkt auch widersprüchlich, weil dieser selbst einen Fall einer Verletzung durch eine Lore erwähnt hat, in dem der Betroffene in das Lager gebracht wurde (Erklärung in dem Hauptverhandlungstermin am 3.Januar 1973).

Widerlegt ist weiter die Darstellung des Angeklagten, dass die Gleise für die Loren ausschliesslich oben auf den Wällen und nicht, wie von dem Zeugen Bla. bekundet, stellenweise auf dem Damm und stellenweise in der Sohle verlaufen seien (Erklärung in dem Hauptverhandlungstermin am 3.Januar 1973).

Zwar war den hierzu befragten polnischen Zeugen Pie., Ucz. und Urb. nur die Existenz der Lorenbahn, nicht jedoch deren Lage bekannt (Aussagen in den Hauptverhandlungsterminen am 10.September und 27.August 1973 sowie vor dem ersuchten Richter in Polen am 3.Juli 1973). Dagegen vermochte der polnische Zeuge Pok. die Darstellung des israelischen Zeugen Bla. jedenfalls insoweit zu bestätigen, als Schienen der Bahn zwischen den Wällen verlaufen seien (Vernehmung durch den ersuchten Richter in Polen am 2.Juli 1973). In die gleiche Richtung weist die Aussage des deutschen Zeugen And., der zweimal am Schiessstand Wachdienst hatte und meint, dass die Loren zwischen den Wällen liefen (Aussage in dem Hauptverhandlungstermin am 2.Februar 1973).

Dass die Gleise für die Loren zumindest stellenweise in der Vertiefung zwischen den Wällen verliefen, ist dem Bild Nr.15 im Sonderband I zu entnehmen. Der Zeuge Bla. hat auf dieser Aufnahme die Baustelle des Schiessstands Kochanowka wiedererkannt. Im übrigen bestand wegen des Aushebens von Gräben und des Aufschüttens der Wälle die Notwendigkeit, von der Sohle zwischen den Dämmen aus Erdbewegungen durchzuführen. Diese sind auf dem Foto Nr.4 im Sonderband I festgehalten, das links in einer Sohle des Schiessstands Arbeiter mit Schubkarren zeigt, während rechts der Angeklagte einen aufgeworfenen Wall abschreitet. Auf diesem Bild haben die israelischen Zeugen Ehf. und Ignaz Men. sowohl die Baustelle des Schiessstands Kochanowka als auch den dort befindlichen Angeklagten wiedererkannt. Weiter ist es auch von der Arbeitspraxis her wahrscheinlich, dass die Bahn unter Ausnutzung des Gefälles verlief, und zwar am Ende in einer Schleife.

Das Gericht folgt weiter - im Gegensatz zur Einlassung des Angeklagten - der Darstellung des Zeugen Bla., der zu der späteren Erschiessung führende Unfall habe sich an einer Lorenbahn ereignet, die zwischen dem letzten Wall und dem sich anschliessenden ungerodeten Wald verlaufen sei. Zwar haben sich während der Beweisaufnahme keine Anhaltspunkte über die Existenz einer Lorenbahn an dieser Stelle ergeben. Das Gericht hält jedoch auch in diesem Punkt die Aussage des Zeugen Bla., die sich in vielen anderen technischen Einzelheiten als richtig erwiesen hat, für zutreffend. Davon abgesehen würde selbst bei einem Irrtum desselben in diesem Nebenpunkt dessen Glaubwürdigkeit in den übrigen das unmittelbare Tatgeschehen betreffenden Aussagen in keiner Weise erschüttert werden.

Durch die Aussagen des ehemaligen SS-Angehörigen May., der am 26.Februar 1973 vor dem ersuchten Richter in Österreich vernommen worden ist, wird der Angeklagte nicht entlastet. Nach dessen Einlassung soll der Zeuge May. damals sein ständiger Begleiter bei den Rundgängen gewesen sein, so dass dieser wissen müsse, dass sich der von dem Zeugen Bla. bekundete Fall nicht ereignet haben könne (Erklärung in dem Hauptverhandlungstermin am 25.Januar 1973). Diese Darstellung hat der Zeuge May. nicht bestätigt. Seinen Bekundungen zufolge ist er nicht immer zur gleichen Zeit wie der Angeklagte auf den Baustellen gewesen. Wöchentlich will der Zeuge sich durchschnittlich dreimal an dem Schiessstand Kochanowka aufgehalten haben, und zwar jeweils zwei bis drei Stunden. Meist sei er zu Fuss oder mit dem Fahrrad zur Baustelle gelangt.

Wenn auch der Wert der Zeugenaussage May. wegen dessen sehr zurückhaltender Art, des von ihm ausdrücklich erwähnten Gedächtnisverlustes und möglicher Verdrängungseffekte allgemein nur als gering anzusehen ist (siehe oben Seite 87 [163]; Seite 149 f. [164]), so sprechen doch einige Gesichtspunkte dafür, dass dieser Zeuge nicht ständiger Begleiter des Angeklagten war. Glaubhaft ist die Aussage jedenfalls insoweit, als der Zeuge angegeben hat, wegen eines verkürzten rechten Fusses nicht fronttauglich gewesen zu sein. Diese Gehbehinderung wird auch von dem Angeklagten bestätigt (Erklärung in dem Hauptverhandlungstermin am 25.Januar 1973). Wegen des verkürzten Fusses ist davon auszugehen, dass der Zeuge nicht ständiger Begleiter des Angeklagten gewesen sein kann, der überdies zu den Baustellen geritten oder mit dem Motorrad gefahren ist (siehe oben Seite 157 f. [165]). - Zu der von dem Zeugen Bla. bekundeten Tötung erklärte der Zeuge May., ihm sei hiervon nichts bekannt.

Ebensowenig konnte der ehemalige SS-Angehörige Wac. den Angeklagten entlasten (Vernehmung vor dem ersuchten Richter in Österreich am 5.Juni 1973). Der Zeuge will im Sommer 1941 ca. 3 Monate unter dem Kommando des Angeklagten auf dem Schiessstand Kochanowka gearbeitet haben. Seinen Bekundungen zufolge sind damals die Erdbewegungen nur mit Schubkarren und nicht mit Loren ausgeführt worden. Obwohl auch bei diesem Zeugen Verdrängungseffekte vorliegen können und im allgemeinen gegen diese Aussage bereits erörterte Bedenken bestehen (siehe oben Seite 87 [166]; vgl. oben 149 f. [167]), ist die Möglichkeit, dass es in einem früheren Aufbaustadium am Schiessstand noch keine Loren gegeben hat, nicht von der Hand zu weisen, zumal sich die Tötungshandlung mit hoher Wahrscheinlichkeit wesentlich später - im Frühjahr 1942 - ereignet hat.

Zu einer Entlastung des Angeklagten konnte auch der polnische Zeuge Dmu. nicht beitragen (Vernehmung in dem Hauptverhandlungstermin am 10.September 1973). Zwar will dieser Zeuge im Frühjahr 1941 auf den Truppenübungsplatz gelangt sein, dort etwa 2½ Jahre auf dem Schiessstand Kochanowka gearbeitet und dort Erschiessungen nicht wahrgenommen haben. Aus diesen Bekundungen lassen sich für den Angeklagten jedoch keine günstigen Schlüsse herleiten, denn der Zeuge hat nicht ununterbrochen, sondern nur zeitweise auf dem Schiessstand gearbeitet. Nur während eines Zeitraums von etwa einem Jahr, der im Frühjahr

[163] = Seite 357 dieses Bandes.

[164] = Seite 386 dieses Bandes.

[165] = Seite 390 dieses Bandes.

[166] = Seite 357 dieses Bandes.

[167] = Seite 386 dieses Bandes.

1941 beginnt, war der Zeuge ununterbrochen auf dem Schiessstand Kochanowka eingesetzt. Danach arbeitete er nur noch mit längeren Unterbrechungen dort, ohne sagen zu können, wo der Schwerpunkt seiner Tätigkeit lag. Damit bleibt die Möglichkeit offen, dass sich die Tötung während eines Zeitabschnittes ereignete, in dem der Zeuge an einer anderen Stelle als am Schiessstand Kochanowka beschäftigt war.

Der von dem Zeugen Schä. bei seiner kommissarischen Vernehmung (am 23.August 1973) bekundete Fall einer Erschiessung eines vorher durch eine Lore verletzten Arbeiters ist nicht mit der den Gegenstand des Verfahrens bildenden Tötung identisch. Die von dem Zeugen Schä. wahrgenommene Erschiessung hat sich an einer ganz anderen Stelle des Truppenübungsplatzes, und zwar bei dem Bau des Führerheims, das an der Strasse von der Bahnstation zu den Unterkunftsringen und zu der Kommandantur entstand (vgl. oben Seite 11 und 12 [168]), ereignet. Weiter hat es sich, der Zeugenaussage zufolge, bei dem Opfer der Erschiessung um einen Polen und nicht um einen Juden gehandelt. Dort beschäftigte Polen will der Zeuge durch die Monteuranzüge und das Firmenabzeichen HAM eindeutig als solche erkannt haben. Zu berücksichtigen ist weiter, dass sich diese Erschiessung bei der Firma Krause ereignet hat und sich der Zeuge in diesem Zusammenhang noch an den dort beschäftigt gewesenen Polier Graetz erinnert.

Eine Verwechslung der Vorgänge, der Tatorte und der Beteiligten ist auch deshalb auszuschliessen, weil die Schilderung des Zeugen Schä. - von der Verletzung durch eine Lore abgesehen - keine oder nur geringe Ähnlichkeiten mit dem von dem Zeugen Bla. bekundeten Fall aufweist. Ein Polier Graetz soll nach der Verletzung des Polen gerufen haben: "Knallt doch die Kanaille ab!" Daraufhin sei die Erschiessung durch den Posten erfolgt.

Für den zu beurteilenden Fall ist die von dem Zeugen Schä. bekundete Erschiessung jedoch deshalb von Interesse, weil auch diese zeigt, dass es zu Tötungen arbeitsunfähiger oder verletzter Arbeitskräfte auf dem Truppenübungsplatz gekommen ist und die von dem Zeugen Bla. bekundete Handlungsweise des Angeklagten keineswegs untypisch war.

Die Handlung war für den Angeklagten - unter Berücksichtigung der damaligen politischen Verhältnisse - nicht persönlichkeitsfremd. Dieser hat sich gegenüber Polen und Juden unmenschlich verhalten und sich als brutaler Schläger und Antreiber hervorgetan. Schonungslos und ohne Rücksicht auf deren Gesundheit hat er auf seine wehrlosen Opfer eingeschlagen. Die besondere Brutalität der Misshandlungen ergibt sich aus der Verwendung von Knüppeln und Peitschen sowie der Pistole, mit der der Angeklagte ebenfalls wahllos einschlug. Wegen der im einzelnen festgestellten Gewalttaten und der Antreibermethoden des Angeklagten wird auf die Ausführungen unter dem Buchstaben C im 2.Abschnitt Bezug genommen (Bl.126 bis 144 [169]). In Anbetracht dieser Verhaltensweisen, die eine ungewöhnliche Rücksichtslosigkeit und Roheit zeigen, ist dem Angeklagten die Erschiessung des durch eine Lore verletzten jüdischen Arbeiters zuzutrauen.

Auch vom Tatort her ist dem Angeklagten die Tötung des Juden zuzutrauen. An dem Schiessstand Kochanowka hatte der Angeklagte als Offizier die Befehlsgewalt über die dort eingesetzten jüdischen und polnischen Arbeiter. Diese missbrauchte er durch sein willkürliches und brutales Verhalten. Wiederholt hat der Angeklagte an dieser Baustelle Gewalttaten

[168] = Seite 322 dieses Bandes.

[169] = Seite 375-384 dieses Bandes.

verübt, wobei wegen der Einzelfälle auf Blatt 131 f. [170] und Blatt 137 [171] hingewiesen wird. Diese Gewalttaten lassen erkennen, dass der Angeklagte von einer durch keinen Vorgesetzten beeinträchtigten schrankenlosen Befehlsgewalt ausging und auf dieser Grundlage sich völlig willkürlich gegenüber den polnischen und jüdischen Arbeitern verhalten hat.

4.) Die rechtliche Beurteilung des Tatgeschehens

Der festgestellte Sachverhalt ist rechtlich als vollendeter Mord zu beurteilen. Der Tatbestand eines Verbrechens gemäss §211 StGB ist sowohl nach der Neufassung auf Grund des Gesetzes vom 4.September 1941 als auch nach der früheren Fassung zu bejahen.

Wegen einer mutmasslichen aber nicht genau feststellbaren Tatzeit im Frühjahr 1942 oder Sommer 1942 (siehe oben Seite 165 f. [172]) ist es wahrscheinlich, dass das Tatgeschehen bereits unter die Neufassung des Gesetzes fällt. Die Handlung des Angeklagten ist nach dem neugefassten Tatbestand deshalb als Mord zu werten, weil niedrige Beweggründe vorgelegen haben. Bei der Tötung hat der Angeklagte vorsätzlich gehandelt. Der Tötungsvorsatz ergibt sich aus der gezielten Abgabe des Schusses aus nächster Nähe auf das Opfer, das sofort verstarb.

Die Motive der Tötung waren unter Berücksichtigung der Gesamtumstände nach allgemeiner sittlicher Anschauung verachtenswert und haben auf tiefster Stufe gestanden (vgl. Dreher--Schwarz, 33.Aufl., §211 Anm.B a). Nach diesen Massstäben sind die Beweggründe des Angeklagten in zweifacher Hinsicht als niedrig anzusehen. Dieser hat einen Juden aus Rassenhass getötet (vgl. BGHSt. 18/37) und zum anderen aus eigener Willkür sich zum Herrn über Leben und Tod seines Opfers erhoben (vgl. BGH NJW 1971, 571).

Das Gericht ist der Überzeugung, dass der Hass des Angeklagten auf Juden, den die Beweisaufnahme ergeben hat (siehe oben Seite 142 ff. [173]), das leitende Motiv bei der Tötungshandlung war. Das Opfer war aus der durch den Rassenhass geprägten und entstellten Sicht des Angeklagten ein Jude und damit ein Angehöriger einer "minderwertigen" und "feindlichen Rasse", dessen Leben an sich nichts galt und allenfalls unter dem Gesichtspunkt der Erhaltung einer Arbeitskraft noch zu respektieren war. Nachdem der jüdische Arbeiter wegen einer erlittenen Verletzung zumindest für längere Zeit als Arbeitskraft ausgefallen war, sah der Angeklagte in diesem nur noch einen "überflüssigen oder schädlichen Esser", der zu töten war.

Das Verhalten des Angeklagten wäre selbst dann als Mord anzusehen, wenn dieser, was das Gericht für ausgeschlossen hält, nicht aus eigenem Rassenhass aber in bewusster Ausnutzung der durch den Rassenhass der Staats- und Parteiführung gegebenen Situation in der Erwartung getötet haben sollte, wegen der Tat strafrechtlich nicht zur Verantwortung gezogen zu werden (vgl. BGHSt. 18/37). In einem darin liegenden bewussten Anknüpfen an Hassinstinkte würde ebenfalls ein verwerfliches Handeln liegen, das unter die sonstigen niedrigen Beweggründe des §211 StGB fällt.

Ausserdem handelte der Angeklagte deshalb aus niedrigen Beweggründen, weil er sich bei der Erschiessung willkürlich verhielt und sich zum Herrn über Leben und Tod des verletzten

[170] = Seite 377 f. dieses Bandes.

[171] = Seite 380 dieses Bandes.

[172] = Seite 394 dieses Bandes.

[173] = Seite 383 dieses Bandes.

wehrlosen Opfers machte (vgl. BGH NJW 1971, 571). Der Angeklagte war für den Bau des Schiessstands Kochanowka verantwortlich und hatte dort als SS-Offizier die Befehlsgewalt. Diese Situation hat der Angeklagte für die willkürliche Tötung ausgenutzt und missbraucht. Obwohl die Möglichkeit bestand, die Wunde des Verletzten zunächst provisorisch zu verbinden und diesen dann in das Judenlager und in das dortige Krankenrevier bringen zu lassen (siehe oben Seite 53 ff. [174]), traf der Angeklagte im Rahmen einer missbrauchten und insoweit angemassten grenzenlosen Befehlsgewalt die willkürliche Entscheidung, den jüdischen Arbeiter sofort zu erschiessen.

Die Tötung des Verletzten ist von dem Angeklagten mit Überlegung im Sinne des vor dem Gesetz vom 4.September 1941 geltenden Mordtatbestands ausgeführt worden, so dass auch nach der früheren Fassung ein Mord zu bejahen ist. Diese Feststellung ist wegen einer möglichen - wenn auch nicht wahrscheinlichen - früheren Tatzeit und im Hinblick auf §2 Abs.2 Satz 2 StGB notwendig.

Seitens des Angeklagten liegt keine Affekthandlung vor. Dieser ist von dem Verletzten in keiner Weise gereizt oder provoziert worden. Dass der jüdische Arbeiter den wegen der erlittenen Verletzungen unsinnigen, objektiv unmöglichen und auch unmenschlichen Befehl, aufzustehen und die Arbeit wieder fortzusetzen, nicht ausführen konnte, hat der Angeklagte von vornherein gewusst. Die Sachverhaltsschilderung des Zeugen ergibt auch keinerlei Anhaltspunkte, dass der Angeklagte sich in einen Zorn hineingesteigert und in dieser Situation gehandelt hat.

Vor der Erschiessung hatte der Angeklagte Gelegenheit, über sein Handeln nachzudenken und die ihn zu seinem Verhalten drängenden und die Beweggründe, die ihn hiervon hätten abhalten müssen, gegeneinander abzuwägen. Von dem Herabsteigen vom Wall, über die Aufforderung zum Aufstehen und Weitermachen bis zum Herausziehen der Pistole und schliesslich zur Abgabe des Schusses hatte der Angeklagte eine gewisse Zeit, über die Situation nachzudenken und eine gebotene Abwägung vorzunehmen. Trotzdem hat der Angeklagte ziel- und zweckgerichtet die Erschiessung vorgenommen.

Die Rechtswidrigkeit des Verhaltens des Angeklagten wird nicht dadurch in Frage gestellt, dass dieser im Einklang mit den die Tötungen von Juden betreffenden Anordnungen der damaligen Staatsführung handelte (vgl. oben Seite 7 ff. [175]). - Der Angeklagte hat auch keinen ihm erteilten entsprechenden Befehl ausgeführt, sondern von sich aus in freier Willkür Tötungshandlungen vorgenommen, so dass sich die Fragen einer Beihilfe oder eines Befehlsnotstands nicht stellen.

<u>B. Die Erschiessung eines jüdischen Arbeiters durch einen Wachposten auf Befehl des Angeklagten</u>
(Punkt 10 der Anklage)

<u>1.) Die Sachverhaltsfeststellung</u>

Zu dem Vorwurf der Anklage, einem Posten einen ausgeführten Befehl zur Erschiessung eines jüdischen Arbeiters erteilt zu haben, hat das Gericht folgenden Sachverhalt festgestellt:

Im Sommer 1941 musste eine Kolonne jüdischer Arbeiter, die für die Firma Continentale Wasserwerks-GmbH in Berlin-Charlottenburg tätig war, innerhalb des Geländes des Truppen-

[174] = Seite 341 ff. dieses Bandes.

[175] = Seite 320 f. dieses Bandes.

übungsplatzes Gräben für Wasserleitungen oder eine Kanalisation ausheben. Ein namentlich nicht bekannter jüngerer Jude, dessen Füsse mit Lappen umwickelt waren, konnte die Arbeit mit dem Spaten nicht mehr ausführen. Er sagte das dem Wachtposten und fügte hinzu, ihm sei schon alles egal. Auf Anordnung des Postens ging der Betreffende einige Meter abseits, wo er auf das Ende der Arbeitszeit wartete.

Nach einiger Zeit kam der Angeklagte angeritten und fragte den Wachtposten, was der Jude mache. Gemeint war damit der abseits stehende Arbeiter, dessen Füsse mit Lappen umwickelt waren. Auf die Antwort des Postens, dass der Jude nicht arbeite, erteilte der Angeklagte im lauten Ton den Befehl, diesen jüdischen Arbeiter zu erschiessen. Der Posten befahl dem Juden, sich umzudrehen. Aus einer kurzen Entfernung - es handelte sich um etwa drei Meter - tötete er den Juden mit dem Gewehr oder Karabiner durch einen Schuss in den Hinterkopf.

Die von ihm angeordnete Erschiessung beobachtete der Angeklagte aus der Nähe, wobei er von dem Opfer etwa vier Meter und von dem Posten etwa zwei Meter entfernt war. Danach ritt er weiter. Der Erschossene wurde von jüdischen Arbeitern auf einer von diesen hergestellten primitiven Bahre nach Beendigung der Arbeit in das Lager gebracht und am Lagertor als Toter gemeldet.

Zur Person des Wachtposten konnten keine Feststellungen getroffen werden.

2.) Die Einlassung des Angeklagten

Der Angeklagte hat das von dem Gericht festgestellte Tatgeschehen in Abrede gestellt (Erklärung in dem Hauptverhandlungstermin am 30.November 1972), sich zu Einzelheiten jedoch nicht eingelassen.

3.) Die Beweiswürdigung

Die Feststellungen über den Sachverhalt beruhen auf den eidlichen Aussagen des israelischen Zeugen Now., der im Wege der Rechtshilfe in Gegenwart von Mitgliedern des erkennenden Gerichts am 7.März 1973 in Israel richterlich vernommen worden ist. Die Niederschrift über diese Vernehmung ist in dem Hauptverhandlungstermin am 16.März 1973 verlesen worden. Ausserdem beruhen die Feststellungen auf weiteren Zeugenaussagen, die im einzelnen noch erörtert werden.

Das Schwurgericht ist von der Richtigkeit der Aussagen des Zeugen Now. überzeugt. Wie im einzelnen noch zu erörtern ist, zeigte sich der Zeuge - seinen protokollierten und verlesenen Äusserungen zufolge - bei seiner Vernehmung vorsichtig und zurückhaltend, gab eine sachliche und differenzierende Darstellung seiner Erlebnisse auf dem Truppenübungsplatz und war vor allem in der Lage, die mit der Erschiessung des nicht mehr arbeitenden Juden zusammenhängenden Vorgänge glaubhaft und widerspruchsfrei zu schildern.

Das in der Hauptverhandlung verlesene Protokoll der Vernehmung vom 7.März 1973 lässt weiter erkennen, dass die Aussage des Zeugen Now. nicht von Gefühlen des Hasses oder der Vergeltung gegen ehemalige SS-Angehörige im allgemeinen und gegen den Angeklagten im besonderen beeinflusst war. Der Zeuge Now. hat bei seinen Bekundungen den Wachtposten als einen guten Menschen bezeichnet, der nicht von sich aus, sondern nur auf Befehl des Angeklagten den jüdischen Arbeiter erschoss. Weiter hat der Zeuge hervorgehoben, dass er - im Gegensatz zu anderen Juden - von dem Angeklagten nicht geschlagen worden ist. Mithin scheidet die Möglichkeit aus, dass sich der Zeuge bei seiner Aussage für ihn durch den Angeklagten zugefügtes Unrecht rächen wollte.

Erinnerungstäuschungen und ins Gewicht fallende Gedächtnislücken liegen nach der Überzeugung des Gerichts bei dem Zeugen Now. nicht vor. Bei allen Vernehmungen, die die Erschiessung zum Gegenstand hatten, hat der Zeuge über das Kerngeschehen, den Vorgang, der zur Tötung des Juden führte, eine übereinstimmende Aussage gegeben. Das gilt sowohl für die Bekundungen vor der Israel-Polizei am 5.Januar 1971 (Bd.XV Bl.119 ff. d.A.) und für die richterliche Vernehmung während der Voruntersuchung in Israel am 29.Mai 1972 (Bd.XVIII Bl.32 ff. d.A.) als auch für die Vernehmung in diesem Hauptverfahren vor dem ersuchten Richter in Israel am 7.März 1973. Diese Aussagen lassen in ihrem Kernbereich keine Widersprüche oder Abweichungen erkennen.

Angesichts eines Zeitablaufs von mehr als 30 Jahren hält das Gericht die Zeugenaussage Now. für besonders zuverlässig. Der Zeuge hat, seinen Bekundungen zufolge, den Vorgang aus nächster Nähe gesehen und war bei der Erschiessung nur wenige Meter von dem Opfer entfernt. Nach seiner Aussage hat der Abstand zwischen ihm und dem getöteten nur ca. 5 bis 6 Meter betragen. Bereits dieser Gesichtspunkt spricht dafür, dass sich der Vorgang in dem Gedächtnis des Zeugen in einem besonderen Masse eingeprägt hat. Der Wert der Aussage wird noch dadurch erhöht, dass der Zeuge hervorhob, er erinnere sich an diesen Fall deshalb besonders, weil es das erste Mal in seinem Leben gewesen sei, dass er gesehen habe, wie jemand aus der Nähe erschossen worden sei. Dass sich ein Zeuge unter diesen Umständen an den Vorgang besonders gut erinnert, entspricht der Lebenserfahrung. Ebenso hat Prof.Dr. Un. in seinem mündlichen Sachverständigen-Gutachten vom 21.März 1973 allgemein auf den Gesichtspunkt hingewiesen, dass sich ein erster Fall einer beobachteten Tötung bei einem Zeugen besonders gut einprägt.

Für eine richtige Erinnerung des Zeugen sprechen weiter die besonderen Umstände, die das Geschehen charakterisieren und von anderen Fällen von Tötungen deutlich unterscheiden. Getötet wurde ein zum gleichen Arbeitskommando, dem auch der Zeuge zugewiesen war, gehöriger Jude, der wegen des Zustands seiner nur mit Lappen umwickelten Füsse die Arbeit mit dem Spaten nicht mehr ausführen konnte. Dieser Vorgang, von dem der Zeuge gesagt hat, dass dieser ihn besonders stark bewegt habe, weil es sich um ein Opfer handelte, das unmittelbar mit ihm Seite an Seite arbeiten musste, muss wegen eines gefühlsstarken Miterlebens im Gedächtnis des Zeugen besonders haften geblieben sein. Schliesslich war für den Zeugen auch der Unterschied besonders einprägsam, der zwischen dem menschlichen Verhalten des Wachtpostens, der das Opfer von der Arbeit freigestellt hatte, und der unmenschlichen und rücksichtslosen Handlungsweise des Angeklagten bestand.

Wegen der besonderen Begleitumstände ist die Möglichkeit einer Verwechslung des Vorgangs oder einer Vermischung verschiedener Erlebnisse durch den Zeugen auszuschliessen, zumal dieser wegen der Angaben von Einzelheiten einen stark individualisierten Geschehensablauf bekundet hat, der sich deutlich von anderen Gegenstand dieses Verfahrens bildenden oder in diesem Verfahren bekanntgewordenen Tötungshandlungen unterscheidet. Die geschilderten Einzelheiten sprechen auch dafür, dass der Zeuge Now. den Vorgang besonders gut wahrgenommen und sich eingeprägt hat. Zu diesen Einzelheiten gehören die Angaben über das namentlich nicht bekannte Opfer, das lediglich Fusslappen trug, über die Äusserungen des Betroffenen zu dem Wachtposten, er könne nicht mehr arbeiten und ihm sei schon alles egal, über das Verhalten des Wachtpostens und den späteren Befehl des Angeklagten, sowie über den eigentlichen Vorgang der Erschiessung durch den Posten. Der Wert der Aussage wird noch dadurch erhöht, dass der Zeuge auch den Toten gesehen und hierbei ein Loch im Hinterkopf - die Einschussstelle - gesehen hat. Diese Beobachtung spricht ebenfalls dafür, dass die Vorgänge als ganzes sich im Gedächtnis des Zeugen gut eingeprägt haben und dass die Möglichkeit einer Verwechslung mit einer anderen Tötung oder einer Vermischung verschiedener Erlebnisse zu verneinen ist.

Die bei der Vernehmung angegebenen Einzelheiten vermochte der Zeuge auch zu sehen oder zu hören, zumal er nicht nur dem gleichen Arbeitskommando wie das Opfer angehörte, sondern im Augenblick der Erschiessung von diesem, dem Posten und auch dem Angeklagten nur wenige Meter entfernt war und so aus nächster Nähe das Geschehen wahrnehmen konnte.

Das von dem Zeugen Now. bekundete Tatgeschehen ist frei von inneren Widersprüchen und entbehrt wegen der Begleitumstände unter Berücksichtigung der zahlreichen anderen Gewalttaten auf vielen Baustellen des Truppenübungsplatzes (siehe oben Seite 78 ff. [176]) nicht der inneren Wahrscheinlichkeit. Die Bekundungen des Zeugen gewinnen noch durch die Aussagen des Zeugen Bla. in dem vorstehend festgestellten Fall einer Erschiessung eines durch eine Lore verletzten jüdischen Arbeiters an Gewicht (Vernehmung am 3.Januar 1973). Wenn hierbei der Angeklagte auch selbst mit der Pistole das Opfer erschossen hat, während in dem zu erörternden Fall von einer Erschiessung durch einen Posten auf Befehl des Angeklagten auszugehen ist, so beruhen doch beide Tötungshandlungen auf einer ähnlichen Ausgangssituation. In beiden Fällen sind Juden erschossen worden, die nicht mehr arbeiteten, und deren "Wert als Arbeitskraft" aus der Sicht des Angeklagten nicht mehr vorhanden war oder zumindest zweifelhaft erschien.

Weiter spricht die Art der bekundeten Tötung - durch Schuss in den Hinterkopf - einer brutalen Handhabe, die auf dem Truppenübungsplatz allgemein in einem erheblichen Masse verbreitet war (siehe oben Seite 87, 99 [177]). Ebenso deckt sich die Aussage des Zeugen Now., der Getötete sei nach der Arbeit auf einer provisorisch angefertigten Bahre in das Lager gebracht worden, mit den Gepflogenheiten, die von einer Anzahl von Zeugen glaubhaft bekundet worden sind (siehe oben Seite 90/91 [178]).

In einem gewissen Umfange werden die Aussagen des Zeugen Now. insoweit durch weitere Zeugen bekräftigt, als diese ebenfalls die Firma Continental bzw. Continentale (richtig: Continentale Wasserwerk GmbH in Berlin-Charlottenburg) als eine der auf dem Truppenübungsplatz eingesetzten Firmen nennen und hierbei erwähnen, dass diese Wasserleitungs- und Kanalisationsarbeiten ausgeführt hat. Entsprechende Bekundungen liegen von dem polnischen Zeugen Fer. und von den deutschen Zeugen Schä. und Tho. vor (Vernehmungen vor dem ersuchten Richter in Polen am 22.September 1973, vor dem beauftragten Richter am 23.Oktober 1973 sowie in den Hauptverhandlungsterminen am 11.Dezember 1972 und 19.März 1973). Von diesen Zeugen ist der ehemalige SS-Obersturmführer Tho. hervorzuheben, der bei der Bauleitung bzw. Zentralbauleitung eingesetzt, dort für die Wasserversorgung zuständig und später Leiter der Dienststelle war (siehe Seite 21 [179]) und deshalb von dem Einsatz der Firmen auf dem Truppenübungsplatz in einem besonderen Masse Kenntnis hatte.

Darüber hinaus wird die Aussage des Zeugen Now. insoweit durch den polnischen Zeugen Fer. bestätigt, als dieser den Einsatz jüdischer Arbeiter bei dem Ausheben von Gräben bei der Firma Continentale bekundet hat. Diesen Bekundungen zufolge haben die Juden bei der genannten Firma im dritten Ring Wasserleitungs- und Installationsarbeiten ausgeführt. In die gleiche Richtung weist die Aussage des Zeugen Ernst Zim., der als SS-Angehöriger Juden bei Kanalisationsarbeiten in einem der Unterkunftsringe - jedoch nicht im Ring I - zu bewachen hatte, den Namen der betreffenden Firma aber nicht zu nennen vermochte (Vernehmung

[176] = Seite 353 ff. dieses Bandes.

[177] = Seite 357, 362 dieses Bandes.

[178] = Seite 358 dieses Bandes.

[179] = Seite 327 dieses Bandes.

in dem Hauptverhandlungstermin am 19.März 1973). Ebenso bekundet der ehemalige SS--Angehörige Pa., Polen und Juden bei dem Ausheben von Gräben für die Entwässerung bewacht zu haben (Vernehmung in dem Hauptverhandlungstermin am 19.März 1973).

Der Zeuge Now. vermochte nach der Überzeugung des Gerichts auch den Angeklagten einwandfrei in einer Weise als den Täter zu identifizieren, dass die Möglichkeit einer Verwechslung mit einem anderen SS-Angehörigen ausscheidet. Zwar konnte der im Wege der Rechtshilfe in Israel vernommene Zeuge dem Angeklagten nicht gegenübergestellt werden. Die Identifizierung des Angeklagten war jedoch durch die Vorlage von Fotos aus dem Sonderband I der Akten bei der Vernehmung am 7.März 1973 möglich. Weiter hat der Zeuge bei dieser und bei den beiden vorangegangenen Vernehmungen den Angeklagten namentlich als denjenigen bezeichnet, der den Erschiessungsbefehl gegeben hat.

Der Zeuge Now. hat den Angeklagten vom Aussehen und vom Namen her auch im Zeitpunkt der Erschiessung ausreichend gekannt und konnte diesen damals erkennen. In seiner Aussage vor dem ersuchten Richter in Israel betonte der Zeuge, dass er bereits während der ersten 4 Monate seiner Anwesenheit auf dem Truppenübungsplatz, als er auf Baustellen arbeiten musste, den Angeklagten gesehen hat, und zwar alle paar Tage. Die äussere Erscheinung des Angeklagten muss sich bereits während dieser Zeit, in die die bekundete Erschiessung fällt, bei dem Zeugen besonders gut eingeprägt haben. Dieser weist in seiner Aussage darauf hin, der Angeklagte sei unter den Juden der Baustelle sehr gut bekannt gewesen und bei dessen Erscheinen habe man sich vor diesem gefürchtet und angestrengter gearbeitet, eine Bekundung, die sich in gleicher oder ähnlicher Weise auch in den Aussagen polnischer und anderer jüdischer Zeugen wiederholt (siehe oben Seite 127 f. [180]) und auch aus diesem Grunde in einem besonderen Masse glaubhaft ist. Ausserdem ist zu berücksichtigen, dass der Zeuge Now. ein paarmal das Schlagen jüdischer Arbeiter durch den Angeklagten beobachtet hat, der hierbei eine Reitpeitsche benutzte.
Auch aus diesem Grunde muss sich der Angeklagte bei dem Zeugen in einem ganz besonderen Masse eingeprägt haben.

Dass der Zeuge den Angeklagten vom Ansehen her gut gekannt hat, ergibt sich auch aus dessen Bekundung, dieser sei der "Chef des Schiessplatzes" gewesen. Da dem Zeugen die Unterscheidung zwischen einem Schiessplatz und einem Schiessstand nicht geläufig ist, muss diese Aussage so gewertet werden, dass der Zeuge mit dem Schiessplatz den Schiessstand Kochanowka gemeint hat. Obwohl der Zeuge dort nur kurze Zeit arbeiten musste, ist ihm auch von dieser Tätigkeit her der Angeklagte bekannt.

Für die Frage der Identifizierung des Angeklagten ist weiter der Gesichtspunkt bedeutsam, dass der Zeuge Now. diesen auch nach dem Tatgeschehen häufig gesehen hat. Nach dem Ende seiner etwa 4-monatigen Tätigkeit auf Baustellen hat der Zeuge Now., seinen Bekundungen entsprechend, fast ein Jahr lang im Offiziers-Kasino (der Kommandantur) gearbeitet, wo er etwa täglich oder zweitäglich den Angeklagten gesehen hat. Unter diesen Umständen musste sich die Person des Angeklagten und auch dessen Verhalten bei der Erschiessung eines jüdischen Arbeiters bei dem Zeugen ganz besonders einprägen.

Ein erhebliches Gewicht kommt dem Umstand zu, dass der Zeuge bei seiner Vernehmung vor dem ersuchten Richter in Israel den Angeklagten auf einer Reihe von Fotos, die in dem Sonderband I enthalten sind, erkannt hat. Im einzelnen handelt es sich hierbei um die Bilder Nr.8, 19 und 25, während der Zeuge bei der Aufnahme Nr.5 nicht ganz sicher war, ob, was zutrifft, in der Mitte des Bildes der Angeklagte zu sehen ist. Dass der Zeuge auf einer Reihe

[180] = Seite 376 dieses Bandes.

weiterer ihm mit dem Sonderband I vorgelegten Fotos den Angeklagten nicht erkannte, wird für unerheblich gehalten, weil der Zeuge, seiner Aussage zufolge, seine Lesebrille nicht bei sich hatte und deshalb nicht alle Bilder deutlich erkennen konnte.

Der Zeuge hat den Angeklagten auf den in dem Vernehmungsprotokoll vom 7.März 1973 erwähnten Aufnahmen einwandfrei identifiziert. Er hat nicht nur auf diesen Bildern den Angeklagten richtig wiedererkannt, sondern auch auf keinem der Fotos den Angeklagten mit einem anderen SS-Angehörigen verwechselt. Aus diesem Grunde und wegen der die Identifizierung des Angeklagten betreffenden Aussagen war es nach der Überzeugung des Gerichts nicht erforderlich, dass der Zeuge auch auf weiteren Bildern des Sonderbands den Angeklagten erkannte. Dass der Zeuge den Angeklagten auf der markanten und grösseren Aufnahme Nr.1 nicht wiedererkannt hat, führt das Gericht darauf zurück, dass dieses Bild den Angeklagten ohne Kopfbedeckung und damit in einer für den Zeugen nicht oder weniger vertrauten Weise zeigt. Der Angeklagte hat als Offizier im Dienst zumeist eine Mütze getragen. Das ergibt sich auch aus dem grösseren Teil der in dem Sonderband I befindlichen Aussenaufnahmen. Mit der Offiziersmütze, hat der Zeuge, seinen Bekundungen zufolge, den Angeklagten auch gesehen, so dass das Nichtwiedererkennen auf dem Bild Nr.1 keine Zweifel an der richtigen Identifizierung aufkommen lässt.

Erheblich ist weiter, dass der Zeuge Now. in seiner Aussage zwischen dem Angeklagten als Offizier und dem Posten, einem einfachen SS-Mann, der jedenfalls keinen Offiziersrang hatte, unterscheidet und in diesem Zusammenhang auch die (Offiziers-)Mütze des Angeklagten und das Gewehr des Postens erwähnt. Auch insoweit liegen Gesichtspunkte vor, die für die Identifizierung des Angeklagten sprechen, zumal der grösste Teil der polnischen und jüdischen Zeugen die Offizierseigenschaft des Angeklagten erwähnt (siehe oben Seite 153 f. [181]) und die umfangreiche Beweisaufnahme keinerlei Anhaltspunkte für eine Verwechslung des Angeklagten mit einem anderen SS-Angehörigen ergeben hat (siehe oben Seite 161 ff. [182]).

Zumindest annähernd richtig sind die Beschreibungsmerkmale über die Person des Angeklagten, die von dem Zeugen Now. gegeben wurden. Er wies auf das ungefähre Alter des Angeklagten von 30 Jahren (richtiges Alter zur Tatzeit: 33½ Jahre), auf dessen mittelkräftig gebaute Statur, auf eine Körpergrösse, die kleiner als die des Zeugen war (Körpergrösse des Zeugen: 1,76 m) und auf eine dunkelblonde Haarfarbe hin. Aus der nicht ganz zutreffenden Angabe der Haarfarbe - richtig wäre rotblond oder rötlichblond gewesen (siehe oben Seite 156 f. [183]) - folgen keine Zweifel an der Identifizierung des Angeklagten. Selbst wenn sich der Zeuge die Haarfarbe nicht richtig eingeprägt hat - eine falsche Ausdrucksweise ist wegen eines entsprechenden Vorhaltes, die Haarfarbe sei rotblond gewesen, auszuschliessen - erlaubt das wegen der übrigen annähernd zutreffenden Beschreibungsmerkmale, des Offiziersrangs und des Namens des Angeklagten nicht den Schluss, dass der Zeuge diesen nicht richtig erkannt oder verwechselt hat.

Für unerheblich hält das Gericht die nicht richtigen Angaben des Zeugen über die Farbe der Uniform des Angeklagten. Bei der Vernehmung hat jener nicht von einer feldgrauen, sondern zunächst von einer grau-bläulichen Uniform und auf Vorhalt hin davon gesprochen, diese könne grau gewesen sein. Diese Äusserungen des Zeugen, die ohnehin eine ganz unwesentliche das Kerngeschehen in keiner Weise berührende Randfrage betreffen, erlauben keine Schlüsse auf das Gedächtnis des Zeugen. Nach der Auffassung des Gerichts liegt insoweit

[181] = Seite 388 dieses Bandes.

[182] = Seite 392 dieses Bandes.

[183] = Seite 390 dieses Bandes.

keine unrichtige Erinnerung, sondern nur eine falsche Ausdrucksweise vor, die bei der Wiedergabe ähnlicher Farben oder von Farbnuancierungen durch Zeugen nicht selten vorkommt. Ausserdem muss berücksichtigt werden, dass der an sich die deutsche Sprache beherrschende und in dieser vernommene Zeuge Now. nicht im deutschen Sprachgebiet wohnt, was ebenfalls auf eine missverständliche Ausdrucksweise schliessen lässt.

Das Gericht ist davon überzeugt, dass der Zeuge Now. den Angeklagten nicht nur von seinem Aussehen, sondern auch von seinem Namen her als denjenigen Offizier richtig erkannt hat, von dem der Erschiessungsbefehl an den Posten erteilt worden ist. Der Name des Angeklagten, den der Zeuge bei seiner Vernehmung kannte, war unter den jüdischen Arbeitern bekannt und gefürchtet (siehe oben Seite 124 ff. [184]). Deshalb kannte auch der Zeuge Now. den Namen des Angeklagten.

Der Wert der Aussagen des Zeugen Now. wird nicht dadurch beeinträchtigt, dass die Beweisaufnahme dessen Angaben über das Pferd des Angeklagten und dessen Farbe nicht bestätigt hat, wonach der Angeklagte ein weisses oder grauweisses Pferd gehabt haben soll. Nach der Einlassung des Angeklagten und den Bekundungen von dessen Ehefrau sowie des ehemaligen SS-Angehörigen Uel., des jüdischen Zeugen Schu. und der polnischen Zeugen Dmu. und Ucz. ist vielmehr von einer dunklen Farbe des Pferdes auszugehen (Erklärung des Angeklagten in dem Hauptverhandlungstermin am 12.Januar 1973, Vernehmungen vor dem beauftragten Richter am 23.Februar 1973 sowie in den Hauptverhandlungsterminen am 23.März, 28.Februar, 10.September und 27.August 1973). Obwohl der Zeuge Grü. ein graues Pferd mit schwarzen Punkten erwähnt (Vernehmung am 12.Januar 1973) und es denkbar ist, dass der Angeklagte im Laufe der Zeit verschiedene Pferde hatte, schliesst das Beweisergebnis einen Irrtum des Zeugen Now. in diesem Punkt jedenfalls nicht aus. Ein derartiger das Kerngeschehen nicht berührender Irrtum wird jedoch für unwesentlich gehalten und erlaubt nicht den Schluss, dass sich der Zeuge an den Vorgang der Erschiessung und die Personen der Beteiligten nur unzureichend erinnert. Die Farbe des Pferdes betrifft eine Wahrnehmung, die sich bei den meisten Zeugen entweder überhaupt nicht oder jedenfalls doch nicht so stark im Gedächtnis einprägt, dass nach längerer Zeit noch eine zuverlässige Bekundung möglich ist.

Dass bei seiner Vernehmung durch die Israel-Polizei am 18., 19. und 20.Februar 1963 (beglaubigte Übersetzung in den Beiakten der Staatsanwaltschaft Dortmund 45 Js 13/63 Bd.V Bl.11-18) der Zeuge Now. den Angeklagten und die Erschiessung eines jüdischen Arbeiters auf dessen Befehl unerwähnt liess, mindert nicht den Wert der jetzigen Zeugenaussagen. Zwar wäre es für den Zeugen Now. bei seiner ersten Vernehmung im Jahre 1963 naheliegend gewesen, von sich aus den Angeklagten und die auf dessen Befehl stattgefundene Erschiessung zu erwähnen, zumal es sich für den Zeugen um den ersten Fall einer aus der Nähe miterlebten Erschiessung gehandelt und dieser auch die Kanalisierungs- und Wasserleitungsarbeiten einer Firma "Kontinental" erwähnt hat. Das Gericht geht jedoch davon aus, dass bei dieser Vernehmung die Person des Angeklagten und die später bezeugte Erschiessung auf dessen Befehl im Gedächtnis des Zeugen nicht gegenwärtig waren.

Dass einem Zeugen, der nach langer Zeit erstmalig über länger zurückliegende Erlebnisse vernommen wird, nicht sofort das gesamte Geschehen in Erinnerung kommt und das Gedächtnis infolge der Vernehmung erst richtig arbeitet, entspricht der Erfahrung und wird auch von dem am 21.März 1973 von dem Sachverständigen Prof.Dr. Un. erstatteten Gutachten bestätigt. Demnach geschieht es häufiger, dass ein Zeuge bei seiner ersten Vernehmung nicht alles sagt und diese erst einen Assoziationstoss auslöst, der bei einer späteren Vernehmung zu genaueren und richtigeren Aussagen führt. Von einem derartigen Vorgang

[184] = Seite 375 f. dieses Bandes.

ist nach der Überzeugung des Gerichts bei dem Zeugen Now. auszugehen, der bei den späteren Vernehmungen, die am 5.Januar 1971 vor der Israel-Polizei (Bd.XV Bl.119 ff.) und am 29.Mai 1972 vor dem ersuchten Richter in Israel (Bd.XVIII Bl.32 ff.) stattgefunden haben, die auf Befehl des Angeklagten durchgeführte Erschiessung bekundet hat.

Im Sinne des Antrags des Angeklagten auf nochmalige Vernehmung des Zeugen Dew. (vom 31.Oktober 1971; Protokollanlage vom gleichen Tage) kann es als wahr unterstellt werden, dass der israelische Polizeibeamte Dew. vor der Vernehmung am 5.Januar 1971 mit dem Zeugen Now. über das Rechtshilfeersuchen gesprochen und hierbei den Namen des Angeklagten erwähnt hat. Ein derartiges Gespräch stellt den Wert der Zeugenaussage Now. jedoch nicht in Frage. Eine Erwähnung des Namens des Angeklagten bei einer solchen Aussprache diente der Vorbereitung der künftigen Vernehmung und konnte für den Zeugen Now. allenfalls die Folge gehabt haben, dass sich dieser in der Zwischenzeit bis zur Vernehmung an das Geschehen besser zu erinnern suchte und bei der späteren polizeilichen Aussage, bei der erstmalig die Erschiessung bekundet worden ist, das Erinnerungsvermögen des Zeugen stärker als bei der früheren Vernehmung angesprochen war.

Als Tatzeit ist eine nicht näher bestimmbare Zeit des Sommers 1941 festzustellen. Der Zeuge hat bei seiner Vernehmung am 7.März 1973 als ungefähre Zeit des Geschehens den Juli 1941 angegeben. Auch insoweit liegen zuverlässige Bekundungen des Zeugen vor, die zu dem Schluss führen, dass sich die Erschiessung im Sommer 1941 ereignet haben muss. Der Zeuge orientiert sich bei der Angabe der Tatzeit an seine Ankunft auf dem Truppenübungsplatz im Monat Mai des Jahres 1941 und erwähnt, zur Zeit der Tötung etwa 3 Monate im Lager gewesen zu sein. Weiter vermag der Zeuge das Geschehen in einen zeitlich festen Rahmen zu stellen, da er ungefähr während seiner ersten 4 Monate auf dem Truppenübungsplatz auf Baustellen arbeiten musste und anschliessend im Kasino beschäftigt war.

Zu Zweifeln an der Glaubwürdigkeit des Zeugen Now. und an der Zuverlässigkeit seines Erinnerungsvermögens geben die Angaben über die Zeit seiner Ankunft auf dem Truppenübungsplatz keinen Anlass. Zwar hat der Zeuge bei seiner Vernehmung am 7.März 1973 durch den ersuchten Richter in Israel - wie auch in früheren Vernehmungen - bekundet, er sei im Mai 1941 auf den Truppenübungsplatz gelangt, während sich in den Entschädigungsakten des Zeugen eine in der Hauptverhandlung am 31.Oktober 1973 verlesene von ihm abgegebene eidesstattliche Erklärung vom 13.Januar 1969 befindet, die den 20.Dezember 1940 als Beginn der Zeit auf dem Truppenübungsplatz anführt (Bl.15/16 d. Entschädigungsakten des Regierungspräsidenten in Köln - Az: 56. II 3 - 8081995). Bei dieser Abweichung ist zu berücksichtigen, dass der Zeuge im Verfahren nach dem BEG lediglich ein Formular ausgefüllt hat. Dieses erwähnt, dass der Zeuge zuvor im Ghetto von Warschau lebte. Im Vergleich zu der Aussage vom 7.März 1973 ergibt sich insofern nur eine geringfügige Unrichtigkeit. Der Zeuge hat bekundet, dass er nicht unmittelbar von Warschau aus auf den Truppenübungsplatz gelangte, sondern in einem Transport gewesen ist, der von Warschau nach Krossno und nach Jaslo und dann erst auf den Truppenübungsplatz gebracht wurde. Dieser Zwischenaufenthalt in Krossno und Jaslo ist in dem Entschädigungsantrag nicht mit erwähnt, so dass zwischen den Aussagen in dem Strafverfahren und den Angaben in der Entschädigungssache nur ein scheinbarer Widerspruch besteht.

Kleinere Abweichungen in den verschiedenen Aussagen hält das Gericht nicht für geeignet, die Glaubwürdigkeit der im Kerngeschehen übereinstimmenden Bekundungen des Zeugen Now. zu beeinträchtigen. Erhebliche Widersprüche liegen nicht vor und die wenigen unwesentlichen Abweichungen betreffen ausschliesslich Punkte, die weder das Erinnerungsvermögen des Zeugen noch das Tatgeschehen als solches sowie den Tatbeitrag des Angeklagten in Frage stellen.

Im einzelnen liegen folgende geringfügige, sich auf Nebenpunkte beziehende Abweichungen vor:
a) Bei der Vernehmung durch die Israel-Polizei am 5.Januar 1971 (Bd.XVIII Bl.119 ff.) und bei der richterlichen Vernehmung in Israel während der Voruntersuchung am 29.Mai 1972 (Bd.XVIII Bl.32 ff.) erklärte der Zeuge, der Angeklagte habe bei seinem Erscheinen den Posten wie folgt gefragt: "Was macht der dreckige Jude?" Während der Vernehmung im Hauptverfahren durch den ersuchten Richter in Israel am 7.März 1973 gab der Zeuge die Frage des Angeklagten dagegen mit folgenden Worten wieder: "Was macht der Jude?"
b) In den beiden vorangegangenen Vernehmungen in den Jahren 1971 und 1972 hat der Zeuge gesagt, der von dem Angeklagten befragte Posten habe jenem die Situation erklärt. Dagegen ist von dem Zeugen am 7.März 1973 bekundet worden, der Posten habe zum Angeklagten gesprochen, der Jude arbeite nicht. Ihm, dem Zeugen, sei jedoch nicht erinnerlich, ob der Wachposten hierfür eine Erklärung gegeben habe.
c) Während der Zeuge vor der Polizei am 5.Januar 1971 erklärte, er sei bei der Firma Continental etwa 2 Monate beschäftigt gewesen, gab er am 7.März 1973 vor dem ersuchten Richter in Israel einen Zeitraum von ungefähr 4 Monaten an.

Die Unstimmigkeiten über die Dauer der Beschäftigung bei der Firma Continental sind deshalb unerheblich, weil der Zeuge in beiden Vernehmungen nur ungefähre Zeiträume angegeben hat, die nicht wesentlich voneinander abweichen. Ebenso bestehen bei der Darstellung des Gesprächs zwischen dem Angeklagten und dem Wachposten nur ganz geringe Unterschiede, die das Kerngeschehen in keiner Weise berühren und auch keine Schlüsse auf das Erinnerungsvermögen des Zeugen erlauben. Ob der Angeklagte bei seiner Frage von dem Juden oder von dem "dreckigen Juden" gesprochen hat, ist unerheblich. Von dem Zeugen kann nicht erwartet werden, dass er sich nach diesem Erlebnis und einem Zeitraum von ca. 30 Jahren noch an den Wortlaut und den genauen Inhalt des Gesprächs erinnert. Das gilt auch für die Antwort des Wachpostens an den Angeklagten.

Weiter geht das Gericht davon aus, dass bei den Mehrfachbekundungen des Zeugen die kleineren Abweichungen in Nebenfragen den Wert einer Aussage als Ganzes, insbesondere im Kernbereich, nicht in Frage stellen, sondern zu einer Bekräftigung der Zeugenaussage führen. Würden sich alle Bekundungen des Zeugen in jeder nebensächlichen Einzelheit dekken, so könnte die Besorgnis bestehen, dass der Zeuge nicht aus seinem Gedächtnis heraus das Geschehen geschildert, sondern sich seine erste Vernehmung eingeprägt und diese wiedergegeben hat. In Anbetracht der kleineren Abweichungen in dem Randgeschehen scheidet diese Möglichkeit bei dem Zeugen Now. aus.

Über den Tatort innerhalb des Bereichs des Truppenübungsplatzes vermochte das Gericht mit letzter Sicherheit keine Feststellungen zu treffen. Zwar hat der Zeuge in dem Hauptverfahren bei seiner Aussage vor dem ersuchten Richter in Israel vom 7.März 1973 angegeben, die Erschiessung habe sich innerhalb einer Baustelle im Gelände des Ringes I ereignet. Die Möglichkeit, dass der Zeuge bei seiner früheren Vernehmung durch die Israel-Polizei am 5.Januar 1971 (Bd.XVIII Bl.119 ff.) als Tatort den Schiessstand Kochanowka genannt hat, lässt sich nach dem Beweisergebnis jedoch nicht ausschliessen.

Das Protokoll über die genannte polizeiliche Vernehmung enthält über den Tatort zwar keinerlei Angaben. Aus dem zweiten Absatz der Niederschrift in Bd.XVIII Bl.120 wird im Zusammenhang mit dem Schiessstand ein dem Zeugen namentlich nicht bekannter SS-Offizier benannt. In dem nächsten Absatz wird die Vorlage von Fotos an den Zeugen wiedergegeben, der auf einigen Bildern den Angeklagten wiedererkennt und auf Vorhalt dessen Namen benennt. In dem nächsten Absatz und auf der folgenden Seite wird dann die auf Befehl des Angeklagten erfolgte Tötung eines jüdischen Arbeiters geschildert. Ohne einen Tatort zu bezeichnen, erwähnt das Protokoll eine Baustelle der Firma Continental, bei der Rohrverlegungen ausgeführt wurden. - Die Niederschrift über die während der Voruntersuchung erfolgte richterliche Vernehmung in Israel vom 29.Mai 1972 (Bd.XVIII Bl.32 ff.) enthält keinerlei Hinweise auf den Tatort.

Aufgrund der Aussagen des Staatsanwalts Lau., der bei der Vernehmung des Zeugen Now. durch die Israel-Polizei zugegen war, ist die Möglichkeit, dass der Zeuge Now. als Tatort den Schiessstand angegeben hat, nicht mit letzter Sicherheit auszuschliessen (Vernehmung in dem Hauptverhandlungstermin am 31.Oktober 1973). Staatsanwalt Lau. erklärte, er wisse aus eigener Erinnerung nicht, ob der Zeuge bei der damaligen Vernehmung den Schiessstand Kochanowka als Tatort erwähnt oder gemeint habe. Beide Möglichkeiten, dass nach dem Tatort nicht gefragt wurde, oder dass er, der Zeuge Lau., die Vorstellung hatte, der Schiessstand Kochanowka sei von dem Zeugen Now. als Tatort gemeint, sind bei der Vernehmung eingeräumt worden. Zu berücksichtigen ist weiter, dass der Zeuge Now., seinen Bekundungen zufolge, zeitweise - wenn auch nur kurz - am Schiessstand Kochanowka gearbeitet hat (Aussage vor dem ersuchten Richter in Israel vom 7.März 1973).

Selbst wenn der Zeuge Now. bei seiner polizeilichen Vernehmung am 5.Januar 1973 den Schiessstand Kochanowka als Tatort angegeben haben sollte, lassen sich aus einem etwaigen Widerspruch zu den späteren Angaben bei der Vernehmung am 7.März 1973 keine ins Gewicht fallenden Bedenken gegen die Glaubwürdigkeit des Zeugen und dessen Erinnerungsvermögen herleiten. Ein Irrtum des Zeugen in diesem Punkt, der nach Ablauf von etwa 30 Jahren verständlich wäre, würde nicht den Kernbereich des Geschehens betreffen und nicht den Schluss erlauben, dass sich der Zeuge auch über die eigentliche Tötungshandlung und die beteiligten Personen irrt. Hierüber hat der Zeuge bei allen seinen Vernehmungen - von ganz geringfügigen Abweichungen abgesehen (s.o. Seite 220 f. [185]) - übereinstimmende Aussagen gegeben und hierbei stets erwähnt, dass die Erschiessung bei Bauarbeiten der Firma Continental (= Continentale Wasserwerks-GmbH; s.o. Seite 12 [186]) stattgefunden hat.

Das Gericht ist der Überzeugung, dass die von dem Zeugen Now. bekundete, auf Befehl des Angeklagten von einem Posten durchgeführte Erschiessung im Gelände des Rings I stattgefunden hat. Wegen einer Reihe von Gesichtspunkten lässt sich jedoch auch der Schiessstand Kochanowka nicht mit letzter Sicherheit als Tatort ausschliessen. Für diese Baustelle war der Angeklagte verantwortlich. Dort hat er sich häufiger aufgehalten. In der Hauptverhandlung am 29.Oktober 1973 hat der Angeklagte auch eingeräumt, dass am Schiessstand offene Wasserabflussgräben ausgehoben worden sind. Ausserdem hat der Zeuge Now., seiner Aussage vom 7.März 1973 entsprechend, zeitweise - wenn auch nur wenig - an der Baustelle des Schiessstands gearbeitet. Für den Schiessstand Kochanowka als Tatort könnte sprechen, dass nach der umfangreichen Beweisaufnahme und der Erklärungen des Angeklagten dieser für Wasserleitungs- und Kanalisationsarbeiten im Bereich der Unterkunftsringe nicht verantwortlich war. Diese fielen vielmehr in die Zuständigkeit der von der Kommandantur organisatorisch und auch räumlich getrennten Bauleitung bzw. Zentralbauleitung (s.o. Seite 20/21 [187]), während der Angeklagte der Abteilung Ib des Kommandantur-Stabs angehörte (s.o. Seite 124 f. [188]).

Übereinstimmend haben die Zeugen Asc., Tho. und Sc., die Angehörige der Bauleitung waren, sowie der auf dem Truppenübungsplatz dienstverpflichtete Handwerker Schä. ausgesagt, dass die Errichtung der Unterkunftsringe zu den Aufgaben der Bauleitung bzw. Zen-

[185] = Seite 421 dieses Bandes.

[186] = Seite 322 dieses Bandes.

[187] = Seite 327 dieses Bandes.

[188] = Seite 374 dieses Bandes.

tralbauleitung gehörte (Vernehmungen in den Hauptverhandlungsterminen am 14. und 11.Dezember 1972 und 21.März 1973 sowie durch den beauftragten Richter am 23. und 26.Oktober 1973). Für die Wasserversorgung in den Ringen war, seinen Bekundungen zufolge, längere Zeit der Zeuge Tho., der spätere Chef der Bauleitung bzw. Zentralbauleitung, zuständig. Diese Umstände stehen der Bekundung des Zeugen Now., die Erschiessung habe innerhalb einer Baustelle im Gelände von Ring I stattgefunden, nicht entscheidend entgegen. Die Aussage des Zeugen Now. über den Tatort wird auch nicht dadurch in Frage gestellt, dass nach den Bekundungen mehrerer Zeugen der Ring I bereits im Herbst 1940 oder im Winter 1940/41 teilweise mit Truppen belegt war und zu dieser Zeit Baracken Wasseranschlüsse hatten. Nach den Bekundungen des kommissarisch vernommenen Zeugen Schä. waren 1940 bei dessen Ankunft auf dem Truppenübungsplatz die Strassen in den Unterkunftsringen bereits fertig und die bestehenden Baracken mit Wasseranschlüssen versehen (Vernehmung am 23.Oktober 1973). Dieser Zeuge, der in den Baracken Anstreicherarbeiten auszuführen hatte, konnte sich noch daran erinnern, dass das Wasser für die Binderfarben in Anschlüssen in der jeweiligen Baracke entnommen wurde. Übereinstimmend haben auch die Zeugen Sc. und Tho. ausgesagt, dass bei der Belegung der Ringe die Wasseranschlüsse vorhanden waren (kommissarische Vernehmung am 26.Oktober 1973 sowie Vernehmung in dem Hauptverhandlungstermin am 23.März 1973). Beide Zeugen waren Angehörige der Bauleitung. Der Zeuge Tho. ist der für die Wasserversorgung zuständige Sachbearbeiter und später der Chef der Bauleitung bzw. Zentralbauleitung gewesen, so dass seiner Aussage ein besonderes Gewicht zukommt.

Ob die Bekundung des Zeugen H., bei seinem Eintreffen auf dem Truppenübungsplatz im November/Dezember 1940 sei das Wasser für die Unterkünfte noch geholt worden, zutreffend ist, kann offenbleiben. Es ist durchaus denkbar, dass im Spätherbst 1940 noch nicht alle Baracken an die Wasserleitung angeschlossen waren. Aufgrund mehrerer Zeugenaussagen ist bewiesen, dass schon im Herbst 1940 oder im Winter 1940/1941 Baracken im Ring I mit Truppen belegt worden sind. Insoweit handelt es sich um die Bekundungen der ehemaligen SS-Angehörigen H. und Mer. und des Malermeisters Schä. sowie des israelischen Zeugen Jakob Sch. (Vernehmungen in dem Hauptverhandlungstermin am 23.März 1973, vor dem ersuchten Richter in Österreich am 4.Juni 1973, vor dem beauftragten Richter am 23.Oktober 1973 sowie in dem Hauptverhandlungstermin am 8.Januar 1973).

Aus den Feststellungen über das Belegen des Rings I mit Truppen im Herbst 1940 bzw. im Winter 1940/1941 und über die damit verbundene vorherige Fertigstellung der Baracken, einschliesslich der Wasseranschlüsse, folgt jedoch nicht, dass zu dieser Zeit bereits der Ring I fertiggestellt war und es später zu keinen Arbeiten in diesem Bereich mehr gekommen ist. Im Gegenteil steht es aufgrund der Beweisaufnahme zur Überzeugung des Gerichts fest, dass auch in der späteren Zeit - zumindest während der Jahre 1941 und 1942 - noch Baracken oder auch andere Gebäude im Bereich des Rings I errichtet worden sind.

Im einzelnen haben die Zeugenaussagen hierzu folgendes ergeben:

Übereinstimmend haben der durch den ersuchten Richter in Polen vernommene Zeuge Pra. sowie der durch den beauftragten Richter vernommene ehemalige SS-Angehörige Pur. bekundet, dass während des Jahres 1942 im Ring I ein Krankenrevier bzw. eine Sanitätsbaracke gebaut worden sind (Aussagen vom 30.Juni und 9.April 1973). Der Zeuge Pur. erwähnte weiter Arbeiten an einem Lagerschuppen, die ebenfalls 1942 vorgenommen wurden. Nach den Aussagen des kommissarisch vernommenen deutschen Zeugen Schä. - dieser Zeuge verfügte über ein besonders gutes und zuverlässiges Erinnerungsvermögen - wurde die Badebaracke im Ring I erst in den Monaten November oder Dezember 1942 ausgeführt (Vernehmung am 23.Oktober 1973). Dieser Zeuge, der wegen der von ihm ausgeführten Handwerkerarbeiten einen grossen Überblick hatte, brachte weiter zum Ausdruck, dass in allen Ringen die Wirtschafts-, Abort- und Führerbaracken später errichtet worden sind. Der ebenfalls kommissarisch vernommene Zeuge Sc. sprach von der Belegung der Baracken im Ring I durch Truppen der SS-Totenkopf-Division, die im Frühjahr 1941 erfolgte (Aussage vom 26.Oktober 1973). Entsprechend den Aussagen des ehemaligen SS-Angehörigen Mer., der im Januar 1941 auf den Truppenübungsplatz gelangte und sich dort bis zum Herbst 1942 befand, waren bei seiner, des Zeugen, Ankunft die Baracken im Ring I nur zum Teil aufgestellt, während der Ring bei seiner Wegversetzung noch nicht vollständig ausgebaut war.

Aus dem späteren Bau von Baracken oder sonstigen Gebäuden im Ring I folgt, dass Arbeiten für die Wasserzufuhr in diese Gebäude auch nach der Erstbelegung von Baracken ausgeführt worden sein können, und zwar jeweils im Zusammenhang mit dem späteren Bauvorhaben. Eine derartige Arbeitsmethode war technisch möglich. Entsprechend der Aussage des Zeugen Tho. gab es eine Hauptwasserleitung längs der Hauptstrasse, von der aus jeweils 2 Abzweigungen in die Ringe verliefen, die wiederum Zweigleitungen für die einzelnen Baracken hatten (Vernehmung am 23.März 1973). Ob bei der späteren Fertigstellung von Gebäuden von den bereits vorhandenen Hauptabzweigungen in den Ringen aus Wasserleitungen gelegt wurden oder - was bei den kriegsbedingten Verhältnissen weniger wahrscheinlich ist - schon für alle nach den Planungen später zu errichtende Gebäude von vornherein die Wasserleitungen gelegt worden sind, muss nach dem Ergebnis der Beweisaufnahme offen bleiben. Eine Klärung in dieser Frage war nicht erforderlich, denn die Aussagen über die spätere Errichtung einzelner Gebäude im Ring I stehen den Bekundungen des Zeugen Now., im Gelände dieses Rings im Sommer 1941 Gräben ausgehoben zu haben, jedenfalls nicht entgegen.

Ausserdem lässt das Beweisergebnis die Möglichkeit offen, dass die von dem Zeugen Now. bekundeten Arbeiten an Gräben der Anlage einer Kanalisation dienten. Das Gericht geht bei der Würdigung der Zeugenaussage Now. davon aus, dass dieser Zeuge schon wegen des Zeitablaufs nicht mehr in der Lage ist, in seiner Erinnerung sicher zwischen Wasserleitungs- und Kanalisationsarbeiten zu unterscheiden. Das kommt deutlich in seiner Aussage vom 7.März 1973 zum Ausdruck, in der der Zeuge bei der Tatschilderung zunächst von Arbeiten "bei der Wasserleitung" gesprochen hat (Bl.2 des Protokolls), später auf Befragen des Verteidigers jedoch folgendes angab (Bl.5 des Protokolls): "Ob damals Proschinsky täglich zu der Arbeitsstelle gekommen ist, wo wir den Graben für die Wasserleitung und Drainage aushoben, kann ich nicht sagen". Diese Aussage, wonach zugleich für die Frischwasserzufuhr und für das Schmutzwasser ein Graben angelegt worden ist, wird durch die Bekundungen des für diesen Sachbereich bei der Bauleitung zuständig gewesenen Zeugen Tho. widerlegt (Vernehmung am 23.März 1973). Demzufolge war die Anlage einer Kanalisation im Ring I derart problematisch, dass es hierzu - wenn überhaupt - erst später gekommen ist. Ursprünglich hat es - nach dieser Aussage - für die Unterkünfte im Ring I nur Hauskläranlagen gegeben.

Dass das von dem Zeugen Now. bekundete Ausheben von Gräben im Sommer 1941 der Anlage einer Kanalisation gedient haben kann, ergibt sich nicht nur aus der Zeugenaussage Tho., sondern wird darüber hinaus durch die Bekundungen des ehemaligen SS-Angehörigen Mer. besonders deutlich (Vernehmung durch den ersuchten Richter in Oesterreich am 4.Juni 1973). Dieser Zeuge, der sich vom Monat Januar 1941 bis zum Herbst 1942 auf dem Truppenübungsplatz befunden hat und im Ring I in einer Schreibstube seinen Dienst als Rechnungsführer ausübte, konnte sich erinnern, dass an der Ringstrasse Gräben für die Kanalisation ausgehoben worden sind.

Für die Möglichkeit, dass sich der Tatort im Gelände des Rings I befunden hat, spricht die Bekundung des Zeugen Now., zur Tatzeit - im Sommer 1941 - seien die Baracken im Ring bereits mit SS-Truppen belegt gewesen, von denen sich jedoch bei der Erschiessung niemand in der Nähe befunden habe. Diese Aussage wird von dem israelischen Zeugen Jakob Sch., den ehemaligen SS-Angehörigen H. und Mer. und von dem Zeugen Schä. insoweit bestätigt, als diese Zeugen übereinstimmend eine bereits vor dieser Tatzeit erfolgte Belegung der Baracken, die bereits im Herbst 1940 bzw. im Winter 1940/1941 erfolgte, bekundet haben (siehe oben Seite 225 [189]).

Ein Tatort im Gelände des Ringes I ist nicht nur von der Tatzeit, sondern auch von der Person des Angeklagten her nicht auszuschliessen. Gegen einen Tatort in diesem Gebiet ist zwar anzuführen, dass der Angeklagte bei Wasserleitungs- und Kanalisationsarbeiten in den Ringen, die in den Bereich der Bauleitung fielen, über keinerlei Kompetenzen verfügte. Diese Erwägung schliesst jedoch eine Tat des Angeklagten in dieser Gegend und bei der geschilderten Gelegenheit nicht aus.

Diese Möglichkeit ist unter Berücksichtigung der Person des Angeklagten und dessen brutalen Verhaltens (s. oben Seite 125 ff. [190]) in einem hohen Masse wahrscheinlich. Die Beweisaufnahme hat ergeben, dass der Angeklagte bei vielen sich bietenden Gelegenheiten, und zwar auch dort, wo er sich zufälligerweise gerade aufhielt, zu Ausschreitungen und Gewalttaten gegen Juden und Polen neigte und hierbei auf die Zuständigkeitsbereiche anderer Offiziere - etwa des Chefs der Nachrichteneinheit - keine Rücksicht nahm. Das wird besonders durch die Aussagen der israelischen Zeugen Bla. und Seb. deutlich, wonach der Angeklagte Angehörigen des Jüdischen Nachrichtenbau-Kommandos befahl, Kohlen bzw. Koks abzuladen oder Steine zu schleppen (Vernehmungen in den Hauptverhandlungsterminen am 9. und 12.Januar 1973). Weiter hat der Angeklagte den jüdischen Zeugen Kau., der auf dem Wege zu seiner Arbeitsstätte, einer Entlausungsstation, war, aufgefordert, Steine abzuladen (Vernehmung in dem Hauptverhandlungstermin am 19.Januar 1973). In einem besonderen Masse wird dieses Verhalten und die Einstellung des Angeklagten, der sich als SS-Führer für omnipotent und vielerorts für zuständig hielt und sich dementsprechend im fremde Kompetenzen einmischte, durch die Aussage des israelischen Zeugen Eig. charakterisiert (Vernehmung in dem Hauptverhandlungstermin am 11.Januar 1973). Dieser Zeuge hat in glaubhafter Weise den Angeklagten wie folgt geschildert: "Überall war er und verlangte Leute. Ich weiss nicht, was seine Aufgabe war. Aufgabe war wohl: Schläge, Schläge."

Der Angeklagte war seinen eigenen insoweit glaubhaften Angaben zufolge, für zahlreiche Gebiete, insbesondere auch für die Strassenunterhaltung, einschliesslich der Gräben und Übergänge, zuständig (Erklärung in dem Hauptverhandlungstermin am 19.Juli 1973; siehe oben Seite 124 f. [191]). Wegen dieser Aufgabenbereiche des Angeklagten ist davon auszugehen, dass dieser häufiger auch an solchen Baustellen vorbeikam, für die er nicht zuständig war.

Durch die Aussage des Zeugen Schä., auf den Baustellen der Bauleitung seien - soweit von ihm beobachtet - SS-Leute von der Kommandantur nicht erschienen, wird die von dem Zeugen Now. bekundete häufigere Anwesenheit des Angeklagten am Tatort nicht in Frage gestellt (kommissarische Vernehmung am 23.Oktober 1973). Über die als Tatort in Betracht kommende Baustelle konnte der Zeuge ebensowenig etwas bekunden, wie über die Person des Angeklagten. Dass der ehemalige SS-Angehörige Wit. bei seiner kommissarischen Vernehmung bekundet hat, Wachmannschaften seien nur verpflichtet gewesen, die Befehle vorgesetzter Offiziere - also nicht eines jeden Offiziers - auszuführen (Aussage vom 12.April 1973), steht der von dem Zeugen Now. bekundeten auf Befehl des Angeklagten erfolgten Erschiessung nicht entgegen. Ob wirklich derartige Befehlsverhältnisse, wie von dem Zeugen Wit. bekundet, im Sommer 1941 bestanden haben, hat sich nicht feststellen lassen. Aufgrund der Willkürverhältnisse bei der Behandlung jüdischer Arbeiter auf dem Truppenübungsplatz,

[189] = Seite 423 dieses Bandes.

[190] = Seite 375 ff. dieses Bandes.

[191] = Seite 374 dieses Bandes.

insbesondere auf den Baustellen, die sich bei der Beweisaufnahme ergeben haben (siehe oben Seite 57 ff., 70-102 [192]), ist es sehr wahrscheinlich, dass ein Posten den Erschiessungsbefehl eines jeden Offiziers ausführte. Auf jeden Fall hat der von dem Zeugen Now. erwähnte Posten, ob er sich hierzu verpflichtet fühlte oder nicht, den unrechtmässigen Erschiessungsbefehl des Angeklagten ausgeführt.

4.) Die rechtliche Beurteilung des Tatgeschehens

Nach dem festgestellten Sachverhalt hat der Angeklagte eine vorsätzliche Tötung begangen, und zwar in mittelbarer Täterschaft. Tatmittler war der Posten, der den Erschiessungsbefehl des Angeklagten ausgeführt hat. Durch den Befehl hat dieser mit Wissen und Wollen den Posten zur Tötung des jüdischen Arbeiters veranlasst. Ohne eigenen Verwirklichungswillen führte der Posten den unrechtmässigen Befehl aus, wobei es für die Beurteilung des Verhaltens des Angeklagten unerheblich ist, ob der namentlich nicht bekannte Posten sich in einem entschuldbaren Irrtum über die Rechtswidrigkeit befunden oder eine Beihilfehandlung begangen hat.

Das Verhalten des Angeklagten erfüllt den Tatbestand des vollendeten Mords. Ein Verbrechen im Sinne des §211 StGB ist sowohl nach der für die Tatzeit im Sommer geltenden Fassung als auch nach der Neufassung durch das Gesetz vom 4.September 1941 gegeben.

Die Tötung des jüdischen Arbeiters ist mit Überlegung im Sinne des vor dem Gesetz vom 4.September 1941 geltenden Mordtatbestands ausgeführt worden. Eine Affekthandlung des Angeklagten scheidet aus. Dieser ist von dem jüdischen Arbeiter nicht gereizt oder provoziert worden. Die Sachverhaltsschilderung des Zeugen Now. lässt auch keinerlei Anhaltspunkte dafür erkennen, dass sich der Angeklagte - aus welchen Gründen auch immer - in einen Zorn hineingesteigert und in dieser Situation gehandelt hat.

Der Angeklagte hatte vor der Erteilung des Erschiessungsbefehls Gelegenheit, über sein Handeln nachzudenken und die ihn hierzu drängenden und die Beweggründe, die ihn hiervon hätten abhalten müssen, gegeneinander abzuwägen. Zwischen der Antwort des Postens und dem Befehl hatte der Angeklagte noch eine gewisse Zeit, über die Situation nachzudenken und eine entsprechende Abwägung vorzunehmen. Davon abgesehen hatte der Angeklagte bereits vor seiner Frage an den Posten erkannt, dass der betreffende Jude nicht arbeitete. Trotz der Möglichkeit der Abwägung hat der Angeklagte ziel- und zweckgerichtet die Erschiessung veranlasst.

Ebenso erfüllt das Verhalten des Angeklagten den durch das Gesetz vom 4.September 1941 neu gefassten Mordtatbestand, da ein Handeln aus niedrigen Beweggründen vorliegt. Eine entsprechende Prüfung war gemäss §2 Abs.2 S.2 StGB geboten.

Die Motive der Tötung waren auch in diesem Falle unter Berücksichtigung der Gesamtumstände nach allgemeiner sittlicher Anschauung verachtenswert und haben auf tiefster Stufe gestanden (vgl. Dreher-Schwarz, 33.Aufl., §211 Anm.B a). Nach diesen Massstäben sind die Beweggründe des Angeklagten in zweifacher Hinsicht als niedrig anzusehen. Dieser hat einen Juden aus Rassenhass getötet (vgl. BGHSt. 18/37) und zum anderen aus eigener Willkür sich die Stellung eines Herrn über Leben und Tod seines Opfers angemasst (vgl. BGH NJW 1971, 571).

[192] = Seite 343, 349-364 dieses Bandes.

Das Gericht ist der Überzeugung, dass der Hass des Angeklagten auf Juden, wie die Beweisaufnahme ergeben hat (siehe oben Seite 142 ff. [193]), auch bei dieser Tötung das leitende Motiv des Handelns war. Opfer war ein Jude und damit - aus der durch Rassenhass verzerrten Sicht des Angeklagten - ein Angehöriger einer "minderwertigen" und "feindlichen" Rasse, dessen Leben als solches nichts galt. Für den Angeklagten entfiel aufgrund des Gesprächs mit dem Posten auch der etwa vorhandene Gesichtspunkt, die Arbeitskraft des Juden zu erhalten, da dieser nicht mehr gearbeitet hatte und - aus der Sicht des Angeklagten - nicht arbeitswillig war. Auch in diesem jüdischen Arbeiter sah der Angeklagte in seiner Verblendung nur noch einen "überflüssigen oder schädlichen Esser", der - wie er meinte - getötet werden musste.

Das Verhalten wäre auch in diesem Falle als Mord zu würdigen, wenn der Angeklagte - wie von dem Gericht als ausgeschlossen angesehen - nicht aus eigenem Rassenhass, wohl aber in bewusster Ausnutzung der von dem Rassenhass der Staats- und Parteiführung geprägten Situation in der Erwartung die Tötung herbeigeführt haben sollte, wegen der Tat strafrechtlich nicht zur Verantwortung gezogen zu werden (vgl. BGHSt. 18/37). In einem darin liegenden bewussten Anknüpfen an Hassinstinkte würde ebenfalls ein verwerfliches Handeln liegen, das unter die sonstigen niedrigen Beweggründe des §211 StGB fällt.

Niedrige Beweggründe liegen bei dem Angeklagten auch deshalb vor, weil dieser sich bei der Befehlserteilung willkürlich verhielt und zum Herrn über Leben und Tod seines wehrlosen Opfers aufspielte (vgl. BGH NJW 1971, 571). Hierbei ist es unerheblich, ob sich die Erschiessung am Schiessstand Kochanowka oder im Gelände des Rings I ereignet hat. An beiden möglichen Tatorten hat der Angeklagte die Situation zu einer willkürlichen Tötung ausgenutzt. Am Schiessstand Kochanowka stand ihm als dem für die dortigen Bauarbeiten verantwortlichen SS-Offizier eine Befehlsgewalt zu, die von ihm missbraucht wurde. Bei einer Tötung im Gelände des Rings I masste sich der Angeklagte eine ihm nicht zustehende Befehlsgewalt an. Ohne Rücksicht darauf, ob der Schiessstand oder das Gelände im Ring I der Tatort war, hat der Angeklagte seine im Vergleich zu dem Posten herausgehobene Stellung als Offizier ausgenutzt und missbraucht.

Der Angeklagte traf im Rahmen einer missbrauchten und insoweit angemassten bedenkenlosen Befehlsgewalt die willkürliche Entscheidung, den jüdischen Arbeiter durch den Posten erschiessen zu lassen.

Ein heimtückisches Verhalten, was ebenfalls den Mordtatbestand begründen könnte, ist dagegen zu verneinen. Der jüdische Arbeiter hat sich zwar in einem wehrlosen Zustand befunden. Dass dieser zugleich arglos war und der Angeklagte diese Situation ausgenutzt hat, ist jedoch unter Berücksichtigung der Verhältnisse auf vielen der Baustellen (siehe oben Seite 78 ff., 81 ff. und 88 ff. [194]) nicht anzunehmen.

Die Rechtswidrigkeit des von dem Angeklagten erteilten und von dem Posten ausgeführten Erschiessungsbefehls ist zu bejahen und wird nicht dadurch in Frage gestellt, dass das Verhalten des Angeklagten mit den verbrecherischen Tötungsaktionen des NS-Regimes in Einklang gestanden hat. Auch in diesem Falle ist davon auszugehen, dass der Angeklagte nicht seinerseits in Ausführung ihm erteilter Befehle, sondern von sich aus in eigener Willkür gehandelt hat. Aus diesem Grunde ergibt sich nicht die Frage, ob eine Beihilfe oder ein Handeln in Befehlsnotstand vorgelegen hat.

[193] = Seite 383 f. dieses Bandes.

[194] = Seite 353 ff., 357 ff. dieses Bandes.

5.Abschnitt
Die Freisprüche

A. Der Vorwurf der Tötung des jüdischen Pferdepflegers Wallach
(Punkt 9 der Anklage)

1.) Allgemeines

Von dem Vorwurf der Anklage (Punkt 9), vor dem Pferdestall der Bauleitung einen der Brüder Wallach mit der Pistole erschossen zu haben, war der Angeklagte freizusprechen.

Aufgrund des Gesamtergebnisses der Beweisaufnahme vermochte sich das Gericht mit einer zur Verurteilung ausreichenden letzten Sicherheit nicht davon zu überzeugen, dass der Angeklagte die Tötung des jüdischen Pferdepflegers begangen hat. Zwischen den Bekundungen des Zeugen Grü. und der Aussagen der Eheleute Bra. sowie der Zeugen Ko. und Wey. bestehen in wesentlichen Fragen erhebliche Widersprüche. Diese konnten trotz einer dreimaligen Vernehmung des israelischen Zeugen Grü. (Hauptverhandlungstermine am 12.Januar sowie am 23. und 24.August 1973) sowie einer Gegenüberstellung dieses Zeugen mit dem ehemaligen SS-Angehörigen Bra. und Wey., der Ehefrau Bra. und dem polnischen Zeugen Ko., die am 23. und 24.August 1973 erfolgte, nicht geklärt werden.

Die sich hieraus ergebenden Zweifel des Gerichts dürfen nicht zu Lasten des Angeklagten gehen. Wegen aufgetretener Widersprüche zwischen den Aussagen verschiedener Zeugen lässt sich zugunsten des Angeklagten die Möglichkeit nicht ausschliessen, dass bei dem Zeugen Grü., der als einziger Zeuge das Geschehen beobachtet haben will, Erinnerungsfälschungen eingetreten sind, die sich auf die Zeit der Handlung, den Ort der Tat und auch auf die Person des Opfers beziehen oder auch darauf beruhen können, dass sich bei dem Zeugen verschiedene Erlebnisse eingeprägt und diese im Laufe der Zeit in dessen Erinnerung sich zu einem Vorgang vermischt haben.

2.) Die Tatschilderung des Zeugen Grü.

In den Hauptverhandlungsterminen am 12.Januar 1973 sowie am 23. und 24.August 1973 hat der Zeuge Grü. folgende Tatschilderung gegeben:

Er, der Zeuge, sei im März 1941 auf dem Truppenübungsplatz Debica eingetroffen. Dort habe er etwa 1½ Jahre lang im Pferdestall der Bauleitung mit den Brüdern Wallach, Juden aus Rzeszow, die als Pferdepfleger eingesetzt waren, zusammengearbeitet. Ausserdem habe es im Pferdestall der Bauleitung einen polnischen Arbeiter gegeben, den der Zeuge Grü. in der Hauptverhandlung am 24.August 1973 als den Zeugen Ko. wiedererkannte. Weiter erinnere er sich an den für den Pferdestall verantwortlichen SS-Angehörigen Bronka - gemeint ist der Zeuge Bra. - und dessen Ehefrau. Kurze Zeit nach der sogenannten Aussiedlung des Judenlagers, die im Juli/August 1942 oder im Herbst 1942 gewesen sei, habe er, der Zeuge Grü., nicht mehr im Pferdestall der Bauleitung gearbeitet.
Bereits im Jahre 1941 habe der Angeklagte ein graues Pferd mit schwarzen Punkten, das "Neustand" gerufen wurde, im Pferdestall der Bauleitung gehabt. Dieses sei von ihm, dem Zeugen, zu putzen gewesen. Um sein Pferd zu holen, sei der Angeklagte jeden zweiten Tag im Stall erschienen. Mit der Peitsche sei er von diesem derart misshandelt worden, dass sein Rücken geblutet habe. Weiter habe der Angeklagte ihn, den Zeugen, mit Worten wie "Arschficker", "Drecksack" und "Kleiner" gerufen.
Im Pferdestall der Bauleitung soll es unter anderem zwei Kutschpferde gegeben haben, die der Angeklagte an Sonntagen zum Ausfahren benötigt habe.

Knapp zwei Wochen vor der sogenannten Aussiedlung des Judenlagers - also im Spätsommer oder Frühherbst des Jahres 1942 (siehe oben Seite 39 ff. [195]) - sei der Angeklagte an einem Sonntag im Stall erschienen, um eine Kutschfahrt zu unternehmen. Hierbei habe dieser festgestellt, dass eines der beiden Kutschpferde nicht geputzt gewesen sei. In Gegenwart des Angeklagten soll es einen Streit zwischen den Brüdern Wallach darüber gegeben haben, wer für das Putzen der Kutschpferde zuständig war. Der Angeklagte soll daraufhin einen der Brüder gefasst und auf den Boden gestossen haben. Folgende Worte habe der Angeklagte danach gerufen: "Du lebst noch! Steh auf!" Im Anschluss daran habe dieser den Juden zur Tür heraus ins Freie gestossen.

Der im Stall verbliebene Zeuge will von draussen einen Schuss gehört und bei dem danach in den Stall zurückkehrenden Angeklagten gesehen haben, dass dieser die Pistole in die Pistolentasche eingesteckt habe. Der Angeklagte habe sodann folgenden Satz gesprochen: "Wenn das Pferd wieder schlecht geputzt ist, weiss ich, wer das war." Auf Befehl des Angeklagten habe er, der Zeuge, den Getöteten wegbringen müssen. Zu ihm habe der Angeklagte hierbei folgendes gesagt: "Komm her, Kleiner, bring ihn fort!" Mit der Schubkarre habe er den Erschossenen abgefahren. Ein Pole habe ihn bei dem Aufladen des 1,85-1,95 Meter grossen Toten geholfen und zunächst ein Stück des Weges ihn begleitet. Unter Bewachung eines Postens habe er den Erschossenen in den Wald in eine gechlorte Grube voller Leichen karren und in diese werfen müssen.
Im Pferdestall habe er gehört, dass der Stallmeister Bronka - gemeint ist der Zeuge Bra. - dem überlebenden Bruder vorwurfsvoll folgendes gesagt habe: "Bei dem durftet Ihr doch nicht reden; Ihr kanntet doch den Kerl!" Nach dem Geschehen sei der überlebende Bruder "kein Mensch mehr gewesen" und habe kaum noch zu sprechen vermocht.

3.) Die Einlassung des Angeklagten

Der Angeklagte hat den Vorfall in Abrede gestellt und sich im einzelnen folgendermassen eingelassen (Hauptverhandlung am 12.Januar 1973):
Mit dem Pferdestall der Bauleitung habe er nichts zu tun und dort nie ein Pferd gehabt. Sein Pferd habe auch nicht, wie von dem Zeugen Grü. angegeben, den Namen "Neustand" geführt und sei nicht graufarbig und schwarz punktiert, sondern ein schwarzer Hannoveraner mit dem Namen "Regina" gewesen. Kutschpferde seien bei Bedarf telefonisch bei der Kommandantur und nicht bei der Bauleitung angefordert worden. Das Gespann sei dann vor seiner Wohnung in der Offizierssiedlung vorgefahren. Um die Abholung habe er sich nicht gekümmert und auch in diesem Zusammenhang nicht den Pferdestall der Bauleitung betreten. Wenn sich die Tat überhaupt ereignet habe, so müsse ein anderer der Täter gewesen sein.

4.) Die Würdigung der Zeugenaussagen

Bei der Würdigung der Beweise geht das Gericht davon aus, dass der israelische Zeuge Grü. subjektiv eine wahrheitsgemässe Darstellung gegeben hat, deren nicht geringer Beweiswert jedoch durch die nach dem Ergebnis der Beweisaufnahme mit hinreichender Sicherheit nicht ausschliessbare Möglichkeit von Erinnerungsfälschungen gemindert wird.

Die Aussagen des Zeugen Grü. wirkten als solche glaubhaft, entbehrten nicht der inneren Wahrscheinlichkeit und waren frei von Widersprüchen. Der Zeuge gab eine ungewöhnlich lebendige Schilderung des Geschehens und liess wiederholt erkennen, wie sehr ihn das Miterlebte nach ca. 30 Jahren noch bewegt. Darüber hinaus wirkte die Darstellung des Zeugen Grü. wegen der geschilderten Begleitumstände, insbesondere dem Anlass der Erschiessung

[195] = Seite 335 f. dieses Bandes.

und der wiedergegebenen Äusserungen des Angeklagten und des Stallmeisters Bra., in einem hohen Masse glaubwürdig. Das Gericht hält es deshalb und wegen des persönlichen Eindrucks, den der Zeuge Grü. an drei Tagen in der Hauptverhandlung hinterlassen hat, sowie wegen des gesamten Inhalts der Aussage, die ein in sich folgerichtiges Geschehen zum Gegenstand hat, für ausgeschlossen, dass der Zeuge - etwa um sich für ihm seitens des Angeklagten zugefügtes Unrecht zu rächen - den Vorgang frei erfunden hat.

Für die Glaubwürdigkeit des Zeugen Grü. spricht weiter, dass dieser bei seinen drei Vernehmungen in den Hauptverhandlungsterminen am 12.Januar, 23.August und 24.August 1973 sowie vor der Israel-Polizei und während der Voruntersuchung vor dem ersuchten Richter in Israel inhaltlich übereinstimmende Aussagen gegeben hat, und zwar sowohl über das Tatgeschehen und dessen Ursachen als auch über die Begleitumstände (vgl. polizeiliche Aussage vom 31.Dezember 1970 in Band XV Blatt 109 ff. sowie Aussagen vor dem israelischen Richter vom 25.Mai 1972 Band XVIII Blatt 20 ff.). Weiter haben sich während der Beweisaufnahme verschiedene Anhaltspunkte ergeben, die die Zeugenaussagen Grü. in Teilen bekräftigen.

Dass der Zeuge Grü. im Pferdestall der Bauleitung gearbeitet hat, wurde von dem ehemaligen SS-Angehörigen Bra. bei dessen Vernehmung am 23.August 1973 bestätigt. Der damalige Stallmeister Bra., der zeitweise, und zwar in den Jahren 1941 und 1942, möglicherweise auch noch Anfang 1943, für den Pferdestall der Bauleitung verantwortlich war, konnte den Zeugen Grü. als den namentlich ihm nicht bekannten jüdischen Arbeiter wiedererkennen, der in diesem Stall damals beschäftigt war. Der ebenfalls vernommenen Ehefrau dieses Zeugen, die mit ihrem Ehemann im Stallgebäude eine Wohnung bezogen hatte, war der Zeuge Grü. ebenfalls bekannt (Aussage vom 23.August 1973).

Mehreren Zeugen war bekannt, dass es unter den jüdischen Arbeitern auf dem Truppenübungsplatz Debica die Brüder Wallach gegeben hat. Zwar meinten die israelischen Zeugen Blas. und Ehf., dass die Brüder Wallach in einem anderen Pferdestall, dem der Kommandantur, gearbeitet haben (Aussagen vor dem ersuchten Richter in Israel vom 12.März 1973). Ebenso hat der israelische Zeuge Jakob Sch. diese Brüder mit einem anderen Stall, der im Ring I gewesen sein soll, in Zusammenhang gebracht (Vernehmung in dem Hauptverhandlungstermin am 8.Januar 1973). Nach den Bekundungen des Zeugen Schu. soll es dagegen vier Brüder Wallach gegeben haben, die in einem anderen Stall als dem der Kommandantur gearbeitet haben sollen (Aussage in dem Hauptverhandlungstermin am 28.Februar 1973).

In einem besonderen Masse wird die Zeugenaussage Grü. über das Vorhandensein der Brüder Wallach im Stall der Bauleitung durch die Bekundungen der Eheleute Bra., des Zeugen Ko. und des Zeugen Wey. bekräftigt (Vernehmungen in den Hauptverhandlungsterminen am 23. und 24.August 1973). Die Zeugen Bra. und Wey. waren als Angehörige der ehemaligen Waffen-SS zu verschiedenen Zeiten als Stallmeister im Pferdestall der Bauleitung eingesetzt. Frau Bra. wohnte mit ihrem Manne dort, während der polnische Zeuge Ko. in dem Stall arbeitete. Übereinstimmend haben diese vier Zeugen bekundet, dass es im Stall der Bauleitung die beiden Brüder Wallach gab, die dort als Pferdepfleger tätig waren.

Bedeutsam ist weiter, dass der Zeuge Grü. in dem Termin am 23.August 1973 auf einem ihm vorgelegten vergrösserten Fotoausschnitt - das Bild ist von dem Verteidiger eingereicht worden - einen der Brüder Wallach wiedererkannt hat. Dass diese Aufnahme einen der Brüder zeigt, ist auch von dem ehemaligen Stallmeister Bra. sowie von dem polnischen Zeugen Ko. bestätigt worden (Hauptverhandlungstermine am 23. und 24.August 1973).

Durch weitere Zeugen haben sich auch die Angaben des Zeugen Grü. über das Alter, das Aussehen und die Körpergrösse der beiden Brüder Wallach jedenfalls ungefähr als richtig erwiesen. Diese sollen nach den Bekundungen des Zeugen Grü. etwa 50 Jahre alt gewesen sein und äusserlich sehr ähnlich ausgesehen haben. Ihre Körpergrösse wurde mit 1,80 bis 1,90 Meter beziehungsweise mit 1,85 bis 1,95 Meter angegeben. Über deren Lebensalter äusserten der ehemalige Stallmeister Wey. und der polnische Zeuge Ko., sie seien zwischen 55 und 60 Jahre beziehungsweise etwa 50 Jahre alt gewesen (Vernehmungen in den Hauptverhandlungsterminen am 23. und 24.August 1973). In der Zeugenaussage Wey. kam zum Ausdruck, dass ihm der Name Wallach zwar nicht bekannt war. Die Beschreibung des Zeugen traf jedoch auf die von dem Zeugen Grü. angegebenen Merkmale zu. Der Zeuge Wey. erwähnte die grosse Ähnlichkeit der jüdischen Pferdepfleger und dass es sich bei diesen um grosse und kräftige Leute gehandelt habe. Auf die grosse Ähnlichkeit der Brüder Wallach wies auch der Zeuge Bra. hin, während der polnische Zeuge Ko. eine Körpergrösse von etwa 1,80 Meter erwähnte (Aussagen vom 23. und 24.August 1973). Weiter sind die Angaben des Zeugen Grü., wonach die Brüder Wallach nicht im Judenlager, sondern im Stallgebäude der Bauleitung geschlafen haben, von dem polnischen Zeugen Ko. bestätigt worden (Aussage vom 24.August 1973).

Die Darstellung des Zeugen Grü. über einen in Gegenwart des Angeklagten ausgetragenen Streit zwischen den Brüdern, wer für das Putzen des Pferdes zuständig war, wird durch die Aussage des ehemaligen Stallmeisters Bra. bekräftigt (Vernehmung in dem Hauptverhandlungstermin am 23.August 1973). Demnach will sich der Zeuge erinnern, dass sich die Brüder gelegentlich gestritten haben.

Der Beweiswert der Zeugenaussagen von Grü. wird noch dadurch erhöht, dass der Zeuge betonte, er habe bei der Tötung eines der Brüder Wallach erstmalig etwas derart Trauriges erlebt (Vernehmung in dem Verhandlungstermin am 23.August 1973). Diese Aussage ist in einem hohen Grad glaubhaft, weil der Zeuge bei jeder Sachverhaltsschilderung in einem besonderen Masse erschüttert war. Nach der Überzeugung des Gerichts muss sich ein aus der Nähe miterlebter Vorgang einer Erschiessung bei dem Zeugen Grü. stark eingeprägt haben. Opfer der geschilderten Tötung soll ein jüdischer Schicksalsgefährte gewesen sein, der in dem gleichen Stalle wie der Zeuge arbeiten musste. Dass bei einem durch das gemeinsame Schicksal bedingten intensiveren Miterleben die Vorgänge besonders im Gedächtnis haften bleiben, ist aufgrund des überzeugenden Gutachtens von Professor Un. anzunehmen (erstattetes Gutachten im Termin am 21.März 1973). Zu berücksichtigen ist weiter, dass nach seinen Bekundungen der Zeuge das Opfer der Tötung mit der Schubkarre in eine Grube fahren musste. Auch dieser Gesichtspunkt spricht für ein besonders intensives Miterleben und für ein Festhalten der Vorgänge im Gedächtnis des Zeugen.

Unter diesen Umständen wirkt die Aussage des Zeugen Grü., er habe im Lager jedem von der Tötung erzählt, in einem hohen Grade glaubhaft. Davon abgesehen wird diese Bekundung auch von den israelischen Zeugen Dov Sch. und Ignaz Men. bestätigt (Aussagen vom 9.Januar 1973). Seinen Bekundungen zufolge hat der Zeuge Dov Sch. während seines Aufenthalts auf dem Truppenübungsplatz von dem Zeugen Grü. erfahren, dass einer der beiden Brüder Wallach von dem Angeklagten getötet worden sei. Ohne dass mit diesem Vorgang die Person des Angeklagten in Verbindung gebracht wurde, will ausserdem der Zeuge Ignaz Men. von dem Zeugen Grü. von der Erschiessung eines der Brüder gehört haben.

Von besonderer Bedeutung ist der Gesichtspunkt, dass unter den jüdischen Arbeitern auf dem Truppenübungsplatz von der Tötung eines der Brüder Wallach durch den Angeklagten erzählt worden ist. Übereinstimmend haben eine Reihe jüdischer Zeugen bekundet, von dieser Tötung gehört zu haben. Insoweit handelt es sich um die Zeugen Blas., Dri., Eig., Ha. und Jakob Sch. (Aussagen vor dem ersuchten Richter in Israel vom 12.März 1973 sowie in den Hauptverhandlungsterminen am 4., 11., 18. und 8.Januar 1973). Nach der Zeugenaussage Dri. soll erzählt worden sein, dass sich die Tötung am Pferdestall der Bauleitung ereignet hat.

Darüber hinaus haben auch die jüdischen Zeugen Ehf. und Schi. von einer Tötung eines der Brüder Wallach gehört, ohne dass diese mit der Person des Angeklagten in Verbindung gebracht wurde (Aussagen vor dem ersuchten Richter in Israel am 12.März 1973 sowie in dem Verhandlungstermin am 9.Januar 1973). Dass einem Juden namens Wallach etwas zugestossen sein soll, war auch dem jüdischen Zeugen Hor. erinnerlich (Vernehmung durch die beauftragten Richter am 6.Februar 1973).

Weiter ist zu berücksichtigen, dass auch ein ehemaliger SS-Offizier von der Bauleitung, der Zeuge Asc., etwas von einem Vorfall im Pferdestall der Bauleitung gehört haben will. Bei seiner Vernehmung am 8.Januar 1973 sagte der Zeuge aus, bei seiner Ankunft auf dem Truppenübungsplatz im Sommer 1941 sei von einer Erschiessung am Pferdestall der Bauleitung "gemunkelt" worden, die vor seiner Zeit gewesen sei. In seiner Vernehmung am 23.März 1973 präzisierte der Zeuge diese Aussage in der Weise, dass er bei der Übernahme der Dienstgeschäfte gefragt habe, ob irgendetwas anrüchig sei. Daraufhin sei ihm gesagt worden, am Pferdestall sei jemand erschossen worden. Trotz ausdrücklichen Befragens habe er keine Einzelheiten erfahren. Der Zeuge schwächte bei seiner späteren Vernehmung am 23.August 1973 die früheren Aussagen in dem Sinne ab, ein ehemaliger SS-Angehöriger Biallas habe ihm gesagt, dass im Pferdestall "etwas gewesen sei".

Nach der Überzeugung des Gerichts hat der Zeuge Grü. den Angeklagten auf dem Truppenübungsplatz gekannt und bei den Vernehmungen am 12.Januar 1973 sowie am 23. und 24.August 1973 diesen richtig wiedererkannt. Weiter vermochte der Zeuge in dem Hauptverhandlungstermin am 12.Januar 1973 den Angeklagten auf einigen Fotos des Sonderbands I zu identifizieren (Aufnahmen Nr.11, 12, 25 und 26).

Durch das Verhalten des Zeugen Grü. in den Hauptverhandlungsterminen wurde besonders deutlich, dass sich der Zeuge an den Angeklagten und dessen äussere Erscheinung gut erinnert. Trotz der inzwischen vergangenen 30 Jahre zeigte sich der Zeuge wiederholt in einem hohen Grade erregt. Daraus ist zu schliessen, dass sich dieser Zeuge den Angeklagten vom Aussehen und vom Namen her gut eingeprägt hat und diesen mit ihn aufwühlenden negativen Erlebnissen in Verbindung bringt, die durch den Vernehmungsgegenstand und die Gegenwart des Angeklagten in einem besonderen Masse wachgerufen werden.

Dass der Zeuge den Angeklagten mit einem anderen SS-Angehörigen verwechselt, hält das Gericht auch aus den bereits erörterten allgemeinen Gesichtspunkten, die gegen eine Verwechslung sprechen (siehe oben Seite 151 bis 164 [196]), für ausgeschlossen. Wie bei anderen jüdischen Zeugen war der Angeklagte auch bei dem Zeugen Grü. wegen der Misshandlungen und der Antreibermethoden gefürchtet (siehe oben Seite 125 ff. [197]). Das kommt besonders in der Aussage zum Ausdruck, der Stallmeister Bra. habe ihn, den Zeugen bei dem Erscheinen des Angeklagten gewarnt und ihn zum Verstecken aufgefordert (Aussage vom 12.Januar 1973). Wenn der Zeuge Bra. auch bekundet hat, dass der Angeklagte nicht im Pferdestall der Bauleitung gewesen sei und er diese Warnung nicht ausgesprochen haben könne (Vernehmung am 23.August 1973), so zeigt doch die Aussage des Zeugen Grü., der sich insoweit möglicherweise über die Person des ihn Warnenden und über den Ort des Geschehens irrt, wie gross bei dem Zeugen die Furcht vor dem Angeklagten gewesen ist.

Der Wert der Bekundungen des Zeugen Grü. wird nicht dadurch gemindert, dass dieser bei seiner ersten Vernehmung durch die Israel-Polizei, die am 4.März 1963 erfolgte, den Namen des Angeklagten und die Tötung eines der Brüder Wallach nicht genannt hat (siehe beglau-

[196] = Seite 387-393 dieses Bandes.

[197] = Seite 375 ff. dieses Bandes.

bigte Übersetzung in den Beiakten der Staatsanwaltschaft Dortmund Band V Blatt 29 - 33). Der Aussage des israelischen Polizeibeamten Dew. ist zu entnehmen, dass der Zeuge bei dieser Vernehmung ausschliesslich nach SS-Angehörigen des Judenlagers gefragt worden ist und ihm nur die Fotos von Kops und Hamann und nicht Aufnahmen des Angeklagten vorgelegt worden sind (Vernehmung in dem Hauptverhandlungstermin am 2.April 1973).

Von dem Zeugen Grü. war bei seiner ersten polizeilichen Vernehmung nicht zu erwarten, dass er von sich aus die Tötung eines der Brüder Wallach erwähnte. Glaubhaft hat der Zeuge Grü. bekundet, er habe im Judenlager sehr viele Tötungen durch Kops und Kleindienst gesehen, durch die er viel stärker als durch den Einzelfall der Erschiessung eines der Wallach--Brüder erschüttert gewesen sei (Aussage in dem Hauptverhandlungstermin am 12.Januar 1973). Täglich habe er Tötungen durch Kops wahrgenommen. Diese Aussagen des Zeugen Grü. über gewaltsame Tötungen im Judenlager an der Bahnstation Kochanowka sind während der Beweisaufnahme durch andere Zeugen bestätigt worden (siehe oben Seite 58 ff. [198]). Unter Berücksichtigung dieser Umstände war es nicht naheliegend, dass der Zeuge Grü. bei einer auf das Geschehen im Judenlager beschränkten Vernehmung von sich aus eine Tötung ausserhalb des Lagerbereichs bekundete.

Gegen den Inhalt der Aussage des Zeugen Grü. bestehen jedoch eine Reihe erheblicher Bedenken.

Gegen seine Bekundung, der Angeklagte habe im Stall der Bauleitung ein Pferd gehabt und deshalb diesen Stall häufig aufgesucht, haben sich schwerwiegende Zweifel ergeben, die durch die Beweisaufnahme nicht ausgeräumt worden sind. Keiner der zahlreichen Zeugen konnte diese Aussage bestätigen. Im Gegenteil ist durch mehrere ehemalige SS-Angehörige und auch durch jüdische und polnische Zeugen die Darstellung des Angeklagten, sein Pferd sei im Stall der Kommandantur und nicht in dem der Bauleitung gewesen, bekräftigt worden. Ausserdem ist es von der Sache her wahrscheinlicher, dass der Angeklagte sein Pferd nicht bei der Bauleitung hatte.

Dass die Angehörigen der Kommandantur, zu denen der Angeklagte gehörte, keine Pferde im Stall der Bauleitung hatten, haben die Zeugen Asc., ein ehemaliger Offizier der Bauleitung, und Wey., der als Stallmeister in den Jahren 1943 und 1944 für den Pferdestall der Bauleitung verantwortlich war, übereinstimmend bekundet (Vernehmungen in den Hauptverhandlungsterminen am 14.Dezember 1972 und am 23.August 1973). In die gleiche Richtung geht die Aussage des Zeugen Richard Zim., einem früheren Angehörigen der Kommandanturverwaltung, der es nicht für vorstellbar hält, dass die Kommandantur in dem Stall der Bauleitung Pferde untergebracht hatte (Vernehmung in dem Hauptverhandlungstermin am 9.Juli 1973). Zwar hält der Zeuge Hei., der ehemals erste Chef der Bauleitung, die Möglichkeit einer Aufnahme von Pferden für die Kommandantur, die "kameradschaftlich möglich gewesen wäre", für nicht ausgeschlossen. Dieser Aussage kommt jedoch kein besonderes Gewicht bei, da sie lediglich eine theoretische Möglichkeit erörtert hat.

Von besonderer Bedeutung sind dagegen die Aussagen der Zeugen Asc., Bra. und Tho. (Hauptverhandlungstermine am 23.März, 23.August und 23.März 1973). Übereinstimmend bekunden diese Zeugen, der Angeklagte habe im Stall der Bauleitung kein Pferd gehabt. Bei den Zeugen Asc. und Tho. handelt es sich um ehemalige Offiziere der Bauleitung, während der Zeuge Bra. Stallmeister der Bauleitung und der Aussage des Zeugen Grü. zufolge, zur Tatzeit für diesen Stall verantwortlich war. Aus diesem Grunde ist die Zeugenaussage Bra. besonders bedeutsam.

[198] = Seite 344 f. dieses Bandes.

Weiter ist zu berücksichtigen, dass den Zeugen Bra., Ko. und Wey. der von dem Zeugen Grü. angegebene Pferdename "Neustand", den das Pferd des Angeklagten geführt haben soll, nichts sagt (Vernehmungen in den Hauptverhandlungsterminen am 23. und 24.August 1973).

Bestätigt werden diese Aussagen durch deutsche, jüdische und polnische Zeugen, die bekundet haben, dass sich das Pferd des Angeklagten im Stall der Kommandantur befunden hat. Entsprechende Bekundungen liegen seitens der ehemaligen SS-Angehörigen Uel. und Richard Zim. (Aussagen vom 23.März und 9.Juli 1973), der drei jüdischen Zeugen Dov Sch., Schu. und Spi. (Aussagen vom 9.Januar, 28.Februar und 12.Januar 1973) und der beiden polnischen Zeugen Dmu. und Ko. (Aussagen vom 10.September und 24.August 1973) vor.

Diese sich deckenden Bekundungen einer Reihe von Zeugen sind auch von der Sache her in einem hohen Grade wahrscheinlich. Zwar könnte die räumliche Nähe zwischen der damaligen Wohnung des Angeklagten in der Offizierssiedlung und dem Pferdestall der Bauleitung dafür sprechen, dass dieser aus praktischen Gründen sein Pferd in diesem Stall hatte. Die Entfernung zwischen den Offiziershäusern und dem Bereich der Bauleitung war wesentlich geringer als die zur Kommandantur. Das hat auf Befragen der Angeklagte in dem Termin am 12.Januar 1973 eingeräumt und ist auch von den polnischen Zeugen Ko. bestätigt worden (Aussage vom 24.August 1973).

Dass der Angeklagte als Angehöriger der Kommandantur sein Pferd im Stall der Bauleitung hatte, ist jedoch wegen der organisatorischen Trennung der beiden Dienststellen und der erheblichen Spannungen, die zwischen der Kommandantur und der Bauleitung bestanden haben, äusserst unwahrscheinlich. Auf diese Spannungen haben übereinstimmend die Zeugen Asc., Hei. und Tho., die sämtlich Offiziere der Bauleitung gewesen sind, hingewiesen (Aussagen vom 23.März und 6.Juli 1973). Besonders deutlich wurden diese Spannungen bei der Vernehmung des früheren Ib-Offiziers der Kommandantur, des Zeugen Bl. (Aussage vom 14.Dezember 1972). Dieser Zeuge zeigte deutlich seine erheblichen Vorbehalte gegenüber der Bauleitung, bei der es zu "Schmutzigkeiten" gekommen sei und es Schläge gegeben habe. Der Zeuge erwähnte seine entsprechenden Beobachtungen auf Baustellen von Firmen und betonte, dass die Kommandantur mit der Bauleitung auf Kriegsfuss gestanden habe.

Unter Berücksichtigung dieser Gesichtspunkte sind die Aussagen der Zeugen Bra. und Ko., der Angeklagte sei nie im Stall der Bauleitung gewesen, in einem hohen Grade wahrscheinlich (Vernehmungen in den Hauptverhandlungsterminen am 23. und 24.August 1973). Bekräftigt werden diese Bekundungen ausserdem durch den Zeugen Wey., der als Stallmeister Nachfolger des Zeugen Bra. war. Demnach kannte dieser Zeuge den Angeklagten nicht (Aussage vom 23.August 1973).

Von geringerem Gewicht sind die Bedenken gegen die Aussagen des Zeugen Grü., die damit zusammenhängen, dass die Beweisaufnahme dessen Bekundung nicht bestätigte, der Angeklagte habe ein graues Pferd mit schwarzen Punkten gehabt. Allenfalls in der Aussage des israelischen Zeugen Now., das Pferd des Angeklagten sei weiss oder grau-weiss gewesen, finden die Angaben des Zeugen Grü. eine gewisse Bestätigung (Vernehmung durch den ersuchten Richter in Israel vom 7.März 1973). Alle anderen Zeugen haben sich über die Farbe des Pferdes in einem anderen Sinne geäussert.

Nach den insoweit glaubhaften Bekundungen der Ehefrau des Angeklagten hatte dieser ein dunkles Pferd mit weisser Blesse (Vernehmung durch die beauftragten Richter vom 23.Februar 1973). Der Aussage des jüdischen Zeugen Schu. zufolge hatte der Angeklagte einen Braunen (Vernehmung in dem Hauptverhandlungstermin am 28.Februar 1973). In die gleiche Richtung weisen die Aussagen der polnischen Zeugen Dmu. und Ucz. sowie des ehemaligen SS-Offiziers Uel., wonach das Pferd des Angeklagten von rotbrauner bzw. kastanienbrauner Farbe war bzw., dass dieser einen Braunen oder einen Fuchs ritt (Vernehmungen in den

Hauptverhandlungsterminen am 10.September, 27.August und 23.März 1973). Seinen eigenen Angaben zufolge hatte der Angeklagte einen schwarzen Hannoveraner (Erklärung in dem Hauptverhandlungstermin am 12.Januar 1973).

Ebenso haben sich Widersprüche zwischen den Angaben des Zeugen Grü., das Pferd des Angeklagten habe den Namen "Neustand" geführt, und anderen Zeugenaussagen ergeben. Sowohl die Ehefrau des Angeklagten als auch der ehemalige SS-Offizier Ho., der wie der Angeklagte der Abteilung Ib des Kommandantur-Stabs zugewiesen war, haben übereinstimmend die Einlassung des Angeklagten, sein Pferd sei "Regina" gerufen worden, bestätigt (Vernehmung durch den beauftragten Richter vom 23.Februar und in dem Hauptverhandlungstermin am 15.Dezember 1972 sowie Erklärung des Angeklagten in dem Hauptverhandlungstermin am 12.Januar 1973).

Zwar besteht die Möglichkeit, dass der Angeklagte im Laufe der Zeit verschiedene Pferde hatte und eines der Pferde vorübergehend im Pferdestall der Bauleitung untergebracht war, und die Zeugenaussagen deshalb nicht zwingend widersprüchlich zu sein brauchen. Für diese Möglichkeit hat die Beweisaufnahme jedoch keine Anhaltspunkte ergeben. Da sich die aufgetretenen Zweifel nicht klären liessen, ist zugunsten des Angeklagten nicht auszuschliessen, dass sich der Zeuge Grü. über das Vorhandensein eines Pferdes des Angeklagten im Stall der Bauleitung sowie über die Farbe und den Namen des Pferdes des Angeklagten in einem Irrtum befindet.

Obwohl nach dem Beweisergebnis davon auszugehen ist, dass der Angeklagte im Stall der Bauleitung kein Reitpferd hatte, scheidet damit die Möglichkeit, dass dieser im Zusammenhang mit einer beabsichtigten Kutschfahrt diesen Pferdestall aufgesucht hat, nicht aus. Dass von diesem Stall aus Kutschfahrten unternommen worden sind, hat der ehemalige SS-Angehörige Pur. wahrgenommen (Vernehmung durch den beauftragten Richter am 9.April 1973). Aufgrund der Aussage des ehemaligen Stallmeisters Bra. ist jedoch anzunehmen, dass die im Gewahrsam der Bauleitung befindliche Kutsche der Kommandantur nicht zur Verfügung gestellt wurde (Aussage vom 23.August 1973). Weiter hat der polnische Zeuge Ko., der im Stall der Bauleitung gearbeitet hat, bekundet, dass nur Angehörige der Bauleitung mit der Kutsche gefahren sind (Aussage vom 27.August 1973). Angesichts der Rivalitäten zwischen der Kommandantur und der Bauleitung (siehe oben Seite 250 f. [199]) sind diese Bekundungen der Zeugen Bra. und Ko. in einem hohen Grade wahrscheinlich.

Davon abgesehen ist die Einlassung des Angeklagten, bei sonntäglichen Kutschfahrten sei das Gespann telefonisch bei der Kommandantur angefordert worden und dann mit einem Soldaten vor der Wohnung vorgefahren, durch die als Zeugin vernommene Ehefrau des Angeklagten bestätigt worden (Vernehmung durch die beauftragten Richter vom 23.Februar 1973). Die Zeugenaussage der Ehefrau des Angeklagten wird insoweit als glaubhaft angesehen. Es ist in einem hohen Grade wahrscheinlich, dass sich in dem weitläufigen Gelände ein Offizier nicht um das Abholen des Pferdegespanns zu bemühen brauchte und die Kutsche auf eine telefonische Bitte hin zur Wohnung des Offiziers gefahren wurde.

Zwar ist die Möglichkeit, dass sich der Angeklagte einmal ausnahmsweise selbst um die Kutsche und die Kutschpferde kümmern und diese im Stall der Bauleitung abholen musste, nicht völlig auszuschliessen. Von dieser Ausnahmesituation vermochte das Gericht jedoch nicht auszugehen, zumal die Zeugen Bra. und Ko. übereinstimmend bekundet haben, der Angeklagte sei nie im Stall der Bauleitung gewesen (Vernehmungen in den Hauptverhandlungsterminen am 23. und 24.August 1973).

[199] = Seite 434 dieses Bandes.

Die erörterten Gesichtspunkte, insbesondere das Nichtvorhandensein des Pferdes des Angeklagten im Stall der Bauleitung und die zumindest sehr fernliegende Möglichkeit, dass dieser dort an einem Sonntag eine Kutsche abgeholt hat, geben in ihrer Gesamtheit bereits einen Hinweis, dass im Gedächtnis des Zeugen Grü. Erinnerungsfälschungen eingetreten sein können und der Zeuge möglicherweise Vorgänge verwechselt, die sich an einer anderen Stelle des Lagerbereichs ereignet haben können und die der Zeuge mit dem Stall der Bauleitung, dem dortigen Stallmeister Bra. und mit dem Angeklagten in Verbindung bringt.

Die Möglichkeit, dass bei dem Zeugen Grü. das Tatgeschehen betreffende Erinnerungsfälschungen vorliegen, ist in einem hohen Grade auch deshalb wahrscheinlich, weil einige Zeugen, die ebenfalls im Stall der Bauleitung eingesetzt waren, über das Schicksal der beiden Brüder Wallach Darstellungen gegeben haben, die einer Erschiessung eines der beiden Brüder an dem von dem Zeugen angegebenen Tatort entgegenstehen. Insoweit handelt es sich um die Aussagen der Eheleute Bra., des Zeugen Ko. und des Zeugen Wey. Zwischen den Bekundungen dieser Zeugen einerseits und denen des Zeugen Grü. besteht ein nicht zu erklärender und nicht mit Sicherheit aufklärbarer Gegensatz, der erhebliche Zweifel offenlässt, die nicht zu Lasten des Angeklagten gehen dürfen.

Nach den Aussagen der Zeugin Bra. vom 23.August 1973, der Ehefrau des Stallmeisters Bra., war einer der beiden Brüder Wallach eines Tages mitten in der Woche, also nicht an einem Montag, verschwunden. Der Zeuge Ko. habe die entsprechende Nachricht überbracht. An dessen genaue Worte könne sie sich nicht erinnern. Der ehemalige Stallmeister Bra., der Ehemann der erwähnten Zeugin, hat über das Schicksal der Brüder Wallach dagegen eine andere Aussage gegeben (Vernehmung vom 23.August 1973). Demnach sollen beide Wallach-Brüder bei der Versetzung des Zeugen zur Fronttruppe noch im Stall beschäftigt gewesen sein. Im Herbst 1942 sei er, der Zeuge, wegversetzt worden. Dunkel könne er sich noch erinnern, sich damals von beiden Wallach-Brüdern verabschiedet zu haben. Es sei damals jedoch sehr gefeiert worden, so dass ihm eine verlässlichere Erinnerung fehle. Wenn seine Frau, die Zeugin Bra., jetzt sage, einer der Wallachs sei "stiften gegangen", dann sei das wohl richtig. Sie habe das bessere Gedächtnis. Vielleicht sei er bei einer Entgegennahme der Nachricht vom Stiftengehen eines der Wallachs nicht ganz klar gewesen.

Bei einem Vergleich der beiden Aussagen ist zwar davon auszugehen, dass sich die Zeugin Bra. offenbar besser als ihr Ehemann an die Vorgänge erinnert. Die Bekundungen der Zeugin Bra. werden jedoch durch die Zeugen Ko. und Wey. in Frage gestellt.

Den Aussagen des polnischen Zeugen Ko. (vom 24. und 27.August 1973) zufolge, arbeiteten die beiden Wallach-Brüder bei dem Wegzug der Eheleute Bra., der erst im Jahre 1943 gewesen sein soll, noch im Stall der Bauleitung. Dass einer der beiden Brüder einmal überraschend fehlte, sei ihm nicht erinnerlich. Von Zeit zu Zeit habe einer der beiden Brüder jedoch arbeitsfrei gehabt. Er könne sich nicht daran erinnern, einmal in die Wohnung der Eheleute Bra. gegangen zu sein, um die Nachricht zu überbringen, einer der beiden Wallach-Brüder sei weggeblieben und nicht zur Arbeit erschienen. Eines Tages, und zwar wesentlich später, seien jedoch beide Brüder nicht zur Arbeit gekommen. Das sei erst kurz vor dem Eintreffen der Sowjet-Armee gewesen, als der Zeuge Wey. anstelle des Zeugen Bra. bereits Stallmeister gewesen sei.

Diese Aussagen des polnischen Zeugen Ko. werden in wesentlichen Teilen durch den ehemaligen Stallmeister der SS, den Zeugen Wey., bestätigt (Vernehmung in dem Hauptverhandlungstermin am 23.August 1973). Dieser Zeuge sprach von zwei jüdischen Pferdepflegern, die sich sehr ähnlich sahen. Ob es sich um Brüder gehandelt habe, wisse er nicht. Den Beschreibungsmerkmalen zufolge muss es sich bei den jüdischen Pferdepflegern um die Wallach-Brüder gehandelt haben, denn der Zeuge erwähnte deren grosse Ähnlichkeit, deren Alter von 55-60 Jahren, sowie dass es sich um grosse und kräftige Leute gehandelt habe. Diese

Angaben über die Personen der Brüder stimmen hinreichend mit denen der Zeugen Bra., Grü. und Ko. überein (siehe oben Seite 242 f. [200]).

Im Jahre 1943 - wahrscheinlich zu Jahresbeginn - habe er, der Zeuge Wey. den Stall der Bauleitung übernommen. Den Zeugen Grü. habe er nicht gekannt. Bis zur Annäherung der Roten Armee im Jahre 1944 seien die beiden jüdischen Pferdepfleger im Stall beschäftigt gewesen. Bei der Räumung des Truppenübungsplatzes habe er sie dann aus den Augen verloren. Den Aussagen der Zeugen Bra., Ko. und Wey. zufolge, die insoweit übereinstimmen, müssen beide Brüder Wallach die angebliche Tatzeit im Herbst 1942 überlebt und nach den Bekundungen von Ko. und Wey. bis kurz vor der Räumung des Truppenübungsplatzes noch im Stall gearbeitet haben.

Der Widerspruch zwischen den Bekundungen dieser Zeugen und der Zeugenaussage Grü., wonach einer der beiden Brüder Ende Sommer oder im Herbst 1942 getötet worden sein soll, lässt sich nicht aufklären. Aufgrund der unterschiedlichen Aussagen ist das Gericht nicht in der Lage, sich von den Vorgängen in einer für eine Verurteilung hinreichend klaren Weise Gewissheit zu verschaffen. Keine der Zeugenaussagen ist unglaubwürdig oder in sich widersprüchlich. Keine der Darstellungen der Zeugen reicht für eine gerichtliche Überzeugungsbildung aus.

Zwar bestehen gegen die Bekundungen der Zeugen Ko. und Wey., wonach die Brüder Wallach bis zur Räumung des Truppenübungsplatzes im Jahre 1944 im Stall der Bauleitung gearbeitet haben sollen, nicht unbeträchtliche Bedenken. Sie stehen im Widerspruch zu der auf zahlreichen Zeugenaussagen beruhenden Feststellung, dass nach der sogenannten Aussiedlung des Judenlagers im Spätsommer oder Frühherbst 1942 jüdische Arbeiter nur noch in dem Industriehof und bei dessen Aufbau eingesetzt waren (siehe oben Seite 50 ff., 68 ff. [201]). Deshalb ist die Möglichkeit, dass Aussagen dieser Zeugen in dem entscheidenden Punkt, dass die Brüder Wallach auch nach dem Spätsommer oder Frühherbst 1942 noch im Stall der Bauleitung gearbeitet haben, auf einem Irrtum beruhen, nicht von der Hand zu weisen.

Zu Gunsten des Angeklagten kann jedoch ebensowenig die andere Möglichkeit ausgeschlossen werden, dass bei den Brüdern Wallach eine Ausnahmeregelung bestanden hat. Diese oder zumindest einer der Brüder waren, wie den Aussagen der Zeugen Bra. und Wey. zu entnehmen ist, als Pferdepfleger besonders geschätzt. Deshalb ist es nicht undenkbar, dass diese in einem besonderen Masse im Stall der Bauleitung benötigt wurden und deshalb eine Sonderregelung bestanden hat, wonach die Brüder Wallach ausserhalb des Industriehofs weiterhin in dem Pferdestall arbeiten durften.

Das Gericht ist nicht in der Lage, der Zeugenaussage Grü. den Vorzug zu geben. Den in sich glaubhaften Aussagen, die frei von inneren Widersprüchen sind, stehen die gegenteiligen und ebenfalls glaubhaften Bekundungen einer Reihe anderer Zeugen gegenüber, die nicht nur Fragen des Randgeschehens betreffen. Auch im Zusammenhang mit der Aussage der Zeugin Bra. kann der Darstellung des Zeugen Grü. keine grössere Glaubwürdigkeit als den Angaben der Zeugen Bra., Ko. und Wey. zukommen.

Zwar könnte die Darstellung der Zeugin Bra., einer der beiden Brüder Wallach sei eines Tages verschwunden gewesen und der Zeuge Ko. habe eine entsprechende Nachricht überbracht (Aussage vom 23.August 1973), dafür sprechen, dass einer der Brüder erschossen worden und diese Tötung von dem Angeklagten oder von anderer Seite als Flucht getarnt und

[200] = Seite 430 f. dieses Bandes.

[201] = Seite 340, 348 f. dieses Bandes.

dargestellt worden ist. Auszuschliessen ist die Möglichkeit, dass eine Tötung der Ehefrau Bra. als ein sogenanntes Stiftengehen geschildert wurde, nicht, zumal der Zeuge Bra. ein Interesse haben konnte, seiner Frau die Kenntnis von einer gewaltsamen Tötung zu ersparen. Unter diesen Umständen wäre es auch einleuchtend gewesen, das Ganze als Flucht darzustellen, zumal es weitgehend üblich war, willkürliche Erschiessungen als solche "auf der Flucht" zu bezeichnen (vgl. oben Seite 55, 79, 82 f., 99, 165 und 175 f. [202]). Für die Annahme, die Erschiessung sei als Flucht getarnt worden, haben sich in der Beweisaufnahme jedoch keinerlei Anhaltspunkte ergeben. Im Gegenteil sprechen mehrere Gesichtspunkte gegen diese Möglichkeit.

Die Aussage der Zeugin Bra., die Nachricht vom Verschwinden eines der Wallach-Brüder sei mitten in der Woche und nicht an einem Montag überbracht worden (Vernehmung am 23.August 1973), macht einen Zusammenhang zwischen der von dem Zeugen Grü. geschilderten Erschiessung und dem Ausbleiben eines der Brüder Wallach unwahrscheinlich. Den wiederholten Aussagen des Zeugen Grü. zufolge hat die Tötung an einem Sonntag stattgefunden (Vernehmungen am 12.Januar sowie am 23. und 24.August 1973). Deshalb ist es wenig wahrscheinlich, dass das Fehlen eines der Brüder nicht schon am nächsten Tage sondern erst später während der Woche bemerkt worden ist.

Davon abgesehen lässt sich die Möglichkeit nicht ausschliessen, dass einer der Wallach-Brüder sich nach einem arbeitsfreien Tag nicht rechtzeitig zur Arbeit zurückgemeldet und vorübergehend gefehlt hat. Die nach der Aussage der Zeugin Bra. durch den Zeugen Ko. übermittelte Nachricht könnte in diesem Zusammenhang erfolgt sein. Dass einer der Brüder gelegentlich einmal von der Arbeit freigestellt wurde, ist von dem Zeugen Ko. glaubhaft bekundet worden (Vernehmung am 24.August 1973). Unter Berücksichtigung der Aussagen der Zeugen Bra., Ko. und Wey. ist es ausserdem denkbar, dass die Zeugin Bra. ein vorübergehendes Ausbleiben der Geschwister Wallach mit der angeblichen Flucht eines der Brüder verwechselt. Jedenfalls lässt sich diese Möglichkeit zugunsten des Angeklagten nicht mit Sicherheit ausschliessen. Übereinstimmend haben der Zeuge Bra. und dessen Ehefrau bekundet, dass die Pferdepfleger Wallach für kurze Zeit im Judenlager wohnten, dann aber von dem Stallmeister Bra. zurückgeholt wurden.

Ausserdem findet die Aussage der Zeugin Bra. über die Benachrichtigung vom Fehlen eines der beiden Brüder in den Bekundungen des polnischen Zeugen Ko. keine Bestätigung. Dieser Zeuge, der der Zeugin Bra. zufolge die entsprechende Nachricht überbracht haben soll, konnte sich daran und auch an das Fehlen eines der Brüder nicht erinnern. Diese Aussage des Zeugen Ko. erhöht die Möglichkeit, dass sich die Zeugin Bra. in einem Irrtum befindet.

Nach der Überzeugung des Gerichts kommt der Aussage der Zeugin Bra., einer der beiden Brüder sei verschwunden gewesen und nicht zurückgekehrt, im Vergleich zu den übereinstimmenden gegenteiligen Aussagen der Zeugen Bra., Ko. und Wey. ein geringerer Beweiswert zu. Wenn sich auch die Zeugin Bra. offenbar besser als ihr Ehemann an das Geschehen zu erinnern vermag (siehe oben Seite 255 [203]), so werden die Aussagen des Letzteren jedoch durch die Zeugen Ko. und Wey. bestätigt, wonach die Brüder Wallach bis kurz vor dem Eintreffen der Roten Armee - also im Sommer 1944 (siehe oben Seite 12 [204]) - im Pferdestall der Bauleitung gearbeitet haben und erst dann gemeinsam zur Arbeit nicht erschienen sind. Den übereinstimmenden Aussagen der Zeugen Bra., Ko. und Wey. kommt deshalb ein grösseres Gewicht zu, weil diese Zeugen in dem Stall mit den Brüdern Wallach

[202] = Seite 342, 353, 355, 362, 394, 399 dieses Bandes.

[203] = Seite 436 dieses Bandes.

[204] = Seite 322 dieses Bandes.

zusammengearbeitet haben, während die Zeugin Bra. als Ehefrau des Stallmeisters sich mit hoher Wahrscheinlichkeit weniger um die im Stall beschäftigten Arbeiter gekümmert hat und von deren Abwesenheit oder Fehlen bei der Arbeit nicht so stark betroffen war und sich diese Vorgänge daher erfahrungsgemäss weniger gut bei ihr eingeprägt haben.

Gegen eine Erschiessung eines der Brüder Wallach im Bereich des Pferdestalls der Bauleitung spricht weiter, dass weder die Eheleute Bra., noch der Zeuge Ko. noch der Zeuge Wey. etwas von der Tötung gehört haben wollen. Nach der Überzeugung des Gerichts hätte sich den Eheleuten Bra. und dem polnischen Zeugen Ko. gegenüber eine derartige Tötung kaum verheimlichen lassen. Der Stallmeister Bra. war nicht nur für den Stall verantwortlich, sondern hatte mit seiner Frau auch in dem Stallgebäude seine Wohnung. Ob sich die Eheleute Bra., wie von dem Zeugen Bra. bekundet, bis zum Herbst 1942, oder, entsprechend der Aussage der Ehefrau Bra., bis zum Jahr 1943 auf dem Truppenübungsplatz aufgehalten haben, ist unwesentlich. Die Tötung soll sich der Tatschilderung des Zeugen Grü. zufolge noch zu einer Zeit ereignet haben, als die Eheleute Bra. noch im Stallgebäude wohnten. Als einer der damaligen Mitarbeiter im Pferdestall hätte auch der polnische Zeuge Ko. mit hoher Wahrscheinlichkeit von einer Erschiessung eines der Brüder Kenntnis erhalten. Weiter hätten die in dem Gebäude des Pferdestalls wohnenden Eheleute Bra. den von dem Zeugen Grü. bekundeten Pistolenschuss mit hoher Wahrscheinlichkeit hören müssen. Dass das nicht der Fall gewesen ist, obwohl diese, ihren Aussagen zufolge, an Sonntagen fast immer zu Hause gewesen sind und sich nicht weit von der Wohnung entfernt haben, erhöht die erheblichen Zweifel an einer Erschiessung im Bereich des Pferdestalls der Bauleitung.

Aufgrund der Aussagen des Zeugen Grü. ist das Gericht der Ansicht, dass die von diesem bekundeten Wahrnehmungen nicht erfunden sein können, sondern sich ein derartiges oder ein ähnliches Geschehen ereignet haben muss. Insoweit gibt es eine Anzahl denkbarer und äusserst vielgestaltiger Möglichkeiten, die sich auf die Zeit und den Ort des Geschehens, die Person des Opfers, die Begleitumstände und auf Personen, die der Zeuge mit der Handlung in Zusammenhang bringt, beziehen können. Von derartigen Möglichkeiten kann das Gericht jedoch nicht ausgehen, da die Beweisaufnahme hierfür in einem ausreichenden Masse keinen Anhalt gegeben hat.

Denkbar und wegen der Zugehörigkeit des Angeklagten zur Kommandantur auch wahrscheinlich wäre es, dass sich eine Tötung der bekundeten Art nicht im Stall der Bauleitung, sondern an einer gänzlich anderen Stelle des Platzbereichs ereignet hat, an die sich der Zeuge Grü. nicht mehr erinnert. Hierbei könnte es sich um einen Stall handeln, der nicht mit dem der Bauleitung und dem der Kommandantur identisch war. Ein derartiger Stall ist von dem israelischen Zeugen Jakob Sch. erwähnt worden, der von einem Stall im Ring I sprach, in dem der Angeklagte ein Pferd gehabt haben soll und in dem die Brüder Wallach angeblich gearbeitet haben sollen (Aussage vom 8.Januar 1973). Insoweit handelt es sich jedoch lediglich um Bekundungen vom Hörensagen, denen in diesem Zusammenhang ein ausreichender Beweiswert nicht zukommen kann.

Nicht auszuschliessen ist auch die Möglichkeit, dass es mehr als zwei Brüder Wallach auf dem Truppenübungsplatz gegeben hat und einer der Brüder erschossen wurde, so dass zwei der überlebenden Brüder bis kurz vor der Räumung des Truppenübungsplatzes im Stall der Bauleitung arbeiten mussten. Bedeutsam ist in diesem Zusammenhang die Aussage des jüdischen Zeugen Schu., der vier Brüder Wallach erwähnt, die in einem anderen Stall als dem der Kommandantur gearbeitet haben (Vernehmung am 28.Februar 1973). Dass unter diesen Umständen einer der Brüder erschossen worden sein kann, während einer geflohen ist und zwei Brüder weiter im Stall arbeiteten, ist jedoch eine blosse Denkmöglichkeit, für deren tatsächliches Vorliegen keinerlei Beweise vorliegen. Keinem der im Pferdestall der Bauleitung beschäftigt gewesenen Zeugen - auch nicht dem Zeugen Grü. - waren mehr als zwei Brüder Wallach bekannt.

Ebenso wäre es möglich, dass sich die von dem Zeugen Grü. bekundete Tötung zu einer wesentlich früheren Zeit als im Spätsommer oder Frühherbst 1942 ereignet hat und sich der Zeuge über die Tatzeit irrt. Einen Anhalt hierfür ergibt die Aussage des ehemaligen SS--Offiziers Asc., wonach, wie der Zeuge gehört haben will, vor dessen Ankunft auf dem Truppenübungsplatz im Pferdestall der Bauleitung "etwas gewesen sei" (Vernehmung vom 23.August 1973 - vgl. oben Seite 245 f. [205]). Als Zeit seines Dienstantritts auf dem Truppenübungsplatz hat der Zeuge auf Vorhalt der DC-Unterlagen den 5.Juli 1941 angegeben (Hauptverhandlungstermin am 23.August 1973).

Für eine frühere Tatzeit, als von dem Zeugen Grü. bekundet, spricht auch dessen Aussage, er habe den Erschossenen in einer Schubkarre in ein Massengrab bringen müssen. Zu der von dem Zeugen angeführten Tatzeit im Spätsommer oder Frühherbst 1942, die zeitlich mit der damaligen sogenannten Aussiedlung des Judenlagers in Verbindung gebracht worden ist (wegen der Zeit der Aussiedlung vergleiche oben Seite 39 ff. [206]), wurden die Leichen verstorbener oder getöteter Juden jedoch nicht mehr in Massengräbern beigesetzt, sondern auf der Höhe 218 verbrannt (siehe oben Seite 15 f. [207]). Nach den verlesenen Aussagen des verstorbenen ehemaligen SS-Arztes Dr. Schr. wurden auf Befehl des SS-Wirtschafts-Verwaltungshauptamts seit Ende des Jahres 1941 die Leichen von Juden, Polen und Kriegsgefangenen verbrannt (polizeiliche Vernehmung vom 22.Oktober 1969 in Band XIV Blatt 80 ff. der Akten und Vernehmung durch den Staatsanwalt vom 27.November 1963 in den Beiakten der Staatsanwaltschaft Dortmund - Verfahren gegen Kops - Band VI Blatt 85 ff.). Aus diesen Erwägungen ist der Schluss naheliegend, dass die von dem Zeugen Grü. geschilderte Tötung sich bereits im Laufe des Jahres 1941 und nicht erst, wie bekundet, 1942 ereignet hat.

Von einer Tötung zu einem früheren Zeitpunkt im Jahre 1941 vermag das Gericht wegen der erörterten Möglichkeiten, dass bei dem Zeugen Grü. Erinnerungsfälschungen vorliegen können, jedoch nicht auszugehen. Gegen eine derartige Annahme sprechen ebenfalls die Aussagen der Zeugen Bra., Ko. und Wey., wonach beide Brüder Wallach im Herbst 1942 bzw. bis kurz vor dem Eintreffen der Sowjet-Armee, also im Sommer 1944, noch gelebt haben sollen. Eine Tötungshandlung zu einer späteren Zeit als im Herbst 1942 scheidet nach den Zeugenaussagen Grü. aus. Der Zeuge hat, seinen Bekundungen zufolge, kurz nach der sogenannten Aussiedlung des Judenlagers nicht mehr im Pferdestall der Bauleitung gearbeitet (Aussage vom 23.August 1973).

Die Zweifel und Widersprüche, die sich in der Beweisaufnahme ergeben haben, lassen sich durch die Vernehmung weiterer Zeugen nicht klären. Dem Hilfsbeweisantrag der Staatsanwaltschaft vom 11.Oktober 1973 Band XXI Blatt 169 ff.), weitere Zeugen zu dem Fall zu vernehmen, ist nicht zu folgen.

Durch eine Vernehmung der polnischen Zeugen Cet., Kit. und Swi. ist eine weitere Aufklärung des Geschehens nicht zu erwarten. Zwar ist aufgrund der mit dem Hilfsbeweisantrag überreichten Niederschriften über die Vernehmung dieser Zeugen durch die Bezirkskommission zur Untersuchung von Hitler-Verbrechen in Rzeszow/Polen vom 6.September 1973 davon auszugehen, dass diese Zeugen für den Stall der Bauleitung gearbeitet haben (Band XXI Blatt 174 ff., 178 f. und 182 f. der Akten). Aus dem Inhalt der Vernehmungsprotokolle ergibt sich weiter, dass den polnischen Zeugen Cet. und Kit. die beiden Brüder Wallach bekannt waren, während sich der Zeuge Swi. an zwei jüdische Pferdepfleger erinnern will.

[205] = Seite 432 dieses Bandes.

[206] = Seite 335 dieses Bandes.

[207] = Seite 324 dieses Bandes.

Selbst wenn die Zeugen Cet., Kit. und Swi., wie von der Staatsanwaltschaft angenommen, bekunden würden, dass sich der Angeklagte oft ein Pferd im Stall der Bauleitung geholt haben soll, wäre damit die entscheidende Frage, was aus den Brüdern Wallach geworden und ob einer von diesen erschossen worden ist, in keiner Weise geklärt. Den überreichten Vernehmungsniederschriften vom 6.September 1973 ist zu entnehmen, dass der Zeuge Swi. nicht weiss, was aus den beiden jüdischen Arbeitern geworden ist (Band XXI Blatt 183 der Akten), während der Zeuge Kit. zwei Juden namens Walach [208] erwähnt, diese aber nicht mit einer Tötung in Zusammenhang bringt (Band XXI Blatt 179 der Akten). Durch die in dem überreichten Protokoll vom 6.September 1973 enthaltene Aussage des Zeugen Cet. werden im wesentlichen die Bekundungen der Zeugen Ko. und Wey. bestätigt. Der Zeuge erwähnt, dass beide Brüder Wallach eines Tages zur Arbeit nicht erschienen seien, und zwar einige Monate vor der Räumung des Truppenübungsplatzes. Kleinere Abweichungen zwischen diesen Angaben und der Aussagen der Zeugen Ko. und Wey., wonach die Brüder Wallach kurz vor dem Eintreffen der Roten Armee der Arbeit ferngeblieben seien, werden für unerheblich gehalten. Jedenfalls wäre auch nach einer von dem Zeugen Cet. zu erwartenden Aussage davon auszugehen, dass beide Brüder Wallach weit über die von dem Zeugen Grü. angegebene Tatzeit - den Herbst oder Spätsommer 1942 - hinaus im Pferdestall der Bauleitung beschäftigt waren.

Ebensowenig war dem Hilfsbeweisantrag der Staatsanwaltschaft vom 11.Oktober 1973 auf Vernehmung der polnischen Zeugen Rog., Gol., Dra. und Cze. stattzugeben (Band XXI Blatt 170). Keiner dieser Zeugen ist, wie die von der Staatsanwaltschaft überreichten Vernehmungsniederschriften der polnischen Bezirkskommission (Band XXI Blatt 178 ff.) erkennen lassen, in der Lage, zur Aufklärung zum angeklagten Fall der Erschiessung eines der Brüder Wallach beizutragen.

Den Angaben des Zeugen Rog. zufolge (Vernehmung vor der polnischen Bezirkskommission am 14.September 1973; Band XXI Blatt 198 ff.) soll der Angeklagte im Sommer 1944 einen Juden in einem Gemüsegarten erschossen haben. Eine Verwechslung dieses Vorfalls mit dem von dem Zeugen Grü. bekundeten Geschehen scheidet aus. Die Tötung soll sich nicht nur zu einer anderen Zeit, sondern auch an einem anderen Ort als am Pferdestall der Bauleitung, und zwar auf einem als Gemüsegarten angelegten Feld, ereignet haben.

Die Vernehmung der Zeugen Gol., Dra. und Cze. ist ebenfalls entbehrlich. Aus dem Hilfsbeweisantrag der Staatsanwaltschaft und den von dieser überreichten Vernehmungsprotokollen vom 19. und 20.September 1973 (Band XXI Blatt 204 f., 206 und 212 ff. der Akten) ergibt sich, dass die Zeugen nicht über einen der angeklagten Fälle, sondern lediglich über Geschehnisse vernommen werden sollen, die allgemeine Schlüsse über das Verhalten des Angeklagten und dessen Persönlichkeit erlauben. Hierzu sind Vernehmungen nicht mehr erforderlich, denn die bisherige umfangreiche Beweisaufnahme hat zu ausserordentlich negativen Feststellungen über das Verhalten des Angeklagten geführt (siehe oben Seite 125 ff. [209]). Den Aussagen der Zeugen Dra. und Cze. zufolge soll der Angeklagte jüdische Arbeiter brutal geschlagen haben, während der Zeuge Gol. angegeben hat, von dem Angeklagten geschlagen worden zu sein, der danach hinter den weglaufenden Zeugen hergeschossen haben soll.

Eine Vernehmung des in Kanada wohnhaften Zeugen Putter kommt ebenfalls nicht in Betracht. Dem Hilfsbeweisantrag der Staatsanwaltschaft vom 11.Oktober 1973 zufolge soll der Zeuge während seines Aufenthalts auf dem Truppenübungsplatz oft gehört haben, dass der

[208] Gemeint ist wohl: Wallach.

[209] = Seite 375 f. dieses Bandes.

Angeklagte Arbeiter mit dem Revolver erschossen habe. Konkrete Aussagen zu dem Fall der Tötung eines der Brüder Wallach sind von dem Zeugen nicht zu erwarten, zumal der Hilfsbeweisantrag erkennen lässt, dass sich die Tötungen, von denen der Zeuge gehört haben soll, auf Baustellen und nicht im Pferdestall der Bauleitung ereignet haben sollen.

Aufgrund des Gesamtergebnisses der Beweisaufnahme muss der Angeklagte von dem Vorwurf, einen der beiden Brüder Wallach getötet zu haben, freigesprochen werden.

B. Der Vorwurf der Erschiessung von vier jüdischen Arbeitern mit der Pistole
(Punkte 5, 6, 7 und 8 der Anklage)

1.) Allgemeines

Weiter war der Angeklagte von dem Vorwurf freizusprechen, auf einer Baustelle im Walde in vier Einzelfällen jüdische Arbeiter hinterrücks mit der Pistole erschossen zu haben (Punkte 5, 6, 7 und 8 der Anklage).

Trotz einer zweimaligen Vernehmung des israelischen Zeugen Ignaz Men., die in den Terminen am 8.Januar 1973 sowie am 28. und 29.August 1973 erfolgte, vermochte sich das Gericht nicht mit einer zur Verurteilung ausreichenden Sicherheit von dem allein von diesem Zeugen bekundeten Tatgeschehen zu überzeugen.

Zwar hat der Zeuge Ignaz Men. bei allen Vernehmungen über den eigentlichen Vorgang der Erschiessungen eine übereinstimmende Darstellung gegeben. In Einzelheiten waren die Bekundungen jedoch derart schwankend, widersprüchlich und in sich unsicher, dass das Gericht hierauf keine Verurteilung stützen konnte. Bei den Aussagen des Zeugen über das Tatgeschehen haben sich viele Unstimmigkeiten ergeben, so dass auch der Kernbereich der Bekundungen nicht mit einer zur Verurteilung notwendigen Gewissheit verwertet werden kann. Wegen der Länge der mehr als 30 Jahre zurückliegenden Tatzeit oder auch aus anderen Gründen war der Zeuge nicht mehr in der Lage, die Vorgänge sicher zu schildern.

2.) Das Tatgeschehen nach den Zeugenaussagen Ignaz Men.

Der Zeuge Ignaz Men. hat in den Hauptverhandlungsterminen am 8.Januar 1973 sowie am 28. und 29.August 1973 folgendes Kerngeschehen bekundet: Während seines Arbeitseinsatzes beim Baumfällen im Walde sei das Arbeitskommando von dem Angeklagten aufgesucht worden. Dieser habe wiederholt jüdische Arbeiter zum Holen von Ästen ausgesandt und diese dann hinterrücks mit jeweils einem Schuss aus der Pistole getötet.

3.) Die Einlassung des Angeklagten

Der Angeklagte hat die ihm vorgeworfenen Erschiessungen in Abrede gestellt (Hauptverhandlung am 30.November 1972), sich zu Einzelheiten jedoch nicht eingelassen.

4.) Die Beweiswürdigung

Bei der Würdigung der Aussagen des Zeugen Ignaz Men. muss berücksichtigt werden, dass dieser Zeuge bereits bei seiner ersten Vernehmung durch die Israel-Polizei, die am 15.November 1961 erfolgte und das Geschehen in dem Judenlager betraf, von sich aus den Angeklagten und die Erschiessungen bei dem Holzfällen erwähnte (Vernehmungsprotokoll in Band I Blatt 49 der Akten; vgl. auch Sonderband VII Blatt 17 bis 19 der Akten). Bei dieser und auch bei den folgenden Vernehmungen durch die Israel-Polizei vom 10.April 1963 (Band I Blatt 42 der Akten) und vom 30.Juni 1970 (Band XV Blatt 16 ff. der Akten) sowie bei der während der Voruntersuchung erfolgten richterlichen Vernehmung in Israel vom 26.Mai

1972 (Band XVIII Blatt 23 ff.) und auch in den Hauptverhandlungsterminen hat der Zeuge stets bekundet, er selbst habe die Erschiessung durch den Angeklagten beobachtet. Für die Richtigkeit der Zeugenaussage und für die Glaubwürdigkeit des Zeugen spricht weiter, dass dieser nicht nur in dem Hauptverfahren, sondern auch bei früheren Vernehmungen eine im Kerngeschehen übereinstimmende Schilderung gegeben hat, die davon ausgeht, dass der Angeklagte jüdische Arbeiter zum Herbeiholen von Ästen ausgesandt und diese dann mit der Pistole hinterrücks erschossen haben soll.

Ausserdem hat der Zeuge bei seinen Aussagen vor der Polizei, vor dem israelischen Richter während der Voruntersuchung und auch bei den beiden Vernehmungen in der Hauptverhandlung übereinstimmend angegeben, dass sich die Tötungen am Schiessstand Kochanowka ereignet haben sollen. Im übrigen weichen die einzelnen Aussagen in den Einzelheiten jedoch stark voneinander ab. Wiederholt hat der Zeuge während der Hauptverhandlung in der gleichen Vernehmung verschiedene sich widersprechende Darstellungen gegeben. Deshalb ist das Gericht nicht in der Lage, die Bekundungen des Zeugen als hinreichend zuverlässig anzusehen.

Ganz erhebliche Abweichungen, Widersprüche und bewiesene Unrichtigkeiten haben sich bei den Angaben über die Tatzeiten herausgestellt. Die Erschiessungen sollen sich, der Zeugenaussage zufolge, teilweise bereits im Sommer 1940, also zu einer Zeit ereignet haben, in der sich der Angeklagte in Frankreich oder bei einer Ersatzeinheit in Dachau befunden hat (siehe oben Seite 121 [210]). Nach seinen eigenen glaubhaften Angaben, die durch die in dem Hauptverhandlungstermin am 16.Mai 1973 erörterten Unterlagen des Berlin Document Center (im Sonderband II Blatt 17 der Akten) bestätigt werden, ist der Angeklagte erst Mitte September 1940 auf den Truppenübungsplatz Debica gelangt. Weiter hat der Zeuge bei seinen Vernehmungen schwankende und erheblich voneinander abweichende Tatzeiten angegeben. Während dieser vor der Israel-Polizei am 30.Juni 1970 die Monate August/September 1940 nannte (Protokoll im Band XV Blatt 17 der Akten), gab er während der Voruntersuchung vor dem ersuchten Richter in Israel den August 1940 als Tatzeit an (Vernehmung vom 26.Mai 1972 in Band XVIII Blatt 27 der Akten).

Bei seiner ersten Vernehmung in dem Hauptverfahren, die am 8.Januar 1973 erfolgte, hat der Zeuge Ignaz Men. unterschiedliche Tatzeiten bekundet. Zunächst ist der Winter 1940/1941 als Zeit für die Erschiessungen angegeben worden. Auf Vorhalt der früheren Aussage während der Voruntersuchung vom 26.Mai 1972 sagte der Zeuge, der erste Fall einer derartigen Tötung habe sich im Juni 1940 ereignet, während der zweite Fall einen Monat später und der dritte Fall noch etwas später gewesen sei. Bei der zweiten und dritten Erschiessung sollen jeweils zwei Juden getötet worden sein. Im Anschluss daran hat der Zeuge in der gleichen Aussage noch andere Angaben über die Tatzeit bekundet. Auf Vorhalt hin erklärte er, der zweite Fall sei zur Zeit der Laubfärbung und der erste Fall zwei bis vier Wochen zuvor und der dritte Fall einen Monat nach dem zweiten Fall geschehen.

Im Rahmen der weiteren Vernehmung in dem Hauptverhandlungstermin am 28.August 1973 hat der Zeuge Ignaz Men. dann keine genaueren Aussagen über die Zeiten der Erschiessungen gegeben, jedoch erwähnt, er sei vom Sommer 1940 bis Ende 1940 bei dem Baumfällen im Walde gewesen, während er im April/Mai 1940 auf dem Truppenübungsplatz eingetroffen sei. Zunächst habe er etwa für die Dauer eines Monats für Juden bestimmte Baracken und dann etwa 2 bis 3 Wochen lang Baracken für die SS eingeräumt. Nach einer zwei- bis dreiwöchigen Flucht sei er nochmals zwei Wochen mit dem Einräumen von SS-Baracken beschäftigt gewesen und dann Ende August 1940 für die Waldarbeiten abgestellt worden, wo er

[210] = Seite 372 dieses Bandes.

zwei oder drei Monate gearbeitet habe, und zwar äusserstenfalls bis Ende November 1940. Diesen Bekundungen zufolge könnte eine spätere in die Zeit nach der Ankunft des Angeklagten auf den Truppenübungsplatz fallende Tatzeit in Betracht kommen. Die Angaben des Zeugen über die Tatzeit waren insgesamt jedoch derart schwankend, dass das Gericht insoweit aus der Zeugenaussage keine sicheren Schlüsse zu ziehen vermag.

Erheblich voneinander abweichende Aussagen hat der Zeuge weiter über die Zahl der von ihm angeblich wahrgenommenen Erschiessungen gegeben. Vor dem Untersuchungsrichter in Israel erwähnte der Zeuge vier Todesopfer, wobei in einem Falle zwei Juden zur gleichen Zeit erschossen worden seien. Während der Vernehmung in dem Hauptverhandlungstermin am 8.Januar 1973 ging der Zeuge dagegen von fünf Erschossenen aus, wobei im ersten Falle eine Person und im zweiten und dritten Falle je 2 Personen getötet worden seien. Bei der weiteren Vernehmung am 28. und 29.August 1973 sprach der Zeuge dagegen von drei, vier oder fünf Fällen von Tötungen, wobei in zwei Fällen jeweils zwei Menschen in einem zeitlichen Zwischenraum von 5, 10 oder 20 Minuten erschossen worden seien.

Schwankende Aussagen ergaben sich weiter bei den Angaben des Zeugen über die Entfernungen zwischen dem Angeklagten und dem Tatopfer. Bei der Vernehmung in dem Termin am 8.Januar 1973 erklärte der Zeuge zunächst, der Angeklagte habe mit der Pistole aus einem Abstand von 30 bis 40 Metern von hinten auf den sich fortbewegenden Juden geschossen. Auf Vorhalt sagte der Zeuge sodann, es seien vielleicht nur 20 Meter gewesen. Dann erfolgte in der gleichen Aussage eine Entfernungsangabe von 20 bis 30 Metern und schliesslich - für einen Fall - eine solche von 10 Metern. - Der späteren Vernehmung vom 29.August 1973 zufolge soll der Abstand zwischen dem Pistolenschützen, dem Angeklagten, und dem sich fortbewegenden Opfer 10, 20 oder 30 Meter und dann schliesslich 15 bis 20 Meter betragen haben.

Ungenau waren weiter die Angaben des Zeugen über seine eigene Entfernung zum Tatort. Während der Vernehmung am 8.Januar 1973 gab der Zeuge zuerst 100 bis 200 Meter, dann ca. 100 Meter, später hinsichtlich eines Falles 60 bis 70 Meter und für einen weiteren Fall 80 bis 90 Meter an. - Völlig anders waren die Entfernungsangaben bei der zweiten Vernehmung am 28.August 1973. Demnach will der Zeuge nur 20 bis 30 Meter entfernt gewesen sein. Bei der Fortsetzung der Vernehmung am 29.August 1973 gab er schliesslich einen Abstand von 50 oder 60 Meter an.

Die Unsicherheit des Zeugen zeigte sich insbesondere auch in der Wiedergabe seiner Wahrnehmungen. Bei den Vernehmungen durch die Israel-Polizei und durch den Richter während der Voruntersuchung bekundete der Zeuge, er habe selbst gesehen, wie der Angeklagte die Pistole gezogen und den Opfern in den Hinterkopf geschossen habe (Niederschriften über die Vernehmungen am 30.Juni 1970 und am 26.Mai 1972; Band XV Blatt 16 ff. und Band XVIII Blatt 23 der Akten). In dem Hauptverhandlungstermin am 8.Januar 1973 sagte der Zeuge dagegen aus, er habe die Schüsse gehört und den Angeklagten mit der Pistole in die Hand in Anschlag gesehen. Seine früheren Angaben, dass der Angeklagte die Pistole aus dem Halfter zog und den Opfern in den Hinterkopf schoss, seien blosse Vermutungen gewesen. Eine davon abweichende Darstellung gab der Zeuge bei seiner erneuten Vernehmung am 28.August 1973. Nunmehr erklärte er, selbst gesehen zu haben, dass der Angeklagte geschossen habe.

Das nicht geringe Mass der Abweichungen in den Aussagen des Zeugen Ignaz Men. zeigte sich auch in folgendem: Bei seiner Vernehmung am 29.August 1973 war von Einschüssen im Kopf oder im Rücken die Rede. Auf Vorhalt räumte der Zeuge dann ein, es könne sich auch um Genickschüsse gehandelt haben. Dieses Verhalten erlaubt den Schluss, dass der Zeuge möglicherweise nicht klar zwischen Schlussfolgerungen und eigenen Wahrnehmungen unterscheidet.

Zweifel an dem Beweiswert der Bekundungen ergeben sich auch deshalb, weil der Zeuge bei seiner Vernehmung am 8.Januar 1973 erklärte, bisher - also bis zu der Vernehmung an diesem Tage - den Angeklagten als Polen angesehen zu haben. Zwar habe er nicht gehört, dass dieser polnisch sprach. Wegen des Namens habe er jedoch angenommen, der Angeklagte sei ein Pole. Auf diese Weise sei er zu seiner bisherigen Aussage gelangt, dass der Angeklagte polnisch sprechen konnte. Die Art dieser Schlussfolgerung lässt erkennen, in welchem Masse die Bekundungen des Zeugen unsicher sind.

Die gegen die Zeugenaussage Ignaz Men. bestehenden Bedenken beruhen nicht nur auf der Unsicherheit und den schwankenden Angaben des Zeugen. Darüber hinaus gibt auch der Inhalt der Bekundungen zu erheblichen Zweifeln Anlass.

Dass der Angeklagte aus den von dem Zeugen angegebenen für Pistolenschützen nicht unbeträchtlichen Entfernungen (siehe oben Seite 272 f. [211]) jeweils durch einen Schuss aus der Pistole das sich fortbewegende Opfer in jedem Falle sofort tötete, ist wegen der auch für einen sicheren Schützen erheblichen Schwierigkeit, auf diese Entfernung ein sich bewegendes Ziel zu treffen, wenig wahrscheinlich. Ebenso ist es kaum möglich, dass der Zeuge aus den von ihm angegebenen Entfernungen (siehe oben Seite 273 [212]) den Inhalt eines von dem Angeklagten an den jeweiligen jüdischen Arbeiter erteilten Befehls, Äste zu holen, vernehmen konnte, und zwar selbst dann nicht, wenn der Angeklagte, wie von dem Zeugen auf Vorhalt hin bekundet, im lauten Befehlston sprach (Aussage vom 8.Januar 1973).

Auch im Zusammenhang mit dem Gesamtergebnis der Beweisaufnahme ist das Gericht nicht in der Lage, den Aussagen des Zeugen Ignaz Men. zu folgen. Keiner der zahlreichen vernommenen Zeugen vermochte die Tatschilderungen zu bestätigen.

Zwar haben der israelische Zeuge Bla. und der polnische Zeuge Pie. übereinstimmend Fälle bekundet, in denen am Schiessstand Kochanowka jüdische Arbeiter weggeschickt und dann hinterrücks erschossen sein sollen (Aussagen vom 3.Januar und 10.September 1973). Hierbei soll es sich aber nicht um eigenhändige Tötungen durch den Angeklagten, sondern um Erschiessungen durch Posten gehandelt haben, bei denen der Angeklagte zugegen gewesen sein und zuvor jeweils mit dem Posten gesprochen haben soll. Derartige Erschiessungen durch Wachposten, die in Gegenwart des Angeklagten stattgefunden haben sollen, will auch der polnische Zeuge Stanislaw Mar. beobachtet haben (Vernehmung durch den ersuchten Richter in Polen am 21.September 1973). Diese Zeugenaussagen sind wegen der andersartigen Begehungsform nicht geeignet, die Bekundungen des Zeugen Ignaz Men. zu stützen.

Nur durch die Aussagen des israelischen Zeugen Spi. sind die Bekundungen des Zeugen Ignaz Men. in einem gewissen Masse bestätigt worden (Vernehmung in dem Hauptverhandlungstermin am 12.Januar 1973 im Zusammenhang mit der vorgehaltenen früheren Aussage vor der Israel-Polizei vom 8.Januar 1971 Band XV Blatt 140/141 der Akten). Demnach will der Zeuge gesehen haben, dass der Angeklagte einen Juden mit Peitschenschlägen vor sich her trieb. Anschliessend habe er aus dem Wald dann einen Schuss gehört. Dieses Geschehen weist mit den von dem Zeugen Ignaz Men. bekundeten Fällen, in denen der Angeklagte das Opfer weggeschickt und nicht vor sich hergetrieben haben soll, eine gewisse Ähnlichkeit auf. Bedeutsam ist die Aussage des Zeugen Spi. insoweit, als dieser in dem Judenlager von dem Zeugen Ignaz Men. gehört haben will, dass der Angeklagte persönlich einen Juden erschossen habe. Durch diese Bekundung wird zwar die Aussage des Zeugen Ignaz Men. bekräftigt. Unter Berücksichtigung der zahlreichen schwerwiegenden Zweifel, Widersprüche und Un-

[211] = Seite 444 dieses Bandes.

[212] = Seite 444 dieses Bandes.

klarheiten, die sich bei den Aussagen des Zeugen Ignaz Men. ergeben haben, lässt sich jedoch auch in Verbindung mit den Bekundungen des Zeugen Spi. aus den Zeugenaussagen Men. keine Verurteilung herleiten. Es bestehen vielmehr ganz erhebliche Zweifel, die zu einem Freispruch des Angeklagten führen müssen.

C. Der Vorwurf, den jüdischen Arbeiter Mosche Zieser durch Fusstritte getötet zu haben (Punkt 1 der Anklage)

1.) Allgemeines

Ebenso musste der Angeklagte von dem Vorwurf der Tötung des jüdischen Arbeiters Mosche Zieser, dem der Angeklagte Fusstritte versetzt haben soll, freigesprochen werden (Punkt 1 der Anklage).

Wegen der Widersprüche, die sich bei den Bekundungen des Zeugen Eig. ergeben haben, reicht diese Aussage als Ganzes für eine hinreichend sichere Tatsachenfeststellung nicht aus. Ausserdem fehlt eine zuverlässige Aussage, dass der jüdische Arbeiter Mosche Zieser kurz nach den bekundeten Misshandlungen verstorben ist. Der Zeuge Eig. will nur von dritter Seite von dem Ableben des Genannten erfahren haben. Weiter lässt sich nicht klären, ob zwischen einem etwaigen Tod von Mosche Zieser und dem bekundeten Verhalten des Angeklagten ein Ursachenzusammenhang besteht.

Selbst wenn das Gericht von dem von dem Zeugen Eig. bekundeten Sachverhalt ausgehen würde, wäre dem Angeklagten aufgrund der Zeugenaussage ein auf eine Tötung gerichteter Vorsatz nicht nachzuweisen. Die Möglichkeit, dass der Angeklagte nur mit Körperverletzungsvorsatz handelte, würde sich nicht ausschliessen lassen.

2.) Die Tatschilderung nach der Zeugenaussage Eig.

In dem Hauptverhandlungstermin am 11.Januar 1973 hat der Zeuge Eig. folgende Tatschilderung gegeben:

Während seines Aufenthalts auf dem Truppenübungsplatz Debica habe er, der Zeuge, zusammen mit einem 15 bis 16 Jahre alten Juden namens Mosche Zieser vormittags von einem Eisenbahnwaggon Koks abladen müssen. Das sei zu einer ihm nicht mehr bekannten Zeit und Jahreszeit an einem Gleisenanschluss im Kommandanturbereich in der Nähe des dortigen Pferdestalls gewesen. Zusammen mit Mosche Zieser sei er auf einem 4-türigen Waggon mit jeweils 2 Türen an einer Seite gewesen, um von dort aus den Koks herabzuschaufeln. Die beiden nebeneinander befindlichen Türen einer Wagenseite seien geöffnet gewesen. Er, der Zeuge, habe mit einer Schaufel und Zieser mit einer Gabel gearbeitet.

Neben dem Waggon sei schon ein Koksberg gewesen, als der Angeklagte erschienen sei. Dieser habe zuerst ihn, den Zeugen, und dann Zieser geschlagen. Dieser sei von dem Waggon aus auf den Koksberg gefallen und der Angeklagte sei ihm nachgestiegen. Dem auf dem Boden Liegenden habe der Angeklagte mehrfach Tritte mit dem Stiefelabsatz auf den Kopf versetzt. Von oben nach unten habe er in einem Winkel von etwa 45 Grad getreten. Danach habe sich der Angeklagte entfernt. Rufe des Zeugen habe der Misshandelte nicht beantwortet. Aus Angst vor dem Angeklagten habe er, der Zeuge, weitergearbeitet und sei erst zur Mittagspause zu Mosche Zieser gelangt. Diesen habe er angefasst, um ihn zum Essen mitzunehmen. Hierbei sei der Kopf des Verletzten bewegt worden und seitlich abgerutscht. Unterhalb der Nase des Verletzten seien Blutflecken sichtbar gewesen. Den Misshandelten habe er zum Mittagessen nicht mitgenommen.

Am Abend des gleichen Tages habe ihm ein jüdischer Lagerinsasse, der "Mosche, der Hüttelmacher" gerufen wurde, gesagt, dass Mosche Zieser von ihm in die Totenkammer gebracht worden sei.

3.) Die Einlassung des Angeklagten

Das ihm vorgeworfene Verhalten hat der Angeklagte, ohne sich näher einzulassen, in Abrede gestellt (Hauptverhandlung am 30.November 1972).

4.) Die Beweiswürdigung

a) Das äussere Tatgeschehen

Den von dem Zeugen Eig. bekundeten Vorgang vermag das Gericht mit einer zur Verurteilung erforderlichen Sicherheit nicht festzustellen, da die Aussage des Zeugen wegen aufgetretener erheblicher Widersprüche und Unstimmigkeiten als Ganzes nicht als ausreichend erachtet wird.

Zwar entbehren die Zeugenaussagen unter Berücksichtigung der festgestellten brutalen Verhaltensweise des Angeklagten (s.o. Seite 129 ff. [213]) nicht der inneren Wahrscheinlichkeit. Obwohl der Zeuge selbst von dem Angeklagten geschlagen worden ist, war jener um eine objektive Darstellung bemüht. Dass der Zeuge mit seiner Aussage selbst erlittenes Unrecht rächen wollte, ist auszuschliessen. Bei der Eidesleistung erklärte der Zeuge Eig. folgendes: "Ich habe kein Interesse an Proschinsky. Es ist alles von Gott geschehen". Das Gericht ist weiter der Überzeugung, dass der Zeuge den Angeklagten gekannt und in der Hauptverhandlung in zuverlässiger Weise wiedererkannt hat. Den Aussagen des Zeugen Eig. kommt auch deshalb ein hoher Wahrscheinlichkeitsgrad zu, weil dieser das Tatopfer bereits von seinem Heimatort her, der südpolnischen Kleinstadt Dombrowa, kannte. Deshalb ist es naheliegend, dass sich das Geschehen bei dem Zeugen in einem besonderen Masse eingeprägt hat.

Für die Richtigkeit der Bekundungen des Zeugen Eig. spricht weiter, dass diese teilweise durch andere Zeugenaussagen bestätigt worden sind.

Übereinstimmend haben die jüdischen Zeugen Bla., Kau. und Dov Sch. bekundet, dass es an dem von dem Zeugen Eig. in der Hauptverhandlung als Tatort angegebenen Kommandanturbereich einen Gleisanschluss gegeben hat und dort Kohlen abgeladen worden sind (Vernehmungen in den Hauptverhandlungsterminen am 3., 19. und 9.Januar 1973). Bedeutsam ist weiter die Aussage des jüdischen Zeugen Schi. (Vernehmung am 9.Januar 1973). Dieser Zeuge will während seines Aufenthalts auf dem Truppenübungsplatz von einem Bekannten vom Tode eines Mosche Zieser gehört haben. Allerdings konnte sich der Zeuge über Einzelheiten nicht erklären.

Einen Hinweis auf eine Täterschaft des Angeklagten gibt die Aussage des israelischen Zeugen Spi. (vom 12.Januar 1973). Demnach sei unter den jüdischen Arbeitern von einem Kohlenkommando gesprochen worden, bei dem der Angeklagte gewesen sein soll. In diesem Zusammenhang habe man erzählt, dass dort ein Mann totgeschlagen worden sei oder sich etwas ähnliches ereignet habe.

Die Bekundungen des Zeugen Eig. werden weiter durch den polnischen Zeugen Stanislaw Mar. bekräftigt (Vernehmung durch den ersuchten Richter in Polen am 21.September 1973).

[213] = Seite 376 ff. dieses Bandes.

Dieser Zeuge hat, seinen Bekundungen zufolge, gehört, dass der Angeklagte einen Polen geschlagen habe und als dieser auf den Boden gefallen sei, diesen durch einen Tritt mit dem Stiefelabsatz gegen den Kopf getötet habe. Zwar muss es sich bei diesem von dem Zeugen gehörten Geschehen um einen anderen Vorfall gehandelt haben, da das Opfer kein Jude, sondern ein aus der Ortschaft Wola Ocieka stammender polnischer Arbeiter gewesen sein soll. Diese Bekundung vom Hörensagen hat jedoch eine Handlung zum Gegenstand, die der von dem Zeugen Eig. geschilderten sehr ähnlich ist, so dass der Wert dieser Zeugenaussage durch den Zeugen Stanislaw Mar. erhöht wird.

Trotz dieser für die Bekundungen des Zeugen Eig. sprechenden Gesichtspunkte, vermochte das Gericht nicht mit letzter Sicherheit einen zur Verurteilung ausreichenden Sachverhalt festzustellen. Zwischen den Aussagen des Zeugen in der Hauptverhandlung am 11.Januar 1973 und früheren Bekundungen bestehen nicht unerhebliche Widersprüche, die trotz entsprechender Vorhalte bei der Vernehmung und auch durch die am 2.April 1973 erfolgte Vernehmung des israelischen Polizeibeamten Dew. nicht geklärt werden konnten. Bei dieser Sachlage ist die Möglichkeit nicht auszuschliessen, dass sich der Zeuge - trotz seines in der Hauptverhandlung erkennbaren Bemühens um eine wahrheitsgemässe und vollständige Darstellung - nicht mehr mit ausreichender Sicherheit an das Geschehen erinnert.

Aufgetretene Widersprüche betreffen insbesondere den Ort des Geschehens und die Zahl der am Tatort anwesenden jüdischen Arbeiter. Über diese Punkte hat der Zeuge vor dem Schwurgericht eine andere Darstellung als bei seiner Vernehmung durch die Israel-Polizei vom 4.Januar 1971 gegeben (vgl. Protokoll der polizeilichen Vernehmung in Band XV Blatt 114 ff. d.A.). Während der Zeuge bei seiner polizeilichen Aussage erklärte, in Gegenwart von drei weiteren Arbeitskräften, insgesamt also von 4 Personen, habe er in der Nähe der Bahnstation Kochanowka Koks abladen müssen, sagte er in dem Hauptverhandlungstermin am 11.Januar 1973 aus, der Vorfall habe sich nur in Anwesenheit des Opfers und in seiner Gegenwart ereignet, und zwar im Kommandanturbereich in der Nähe des Pferdestalles und des Kesselhauses. Die auf Vorhalt hin von dem Zeugen Eig. gegebene Darstellung, vor der Israel-Polizei sei insoweit eine falsche Protokollierung erfolgt, ist durch die Vernehmung des Zeugen Dew. nicht bestätigt worden.

Der israelische Polizeibeamte Dew., der am 4.Januar 1971 den Zeugen Eig. vernommen hat, konnte sich in der Hauptverhandlung am 2.April 1973 an Einzelheiten der damaligen Vernehmung, z.B. an das Verhalten des Zeugen Eig. bei dem Betrachten der ihm vorgelegten Fotografien, noch gut erinnern. Der Zeuge Dew. erklärte, er meine, damals den Zeugen Eig. richtig verstanden zu haben. Auf jeden Fall sei von ihm die Aussage des Zeugen Eig. richtig protokolliert worden. Wenn in der Niederschrift vier mit dem Koksabladen beschäftigte Personen erwähnt seien, dann habe das der Zeuge Eig. auch so gesagt. Bei der Vernehmung sei auch eindeutig von einem Tatort an der Bahnstation Kochanowka die Rede gewesen. Ein Missverständnis sei nicht möglich.

Weitere Bedenken hängen damit zusammen, dass der Zeuge Eig. die Vorgänge nach dem Tatgeschehen unterschiedlich dargestellt hat. Zwar ist eine den Aussagen vor dem Schwurgericht sehr ähnliche Schilderung bei der polizeilichen Vernehmung am 4.Januar 1971 erfolgt (Protokoll in Band XV Blatt 114 ff. d.A.). Demnach soll sich Mosche Zieser nach der Tat nicht mehr bewegt und nach etwa 1 Stunde, als der Zeuge Eig. zum Essen ging, noch auf dem Koksberg gelegen haben. Da sich der Misshandelte an Ort und Stelle nicht mehr bewegt habe, will der Zeuge angenommen haben, dass dieser schon verstorben gewesen sei. Erst am Abend des gleichen Tages will dann der Zeuge von einem anderen jüdischen Lagerinsassen, der "Mosche, der Hüttelmacher" genannt worden sei, von dem Tod des Mosche Zieser erfahren haben. - Eine andere Darstellung hat der Zeuge Eig. jedoch bei seiner Vernehmung durch den ersuchten Richter in Israel, die am 25.Mai 1972 während der Voruntersuchung erfolgte, gegeben (Protokoll in Band XVIII Blatt 19 d.A.). Der Zeuge will an Ort und Stelle gesehen haben, dass Mosche Zieser tot war. - Demnach ist die Möglichkeit nicht auszuschliessen, dass der Zeuge Eig. bei seiner richterlichen Vernehmung eine an sich naheliegende Schlussfolgerung, dass das Opfer verstorben war, als eigene Wahrnehmung angegeben hat.

b) Der subjektive Tatbestand

Selbst wenn das Gericht den von dem Zeugen Eig. geschilderten äusseren Sachverhalt feststellen würde, wäre es mit einer für eine Verurteilung notwendigen Sicherheit nicht möglich, dem Angeklagten einen Tötungsvorsatz nachzuweisen. Zwar wäre bei dem geschilderten äusseren Tatvorgang die Möglichkeit, dass der Angeklagte sein Opfer durch die Fusstritte töten wollte, keineswegs auszuschliessen. Tritte mit einem beschuhten Fuss auf den Kopf - der Angeklagte trug nach der Zeugenaussage Stiefel - können zu einer Tötung führen. Nicht mit letzter Sicherheit wäre jedoch die Frage zu klären, ob der Angeklagte die Möglichkeit, das Opfer zu töten, in seine Vorstellung aufgenommen und gebilligt hat.

Nach dem bekundeten äusseren Tatgeschehen ist es nicht auszuschliessen, dass der Angeklagte in Zorn und in Erregung handelte und deshalb an eine eventuelle Tötung des durch die Fusstritte Misshandelten nicht gedacht hat. Die Beweisaufnahme hat nicht ergeben, dass der Angeklagte, der ein brutaler Schläger war, bereits vor dieser Handlung auf die gleiche oder ähnliche Weise Menschen getötet hat und er aus diesem Grunde mit einer Tötung rechnen musste. Auch dass der Angeklagte zuerst den Zeugen und danach Mosche Zieser geschlagen und danach erst diesen getreten haben soll, deutet mehr auf einen Körperverletzungsvorsatz als auf eine beabsichtigte Tötung hin. Die sich daraus ergebenden Zweifel über die Willensrichtung lassen sich durch die Aussage des Zeugen nicht ausräumen.

Etwaige Äusserungen des Angeklagten, die während der Misshandlungen oder danach erfolgt sein könnten und eventuelle Schlüsse auf eine Tötungsabsicht erlauben würden, sind von dem Zeugen Eig. nicht bekundet worden. Derartige Redewendungen, wie etwa "Verrecke!", "Stirb!", "Lebst Du immer noch?", "Noch nicht tot?" oder ähnliche Äusserungen, konnten nicht bezeugt werden.

Auch aus anderen Gründen kann eine Verurteilung nicht erfolgen. Die Zeugenaussage Eig. erlaubt keine Hinweise auf die Tatzeit. Nur im Zusammenhang mit den allgemeinen Feststellungen über die sogenannte Aussiedlung des Judenlagers (s.o. Seite 36 ff. [214]) ergibt sich der Schluss, dass die bekundete Tat nicht nach dem Spätsommer oder Frühherbst 1942 stattgefunden haben kann. Nach dieser Aktion waren Juden nicht mehr zum Abladen von Koks und zu ähnlichen Arbeiten, sondern nur noch zum Aufbau des Industriehofs und dort zu Handwerkerarbeiten eingesetzt (vgl. oben Seite 68 ff. [215]). Die Möglichkeit, dass sich der Vorfall vor dem Inkrafttreten des Gesetzes vom 4.September 1941 ereignet haben und hierbei eine als Totschlag zu wertende und damit verjährte Affekthandlung vorliegen könnte, lässt sich zugunsten des Angeklagten jedenfalls nicht ausschliessen.

Die von dem Zeugen bekundete Verhaltensweise würde einem Handeln im Affekt nicht entgegenstehen. Das bekundete mehrfache Treten mit dem Fuss - ein besonders brutales Verhalten - schliesst die Annahme einer Affekthandlung nicht aus, so dass eine mit Überlegung im Sinne des früheren Mordtatbestandes ausgeführte Tötung dem Angeklagten zumindest nicht nachzuweisen wäre.

[214] = Seite 334 f. dieses Bandes.

[215] = Seite 348 f. dieses Bandes.

Die durch den Zeugen Eig. abgegebene Schilderung des gesamten Geschehens würde in einem stärkeren Masse für ein Handeln im Affekt und weniger für einen mit Überlegung ausgeführten Tötungsversuch sprechen. Nach der Darstellung des Zeugen soll der Angeklagte zuerst ihn und danach Mosche Zieser geschlagen und erst im Anschluss daran diesen getreten haben. Zwar wäre zwischen dem Sturz des Misshandelten und dem Versetzen der Fusstritte eine Zwischenzeit gewesen, in der der Angeklagte dem vom Waggon gestürzten Mosche Zieser gefolgt sein soll. Während dieser Zeit hätte der Angeklagte Gelegenheit gehabt, abwägend die Situation zu überdenken. Ob er hierzu jedoch noch in der Lage gewesen wäre, unterliegt aufgrund der Zeugenaussage erheblichen Zweifeln. Die Möglichkeit, dass der Angeklagte sich durch die vorangegangenen Schläge bereits in einem affektgesteuerten Zustand des Zorns befunden hätte, der ein vernünftiges abwägendes Überlegen unmöglich machte, wäre zugunsten des Angeklagten zumindest nicht auszuschliessen.

5.) Die Hilfsbeweisanträge der Staatsanwaltschaft

Die aufgetretenen Zweifel und Widersprüche, die zu dem Freispruch des Angeklagten führten, können durch die Vernehmung weiterer Zeugen nicht geklärt werden, so dass dem Hilfsbeweisantrag der Staatsanwaltschaft vom 11.Oktober 1973 (Band XXI Blatt 169 ff. d.A.) nicht zu folgen ist.

Zwar sollen die polnischen Zeugen Sur. und Z. bekunden, dass der Angeklagte im Jahre 1941 einen Juden aus Ropczyce zunächst niedergeschlagen und diesen dann mit dem Stiefelabsatz derart verletzt habe, dass der Tod eingetreten sei. Dem Antrag der Staatsanwaltschaft und den Protokollen der polnischen Bezirkskommission zur Untersuchung von Hitlerverbrechen in Rzeszow vom 14. und 19.September 1973 ist jedoch zu entnehmen, dass die polnischen Zeugen nicht das von dem Zeugen Eig. bekundete Geschehen, sondern einen anderen Vorgang wahrgenommen haben müssen. Die Zeugen Sur. und Z. geben einen völlig anderen Tatort als der Zeuge Eig. an. Während dieser die bekundete Handlung mit dem Abladen von Koks an einem Gleisanschluss im Kommandanturbereich in Verbindung bringt, soll sich die von den polnischen Zeugen Sur. und Z. erwähnte Tötung bei den Arbeiten am Schiessstand Kochanowka ereignet haben. Weiter lässt die voneinander abweichende Beschreibung der Tatopfer erkennen, dass es sich um zwei verschiedene Vorgänge handelt. Nach den Aussagen des Zeugen Eig. soll ein aus der polnischen Kleinstadt Dombrowa, dem Heimatort des Zeugen, stammender 15 bis 16 Jahre alter Jude namens Mosche Zieser misshandelt worden sein. Die beiden polnischen Zeugen geben dagegen einen Juden als Tatopfer an, der in dem Dorf Ropczyce gewohnt haben soll.

Eine Vernehmung von Zeugen, die nicht das Gegenstand der Anklage bildende Geschehen betrifft, wird für entbehrlich angesehen. Trotz der grossen Ähnlichkeit, die zwischen dem angeklagten und dem von den Zeugen Sur. und Z. geschilderten Fall besteht, ist von einer Vernehmung dieser Zeugen keine Aufklärung zu erwarten. Dass sich der Angeklagte bei einer anderen Gelegenheit ähnlich verhalten und dem Opfer zunächst Schläge und dann Fusstritte versetzt hat, würde zwar zu einer gewissen Bekräftigung der Aussagen des Zeugen Eig. führen. Wegen der aufgetretenen Zweifel und Widersprüche wären die Aussagen über ein anderes Geschehen jedoch nicht geeignet, die gerichtliche Überzeugungsbildung im Sinne einer der Zeugenaussage Eig. folgenden Tatsachenfeststellung zu beeinflussen.

Aus einer Vernehmung der Zeugen Sur. und Z. würden sich auch keine Schlüsse auf ein vorsätzliches Handeln des Angeklagten in dem Mosche Zieser betreffenden Fall herleiten lassen. Falls es sich bei dem Vorgang am Schiessstand Kochanowka zeitlich um den früheren und bei dem von dem Zeugen Eig. bekundeten Fall um den zeitlich späteren handeln würde, wäre es nach einer auf diese Weise bereits verübten Tötung allerdings naheliegend, in dem angeklagten Falle einen Tötungsvorsatz zu bejahen. Feststellungen über die zeitliche Reihenfolge der beiden Vorgänge sind jedoch nicht möglich. Der Zeuge Eig. konnte sich über die

Tatzeit auch nicht annähernd äussern, während die polnischen Zeugen Sur. und Z. nur sehr unbestimmt das Jahr 1941 angegeben haben.

Eine Vernehmung der beiden Zeugen ist auch deshalb nicht erforderlich, weil sich zugunsten des Angeklagten die Möglichkeit einer Affekthandlung nicht ausschliessen lässt (s.o. Seite 284 f. [216]) und auch aus diesem Grunde eine Verurteilung nicht in Betracht kommt.

Nicht stattzugeben ist dem Hilfsbeweisantrag der Staatsanwaltschaft vom 11.Oktober 1973 auch insoweit, als dieser die Ladung der polnischen Zeugen Rog., Gol., Dra. und Cze. sowie des kanadischen Zeugen Putter betrifft (Band XXI Blatt 170 d.A.). Aus dem Antrag sowie aus den von der Staatsanwaltschaft überreichten Vernehmungsprotokollen ist nicht zu ersehen, dass diese Zeugen in der Lage sind, etwas über den angeklagten Fall der Tötung des jüdischen Arbeiters Mosche Zieser auszusagen. Wegen der von diesen Zeugen zu erwartenden Bekundungen wird auf die obigen Ausführungen zu dem Vorwurf der Tötung des Pferdepflegers Wallach Bezug genommen (s.o. Seite 265 f. [217]). Demnach will der Zeuge Rog. in einem Gemüsegarten eine durch den Angeklagten vorgenommene Erschiessung beobachtet haben, während der Zeuge Putter von Erschiessungen durch den Angeklagten gehört haben will. Im übrigen sind die Zeugen nur dafür benannt, dass sich der Angeklagte brutal verhalten hat. Insoweit werden wegen der getroffenen entsprechenden Feststellungen (s.o. Seite 129 ff. [218]) weitere Beweiserhebungen nicht für notwendig erachtet.

D. Der Vorwurf, die jüdischen Arbeiter Mosche Gross, Mendel Bircz und Mendel Wang durch Peitschenschläge getötet zu haben
(Punkte 2, 3 und 4 der Anklage)

1.) Allgemeines

Von dem Vorwurf, die jüdischen Arbeiter Mosche Gross, Mendel Bircz und Mendel Wang durch Peitschenschläge getötet zu haben, war der Angeklagte ebenfalls freizusprechen. Insoweit scheidet auch eine Verurteilung wegen versuchten Mordes aus.

Die Bekundungen des Zeugen Dri. in dem Hauptverhandlungstermin am 4.Januar 1973 sind für eine sichere Feststellung des Tatgeschehens nicht ausreichend. Wegen der Angaben des Zeugen über die Tatzeit, die nicht zutreffend sein können, lässt sich die Möglichkeit weitergehender Irrtümer des Zeugen nicht mit hinreichender Sicherheit ausschliessen. Von diesen Zweifeln an dem äusseren Tatgeschehen abgesehen, ist dem Angeklagten aufgrund der Zeugenaussage Dri. ein auf eine Tötung gerichteter Vorsatz nicht nachzuweisen. Die Möglichkeit, dass der Angeklagte die Opfer misshandeln und nicht töten wollte, lässt sich nach der von dem Zeugen gegebenen Schilderung des Geschehens nicht ausräumen.

2.) Die Tatschilderungen des Zeugen Dri.

In dem Hauptverhandlungstermin am 4.Januar 1973 hat der Zeuge Dri. folgenden Sachverhalt bekundet:

Ende Juli 1940 sei er, der Zeuge, von seiner Heimatstadt Ranizow aus auf den Truppenübungsplatz verschleppt worden. Bereits am nächsten Tage habe er in dem Arbeitskommando arbeiten müssen, das den Wald für die Unterkunftsringe rodete. Äusserstenfalls sei er dort 3

[216] = Seite 449 f. dieses Bandes.

[217] = Seite 441 dieses Bandes.

[218] = Seite 376 ff. dieses Bandes.

Wochen eingesetzt gewesen. Anschliessend habe er verschiedene Arbeiten bei den Firmen AEG und Krause und bei der Kantinenverwaltung ausgeführt.

Als Chef des Waldkommandos habe der Angeklagte, ein Untersturmführer, häufig die Arbeitsstelle aufgesucht. Mit einer ziemlich starken Peitsche, die keine normale Reitpeitsche gewesen sei, habe dieser häufiger Arbeiter geschlagen. Am Ende sei die Peitsche etwas stärker gewesen. Wahrscheinlich habe sich dort ein Gegenstand aus Metall oder etwas ähnliches befunden. Er selbst, der Zeuge, sei während der Arbeit von dem Angeklagten geschlagen worden.

An einem Tage habe der Angeklagte den etwa 20-jährigen jüdischen Arbeiter Mosche Gross, den er, der Zeuge, von seiner Heimatstadt Ranizow her gut gekannt habe, wiederholt geschlagen. Am Nachmittag habe eine Gruppe von etwa 30 Arbeitern einen Baumstamm schleppen müssen. Der Angeklagte habe hierbei mehrere jüdische Arbeiter mit der Peitsche auf den Hinterkopf geschlagen. Mendel Gross sei wegen der Schläge, deren Zahl nicht bekannt sei, zusammengebrochen. Mit anderen jüdischen Arbeitern habe er, der Zeuge, den verletzten Mosche Gross zur Seite gelegt. Dieser habe derart geblutet, dass der Kopf sich rot färbte. Etwa 1 Stunde später, bei Beendigung der Arbeit, sei Mosche Gross tot gewesen und in das Krankenrevier getragen worden. Zwei oder drei Tage später habe der Angeklagte mit der Peitsche die jüdischen Arbeiter Mendel Bircz und Mendel Wang auf den Hinterkopf geschlagen. Das sei bei dem Herausziehen eines Baumes geschehen, auf dem andere gefällte Bäume lagen. Bei dieser Gelegenheit seien auch noch andere jüdische Arbeiter misshandelt worden. Mendel Bircz und Mendel Wang seien nach dem Ende der Arbeitszeit lebend in das Krankenrevier für Juden gebracht worden. Die beiden Verletzten habe er, der Zeuge, nie wiedergesehen und über deren Schicksal nie wieder etwas gehört.

3.) Die Einlassung des Angeklagten

Der Angeklagte hat zwar allgemein eingeräumt, auf Baustellen jüdische Arbeiter mit einer Peitsche geschlagen zu haben (Erklärungen in den Hauptverhandlungsterminen am 30.November 1972 sowie am 27.August und 10.September 1973). Er bestreitet jedoch das von dem Zeugen Dri. bekundete Verhalten und stellt insbesondere die Tötung von Mosche Gross sowie einen Tötungsvorsatz in Abrede. Ausserdem erwähnt der Angeklagte die Möglichkeit einer Verwechslung mit dem Vorarbeiter Rowinski, der, wie auch von dem Zeugen Dri. bekundet, in dem Waldkommando tätig war (Erklärung in dem Hauptverhandlungstermin am 4.Januar 1973).

4.) Die Beweiswürdigung

a) Das äussere Tatgeschehen

Die von dem Zeugen Dri. bekundeten Vorgänge lassen sich mit einer zur Verurteilung erforderlichen Sicherheit nicht feststellen. Obwohl nach dem auf den Aussagen zahlreicher Zeugen und der Einlassung des Angeklagten beruhenden Ergebnis der Beweisaufnahme bewiesen ist, dass der Angeklagte allgemein in einer von dem Zeugen geschilderten Weise jüdische Arbeiter misshandelt hat (s.o. Seite 129 ff. [219]), bestehen gegen die Aussagen des Zeugen Dri. Bedenken, die einer Verurteilung entgegenstehen.

Die Bekundungen des Zeugen Dri. über die Zeit der Taten, die sich im August 1940 ereignet haben sollen, sind nicht zutreffend. Nach seinen eigenen glaubhaften Angaben, die durch die

[219] = Seite 376 ff. dieses Bandes.

in dem Hauptverhandlungstermin am 16.Mai 1973 erörterten Unterlagen des Berlin Document Center (in Sonderband II Blatt 17 d.A.) bestätigt werden, ist der Angeklagte jedoch erst Mitte September 1940 auf den Truppenübungsplatz gelangt (vgl. auch oben Seite 121 [220]). Auch auf Vorhalt hin, der Angeklagte sei zu der angeblichen Tatzeit noch in Frankreich gewesen, ist der Zeuge bei seiner Aussage geblieben. Einen Irrtum über die Tatzeit schloss er aus.

Das Gericht hält es zwar für möglich, dass sich der Zeuge lediglich bei seinen Zeitangaben in einem Irrtum befindet und die von diesem geschilderten Taten etwas später - etwa in der zweiten Septemberhälfte oder im Oktober 1940 - stattgefunden haben können. Gegen einen entsprechenden Schluss bestehen jedoch deshalb Bedenken, weil der Zeuge die Deportierung und seine ersten Erlebnisse auf dem Truppenübungsplatz offensichtlich zeitlich gut einzuordnen vermag. Das bekundete Geschehen bringt er mit der unmittelbar zuvor erfolgten Verschleppung in Verbindung und erwähnt, diese sei Ende Juli 1940 zur Zeit der Getreideernte gewesen.

Von der Möglichkeit, dass der Zeuge länger als von ihm angegeben worden ist, im Waldkommando gearbeitet hat und deshalb eine spätere Tatzeit in Betracht kommt, kann das Gericht nicht ausgehen. Zunächst gab der Zeuge die Dauer seines Arbeitseinsatzes im Walde mit etwa 14 Tagen und auf Vorhalt hin mit äusserstenfalls 3 Wochen an. Diese Bekundungen machen es wenig wahrscheinlich, dass der Zeuge nach seiner Ankunft im Lager länger bei dem Waldkommando - es müsste sich um mehr als 6 Wochen gehandelt haben - gearbeitet hat.

Einen Hinweis, dass der Zeuge Dri. möglicherweise auch noch im Herbst 1940 im Waldkommando beschäftigt war, gibt dessen Aussage, die Verletzten und der Tote seien in das Krankenrevier im Ring I gebracht worden. Nach den allgemeinen Feststellungen des ersten Abschnitts B III 2 und 3, auf die hingewiesen wird (vgl. Blatt 43 und Blatt 53 [221]), ist das zunächst im Kommandanturbereich befindliche Krankenrevier für Juden erst im Herbst 1940 in den Ring I verlegt worden. Mit hinreichender Sicherheit kann das Gericht jedoch nicht zu dem Schluss gelangen, dass sich die von dem Zeugen bekundeten Handlungen im Herbst 1940 nach der Ankunft des Angeklagten auf dem Truppenübungsplatz ereignet haben müssen. Wegen der irrtümlichen Eingrenzung der Tatzeit auf den Monat August 1940, von der der Zeuge auch auf Vorhalt hin nicht abgewichen ist, besteht die Möglichkeit, dass sich der Zeuge nicht mehr mit Sicherheit daran erinnert, wo das Krankenrevier lag, in das die Verletzten und der Tote gebracht worden sein sollen.

Dass der Zeuge erst 1 Jahr später, also im Jahre 1941, zur gleichen Zeit auf den Truppenübungsplatz gebracht worden ist, hält das Gericht, dessen Bekundungen entsprechend, für ausgeschlossen. Der Zeuge war nach seiner Aussage zuerst in den Kommandanturbereich und dann in Ring I untergebracht. Daraus folgt, dass der Zeuge bereits im Sommer 1940 auf dem Truppenübungsplatz gewesen sein muss. Das zunächst im Kommandanturbereich untergebracht gewesene Judenlager, in dem der Zeuge noch gelegen hat, ist, wie die Beweisaufnahme ergab, bereits im Herbst 1940 in den Ring I verlegt worden. Insoweit wird auf die allgemeinen Feststellungen des ersten Abschnitts zu B III 2 Bezug genommen (vgl. oben Blatt 43 [222]).

[220] = Seite 372 dieses Bandes.

[221] = Seite 337 und 341 dieses Bandes.

[222] = Seite 337 dieses Bandes.

Wegen der nicht zutreffenden Bekundungen des Zeugen über die Tatzeit hält das Gericht weitere Irrtümer, und zwar auch solche, die das Kerngeschehen betreffen können, nicht für ausgeschlossen. Wenn von einem Zeugen auch nach Ablauf von mehr als 30 Jahren über die Zeit der strafbaren Handlungen keine sicheren Aussagen mehr zu erwarten sind, so hat sich der Zeuge Dri. bei seiner Vernehmung - auch auf Vorhalt hin - doch in einer Weise auf den Monat August 1940 festgelegt, dass sich über diesen Teil der Aussage hinaus weitergehende Bedenken ergeben müssen.

Zweifel bestehen auch gegen die Aussage des Zeugen, der Angeklagte habe im Waldkommando einmal in polnischer Sprache zu den jüdischen Arbeitern gesagt, sie seien alle verloren. Zwar hat der Angeklagte selbst eingeräumt, ein paar Worte polnisch gesprochen zu haben (Erklärung in dem Hauptverhandlungstermin am 5.Oktober 1973). Weiter haben eine Reihe polnischer Zeugen sowie der ehemalige SS-Angehörige Tom. bekundet, dass der Angeklagte sich der polnischen Sprache bedient bzw. diese verstanden habe (vgl. oben Seite 159 [223]). Es ist jedoch wenig wahrscheinlich, dass der Angeklagte schon während der allerersten Zeit seines Aufenthalts auf dem Truppenübungsplatz, auf die sich die Angaben des Zeugen Dri., der später nicht mehr im Waldkommando gearbeitet hat, beziehen müssen, polnisch gesprochen hat. Erfahrungsgemäss wird sich der Angeklagte, der Mitte September 1940 auf den Truppenübungsplatz gelangte, polnische Sprachkenntnisse erst im Laufe der Zeit angeeignet haben.

Für wenig bedeutsam hält das Gericht die irrtümliche Aussage des Zeugen Dri., der Angeklagte, der als Obersturmführer auf den Truppenübungsplatz gelangte (s.o. Seite 120/121 [224]), sei damals Untersturmführer gewesen. Es ist nicht unwahrscheinlich, dass jüdische Arbeiter die Dienstgrade und die Rangabzeichen von SS-Offizieren nicht genau kannten und sich deshalb bei Zeugen unrichtige Vorstellungen gebildet haben.

Die gegen den Inhalt der Zeugenaussage Dri. bestehenden Zweifel konnten durch die Bekundungen weiterer Zeugen nicht beseitigt werden. Von den jüdischen Zeugen waren die von dem Zeugen Dri. angegebenen Tatopfer Gross, Bircz und Wang lediglich dem Zeugen Ha. namentlich bekannt, der als Zahnarzt arbeitete und auch im Krankenrevier half (Aussage vom 18.Januar 1973). In welchem Zusammenhang dieser Zeuge die Namen erfahren hat, konnte er jedoch nicht bekunden. Den Zeugen Dr. T., Hor. und Kro., die als Arzt bzw. als Krankenpfleger in dem Krankenrevier gearbeitet haben, besagten dagegen die Namen von Mosche Gross, Mendel Bircz und Mendel Wang nichts (Vernehmungen vor dem ersuchten Generalkonsulat in New York am 14.Februar 1973, vor den beauftragten Richtern am 6.Februar 1973 sowie in dem Hauptverhandlungstermin am 5.Januar 1973).

Aufgrund der Zeugenaussage Dri. ist es auch ausgeschlossen, von dem Tod der jüdischen Arbeiter Bircz und Wang auszugehen. Der Zeuge konnte nur bekunden, dass diese lebend in das Krankenrevier eingeliefert worden sind und er diese nicht wiedergesehen und über ihr weiteres Schicksal nichts gehört hat. - Auch im Zusammenhang mit den Feststellungen über die Verhältnisse in dem Krankenrevier kann nicht mit Sicherheit auf ein Ableben der Verletzten geschlossen werden. Dass diese an den Folgen ihrer Verletzungen verstorben sind, ist zwar denkbar. Für deren Ableben hat die Beweisaufnahme jedoch keine Anhaltspunkte ergeben. Ebenso denkbar ist die Möglichkeit des Überlebens dieser Opfer. Hierbei muss auch berücksichtigt werden, dass Verletzte und Kranke während der ersten Zeit des Bestehens des Lagers vom Krankenrevier aus in Krankenhäuser überwiesen oder nach Hause entlassen worden sind. Das ist den Aussagen des Arztes Dr. T., des Zahnarztes Ha. und des ehemali-

[223] = Seite 391 dieses Bandes.

[224] = Seite 372 dieses Bandes.

gen Krankenpflegers Hor. zu entnehmen (Vernehmungen vor dem ersuchten Generalkonsulat in New York vom 14.Februar 1973, in dem Hauptverhandlungstermin am 18.Januar 1973 sowie vor den beauftragten Richtern am 6.Februar 1973; vgl. auch oben Seite 54 f. [225]).

b) Der subjektive Tatbestand

Eine Verurteilung wegen Mordes bzw. versuchten Mordes scheidet auch deshalb aus, weil dem Angeklagten ein auf eine Tötung gerichteter Vorsatz nicht nachzuweisen ist. Aus diesem Grunde müsste der Angeklagte selbst dann freigesprochen werden, wenn das Gericht das von dem Zeugen Dri. bekundete Tatgeschehen feststellen könnte. Die Aussagen des Zeugen Dri. erlauben nicht den Schluss, dass der Angeklagte die mit der Peitsche misshandelten Opfer töten wollte oder die Möglichkeit deren Tötung gesehen und gebilligt hat.

Allein aus der Art der Schläge und aus dem Tatwerkzeug, einer Reitpeitsche, lässt sich mit Sicherheit ein Tötungsvorsatz nicht herleiten. Konkrete Feststellungen über die Intensität und die Dauer des Schlagens konnten nicht getroffen werden. Dass der Angeklagte eine Reitpeitsche verwendete, die bei Schlägen auf den Hinterkopf als Tötungswerkzeug geeignet war, hat die Beweisaufnahme nicht ergeben. Über die Beschaffenheit der Peitsche liegen keine genaueren Aussagen vor. Der Zeuge Dri. konnte mit Sicherheit nur bekunden, dass das zum Schlagen bestimmte Ende der Reitpeitsche etwas stärker gewesen sei. Dass sich an dieser Stelle ein Metallkern oder ein ähnlich gefährlicher Gegenstand befunden hat, konnte der Zeuge nicht aussagen. Er hielt das lediglich für wahrscheinlich. Das Gericht kann deshalb nicht davon ausgehen, dass der Angeklagte bei den Schlägen eine derart gefährliche als Tötungsinstrument geeignete Peitsche benutzt hat. Dass der Angeklagte bereits im Spätsommer oder Herbst 1940 eine besonders gefährliche Peitsche, etwa mit einem Metallkern, besass, hat die Beweisaufnahme nicht ergeben.

Ebensowenig lässt sich ein Tötungsvorsatz aus der Zahl der Schläge und aus der Dauer des Schlagens herleiten. Über die Intensität, mit der der Angeklagte geschlagen haben soll, konnte der Zeuge Dri. auch auf Befragen nichts bekunden. Insbesondere konnte der Zeuge nicht aussagen, dass der Angeklagte mehrfach oder häufiger hintereinander oder eine gewisse Zeit auf ein und dasselbe Opfer eingeschlagen hat. Dass dieser nicht nur die namentlich genannten Opfer, sondern zur gleichen Zeit auch andere jüdische Arbeiter schlug, spricht stärker für einen auf Misshandlungen und weniger für einen auf Tötungen gerichteten Willen.

Äusserungen des Angeklagten, die eine Willensrichtung erkennen lassen, konnte der Zeuge Dri. nicht bekunden. Dessen Aussage, der Angeklagte habe im Waldkommando zu den jüdischen Arbeitern gesagt, sie seien alle verloren, lässt einen Tötungswillen nicht hinreichend erkennen. Dass diese Worte mit den Misshandlungen der jüdischen Arbeiter Gross, Bircz und Wang in einem zeitlichen und sachlichen Zusammenhang gestanden haben, konnte der Zeuge nicht aussagen. Davon abgesehen bestehen gegen diese Bekundung, wie bereits erörtert (s.o. Seite 292 f. [226]), auch deshalb erhebliche Bedenken, weil sich der Angeklagte der polnischen Sprache bedient haben soll, was in der Zeit kurz nach Ankunft des Angeklagten auf dem Truppenübungsplatz, die allenfalls in Frage kommen könnte, sehr unwahrscheinlich ist. Dass bei den Misshandlungen selbst oder in einem zeitlichen oder sachlichen Zusammenhang damit Worte gefallen sind, die Schlüsse auf einen Tötungsvorsatz des Angeklagten erlauben, konnte der Zeuge Dri. nicht bekunden.

[225] = Seite 342 dieses Bandes.

[226] = Seite 453 f. dieses Bandes.

Anhaltspunkte für einen Tötungsvorsatz lassen sich auch nicht aus den Begleitumständen herleiten. Den Bekundungen des Zeugen Dri. ist nicht zu entnehmen, dass der Angeklagte - von seinem allgemeinen Rassenhass abgesehen - einen besonderen Hass auf die Misshandelten hatte. Insbesondere ist nicht zu ersehen, dass sich der Angeklagte von diesen provoziert fühlte oder von diesen provoziert worden ist.

Dass die Misshandelten schlechter als andere Juden des Waldkommandos arbeiteten, ist ebensowenig bekundet worden. Deshalb kann auch nicht davon ausgegangen werden, dass der Angeklagte - ähnlich wie in den beiden Fällen, die zur Verurteilung führten - arbeitsunfähige oder als Arbeitskräfte wenig geeignete Juden töten wollte.

Der Zeugenaussage Dri. ist weiter zu entnehmen, dass die Personen der Misshandelten dem Angeklagten gleichgültig waren und dieser mehr willkürlich auf die jüdischen Arbeiter eingeschlagen hat, von denen die Genannten jedoch erheblich schwerer als andere verletzt wurden. Die Tatschilderung des Zeugen lässt überhaupt die Möglichkeit offen, dass der Angeklagte an den Opfern als solchen desinteressiert war und nur - wie in anderen Fällen von Misshandlungen - willkürlich auf Juden eingeschlagen hat.

Bei dieser Sachlage ist die Möglichkeit, dass der Angeklagte seine Opfer - wenn auch auf besonders brutale Weise - misshandeln und nicht töten wollte, zumindest nicht auszuschliessen.

Ein Freispruch des Angeklagten müsste jedoch selbst dann erfolgen, wenn das Gericht einen Tötungsvorsatz des Angeklagten als bewiesen ansehen würde. Unter dieser Voraussetzung wäre das Geschehen in dem Mosche Gross betreffenden Falle als Totschlag und in den Fällen von Mendel Bircz und Mendel Wangs als versuchter Totschlag zu werten, so dass die strafbaren Handlungen verjährt wären.

Aufgrund der Aussage des Zeugen Dri. wäre von einer Tatzeit im Jahre 1940 auszugehen, die vor dem Inkrafttreten des Gesetzes vom 4.September 1941 liegen würde. Im Sinne des damals geltenden Rechts würde sich zugunsten des Angeklagten eine Affekthandlung nicht ausschliessen lassen.

Die Bekundungen des Zeugen würden nicht mit hinreichender Sicherheit den Schluss erlauben, dass der Angeklagte mit Überlegung die Opfer töten wollte. Bereits die Begehungsform - das Schlagen mit einer Peitsche - lässt die zumindest nicht fernliegende Möglichkeit erkennen, dass sich der Angeklagte in einem von Affekten bestimmten Zustand des Zorn befunden haben kann, der ein vernünftiges abwägendes Überlegen ausschloss.

Das Schlagen der Opfer mit einer Peitsche schliesst zwar die Möglichkeit eines Handelns mit Überlegung nicht aus. Ein derartiges Handeln des Angeklagten wäre jedoch nicht zu beweisen. Die Tatschilderungen des Zeugen Dri. wären für eine entsprechende Feststellung nicht ausreichend konkret. Der Zeuge konnte keine näheren Einzelheiten bekunden und insbesondere nicht aussagen, ob der Angeklagte mehrfach oder häufiger hintereinander oder eine gewisse Zeit auf ein und dasselbe Opfer eingeschlagen hat und ob an dem gleichen Tage eines der Opfer planvoll und systematisch in einer Weise misshandelt wurde, die eine mit Überlegung beabsichtigte Tötung nahelegt. Die mit dem Fehlen einer genaueren Tatsachenschilderung zusammenhängenden Zweifel würden sich nicht klären lassen und müssten zugunsten des Angeklagten zu einer Beurteilung des Geschehens als Handeln im Affekt führen.

5.) Die Hilfsbeweisanträge der Staatsanwaltschaft

Dem auf die Vernehmung der Zeugen Rog., Gol., Dra., Cze. und Putter gerichteten Hilfsbeweisantrag der Staatsanwaltschaft vom 11.Oktober 1973 (Band XXI Blatt 169) ist nicht stattzugeben. Keiner dieser Zeugen ist, wie der Begründung des Antrags und den beigefügten Niederschriften über die Vernehmungen der Zeugen Rog., Gol., Dra. und Cze. zu entnehmen, in der Lage, zur Klärung der von dem Zeugen Dri. bekundeten Fälle beizutragen. Diese Zeugen haben nicht im Waldkommando gearbeitet. Bei der Tötung, die der Zeuge Rog. bei seiner Vernehmung erwähnt hat, handelt es sich um einen völlig anderen Fall, in dem das Opfer nicht totgeschlagen, sondern erschossen worden sein soll. Ebensowenig ist durch den Zeugen Putter eine Aufklärung zu erwarten, der von Erschiessungen durch den Angeklagten gehört haben will. Soweit die Zeugen über das brutale Verhalten des Angeklagten aussagen sollen, sind weitere Vernehmungen nicht erforderlich, da über diesen Punkt aufgrund einer umfangreichen Beweisaufnahme sichere Feststellungen getroffen worden sind (s.o. Seite 125 ff. [227]).

E. Der Vorwurf, die jüdischen Arbeiter Fast, Fismann und Lichtig durch Peitschenschläge getötet zu haben
(Nachtragsanklage; Punkte 13, 14 und 15)

1.) Allgemeines

Ebenso war der Angeklagte von dem Vorwurf freizusprechen, die jüdischen Arbeiter Fast, Fismann und Lichtig getötet zu haben.

Aufgrund der Beweisaufnahme ist zwar davon auszugehen, dass die genannten jüdischen Arbeiter von dem Angeklagten durch Peitschenschläge misshandelt worden sind. Dagegen konnten keine Feststellungen über den Tod der Verletzten getroffen werden. Aus diesem Grunde kommt eine Verurteilung wegen vollendeten Mords nicht in Betracht. Wegen Mordversuchs konnte der Angeklagte auch in diesen Fällen nicht verurteilt werden. Ein auf eine vorsätzliche Tötung gerichteter Vorsatz des Angeklagten war aufgrund der von dem Zeugen Salomon Schi. gegebenen Sachverhaltsdarstellung dem Angeklagten nicht nachzuweisen.

2.) Die Tatsachenfeststellung aufgrund der Zeugenaussage Schi.

Aufgrund der Aussagen des Zeugen Salomon Schi. in dem Hauptverhandlungstermin am 9.Januar 1973 hat das Gericht folgenden Sachverhalt festgestellt:

In der Zeit zwischen Ende Oktober und Mitte Dezember 1940 hat der Angeklagte bei Arbeiten in einem Waldgelände des Truppenübungsplatzes, die das Fällen von Bäumen und das Roden von Baumwurzeln zum Gegenstand hatten, jüdische Arbeiter mit einem Ochsenziemer oder einer ähnlichen Peitsche geschlagen. Der Angeklagte prügelte heftig und wahllos auf die Juden ein, schlug aber mit Absicht ganz besonders die Arbeiter Fast, Fismann und Lichtig, die, wie der Zeuge Schi., aus der südpolnischen Stadt Tarnow stammten.

In den letzten Tagen des Monats Oktober oder Anfang November 1940 wurde bei den Waldarbeiten der Hutmacher Fast misshandelt. Dieser blutete so stark, dass die Oberfläche des Körpers sich schwarz färbte. Der Verletzte wurde in das für Juden bestimmte Krankenrevier gebracht und, da ihm dort nicht ausreichend geholfen werden konnte, in seine Heimatstadt Tarnow beurlaubt. Bei einem Wochenendurlaub hat der Zeuge Schi. von dem Judenrat in Tarnow gehört, dass der Hutmacher Fast verstorben sei.

Wegen der ihm bei der Arbeit durch den Angeklagten zugefügten Schläge musste der jüdische Arbeiter Israel Fismann nach einigen Tagen das Krankenrevier aufsuchen. Als sich der

[227] = Seite 375 f. dieses Bandes.

Zeuge Schi. dort nach dem Zustand des Misshandelten erkundigte, bekam er die Antwort, dieser sei verstorben. Durch die Schläge des Angeklagten hatte der jüdische Arbeiter Lichtig am Körper starke Blutspuren. Der Verletzte kam in das Krankenrevier. Dort hörte der Zeuge Schi. bei einem Besuch, dass Lichtig verstorben sei.

3.) Die Einlassung des Angeklagten

In seiner Einlassung hat der Angeklagte zwar eingeräumt, auf Baustellen verschiedentlich jüdische Arbeiter mit der Peitsche geschlagen zu haben (Erklärungen in den Hauptverhandlungsterminen am 30.November 1972 sowie am 27.August und 10.September 1973). Der Angeklagte bestreitet jedoch die von dem Zeugen Schi. bekundeten Misshandlungen und erklärt, diesen Zeugen nicht gekannt zu haben und stellt im Zusammenhang mit diesen Misshandlungen einen Tötungsvorsatz in Abrede.

4.) Die Beweiswürdigung

a) Das äussere Tatgeschehen

aa) Die Misshandlungen

Das Gericht hält die Aussagen des Zeugen Salomon Schi. für glaubhaft. Dessen Bekundungen sind in einem sehr hohen Grade innerlich wahrscheinlich und frei von inneren Widersprüchen. Misshandlungen der von dem Zeugen geschilderten Art hat der Angeklagte wiederholt verübt. Das ergibt sich nicht nur aus dessen insoweit glaubhaften Erklärungen, sondern auch aus den Aussagen einer Reihe von Zeugen, die von dem Angeklagten mittels einer Peitsche misshandelt worden sind oder derartige an anderen Personen begangene Misshandlungen wahrgenommen haben (vgl. oben Seite 130 ff. [228]).

Das Gericht ist der Überzeugung, dass sich der Zeuge Schi. gut an das Geschehen zu erinnern vermag. Dieses betrifft die erste Zeit, in der sich der Zeuge auf dem Truppenübungsplatz befunden hat, so dass sich die Vorgänge aus diesem Grunde bei dem Zeugen besonders gut eingeprägt haben müssen. Dieser konnte sich noch an den Tag seiner Ankunft, den 26.Oktober 1940, sowie daran erinnern, dass er sofort den Waldarbeiten zugewiesen war und diese etwa 6 Wochen lang ausgeführt hat. Während dieser Zeit hat sich der Angeklagte bereits auf dem Truppenübungsplatz befunden. Das ergibt sich aus dessen insoweit glaubhaften Erklärungen sowie aus den damit übereinstimmenden in dem Hauptverhandlungstermin am 16.Mai 1973 erörterten Unterlagen des Berlin Document Center (im Sonderband II Blatt 17 d.A.). Der Wert der Zeugenaussage wird noch dadurch erhöht, dass die misshandelten jüdischen Arbeiter Fast, Fismann und Lichtig dem Zeugen Salomon Schi. bekannt waren und wie dieser aus der gleichen Stadt, aus Tarnow, stammten.

Obwohl der Zeuge Schi. bei den Arbeiten im Waldkommando ebenfalls von dem Angeklagten geschlagen worden ist und der Zeuge eine zu anderer Zeit und an anderer Stelle des Lagerbereichs an ihm verübte Misshandlung durch den Angeklagten bekundet hat, hält es das Gericht für ausgeschlossen, dass der Inhalt der Zeugenaussage durch Rachemotive beeinflusst worden ist. In der das Tatgeschehen betreffenden Aussage zeigte der Zeuge sich sehr zurückhaltend. Er brachte eindeutig zum Ausdruck, dass ihm das weitere Schicksal der verletzten jüdischen Arbeiter nicht bekannt war und er von deren Ableben nur vom Hörensagen wusste.

[228] = Seite 377 f. dieses Bandes.

Der Zeuge Schi. vermochte in der Hauptverhandlung auch den Angeklagten als denjenigen einwandfrei wiederzuerkennen, der die Misshandlungen vorgenommen hat. Auch dieser Teil der Aussage ist glaubhaft, zumal der Zeuge dem Angeklagten bereits kurz nach der Ankunft auf dem Truppenübungsplatz begegnete und sich jener den Angeklagten wegen der begangenen Misshandlungen besonders eingeprägt hat. Ausserdem erkannte er den Angeklagten auf einer Reihe von Aufnahmen, die sich in dem Sonderband I befinden, richtig wieder.

bb) Zur Frage des Todes der Verletzten

Dass die misshandelten jüdischen Arbeiter Fast, Fismann und Lichtig an den Folgen ihrer Verletzungen verstorben sind, hält das Gericht zwar für möglich, nicht jedoch für bewiesen. Die von dem Zeugen Schi. gegebenen Bekundungen vom Hörensagen, wonach die Opfer verstorben sein sollen, sind für eine entsprechende Feststellung nicht ausreichend. Die Aussagen sind insoweit zu allgemein und zu unbestimmt gehalten. Der Zeuge konnte nicht angeben, welche Person ihm von dem Ableben der Misshandelten berichtet und ob der Gesprächspartner den Eintritt des Todes beobachtet oder die Leiche gesehen oder seinerseits nur vom Hörensagen über den Tod der jüdischen Arbeiter Fast, Fismann oder Lichtig berichtet hat.

Durch die Aussagen anderer Zeugen konnte das Schicksal der Verletzten ebensowenig geklärt werden. Zwar waren deren Namen dem Zeugen Ignaz Men. bekannt (Vernehmung vom 9.Januar 1973). Dieser Zeuge konnte dagegen nicht bekunden, was aus den Genannten geworden ist. Dem Zeugen Ha. kamen die Namen Fast und Fismann lediglich bekannt vor, ohne dass der Zeuge Näheres auszusagen vermochte (Vernehmung am 18.Januar 1973), während der kommissarisch vernommene Zeuge Hor. nur die Möglichkeit erwähnte, vielleicht einen jüdischen Arbeiter mit dem Namen Licht oder Lichtig gekannt zu haben (Vernehmung vom 6.Februar 1973).

Zu berücksichtigen ist weiter die Möglichkeit, dass die Verletzten Fismann und Lichtig vom Krankenrevier aus in Krankenhäuser überwiesen oder nach Hause entlassen worden sind. Dass diese Möglichkeit bestanden hat, ist den Aussagen des Arztes Dr. T., des Zahnarztes Ha. und des ehemaligen Krankenpflegers Hor. zu entnehmen (Vernehmungen vor dem ersuchten Generalkonsulat in New York vom 14.Februar 1973, in dem Hauptverhandlungstermin am 18.Januar 1973 sowie vor den beauftragten Richtern am 6.Februar 1973; vgl. auch oben Seite 54 f. [229]).

b) Der subjektive Tatbestand

Aufgrund der durch die Zeugenaussage Schi. bewiesenen Misshandlungen der jüdischen Arbeiter Fast, Fismann und Lichtig kommt eine Verurteilung wegen versuchten Mordes nicht in Betracht. Ein auf eine Tötung gerichteter Vorsatz ist dem Angeklagten nicht nachzuweisen. Die Bekundungen des Zeugen Schi. erlauben mit hinreichender Sicherheit nicht den Schluss, dass der Angeklagte die Opfer töten wollte. Ebensowenig ist es als bewiesen anzusehen, dass dieser die Möglichkeit einer durch die Schläge herbeigeführten Tötung erwogen und gebilligt hat. Ein Tötungsvorsatz lässt sich aus der Art der Schläge und aus dem Tatwerkzeug - einem Ochsenziemer - nicht herleiten.

Der Zeuge Schi. konnte im einzelnen nicht bekunden, wie der Angeklagte geschlagen hat. Aus seinen Bekundungen ergibt sich zwar, dass der Angeklagte heftig auf die Juden einschlug und sich hierbei besonders auf die Arbeiter Fast, Fismann und Lichtig konzentrierte.

[229] = Seite 342 dieses Bandes.

Über die Intensität und die Zahl der jeweils gegen das gleiche Opfer gerichteten Schläge und über die Dauer der Misshandlungen konnte der Zeuge dagegen nichts aussagen. Dieser hat auch nicht bekundet, dass der Angeklagte gezielt auf besonders empfindliche Stellen des Körpers geschlagen hat. Die Schilderung liess auch nicht allgemein erkennen, ob der Angeklagte seine Opfer auf den Kopf, das Gesicht oder auf den Rücken schlug. Die Aussage, der Angeklagte habe wahllos auf die Juden eingeprügelt, legt es nahe, dass der Angeklagte - wenn auch in einer äusserst brutalen Weise - planlos und wild geschlagen und ohne eine Zielrichtung gehandelt hat, die über die Absicht der Misshandlung hinausging und die Tötung der Opfer mit einschloss. Diese Möglichkeit ist dem Angeklagten aufgrund der Zeugenaussage zumindest nicht zu widerlegen.

Von einem Tötungsvorsatz könnte unter der Voraussetzung ausgegangen werden, dass der Angeklagte zeitlich vor diesen Taten einen Menschen mit einem Ochsenziemer oder einer Peitsche getötet hätte, hiervon wusste und trotzdem die Juden schlug. Aufgrund des Ergebnisses der Beweisaufnahme ist entsprechendes jedoch nicht bewiesen.

In den von dem Zeugen Dri. bekundeten Fällen, die zeitlich vor den von dem Zeugen Schi. wahrgenommenen Misshandlungen geschehen sein müssten, ist das Gericht nicht zu einer sicheren Feststellung des Tatgeschehens gelangt (s.o. Seite 293 ff. [230]). Davon abgesehen konnte der Zeuge Dri. auch nicht bekunden, dass der Angeklagte den Tod des jüdischen Arbeiters Mosche Gross wahrgenommen habe. Hinsichtlich der jüdischen Arbeiter Mendel Bircz und Mendel Wang vermochte der Zeuge nicht auszusagen, ob diese verstorben seien. - Im übrigen ist den Aussagen zahlreicher Zeugen, die Misshandlungen durch den Angeklagten zum Gegenstand hatten, nicht zu entnehmen, dass in einem der Fälle ein durch Peitschenschläge Verletzter an den Folgen derartiger Misshandlungen verstorben ist (vgl. oben Seite 130 bis 138 [231]).

Für einen auf die Tötung bestimmter Opfer gerichteten Vorsatz könnte zwar der Gesichtspunkt sprechen, dass die jüdischen Arbeiter Fast, Fismann und Lichtig von dem Angeklagten häufiger als andere geschlagen worden sind. Dieser Umstand reicht allein jedoch nicht für die Schlussfolgerung aus, dass der Angeklagte die Genannten töten wollte. Die Möglichkeit, dass diese nur in einem besonderen Masse misshandelt werden sollten, ist nicht auszuschliessen.

Zwar ist aufgrund der Aussagen des Zeugen Schi. davon auszugehen, dass der Angeklagte - von seinem allgemeinen Rassenhass abgesehen - gegenüber den jüdischen Arbeitern Fast, Fismann und Lichtig eine besonders negative Einstellung hatte. Der Zeugenaussage ist jedoch nicht zu entnehmen, dass diese den Angeklagten geärgert oder provoziert haben oder diesem durch schlechte Arbeitsleistungen oder körperliche Schwäche aufgefallen sind. Bei dieser Sachlage kann das Gericht nicht davon ausgehen, dass der Angeklagte - ähnlich wie in den beiden Fällen, die zur Verurteilung führten - Arbeitsunfähige oder auch schlechte Arbeitskräfte töten wollte. Ebenso fehlen Anhaltspunkte, dass der Angeklagte aus anderen Gründen ein Interesse an der Tötung der Opfer hatte.

Ein Tötungsvorsatz des Angeklagten ist auch im Zusammenhang mit den an dem Arbeiter Lichtig verübten Misshandlungen nicht festzustellen. Dass der Angeklagte diesem, wie von dem Zeugen Schi. bekundet, gesagt hat, wenn er sich vom Leben befreien wolle, dann solle er sich aufhängen, gibt einen Hinweis auf ein Interesse, das der Angeklagte an dem Tode von Lichtig gehabt haben kann. Möglicherweise hat es sich bei Lichtig um einen schwäche-

[230] = Seite 454 dieses Bandes.

[231] = Seite 377-381 dieses Bandes.

ren Arbeiter gehandelt, denn der Zeuge Schi. erwähnte dessen kleinere Statur. Hinreichend sichere Schlüsse lassen sich aus der Äusserung des Angeklagten jedoch nicht ziehen. Dass diese zeitlich oder sachlich mit Misshandlungen des Angeklagten zusammenhängt, konnte der Zeuge Schi. nicht bekunden.

Äusserungen des Angeklagten, die einen auf eine Tötung gerichteten Willen erkennen lassen, hat die Beweisaufnahme nicht ergeben. Dass dieser vor, während und nach den Misshandlungen gesprochen oder geschimpft hat, vermochte der Zeuge Schi. nicht auszusagen. Aufgrund der erörterten Erwägungen ist die Möglichkeit nicht auszuschliessen, dass der Angeklagte seine Opfer nicht töten, sondern diese besonders brutal misshandeln wollte.

Davon abgesehen müsste der Angeklagte selbst dann freigesprochen werden, wenn ein Tötungsvorsatz zu bejahen wäre. Dessen Verhalten wäre rechtlich nicht als versuchter Mord, sondern als verjährter versuchter Totschlag zu werten. Eine Affekthandlung im Sinne des zur Tatzeit geltenden Rechts würde sich mit hinreichender Sicherheit nicht ausschliessen lassen. Die Neufassung der Straftatbestände über Mord und Totschlag ist erst durch das Gesetz vom 4.September 1941 erfolgt, während sich die von dem Zeugen Schi. bekundeten Misshandlungen im Spätherbst 1940 ereignet haben.

Dass der Angeklagte im Sinne des damals geltenden Mordtatbestands mit Überlegung seine Opfer töten wollte, wäre aufgrund der Aussagen des Zeugen Schi. jedenfalls nicht zu beweisen. Diese erlauben in einem erheblichen Masse Schlüsse darauf, dass sich der Angeklagte in einem von Affekten bestimmten Zustand des Zorns befunden hat, der ein vernunftgemässes Abwägen ausschloss.

Der Zeuge Schi. bekundet, dass der Angeklagte wild auf die Juden eingeschlagen und sich hierbei nicht beherrscht hat. Diese Darstellung des Geschehens spricht für ein Handeln im Affekt und nicht für ein planmässiges oder systematisches Misshandeln der Opfer, das einen auf Überlegung beruhenden Tötungswillen nahelegen würde. Ein Handeln mit Überlegung im Sinne des früheren Mordtatbestands müsste auch deshalb ausscheiden, weil die Tatschilderungen des Zeugen nicht hinreichend konkret sind und nicht erkennen lassen, an welcher Stelle des Körpers die Opfer geschlagen worden sind und ob der Angeklagte mehrfach oder häufiger hintereinander oder eine gewisse Zeit auf ein und dasselbe Opfer eingeschlagen hat. Mit der insoweit lückenhaften Zeugenaussage zusammenhängende Zweifel müssten zugunsten des Angeklagten zu einer Beurteilung des Geschehens als Handeln im Affekt führen.

5.) Die Hilfsbeweisanträge der Staatsanwaltschaft

Die von der Staatsanwaltschaft beantragte Vernehmung der Zeugen Rog., Gol., Dra., Cze. und Putter (Antrag vom 11.Oktober 1973 in Band XXI Blatt 169 ff.) ist nicht erforderlich. Aus der Begründung des Antrags und aus den beigefügten Übersetzungen von Vernehmungsniederschriften, die die Zeugen Rog., Gol., Dra. und Cze. betreffen, ist zu ersehen, dass keiner der Zeugen zur Klärung der von dem Zeugen Schi. bekundeten Fälle beizutragen vermag. Die genannten Zeugen waren nicht bei den Arbeiten im Walde eingesetzt. Im übrigen wird auf die Erwägungen in diesem Abschnitt unter D 5 hingewiesen, die in gleicher Weise für die hier erörterten Fälle gelten (s.o. Seite 298 f. [232]).

[232] = Seite 456 dieses Bandes.

6.Abschnitt
Der Strafausspruch

Da der Angeklagte in 2 Fällen einen vollendeten Mord verübt hat, ist auf zweifache lebenslange Freiheitsstrafe zu erkennen, die §211 StGB zwingend vorsieht. Gründe, die zu einem Ausschluss oder zu einer Milderung der Strafe führen könnten, liegen nicht vor.

7.Abschnitt
Die Kostenentscheidung

Die Entscheidung über die Kosten beruht, soweit Verurteilung erfolgte, auf §465 StPO, im übrigen auf §467 StPO.

Lfd.Nr.803

Tatkomplex
Andere NS-Verbrechen

Tatort
Selbstschutzlager Resmin

Tatzeit
3910-3911

Gerichtsentscheidungen
LG Münster vom 16.11.1973, 30 Ks 1/72

INHALTSVERZEICHNIS

des unter Lfd.Nr.803 veröffentlichten Urteils

LG Münster vom 16.11.1973, 30 Ks 1/72

30 Ks 1/72

Im Namen des Volkes

Strafsache gegen [233]

1) den kaufmännischen Angestellten Werner Erich Sorgatz [234] aus Bremen-Huchting, geboren am 21.8.1911 in Gross-Paglau (Kreis Konitz), verheiratet, deutsch,
2) den Rentner Richard Erich Kem. aus Grussendorf (Kreis Gifhorn), geboren am 31.12.1908 in Rosmin (Kreis Wirsitz), verheiratet, deutsch,

wegen Beihilfe zum Mord.

Das Schwurgericht beim Landgericht Münster (Westf.) hat in der Hauptverhandlung vom 23., 24., 30., 31.August, 6., 7., 13., 14., 20., 21., 24., 27., 28.September, 4., 5., 12., 19., 26.Oktober, 5., 12. und 16.November 1973 am 16.November 1973 für Recht erkannt:

> Der Angeklagte Sorgatz ist der Beihilfe zum Mord in drei Fällen schuldig - §§49, 211, 74 StGB - und zwar in einem Fall an zwanzig Menschen, in einem Fall an fünfzehn Menschen und in einem Fall an fünf Menschen. Er wird zu einer Gesamtfreiheitsstrafe von zwei Jahren neun Monaten verurteilt. Die Fähigkeit, öffentliche Ämter zu bekleiden, wird ihm für die Dauer von fünf Jahren aberkannt.
> Der Angeklagte Kem. ist der Beihilfe zum Mord in zwei Fällen schuldig - §§49, 211, 74 StGB -, und zwar in einem Fall an fünfzehn Menschen und in einem Fall an fünf Menschen. Er wird zu einer Gesamtfreiheitsstrafe von drei Jahren sechs Monaten verurteilt. Die Fähigkeit, öffentliche Ämter zu bekleiden, wird ihm für die Dauer von fünf Jahren aberkannt.
> Im übrigen werden die Angeklagten freigesprochen.
> Die Kosten des Verfahrens tragen die Angeklagten, soweit sie verurteilt worden sind. Im übrigen werden sie einschliesslich der insoweit entstandenen notwendigen Auslagen der Angeklagten der Staatskasse auferlegt.

GRÜNDE

Den Angeklagten fällt zur Last, sich im Oktober 1939 in Resmin (Kreis Zempelburg, Westpreussen) als Angehörige des volksdeutschen Selbstschutzes an der Tötung von Polen und Juden beteiligt zu haben.

A. Die Lage der Volksdeutschen in Polen, insbesondere im polnischen Westpreussen

Am 11.11.1918 war der durch die sog. polnische Teilungen zerstörte polnische Staat als Republik wiedererstanden. Durch den Versailler Vertrag vom 28.6.1919 wurden u.a. die preussische Provinz Posen und Teile der Provinz Westpreussen vom Deutschen Reich abgetrennt und fielen an Polen. Die deutschen Bewohner dieser Gebiete wurden polnische Staatsangehörige, sofern sie nicht für Deutschland optierten.

[233] Rechtskräftig hins. beider Angeklagten durch Beschluss des BGH vom 18.9.1975, 4 StR 291/75.

[234] Siehe auch Verfahren Lfd.Nr.590.

Der neue polnische Staat setzte sich bevölkerungsmässig zu über einem Drittel aus Minderheiten zusammen. Während kleinere Teile der deutschen Minderheit in den früheren österreichischen und russischen Teilen Mittel- und Ostpolens lebten, war die deutsche Bevölkerung am stärksten in Posen und Westpreussen vertreten. Im Gegensatz zu den Deutschen in Mittel- und Ostpolen, die reiche Erfahrungen hinsichtlich des Lebens im Ausland besassen, waren die Deutschen in Westpolen von einem Tag auf den anderen vom Staatsvolk zur Minderheit geworden. Sie standen der neuen politischen Situation unvorbereitet gegenüber. Hier sank daher der deutsche Bevölkerungsanteil von 1.165.000 im Jahre 1916 auf 325.000 im Jahre 1937. Trotzdem lag in diesem Gebiet der Schwerpunkt des kulturellen Lebens der deutschen Minderheit in Polen. Der Wunsch nach Wiedervereinigung mit dem Reich blieb hier lebendiges Bestreben.

Hauptziel der polnischen Minderheitenpolitik war es, aus einem Minderheitenstaat zum Nationalstaat zu werden. Dieses Ziel wurde insbesondere gegenüber der deutschen Bevölkerung in den polnischen Westgebieten durch eine sich im Laufe der Zeit verstärkende Einengungs- und Assimilierungspolitik verfolgt, deren Schwerpunkt im Kampf um den Bodenbesitz und im Schulkampf lagen. Grosse Teile deutschen Bodenbesitzes gingen durch Bodenreform und Ausnahmegesetze, u.a. auf dem Gebiet des Erbrechts, verloren. Die Mehrzahl der zunächst noch zahlreich bestehenden deutschen Schulen wurde in dem Zeitraum von etwa 1924/25 bis 1934/35 aufgelöst.

Die nationalstaatlichen Bestrebungen Polens gegenüber der deutschen Minderheit intensivierten sich auch aufgrund der im Hintergrund stehenden Revisionsforderung des Deutschen Reiches, das sich mit dem Verlust seiner Ostgebiete an Polen nicht abfand.

Aussenpolitisch hatte Polen zunächst versucht, sich durch enge Anlehnung an Frankreich gegenüber dem Deutschen Reich abzusichern. Nach der nationalsozialistischen Machtergreifung suchte die polnische Regierung, die bei Frankreich keine ausreichende Unterstützung fand, ein neues Verhältnis zu Deutschland zu begründen. Diese Tendenzwende fand bei Hitler ein auf taktischen Gründen beruhendes Entgegenkommen. Es kam daher zur polnisch--deutschen Nichtangriffserklärung vom 26.1.1934 und zum Abschluss weiterer Verträge. Um diese Politik nicht zu gefährden, wurde von deutscher Seite die Devise: "stiller Volkstumskampf" für die Volksdeutschen in Polen ausgegeben, eine Haltung, die von diesen innerlich nicht gebilligt wurde. Zu einer Diskussion mit der nationalsozialistischen Führung über die Lage der deutschen Bevölkerung in Polen liess es die polnische Regierung nicht kommen.

Die Machtergreifung durch den Nationalsozialismus in Deutschland hatte bei den Volksdeutschen zunächst unterschiedliche Reaktionen gezeitigt, die von Zustimmung bis zu Vorbehalten reichten. Allmählich kam es aber durch Rundfunkpropaganda und sonstige Kontakte zu einer Identifizierung mit dem 3.Reich. Dieser Prozess wurde durch den wirtschaftlichen Aufschwung in Deutschland und die ungünstigen Wirtschaftsverhältnisse in Polen begünstigt. Für die Volksdeutschen in Polen wurden das wiedererstarkte Reich und dessen Repräsentanten zu glänzenden Idealen, die von keinem Flecken getrübt schienen.

Die Interessen der deutschen Minderheit in Polen wurden von verschiedenen politischen Gruppierungen vertreten, die auch Abgeordnete in das polnische Parlament entsandten. Zu nennen sind besonders die "Deutsche Vereinigung" und die "Jungdeutsche Partei". Trotz gegensätzlicher Ausgangspositionen und heftiger Rivalitäten beider Gruppen fand in ihren Reihen zunehmend ein Prozess der Gleichschaltung mit den Zielen des Nationalsozialismus statt. Insbesondere die "Jungdeutsche Partei" nahm nationalsozialistisches Ideengut in ihr Programm auf. So bekannte sie sich kulturell und geistig zur gesamtdeutschen Volksgemeinschaft, zur Unterordnung unter eine gemeinsame Weltanschauung aller Deutschen auch im Ausland, zu einem nationalen Sozialismus, zum Antimarxismus, zum Antisemitismus und zur Ablehnung des internationalen Finanz- und Leihkapitals. Die Partei war nach dem Führungsprinzip organisiert. Auf örtlicher Ebene gab es z.B. ebenso wie in der NSDAP den Ortsgruppenleiter. Die Partei betrieb auch Jugendarbeit, wobei es insbesondere auch darum ging, deutsche Geschichte und Kultur sowie deutsches Volksbrauchtum wachzuhalten. Damit sollte dem Polonisierungsprozess, dem besonders die Jugend durch die Auflösung deutscher Schulen ausgesetzt war, entgegengewirkt werden. Während einerseits das Programm der "Jungdeutschen Partei" von "gewissenhafter Erfüllung staatsbürgerlicher Pflichten gegenüber dem polnischen Staat" sprach, verstand die Partei es andererseits, illegale getarnte Verbindungen zur NSDAP im Reich zu knüpfen. Es wurden z.B. Mitglieder zu nationalsozialistischen Schulungskursen nach Danzig geschickt, die in Polen als landwirtschaftliche Fortbildungsveranstaltungen galten. So entsprach es einer logischen Entwicklung, dass die "Jungdeutsche Partei" innerhalb der deutschen Gruppen in Polen einen Führungsanspruch geltend machte. Zu einer Einigung der rivalisierenden Parteien kam es indessen nicht, zumal Hitler aus taktischen Gründen den Anschein vermeiden wollte, die deutsche Volksgruppe sei eine Keimzelle des Reiches.

Die taktische Zurückhaltung Hitlers hatte bis 1938 nicht zu einer wesentlichen und dauerhaften Abschwächung der polnischen Assimilierungspolitik geführt. Diese wurde vielmehr weiter betrieben. Dabei war die polnische Politik gegenüber der deutschen Minderheit im Hintergrund mitbestimmt durch wachsende Furcht vor der Stärke Deutschlands, durch die Schwierigkeiten, in welche die polnische Aussenpolitik in zunehmendem Masse zwischen den beiden Grossmächten Sowjetrussland und Deutschland geriet, und schliesslich durch den Umstand, dass die lange Teilung Polens ein übersteigertes Nationalgefühl erzeugt hatte. In die Assimilierungspolitik fügte sich die Tätigkeit polnischer nationalistischer Organisationen ein, von denen insbesondere der "Westmarkenverband" zu nennen ist, der sich die möglichst rasche Polonisierung der Westprovinzen zum Ziel gesetzt hatte. Im Gefolge dieser politischen Bestrebungen kam es zu wilden nationalistischen Handlungen und Äusserungen, die teilweise ihren Niederschlag auch in der polnischen Presse fanden.

Die Lage spitzte sich im Jahre 1939 zu. Hitler artikulierte nunmehr deutlich die bislang nur latent vorhandenen Grenzrevisionsforderungen und bestand auf einer Regelung der Danziger und der Korridorfrage. Die polnische Angst vor einer Umklammerung durch das Deutsche Reich wurde heftig geschürt durch die Besetzung der Tschechoslowakei, die Errichtung eines Satellitenregimes in der Slowakei und die Rückgewinnung des Memellandes. Polen richtete sich auf eine harte Auseinandersetzung mit dem Deutschen Reich ein. Von weiten Teilen der volksdeutschen Bevölkerung wurde der drohende Krieg als Befreiung herbeigesehnt. Nach der britisch-französischen Beistandserklärung für Polen vom 31.März 1939 kündigte Hitler am 28.April 1939 die deutsch-polnische Nichtangriffserklärung. Angesichts dieser aussenpolitischen Verschärfung der Lage kam es in Polen zu zahlreichen antideutschen Handlungen, Ausschreitungen, Beschlagnahmen und Verboten. Viele Volksdeutsche flüchteten bereits im Frühsommer, manche auch erst im August 1939 in das Reich oder nach Danzig; den Flüchtlingen waren gelegentlich seitens polnischer Verwaltungsbeamten wohlmeinende Warnungen zugekommen.

Für Hitler war Polen nach dem Ende der aus taktischen Gründen über mehrere Jahre durchgehaltenen Politik eines friedlichen Nebeneinanders zunehmend in seiner Vorstellung zu einem Experimentierfeld künftiger Bevölkerungs- und Lebensraumpolitik geworden. Er wollte Polen vernichten. Die lebendigen Kräfte des polnischen Volkes sollten beseitigt werden. Die ehemals deutschen Provinzen sollten zu deutschen Gauen gemacht und mit Deutschen besiedelt werden. Diese Ziele wollten die nationalsozialistischen Gewalthaber durch die physische Ausrottung der polnischen Führungsschicht, der Intelligenz, der Geistlichen, der Juden und der Mitglieder deutschfeindlicher polnischer Verbände, wie des Westmarkenverbandes, sowie durch Aussiedlung grosser Teile der polnischen Bevölkerung erreichen. Eine ideologische Untermauerung fanden die radikalen Absichten durch rassistisches Gedankengut, welches von der Minderwertigkeit der Slawen und der Juden ausging.

Mit dem Kriegsausbruch in den frühen Morgenstunden des 1.9.1939 nahm die destruktive nationalsozialistische Bevölkerungspolitik in Polen ihren Anfang. Die nationalsozialistische Propaganda, welche diese Politik vorbereitete und unterstützte, fand in den ersten Kriegstagen dadurch willkommene Nahrung, dass es an vielen Orten zu polnischen Ausschreitungen gegenüber der volksdeutschen Bevölkerung gekommen war.

Am bekanntesten sind die Ereignisse des sog. "Bromberger Blutsonntags" geworden. Am Sonntag, dem 3.September 1939, befanden sich in Bromberg Teile des nach Osten zurückflutenden polnischen Heeres. Die allgemeine Verwirrung steigerte sich durch deutsche Fliegerangriffe. In dieser besonders gespannten Situation kam es zu zahlreichen spontanen Willkürakten. Es wurden regelrechte Treibjagden auf Volksdeutsche verschiedensten Alters und beiderlei Geschlechts ausgeführt und dabei Tausende von ihnen getötet. Die Hintergründe dieser Ereignisse lassen sich kaum aufklären. Von polnischer Seite wurde erklärt, der Ursprung sei bei deutschen Heckenschützen zu sehen gewesen, die auf polnisches Militär geschossen hätten. Bei den darauf folgenden Hausdurchsuchungen und Fahndungen seien volksdeutsche Bewaffnete erschossen worden. Von deutscher Seite wurde berichtet, dass polnische Offiziere zur Aufrechterhaltung der Ordnung in den flüchtenden und sich auflösenden polnischen Heeresteilen Schüsse in die Luft abgegeben hätten, die dann in der entstehenden Panik den volksdeutschen Bewohnern zur Last gelegt und an ihnen blutig gerächt worden seien.

Weitere Ausschreitungen gegen Volksdeutsche ergaben sich aus folgenden Massnahmen: Unmittelbar vor oder bei Kriegsbeginn waren zahlreiche prominente Volksdeutsche verhaftet und in das Landesinnere abtransportiert worden, um dadurch deren Zusammenarbeit mit den deutschen Truppen zu verhindern. Bei langen Fussmärschen - bekannt geworden ist der Marsch nach Lowicz, einer Kreisstadt bei Warschau, - kam es zu Gewalttaten der Wachmannschaften gegenüber den durch die Anstrengungen des Marschierens sowie durch Hunger und Durst erschöpften volksdeutschen Gefangenen. Diese Ausschreitungen forderten ebenfalls viele Todesopfer.

Insgesamt fielen den genannten Gewalttaten in ganz Polen etwa 5000-6000 Volksdeutsche zum Opfer. Die nationalsozialistische Propaganda schlachtete dies weidlich aus, um insbesondere bei den Volksdeutschen Hassgefühle gegen die Polen zu erzeugen und zu schüren. Sie übertrieb die Zahl der Opfer masslos und sprach von einer Gesamtzahl von 58.000 ermordeten Volksdeutschen. Diese Propaganda fand angesichts der veröffentlichten Bild- und Filmdokumente weithin Glauben.

Der sog. Polenfeldzug verlief mit grosser Schnelligkeit erfolgreich für die deutsche Wehrmacht. Westpreussen war nach einer guten Woche im wesentlichen von den deutschen Truppen erobert und freigekämpft. Am 27.9.1939 fiel Warschau. Am 2.10.1939 waren die Kämpfe mit der Eroberung der Halbinsel Hela beendet. Der Kreis Zempelburg war bereits am 1.Kriegstag von den deutschen Truppen besetzt worden.

B. Der Kreis Zempelburg

Der Kreis Zempelburg (Westpreussen), in dem die den Angeklagten zur Last fallenden Taten begangen wurden, war der an Polen gefallene östliche Teil des früheren preussischen Landkreises Flatow, dessen westlicher Hauptteil dem neugebildeten Regierungsbezirk Grenzmark-Posen-Westpreussen zugeschlagen wurde und im Reichsgebiet verblieb. Der Kreis Zempelburg lag also unmittelbar an der westlichen Grenze Polens. Die Stadt Zempelburg, in welcher der Angeklagte Kem. damals wohnte, lag in Luftlinie etwa 10 km von der Grenze entfernt. Das kleine, nördlich von Zempelburg gelegene Landstädtchen Kamin, in dem der Angeklagte Sorgatz lebte, lag der Grenze noch näher. Einige Kilometer östlich von Kamin lag die Ortschaft Drausnitz. An der Landstrasse zwischen Kamin und Drausnitz liegt das Gut Resmin, auf dessen Beschaffenheit und Umgebung noch näher eingegangen wird.

Die Wirtschaft des Kreises Zempelburg war überwiegend agrarisch ausgerichtet. Es existierten einige grössere Güter und Bauernhöfe; kleinere bäuerliche Betriebe überwogen jedoch. Industrie war im wesentlichen nur in Form einer Reihe von Mühlenbetrieben und Sägemühlen vertreten. Die Städte und Ortschaften waren mit einer der Bevölkerung entsprechenden Anzahl von Geschäften und Handwerksbetrieben besetzt.

Die Bevölkerung im Kreis Zempelburg war unterschiedlich zusammengesetzt. Der deutsche Bevölkerungsanteil war sehr hoch, teilweise überwog er sogar deutlich die polnische Bevölkerung. Daneben gab es auch eine kleinere Anzahl von jüdischen Familien. Das Zusammenleben der verschiedenen Bevölkerungsteile war im allgemeinen reibungslos, und zwar bis in die letzte Zeit vor dem Kriegsbeginn. Es wurden zwar gelegentlich polnische nationalistisch ausgerichtete Versammlungen durchgeführt, auf denen auch Hetzreden gegen die Volksdeutschen gehalten wurden. Zu nennenswerten Ausschreitungen gegenüber der deutschen Bevölkerung kam es hierdurch indessen in diesem Gebiet nicht. Auch nach dem Einmarsch der deutschen Wehrmacht blieb die polnische Bevölkerung ruhig. Eine Reihe von polnischen Bürgern war allerdings vor dem Einmarsch in das Landesinnere geflüchtet und kehrte erst nach einigen Tagen oder Wochen bzw. nach Beendigung der Kampfhandlungen in die Heimat zurück.

C. Die Organisation und die Tätigkeit des Selbstschutzes

Kurz nach dem Einmarsch der deutschen Truppen wurden an vielen Orten teils aufgrund privater Initiative, teils auf Veranlassung provisorisch gebildeter Verwaltungsstellen oder der Wehrmacht milizähnliche Formationen unter verschiedenen Bezeichnungen gebildet, z.B. Heimatwehr, Bürgerwehr oder Ortsschutz. Diese Formationen bestanden aus volksdeutschen Männern und hatten die Aufgabe, bei etwaigen polnischen Ausschreitungen oder Sabotageakten die Bevölkerung, wichtige Gebäude, Strassen oder Brücken zu schützen. Das Bedürfnis zur Aufstellung dieser Gruppen ergab sich daraus, dass hinter der in den ersten Tagen sehr schnell vorrückenden Truppe ein Sicherheitsvakuum entstanden war.

Auf Initiative Himmlers wurde auf einer Konferenz, die zwischen dem 8. und dem 10.9.1939 stattfand, die Bildung eines volksdeutschen "Selbstschutzes" beschlossen. Mit seiner Aufstellung beauftragte Himmler den SS-Brigadeführer Berger. Die Tatsache, dass Berger, der seinerzeit Chef des SS-Ergänzungsamts war, mit dieser Aufgabe betraut wurde, weist darauf hin, dass es Himmler auch um die Gewinnung von Nachwuchs für die SS ging. Obwohl die schriftliche Ernennung Bergers erst in einem später datierten Schreiben Himmlers enthalten ist, war Berger bereits von Anfang an mit der Aufstellung des Selbstschutzes betraut.

Zwischen dem 9. und dem 14.9.1939 waren die SS-Oberführer Katzmann, Kersten, Kelz und Langleist als Befehlshaber des Selbstschutzes zu den einzelnen Armeeoberkommandos abgeordnet worden. Langleist wurde alsbald durch den SS-Oberführer Ludolph von Alvensleben ersetzt, der zuvor Adjutant Himmlers gewesen war. Von Alvensleben, ein fanatischer Polenhasser, traf am 14.9.1939 in seinem Standort Bromberg ein. Etwa gleichzeitig wurde eine Anzahl älterer, bewährter SS-Führer und -Unterführer nach Polen abgeordnet. Es handelte sich fast ausschliesslich um sogenannte "alte Kämpfer", deren weltanschauliche Festigkeit im nationalsozialistischen Sinne die Gewähr für die zuverlässige Ausführung heikler Aufgaben bot. Bei der Bildung der Selbstschutzeinheiten wurden, soweit vorhanden, die örtlich gebildeten Heimatwehren u.ä. übernommen und eingegliedert.

Der Selbstschutz war nicht uniformiert. Die Mitglieder waren lediglich durch eine Armbinde mit der Aufschrift "Selbstschutz" gekennzeichnet. Während sie anfänglich teils überhaupt nicht bewaffnet, teils nur mit Jagdwaffen ausgerüstet waren, empfingen sie später (erbeutete) Militärkarabiner, teilweise auch Pistolen.

Über die Aufgaben des Selbstschutzes führte Himmler in einem Schreiben vom 26.9.1939 an die Armeeoberkommandos und an die Chefs der Zivilverwaltung bei den AOKs folgendes aus:

> "Der Selbstschutz ist eine Organisation der Polizei und untersteht dem Befehlshaber der Ordnungspolizei und den örtlichen Organen der deutschen Ordnungspolizei.
> Über den Einsatz des Selbstschutzes verfügt der Befehlshaber der Ordnungspolizei, der auch die erforderlichen Weisungen für Bewaffnung, Ausbildung und Dienstaufsicht über den Selbstschutz erlässt.
> Ich ersuche, dafür Sorge zu tragen, dass Polizeibefugnisse nicht von anderen Organisationen in Anspruch genommen werden."

Unter dem 7.10.1939 erliess Himmler vorläufige Richtlinien für die Organisation des Selbstschutzes in Polen:

> "1) Der Selbstschutz ist eine Organisation der Polizei. Die Aufstellung obliegt den eingesetzten SS-Stäben bei den Militärbezirken im Einvernehmen mit den Befehlshabern der Ordnungspolizei. Die Führer der SS-Stäbe in den Militärbezirken unterstehen ... unmittelbar den Höheren SS- und Polizeiführern. Den Einsatz des Selbstschutzes ordnen die Befehlshaber der Ordnungspolizei an.
>
> 2) Verantwortlich für die gesamte Organisation des Selbstschutzes in den besetzten Gebieten ist der dem Chef der Ordnungspolizei unmittelbar unterstellte SS-Brigadeführer Berger, Chef des SS-Ergänzungsamtes.
>
> 3) Der Selbstschutz setzt sich aus waffenfähigen Volksdeutschen im Alter von 17 bis 45 Jahren zusammen. Aufgenommen werden nur solche, die sich nach einer Überprüfung als würdig erweisen. Der Dienst des Selbstschutzes ist ehrenamtlich.
>
> 4) Innerhalb der Ortschaften ist der Selbstschutz dem Ortsführer, innerhalb der Kreise den Kreisführern (SS-Führern) unterstellt. Die Kreise selbst sind in Inspektionen zusammenzufassen, die wieder den besonders eingesetzten Führern des Selbstschutzes (SS-Führern) unterstehen. Soweit durchführbar, sind die Angehörigen des Selbstschutzes innerhalb der Ortschaften, sonst der Kreise in Hundertschaften zusammenzufassen, diese wieder in Abteilungen. Die dienstgradmässige Gliederung wird besonders angeordnet.
>
> 5) Die vornehmste Aufgabe des Selbstschutzes ist es, das Selbstvertrauen und den Mut der Volksdeutschen zu heben und zu stärken.
> An polizeilichen Aufgaben kann dem Selbstschutz von den zuständigen Polizei--Dienststellen aufgetragen werden, entwichene Strafgefangene, Zuchthäusler, sowie sonstige unsaubere Elemente der Polen der Gestapo zu übergeben. Ferner wichtige Betriebe und Objekte zu bewachen und zu sichern. Zu grösseren polizeilichen Aktionen, sowie Durchsuchungen usw. kann der Selbstschutz auch über den örtlichen Bereich hinaus herangezogen werden.
> Beim polizeilichen Einsatz untersteht der Selbstschutz den zuständigen Führern der Ordnungspolizei.
>
> 6) <u>Bewaffnung:</u>
> Zur Durchführung der Bewaffnung muss zunächst auf beschlagnahmte oder sichergestellte Waffen zurückgegriffen werden.
> ...

8) Bekleidung:
Eine weisse Armbinde mit schwarzem Farbenaufdruck "Selbstschutz". Polizeiuniformen können für den Selbstschutz nicht verfügbar gemacht werden.
..."

Etwa gleichzeitig mit dem Selbstschutz wurde auch eine Hilfspolizei aufgestellt. In den für die Hilfspolizei am 20.September 1939 erlassenen Richtlinien heisst es:

"1) Nachdem unter Mitwirkung der den Befehlshabern der Ordnungspolizei zugeteilten SS-Stäben ein Selbstschutz aus volksdeutschen Männern im Lebensalter von 17 Jahren aufwärts aufgestellt ist, ist sofort aus denjenigen Männern des Selbstschutzes, die in der Wirtschaft entbehrlich und zum Polizei-Dienst geeignet sind, eine Hilfspolizei zu bilden. In die Hilfspolizei sollen in erster Linie solche gedienten und ungedienten Männer des Selbstschutzes eingestellt werden, die gegebenenfalls gewillt sind, sich dauernd dem Polizei-Dienst zu widmen.

2) Die Hilfspolizisten dürfen ein Lebensalter von 35 Jahren im allgemeinen nicht überschreiten, müssen ss-fähig und in Wort und Schrift der deutschen Sprache hinreichend mächtig sein. Verheiratete Bewerber sind nicht ausgeschlossen.

3) Eine Höchstzahl für die innerhalb der einzelnen Befehlsbereiche einzustellenden Hilfspolizisten wird nicht festgesetzt. Die Stärke der Hilfspolizei richtet sich nach dem örtlichen Bedürfnis.
..."

Der Selbstschutz in Westpreussen wurde durch von Alvensleben in der Weise organisiert, dass er seinen Bereich in sechs Selbstschutzinspektionen unterteilte. Diese wurden wiederum kreismässig aufgeteilt. Für das vorliegende Verfahren ist die Selbstschutzinspektion Konitz von Bedeutung, die von SS-Standartenführer Mocek [235] geleitet wurde. Zu dieser Inspektion gehörte nämlich u.a. der Kreis Zempelburg. Hier war zum Kreisselbstschutzführer der frühere, inzwischen verstorbene Mitangeschuldigte SS-Standartenführer Richardt [236] bestellt, ein "alter Kämpfer" und gnadenloser Polenhassser. Richardt liess sich in seiner Abwesenheit von dem Angeklagten Sorgatz vertreten. Ausserdem waren in den einzelnen Ortschaften Volksdeutsche als örtliche Selbstschutzführer eingesetzt.

Trotz der formalen Unterstellung des Selbstschutzes unter die Ordnungspolizei waren die faktischen Befehlsverhältnisse in Westpreussen anders. Tatsächlich empfingen die Selbstschutzeinheiten kaum Befehle von Stellen der Ordnungspolizei. Dieser unterstand vielmehr die Hilfspolizei. Der Selbstschutz stand hingegen faktisch unter der alleinverantwortlichen Leitung von Alvenslebens. Zu einem Zusammengehen kam es vor allem zwischen der Sicherheitspolizei und dem Selbstschutz, der jener als Hilfsorgan diente.

Neben den in den Richtlinien beschriebenen Aufgaben wurde der Selbstschutz zur Verhaftung, teilweise auch zur Exekution missliebiger Polen herangezogen. Ausserdem unterhielt der Selbstschutz Lager, in denen Polen und Juden gefangengehalten wurden. Ein Teil dieser Gefangenen wurde unter Mitwirkung des Selbstschutzes erschossen. Die Mitwirkung des Selbstschutzes erstreckte sich von der Festnahme über den Transport, das Ausheben der

[235] Siehe Lfd.Nr.590.

[236] Siehe Lfd.Nr.590.

Gräber bis hin zur Absperrung bei Exekutionen oder zu unmittelbarer Beteiligung an Erschiessungskommandos.

Verschiedentlich kam es auch zum Zusammenwirken von Selbstschutzeinheiten mit den in Westpreussen tätigen oder durchziehenden Einsatzgruppen und -kommandos, die neben der Wahrnehmung von polizeilichen Aufgaben hinter der Front auch mit ausgesprochenen Ausrottungsmassnahmen betraut waren.

Anfänglich amtierten noch Wehrmachtsstandgerichte. Ab 10.9.1939 war in Bromberg ein Sondergericht eingerichtet. Diese Gerichte führten den Vorschriften entsprechende Verfahren durch. Ihre Tätigkeit erschien den nationalsozialistischen Machthabern aber bei weitem nicht radikal genug. Sie drängten auf ein schärferes Durchgreifen. So kam es zunächst zu willkürlichen örtlichen Erschiessungen und später zu geplanten Aktionen, deren Umfang von Alvensleben persönlich bestimmte. Von Alvensleben war es besonders, der die ihm unterstellten Selbstschutzführer bei regelmässigen Besprechungen, in denen die Selbstschutzführer über durchgeführte Erschiessungsaktionen zu berichten hatten, immer wieder zu schärferem Vorgehen ermahnte und zum Ausdruck brachte, dass viel zu wenig Polen erschossen würden. Diese Ermahnungen wurden dann bei Versammlungen auf Kreisebene oder bei anderen Gelegenheiten von den Kreisselbstschutzführern an ihre Untergebenen weitergegeben. So forderte der SS-Standartenführer Richardt in übler Weise zu Aktionen auf, indem er sinngemäss erklärte, das Juden- und Polengesocks müsse beseitigt werden, für die Polen sei es eine Ehre, den deutschen Boden mit ihren Kadavern zu düngen.

Als es insbesondere wegen willkürlicher örtlicher Erschiessungen zu Protesten auch seitens der Wehrmacht gekommen war, führte dies zwar nicht zu einer Beendigung der Gewaltmassnahmen. Von Alvensleben zog aber alle Aktionen in der Weise an sich, dass er sich die in den Kreisen und Ortschaften zusammengestellten Listen der gefangenen Polen - es handelte sich um Angehörige des Westmarkenverbandes, zunächst geflüchtete und später heimgekehrte Polen, Angehörige der Mittel- und Oberschicht (Intelligenz), Juden, gelegentlich aber auch um willkürlich denunzierte Polen aller Schichten - vorlegen liess und anhand dieser Listen über das Schicksal der erfassten Personen, nämlich ihrer Erschiessung, ihre Freilassung oder die Überführung in ein Konzentrationslager, entschied. Der Aufstellung dieser Listen lagen keine beweiskräftigen Unterlagen zugrunde. Allenfalls lagen kurze, auf den Bekundungen einzelner Volksdeutscher beruhende Angaben wie "Deutschenhasser" oder "Angehöriger des Westmarkenverbandes" o.ä. vor. Teilweise waren die in den Lagern festgehaltenen Personen auch summarisch durch SS-Leute vernommen worden, wobei es zu Misshandlungen kam und der Sachverhalt gar nicht geprüft wurde.

Der Selbstschutz in Westpreussen wurde formell auf einem Grossappell am 28.11.1939 in Bromberg aufgelöst. Ein grosser Teil seiner Angehörigen wurde anschliessend in die allgemeine SS übernommen, später teilweise zur Waffen-SS eingezogen.

D. Die Lebensläufe der Angeklagten

I. Sorgatz

Der Angeklagte Sorgatz wurde am 21.8.1911 in Gross-Paglau im Kreise Konitz geboren. Er war einziger Sohn und zweites von vier Kindern eines Mühlen- und Ziegeleibesitzers. Der Angeklagte besuchte zunächst zwei Jahre lang die Volksschule, dann in Konitz ein deutsches Privatgymnasium bis zum Einjährigen, anschliessend ein deutsches Privatgymnasium in Posen, das er im Frühjahr 1932 mit der Oberprimareife verliess. Er hatte das Abitur nicht bestanden, die Prüfung aber, da er ohnehin nicht studieren wollte, nicht wiederholt.

Der Angeklagte wurde Praktikant in der Mühle Richter in Thorn, bis er zum 3.10.1934 zum polnischen Heer eingezogen wurde. Er wurde alsbald zum Unteroffizier befördert und am 15.9.1936 entlassen. Der Angeklagte erhielt eine Anstellung bei dem Getreidekaufmann Duleck aus Konitz, der ihn auch in seiner Filiale in Zempelburg einsetzte. Ab Pfingsten 1937 war er als kaufmännischer Angestellter seines späteren Schwiegervaters Ewald Schu. in Kamin tätig, der dort eine Mühle, ein Elektrizitätswerk und auch Karpfenteiche besass. Er war für den Verkauf zuständig und lebte mit Familienanschluss im Hause seines Arbeitgebers.

In der Zeit ab 24.8.1939 hielt sich der Angeklagte, um einer Verhaftung durch polnische Behörden zu entgehen, in Danzig auf. Am 9.9.1939 kehrte er mit Frau und Tochter seines Arbeitgebers, der selbst früher als er geflohen, aber bereits mit der Truppe wiedergekommen war, nach Kamin zurück. Vom 10.9.1939 ab war er Leiter der aus Selbstschutzleuten aus Kamin und Zempelburg gebildeten Wachmannschaft des Lagers Resmin. In dieser Zeit kam es zu den dem Angeklagten in diesem Verfahren zur Last gelegten Taten.

Etwa ab Mitte Oktober 1939 schränkte der Angeklagte seine Tätigkeit im Lager Resmin mehr und mehr ein und arbeitete vorwiegend in Zempelburg im Büro des Kreisselbstschutzführers, des verstorbenen Mitangeschuldigten Richardt. Er war im wesentlichen mit der Erfassung von Männern beschäftigt, die als Nachwuchs für die SS in Betracht kamen, wurde aber allgemein als stellvertretender Kreisselbstschutzführer angesehen. Ab Anfang 1940 war der Angeklagte als Angestellter der Kreisbauernschaft in Zempelburg beschäftigt. Am 1.6.1940 wurde er in die allgemeine SS aufgenommen, in welcher er es bis zum Untersturmführer brachte. Im September 1940 wurde er zum kommissarischen Leiter einer Mühle in Tuchel bestellt.

Im Juni 1941 wurde der Angeklagte Sorgatz zur Waffen-SS eingezogen und in Russland zunächst als Kraftfahrer, dann als Mitarbeiter des Sicherheitsdienstes eingesetzt. Bis 1944 war er wegen seiner Kenntnisse der polnischen und russischen Sprache mit der Abfassung von Berichten über Lage und Stimmung in der Bevölkerung betraut. In der Waffen-SS wurde er lediglich zum SS-Rottenführer befördert. Nach dem Rückzug aus Lettland wurde er in die Steiermark versetzt. Hier geriet er Anfang Mai 1945 in amerikanische Gefangenschaft.

Im Frühsommer 1946 wurde er nach vorübergehender Internierung durch deutsche Behörden entlassen. Er arbeitete bis August 1946 bei einer Baufirma in Bad Kissingen und begab sich dann zu seiner Familie, die in den oldenburgischen Raum gelangt war. Nach vergeblichen Versuchen, sich zusammen mit seinem Schwiegervater selbständig zu machen, war der Angeklagte von 1953 bis 1957 als Vertreter, dann als Kontaktmann für amerikanische Beratungsfirmen tätig. Später war er eine Zeitlang Versicherungsvertreter. Seit April 1969 ist er Angestellter von Gebäude- und Glasreinigungsunternehmen. Sein derzeitiges Monatseinkommen beträgt netto ca. 1.400,- DM.

Der Angeklagte ist seit 1940 mit der Zeugin Gertraud Sorgatz geb. Schu. verheiratet. Aus der Ehe sind 4 Kinder hervorgegangen. Nur der jüngste, jetzt 19-jährige Sohn lebt noch im Haushalt des Angeklagten. Der Angeklagte trat 1934 in die Jungdeutsche Partei ein, als deren Ortsgruppe in Thorn gegründet wurde. Er wurde ein Anhänger der von dieser Partei vertretenen nationalsozialistischen Ideologie. Im Jahre 1937 nahm der Angeklagte an einem als landwirtschaftliche Fortbildungsveranstaltung getarnten dreiwöchigen Schulungskursus der NSDAP in Danzig teil, in dem jungen Volksdeutschen aus der JDP und der Deutschen Vereinigung Geschichte, Ideologie und Ziele der NS-Bewegung nahegebracht wurden. Nach seiner Übersiedlung nach Kamin leitete er die Jugendarbeit der dortigen Ortsgruppe. Anfang 1939 setzte sich der Ortsgruppenleiter von Kamin, ein Albert Weilandt, aus Furcht vor einer Verhaftung durch die polnischen Behörden in das Reichsgebiet ab. Der Angeklagte übernahm dessen Geschäfte in der Partei.

Erziehung und Charakterbildung des Angeklagten Sorgatz waren durch starke Autoritätsgläubigkeit und damit durch Abhängigkeit von ihm durch Vorgesetzte gegebenen Befehlen und Anordnungen geprägt. Das entsprach einmal der allgemeinen, zeitbedingten Einstellung zu diesem Bereich. Seine Einstellung wurde jedoch zusätzlich durch die im polnischen Heer genossene Erziehung noch in der gleichen Richtung verstärkt. Dort galt der Grundsatz: "Der Befehl ist eine heilige Sache", der dartun sollte, dass der Empfänger eines Befehls diesen um seiner selbst Willen und unabhängig von seinem Inhalt zu befolgen habe. Gleichsinnig wirkten auch Einflüsse der nach dem Führerprinzip organisierten und allgemein der Ideologie der NSDAP huldigenden JDP und die Schulung durch die NSDAP auf den Angeklagten. Hinzu kam schliesslich noch die allgemeine, an Verehrung grenzende Einstellung, die die Volksdeutschen in Westpreussen gegenüber dem Reich und den dieses verkörpernden Personen empfanden.

Der Angeklagte ist durch Urteil des Schwurgerichts in Mannheim vom 12.4.1965 - 1 Ks 1/64 - wegen Beihilfe zum Mord an 60 Menschen zu einer Zuchthausstrafe von vier Jahren verurteilt worden [237]. Zwei Drittel dieser Strafe verbüsste er von August 1966 bis zum 24.April 1969. Der Strafrest wurde nach Ablauf der Bewährungszeit erlassen. Nach den Feststellungen jenes Urteils hat er die Durchführung einer Erschiessungsaktion vom 30.10.1939 gefördert, indem er als Dolmetscher der SS-Führer mitwirkte und ausserdem die befehlsgemäss auf dem Boden liegenden zu erschiessenden Polen mit dem Fuss anstiess als Zeichen dafür, dass sie nunmehr zur Exekution antreten sollten. Ausserdem gab er einige Pistolenschüsse auf Polen ab, die nach den einzelnen Salven des Exekutionskommandos noch Lebenszeichen von sich gaben.

II. Kem.

Der bisher unbestrafte Angeklagte Kem. wurde am 31.12.1908 in Rosmin im Kreis Wirsitz, Westpreussen, unehelich geboren. Der Angeklagte wuchs bei seiner Mutter auf, die bald geheiratet und weitere sieben eheliche Kinder geboren hat. Das Verhältnis des Angeklagten zu seinem Stiefvater, der bis zur Inflation einen kleineren landwirtschaftlichen Betrieb unterhielt, war gut. Der Angeklagte besuchte sieben Jahre lang die Volksschule. Er wurde immer versetzt. Von 1922 bis 1929 war er als landwirtschaftlicher Arbeiter tätig. Von September 1929 bis 1931 leistete der Angeklagte seinen Wehrdienst im polnischen Heer. Er wurde nicht befördert. Nach einer einjährigen Tätigkeit in der Landwirtschaft wurde er Arbeiter bei der ländlichen Genossenschaft in Zempelburg. Er war im wesentlichen als Lagerarbeiter eingesetzt. Ab etwa 1937 ging er dieser Tätigkeit nicht mehr regelmässig nach, da er sich ein Pferd angeschafft hatte und damit ein Fuhrgeschäft betrieb. Infolge eines Arbeitsunfalls - Verletzung der Kniescheibe - wurde der Angeklagte dauernd gehbehindert. Der Angeklagte war einfaches Mitglied der "Jungdeutschen Partei" in Zempelburg, ohne darüber hinausgehende Aktivitäten zu entfalten.

Den Kriegsausbruch erlebte der Angeklagte in seinem Wohnort Zempelburg. Bereits am ersten Tag wurde er aufgefordert, eine Wehrmachtseinheit auf dem Pferde zu begleiten. Er erkrankte aber alsbald und kehrte nach Hause zurück. Einige Tage später wurde er Mitglied des Ortsschutzes Zempelburg. Er wurde zunächst zur Bewachung des beschädigten Kornlagers der Genossenschaft eingesetzt. Dann kam er zusammen mit seinem Schwager, dem Zeugen Si., als Mitglied der Wachmannschaft des Selbstschutzes in das Gefangenenlager Resmin. Gegen Ende Oktober 1939 wurden die restlichen Gefangenen des Lagers unter seiner Leitung auf das Gut Komierowo verlegt.

[237] Siehe Lfd.Nr.590.

Vom 21.11.1939 ab war der Angeklagte als Telegraphenarbeiter beim Telegraphenamt Zempelburg tätig. Am 1.6.1940 wurde er in die allgemeine SS aufgenommen, in welcher er später zum SS-Rottenführer befördert wurde. Im Oktober 1944 wurde er zum Wehrdienst eingezogen. Er kam zunächst zu einer Einheit, die vermutlich der Waffen-SS unterstand, und dann zum Postschutz. Der Angeklagte war, wie schon im polnischen Heer, als Koch eingesetzt.

Im April 1945 geriet er in der Umgebung von Berlin in russische Gefangenschaft. Mit zahlreichen anderen Gefangenen wurde er nach einigen Tagen polnischen Behörden übergeben und von diesen zu Untertagearbeiten in einem Bergwerk eingesetzt. Nach Unfällen und längerem Kranksein wurde er am 23.8.1948 nach Westdeutschland entlassen. Er begab sich nach Gifhorn, wohin seine Schwägerin verschlagen worden war. Ab Mai 1949 fand er Arbeit bei den VW-Werken. Er war bis etwa 1954/55 als Maschinenführer, dann aus Gesundheitsgründen bis 1964 in der Schleiferei und schliesslich bis Mai 1972 in der Hausmeisterei eingesetzt. Inzwischen ist der Angeklagte Rentner. Er erhält eine Rente von monatlich 949,- DM.

Der Angeklagte heiratete 1932 Lydia geb. Si., die 1942 verstarb. Aus dieser Ehe sind zwei Kinder hervorgegangen. Im Jahre 1943 heiratete der Angeklagte Erna geb. Mie., die 1944 bei einer Entbindung verstarb. Aus der dritten, 1950 mit Irma geb. Ble. geschlossenen Ehe des Angeklagten sind zwei Kinder hervorgegangen. Seine ältesten drei Kinder sind verheiratet. Der Angeklagte bewohnt mit seiner Ehefrau und seiner jüngsten Tochter, die kaufmännische Angestellte ist, ein Eigenheim.

E. Die Gefangenenlager

I. Drausnitz, Resmin, Komierowo

Nach dem Durchzug der kämpfenden Truppe in den ersten Septembertagen 1939 wurde das eroberte Gebiet von Soldaten der Wehrmacht überprüft. Dabei wurden alle auf den Strassen angetroffenen männlichen Personen, die nicht sofort und zweifelsfrei als deutsche Volkszugehörige zu erkennen waren, festgenommen. Die Gefangenen aus der Gegend Zempelburg/-Kamin wurden in der Scheune des deutschen Bauern Jannowitz untergebracht, der in Drausnitz den grössten Hof besass. Die Gefangenen wurden von etwa 20 deutschen Soldaten unter dem Kommando eines Leutnant Becker bewacht. Ihre Zahl betrug zunächst mehrere Hundert, ging jedoch durch die Entlassung von festgesetzten Volksdeutschen zurück. Unter den Gefangenen befand sich auch eine Anzahl von durch die Kriegswirren freigekommenen Strafgefangenen aus dem Zuchthaus Deutschkrone.

Nach einigen Tagen sollte das Wehrmachtskommando weiterziehen. An den Arzt Dr. Eschner, den kommissarischen Bürgermeister von Kamin, wurde die Forderung herangetragen, für eine Bewachung der gefangengehaltenen Personen durch volksdeutsche Männer zu sorgen. Soweit ersichtlich gab dies den Anstoss für die Bildung des Selbstschutzes in Kamin. Dr. Eschner wandte sich an Ewald Schu., der den Angeklagten Sorgatz, seinen Angestellten, als Führer der Wachmannschaft vorsah und zur Verfügung stellte.

Am Nachmittag oder Abend des 10.9.1939 fand in der Gastwirtschaft des Zeugen Lab. in Kamin eine Zusammenkunft von Männern aus Kamin und Umgebung statt, unter denen sich auch die Zeugen Anton und Paul Za., Jah. und Se. befanden. Den Anwesenden wurde eröffnet, dass sie bei der Bewachung von Gefangenen mitwirken müssten. Etwa 10 Mann wurden mit Jagdwaffen ausgerüstet, die deutsche Volkszugehörige einige Zeit vor Kriegsausbruch an die polnischen Behörden hatten abliefern müssen, und begaben sich unter der Führung des Angeklagten Sorgatz nach Drausnitz auf den Hof Jannowitz. Zusammen mit einer etwa gleichstarken Gruppe von Volksdeutschen, die vom Selbstschutz in Zempelburg gestellt worden war und zu der der Angeklagte Kem. und die Zeugen Bar., Kar. und Si. gehörten, übernahmen sie die Bewachung der Gefangenen.

Die Unterbringung der Gefangenen in Drausnitz wurde als Provisorium aufgefasst, zumal der Bauer Jannowitz seine Scheune für die bevorstehende Ernte benötigte. Deshalb war bereits beim Aufstellen der volksdeutschen Wachmannschaft der Entschluss gefasst worden, die Gefangenen auf dem Gutshof Resmin unterzubringen, der von seinen polnischen Besitzern verlassen worden war.

Im Laufe des 11.9.1939 wurden die Gefangenen - es waren mehr als 200 - zu Fuss vom Hof Jannowitz zum Gut Resmin geführt und dort untergebracht. Dieses Lager blieb bis etwa Ende Oktober / Anfang November 1939 unter der Leitung des Angeklagten Sorgatz und unter der Mitwirkung des Angeklagten Kem. bestehen. In dieser Zeit kam es zu einer Anzahl von Erschiessungsaktionen, bei denen auf Weisung von SS-Führern unter Mitwirkung der volksdeutschen Lagermannschaft insbesondere gefangene Polen, aber auch Juden getötet wurden. Dazu gehören auch die den Angeklagten in diesem Verfahren zur Last gelegten Taten. Gegen Ende Oktober wurden die Erschiessungen eingestellt. Die Mehrzahl der noch lebenden Gefangenen und der Mitglieder der Bewachungsmannschaft wurde entlassen, da zudem die von den Gefangenen durchgeführte Hackfruchternte abgeschlossen war.

Ein kleiner Teil der Gefangenen, rund 40 Mann, wurde mit einigen Selbstschutzleuten unter der Leitung des Angeklagten Kem. zu dem Gut Komierowo verlegt, da dort noch Erntearbeiten auszuführen waren. Nach etwa 2 - 3 Wochen war die Ernte auch hier eingebracht. Das Lager wurde aufgelöst. Es ist nicht festgestellt worden, dass es auch in Komierowo noch zur Tötung von Polen gekommen ist.

II. Lager Resmin

1.) Lage und Baulichkeiten

Das der polnischen Adelsfamilie Seyda gehörende Gut Resmin (polnisch: Radzim) lag zwischen den Orten Kamin und Drausnitz. Die Ländereien erstreckten sich im wesentlichen zwischen dem Resmin-See, dem Zaremba-See und dem Kamionka-Fluss. Der Gutshof lag an der nördlichen Seite der Strasse Kamin/Drausnitz etwa in Höhe des östlichen Endes des Resmin-Sees.

Die Front zur Strasse bildeten von West nach Ost betrachtet folgende Gebäude: Nach den Schweineställen und der Schmiede folgte das Tor, sodann eine Mauer, die mit einem Schornstein versehene Brennerei und eine langgestreckte Scheune. Die nördliche Seite des Innenhofes wurde von einem parallel zur Scheune gelegenen Stallgebäude von etwa gleicher Länge begrenzt. Das westliche Ende des Gutshofes wurde von dem mit der Front zum Innenhof stehenden Herrenhaus gebildet. Das östliche Ende des Hofes wurde durch einen Zaun oder eine Mauer abgeschlossen; nahe der Scheune befand sich darin eine Toröffnung. Die Gesamtlänge des Gutshofs betrug mindestens 200 Meter, die Breite des Innenhofs mindestens 70 Meter. Auf dem Hof stand etwa am westlichen Ende der Scheune und zu dieser hin aus der Mitte des Innenraumes versetzt ein Magazin, das jedenfalls in seinem östlichen Teil nicht mit Mauern umgeben war, sondern nur aus Balken bestand, die das Dach trugen. Es diente als Maschinen- und Geräteschuppen. Im östlichen Bereich des Innenhofes gab es ein Kellergewölbe, über dem kein Gebäude stand und das als Rübenkeller diente. Ferner befand sich unter dem östlichen Teil der Scheune ein Keller.

Zwischen dem Stallgebäude und dem Herrenhaus war ein offener Raum, der den Blick nach Norden zum etwa 100 Meter entfernten und tiefer gelegenen Resmin-See freigab. Das leicht abfallende Gelände zwischen Wohnhaus und See war parkartig gestaltet. Es gab dort alte

Bäume, aber auch Strauchwerk. Neben dem Stallgebäude war ein Gemüsegarten angelegt, der nach Norden in den Park überging.

Jenseits der Strasse erstreckte sich ein grosser Kartoffelacker, der vom Gutshof aus hügelig anstieg und im Süden durch den Kamionka-Fluss, im Südosten durch den Zaremba-See begrenzt wurde, zu denen hin sich das Gelände wieder absenkte. Vom östlichen Ende des Guts aus führte ein in südöstlicher Richtung verlaufender Feldweg durch dieses Feld in Richtung Zaremba-See, in dessen Umgebung später die Erschiessungen von Polen und Juden überwiegend durchgeführt wurden.

2.) Lagerbetrieb

Nach dem Eintreffen der aus Drausnitz kommenden Gefangenen und ihrer Bewachungsmannschaft kümmerte sich der Angeklagte Sorgatz zunächst darum, die Ernährung der Gefangenen auf dem geplünderten Gut zu ermöglichen und sicherzustellen, während der Zeuge Anton Za., der als Lehrer aus der Reihe der Selbstschutzleute herausragte, eine Art "Bestandsaufnahme" der Gefangenen durchführte. Auf seine bei einem Appell aller Gefangenen gestellten Fragen bezeichneten sich 30-40 Mann als Volksdeutsche, eine etwas grössere Anzahl als Polen, rund 30 Leute als Ukrainer und das Gros als Kaschuben.

Die Ukrainer, bei denen es sich um Strafgefangene handelte, wurden in einem Keller untergebracht, die übrigen Gefangenen in der Scheune, in der sie auf ungedroschenem Hafer liegen konnten. Der Zeuge Anton Za. stellte zuerst eine Liste der Strafgefangenen mit Personalien, Straftat und Reststrafe auf. Diese Gruppe wurde am nächsten Tag von einem Wehrmachtskommando abgeholt. Sodann fertigte der Zeuge zusammen mit zwei volksdeutschen Gefangenen Listen der übrigen Gefangenen, in die die Personalien und, soweit es nicht Deutsche waren, Hinweise für ihre Einstellung zum polnischen Nationalismus aufgenommen wurden, etwa eine Mitgliedschaft im Westmarkenverband. Nach einigen Tagen begann die Entlassung von deutschen und kaschubischen Gefangenen, die sich inzwischen Leumundszeugnisse, Nachweise über ihre Mitgliedschaft in deutschen Vereinen oder sonstigen Organisationen oder ähnliches beschafft hatten. Polnische Gefangene wurden, von wenigen Ausnahmen abgesehen, nicht entlassen.

Der Angeklagte Sorgatz gestaltete den Lagerbetrieb nach dem Vorbild des polnischen Heeres. Nach einem morgendlichen Appell gab es das Frühstück, das aus Brot und Kaffee bestand. Anschliessend wurde die überwiegende Zahl der Gefangenen unter der Aufsicht von bewaffneten Mitgliedern der Lagermannschaft auf dem Felde des Gutes zur Kartoffelernte eingesetzt. Gegen 17.00 Uhr wurde die Hauptmahlzeit verteilt. Sodann wurden die Gefangenen in die Scheune gebracht und dort bewacht. Wenn beim Antreten zum Appell oder zum Essenempfang die Disziplin zu wünschen übrig liess, pflegte der Angeklagte Sorgatz die Gefangenen Kniebeugen machen zu lassen. Nach seiner nicht widerlegten Einlassung entsprach auch das einer entsprechenden Übung im polnischen Heer und wurde nicht als Schikane betrachtet. Misshandlungen oder Tötungen von Gefangenen im Lager Resmin sind für die Zeit vor der Übernahme der Befehlsgewalt durch die SS nicht festgestellt worden. Bis zu diesem Zeitpunkt durften die Gefangenen auch noch von ihren Angehörigen besucht werden.

Die Lagermannschaft bestand aus 15-20 volksdeutschen Männern. Sie hatten nachts den Eingang der Scheune und das Tor des Gutshofs, tagsüber die einzelnen Arbeitskommandos zu bewachen oder Küchendienst zu versehen. Die Einteilung der Leute wurde von dem Angeklagten Sorgatz oder dem Zeugen Anton Za. vorgenommen. Im Laufe der Zeit kam es dazu, dass sich eine Gruppe von etwa fünf Mitgliedern der Mannschaft von den anderen abhob. Sie wurden nicht zu den gewöhnlichen Bewachungen eingesetzt, sondern hielten sich fast ausschliesslich im Lager und in der Umgebung des Angeklagten Sorgatz auf und hatten zumindest faktisch die Rollen von Unterführern inne. Unter ihnen befanden sich Emil Daas,

Hermann Czieschke und der Angeklagte Kem. Diese in späterer Zeit mit Schlagwerkzeugen ausgerüstete Gruppe verübte überwiegend die dann vorkommenden Misshandlungen der Gefangenen und trat auch bei den späteren Erschiessungsaktionen hervor.

Nach dem Ausscheiden des Zeugen Anton Za. aus der Lagermannschaft - dieses erfolgte kurz nach dem Erscheinen des früheren Mitangeschuldigten Richardt [238]; der Zeuge hat seinen Dienst als Lehrer in Neustadt/Westpreussen am 1.10.1939 wieder angetreten und vor seinem Weggang aus Resmin, soweit feststellbar, keine Tötungsaktion miterlebt - wurde der Angeklagte Kem., der über ein selbstbewusstes und energisches Auftreten verfügte, zumindest faktisch Stellvertreter des Angeklagten Sorgatz. Nach dessen Ausscheiden wurde er sein Nachfolger als Führer der Lagermannschaft.

Das Gut Resmin wurde in den ersten Wochen nach der Gründung des Lagers auch von einer Abteilung des Reichsarbeitsdienstes als Unterkunft benutzt, die zur Beseitigung von polnischen Befestigungsanlagen eingesetzt war. Ihre Angehörigen pflegten morgens eine Anzahl von Gefangenen zur Arbeit mitzunehmen, die möglicherweise abends nicht mit zurückkehrten, sondern vor der Rückkehr getötet und - wohl in den zuzuwerfenden Panzergräben - vergraben wurden.

3.) Übernahme des Lagers durch den Kreisselbstschutzführer

Etwa eine Woche nach der Verlegung des Lagers von Drausnitz nach Resmin traf der frühere Mitangeschuldigte SS-Standartenführer Richardt in Zempelburg ein und übernahm das Kommando über den Selbstschutz des Kreises. Er erschien alsbald in Resmin und sprach zunächst mit dem Zeugen Anton Za., den er nach dem Angeklagten Sorgatz und weiter danach fragte, wieviele Gefangene sie hier schon liquidiert hätten. Der Zeuge kannte diesen Ausdruck nicht und erwiderte, zwei Gruppen von Gefangenen seien verlegt worden. Richardt erklärte sodann dem Angeklagten Sorgatz, er übernehme hiermit das Kommando über das Lager. Der Angeklagte und seine Leute hätten künftig seinen Befehlen, die dem Willen des Führers und des Reichsführers SS entsprächen, bedingungslos zu folgen. Er hetzte - dies möglicherweise in einer Ansprache vor zusammengerufenen Selbstschutzleuten - gegen die Polen, die ausgerottet werden müssten und für die es eine Ehre sei, mit ihren Kadavern deutschen Boden zu düngen. Möglicherweise warnte er die Anwesenden auch in allgemeiner Form vor den Folgen einer Verweigerung von Befehlen. Richardt hatte zu Beginn des Gesprächs auch den Angeklagten Sorgatz gefragt, wieviel Polen schon liquidiert worden seien. Der Angeklagte will das zunächst für einen üblen Scherz gehalten haben. Er merkte jedoch bald, dass es Richardt damit blutiger Ernst war.

Alsbald nach dem Eintreffen von Richardt wurde die Lagermannschaft mit französischen Karabinern und einer Reihe von Faustfeuerwaffen ausgerüstet.

4.) Aufnahme, Entlassung und Erschiessung von Gefangenen

Mit der Übernahme des Selbstschutzes durch SS-Führer wurde er mehr und mehr für die Pläne der SS-Führung über die Behandlung des polnischen und jüdischen Bevölkerungsteils in Westpreussen eingesetzt. Missliebige Polen, Mitglieder des Westmarkenverbandes oder solche Polen, die zunächst geflohen waren und nach einiger Zeit zurückkehrten, teils auch aus privaten Anlässen denunzierte Mitbürger, wurden festgenommen und in das nächstgelegene Lager gebracht. Daraus ergaben sich auch für das Lager Resmin Neuzugänge von Gefangenen. Bei der Einlieferung war auf einem Zettel gewöhnlich neben den Personalien auch der

[238] Siehe Lfd.Nr.590.

Grund der Festnahme niedergelegt, z.B. "Westmärker", "Deutschenhasser", "von der Flucht zurück"; in keinem Fall war als Verhaftungsgrund eine gravierende oder gar todeswürdige Straftat vermerkt. Das war beiden Angeklagten bekannt. Später wurden nach zentralem Plan auch Angehörige der polnischen Führungsschicht, Akademiker, Lehrer, Priester oder vermögende Polen, festgenommen und dem Lager zugeführt.

Entlassungen von Gefangenen kamen - abgesehen von denen der ersten Tage - im ersten Teil der Lagerzeit nur vereinzelt vor, wenn sich einflussreiche Volksdeutsche für Polen einsetzten, so etwa die Zeugen Pa., Lab. und Züh. Später wurden sie mit dem Nahen der Auflösung des Lagers häufiger. Zumindest gegen Ende der Lagerzeit bekamen die entlassenen Gefangenen einen Entlassungsschein, der von dem Angeklagten Sorgatz unterschrieben war und folgenden Wortlaut hatte:

> "Der ..., geboren am ..., aus ..., ist heute aus dem Internierungslager Resmin entlassen worden.
> Der Lagerkommandant:
> gez. Werner Sorgatz".

Der Zeuge Dob. ist noch im Besitz seines Entlassungsscheines.

Etwa gleichzeitig mit dem Eintreffen Richardts in Zempelburg und in der darauffolgenden Zeit erschienen häufig wechselnde SS- oder SD-Leute im Lager, die sich Gefangene zu Vernehmungen vorführen liessen. Dabei wurden sie von Selbstschutzleuten aus der Lagermannschaft unterstützt, gelegentlich auch von dem Angeklagten Sorgatz, der von Fall zu Fall als Dolmetscher mitwirkte, wenn Polen die deutsche Sprache nicht beherrschten.

Bei diesen Vernehmungen, die oberflächlich und in grober äusserer Form durchgeführt wurden, kam es oft zu Misshandlungen der Gefangenen. Von dieser Zeit ab wurde auch das Verhalten der Lagermannschaft gegenüber den Gefangenen, möglicherweise durch das Auftreten der SS-Leute beeinflusst, gröber. Es kam zu Misshandlungen und Prügelaktionen, die überwiegend in den Kellerräumen unter dem Gutshaus vorgenommen wurden. Unter einer solchen Misshandlung hatte z.B. der Zeuge Gor. zu leiden, der durch die Schläge noch heute sichtbare Narben an Kopf und Händen zurückbehielt. Die Verletzungen wurden ihm zugefügt, als er am 2.10.1939 festgenommen und im Lager Resmin nach seiner Vernehmung in den Keller geführt und von mehreren Deutschen mit Schlagwerkzeugen geprügelt wurde. An solchen Übergriffen beteiligte sich auch der Angeklagte Kem., während Tätlichkeiten des Angeklagten Sorgatz gegenüber Gefangenen im Lager nicht festgestellt worden sind.

Nach den Vernehmungen entfernten sich die SS-Leute mit ihren Aufzeichnungen über die Gefangenen. Zum Teil gaben sie vorher Anweisungen, einzelne Gefangene nicht mehr an den Arbeiten auf dem Feld teilnehmen zu lassen, sondern sie im Lager unter Bewachung zu halten. Einige Tage nach solchen Vernehmungen erschienen SS-Leute mit Namenslisten von Gefangenen. Sie eröffneten dem Angeklagten Sorgatz, die folgenden Personen seien zum Tode verurteilt worden, und nannten ihm dann Namen, die er sich notierte. Die Listen selbst übergaben sie ihm nicht. Dem Angeklagten Sorgatz war bekannt, dass diese Tötungsanordnungen von der den Beamten vorgesetzten Stelle herrührten, und dass es sich dabei nicht um Urteile von Gerichten handelte. Bei einer Gelegenheit sah er den Briefkopf "Der Höhere SS- und Polizeiführer" über der Liste der Todeskandidaten.

Die in dieser Weise übermittelten Befehle an den Angeklagten Sorgatz und seine Leute, namentlich bezeichnete Gefangene zu töten, wurden nach näherer Weisung des SS-Standartenführers Richardt und auf dessen oder anderer SS-Führer Kommando in ähnlicher Art und Weise ausgeführt.

Von Leuten der Lagermannschaft wurden an den vorgesehenen Stellen - meist auf dem Kartoffelacker jenseits der Strasse in der Nähe des Zaremba-Sees, zum Teil aber auch in dem parkartigen Gelände zwischen Gut und Resmin-See - Gruben ausgehoben, die als Gräber dienen sollten. Die zur Tötung bestimmten Gefangenen wurden überwiegend zu Tageszeiten, zu denen es noch nicht oder nicht mehr hell war, an die Gruben geführt. Dabei ging hinter jedem der Opfer ein mit Karabiner oder Pistole bewaffneter Deutscher, der in der Nähe oder am Rand der Grube auf ein Kommando hin einen Schuss in den Hinterkopf des vor ihm gehenden Polen oder Juden abgab. Die Körper der nicht immer sofort tödlich Getroffenen wurden sodann in die Grube gelegt. Wenn die Zahl der zu erschiessenden Gefangenen so gross war, dass ihre gleichzeitige Tötung nicht möglich war, wurden sie gruppenweise an das Grab geführt und erschossen. In solchen Fällen wurden den später Getöteten durch das Miterleben des Schicksals ihrer Leidensgenossen und das Warten auf den eigenen Tod, den sie, wie ihnen bewusst war, unschuldig und nur wegen ihrer Zugehörigkeit zum polnischen oder jüdischen Bevölkerungsteil erleiden sollten, zusätzliche seelische Qualen zugefügt. Die Feuerkommandos wurden teils von den die Aktionen leitenden SS-Leuten, teils, und zwar auch in Anwesenheit von SS-Beamten, von dem Angeklagten Sorgatz erteilt. Die Zahl der beteiligten Selbstschutzleute - es handelte sich nicht immer nur um Angehörige der Lagermannschaft - war abhängig von dem Umfang der geplanten Aktion. Teilweise wurden von ihnen im Umkreis um die Erschiessungsstätte Absperrungen gebildet. In solchen Fällen war die Mehrzahl der Angehörigen der Lagermannschaft beteiligt. Bei den Opfern handelte es sich nicht nur um Gefangene des Lagers Resmin, sondern auch um Gefangene, die von ausserhalb dem Lager nur zum Zwecke der Exekution zugeführt wurden.

Insgesamt sind in der Zeit des Bestehens des Lagers Resmin in dessen Umgebung mindestens 120 Menschen getötet worden.

Der Angeklagte Kem. hatte erkannt, dass diese Tötungen Unrecht waren. Es steht hingegen nicht fest, dass auch der Angeklagte Sorgatz diese Erkenntnis gewonnen hat. Dieser hat möglicherweise die ihm erteilten Befehle zu den Tötungen, die er zutreffend für solche der Führung des Deutschen Reiches ansah, für verbindlich und die Tötungen selbst für rechtmässig gehalten.

F. Die festgestellten Taten

I. Fall 7 der Anklage

1.) Anklagevorwurf:

Den Angeklagten Sorgatz und Kem. wird zur Last gelegt, im Park des Rittergutes Resmin Ende September oder Anfang Oktober 1939 gemeinschaftlich mit anderen Selbstschutzangehörigen handelnd zu der vorsätzlich und mit Überlegung sowie aus niedrigen Beweggründen und grausam begangenen Tötung von 8 Menschen durch die Tat wissentlich Hilfe geleistet zu haben.

Dabei sollen Sorgatz und Kem. an einem Tag im September oder Oktober 1939 anlässlich eines Appells der Gefangenen auf dem Lagerhof Resmin sieben namentlich bekannte Polen aus der Ortschaft Kamin und einen Juden ausgesondert und zur Tötung bestimmt haben. Die Opfer, die während des Lageraufenthaltes von den Angeklagten schwer misshandelt worden seien, sollen zur Nachtzeit von ihnen in den Park des Rittergutes geführt worden sein. Während andere Selbstschutzangehörige das Gelände absperrten, sollen die Gefangenen von den beiden Angeklagten nacheinander mit Pistolen erschossen worden sein.

2.) Feststellungen

Die Hauptverhandlung hat folgenden Sachverhalt ergeben:

Am Sonntag, dem 8.Oktober 1939, liess der Angeklagte Kem. im Laufe des Vormittags die Gefangenen auf den Hof des Gutes Resmin heraustreten. Kem. betrieb mit den Gefangenen Frühsport oder exerzierte mit ihnen. Während des Exerzierens traf der Bäckermeister Lindstedt mit einem Fahrrad auf dem Gutshof ein. Möglicherweise überbrachte Lindstedt den Erschiessungsbefehl.

Einige Zeit nachdem Lindstedt eingetroffen war, kam der Angeklagte Sorgatz aus dem Gutshaus und liess die Gefangenen zum Appell antreten. Bei diesem Appell war auch der Angeklagte Kem. zugegen. Sodann rief der Angeklagte Sorgatz anhand einer Liste mindestens 5, wahrscheinlich jedoch 6 Gefangene auf und liess diese vortreten. Es handelte sich um einen Geistlichen, wahrscheinlich den Pfarrer Grabowski aus Siepniewo, und die Gefangenen Arbeitersekretär Kaspar Rajewski, Landwirt Jan Daron, Bäckermeister Stanislaus Sowinski und Kaufmann Antoni Adamiak, alle aus Kamin, ausserdem wahrscheinlich um den Landwirt Leonhard Cyskowski aus Kamin. Nachdem Sorgatz diese Personen hatte vortreten lassen, strich der Angeklagte Kem., wissend, dass sie bald erschossen werden sollten, höhnisch grinsend und einen Knüppel schwingend um den vorgerufenen Geistlichen herum. Sorgatz liess sodann die vorgerufenen Personen im Keller des Gutshauses Resmin verwahren. In der Zwischenzeit wurde im Park in unmittelbarer Nähe des Resmin-Sees eine Grube ausgeworfen. Sorgatz und Kem. wussten, dass diese Personen sich keiner todeswürdigen Verbrechen schuldig gemacht hatten, und nur deshalb erschossen werden sollten, weil sie Polen waren. Möglicherweise gingen beide davon aus, dass die zu Erschiessenden eine deutschfeindliche Gesinnung hatten. Sorgatz und Kem. war auch bekannt, dass diese Personen sich ständig im Lager Resmin aufgehalten hatten und dass gegen sie eine Verhandlung vor einem Strafgericht, einem Sondergericht oder einem Standgericht, die mit einer Verurteilung zum Tode geendet hatte, nicht durchgeführt worden war.

Etwa zwei Stunden nach dem Appell, es war am frühen Nachmittag, wurden die zuvor ausgesonderten Personen in den Park beim Resmin-See geführt. Der Gefangene Daron, der gehbehindert war, schleppte sich mit einem Stab fort. Hinter der Gruppe der Gefangenen ging eine Reihe bewaffneter Selbstschutzleute, darunter auch die Angeklagten Kem. und Sorgatz. Der Angeklagte Sorgatz ging ein wenig abgesondert hinter den anderen Selbstschutzangehörigen her. Möglicherweise hatte er eine Liste in der Hand. In der Nähe der ausgeworfenen Grube wurden alle herausgeführten Gefangenen fast gleichzeitig mit Pistolen oder Karabinern erschossen. Es kann nicht festgestellt werden, ob die Angeklagten Sorgatz und Kem. eigenhändig auf die Opfer geschossen haben. Sie waren aber nicht nur Zuschauer, sondern hatten mindestens die Aufgabe, die Exekution zu überwachen und zu sichern.

Bei der Exhumierung am 29.Mai 1947 wurde unmittelbar am Resmin-See ein Massengrab gefunden, in welchem sich mindestens 5 Leichen, aller Wahrscheinlichkeit nach aber 6 Leichen befunden haben. Von anwesenden Verwandten der Getöteten wurden die Leichen des Rajewski, des Daron und des Sowinski wiedererkannt.

Es kann nicht festgestellt werden, dass die Opfer dieser Aktion einzeln und nacheinander erschossen worden sind. Mangels näherer Feststellungen ist vielmehr davon auszugehen, dass die Opfer gleichzeitig oder zumindest fast gleichzeitig von den Selbstschutzangehörigen erschossen worden sind.

3.) Beweisgrundlagen

Diese Feststellungen beruhen auf dem Ergebnis der Hauptverhandlung, und zwar auf den Einlassungen der Angeklagten, soweit das Schwurgericht ihnen folgen konnte, sowie den Aussagen der polnischen Zeugen Twa., Kl., Wis., Gor. und Dob., ferner auf den Bekundungen der deutschen Zeugen Paul und Anton Za., Jah., Lab. und Oe. sowie schliesslich auf der verlesenen Aussage des verstorbenen Zeugen Dom.

II. Fall 3 der Anklage

1.) Anklagevorwurf

Dem Angeklagten Sorgatz wird ferner zur Last gelegt, auf dem Acker am Resmin-See am 22.Oktober 1939 gemeinschaftlich mit anderen Angehörigen des Selbstschutzes handelnd zu der vorsätzlich und mit Überlegung sowie aus niedrigen Beweggründen, grausam und heimtückisch begangenen Tötung von 19 Menschen durch die Tat wissentlich Hilfe geleistet zu haben.

Nach der Anklage sollen auf Anordnung des Angeklagten Sorgatz 19 namentlich bekannte Polen aus Zempelburg festgenommen, in seiner Gegenwart verhört und misshandelt und schliesslich von ihm zur Erschiessung bestimmt worden sein. Zu diesem Zweck seien sie mit Lastwagen in das Lager Resmin geschafft worden. Sorgatz soll die Erschiessungsaktion vorbereitet und überwacht haben. Der Angeklagte soll den Opfern beim Verlassen des Lastwagens vorgetäuscht haben, sie kämen in ein Lager. Er soll sie aufgefordert haben, in Gruppen von je vier Personen in eine von ihm bestimmte Richtung zu gehen, die in Wirklichkeit zu der ausgeworfenen Grube führte. Auf dem Weg dorthin seien alle Personen nacheinander mit Ausnahme des Zeugen Brunon Bor., dem schwer verletzt die Flucht gelang, durch Genickschuss getötet worden. Auch Sorgatz soll mitgeschossen haben.

2.) Feststellungen

Die Hauptverhandlung hat zu folgenden Feststellungen geführt:

Am 20.Oktober 1939 wurde der polnische Zeuge Brunon Bor. von dem Volksdeutschen Traugott Schmidt in Zempelburg verhaftet und zunächst zum Gelände der Baugenossenschaft in Zempelburg gebracht. Anschliessend brachten Selbstschutzangehörige noch weitere Gefangene, und zwar den Pfarrer Zurek, den Händler Olinski, dessen minderjährigen Sohn und den Hotelier Buda. Vom Gelände der Baugenossenschaft wurden die Gefangenen zum Platz des Sägewerkes Pa. in Zempelburg überführt. Einige Zeit später kam der Angeklagte Sorgatz mit einem Motorrad auf den Hof des Sägewerkes Pa. gefahren und begab sich in das Büro. Zu diesem Sammelplatz auf dem Hof des Sägewerkes Pa. wurden im Verlaufe der Zeit noch weitere Polen gebracht. Insgesamt waren dort schliesslich folgende 21 Personen: Geistlicher Zurek, Apotheker Natz, Kaufmann Michal Olinski sen., Student Olinski jun., Hotelier Bronislaw Buda, Rentner (Landwirt) Ikiert, Gärtner Alfons Bor. (ein Vetter des Zeugen Brunon Bor.), Kaufmann Stanislaus Sobierajczyk, Baumeister Theophil Piotrowski, Kaufmann Bronislaw Gierszewski, Finanzbeamter Ziolkowski, Finanzbeamter Wladzimierz Gieras, Kreisbeamter Wetmanski, S., Kaufmann Pajzderski, Glowczewski, Leon Kurzynski, Arbeiter Ludwik Czaja, Schlosser Lucjan Jarski, Bäcker Osowski und der Zeuge Brunon Bor.

Später wurden die Verhafteten unter Bewachung in das Landratsamt in Zempelburg geführt und dort im Keller eingesperrt.

Am Abend des 21.Oktober 1939 mussten die Gefangenen auf Kommando des Angeklagten Sorgatz im Landratsamt antreten und ihre Habseligkeiten, wie Uhren, Schlüssel, Geld, in die

Kopfbedeckung legen und abliefern. Bei dieser Gelegenheit holte der Angeklagte Sorgatz eine relativ kleine Pistole aus seiner Hosentasche hervor, die er den Gefangenen zeigte, um sie einzuschüchtern.

Am Sonntag, dem 22.Oktober 1939, wurden in den frühen Morgenstunden die Gefangenen auf einen Lastkraftwagen verladen und unter Bewachung vom Landratsamt Zempelburg ins Lager Resmin gefahren. Der Angeklagte Sorgatz fuhr zusammen mit Traugott Schmidt - möglicherweise auch noch mit einem weiteren Deutschen - in einem PKW hinterher. Auf dem Lagerhof stand der Lastkraftwagen einige Zeit. Dann fuhr er vom Gutshof Resmin links auf die Landstrasse in Richtung Drausnitz und sodann nach rechts über einen schräg von der Strasse weg bergauf führenden Feldweg. Schliesslich fuhr der LKW über ein abgeerntetes Kartoffelfeld in Richtung Zaremba-See. Kurz vor dem Erreichen der zum Zaremba-See abfallenden Böschung fuhr der Lastkraftwagen durch ein Spalier von Selbstschutzleuten. Zu diesem Zeitpunkt hatte die Morgendämmerung leicht eingesetzt. Es ist nicht ausgeschlossen, dass Angehörige der SS oder des SD anwesend waren und das Unternehmen leiteten.

Der Angeklagte Sorgatz, der wusste, dass die Gefangenen hier erschossen und in der vorbereiteten Grube verscharrt werden sollten, erklärte ihnen, um sie über ihr wahres Schicksal zu täuschen: "Ihr kommt in ein Lager", und befahl den ersten vier Gefangenen, vom Lastkraftwagen herunterzusteigen. Die Vier gingen auf Geheiss des Angeklagten Sorgatz geradeaus in die von Sorgatz angegebene Richtung, die geradewegs zur Grube führte. Bei den Gefangenen handelte es sich - von rechts nach links - um den Zeugen Bor., seinen Vetter Alfons Bor. und die Polen Sobierajczyk und Ziolkowski. Hinter jedem Polen ging ein mit Pistole oder Karabiner bewaffneter Deutscher. Hinter dem Zeugen Brunon Bor. ging mit hoher Wahrscheinlichkeit der Angeklagte Sorgatz mit einer Pistole. Eine jeden Zweifel ausschliessende Feststellung ist dem Schwurgericht insoweit jedoch nicht möglich. Als einer der hinter den Gefangenen gehenden Deutschen das Kommando "links" gab, schoss ein jeder von ihnen aus kürzester Entfernung auf das Genick oder den Hinterkopf des vor ihm gehenden Polen. Der Zeuge Brunon Bor., der auf das Kommando "links" seinen Kopf nach links gedreht hatte, wurde nicht tödlich verletzt. Das abgefeuerte Geschoss traf seinen Hals hinten in der Mitte und trat unter dem rechten Ohr wieder aus. Die drei anderen Polen wurden sofort getötet. Der Zeuge Brunon Bor., der nach einer nur kurzen Bewusstlosigkeit wieder zu sich kam, sich aber tot stellte, wurde von Selbstschutzleuten an die vorbereitete Grube gezogen und dort neben einigen Leichen abgelegt. Als diese Selbstschutzleute das offene Grab verliessen, offenbar um weitere Gefangene abzuholen, floh der Zeuge Bor. die etwa 20 m entfernte Böschung hinab und versteckte sich am Ufer des Zaremba-Sees im Schilf.

Anschliessend wurden die weiteren 17 Gefangenen in mehreren Gruppen hintereinander in der gleichen Weise erschossen. Diesen Polen wurden durch das unmittelbare Miterleben der Erschiessung ihrer Leidensgefährten und das Warten auf den eigenen Tod zusätzliche seelische Qualen zugefügt. Unter den auf die Erschiessung wartenden Opfern kam es zu entsetzten und beschwörenden Ausrufen, die jedoch den Angeklagten Sorgatz und die anderen Selbstschutzleute, die zur Tötung entschlossen waren, nicht zur vorzeitigen Beendigung der Aktion veranlassten. So rief u.a. der Baumeister Piotrowski: "Leute, was tut ihr? Besinnt euch doch! Wir haben doch nichts getan!" Möglicherweise gestattete der Angeklagte dem Geistlichen Zurek auf dessen Bitte, vor seiner Erschiessung aus der abgelegten Jacke einen Rosenkranz oder ein Gebetbuch zu holen.

Dem Angeklagten Sorgatz war bei der Durchführung der Erschiessungsaktion bekannt, dass die Tötung dieser Gefangenen allein wegen ihrer Zugehörigkeit zum polnischen Bevölkerungsteil und einer eventuellen deutschfeindlichen Einstellung erfolgte und dass gegen sie keine todeswürdigen Vorwürfe bestanden. Sorgatz war ferner bekannt, dass gegen die Polen eine gerichtsförmige Verhandlung nicht durchgeführt worden war.

Nachdem die Grube von den Selbstschutzleuten zugeworfen und die Hinrichtungsstätte von ihnen geräumt worden war, verliess der Zeuge Brunon Bor. sein Versteck am Zaremba-See und begab sich in die Niederung am Kamionka-Fluss, an dem er den Tag verbrachte. Nach Einbruch der Dunkelheit wusch er sich unter der Brücke der Strasse Drausnitz-Kamin und ging sodann zu Fuss nach Zempelburg. Hier hielt er sich in dem Anwesen seiner Eltern bis zum Einmarsch der Russen im Jahre 1945 versteckt.

3.) Beweisgrundlagen

Diese Feststellungen beruhen auf dem Ergebnis der Beweisaufnahme, und zwar auf der Einlassung des Angeklagten Sorgatz, soweit ihr zu folgen war, und der glaubhaften Aussage der Zeugen Brunon Bor., Maximilian S., Walter Si. und Kar. sowie der verlesenen Aussage des verstorbenen Zeugen Arno Arn.

III. Fall 5 der Anklage

1.) Anklagevorwurf

Den Angeklagten Sorgatz und Kem. wird zur Last gelegt, auf dem Acker am Zaremba-See Ende September oder Ende Oktober 1939 gemeinschaftlich mit anderen Angehörigen des Selbstschutzes handelnd zu der vorsätzlich und mit Überlegung sowie aus niedrigen Beweggründen und grausam begangenen Tötung von mindestens 30 Menschen durch die Tat wissentlich Hilfe geleistet zu haben.

Nach der Anklage sollen an einem Morgen, wahrscheinlich Ende Oktober 1939, im Lager Resmin zwei beleuchtete Lastkraftwagen angekommen sein, auf denen sich mindestens 30 Juden, darunter fünf bis sechs Frauen und drei bis vier Kinder, befunden hätten. Die Lastwagen seien unter sichernder Begleitung der Wachmannschaft des Lagers Resmin etwa 2 km in Richtung zum Zaremba-See gefahren. An einer vorbereiteten Grube auf einem abgeernteten Kartoffelacker seien die Opfer nacheinander einzeln zur Grube geführt und dort von Selbstschutzangehörigen mit Pistolen erschossen worden. In der Grube hätten zwei Selbstschutzangehörige die Leichen aufgeschichtet. Bei dieser Erschiessungsaktion sollen die Angeklagten Sorgatz und Kem. und angeblich auch einige SS-Angehörige die Aufsicht geführt haben.

2.) Feststellungen

Das Schwurgericht hat festgestellt:

An einem Tag im Oktober 1939 fuhren in den frühen Morgenstunden auf dem Gutshof Resmin zumindest ein, wahrscheinlich aber zwei Lastkraftwagen vor. Auf diesen Fahrzeugen befanden sich vornehmlich polnische und jüdische Männer, aber auch Frauen und Kinder. Diese Personen, die erschossen werden sollten, wurden wahrscheinlich - jedenfalls soweit es die Frauen und Kinder betraf - aus dem St.Anna-Stift, wo sie nach ihrer Verhaftung festgehalten worden waren, herangeschafft. Unter den Frauen und Kindern befanden sich Mitglieder der einzigen jüdischen Familie in der Ortschaft Kamin, nämlich die Ehefrau Kaminer, deren Tochter Cilla, verheiratete Löwental, sowie deren zwei Kinder, ein Junge und ein Mädchen im Alter von etwa 3 und 5 Jahren, sowie die Schwester der Frau Kaminer, Frau Rosa Rosental, insgesamt demnach mindestens drei Frauen und zwei Kinder. Im Lager Resmin wurden noch einige Personen, die ebenfalls beseitigt werden sollten, auf den oder die Lastkraftwagen hinzugeladen. Inzwischen stellte man aus der Wachmannschaft des Lagers eine Gruppe von zehn bis zwölf Angehörigen des Selbstschutzes zusammen, welche den Transport zur Hinrichtungsstätte absichern sollten, um ein Entweichen der Gefangenen zu verhindern. Ausserdem fiel dieser Gruppe die Aufgabe zu, das Erschiessungsgelände abzurie-

geln und die Gefangenen selbst zu erschiessen. Unter diesen Selbstschutzleuten befanden sich auch die Angeklagten Sorgatz und Kem., die mit Pistolen bewaffnet waren.
Es kann nicht festgestellt werden, ob diese Gruppe von Selbstschutzleuten von dem damaligen Leiter der Lagermannschaft, dem Angeklagten Sorgatz, oder einem SS- oder SD-Dienstgrad zusammengestellt worden ist.

Nachdem die erforderlichen Vorbereitungen beendet waren, fuhr der Transport in langsamer Fahrt vom Gutshof auf die unmittelbar vor diesem verlaufende Landstrasse nach links in Richtung Drausnitz auf. In nur geringem Abstand folgte zu Fuss die Gruppe der Selbstschutzleute, die mit Pistolen oder Gewehren bewaffnet waren. Nach kurzer Fahrt auf der Landstrasse bog der Zug nach rechts in Richtung Südosten in einen Feldweg ein, der durch den abgeernteten Kartoffelacker in Richtung Zaremba-See führte. Das Gelände stieg zunächst leicht an und fiel später zum Zaremba-See hin ab. Nach einigen hundert Metern hielt man in der Nähe einer bereits ausgehobenen Grube an. Zu diesem Zeitpunkt war es noch dunkel, jedoch lichtete sich das Dunkel schon. Die mit Verdunkelungskappen abgedeckten Kraftfahrzeugscheinwerfer waren noch eingeschaltet.

Am Hinrichtungsort angekommen schwärmte ein Teil der Selbstschutzleute aus, um das Erschiessungsgelände abzusichern. Der Angeklagte Sorgatz stand in der Nähe eines Fahrzeugs und rief die Opfer anhand einer Liste oder eines Zettels vom Fahrzeug herunter, wobei er wahrscheinlich eine Taschenlampe in der Hand hatte, um besser lesen zu können. Jedenfalls standen Männer mit eingeschalteten Taschenlampen bei ihm. Auch der Angeklagte Kem. stand in unmittelbarer Nähe. Die beiden Angeklagten wollten zum reibungslosen Ablauf der gesamten Aktion beitragen und ihre Durchführung sichern. Sie waren sich bewusst, dass dies durch ihren Einsatz und schon durch ihr bewaffnetes Zugegensein auch geschah. Nach dem Herunterrufen wurden die Opfer zu der vorbereiteten Grube geführt und dort erschossen. Die Leichen fielen in diese Grube oder wurden in sie hineingeworfen. Sie wurden darin von zwei Selbstschutzleuten nebeneinandergelegt bzw. aufgeschichtet. Bei dieser Erschiessungsaktion wurden alle herausgefahrenen Opfer, und zwar mindestens 15, möglicherweise jedoch 30 Personen, nacheinander erschossen, unter denen sich Frauen und Kinder befanden. Drei Frauen und zwei Kinder, nämlich die obengenannten Mitglieder der Familie Kaminer aus Kamin, stehen namentlich fest.

Da die Opfer nacheinander erschossen wurden, mussten die in der Reihenfolge später zur Erschiessung vorgesehenen Personen den Tod ihrer schuldlosen Landsleute miterleben, wodurch sie zusätzliche seelische Qualen erlitten, ehe sie selbst zur Erschiessung an der Reihe waren und von den tödlichen Kugeln getroffen wurden.

Es kann nicht festgestellt werden, ob der Angeklagte Sorgatz, der nach seiner eigenen Einlassung bei mehreren Aktionen den Feuerbefehl gegeben hat, diese Erschiessungsaktion geleitet hat; es ist nicht ausgeschlossen, dass die Leitung der Aktion in der Hand eines Angehörigen der SS oder des SD gelegen hat. Infolge des Fehlens weiterer Anhaltspunkte kann auch nicht festgestellt werden, ob die beiden Angeklagten selbst bei dieser Aktion auf die Opfer oder auf einen Teil von ihnen die tödlichen Schüsse abgefeuert haben.

Den Angeklagten Sorgatz und Kem. war bekannt, dass die Getöteten, insbesondere die Frauen und die kleinen Kinder, sich keiner todeswürdigen Verbrechen schuldig gemacht hatten und lediglich deshalb beseitigt wurden, weil sie Polen mit möglicherweise deutschfeindlicher Gesinnung oder Juden waren.

3.) Beweisgrundlagen

Diese Feststellungen beruhen auf dem Ergebnis der Hauptverhandlung, und zwar auf den Einlassungen der Angeklagten, soweit das Schwurgericht ihnen gefolgt ist, und den glaubhaften Aussagen der Zeugen Wei., Twa. und Lab. sowie der verlesenen Aussage des verstorbenen Zeugen Dom.

G. Die Einlassung der Angeklagten

Die Angeklagten lassen sich wie folgt ein:

I. Sorgatz

Nachdem er am 9. oder 10.September 1939 von Danzig nach Kamin zurückgekehrt sei, habe ihn der damalige kommissarische Bürgermeister Dr.med. Eschner zu sich gerufen und ihm erklärt, dass in Drausnitz auf dem Hof Jannowitz von der deutschen Wehrmacht ein Auffanglager eingerichtet worden sei, in welchem Polen aus verschiedenen Gründen gefangengehalten würden. Es handele sich um freigelassene Zuchthäusler, unkontrolliert zurückflutende Militärpersonen und solche Personen, deren Identität nicht geklärt sei. Da die zur Bewachung eingesetzte Wehrmachtseinheit den Kampftruppen nachrücken müsse, solle der Selbstschutz dieses Lager übernehmen. Er, Sorgatz, sei beauftragt worden, die Funktion des Lagerleiters zu übernehmen. Das Lager habe er alsbald von Drausnitz zum Rittergut Resmin (Radzim) verlegt. Er und seine Selbstschutzleute hätten die Aufgabe gehabt, ein Entweichen der Gefangenen zu verhindern und mit ihnen die auf den Feldern stehende Ernte einzubringen. Die Gefangenen seien gut versorgt und korrekt behandelt worden.

Nur wenige Tage seien er und die Selbstschutzangehörigen mit den Gefangenen in Resmin allein geblieben. Dann habe der frühere Mitangeschuldigte SS-Standartenführer Richardt [239] die Führung des Lagers übernommen. Richardt habe darauf hingewiesen, dass die Selbstschutzangehörigen bedingungslos seinen Befehlen zu folgen hätten. Richardt habe ihn gefragt, wieviel Polen schon liquidiert worden seien. Er habe das zunächst für einen üblen Scherz gehalten. Auch habe Richardt erklärt, die Polen müssten ausgerottet werden. Für die Polen müsse es eine Ehre sein, mit ihren Kadavern den deutschen Boden zu düngen. Seit dem Eintreffen von Richardt sei er, Sorgatz, nur noch Führer der Lagermannschaft gewesen. Nach diesem Zeitpunkt seien des öfteren auch andere SS- oder SD-Leute im Lager aufgetaucht. Wenige Tage nach dem Eintreffen von Richardt sei die Lagermannschaft mit französischen Karabinern und Pistolen ausgerüstet worden. Er, Sorgatz, habe eine eigene kleine Pistole, die ihm sein späterer Schwiegervater während der Flucht nach Danzig gekauft gehabt habe, immer lose in seiner Hosentasche getragen. Richardt und die SS-Leute hätten sich wie Herrenmenschen aufgeführt. Die Selbstschutzangehörigen dagegen hätten sich als kleine, unbedeutende Volksdeutsche fühlen müssen.

Nach der Übernahme des Lagers durch die SS seien wiederholt Neuzugänge aus den Orten der näheren Umgebung im Lager zu verzeichnen gewesen. Es habe sich um missliebige Polen gehandelt, die früher Mitglieder des Westmarkenverbandes gewesen seien, solche Polen, die zunächst vor den einrückenden deutschen Truppen geflohen waren und nun in ihre Heimatorte zurückkehrten, aber auch solche, die aus privaten Anlässen denunziert worden seien. Bei ihrer Einlieferung ins Lager seien auf einem Zettel gewöhnlich die Personalien niedergelegt gewesen und auch mit einem Stichwort der Grund der Verhaftung skizziert worden, z.B. "Westmärker", "Deutschenhasser", "von der Flucht zurück" oder "Waffenbesitz ohne Uniform".

Nach dem Eintreffen von Richardt seien jeden Tag mehrere SS-Männer ins Lager gekommen, die die Gefangenen anhand von mitgebrachten Listen einem kurzen Verhör unterzogen

[239] Siehe Lfd.Nr.590.

hätten. Möglicherweise habe es sich auch um Angehörige des SD gehandelt. Bei diesen Verhören habe er, Sorgatz, teilweise gedolmetscht. Die Vernehmenden hätten den Gefangenen nicht die Möglichkeit gegeben, sich bei den Verhören erschöpfend zu den erhobenen Vorwürfen zu äussern. Vielmehr seien die Gefangenen bei den Verhören teilweise angeschrien, geohrfeigt und geprügelt worden. Er selbst habe die Gefangenen jedoch nicht geschlagen. Nach den Verhören seien einige Gefangene von den SS- oder SD-Leuten sofort auf freien Fuss gesetzt worden. Andere Gefangene hätten wieder zur Arbeit auf das Feld gehen müssen und bei wiederum anderen Gefangenen sei angeordnet worden, dass diese im Keller des Gutshauses unter besonderen Verschluss zu nehmen seien.

Einige Tage nach den Vernehmungen seien die SS-Leute am frühen Morgen oder am späten Abend mit Listen gekommen, in denen die Polen verzeichnet gewesen seien, die erschossen werden sollten. Die SS-Männer hätten ihm die Namen der zu erschiessenden Polen diktiert. Er habe sodann aus den Selbstschutzmännern des Lagers ein Erschiessungskommando zusammengestellt, die zu Erschiessenden vorgerufen und von den Selbstschutzmännern zu den auf seine Veranlassung von den Selbstschutzleuten zuvor ausgehobenen Gruben führen lassen, die jenseits der Strasse auf einem abgeernteten Kartoffelacker gelegen hätten. An den Erschiessungsaktionen hätten im Grunde alle Mitglieder der Lagermannschaft - mit Ausnahme von zwei an Jahren älteren Mitgliedern - teilgenommen; denn es habe vollauf ausgereicht, zwei Bewacher bei den Gefangenen in der Scheune auf dem Gut Resmin zurückzulassen. Die Gefangenen seien durch einen Schuss ins Genick oder in den Hinterkopf getötet worden. In der Regel seien 5 bis 8 Polen gleichzeitig erschossen worden, höchstens jedoch 11 bis 14 Polen. An den Erschiessungsaktionen hätten jeweils auch SS-Angehörige teilgenommen. Diese hätten jedoch nicht mitgeschossen, sondern nur die Aufsicht geführt.

Er selbst habe bei etwa 4 bis 6 Erschiessungsaktionen den Feuerbefehl gegeben. An etwa drei weiteren Erschiessungsaktionen, bei denen die SS-Männer das Feuerkommando gegeben hätten, habe er teilgenommen. Er wolle nicht in Abrede stellen, teilweise auch in der Reihe der Schützen gestanden und mitgefeuert zu haben. Auch könne er sich daran erinnern, dass er in Einzelfällen, wenn die Opfer noch nicht tot gewesen seien, diesen den Gnadenschuss gegeben habe, um ihnen weitere Qualen zu ersparen.

Er habe nur an befohlenen Aktionen teilgenommen und sich nicht für befugt gehalten, selbständig über Leben und Tod von Gefangenen zu entscheiden. Einmal habe er es verhindert, dass eine nicht von zuständiger Stelle angeordnete Erschiessung von ca. 40 Lehrern durchgeführt worden sei. An einer gruppenweise durchgeführten Erschiessung habe er nie teilgenommen. Immer seien, soweit er mitgewirkt habe, die Opfer gleichzeitig erschossen worden.

Er habe die ihm befohlenen Tötungen für rechtmässig gehalten. Die schriftlichen Anordnungen seien von SS-Leuten überbracht worden. Es habe sich um Schriftstücke mit einem gedruckten Briefkopf gehandelt. Er meine, sich insoweit an die Bezeichnung "Höherer SS- und Polizeiführer" zu erinnern. Es könne sein, dass es sich um einen Briefkopf des Oberführers von Alvensleben gehandelt habe. Die Anordnungen hätten Namenslisten der zu Erschiessenden enthalten. Die SS-Leute, welche mit diesen Erschiessungsbefehlen in das Lager gekommen seien, hätten gesagt, ein fliegendes Polizei- oder Standgericht habe die namentlich aufgeführten Gefangenen zum Tode verurteilt; die betroffenen Gefangenen seien jetzt zu erschiessen. Er habe damals die Überzeugung gehabt, dass deutsche Behörden keine rechtswidrigen Tötungen befehlen würden. Er habe allerdings moralisch und ethisch gewisse Bedenken gegen die Tötungen gehabt. Er habe sie nicht ausführen mögen und darunter gelitten. Aus diesem Grunde habe er anlässlich eines Familientreffens ein Gespräch unter vier Augen mit seinem Onkel Viktor Gierschewski geführt, der Rechtsanwalt in Konitz gewesen sei. Er habe ihm erzählt, dass Erschiessungsbefehle gegeben würden. Sein Onkel habe ihm erklärt, eine ordentliche Gerichtsbarkeit gebe es noch nicht wieder. Das mache jetzt die Wehrmacht.

Die Wehrmacht habe das dann wieder abgetreten an die SS und die Polizei. Die Befehle seien völkerrechtlich und rechtlich nicht anzuzweifeln. Er, Rechtsanwalt Gierschewski, sehe keine Möglichkeit, sich der Befolgung der Befehle zu entziehen. Dieses Gespräch habe ihm menschliche Erleichterung gebracht.

Zu Fall 7 der Anklage:

Den Arbeitersekretär Rajewski und den Bäckermeister Sowinski habe er persönlich gekannt. Auch die Namen des Landwirts Jan Daron und des Gewerkschaftsführers Adamiak seien ihm ein Begriff, jedoch habe er von diesen Männern keine bestimmte Vorstellung mehr. Ihm sei bekannt, dass diese Personen, die alle aus Kamin stammten, in Resmin erschossen worden seien. An den Erschiessungsvorgang selbst könne er sich jedoch nicht mehr erinnern. Er halte es für möglich, dass er die Personen beim Appell herausgerufen habe. Andererseits bezweifele er, dass er bei der Erschiessungsaktion zugegen gewesen sei; denn vor der Erschiessung von ihm bekannten Personen hätte er sich mit Sicherheit gedrückt. Auch halte er es für ausgeschlossen, dass 8 Polen von nur 2 Selbstschutzleuten nacheinander erschossen worden seien.

Zu Fall 3 der Anklage:

Die Gefangenen Hotelier Buda, Kaufmann Olinski und Finanzbeamter Ziolkowski seien ihm bekannt gewesen. Er wisse auch, dass Buda im Lager Resmin inhaftiert gewesen sei. An der Erschiessung des Buda habe er jedoch nicht teilgenommen. Auch erinnere er sich nicht an den behaupteten Ausruf des Baumeisters Piotrowski. Wenn ein Geistlicher ihn vor der Erschiessung gebeten hätte, sein Gebetbuch oder seinen Rosenkranz holen zu dürfen, so hätte er das sicher gestattet; er habe jedoch an einen solchen Vorfall keine Erinnerung, zumal er nach seiner Erinnerung nur an der Erschiessung eines Geistlichen teilgenommen habe, die in Tuchel geschehen und im Prozess vor dem Schwurgericht in Mannheim [240] verhandelt worden sei. Er sei davon überzeugt, dass er an einer solchen Erschiessungsaktion, wie sie ihm durch die Anklage zur Last gelegt werde, nicht teilgenommen habe. Er täusche sich insoweit auch nicht. Dieses Wochenende sei ihm wegen des Brandes auf dem Hof des Bauern Fritz am Abend des 21.10.1939 - dieser Brand sei Anlass für die im Mannheimer Verfahren verfolgten Erschiessungen gewesen und deshalb in der dortigen Hauptverhandlung ausführlich erörtert worden [241] - noch gut in Erinnerung. Er sei an diesem Wochenende in Kamin gewesen.

Zu Fall 5 der Anklage:

Er sei an dieser Erschiessung nicht beteiligt gewesen. Die Familie Kaminer als die einzige jüdische Familie in Kamin sei ihm bekannt gewesen, zumal sein Schwiegervater Schu. zusammen mit Herrn Kaminer Karten gespielt habe. In das Lager Resmin seien Juden aus Zempelburg und Kamin eingeliefert worden, unter denen sich auch die Mitglieder der Familie Kaminer befunden hätten. Die Männer seien jedoch alsbald vom Selbstschutz aus Konitz abgeholt worden. Drei im Lager verbliebene junge Juden habe er auf Veranlassung des Richardt einem Arbeitsdiensttrupp zum Minenräumen mitgegeben, wobei Richardt geäussert habe: "Hoffentlich treten die dann auf eine Mine." Diese drei Juden seien nicht mehr ins Lager zurückgekehrt.

[240] Siehe Lfd.Nr.590.

[241] Siehe JuNSV Bd.XXI, S.16 ff.

Es seien auch einige Jüdinnen mit Kindern ins Lager gekommen. Auf Befragen habe Richardt erklärt: "Die müssen weg." Er, Sorgatz, habe die Frauen und Kinder sodann in das St.Anna-Stift überführen lassen. Wo die Frauen und Kinder geblieben seien, wisse er nicht. Jedenfalls habe er an der Erschiessung von Frauen und Kindern nicht teilgenommen.

II. Kem.

Er habe lediglich der Wachmannschaft des Lagers angehört und die Gefangenen zur Arbeit auf das Feld begleitet. Unter den Gefangenen hätten sich keine Frauen und Kinder befunden. Die Gefangenen seien nicht schlecht behandelt und auch nicht misshandelt worden. Es sei unrichtig, dass er eine Reitpeitsche oder einen Ochsenziemer im Stiefelschaft stecken gehabt habe, mit denen er die Gefangenen misshandelt habe. Allerdings sei es richtig, dass die Gefangenen, die nicht richtig hätten arbeiten wollen, was aufs Fell bekommen hätten. Dafür habe er eine fingerdicke Rute gehabt.

Er habe nur an drei Erschiessungsaktionen teilgenommen, und zwar jeweils nur auf Befehl. Freiwillig habe er nie an der Tötung eines Menschen mitgewirkt. Die Gefangenen seien alle von hinten erschossen worden. Der Standartenführer Richardt habe erklärt, das sei der leichteste Tod, das hätten sie von der GPU gelernt. Einige Tage nach dem Eintreffen des SS--Standartenführers Richardt habe dieser ihm befohlen, einen polnischen Gefangenen aus dem Keller zu holen und im Park zu erschiessen. Gegen die Ausführung des Befehls habe er sich gesträubt. Er habe Richardt gesagt, er habe noch nie einen Menschen getötet und wolle dies auch jetzt nicht tun. Richardt habe auf der Ausführung seines Befehls bestanden, seine Pistole gezogen und ihn mit vorgehaltener Waffe gezwungen, dem Befehl nachzukommen. Er habe den Gefangenen in Begleitung des SS-Standartenführers in den Park geführt und dort auf dessen Geheiss einen Schuss abgeben müssen. Er habe mit geschlossenen Augen abgedrückt. Bei der Exekution habe auch Richardt geschossen. Der Pole sei getötet worden. Wessen Schuss ihn aber getroffen habe, wisse er nicht.

Ausser an dieser Erschiessung habe er noch an zwei weiteren Erschiessungsaktionen teilgenommen.

An einem Mittag habe er nach Hause gehen wollen. Sorgatz habe ihm Urlaub erteilt gehabt. Als er habe weggehen wollen, sei ein kleiner LKW mit etwa 3 bis 4 Gefangenen angekommen, die nicht aus dem Lager Resmin gewesen seien. Richardt habe ihn - Kem. - abgefangen, den Urlaub rückgängig gemacht und ihn veranlasst, zusammen mit 3 bis 5 Selbstschutzangehörigen diesen LKW mit den zu Erschiessenden auf den abgeernteten Kartoffelacker jenseits der Strasse zu begleiten. Die Polen seien gemeinsam erschossen worden. Auch er habe mitgemacht. Er könne sich nicht mehr daran erinnern, ob schon eine ausgeworfene Grube vorhanden gewesen sei und ob Sorgatz sich an dieser Erschiessungsaktion beteiligt habe.

Auch bei der weiteren Aktion sei ein LKW von auswärts gekommen, auf dem sich 7 bis 8 Gefangene befunden hätten. Diese Polen seien ebenfalls auf dem Kartoffelacker jenseits der Strasse erschossen worden. Bei dieser Erschiessungsaktion sei er nur als Bewacher tätig gewesen.

Zu Fall 7 der Anklage:

Er habe die bei dieser Aktion Erschossenen nicht gekannt. Die Namen der Opfer sagten ihm nichts. An einer Erschiessung von mehreren Personen im Park des Gutes Resmin habe er nicht teilgenommen. Er halte auch die Anlage eines Massengrabes in dem verwilderten Park im Hinblick auf das dichte Unterholz und den Baumbestand für nicht möglich.

Zu Fall 5 der Anklage:

Wie bereits geschildert, habe er an einer Erschiessungsaktion auf dem Kartoffelacker jenseits der Strasse in Richtung Zaremba-See als Bewacher teilgenommen, bei der 7 bis 8 Polen erschossen worden seien, die auf einem LKW von auswärts herangebracht worden seien. Er könne sich jedoch nicht daran erinnern, dass Frauen und Kinder in seiner Gegenwart erschossen worden seien.

Er habe gewusst, dass die Tötungen Unrecht waren.

H. Die Beweiswürdigung

I. Allgemeine Erwägungen

Die mehrfachen Vernehmungen der Angeklagten im Vorverfahren, deren Inhalt ihnen in der Hauptverhandlung vorgehalten worden ist, sind teilweise vor dem 1.April 1965 erfolgt und damit vor dem Inkrafttreten des StPÄG vom 19.Dezember 1964 (BGBl. I 1067). Die insoweit in Betracht kommenden Vernehmungsprotokolle enthalten deshalb nicht die in §136 StPO und §163a Abs.4 StPO vorgeschriebenen Belehrungshinweise. Gleichwohl ist das Schwurgericht nicht daran gehindert, diese Angaben der Angeklagten in ihren früheren Verhören zum Beweise heranzuziehen. Die angeführten Bestimmungen sind lediglich Ordnungsvorschriften und bedingen nicht ein Verwertungsverbot. Wäre das letztere der Fall, so hätte der Gesetzgeber das unmissverständlich zum Ausdruck gebracht, wie er es im Fall des §136a Abs.3 Satz 2 StPO beim Vorliegen eines unberechtigten Zwanges klar ausgesprochen hat (vgl. BGH, Urteil vom 31.Mai 1968 - 4 StR 19/68 in NJW 1968, 1838). Darüber hinaus sind die beiden Angeklagten in der Hauptverhandlung gemäss §243 Abs.4 StPO belehrt worden. Wenn sie hiernach auf Vorhalt die Richtigkeit des Inhaltes der Protokolle über ihre früheren Vernehmungen bestätigt haben, wie das im wesentlichen geschehen ist, so hat das Schwurgericht nur solche Angaben der Angeklagten beweismässig erfasst, die sie in der Hauptverhandlung in voller Kenntnis ihres Aussageverweigerungsrechtes anerkannt haben.

Den früheren und den in der Hauptverhandlung abgelegten Geständnissen der Angeklagten konnten entscheidender Beweiswert in dem Sinne, dass sie als tragfähige Grundlage für die Feststellung konkreter Taten hätten dienen können, nicht beigemessen werden. Eine Beteiligung an den festgestellten Taten, bei denen die Opfer oder wenigstens ein Teil derselben namentlich feststehen, haben sie in Abrede gestellt. Soweit sie eine Beteiligung an Erschiessungen einräumen, fehlen in ihren Erklärungen im allgemeinen Einzelheiten, insbesondere solche hinsichtlich der Opfer, die für die Konkretisierung einer Tat geeignet sind. Das kann nicht allein mit natürlichem Erinnerungsverfall infolge Zeitablaufs erklärt werden. Beide Angeklagten haben in anderen Bereichen ein durchaus leistungsfähiges Gedächtnis gezeigt. Die Geständnisse sind nach der Auffassung des Schwurgerichts entweder bewusst farblos gehalten, damit durch sie zwar der gute Wille gezeigt werde, zur Aufklärung des Geschehens beizutragen, ihnen andererseits aber kein ausreichender forensischer Beweiswert zukomme, oder die Detailarmut der Geständnisse erklärt sich aus starken Verdrängungsvorgängen. Bei dieser Sachlage hat sich das Schwurgericht allerdings auch nicht in der Lage gesehen, der Verteidigung darin zu folgen, dass dem Bestreiten der Angeklagten Gewicht und Glaubwürdigkeit zukomme, weil sie sich ansonsten zu ihren Taten bekannt hätten. Die Geständnisse ermangeln allerdings nicht jeden Beweiswertes. Immerhin konnten sie dem Schwurgericht die Überzeugung vermitteln, dass die Angeklagten in die Erschiessungsaktionen des Lagers Resmin engstens verstrickt waren. Insofern waren die Erklärungen der Angeklagten auch bei der Beweiswürdigung zu den festgestellten Taten nicht ganz ohne Bedeutung.

Das Schwurgericht hat nicht verkannt, dass die Vorfälle, die den Angeklagten zur Last gelegt werden, mehr als eine Menschengeneration - rund 34 Jahre - zurückliegen und somit ihre

Aufklärung schon durch den reinen Zeitablauf erschwert wird. Naturgemäss hat nicht nur das Erinnerungsvermögen der Angeklagten, sondern auch das der Zeugen nachgelassen. Jede Aussage ist demgemäss auf das Vorliegen von Erinnerungsfehlern, bedingt durch die Länge der seit der Wahrnehmung verstrichenen Zeit, sorgfältig untersucht worden. Dabei war allerdings zu beachten, dass sich erfahrungsgemäss Ereignisse von so schrecklicher Art, wie sie Gegenstand dieses Verfahrens sind, stärker, möglicherweise unauslöschlich in das Gedächtnis eines Menschen eingraben. Das gilt sowohl dann, wenn er diese Ereignisse als Akteur miterlebt, als auch und vor allem dann, wenn er, wie etwa der Zeuge Bor., selbst ihr Opfer ist.

Bei den deutschen Zeugen war unverkennbar die Tendenz zu spüren, die Vorfälle insgesamt herunterzuspielen. Dabei hat bei den Zeugen zumindest im Unterbewusstsein das Bemühen eine Rolle mitgespielt, die auch für sie grausigen Ereignisse aus der Erinnerung zu verdrängen, um nach diesen Erlebnissen und denen des Krieges allgemein - soweit das überhaupt möglich ist - wieder innerlich befreit in ihren Familien leben zu können. Diese Tendenz fand ihren Niederschlag auch darin, dass sich die Zeugen zum Teil selbst betont als verführte Opfer darstellten.

Die Zurückhaltung in den Aussagen der deutschen Zeugen war aber auch beeinflusst von der z.T. offen ausgesprochenen Überlegung, dass die Ereignisse, die Gegenstand dieses Verfahrens waren, für sie am Anfang jener Zeitepoche standen, an deren Ende sie die Heimat verloren haben, wobei sie zum Teil einen gesellschaftlichen und wirtschaftlichen Abstieg in Kauf nehmen mussten. Schliesslich litt die Aussagefreudigkeit der Zeugen aber auch darunter, dass sie sich als die "Kleinen" in dem ihnen nachträglich bekannt gewordenen Räderwerk der nationalsozialistischen Führung ansahen. Während sich die Hauptfiguren jener Übergriffe gegenüber den polnischen Mitbürgern, wie etwa von Alvensleben [242], der irdischen Gerechtigkeit entzogen hätten, sollten sie, die Randfiguren, die mehr oder minder gezwungenermassen hätten mitmachen müssen, nun auch noch gegen ihre Landsleute aussagen.

Es kam ferner hinzu, dass die Zeugen teilweise nur stockend und schwankend aussagten, weil sie, wie erkennbar wurde, befürchteten gegebenenfalls selbst mit einem Ermittlungsverfahren wegen der Beteiligung an jenen Vorfällen, die Gegenstand dieses Verfahrens sind, überzogen zu werden. Andere Zeugen brachten hingegen zum Ausdruck, dass sie Verwandte in der DDR und teilweise in Polen hätten und von diesen Verwandten mögliche Repressalien fernhalten wollten.

Schliesslich hat das Schwurgericht nicht übersehen, dass die Aussagebereitschaft bei den deutschen Zeugen in nicht unerheblicher Weise beeinträchtigt war durch die Tatsache, dass sowohl vor dem Einmarsch der deutschen Truppen nach Polen im Jahre 1939 (z.B. Bromberger Blutsonntag bzw. Marsch nach Lowicz) als auch gegen Ende des Krieges beim Einmarsch der roten Armee und der Polen viele ihrer Landsleute, teilweise auch Familienmitglieder, bei Übergriffen den Tod gefunden haben, ohne dass solche Vorfälle zum Gegenstand gerichtlicher Verfahren gemacht worden wären, ihr sinnloser Tod demnach - wie die Zeugen erklärten - ungesühnt geblieben war.

Wenn auch die polnischen Zeugen im allgemeinen guten Willens waren, wahrheitsgemäss das zu bekunden, was sie im Gedächtnis bewahrt hatten, so war doch stets zu prüfen, ob der eine oder der andere von ihnen bei der Fülle seiner Erlebnisse im Lager Resmin, in anderen deutschen Konzentrationslagern oder auch in sowjetischen Gefangenenlagern ungewollt ver-

[242] Von Alvensleben entfloh 1946 aus dem Internierungslager Neuengamme. Er verstarb 1970 in Argentinien.

schiedene Ereignisse miteinander verflochten und Erinnerungslücken durch eigene Schlussfolgerungen oder gar durch Einfügen ihm zugetragener Berichte von Leidensgenossen, Zeitungs- oder Buchberichte, Radionachrichten oder Prozessberichte ausgefüllt hat.

Weiter war jedoch zu beachten, dass von affektbesetzten Erlebnissen das Wesentliche im Gedächtnis haften bleibt, während Randerlebnisse eher verdeckt oder verändert werden können.

Bei der Frage der Zeugentüchtigkeit spielte naturgemäss auch eine grosse Rolle, ob die Zeugen überhaupt in der Lage gewesen waren, den in Rede stehenden Sachverhalt fehlerfrei wahrzunehmen, oder ob schon die äusseren Umstände das nicht zuliessen. Dabei war zu berücksichtigen, dass sich in einer gefährlichen Situation in Erkenntnis der eigenen Bedrohung das Wahrnehmungsvermögen und die Urteilskraft für das Kerngeschehen schärfen, während andererseits Einzelheiten und Nebensächlichkeiten eine geringere Bedeutung beigemessen wird.

Das Schwurgericht hat bereits darauf hingewiesen, dass die polnischen Zeugen in ihrer Gesamtheit ersichtlich darum bemüht waren, die Wahrheit zu sagen. Gleichwohl musste es die Möglichkeit prüfen, ob einzelne Zeugen nach all dem Schrecklichen, was ihnen selbst oder ihren Schicksalsgefährten angetan worden ist, danach getrachtet haben könnten, die beiden Angeklagten, die jedenfalls nach ihrer Ansicht zu den Mördern gehörten, unbedingt zu Fall zu bringen, und deshalb ihre Aussage bewusst gefärbt oder sogar erfunden haben könnten. Es konnte ausgeschlossen werden, dass die polnischen Zeugen vor ihrem Erscheinen in der Hauptverhandlung Absprachen über den Inhalt der von ihnen zu erstattenden Aussagen getroffen und diese untereinander abgestimmt haben. Auch bei denjenigen Zeugen, die zu den gleichen Fällen auszusagen hatten, waren durchaus gewisse Verschiedenheiten in den Bekundungen festzustellen, die sich z.B. aus der unterschiedlichen Beobachtungsmöglichkeit der Zeugen, aus differenzierter Merkfähigkeit, verschieden stark vorgeschrittenem Gedächtnisabbau und Unterschieden in der Auffassungsgabe erklären. Die Vernehmung der Zeugen in der Hauptverhandlung hat auch ergeben, dass sie nicht vor ihrer Abreise in die Bundesrepublik von polnischen Stellen in der Weise beeinflusst worden sind, dass ihnen der Inhalt von Protokollen über frühere Vernehmungen in Erinnerung gebracht und sie dadurch zu konstanter Wiederholung früherer Aussagen veranlasst worden wären. Die Bekundungen der Zeugen in der Hauptverhandlung waren zwar im Kern weithin konstant gegenüber früheren Aussagen. Es ergaben sich aber auch Differenzen, etwa in Form von Ergänzungen, Einschränkungen oder Klarstellungen, wie sie angesichts der Unterschiede in Form und Intensität der früheren Vernehmungen gegenüber der Vernehmung in der Hauptverhandlung sowie im Hinblick auf die Länge der seit den Ereignissen vergangenen Zeit zu erwarten waren.

Diese vorab erörterten Gesichtspunkte hat das Schwurgericht bei der Wertung jeder Aussage beachtet.

II. Vorgeschichte

Die Feststellungen des Schwurgerichts zur Vorgeschichte und zum Wirken des Selbstschutzes (oben A, B, C) gründen sich in erster Linie auf die Darlegungen des zu diesem Beweisthema gehörten Sachverständigen, des Diplom-Politologen und Historikers Dr. Sche. Dieser hat in vielen NSG-Verfahren seine Sachkunde ausgewiesen. Seine zeitgeschichtlichen Ausführungen erschienen überzeugend. In Details fanden sie bemerkenswerte Bestätigungen durch die Einlassungen der Angeklagten oder die Bekundungen sowohl deutscher Zeugen, z.B. der Zeugen Lab. und Pa., die sich verhältnismässig gut orientiert zeigten, als auch polnischer Zeugen, etwa des Zeugen Twa., der als Verwaltungsbeamter und Funktionär des "Westmarkenverbandes" ebenfalls einigen Einblick in die politischen Verhältnisse besass.

Als Beispiel seien etwa genannt die vom Sachverständigen erörterten Beziehungen zwischen der NSDAP und der JDP. Seine auf diesen Punkt bezogenen Erklärungen liessen sich in einer gerade für das vorliegende Verfahren interessanten Weise dadurch untermauern, dass der Angeklagte Sorgatz in seiner Eigenschaft als Mitglied der JDP an einem Schulungskurs der NSDAP in der Nähe von Danzig teilgenommen hat, der nach seinen Angaben gegenüber den polnischen Behörden als landwirtschaftliche Fortbildungsmassnahme getarnt wurde.

Auch die von dem Sachverständigen mit den wissenschaftlichen Methoden des Historikers gefundenen Erkenntnisse über die Entstehung des Selbstschutzes und seine faktischen Beziehungen zu Polizei und Hilfspolizei wurden in mehrfacher Hinsicht durch Zeugen bestätigt, für die sich Entschliessungen der Staatsführung und zentrale Anordnungen, die der Sachverständige dargestellt hat, als lebendige Wirklichkeit von z.T. den Lebensweg prägendem Gewicht darstellten. Das gilt etwa für die Heranziehung von Volksdeutschen zu Hilfs- und Bewachungsdiensten, durch örtliche Wehrmachtsstellen, der erst nach rund zwei Wochen die zentral gesteuerte Bildung des Selbstschutzes folgte. Das haben nahezu alle volksdeutschen Zeugen und der Angeklagte Kem. erlebt und berichtet, z.B. aber nicht der Angeklagte Sorgatz, der erst am 9.9.1939 aus Danzig zurückkehrte.

Dass der Selbstschutz der SS oder dem SD unterstand, ist für alle Beteiligten damals selbstverständlich gewesen. Das scheint die Meinung des Sachverständigen zu bestätigen, die formelle Unterordnung unter den Chef der Ordnungspolizei habe nur den Zweck gehabt, diese Formation der Kontrolle der ordentlichen Justiz zu entziehen und sie der SS- und Polizeigerichtsbarkeit zuzuordnen.

Die strenge Trennung von Selbstschutz einerseits und Hilfspolizei andererseits zeigt der Lebensweg der Zeugen Kar. und Se., für die der Übertritt zur Hilfspolizei das Ausscheiden aus dem Selbstschutz bedeutete. Der verstorbene Mitangeschuldigte Ne. und sein noch vor der Erhebung der Klage verstorbener Bruder, die ebenfalls der Lagermannschaft von Resmin angehörten, sind ebenfalls unter Ausscheiden aus dem Selbstschutz in den Polizeidienst eingetreten, dem sie auch nach dem Krieg in der Bundesrepublik angehörten.

Naturgemäss waren die Berichte aus deutschem oder polnischem Munde subjektiv gefärbt. Aufgrund des Inbegriffs der gesamten Beweisaufnahme, und insoweit vor allem durch die objektiv fundierten Angaben des Sachverständigen, konnte aber ein anschauliches Bild der zeitgeschichtlichen Zusammenhänge als Voraussetzung für eine gerechte Beurteilung der Angeklagten gewonnen werden.

III. Lebensläufe

Die Feststellungen des Schwurgerichts zum Werdegang der Angeklagten (oben D) beruhen in erster Linie auf deren Angaben. Dabei sind die DC-Unterlagen einschliesslich der in ihnen enthaltenen handschriftlichen Lebensläufe eingehend mit ihnen erörtert worden. Ergänzend kam für den Lebenslauf des Angeklagten Sorgatz noch die Aussage seiner als Zeugin gehörten Ehefrau in Betracht, deren Glaubwürdigkeit insoweit keinen durchgreifenden Bedenken unterlag.

IV. Gefangenenlager

Die allgemeinen Feststellungen zu den Gefangenenlagern (oben E) gründen sich auf die Einlassung der Angeklagten, insbesondere diejenige des Angeklagten Sorgatz, und auf die Bekundungen der Zeugen, soweit diese als Bewacher, Gefangene oder als Aussenstehende Einblick in die Verhältnisse hatten.

Sieht man von den Tötungen und den Tätlichkeiten an Gefangenen ab, auf die noch einzugehen sein wird, so haben sich hinsichtlich der allgemeinen Verhältnisse in den Lagern, vor allem in Resmin, gravierende Unterschiede zwischen den Angaben der Angeklagten und den Aussagen der Zeugen nicht ergeben. Aus dem Inbegriff aller Bekundungen, auch derjenigen der polnischen Zeugen, war insbesondere zu folgern, dass das Eintreffen des früheren Mitangeschuldigten Richardt [243] einen deutlichen Einschnitt markierte. Es waren keine fassbaren Anhaltspunkte dafür zu ermitteln, dass es vor diesem Zeitpunkt zu nennenswerten Übergriffen gegenüber den Gefangenen, geschweige denn zu Tötungen, gekommen ist. Vielmehr hat die Beweisaufnahme wahrscheinlich gemacht, dass die Behandlung der Gefangenen in diesem ersten Zeitabschnitt, in welchem der Angeklagte Sorgatz eine erhebliche Machtvollkommenheit besass - er konnte z.B. Entlassungen anordnen - verhältnismässig human gewesen ist. So haben etwa auch die polnischen Zeugen, z.B. die Zeugen Gie., Wis. und dessen Ehefrau bestätigt, dass die Gefangenen in dieser ersten Zeit noch Besuch von ihren Angehörigen empfangen durften. Das änderte sich grundlegend mit dem Erscheinen des früheren Mitangeschuldigten Richardt und dem etwa seit der gleichen Zeit beobachteten häufigen Auftauchen von SS- oder SD-Leuten im Lager. Seit diesem Zeitpunkt durften Angehörige nicht mehr zu den Gefangenen. Sie wurden am Tor abgefertigt und mussten die mitgebrachten Sachen dort abgeben, ohne dass der besuchte Gefangene dorthin gerufen wurde. Das hat die Zeugin Wis. glaubhaft bekundet. Ihr Ehemann erinnerte sich daran, dass in diesem Zusammenhang von "neuen Befehlen" bzw. einem "härteren Kurs" die Rede war. Jetzt kam es auch oft zu Tätlichkeiten an den Gefangenen, und nunmehr nahmen vor allem die Tötungsaktionen ihren Gang. Zwar wahrte ein Grossteil der vernommenen deutschen Zeugen bei der Aussage auffällige Zurückhaltung, soweit es um das Ausmass von Tätlichkeiten oder um die Erschiessung von Gefangenen ging. Teils wollte man sich solcher Ausschreitungen nicht erinnern und von Erschiessungen keine Kenntnis erlangt haben, teils wurde versucht, gelegentliches Schlagen mit sachlichen Gesichtspunkten, wie etwa der Wahrung von Disziplin und Ordnung, zu rechtfertigen. Aus den glaubhaften Bekundungen der polnischen Zeugen ergab sich aber, dass nach der ersten - humaneren - Periode Gefangene häufig, und zwar ohne Grund, geschlagen oder anderweitig, etwa durch schikanöses Exerzieren, gequält wurden. Diesen Aussagen hat das Schwurgericht den Vorzug gegeben. Es hat sich dabei dadurch bestätigt gefühlt, dass sowohl die Tätlichkeiten als auch die Erschiessungen nicht grundsätzlich von den Angeklagten in Abrede gestellt, sondern weitgehend eingeräumt worden sind.

Was die Tätlichkeiten angeht, so hat die Beweisaufnahme keine hinreichenden Anhaltspunkte dafür ergeben, dass der Angeklagte Sorgatz persönlich sich im Lager zu derartigen Ausschreitungen hat hinreissen lassen. Irgendwelche verwertbaren Einzelheiten in dieser Richtung hat auch die Befragung der polnischen Zeugen nicht ergeben. Etwas anderes gilt insoweit für den Angeklagten Kem., von dem fast alle polnischen Zeugen übereinstimmend und glaubhaft unter Schilderung von Details das ständige Beisichführen eines Schlaginstruments und dessen öfteren Gebrauch bekundet haben. Kem. hat dies, wenn auch in sehr gewundener Form, letztlich eingeräumt, das Austeilen von Schlägen allerdings als Ausnahme und durch jeweilige Ordnungsverstösse der betroffenen Gefangenen motiviert dargestellt.

Im einzelnen hat die Beweisaufnahme neben den Feststellungen zu Fall 7 der Anklage (oben F I) dazu folgendes ergeben:

Die Zeugen Twa., St., Gie. und Lip. haben nach ihren glaubhaften Bekundungen gesehen, dass der Angeklagte Kem. andere Gefangene - meist mit einem Schlagwerkzeug - geschlagen hat. Der Zeuge Kl. hat von solchen Übergriffen damals gehört. Die Zeugen Gie., Dob., Gor. und St. sind, wie sie überzeugend bekundet haben, von dem Angeklagten Kem. oder

[243] Siehe Lfd.Nr.590.

unter seiner Mitwirkung geschlagen worden. Den Zeugen Gie. - diesem bei zwei Gelegenheiten - und Dob. hat der Angeklagte je einen Schlag über den Rücken versetzt, als sie bei Appellen plötzlich im falschen Glied standen, weil der Vordermann sich entfernt hatte. Der Zeuge Dob., der diesem von ihm lachend bekundeten Vorfall ersichtlich keine grosse Bedeutung beimass und der als unentbehrlicher Traktorfahrer eine relativ unangreifbare Position im Lager hatte, erinnerte sich an den Kommentar des Angeklagten: "Du Lump kannst wohl nicht bis drei zählen."
Dem Zeugen St. hat der Angeklagte Kem. mit einem Faustschlag ins Gesicht einige Schneidezähne ausgeschlagen, als dieser einmal seinen in der Lagerküche beschäftigten Vater besuchte und während des Gesprächs laut lachte. Der Zeuge Gor. schliesslich ist nach seiner Einlieferung und Vernehmung in einem Kellerraum des Gutshofs unter Beteiligung des Angeklagten Kem. systematisch zusammengeschlagen worden. Dabei hat er am Hinterkopf und an einem Finger noch heute sichtbare Narben davongetragen. Die letzteren hat das Schwurgericht in Augenschein genommen.

V. Taten

1.) Einordnung der Angeklagten in das Befehlsgefüge

Das Schwurgericht hat die Einlassung der Angeklagten, sie hätten ausnahmslos nur auf höheren Befehl an Tötungen mitgewirkt, nicht widerlegen können. Diese Einlassung erschien sogar weitgehend glaubhaft, wenn bedacht wird, dass es, soweit ersichtlich, erst nach dem Eintreffen des früheren Mitangeschuldigten Richardt zu Erschiessungsaktionen im Lager gekommen ist. Es erscheint auch durchaus nicht unwahrscheinlich, dass Richardt sehr herrisch auftrat und den Angeklagten sehr deutlich zu verstehen gab, dass sie in allem seinem Befehl unterständen. Die Erklärung des Angeklagten Sorgatz, aus seiner Bezeichnung als Lagerkommandant dürfe keinesfalls gefolgert werden, dass er die Befugnis gehabt habe, über Leben und Tod von Gefangenen zu bestimmen, musste mangels gegenteiliger Beweise zu seinen Gunsten als zutreffend hingenommen werden. Gleiches galt erst recht für den Angeklagten Kem., der Sorgatz in dessen Abwesenheit faktisch vertrat.

2.) Einstellung der Angeklagten zu den Tötungen

War nach dem Vorausgegangenen schon objektiv davon auszugehen, dass alle Tötungsaktionen im Bereich des Lagers Resmin auf höheren Befehl erfolgten, so konnte weiterhin auch nicht festgestellt werden, dass die Angeklagten aus anderen Gründen als den, den Willen vorgesetzter Stellen zu erfüllen und die ihnen erteilten Befehle auszuführen, an den Tötungen mitgewirkt haben. Ausreichende Anhaltspunkte dafür, dass sie die Tötungsaktionen innerlich zu ihrer eigenen Sache gemacht hätten, waren im Verlauf der Beweisaufnahme nicht zu gewinnen. Insbesondere reichte die aus der Lagermannschaft herausgehobene Position der Angeklagten allein nicht aus, entsprechende sichere Feststellungen zu treffen. Wie wesentlich für den Angeklagten Sorgatz die Befehle übergeordneter Dienststellen waren, erhellt z.B. daraus, dass er nach seiner durch die glaubhafte Bekundung des Zeugen Lab. bestätigten Einlassung einmal die Erschiessung von etwa 40 Lehrern, die auf Veranlassung eines Kreisleiters der NSDAP erfolgen sollte, verhindert hat, weil kein Befehl einer übergeordneten Dienststelle zur Hinrichtung vorlag.

Bei dem Angeklagten Kem. ist noch geprüft worden, ob aus seinen Tätlichkeiten und seinem allgemeinen Verhalten gegenüber den Gefangenen auf eine innere Identifizierung mit den Erschiessungsaktionen geschlossen werden konnte. Das Schwurgericht hat aber eine entsprechende Überzeugung nicht gewinnen können. Das Verhalten des Angeklagten Kem. lässt sich aus seiner primitiven, rohen Persönlichkeitsstruktur erklären. Der Angeklagte mag einerseits erkannt haben, dass eine humane Behandlung der Gefangenen nicht mehr erwünscht war, und sich hierauf willfährig eingestellt haben. Er mag auch - anders als der Angeklagte Sorgatz -

mangels persönlicher Autorität geglaubt haben, sich durch rohes Auftreten Ansehen und Gewicht verschaffen sowie - tatsächlich nicht vorhandenen - Mut beweisen zu können.

Soweit der Angeklagte Kem. durch die Schilderung der ersten ihm durch den früheren Mitangeschuldigten Richardt befohlenen Erschiessung eines einzelnen Gefangenen dartun will, er habe an Erschiessungen nur teilgenommen, um Gefahr für sein eigenes Leben abzuwenden, hat die Beweiswürdigung folgendes ergeben:

Die Darstellung des zugrundeliegenden Einzelfalles konnte dem Angeklagten nicht widerlegt werden. Gegen ihre Richtigkeit sprechen zwar verschiedene Erwägungen. So erscheint es wenig wahrscheinlich, dass ein SS-Standartenführer sich damals persönlich mit der Erschiessung eines einzelnen Polen befasste und dabei sogar noch selbst Hand anlegte. Ferner ist die eigenhändige Beteiligung des verstorbenen Mitangeschuldigten Richardt an irgendwelchen Ausschreitungen gegen Polen oder Juden sonst weder von den Angeklagten noch von einem der Zeugen berichtet worden. Andererseits hat der Angeklagte den angeblichen Vorfall bereits in einem frühen Stadium der Ermittlungen vorgebracht und durch mehrere Vernehmungen hindurch im Kern gleichbleibend wiederholt. Im Mannheimer Verfahren hat er den Vorfall als Zeuge bekundet und anschliessend seine Aussage beschworen, wobei das damalige Schwurgericht ausweislich der verlesenen Urteilsgründe ihn für glaubwürdig gehalten hat [244]. Soweit hat das Schwurgericht im vorliegenden Verfahren allerdings nicht gehen können. Es hat nicht den Eindruck gewonnen, dass der Angeklagte Kem. unbedingt wahrheitsliebend ist, zumal er durchaus ein Motiv für unrichtige Angaben zu diesem Punkt hat. Ihm ist nämlich - nach dem Eindruck, der von ihm gewonnen wurde - klar, dass seine Schilderung, wenn das Gericht sie glaubt oder nicht widerlegen kann, ihm von Vorteil sein könnte, mag er auch ihre rechtliche Relevanz nicht durchschauen. Mangels gegenteiliger Beweismittel, insbesondere in Ermangelung der Möglichkeit, den verstorbenen Richardt zu dem Vorfall zu vernehmen, war jedoch die Einlassung des Angeklagten Kem. nicht mit ausreichender Sicherheit als falsch zu erweisen.

Obwohl nach allem davon auszugehen ist, dass der Angeklagte Kem. zu der ersten ihm angesonnenen Erschiessung (die nicht Gegenstand der Anklage ist) durch Richardt unter Vorhalt einer Pistole gegen seinen Willen bestimmt worden ist, hat das Schwurgericht die Überzeugung gewonnen, dass Kem. bei den späteren Erschiessungen, an denen er beteiligt war (Fälle 7 und 5 der Anklage), nicht mehr unter dem psychischen Druck und der Nachwirkung der in jenem Fall angewandten Drohung Richardts gehandelt hat. In den Fällen 7 und 5 der Anklage war Kem. nicht mehr ein innerlich den Taten widerstrebender, gezwungener und widerwillig dem Druck nachgebender Mensch, sondern ein willfähriger Gehilfe seiner Befehlsgeber. Wenn er die Tötung der Gefangenen auch nicht nachweisbar zu seiner "eigenen Sache" machte und sich mit ihr nicht nachweisbar identifizierte, so hatte sich seine Einstellung zu diesen Aktionen doch gewandelt. Das schliesst das Schwurgericht aus dem Gesamtverhalten des Angeklagten Kem. während der Lagerzeit: Er trat lautstark und energisch gegenüber den Gefangenen auf. Er liess sich zu deren Misshandlung hinreissen. Sein oben festgestelltes Verhalten während der Aussonderung der zu Tötenden im Fall 7 der Anklage zeigt deutlich, dass hier nicht ein in Gewissensnot handelnder, selbst unterdrückter Mensch am Werk war. In die gleiche Richtung weist schliesslich auch der Aufstieg des Angeklagten Kem. innerhalb des Lagerbetriebes vom einfachen Angehörigen der Lagermannschaft zum Mitglied des engeren Kreises um den Angeklagten Sorgatz, von dort zu dessen tatsächlichem Vertreter und schliesslich zum Lagerführer auch in Komierowo. Die Überzeugung des Schwurgerichts in diesem Punkt wird weiter gestützt durch den Umstand, dass der Angeklagte Kem. nach seiner eigenen - auch insoweit nicht zu widerlegenden - Einlassung nur einmal,

[244] Siehe JuNSV Bd.XXI S.29; der dortige Zeuge K. ist identisch mit dem Angeklagten Kem. des vorliegenden Verfahrens.

und zwar ohne Nachdruck und besondere Begründung gebeten hat, aus der Lagermannschaft entlassen zu werden, und dass er sich ohne Nachsetzen mit der Ablehnung dieses Wunsches hat abspeisen lassen. Dieser Umstand erscheint um so auffälliger, als Kem. stichhaltige Gründe für sein Entlassungsbegehren hätte ins Feld führen können. Er selbst war gehbehindert und gesundheitlich so anfällig, dass schon die kurze Begleittätigkeit bei einer Wehrmachtseinheit zu Beginn des Krieges bei ihm Krankheit ausgelöst hatte. Vor allem aber musste er in Zempelburg seine kranke Frau mit kleinen Kindern zurücklassen. Wenn er sich mit Nachdruck auf diese persönliche Situation berufen hätte, würde er nach der Überzeugung des Schwurgerichts, die sich auf von anderen Zeugen bekundete Vergleichsfälle vorzeitiger Entlassung stützt, seine Einlassung aus der Lagermannschaft und damit die Verschonung von der Beteiligung an den Tötungen erreicht haben. Dass er stattdessen im Lager blieb, macht im Zusammenhang mit allen anderen Umständen klar, dass er einen möglicherweise zunächst bestehenden inneren Widerstand aufgegeben hatte. Ersichtlich hatte er Gefallen an seiner im Vergleich zu seiner zivilen Situation vor dem Kriege herausgehobenen Position im Lager gefunden.

Dem Angeklagten Sorgatz ist nach seiner insoweit glaubhaften Einlassung von Anfang an nicht der Gedanke gekommen, die ihm erteilten Befehle zu verweigern, auch wenn ihre Ausführung ihn seelisch belastete. Das Schwurgericht hat die Einlassung zu diesem Punkt den getroffenen Feststellungen zugrunde gelegt, zumal eine entsprechende Einstellung des Angeklagten auch von der Zeugin Sorgatz, seiner Ehefrau, überzeugend bekundet worden ist.

Das Schwurgericht hat aufgrund der Beweisaufnahme nicht die Überzeugung gewonnen, dass die Einlassung des Angeklagten Sorgatz, er habe die ihm befohlenen Tötungen für rechtmässig gehalten, in vollem Umfang unwahr ist. Es hat vielmehr nicht mit der erforderlichen Sicherheit ausschliessen können, dass der Angeklagte Sorgatz die ihm befohlenen Tötungen für rechtens gehalten hat und darin von seinem Onkel, dem Rechtsanwalt Gierschewski, bestärkt worden ist.

Das Schwurgericht hat zunächst die Genese der Einlassung zu diesem Problembereich gewürdigt, die teils durch Erörterung mit dem Angeklagten, teils durch Verlesung von Protokollen in die Beweisaufnahme eingeführt worden ist. Diese Untersuchung hat zu der Feststellung geführt, dass die Einlassung in wesentlichen Punkten von Vernehmung zu Vernehmung modifiziert und erweitert worden ist.

In seiner polizeilichen Vernehmung vom 12.9.1961 hat der Angeklagte angegeben, die Gefangenen seien auf Befehl der Gestapo oder des SD ohne Gerichtsurteil erschossen worden. Man habe ihm und den anderen Selbstschutzangehörigen erklärt, der Raum Zempelburg sei noch Frontgebiet. Alle Massnahmen würden unter Kriegsrecht durchgeführt. Es handele sich zum Teil um Führerbefehle. Es gebe keine Möglichkeit, die Befehle zu verweigern.

In der staatsanwaltlichen Vernehmung vom 12.12.1961 hat der Angeklagte zu diesem Komplex folgendes erklärt:
Die Beamten hätten Listen mit den Namen der zu Erschiessenden gebracht. Nach diesen Listen habe er die Männer aufrufen müssen. Ihnen sei eröffnet worden, sie seien zum Tode verurteilt oder sie würden auf Anordnung des Reichsführers SS vom Leben zum Tode befördert oder ähnlich. Ob die Eröffnung diesen oder jenen Inhalt gehabt habe, sei ihm nicht mehr erinnerlich. Das 3.Reich habe eine starke begeisternde Anziehungskraft auf ihn als Auslandsdeutschen ausgeübt. Eine Wendung wie "Befehl des Führers" sei für ihn fast etwas Heiliges gewesen. Die nach Westpreussen entsandten SS-Führer seien die Verkörperung dieses Deutschlands gewesen. Der Gedanke, einen Befehl zu verweigern, sei ihm gar nicht gekommen. Er sei der Auffassung gewesen, dass alles richtig sei, und dass es rechtmässig sei, wenn eine Reichsstelle Todesurteile fälle. Er habe zwar niemals ein Todesurteil gesehen und wisse auch nicht, wer ein solches Urteil gesprochen habe. Auf den Vorhalt des Vernehmen-

den, weshalb er immer von Todesurteilen spreche, hat er erklärt, das tue er deshalb, weil ihm bei Aushändigung der Listen gesagt worden sei, diese Leute seien zum Tode verurteilt.

Anlässlich seiner Vernehmung durch den Untersuchungsrichter im Mannheimer Verfahren vom 3.Juni 1964 hat der Angeklagte zu dem hier in Rede stehenden Komplex folgendes angegeben:
Zur damaligen Zeit sei er fest von der Überzeugung durchdrungen gewesen, dass die ihm erteilten Befehle unbedingt befolgt werden müssten. Alles was an Hinrichtungsmassnahmen im Walde von Tuchel und auch in Resmin erfolgt sei, sei damit erklärt worden, es geschehe auf Befehl des Führers, und ein Führerbefehl habe Gesetzeskraft und sei Gesetz. Der Gedanke, hohe und höchste Reichsstellen könnten verbrecherische Befehle erteilen, habe nicht aufkommen können und dürfen. Es sei ihm und seinen Kameraden damals erläutert worden, Geiselerschiessungen und Vergeltungsmassnahmen seien völkerrechtlich in Ordnung. Sie müssten durchgeführt werden, damit es nicht erneut zu Ausschreitungen seitens der Polen käme, wie sie zuvor vorgekommen seien. Wenn er damals Befehlen Folge geleistet habe, so sei es einmal deshalb geschehen, weil es keinen Weg gegeben habe, sich ihnen zu entziehen, zum anderen aber deshalb, weil er der Überzeugung gewesen sei, dass es sich bei den Exekutionen in Tuchel und in Resmin um harte, aber keineswegs widerrechtliche Massnahmen gehandelt habe. Er und seine Kameraden hätten damals zunächst eine ganz normale Ahndung der polnischen Exzesse durch Gerichte erwartet. Dann sei aber erklärt worden, es gebe noch keine Gerichte, es herrsche Kriegsrecht, und die Gerichtsbarkeit würde von der SS im Auftrage der Wehrmacht ausgeübt. Darauf habe er vertraut.

Nachdem der Angeklagte bis zu diesem Zeitpunkt weder in dem beim Landgericht Mannheim gegen ihn anhängigen Verfahren [245] noch in dem vorliegenden Verfahren ein Gespräch mit seinem Onkel, dem Rechtsanwalt Gierschewski, erwähnt hatte, liess er erstmals nach der Verurteilung im Mannheimer Verfahren durch seinen Verteidiger in einem Wiederaufnahmegesuch vom 7.12.1966 vortragen, er habe sich bereits in den letzten Septembertagen 1939, als im Lager Resmin Erschiessungen befohlen wurden, in einer Konfliktsituation befunden und sich deswegen mit seinem Onkel in Konitz getroffen. Sein Onkel habe ihm bestätigt, dass die befohlenen Erschiessungen mit der Rechtsordnung vereinbar seien. Bei dieser Unterredung habe er erstmals das Wort Repressalie gehört. Er habe sich mit den Erklärungen des Rechtsanwalts Gierschewski zufriedengegeben.

Vor dem Untersuchungsrichter im vorliegenden Verfahren hat der Angeklagte am 23.11.1966 folgendes bekundet:
Die Tötungsaktionen seien ihm damals als ein geordnetes Verfahren erschienen. Die SS--Beamten, welche mit der Liste erschienen seien, hätten nämlich gesagt, die Verurteilung sei durch ein fliegendes Polizeigericht erfolgt. Im Rahmen der Voruntersuchung hat er sodann am 23.12.1966 weiter ausgeführt: Er habe die Tötungsanordnungen für rechtmässig gehalten. Die Beamten hätten ihm damals ausdrücklich gesagt, die Häftlinge seien durch Sondergerichte zum Tode verurteilt worden. Er sei davon ausgegangen, dass alle Gerichtsbarkeit von deutschen Sondergerichten wahrgenommen wurde. Ein Verwandter, der verstorbene Rechtsanwalt Gierschewski aus Konitz, habe ihm zudem noch bestätigt, dass verschiedene Sondergerichte in ihrem Gebiet tätig seien, dass sie rechtmässig richterliche Gewalt ausübten, auch Todesurteile fällen könnten und ihre Urteile rechtmässig seien. An die Richtigkeit dieser Auskunft eines Juristen habe er geglaubt.

Die aus dem Vorstehenden ersichtliche Veränderung der Einlassung des Angeklagten im Laufe des Verfahrens gibt zu Bedenken gegen seine Glaubwürdigkeit Anlass. Zu Recht trägt

[245] Siehe Lfd.Nr.590.

zwar die Verteidigung vor, es sei möglich und auch nicht ganz ungewöhnlich, dass Beschuldigte es bei ihrer ersten Vernehmung unterliessen, entlastende Tatsachen vorzutragen. Diese Erfahrung gilt aber in erster Linie für alltäglichere Sachverhalte als solche mit einer so grossen Bedeutung wie dem Gegenstand des vorliegenden Verfahrens. Ein verspätetes Verteidigungsvorbringen weckt im übrigen dann keine Zweifel an seiner Glaubhaftigkeit, wenn seine Entlastungsfunktion als solche nicht evident ist. Je augenfälliger aber die entlastende Bedeutung einer Tatsache ist, um so mehr verwundert es, wenn sie erst verspätet vorgetragen wird. Im vorliegenden Fall springt z.B. die entlastende Bedeutung des von dem Angeklagten behaupteten Gesprächs mit seinem Onkel, dem Rechtsanwalt Gierschewski, ins Auge. Auch für einen Rechtskundigen [246] ist klar, dass dies Gespräch günstig für den Angeklagten ist, auch wenn er nicht in der Lage ist, die rechtliche Bedeutung als eventuellen Entschuldigungs- oder Milderungsgrund zutreffend einzuordnen. Es kommt vorliegend hinzu, dass der Angeklagte das Gespräch nicht nur nicht bei der ersten Vernehmung, sondern auch bei den folgenden Vernehmungen, ja nicht einmal in der Hauptverhandlung vor dem Mannheimer Schwurgericht erwähnt hat, obwohl die Frage seiner Einstellung zu den Aktionen und deren Rechtmässigkeit erörtert worden ist. So enthält etwa die Vernehmung vor dem Untersuchungsrichter vom 3.6.1964 eine eingehende Erklärung des Angeklagten darüber, weshalb er die Aktionen auch in Resmin für rechtmässig gehalten hat. Es spricht danach einiges gegen die Annahme, dass das von dem Angeklagten behauptete Gespräch mit dem vorgetragenen Inhalt stattgefunden hat.

Das Schwurgericht hat dennoch nicht die Überzeugung gewinnen können, dass die Einlassung des Angeklagten zu diesem Gespräch in vollem Umfang unrichtig ist. Vielmehr glaubte es nicht ausschliessen zu können, dass ein derartiges Gespräch stattgefunden und der Rechtsanwalt Gierschewski dem Angeklagten dabei die Rechtmässigkeit der Erschiessungsbefehle bestätigt hat. Dafür waren mehrere Erwägungen massgebend: Einmal liegt ein Zeitraum von mehr als zwanzig Jahren zwischen dem behaupteten Gespräch und der ersten Vernehmung. Es erscheint nicht völlig ausgeschlossen, dass auch bedeutsame Sachverhalte in der Erinnerung nach so langer Zeit zunächst verschüttet sind und erst zu einem späteren Zeitpunkt - vielleicht erst nach wiederholter gedanklicher und verbaler Beschäftigung mit dem Problembereich - in das Bewusstsein zurückkehren. Ferner haben die Zeugin Sorgatz und der Zeuge Pa. bekundet, dass der Angeklagte ihnen damals etwas von einem solchen Gespräch mitgeteilt habe. Zwar kann in den verwandtschaftlichen Beziehungen dieser Zeugen zu dem Angeklagten ein starkes Motiv für eine falsche Bekundung zu finden sein. Ein verwertbarer tragfähiger Hinweis dafür, dass die Zeugen in diesem Punkt die Unwahrheit gesagt haben, hat sich indessen weder aus dem Inhalt ihrer Bekundungen noch aus ihrem Aussageverhalten ergeben. Schliesslich erscheint es auch nicht völlig ausgeschlossen, dass ein volksdeutscher Rechtsanwalt seinerzeit bei der damals sich ausbreitenden Perversion des Rechts eine entsprechende Auskunft gegeben hätte.

Geht man aber hiervon aus, so hat das Schwurgericht es für nicht ausgeschlossen gehalten, dass der Angeklagte die ihm nachgewiesenen befohlenen Aktionen trotz ihrer Ungeheuerlichkeit für rechtmässig gehalten hat. Bei dieser Beweiswürdigung hat das Schwurgericht auch in Rechnung gestellt, dass der Angeklagte nach seiner insoweit glaubhaften Einlassung im Elternhaus eine dem Zeitgeist entsprechende autoritäre Erziehung genossen hatte. In die gleiche Richtung führte auch die Ausbildung im polnischen Heer, welcher der Angeklagte unterworfen war. Dort galt nach den durch die glaubwürdigen Bekundungen auch mehrerer polnischer Zeugen bestätigten Angaben des Angeklagten der Grundsatz: "Der Befehl ist eine heilige Sache." Ferner wurde ihm sicherlich autoritäres Gedankengut in der "Jungdeutschen Partei"

[246] Gemeint ist wohl: Rechtsunkundigen.

vermittelt, die nach dem Führerprinzip organisiert war und der er als junger, vielleicht noch weitgehend unkritischer Mensch beigetreten war.

Weiterhin muss bei der Wertung der Einlassung des Angeklagten in diesem Bereich berücksichtigt werden, dass die Tötungen von Staats wegen befohlen wurden, dass damals die Anschauung, staatliche Anordnungen seien unabdingbar und rechtens, weithin herrschte, und dass eine mehr oder minder blinde Autoritätsgläubigkeit gegenüber den Anordnungen deutscher Stellen gerade unter den Volksdeutschen aufgrund der Faszination, die der Aufstieg des 3.Reiches auf sie ausgeübt hatte, besonders stark verbreitet war. Schliesslich erscheint es auch nicht uneinfühlbar, dass die polnischen Exzesse gegenüber Volksdeutschen beiderlei Geschlechts und aller Altersstufen bei Beginn des Krieges und deren übertriebene Ausschlachtung durch die NS-Propaganda aufkommenden Bedenken gegenüber den Tötungsanordnungen der SS-Führer die Kraft genommen haben mag. Gegenüber diesen Erwägungen is nicht verkannt worden, dass auch damals erhebliche Anhaltspunkte für die Rechtswidrigkeit der Erschiessungen vorlagen, insbesondere im Fall 5 der Anklage, wo auch Frauen und Kinder betroffen waren. So wurden die Erschiessungen ausserhalb der Organisation und des Befehlsapparates der SS und des Selbstschutzes geflissentlich geheimgehalten. Das Verhalten und die Erklärungen des verstorbenen Mitangeschuldigten Richardt [247] stellten deutliche Indizien dafür dar, dass hier nicht Recht, sondern Unrecht geschah. Die Aktionen wurden mehrere Wochen nach Beendigung der Kampfhandlungen in dem hier in Betracht kommenden Raum und nach dem Waffenstillstand durchgeführt; Partisanentätigkeit in der näheren und weiteren Umgebung trat nicht in Erscheinung. Gegen die Richtigkeit der Einlassung des Angeklagten spricht schliesslich auch die Erwägung, dass einfachere Menschen als er, wie etwa der Mitangeklagte Kem., die Rechtswidrigkeit der Tötungen erkannten. Aber auch diese Erwägung ist nicht zwingend. Die unbedingte Autoritätsgläubigkeit war damals unter gebildeten Menschen nicht weniger verbreitet, als unter Menschen einfacher Wesensart, ja gelegentlich sogar in stärkerem Ausmass.

Wenn das Schwurgericht nach allem die Einlassung des Angeklagten, er habe die Erschiessungsbefehle für rechtmässig gehalten und sei hierin von seinem Onkel, Rechtsanwalt Gierschewski, bestätigt worden, für nicht widerlegt erachtet hat, so gilt das Gleiche nicht für seine gesamte Einlassung zu diesem Problembereich. Nach der Überzeugung des Schwurgerichts ist die Erklärung des Angeklagten, ihm sei damals gesagt worden, ein fliegendes Polizei- oder Standgericht habe die zu Erschiessenden zum Tode verurteilt, eine unwahre Schutzbehauptung. Im Gegensatz zu dem oben als nicht widerlegt gekennzeichneten Teil seiner Einlassung, bei dem es sich um eine blosse Erweiterung früherer Einlassungen handelt, die zu diesen nicht im Widerspruch steht, liegt insoweit eine Angabe vor, die den früheren Erklärungen des Angeklagten widerspricht. In seiner ersten Vernehmung vom 12.9.1961 hat er nämlich ausdrücklich erklärt, die Gefangenen seien ohne Gerichtsurteil auf Befehl der Gestapo oder des SD erschossen worden. Es handele sich zum Teil um Führerbefehle. In der Vernehmung vom 12.12.1961 ist dann zwar von Todesurteilen die Rede. Der Angeklagte hat damals aber ausdrücklich erklärt, er wisse nicht, wer ein solches Urteil gesprochen habe. Auch wird aus seiner Erwiderung auf den Vorhalt des Vernehmenden, weshalb er immer von Todesurteilen spreche, deutlich, dass der Angeklagte nichts von konkreten Urteilen eines Polizei- oder Standgerichts gewusst hat. Bei der Vernehmung vor dem Untersuchungsrichter des Landgerichts Mannheim im Jahre 1964 hat der Angeklagte zur Begründung seiner Auffassung über die Rechtmässigkeit der Erschiessungen eindeutig die Betonung auf die erteilten Befehle, insbesondere auf den Begriff Führerbefehl gelegt. Lediglich mehr beiläufig hat er angegeben, ihm sei erklärt worden, die Gerichtsbarkeit würde von der SS im Auftrage der Wehrmacht ausgeübt; von Urteilen eines fliegenden Polizei- oder Standgerichts ist indessen

[247] Siehe Lfd.Nr.590.

auch hier keine Rede. Ähnliches gilt für das Vorbringen des Angeklagten in seinem Wiederaufnahmeantrag vom 7.12.1966, in dem es heisst, sein Onkel habe ihm bestätigt, dass die befohlenen Erschiessungen mit der Rechtsordnung vereinbar seien. Bei diesem Gespräch sei auch das Wort Repressalie gefallen. Erst in der Vernehmung vor dem Untersuchungsrichter im vorliegenden Verfahren hat der Angeklagte erklärt, die Verurteilung sei durch ein fliegendes Polizeigericht erfolgt; einen ähnlichen Inhalt hat er bei dieser Gelegenheit auch den Erklärungen des Rechtsanwalts Gierschewski gegeben, der angeblich gesagt habe, in dem fraglichen Gebiet seien mehrere Sondergerichte tätig, die rechtmässig richterliche Gewalt ausübten und auch Todesurteile fällen könnten, die rechtmässig seien.

Die Würdigung der Widersprüchlichkeiten dieser verschiedenen Angaben des Angeklagten hat dem Schwurgericht die Überzeugung vermittelt, dass er insoweit in dem Bemühen, sich zu schützen, zur Unwahrheit gegriffen hat.

3.) Hergang der Aktionen

Beide Angeklagten sind im Sinne der zu den Fällen 7, 3 und 5 der Anklage getroffenen Feststellungen zur Überzeugung des Schwurgerichts überführt.

a) Fall 7 der Anklage

Aufgrund der glaubhaften Bekundungen der Zeugen Twa., Gor. und Dob. steht fest, dass bei der Exhumierung im Jahre 1947 in unmittelbarer Nähe des Resmin-Sees am Fusse des zum Gut Resmin gehörenden Parkes ein Massengrab gefunden worden ist, in welchem sich mindestens 5, wahrscheinlich jedoch 6 Leichen befunden haben. Der Zeuge Twa. hat in amtlicher Eigenschaft an jener Exhumierung teilgenommen, während die Zeugen Gor. und Dob. als frühere Häftlinge des Lagers Resmin aus Interesse zu der Stätte im Park gefahren waren, als von den Exhumierungen und der beabsichtigten Anlage eines Ehrenfriedhofes in der Nähe des Gutes Resmin berichtet worden war. Bei dieser Exhumierung sind, wie der Zeuge Twa. glaubhaft bekundet hat, die Leichen des Rajewski, des Sowinski und des Daron von anwesenden Familienangehörigen identifiziert worden.

Diese Personen sind - was der Angeklagte Sorgatz einräumt - während der Zeit des Bestehens des Lagers Resmin erschossen worden, und zwar von Selbstschutzangehörigen des Lagers. An dieser Erschiessungsaktion waren nach der Überzeugung des Schwurgerichts auch die Angeklagten Sorgatz und Kem. beteiligt.

Die Zeugen Kl., Wis., Gor. und Dob., die zur Tatzeit Gefangene des Lagers Resmin waren, haben dem Schwurgericht anschaulich und überzeugend geschildert, wie sie am Sonntag, dem 8.Oktober 1939, vormittags an dem Exerzieren auf dem Gutshof teilgenommen haben, welches der Angeklagte Kem. leitete. Kem. liess die Gefangenen laufen, sich hinlegen - auch in Wasserpfützen -, aufstehen und auf dem Boden Stroh aufsammeln. Während des Exerzierens traf, wie der Zeuge Dob. beobachtete, der Bäckermeister Lindstedt mit einem Fahrrad ein und überbrachte dem Angeklagten Sorgatz Papiere. Da Sorgatz alsbald nach dem Empfang der Papiere die Gefangenen vor der Terrasse des Gutshauses zum Appell antreten und einige von ihnen heraustreten liess, schloss Dob. hieraus, dass Lindstedt dem Angeklagten Sorgatz möglicherweise einen Befehl zur Erschiessung überbracht hatte. Bei diesem Appell, den die vier Zeugen übereinstimmend beschrieben haben, rief der Angeklagte Sorgatz mindestens 5, wahrscheinlich jedoch 6 Personen vor. Unter ihnen befand sich ein Geistlicher von stattlicher Körpergrösse, der von dem Zeugen Gor. als der Pfarrer Grabowski aus Siepniewo bezeichnet wurde. Ob es sich tatsächlich um Pfarrer Grabowski gehandelt hat, kann letztlich nicht festgestellt werden, weil die anderen Zeugen sich ausserstande gesehen haben, den vorgerufenen Geistlichen mit Namen zu bezeichnen. Der Zeuge Gor. selbst sprach zunächst nur von "dem grossen Pfarrer". Später fiel ihm dann der Name Grabowski ein. Auch der

Zeuge Kl. sprach nur von "dem grossen Geistlichen", ohne einen Namen nennen zu können. Der Zeuge Wis. nannte zwei weitere Namen von Geistlichen, die als Gefangene im Lager Resmin waren; er erklärte gleichzeitig, er könne nicht sagen, ob es sich um den Pfarrer Piatkowski oder den Pfarrer Mazel gehandelt habe. Der Zeuge Dob. konnte nichts zur Identifizierung des Geistlichen beitragen.

Sorgatz rief nach den glaubhaften Bekundungen der genannten vier polnischen Zeugen als ersten den Geistlichen auf, der vorzutreten hatte und um den, wie der Zeuge Gor. beobachtet und anschaulich geschildert hat, der Angeklagte Kem. höhnisch grinsend und einen Knüppel schwingend herumstrich. Im einzelnen wurden ausser dem Pfarrer noch folgende namentlich bekannte Personen vorgerufen:

Arbeitersekretär Kaspar Rajewski, den die Zeugen Gor., Dob., Wis. und Kl. kannten,
Landwirt Jan Daron, der den genannten Zeugen ebenfalls bekannt war,
Bäckermeister Stanislaus Sowinski, den die vier Zeugen gleichfalls kannten,
Kaufmann Antoni Adamiak, der den Zeugen Dob., Wis. und Kl. bekannt war.

Die Identität der drei zuerst genannten Opfer ist noch durch die bereits wiedergegebene Aussage des Zeugen Twa. zu der Exhumierung bestätigt worden. Bei der fünften hervorgerufenen Person hat es sich wahrscheinlich um den Leonhard Cyskowski gehandelt. Die Zeugen Dob. und Kl. wollen Cyskowski unter den Hervorgerufenen gesehen haben. Tatsächlich ist bei einer Leiche, wie der Zeuge Twa. bekundet hat, eine Rechnung gefunden worden, die auf Cyskowski ausgestellt war, so dass eine starke Vermutung dahin geht, dass die Leiche, bei der dieser Zettel gefunden wurde, die des Cyskowski war. Andererseits kann nicht ausgeschlossen werden, dass der Zettel vor dem Tod seinen Besitzer gewechselt hat. Es kommt hinzu, dass der Zeuge Twa. nicht imstande war, sich dahingehend festzulegen, ob die Leiche, die die auf Cyskowski ausgestellte Rechnung bei sich hatte, in einem Massen- oder einem Einzelgrab lag.

Zur Überzeugung des Schwurgerichts steht jedoch aufgrund der übereinstimmenden Aussagen der Zeugen Gor., Dob., Wis. und Kl. fest, dass bei diesem Appell von dem Angeklagten Sorgatz, der den Zeugen bekannt war, mindestens 5, davon 4 namentlich sicher bekannte, wahrscheinlich jedoch 6 Gefangene hervorgerufen worden sind. Dabei wusste Sorgatz, dass diese Personen alsbald erschossen werden sollten.

Die hervorgerufenen Gefangenen wurden auf Veranlassung des Angeklagten Sorgatz, wie die vier Zeugen übereinstimmend und glaubhaft bekundet haben, im Keller des Gutshauses gefangengesetzt. Etwa zwei Stunden später beobachtete der Zeuge Kl., wie er dem Schwurgericht berichtet hat, dass die zuvor im Gutshaus gefangengesetzten 5 oder 6 Polen von den Angehörigen des Selbstschutzes in den Park in der Nähe des Resmin-Sees geführt wurden. Unter diesen Selbstschutzleuten, die Karabiner oder Pistolen in den Händen hielten und 3 Spaten mit sich führten, befanden sich auch die dem Zeugen Kl. genau bekannten und von ihm sicher erkannten Angeklagten Sorgatz und Kem. Als letzter der Gefangenen ging Jan Daron, der stark gehbehindert war und sich mit einem Stock abstützte. Die Gefangenen wurden in einer Entfernung von etwa 10 m an dem Zeugen Kl., der an dem hinteren, auf der Parkseite des Stallungsgebäudes befindlichen Fenster der Stellkammer stand, vorbeigeführt, so dass er die Gefangenen, aber auch ihre Bewacher sicher erkennen konnte. Von seinem Platz aus sah Kl., dass der inzwischen verstorbene frühere Mitangeschuldigte Ne. den Jan Daron an einer Grube erschoss, während die übrigen Beteiligten im Augenblick der Erschiessung seinen Blicken durch Buschwerk entzogen waren. Es fielen nach der Erinnerung des Zeugen insgesamt 6 Schüsse. Nach etwa 1/2 Stunde kamen die Selbstschutzangehörigen ohne die Gefangenen zurück. Der Zeuge Kl. hatte sich anhand eines Baumes die Stelle gemerkt, an der Daron erschossen worden war. Er begab sich, sobald er das unbeobachtet konnte, zu der Stelle, an der er lockeres, frisch zugeworfenes Erdreich bemerkte, und kerbte mit einem

Beil ein Zeichen in den Baum. Dieses Zeichen hat Kl., wie er bekundet hat, noch im vergangenen Jahr an dem Baum im Park des Gutes Resmin wiedergesehen.

Das Schwurgericht hatte keine Bedenken, diesen Aussagen Glauben zu schenken. Dass die namentlich benannten Personen im Lager erschossen worden sind, räumt auch der Angeklagte Sorgatz ein. Auch die Zeugen Paul Za., Lab. und Oe. haben diese Personen im Lager Resmin gesehen. Der Zeuge Anton Za. hat bekundet, dass bei seinem Ausscheiden aus dem Lager Ende September Rajewski noch inhaftiert gewesen sei. Auch der Zeuge Jah. hat Rajewski im Lager gesehen; der Zeuge hat hinzugefügt, dass der Landwirt Cyskowski, sein Nachbar, bis zum Jahre 1945 nicht mehr auf den Hof zurückgekehrt sei; man habe gemunkelt, er sei in Resmin erschossen worden; der Hof sei dann von der Ehefrau und dem Schwiegersohn des Cyskowski bewirtschaftet worden.

Das Schwurgericht ist aber auch davon überzeugt, dass die beiden Angeklagten bereits bei dem Appell, bei dem Sorgatz die später Getöteten herausrief, wussten, dass diese Gefangenen erschossen werden sollten. Dies ergibt sich aus dem Gesamtverlauf des weiteren Geschehens und zeigt sich auch an dem frivolen und hämischen Verhalten des Angeklagten Kem. gegenüber dem Geistlichen.

Trotz der verstrichenen Zeit hat das Schwurgericht keine Bedenken, den Bekundungen der Zeugen Gor., Kl., Wis. und Dob. zu folgen. Alle vier Zeugen haben gewissenhaft jeweils nur das geschildert, was sie selbst in Erinnerung hatten, wobei sie kenntlich machten, wie weit ihr Wissen heute noch ging. Wie sehr die Zeugen darauf bedacht waren, nur das zu sagen, was sie selbst gesehen und noch in Erinnerung hatten, zeigte sich u.a. daran, dass Dob. nur das Exerzieren auf dem Hof, das Eintreffen des Lindstedt und das Herausrufen der Leute geschildert hat, jedoch hinzufügte, was mit diesen Leuten geschehen sei, könne er nicht sagen. Wis. hat ebenfalls seine Beobachtungen vom Exerzieren und dem Appell geschildert und hinzugefügt, was aus diesen Personen geworden sei, habe er nicht gesehen, jedoch wisse er, dass diese Personen seit jenem Tag verschwunden gewesen seien. Auch der Zeuge Gor., der den typischen Eindruck eines derben, aber aufrechten Schmiedes machte, hat lediglich Bekundungen gemacht, die sich auf das Exerzieren und das Herausrufen der Polen bezogen. Das Schwurgericht hat aber auch keine Bedenken, dem Zeugen Kl. weiter dahin zu folgen, dass er von seinem Beobachtungsposten aus festgestellt hat, wie mehrere Selbstschutzangehörige, darunter die Angeklagten Sorgatz und Kem., die zuvor Herausgerufenen in den Park geführt und dort erschossen haben. Kl. hat deutlich gemacht, dass er lediglich gesehen habe, wie Ne. auf Jan Daron geschossen hat. Auch dieser Zeuge war bemüht, nur das zu bekunden, war er selbst noch wusste und woran er sich erinnerte. Von besonderem Beweiswert war, dass er seiner Schilderung zufolge nach jenem Vorfall mit einem Beil eine Kerbe in einen Baum gehauen hat, um nach dem Kriege anhand dieser Kerbe die Lage des Grabes bezeichnen zu können. Der Zeuge hat diese Kerbe noch im vergangenen Jahr im Baum wiedergesehen. Der Zeuge Kl., ein einfacher, biederer Mann, hatte ersichtlich keine feindliche Einstellung gegenüber den Angeklagten. Er fiel eher durch eine abgeklärte und völlig ruhige Haltung gegenüber den Angeklagten und auch der Tat auf, von der er inzwischen offenbar Abstand gewonnen hat. Kl. hatte nach seinen glaubhaften Angaben im Lager auch nicht zu leiden, weil er sich durch sein handwerkliches Geschick entbehrlich [248] zu machen wusste. Es kommt hinzu, dass die Bekundungen dieses Zeugen von einem Angehörigen des damaligen Selbstschutzes, dem inzwischen verstorbenen Zeugen Bruno Dom., in seiner richterlichen Vernehmung vom 19.Juni 1962 im wesentlichen bestätigt werden (Band VII Seite 132/134), wie die Verlesung des Protokolls ergeben hat. Schliesslich ist

[248] Gemeint ist wohl: unentbehrlich.

an der von dem Zeugen Kl. bezeichneten Stelle später ein Grab mit identifizierten Leichen gefunden worden.

Nach diesem Beweisergebnis steht zwar fest, dass die Angeklagten Sorgatz und Kem. an dieser Erschiessungsaktion beteiligt waren, jedoch kann nicht mit letzter Sicherheit festgestellt werden, ob sie auch selbst mitgeschossen haben. Sie waren nämlich bei der eigentlichen Erschiessung den Blicken des Zeugen Kl. entzogen. Entgegen der Anklage sind bei dieser Tat mehr als zwei Selbstschutzangehörige, also nicht nur die beiden Angeklagten, zugegen gewesen. Das Schwurgericht hat aber aus dem Gesamtverlauf der Aktion und der Position der Angeklagten im Lager die Überzeugung gewonnen, dass sie, wenn sie nicht mitgeschossen haben sollten, doch zumindest die Aufgabe erfüllt haben, die Exekution zu überwachen und zu sichern. Wenn der Zeuge Kl. auch 6 Schüsse gehört hat, so konnte jedoch letztlich nicht sicher festgestellt werden, dass die Erschossenen längere Zeit auf ihren Tod warten mussten und ihnen durch das Miterleben des Sterbens der zuvor Erschossenen zusätzliche seelische Qualen zugefügt wurden. Das Schwurgericht musste vielmehr zugunsten der Angeklagten nach diesem Beweisergebnis davon ausgehen, dass die Opfer fast gleichzeitig von den Angehörigen des Exekutionskommandos erschossen worden sind.

Die zeitliche Festlegung dieser Aktion auf den 8.Oktober 1939 beruht auf den glaubwürdigen und sicheren Angaben des Zeugen Wis., dem insoweit durch seine alsbald (11.10.1939) folgende Verlegung aus dem Lager Resmin auf ein anderes Gut eine sichere Erinnerungsstütze zur Verfügung stand, die von seiner Ehefrau glaubhaft bestätigt worden ist.

Die auf vorstehend wiedergegebenen Erwägungen beruhende Überzeugung des Schwurgerichts wird durch die schon an sich recht unsicher wirkenden Angaben des Angeklagten Sorgatz ebensowenig erschüttert wie durch die ebenfalls nicht überzeugende Einlassung des Angeklagten Kem. zu diesem Fall.

b) Fall 3 der Anklage

Der Angeklagte Sorgatz ist im Umfang der getroffenen Feststellungen nach der Überzeugung des Schwurgerichts überführt, an dieser Erschiessungsaktion teilgenommen zu haben. Das Schwurgericht ist davon überzeugt, dass die Aussage des Zeugen Brunon Bor. glaubhaft ist. Dieser Zeuge hat bekundet:

Am 20.Oktober 1939 sei er von dem Volksdeutschen Traugott Schmidt, der ein Schulfreund von ihm gewesen sei, und einem weiteren Selbstschutzangehörigen in Zempelburg verhaftet und zum Hof der Genossenschaft gebracht worden, wo sich bereits andere Gefangene befunden hätten, nämlich ein Geistlicher, ferner der Kaufmann Olinski mit seinem Sohn, der Hotelier Buda und der Kaufmann Gierszewski und ein Kaufmann. Vom Hof der Genossenschaft seien sie zum Hof des Sägewerks Pa. überführt worden. Der Angeklagte Sorgatz, den er bis dahin nicht gekannt habe, sei mit einem Motorrad auf den Hof gefahren, habe das Motorrad an die Wand gestellt, sodann den gefangenen Pfarrer geohrfeigt und sich anschliessend in das Büro begeben. Der Hotelier Buda, dem Sorgatz genau bekannt gewesen sei, habe ihm gesagt, dass der Motorradfahrer Sorgatz sei. Olinski habe das bestätigt. Vom Hof des Sägewerks Pa. seien die Gefangenen zum Landratsamt in Zempelburg geführt worden. Dort seien sie im Keller gefangengesetzt und zu insgesamt 21 Gefangenen, deren Namen er sich vor seiner ersten Vernehmung aufgeschrieben habe, von Freitag bis Sonntag verwahrt worden. Sorgatz habe die Gefangenen am folgenden Abend im beleuchteten Keller aufgefordert, ihre persönlichen Habseligkeiten wie Uhren, Schlüssel, Geld, Papiere pp. in die Kopfbedekkung zu legen und abzugeben. Bei dieser Gelegenheit habe Sorgatz eine kleine Pistole aus seiner Hosentasche gezogen und sie ihnen mit dem Hinweis gezeigt, sie kennten das ja und wüssten Bescheid. Am 22.Oktober 1939 in den frühen Morgenstunden, es könne zwischen 04.00 und 05.00 Uhr gewesen sein, seien die Gefangenen aufgefordert worden, einen auf dem Hof des Landratsamtes Zempelburg stehenden LKW zu besteigen. Er selbst habe zusammen mit seinem Vetter, ferner mit Sobierajczyk und Ziolkowski in der hinteren Reihe gestanden. Auf dem LKW hätten auch zwei Angehörige des Selbstschutzes mit Karabinern Platz genommen. Er selbst habe die Gegend nicht gekannt; jedoch habe er von Mitgefangenen erfahren, dass die Fahrt nach Resmin gehe. Dem LKW mit den Gefangenen sei ein PKW gefolgt, in dem sich der Angeklagte Sorgatz und die Selbstschutzangehörigen Traugott Schmidt und Splittstösser befunden hätten. Auf dem Hof des Gutes Resmin habe der LKW einige Zeit gestanden. Während dieser Zeit habe sich Sorgatz zeitweise in der Nähe des Fahrzeugs aufgehalten. Sodann sei der LKW mit den Gefangenen aus dem Haupttor des Gutes Resmin über die Strasse schräg einen Feldweg hinaufgefahren, und zwar durch ein Spalier von Selbstschutzangehörigen. Als der LKW angehalten habe, es sei um diese Zeit grau gewesen, aber man habe jeden in der Nähe Stehenden erkennen können, habe Sorgatz erklärt, sie kämen in ein Lager. Dann habe Sorgatz die ersten 4 Gefangenen aufgefordert, den LKW zu verlassen und geradeaus zu gehen. Es habe sich - von links nach rechts - um folgende Personen gehandelt: Ziolkowski, Sobierajczyk, seinen Vetter Alfons Bor. und um ihn selbst. Hinter jedem sei ein mit Pistole oder Karabiner bewaffneter Angehöriger des Selbstschutzes gegangen. Als plötzlich einer der Selbstschutzleute "links" gerufen habe, habe er seinen Kopf nach links gedreht. Im gleichen Augenblick habe es geknallt, und er sei von einer Kugel getroffen besinnungslos zu Boden gestürzt. Beim Schauen über die Schulter habe er hinter sich den mit einer Pistole auf seinen Kopf zielenden Angeklagten Sorgatz erkannt. Die abgefeuerte Kugel habe ihn nicht tödlich getroffen, sondern sei etwa in der Mitte des Halses ein- und schräg unter dem rechten Ohr ausgetreten. Als er wieder zu Bewusstsein gekommen sei, habe er sich tot gestellt. Ein Selbstschutzmann habe ihn mit dem Fuss angestossen und gesagt: "Erledigt", und man habe ihn zur Grube geschleift. Von einem anderen Selbstschutzmann habe er gehört, wie dieser gesagt habe: "Ich will auch einen fertig machen", worauf beide sich entfernt hätten. Als sodann kein Selbstschutzangehöriger in seiner Nähe gewesen sei, sei er die nahegelegene, etwa 20 m entfernte Böschung zum Zaremba-See heruntergesprungen, wo er sich im Schilf verborgen habe. Während der Zeit, in der er sich im Schilf aufgehalten habe, seien noch viele Schüsse gefallen. Er habe gehört, wie Leute um ihr Leben gebettelt hätten, wobei er Rufe wie "Tut uns nichts, wir haben doch nichts getan" in Erinnerung habe. Danach habe er Rufe nach Spaten vernommen und wiederum Schüsse, deren Mündungsfeuer er beobachtet habe und die in die Erde abgegeben worden seien. Nachdem alle Selbstschutzleute sich entfernt gehabt hätten, sei er zu den Wiesen am Kamionka--Fluss gegangen, habe sich dort verborgen gehalten und sei in der nächsten Nacht zu Fuss - an der Bahnlinie entlang - nach Zempelburg gegangen, wo er bis Kriegsende im Elternhaus verborgen gehalten worden sei. Ihm sei erinnerlich, dass seine Eltern sich um die Aufnahme in die Volksgruppe bemüht hätten und dass seine Mutter in diesem Zusammenhang mit der Mutter des Zeugen Arno Arn. gesprochen habe. Nach dem Kriege habe er die Stelle des Grabes bezeichnet, wo auch die Opfer gefunden und - teilweise in seiner Gegenwart - exhumiert worden seien.

Das Schwurgericht ist dieser von dem Zeugen beschworenen Aussage in fast allen Punkten gefolgt. Sie war Grundlage für die Feststellung sowohl des Hergangs der Aktion als auch der Teilnahme des Angeklagten Sorgatz an ihr.

Dem Zeugen Bor. waren zwar deutliche Affekte gegen den Angeklagten Sorgatz anzumerken. Das konnte jedoch im Ergebnis seine Glaubwürdigkeit nicht in Frage stellen. Es wäre fast verwunderlich, wenn Bor., der nur um ein Haar dem Tode entrann, der bei der Aktion eine gefährliche Verletzung davontrug und sich bis zum Ende des Krieges verborgen halten musste, um als tot zu gelten, dem Angeklagten leidenschaftslos gegenübergestanden hätte. Der Umstand, dass der Zeuge sich nicht bemühte, seine Gefühle zu verbergen, sondern sie durchaus erkennen liess, ist u.a. auch als Indiz für seine Glaubwürdigkeit gewertet worden. Das Schwurgericht hat während der eingehenden und langen Vernehmung des Zeugen Bor.

den Eindruck gewonnen, dass er ein einfacher, wahrheitsliebender Mann ist, der sich nicht durch seine Empfindungen zu einer falschen Aussage hat hinreissen lassen.

Angesichts des entscheidenden Gewichts der Aussage des Zeugen Bor. ist gerade auch bei ihm gründlich erwogen worden, ob der grosse Zeitabstand von 34 Jahren, der zwischen den damaligen Ereignissen und der Hauptverhandlung liegt, durchgreifende Zweifel an der Wahrheit und Zuverlässigkeit seiner Aussage begründet. Das Schwurgericht ist zu der Auffassung gelangt, dass solche Zweifel nicht begründet sind. Einmal erschien der 62 Jahre alte Zeuge keineswegs vorgealtert, sondern in geistiger Hinsicht wohl erhalten und aussagetüchtig. Zum anderen ist bei der Würdigung seiner Aussage bedacht worden, dass er über für ihn ganz ungewöhnlich eindrucksvolle und erregende Erlebnisse zu berichten hatte. Solche Erlebnisse vergisst - wie schon erwähnt - ein Betroffener jedenfalls nicht leicht, vielleicht oder wahrscheinlich sogar niemals in seinem Leben. Diese Erfahrung ist auch bei der Vernehmung des Zeugen Bor. deutlich geworden. Offensichtlich stand das Erlebte noch lebendig vor seinen Augen, ohne dass ihn dieser Umstand allerdings zum Dramatisieren verleitet hätte.

Es besteht zunächst kein Zweifel daran, dass der Zeuge Bor. die von ihm geschilderten Vorgänge nicht erfunden oder von anderer Seite übernommen, sondern persönlich erlebt und erlitten hat. Das wird durch die deutlich sichtbaren, auf die Schussverletzung zurückgehenden Narben, die mit seinem Bericht im Einklang stehen, überzeugend glaubhaft gemacht. Weiterhin wird es dadurch bekräftigt, dass der verstorbene Zeuge Arno Arn., dessen Aussage verlesen worden ist, und der Zeuge S. das Leben Bor.s im Versteck bis zum Kriegsende glaubwürdig bestätigt haben.

Eine Aktion in der Art, wie der Zeuge Bor. sie geschildert hat, entsprach im übrigen der Übung bei Erschiessungen im Bereich des Lagers Resmin, wie sie auch von dem Angeklagten Sorgatz - abgesehen von der Erschiessung der Opfer in Gruppen - glaubhaft eingeräumt wird. Zwar handelte es sich bei den Opfern nicht um Gefangene des Lagers Resmin. Daraus kann aber nicht mit der Verteidigung gefolgert werden, es habe sich ausschliesslich um eine Angelegenheit des Zempelburger Selbstschutzes gehandelt, und der Angeklagte Sorgatz sei aus diesem Grunde nicht daran beteiligt gewesen. Diese Argumentation lässt ausser acht, dass der Angeklagte nach eigener Angabe etwa ab Mitte Oktober seine Tätigkeit mehr und mehr vom Lager zum Büro des früheren Mitangeschuldigten Richardt [249] in Zempelburg, welches sich im Landratsamt befand, verlagerte. Er war also sehr wohl auch mit Angelegenheiten des Zempelburger Selbstschutzes befasst. Die Gesamtumstände legen lediglich den Schluss nahe, dass der Angeklagte nur einen ihm von höherer Stelle erteilten Befehl ausführte.

Bestimmte Einzelheiten der Schilderung des Zeugen Bor. haben durch weitere Zeugen eine Bestätigung gefunden. Die beschwörenden Ausrufe der um ihr Leben bettelnden Männer hat auch der Zeuge S., ein Mitglied der Lagermannschaft, wahrgenommen. S. hat bekundet, dass er dabei die Stimme des ihm bekannten Baumeisters Piotrowski erkannt hat. S. hat ferner ausgesagt, bei dieser Aktion sei auch Traugott Schmidt aus Zempelburg, der nicht zur Lagermannschaft gehört habe, zugegen gewesen. Letzteres ist auch von dem Zeugen Si. bestätigt worden. Si., der ebenfalls zur Lagermannschaft gehörte, hat ferner - zwar unschärfer als die anderen Zeugen, nach der Überzeugung des Schwurgerichts aber mit Bezug auf denselben Fall - bekundet, er sei zur Teilnahme an der Aktion eingeteilt worden, diese habe in der Nähe des Zaremba-Sees stattgefunden, es sei früh am Morgen, fast noch in der Dunkelheit gewesen; der LKW mit den Gefangenen sei von auswärts gekommen; am Exekutionsort sei den Gefangenen gesagt worden, sie kämen in ein Lager; während der Exekution hätten

[249] Siehe Lfd.Nr.590.

sie um ihr Leben gebettelt; die Gefangenen seien gruppenweise erschossen worden. Die Aussage des Zeugen Si. erschien in den genannten Punkten glaubhaft. Die Unschärfe seiner Angaben mag zum Teil darin begründet sein, dass ihm, der seinerzeit Musiker von Beruf war, die Teilnahme an der Aktion zutiefst zuwider war; so will er auch in die Luft geschossen haben. Zum anderen war diesem Zeugen anzumerken, dass er sich deutlich dagegen sperrte, in diesem Verfahren gegen seine früheren Kameraden auszusagen. Die Zuverlässigkeit der Angaben des Zeugen Bor. wird nicht dadurch in Frage gestellt, dass der Zeuge S. bekundet hat, die Gefangenen hätten vor der Erschiessung ihre Jacken ablegen müssen, während dies nach Bor.s Aussage nicht der Fall gewesen sein soll. Das Schwurgericht hat insoweit - mindestens soweit die erste Gruppe der zu Erschiessenden in Betracht kommt - der Aussage Bor.s, der jener Gruppe angehörte, den Vorzug gegeben. S., der möglicherweise noch weitere Aktionen erlebt hat, kann insoweit auch einer Verwechselung unterlegen sein.

Eine gewisse Bestätigung hat der Bericht des Zeugen Bor. schliesslich auch durch den Zeugen Kar. gefunden. Dieser war ebenfalls Mitglied der Lagermannschaft und von sehr auffälliger Zurückhaltung in seiner Aussage. Immerhin hat er eingeräumt, in Zempelburg gehört zu haben, dass u.a. Buda, Gierczewski und Natz auf dem Acker erschossen worden seien.

Die Bekundungen des Zeugen Bor. sind aber auch insoweit glaubhaft, als sie die Beteiligung des Angeklagten Sorgatz an der Aktion betreffen. Wenn der Angeklagte Sorgatz seine Beteiligung bestreitet und unter Bezugnahme auf den Brand auf dem Hof des Bauern Fritz einwendet, er erinnere sich genau, dass er sich an diesem Wochenende in Kamin aufgehalten habe, so steht diese Einlassung, wenn sie richtig sein sollte, der Überzeugung des Schwurgerichts von der Beteiligung des Angeklagten an der Aktion nicht entgegen. Der Angeklagte konnte nämlich, sofern er tatsächlich an jenem Wochenende in Kamin oder anderwärts gewesen sein sollte, diesen Aufenthalt jederzeit unterbrochen haben und mit seinem Motorrad in kürzester Zeit nach Zempelburg gefahren sein. Insoweit würde sich also ein Widerspruch zu den getroffenen Feststellungen nicht ergeben.

Was die Zuverlässigkeit der Aussage des Zeugen Bor. in Bezug auf die Beteiligung des Angeklagten angeht, so trifft zwar zu, dass er vor seiner Verhaftung den Angeklagten nicht gekannt hat. Bor. war aber mit mehreren Gefangenen zusammen, die den Angeklagten Sorgatz auch nach dessen eigener Einlassung kannten, so mit den Getöteten Buda und Olinski. Zwischen Olinski und Sorgatz hatten sogar zeitweise berufliche Beziehungen bestanden. Die Annahme ist lebensnah, dass die Gefangenen sich über die Person ihrer Bewacher und deren Führer unterhalten und gegenseitig informiert haben. Der Zeuge Bor. hatte auch mehrfach Gelegenheit, den Angeklagten Sorgatz eingehend zu betrachten, nämlich auf dem Gelände des Sägewerkes Pa., im Keller des Landratsamtes bei der Ablieferung der Habseligkeiten, beim Aufbruch mit dem LKW und während des Wartens im Lager Resmin. Dabei sind dem Zeugen Einzelheiten aufgefallen, die für den Angeklagten Sorgatz typisch waren, nämlich die Benutzung eines Motorrades und der Besitz einer kleineren Pistole, die er lose in der Hosentasche trug. Die letzte Bekundung ist bemerkenswert, weil der Angeklagte Sorgatz in Danzig eine 6,35 mm Pistole erhalten hatte, die er in der Hosentasche zu tragen pflegte. Diese Tatsache war während des gesamten bisherigen Verfahrens unbekannt gewesen, vom Angeklagten Sorgatz erst in der Hauptverhandlung erwähnt und wenige Tage später von dem Zeugen Bor. ohne jegliche Nachfrage bestätigt worden. Das Schwurgericht ist davon überzeugt, dass diese Bekundung zutreffend ist und auf eigenem Erleben des Zeugen Bor. beruht. Hatte der Zeuge Bor. den Angeklagten Sorgatz aber während seiner Gefangenschaft mehrfach gesehen, so konnte er ihn auch sicher erkennen, als dieser am Erschiessungsort die ersten vier Gefangenen vom Wagen rief und anwies, in eine bestimmte Richtung zu gehen. Die Lichtverhältnisse in der Dämmerung reichten aus. Das wird durch die Bekundung des Zeugen S. bestätigt, der später hinzu kam, von Traugott Schmidt erkannt und weggeschickt worden ist.

Die Überzeugung des Schwurgerichts von der Richtigkeit der Bekundung des Zeugen Bor. wird durch den Inhalt der Protokolle über seine früheren Vernehmungen nicht erschüttert. Zwar ist in seiner ersten Vernehmung vom 31.März 1947 der Name des Angeklagten Sorgatz nicht erwähnt. Das lässt jedoch nicht den Schluss zu, Bor. habe dessen Namen nicht gekannt. In diesem Protokoll ist überhaupt kein Name eines Selbstschutzmannes erwähnt, auch nicht der Name des Traugott Schmidt, den der Zeuge Bor. als seinen früheren Schulfreund kannte. Der Vernehmende hat demnach ersichtlich keinen Wert darauf gelegt, die Namen einzelner Täter aus dem örtlichen Selbstschutz festzustellen, sondern sich auf die Aufnahme des im Fall des Zeugen Bor. besonders anschaulichen und aufregenden Sachverhalts beschränkt. Bei dem ausschlaggebenden Einfluss der Vernehmungsperson auf die Fassung des Protokolls kann aus dem Schweigen des Protokolls über die Namen von Deutschen nicht auf eine entsprechende Unkenntnis des Zeugen Bor. geschlossen werden. In den späteren Protokollen vom 21.Juni 1961 und vom 23.Juni 1965, die mit ihm erörtert worden sind, hat der Zeuge Bor. die Namen der Beteiligten erwähnt. Es kann auch nicht übersehen werden, dass der Vorfall als solcher in allen Protokollen nahezu bis in die Einzelheiten übereinstimmend von dem Zeugen Bor. geschildert worden ist. Der Zeuge hat allerdings früher einmal bekundet, der Angeklagte Sorgatz habe eine dunkle Uniform getragen. Der Besitz einer Uniform zur Tatzeit wird von dem Angeklagten glaubhaft in Abrede gestellt. Dies schränkt die Glaubwürdigkeit des Zeugen aber nicht entscheidend ein. Auf spezielle Fragen hat er die Kleidung des Angeklagten dahin beschrieben, dass dieser Stiefel, Stiefelhose und eine dunkle Kletterweste getragen habe. Das entsprach in etwa dem, was auch der Angeklagte über seine damalige Bekleidung angegeben hat. Eine derartige Bekleidung ist aber zumindest uniformähnlich, so dass der Differenz zwischen der früheren und der neuen Bekundung des Zeugen keine ausschlaggebende Bedeutung zukommt.

Die Zuverlässigkeit der Identifizierung des Angeklagten Sorgatz durch den Zeugen Bor. wird ferner nicht dadurch in Frage gestellt, dass der Zeuge in der Hauptverhandlung auf einem ihm neben anderen Fotos vorgelegten Lichtbild aus der damaligen Zeit den Angeklagten nicht wieder erkannt hat. Richtig ist allerdings, dass Bor. dem Zeugen Pas. im Jahre 1965 erklärt hat, er werde den Angeklagten jederzeit wiedererkennen. Richtig ist ferner, dass er in der Hauptverhandlung unter Vorlage eines Zeitungsausschnitts bekundet hat, er habe etwa zur gleichen Zeit (1965) den Angeklagten Sorgatz auf dem im Rahmen des Zeitungsberichts abgedruckten Bild trotz falscher Namensbezeichnung erkannt und den richtigen Namen, nämlich "Sorgatz" unter das Bild geschrieben. Hierzu ist vorab zu bemerken, dass dem Wiedererkennen oder dem Nichtwiedererkennen eines Täters durch einen Zeugen anhand von Lichtbildern ohnehin nur beschränkter Beweiswert zukommt. Des weiteren ist zu beachten, dass seit der genannten Äusserung des Zeugen Bor. gegenüber dem Zeugen Pas. und der etwa zur gleichen Zeit vorgenommenen Berichtigung der Bildunterschrift in dem Zeitungsbericht immerhin weitere acht Jahre vergangen sind. Vor allem aber muss darauf hingewiesen werden, dass es sich bei dem Lichtbild, welches dem Zeugen Bor. in der Hauptverhandlung vorgelegt worden ist, nur um die - nicht sehr scharfe - Ablichtung eines Originalfotos gehandelt hat.

Des besseren Verständnisses wegen und ferner, weil die Verteidigung in diesem Zusammenhang auch noch weitere Zweifel an der Zuverlässigkeit des Zeugen Bor. geäussert hat, sei zu dem erwähnten Zeitungsausschnitt noch folgendes angefügt: Es handelte sich um einen Ausschnitt aus einer polnischen Zeitung, in welchem über das Mannheimer Schwurgerichtsverfahren [250] gegen den Angeklagten Sorgatz und seine damaligen Mitangeklagten berichtet wurde (Ablichtung Anlage 8 zum Protokoll). In dem Ausschnitt sind von links nach rechts nebeneinander Heinrich Mocek, Werner Sorgatz, Kurt W. und Wilhelm Richardt abgebildet. Abweichend von dieser Bildfolge trägt das Bild des Angeklagten fälschlich die Namensbe-

[250] Siehe Lfd.Nr.590.

zeichnung "Wilhelm Richardt", während unter dem Bilde Richardts die Namensbezeichnung "Werner Sorgatz" steht. Der Zeuge Bor. hat, als er diese Zeitung in die Hand bekam, handschriftlich unter dem Bild des Angeklagten den Namen "Sorgatz" und unter dem Bild Richardts dessen Hausnamen vermerkt. Da der Zeuge Bor. aber Richardt nicht gekannt hat, meint die Verteidigung, aus der Richtigstellung der Bildunterschrift auch unter dessen Abbildung auf eine Manipulation schliessen zu können. Diese Vermutung aber ist nicht geeignet, die Glaubwürdigkeit des Zeugen zu erschüttern. Wenn Bor. nämlich unter dem Bild des ihm bekannten Angeklagten den Namen "Wilhelm Richardt" und unter dem Bild eines ihm Unbekannten den Namen "Werner Sorgatz" las und dies natürlicherweise sogleich als Irrtum des Berichterstatters erkannte, so lag für ihn nichts näher, als darin eine einfache Verwechselung beider Bildbezeichnungen zu erkennen. Es erweckt deshalb keine Bedenken, dass er nicht nur den Namen "Sorgatz" unter das richtige Bild schrieb, sondern auch den damit freigewordenen Namen "Richardt" unter dem Bild vermerkte, welches im Zeitungsausschnitt fälschlich mit dem Namen des Angeklagten bezeichnet war.

Schliesslich hat der Zeuge S. die Anwesenheit des Angeklagten Sorgatz bei der Exekution und die Erteilung von Anweisungen an die Gefangenen durch ihn überzeugend bestätigt. Dass er, wie die Verteidigung meint, geneigt sein könnte, dem Angeklagten Sorgatz als seinem damaligen Führer auch solche Aktionen anzulasten, an denen dieser nicht beteiligt war, ist auszuschliessen. Das Schwurgericht hat aus seinem sehr zurückhaltenden Aussageverhalten mehr die Tendenz entnommen, den Angeklagten zu schützen. Soweit die Verteidigung weiterhin Zweifel daran äussert, dass S. die Aktion überhaupt beobachtet habe, weil er nicht von dem Zeugen Si. gesehen worden sei, so muss dem entgegengehalten werden, dass S. nach seiner Angabe nicht zur Exekution abkommandiert war, sondern ihr nur als Zuschauer beiwohnte. Insofern aber kann seine Gegenwart dem Zeugen Si., insbesondere wenn man dessen seelische Verfassung berücksichtigt, durchaus entgangen sein.

Das in der Hauptverhandlung verlesene Geständnis des früheren Mitangeklagten Ne. vom 30.November 1961, welches er abgelegt hat, nachdem er zuvor am 3.Juli 1961 jede Beteiligung bestritten hatte, und demzufolge er zusammen mit Sorgatz an der Erschiessung des Hoteliers Buda mitgewirkt hat, ist nicht zur Überführung des Angeklagten benutzt worden. Ne. hat diese Aktion zeitlich gänzlich anders eingeordnet. Es ist nicht erkennbar, ob Ne. sich in der Zeitangabe oder in der Person des Buda geirrt hat. Der Bekundung des Zeugen Bor. ist in beiden Punkten der Vorzug zu geben.

Hingegen hat das Schwurgericht von der Richtigkeit der weiteren Aussage des Zeugen Bor., er habe während eines Blicks über seine linke Schulter den Angeklagten Sorgatz erkannt und sei im gleichen Augenblick von diesem angeschossen worden, keine sichere, jeden Zweifel ausschliessende Überzeugung gewinnen können. In diesem Augenblick stand der Zeuge Bor. nämlich im Gegensatz zur Begegnung beim Absteigen vom LKW dem Angeklagten Sorgatz nicht von Angesicht zu Angesicht gegenüber. Vielmehr konnte er nur einen flüchtigen Blick aus dem Augenwinkel über die Schulter hinter sich werfen. Nahezu gleichzeitig wurde er von der Kugel des hinter ihm gehenden Volksdeutschen getroffen und stürzte - für den Moment ohnmächtig - zu Boden. Diese Umstände lassen Zweifel an der Zuverlässigkeit seiner Beobachtung zu, die möglicherweise auch durch eine bestimmte Erwartungsvorstellung beeinflusst wurde. Aus diesen Gründen ist offengeblieben, ob der Angeklagte Sorgatz persönlich auf den Zeugen Bor. geschossen hat, obgleich die Aussage des Zeugen auch in diesem Punkt mit hoher Wahrscheinlichkeit zutreffend erscheint.

Im übrigen ist das Schwurgericht nach allem im Umfang der getroffenen Feststellungen vom Hergang der Tat und der Beteiligung des Angeklagten Sorgatz überzeugt.

c) Fall 5 der Anklage

Das Schwurgericht ist aufgrund der Hauptverhandlung davon überzeugt, dass die beiden Angeklagten im Umfang der getroffenen Feststellungen auch an dieser Erschiessungsaktion beteiligt waren.

Es steht zunächst fest, dass die Mitglieder der jüdischen Familie Kaminer verhaftet worden sind und, was auch der Angeklagte Sorgatz eingeräumt hat, zunächst im Lager Resmin inhaftiert waren, von wo die Frauen und Kinder in das St.Anna-Stift überführt worden sind. Dort hat der Zeuge Lab. nach seiner glaubhaften Bekundung die Frauen und Kinder mehrfach gesehen und einmal mit Frau Cilla Löwental geb. Kaminer gesprochen. Diese bat den Zeugen, er möge doch ihr früheres Kindermädchen veranlassen, Kindersachen zusammenzupactigt hat, um seinen eigenen Beitrag dahinter zu verschleiern oder mindestens in einem milderen Licht erscheinen zu lassen. Diese von der Verteidigung und dem Angeklagten Sorgatz geäusserte Befürchtung erscheint schon in sich wenig begründet. Vor allem aber hat sich bei der Vernehmung des Zeugen gezeigt, dass er eher Schutz- und Abschwächungstendenzen offenbarte. Es war zu erkennen, dass der Zeuge seine früheren Kameraden offensichtlich höchst ungern belastete. Bei der Schilderung des Tatherganges hat er sich selbst nicht geschont.

Wenn dieser Zeuge die Wahrheit gescheut hätte und überdies, wie der Angeklagte Sorgatz in seinem Schlusswort hervorgehoben hat, wahrheitswidrig seine eigene Beteiligung an weiteren Aktionen verschwiegen hätte, so wäre nicht verständlich, dass er überhaupt seine Beteiligung auch nur an einer einzigen, und dazu noch so schrecklichen Erschiessungsaktion, bei welcher Frauen und Kinder zu den Opfern gehörten, geschildert hat. Er hätte ohne weiteres die Möglichkeit gehabt, entweder auf entsprechende Fragen die Auskunft zu verweigern, oder - seine Unwahrhaftigkeit unterstellt - nur die eigene Beteiligung an einer weniger belastenden Aktion geringeren Gewichts anzugeben.

Die Glaubwürdigkeit des Zeugen Wei. wird ferner nicht dadurch erschüttert, dass der Zeuge Kna., der durch ein richterliches Mitglied des Schwurgerichts vernommen und dessen Vernehmungsniederschrift in der Hauptverhandlung verlesen worden ist, bestritten hat, bei dieser Aktion zugegen gewesen zu sein, geschweige denn in der Grube die Leichen gestapelt zu haben. Demgegenüber hat der Zeuge Wei. in der mit ihm erörterten Vernehmung vor dem Untersuchungsrichter Kna.s Beteiligung ohne erinnerungsmässige Einschränkungen berichtet und sie in der Hauptverhandlung für wahrscheinlich erachtet. Das Schwurgericht ist zu der Auffassung gelangt, dass der Aussage des Zeugen Wei. der Vorzug zu geben ist, während der Zeuge Kna. unglaubwürdig erscheint. Kna., der Mitglied der Lagermannschaft war, hat ohne Ausnahme alles ihn Belastende bestritten, gleich ob es um seine Teilnahme an irgendwelchen Aktionen oder auch nur um seine Kenntnis davon ging. Dies erscheint schon wegen seiner Zugehörigkeit zur Lagermannschaft unglaubhaft. Dass Kna. tatsächlich an einer Aktion auf dem Felde teilgenommen hat, ist mittelbar durch die verlesene Aussage des verstorbenen Zeugen Dom. bestätigt. Dom. hat darin nämlich berichtet, dass er mit Kna. einmal Wache gestanden habe; Kna. habe erzählt, er habe zu einer Erschiessung mit auf das Feld gehen müssen. In einer für ihn kennzeichnenden Weise hat Kna. in seiner mit ihm erörterten Vernehmung durch den Untersuchungsrichter sogar bestritten, mit Dom. auf Wache gestanden zu haben. Mindestens dieses hat er schliesslich bei seiner Vernehmung durch den beauftragten Richter eingeräumt, ohne allerdings weitere Eingeständnisse zu machen.

Die Verteidigung hat schliesslich die Beteiligung der Angeklagten wiederum mit der Begründung in Frage gestellt, es habe sich bei diesem Fall nicht eigentlich um eine Resminer Aktion gehandelt, sondern offenbar um eine solche, die deutlich die Handschrift des früheren Mitangeschuldigten Richardt [251] verrate; der Angeklagte Sorgatz habe sich im übrigen auch von Anfang an dafür eingesetzt, dass keine Frauen und Kinder im Lager Resmin gefangengehalten würden. Dieser Einwand greift auch hier nicht durch. Zunächst ist in allen Fällen, auch im Fall 7 der Anklage, davon ausgegangen worden, dass die Aktionen im Bereich des Lagers Resmin nicht dort, sondern von höheren Stellen ausserhalb des Lagers angeordnet wurden. So erscheint es auch hier durchaus wahrscheinlich, dass Richardt in der Kette der Befehlsgeber eine massgebliche Rolle gespielt und der Aktion seinen Stempel aufgedrückt hat. Zugunsten des Angeklagten Sorgatz ist auch unterstellt worden, dass er sich in bester Absicht dafür eingesetzt hatte, dass keine Frauen und Kinder im Lager Resmin gefangengehalten wurden. Das schliesst aber nicht aus, dass er bei der Durchführung dieser Aktion ebenso wie Kem. und auch Wei. eingesetzt wurde.

Das Schwurgericht hält nach allem die beiden Angeklagten im Sinne der getroffenen Feststellungen der Beteiligung an dieser Tat für überführt.

J. Die rechtliche Würdigung

Der Angeklagte Sorgatz hat sich der Beihilfe zum Mord in drei Fällen an insgesamt vierzig Menschen und der Angeklagte Kem. hat sich der Beihilfe zum Mord in zwei Fällen an insgesamt zwanzig Menschen schuldig gemacht.

I. Anwendung deutschen Strafrechts

Auf die Taten der Angeklagten ist deutsches Strafrecht anzuwenden. Das folgt aus §4 Abs.2 Nr.1 StGB. Nach dieser Bestimmung wird das deutsche Strafrecht auf eine von einem Ausländer im Ausland begangene Tat angewendet, wenn sie durch das Recht des Tatorts mit Strafe bedroht ist und der Täter nach der Tat die deutsche Staatsangehörigkeit erworben hat.

Die Angeklagten waren zur Tatzeit Ausländer, nämlich polnische Staatsangehörige. Mit ihrer Geburt hatten beide allerdings zunächst die deutsche Staatsangehörigkeit erworben. Ihre Heimat Westpreussen gehörte damals zum Deutschen Reich. Durch den Versailler Vertrag erhielten sie aber die polnische Staatsangehörigkeit. Westpreussen fiel mit dem Teil, in welchem die Angeklagten wohnten, an Polen. Die Staatsangehörigkeit für die dort ansässigen Deutschen war durch Art.91 des Vertrages in Verbindung mit dem sogenannten Wiener Abkommen vom 30.8.1924 in der Weise geregelt, dass sie die polnische Staatsangehörigkeit erwarben. Etwas anderes galt, wenn sie für Deutschland optierten. Dies geschah nicht.

Die Angeklagten besassen die polnische Staatsangehörigkeit auch zur Tatzeit noch. Das ist eindeutig bei den am 8. und 22.10.1939 begangenen Taten (Fälle 7 und 3 der Anklage). Es gilt aber auch im Fall 5 der Anklage. Diese Tat fällt in den Oktober, konnte zeitlich aber nicht genau bestimmt werden und kann deshalb vor dem 26.10.1939 oder an diesem Tage oder an den Tagen danach begangen sein. Wurde sie vor dem 26.10.1939 begangen, so besassen die Angeklagten zur Tatzeit ebenfalls eindeutig die polnische Staatsangehörigkeit. Andernfalls ist die Frage ihrer Staatsangehörigkeit zur Tatzeit nicht ebenso klar zu beantworten. Im Runderlass des Reichsministers des Innern vom 25.11.1939 (RMBliV S.2385) ist nämlich verfügt, den deutschen Volkszugehörigen komme vorläufig mit Wirkung vom 26.10.1939, also rückwirkend, die deutsche Staatsangehörigkeit zu; vom gleichen Tage an erkennt §3 der VO über die Deutsche Volksliste vom 4.3.1941 (RGBl. I S.118) den Betreffenden die deutsche Staatsangehörigkeit zu. Dem kann aber nach der Auffassung des Schwurgerichts wegen des Rückwirkungsverbots (Art.103 Abs.2 GG) strafrechtlich keine Bedeutung

[251] Siehe Lfd.Nr.590.

zukommen. Wenn dieser Auffassung nicht zu folgen ist, würde das im Ergebnis nichts ändern. Das deutsche Strafrecht wäre dann gemäss §3 StGB anzuwenden.

Die Taten waren im Ausland begangen. Der Kreis Zempelburg wurde durch den Erlass vom 8.10.1939 (RGBl. I S.2042) erst mit Wirkung vom 1.11.1939 wieder in das Deutsche Reich eingegliedert.

Das Recht des Tatorts bedroht die Taten mit Strafe. Wer zur vorsätzlichen Tötung eines Menschen Beihilfe leistet, wurde nach den Art.225, 27, 28 des zur Tatzeit geltenden polnischen Strafgesetzbuchs und wird nach Art.148 §1, Art.18 und 19 des jetzt geltenden polnischen Strafkodexes mit Strafe bedroht.

Die Angeklagten haben nach den Taten die deutsche Staatsangehörigkeit erworben. Es kann dahingestellt bleiben, ob der Erwerb aufgrund des genannten Runderlasses oder der Verordnung über die deutsche Volksliste oder durch den Führererlass vom 19.5.1943 (RGBl. I S.315) erfolgte. Genaue Feststellungen sind insoweit nicht getroffen worden. Jedenfalls sind sie als Deutsche im Sinne des Art.116 Abs.1 GG anzusehen. Sie sind damit bei der Entscheidung, ob ihr Verhalten nach deutschem Strafrecht zu ahnden ist, wie Täter zu behandeln, die die deutsche Staatsangehörigkeit nach der Tat erworben haben (BGHSt. 11/63).

II. Anwendung des zur Tatzeit geltenden Rechts

Auf die Taten der Angeklagten ist das zur Tatzeit geltende deutsche Strafrecht anzuwenden. Das ergibt sich aus §2 Abs.2 StGB. Nach dieser Vorschrift ist bei Verschiedenheit der Gesetze von der Zeit der begangenen Handlung bis zu deren Aburteilung das mildeste Gesetz anzuwenden. Das mildeste Gesetz ist durch einen Vergleich der verschiedenen Rechtszustände festzustellen. Es müssen nicht die Tatbestände und Strafdrohungen abstrakt miteinander verglichen werden; vielmehr ist entscheidend, welches Recht im Einzelfall die dem Täter günstigere Beurteilung zulässt.

Die zur Tatzeit geltenden Vorschriften über die Bestrafung der Beihilfe zum Mord sind milder als das geltende Recht. Gemäss §§211, 49, 44 StGB a.F. betrug die Strafe wegen Beihilfe zum Mord drei bis fünfzehn Jahre Zuchthaus, weil bei der Beihilfe die Strafe, die für die Täterschaft vorgesehen war, zwingend zu mildern war. Eine solche zwingende Milderung sieht das geltende Strafrecht nicht vor (vgl. §49 StGB n.F.).

Zu den Gesetzen im Sinne des §2 Abs.2 StGB gehört auch §4 Abs.2 StGB, soweit die Vorschrift das Ausmass der Geltung des sachlichen Strafrechts behandelt und sich nicht mit verfahrensrechtlichen Fragen befasst. Nach §4 Abs.2 Nr.3 StGB in der zur Tatzeit geltenden Fassung konnte auf die Auslandstat eines Neubürgers, die nach deutschem Recht als Verbrechen oder Vergehen anzusehen und durch die Gesetze des Tatorts mit Strafe bedroht war, deutsches Strafrecht angewendet werden. Die Verfolgung bedurfte jedoch eines Antrages der zuständigen Behörde des Landes, in dem die Tat begangen war; ausserdem war das ausländische Recht anzuwenden, soweit es milder war. Weiter durfte nach §4 Abs.3 StGB a.F. die Anklage nur mit Zustimmung des Reichsjustizministers erhoben werden. Demgegenüber ist nach §4 StGB n.F. weder ein Antrag der zuständigen ausländischen Behörde noch die Zustimmung des Justizministers erforderlich; auch ist milderes ausländisches Recht nicht mehr anzuwenden.

Der Antrag der zuständigen ausländischen Behörde und die Zustimmung des Reichsjustizministers sind Verfahrensvoraussetzungen und keine sachlich-rechtlichen Erfordernisse. Ihr Fehlen ist mithin unschädlich. Das Schwurgericht konnte insoweit nicht der Ansicht der Verteidigung folgen; vielmehr hat es sich der Rechtsprechung des Bundesgerichtshofs angeschlossen (BGHSt. 20/22 ff.). In diesen beiden Punkten sind nicht gemäss §2 Abs.2 StGB die Vorschriften des §4 Abs.2 Nr.3 und Abs.3 StGB a.F. anzuwenden. Die Aufhebung der genannten Verfahrensvoraussetzungen durch den Gesetzgeber nach Begehung der Taten verstösst nicht gegen das Verbot rückwirkender Strafgesetze (Art.103 Abs.2 GG), weil dieses Verbot nur für sachliches Recht gilt.

Soweit §4 Abs.2 Nr.3 StGB a.F. die Anwendung des ausländischen Strafrechts vorschrieb, soweit es milder ist, handelt es sich zwar um eine sachlich-rechtliche Bestimmung im Sinne des §2 Abs.2 StGB. Der Vergleich des polnischen mit dem deutschen Strafrecht ergibt aber, dass nicht das polnische, sondern das deutsche Strafrecht milder und mithin das polnische Recht nicht anzuwenden ist. Nach den Art.225 (§1), 27, 28 des polnischen Strafgesetzbuches wurde Beihilfe zur vorsätzlichen Tötung - das polnische Recht unterscheidet nicht zwischen Totschlag und Mord - mit Gefängnis nicht unter 5 Jahren oder mit lebenslangem Gefängnis oder mit dem Tode bestraft. Nach Art.148 (§1), 18 (§2), 19 (§1) und 20 (§1) des geltenden polnischen Strafkodexes wird Beihilfe zur vorsätzlichen Tötung mit Freiheitsentziehung von mindestens acht Jahren oder mit der Todesstrafe bedroht. Demgegenüber beträgt die Mindeststrafe nach dem zur Tatzeit geltenden deutschen Recht nur drei Jahre Zuchthaus.

III. Verjährung der Strafverfolgung

Die Strafverfolgung ist nicht verjährt. Am 8.5.1960 ist keine Verjährung eingetreten. Zwar war nach der zur Tatzeit geltenden Fassung der §§211, 49, 44 StGB Beihilfe zum Mord nur mit einer Zuchthausstrafe bis zu fünfzehn Jahren bedroht, und die bis zum 8.5.1945 gehemmte Verjährung trat damit gemäss §67 Abs.I StGB in fünfzehn Jahren ein (nach polnischem Recht in zwanzig Jahren, Art.86 poln. StGB). Die Bestimmung des Landgerichts Münster zum zuständigen Gericht gemäss §13a StPO durch den Beschluss des Bundesgerichtshofs vom 13.5.1960 und damit auch die Verfügung des Senatsvorsitzenden vom 6.5.1960, durch die ein Berichterstatter zur Vorbereitung dieser Entscheidung bestimmt worden ist, waren aber zur Unterbrechung der Verjährung geeignete Handlungen im Sinne des §68 StGB.

Die Bestimmung des zuständigen Gerichts nach §13a StPO richtet sich im Sinne des §68 StGB "wegen der begangenen Tat gegen den (benannten) Täter". Sinn und Zweck der Vorschrift ist, die Einleitung und Durchführung auch solcher Strafverfahren zu sichern, in denen ein nach den §§7-10 StPO begründeter Gerichtsstand nicht ohne nähere Erhebungen feststellbar ist. Dieses Ziel kann nur erreicht werden, wenn in einem möglichst frühen Abschnitt des Verfahrens ein zuständiges Gericht bestimmt wird, da darin zugleich die Bestimmung der zuständigen Strafverfolgungsbehörde liegt. Diese wird erst damit in die Lage versetzt und verpflichtet, die notwendigen Erhebungen in der erforderlichen Weise zu betreiben (vgl. BGHSt. 10/255, 257). Nur die Bestimmung eines zuständigen Gerichts ermöglicht zudem die Stellung eines Antrags auf Erlass eines Haftbefehls, durch den erst eine umfassende Fahndung ausgelöst werden kann. Der Bundesgerichtshof hat auch mit der zur Unterbrechung der Verjährung erforderlichen Absicht entschieden, die namentlich benannten Angeklagten Sorgatz und Kem. zu verfolgen oder ihre weitere Verfolgung durch das als zuständig bezeichnete Gericht zu ermöglichen. Er wäre nicht befugt gewesen, die Strafverfolgung etwa durch Verweigerung der Gerichtsstandsbestimmung zu verhindern (BGHSt. 18/19).

Einer Unterbrechung der Verjährung steht auch nicht entgegen, dass die zentrale Stelle der Landesjustizverwaltungen in dem Antrag auf Bestimmung eines zuständigen Gerichts ihre Absicht bekundet hat, "nach Feststellung des zuständigen Gerichts auf ein entsprechendes Ersuchen der dann örtlich zuständigen Staatsanwaltschaft den Sachverhalt durch weitere Vorermittlungen von hier aus zu klären", und dass sie den Generalbundesanwalt ausdrücklich darauf aufmerksam gemacht hat, zur Unterbrechung der drohenden Verjährung sei die Vornahme einer richterlichen Handlung erforderlich.

Es spielt keine Rolle, dass das Verfahren nach §13a StPO von der zentralen Stelle in Ludwigsburg zum Zwecke der Unterbrechung der Verfolgungsverjährung eingeleitet worden sein mag. Die vom Bundesgerichtshof getroffene Entscheidung war angezeigt, weil zur Zeit der Antragstellung ein zuständiges Gericht nicht ermittelt war. Eine Unterbrechung der Verjährung tritt auch dann ein, wenn sie durch eine richterliche Handlung herbeigeführt werden soll, sofern nur diese Handlung nach Lage der Sache angezeigt ist (BGHSt. 9/198, 203 a.E.). Durch eine nach dem Stand des Verfahrens an sich angezeigte Handlung, die ein Richter vornimmt, wird nur dann keine Unterbrechung bewirkt, wenn die beantragende Stelle selbst die Massnahme hätte vornehmen können und diese dennoch nur zum Zwecke der Unterbrechung durch einen Richter vornehmen lässt (vgl. BGHSt. 11/335; 15/234). Zu einer Entscheidung nach §13a StPO, die nach Lage der Sache durchaus angebracht war, ist indessen allein der Bundesgerichtshof befugt.

Unbeachtlich ist, ob die richterliche Massnahme das Verfahren tatsächlich gefördert hat (BGHSt. 9/198 ff.). Daher ist die alsbaldige Zurückleitung der Akten von der Staatsanwaltschaft Münster an die zentrale Stelle in Ludwigsburg für die Frage der Unterbrechung der Verjährung ohne Bedeutung.

Bei Anwendung polnischen Rechts wäre die Strafverfolgung ebenfalls nicht verjährt.

Nach Art.86 Buchstabe a des zur Tatzeit geltenden polnischen Strafgesetzbuchs betrug die Verjährungsfrist für Straftaten der hier vorliegenden Art zwanzig Jahre. Diese Verjährungsfrist begann erst nach dem Ende der deutschen Besetzung Polens zu laufen. Vorher ruhte sie gemäss Art.88, der inhaltlich §69 StGB entspricht, infolge des Fehlens einer polnischen Gerichtsbarkeit. Vor dem Ablauf der Verjährungsfrist erging sodann das Gesetz vom 22.4.1964 über die Hemmung der Verjährungsfrist gegenüber den Tätern der während des 2.Weltkrieges begangenen schwersten Hitlerverbrechen (WGO 1964 S.166). Nach Art.1 dieses Gesetzes ist der Lauf der Verjährungsfrist gehemmt, falls ein Strafverfahren infolge Unauffindbarkeit oder Nichtergreifung des Täters oder Nichtauslieferung eines im Ausland befindlichen Täters nicht eingeleitet oder nicht durchgeführt wurde. Zu den Verbrechen im Sinne des Gesetzes gehört auch die aus Entgegenkommen gegenüber der Staatsgewalt des deutschen Staates begangenen Beihilfe zur Tötung von Personen aus der Zivilbevölkerung oder von Militärpersonen oder von Kriegsgefangenen, wie sie hier festgestellt worden ist (vgl. WGO 1964 S.164 ff.). Das Gesetz ist durch das Einführungsgesetz zum Strafkodex vom 19.4.1969 nicht aufgehoben worden. In Art.109 des seit dem 1.1.1970 geltenden polnischen Strafkodexes schliesslich ist bestimmt, dass die Verjährungsvorschriften auf Kriegsverbrechen und Verbrechen gegen die Menschlichkeit keine Anwendung finden. Um solche Verbrechen handelt es sich bei den abgeurteilten Taten. Die durch die genannten Vorschriften erfolgte nachträgliche Abänderung oder Aufhebung einer noch nicht abgelaufenen Verjährungsfrist ist verfassungsrechtlich nicht zu beanstanden (vgl. insoweit BVerfG NJW 1969/1059 ff.).

IV. Die Haupttäter

Die planmässige physische Vernichtung von missliebigen Polen und von Juden erfüllt den Tatbestand des Mordes nach §211 StGB alter und neuer Fassung. In diesen Vernichtungsplan sind auch die festgestellten Aktionen in den Fällen 7, 3 und 5 der Anklage einzuordnen.

Haupttäter sind insoweit in erster Linie Hitler und Himmler. Sie sind die eigentlichen Urheber des Vernichtungsplans und daher mittelbare Täter, unabhängig davon, ob ihnen jede einzelne von den Vollstreckern ihres Willens befohlene Aktion konkret bekannt war. Die Tötungsbefehle gingen über mehrere Stufen nach unten bis schliesslich zu den Erschiessungskommandos. An massgebender Stelle der Befehlskette ist als mittelbarer Haupttäter für den hier in Betracht zu ziehenden Raum der Selbstschutzführer in Westpreussen, SS-Oberführer

Ludolph von Alvensleben, zu nennen, der die Durchführung des Vernichtungsplans in seinem Bereich leitete und dazu konkrete Befehle gab. Diese Befehle wurden dann über die Führer der Selbstschutzinspektionen oder die Kreisselbstschutzführer weitergeleitet und schliesslich an Ort und Stelle von SS-Angehörigen aus dem Reich und vor allem durch die Mitglieder des Selbstschutzes ausgeführt.

Jeder, der in dieser Kette die befohlenen Tötungsmassnahmen zu seiner eigenen Sache machte, das Tatgeschehen beherrschte oder mitbeherrschte und sich für das Gelingen des Unternehmens verantwortlich fühlte, handelte als Täter. Wer dagegen nur unter dem Eindruck der staatlichen Autorität den Befehlen gehorchte und lediglich den Willen der Befehlsgeber erfüllen wollte, war Gehilfe.

Nach §§211 StGB a.F. wurde wegen Mordes bestraft, wer vorsätzlich und mit Überlegung einen Menschen tötete. Die Haupttäter handelten mit Überlegung. Dazu ist erforderlich, dass der Täter bei Ausführung der Tat in genügend klarer Erwägung über den zur Erreichung seines Zwecks gewollten Erfolg der Tötung, über die zum Handeln drängenden Beweggründe und über die zur Herbeiführung des gewollten Erfolges erforderliche Tätigkeit handelt. Daran besteht hier angesichts der Planung und Organisation der Tötungen kein Zweifel.

Auch der Tatbestand des §211 StGB n.F. ist erfüllt. In allen festgestellten Fällen sind die Opfer aus niedrigen Beweggründen getötet worden. Die Beweggründe des Täters sind niedrig, wenn sein Handeln von Vorstellungen bestimmt war, die als sittlich besonders verachtenswert und verwerflich anzusprechen sind. Die Beweggründe der Haupttäter lagen darin, dass sie die Juden, aber auch die Polen als rassisch minderwertig ansahen. Die Taten waren auch bestimmt von hemmungslosem politischen Machtstreben, dem es darum ging, die lebendige Kraft des polnischen Volkes durch eine Dezimierung zu vernichten. Solche Beweggründe beruhen auf einer so erheblichen Missachtung der menschlichen Persönlichkeit und einer jedem menschlichen Empfinden hohnsprechenden Gesinnung, dass sie als sittlich besonders verachtenswert und verwerflich anzusprechen sind.

Die Tötungen waren rechtswidrig. Ein auf die Todesstrafe lautendes gerichtliches Urteil lag nicht vor. Durch die Befehlsgebung Hitlers wurde hier kein Recht geschaffen. Staatliche Anordnungen, welche die Gerechtigkeit nicht einmal anstreben, sondern jede allgemeine Rechtsüberzeugung missachten, bleiben Unrecht.

Die Haupttäter handelten vorsätzlich. Die Tötungen gingen auf ihren Willen zurück und entsprachen ihm, selbst wenn ihnen nicht jeder einzelne Fall bekannt wurde. Sie kannten auch ihre Beweggründe; es ist nicht erforderlich, dass sie sie selbst als niedrig bewerteten.

In den Fällen 3 und 5 der Anklage ist der Tatbestand des §211 StGB n.F. auch in der Form der grausamen Tötung erfüllt. Grausam ist eine Tötung dann, wenn sie schwere Leiden körperlicher oder seelischer Art hervorruft, sei es durch die Stärke oder durch die Dauer der Handlung des Täters, und wenn sie ausserdem einer gefühllosen und unbarmherzigen Gesinnung entspringt. In den genannten Fällen wurden die Opfer jeweils in mehreren Gruppen nacheinander erschossen. Zumindest bei denjenigen, die sich nicht jeweils in der ersten Gruppe befanden, wurden durch das unmittelbare Miterleben der Erschiessung ihrer Leidensgefährten und das Warten auf den eigenen Tod zusätzliche schwere seelische Qualen hervorgerufen. Die Möglichkeit, dass die Tötungen in dieser Weise erfolgten, war den Haupttätern bekannt, wurde von ihnen gebilligt und entsprach ihrer gefühllosen unmenschlichen Gesinnung. Auch insoweit ist Vorsatz gegeben, weil den Tätern die Umstände bekannt waren, die das Merkmal "grausam" ausfüllen. Im Fall 3 der Anklage steht nicht fest, dass die Tötung heimtückisch war. Zwar hat der Angeklagte Sorgatz hier versucht, die Gefangenen vor der Erschiessung über ihr Schicksal zu täuschen. Es kann aber nicht festgestellt werden, dass die Opfer arglos waren.

Jede der festgestellten Tötungsaktionen beruhte auf einem Gesamtvorsatz der mittelbaren Täter. Für sie bildeten die im Rahmen der jeweiligen Aktion durchgeführten Tötungen wegen ihres engen räumlichen und zeitlichen Zusammenhanges eine natürliche Handlungseinheit; die einzelnen Tötungshandlungen stellen sich zwar als mehrere gleichartige strafrechtlich bedeutsame Betätigungen dar, es handelt sich aber nur um eine Tat im Sinne des §73 StGB (sog. gleichartige Tateinheit). Hat ein Täter aber persönlich nacheinander mehrere Menschen erschossen, so liegen getrennte Willensbetätigungen und selbständige Handlungen vor, zwischen denen das Verhältnis der Tatmehrheit im Sinne des §74 StGB besteht. Das Gleiche gilt für das Verhältnis der festgestellten Aktionen zueinander, die sich mithin für den Befehlsgeber als drei selbständige Handlungen (§74 StGB) darstellen.

V. Teilnahme der Angeklagten

Tat im Sinne der §§73, 74 StGB is für die Angeklagten als Gehilfen nicht die Haupttat, sondern ihr eigener Tatbeitrag. Die Beihilfehandlungen der Angeklagten beruhten auf ihrem Entschluss, in dem befohlenen Umfang an der jeweiligen Aktion teilzunehmen. Hätte einer von ihnen mitgeschossen - was möglich, aber nicht sicher festgestellt ist -, so lägen an sich insoweit getrennte Willensbetätigungen in der Zahl der eigenhändigen Tötungen vor. Dem Gehilfen fällt aber nicht nur der Tod der von ihm persönlich erschossenen Menschen, sondern Beihilfe zur Tötung aller während der Aktion ermordeten Opfer zur Last. Das Verhalten der Angeklagten bei den einzelnen Aktionen erscheint unter dem Gesichtspunkt des gegenseitigen Zusammenwirkens aufgrund eines einheitlichen Befehls im natürlichen Sinne als einheitliche Handlung (§73 StGB), die dazu beigetragen hat, den Tod aller Opfer der jeweiligen Aktion herbeizuführen.

Die Tatbeiträge der Angeklagten zu den mehreren ihnen zur Last fallenden Aktionen stehen hingegen als selbständige Handlungen im Verhältnis der Tatmehrheit (§74 StGB) zueinander.

1.) Fall 7 der Anklage

Die Angeklagten haben durch ihr Verhalten in einer Handlung (§73 StGB) den Haupttätern bei der Ermordung von mindestens 5 Menschen wissentlich durch die Tat Hilfe geleistet und sich damit jeder eines Verbrechens gemäss §§211, 49, 44 StGB alter und neuer Fassung schuldig gemacht.

Der Tatbeitrag der Angeklagten stellt sich als Beihilfe dar. Der Angeklagte Sorgatz hat zunächst die Gefangenen, die zur Erschiessung bestimmt waren, ausgesondert; der Angeklagte Kem. hat dabei durch seine Anwesenheit die Sicherung der Aussonderung übernommen. Bei der eigentlichen Exekution haben beide Angeklagten zumindest Sicherungsaufgaben innegehabt. Es steht nicht fest, dass sie mitgeschossen haben. Nach den getroffenen Feststellungen ist nicht anzunehmen, dass sie mit Täterwillen handelten. Zwar hat insbesondere der Angeklagte Sorgatz, da SS-Angehörige nicht anwesend waren, den Geschehensablauf mitbeherrscht. Es steht aber dennoch nicht fest, dass beide die Tat als eigene wollten. Vielmehr ist davon auszugehen, dass sie nur auf ausdrücklichen und bestimmten Befehl ihrer Vorgesetzten, dessen Ausführung sie innerlich nicht zu ihrer eigenen Sache machten, tätig wurden.

Die Tat und damit auch die Beihilfehandlungen waren rechtswidrig.

Beide Angeklagte handelten vorsätzlich, nämlich mit Wissen und Wollen aller Umstände, welche die Exekution, die sie fördern wollten, als Tötung aus niedrigen Beweggründen und mit Überlegung erscheinen lassen. Allerdings konnte nicht festgestellt werden, dass sie selbst von den beschriebenen niedrigen Beweggründen bestimmt waren.

2.) Fall 3 der Anklage

Der Angeklagte Sorgatz hat durch eine Handlung (§73 StGB) den Haupttätern bei der Ermordung von mindestens 20 Menschen wissentlich durch die Tat Beihilfe geleistet und sich damit in einem weiteren Fall des Verbrechens gemäss §§211, 49, 44 StGB alter und neuer Fassung schuldig gemacht.

Der Tatbeitrag des Angeklagten ist eine Beihilfe im Sinne des §49 StGB. Er hat die Tat der Haupttäter durch seine bewaffnete Anwesenheit am Tatort und durch den Befehl, vom LKW herunterzusteigen, gesichert und gefördert. Dass er selbst geschossen hat, steht nicht fest. Auch hier konnte nicht festgestellt werden, dass er mit Täterwillen handelte und die Tat als eigene wollte. Zu seinen Gunsten ist davon auszugehen, dass er nur auf ausdrücklichen und bestimmten Befehl seiner Vorgesetzten, dessen Ausführung er innerlich nicht zu seinem eigenen Anliegen machte, handelte.

Die Tat und folglich auch der Tatbeitrag des Angeklagten Sorgatz waren rechtswidrig.

Der Angeklagte Sorgatz handelte vorsätzlich. Er wollte die Tat unterstützen und kannte alle festgestellten Umstände, welche die Exekution zu einer grausamen Tötung stempelten und aus welchen sich die niedrigen Beweggründe der Täter ergaben. Auch erkannte er klar, dass sie mit Überlegung handelten. Hingegen steht nicht fest, dass er sich von den gleichen Beweggründen wie die Haupttäter leiten liess.

3.) Fall 5 der Anklage

Die Angeklagten haben durch ihr Verhalten tateinheitlich (§73 StGB) den Haupttätern bei der Ermordung von mindestens 15 Menschen wissentlich durch die Tat Beihilfe geleistet und sind damit des Verbrechens nach §§211, 49, 44 StGB alter und neuer Fassung schuldig.

Der Tatbeitrag der Angeklagten ist auch hier als Beihilfe zu werten.
Der Angeklagte Sorgatz rief bei der Exekution die Opfer vom Wagen herunter. Der Angeklagte Kem. erfüllte zumindest Sicherungsaufgaben. Beide förderten damit den Ablauf der Aktion. Auch hier steht nicht fest, dass sie die Tat als eigene wollten, also mit Täterwillen handelten. In diesem Fall ist ebenfalls lediglich festzustellen, dass sie nur auf ausdrücklichen und bestimmten Befehl ihrer Vorgesetzten handelten und sich diesen Befehl innerlich nicht zu eigen machten.

Die Tat und damit auch der Tatbeitrag der Angeklagten Sorgatz und Kem. waren auch in diesem Fall rechtswidrig.

Die Angeklagten handelten vorsätzlich. Sie wollten die Täter unterstützen und kannten alle Umstände, welche die Tötung zu einer grausamen machten. Ihnen waren auch die niedrigen Beweggründe der Haupttäter bekannt. Auch hier steht indessen nicht fest, dass sie selbst durch die gleichen Gründe bestimmt wurden. Schliesslich war ihnen voll bewusst, dass die Täter mit Überlegung handelten.

4.) Schuld der Angeklagten

a) Befehlsnotstand

Das Handeln des Angeklagten Kem. ist nicht durch das Vorliegen eines Befehlsnotstandes entschuldigt. Gemäss §52 StGB ist der Täter entschuldigt, wenn er durch eine Drohung, welche mit einer gegenwärtigen, auf andere Weise nicht abwendbaren Gefahr für Leib oder Leben seiner selbst oder eines Angehörigen verbunden war, zu der Handlung genötigt worden ist. Ein Befehlsnotstand setzt also zunächst voraus, dass dem Befehlsempfänger für den Fall, dass er den Befehl nicht befolgte, eine gegenwärtige Gefahr für Leib oder Leben drohte, wenn ihm also etwa seine sofortige Erschiessung, das Todesurteil oder die Einweisung in das Konzentrationslager angedroht wurde. Das allein reicht aber für die Anwendung des §52 StGB nicht aus. Vielmehr gehört dazu, dass sein Wille durch das Bewusstsein dieser Gefahr gebeugt worden sein muss (vgl. BGHSt. 3/271, 275). Der Genötigte muss sich unter dem Druck, den der Nötigende auf ihn ausübt, zu der von diesem gewollten Handlung entschlossen haben (OGHSt. 1/313; 2/397 f.). Es ist erforderlich, dass der Täter den Befehl nur deshalb ausgeführt hat, weil ihm dessen Ausführung als einziger Ausweg aus einer wirklichen oder vermeintlichen Leibes- oder Lebensgefahr erschienen ist. Wenn der Täter dem Befehl aus anderen Gründen nachkommt als dem Bestreben, dieser Gefahr auszuweichen, liegt ein Befehlsnotstand nicht vor.

Nach der Überzeugung des Schwurgerichts ist der Wille des Angeklagten Kem. in den Fällen 7 und 5 der Anklage nicht durch das Bewusstsein einer gegenwärtigen Gefahr in dem oben gekennzeichneten Sinne in der Richtung gebeugt worden, dass ihm die Ausführung der Befehle als einziger Ausweg aus der Gefahr erschienen wäre. Nach dem Ergebnis der Beweiswürdigung ist zwar davon auszugehen, dass der Angeklagte Kem. sich bei der ersten (nicht angeklagten) ihm von Richardt [252] befohlenen Erschiessung eines Polen in einer solchen seelischen Zwangslage befunden hat, und zwar unabhängig davon, ob Richardt willens war, die Drohung zu verwirklichen. Für die Zeit danach, insbesondere für die Tatzeit in den Fällen 7 und 5 der Anklage, ist das Schwurgericht indessen zu der Überzeugung gelangt, dass der Angeklagte sich innerlich gewandelt hatte. Er gehorchte den Erschiessungsbefehlen nicht mehr, weil er für den Fall, dass er ihre Befolgung verweigert hätte, mit einer Leibes- oder Lebensgefahr rechnete und diese vermeiden wollte, sondern deshalb, weil er Gefallen an seiner Lagertätigkeit gefunden hatte und diese nicht aufgeben wollte. Ihm kam der Gedanke, die Befehle zu verweigern, nicht mehr, vielmehr war Willfährigkeit die Triebfeder seines Handelns geworden.

Das Handeln des Angeklagten Sorgatz ist ebenfalls nicht durch Befehlsnotstand entschuldigt. Ihm ist nämlich von Anfang an nicht der Gedanke gekommen, die ihm erteilten Befehle zu verweigern, auch wenn ihre Ausführung ihn seelisch belastete. Einem Täter mit dieser Einstellung steht aber der Entschuldigungsgrund des Befehlsnotstandes nicht zur Seite. Er handelt nicht, um einer drohenden Leibes- oder Lebensgefahr zu entgehen.

b) Verbotsirrtum

Der Angeklagte Kem. handelte nach den getroffenen Feststellungen nicht in einem Verbotsirrtum. Vielmehr hatte er das Unrechtmässige der Taten und seines Tatbeitrages erkannt.

Zugunsten des Angeklagten Sorgatz hingegen ist nach dem Ergebnis der Beweiswürdigung davon auszugehen, dass er an die Rechtmässigkeit der ihm erteilten Befehle glaubte.

Die wissentliche und willentliche Verwirklichung der tatbestandsmässigen rechtswidrigen Tat ist dem Täter zur Schuld nur zuzurechnen, wenn er das Unrecht dieser Tatbestandsverwirklichung kannte oder bei der ihm zuzumutenden Anspannung des Gewissens hätte kennen können und sich trotzdem in Freiheit zu ihr entschloss. Der Verbotsirrtum schliesst, wenn er unüberwindlich ist, die Schuld aus; ist der Irrtum überwindlich oder vermeidbar, so mindert er die Schuld; die Strafe kann dann nach den in §44 Abs.2 und 3 StGB aufgestellten Grundsätzen gemindert werden (BGHSt. 2/194 ff., 209 ff.).

[252] Siehe Lfd.Nr.590.

Eine irrige Vorstellung, wie sie zugunsten des Angeklagten Sorgatz zugrundezulegen ist, muss als Verbotsirrtum angesehen werden. Ein Verbotsirrtum liegt sogar dann vor, wenn der Untergebene erkennt, dass der ihm erteilte Befehl eine Handlung betrifft, welche ein Verbrechen bezweckt, den Befehl aber gleichwohl glaubt ausführen zu müssen, weil er aus falsch verstandener Gehorsams- oder Treuepflicht auch Befehle für verbindlich hält, die ihm die Begehung strafbarer Handlungen ansinnen (BGHSt. 22/223; vgl. auch BGHSt. 3/271).

Der Verbotsirrtum des Angeklagten Sorgatz entschuldigt sein Handeln aber nicht, weil er für ihn vermeidbar war. Mängel im Wissen sind bis zu einem gewissen Grad behebbar. Als Teilhaber der Rechtsgemeinschaft ist der Mensch verpflichtet, sich rechtmässig zu verhalten und Unrecht zu vermeiden. Dieser Pflicht genügt er nicht, wenn er nur das nicht tut, was ihm als Unrecht klar vor Augen steht. Vielmehr hat er bei allem, was er zu tun im Begriff steht, sich bewusst zu machen, ob es mit den Sätzen des rechtlichen Sollens in Einklang steht. Zweifel hat er durch Nachdenken oder Erkundigung zu beseitigen. Hierzu muss er sein Gewissen anspannen. Das Mass der Anspannung richtet sich nach den Umständen des Falles und nach dem Lebens- und Berufskreis des Einzelnen (vgl. BGHSt. 2/201). Mit der Gewissensanspannung ist gemeint, dass der Täter verpflichtet ist, alle seine Erkenntniskräfte und alle seine sittlichen Wertvorstellungen einzusetzen, wenn es gilt, sich über die Rechtmässigkeit oder die Rechtswidrigkeit eines bestimmten Verhaltens ein Urteil zu bilden (BGHSt. 4/1). Die Anspannung des Gewissens zur Erkenntnis der Rechtswidrigkeit eines tatbestandsmässigen Verhaltens ist etwas anderes als die Beobachtung der im Verkehr erforderlichen und dem Täter zuzumutenden Sorgfalt bei den Fahrlässigkeitsdelikten. Im ersten Fall werden höhere Anforderungen gestellt, weil mit der Tatbestandsmässigkeit eines Verhaltens seine Rechtswidrigkeit in der Regel gegeben und dies allgemein bekannt ist (BGHSt. 4/237, 243; 21/20).

Ausgehend von diesen Grundsätzen hat das Schwurgericht folgendes erwogen:

Die Erkenntnis, dass die dem Angeklagten Sorgatz angesonnenen Tötungen rechtswidrig waren, wurde einerseits durch bestimmte Umstände erschwert, andererseits aber durch andere Umstände so nahegelegt, dass sein Irrtum insgesamt für ihn vermeidbar war. Es handelt sich dabei um Umstände, die schon für die Beweiswürdigung in diesem Bereich von Bedeutung waren. Unter den die Erkenntnis erschwerenden Faktoren ist in erster Linie die autoritäre Erziehung und Ausbildung des Angeklagten in Elternhaus, polnischem Heer und Jungdeutscher Partei zu nennen, weil diese Erziehung ihm sicher eine unkritische Haltung hinsichtlich der inhaltlichen, materiellen Rechtmässigkeit eines Befehls nahelegte. Es kam hinzu, dass hier die Befehle von staatlichen Stellen ausgingen und die Anschauung, staatliche Anordnungen seien immer rechtens, weit verbreitet war. Weiterhin mögen die Ausschreitungen, die zu Beginn des Krieges von polnischer Seite an Volksdeutschen begangen wurden, die Wachsamkeit an der Grenze zwischen Recht und Unrecht eingeschläfert haben. Insoweit ist allerdings einschränkend anzumerken, dass die NS-Propaganda deutlich die Tötung unschuldiger Menschen als Verbrechen geisselte, soweit es sich nämlich um die volksdeutschen Opfer von Bromberg und des Marsches nach Lowicz handelte, und dass es von daher nicht fernlag, auch die ohne erkennbaren triftigen Grund erfolgende Tötung polnischer und jüdischer Menschen für Unrecht zu halten. Schliesslich kommt in diesem Zusammenhang dem Gespräch des Angeklagten mit seinem Onkel, dem Rechtsanwalt Gierschewski, besondere Bedeutung zu, und zwar in zweifacher Weise. Einmal hat der Angeklagte insoweit die Auskunft eines Rechtskundigen eingezogen. Zum anderen war diese Auskunft geeignet, die Erkenntnis der Rechtswidrigkeit weiter zu erschweren, weil sie diese verneinte und das Wort des Auskunftgebers für den Angeklagten Gewicht besass.

Es ist aber zu beachten, dass der Täter sich der ihm obliegenden persönlichen Entscheidung über Recht oder Unrecht seines Tuns nicht schlechthin dadurch entziehen kann, dass er die Meinungsäusserung eines Rechtskundigen einholt (BGHSt. 21/21). Während bei rechtlichen

Fachfragen, deren Beantwortung nur dem geschulten Rechtskundigen möglich ist, die bestimmt und sicher erteilte Auskunft einer dazu berufenen Person oder Stelle - häufig also eines Rechtsanwalts - im allgemeinen ausreichen wird, einen unverschuldeten Verbotsirrtum darzutun, verhält es sich jedoch anders dort, wo die Rechtsordnung unmittelbar auf eine ethische Wertung zurückgreift (BGH NJW 1965/163 f.). Was den hier zur Entscheidung stehenden Sachverhalt angeht, wurden durch die Tötungen ganz elementare Rechtssätze verletzt, und zwar in einem Bereich, in dem die rechtliche Wertung weitestgehend mit der ethischen übereinstimmt. In einem solchen Bereich aber sind die eigenen Erkenntniskräfte eines gebildeten und intelligenten Menschen - ein solcher ist und war der Angeklagte - keineswegs gering zu veranschlagen. Dies gilt um so mehr, wenn gewichtige Indizien den Schluss auf die Rechtswidrigkeit nahelegen. Soweit hier überhaupt von einer den Tötungen vorausgehenden Ermittlungstätigkeit die Rede sein kann, waren dem Angeklagten deren ganz offenbare Oberflächlichkeit und die Misshandlung der Polen während solcher "Vernehmungen" aus eigener Anschauung bekannt. Einige Opfer waren ihm als seine Mitbürger bekannt, und er besass keinerlei Hinweise darauf, dass sie sich irgendwelcher auch nur annähernd todeswürdiger Taten - auch unter Berücksichtigung der Zeitverhältnisse - schuldig gemacht hatten. Im Fall 5 der Anklage wurden Frauen und Kinder erschossen, deren Unschuld nicht zu bezweifeln war. Ein weiteres Verdachtsmoment in Richtung auf die Rechtswidrigkeit der Tötungen ergab sich daraus, dass sie zwar innerhalb des NS-Apparates bekannt waren, im übrigen aber nicht nur vor der polnischen, sondern auch der volksdeutschen Bevölkerung geflissentlich geheimgehalten wurden. Der falsche Glanz, den die SS-Führer bei ihrem Eintreffen gehabt haben mochten, war alsbald verblasst. Die zynische Art der Reden des früheren Mitangeschuldigten Richardt [253] und seine unverhüllten Aufforderungen zu möglichst vielen Tötungen drängten den Verdacht auf, dass hier nicht Recht vollzogen, sondern hart und zynisch Unrecht praktiziert wurde. Schliesslich wurden die festgestellten Tötungen nach dem Waffenstillstand ausgeführt, zu einer Zeit also, in der so summarisches Vorgehen augenfällig nicht mehr erforderlich war, zumal auch im Bereich des Kreises Zempelburg eine Partisanentätigkeit nicht gegeben war. Angesichts dieser Umstände konnte der Angeklagte, der seelisch unter den Exekutionen litt, auch darin die Stimme seines Gewissens hören und zur richtigen Erkenntnis über das Unrecht des ihm angesonnenen Verhaltens kommen.

Die Angeklagten waren nach allem zu bestrafen.

K. Die Strafzumessung

I. Allgemeiner Teil

Grundlage für die Zumessung der Strafen musste die Schuld der Angeklagten sein; ausserdem waren die Wirkungen zu berücksichtigen, die von den Strafen für das künftige Leben der Angeklagten in der Gesellschaft zu erwarten sind (§13 Abs.1 StGB).

Einige allgemeine Erwägungen treffen für beide Angeklagten gleichmässig zu.

Die Bedeutung des Gedankens der Generalprävention und der Verteidigung der Rechtsordnung ist zwar von der Verteidigung allgemein und speziell für den Bereich der Verfolgung von NS-Verbrechen in Frage gestellt worden. Das Schwurgericht war gleichwohl der Meinung, dass die Verhängung von Strafen für Taten der hier abgeurteilten Art einen Appell an die Allgemeinheit bedeutet, derartige Verbrechen nicht auszuführen. Zwar scheint die Gefahr, dass sich eine politische Konstellation wiederholen wird, wie sie für die Taten der Angeklagten ursächlich gewesen ist, nicht sehr nahe zu liegen. Ausgeschlossen ist die Wie-

[253] Siehe Lfd.Nr.590.

derkehr ähnlicher politischer Verhältnisse indessen nicht. Die Strafen haben unter diesem Gesichtspunkt den Sinn, den Blick aller Mitglieder der Rechtsgemeinschaft für die Unverletzlichkeit der Rechtsordnung zu schärfen.

Angesichts der Schwere der Taten musste im Rahmen der Strafzumessung zwar auch der Gedanke der Sühne zum Tragen kommen, jedoch nur in stark eingeschränktem Masse. Es entspricht nämlich allgemeiner Rechtsüberzeugung, dass das Sühnebedürfnis mit zunehmendem zeitlichen Abstand von einer Tat immer mehr schwindet und schliesslich durch die Verjährung, welche der Bewahrung des Rechtsfriedens dient, aufgehoben wird. Der Zeitablauf äussert also heilende Wirkung für den durch das Verbrechen gestörten Rechtsfrieden. Dies ist auch in der Einstellung mancher vom Schwurgericht vernommener polnischer Zeugen deutlich geworden. Es liegt ein Zeitraum von mehr als drei Jahrzehnten zwischen den Taten und ihrer Aburteilung. Zwar ist die Verjährung rechtlich unterbrochen worden. Das nicht ausschliesslich rechtlich, sondern auch gesellschaftlich oder sozialpsychologisch zu erfassende Phänomen der heilenden Wirkung des Zeitablaufs für den verletzten Rechtsfrieden scheint aber durch die rechtliche Unterbrechung der Verjährung, wenn überhaupt, so nur in geringem Umfang beeinflusst.

Die Taten beider Angeklagten mussten nach der Auffassung des Schwurgerichts eine mildere Beurteilung finden, als die Gewalttaten anderer, aus dem Reich kommender, deutscher Staatsangehöriger in der NS-Zeit. Abgesehen davon, dass die Taten der Angeklagten deutlich hinter jenen anderen zurückbleiben, was Perfektion und Umfang des begangenen Unrechts angeht, war vor allem die psychologische Ausgangslage der Angeklagten eine andere als die jener Täter aus dem Reich. Dies ergibt sich aus der eingangs festgestellten politischen Vorgeschichte. Die Angeklagten hatten als Volksdeutsche lange Zeit den zunehmenden Druck der polnischen Assimilierungspolitik insbesondere gegenüber der deutschen Minderheit erlebt. Der "Bromberger Blutsonntag" und die Ausschreitungen anlässlich des "Marsches nach Lowicz", vor allem aber die propagandistische Ausschlachtung dieser Ereignisse durch die versierte NS-Propaganda haben sicher zu einem Aufstau von Emotionen bei den Volksdeutschen geführt. Andererseits besassen das 3.Reich und seine Repräsentanten zu Beginn des Krieges einen durch persönliche Erfahrungen der Volksdeutschen noch nicht getrübten Glanz, der ihre Verführbarkeit erhöhte.

II. Besonderer Teil

Neben den vorstehenden allgemeinen, auf beide Angeklagten zutreffenden Erwägungen hat das Schwurgericht im einzelnen noch folgendes berücksichtigt:

1.) Sorgatz

Die Persönlichkeit des Angeklagten Sorgatz, der einer Vollfamilie der Mittelschicht entstammt, ist zunächst durch eine ausgeprägte Intelligenz gekennzeichnet, die ihn befähigt hätte, der Versuchung zu widerstehen. Andererseits ist davon auszugehen, dass seine Erziehung und Ausbildung in Elternhaus, Schule, Beruf und polnischem Heer autoritär geprägt war und dadurch der Boden für sein Versagen vorbereitet wurde.

Im Hinblick auf das Lebensalter des 63-jährigen Angeklagten Sorgatz ist der Gedanke der Resozialisierung bei der Strafzumessung wenig ergiebig. Der Angeklagte wird in wenigen Jahren aus dem Berufsleben ausscheiden. Nach seiner insoweit glaubhaften Einlassung hatte er vor Begehung der abgeurteilten Taten noch keine Bestrafungen hinnehmen müssen. In der langen Zeit, die seit Begehung der Taten vergangen ist, hat er sich ebenfalls straffrei geführt. Er weiss, wie schwer das von ihm unterstützte Unrecht wiegt. Bei dieser Sachlage ist eine Notwendigkeit, ihn durch Strafe - sei es im Wege einer inneren Läuterung oder durch blosse Abschreckung - zu resozialisieren, nicht recht ersichtlich.

Aus dem Lebensalter des Angeklagten ergibt sich im übrigen auch eine besondere Strafempfindlichkeit. In diesem Zusammenhang darf weiter nicht unerwähnt bleiben, dass der Angeklagte bereits seit mehr als 10 Jahren unter der seelischen Belastung dieses Verfahrens zu leiden hat. In ganz besonderem Masse hat sich bei dem Angeklagten Sorgatz strafmildernd die Erwägung ausgewirkt, dass seine Taten auch im Mannheimer Verfahren [254] - beide Komplexe resultieren aus seiner Selbstschutztätigkeit - hätten abgeurteilt werden können. Wäre das geschehen, so hätte er wahrscheinlich längst die strafrechtliche Sühne für sein gesamtes Versagen geleistet.

Das Schwurgericht hat ferner Gewicht und objektive Schwere der Taten und der festgestellten Tatbeiträge ins Auge gefasst. Im Fall 7 der Anklage war von fünf, im Fall 3 der Anklage von zwanzig und im Fall 5 der Anklage von fünfzehn Opfern auszugehen. Im Fall 5 der Anklage waren unter den Opfern sogar Frauen und Kinder.

Bei der Strafzumessung ist weiter gewertet worden, dass von einem Verbotsirrtum des Angeklagten hinsichtlich aller drei Taten auszugehen ist, wobei dieser allerdings im Fall 5 der Anklage, in dem Frauen und Kinder getötet wurden, am leichtesten vermeidbar war, so dass auch nur eine unterschiedliche Milderung der Strafen entsprechend §44 StGB stattfinden konnte. Diese Vorschrift ermöglichte es dem Schwurgericht, die Mindeststrafe von drei Jahren zu unterschreiten. Im Fall 7 der Anklage sind die Vorschriften der §§50 Abs.2, 44 StGB beachtet worden, weil nicht feststeht, dass der Angeklagte sich die niedrigen Beweggründe der Täter zu eigen gemacht hat, die besondere persönliche Umstände und Verhältnisse im Sinne des §50 Abs.2 StGB sind.

Für den Angeklagten sprach schliesslich, dass er teilgeständig war und seine Mitwirkung an Aktionen dieser Art nicht verschwiegen, sondern sie - wenn auch in allgemeiner Form - zugegeben hat.

Unter Berücksichtigung aller für und gegen den Angeklagten sprechenden Umstände hat das Schwurgericht im Fall 7 der Anklage eine Einzelstrafe von einem Jahr, im Fall 3 der Anklage eine Einzelstrafe von einem Jahr sechs Monaten und im Fall 5 der Anklage eine solche von zwei Jahren festgesetzt.

Aus diesen Strafen ist gemäss §§74, 75 StGB unter nochmaliger Berücksichtigung aller Strafzwecke durch Erhöhung der in Fall 5 der Anklage erkannten Einzelstrafe eine Gesamtfreiheitsstrafe von zwei Jahren neun Monaten gebildet worden. Dabei ist noch erwogen worden, dass die Bildung einer Gesamtstrafe mit der im Mannheimer Verfahren verhängten und zu zwei Dritteln verbüssten Strafe nicht möglich war. Dieser Nachteil konnte allerdings in der Strafzumessung nur zu einem geringen Teil ausgeglichen werden.

Die Nebenentscheidung über die Amtsunfähigkeit des Angeklagten beruht auf §31 StGB.

2.) Kem.

Im Vergleich zum Angeklagten Sorgatz ist der Angeklagte Kem. ein einfacher Mann von wesentlich schlichterer geistiger Struktur. Er ist unehelich geboren, hat allerdings nach seinen Angaben ein gutes Verhältnis zu seinem Stiefvater gehabt. Was über die den Angeklagten Sorgatz prägenden autoritären Erziehungs- und Ausbildungseinflüsse gesagt ist, muss in ähnlicher Form auch bei dem Angeklagten Kem. angenommen werden.

[254] Siehe Lfd.Nr.590.

Auch bei dem Angeklagten Kem. muss der Gedanke der Resozialisierung weitgehend zurückstehen. Er ist um einige Jahre älter als sein Mitangeklagter. Aus dem Berufsleben ist er bereits ausgeschieden. Sowohl vor als auch nach den Taten hat er ein einfaches, straffreies Leben geführt. Bei ihm ist gleichfalls von einer gewandelten Einstellung zu den Taten auszugehen, wenn er ihr auch keinen Ausdruck zu verleihen vermochte.
Bei dem höheren Lebensalter dieses Angeklagten und seiner angegriffenen Gesundheit ist von einer starken Strafempfindlichkeit auszugehen. Auch er hat im übrigen mehr als zehn Jahre unter dem Druck dieses Verfahrens gestanden. Es erscheint nicht ausgeschlossen, dass seine gesundheitliche Beeinträchtigung teilweise Ausdruck des auf ihm lastenden Druckes ist.

Auch bei der Bemessung der gegen den Angeklagten Kem. zu verhängenden Strafen waren Gewicht und objektive Schwere der Taten und der festgestellten, relativ geringfügigen Tatbeiträge zu berücksichtigen. Insbesondere waren auch hier die Zahl der Opfer in den Fällen 7 und 5 der Anklage und der Umstand zu werten, dass im letzten Fall Frauen und Kinder getötet wurden. Im Fall 7 der Anklage wirkte sich strafschärfend das festgestellte üble Verhalten des Angeklagten bei der Aussonderung der Opfer aus.

Zugunsten des Angeklagten Kem. ist ebenfalls sein Teilgeständnis berücksichtigt worden. Aus dem Gesichtspunkt des Verbotsirrtums konnten hingegen die gegen diesen Angeklagten zu verhängenden Strafen nicht gemildert werden. Im Fall 7 der Anklage sind aber die Vorschriften der §§50 Abs.2, 44 StGB beachtet worden, weil nicht festgestellt ist, dass der Angeklagte sich von den niedrigen Beweggründen der Täter hat leiten lassen.

Unter Berücksichtigung aller für und gegen den Angeklagten Kem. sprechenden Umstände hat das Schwurgericht im Fall 7 der Anklage eine Einzelstrafe von drei Jahren und im Fall 5 der Anklage eine Einzelstrafe von drei Jahren vier Monaten festgesetzt.

Aus den genannten Einzelstrafen ist unter nochmaliger Berücksichtigung aller Strafzwecke durch Erhöhung der zweiten Einzelstrafe eine Gesamtfreiheitsstrafe von drei Jahren sechs Monaten gebildet worden.

Die Entscheidung über die Amtsunfähigkeit des Angeklagten Kem. beruht auf §31 StGB.

L. Die Freisprüche

Der Angeklagte Sorgatz war im Fall 4, der Angeklagte Kem. war im Fall 8 der Anklage freizusprechen.

I. Fall 4 der Anklage

1.) Anklagevorwurf

Mit der Anklage wird dem Angeklagten Sorgatz ferner vorgeworfen, auf dem Acker am Resmin-See an einem nicht näher abzugrenzenden Tag in der Zeit vom 10.September 1939 bis Ende Oktober 1939 gemeinschaftlich mit anderen Angehörigen des Selbstschutzes handelnd zu der vorsätzlich mit Überlegung sowie aus niedrigen Beweggründen begangenen Tötung von mindestens 5 Polen durch die Tat wissentlich Hilfe geleistet zu haben.

Während der Lagerzeit sollen mindestens 5 Polen mit einem LKW aus dem Amtsgerichtsgefängnis Zempelburg in das Lager Resmin gebracht und nach Aufstellung eines Erschiessungskommandos mit dem LKW sogleich zur Erschiessungsstätte am Resmin-See gefahren und an Ort und Stelle erschossen und in einer vorbereiteten Grube verscharrt worden sein, wobei nicht zu klären war, ob Sorgatz den Feuerbefehl gegeben hat. Andererseits soll der Angeklagte Kem. an der Erschiessung als Schütze beteiligt gewesen sein.

2.) Beweiswürdigung

Die Hauptverhandlung hat folgendes ergeben:

Bei seiner ihm in der Hauptverhandlung vorgehaltenen Vernehmung durch die Staatsanwaltschaft am 1.Februar 1963 hat der Angeklagte Kem. - wie er einräumt - erklärt, eines Tages seien 5 bis 8 Polen aus Zempelburg, wohl aus dem dortigen Amtsgerichtsgefängnis kommend, ins Lager gebracht und, ohne vom LKW abgeladen worden zu sein, alsbald zu einer Erschiessungsstätte ausserhalb des Gutshofs gefahren und dort u.a. unter seiner und des Angeklagten Sorgatz Mitwirkung erschossen worden. Er selbst und auch Sorgatz hätten bei dieser Exekution mitgeschossen. Wer der Leiter der Erschiessung gewesen sei, wisse er nicht mehr. Nähere Einzelheiten hat Kem. nicht angegeben.

In der Hauptverhandlung hat der Angeklagte Kem. diesen Sachverhalt im wesentlichen bestätigt, jedoch erklärt, es seien 2 bis 4 Gefangene auf einem kleinen LKW gewesen; ob Sorgatz bei dieser Aktion dabeigewesen sei, wisse er heute nicht mehr; wenn er es früher gesagt habe, müsse es stimmen. Kem. hat seine früheren Angaben dahingehend ergänzt, es sei zur Mittagszeit gewesen, als der LKW angekommen sei. Der SS-Standartenführer Richardt habe ihm in barscher Form einen bereits von dem Angeklagten Sorgatz bewilligten Urlaub widerrufen und ihm befohlen, bei dieser Exekution mitzumachen, die kurz darauf nahe des Zaremba-Sees durchgeführt worden sei.
Der Angeklagte Sorgatz hat sich sowohl in der Hauptverhandlung als auch vor dem Untersuchungsrichter dahin eingelassen, er erinnere sich an einen solchen Fall nicht, halte ihn aber für durchaus möglich.

Das Schwurgericht hat in tatsächlicher Hinsicht nicht die notwendige Überzeugung gewinnen können, die Grundlage einer Verurteilung des Angeklagten Sorgatz - der Angeklagte Kem. ist in diesem Fall nicht angeklagt worden - bilden könnte.

Zunächst ist die zeitliche Einordnung dieses Falles ungewiss und die Kennzeichnung der Opfer nach Zahl und Identität nur blass und schemenhaft, so dass es zweifelhaft erscheint, ob diese Tat soweit konkretisiert ist, dass sie im Falle einer rechtskräftigen Feststellung hinreichend von ähnlichen Vorwürfen dieses Verfahrens sicher unterschieden werden könnte. Schon wegen dieser Unschärfe kann aus tatsächlichen Gründen eine Verurteilung nicht erfolgen.

Im übrigen weist dieser Fall mehrfache Übereinstimmungen mit dem Fall 3 der Anklage auf, so dass das Schwurgericht befürchten müsste, im Falle einer Verurteilung gegen das Verbot der Doppelbestrafung einer Tat zu verstossen. In beiden Fällen handelt es sich um Polen, die aus Zempelburg auf einem LKW herangeschafft, nach nur kurzem Aufenthalt im Lager, bei dem sie den LKW nicht verliessen, auf den Acker jenseits der Strasse in Richtung Zaremba--See gefahren und dort von Selbstschutzleuten des Lagers erschossen wurden.

Ein wesentlicher Unterschied zwischen den Bekundungen der Zeugen Bor., Si. und S. zum Fall 3 der Anklage einerseits und der Einlassung des Angeklagten Kem. zum Fall 4 der Anklage andererseits besteht nur in der Tageszeit und der Zahl der Opfer. Die niedrigere Zahl der Opfer in der Darstellung des Angeklagten Kem. kann sich aber zwanglos aus dem natürlichen Bestreben auch eines geständigen Angeklagten erklären, das tatsächliche Ausmass des von ihm verursachten Unrechts möglichst gering zu halten, ein Bestreben, das nicht nur in NSG-Verfahren, sondern auch bei anderen Serientätern immer wieder zu beobachten ist. Bezeichnenderweise sprach der Angeklagte Kem. in der Hauptverhandlung in Bezug auf diesen Vorfall schliesslich nur noch von 2 bis 4 Opfern. Nimmt man aber an, dass die Zahl der Opfer höher gewesen ist, so ist der Fall 4 von dem Fall 3 der Anklage allenfalls noch hinsichtlich der Tageszeit zu unterscheiden. Das aber reicht nicht aus, weil die Tageszeit nicht ein so wesentlicher Umstand ist, dass Erinnerungsfehler auszuschliessen sind. Ferner ist insoweit anzumerken, dass die hierauf bezüglichen Angaben des Angeklagten Kem. unglaubwürdig erscheinen. Die Präzisierung der Tageszeit durch Kem. ist erst in der Hauptverhandlung erfolgt und mit der weiteren Ergänzung über das obengenannte diktatorische Auftreten des früheren Mitangeschuldigten Richardt verbunden worden. Dabei ist die Schutztendenz dieses Teils der Einlassung deutlich erkennbar geworden.

Da sichere Feststellungen vom Schwurgericht nicht getroffen werden konnten, war der Angeklagte Sorgatz mithin in diesem Fall freizusprechen.

II. Fall 8 der Anklage

1.) Anklagevorwurf

Dem Angeklagten Kem. wird mit der Anklage vorgeworfen, auf dem Hof des Rittergutes Resmin im September oder November 1939 vorsätzlich und mit Überlegung sowie aus niedrigen Beweggründen und grausam einen Menschen getötet zu haben.

Eines Tages sollen zahlreiche Juden, darunter auch Frauen und Kinder, mit Lastkraftwagen in das Lager Resmin gebracht und zum Verlassen der Fahrzeuge aufgefordert worden sein. Als eine Jüdin beim Heruntersteigen ihr Kind aus den Armen verlor, soll Kem. das etwa 1 bis 2 Jahre alte Kind an den Beinen ergriffen, herumgewirbelt und dadurch getötet haben, dass er es mit dem Schädel gegen eine Mauer oder einen Pfeiler schleuderte, wo es mit zertrümmertem Köpfchen tot liegen blieb. Kem. soll dabei geäussert haben, Kugeln seien für Juden zu schade. Die Mutter, die herbeigelaufen sein soll, um die Tötung ihres Kindes zu verhindern, soll Kem. mit Fusstritten vertrieben haben.

2.) Beweiswürdigung

Das Schwurgericht ist zwar zu der Auffassung gelangt, dass sich ein solcher Vorfall, wie er in der Anklage geschildert worden ist, während der Lagerzeit auf dem Hofe des Rittergutes Resmin ereignet haben kann. Es sieht sich jedoch mit den vorhandenen Beweismitteln ausserstande, den Vorfall festzustellen und festzulegen wann, wo und unter welchen Umständen er sich gegebenenfalls zugetragen hat, und ob der Angeklagte Kem. der Täter gewesen ist.

Der Angeklagte Kem. hat diesen Vorfall vom Beginn der Ermittlungen an und auch in der Hauptverhandlung mit Nachdruck in Abrede gestellt.

Zur Aufklärung standen dem Schwurgericht im wesentlichen lediglich die Aussage des Zeugen Twa. und die verlesene Aussage des inzwischen verstorbenen Zeugen Jan. zur Verfügung, die beide unmittelbare Tatzeugen gewesen sein wollen. Beide Aussagen weichen in wesentlichen, den engeren Tatvorgang betreffenden Teilen stark voneinander ab. Die Aussage des Zeugen Twa. allein ist nicht geeignet, den Angeklagten zu überführen, zumal diese Aussage schon für sich genommen Widersprüche enthält.

Der Zeuge Jan. hat den Vorfall, wie folgt, geschildert: Kem. habe das Kind, welches er der Mutter aus den Armen gerissen habe, ergriffen, herumgeschleudert und an eine Mauer geworfen. Darauf sei die Mutter auf Kem. zugestürmt. Er habe sie mit Kolbenhieben über den Rücken zurückgetrieben. Sodann sei ihr Mann, der ihr zur Hilfe gekommen sei, von Kem. mit dem Kolben des Karabiners traktiert worden. Kem. habe dem Mann schliesslich mit dem Kolben den Schädel zerschlagen. Demgegenüber hat der Zeuge Twa. bekundet, das Kind sei der Mutter aus den Armen gefallen, Kem. habe es ergriffen, an die Mauer geworfen und die auf ihn zukommende Mutter mit Fusstritten zurückgestossen. Von einer der Mutter zu Hilfe eilenden männlichen Person will der Zeuge Twa. nichts bemerkt haben.

Beiden Zeugen, die aus der gleichen, für die Sicht günstigen Position, nämlich aus der damaligen Gutsschmiede heraus, den Vorfall beobachtet haben wollen, können eigentlich wesentliche Einzelheiten nicht entgangen sein. Es ist auch nicht wahrscheinlich, dass wesentliche Einzelheiten ihrem Gedächtnis entfallen oder erinnerungsmässigen Verfälschungen unterlegen sind. Das Schwurgericht ist der Auffassung, dass sich in Anbetracht des grausigen Geschehens die tragenden Umstände vielmehr tief in die Erinnerung der Zeugen hätten eingraben müssen.

Bedenklich stimmt auch die Tatsache, dass der Zeuge Twa., der erst am 13.Oktober 1939 verhaftet und am nächsten Tag dem Lager Resmin zugeführt wurde, den Vorfall in der Zeit nach der Rückkehr aus dem Lager Komierowo, also etwa Mitte November 1939, erlebt haben will. Dieser Aussage steht entgegen, dass der Zeuge Kl., dessen Objektivität ausser Zweifel steht, von dem Zeugen Jan. den Vorfall bereits im Lager, und zwar im September 1939, also vor der Verhaftung des Zeugen Twa., erfahren haben will. Auch der Zeuge Wis. will während seines Aufenthaltes im Lager Resmin von dem Zeugen Jan. erfahren haben, dass der Angeklagte Kem. ein Kind der Cilla Kaminer auf dem Gutshof erschlagen haben soll. Nach den Bekundungen dieses Zeugen, seiner Ehefrau und des Zeugen Gor. war der Zeuge Wis. nur bis zum 11.Oktober 1939 im Lager Resmin. Zu diesem Zeitpunkt aber war der Zeuge Twa. noch nicht verhaftet und auch nicht im Lager Resmin. Hieraus folgt, dass die Angabe des Zeugen Twa. über den Zeitpunkt des Vorfalles nur dann richtig sein könnte, wenn die Aussagen der übrigen Zeugen insoweit unglaubwürdig wären, wofür hinreichende Anhaltspunkte jedoch nicht gegeben sind. Das Schwurgericht übersieht nicht, dass der Zeuge Jan. ersichtlich während der Lagerzeit diesen Vorfall den Zeugen Kl., Wis. und dem Vater des Zeugen St. - wie dieser berichtete - geschildert hat und nach der Lagerzeit auch den Zeugen Gor. und Lip. In allen Fällen hat der Zeuge Jan. den Angeklagten Kem. als den Täter bezeichnet. Jan. hat aber ferner gegenüber den Zeugen Kl. und Wis. erklärt, es habe sich um ein Kind der Cilla Kaminer gehandelt, was sicher nicht richtig ist, weil deren Kinder zusammen mit ihrer Mutter erschossen und ihre Leichen bei der Exhumierung im Jahre 1947 gefunden worden sind. Dies ergibt sich aus den Feststellungen zum Fall 5 der Anklage. Hierbei war von ausschlaggebendem Gewicht, das der Zeuge Wei. als Einwohner des Ortes Kamin die einzige jüdische Familie im Ort, nämlich die Familie Kaminer, genau kannte. Wei. aber hat bei der Erschiessungsaktion gesehen, wie die Kinder der Cilla Kaminer auf dem abgeernteten Kartoffelacker erschossen worden sind.

Die Aufklärung des Falles wird noch dadurch erschwert, dass in Anbetracht der Grausigkeit und Unmenschlichkeit des Vorfalles es nicht ausbleiben konnte, dass dieser, wenn er sich ereignet haben sollte, aller Wahrscheinlichkeit nach im Lager unter den Inhaftierten, die ebenfalls befürchten mussten, unmenschlich behandelt oder gar getötet zu werden, weitererzählt und lebhaft diskutiert wurde. Hieraus resultiert schon die Gefahr von Entstellungen und Übertreibungen des Urberichts. Die Zeugen Dob. und Gie., frühere Insassen des Lagers Resmin, haben nach ihren Angaben jedoch eigenartigerweise von einem solchen Vorfall nichts erfahren. Die Zeugen Lip. und Gor., die ebenfalls Gefangene des Lagers waren, haben bekundet, erst nach der Lagerzeit bzw. erst nach dem Kriege von einem solchen Vorfall gehört zu haben. Diese Tatsache wiederum lässt Zweifel darüber aufkommen, ob sich ein solcher Vorfall in dieser Form überhaupt im Lager Resmin ereignet hat.

Das Schwurgericht kann ferner nicht ausser Betracht lassen, dass der Zeuge Kl., dem der Zeuge Jan. noch im Lager, und zwar im September 1939 erzählt haben soll, Kem. habe ein Kind der Cilla Kaminer erschlagen, in der Hauptverhandlung erklärt hat, er glaube nicht, dass sich ein solcher Vorfall überhaupt ereignet habe. Hierdurch wiederum wird die Glaubwürdigkeit des Zeugen Jan. fraglich.

Ergeben sich aus dem Vergleich dieser Bekundungen bereits erhebliche Zweifel daran, ob und wann sich ein solcher Vorfall ereignet hat und ob der Angeklagte Kem. der Täter gewesen ist, so reicht die Aussage des Zeugen Twa. - für sich allein - nicht aus, den Angeklagten Kem. zu überführen.

Es wäre zu erwarten gewesen, dass der Vorfall mit dem grundlos und auf verwerfliche Weise getöteten unschuldigen Kind bei der Schilderung und Untersuchung der NS-Morde im Kreise Zempelburg mit an erster Stelle hätte erscheinen müssen. Ein solcher Vorfall unmittelbar nach den eben erst abgeschlossenen Kampfhandlungen ragte aus den Greueltaten heraus. Insoweit ist jedoch auffällig, dass der behauptete Vorfall mit dem getöteten Kind erstmals in einer Vernehmung vom 26.Juni 1965 erscheint. Bereits im Jahre 1945 ist bezüglich der Verbrechen im Kreise Zempelburg eine Pauschalvernehmung von Zeugen erfolgt, die keinerlei Hinweis auf einen solchen Vorfall enthält.

Der Zeuge Twa. selbst ist erstmals am 4.April 1947 vernommen worden. In dieser mit ihm erörterten Vernehmung hat der Zeuge unter Fragment 5 einen Vorfall mit jüdischen Frauen und Kindern im November 1939 im Lager Resmin geschildert, ohne dass er - trotz des Hinweises auf die zugefügten Leiden - mit auch nur einem einzigen Wort auf die angebliche Tötung eines Kindes eingegangen ist. Twa. bezeichnet in dieser Vernehmung im übrigen den Emil Daas, der Mitglied der Lagermannschaft war, als Verbrecher. Der Zeuge Twa. ist ferner am 21.Januar 1965 vernommen worden. Die Abschrift dieser Vernehmung, die der Zeuge persönlich in Händen und dem Schwurgericht vorgelegt hat, weist aus, dass der Zeuge auch in dieser Vernehmung mit keinem Wort auf die in der Anklage geschilderte Tötung eines Kindes Bezug genommen hat. Erstmals in seiner ihm vorgehaltenen Vernehmung vom 26.Juni 1965 hat der Zeuge Twa. einen diesbezüglichen Vorfall geschildert und dabei den Angeklagten Kem. als den Täter bezeichnet. Dabei fällt auf, dass der Zeuge, der gewusst hat, dass zu jener Zeit vornehmlich gegen den Angeklagten Sorgatz als den Leiter des Lagers ermittelt wurde, diese Tat nur dem Angeklagten Kem. zugeordnet hat, während er in der Hauptverhandlung zusätzlich erstmals erklärt hat, auch der Angeklagte Sorgatz habe in unmittelbarer Nähe gestanden, als sich diese furchtbare Tat ereignete.

Das Schwurgericht verkennt nicht, dass der Zeuge Twa. trotz seiner 75 Jahre einen geistig regen Eindruck hinterlassen hat. Seinem Aussageverhalten waren Anhaltspunkte für seine Unglaubwürdigkeit nicht zu entnehmen. Seine Bekundung erschien schliesslich in anderen Teilen auch glaubhaft und durch andere Beweise abgesichert. Andererseits steht fest, dass dieser Zeuge nicht nur im Oktober 1939 verhaftet wurde und bis zum Jahresende 1939 seiner Freiheit beraubt war, sondern im Jahre 1940 erneut in Haft genommen wurde und bis zum Ende des Krieges am 8.Mai 1945 im Konzentrationslager Dachau inhaftiert war. Die während dieser langen Gefangenschaft erlittenen Unbillen können ihm seine Unvoreingenommenheit geraubt haben. Darüber hinaus hat dieser Zeuge nach dem Krieg im Kreise Zempelburg die Kommission geleitet, die mit der Aufklärung der nationalsozialistischen Verbrechen betraut war. In dieser Tätigkeit hat er eine Vielzahl von Exhumierungen und Vernehmungen erlebt, so dass nicht auszuschliessen ist, dass Vorfälle, die er nur "Vom Hören-Sagen" kannte, sich im Laufe der Zeit als eigene Wahrnehmung in seiner Erinnerung verfestigt haben.

In Anbetracht des uneinheitlichen und widersprüchlichen Beweisergebnisses können hinsichtlich dieses Vorfalles keine sicheren, eine Verurteilung tragenden Feststellungen getroffen werden. Der Angeklagte Kem. war vielmehr insoweit freizusprechen.

M. Die Entscheidung über Verfahrenskosten und Auslagen der Angeklagten

Soweit die Angeklagten verurteilt worden sind, mussten sie gemäss §465 StPO die Verfahrenskosten und ihre notwendigen Auslagen tragen. In den Fällen, in denen Freispruch erfolgte, waren die Verfahrenskosten und die den Angeklagten insoweit erwachsenen notwendigen Auslagen der Staatskasse aufzuerlegen, §467 StPO.

Lfd.Nr.804

Tatkomplex
Andere Massenvernichtungsverbrechen

Tatort
Biala Podlaska

Tatzeit
4208, 4212

Gerichtsentscheidungen
LG Duisburg vom 30.11.1973, 14 Ks 1/72

INHALTSVERZEICHNIS

des unter Lfd.Nr.804 veröffentlichten Urteils

LG Duisburg vom 30.11.1973, 14 Ks 1/72

Lfd.Nr.804

14 Ks 1/72 (StA Dortmund)

Im Namen des Volkes

In der Strafsache gegen

den Maschinenschlosser Leo Bernhard Bu., geboren am 25.10.1919 in Steinfeld Kreis Samter/Posen, wohnhaft in Duisburg,

wegen Mordes

hat das Schwurgericht beim Landgericht Duisburg auf Grund der Hauptverhandlung vom 8., 9., 11., 15., 23., 26.Oktober, 5., 14., 19., 20., 23., 28. und 30.November 1973 am 30.November 1973 für Recht erkannt:

> Der Angeklagte wird auf Kosten der Staatskasse, die auch seine notwendigen Auslagen trägt, freigesprochen.
> Der Angeklagte ist für die erlittene Untersuchungshaft aus der Staatskasse zu entschädigen.

GRÜNDE

Die Anklage legt dem Angeklagten zur Last, in Biala-Podlaska am 3. oder 4.August 1942 aus Rassenhass und Rassenwahn oder unter Ausnutzung der judenfeindlichen Einstellung der nationalsozialistischen Machthaber in der Erwartung, dafür nicht zur Verantwortung gezogen zu werden, den Juden Zalman Liwerant erschossen zu haben und aus denselben niedrigen Beweggründen am 16. oder 17.Dezember 1942 an der Absperrung eines Kolychole bezeichneten Geländes bei Biala-Podlaska in dem Wissen teilgenommen zu haben, dass dort mindestens 30 Menschen, nur weil sie Juden waren, erschossen wurden (Verbrechen nach den §§211, 48, 73, 74 StGB).

Zu diesen Vorwürfen hat die Hauptverhandlung folgende Feststellungen ergeben:

A. « Die persönlichen Verhältnisse des Angeklagten »

Der Angeklagte wurde am 25.10.1919 in Steinfeld Kreis Samter, Regierungsbezirk Posen, geboren. Er besass wie seine Eltern die polnische Staatsangehörigkeit. Sein Vater war Landwirt. Der Angeklagte ist der älteste von drei Geschwistern. Eine jüngere Schwester lebt mit seiner Mutter in demselben Haus in Duisburg, in dem der Angeklagte jetzt wohnt. Sein jüngerer Bruder ist im Jahre 1942 in Stalingrad gefallen.

Der Angeklagte wuchs auf dem Hof seines Vaters auf. Mit 8 Jahren wurde er in eine polnische Schule in Steinfeld eingeschult. Dort wurde ausser im Religionsunterricht polnisch unterrichtet. In seiner Familie wurde deutsch gesprochen. Der Angeklagte, der bis Kriegsende die polnische Sprache noch perfekt beherrschte, ist nach seinen Angaben heute nur noch in der Lage, sich bruchstückhaft in Polnisch auszudrücken.

Nach siebenjährigem Volksschulbesuch wurde der Angeklagte mit 14 Jahren entlassen. In Samter nahm er eine Lehre als Maschinenschlosser auf. Nach dreieinhalbjähriger Lehrzeit bestand er die Gesellenprüfung mit durchschnittlichem Ergebnis. Nach seinen Angaben ist er auch ein durchschnittlicher Schüler gewesen. Bis zum Kriegsausbruch war er als Maschinenschlosser in Samter in einer landwirtschaftlichen Maschinenfabrik tätig. Sodann wurde er kurzzeitig von den polnischen Behörden dienstverpflichtet. Eine seiner Aufgaben war nach seiner Erinnerung der Transport von polnischen Ingenieuren an die nächste Bahnstation. Dazu benutzte er das Pferdegespann seines Vaters.

Nach der Besetzung Polens durch deutsche Truppen wurde er zur deutschen Schutzpolizei in Lublin eingezogen. Er erhielt dort eine etwa zweimonatige Grundausbildung. Sodann wurde er Anfang Januar 1940 zur Gendarmerie in Biala-Podlaska kommandiert. Im Bereich des Gendarmeriezuges Biala-Podlaska blieb er mit Unterbrechungen, auf die noch einzugehen sein wird, bis zum Ende des Jahres 1944, dem Einmarsch der Russen, stationiert. Er kam zunächst nach Warschau, von dort einige Tage später nach Krakau, wo er einige Wochen beim Bau von Panzergräben eingesetzt wurde. Danach wurde er in der Tschechoslowakei als Fahrer des Generals Scheer bei einer Infanterieeinheit eingesetzt. Am 15.5.1945 geriet er noch in der Tschechoslowakei in amerikanische Gefangenschaft. Zwei Tage später wurde er an die Russen übergeben. Aus einem russischen Gefangenenlager in der Nähe von Brünn flüchtete er in Richtung Österreich. Er wurde erneut von Amerikanern gefangengenommen und am 30.5.1945 entlassen.

Er begab sich nach Magdeburg, obwohl er an diese Stadt keinerlei Bindungen hatte. Hier nahm er eine Stelle als Kraftfahrer an. Die Stelle behielt er etwa ein Jahr. Während dieser Zeit lernte er seine Ehefrau kennen. Nach der Verlobung arbeitete er etwa ein weiteres Jahr in der Gärtnerei seines Schwiegervaters in Magdeburg. Durch brieflichen Kontakt mit ehemaligen Nachbarn in Polen gelang es ihm, seine Familie wiederzufinden. Seine Eltern und seine damals noch unverheiratete Schwester lebten in Kletzke bei Perleberg (DDR). Dort traf er sie im Jahre 1948 wieder. Am 26.12.1948 heiratete der Angeklagte. Mit seiner Ehefrau siedelte er von Magdeburg nach Kletzke über. Dort arbeitete und wohnte er bis zum Jahre 1952. Nach dem Tode seines Vaters flüchtete er mit seiner Frau in die Bundesrepublik. Seine Mutter, seine Schwester mit ihrem Ehemann und Kind flüchteten ebenfalls in die Bundesrepublik. Allesamt begaben sie sich nach Duisburg. Hier wohnte eine Schulfreundin der Ehefrau des Angeklagten. Zudem glaubte der Angeklagte, in Duisburg schnell Arbeit finden zu können. Im Hause ...strasse 30 bekam er eine Wohnung, in der er heute noch lebt. Seine Mutter wohnt im selben Hause in einer zweiten Wohnung zusammen mit seiner Schwester, die inzwischen verwitwet ist.

Aus der Ehe des Angeklagten ist ein Kind, sein am 22.2.1953 im Durchgangslager Rheine/-Westfalen geborener Sohn Bernd, hervorgegangen. In Duisburg fand der Angeklagte zunächst Arbeit auf der August-Thyssen-Hütte. Nach einem Jahr wechselte er zu der Firma Ultramarin. Dort verblieb er viereinhalb Jahre. Im Jahre 1959 wurde er von der Firma Mannesmann als Betriebsschlosser eingestellt. Dort ist er heute noch beschäftigt. Er erzielt ein monatliches Bruttoeinkommen von etwa 1.400,- DM.

Der Angeklagte ist bisher nicht bestraft und hat nach seinen Angaben weder der NSDAP noch einer ihrer Gliederungen angehört.

B. « Der zeitgeschichtliche Rahmen der Tätigkeit des Angeklagten »

I. « Die Organisation der Zivilverwaltung und der Polizei im Generalgouvernement »

Das Staatsgebiet Polen wurde nach Abschluss des Polenfeldzuges im September 1939 zwischen dem damaligen Deutschen Reich und der Sowjetunion aufgeteilt. Unter sowjetische Herrschaft geriet ein östlicher Gebietsstreifen mit den Städten Lemberg, Bialystok und Wilna. Die Grenze verlief zum grössten Teil an den Flüssen San und Bug. Der von deutschen Truppen besetzte Raum wurde ebenfalls geteilt. Während die westlichen Gebiete als Reichsgaue "Danzig/Westpreussen" und "Wartheland" in das Reichsgebiet eingegliedert und Ostpreussen und der Regierungsbezirk Kattowitz zu Lasten des Staatsgebiets von Polen vergrössert wurden, erhielten die übrigen Gebiete unter der Bezeichnung "Generalgouvernement" eine einheitliche Verwaltung.

Hitler übertrug die Verwaltung des Generalgouvernements (im folgenden GG) dem ehemaligen Reichsminister Hans Frank, den er sich unmittelbar unterstellte. In der Folgezeit war das GG durch eine Polizei-, Währungs-, Devisen- und Zollgrenze vom Reich getrennt und besass eine beschränkte Autonomie. Lediglich der Vorsitzende des Ministerrats für die Reichsverteidigung und der Beauftragte für den Vierjahresplan waren befugt, im GG durch Verordnungen Recht zu setzen. Entsprechend dem Auftrag Hitlers führte Frank die Verwaltung des GG in eigener Verantwortung. Dies kam dadurch zum Ausdruck, dass alle Zweige der Verwaltung in Form von 12 Hauptabteilungen in der Regierung des GG unter der Leitung des Staatssekretärs Bühler vereinigt und Frank unterstellt wurden. Sitz dieser Regierung war die Stadt Krakau. Frank selbst residierte auf der mit der nationalen Tradition Polens eng verbundenen Burg in Krakau.

Am 26.10.1939 wurde das Gebiet des GG in die vier Distrikte "Krakau", "Radom", "Warschau" und "Lublin" eingeteilt. Die Angliederung des fünften Distrikts "Galizien" mit der Hauptstadt Lemberg - das zunächst von der Sowjetunion besetzte Ostgalizien - erfolgte nach Beginn des Russlandfeldzugs am 1.8.1941. Das Generalgouvernement umfasste nunmehr ein Gebiet von etwa 150.000 qkm mit einer Bevölkerung von etwa 20 Millionen, davon waren mindestens 2,5 Millionen Juden. An der Spitze eines jeden Distrikts stand ein Distriktsgouverneur, dessen Regierung sich entsprechend der Aufteilung der Verwaltungszweige in der Regierung des GG in 12 Abteilungen gliederte. Die Funktion des Staatssekretärs wurde auf der Distriktebene von dem "Amtschef" wahrgenommen.

Das Gebiet der Distrikte war in Kreis- und Stadthauptmannschaften eingeteilt, die jeweils von einem Kreis- bzw. Stadthauptmann verwaltet wurden. Auch auf dieser unteren Verwaltungsebene war der Grundsatz der Einheit der Verwaltung weitgehend durchgeführt. Ausgenommen waren allerdings einige Sonderbehörden, so z.B. die Post-, Finanz-, Arbeits- und Forstverwaltung, die innerhalb der Distrikte über einen territorial besonders gegliederten Behördenaufbau verfügten.

Während die sogenannte "Verwaltungspolizei" (Gewerbeaufsicht, Preiskontrolle, Einwohnermeldeamt) eine Angelegenheit der Zivilverwaltung war, gelang die Einordnung der übrigen Polizeizweige (Staatspolizei, Kriminalpolizei, Schutzpolizei, Gendarmerie, Polizeieinheiten) in das staatliche Gefüge des GG offenbar zu keinem Zeitpunkt völlig.

An der Spitze der gesamten SS und Polizei des Generalgouvernements stand der höhere SS- und Polizeiführer "Ost" (im folgenden abgekürzt: HSSPF), der dem Generalgouverneur unmittelbar unterstellt war. Entsprechend den im Reichsgebiet bestehenden Dienststellen der Inspekteure der Sicherheitspolizei und der Ordnungspolizei wurde im GG ein Befehlshaber der Sicherheitspolizei und des SD (BdS) und ein Befehlshaber der Ordnungspolizei (BdO) eingesetzt. Ihre Zuständigkeit erstreckte sich auf das gesamte GG. Auf der Verwaltungsebene der Distrikte wurde der höhere SS- und Polizeiführer (HSSPF) durch die SS- und Polizeiführer (SSPF) vertreten. Ausserdem wurden auf dieser Ebene je ein Kommandeur der Sicherheitspolizei und des SD (KdS), ein Kommandeur der Ordnungspolizei (KdO) und teilweise ein Kommandeur der Gendarmerie (KdG) eingesetzt.

Dem HSSPF unterstanden ohne Einschränkung in sachlicher Hinsicht alle im GG eingesetzten Polizeiangehörigen. Über eine entsprechende Kompetenz verfügten die SS- und Polizeiführer in ihren Distrikten. Der BdS hatte die Aufgabe, entsprechend den Richtlinien des HSSPF die Tätigkeit der Sicherheitspolizei und des SD im GG zu leiten und zu überwachen. Zu diesem Zweck waren ihm die KdS in den Distrikten unterstellt. Der BdO leitete den

Einsatz der Ordnungspolizei. Ihm unterstanden die KdO und - soweit vorhanden - die KdG, in den Distrikten. Über die Stellung der KdG liegen widersprüchliche Erkenntnisse vor. Möglicherweise unterstanden die KdG nicht unmittelbar dem BdO, sondern dem KdO ihres Distrikts. Die Kommandeure der Sicherheitspolizei hatten also zwei ihnen unmittelbar vorgesetzte Dienststellen, den SS- und Polizeiführer ihres Distrikts und den Befehlshaber der Sicherheitspolizei. Analog dazu war den Kommandeuren der Ordnungspolizei der SS- und Polizeiführer ihres Distrikts, aber auch der Befehlshaber der Ordnungspolizei übergeordnet.

In der Praxis gab es trotz dieser zwei Befehlswege keine besonderen Schwierigkeiten. Im normalen Geschäftsbereich verkehrte der BdS bzw. der BdO mit dem KdS bzw. dem KdO. Die SS- und Polizeiführer machten von ihrer allgemeinen Befehlsgewalt nur bei Sondereinsätzen, etwa den Massnahmen zur Vernichtung der Juden, Gebrauch, bei denen auf Distriktebene neben den Angehörigen der Sicherheitspolizei auch Kräfte der Ordnungspolizei, zum Teil auch der Waffen-SS benötigt wurden.

Innerhalb der Distrikte waren die Aufgaben der Sicherheitspolizei und des Sicherheitsdienstes (SD) auf Aussendienststellen und Aussenposten verteilt, die meistens in Kreisstädten ihren Sitz hatten. Der SD verfügte zumindest vorübergehend über eigene von den Aussendienststellen der Sicherheitspolizei unabhängige und örtlich getrennt untergebrachte Aussenposten. In einigen Kreisen waren nur Beamte der Kriminalpolizei eingesetzt, die vermutlich nur in dringenden Fällen oder bei Massnahmen gegen die Juden die Aufgabe der Gestapo mitübernahmen.

Als eine Art kasernierter Bereitschaftspolizei waren die Polizeibataillone anzusehen, die im Generalgouvernement eingesetzt wurden. Sie wechselten häufig. Während ihres Einsatzes wurden sie zu Polizeiregimentern zusammengefasst, die jeweils in den Distriktshauptstädten stationiert waren und deren Kommandeure in der Regel zugleich die Stellung des Kommandeurs der Ordnungspolizei innehatten. Neben den Polizeibataillonen war die Ordnungspolizei durch Schutzpolizeiabteilungen in den grösseren Städten vertreten. Die Gendarmerie gliederte sich in den Distrikten in Gendarmeriezüge auf Kreisebene und Gendarmeriehauptmannschaften, deren Bezirk das Gebiet mehrerer Kreise umfasste.

II. « Die Vernichtung der Juden im Generalgouvernement »

Die planmässige Vernichtung der gesamten jüdischen Bevölkerung im Generalgouvernement setzte im März 1942 ein. Im Dezember 1941 hatte der Generalgouverneur Frank die Zahl der im GG lebenden Juden auf etwa 2,5 Million beziffert. Sein Staatssekretär Bühler hatte in der "Wannsee-Konferenz" am 20.1.1942, zu der Heydrich eingeladen hatte, und auf der "die Endlösung der Judenfrage" erörtert wurde, gebeten, mit dieser Endlösung im Generalgouvernement zu beginnen und sie so schnell wie möglich durchzuführen. "Vorbereitende Arbeiten" sollten möglichst ohne Beunruhigung der Bevölkerung in den betreffenden Gebieten selbst erfolgen. Sie waren im damaligen Zeitpunkt jedoch bereits in Angriff genommen worden.

So war im Oktober 1939 eine Verordnung über den Arbeitszwang für den jüdischen Teil der polnischen Bevölkerung erlassen worden. Am 20.11.1939 folgte eine Verordnung über allgemeine Massnahmen zur Sicherung jüdischen Vermögens. Unter dem 23.11.1939 wurde durch Verordnung die allgemeine Kennzeichnungspflicht für alle jüdischen Geschäfte und den jüdischen Teil der Bevölkerung erlassen.

Am 11.12.1939 erging die erste Durchführungsverordnung zur Verordnung über den Arbeitszwang. In ihr wurde Juden die Wohnsitzverlegung verboten und eine Anmeldungspflicht angeordnet. Ausserdem wurde der jüdischen Bevölkerung verboten, Wege und Plätze in der Zeit von 21.00 bis 5.00 Uhr zu betreten. Mit der zweiten Durchführungsverordnung zur Verordnung über den Arbeitszwang wurde u.a. bestimmt, dass alle Juden zwischen 14 und 60

Jahren, die männlichen Geschlechts schon ab dem 12.Lebensjahr, dem Arbeitszwang unterlagen. In vielen grösseren und mittleren Städten im GG waren anfangs Judenwohnbezirke später Ghettos gebildet worden. Zuerst wurde angeordnet, dass Juden in genau begrenzten Stadtteilen Wohnung zu nehmen hatten, später wurde das Verlassen der Ghettos bzw. Wohngebiete unter Androhung der Todesstrafe verboten (§4 b der dritten Durchführungsverordnung der Verordnung über den Arbeitszwang vom 15.10.1941).

Der grösste Teil der Juden aus dem GG wurde in den Vernichtungslagern Belzec, Sobibor, Treblinka und Auschwitz ermordet. Die Bereitstellung der Opfer zum Abtransport in diese Lager, im Sprachgebrauch der nationalsozialistischen Machthaber "Aussiedlungen" genannt, erfolgte in der Regel unter Mitwirkung u.a. der örtlichen Sicherheitspolizei und der Gendarmerie. Alte und kranke Juden und solche, die sich der "Aussiedlung" zu entziehen suchten, wurden häufig an Ort und Stelle erschossen.

Allgemein liefen "Aussiedlungen" etwa nach folgendem sich überall wiederholendem Schema ab:

Zunächst wurde an Hand von ausgeschriebenen Arbeitskarten und anderer Verwaltungsmassnahmen die Zahl der jüdischen Bewohner festgestellt. Die "Aussiedlung" genannten Vernichtungsaktionen begannen in den Distriktshauptstädten. Nach festgelegten Daten folgten alle weiteren Orte. Dabei gingen in ungünstig gelegenen Orten ohne Bahnstation Umlegungen der jüdischen Bevölkerung in grössere Orte und deren Judenviertel voraus. Der Tag der Räumung dieser Judenwohnbezirke oder Ghettos wurde jeweils vom zuständigen SS- und Polizeiführer bestimmt. Zur Durchführung der Aktion wurden alle verfügbaren örtlichen und überörtlichen Ordnungs- und Polizeikräfte in Anspruch genommen. Vor der eigentlichen Deportation fanden intensive Besprechungen aller beteiligten Behördenleiter statt; Absperrung und Durchführung der Aktion sowie die Aufgabenverteilung wurde im einzelnen festgelegt. In zahlreichen kleinen Orten mit geringem jüdischem Bevölkerungsanteil entfiel eine Verlegung in grössere Städte. Hier wurde die jüdische Bevölkerung an Ort und Stelle liquidiert. Dabei wurden erst zum Schluss der Massentötung die zu ihrer Organisation benötigten jüdischen Ordnungsdienste und Judenräte umgebracht.

In Orten, in denen Juden aus Nachbargemeinden konzentriert worden waren, fanden in der Regel "Aussiedlungen" mehrmals nacheinander statt. Dabei nahm man darauf Bedacht, alle zur Arbeit in rüstungswichtigen Betrieben und bei der Wehrmacht Herangezogenen, insbesondere jüngere männliche Juden, zunächst zu schonen. Zur Durchsetzung der entsprechenden Anordnungen wurden der jeweilige jüdische Ordnungsdienst und der Judenrat herangezogen.

Den eigentlichen "Aussiedlungen" gingen häufig angebliche Kontrollaktionen zur Überprüfung von Arbeitsausweisen und anderem voraus, bei denen das Zusammenwirken der für "Aussiedlung" vorgesehenen Einheiten geprobt werden sollte. Auch bei diesen Aktionen kam es häufig zu Tötungen derjenigen Juden, die nicht sofort den Befehlen nachkamen.

Im Verlaufe der Nacht vor dem festgesetzten "Aussiedlungstermin" umstellten den Judenwohnbezirk bzw. das Ghetto alle verfügbaren Kräfte, Ordnungspolizei, Gendarmerie, Schutzpolizei und evtl. örtlich vorhandene kasernierte Polizeieinheiten. Sie wurden bei Bedarf durch den SD- und SS-Angehörige ergänzt. Galt das Ghetto bzw. das Wohnviertel als geräumt, wurde es von den beteiligten Einheiten nach zurückgebliebenen oder verborgenen Personen durchsucht. Aufgefundene erschoss man zumeist an Ort und Stelle. Ausserdem wurden nicht Gehfähige und Personen, die den gegebenen Befehlen nicht in der gebotenen Eile nachkamen, die sonst infolge körperlicher Leiden oder Gebrechen den zügigen Ablauf der Verladung störten oder während etwaiger zu den Bahnstationen führender Fussmärsche nicht mithalten konnten, sogleich erschossen. Zumeist am Schluss der "Aussiedlung" wurden die jüdischen Krankenhäuser dadurch geräumt, dass die dort befindlichen Kranken entweder in ihren Betten erschossen oder zu den Fenstern höherer Stockwerke getrieben und hinausgeworfen oder gezwungen wurden, hinunterzuspringen. Überlebende wurden mittels Schusswaffen getötet.

III. « Die Kreishauptmannschaft Biala-Podlaska »

1) Die Kreishauptmannschaft Biala-Podlaska lag nordöstlich der Distriktshauptstadt Lublin. Sie wurde im Osten vom Bug, im Norden vom Distrikt Warschau (Kreis Siedlce) und im Westen bzw. Süden von den Kreisen Radzyn und Cholm des Distrikts Lublin begrenzt. Sitz des Kreishauptmanns war die Stadt Biala-Podlaska.
Das Gebiet wurde überwiegend landwirtschaftlich genutzt und hatte keine nennenswerten Industriebetriebe. Die Bevölkerung der Kreishauptmannschaft wohnte in den Städten Biala--Podlaska, Janov-Podlaski und Terespol, in weiteren 21 Gemeindebezirken und 300 Dörfern.

2) Kreishauptmann, von der Stellung und Aufgabe etwa dem Landrat im damaligen Reichsgebiet vergleichbar, war während der hier massgeblichen Zeit der SA-Standartenführer aus dem Reichspropagandaministerium Kühl, der entweder am 20. oder 24.12.1942 angeblich von Partisanen erschossen wurde.

3) Nach der Beendigung des Polenfeldzuges wurden in Biala-Podlaska ein Kriminalkommissariat und eine SD-Aussenstelle gebildet. Ausserdem war dort eine Dienststelle der Geheimen Staatspolizei (Gestapo) stationiert. Späterhin wurde aus diesen Dienststellen das sogenannte "Grenzpolizeikommissariat" gebildet, das als Aussenstelle dem Kommandeur der Sicherheitspolizei und des SD (KdS) in Lublin unterstand.

4) Dem Kommandeur der Gendarmerie in Lublin waren die Gendarmerie-Hauptmannschaften mit Sitz in Lublin, Zamocz und Radzyn unterstellt. Der Gendarmerie-Hauptmannschaft Radzyn unterstand neben zwei weiteren Gendarmeriezügen der Zug Biala-Podlaska. Zum Gendarmeriezug Biala-Podlaska gehörten die Gendarmerieposten in Biala-Podlaska selbst, Chotylow und Wisznice. Chotylow lag etwa 20 km östlich in Richtung auf Brest-Litowsk von Biala-Podlaska entfernt. Die Entfernung von Biala-Podlaska zu dem südlich gelegenen Wicznice betrug mindestens 24 bis 26 km.

Zugführer des Gendarmeriezuges Biala-Podlaska war im Jahre 1942 der Bezirksoberleutnant der Gendarmerie Ruddeck [255]. Er beging nach teilweise bezweifelten amtlichen Angaben im Spätherbst 1942 Selbstmord. Sein Nachfolger, der Bezirkshauptmann der Gendarmerie Chr., trat in den ersten Dezemberwochen 1942 seinen Dienst in Biala-Podlaska an.

Der Gendarmerieposten Biala-Podlaska wurde zeitweilig von den Bezirksleutnanten König und Anton Bec. geführt; der Posten Chotylow unterstand von September 1940 bis Juni 1941 dem schon genannten Anton Bec. und mindestens während des Jahres 1942 dem Leutnant der Gendarmerie Haber (†). Mit Wirkung vom 11.7.1942 wurde der Bezirksleutnant der Gendarmerie Anton Bec. vom Stab des Kommandeurs der Gendarmerie Lublin als Postenführer nach Biala-Podlaska versetzt. Dort blieb er bis zu seiner Versetzung als Abteilungsführer mit Wirkung vom 1.12.1943 nach Zamocz.

5) In Biala-Podlaska befand sich darüber hinaus ein deutsches Arbeits- und Finanzamt. Die Stadt war zudem Sitz eines Kreislandwirtes.

[255] Im Urteil auch Rudeck geschrieben.

6) Aus Angehörigen des Polizeibataillons 307 war eine Reit- und Fahrstaffel gebildet worden, die in der Zeit von Oktober 1940 bis Ende 1943 in Biala-Podlaska stationiert war. Ihre Unterkunft lag an der Grabanowskastrasse - nahe der Grenze des Judenwohnbezirks. Der Einheit gehörte mindestens im Jahre 1942 ein gewisser "Petersohn" an, dessen äussere Erscheinung durch auffallend rote Haare und Sommersprossen gekennzeichnet war.

IV. « Das Schicksal der Juden in Biala-Podlaska »

Zur allgemeinen Lage des jüdischen Bevölkerungsteils in der Stadt nach Beendigung des Polenfeldzugs und Bildung des GG vermochte das Schwurgericht folgende Feststellungen zu treffen:

In der Stadt Biala-Podlaska lebten vor dem Polenfeldzug etwa 7000 bis 8000 Juden. Ende 1939 wurde ihnen ein Wohnbezirk im nordöstlichen Teil der Stadt zugewiesen. Dort wohnende Polen hatten diesen Bezirk von einer Grösse von 500 x 500 m zu verlassen. Der Wohnbezirk reichte im Norden bis an das nördliche Ende der Sadowastrasse. Im Süden begrenzte ihn ein Teil der Brisker Strasse. Nach Westen bildete die Janowskastrasse parallel der Sadowastrasse gelegen und im Süden bis zur Grabanowskastrasse und den Alten Markt führend die Grenze. Hauptstrasse des Bezirks war die am Alten Markt mit dem Hause Nr.4 beginnende von Südwesten nach Nordosten den ganzen Bezirk querende Grabanowskastrasse. Sie mündete ausserhalb des jüdischen Wohnbezirks auf den Neuen Markt, auch Chasamarkt genannten Platz. Auf die Grabanowskastrasse mündete neben dem Hause Nr.8, die Häuser mit geraden Zahlen lagen an ihrer Nordseite, die etwa 250 m lange Waskastrasse.

Der Eingang des Hauses Grabanowskastrasse Nr.8 lag an der Waskastrasse und zwar an deren westlicher Strassenseite. Die Waskastrasse endete nach Norden an der Przechodniastrasse, die ebenfalls von Südwesten nach Nordosten verlief. Etwas von der Waskastrasse nach Westen versetzt schloss sich die Sadowastrasse an. An ihrer westlichen Seite lag noch innerhalb des Wohnbezirks ein jüdisches Krankenhaus. Die für die grosse Zahl der Juden viel zu geringe Anzahl der Häuser war erheblich überbelegt. In manchen Räumen lebten 10 und mehr Personen. Entsprechend den mitgeteilten Verordnungen galt auch für die Juden in Biala-Podlaska Ausgehverbot. Ein Grossteil der erwachsenen Männer musste in deutschen Betrieben, beim Flugplatzbau und bei den deutschen Behörden Zwangsarbeit leisten.

Die erste "Aussiedlungsaktion" aus Biala-Podlaska fand am 10.Juni 1942 statt. An diesem Tage wurden vorwiegend Alte, Gebrechliche, Kranke und Kinder, etwa 3000 an der Zahl, die der Judenrat zu stellen hatte, den Vernichtungslägern zugeführt. Schon nach der Bildung des Wohnbezirks war es vielfach zu Einzelerschiessungen aus verschiedenen Anlässen gekommen. Um die Mitte des Jahres 1942 fanden zudem Massenerschiessungen in den südlich Biala-Podlaskas gelegenen Wäldern statt, die von der SS oder Gestapo geleitet wurden. Am 26.9.1942 folgte die zweite "Aussiedlung", nach der Biala-Podlaska als "judenrein" erklärt wurde. Juden, die sich bei dieser Aktion versteckt gehalten hatten und nach ihrem Abschluss aufgefunden wurden, wurden an Ort und Stelle erschossen. Die Insassen des jüdischen Krankenhauses wurden auf dieselbe Art und Weise wie oben mitgeteilt liquidiert.

Etwa 500 arbeitsfähige Männer waren bei der zweiten "Aussiedlung" am 26.9.1942 zurückgehalten worden. Sie wurden in ein Barackenlager auf dem Gelände der früheren polnischen Kasernen an der Warschauer Strasse untergebracht. Sie hatten mit weiteren dort festgehaltenen jüdischen Männern, insgesamt etwa 1000 an der Zahl, den ehemaligen Judenwohnbezirk aufzuräumen, mussten bei den verschiedenen deutschen Stellen Dienst tun oder wurden noch beim Ausbau eines nahegelegenen Flugplatzes benötigt.

Am 6.Oktober 1942 wurde ein Teil dieser Verbliebenen fort- und umgebracht. Die restlichen sollten am 17.12.1942 in der Nähe des Ortes Biala-Podlaska liquidiert werden. Auf den Ablauf dieses Geschehens ist unten zurückzukommen.

C. « Die Tätigkeit des Angeklagten in Biala-Podlaska »

Der Angeklagte wurde Anfang Januar 1940 zum Gendarmeriezug Biala-Podlaska versetzt. In Lublin beim Kommandeur der Gendarmerie wurden - wie er angegeben hat - er und andere Kameraden, die mit ihm ausgebildet worden waren, dem Alphabet nach auf die einzelnen Posten verteilt. Er selbst wurde dem Posten Biala-Podlaska zugewiesen. Hier versah er in der Folgezeit im wesentlichen Dolmetscherdienste, da er gut polnisch sprach. Darüber hinaus hatte er zusammen mit anderen Gendarmerieangehörigen die üblichen polizeilichen Aufgaben der Gendarmerie wahrzunehmen, insbesondere aber in den umliegenden Ortschaften die Lieferung der festgesetzten Getreide- und sonstigen Lebensmittelabgaben sicherzustellen. Ausserdem gehörten Preiskontrollen, Unterbindung von Schmuggel - insbesondere auf dem Bahnhofsgelände in Biala-Podlaska - zu seinen Aufgaben. Später (etwa ab Ende 1940) kamen Kontrollen in dem den Juden zugewiesenen Wohnbezirk hinzu.

Am 1.1.1941 wurde der Angeklagte zu einem Gendarmerieanwärterlehrgang nach Brieg / Schlesien abgeordnet. Einige Tage vor Beginn des Russlandfeldzuges (22.6.1941) war der Lehrgang beendet. Der Angeklagte blieb beim Gendarmerieposten Biala-Podlaska. Einen oder zwei Monate später wurde er zum Lehrgang für Kraftfahrzeugführer nach Lublin abgeordnet. Während seiner etwa dreimonatigen Ausbildung war er in der dortigen Schutzpolizei-Kaserne untergebracht. Er erwarb die Führerscheine der Klassen zwei und drei. Die Ausbildung nahm nach den Angaben des Angeklagten deswegen etwa drei Monate in Anspruch, weil neben der Unterweisung im Führen eines Kraftfahrzeuges eine intensive theoretische Schulung auch zur Kraftfahrzeugtechnik und -wartung durchgeführt wurde. Der Angeklagte kam nach Biala-Podlaska im Spätherbst 1941 zurück. - Diese seine Bekundung hat er damit unterstrichen, dass gegen Ende des Lehrgangs in Lublin schon Schnee gelegen habe. Dazu hat er von ihm aufgenommene Fotos vorgelegt.

In Biala-Podlaska wurde der Angeklagte in der nächsten Zeit nicht als Fahrzeugführer eingesetzt. Er hatte vielmehr die gleichen Aufgaben durchzuführen wie vor seinem Lehrgang in Brieg. Hinzu kamen Einsätze gegen Partisanen russischer und polnischer Herkunft, die insbesondere nach Beginn des Russlandfeldzuges eine verstärkte Tätigkeit entfalteten. Diese Einsätze standen, waren Partisanengruppen an bestimmten Orten mit einiger Sicherheit festgestellt worden, unter dem Kommando der Gestapo. Gab es nur Vermutungen, dass in einer bestimmten Gegend oder Ortschaft Partisanen sich aufhielten, gehörte die Feststellung und Bekämpfung zur Aufgabe der Gendarmerie.

Im Februar/März 1942 nahmen Partisanenüberfälle in dem südlich von Biala-Podlaska gelegenen etwa 75 km entfernten Kreis Cholm derart zu, dass ein Einsatz aller in der Kreishauptmannschaft Biala-Podlaska entbehrliche Gendarmeriekräfte befohlen wurde. Neben dem Angeklagten wurden u.a. die Zeugen Leo Bec. und Wenzel Mic. in den Bezirk Cholm befohlen und blieben dort etwa 4 bis 6 Wochen. Sodann kehrte der Angeklagte zum Gendarmerieposten Biala-Podlaska zurück.

Mit grosser Wahrscheinlichkeit wurde er Anfang oder Mitte Juni 1942 von dort zum Posten Chotylow abgeordnet oder versetzt. Er versah dort zunächst als "Rottwachtmeister" - zu diesem Dienstgrad war er mit Verfügung des Kommandeurs der Gendarmerie Posen, seiner "Heimatdienststelle", vom 11.6.1942 befördert worden - gewöhnlichen Dienst eines Gendarmen. Später wurde er möglicherweise auch als Kraftfahrer eingesetzt. Der an Stelle des zu Tode gekommenen Zugführers Ruddeck zum Gendarmeriezugführer in Biala-Podlaska ernannte Hauptmann der Gendarmerie Chr. - er trat seinen Dienst in Biala-Podlaska in den ersten Dezemberwochen 1942 an - holte den Angeklagten Anfang des Jahres 1943 zum Stab des Gendarmeriezuges zurück und bestellte ihn zu seinem Fahrer.

Chr.s Fahrer blieb der Angeklagte bis und noch während des Rückzuges nach dem Einmarsch der Russen, bis er zusammen mit Chr. über Warschau nach Krakau gelangte. Dort wurde der Angeklagte dem Stab des Generals Scheer zugewiesen.

D. « Die Aussiedlung vom August 1942 und die Erschiessung der jüdischen Arbeiter im Dezember 1942 »

1) In der Nacht zum 3. oder 4.August 1942 umstellten Gestapo, SD, Schutzpolizei und Gendarmeriebeamte den Judenwohnbezirk in Biala-Podlaska. Für die frühen Morgenstunden war eine Kontrolle der Arbeitskarten aller jüdischen Männer angeordnet worden. Etwa gegen 5.00 Uhr wurden die männlichen Bewohner des Viertels durch die laut gerufenen Worte "Judenmänner raus" aufgefordert, die Häuser zu verlassen und sich zur Kontrolle ihrer Arbeitskarten auf der Grabanowskastrasse einzufinden. Die eingesetzten deutschen Kräfte liessen es nicht dabei bewenden, das Viertel umstellt zu halten, sondern die auf die einzelnen Strassen und Gassen verteilten Beamten durchsuchten die Häuser, um sicherzustellen, dass die Anordnung befolgt wurde.

Insbesondere auf den von Norden auf die Grabanowskastrasse führenden Nebenstrassen kam es zu Schiessereien. Dort wurden am Ende der Aktion nach den Angaben des Zeugen Faj. 19 jüdische Opfer gefunden - nach der Bekundung anderer jüdischer Zeugen soll die Zahl der Getöteten bei 23 bis 25 gelegen haben. Unter den Getöteten war der ehemalige Verwalter des jüdischen Krankenhauses Zalman Liwerant, damals etwa 50 Jahre alt. Auf der Grabanowskastrasse selbst wurde den jüdischen Männern befohlen, sich nach ihrem Beschäftigungsort zu gruppieren. Nach der Kontrolle der Arbeitskarten durch Angehörige der Gestapo oder der Gendarmerie wurden sie zur Arbeit entlassen.

2) Nach der zweiten "Aussiedlung" am 26.9.1942 wurden etwa 500 jüdische Männer, die zuvor im Judenwohnbezirk in Biala-Podlaska gewohnt hatten, zurückgehalten. Sie wurden in Baracken auf dem Gelände der ehemaligen polnischen Infanteriekaserne an der Warschauer Strasse untergebracht und hatten die oben mitgeteilten Arbeiten auszuführen.

Am 16.12.1942 wurden 30 Männer ausgesucht und zu einem "Kolychole" genannten Feld geführt, das nördlich der Bahnlinie und südlich des Flusses Krzna gelegen war. Nachdem sie auf entsprechenden Befehl im offenen Gelände eine Grube ausgehoben hatten, wurden 29 an Ort und Stelle - wahrscheinlich von Gestapobeamten - erschossen. Einer konnte entkommen und in das Lager zurückgelangen. Er berichtete von der Erschiessung der anderen.

Am nächsten Morgen mussten die noch in dem Lager lebenden Juden zum Appell antreten. Zwei Männer, die sich entweder nicht genügend beeilt oder sich versteckt gehalten hatten, wurden nahezu vor den Augen der Angetretenen zwischen den Baracken erschossen. Ein Teil wurde auf Lastwagen weggefahren. Den übrigen wurde gesagt, sie würden in ein anderes Lager geführt. Viele, darunter die Zeugen Faj. und Ryd., befürchteten zu Recht, an einen Ort geführt zu werden, an dem sie erschossen werden sollten. Die Kolonne der Marschierenden wurde, mit den Gestapobeamten Stillhammer und Peisker an der Spitze, über die Warschauer Strasse und von hier nach Südwesten abbiegend, in die Slawaeinskastrasse geführt. Dort musste die Kolonne nach Süden einen schmalen - sonst dem Militär vorbehaltenen - Weg folgen. Nachdem der Fluss Krzna überquert war, gelangte sie an das Kolychole genannte freie Feld. Hier war ein von Westen nach Osten führender Graben ausgehoben worden. Das Feld selbst war von Gendarmeriebeamten und Wehrmachtsangehörigen umstellt. Auf einen Ruf des Zeugen Rod. liefen die herangeführten Juden in der Erkenntnis, dass sie erschossen werden sollten, in allen Richtungen auseinander. Auf die Fliehenden wurde geschossen. Eine grosse Anzahl wurde getötet. Die Zeugen Ryd., Rod. und Faj. konnten entkommen. Faj. floh über die weiter südlich gelegene Bahnlinie in einen dort beginnenden Wald und hielt sich zunächst dort versteckt.

E. « Einlassung des Angeklagten »

Der Angeklagte hat sich wie folgt eingelassen:

1) An der sogenannten Kontrollaktion am 3./4.8.1942 im Judenwohnviertel oder Ghetto in Biala-Podlaska habe er nicht teilgenommen. Er komme deshalb als Täter der Erschiessung des Juden Zalman Liwerant nicht in Betracht. Zu dieser Zeit habe er in Chotylow Dienst getan. Er sei von dort aus nie zu einem Einsatz nach Biala-Podlaska befohlen worden.

Von Biala-Podlaska sei er im Juni 1942 nach Chotylow versetzt worden. Er habe sich während der ersten Vernehmungen durch die Polizei und auch den Staatsanwalt an diese Versetzung nicht mehr erinnert. Wenn er in seiner ersten polizeilichen Vernehmung angegeben habe, er sei im Herbst 1941 für etwa sechs Wochen zur Dienstleistung nach Chotylow abgeordnet worden, sei er damals einem Irrtum erlegen gewesen. Im Herbst 1941 habe er seine Ausbildung zum Kraftfahrer in Lublin erhalten. Die Versetzung nach Chotylow sei, wie ihm erst während der Untersuchungshaft wieder eingefallen sei, im Sommer 1942 erfolgt. Dort sei er geblieben, bis ihn der spätere Zugführer Chr. - Nachfolger des Zugführers Ruddeck - als Fahrer zu sich geholt habe. Das müsse Anfang 1943 gewesen sein. Er meine, zu dieser Zeit sei der ebenfalls Volksdeutsche Wachtmeister Appelt noch in Biala-Podlaska gewesen, der später versetzt worden sei. Seine sichere Erinnerung, er habe im Sommer und Winter 1942 in Chotylow Dienst getan, stütze er auf folgende ihm wieder eingefallene Einzelheiten:

Bei seiner Versetzung nach Chotylow habe der Roggen etwa 40 cm hoch gestanden. Das war in Polen üblicherweise - wie er aus dem Landwirtschaftlichen Betrieb seines Vaters wisse - etwa im Juni der Fall. In Chotylow habe er die übliche Tätigkeit der Gendarmerie - Preisüberwachung, Überwachung der Ablieferungspflichten - durchzuführen gehabt. Ausserdem sei er für Dolmetscherdienste in Anspruch genommen und auch hin und wieder als Fahrzeugführer eingesetzt worden. Darüber hinaus sei ihm eines Tages an der Strasse nach Piszlac ein zerstörter Brückenpanzer aufgefallen. Weil die Unterkünfte in Chotylow noch mit Petroleumlampen beleuchtet worden seien, sei er auf die Idee gekommen, aus dem Brückenpanzer die Lichtmaschine und anderes notwendiges Gerät auszubauen, um damit Strom und so elektrisches Licht für die Unterkünfte zu erzeugen. Er habe in der Freizeit zunächst die Lichtmaschine ausgebaut und zur Unterkunft geschafft. Zusammen mit anderen interessierten Kameraden sei dann eine Art Turm gebaut worden, auf dem der Dynamo mit einem Propeller versehen gesetzt worden sei, damit er vom Wind angetrieben arbeite. Das Experiment sei aber fehlgeschlagen.

Fotos von seinem Aufenthalt in Chotylow, die er dort selbst aufgenommen habe, habe er erst jetzt von Verwandten aus der DDR erhalten können. Sie zeigten Angehörige der Gendarmerie, die seinerzeit in Chotylow tätig gewesen seien. Auch habe er während seines Aufenthalts die Beförderungsfeier des Beamten Bl. miterlebt. Dieser sei als Hauptwachtmeister nach Chotylow versetzt worden. Er sei zu diesem Zeitpunkt schon dort gewesen. Er meine, er habe Bl.s Gepäck vom Bahnhof geholt. Bl. sei kurz nach seiner Ankunft in Chotylow zum Gendarmeriemeister befördert worden. Von der Beförderungsfeier habe er deutlich vor Augen, dass Bl. aus einem Koffer noch am Tage der mündlich voraus mitgeteilten Ernennung die neuen Achselstücke geholt habe. Alle hätten sich darüber gewundert, dass er sie schon bei sich gehabt habe. Zu dem Zeitpunkt seiner Rückversetzung nach Biala-Podlaska zum Zug könne er nur angeben, es müsse Anfang 1943 gewesen sein. Er glaube, der ebenfalls volksdeutsche Beamte Appelt sei noch beim Posten in Biala-Podlaska gewesen, bald darauf aber versetzt worden.

2) An der angeblichen Erschiessung von Juden an einem "Kolychole" genannten Ort am 16. oder 17.Dezember 1942 könne er schon deshalb nicht teilgenommen haben, weil er zu dieser Zeit noch in Chotylow gewesen sei. Von dort sei er zu einem solchen oder ähnlichen Einsatz nicht nach Biala-Podlaska kommandiert worden. Wohl sei er im Jahre 1942 nach dem Partisaneneinsatz in Cholm (Februar/März) und vor seiner Versetzung nach Chotylow an einem Nachmittag zur Gestapo kommandiert worden. Mit ihm hätten sich weitere drei Gendarmeriebeamte vom Gendarmerieposten Biala-Podlaska zur Gestapo begeben müssen. Von dort seien sie auf einem Mannschaftswagen in südliche Richtung auf Wisznice zu transportiert worden. Ca. 2 km gemessen von den letzten Häusern des Ortes Biala-Podlaska sei der Wagen nach rechts auf eine Strasse in Richtung Miedzyrzec abgebogen. Wenig weiter habe rechts neben der Strasse ein trichterförmiges Waldstück von 800 bis 1000 m Seitenlänge gelegen. In Richtung Norden (Biala-Podlaska) habe es eine Breite von ca. 500 m gehabt. Das südlich gelegene Ende des Waldstücks sei allenfalls 100 m breit gewesen. Nachdem die Transportwagen angehalten hätten, sei befohlen worden, um den Wald eine Postenkette zu bilden und niemand diese Kette durchqueren zu lassen. Es habe geheissen, es handele sich um einen Einsatz gegen Partisanen. Der Gang der Aktion habe einem solchen Einsatz entsprochen. An ihr sei neben der Gestapo auch Schutzpolizei beteiligt gewesen. Dies habe er am Ort des Einsatzes festgestellt. Zusammen mit dem Gendarmeriebeamten Appelt sei er auf die andere Längsseite des Waldes - der Strasse gegenüber - befohlen worden. Besondere Anordnungen, ausser der, eine Postenkette zu bilden, seien nicht gegeben worden. Es habe sich nach seinen Erfahrungen von anderen Partisaneneinsätzen von selbst verstanden, niemanden, der aus dem Wald herauskommen würde, passieren zu lassen. Für den Fall, dass jemand nach Anruf nicht stehenbliebe, hätte von der Waffe Gebrauch gemacht werden müssen.

Nachdem er seinen Posten bezogen habe, habe er Geräusche eines LKW-Motors gehört. Kurz darauf sei das Geräusch des Motors verstummt. Er glaube bemerkt zu haben, dass das Fahrzeug in den Wald hereingefahren sei. Kurz darauf habe er zwei bis drei Salven aus einer Maschinenwaffe gehört. Dann sei alles ruhig gewesen. Er habe dann wieder Motorengeräusche von einem sich entfernenden LKW wahrgenommen. Einige Zeit darauf sei wohl wieder ein LKW in das Waldstück gefahren, wie er aus entsprechenden Motorengeräuschen entnommen habe, und sei abgestellt worden. Kurz darauf seien wiederum Salven aus Maschinenwaffen zu hören gewesen. Dieser Vorgang habe sich möglicherweise noch ein drittes Mal wiederholt.

Dann sei Befehl zum Sammeln gegeben worden - wie, erinnere er sich nicht mehr. Die Beteiligten seien sodann nach Biala-Podlaska transportiert worden. Der Einsatz habe insgesamt etwa zwei Stunden gedauert. Schon nachdem er nach dem Verstummen des LKW-Geräusches die ersten Salven aus Maschinenwaffen gehört habe, habe er Zweifel daran bekommen, dass es sich um die Bekämpfung von Partisanen gehandelt habe. Ihm sei der Verdacht aufgekommen, es fände eine Erschiessung statt. Dieser Eindruck habe sich durch das weitere Geschehen verstärkt. Ein solches Tun habe er nicht gebilligt, aber auch keine Möglichkeit gesehen, sich dem zu entziehen, nachdem sich bei ihm der Eindruck verstärkt habe, es handele sich um eine Erschiessungsaktion.

F. « Beweiswürdigung »

Die Einlassung des Angeklagten ist durch das Ergebnis der Hauptverhandlung nicht zu widerlegen. Das Schwurgericht sah sich nicht in der Lage, die Behauptung des Angeklagten, im Sommer 1942 nicht in Biala-Podlaska tätig gewesen zu sein, sondern nach Chotylow abgeordnet oder versetzt worden zu sein, auszuräumen.

I. « Anwesenheit des Angeklagten in Biala-Podlaska »

1) Der Angeklagte hat dazu behauptet, etwa im Juni 1942 nach Chotylow versetzt worden zu sein. Seine Angaben werden insoweit durch den Zeugen Leo B. bestätigt, der dazu angegeben hat, er selbst habe bis Pfingsten 1942 einen Hundeführerlehrgang in München absolviert und sei dementsprechend am 28.5.1942 auf den Posten Chotylow zurückgekommen. Wenige Wochen später oder schon bei seiner Rückkehr - was er nicht mehr mit Sicherheit sagen könne - sei der Angeklagte ebenfalls nach Chotylow gekommen. Zwar erinnerte sich der Zeuge nicht auch an andere Einzelheiten, die der Angeklagte zu seinem Aufenthalt in Chotylow angegeben hat, insbesondere nicht an den noch zu erörternden Versuch, dort mit Hilfe eines Dynamos aus einem Brückenpanzer Licht zu erzeugen. Ihm war aber auch ebenso wie anderen Zeugen, auf die noch zurückzukommen sein wird, deutlich vor Augen, dass der Angeklagte aushilfsweise auf dem Posten Chotylow als Kraftfahrer tätig gewesen ist.

Gegen die Behauptung des Angeklagten, um diese Zeit nach Chotylow abgeordnet oder versetzt worden zu sein, sprach bei oberflächlicher Betrachtung der in den Kommandobefehlen des Kommandeurs der Gendarmerie in Lublin enthaltene Beförderungserlass des Kommandeurs der Gendarmerie Posen vom 11.6.1942. Dort ist festgehalten, dass der Angeklagte zum Rottwachtmeister befördert wurde; als sein Dienstort ist Biala-Podlaska angegeben. Diese Urkunde lässt aber schon aus sich selbst heraus nicht zwingend darauf schliessen, dass der angegebene Dienstort des Angeklagten auch sein damaliger richtiger Aufenthalt und Dienstort gewesen ist. Der Erlass datiert zum einen vom 11.6.1942 und stammt zum anderen von der Heimatdienststelle des Angeklagten, dem Kommandeur der Gendarmerie in Posen. Bis er auf dem Dienstwege nach Lublin gelangt war, können sich die zuvor von der dortigen Dienststelle mitgeteilten Verhältnisse des Angeklagten - so sein Dienstort - verändert haben. Die Kommandobefehle, die dem Schwurgericht für die Jahrgänge von 1940 bis 1943 vorlagen, enthalten darüber hinaus, wie sich aus ihnen selbst und der Gegenüberstellung von glaubhaften Zeugenaussagen ergab, nicht alle Personalveränderungen mit den entsprechenden Daten. Sie sind lückenhaft. Einzelne "besondere Anordnungen", wie sie teilweise auch genannt worden sind, lassen erkennen, dass mit ihrer Hilfe allein sichere Rückschlüsse auf den jeweiligen Aufenthalt von Gendarmeriebeamten nicht möglich sind. So enthält u.a. die "besondere Anordnung" des KdG in Lublin vom 30.11.1943 die Versetzung des Postenführers des Gendarmeriepostens Biala-Podlaska Bezirksleutnant der Gendarmerie Anton Bec. mit Wirkung vom 1.12.1943 nach Zamocz. Die besondere Anordnung vom 10.12.1943 enthält u.a. die Beförderung dieses Gendarmeriebeamten zum Bezirksoberleutnant und bezeichnet als seinen Dienstort den Gendarmerieposten Biala-Podlaska. Wie die zuvor genannte Anordnung ergibt, war aber der Beamte Bec. schon zu dieser Zeit im Zamocz. Der vom Schwurgericht als Zeuge vernommene Gendarmerieoberinspektor i.R. Anton Bec., der mit dem zuvor genannten Beamten Bec. identisch ist, hat überdies in seiner Aussage glaubhaft erklärt, dass er am 1.12.1943 in den Ort Zamocz versetzt worden ist. Des weiteren ist - das sei beispielhaft ebenfalls erwähnt - aus den "besonderen Anordnungen" vom 15.9.1942 ersichtlich, dass mit Wirkung vom 1.9.1942 der Beamte Leo Bec., der dem Schwurgericht ebenfalls als Zeuge zur Verfügung stand, zum Oberwachtmeister der Gendarmerie der Reserve ernannt worden ist. Als sein Dienstort ist Biala-Podlaska angegeben. Nach den insoweit ebenfalls sicheren Angaben des Zeugen befand er sich zu dieser Zeit aber schon in Chotylow. Die Kommandobefehle, auch "besondere Anordnungen" genannt, sind darüber hinaus unvollständig. Sie enthalten häufig, wie das Schwurgericht ebenfalls feststellen konnte, Abordnungen oder Versetzungen, die sich über ein Viertel- oder halbes Jahr erstrecken, nicht. So fehlen in ihnen beispielsweise die Abordnung des Angeklagten zum Lehrgang nach Brieg oder die mehrmonatige Versetzung des Zeugen B. vom Gendarmerieposten Chotylow nach Wiesnicze.

Auf Grund der Angaben des schon genannten Gendarmerieoberinspektors i.R. Anton Bec. ist zudem davon auszugehen, dass der Angeklagte sich bei dessen Versetzung als Postenführer nach Biala-Podlaska dort nicht befunden hat. Dieser zwar schon 83jährige Zeuge vermochte sich trotz seines hohen Alters noch gut an Einzelheiten seiner seinerzeitigen Tätigkeit im Generalgouvernement zu entsinnen. Er hat angegeben, dass er im September 1940 als Postenführer nach Chotylow gekommen ist. Dort blieb er bis Mitte des nächsten Jahres und wechselte dann zum Stab des Kommandeurs der Gendarmerie in Lublin über. Von dort wurde er - so hat er ausgesagt - auf seinen Wunsch wieder in den Aussendienst versetzt. Ohne dass dem Zeugen entsprechende Unterlagen aus den Kommandobefehlen vorgehalten werden konnten - sie lagen dem Gericht seinerzeit noch nicht vor und wurden erst in der Hauptverhandlung von dem Staatsanwalt übergeben -, hat er angegeben, er sei etwa im Juni / Juli spätestens aber Anfang August 1942 als Postenführer nach Biala-Podlaska gekommen. Diese seine Angaben werden dadurch besonders glaubhaft, dass in der besonderen Anordnung (Kommandobefehl) vom 16.Juli 1942 seine Versetzung zu diesem Gendarmerieposten und seine Bestellung zum stellvertretenden Gendarmeriezugführer in Biala-Podlaska mit Wirkung vom 11.7.1942 erwähnt ist. Der Zeuge hat darüber hinaus geschildert, dass ihm der Angeklagte von seinem Aufenthalt in Chotylow bekannt gewesen ist und er den Angeklagten nach seiner Versetzung als Postenführer nach Biala-Podlaska dort nicht gesehen und auch nicht in Erinnerung hat. Der Angeklagte ist ihm bekannt geworden auf einem Streifengang von Chotylow aus, bei dem er mit dem damaligen Zugführer König zusammentraf, der den Angeklagten als Dolmetscher bei sich hatte. Der Gendarmerieoberinspektor i.R. Bec. hat betont, dass ihm bei seinem Eintreffen in Biala-Podlaska keiner der Angehörigen des Postens bekannt gewesen sei. Er habe sich erst mit allen Beamten dieses Zuges bekanntmachen müssen. Dies sei seine sichere Erinnerung. Wäre der Angeklagte als Gendarmeriebeamter und Rottwachtmeister in Biala-Podlaska gewesen, hätte er dies noch in seiner sicheren Erinnerung, gerade weil ihm der Angeklagte schon aus dem Jahre 1940 vom Namen und von der Person her bekannt war. Für die genaue Erinnerung dieses Zeugen spricht auch, dass er energisch der Aussage des Zeugen Bl. widersprechen konnte, der u.a. angegeben hatte, Fahrer des Postenführers Bec. sei seinerzeit der Angeklagte in Biala-Podlaska gewesen. Dazu hat Anton Bec. ohne jemals zuvor danach befragt worden zu sein, bei seiner Vernehmung am 7.September dieses Jahres spontan und mit grosser Bestimmtheit erklärt, sein damaliger Kraftfahrer sei ein Beamter namens Albrecht gewesen, keinesfalls aber der Angeklagte.

Die Richtigkeit der Angaben des Zeugen Bec. zum Zeitpunkt seiner Versetzung nach Biala--Podlaska wird durch die Aussage des Zeugen Blu. bestätigt. Dieser hat angegeben, dass er zum 1.7.1942 zum Meister der Gendarmerie befördert worden ist. Etwa eine Woche später sei Anton Bec. nach Biala-Podlaska gekommen und sei zum Postenführer und stellvertretenden Zugführer bestellt worden.

2) Der Angeklagte hat sich für seine Tätigkeit in Chotylow als besonders prägnantes Erinnerungsmerkmal auf den Versuch berufen, mit Hilfe eines Dynamos aus einem Brückenpanzer elektrisches Licht für die dortigen Unterkünfte zu erzeugen. Diese Tatsache, die der Angeklagte erstmalig bei seiner Schlussvernehmung in der Voruntersuchung herausgestellt hat, haben alle vom Schwurgericht vernommenen noch erreichbaren ehemaligen Gendarmeriebeamte, die im Sommer 1942 in Chotylow Dienst getan haben, spontan und ohne jemals vor ihrer jetzigen Vernehmung durch das Schwurgericht auf diese Frage angesprochen worden zu sein, bestätigt. Der Rentner Karl Hei., am Tage seiner Vernehmung 72 Jahre alt, vermochte sich zwar zunächst nur an den Namen des Angeklagten zu erinnern und war auch nicht in der Lage, den Angeklagten aus der Lichtbildmappe zu identifizieren. Er antwortete aber spontan auf das Stichwort "Versuch, für die Unterkünfte in Chotylow Licht zu erzeugen", dass es der Angeklagte gewesen ist, der seinerzeit Initiator eines solchen Vorhabens gewesen ist. Er hat eines Tages nach Angaben des Zeugen allein oder mit anderen einen Dynamo herangeschafft und versucht, damit, nachdem ein entsprechender Turm gebaut war, mittels der Kraft des Windes Strom zu erzeugen. Diesen Angaben des Zeugen kommt zur Überzeugung des Schwurgerichts besondere Bedeutung zu, weil er sie spontan und ohne weitere Hilfen gemacht hat. Hei. vermochte sich auch noch daran zu erinnern, dass der Angeklagte in Chotylow als Kraftfahrer tätig geworden ist. Diese Aussage des Zeugen deckt sich mit der

Einlassung des Angeklagten, dass er seinerzeit schon als Kraftfahrer ausgebildet war, nämlich im Herbst 1941 einen entsprechenden Lehrgang in Lublin absolviert hatte.

Der 68jährige Polizeihauptwachtmeister i.R. Friedrich Bl. vermochte sich zwar nicht mehr an eine Tätigkeit des Angeklagten in Chotylow zu erinnern, erklärte aber auf Befragen ebenfalls spontan, dass nach seiner Versetzung nach Chotylow die am 16. oder 17.Juni 1942 erfolgt sei, dort versucht worden ist, mittels eines Dynamos, der auf ein Gestell gesetzt und mit Flügeln versehen worden ist, Strom zu erzeugen. Der Zeuge, der sich ersichtlich um genaue Wiedergabe seiner Erinnerung an Einzelheiten seines Aufenthalts in Chotylow bemühte, erklärte dazu, seines Erachtens habe der Zeuge Hei. die Initiative zu diesem Versuch ergriffen. Von ihm wisse er, dass er Baumeister gewesen sei. Er habe auch das nötige Gestell bzw. den Aussichtsturm, auf den der Dynamo gesetzt worden sei, gefertigt.

Der Zeuge Hei. hatte schon auf den ihm aus seinem Heimatort bekannten Zeugen Leo Bec. hingewiesen, der seinerzeit ebenfalls in Chotylow gewesen sei. Auch dieser Zeuge hat entgegen seinen übrigen unklaren und unbestimmten Angaben, was das Verhalten des Angeklagten gegenüber einzelnen Juden angeht, mit Deutlichkeit und sicherer Bestimmtheit auf einen entsprechenden Vorhalt erklärt, dass es richtig ist, dass noch während seines Aufenthaltes in Chotylow, etwa in der Zeit zwischen Juni und der Jahreswende 1942/43, der Versuch unternommen worden ist, mit einem Dynamo Licht zu erzeugen. Desgleichen hat der Zeuge Wenzel Mic. mit Bestimmtheit betont, dass der Angeklagte im Sommer 1942 in Chotylow gewesen ist und versucht hat, mittels eines Dynamos Licht für die Unterkünfte, die noch mit Petroleumlampen beleuchtet wurden, zu erzeugen. Auch dieser Zeuge ist erstmalig in der Hauptverhandlung auf diesen Punkt angesprochen worden. Auch er machte seine Angaben bestimmt und ohne längere Überlegungen. Er äusserte darüber hinaus, dass es der Angeklagte gewesen sei, der während seiner Tätigkeit beim Posten Chotylow auch Kraftfahrzeuge geführt habe. Als zeitlichen Anhaltspunkt war dem Zeugen in Erinnerung, dass der Angeklagte insbesondere mit einem russischen Beutefahrzeug umhergefahren ist. Dieser Wagen sei nach dem Beginn des Russlandfeldzuges dem Posten zugewiesen worden. Es sei von dem Gendarmerieangehörigen Biedler und dann später - deswegen ist der Zeuge sicher, dass es im Jahre 1942 gewesen ist - von dem Angeklagten gesteuert worden. Dieser Zeuge vermochte sich darüber hinaus zu erinnern, dass der Angeklagte Ende des Jahres 1942 von Chotylow weggekommen ist. Diese seine Angabe deckt sich, wenn auch nur annähernd, mit der noch mitzuteilenden Aussage des Zeugen Chr. Wenn der Zeuge Mic. auch im übrigen Unsicherheiten in der Beantwortung der Frage zeigte, aus welchem Grunde der Angeklagte nach Chotylow abgeordnet oder versetzt worden ist, er hat dazu u.a. seiner Vermutung Ausdruck gegeben, es habe dort ein polnisch sprechender Beamter gefehlt, weil reguläre Angehörige des Postens Chotylow zu Lehrgängen, insbesondere im Herbst zu Skilehrgängen, abgeordnet gewesen seien, blieb seine Aussage doch im übrigen sicher und bestimmt, und insbesondere zu der Frage des Versuchs, mit einem Dynamo Licht zu erzeugen, des Zeitpunktes dieses Versuchs und der daran beteiligten Beamten besonders glaubhaft.

3) Der Angeklagte hat seine Behauptung, er sei die zweite Jahreshälfte 1942 nicht in Biala-Podlaska, sondern in Chotylow gewesen, damit unterstützt, dass er Fotos, die er während dieser Zeit in Chotylow aufgenommen haben will, vorgelegt hat. Diese Fotos sind ihm nach seinen Angaben erst jetzt während der Hauptverhandlung von Verwandten aus der DDR übersandt worden. Das Schwurgericht war sich bei der Würdigung dieser Angaben des Angeklagten bewusst, dass seine Behauptung, er selbst habe diese Fotos während dieser Zeit hergestellt, nicht überprüfbar ist. Andererseits war nicht von der Hand zu weisen, dass insbesondere die Zeugen Bl. und B. auf zwei der von dem Angeklagten überreichten Fotos zweifelsfrei damalige Angehörige dieses Postens wiedererkannt haben, so u.a. die Beamten Haber, Werkmeister, Hei., Kretschmer und der Zeuge Bl. sich selbst. Bezüglich des Zeugen Bl. erscheint jedoch die Behauptung des Angeklagten bestätigt, weil Bl. erst am 16. oder 17.6.1942 erstmalig nach Chotylow kam. Die Zeugen Bl. und B. haben übereinstimmend auf

den Fotos auch Gebäude erkannt, die erst nach der Versetzung des Zeugen Bl., wie dieser an Hand von Einzelheiten dargetan hat, für die Unterbringung der dortigen Gendarmeriebeamten herangezogen worden sind. Bl. hat darüber hinaus auf einem Bild ein Mädchen erkannt, das eine Polin darstelle, die damals die Gendarmeriebeamten in Chotylow bedient habe. Der Zeuge B. hat auf einem Foto einen Gendarmeriebeamten Märtz wiedererkannt, der ausweislich des Kommandobefehls vom 12.8.1942 als Rottwachtmeister und Hilfspolizist von Bilgoraj nach Chotylow versetzt worden ist.

4) Der Angeklagte hat sich schliesslich als markantes Ereignis während seines Aufenthalts in Chotylow auf die Beförderungsfeier des Zeugen Bl. berufen und dazu angegeben, dieser habe zum Erstaunen aller Postenangehörigen seine neuen Schulterstücke als Meister der Gendarmerie schon bei sich gehabt und, nachdem die Beförderung am Tage ihrer Mitteilung im Kameradenkreise gefeiert worden sei, die neuen Schulterstücke aus seinem Koffer hervorgeholt.

Der Zeuge Bl. hat bestätigt, dass er mit Wirkung vom 1.8.1942 zum Meister der Gendarmerie befördert worden ist. In diesem Zusammenhang ist für die Zuverlässigkeit der schon mehrfach genannten Kommandobefehle bezeichnend, dass darüber ein Vermerk oder eine Mitteilung in ihnen ebenso nicht enthalten ist, wie über die Beförderung des Zeugen Blu. zum Meister der Gendarmerie am 1.7.1942 nichts vermerkt ist. Der Zeuge Bl. erinnerte sich auch mit Gewissheit daran, dass er schon am Tage, an dem seine Beförderung wahrscheinlich telefonisch voraus mitgeteilt worden sei, die neuen Schulterstücke gehabt habe. Er hat zwar zunächst gemeint, er habe sie von dem Gendarmeriemeister Werkmeister, der seinerzeit auch in Chotylow tätig gewesen ist, leihweise bekommen. Auf Vorhalt, dass ausweislich des Kommandobefehls vom 10.10.1942 Werkmeister erst zum 1.10.1942 zum Meister der Gendarmerie befördert worden ist, hat er betont, dann müsse die Erinnerung des Angeklagten richtiger sein, dass er selbst die neuen Schulterstücke schon gehabt habe. Der Zeuge Bl. wusste sich überdies zu erinnern, dass einige Zeit später der auch von dem Zeugen Hei. als Fahrer des Posten Chotylow bezeichnete Beamte Kretschmer Fahrer des Gendarmeriezugführers Ruddeck in Biala-Podlaska geworden ist. Der Zeuge hat in diesem Zusammenhang betont, er sei noch unter Ruddeck im Stab des Zuges tätig gewesen und dazu von Chotylow nach Biala-Podlaska versetzt worden. Auf Grund der Aussage des Zeugen Chr., auf die noch zurückzukommen sein wird, und die insoweit von den Angaben des Zeugen Blu. bestätigt wird, der während seiner ganzen Zeit in Biala-Podlaska auf dem Stab des Gendarmeriezugs Dienst getan hat, ist Ruddeck im Spätherbst 1942 durch Selbstmord aus dem Leben geschieden. Diese Erkenntnisse passen zu der weiteren Aussage des Rentners Hei., der Angeklagte habe gegen Ende seines Aufenthalts in Chotylow den dortigen Dienstwagen gesteuert.

5) Endlich hat der jetzige Rentner Chr., früher als Hauptmann der Gendarmerie ab Dezember 1942 Gendarmeriezugführer in Biala-Podlaska, bestimmt und sicher bekundet, einige Zeit später, wahrscheinlich im Frühjahr 1943, den Angeklagten zu seinem Fahrer bestellt zu haben. Der Zeuge war in der Lage, heute noch dazu Einzelheiten anzugeben. Er war ersichtlich bemüht, seine Aussagen weitgehend an Hand von anderen feststehenden Fakten abzusichern. So hat er den Zeitpunkt seines Eintreffens in Biala-Podlaska in seiner jetzigen Aussage vor dem Schwurgericht an Hand durchlaufener Lehrgänge und anderer markanter Stationen seines seinerzeitigen Werdegangs erneut rekonstruiert und ist danach zu der sicheren Feststellung gekommen, in den ersten beiden Dezemberwochen in Biala-Podlaska eingetroffen zu sein. Seine früheren Angaben, seine erste Amtshandlung sei die Sorge um die Absperrung für den Leichenzug des angeblich von Partisanen erschossenen Kreishauptmanns Kühl gewesen, hat er nun dahin präzisiert, dass diese Tätigkeit nur das erste markante Erinnerungsmerkmal nach der Aufnahme seines Dienstes in Biala-Podlaska gewesen ist.

Mit eben solcher Bestimmtheit hat er betont, dass er den Angeklagten, der seinerzeit Angehöriger des Postens Chotylow gewesen ist, im Frühjahr 1943 zu seinem Fahrer bestellt hat.

Dazu hat der Zeuge ausgesagt, er habe zunächst einen nicht der polnischen Sprache mächtigen Fahrer gehabt. Dies habe während seiner Fahrten durch den Bezirk, zumal er selbst auch nicht der polnischen Sprache mächtig gewesen sei, zu Verständigungsschwierigkeiten geführt. Daraufhin hat der Zeuge den damaligen Kommandeur der Gendarmerie in Lublin, dessen Namen er richtig mit Preyssl angegeben hat, um die Zuordnung eines polnisch sprechenden Fahrers ersucht. Ihm wurde bei dieser Besprechung anheimgestellt, aus der Zahl seiner Untergebenen einen anderen Fahrer auszuwählen. Chr. hat nach seinen glaubhaften Angaben davon abgesehen, einen seiner Leute zu sich zu befehlen, da er selbst die Auffassung vertrat, für diese Tätigkeit sei eher ein Beamter geeignet, der sie freiwillig übernehme. Nach den Bekundungen des Zeugen hat er in den nächsten Wochen bei Besuchen der Posten, die zum Gendarmeriezug Biala-Podlaska gehörten, mit den Angehörigen gesprochen, die als polnisch sprechende Beamte als seine zukünftigen Fahrer in Betracht kommen könnten, um sich zunächst ein Bild von den jeweiligen Persönlichkeiten zu machen.

Dabei ist der Zeuge auf den Angeklagten gestossen, der, wie er sich zu erinnern meint, anlässlich der Behebung eines Schadens an seinem Dienstfahrzeug besondere Kenntnisse gezeigt hat. Die zu dem damaligen Dienstort des Angeklagten Chotylow sicheren und bestimmten Angaben des Zeugen erscheinen glaubhaft. So hat Chr. sich mit einiger Gewissheit daran erinnert, dass der Angeklagte die Probefahrt in unmittelbarer Nähe der Unterkünfte der Gendarmerie am Bahnhof unternommen hat. Die Zeugen B., Bl. und Mic. haben bestätigt, dass der Bahnhof Chotylow ganz nahe der Gendarmerieunterkunft gelegen war. Der Zeuge Chr. zeigte nicht nur sein Bemühen, sich nach besten Kräften an die damaligen Vorgänge zu erinnern, sondern bewies auch eine derartige Kenntnis von Einzelheiten aus seiner damaligen Tätigkeit, die seine Angaben als zutreffend erscheinen lassen. Die Tatsache, dass der Angeklagte später den Zeugen Chr. gefahren hat, haben ausser ihm die Zeugen Anton Bec., B. und Blu. bestätigt. Dabei hat der letztgenannte Zeuge sich nicht mehr zu erinnern vermocht, ob der Angeklagte schon bei seiner Versetzung von Biala-Podlaska weg im März 1943 Fahrer Chr.s gewesen ist. Jedenfalls hat er den Angeklagten im Januar 1944 als Fahrer des Zeugen Chr. erlebt. Im übrigen hat der Angeklagte ebenfalls Fotos vorgelegt, die ihn als Fahrer eines offenen PKWs zeigen. Auf ihre Vorlage hat der Zeuge Chr. spontan erklärt, die neben dem Fahrer sitzende Person müsse er selbst sein. Dies erkenne er an seiner typischen Haltung, so habe er schon damals im Fahrzeug gesessen.

6) Soweit der Angeklagte gemeint hat, bei seiner Rückkehr nach Biala-Podlaska habe der Wachtmeister Appelt dort noch Dienst getan, erscheint indessen seine Erinnerung unrichtig. Ausweislich der Kommandobefehle, besondere Anordnung vom 31.10.1942 ist dieser Beamte wahrscheinlich um diese Zeit nach Krasnystaw versetzt worden.

Letztendlich hat die Zeugin Leokadia Bor. ausgesagt, dass der Angeklagte in Chotylow Dienst getan hat. Diese Zeugin war nach der Besetzung Polens etwa in der Zeit von 1941 bis 1943 Küchenhilfe beim Gendarmerieposten Chotylow. Sie vermochte sich gut an den Angeklagten zu erinnern. Er war ihr wegen seines schlanken und grossen Wuchses und seiner guten Erscheinung besonders aufgefallen und ist ihr daher im Gedächtnis geblieben. Die Zeugin hat allerdings nicht mehr den genauen oder ungefähren Zeitraum fixieren können, in dem der Angeklagte in Chotylow Dienst getan hat. Sie hat andererseits mit Bestimmtheit hervorgehoben, dass der Zeitraum nicht besonders lang, eher kurz dort gewesen ist. Trotz Bemühens hat die Zeugin auch nach Vorlage der von dem Angeklagten überreichten Lichtbilder keine näheren Angaben zur zeitlichen Einordnung der Tätigkeit des Angeklagten in Chotylow machen können. Die dort abgebildeten Gendarmerieangehörigen sowie die von den Zeugen Bl. und B. als Küchenhilfe bezeichnete weibliche Person vermochte sie nicht zu identifizieren. Sie erkannte nur auf einem Foto richtig den Angeklagten, der hinten im Fond des Wagens sitzt. Auf den Vorhalt, der Angeklagte meine im Juni eines Jahres nach Chotylow versetzt worden zu sein und habe als Erinnerungsmerkmal angegeben, der Roggen habe etwa 40 cm hoch gestanden, erklärte die Zeugin, dazu könne sie nur sagen, dass in ihrer

Gegend Ende Juni / Anfang Juli der Roggen eine Höhe von mehr als 1,20 m erreiche. In welcher Jahreszeit der Angeklagte sich in Chotylow aufgehalten habe, sei ihr nicht mehr erinnerlich.

Nach alledem ist dem Angeklagten nicht zu widerlegen, sich in der zweiten Hälfte des Jahres 1942 in Chotylow aufgehalten zu haben.

Das Schwurgericht hat zu der Frage, ob der Angeklagte in der zweiten Hälfte des Jahres 1942 bei dem Gendarmerieposten Chotylow Dienst getan hat, auch besonderes Augenmerk auf die Frage gerichtet, ob es generell oder während dieser Zeit kurzfristige, d.h. Tages- oder für zwei oder drei Tage dauernde Abordnungen von anderen Gendarmerieposten in die Kreisstadt Biala-Podlaska zum dortigen Gendarmerieposten oder -zug gegeben hat. Zu dieser Frage haben die seinerzeit in Chotylow bzw. Biala-Podlaska Dienst tuenden Zeugen Mic., Bl., B., Hei. und Blu. übereinstimmend und glaubhaft ausgeführt, solche kurzfristigen Abordnungen nach Biala-Podlaska oder andershin seien nicht vorgekommen. Der Zeuge Bl. hat das überdies damit begründet, dass der Posten Chotylow immer verhältnismässig schwach besetzt gewesen sei. Blu. hat vermutet, dass zu den seinerzeitigen Aktionen im Judenviertel im Juni und September 1942 - der Räumung dieses Viertels - auch Angehörige auswärtiger Dienststellen hinzugezogen worden seien. Der Zeuge hat dazu aber konkrete Angaben nicht machen können, vielmehr darauf hingewiesen, dass im Nachbarbezirk in Richtung auf Radzyn von der Gestapo ein weithin nahezu unbekanntes Ausbildungs- oder Sammellager der Gestapo unterhalten worden ist. Von dorther sind nach seinem sicheren Wissen zu Aktionen in Biala-Podlaska zur Unterstützung der örtlichen Gestapo Kräfte herangezogen worden. Der Zeuge Hei. hat auf kurzfristige Abordnungen insbesondere nach Biala-Podlaska angesprochen, erklärt, solche Kommandierungen seien nach seiner sicheren Erinnerung nicht vorgenommen worden. Er wisse nur, dass in einem oder zwei Fällen Angehörige des Gendarmeriepostens Chotylow zur Bewachung der in der Nähe verlaufenden Bahnlinie in Richtung West bzw. Ost befohlen worden seien, weil hochgestellte Persönlichkeiten aus dem "Reich" die Strecke passiert hätten und Anschläge von Partisanen befürchtet worden seien.

II. « Die Aussagen der Tatzeugen »

Aus der Aussage des Zeugen Leo Bec. sowie auch anderer ehemaliger im Kreise Biala-Podlaska tätiger Gendarmen ist dem Schwurgericht bekannt geworden, dass insbesondere die Angehörigen der Aussenposten ihre Urlaubsheimreisen von Biala-Podlaska aus antraten. Dort erhielten sie auch in der Regel beim Stab des Gendarmeriezuges ihre Urlaubspapiere. Das Schwurgericht hatte demgemäss die Frage zu untersuchen, ob der Angeklagte nicht mehr oder weniger zufällig zum Zeitpunkt der Kontrollaktion am 3. bzw. 4.8.1942 aus diesem oder einem ähnlichen Grunde sich in Biala-Podlaska aufgehalten hat und zu dieser Aktion befohlen worden ist. Irgendeinen konkreten Hinweis dazu hat die Hauptverhandlung allerdings nicht erbracht.

1) Dieser Frage musste das Schwurgericht jedoch angesichts der belastenden Angaben, insbesondere der Zeugen Israel Bek. und Noach Rod. nachgehen, die den Angeklagten als diejenige Person bezeichnet haben, die an diesem Tage zumindest den Zalman Liwerant erschossen habe. Als weitere Augenzeugen dieser Aktion standen dem Schwurgericht der Buchhalter Faj. und der Drucker David Bek., ein Bruder des vorgenannten Zeugen, zur Verfügung. Ihre Angaben reichten aber letztlich ebenfalls nicht, die Einlassung des Angeklagten zu widerlegen und ihn der Tötung des Zalman Liwerant zu überführen.

2) Als Tatzeugen im eigentlichen Sinne standen dem Gericht, wie schon bemerkt, nur der Druckereibesitzer Israel Bek. und der Bauführer Rod. zur Verfügung. Ihre Aussagen zum Tathergang sind vom äusseren Geschehen schon derart unterschiedlich, dass sie kaum auf einen übereinstimmenden Kern zurückgeführt werden können. So hat der Zeuge Rod. zur

Erschiessung des Zalman Liwerant und der unmittelbar danach erfolgten Tötung eines gewissen Jokel Listgarten bekundet, derjenige, den er für Bu. halte, habe auf der Janowskastrasse im Bereich der Grabanowskastrasse gestanden und mit einer Büchse aus jeweils 5 m Entfernung gezielt auf Listgarten und Liwerant geschossen. Beide Personen seien getötet worden. Dies habe er, der auf dem Sammelplatz gestanden habe, aus einer Entfernung von etwa 20 m sehen können. Janowskastrasse und Grabanowskastrasse hätten nämlich auf den Sammelplatz gemündet. Damit meint der Zeuge offensichtlich den sogenannten Alten oder Freiheitsmarkt, auf den die genannten Strassen mündeten. Die Janowskastrasse bildete dort die westliche Grenze des Judenwohnbezirks, während die als Hauptstrasse zu bezeichnende Grabanowskastrasse von dort aus in nordöstlicher Richtung das Judenviertel durchquerend ihren Anfang nahm. Der Zeuge hat weiter ausgeführt, man habe von diesem Platz in beide Richtungen, nämlich die Janowska- und Grabanowskastrasse, hineinsehen können. Er wisse mit Sicherheit, dass der Angeklagte keine Pistole benutzt habe. Er glaube, dass er eine Büchse in der Hand gehabt habe. Er wisse nur noch, dass der von ihm als Bu. bezeichnete sowohl auf Listgarten wie auch auf Liwerant die Büchse anlegte und auf beide gezielt schoss.

Die Staatsanwaltschaft hat den Zeugen insgesamt für unglaubwürdig gehalten, weil er in einer vorangegangenen Vernehmung bekundet hatte, sich während dieser Kontrollaktion auf dem Dachboden versteckt zu haben, so dass er - folgte man dieser früheren Bekundung - die Erschiessung Liwerants nicht als Augenzeuge hätte beobachten können.

Es kann dahinstehen, was von seinen unterschiedlichen Angaben zu halten ist. Seiner letzten Geschehensschilderung steht jedenfalls die Darstellung des Zeugen Israel Bek. entgegen. Dieser Zeuge hat bekundet, am fraglichen Tage sei in aller Frühe der Ruf erschollen "Juden oder Judenmänner raus". Er habe sich der Aufforderung entsprechend aus dem Hause Grabanowskastrasse 4, in dem er mit seinen Eltern gewohnt habe, auf die Strasse begeben. Das Haus Nr.4 sei vom alten oder Freiheitsmarkt gesehen das erste Haus an der Grabanowskastrasse an deren nördlicher Seite gewesen. In der Nähe dieses Hauses hätten eine grosse Anzahl jüdischer Männer auf der Fahrbahn gestanden. Unmittelbar bei seiner Gruppe habe sich auch Zalman Liwerant befunden. Dieser sei ängstlich gewesen und habe einer Kontrolle durch deutsche Einheiten entkommen wollen. Er habe sich in Richtung auf die unmittelbar neben dem Hause Nr.4 von Norden einmündende Waskastrasse wegdrücken wollen. Dies habe der Angeklagte gesehen. Er sei hinter Liwerant hergelaufen und habe sich dabei durch die auf der Strasse und auch teils auf dem Gehweg stehenden jüdischen Männer hindurchschlängeln müssen. Nachdem er nur noch wenige Meter, etwa 4 m von Liwerant entfernt gewesen sei, habe er diesen angerufen - wohl mit "Halt, stehenbleiben" - dann sofort, als Liwerant dieser Aufforderung nicht nachkam, auf den nur wenige Schritte vor ihm laufenden mit der Pistole geschossen. Schon nach dem ersten Schuss sei Liwerant vornüber noch im Einmündungsbereich der Waskastrasse in die Grabanowskastrasse zu Boden gefallen. Derjenige, den er für Bu. halte, habe mehrfach geschossen. Er meine sich zu erinnern, dass der zweite Schuss fiel, als Liwerant schon am Boden lag. Der Gendarm Bu. habe sich zu ihm hinbegeben, sich hinuntergebeugt, sich dann abgewendet und sei in der Menschenmenge verschwunden.

Die Tatschilderungen beider Zeugen enthalten schon erhebliche Ungereimtheiten. Der Zeuge Rod. geht in seiner verlesenen Aussage davon aus, dass Sammelplatz der Alte oder Freiheitsmarkt war, der aber ausserhalb des Judenwohnbezirks lag. Seinen Angaben zufolge soll Tatort der Bereich der Einmündungen der Janowska- und Grabanowskastrasse auf diesem Platz gewesen sein. Dagegen bezeichnet Israel Bek. als eigentlichen Tatort den Einmündungsbereich der Waskastrasse. Er vermag auch zum Gesamtablauf der Tat mehr an Einzelheiten zu bekunden, als die verlesene Aussage des Zeugen Rod. enthält, der sich geweigert hat, sich vor dem Schwurgericht vernehmen zu lassen oder auch nur vor dem Deutschen Generalkonsul in New York zu erscheinen, um dort erneut in Anwesenheit eines oder der Berufsrichter des Schwurgerichts vernommen zu werden. Aber auch die in sich geschlossenere Darstellung des Zeugen Israel Bek. enthält einmal in bezug auf seine früheren Angaben insbesondere seine Aussage im Beisein des Untersuchungsrichters vor einem israelischen Gericht und die Angaben des Zeugen Faj. vor dem Schwurgericht erhebliche Ungereimtheiten und auch Widersprüche. So hat der Zeuge bei seiner Vernehmung in Israel sicher und bestimmt bekundet, unmittelbar neben dem Hause Grabanowskastrasse 4, seinem Elternhause, münde die Waskastrasse ein. Sie habe Liwerant von der Fahrbahn der Grabanowskastrasse, auf der beide sich aufgehalten hätten, erreichen wollen, um einer Kontrolle zu entgehen. Angesichts der Bedeutung der Aussage des Zeugen ist schon bei seiner richterlichen Vernehmung in Israel besonderer Wert auf seine Beschreibung der Örtlichkeiten gelegt worden.

Diese seine damaligen und auch zunächst in seiner Vernehmung vor dem Schwurgericht zu den Örtlichkeiten gemachten Angaben hat der Zeuge auf Vorhalt der Aussage des Zeugen Faj. wortreich und in gewisser Weise mit Ausflüchten korrigiert. Auf den Vorhalt der Aussage des Zeugen Faj., neben dem Hause Nr.4 habe an der Nordseite der Grabanowskastrasse vor der Einmündung der Waskastrasse noch das Haus Nr.6 und das der Nr.8 gestanden, dessen eigentlicher Eingang sogar an der Waskastrasse gelegen habe, erklärte Israel Bek., das sei zwar richtig. Er habe nur deswegen erklärt, dass die Waskastrasse unmittelbar neben dem Hause Nummer 4 der Grabanowskastrasse in diese Strasse einmünde, weil nämlich das Haus Nr.6 wegen seines nur sehr geringen Abstandes von dem Hause Nr.4 und auf Grund der Tatsache, dass das Haus Nr.8 nahezu an das Haus Nr.6 angebaut gewesen sei, man davon sprechen könne, dass "praktisch" die Waskastrasse neben dem Hause Nr.4 in die Grabanowskastrasse einmünde. Auf den Vorhalt, dass angesichts der von dem Zeugen Faj. geschilderten Örtlichkeit, die er nun als richtig bezeichne, sein damaliger Standort vom eigentlichen Ort des Geschehens weiter entfernt gewesen sein müsse, als er es zunächst in seiner Vernehmung angegeben habe, hat der Zeuge gemeint, das mache keinen Unterschied. Die Entfernungen seien so gering und auch sein Blickwinkel so gut gewesen, dass er ungeachtet der jetzt erfolgten Richtigstellung seine Entfernung vom eigentlichen Tatort die Aktionen des Angeklagten gut habe verfolgen können.

Die Aussage Israel Bek.s war aber auch in weiteren Einzelheiten nicht mit der Bekundung des Zeugen Faj. in Einklang zu bringen. Dieser hat entgegen der Darstellung Bek.s eindringlich darauf bestanden, dass während der sogenannten Kontrollaktion auf und im Bereich der gesamten Grabanowskastrasse keine Schüsse gefallen sind. Der Zeuge liess in besonderer Weise erkennen, dass er um eine leidenschaftslose und vorurteilsfreie Aussage bemüht war. Seine Angaben erschienen schon wegen der Tatsache, dass er sich bereits in den Jahren der Verfolgung durch die Nationalsozialisten Aufzeichnungen über die Verhältnisse in Biala--Podlaska und die Vorkommnisse gemacht hat, dem Gericht als besonders glaubwürdig. Er hat hervorgehoben, er habe seinerzeit im Hause Nr.10 der Grabanowskastrasse gewohnt. Dieses Haus lag nach der Darstellung des Zeugen als zweites Gebäude östlich der Einmündung der Waskastrasse. Neben ihm lag in Richtung Westen das Gebäude mit der Bezeichnung Waskastrasse Nr.1, dessen Eingang auch an dieser Strasse gelegen war. Der Zeuge Faj. hatte sich ebenfalls unmittelbar nach dem Ruf "Juden" oder "Judenmänner raus" vor sein Haus auf die Grabanowskastrasse begeben. Dort vernahm er, dass Schüsse in den auf die Grabanowskastrasse führenden Gassen oder Strassen fielen. Er sah aus der Waskastrasse die Person kommen, die ihm seine Landsleute als den jetzt Angeklagten Bu. bezeichnet hatten. Dieser Bu. sei von der Waskastrasse nach links in die Grabanowskastrasse abbiegend in Richtung Neumarkt gegangen. Faj. hat, obwohl er vor dem Hause Nr.10 stand, und damit nur vier Hauslängen von Israel Bek. und etwas mehr als eine Gebäudebreite von der Einmündung der Waskastrasse entfernt war, nichts von der von Israel Bek. geschilderten Tat des Angeklagten wahrgenommen. Sie hätte er aber schon allein wegen des dem Abfeuern eines Pistole folgenden Knalls der ihn, wie alle jüdischen Landsleute in besonderem Masse in Schrecken versetzt hätte, wäre dies in seiner unmittelbaren Nachbarschaft geschehen, bemerken müssen.

Im Gegensatz zu den Angaben Israel Bek.s hat Faj. auch erklärt, die Person, die ihm als Bu. bezeichnet worden sei - auf deren übrige Beschreibung später noch zurückzukommen sein wird -, habe an diesem Tage, als sie die Waskastrasse verlassen und in die Grabanowskastrasse eingebogen ist, einen Karabiner bei sich gehabt. Ausserdem hat Faj. bekundet, er habe unmittelbar nach Ende der Kontrollaktion die Leiche Zalman Liwerants etwa in der Mitte der ca. 250 m langen Waskastrasse liegen sehen. Der Fundort dieser und anderer Leichen, die insbesondere noch in der Przechodniastrasse gelegen hätten, die er selbst gesehen hat, bestätigten die Richtigkeit seiner Beobachtung, dass nur während der Zeit, in der die männliche jüdische Bevölkerung in Richtung auf die Grabanowskastrasse getrieben worden ist, auf der die eigentliche Kontrolle stattfand, geschossen worden ist. Faj. hat diese seine Beobachtung noch mit dem Ausdruck "Treibjagd" untermauert, mit dem er immer wieder zum Ausdruck brachte, es habe sich in Wirklichkeit nicht um eine echte Kontrolle der Arbeitskarten jüdischer Männer des Judenwohnbezirks gehandelt, sondern vielmehr vermute er, dass man die zweite Aussiedlungsaktion, die dann im September stattgefunden habe, durch eine solche "Übung" habe vorbereiten wollen. Sinn der Aktion sei nach seiner Vermutung eher gewesen, die Räumung des Viertels zu proben.

Der Zeuge Israel Bek. hat nach Vorhalt dieser Angaben seines Landsmanns Faj. auf seiner Darstellung beharrt und zur Erklärung dessen, dass Faj. die Leiche Liwerants etwa in der Mitte der Waskastrasse gesehen habe, die Vermutung angeführt, dorthin sei er vielleicht verbracht worden, um von dieser Stelle gemeinsam mit den anderen Leichen zum jüdischen Friedhof transportiert zu werden. Die übrigen seiner Darstellung abweichenden Bekundungen Faj.s vermochte der Druckereibesitzer Bek. dagegen nicht zu erklären.

Der Richtigkeit seiner Bekundungen zu der angeblich von dem Angeklagten begangenen Tötung Zalman Liwerants stehen jedoch noch weitere Bedenken, die sich aus seiner Aussage im übrigen ergeben, entgegen. So hat der Zeuge u.a. bekundet, die Einheiten der Gendarmerie und der Schutzpolizei hätten seinerzeit eine Unterkunft an der Grabanowskastrasse etwa in der Nähe der Hausnummer 28 gehabt. Dieser Teil der Aussage des Zeugen ist nachgewiesen unrichtig. An der Grabanowskastrasse befanden sich nur Unterkünfte der Schutzpolizei, und zwar insbesondere einer Reit- und Fahrstaffel des Bataillons 307. Dies steht einmal fest auf Grund der Aussagen des Zeugen Faj., wie auch der Angaben aller Zeugen, die als ehemalige Angehörige der Gendarmerie in Biala-Podlaska Dienst getan haben. Die Unterkunft der Gendarmerie befand sich anfangs in der Janowskastrasse, später an der im südlichen Teil des Ortes gelegenen Bahnhofstrasse. Ausserdem bekundete der Zeuge Israel Bek. wie auch sein Bruder David, dass der Angeklagte zusammen mit einem in Biala-Podlaska durch seine Untaten gegenüber Juden bekannt gewordenen Petersohn einer Einheit angehörte, nämlich der auf der Grabanowskastrasse gelegenen Schutzpolizei oder Gendarmerie, die beide Zeugen in ihren Angaben durchgehend als eine und dieselbe Einheit bezeichneten. Mit Sicherheit steht aber fest, dass Petersohn nicht zur Gendarmerie, sondern zur Reit- und Fahrstaffel des Polizeibataillons 307 gehörte, während der Angeklagte während seiner gesamten Tätigkeit in Biala-Podlaska und auf dem Aussenposten Chotylow zur Gendarmerie gehörte.

Endlich hat Israel Bek. zu der Tat des angeblichen Bu. während der Kontrollaktion angegeben, der von ihm als Bu. bezeichnete Gendarm sei der Anführer der Gruppe von Gendarmen gewesen, die einer Gruppe Juden, in den er sich seinerzeit aufgehalten habe, gegenübergestanden sei. Auf den Vorhalt des damaligen Dienstgrads des Angeklagten "Rottwachtmeister" und seiner Bedeutung in der Hierarchie der Gendarmerie hat der Zeuge erklärt, die Bezeichnung "an der Spitze stehen" müsse er dann so werten, dass er seinerzeit bei seiner Vernehmung am 3.7.1961 damit habe sagen wollen, dass Bu. aktiver und vielleicht auch vom Wuchs grösser war als die anderen. Es sei ihm weniger darauf angekommen, herauszustellen, dass er einen höheren Rang als die dort befindlichen Beamten gehabt habe. Diese seine Erklärungen in der Hauptverhandlung zu seiner damaligen Aussage vor der israelischen Polizei hat er am Ende seiner Vernehmung vor dem Schwurgericht erneut auf Vorhalt umgekehrt und nun darauf bestanden, dass der Angeklagte der höherrangige Anführer der Gruppe von Gendarmen gewesen sei.

3) Sowohl der Zeuge David Bek. wie auch sein Bruder Israel meinen sicher zu sein, dass der Angeklagte derjenige ist, den sie wie auch andere als Bu. bezeichnen.

David Bek. hat zwar bei seiner Vernehmung in Anwesenheit des Untersuchungsrichters in Tel Aviv am 28.Oktober 1971 den Angeklagten auf Fotografien wiedererkannt. Sie zeigen den Angeklagten einmal in voller Grösse in der Uniform eines Gendarmeriebeamten und zum anderen sein Gesicht auf einem Passbild, das seinem damaligen Gendarmerieausweis entnommen worden ist. Ein weiteres Bild auf dem entsprechenden Blatt der Lichtbildmappe zeigt den Angeklagten in späterer Zeit, und zwar ebenfalls nur seinen Kopf und Teile seines Oberkörpers in Form eines Passbildes. Dieses Bild ähnelt weitgehend dem heutigen Aussehen des Angeklagten, von dem der Zeuge in der Hauptverhandlung erklärt hat, er sei sicher, dass der Angeklagte dieser Bu. sei, der für eine Reihe von Tötungen von Juden in Biala-Podlaska verantwortlich zu machen sei. Bezüglich der Beschreibung der Statur des Angeklagten hat sich der Zeuge jedoch damals wie auch bei der Vernehmung vor dem Schwurgericht in erhebliche Widersprüche verwickelt. Er hat angegeben, er sei nur wenig grosser als er gewesen, der Zeuge ist 165 cm gross. Darauf angesprochen, dass der Angeklagte ganz erheblich länger ist, nämlich mehr als 180 cm, hat er geantwortet, der Angeklagte sei viel grösser gewesen als er, es könnten auch 15 bis 20 cm gewesen sein. Seine genaue Kenntnis des Angeklagten hat er damit begründet, dass dieser mindestens zehnmal in der Schneiderei seines Vaters gewesen sei und dort Uniformstücke von Gendarmen zur Reparatur gebracht habe. Die Unterkunft der Gendarmerie habe auch nicht weit von seiner damaligen Unterkunft entfernt gelegen, nämlich auf der Grabanowskastrasse. Auf einen entsprechenden Vorhalt, dass dort zwar Schutzpolizei und deren Reit- und Fahrstaffel gelegen habe, nicht aber die Gendarmerie, die an der Janowskastrasse und später an der Bahnhofstrasse untergebracht gewesen sei, hat der Zeuge entgegnet, an der Bahnhofstrasse sei mit Sicherheit nur die Gestapo gelegen gewesen. Während er zudem zunächst behauptete, in einer von dem Angeklagten zur Reparatur gegebenen Uniform sei dessen voller Name eingestickt gewesen, hat er später ausgesagt, er kenne den Namen des Angeklagten von Zetteln, die sein Vater an die zur Reparatur gebrachten Kleidungsstücke geheftet habe. Näher befragt, hat er sich sodann wiederum darauf zurückgezogen, dass der Name in die Uniformjacke eingestickt gewesen sei. Bei seinen weiteren Angaben zur Uniform und Uniformfarbe der Gendarmerie und der Schutzpolizei, zu den Besuchen des angeblichen Angeklagten bei seinem Vater, hat sich der Zeuge in weitere derart erhebliche Widersprüche verwickelt, dass seiner Behauptung, er habe den Angeklagten auf den entsprechenden Fotos in der Lichtbildmappe wiedererkannt, nach Meinung des Schwurgerichts keine erhebliche Bedeutung mehr zukam.

Diese seine Ansicht hat das Schwurgericht auch auf die Tatsache gestützt, dass erstmalig in der Hauptverhandlung durch den israelischen Vernehmungsbeamten Orb. geklärt werden konnte, dass schon im Jahre 1965 oder 1966 eine Lichtbildmappe samt Legende mit den Bildern des Angeklagten der Israelpolizei übersandt worden ist. Diese Lichtbildmappe enthielt darüber hinaus nicht Bilder des Angeklagten in Uniform, sondern Aufnahmen, die ihn zum Teil zusammen mit seinem damals etwa 6jährigen Sohn (also im Jahre 1959 etwa aufgenommen) zeigen. Auf ihnen wird das Merkmal deutlich, auf das sich David wie auch Israel Bek. in besonderer Weise zur Identifizierung des Angeklagten gestützt haben, nämlich ein besonders breiter Mund, weil der Angeklagte auf diesen Bildern lächelt. Der frühere Untersuchungsrichter Ar. hat als Zeuge vernommen in diesem Zusammenhang glaubhaft ausgesagt, dass er bei seinen seinerzeitigen Vernehmungen als sicher davon ausgegangen ist, und entsprechend sowohl von der bearbeitenden Staatsanwaltschaft und auch der israelischen Polizei - so auch von den vom Schwurgericht vernommenen Beamten Lan. und Ede. - unterrichtet worden ist, dass keinerlei Lichtbilder des Angeklagten in irgendwelchen Lichtbildmappen zuvor nach Israel gelangt waren. Selbst der Zeuge Orb. so erinnerte sich der Richter

Ar., hat ihm anlässlich seines Aufenthaltes in Israel nichts von der Existenz einer Lichtbildmappe mitgeteilt. Entsprechende Fragen an die Zeugen David und Israel Bek., die als einzige an Hand der seinerzeit von dem Untersuchungsrichter Ar. mitgeführten Lichtbilder den Angeklagten erkannt haben wollen, ob sie jemals früher von ihm Bilder zu Gesicht bekommen haben, sind aus diesen Gründen nicht gestellt worden.

Zwar hat auch Israel Bek., wie bei seiner damaligen Vernehmung in Israel vor dem Richter in Gegenwart des Untersuchungsrichters beim Landgericht Duisburg, dem Zeugen Ar., den Angeklagten auf den vorgelegten Lichtbildern identifiziert. In auffälliger Weise hat er sich dabei jedoch in erster Linie auf das Bild gestützt, das den Angeklagten in Zivil in Form eines Passfotos zeigt und seinem Erscheinungsbild auf dem in der nach Israel übersandten Lichtbildmappe enthaltenen Bildern nahezu identisch ist. Dazu hat er als erste Erklärung nach der Übersetzung des Dolmetschers für Hebräisch die Worte "ich denke, es ist Bu." von sich gegeben. Diese Formulierung bedeutet nach der Bekundung des Dolmetschers, wie auf Befragen von dem Zeugen als richtig übersetzt bezeichnet worden ist, soviel wie "ich meine, ich glaube". Ausgehend von dem bezeichneten Foto hat er die für ihn bis dahin nur von dem Untersuchungsrichter einmal vorgelegten Fotos am Richtertisch stehend mit diesem Bild verglichen und dazu in deutscher Sprache erklärt, sie stellten wohl die gleiche Person dar, wie auf dem schon genannten Passbild, das den Angeklagten in Zivilkleidung zeigt.

Während der Vernehmung des Zeugen befand sich der Angeklagte im Einverständnis aller am Verfahren Beteiligten einschliesslich des Angeklagten selbst im Zuschauerraum. Auf die Aufforderung an den Zeugen, den Angeklagten dort zu suchen, und gegebenenfalls zu bezeichnen, begab sich Israel Bek. dorthin. Erst nach mehrmaliger Durchsicht aller dort sitzenden, insgesamt aber nur wenigen Personen, fand er noch zögernd den Angeklagten heraus. Dies ist nach Ansicht des Schwurgerichts um so unverständlicher, als der Angeklagte in seiner heutigen Erscheinung dem Bild, das der Zeuge als erstes (ziviles Passfoto) herausgefunden hat, so ähnlich ist, dass er von ihm ausgehend ohne weiteres hätte wiedererkannt werden müssen. Erhebliche Bedenken, ob der Zeuge nicht letztlich einem Irrtum erlegen ist, möglicherweise weil ihm von dem Vernehmungsbeamten, dem Zeugen Orb., seinerzeit schon Fotos des Angeklagten gezeigt worden sind, die seiner heutigen Erscheinung und insbesondere dem in der Lichtbildmappe vorhandenen zivilen Passbild nahezu entsprechen und den Zeugen auf diese Person fixiert haben, wurden auch dadurch genährt, dass auch Israel Bek. zur Statur des Angeklagten angab, er sei etwa 1,70 m gross, wobei der Zeuge von seiner eigenen Körperlänge von 1,65 m ausging. In Wirklichkeit überragt der Angeklagte den Zeugen um mehr als Kopfgrösse. Hinzu kommt, dass Israel Bek. ebenfalls herausstellte, der von ihm als Bu. bezeichnete sei immer mit einem gewissen Petersohn, der zudem noch grösser gewesen sei, zusammen gewesen. Er bezeichnete als Unterkunft beider ebenfalls ein Haus an der Grabanowskastrasse unmittelbar an der Grenze zum jüdischen Wohnviertel.

Deutliche Zweifel daran, ob nicht insbesondere Israel und auch sein Bruder David Bek. den Angeklagten mit der Person verwechseln, die damalige jüdische Bewohner des Judenwohnbezirks in Biala-Podlaska als Bu. bezeichneten, wurden durch die Aussage des Buchhalters Faj. geweckt. Dieser Zeuge hat den von seinen Landsleuten in Biala-Podlaska als Bu. bezeichneten Mann als blondhaarig beschrieben und zwar blond im Sinne von hellblond, wobei er zum Vergleich auf einen Schöffen mit hellblondem Haar verwies und dazu erklärte, die Haare der ihm von allen jüdischen Bewohnern als Bu. bezeichneten Person seien nur strähniger bzw. borstiger, d.h. kurz geschnitten, gewesen. Faj. hat diese seine Bekundung ebenso wie alle seine weiteren Angaben mit grosser Bestimmtheit und Sicherheit gemacht und darauf verwiesen, dass er sich schon damals dazu Notizen gemacht hat. Im Zusammenhang mit dieser seiner Bekundung verkennt das Schwurgericht nicht, dass für die Angaben der Gebrüder Bek. und ihrer Identifizierung des Angeklagten spricht, dass auch der Zeuge Faj. berichtet hat, die von seinen Landsleuten bezeichnete Person mit Namen Bu. sei ein Volksdeutscher aus dem Posener Gebiet gewesen, was zu der Herkunft des Angeklagten passt.

Endlich wies die besondere Betonung der Gebrüder Bek., die von ihnen als Bu. bezeichnete Person sei ständig mit einem Petersohn zusammen gewesen, grosse Zweifel an ihrer Bekundung auf, dieser Bu. sei mit dem Angeklagten identisch. Im Jahre 1942 gehörte nämlich dem Schutzpolizeibataillon 307, das in Biala-Podlaska lag, und dessen Reit- und Fahrstaffel Petersohn zugeordnet war, auch ein Beamter mit Namen Bu., allerdings mit anderem Vornamen als der Angeklagte, an. Angesichts der Tatsache, dass der von den Juden in Biala-Podlaska als Bu. bezeichnete häufig mit Petersohn zusammen war, bleibt somit endlich offen, ob dies der Angeklagte war.

Das Schwurgericht sah sich daher wegen dieses Beweisergebnisses nicht in der Lage, die Einlassung des Angeklagten, er sei für die Tötung Zalman Liwerants nicht verantwortlich zu machen, weil er an der Kontrollaktion am 3. oder 4.8.1942 nicht teilgenommen und zu dieser Zeit auch in Chotylow Dienst getan habe, zu widerlegen, bzw. ausreichend sichere Feststellungen zu treffen, wie sie eine Verurteilung des Angeklagten erfordert hätten.

III. « Teilnahme an der Erschiessung von mindestens 30 Juden bei Biala-Podlaska (Dezember 1942) »

Auch bezüglich des Vorwurfs der Anklage, der Angeklagte sei der Beihilfe zum Mord schuldig, weil er bei der Erschiessungsaktion auf dem Kolychole bezeichneten Flurstück in Kenntnis der Erschiessungsaktion Absperrdienste geleistet habe, war die Einlassung des Angeklagten nicht zu widerlegen.

1) Der Angeklagte hat sich auch bezüglich dieser ihm vorgeworfenen Tat darauf berufen, er könne an ihr nicht beteiligt gewesen sein, weil er seinerzeit noch in Chotylow Dienst getan habe und zu einer solchen Aktion von dort aus nicht abkommandiert worden sei. Bezüglich dieses Teils seiner Einlassung ist auf die oben gemachten Ausführungen zu verweisen.

Darüber hinaus hat von den überlebenden Tatzeugen dieser Erschiessungsaktion am 16. oder 17.12.1942 keiner den Angeklagten gesehen. Weder der Zeuge Faj., auf dessen detaillierte Bekundungen das Schwurgericht wesentlich seine Feststellungen zum Ablauf dieser Aktion gestützt hat, noch die Zeugen Ryd. und Jag., noch der ehemalige Angehörige der Sicherheitspolizei in Biala-Podlaska, der Zeuge De., haben Bekundungen zu der Anwesenheit des Angeklagten am Tatort machen können.

2) Mittels seiner eigenen früheren polizeilichen Aussage kann der Angeklagte dieser Tat ebenfalls nicht mit zu einer Verurteilung hinreichenden Sicherheit überführt werden. Der Angeklagte hat seinerzeit am 15.März 1966 angegeben, er habe von ihm heute unbekannten Vorgesetzten den Befehl erhalten, mit mehreren Kameraden in einem Wald in der Nähe von Biala-Podlaska eine Absperrungskette zu bilden, um die Flucht der zu erschiessenden Opfer zu verhindern. Die Opfer seien von Angehörigen der Gestapo mit einem oder zwei Lastkraftwagen zu zuvor ausgehobenen Gruben gefahren und dort unmittelbar nach ihrer Ankunft mit Maschinenwaffen hinterrücks erschossen worden. Nach seiner Erinnerung sei es so gewesen, dass die Lastwagen in grösseren Abständen angerollt und die jeweils herantransportierten Opfer sofort erschossen worden seien. Der eigentliche Grund der Erschiessungen sei ihn nicht bekannt gewesen. Er habe jedoch vor der Teilnahme gewusst, dass Erschiessungen vorgenommen werden sollten. Sich dem Befehl zu widersetzen, habe er keine Möglichkeit gesehen.

Nach diesen Angaben hat er sich noch während derselben Vernehmung dahin korrigiert, er könne nicht mehr sagen, ob er bereits vor der Absperrung gewusst habe, dass Exekutionen vorgenommen werden sollten. Dies habe er jedoch alsbald nach dem Beginn der Erschiessungen erkannt und diese keinesfalls innerlich gebilligt. Der Angeklagte hat auch bei dieser seiner ersten ausführlicheren Vernehmung zu Einzelfragen angegeben, sich an einen Zeitpunkt für diese Aktion im Augenblick nicht erinnern zu können. Dabei ist er auch bei seiner späteren Vernehmung vor dem Untersuchungsrichter geblieben. Nunmehr hat er sich in der Hauptverhandlung darauf berufen, seine Überlegungen hätten zu dem Ergebnis geführt, dass die von ihm in seiner Einlassung wiedergegebene Aktion in der ersten Hälfte des Jahres 1942 stattgefunden haben müsse, und zwar nach seinem Einsatz gegen Partisanen im Kreise Cholm und vor seiner Versetzung nach Chotylow.

Zwar spricht gegen diese seine jetzige Einlassung, dass er seinerzeit bei der schon genannten Vernehmung vom 15.März 1966 durch den ermittelnden Staatsanwalt angegeben hat, dass nach seiner Erinnerung bei der Aktion, bei der er eine Absperrungskette mit habe bilden müssen, 40 Menschen, lediglich Männer, erschossen worden sind. Zu diesen Angaben des Angeklagten passt die Schilderung des Zeugen Ryd., der angegeben hat, am 16.Dezember 1942 seien etwa 30 jüdische Männer von Gestapobeamten aus einem nach der zweiten Aussiedlungsaktion am 26.September 1942 noch verbliebenen Arbeitslager in Biala-Podlaska abgeholt und zu einem Ort ausserhalb der Stadt gebracht worden. Dort hätten sie eine Grube ausheben müssen und anschliessend seien 29 von ihnen an Ort und Stelle erschossen worden. Einer habe entkommen können und im Arbeitslager von den Ereignissen berichtet. Am nächsten Tag seien etwa 220 jüdische Männer mit Lastkraftwagen wegtransportiert worden, und 280 hätten zu Fuss einen Marsch machen müssen und seien dann zu der Stelle gelangt, an der sie, wie festgestellt, zu flüchten begannen. Diese Schilderung des Zeugen von der Erschiessung am 16.12.1942 könnte, wenn auch die Zahl der Opfer nicht 40 erreichte, zu der damaligen Einlassung des Angeklagten in Beziehung gebracht werden.

Der Angeklagte hat sich aber auch schon in der Voruntersuchung bei seiner richterlichen Vernehmung dazu dahin berichtigt, dass seine damalige Einlassung, die den Eindruck erwekke, als habe er zumindest nach der Aktion genau erfahren, was geschehen war, insoweit falsch sei. Er habe damals als eigenes Erleben hingestellt, was er nach der Aktion nach und nach von anderen dazu gehört habe. Ausserdem hat er sich darauf berufen, dass seine damalige Vernehmung von ihm nicht mehr durchgelesen worden sei. Die Vernehmung sei so plötzlich anberaumt worden, dass er sich von ihr geradezu überfallen gefühlt habe. Die gegen ihn erhobenen Vorwürfe hätten ihn so schockiert, so dass er auf das Diktat des Vernehmenden mehr oder weniger nicht mehr geachtet habe, und deswegen notwendige Richtigstellungen unterlassen habe. Diese jetzige Behauptung des Angeklagten findet in etwa in dem Schlussvermerk ihre Bestätigung, in dem es heisst "ich verzichte darauf, die Vernehmungsniederschrift selbst durchzulesen oder vorgelesen zu bekommen. Ich war beim Diktieren der Niederschrift ständig zugegen und habe mich davon überzeugt, dass meine Angaben ihrem Sinne nach richtig wiedergegeben worden sind." Es folgt dann vor der Unterschrift die Abkürzung "g.u.u." (wohl: "genehmigt und unterschrieben").

Das Schwurgericht sah angesichts der vorgeschilderten Umstände keine Möglichkeit, die Einlassung des Angeklagten zu widerlegen, dass die von ihm in seiner Einlassung geschilderte Mithilfe bei einer Absperrung nicht bei der Erschiessungsaktion am 16. oder 17.12.1942 erfolgt ist.

Darüber hinaus sei bemerkt, dass auch die Behauptung des Angeklagten, er habe vor der in seiner Einlassung geschilderten Aktion nicht gewusst, dass er mithelfen solle, einen Erschiessungsplatz zu sperren, nicht zu widerlegen war. Dazu hat nämlich der seinerzeit beim Stab des Gendarmeriezuges Biala-Podlaska tätige Zeuge Blu. angegeben, dass die Gestapo häufig eigenmächtig ohne den Zugführer zu benachrichtigen vom Gendarmerieposten Gendarmeriebeamte zu Sondereinsätzen angefordert und erhalten habe. Wegen dieser Tatsache sei es später zu einem grossen Auftritt zwischen dem seinerzeitigen Gendarmeriezugführer Rudeck und dem Gestapobeamten Stillhammer gekommen. Weiter hat der Zeuge Blu., nachdem ihm in groben Zügen die von dem Angeklagten in seiner Einlassung geschilderte Aktion vorgehalten worden war, spontan erklärt, dass sie in ihrem äusseren Bild einer damals im Raume

Biala-Podlaska üblichen Partisanenaktion entsprochen hat. Der Zeuge hat dazu ausgeführt, dass die Gestapo die Partisanenbekämpfung dann geleitet hat, wenn mit einiger Sicherheit feststand, dass sich in bestimmten Räumen oder Bezirken Partisanen aufhielten. Die Bekämpfung der Partisanen ist dann so erfolgt, dass Gendarmerie und andere verfügbare Kräfte dieses Gelände umstellten, während die Gestapobeamten selbst den Bereich durchkämmten. Zudem ist diesem Zeugen schon nach der ersten "Aussiedlungsaktion" am 10.6.1942 bekannt geworden - gelegentlich will er etwa im Juli/August 1942, Transporte von Juden auf Lastwagen beobachtet haben -, dass in den südlich Biala-Podlaska gelegenen Wäldern Juden von der Gestapo erschossen worden seien. Diese Angaben hat der Zeuge mit erstaunlicher Freimütigkeit gemacht und dazu hervorgehoben, dass er seinerzeit allenfalls mit dem Zugführer Rudeck über seine Beobachtungen gesprochen hat. Rudeck habe sich sehr darüber erregt, dass eventuell auch zu diesen Aktionen der Gestapo Gendarmeriebeamte ohne sein Wissen hinzugezogen worden sein könnten.

G. « Freispruch und Kostenentscheidung »

1) Der Angeklagte war vom Vorwurf des Mordes (§211 StGB) und der Beihilfe zum Mord (§211, 48 StGB) freizusprechen. Die Hauptverhandlung hat insbesondere bezüglich des dem Angeklagten vorgeworfenen Mords an dem Juden Zalman Liwerant trotz eines nicht unerheblichen bestehengebliebenen Verdachts nicht zu einer Verurteilung des Angeklagten ausreichenden sicheren Feststellungen geführt. Neben den widersprüchlichen Angaben der Tatzeugen Rod. und Israel Bek. zum äusseren Tathergang liessen die Angaben des Zeugen Israel Bek., auf denen der Vorwurf der Anklage in erster Linie fusst, zu grosse Zweifel darüber offen, ob der Zeuge nicht infolge des langen Zeitablaufs Täuschungen in seiner Erinnerung erlegen ist, die letztlich zum Freispruch des Angeklagten mangels ausreichenden Nachweises der Tat führen mussten.

Aus dem gleichen Grunde war der Angeklagte von der Beihilfe zum Mord freizusprechen. Insoweit war ihm nicht nachzuweisen, dass er an der Aktion mitgewirkt hat, die der Anklage zugrunde liegt.

2) Die Kostenentscheidung folgt aus §473 StPO.

3) Gemäss §8 Strafrechtsentschädigungsgesetz war anzuordnen, dass der Angeklagte für die erlittene Untersuchungshaft aus der Staatskasse zu entschädigen ist.

Lfd.Nr.805

Tatkomplex
Massenvernichtungsverbrechen durch Einsatzgruppen, Kriegsverbrechen

Tatort
Belaja-Zerkow, Kiew (Babi-Yar Schlucht), Shitomir, Wassilkow

Tatzeit
4108-4109

Gerichtsentscheidungen
LG Darmstadt vom 12.12.1973, 2 Ks 2/73

2 Ks 2/73

Im Namen des Volkes

In der Strafsache gegen

den Wein- und Spirituosenkaufmann August Häf., geboren am 31.1.1912 in Mellingen (Schweiz), wohnhaft in Schwäbisch-Hall, verheiratet, Deutscher

wegen Mordes und Beihilfe zum Mord

hat das Schwurgericht bei dem Landgericht Darmstadt aufgrund der Hauptverhandlung vom 12.12.1973 für Recht erkannt:

> Der Angeklagte wird wegen Beihilfe zum Mord in drei Fällen (Verbrechen nach §§211, 49, 74 StGB) zu einer Gesamtfreiheitsstrafe von acht Jahren verurteilt.
> Die erlittene Untersuchungshaft sowie die im Zusammenhang mit dem Einsatzgruppenprozess in Nürnberg erlittene Zeugenhaft in Höhe von fünf Monaten werden angerechnet.
> Der Angeklagte ist auf die Dauer von fünf Jahren unfähig, öffentliche Ämter zu bekleiden.
> Der Angeklagte hat die Kosten des Verfahrens und seine notwendigen Auslagen - einschliesslich der in der Revisionsinstanz entstandenen Kosten und Auslagen - zu tragen, soweit über sie nicht bereits im Urteil des Bundesgerichtshofs vom 5.4.1973 entschieden worden ist. Die Revisionsgebühr wird um ein Viertel ermässigt.

GRÜNDE

Der Angeklagte ist durch Urteil des Schwurgerichts Darmstadt vom 29.11.1968 - Ks 1/67 (GStA) [256] - wegen Beihilfe zum Mord in vier Fällen zu einer Gesamtstrafe von neun Jahren Zuchthaus verurteilt worden. Zugleich sind ihm die bürgerlichen Ehrenrechte auf die Dauer von fünf Jahren aberkannt worden. Die erlittene Untersuchungshaft ist angerechnet worden, ebenso die im Zusammenhang mit dem Einsatzgruppenprozess in Nürnberg erlittene Zeugenhaft in Höhe von fünf Monaten. Die Einzelstrafen betragen drei Jahre Zuchthaus im Fall Shitomir 1, vier Jahre Zuchthaus im Fall Bjelaja-Zerkow 2, fünf Jahre Zuchthaus im Fall Wassilkow und sechs Jahre Zuchthaus im Fall Babi-Jar-Schlucht in Kiew.

Auf die Revision des Angeklagten hat der Bundesgerichtshof durch Urteil vom 5.4.1973 - 2 StR 427/70 [257] - unter Verwerfung der weitergehenden Revision (die den gesamten Schuldspruch angriff) das Verfahren im Fall Wassilkow wegen Verjährung der Strafverfolgung auf Kosten der Staatskasse eingestellt, das Urteil im Gesamtstrafausspruch mit den Feststellungen hierzu aufgehoben und in diesem Umfang das Verfahren zu neuer Verhandlung und Entscheidung - auch über die Kosten des Rechtsmittels, soweit über sie nicht im Zusammenhang mit der Einstellung im Fall Wassilkow entschieden worden ist - an das

[256] Siehe Lfd.Nr.694a.

[257] Siehe Lfd.Nr.694b.

Schwurgericht zurückverwiesen. Zugleich ist das Urteil des Schwurgerichts dahin abgeändert worden, dass der Angeklagte statt zu Zuchthaus zu Freiheitsstrafen verurteilt worden ist.

Somit sind der Schuldspruch wegen Beihilfe zum Mord in drei Fällen (Shitomir 1, Bjelaja--Zerkow 2, Babi-Jar-Schlucht in Kiew) und folgende Einzelstrafen in Rechtskraft erwachsen:
Im Fall Shitomir 1 drei Jahre Freiheitsstrafe,
im Fall Bjelaja-Zerkow 2 vier Jahre Freiheitsstrafe,
im Fall Babi-Jar-Schlucht in Kiew sechs Jahre Freiheitsstrafe.

Ebenso sind die in dem Urteil des Schwurgerichts vom 29.11.1968 enthaltenen tatsächlichen Feststellungen, soweit sie diesem Schuldspruch und diesen Einzelstrafen zugrunde liegen, in Rechtskraft erwachsen. Insoweit wird auf die Gründe dieses Urteils Bezug genommen (Seite 13 bis 18, 49 bis 58, 61 bis 75, 77 bis 85, 90 bis 106, 109 bis 111, 245 bis 250, 252 bis 254, 266 bis 270, 270 bis 277, 373 bis 374, 375 bis 388, 395 bis 405, 437 bis 445, 447 bis 448, 450 bis 452, 456 bis 462, 486 bis 490, 535 bis 544, 640 bis 645, 651 bis 654, 655 dieses Urteils [258], jeweils soweit Rotklammer).

Der Angeklagte befand sich im vorliegenden Verfahren vom 25.5.1965 bis zum 29.11.1968 in Untersuchungshaft. Seit dem 29.11.1968 ist der Haftbefehl ausser Vollzug gesetzt.

Die jetzige Hauptverhandlung hat aufgrund der Angaben des Angeklagten ergänzend folgendes ergeben:

Seit seiner Entlassung aus der Untersuchungshaft wohnt der Angeklagte wieder zusammen mit seiner Ehefrau in Schwäbisch-Hall. Er arbeitet seitdem wieder in dem von seinem Vater übernommenen Geschäft mit, das nunmehr von seiner Ehefrau als Inhaberin betrieben wird. Er hat kein eigenes Einkommen, sondern wird von seiner Ehefrau aus deren Einnahmen unterhalten. Er ist gesundheitlich beeinträchtigt; insbesondere leidet er immer wieder an Kreislaufstörungen.

Die bei der Bildung der Gesamtstrafe gemäss §75 Abs.1 StGB erforderliche zusammenfassende Würdigung des Angeklagten und der Taten ergibt folgendes:

Hinsichtlich der Persönlichkeit sind dieselben Gesichtspunkte massgebend, die bereits im Urteil des Schwurgerichts vom 29.11.1968 bei der Bemessung der Einzelstrafen berücksichtigt worden sind. Dasselbe gilt für die dort festgestellten Milderungsgründe, soweit sie mit den Taten zusammenhängen. Insbesondere war zu berücksichtigen, dass ausser im Fall Babi--Jar-Schlucht, für den die höchste Einzelstrafe verhängt wurde, die Beteiligung des Angeklagten an den Taten verhältnismässig schwach war. Im Fall Shitomir 1 beschränkte sie sich letztlich auf seine körperliche Anwesenheit, die ihm in dienstlicher Eigenschaft befohlen worden war. Auch zum Fall Bjelaja-Zerkow ist im Urteil vom 29.11.1968 festgestellt, dass er im Ergebnis nur am Rande und ohne massgeblichen Einfluss mitwirkte. Andererseits ging aber hier seine Mitwirkung insofern über diejenige im Fall Shitomir 1 hinaus, als er der Leiter der eigentlichen Erschiessungsaktion war. Diese seine Mitwirkung war jedenfalls stärker, als dass sie eine nur unwesentliche Erhöhung der höchsten Einzelstrafe von sechs Jahren rechtfertigen könnte. Unter diesen Umständen erschien eine Gesamtfreiheitsstrafe von acht Jahren angemessen. Die erlittene Untersuchungshaft und die im Zusammenhang mit dem Nürnberger Einsatzgruppenprozess erlittene Zeugenhaft in Höhe von fünf Monaten waren anzurechnen.

[258] = JuNSV Bd.XXXI S.12-14, 27-31, 32-38, 39-41, 44-50, 51-52, 104-106, 106-107, 112-113, 114-117, 155, 155-161, 164-168, 180-183, 184, 185-186, 188-190, 200-201, 218-222, 260-261, 264-265.

Die Anordnung der Unfähigkeit zur Bekleidung öffentlicher Ämter beruht auf §31 Abs.1 StGB. Weitere Folgen nach dieser Vorschrift treten nicht ein, weil sie über die Folgen der ursprünglich im Urteil vom 29.11.1968 angeordneten Aberkennung der bürgerlichen Ehrenrechte hinausgehen würden.

Die Kostenentscheidung beruht auf §§465, 473 StPO.

Lfd.Nr.806

Tatkomplex
Kriegsverbrechen

Tatort
Tupice

Tatzeit
420914

Gerichtsentscheidungen
LG Traunstein vom 13.03.1974, Ks 9/73
BGH vom 10.06.1975, 1 StR 192/75

INHALTSVERZEICHNIS

der unter Lfd.Nr.806 veröffentlichten Urteile

LG Traunstein vom 13.03.1974, Ks 9/73

BGH vom 10.06.1975, 1 StR 192/75

Ks 9/73 (291/72)

Im Namen des Volkes

In dem Strafverfahren gegen

Enz. Johann [259], geb. am 24.10.1913 in Abtenham, deutscher Staatsangehöriger, verh. Chemiefachwerker, wohnhaft in Emmerting, LKrs.Altötting,

wegen Mordes (NSG)

hat das Schwurgericht des Landgerichts Traunstein in der Sitzung vom 13.März 1974 für Recht erkannt:

> I. Der Angeklagte Johann Enz. ist schuldig eines Verbrechens der Beihilfe zum Mord in 80 rechtlich zusammentreffenden Fällen gem. §§211, 49, 73 StGB.
> Er wird deshalb zu einer Freiheitsstrafe von 4 Jahren Dauer verurteilt.
> II. Der Angeklagte hat die Kosten des Verfahrens zu tragen.

GRÜNDE

« I. Der Sachverhalt »

1. Der Angeklagte Johann Enz. führte als Oberscharführer einen Zug der 7.Kompanie II./10.SS-Inf.Regt., das mit anderen Truppenteilen der 1.SS-Inf.Brigade (mot.) im Rahmen des Unternehmens "Sumpffieber" in Weissruthenien im Herbst 1942 zur Säuberung des rückwärtigen Heeresgebietes von Freischärlern eingesetzt wurde. Das Unternehmen "Sumpffieber" stand unter Leitung des Höheren SS- und Polizeiführers (HSSPF) Jeckeln (1946 in Riga gehenkt); Brigadeführer war Karl von Treuenfeld (verstorben), Regimentskommandeur des 10.SS-Inf.Regts. Standartenführer Karl Herrmann (verstorben), das 2.Bataillon wurde von Sturmbannführer Kurt Kummer (vermisst), die Kompanie von Obersturmführer Kurt Prochaska (vermisst) geführt.

Der von Jeckeln gegebene Einsatzbefehl Nr.5 für das Unternehmen "Sumpffieber-Südwest" lautete u.a.

> "I.1. Die 1.SS-Inf.Brigade (mot) führt gemäss dem von mir befohlenen und durchgeführten Aufmarsch am 13. und 14.9.1942 die Säuberung eines Raumes durch, der begrenzt wird durch die Linie Iwacewicze (südwestlich von Baranowitsche) - Koziki - Bobrowickie See, von da nach Norden durch die Sümpfe (96/50) - dann in westlicher Richtung entlang der Szczara bis Czemioli (93/37) - die Rollbahn entlang bis Iwacewicze. Zur Durchführung des Unternehmens ist der Brigade-Stab bereits am 12.September 1942 nach Iwacewicze vorverlegt worden.
> 2. Bei Durchführung des Unternehmens ist mit aller Schärfe vorzugehen; alle in den Sumpf- und Waldgebieten des Einsatzraumes liegenden Dörfer sind zu vernichten ..."

[259] Rechtskräftig durch Urteil des BGH vom 10.6.1975, 1 StR 192/75, Lfd.Nr.806b.

Der Angeklagte wurde am 13.September 1942 mit seinem Truppenteil von Iwacewicze auf einer Feldbahn in südöstlicher Richtung bis in die Gegend des Dorfes Bobrowicze [260] transportiert. Dort bezog die Einheit Unterkünfte. Am 14.September 1942 erhielt der Angeklagte von seinem Kompanieführer Prochaska den Befehl, mit seinem Zug das etwa 1.500 m weiter nördlich am Bobrowickie See gelegene Dorf Tupice zu umstellen, die Bevölkerung zu erschiessen und die Ortschaft abzubrennen.

Der Angeklagte erhob hiergegen keine Einwände, vergewisserte sich auch nicht durch Rückfrage über den genauen Umfang des betroffenen Personenkreises, fügte sich vielmehr widerspruchslos, ohne zu versuchen, sich dem Befehl in irgend einer Weise zu entziehen. Er umstellte mit etwa 40 Mann das Dorf Tupice, liess von etwa 6 bis 7 jungen Männern aus dem Dorf etwa 100 m vom Ortsrand eine 4 x 4 m messende, ca. 2 m tiefe Grube ausheben, die jungen Männer erschiessen und die Bevölkerung des Dorfes in etwa 50 bis 100 m Entfernung von dieser Grube zusammentreiben. Es handelte sich um Männer und Frauen jeglichen Alters, Kinder und Kleinkinder, die von ihren Müttern noch auf dem Arm getragen wurden. Die Dorfbewohner wurden, ohne dass eine Erklärung abgegeben wurde, in Partien von etwa 6 Personen zur Grube getrieben und gezwungen, sich mit dem Gesicht zum Grubenrand niederzuknien. Dann wurden sie jeweils auf Kommando des Angeklagten von einer gleichen Anzahl Schützen seines Zuges aus etwa 2 m Entfernung mit Karabinern in den Hinterkopf geschossen.

Soweit die Opfer nicht gleich tot waren, schoss der Angeklagte mit der Maschinenpistole nach. Zeigten nach der Schussabgabe mehrere Personen noch Lebenszeichen, schossen der Angeklagte und die Schützen so lange in die Grube, bis sich nichts mehr rührte. Die Kleinkinder mussten von ihren Müttern den - vom Angeklagten besonders eingeteilten - Schützen so hingehalten werden, dass sie ebenfalls in den Kopf geschossen werden konnten.

Die Opfer konnten von dem Ort, an dem sie zunächst zusammengetrieben worden waren, die Exekution zwar nicht sehen, weil die Grube durch einen Hügel verdeckt war. Sie konnten die Schüsse aber hören. Ein 6 bis 10 Jahre alter Bub versuchte schreiend zu flüchten. Er wurde aber von den Soldaten des Angeklagten zurückgeholt und erschossen. Die anderen Zivilisten leisteten keinen Widerstand, einige wimmerten, verschiedene warfen sich vor der Grube zu Boden. Der Angeklagte liess sie in dieser Stellung erschiessen und in die Grube schieben. Ebenso geschah es mit der von der Exekution herrührenden, verspritzten Blut- und Gehirnmasse. Nach der Erschiessung liess der Angeklagte die Grube von seinen Leuten zuschütten und das Dorf niederbrennen. Dann kehrte er nach Bobrowiecze zurück und meldete seinem Kompanieführer den Vollzug des Befehls.

Die Zahl der erschossenen Dorfbewohner betrug wenigstens 80 Personen, wahrscheinlich aber noch mehr. Ein Arzt wurde bei der Exekution nicht hinzugezogen. Der Angeklagte traf im Dorf keine waffentragenden Zivilpersonen an. Beim Niederbrennen explodierte in den Häusern versteckte Munition. Die Erschiessung und Einäscherung wurde weder vorher angedroht noch nachträglich bekannt gemacht. Die Exekution dauerte etwa 3/4 Stunden.

2. Der Angeklagte erkannte bei Entgegennahme des Befehls, die Einwohnerschaft des Dorfes ausnahmslos zu erschiessen, dass er bei der Exekution unterschiedslos der Unterstützung der Partisanen verdächtige und unverdächtige Personen, unschuldige Greise, Frauen, Kinder und Kleinkinder zu erschiessen hatte. Er wusste dabei, dass die Massenerschiessung infolge der notwendigerweise damit verbundenen Umstände den Opfern vor dem Tod besondere seelische Qualen zufügen musste; er ist aber dennoch aus gefühlloser und unbarmherziger Ge-

[260] Im Urteil auch 'Bobrowiecze' geschrieben.

sinnung unbeteiligt und ohne grösstmögliche Schonung der Opfer gegen die Dorfbewohner vorgegangen, wobei er die Opfer nicht als seinesgleichen, sondern lediglich als Objekt einer willkürlichen militärischen Aktion angesehen hat. Schliesslich war ihm bekannt, dass die Ausrottung der Zivilbevölkerung eine aus derselben Einstellung geborene, reine Willkürmassnahme des Befehlsgebers war, und dass diesem die Umstände einer derartigen Massenexekution und die damit verbundenen seelischen Qualen für die Opfer bewusst waren. Ihm war auch bekannt, dass der Befehlsgeber dennoch nicht angeordnet hatte, möglichst schonend, sondern vielmehr rigoros und mit aller Schärfe gegen die Zivilbevölkerung vorzugehen und diese binnen kürzester Zeit an Ort und Stelle zu erschiessen.

Der Angeklagte hat den Befehl mit besonderem Diensteifer und Konsequenz ausgeführt, den Rahmen des genau umgrenzten und inhaltlich eine Ermessensentscheidung des Befehlsempfängers nicht umfassenden Befehls "alle Einwohner des Dorfes Tupice" zu erschiessen, aber nicht überschritten. Ein eigenes Interesse an der Ausrottung der Dorfbewohner hatte der Angeklagte nicht.

II. « Einlassung des Angeklagten; Beweismittel und Beweiswürdigung »

Dieser Sachverhalt steht fest aufgrund der Einlassung des Angeklagten, soweit dieser gefolgt werden konnte, sowie der glaubhaften eidlichen Aussagen der Zeugen Otto Böh., August Di., Josef Schö. und Emil Schu., der uneidlichen Aussage des Zeugen August Bec., der auszugsweise verlesenen Ablichtungen der Kriegstagebücher des Kommandostabes des Reichsführers SS, des Höheren SS- und Polizeiführers Ostland und der 1.SS-Inf.Brigade sowie den Tätigkeitsberichten dieser Einheit (Originale im Staatsarchiv Prag) und der in Augenschein genommenen Deutschen Heereskarte für Russland, Abschnitt Pinsk.

Der Angeklagte lässt sich wie folgt ein:

Er gibt zwar zu, als Führer eines Zuges in der "Gegend von Borissow" im Herbst 1942 eine Erschiessung von sämtlichen Bewohnern eines Dorfes mit Frauen, Männern und Kinder geleitet zu haben. An den genauen Zeitpunkt und den Ort könne er sich nicht mehr erinnern. Ihm sei vorher mitgeteilt worden, dass die Dorfbewohner - etwa 80 erschossene Personen, unter denen auch Kleinkinder im Alter von ein bis zwei Jahren gewesen seien - verdächtig seien, Verbindungen zu den Partisanen zu unterhalten. Über die Rechtmässigkeit des von seinem Kompanieführer an ihn weitergegebenen Befehls habe er sich keine Gedanken gemacht. Jeder Befehl sei ihm "heilig" gewesen. Er habe deshalb auch nicht erwogen, sich dem Befehl zu widersetzen oder bei der Ausführung irgendwie den Befehl zu umgehen. Ein Widersetzen sei auch sinnlos gewesen, weil er sonst selbst mit einer Erschiessung hätte rechnen müssen. Es sei notwendig gewesen, die Kleinkinder zu erschiessen, weil sie sonst allein zurückgeblieben und verhungert wären.

Der genaue Ort und der Zeitpunkt der vom Angeklagten geleiteten Erschiessungsaktion ergibt sich aus dem Zusammenhang der vom Angeklagten, dem Augenzeugen August Bec. und dem Zeugen vom Hörensagen Di. geschilderten Einzelheiten.

Der Angeklagte gibt an, sein Truppenteil sei im Spätsommer 1942 von Borissow aus zum Partisaneneinsatz ausgerückt. Er habe den Befehl zum Abbrennen des Dorfes in einem anderen Dorf erhalten, das etwa 500 m davon entfernt gewesen sei. Beide Dörfer hätten in unmittelbarer Nähe eines Sees gelegen. Bec. gibt an, die Kompanie sei für diesen Einsatz in Baranowitsche in eine Schmalspurbahn verladen und nach einer Fahrt durch einen grossen Wald in Marsch gesetzt worden. Das unter Kommando des Angeklagten von dessen Zug niedergebrannte Dorf habe ein Stück von der Bahn entfernt im Sumpfgebiet an einem grösseren See gelegen, ebenso das Dorf, in dem die Kompanie Nachtquartier bezogen hatte. Der Zeuge Di., der seinerzeit Kommandeur des 1.Bataillons gewesen ist, gibt an, Kummer

(Kommandeur des 2.Bataillons, dem der Angeklagte angehörte) habe im Rahmen der Aktion "Sumpffieber" alle Einwohner eines Dorfes an einem See, etwa 25 km südöstlich von Iwacewicze, einschliesslich der Frauen und Kinder erschiessen lassen. Zu diesem Dorf sei man mit einer aus dem 1.Weltkrieg stammenden Feldbahn gelangt. Aus dem Kriegstagebuch des Höheren SS- und Polizeiführers Jeckeln geht schliesslich hervor, dass die 1.SS-Inf.Brigade (mot.) am 14.September 1942 "die als Bandenunterkünfte bekannten Ortschaften Bobrowicze und Tubcze [261]" niedergebrannt und etwa 800 Personen erschossen hat. Ebenso heisst es in dem abschliessenden Bericht der Brigade, dass u.a. die Ortschaften Bobrowicze, "Tubice [262]" und Wiado niedergebrannt und 817 Zivilpersonen erschossen worden sind. Da nach der Deutschen Heereskarte im Gebiet von Baranowitsche nur eine Schmalspurbahn in den Bereich eines Sees führt, auf den die Beschreibung des Angeklagten und des Zeugen Bec. zutrifft, wo auch im Rahmen der Aktion "Sumpffieber" Dörfer niedergebrannt worden sind, kann es sich bei dem vom Angeklagten heimgesuchten Ort lediglich um das - wie Bec. und der Angeklagte übereinstimmend angeben - am weitesten von der Bahn entfernte, am Bobrowickie See gelegene Tupice gehandelt haben, das am 14.September 1942 vom Zug des Angeklagten niedergebrannt worden ist.

Ob Jeckeln oder Kummer den Befehl, sämtliche Bewohner von Tupice zu töten, gegeben hat, kann nicht mehr genau festgestellt werden. Aus dem Kriegstagebuch des HSSPF (5.September 1942) ist zu entnehmen, dass Jeckeln bei Säuberung des Gebietes "Naliboki-Wald" angeordnet hat, Dörfer und Höfe im Partisanengebiet abzubrennen, "banditenverdächtige Personen zu liquidieren und das ganze Gebiet zu evakuieren". Di. bekundet, Kummer habe als Vergeltung für die Erschiessung einer SD-Streife, die in Booten einen See erkundet habe, das bereits erwähnte Dorf vernichtet, obwohl dafür keine Notwendigkeit bestanden hätte. Nach dem Tagebuch des HSSPF vom 13.September 1943 [263] ist eine SD-Streife von 10 Mann an diesem Tag am ca. 9 km weiter östlich gelegenen - unbesiedelten - Wygonowskie See gefallen. Das deutet darauf hin, dass der von Jeckeln erteilte Befehl, "banditenverdächtige" Personen zu erschiessen, von Kummer im gegebenen Fall eigenmächtig dahin ausgedehnt wurde, die gesamte Dorfbevölkerung von Tupice zu erschiessen. Wer aber letztlich diesen Befehl herausgegeben hat, kann dahingestellt bleiben, da unter diesen Umständen die Einlassung des Angeklagten, er habe von seinem Kompanieführer den entsprechenden Befehl erhalten (und nicht eigenmächtig gehandelt), mit Sicherheit den Tatsachen entspricht.

Die Umstände und Einzelheiten der Exekution, die Zahl der Opfer und das Verhalten dieser Opfer, sowie das Verhalten des Angeklagten ergeben sich aus den übereinstimmenden und glaubhaften Bekundungen des Angeklagten und des Zeugen Bec., die den Tathergang, wie unter I 1 dargestellt, geschildert haben. Bec. will sich an verschiedene Einzelheiten heute nicht mehr erinnern. Soweit er jetzt erklärt, er sei nicht mehr sicher, dass der Angeklagte die Exekution geleitet habe, wird die Richtigkeit seiner im Ermittlungsverfahren vor der Polizei gemachten eindeutigen Aussage, der Angeklagte und niemand anders habe die Exekution geleitet, durch das im Ermittlungsverfahren und in der Hauptverhandlung insoweit gemachte Geständnis des Angeklagten als richtig bestätigt. Der Angeklagte hat keinen Anlass, sich selbst wider besseres Wissen zu belasten. Bec. räumt ein, dass ihm der Name des Angeklagten bei der polizeilichen Vernehmung ohne Vorhalt spontan eingefallen sei. Eines Eingehens auf den von der Staatsanwaltschaft gestellten Hilfsbeweisantrag, die Vernehmungsbeamten darüber zu hören, dass dem Zeugen Bec. seinerzeit nichts in den Mund gelegt wurde, und dass die Aussage korrekt niedergelegt wurde, bedarf es daher nicht. Die polizeiliche Nieder-

[261] Gemeint ist wohl: Tupice.

[262] Gemeint ist wohl: Tupice.

[263] Richtig wohl: 13.September 1942.

schrift über die Angaben des Zeugen Bec. stimmt in allen wesentlichen Einzelheiten über die Exekution mit der Darstellung des Angeklagten überein.

Der Angeklagte hat gegen Ende der Hauptverhandlung versucht, abzuleugnen, dass bei der Exekution Kleinkinder erschossen worden sind. Das steht aber im Gegensatz zu seiner eingangs der Hauptverhandlung gemachten Bekundung, er habe drei bis vier Kleinkinder erschiessen lassen, und im Gegensatz zu seiner Aussage bei der Polizei, es seien Frauen mit Kleinkindern erschossen worden. Dabei habe er Schützen für die Erschiessung der Kleinkinder besonders eingeteilt. Diese beiden Angaben entsprechen nach Überzeugung des Gerichts den Tatsachen, da wiederum ein einleuchtender Grund, warum sich der Angeklagte wider besseres Wissen bis in die Hauptverhandlung belasten sollte und eine derartige ins Detail gehende Schilderung abgegeben hat, nicht ersichtlich ist. Es entspricht auch der Lebenserfahrung, dass es in einem Dorf mit wenigstens 80 Einwohnern zumindestens einige Kleinkinder gibt. Di. weiss vom Hörensagen, dass in Tupice Frauen und Kinder erschossen wurden. Bec. hat schliesslich in seiner polizeilichen Aussage bekundet - was heute angeblich seiner Erinnerung entfallen ist - dass auch Frauen mit ihren Kindern und Kleinstkindern erschossen worden sind. Schliesslich bestand für die Dorfbewohner kein Grund, die Kinder zu verbergen, da derartige Greuel von deutschen Truppen gegen - in Tupice offenbar ausschliesslich lebende - nichtjüdische Landeseinwohner bis zu diesem Zeitpunkt offensichtlich noch nicht vorgekommen waren und selbst bei einer Verbindung mit den Partisanen gerade die Gegenwart von Kindern die Dorfbewohner unverdächtig erscheinen lassen musste.

Der Angeklagte gibt im übrigen zu, ohne Gegenvorstellung, Rückfrage oder Widerspruch den kommentarlos erteilten Befehl entgegengenommen, auf der Stelle, vollständig und genau und ohne Ausflüchte ausgeführt und selbst Nachschüsse abgegeben zu haben. Von einer ausdrücklich erklärten Drohung der Vorgesetzten, bei Nichtausführung des Befehls den Angeklagten zur Rechenschaft zu ziehen, weiss der Angeklagte nichts.

Jeckeln oder Kummer, die den Befehl, sämtliche Einwohner von Tupice zu erschiessen, von sich aus und offenbar ohne besondere Anordnung Hitlers oder Himmlers, erteilt haben, wussten ebenso wie Prochaska, der den Befehl an den Angeklagten weitergegeben hat, dass eine kriegsmässige Massentötung notwendigerweise mit besonderen seelischen Qualen für die Opfer verbunden sein musste, insbesondere wenn die Ausrottung eines ganzen Dorfes angeordnet wird, wobei - wie jedem bekannt ist - notwendigerweise auch die dort wohnenden unbeteiligten Frauen und Kinder getötet werden. Daraus geht hervor, dass Jeckeln oder Kummer die Einstellung hatten, sie seien Herren über Leben und Tod der ihnen ausgelieferten Zivilbevölkerung und sie könnten sich aus reiner Willkür und in grundsätzlicher Missachtung über die Menschenrechte dieser Betroffenen hinwegsetzen.

Jeckeln, Kummer und Prochaska hatten zudem persönliche Erfahrungen über den Verlauf von Massentötungen. Nach glaubhaften Angaben des Zeugen Schu. hatte Jeckeln bereits im Sommer 1941 vermutlich in Stara-Konstantino bei einer von SS- und Polizeioffizieren vor versammelter Mannschaft offenbar zur "Anschauung" durchgeführten Massenerschiessung von wenigstens 200 Juden selbst mitgeschossen. Prochaska hatte nach glaubhafter Bekundung des Zeugen Böh., dem dies wiederum in glaubhafter Weise ein Augenzeuge unmittelbar nach dem Vorfall mitgeteilt hat, im Sommer 1941 an einer Rollbahn im Pripjet-Gebiet eine Massenerschiessung von Männern, Frauen und Kindern geleitet. Di. gibt glaubhaft an, Kummer habe schon 1941 nach einem Gefecht im Pripjet-Gebiet bei Leschitzky, bei dem das Bataillon einen Flussübergang erzwungen hatte, ein ganzes Dorf mit Frauen und Kindern ausrotten lassen. Aus dem dennoch vorbehaltlos und ohne Anweisung zur Rücksichtnahme gegebenen Befehl, die Dorfbevölkerung von Tupice ausnahmslos zu erschiessen, geht hervor, dass die Befehlsgeber die auftretenden Greuel zumindestens billigend in Kauf genommen haben.

Dem Angeklagten, der nach der eigenen Angabe Augenzeuge der Vorfälle von Leschitzky war, war diese Einstellung seiner Vorgesetzten bekannt, gerade weil ihm befohlen wurde, ein ganzes Dorf in einer kriegsmässigen Aktion mit nur 40 Mann auszurotten und dabei rigoros und mit aller Schärfe, vorzugehen und unterschiedslos alle Einwohner ohne Rücksicht auf Alter und Geschlecht zu töten. Ihm war auch - schon aus den Vorfällen von Leschitzky - bewusst, dass bei der Massenexekution den Opfern unweigerlich über den Tötungszweck hinausgehende besondere Qualen zugefügt wurden. Der Angeklagte hat selbst von dem schreiend weglaufenden Buben, dem Wimmern und Niederwerfen der Opfer, den unbeschreiblich blutigen Verhältnissen an der Grube, der Tötung der Kleinkinder und der Todesangst der in Hörweite wartenden Opfer sowie dem Erfordernis, Nachschüsse zu erteilen, weil die Opfer in verschiedenen Fällen nicht sofort tot waren, berichtet. Das hat keine menschlichen Regungen bei ihm hervorgerufen. Er hat vielmehr die Exekution mit Konsequenz weiter durchgeführt. Das zeigt, dass er ebenfalls aus gefühlloser und unbarmherziger Gesinnung gehandelt hat und dass er die Opfer nicht als Menschen mit Anspruch auf Leben und Menschenrecht ansah, sondern als wertlose Existenzen, die er jederzeit auslöschen durfte.

III. « Rechtliche Würdigung »

1. Die Beurteilung der Tat des Angeklagten richtet sich nach dem deutschen Strafrecht, weil der Angeklagte deutscher Staatsangehöriger ist und die Tat auch am Tatort strafwürdiges Unrecht dargestellt hat (§3 StGB). Zur Tatzeit haben die Vorschriften der §§211, 49 StGB bereits in der heutigen Fassung Geltung gehabt (RGBl. I 549 vom 4.September 1941).

2. Der Angeklagte hat durch Tat bei einer vorsätzlich durch ein- und dieselbe Handlung aus niedrigen Beweggründen grausam begangenen Tötung von 80 Menschen wissentlich Hilfe geleistet.

a) Jeckeln oder Kummer, die die Ausrottung der Dorfbevölkerung von Tupice angeordnet haben, haben aufgrund ihrer Stellung und Befehlsgewalt und in Kenntnis des blinden Gehorsams ihrer Untergebenen einen bestimmenden Einfluss auf den Geschehensablauf gehabt und die Modalitäten der Tatausführung durch Angabe des Objekts und der Art des Vorgehens weitgehend selbst bestimmt. Sie haben die Tat - selbst wenn ein derartiger Akt von Hitler oder Himmler befohlen worden wäre - zu ihrer eigenen Sache gemacht und als eigene gewollt, weil sie der politischen Mordhetze willig nachgegeben, ihr eigenes Gewissen zum Schweigen gebracht, fremde verbrecherische Ziele zur Grundlage ihres eigenen Handelns gemacht, in ihrem Befehlsbereich dafür gesorgt, dass solche Befehle rückhaltlos vollzogen wurden und dabei durch eigenmächtige Ausrottung auch von Frauen und Kindern einverständlichen Eifer gezeigt haben. Sie sind deshalb als Haupttäter anzusehen (BGHSt. 18, 87/89; BGHSt. 8, 393/396). Die Anordnung der Ausrottung erfolgte aus niedrigen Beweggründen. Jeckeln oder Kummer haben sich im gegebenen Fall aus reiner Willkür über Tod und Leben der Einwohner des betroffenen Dorfes aufgeworfen. Es bestand ein grobes Missverhältnis zwischen Anlass (Partisanenüberfall auf die SD-Streife am Wygonowskie See oder Verdacht der allgemeinen Unterstützung von Partisanen) und Ausführung der Tat (Tötung von sämtlichen Dorfbewohnern gleich welchen Geschlechts oder welcher Altersstufe, ob verdächtig oder unverdächtig). Schliesslich ist die Tötung von unschuldigen Kleinkindern, deren Erschiessung nicht mehr vom Ziel der Partisanenbekämpfung getragen werden konnte und nur Ausfluss der Vorstellung ist, dass Angehörige der russischen Nation keine Menschenrechte besässen, dass ihr Leben wertlos sei und jederzeit vernichtet werden könnte, nur auf einen Beweggrund zurückzuführen, der nach allgemeiner sittlicher Wertung auf der niedrigsten Stufe steht (BGH Urteil vom 17.März 1967 - 4 StR 464/66 - [264]; Urteil vom 20.März 1967 - 2 StR 411/66 - [265]; BGH NJW 1971, 571/572).

Jeckeln oder Kummer haben die Tötung darüber hinaus in Kenntnis und unter Billigung des Umstands angeordnet, dass eine Massenexekution und besonders die Ausrottung eines ganzen Dorfes durch eine kleine Militärabteilung unweigerlich nur unter Verhältnissen vollzogen werden kann, unter denen die Opfer, die im Bewusstsein, in völliger Unschuld in den Tod geschickt zu werden und die Exekution von Angehörigen, Kleinkindern und Verwandten ansehen und dann über deren Leichen und in deren Blut sterben müssen, unvorstellbare seelische Leiden zu erdulden haben. Jeckeln oder Kummer haben mit ihrer Anordnung aus gefühlloser und unbarmherziger Gesinnung den Opfern diese Qualen zugefügt, ihr Verhalten ist deshalb als grausam anzusehen (BGH Urteil vom 8.November 1956 - 4 StR 359/56 - [266]; Urteil vom 28.März 1972 - 5 StR 60/72 - [267]; BGH NJW 1971, 1190). Jeckeln oder Kummer haben in Kenntnis und unter Billigung dieser Umstände gehandelt. Sie haben deshalb als Haupttäter den Tatbestand des Mordes i.S. von §211 Abs.2 StGB erfüllt.

b) Die Tötung der Einwohner des Dorfes Tupice war rechtswidrig.

aa) Selbst wenn die Ausrottung des ganzen Dorfes, der hier offenbar eine eigenmächtige Anordnung eines örtlichen Befehlshabers zugrundelag - der Einsatzbefehl Nr.5 für das Unternehmen "Sumpffieber" ordnete nur die Vernichtung der Dörfer, nicht aber ausdrücklich die Liquidierung der Bevölkerung an - dem Führererlass über die Ausübung der Kriegsgerichtsbarkeit im Gebiet "Barbarossa" und über besondere Massnahmen der Truppe vom 13.Mai 1941 (Blatt 6 des Dokumentenbandes I) entsprochen hätte - die Truppe hätte sich demnach gegen eine Bedrohung durch die Zivilbevölkerung schonungslos zur Wehr setzen, Angriffe feindlicher Zivilbevölkerung niederkämpfen und Ortschaften, aus denen hinterlistige und heimtückische Angriffe geführt wurden, durch kollektive Gewaltmassnahmen beantworten sollen; sämtliche Voraussetzungen waren im gegebenen Fall nicht erfüllt -, wäre das Verhalten des Befehlsgebers nicht gerechtfertigt. Dieser Erlass stellt keine Rechtsgrundlage für eine Tötung von Zivilpersonen ohne Urteil dar. Es handelt sich um einen Geheimbefehl, der nicht in der für Gesetze und Verordnungen vorgesehenen Form verkündet und schon deshalb nicht gesetzkräftig die Regel der §§1 Abs.4, §2 Ziffer 4b Kriegsstrafverfahrensordnung vom 17.August 1938 (RGBl. 1939 Band I Seite 1457), nach der Freischärler nur im - hier nicht durchgeführten - kriegsgerichtlichen Verfahren abgeurteilt und mit dem Tod bestraft werden konnten, ausser Kraft setzen konnte (BGHSt. 2, 334; BGHSt. 23, 103/106; BGH Urteil vom 25.November 1964 - 2 StR 71/64 - [268]; Urteil vom 15.August 1969 - 1 StR 197/68 - [269]; Urteil vom 8.November 1956 - 4 StR 359/56 - [270]).

Darüber hinaus ist der Erlass wegen seines Missbrauchs staatlicher Machtfülle zur Schaffung von Unrechtstatbeständen, bei denen Menschen, die nur in Verdacht geraten waren, allein auf Anordnung eines Offiziers ohne Schuldnachweis, ohne Verteidigungsmöglichkeiten, ohne rechtliches Gehör und ohne gerichtsförmiges Verfahren getötet werden durften, als Verstoss

[264] Siehe Lfd.Nr.718c.

[265] Gemeint ist wohl das Urteil vom 22.3.1967, 2 StR 441/66; siehe Lfd.Nr.682c.

[266] Siehe Lfd.Nr.446c.

[267] Siehe Lfd.Nr.899

[268] Siehe Lfd.Nr.594c.

[269] Siehe Lfd.Nr.739c.

[270] Siehe Lfd.Nr.446c.

gegen die bei allen zivilisierten Völkern zum unantastbaren und keine Ausnahme duldenden Kernbereich des Rechts gehörenden Grundnormen und daher als despotische Norm anzusehen. Einer solchen ist jede Anerkennung zu versagen (BGHSt. 5, 230/233; BGH Urteil vom 8.November 1956 - 4 StR 359/56 - [271]).

bb) Das Vorgehen der Beteiligten entsprach auch nicht dem Kriegsbrauch. Die Bevölkerung von Tupice war allenfalls der Unterstützung der Partisanen verdächtig, deren Lager am selben Tag weiter nördlich bei Wolka festgestellt wurde. Mit der Waffe in der Hand wurde niemand im Dorf angetroffen. Widerstand hat ebenfalls keiner aus dem Dorf geleistet. Der Angeklagte gibt an, es sei nach der Exekution beim Abbrennen der Häuser Munition explodiert. Es war seinerzeit allenfalls nach Gewohnheitsrecht zulässig, Partisanen, die im Kampf betroffen oder auf der Flucht ergriffen wurden, ohne Gerichtsverfahren zu töten (Artzt-Penner, Geisel- und Partisanentötungen im 2.Weltkrieg, Seite 74 m.w.N.). Eine Tötung von Personen, die lediglich der Unterstützung der Partisanen verdächtig sein konnten, war unter diesen Umständen unzulässig (BGHSt. 23, 103/106; BGH Urteil vom 28.April 1955 - 3 StR 603/54 - [272]). Zu dem Zeitpunkt, als Jeckeln oder Kummer den Befehl zur Ausrottung des Dorfes erteilt hatten, stand schliesslich auch überhaupt noch nicht fest, welche Personen dort angetroffen werden würden.

cc) Die Ausrottung des Dorfes war auch nicht als Repressalie gerechtfertigt. Nach dem damaligen Völkerrecht galt die Tötung schuldloser feindlicher Staatsangehöriger als Antwort auf ein völkerrechtswidriges Verhalten des Feindes nicht als rechtswidrig (BGH Urteil vom 28.April 1955 - 3 StR 603/54 - [273]; Artzt-Penner a.a.O. S.25 ff.). Kummer hat - wenn der Ausrottungsbefehl von ihm stammen sollte - die Massregel zwar als Vergeltung für den Überfall auf die SD-Streife auf dem Wygonowskie See angeordnet, Jeckeln als Repressalie für die Partisanentätigkeit überhaupt. Beide haben die Repressalie aber weder vorher angedroht noch nachher bekannt gegeben und auch nicht darauf geachtet, dass die Gebote der Menschlichkeit dabei eingehalten worden sind. Es kann deshalb dahingestellt bleiben, ob die Partisanen nach ihrer damaligen Situation und insbesondere nach dem Vorgehen der Deutschen gegen die Zivilbevölkerung, Kriegsgefangene und versprengte Truppen völkerrechtlich zum Widerstand gegen die deutschen Truppen berechtigt waren. Auf jeden Fall war die Repressalie mangels Notifikation und wegen der geschilderten grausamen und deshalb unmenschlichen Tötung der Opfer, unter denen sich zudem, wie dem Befehlsgeber bekannt war, Kleinkinder befanden, deren Tötung selbst unter Berufung auf die bei den von den Alliierten durchgeführten Flächenbombardements deutscher Städte erfolgte Tötung deutscher Kinder (tu quoque) unter keinen denkbaren Umständen statthaft war, unrechtmässig. Es war nichts ersichtlich, aus dem sich ergab, dass der künftige Schutz der Deutschen nur durch eine derartige zutiefst unsittliche Ausdehnung der Repressalie auf Kleinkinder gewährleistet werden konnte (BGH Urteil vom 17.März 1967 - 4 StR 464/66 - [274]; Urteil vom 28.April 1955 - 3 StR 603/54 - [275]; Artzt-Penner S.24, S.28, S.125; BGHSt. 23, 103/107).

dd) Die von der Verteidigung angesprochene militärische Notwendigkeit, Bahnlinien und Strassen als rückwärtige Verbindungslinie der Fronttruppen zu sichern, kann die getroffene Anordnung ebenfalls nicht rechtfertigen. Zur Befriedung des Partisanengebiets hätte es ausgereicht, wenn schon die Ausschaltung der Zivilbevölkerung als militärisch notwendig angese-

[271] Siehe Lfd.Nr.446c.

[272] Richtig: 5.Mai 1955; siehe Lfd.Nr.429b.

[273] Richtig: 5.Mai 1955; siehe Lfd.Nr.429b.

[274] Siehe Lfd.Nr.718c.

[275] Richtig: 5.Mai 1955; siehe Lfd.Nr.429b.

hen wurde, das Gebiet zu evakuieren, wie es auch bei anderen Gelegenheiten häufig geschehen ist. Zudem kann die Rechtswidrigkeit einer Erschiessung von Repressalgefangenen oder von der Unterstützung von Partisanen verdächtigen Zivilpersonen auch durch Berufung auf die militärische Notwendigkeit nicht ausgeräumt werden (BGH Urteil vom 28.April 1955 - 3 StR 603/54 - [276]; Artzt-Penner S.44).

ee) Schliesslich ist auch der Rechtfertigungsgrund der Kollektivstrafe nicht gegeben, da nach dem insoweit geltenden Art.50 der Haager Landkriegsordnung hierfür nur eine Geldstrafe, nicht aber die Todesstrafe vorgesehen ist und die Grundsätze der Verhältnismässigkeit und der Menschlichkeit beobachtet werden müssen. Diese werden aber durch die grausame Tötung einer Vielzahl von Personen (mindestens 80) gegenüber den geringen eigenen Verlusten und durch die Tötung von Kleinkindern in eklatanter Weise verletzt (vgl. Artzt-Penner S.40).

c) Der Angeklagte hat die Tat Jeckelns oder Kummers als Gehilfe gefördert. Er hat als verantwortlicher Unterführer die Umstellung des Dorfes, das Ausheben der Grube, das Zusammentreiben der Bevölkerung und die anschliessende Erschiessung geleitet und eigenhändig in einer nicht mehr feststellbaren Anzahl von Fällen Nachschüsse erteilt. Den Rahmen des ihm eine Ermessensentscheidung nicht gestattenden, genau umgrenzten Befehls, hat er nicht überschritten; er ist nicht aus eigenem Antrieb tätig geworden und hat die Tat nicht zu seiner eigenen gemacht.

Er hat gewusst, dass der Tötungsbefehl aus niedrigen Beweggründen und in Kenntnis und mit Billigung der grausamen und unmenschlichen Begehungsweise erteilt worden ist. Er handelte auch deshalb aus eigenen niedrigen Beweggründen, weil er sich unter Missachtung der Menschenrechte der Opfer und in der Annahme, dass deren Leben wertlos sei und jederzeit vernichtet werden könne, nicht davon hat abhalten lassen, erkanntermassen unschuldige und unbeteiligte Personen wie Greise, Frauen und insbesondere Kleinkinder zu erschiessen. Die Grausamkeit der Exekution und die unbarmherzige und gefühllose Gesinnung des Angeklagten bei dieser Erschiessung ist offenkundig. Die Kinder zu töten, um sie nicht der Gefahr auszusetzen, ohne ihre vorher erschossenen Angehörigen u.U. zu verhungern, ist ein Zeichen niedrigster Gesinnung, wie sie sich brutaler und unbarmherziger nicht vorgestellt werden kann. Die insoweit ausgedrückte "Humanität" ist in Wahrheit ein beispielloser Zynismus.

d) Rechtfertigungs- oder Entschuldigungsgründe stehen dem Angeklagten nicht zur Seite.

aa) Den Angeklagten vermag nicht zu entlasten, dass er auf Befehl gehandelt hat. §47 MStGB galt nach §3 VO über die Sondergerichtsbarkeit in Strafsachen für Angehörige der SS- und Polizeiverbände bei besonderem Einsatz vom 17.Oktober 1939 (RGBl. I 2107) in Verbindung mit dem Erlass des Reichsführers der SS vom 9.April 1940 unbeschränkt für jeden Angehörigen der Waffen-SS (BGH Urteil vom 24.Juni 1955 - 1 StR 55/55 - [277]).

Der Angeklagte kann deshalb für seine Beteiligung an der Exekution nicht zur Verantwortung gezogen werden, wenn er dabei einen Befehl in Dienstsachen ausgeführt hat und wenn ihm dabei <u>nicht</u> bekannt gewesen ist, dass der Befehl eine Handlung betraf, die offenbar ein bürgerliches oder militärisches Verbrechen oder Vergehen bezweckte. Der Angeklagte hat zwar den Rahmen des Befehls, der ein festumrissenes Handeln gebot und eine eigene Ermessensentscheidung nicht zuliess, nicht überschritten. Er hatte aber positive Kenntnis vom verbrecherischen, gegen jedes militärische Herkommen verstossenden und durch keine militärische Notwendigkeit begründeten Zweck des Befehls, die Bevölkerung von Tupice auszurotten. Es

[276] Richtig: 5.Mai 1955; siehe Lfd.Nr.429b.

[277] Siehe Lfd.Nr.405b.

war offenkundig und wurde vom Angeklagten spätestens bei Beginn der Exekution wahrgenommen, dass ein solcher Befehl notwendigerweise die Tötung von Kindern jeden Alters umfasst. Der Angeklagte hat dann ja auch besondere Anweisung gegeben, wie bei der Erschiessung der von den Müttern noch auf dem Arm getragenen Kleinkindern zu verfahren sei: Die Mütter mussten die Kinder dem jeweiligen Schützen so hinhalten, dass die Kinder in den Kopf geschossen werden konnten.

Die Rechtswidrigkeit einer solchen Erschiessung von Kleinkindern - sei es aufgrund eines Führerbefehls, oder des Kriegsbrauchs, oder der Repressalie, oder sei es unter Berufung auf militärische Notwendigkeit oder als Kollektivstrafe - ist offenkundig. Offenkundig ist, was jedermann bekannt ist. Die Offenkundigkeit erlaubt den Schluss, dass die Rechtswidrigkeit der Erschiessungsanordnung auch dem Angeklagten bekannt war (BGH Urteil vom 28.April 1955 - 3 StR 603/54 - [278]). Der Angeklagte räumt die seinerzeitige Kenntnis der grundsätzlichen Rechtswidrigkeit und der militärischen Sinnlosigkeit einer derartigen Erschiessung von Kleinkindern ein. Er gibt an, er habe die Massnahme deshalb für gerechtfertigt gehalten, weil von den Bombenangriffen alliierter Flieger auch deutsche Kinder betroffen worden seien, und weil die Kinder in Tupice nicht dem Schicksal hätten überlassen werden können. Die Berufung auf die alliierten Bombenangriffe vermochte auch aus der Sicht des Angeklagten die Tötung der Kinder von Tupice nicht zu rechtfertigen, weil bei der Befehlsausgabe ein entsprechender Hinweis an den Angeklagten nicht erfolgt ist und dem Angeklagten auch keine Bekanntmachung dieser Massnahme oder andere auf eine Repressalie gegen einen - für die Luftangriffe nicht einmal verantwortlichen - Kriegsgegner deutende Umstände bekannt waren und bekannt geworden sind. Der Angeklagte hat seinerzeit diesen Rechtfertigungsversuch offensichtlich nur zur Beruhigung des eigenen Gewissens unternommen. Darauf, dass er die Tötung der Kinder seinerzeit als durch Führerbefehl gedeckt, als Kriegsbrauch, als sonstige Repressalie, als durch militärische Notwendigkeit geboten oder als Kollektivstrafe gerechtfertigt angesehen hat, hat sich der Angeklagte bei seiner Verteidigung selbst nicht berufen. Daraus geht aber eindeutig hervor, dass er den Befehl, die Bevölkerung von Tupice restlos auszurotten, von sich aus als rechtswidrig angesehen hat und sich deshalb um einen inneren Rechtfertigungsgrund bemühen musste. Es ist deshalb als erwiesen anzusehen, dass der Angeklagte die seine Verantwortlichkeit begründende positive Kenntnis von der Rechtswidrigkeit des Befehls hatte (BGH LM Nr.3 zu §47 MStGB; BGH Urteil vom 10.Juni 1955 - 1 StR 558/54 - [279]; Urteil vom 15.Juni 1962 - 2 StR 531/61 - [280]). Der Gedanke, die Kinder von Tupice nicht ihrem Schicksal zu überlassen, kann keinesfalls durch die militärische Notwendigkeit begründet werden, weil die Kinder - wie auch der Angeklagte wusste und einräumt - überhaupt keine Gefahr für die Truppe gebildet hätten.

bb) Der Angeklagte kann sich auch nicht auf einen Befehlsnotstand oder einen Putativbefehlsnotstand berufen. Er hat einen Befehl, dessen Ausführung gegen elementare Grundsätze menschlichen Zusammenlebens und gegen die allgemein anerkannten Vorstellungen von Recht und Unrecht verstossen hat, ohne Prüfung blind, eiligst und gewissenhaft befolgt. Er hat den Befehl ohne - in Abwesenheit seines Zuges unter Vermeidung einer nachteiligen Wirkung für die Manneszucht durchaus mögliche - Gegenvorstellung, ohne - keinesfalls als Befehlsverweigerung auszulegende - Rückfrage und ohne Hinweis auf die Bedenken hinsichtlich der Rechtswidrigkeit bereitwillig mit Eifer, Hingabe und Zielstrebigkeit befolgt. Er hat auch überhaupt nichts unternommen, um sich der Mitwirkung zu entziehen. Er hatte nicht einmal versucht, den Befehl zu umgehen oder abzumildern. Auf dem Marsch von Bobrowiecze nach Tupice blieb ihm immerhin hinreichend Zeit zu überlegen. Er hat schliesslich

[278] Richtig: 5.Mai 1955; siehe Lfd.Nr.429b.

[279] Siehe Lfd.Nr.492b.

[280] Siehe Lfd.Nr.546b.

auch die Einwohner von Tupice - wie es nach Aussage des Zeugen Bec. in Bobrowiecze geschah - nicht einfach in die Sümpfe oder Wälder gejagt und ihnen nachgeschossen, was von Kummer oder Prochaska offenbar als ordnungsgemässe Ausführung des Befehls angesehen wurde und erlaubt hätte, die Zahl der Opfer möglichst gering zu halten. Der Angeklagte hat schliesslich eine grausame und für die Opfer qualvolle Exekutionsart gewählt und dabei, wenn auch nur in Form von "Gnadenschüssen" selbst mitgeschossen, obwohl er auch für diese Aufgabe einen anderen hätte bestimmen können. Alle diese Umstände sind Indizien dafür, dass der Wille des Angeklagten gar nicht gebeugt werden musste und die Annahme eines Befehlsnotstandes deshalb auszuschliessen ist, wie überhaupt der blinde Gehorsam und die bereitwillige Beteiligung an Terror und Verbrechen eine Berufung auf den Befehlsnotstand nicht erlauben (BGHSt. 3, 271/276; BGH Urteil vom 22.Januar 1952 - 1 StR 485/51 -; Urteil vom 22.April 1955 - 1 StR 653/54 - [281]; Urteil vom 14.März 1957 - 4 StR 44/57 - [282]).

Der Angeklagte hat auch nicht im Putativbefehlsnotstand gehandelt. Der Angeklagte gibt zwar an, er wäre heute nicht mehr am Leben, wenn er seinerzeit den Befehl nicht ausgeführt hätte. Es gibt einerseits keinen Erfahrungssatz, dass die Nichtausführung eines verbrecherischen Befehls - auch durch SS-Angehörige - immer oder auch nur häufig eine Schädigung an Leib und Leben durch Vorgesetzte oder die SS- und Polizeigerichte nach sich gezogen habe. Das gilt insbesondere für das Jahr 1942, als die Offiziere der Waffen-SS in keinem Fall ein Recht über Leben und Tod ihrer Untergebenen hatten, vielmehr ihrerseits zu striktem Gehorsam gegenüber dem Reichsführer der SS und seinen dahingehenden Weisungen verpflichtet waren. Der Angeklagte hat andererseits auch keine konkreten Vorstellungen dargetan, in welcher Weise die Nichtausführung eines Befehls sicher und höchstwahrscheinlich zu einer Schädigung an Leib und Leben führen konnte. Die Regel des §47 MStGB war dem Angeklagten - wie er zugibt - aus seiner Reichswehrzeit und schon deshalb bekannt, weil er als Zugführer selbst Kommandogewalt hatte und selbst keine verbrecherischen Befehle geben durfte. Der Angeklagte wusste deshalb, dass er sich jederzeit auch vor einem Gericht hierauf berufen konnte. Über ihn bekannt gewordene Terrorurteile der zuständigen Gerichte weiss der Angeklagte auch nichts zu berichten. Der Hinweis des Angeklagten auf die ihm angeblich drohende Lebensgefahr ist deshalb nicht als Irrtum über die Grenzen eines Rechtfertigungsgrundes, sondern nur als Ausflucht und erfolgloses Schutzvorbringen zu würdigen.

cc) Schliesslich kann sich der Angeklagte zu seiner Rechtfertigung oder Entschuldigung nicht darauf berufen, dass er an die Verbindlichkeit eines erkanntermassen verbrecherischen Zwekken dienenden Befehles geglaubt hatte. Es mag zwar sein, dass der Angeklagte entsprechend den damals bei der SS herrschenden Vorstellungen (vgl. Himmlers Rede in Posen vom 4.Oktober 1943) jeden Befehl als "heilig" und verbindlich angesehen hat. Das hätte den Angeklagten aber nicht dazu veranlassen dürfen, den Befehl ruhigen Gewissens, blind oder gleichgültig zu befolgen. Er wäre vielmehr gehalten gewesen, den Befehl unter einer vom Werturteil des Befehlenden unabhängigen Befragung seines eigenen Gewissens daraufhin zu überprüfen, ob das verlangte Tun mit dem Gebot des rechtlichen Sollens vereinbar oder nach der allgemeinen Rechtsüberzeugung Unrecht war (BGHSt. 2, 194/201). Mängel im Wissen waren behebbar. Zweifel hätte der Angeklagte durch Erkundigung oder noch eher durch Nachdenken beseitigen müssen. Bei einer Anstrengung des Gewissens hätte der Angeklagte ohne weiteres den für ihn nicht bindenden Charakter des Befehls erkennen können, da gerade hier gröblichst gegen die elementarsten Grundsätze menschlichen Zusammenlebens und die allgemeinen Vorstellungen von Recht und Unrecht verstossen werden sollte. Der Angeklagte konnte sich dabei nicht auf die allgemeine Abstumpfung, das allgemeine Absinken der Moral und die gewisse, ruhige Gelassenheit, mit der sich einige Opfer haben erschiessen lassen,

[281] Siehe Lfd.Nr.443b.

[282] Siehe Lfd.Nr.438b.

berufen. Der Verstoss gegen die Menschenrechte war zu offensichtlich. Sollte der Angeklagte deshalb dennoch irrtümlich davon ausgegangen sein, dass der Befehl trotz des erkannten verbrecherischen Zwecks für ihn bindend gewesen ist, so hat er im vermeidbaren Verbotsirrtum gehandelt (BGH Urteil vom 22.April 1955 - 1 StR 653/54 - [283]), der allenfalls zu einer Strafmilderung führen kann.

e) Die Ermordung der Einwohner von Tupice ist als eine einzige Handlung zu bewerten. Die Tötungsaktion ging auf eine Willensbetätigung und Willensäusserung der Haupttäter zurück. Auch für den Angeklagten stellt sich die Ausführung des Befehls als eine Handlung aufgrund eines einmaligen Willensentschlusses dar (BGH Urteil vom 28.April 1955 - 3 StR 603/54 - [284]). Der Angeklagte ist deshalb schuldig eines Verbrechens der Beihilfe zum Mord in 80 rechtlich zusammentreffenden Fällen gem. §§211, 49, 73 StGB.

3. Die Strafverfolgung ist nicht verjährt. Die Verjährungsfrist betrug nach §67 Abs.1 StGB a.F. zwanzig Jahre. Diese Frist wird durch die Regelung des §50 Abs.2 StGB in der seit dem 1.Oktober 1968 geltenden Fassung nicht berührt, da dem Angeklagten besondere persönliche Merkmale, die die Strafbarkeit des Täters begründen, nicht fehlen. Er hat aus eigenen niedrigen Beweggründen und grausam gehandelt. Diese Tatumstände gelten als besondere persönliche Merkmale i.S. des §50 Abs.2 StGB (BGH Urteil vom 20.Mai 1969 - 5 StR 658/68 - [285]).

Die Verfolgung von Straftaten, die in der NS-Zeit aus politischen Gründen nicht verfolgt wurden, ruhte in Bayern bis zum 30.Juni 1947 (Gesetz Nr.22 zur Ahndung nationalsozialistischer Straftaten vom 31.Mai 1946 - GVBl. S.182). Das Gesetz vom 13.April 1965 (BGBl. I 315) bestimmte, dass die Verjährung von Verbrechen, die mit lebenslangem Zuchthaus bedroht sind und deren Verfolgung am 22.April 1965 noch nicht verjährt war, vom 8.Mai 1945 bis zum 31.Dezember 1949 ruhte. Nach §67 Abs.1 Nr.1 StGB in der Fassung vom 4.August 1969 beträgt die Verjährungsfrist nunmehr 30 Jahre.

IV. « Die persönlichen Verhältnisse des Angeklagten; Strafzumessung »

Für die Strafzumessung waren folgende Umstände massgebend:

Die Persönlichkeit des Angeklagten, sein Werdegang und seine Motive lassen sein Verschulden in einem milderen Licht erscheinen, als es bei einer derartigen an Abstumpfung, Fühllosigkeit und Brutalität kaum zu überbietenden Tat zunächst den Anschein hat.

Der Angeklagte verfügt nur über geringe intellektuelle Fähigkeiten. Er ist geistig schwerfällig. Sein Einsichtsvermögen ist begrenzt. Er ist geneigt, sich kritiklos jeder einmal anerkannten Autorität unterzuordnen und getroffene Anordnungen jederzeit stur, beharrlich und willig und ohne Vorbehalt zu befolgen. Sein Denken und seine Moralvorstellungen sind von Schlagwörtern geprägt. Er ist zwar arbeitsam und fleissig und von einer aussergewöhnlichen Einsatzbereitschaft, aber ohne Neigung, persönliche oder individuelle Initiative zu entfalten.

Der Angeklagte entstammt bäuerlichen Verhältnissen. Er wurde unehelich geboren. Die Grosseltern väterlicherseits haben ihn im Alter von 2 Jahren in Pflege genommen und aufgezogen. Der Grossvater hat den Angeklagten vordringlich zum Arbeiten und Unterordnen erzogen. Die Mutter hat den Angeklagten nur alle 2 Wochen besucht.

[283] Siehe Lfd.Nr.443b.

[284] Richtig: 5.Mai 1955; siehe Lfd.Nr.429b.

[285] Siehe Lfd.Nr.667b.

Nach dem mit durchschnittlichen Erfolgen begleiteten Schulbesuch in Ostermiething/Österreich, begann der Angeklagte sogleich in der Landwirtschaft zu arbeiten. Seine Mutter war finanziell ungünstig gestellt. Sie konnte dem Angeklagten keine Berufsausbildung ermöglichen. Der Angeklagte war deshalb im Jahre 1930, als er wieder nach Bayern kam, gezwungen, sich als Kleinknecht zu verdingen. Am 5.November 1933 trat er in die SA ein. Ausschlaggebend hierfür war neben der nationalistischen Einstellung des Angeklagten nicht so sehr die politische Überzeugung wie vielmehr das Beispiel der Altersgenossen im Dorf. Dem Angeklagten bot der Dienstbetrieb der SA mit militärischem Zeremoniell, Geländeübungen, Aufmärschen und Geselligkeit eine willkommene Abwechslung im eintönigen Leben auf dem flachen Land, das ein Angehöriger der niedrigsten sozialen Schicht und ohne persönliche Interessen und Begabungen seinerzeit führen musste. Dieselben Motive bewogen den Angeklagten, vom 1.November 1934 bis zum 11.Oktober 1935 freiwillig bei der Reichswehr (19.JR in München) Dienst zu tun. Der Drill stellte starke physische Anforderungen an den Angeklagten. Das Ansehen, das er als Uniformträger genoss, die militärische Ordnung und die Straffheit des Dienstbetriebes entsprachen aber der Mentalität und der Neigung des Angeklagten.

Als der Angeklagte nach der Entlassung aus der Reichswehr keine ihm zusagende Arbeit fand, liess er sich zum Dienst bei der SS anwerben. Am 20.Januar 1936 rückte er zum in Brandenburg stationierten Totenkopfverband ein. Am 30.Januar 1937 wurde er zum Unterscharführer befördert. Sein Dienst bestand hauptsächlich in militärischen Übungen, Lehrgängen, Wachdienst bei besonderen Anlässen, aber auch aus der Bewachung von Konzentrationslagern. Über das Schicksal der Häftlinge machte er sich keine Gedanken. 1937 trat er der NSDAP bei.

Nach seiner Entlassung aus der SS im April 1939 arbeitete er in einem Lagerhaus, bis er am 17.November 1939 erneut zur SS einrückte. Er diente zunächst beim 12.SS-Inf.Regt. in Posen, am 1.Februar 1940 wurde er zum Oberscharführer befördert und im Oktober 1940 als Ausbilder zum 10.SS-Inf.Regt. versetzt, das damals in Krakau und Debica lag.

Am Russlandfeldzug nahm er zunächst im rückwärtigen Heeresgebiet teil, wo sein Regiment bei Aktionen gegen versprengte Truppen und Freischärlern eingesetzt wurde. Die von Kummer bei Leschitzky durchgeführte Massenexekution hat er als unbeteiligter Augenzeuge miterlebt. Er will nicht bemerkt haben, dass hierbei auch Frauen und Kinder erschossen wurden. Das Regiment kam im Dezember 1941 zum Fronteinsatz im Mittelabschnitt. Der Angeklagte wurde am 26.Dezember 1941 verwundet und kehrte erst im Juli 1942 zu seiner Einheit zurück.

Bei dieser Gelegenheit hat er einen Partisanenanschlag auf einen Truppentransport miterlebt, bei dem ein Waggon mit Offizieren in die Luft gesprengt wurde. Anschliessend folgte der Einsatz im Rahmen des Unternehmens "Sumpffieber". Später nahm er an verschiedenen Front- und Partisaneneinsätzen in Russland, Jugoslawien und Ungarn teil, bei denen er sich wiederholt als Stosstruppführer und im Nahkampf auszeichnete. Er wurde öfters verwundet. Das Kriegsende erlebte er im Lazarett in Traunstein. Nach dem Waffenstillstand schlug er sich zu in Abtenau/Salzburg liegenden SS-Einheiten durch, um weiterzukämpfen. Erst als ihn ein Offizier von seinem SS-Eid ausdrücklich entbunden hatte, gab er diesen Gedanken auf. Aus der - meist in Lazaretten verbrachten - amerikanischen Gefangenschaft wurde er 1948 nach Hause entlassen.

Seit 1949 lebt er in Kreis Altötting. Er ist verheiratet und arbeitet als Chemiewerker. Von seinen Ersparnissen hat er sich ein Haus gebaut. Sein gesamter Werdegang ist von den Maximen "Ordnung" und "Gehorsam" geprägt. Das eigentliche Wesen des Nationalsozialismus hat er nicht erfasst. Vom politischen Fanatismus liess er sich nicht leiten. Er hielt das, was ihm bei der SA, SS und in der NSDAP als Anschauung vermittelt wurde, gläubig und naiv für eine positive Art von Patriotismus. Er war bereit, sich für sein Vaterland bis zur Selbstaufgabe einzusetzen.

Im gegebenen Fall hat er auch nicht aus persönlichem Hass gegen seine Opfer gehandelt, sondern sich in erster Linie vom Gedanken bestimmen lassen, dass ein - auch als verbrecherisch erkannter - Befehl stets und immer willig und konsequent zu befolgen sei, damit Disziplin und Ordnung gewahrt würden. Er selbst wollte als diensteifriger und pflichtbewusster Soldat gelten und hat deshalb die befohlene Exekution mit grösstmöglicher "militärischer Präzision" durchgeführt.

Die Schuld des Angeklagten ist unter diesen Umständen ungleich geringer als die eines Täters, der in besserer Erkenntnis der Tragweite und der Folgen seines Handelns im vollen Bewusstsein der eigenen Verantwortung und unter weniger grossem Einfluss eines von Jugend an anerzogenen kritiklosen Gehorsams tätig gewesen ist. Das Gericht hat deshalb von der Milderungsmöglichkeit gem. §49 Abs.2, §44 StGB ebenso Gebrauch gemacht, wie von der Strafmilderung wegen des beim Angeklagten gegebenen - zwar vermeidbaren, aber doch schuldmindernden - Verbotsirrtums über die Verbindlichkeit des ihm erteilten Befehls.

Strafmildernd war auch zu berücksichtigen, dass der Angeklagte in seiner - zwar nicht i.S. des §51 Abs.2 StGB erheblich, aber doch stark - verminderten Einsichtsfähigkeit den Einflüssen der seinerzeitigen unmenschlichen, brutalisierenden und verrohenden Propaganda ebenso erlegen ist, wie der allgemeinen Abstumpfung, Gleichgültigkeit und Verrohung, die in jedem Krieg und besonders im Guerrillaeinsatz Platz greift. Der Angeklagte war seinerzeit ein wenig kontaktbereiter Einzelgänger. Die SS und das dort propagierte Gedankengut war sein Lebensinhalt und seine "Heimat". Eine nahestehende Person (Ehefrau, Bekannter oder Freund), die ihm eine moralische Stütze und eine Anleitung zur kritischeren Einstellung hätte sein können, hatte er damals nicht.

Zugunsten des Angeklagten wirkte sich auch aus, dass er heute zu seiner Tat steht, nichts beschönigt, nicht versucht, die Verantwortung auf einen anderen abzuwälzen. Der Angeklagte hat freimütig auch ihn belastende Umstände zugegeben. Der Angeklagte hat sich in seinem sonstigen Leben gut und ordentlich geführt. Er ist nie straffällig geworden. Er hätte niemals eine derartige Tat begangen, wenn ihn seine persönliche Entwicklung nicht konsequent zur SS hingeführt hätte und wenn seine Dienstwilligkeit und vorbehaltlose Einsatzbereitschaft nicht in dieser Weise missbraucht worden wäre. Schliesslich muss sich auch zu Gunsten des Angeklagten auswirken, dass seit der Tat immerhin 31 Jahre verflossen sind.

Nicht strafmildernd konnte ins Gewicht fallen, dass der Angeklagte etwa durch persönlich erlebte Gewalttaten von Partisanen an verwundeten deutschen Soldaten oder waffenlosem Hilfspersonal verbittert und zu seiner Tat hingerissen worden wäre. Der Angeklagte hat, abgesehen von der Aktion gegen den Transportzug, der sich im Rahmen des militärischen Herkommens hielt, keine Berührung mit Partisanen gehabt. Er hat sich auf eine persönliche Erregung oder Erbitterung auch nicht berufen.

Strafschärfend wirkte sich dagegen aus, dass der Angeklagte sich auch durch die bei der Exekution zutagegetretenen Greuel und die ausserordentlichen Leiden der Opfer, die besonders in dem Fluchtversuch des Buben, dem Niederwerfen und Wimmern der Delinquenten zum Ausdruck gebracht wurden, nicht hat anrühren und nach einem Ausweg hat suchen lassen. Der Angeklagte hat vielmehr unbeteiligt und kalt und ohne Rücksicht auf die Opfer und die - psychisch ebenfalls stark belasteten - Untergebenen die Exekution auch nach diesen Vorfällen zu Ende geführt. Dem Angeklagten ist die Tat bis heute noch nicht besonders nahegegangen. Über eine besondere Einsicht in sein Fehlverhalten verfügt er nicht. Anzulasten ist dem Angeklagten auch die grosse Zahl der Opfer.

Unter Abwägung dieser für und gegen den Angeklagten sprechenden Umstände und unter Berücksichtigung des Umstandes, dass einerseits eine empfindliche Strafe geboten ist, um künftige, in gleicher Situation befindliche Personen abzuschrecken und zu verantwortlichem und menschlichem Verhalten anzuhalten, andererseits eine zu lange Freiheitsstrafe dem strafempfindlichen und bereits 61 Jahre alten Angeklagten über den eigentlichen Strafzweck hinaus zerbrechen und das künftige Leben des Angeklagten in der Gesellschaft übermässig erschweren, wenn nicht gar eine Wiedereingliederung gänzlich in Frage stellen würde, erschien dem Gericht eine Freiheitsstrafe von vier Jahren Dauer als schuldangemessen, geboten aber auch als ausreichend.

V. « Kostenentscheidung »

Als Verurteilter hat der Angeklagte die Kosten des Verfahrens zu tragen.

Lfd.Nr.806b

1 StR 192/75

Im Namen des Volkes

In der Strafsache gegen

den Chemiefachwerker Johann Enz. aus Emmerting Lkrs.Altötting, geboren am 24.Oktober 1913 in Abtenham,

wegen Beihilfe zum Mord.

Der 1. Strafsenat des Bundesgerichtshofs hat in der Sitzung vom 10.Juni 1975 für Recht erkannt:

> Die Revision des Angeklagten gegen das Urteil des Schwurgerichts beim Landgericht Traunstein vom 13.März 1974 wird verworfen.
> Der Beschwerdeführer trägt die Kosten seines Rechtsmittels.

GRÜNDE

Das Schwurgericht hat den Angeklagten wegen Beihilfe zum Mord in 80 rechtlich zusammentreffenden Einzelfällen zur Freiheitsstrafe von vier Jahren verurteilt. Gegen dieses Urteil richtet sich die Revision des Angeklagten mit den Rügen der Verletzung des Verfahrensrechts und des sachlichen Rechts. Sie hat keinen Erfolg.

I. Die Verfahrensrüge

Die Besetzungsrüge greift nicht durch.

1. Die Revision meint, das Schwurgericht sei vorschriftswidrig besetzt gewesen, weil der Hilfsschöffe Josef Bac. mitgewirkt habe. An seiner Stelle hätte die Hilfsschöffin Veronika Wei. teilnehmen müssen. Im Zusammenhang mit der Ersetzung des Hauptschöffen San. in der zweiten Sache der ersten Schwurgerichtstagung (Strafsache M.) sei es zu Rechtsverstössen gekommen, die sich auf die vorliegende Sache ausgewirkt hätten. San. habe sich mit Schreiben vom 14., eingegangen am 15.Februar 1974, wegen der Teilnahme an Meisterprüfungen entschuldigt. Der Vorsitzende habe Bedenken gehabt, den Schöffen von der Teilnahme zu befreien. Er habe deshalb am 18.Februar 1974 an San. eine Anfrage gerichtet. San. habe diese Frage mit Schreiben vom 21.Februar 1974, eingegangen am Abend dieses Tages durch Einwurf in den Nachtbriefkasten, beantwortet. Der Vorsitzende habe am 22.Februar 1974 die Verfügung getroffen, dass San. verhindert sei, an der 2. und 3.Sitzung der ersten Schwurgerichtstagung teilzunehmen, und dass an seiner Stelle der Hilfsschöffe Bac. einzuberufen sei. Schon vor dem Befreiungsgesuch des Hauptschöffen San. sei ein Verhinderungsgesuch des Schöffen Pra. eingegangen. Mit Schreiben vom 19.Februar 1974 habe Pra. mitgeteilt, dass er wegen einer Kur an der ersten und zweiten Sitzung der ersten Schwurgerichtstagung nicht teilnehmen könne. Dieses Schreiben sei schon am Vormittag des 21.Februar 1974 und nicht erst nach Dienstschluss bei Gericht eingegangen. Der Vorsitzende habe daraufhin gleichfalls am 22.Februar 1974 verfügt, Pra. sei für die zweite Sitzung als verhindert anzusehen, er sei durch die Hilfsschöffin Veronika Wei. zu ersetzen. Dabei habe der Vorsitzende nicht die Reihenfolge des Eingangs der Verhinderungserklärungen berücksichtigt. Er habe zuerst über das Gesuch San.s und danach über den Antrag Pra.s entschieden. Er sei aber verpflichtet gewesen, umgekehrt zu verfahren. Bei Berücksichtigung der zeitli-

chen Reihenfolge hätte er an die Stelle Pra.s den Hilfsschöffen Bac. und an die Stelle San.s die Hilfsschöffin Veronika Wei. setzen müssen.

2. Diese Beanstandung bleibt erfolglos.

a) Für die erste Schwurgerichtstagung 1974, in der die Hauptverhandlung gegen den Angeklagten stattfand, waren folgende Hauptschöffen ausgelost:
1. Hubert K.
2. Anton Pra.
3. Heinz Het.
4. Johann Bre.
5. Hubert San.
6. Wilhelm Fil.
An der Hauptverhandlung vom 13.März 1974 haben diese Schöffen mitgewirkt mit Ausnahme des Schöffen San. An dessen Stelle hat der Hilfsschöffe Josef Bac. teilgenommen.

Zum Ausscheiden des Hauptschöffen San. und zum Eintritt des Hilfsschöffen Bac. kam es auf folgende Weise: San. stellte mit Schreiben vom 14., eingegangen am 15.Februar 1974, ein Befreiungsgesuch wegen seiner Tätigkeit in einer Meisterprüfungskommission (HA Bl.362 Anl.). Der Vorsitzende liess daraufhin am 18.Februar 1974 bei San. anfragen, an welchen Tagen Prüfungstermine wahrzunehmen seien. San. antwortete mit Schreiben vom 21.Februar 1974, eingegangen an demselben Tage durch Einwurf in den Nachtbriefkasten. Der Vorsitzende verfügte am 22.Februar 1974, San. sei verhindert, an der 2. und 3.Sitzung der ersten Schwurgerichtstagung teilzunehmen und durch den in der Reihenfolge nächsten Hilfsschöffen Bac. zu ersetzen.

Die Hilfsschöffen waren in der nachstehenden Reihenfolge ausgelost:
1. Simon Ran.
2. Josef Bac.
3. Veronika Wei.
4. Hans Ho.

Simon Ran. war zur Zeit der Entscheidung des Vorsitzenden (22.Februar 1974) als Hilfsschöffe "verbraucht". Der Hauptschöffe Pra. hatte mit Schreiben vom 21.Januar 1974 mitgeteilt, er sei in der Zeit vom 30.Januar bis 28.Februar 1974 wegen eines Kuraufenthaltes verhindert. Dadurch war die erste Sitzung der ersten Schwurgerichtstagung (Strafsache P.), die am 28.Februar 1974 stattfand, betroffen. Der Vorsitzende erkannte durch Verfügung vom 13.Februar 1974 die Verhinderung Pra.s an und ordnete die Einberufung des nächstbereiten Hilfsschöffen Ran. an.

Mit Schreiben vom 19., eingegangen am 21.Februar 1974, teilte Pra. mit, er könne wegen seiner Kur auch an der zweiten Sitzung der ersten Schwurgerichtstagung, die auf den 5.März 1974 anberaumt war (Strafsache M.), nicht teilnehmen. Der Vorsitzende entschied daraufhin am 22.Februar 1974, Pra. sei verhindert, an seine Stelle habe die nächstbereite Hilfsschöffin Veronika Wei. zu treten.

Das zweite Befreiungsgesuch Pra.s ging am 21.Februar 1974 innerhalb der Dienstzeit bei Gericht ein. Das Verhinderungsgesuch San.s war am 15.Februar 1974 beim Landgericht eingetroffen. Die Antwort San.s auf die Anfrage des Vorsitzenden vom 18.Februar 1974 ging am 21.Februar 1974 erst nach Dienstschluss durch Einwurf in den Nachtbriefkasten ein. Über beide Gesuche entschied der Vorsitzende am 22.Februar 1974. Aus der Tatsache, dass er Bac. als nächstbereiten Hilfsschöffen für San. berief, ist zu schliessen, dass er zunächst über das Befreiungsgesuch San.s entschied. Erst danach erging die Entscheidung über den zweiten Befreiungsantrag Pra.s.

b) Dieses Verfahren ist nicht zu beanstanden.

Es kann dahingestellt bleiben, ob beim Vorliegen mehrerer Befreiungsgesuche verhinderter Hauptschöffen für den Ersatz durch den nächstbereiten Hilfsschöffen die Reihenfolge des Eingangs der vom Vorsitzenden anerkannten Verhinderungserklärungen massgebend ist (so BGH, Urteil vom 24.Juni 1959 - 2 StR 7/59; BGH VRS 36, 20) oder ob es auf den Zeitpunkt der richterlichen Entscheidung ankommt (so BGH, Urteil vom 8.Januar 1974 - 1 StR 529/73 für die Ersetzung eines dauernd weggefallenen Hauptschöffen durch einen Hilfsschöffen), denn auch bei Zugrundelegung der für den Beschwerdeführer günstigeren Rechtsauffassung bestehen gegen die Reihenfolge der Entscheidungen des Vorsitzenden keine rechtlichen Bedenken. Er hat über das zuerst eingegangene Verhinderungsgesuch zuerst entschieden und sich damit im Rahmen der vom 2. und 4.Strafsenat des Bundesgerichtshofs entwikkelten Rechtsgrundsätze gehalten.

Das Verhinderungsgesuch des Hauptschöffen San., das bereits am 15.Februar 1974 bei Gericht einging, enthielt alle wesentlichen Einzelheiten, die seinen Charakter als Befreiungsantrag bestimmen. Es liess das Begehren des Hauptschöffen, vom Schöffendienst während der ersten Schwurgerichtstagung befreit zu werden, klar erkennen. San. bat, die Einberufung "auf eine andere Periode umzustellen". Auch der Grund der Verhinderung, die Mitwirkung in der Meisterprüfungskommission, war angegeben. Dass der Vorsitzende noch eine Rückfrage hielt, ändert am Charakter des Antrages als Befreiungsgesuch nichts, weil dieser bereits alle wesentlichen Merkmale aufwies. Das am 21.Februar 1974 nach Dienstschluss eingegangene Schreiben San.s ist lediglich als Antwort auf die Anfrage des Vorsitzenden zu werten. Der Antrag vom 14.Februar 1974 behielt unter den gegebenen Umständen den Vorrang vor dem Gesuch vom 21.Februar 1974.

Ein Besetzungsmangel liegt danach nicht vor.

II. « Die sachlich-rechtliche Überprüfung »

Auch sachlich-rechtlicher Überprüfung hält das angefochtene Urteil stand.

1. Die Verurteilung wegen Beihilfe zum Mord in 80 rechtlich zusammentreffenden Fällen wird durch die getroffenen Feststellungen getragen.

a) Täter der vom Angeklagten in dem Dorf Tupice in Weissruthenien durchgeführten Tötungen an zumindest 80 Dorfbewohnern, Männern und Frauen, Greisen und Kleinkindern, war entweder der Höhere SS- u. Polizeiführer Jeckeln oder der Bataillonskommandeur SS-Sturmbannführer Kummer (UA S.15 [286]). Einer von ihnen ordnete eigenmächtig die Ausrottung der Dorfbevölkerung an. Beim Täter waren die Mordmerkmale der Tötung aus niedrigen Beweggründen und der Grausamkeit erfüllt.

b) Die Tötung der Einwohner des Dorfes war, wie das Schwurgericht zutreffend darlegt (UA S.16-20 [287]), rechtswidrig. Sie war weder durch den Führererlass über die Ausübung der Kriegsgerichtsbarkeit im Gebiet "Barbarossa" vom 13.Mai 1941, noch durch Kriegsbrauch in der Form eines Gewohnheitsrechts, noch als völkerrechtliche Repressalie oder als Kollektivstrafe gerechtfertigt.

[286] = Seite 572 dieses Bandes.

[287] = Seite 573 ff. dieses Bandes.

c) Der Angeklagte leistete vorsätzlich dem Täter zu dessen Mordhandlungen Hilfe. Er leitete als verantwortlicher Unterführer die Erschiessung der Dorfbevölkerung und erteilte eigenhändig Nachschüsse. Er handelte selbst aus eigenen niedrigen Beweggründen und grausam und wusste, dass auch der Befehlsgeber diese Merkmale erfüllte.

d) Handeln auf Befehl rechtfertigt das Verhalten des Angeklagten nicht. §47 Abs.1 Nr.2 MStGB, der auch für Angehörige der SS- u. Polizeiverbände bei besonderem Einsatz galt (§3 der VO vom 17.Oktober 1939 - RGBl. I 2107), begründete einen Rechtfertigungsgrund nur für denjenigen Soldaten, der einen dienstlichen Befehl in Unkenntnis seines verbrecherischen Charakters ausführte. Der Angeklagte hatte aber positive Kenntnis von dem verbrecherischen Zweck des Ausrottungsbefehls, den er in die Tat umsetzte (UA S.22 [288]).

Zu Unrecht wendet die Revision sich gegen die Annahme des Schwurgerichts, der Angeklagte habe den Befehl zur Tötung der Bevölkerung von Tupice als rechtswidrig angesehen. Der Tatrichter folgert die Kenntnis des Angeklagten vom verbrecherischen Charakter des Befehls daraus, dass eine solche Anordnung notwendigerweise auch die Tötung von Kindern jeden Alters einschloss (UA S.22 [289]). Dieser Schluss ist möglich. Das Schwurgericht war nicht gehindert, aus der offensichtlichen Auswirkung des Befehls auf Kleinkinder zu schliessen, dass dem in seiner Einsichtsfähigkeit beschränkten Angeklagten die Erkenntnis vom verbrecherischen Charakter der Anordnung wenigstens aus dieser unmenschlichen Folgeerscheinung gekommen ist. Das markante Beispiel der betroffenen Kinder dient dazu, dem Tatrichter die Bewusstseinslage des Angeklagten zur Tatzeit zu offenbaren. Die Erwägung bedeutet keineswegs, dass der Angeklagte - wie die Revision meint - den verbrecherischen Inhalt des Befehls nicht erkannt hat, soweit Erwachsene betroffen waren. Die besonders augenfällige Auswirkung der Anordnung auf Kleinkinder hat ihm vielmehr die Erkenntnis vermittelt, dass der gesamte Ausrottungsbefehl und damit die gesamte Aktion, an der er teilnahm, verbrecherisch waren.

Das begrenzte Einsichtsvermögen und die von Schlagwörtern geprägten Moralvorstellungen des Angeklagten, die das Schwurgericht im Rahmen der Strafzumessung feststellt (UA S.29 [290]), schliessen die Kenntnis vom verbrecherischen Charakter eines derart unmenschlichen Befehls nicht aus. Deshalb bestand für das Schwurgericht keine Veranlassung, im Rahmen der Darlegungen zu §47 MStGB darauf besonders einzugehen.

e) Befehlsnotstand und Putativbefehlsnotstand sind ohne erkennbaren Rechtsirrtum verneint (UA S.24 bis 26 [291]). Für den Fall, dass der Angeklagte davon ausgegangen ist, der Befehl sei trotz des erkannten verbrecherischen Zwecks für ihn bindend gewesen, nimmt das Schwurgericht rechtlich bedenkenfrei vermeidbaren Verbotsirrtum (BGHSt. 22, 223) an, der den Vorsatz nicht ausschliesst (UA S.27 [292]).

2. Die Strafzumessungserwägungen sind rechtlich nicht zu beanstanden.

Das Schwurgericht hat von den Milderungsmöglichkeiten nach §§49 Abs.2, 44 StGB a.F. wegen Beihilfe und wegen des vermeidbaren, jedoch schuldmindernden Verbotsirrtums Ge-

[288] = Seite 575 dieses Bandes.

[289] = Seite 575 f. dieses Bandes.

[290] = Seite 578 dieses Bandes.

[291] = Seite 576 f. dieses Bandes.

[292] = Seite 578 f. dieses Bandes.

brauch gemacht (UA S.32 [293]). In der ab 1.Januar 1975 geltenden Fassung des Strafgesetzbuchs bedeutet das eine doppelte Strafmilderung nach §§17, 27, 49 Abs.1 StGB. Im Gegensatz zum früheren Recht ist nunmehr das Höchstmass der Strafe herabgesetzt (§49 Abs.1 Nr.2 StGB). Das hat der Senat zu berücksichtigen. Die erkannte Freiheitsstrafe von vier Jahren liegt jedoch so weit unterhalb der jetzt in Betracht kommenden Höchstgrenze, dass der Senat eine Auswirkung der Gesetzesänderung auf den vorliegenden Fall ausschliessen kann.

[293] = Seite 580 dieses Bandes.

Lfd.Nr.807

Tatkomplex
Massenvernichtungsverbrechen durch Einsatzgruppen

Tatort
Eupatoria, Odessa, Tighina, Tscherkessk

Tatzeit
4108-4210

Gerichtsentscheidungen
LG München I vom 29.03.1974, 115 Ks 6/71

INHALTSVERZEICHNIS

des unter Lfd.Nr.807 veröffentlichten Urteils

LG München I vom 29.03.1974, 115 Ks 6/71

115 Ks 6/71

Im Namen des Volkes

Das Schwurgericht bei dem Landgericht München I erlässt in der Strafsache gegen [294]

Schlu. Johannes
Win. Heinrich
Esc. Rudi

wegen Mordes (NSG)

in der öffentlichen Sitzung vom 29.März 1974, aufgrund der Hauptverhandlung vom 5., 6., 7., 8., 12., 13., 15., 16., 19., 20., 22., 23., 26., 27., 29. und 30.November 1973, 3., 4., 6., 7., 17., 20. und 27.Dezember 1973, 3., 8., 15., 21. und 28.Januar 1974, 5., 11., 18., 25. und 27.Februar 1974 sowie 8., 11., 13., 14., 15., 18., 19., 20., 26. und 29.März 1974, folgendes Urteil:

I. Die Angeklagten
1) Schlu., Johannes Paul Paulus, geboren am 17.10.1908 in Reichenbach/Vogtland, geschiedener Rentner, deutscher Staatsangehöriger, wohnhaft in Bremen--Walle,
Eltern: Paul Otto und Emma Maria Schlu., letztere geborene Sch.,
2) Win., Heinrich Armin Heribert, geboren am 1.6.1912 in Kempten/Allgäu, verheirateter Wirtschaftsjurist und Geschäftsführer, deutscher Staatsangehöriger, wohnhaft in München 50,
Eltern: Heinrich und Anna Win., letztere geborene Me.,
3) Esc., Rudi Friedrich Karl, geboren am 10.3.1914 in Würzburg, geschiedener Buchhalter, deutscher Staatsangehöriger, wohnhaft in München 80,
Eltern: Georg und Pauline Esc., letztere geborene A.,
sind schuldig
1) Schlu.: dreier sachlich zusammentreffender Verbrechen der gemeinschaftlichen Beihilfe zu je einem gemeinschaftlich begangenen Verbrechen des Mordes in 40, 300 und 40 rechtlich zusammentreffenden Fällen nach den §§211, 47, 49, 73, 74 StGB,
2) Win.: eines Verbrechens der gemeinschaftlichen Beihilfe zu einem gemeinschaftlich begangenen Verbrechen des Mordes in 40 rechtlich zusammentreffenden Fällen nach den §§211, 47, 49, 73 StGB,
3) Esc.: sechs sachlich zusammentreffender Verbrechen der gemeinschaftlichen Beihilfe zu je einem gemeinschaftlich begangenen Verbrechen des Mordes in 300, 10, 10, 10, 10 und 40 rechtlich zusammentreffenden Fällen nach den §§211, 47, 49, 73, 74 StGB.
II. Es werden deswegen verurteilt
1) Schlu. zur Gesamtfreiheitsstrafe von 4 (vier) Jahren 6 (sechs) Monaten,
2) Win. zu 3 (drei) Jahren Freiheitsstrafe,
3) Esc. zur Gesamtfreiheitsstrafe von 5 (fünf) Jahren.
III. Der Angeklagte Win. wird im übrigen freigesprochen.

[294] Rechtskräftig hinsichtlich aller Angeklagten durch Beschluss des BGH vom 11.3.1975, 1 StR 653/74.

IV. Den Angeklagten Schlu., Win. und Esc. wird je auf die Dauer von 5 (fünf) Jahren die Fähigkeit aberkannt, öffentliche Ämter zu bekleiden.
V. Soweit die Angeklagten verurteilt worden sind, tragen sie die Kosten des Verfahrens und die ihnen erwachsenen notwendigen Auslagen. Soweit der Angeklagte Win. freigesprochen worden ist, fallen die ausscheidbaren Verfahrenskosten sowie die ausscheidbaren notwendigen Auslagen dieses Angeklagten der Staatskasse zur Last.

GRÜNDE

I. Die persönlichen Verhältnisse der Angeklagten, ausgenommen deren politischer Werdegang

1. Der Angeklagte Schlu. wurde am 17.10.1908 in Reichenbach/Vogtland als Sohn eines selbständigen Kaufmanns geboren. Er wuchs mit zwei älteren Schwestern und einer jüngeren Schwester bei seinen Eltern auf und genoss eine christlich-nationale Erziehung. Nach dem Besuch der Bürgerschule begann er eine kaufmännische Lehre, die er 1925 mit der Gehilfenprüfung abschloss. Anschliessend trat er in das väterliche Geschäft, eine Grosshandelsfirma für Zucker- und Süsswaren, ein, wo er in der Buchhaltung tätig war. Von 1933 bis 1936 führte Schlu. im Dienst der Stadt Reichenbach einen Sonderauftrag aus, über den er keine Angaben gemacht hat. Sodann war er wieder in der väterlichen Firma tätig.

Im Herbst 1938 trat er als Kriminalassistentenanwärter in die Geheime Staatspolizei ein und wurde zur Staatspolizeistelle Plauen überstellt. Von dieser Dienststelle wurde er im Mai 1941 nach Düben abgeordnet, dort der Einsatzgruppe D zugeteilt und mit dieser Einheit in Südrussland eingesetzt. Nach Auflösung der Einsatzgruppe D Ende 1943 wurde Schlu. zur Dienststelle des Kommandeurs der Sicherheitspolizei und des Sicherheitsdienstes (SD) in Warschau versetzt und übernahm die Führung der Aussenstelle Grojez. Im August oder September 1944 kam er an die Schule des Reichssicherheitshauptamtes in Fürstenberg, wo er Unterricht in Partisaneneinsätzen erteilte. Von Frühjahr 1945 bis Kriegsende gehörte er wieder der Geheimen Staatspolizei in Chemnitz an.

Nach dem Krieg verdiente Schlu. seinen Lebensunterhalt zunächst als Landarbeiter bei verschiedenen Bauern in Hessen und Oldenburg. Bis 1954 lebte er unter falschem Namen, weil er noch in Russland gehört hatte, dass er wegen seiner Tätigkeit im Rahmen der Partisanenbekämpfung durch ein sowjetisches Gericht zu 25 Jahren Zwangsarbeit verurteilt worden sei, und deshalb seine Auslieferung an die UdSSR befürchtete. In den Jahren 1949 und 1950 betrieb Schlu. in Dringenburg/Oldenburg eine kleine Feilenschärferei. In den folgenden Jahren war er an einer Bremer Feilenhauerei beteiligt. Von 1956 bis zur Erreichung des 65.Lebensjahres war er schliesslich bei der Glöckner-Hütte in Bremen als Lagerist tätig.
Im September 1941 hatte Schlu. im Wege der Ferntrauung geheiratet. Aus dieser Ehe stammt ein Sohn. Die Ehe wurde 1955 geschieden, weil der Angeklagte, der verborgen gelebt hatte, mit seiner in der DDR lebenden Frau keine Verbindung hatte aufnehmen können und daher eine Entfremdung eingetreten war.

Schlu. leidet an einer Herzerkrankung mit Angina pectoris bei Belastung. Im Verlaufe der Hauptverhandlung wurde bei ihm ausserdem eine leichte Zuckerkrankheit festgestellt.

2. Der Angeklagte Win. wurde am 1.6.1912 in Kempten als Sohn eines Stabszahlmeisters geboren. Er wuchs mit sieben älteren Geschwistern bei seinen Eltern in München auf und wurde im deutschnationalen Sinne erzogen. Nach dem Besuch der Volksschule und des Realgymnasiums legte er 1931 das Abitur ab. Anschliessend begann er mit dem Studium der Rechtswissenschaft, brach es aber nach knapp zwei Semestern ab, weil sein Vater starb.

1932 trat er als Lehrling in das Chemiewerk Stock in Starnberg ein, wo er es bis zum Betriebsleiter brachte. Da sich ihm keine weiteren Aufstiegsmöglichkeiten in diesem Unternehmen boten, interessierte sich Win. für den Zolldienst, wurde aber nicht genommen. Sein im Jahre 1936 gestellter Antrag um Aufnahme in die SS-Grenzüberwachung hatte jedoch Erfolg und nach einem kurzen Aufenthalt in Lindau kam er in die Verwaltungsdienststelle nach München. Ein Jahr später wurde er zunächst als Angestellter und dann als Beamtenanwärter von dem Geheimen Staatspolizeiamt Berlin, Referat Grenzpolizei, übernommen, wo er bei der Kleiderkasse tätig war. Nach Absolvierung eines Lehrgangs wurde er im Frühjahr 1940 zum Hilfskriminalkommissar ernannt.

Win. nutzte dann die ihm gebotene Gelegenheit, einen Lehrgang für Anwärter des sog. Leitenden Dienstes in Berlin zu besuchen, mit dem sich das Reichssicherheitshauptamt die Heranbildung politisch zuverlässigen Nachwuchses für den höheren Dienst in Partei- und Staatsstellen zur Aufgabe gesetzt hatte. Der Wunsch Win.s war die spätere Übernahme in den Auswärtigen Dienst. Im Rahmen des Lehrgangs setzte er im Sommersemester 1940 das Jurastudium fort. Gemeinsam mit den anderen Lehrgangsteilnehmern wurde er im Mai 1941 nach Pretzsch abgeordnet und mit der Einsatzgruppe D nach Südrussland abkommandiert. Im Oktober 1941 wurde Win. zur Fortsetzung des Studiums nach Berlin zurückberufen. Nach dem im Jahre 1942 bestandenen Referendarexamen leistete er seine Referendarzeit ab und legte im Frühjahr 1944 die Zweite juristische Staatsprüfung ab. Von August 1944 bis Kriegsende war er als Regierungsassessor im Reichsfinanzministerium persönlicher Referent des Generalinspekteurs des Zollgrenzschutzes.

Nach kurzer Internierung in Österreich kehrte Win. nach München zurück und war hier in der Verwaltung des US-Hauptquartiers tätig. Im Mai 1948 wurde er noch einmal für neun Wochen in Dachau interniert. Anschliessend arbeitete er als Geschäftsführer des Garngrosshändlerverbandes. Seit 1952 war er als juristischer Mitarbeiter zunächst bei einem Wirtschaftsprüfer und dann bei einem Unternehmen beschäftigt. Im Herbst 1967 machte Win. eine eigene Kanzlei als Vermögensverwalter auf. Ausserdem übernahm er die Geschäftsführung einer Schweizer Firma in München.

Win. heiratete im Oktober 1938. Aus der Ehe ging ein Sohn hervor. Seit 1963 lebt der Angeklagte von seiner Frau, die mehr und mehr dem Alkohol zusprach, getrennt. Er lebt heute mit einer anderen Frau zusammen, von der er eine zwölfjährige Tochter hat.

Win. hat seit seiner Geburt einen Hörfehler am linken Ohr. Bei einem Minenunfall im Jahre 1943 wurde ihm ausserdem das rechte Ohrbein zerschmettert. Ferner ist sein Nervensystem angegriffen.

3. Der Angeklagte Esc. wurde am 10.3.1914 in Würzburg geboren. Er wuchs mit einer älteren Schwester bei seinen Eltern auf, die ein Tabakwarengeschäft und eine Leihbücherei betrieben. Nach dem Besuch von acht Klassen Volksschule und einer Klasse Handelsschule begann er eine Lehre als Buchhalter, die er 1931 abschloss. Im selben Jahr trat er in München in die Landespolizei ein. Von 1934 bis 1938 gehörte er der SS-Verfügungstruppe, der Vorgängerin der Waffen-SS, an, wo er sich als Ausbilder betätigte und mit dem Dienstgrad eines Unterscharführers ausschied. Im Jahre 1939 kam Esc. als Ausbilder zur Grenzpolizeischule in Pretzsch. Daneben besuchte er einen Lehrgang für Kriminalassistenten. Anschliessend war er als Kriminalbeamter in Prag tätig. Im Frühjahr 1941 wurde er zur Waffen-SS nach Düben eingezogen und übernahm dort bis zum Abrücken der Einsatzgruppen die militärische Ausbildung eines Teils der Angehörigen der Einsatzgruppe D. Wie die beiden Mitangeklagten wurde auch Esc. mit dieser Einheit in Südrussland eingesetzt.

Ende 1942 / Anfang 1943 kehrte Esc. nach Prag zurück. In der Folgezeit war er der Wachmannschaft des Reichsprotektors für Böhmen und Mähren zugeteilt. Kurz vor Kriegsende wurde er noch einmal eingezogen. Nach der Kapitulation geriet er in sowjetische Kriegsgefangenschaft. 1948 oder 1949 wurde Esc. durch ein sowjetisches Militärgericht wegen seiner früheren Zugehörigkeit zur Kriminalpolizei zu 20 Jahren Zwangsarbeit verurteilt. Seine Beteiligung an Judenexekutionen der Einsatzgruppe D war nicht Gegenstand der Verurteilung. In den folgenden Jahren war er in verschiedenen sowjetischen Arbeitslagern unter schweren Bedingungen inhaftiert. Nach seiner vorzeitigen Entlassung im Jahre 1953 begab sich Esc. nach Aachen, wo er ein Jahr später bei der Kriminalpolizei als Angestellter in der Fahndungsabteilung eingestellt wurde. Im Jahre 1964 wurde er wegen Unregelmässigkeiten aus dem Polizeidienst entlassen. In der Folgezeit arbeitete er zunächst als Transportarbeiter und dann in seinem erlernten Beruf als Buchhalter bei verschiedenen Firmen, zuletzt bis zu seiner erneuten Festnahme in dieser Sache am 11.4.1973 bei einer Tankstelle in München.

Esc. heiratete 1938 das erste Mal. Nachdem seine Frau 1943 gestorben war, schloss er ein Jahr später die zweite Ehe, aus der ein Sohn hervorgegangen ist. Diese Ehe wurde 1965 geschieden.

Während seiner Gefangenschaft erlitt Esc. infolge eines Kolbenhiebs eine Verletzung der Wirbelsäule, die ihm auch jetzt noch erhebliche Beschwerden bereitet. Seit 1966 musste er sich drei Magenoperationen unterziehen, wobei zwei Drittel des Magens entfernt wurden. Ferner leidet er an Herzbeschwerden.

4. Die drei Angeklagten sind nach den verlesenen Auskünften aus dem Zentralregister nicht vorbestraft.

II. Der festgestellte Sachverhalt

A. « Der zeitgeschichtliche Rahmen der Tätigkeit der Angeklagten »

Im Verlauf der Geschichte gab es zahlreiche Judenverfolgungen, nie zuvor aber einen derart staatlich veranlassten, organisierten und bürokratisierten systematischen Massenmord so schrecklichen Ausmasses wie in der Zeit des Dritten Reiches.

1. Nationalsozialistische Judenverfolgung vor Beginn des Zweiten Weltkrieges

Die nationalsozialistische Rassenlehre, schon kurz nach Ende des Ersten Weltkrieges durch Hitler und Genossen häufig propagiert und in den Punkten 4 und 5 des Parteiprogramms der NSDAP vom 24.2.1920 festgelegt, fand bald nach der Ernennung Adolf Hitlers zum Reichskanzler am 30.1.1933 ihre grausame Verwirklichung. Dies trat bereits deutlich in Erscheinung in dem staatlich geduldeten und von der Parteileitung der NSDAP für den 1.4.1933 angeordneten Boykott gegen jüdische Geschäfte, jüdische Waren, jüdische Ärzte und jüdische Rechtsanwälte. Es folgte die neben der moralischen Diffamierung und Diskriminierung durch die NSDAP einhergehende polizeilich-administrative Unterdrückung und Terrorisierung der Juden, verbunden mit der Aussonderung und Entrechtung der "rassisch Minderwertigen" durch zahlreiche Gesetze und Verordnungen. Die Juden wurden menschlich geächtet ("Juden unerwünscht"), von dem kulturellen Leben ausgeschlossen (z.B. durch die am 29.9.1933 errichtete Reichskulturkammer), aus dem öffentlichen Leben gedrängt (so schon durch das Gesetz zur Wiederherstellung des Berufsbeamtentums vom 7.4.1933) und wirtschaftlich ruiniert (vgl. etwa das Reichserbhofgesetz vom 29.9.1933). Den Höhepunkt dieser Gewalt- und Willkürakte vor dem Zweiten Weltkrieg bildeten der Judenpogrom in der Nacht vom 9. auf den 10.11.1938 ("Reichskristallnacht") und die darauf folgenden gesetzgeberischen Massnahmen.

2. Die sog. "Endlösung der Judenfrage"

a) War anfangs soziale Isolierung, Entrechtung und Vertreibung der Juden aus Deutschland das erkennbare Ziel, so schritten nach Ausbruch des Zweiten Weltkrieges die NS-Gewalthaber zur Ausrottung der jüdischen Rasse innerhalb ihres Machtbereichs. Der Zweite Weltkrieg wurde auch zum Rassekrieg gegen das Judentum erklärt. Dies zeichnete sich bereits ab in der berüchtigten Prophezeiung durch Hitler in dessen Reichstagsrede vom 30.1.1939, in der versichert wurde, ein neuer Weltkrieg würde die Vernichtung der jüdischen Rasse in Europa zur Folge haben.

b) Im Zuge der Vorbereitung des Russlandfeldzugs, für den die Tarnbezeichnung "Unternehmen Barbarossa" gewählt worden war, erteilte Hitler spätestens im März 1941 dem Reichsführer SS und Chef der Deutschen Polizei Himmler den mündlichen Befehl (sog. "Führerbefehl"), die für die Vernichtung der Juden notwendigen organisatorischen Voraussetzungen zu schaffen und zunächst die Ausrottung der jüdischen Bevölkerung Osteuropas zu verwirklichen. Dieser "Führerbefehl" wurde zunächst noch geheimgehalten, wie auch seine spätere Ausführung und die dazu erforderlichen Anordnungen als "Geheime Reichssache" behandelt wurden. Die Gesinnungsgenossen Hitlers, neben Göring und Himmler namentlich noch Heydrich als Chef der Sicherheitspolizei und des SD und damit des Reichssicherheitshauptamtes, schlossen sich den von Hitler entwickelten Ideen im Rahmen der sog. Judenfrage überzeugt und begeistert an, setzten den "Führerbefehl" in die Tat um und ermöglichten seine Durchführung im einzelnen.

3. Die Einsatzgruppen und -kommandos

a) Zur Ausführung der von Hitler befohlenen Vernichtung der Juden bediente man sich sog. Einsatzgruppen, die unmittelbar Heydrich unterstellt wurden. Ausgangspunkt der Betätigung der Einsatzgruppen waren die auf Hitlers Befehl von Generalfeldmarschall Keitel erlassenen "Richtlinien auf Sondergebieten zur Weisung Nr.21 (Fall Barbarossa)" vom 13.3.1941. In anschliessenden Verhandlungen Heydrichs mit dem Generalquartiermeister Wagner kam es am 26.3.1941 zu einem Befehlsentwurf des Oberkommandos des Heeres über die Betätigung der Einsatzgruppen und der Einsatzkommandos als Untergliederungen im Operationsgebiet, der unverändert unter dem 20.4.1941 von Generalfeldmarschall von Brauchitsch als Befehl herausgegeben wurde. Danach war es Aufgabe der Einsatzkommandos, wichtiges Material aus Archiven sicherzustellen, besonders wichtige Einzelpersonen festzunehmen sowie staats- und reichsfeindliche Bestrebungen zu bekämpfen. Weiter wurde festgelegt, dass sie ihre Aufgaben in eigener Verantwortlichkeit durchzuführen hätten. Lediglich hinsichtlich Marsch, Versorgung und Unterbringung sollten sie der Wehrmacht unterstellt sein. Es wurde ihnen das Recht eingeräumt, im Rahmen ihres Auftrags in eigener Verantwortung Exekutivmassnahmen gegenüber der Zivilbevölkerung zu treffen.

Ferner wurde durch einen von Keitel am 13.5.1941 unter der Bezeichnung "Erlass über die Ausübung der Kriegsgerichtsbarkeit im Gebiet "Barbarossa" und über besondere Massnahmen der Truppe" im Auftrag Hitlers unterzeichneten Befehl die Zivilbevölkerung in diesem Gebiet der Zuständigkeit der Kriegs- und Standgerichte entzogen.

Davon, dass zu den Aufgaben der Einsatzgruppen und deren Kommandos die Vernichtung der Juden gehörte, war in dem Befehl von Brauchitschs nirgends die Rede. Einen gewissen Hinweis hierzu bringt eine Weisung, die Heydrich am 2.7.1941 an die vier Höheren SS- und Polizeiführer Jeckeln, v.d. Bach, Prützmann und Korsemann (über Ohlendorf) gab. Hier wurde als Nahziel des Gesamteinsatzes die sicherheitspolizeiliche Befriedung der neu zu besetzenden Gebiete herausgestellt, wobei alle zu treffenden Massnahmen mit rücksichtsloser Schärfe auf umfassendstem Gebiet durchgeführt werden müssten. Als eine der Massnahmen wurden die Exekutionen hervorgehoben, wobei es hiess:

"Zu exekutieren sind alle
Funktionäre der Komintern (wie überhaupt die kommunistischen Berufspolitiker schlechthin),
die höheren, mittleren und radikalen unteren Funktionäre der Partei, der Zentralkomitees, der Gau- und Gebietskomitees,
Volkskommissare,
Juden in Partei- und Staatsstellungen,
sonstigen radikalen Elemente (Saboteure, Propagandeure, Heckenschützen, Attentäter, Hetzer usw.) ...".

Aus den genannten Unterlagen ergibt sich nicht, dass als wichtigste Aufgabe der Einsatzgruppen und deren Kommandos die Tötung der osteuropäischen Juden ohne Rücksicht auf Alter und Geschlecht vorgesehen war. Die entsprechenden Befehle hierzu wurden mündlich gegeben in dem Bestreben, die geplanten Massnahmen möglichst geheimzuhalten. Von dieser Aufgabe wurden vor dem Abrücken der Einsatzgruppen nach Russland auch nur deren Führer und die der Einsatzkommandos unterrichtet. Den übrigen Angehörigen der Einsatzgruppen und -kommandos wurde der "Führerbefehl" erst später bekannt gegeben.

b) Im Mai 1941 wurden in den sächsischen Städten Düben, Pretzsch und Bad Schmiedeberg die zur Verwendung in Russland vorgesehenen Einsatzgruppen aufgestellt. Entsprechend der Gliederung des deutschen Ostheeres in drei Heeresgruppen und die 11.Armee wurden vier Einsatzgruppen (A, B, C und D) gebildet. Die Angehörigen der Einsatzgruppen und -kommandos wurden aus dem gesamten Reichsgebiet zusammengezogen und bestanden aus Beamten der Geheimen Staatspolizei und der Kriminalpolizei, aus Angehörigen des SD und der Waffen-SS sowie aus Kraftfahrern und Dolmetschern verschiedener Dienststellen. Ausserdem wurden die Teilnehmer des Lehrgangs des Leitenden Dienstes als Führerdienstgrade auf die Einheiten aufgeteilt. Kurz vor Beginn des Russlandfeldzugs wurde ferner das in Berlin stationierte Polizeireservebataillon 9 zug- und halbzugweise den einzelnen Einsatzkommandos zugeteilt. Etwa Mitte Dezember 1941 wurde dieses Bataillon aus Russland abgezogen und durch das Polizeireservebataillon 3 ersetzt.

c) Über ihre Tätigkeit hatten die Einsatzkommandos an die Einsatzgruppen zu berichten, bei denen dann auf der Grundlage der von den einzelnen Kommandos eingelaufenen Meldungen eigene Berichte zusammengestellt wurden. Diese wurden an das Reichssicherheitshauptamt weitergeleitet und von dessen Amt IV (Gestapo) schliesslich zu den "Ereignismeldungen UdSSR" und seit Mai 1942 zu den "Meldungen aus den besetzten Ostgebieten" mit jeweils fortlaufender Numerierung verarbeitet.

4. Das Einsatzkommando 11b

a) Die drei Angeklagten wurden zunächst dem Einsatzkommando 11 zugeteilt, das unter der Leitung des SS-Sturmbannführers Zapp [295] stand und der Einsatzgruppe D angehörte. Diese Einsatzgruppe, die im Operationsgebiet der 11.Armee tätig wurde, gliederte sich in den Gruppenstab und die vollmotorisierten Einsatzkommandos 10a, 10b, 11 und 12. Mit der Führung der Einsatzgruppe wurde der damalige SS-Standartenführer und spätere SS-Gruppenführer Ohlendorf beauftragt, der Anfang Juli 1942 von SS-Oberführer Bierkamp abgelöst wurde.

Kurz nach Beginn des Russlandfeldzugs rückte das Einsatzkommando 11 am 28.6.1941 im Verband der Einsatzgruppe D von Düben über das damalige Protektorat, Österreich und

[295] Siehe Lfd.Nr.724.

Ungarn nach Rumänien ab, nachdem ein hoher SS-Führer, wahrscheinlich Heydrich, den angetretenen Einheiten eröffnet hatte, dass ihnen ein schwerer Einsatz bevorstehe, ohne jedoch konkrete Angaben zu machen. Anfang Juli 1941 wurde das Einsatzkommando 11 in Schässburg oder Piatra-Neamt in die Einsatzkommandos 11a und 11b aufgeteilt. Während Zapp die Führung des Kommandos 11a übernahm, wurde das Kommando 11b für kurze Zeit von SS-Hauptsturmführer Ung. und ab Jassy - an der rumänisch-russischen Grenze gelegen - von SS-Sturmbannführer Bruno Müller geführt. Das Einsatzkommando 11b umfasste etwa 100 Mann. Ihm gehörten auch die drei Angeklagten an. Schlu., dem während des Vormarsches die Kraftfahrer unterstanden, und Win. gehörten als SS-Obersturmführer zu den Führerdienstgraden des Kommandos. Esc. war mit dem Dienstgrad eines SS-Oberscharführers der Zugführer der dem Kommando zugeteilten Angehörigen der Waffen-SS.

b) Anlässlich einer Besprechung in Piatra-Neamt gab Ohlendorf den Angehörigen des Leitenden Dienstes, darunter auch dem Angeklagten Win., den "Führerbefehl" bekannt. Er teilte ihnen mit, dass es Aufgabe der Einsatzkommandos wäre, das rückwärtige Heeresgebiet "judenfrei" zu machen. Im Anschluss an diese Besprechung äusserte Win. gegenüber dem Adjutanten von Ohlendorf, dass sie schlimmere Dienste als Henker zu leisten hätten. Daraufhin wurde Win. zu Ohlendorf gerufen, der ihm bedeutete, seine Meinung für sich zu behalten, weil ihn andernfalls der Kommandoführer "umlegen" lassen würde oder er in eine Bewährungseinheit käme, wo ihm das gleiche Schicksal bevorstünde. Um von dem Einsatzkommando wegzukommen, schrieb Win. von Piatra-Neamt aus an den ihm gut bekannten Leiter der Grenzpolizeischule in Pretzsch und bat diesen, ihn als Lehrer an die dortige Schule zu holen.

Der Angeklagte Esc., der ebenfalls in Piatra-Neamt gerüchtweise von dem "Führerbefehl" gehört hatte, setzte sich nach einem Gespräch mit seinen Kameraden von der Waffen-SS mit Ung. ins Benehmen, der ihn an Zapp verwies. Esc. äusserte gegenüber Zapp, dass seine Leute und er gern an die Front gingen, weil sie nicht auf wehrlose Menschen schiessen wollten. Zapp wies ihn darauf hin, dass Meuterei mit dem Tode bestraft würde.

B. Die Judenexekutionen des EK 11b bzw. 11 unter Beteiligung der Angeklagten

1. Tighina (Fall I der Anklage)

Das Einsatzkommando 11b rückte, wie die anderen Kommandos auch, unmittelbar hinter der kämpfenden Truppe nach. Nachdem es bereits einmal Ende Juli 1941 für wenige Stunden in Tighina am Dnjestr gewesen war, sich aber wegen Feindbeschusses wieder hatte zurückziehen müssen, nahm es einige Tage später dort sein Quartier.

Anfang August 1941 spielte der Kommandoführer Müller eine Nacht hindurch mit den Führerdienstgraden, darunter auch Schlu., Karten, wobei auch Alkohol getrunken wurde. Win. war hierbei nicht zugegen. Er war erst am späten Abend auf Weisung Müllers aus dem Lazarett in Bulbuaco, in dem er etwa 14 Tage wegen einer Art Typhus, Ruhr und einer Hauterkrankung gelegen hatte, nach Tighina geholt und dort von Müller mit der Aufklärung eines Brandanschlags auf einen LKW des Kommandos beauftragt worden. Am frühen Morgen eröffnete Müller seinen Offizieren, dass sie jetzt Juden erschiessen würden. Schlu. hatte bis dahin von dieser Aufgabe der Einsatzkommandos keine Kenntnis. Sodann fuhren Müller und die Offiziere mit mehreren Fahrzeugen zu einem Panzergraben ausserhalb des Ortes. Müller nahm in seinem Pkw Win. mit, den er abgeholt hatte. In einer etwa 80 bis 100 Meter vom Panzergraben entfernten Bodenwelle waren mindestens 40 jüdische Männer, Frauen und Kinder versammelt, die von Kommandoangehörigen bewacht wurden. Nunmehr wurde auch Win. bewusst, was bevorstand.

Müller hielt eine kurze Ansprache an die Offiziere und die übrigen Kommandoangehörigen, in der er davon sprach, dass die bevorstehende Aktion auf einem Befehl der Reichsregierung beruhe, aus Staatsnotwendigkeit durchgeführt werden müsse und es sich um eine "geheime Reichssache" handle. Dann liess er eine Jüdin mit einem zwei bis vier Jahre alten Kleinkind heranführen und erschoss aus kurzer Entfernung mit seiner Pistole erst das Kind auf dem Arm der Mutter und dann diese, wobei er ausrief: "Ihr müsst sterben, damit wir leben können." Nun befahl Müller sechs SS-Führern, die den in der Nähe befindlichen Mannschaften ein Beispiel geben sollten, gegenüber von sechs mittlerweile herangeführten Opfern Aufstellung zu nehmen und sie zu erschiessen. Die Opfer, die sich unmittelbar am Panzergraben, der etwa 1,50 Meter tief und 4 bis 5 Meter breit war, mit dem Gesicht zu den etwa 10 bis 12 Meter entfernt stehenden Schützen aufstellen mussten, sahen beim Heranführen die nicht abgedeckten Leichen jener Jüdin und ihres Kindes entweder vor oder in dem Panzergraben liegen, wodurch sie erhebliche zusätzliche seelische Qualen litten.

Auf den Feuerbefehl von Müller erschoss der Angeklagte Schlu., der in der Reihe der SS--Führer stand, mit einem Schuss aus seiner Maschinenpistole das ihm gegenüberstehende Opfer. Der Angeklagte Win., der auf Veranlassung Müllers seine kleinkalibrige Pistole gegen eine grosskalibrige Waffe vertauschen musste, gab ebenfalls in der Salve einen Schuss in Richtung der Opfer ab und traf auch eines, wobei nicht festgestellt werden konnte, ob es tödlich getroffen wurde. Die getroffenen Opfer stürzten in den Panzergraben und blieben dort einfach liegen. Während Schlu. sich weiter am Exekutionsort aufhielt, entfernte sich Win.

Sodann wurden aus der Gruppe der wartenden Opfer jeweils etwa vier an den Graben herangeführt und dort mit dem Gesicht zu den etwa 10 bis 12 Meter entfernt stehenden Schützen, die nunmehr aus Mannschaftsdienstgraden bestanden, aufgestellt. Auf Feuerbefehl schossen ihnen die Schützen mit Karabinern in den Kopf oder die Brust. War ein Opfer nicht sofort tot, gab der Führer der Schutzpolizisten, Oberleutnant Jonas, mit seiner Pistole einen Nachschuss auf es ab. Zum Teil weinten und schrien die Opfer, zum Teil gingen sie auch gefasst in den Tod. Die Exekution der mindestens 40 Juden beiderlei Geschlechts und jeden Alters dauerte knapp zwei Stunden.

Die wartenden Opfer konnten zwar wegen der Bodenwelle, in der sie lagen, die Erschiessung ihrer Vorgänger nicht sehen, hörten aber das Schreien und salvenartige Schiessen. Dadurch, dass die nachfolgenden Gruppen der Opfer beim Heranführen an den Panzergraben die nicht abgedeckten Leichen der bereits Getöteten sahen, litten sie erhebliche zusätzliche seelische Qualen.

Der Angeklagte Schlu., der sich während der gesamten Exekution in der Nähe des Panzergrabens aufhielt, kannte sämtliche Umstände, unter denen sie stattfand. Der Angeklagte Win., der gesehen hatte, dass die Leichen der Jüdin und ihres Kindes nicht abgedeckt wurden, wusste, dass noch eine Gruppe Opfer auf ihre Erschiessung wartete. Ihm war klar, dass auch die Leichen der nachfolgenden Opfer nicht abgedeckt und von den später herangeführten Opfern jeweils gesehen werden würden. Als er sich entfernte, hörte er auch noch das salvenartige Schiessen. Beide Angeklagte waren sich bewusst, dass durch die von ihnen wahrgenommenen Umstände den Opfern aus einer gefühllosen, unbarmherzigen Gesinnung besondere seelische Qualen zugefügt wurden.

Der Angeklagte Schlu. war zum Zeitpunkt der Exekution durch den in der vorangegangenen Nacht genossenen Alkohol in seiner Zurechnungsfähigkeit nicht beeinträchtigt.

2. Odessa (Fall III der Anklage)

Um den 16./17.10.1941 rückte das Einsatzkommando 11b unmittelbar nach der Einnahme der Stadt durch die rumänischen Truppen in Odessa ein. Der Hauptteil des Kommandos nahm im ehemaligen NKWD-Sanatorium am Stadtrand, einem Gebäudekomplex mit einem grossen Park, Quartier.

Am 22.10.1941 gegen 18.00 Uhr wurde auf das Gebäude der rumänischen Stadtkommandantur ein Sprengstoffanschlag verübt, durch den auch einige deutsche Offiziere getötet wurden. Die Rumänen begannen sogleich mit Massenerschiessungen von Juden, weil das Gerücht ging, der sowjetische NKWD habe unter Mitwirkung von Juden die Sprengung durchgeführt. Noch am Abend des 22.10.1941 besichtigten der Kommandoführer Müller und Schlu. das gesprengte Gebäude. Als Müller erfuhr, dass die Rumänen wegen der umlaufenden Gerüchte über die Täter des Sprengstoffanschlags bereits damit begonnen hatten, Juden zu erschiessen und an mehreren Plätzen der Stadt aufzuhängen, äusserte er, sie würden sich auch Juden holen. Der Anschlag bot ihm willkommenen Anlass, auch in Odessa in Ausführung des Vernichtungsbefehls tätig zu werden.

Am frühen Morgen eines der nächsten Tage fuhr Müller mit dem Angeklagten Schlu. und mehreren anderen Kommandoangehörigen zu einem Gefängnis, in dem die Rumänen Juden gefangenhielten. Müller erreichte von der rumänischen Gefängnisverwaltung die Herausgabe von mindestens 300 jüdischen Männern, Frauen und Kindern. Diese Juden wurden unter Bewachung zu dem für die Exekution vorgesehenen Gelände hinter der Unterkunft des Kommandos gebracht, wobei Schlu. die Aufsicht über den rückwärtigen Teil des Zuges der Opfer führte. Die Juden mussten nach ihrer Ankunft zwischen 10 und 11 Uhr ausserhalb des Parkes entlang einer Mauer, die den Park von dem übrigen Gelände trennte, Aufstellung nehmen.

Auf Weisung von Müller oblag Schlu. die Einteilung von Kommandoangehörigen als Absperrposten und die Bewachung der Juden während der gesamten Exekution. Ausserdem veranlasste er, dass aus der Gruppe der wartenden Opfer jeweils sechs zur 50 bis 80 Meter entfernten Exekutionsstätte getrieben wurden, einem tiefen, ausgetrockneten Brunnen mit einem Durchmesser von 4 bis 6 Metern. Die jeweilige Gruppe musste sich vorher teilweise vollständig, teilweise bis auf die Unterwäsche entkleiden und ihre Wertsachen ablegen. Dann wurde sie durch ein weitmaschiges Spalier, das Kommandoangehörige bildeten, zum Brunnen getrieben. Soweit Opfer dabei geschlagen wurden, hat Schlu. das unwiderlegt zu unterbinden versucht. Er hielt sich fast die gesamte Exekution über am Warteplatz der Opfer auf und entfernte sich nur einige Male, um die Kommandoangehörigen, die an diesem Tage die Unterkunft zu bewachen hatten, zu kontrollieren. Mehrmals suchte er auch die Exekutionsstätte auf.

Die sechs Opfer mussten sich jeweils unmittelbar am Brunnenrand mit dem Gesicht zum Brunnen halbkreisförmig aufstellen oder hinknien. Sie wurden von den 6 bis 8 Meter hinter ihnen stehenden Schützen auf Feuerbefehl mit Karabinern in den Hinterkopf geschossen und stürzten durch die Geschosswirkung in den Brunnenschacht. Auf welche Weise die mit ihren Müttern herangeführten Kleinkinder getötet wurden, konnte nicht mehr festgestellt werden. Zunächst stellten Angehörige der Waffen-SS das sechsköpfige Exekutionskommando, dem der Angeklagte Esc. die Feuerbefehle erteilte, wobei er wiederholt abgelöst wurde. Er erteilte bei insgesamt etwa 100 Opfern das Feuerkommando. Während der Exekution wurden mehrere Handgranaten in den Brunnen geworfen, um den Schützen zu ersparen, weiteres Stöhnen nicht tödlich getroffener Opfer anhören zu müssen. Eine Handgranate warf Esc. in den Brunnenschacht. Nachdem etwa zwei Drittel der Opfer erschossen waren, wurden die Angehörigen der Waffen-SS von Schutzpolizisten abgelöst, die die Erschiessungen fortsetzten. Mit den Angehörigen der Waffen-SS entfernte sich auch Esc. von der Exekutionsstätte.

Die Exekution der mindestens 300 Juden beiderlei Geschlechts und jeden Alters dauerte bis zum späten Nachmittag.

Die wartenden Opfer weinten und jammerten. Sie konnten zwar von ihrem Warteplatz aus wegen Buschwerks die Exekutionsstätte nicht unmittelbar einsehen. Sie sahen jedoch über Stunden hinweg, wie an der Spitze des Zuges sich immer wieder Leidensgefährten entkleiden mussten und weggeführt wurden. Sie hörten auch das salvenartige Schiessen. Ihre seelischen Qualen wurden weiter dadurch erhöht, dass sie beim Heranführen Blutspuren um den Brunnen herum sahen. Die späteren Opfer erblickten, nachdem sich der Brunnenschacht angefüllt hatte, die Leichen ihrer Leidensgefährten und hörten auch teilweise das Stöhnen nicht tödlich getroffener Opfer. Die Erschiessung war ferner dadurch menschenunwürdig und erniedrigend, dass sich die Opfer angesichts ihres bevorstehenden Todes teilweise vollständig, teilweise bis auf die Unterwäsche entkleiden mussten.

Die Angeklagten Schlu. und Esc. kannten die Umstände, unter denen die Exekution stattfand. Sie waren sich bewusst, dass den Opfern hierdurch besondere seelische Qualen zugefügt wurden, die einer gefühllosen und unbarmherzigen Gesinnung gegenüber den qualvollen Leiden der Opfer entsprungen waren.

3. Eupatoria (Fall V der Anklage)

Im November 1941 rückte das Einsatzkommando 11b, dessen Führung kurz vorher SS-Sturmbannführer Dr. Braune übernommen hatte, auf die Krim vor. Während Dr. Braune mit dem Hauptkommando in Simferopol blieb, wo auch der Stab der Einsatzgruppe D lag, wurden in mehreren Orten auf der Krim Teilkommandos stationiert, darunter eines in Karasubasar unter der Führung von Schlu. Ein Teilkommando, dem Esc. angehörte und dessen Führer der SS-Obersturmführer Kubiak war, kam nach Eupatoria an der Westküste. Kubiak hatte den Angehörigen seines Teilkommandos mitgeteilt, dass es auch auf der Krim ihre Aufgabe wäre, die Juden zu liquidieren.

Kurz vor oder nach der Ankunft des Teilkommandos in Eupatoria fand dort eine grössere Exekution von Juden statt, wobei jedoch nicht geklärt ist, wer diese durchgeführt hat. In der Folgezeit wurden von der Miliz und der Feldgendarmerie noch einzelne Juden dem Teilkommando zugeführt. Diese wurden in einem Haftraum der Unterkunft des Teilkommandos jeweils so lange gefangengehalten, bis sich mindestens zehn angesammelt hatten. Wenn das der Fall war, beauftragte Kubiak den Angeklagten Esc., die Exekution dieser Juden vorzubereiten. Daraufhin stellte Esc. aus Angehörigen des Teilkommandos das Exekutionskommando zusammen und befragte am Vortag noch einmal jeden Gefangenen, ob er Jude sei. Die Opfer, bei denen es sich jeweils um mindestens zehn jüdische Männer und vereinzelt auch Frauen handelte, wurden mit einem LKW zu einem Panzergraben nördlich von Eupatoria gebracht. Der LKW hielt vor dem Panzergraben in einer Entfernung von etwa 300 Metern. Nachdem das Gelände abgesperrt worden war, wurden aus der Gruppe der wartenden Opfer, die auf dem mit einer Plane bedeckten LKW blieben, jeweils drei bis vier zum Panzergraben getrieben und dort mit dem Rücken zu den Schützen aufgestellt. Kurz vor dem Panzergraben mussten sich die teilweise weinenden und um ihr Leben flehenden Opfer bis auf die Unterwäsche entkleiden. Sodann wurden sie auf Feuerbefehl des Angeklagten Esc. erschossen und stürzten in den Panzergraben. Der Teilkommandoführer Kubiak hielt sich jeweils am Exekutionsort auf und hatte die Leitung der Exekution, die 15 bis 20 Minuten dauerte. Auf diese Weise wurden in der Zeit von November 1941 bis Anfang Januar 1942 an vier zeitlich auseinanderliegenden Tagen jeweils mindestens zehn Juden erschossen. An diesen Exekutionen war der Angeklagte Esc. in der geschilderten Weise beteiligt.

Die wartenden Opfer konnten zwar wegen der Plane die Erschiessung ihrer Vorgänger nicht sehen, hörten aber das salvenartige Schiessen. Ihnen wurde weiter abverlangt, sich angesichts des bevorstehenden Todes bis auf die Unterwäsche zu entkleiden. Die nachfolgenden Gruppen sahen ferner beim Heranführen an den Panzergraben teilweise die nicht abgedeckten Leichen der bereits Erschossenen.

Von diesen Umständen hatte der Angeklagte Esc. Kenntnis. Er war sich bewusst, dass den Opfern hierdurch aus einer gefühllosen, unbarmherzigen Gesinnung besondere seelische Qualen zugefügt wurden.

4. Tscherkessk (Fall VI der Anklage)

Im Juli 1942 begann die Einsatzgruppe D den Vormarsch in den Kaukasus. Vor dem Abmarsch wurde das Einsatzkommando 11a aufgelöst und teilweise dem Einsatzkommando 11b eingegliedert, das nunmehr die Bezeichnung "11" führte. Das Einsatzkommando 11 rückte nach Maikop vor. Dort wurde etwa Anfang September 1942 der bisherige Kommandoführer Dr. Braune durch SS-Obersturmbannführer Schultz abgelöst. Es wurden wiederum Teilkommandos gebildet, von denen eines unter der Führung des Angeklagten Schlu. in Tscherkessk stationiert wurde.

Etwa Mitte September 1942 erhielt Schlu. von dem Kommandoführer telefonisch die Anweisung, die Erfassung der in Tscherkessk wohnhaften Juden zu organisieren, da in Kürze ein Kurier der Gruppe mit einem "Gaswagen" kommen würde. Daraufhin suchte der Angeklagte Schlu. in Begleitung des Oberleutnants Jac. von der Ortskommandantur das Bürgermeisteramt auf und äusserte gegenüber einigen dort versammelten Juden, sie hätten nichts zu befürchten, aber er benötige eine Aufstellung über die in Tscherkessk ansässigen Juden, weil sie Lebensmittelmarken, Raucherkarten und eine ärztliche Versorgung erhalten sollten. Den sich dann auf dem Bürgermeisteramt meldenden Juden wurde ein Termin genannt, zu dem sie sich am Bahnhof einfinden sollten, weil sie angeblich entlaust werden sollten. Zwischenzeitlich hatte nämlich der Angeklagte Esc., der nach Tscherkessk versetzt worden war und den Schlu. beauftragt hatte, eine als Rampe zum Beladen des "Gaswagens" geeignete Örtlichkeit ausfindig zu machen, hierfür den Güterschuppen des Bahnhofs ausgewählt.

In der zweiten Septemberhälfte 1942 kam dann in Begleitung eines SS-Untersturmführers von Maikop ein "Gaswagen" nach Tscherkessk. Bei diesem Wagen, der von den Russen als "Seelentöter" bezeichnet wurde, handelte es sich um einen grossen Kastenwagen. An den Aussenseitenwänden hatte er aufgemalte Fensterattrappen, an der Rückseite eine Doppeltür, mit welcher der Kastenaufbau abgeschlossen werden konnte. Mit Hilfe eines Schlauchs liessen sich die Motorabgase von unten in den Kastenaufbau einleiten.

Am Tage der Ankunft des Gaswagens fanden sich mindestens 40 jüdische Männer und Frauen am Bahnhof von Tscherkessk ein. Der Angeklagte Schlu. hatte durch seine Vorspiegelungen erreicht, dass keiner der Juden geflohen war, sondern alle freiwillig erschienen waren. Sie wurden von Kommandoangehörigen aufgefordert, sich in den Güterschuppen zu begeben und sich dort vollständig zu entkleiden, was sie auch taten. Sodann fuhr der Gaswagen von rückwärts an die Rampe des Schuppens heran. Nachdem die Juden in zwei etwa gleich grosse Gruppen aufgeteilt worden waren, wurde ihnen auf Weisung Schlu.s gesagt, dass sie beruhigt einsteigen könnten, weil sie umgesiedelt werden sollten, vorher aber noch entlaust werden müssten. Die erste Gruppe glaubte dies und stieg willig in den Gaswagen ein, dessen Zweck sie nicht erkannte. Das Entkleiden und Einsteigen der Opfer wurde von Esc. überwacht. Schlu. stand ebenfalls in der Nähe des Gaswagens und beobachtete die Aktion. Nunmehr wurde die Doppeltür geschlossen und der Wagen fuhr ab.

Nach einiger Zeit hielt der Fahrer an und leitete mindestens fünf Minuten die Motorabgase in den Kastenaufbau. Sehr bald hörten die den Wagen begleitenden Kommandoangehörigen aus dessen Innern Trampeln und Poltern, als nämlich das mit den Abgasen in den Aufbau gelei-

tete Kohlenmonoxyd seine ersten Wirkungen zeigte. Zumindest bei einem Teil der Opfer kam es zu heftigen Erstickungsgefühlen. Sie bekamen Herzklopfen, Schwindel, Ohrensausen, Hämmern in den Schläfen und Kopfschmerzen. Im weiteren Verlauf der Vergiftung befiel sie Übelkeit und Brechreiz, bis sie dann von Krämpfen befallen wurden, erbrachen, Urin abliessen und einkoteten sowie schliesslich infolge Hirnlähmung, bedingt durch Sauerstoffmangel, den Tod fanden.
Die Juden starben nicht alle gleichzeitig. Während sich bei einigen bereits schwerste Vergiftungserscheinungen zeigten, erlebten andere deren Todeskampf mit den Krämpfen, dem Erbrechen, Urinablassen und Einkoten bei noch relativ klarem Bewusstsein mit, wodurch ihre Todesangst und ihre Qualen noch wesentlich erhöht wurden.

Als aus dem Wageninnern nichts mehr zu hören war, fuhr der Gaswagen zu der von dem Angeklagten Schlu. ausgewählten Sandgrube, wo die Leichen ausgeladen wurden. Anschliessend fuhr der Wagen noch einmal nach Tscherkessk zurück und holte die übrigen Juden. Der Angeklagte Esc., der bei der zweiten Gruppe der Opfer zurückgeblieben war, überwachte auch deren Einsteigen in den Gaswagen. Da dieser leer zurückgekommen war, war die zweite Gruppe jedoch misstrauisch geworden und musste in den Wagen geschoben werden. Diese Juden wurden auf die gleiche Weise getötet wie die erste Gruppe.

Es lässt sich nicht ausschliessen, dass der Angeklagte Schlu. dem Gaswagen nur bei dessen zweiter Fahrt vorausfuhr und erst hierbei beim Einleiten der Motorabgase das Trampeln und Poltern der Opfer im Wageninnern wahrnahm. Esc. begleitete den Gaswagen auch auf dessen zweiter Fahrt nicht.

Die Juden, die sich freiwillig am Bahnhof eingefunden hatten, um - wie sie glaubten - entlaust zu werden, waren bezüglich des bevorstehenden Anschlags auf ihr Leben arglos und unter Berücksichtigung der Situation auch wehrlos. Die Angeklagten Schlu. und Esc. waren sich auch bewusst, dass die Arg- und Wehrlosigkeit der Opfer ausgenutzt wurde, um die beabsichtigte Tötung auszuführen.

Ebenso wusste Esc., da er den Gaswagen bereits in Eupatoria im Einsatz erlebt hatte, mindestens teilweise um die qualvollen Begleitumstände der auf diese Weise durchgeführten Tötungen. Ihm war klar, dass der Befehl zur Tötung der in Tscherkessk ansässigen Juden mit dem Gaswagen einer gefühllosen und unbarmherzigen Gesinnung gegenüber den ihnen dadurch zugefügten übermässigen Leiden entsprungen war.

Dagegen lässt sich nicht widerlegen, dass Schlu. von den qualvollen Begleitumständen der mit dem Gaswagen vorgenommenen Tötungen erst Kenntnis erlangt hat, als die zweite Gruppe der Opfer sich bereits in ihrem Todeskampf befand.

C. Politischer Werdegang der Angeklagten, ihre innere Einstellung und Motive zu den Straftaten

Schlu. wechselte 1928 von den Pfadfindern zur Hitlerjugend über, weil er glaubte, "Volk und Vaterland" so am besten dienen zu können. Er war dann in der Reichsführung der Hitlerjugend tätig. Am 1.4.1930 erklärte er seinen Eintritt in die NSDAP und am 1.8.1930 in die SA. Am 20.11.1930 trat Schlu. von der SA zur Allgemeinen SS über und wurde 1934 deren Führer in seiner Heimatstadt Reichenbach. Am 1.6.1935 wurde er zum SS-Untersturmführer, am 20.4.1937 zum SS-Obersturmführer befördert.

Win. trat am 1.11.1933 in die Allgemeine SS ein, war 1934 einige Monate im SS-Reitersturm Starnberg und dann wieder Mitglied der Allgemeinen SS. Bei seinem Eintritt in die SS-Grenzüberwachung im Jahre 1936 wechselte er in die SS-Grenz- und Wacheinheiten über. Am 1.5.1937 trat Win. der NSDAP bei. Im Wege der Dienstgradangleichung wurde er am

24.8.1940 zum SS-Untersturmführer, am 20.4.1941 zum SS-Obersturmführer und am 9.11.1944 zum SS-Hauptsturmführer ernannt. Esc. erklärte im Februar oder März 1932 seinen Eintritt in die Allgemeine SS und trat 1934 zur SS-Verfügungstruppe über.

Die drei Angeklagten wussten bei allen Exekutionen, an denen sie auf Befehl beteiligt waren, dass es Juden waren, die getötet wurden, und dass diese Menschen allein deshalb sterben mussten, weil sie der jüdischen Rasse angehörten. Sie machten sich jedoch die Motive der NS-Machthaber zur Tötung dieser unschuldigen Menschen nicht zu eigen, handelten nicht aus Rassenhass und nicht aus eigenem, von der Befehlsgebung unabhängigem Tötungswillen.

Der Angeklagte Schlu. war ein überzeugter Nationalsozialist, jedoch ein gutgläubiger Idealist. Da er aufgrund seiner Erziehung im christlichen Sinne über gefestigte Wertvorstellungen verfügte, erkannte er, dass die durch den "Führerbefehl" angeordnete Vernichtung des Ostjudentums nicht rechtens war. Deshalb missbilligte er auch innerlich die ihm befohlenen Tötungen, war letztlich aber doch ein gefügiger Helfer. Er war der Meinung, Führerbefehlen unbedingten Gehorsam zu schulden und hielt deshalb aus einer falsch verstandenen Gehorsams- oder Treuepflicht den "Führerbefehl" trotz des erkannten verbrecherischen Zwecks für bindend. Schlu. leistete in Tighina seinen Tatbeitrag aus unbedingtem kritiklosem Gehorsam gegenüber dem "Führerbefehl". Der Gedanke an die Möglichkeit einer Befehlsverweigerung kam ihm nicht. Daher dachte er auch nicht an die möglichen Folgen einer Befehlsverweigerung.

Nach der Exekution von Tighina wandte sich Schlu. in einem Brief an Himmler und beklagte sich, dass die Judenexekutionen ein Bruch seiner der SS gegenüber abgegebenen Worte seien. Himmler wies in seinem Antwortschreiben darauf hin, dass Krieg sei und drohte für den Fall einer Befehlsverweigerung mit dem Standgericht. Die ebenfalls geäusserte Bitte Schlu.s um Versetzung zur kämpfenden Truppe lehnte er ab. Im Januar 1942 sprach Schlu. bei dem Kommandoführer Dr. Braune in Simferopol vor und äusserte, die Durchführung von Judenexekutionen würde er in Zukunft ablehnen. Dr. Braune wies ihn darauf hin, dass er Befehlen der Reichsregierung gehorchen müsse, sonst wisse er, was ihm blühe. Damit gab sich Schlu. zufrieden. Diese beiden von ihm unternommenen Schritte, sich der weiteren Mitwirkung an Judenexekutionen zu entziehen, waren nicht geleitet von Lebensangst, sondern von dem Gedanken, ethisch Missbilligtem zu entgehen. Schlu. vollzog auch in Odessa und Tscherkessk als gläubiger Nationalsozialist die Vernichtungsbefehle aus unbedingtem Gehorsam gegenüber dem "Führerbefehl", den er nach wie vor für bindend hielt. Das Motiv der Leibes- oder Lebensangst spielte dabei keine Rolle.

Die Angeklagten Win. und Esc. erkannten nicht nur, dass die durch den "Führerbefehl" angeordnete Vernichtung des Ostjudentums nicht rechtens war, sondern sie hielten diesen Befehl auch für nicht bindend, weil sie sich bewusst waren, dass selbst ein Befehl Hitlers nicht die Tötung unschuldiger Menschen allein ihrer Rasse wegen rechtfertigte.

Win. stand auf dem Boden des NS-Regimes. Nur zuverlässige Nationalsozialisten konnten Angehörige des Leitenden Dienstes werden, die nach den Vorstellungen Heydrichs zu einem besonderen Führerkorps herangebildet werden sollten. So war auch Win., der im Jahre 1936 in die SS-Grenzüberwachung aufgenommen und ein Jahr später zum Geheimen Staatspolizeiamt Berlin übernommen worden war, auf seine Zuverlässigkeit im nationalsozialistischen Sinne überprüft worden. Win., dem die Ausführung des Befehls zum Mitschiessen in Tighina zuwider war, kam dem Befehl nach, um seine erfolgverheissende Laufbahn als Angehöriger des Leitenden Dienstes nicht zu gefährden, jedoch nicht aus Angst um Leib oder Leben.

Esc. war weder für noch gegen die Juden. Das Schicksal der unter seiner Beteiligung getöteten Juden war ihm gleichgültig. Er gehorchte den ihm erteilten Befehlen zur Mitwirkung an den Judenexekutionen ohne erkennbares Widerstreben, wenn nicht gar mit bereitwilligem Eifer.

So fuhren er, die Dolmetscherin Shukowskaja, der russische Polizist Sal. und ein Fahrer an einem Sonntag Ende 1941 oder Anfang Januar 1942 mit einem Auto von Eupatoria aus in Richtung Perekop. In einer etwa 30 oder 40 Kilometer entfernten Ortschaft hielten sie an. Esc. und die Dolmetscherin stiegen aus und gingen in eines der Häuser. Nach kurzer Zeit kamen sie wieder und brachten eine korpulente Jüdin mit, die im Wagen Platz nehmen musste. Sie fuhren dann wieder in Richtung Eupatoria, hielten jedoch nach 10 bis 15 Kilometern an. Esc. stieg aus; auf seinen Befehl musste Sal. die Jüdin zu einem in der Nähe gelegenen Brunnen führen. Nachdem sie sich weisungsgemäss über den Brunnen gebeugt hatte, drückte Esc. dem Zeugen Sal. eine Pistole in die Hand und befahl ihm, die Frau zu töten. Daraufhin schoss Sal. der Jüdin in den Rücken und sie fiel in den Brunnen.

In diesem Zusammenhang beleuchtet noch ein weiterer Vorfall die Einstellung Esc.s gegenüber den Juden:

Zu Beginn des Einsatzes in Südrussland machte das Einsatzkommando 11b eine Rast in einer Ortschaft, in der sich eine jüdische Synagoge befand. Auf deren Treppe standen drei bis vier Juden und beteten. Sie wurden von einigen Kommandoangehörigen, die vor der Synagoge standen, ausgelacht. Esc. ging auf einen der Juden zu und versetzte ihm, wobei er leicht höhnisch lächelte, eine Ohrfeige, ohne dass dieser ihm einen Anlass hierzu geboten hätte.

Ein etwaiger Gedanke an die möglichen Folgen einer Befehlsverweigerung war auf das Handeln des Angeklagten Esc. ohne Einfluss. Die von Win. und Esc. unternommenen, unter A 4 b geschilderten Schritte, sich der Mitwirkung an Exekutionen zu entziehen, waren nicht von Lebensangst motiviert, sondern von dem Gedanken, - bei Win. - ethisch Missbilligtem bzw. - bei Esc. - Unangenehmem zu entgehen.

III. Die Beweiswürdigung

1. « Zu den persönlichen Verhältnissen der Angeklagten »

Die unter I getroffenen Feststellungen zu den persönlichen Verhältnissen der Angeklagten beruhen allein auf deren glaubhaften Angaben.

Der Angeklagte Esc. hat in Übereinstimmung mit seinen Angaben bei den staatsanwaltschaftlichen Vernehmungen vom 7.6.1966 und 26.5.1971 sowie bei der richterlichen Vernehmung vom 20.12.1971 eingeräumt, dass die Verurteilung durch ein sowjetisches Militärgericht im Jahre 1948 oder 1949 wegen seiner früheren Zugehörigkeit zur Kriminalpolizei erfolgt ist und dass seine Beteiligung an Judenexekutionen nicht Gegenstand der Verurteilung gewesen ist.

2. « Zum festgestellten Sachverhalt »

Der unter II geschilderte Sachverhalt steht zur Überzeugung des Schwurgerichts fest aufgrund folgender Beweismittel:

a) der Angaben der Angeklagten, soweit sie glaubhaft erschienen;

b) der Aussagen der Zeugen Anton Al., Helmuth Ar., Wilhelm Bec., Horst Bem., Franz Ber., Arthur Bö., Lothar Cau., Heinrich Di., Helmut Dun., August Eul., Hermann Fre., Johann Fri., Heinrich Frö., Johann Fü., Emil Gre., Hugo Ham., Hans Hei. (früher Moe.), Sebastian He., Friedrich Hör., Rudolf Hot., Alfred Ill., Hermann Jac., Max Kai., Kurt

Kro., Paul Kud., Hans Ku., Gerhard Ma., Wilhelm Mes., August Mül., Josef R., Georg Scha., Rudolf Schw., Albert Schl., Hermann Schm., Rudolf Schu., Heinrich Sim., Hans St., Wilhelm Sti., Alfred T., Otto Ung., Heinz Ung., Rudolf Vog., Paul Wa., August Wal., Maximilian Wei., Johann Wel., Wilhelm Zah., Kurt Zi. und Edmund Zim.;

c) der verlesenen Aussagen der kommissarisch vernommenen Zeugen Martin Brä., Heinrich But., Emanuel H., Karl Jon., Wilhelm Loh., Alexander Iwanowitsch Mer., Johannes Nen., Georg Por., August Ros., Fjodor Iwanowitsch Sal. und Erich Se.;

d) der verlesenen Aussagen der verstorbenen Zeugen Paul Böh., Ernst Dan., Nikolaus Ell., Oskar Kne., Gotthard Köh., Otto We. und Herbert Wol.;

e) der Ausführungen des Sachverständigen Prof.Dr. Ger.;

f) der in Augenschein genommenen Lichtbilder der Angeklagten aus der damaligen Zeit;

g) der in Augenschein genommenen Fotokopien einer Feindlagekarte von Südrussland (Stand: 30.7.1941, 20.00 Uhr), einer Karte von der Krim und einer Rayonkarte des N-W-Kaukasus;

h) der folgenden Urkunden, soweit sie verlesen wurden:
Befehl des Oberkommandos des Heeres betreffend die Regelung des Einsatzes der Sicherheitspolizei und des SD in Verbänden des Heeres vom 20.4.1941,
Befehl des Armeeoberkommandos 11 vom 22.7.1941, Befehl des Befehlshabers des rückwärtigen Heeresgebietes Süd vom 1.9.1942,
Bericht des SS-Untersturmführers Dr. Becker vom 16.5.1941,
die "Ereignismeldungen UdSSR" des Reichssicherheitshauptamtes Nr.9, 11, 12, 13, 39, 45, 63, 95, 101, 117, 125, 126, 129, 132, 136, 138, 139, 141, 142, 144, 145, 146, 148, 149, 150, 151, 152, 156, 161, 162, 165, 168, 190 und 191,
die "Meldungen aus den besetzten Ostgebieten" des RSHA Nr.1, 4, 10, 13, 15 und 26,
Bericht der Einsatzgruppe D an das AOK vom 9.10.1941,
Bericht der Ortskommandantur Karasubasar vom 14.12.1941,
Tätigkeitsbericht der Ortskommandantur Karasubasar vom 14.2.1942,
Tätigkeitsbericht der Feldkommandantur Jewpatoria vom 15.7.1942,
Erklärung Dr. Braunes vom 8.7.1947,
eidesstattliche Erklärung Ohlendorfs vom 24.4.1947,
eine eidesstattliche Erklärung Ohlendorfs ohne Datum,
Erlass über die Ausübung der Kriegsgerichtsbarkeit im Gebiet "Barbarossa" und über besondere Massnahmen der Truppe vom 13.5.1941,
Merkblatt für die Führer der Einsatzgruppen und Einsatzkommandos der Sicherheitspolizei und des SD für den Einsatz "Barbarossa",
Verordnung über eine Sondergerichtsbarkeit in Strafsachen für Angehörige der SS und für die Angehörigen der Polizeiverbände bei besonderem Einsatz vom 17.10.1939,
Bericht der Abwehrstelle Rumänien über Wahrnehmungen in Odessa vom 4.11.1941,
Bericht des Generalkommandos XXX.A.K. vom 2.2.1942,
Bericht über die Besichtigungsreise des Kommandanten des rückw. Armeegebietes 550 vom 31.10. bis 5.11.1942,
Weisung Heydrichs an die vier Höheren SS- und Polizeiführer Jeckeln, v.d. Bach, Prützmann und Korsemann vom 2.7.1941,
Auszug aus dem Protokoll über die Hauptverhandlung gegen Ohlendorf u.a. vor dem Militärgerichtshof in Nürnberg vom 8. und 14.10.1947,
die Eidesformel der Waffen-SS,
aus dem Illustrierten Konversations-Lexikon der Abschnitt über die Karäer;

aus Personalakten des Reichssicherheitshauptamtes:

über Schlu. ein Fragebogen und ein Formblatt mit Daten über Beförderungen usw.,
über Win. ein Fragebogen, ein Lebenslauf und ein Formblatt mit Daten über Beförderungen usw. sowie
über Esc. ein Fragebogen und ein Lebenslauf;

aus den von Rechtsanwalt Dr. Asc. vorgelegten Schnellheftern mit den Bezeichnungen "Vorgeschichte zum Einsatz des EK 11b und zum Anklagepunkt Odessa", "Gesamtkrim allgemein" und "Tscherkessk" auszugsweise folgende Urkunden:

(1) Richtlinien für das Verhalten der Truppe in der Sowjetunion,
Bericht aus der Nordbukowina vom 1.6.1941,
Befehl des A.O.K. 11 vom 22.7.1941,
Einsatzbefehl des Sonderkommandos 11b vom 12.1.1942,
Bericht des V. O. Sicherh.Pol. an Abt.Ic der 11.Armee vom 5.7.1941,
Fernschreiben an das A.O.K. 11 vom 7.7.1941,
Niederschrift über die Besprechung mit dem Ic der 11.Armee vom 16.7.1941,
Liste über ausgegebene Sonderausweise an Angehörige des Einsatzkommandos 11b,
Zusammenfassung aus Gefangenenvernehmungen und anderen Meldungen über Odessa und den Sektor vor Odessa,
Zusammenfassung aus Gefangenenvernehmungen und anderen Meldungen über Odessa und den Kampfabschnitt vor Odessa vom 29.8.1941,
Zusammenfassung der Gefangenenvernehmungen und Meldungen über Odessa und den Kampfabschnitt vor Odessa vom 3., 5. und 6.9.1941,
Meldung Nr.52 des A.O.K. 11 vom 20.9.1941,
Bericht der Abwehrstelle Rumänien vom 13.9.1941,
Informationsbericht des A.O.K. 11 vom 23.9.1941;

(2) Befehl des A.O.K. 11 vom 5.9.1941,
Bericht der Einsatzgruppe D an das A.O.K. 11 vom 3.11.1941,
Tätigkeitsbericht der Ortskommandantur Simferopol vom 14.11.1941,
Bericht des A.O.K. vom 25.11.1941,
Anlage zum Einsatz-Befehl der Feldgend.-Abt. (mot.) 683 vom 26.11.1941,
Tätigkeitsbericht der Ortskommandantur Kertsch vom 7.12.1941,
Einsatzbefehl des Sonderkommandos 11b vom 12.1.1942,
Tätigkeitsbericht der Ortskommandantur Simferopol vom 15.1.1942,
Bericht der Einsatzgruppe D an das A.O.K. 11 vom 12.2.1942,
Tätigkeitsbericht der Feldkommandantur Eupatoria vom 16.3.1942,
Tätigkeitsbericht der Ortskommandantur Feodosia vom 1.4.1942,
Umlauf des Abwehr-Offiziers beim A.O.K. 11 vom 20.4.1942 mit einer Anlage vom 27.3.1942,
Bericht der Einsatzgruppe D an das A.O.K. 11 vom 16.4.1942,
Bericht der Einsatzgruppe D vom 10.4.1942,
Tätigkeitsbericht der Feldkommandantur (V) 810 [296] vom 28.4.1942,
Bericht der Kosaken-Schwadron 11;

(3) Anlageband X zum Tätigkeitsbericht des A.O.K. 17 vom 14.8. bis 15.12.1942,
Befehl des A.O.K. 17 vom 5.12.1942,
Berichte des Kdt. rückw. A.Geb. 550 an A.O.K. vom 10. und 17.9.1942,
Befehl Nr.64 des Kdt. rückw. A.Geb. 550,

[296] Wegen der Beteiligung der Feldgendarmerie - Feldkommandantur 810 - an den Verbrechen des EK 11b siehe Verfahren Nr.715.

Abschlussaufstellung von ausgegebenem Prop.-Mat., Drucksachen und Aufrufen im August 1942,
Übersetzung der Rede des Ataman,
Tätigkeitsbericht der Sich.Div. 454 vom 1.9.1942,
Besondere Anordnungen für die Partisanen- und Spionagebekämpfung (9) vom 25.8.1942,
Besondere Anordnungen für Banden- und Spionagebekämpfung (11) vom 5.12.1942,
Auszug aus dem Protokoll über die Hauptverhandlung im Fall XII vor dem Militärgerichtshof in Nürnberg vom 3.5.1948.

Die verlesenen Urkunden liegen sämtlich nur in Abschrift oder Fotokopie vor. Ihre Übereinstimmung mit dem Original wurde jedoch von keinem der Prozessbeteiligten in Zweifel gezogen. Gleiches gilt hinsichtlich der Echtheit der Dokumente.

3. « Zur geschichtlichen Hintergrund »

Der unter II A 1 bis 3 geschilderte und in der Hauptverhandlung erörterte geschichtliche Hintergrund der verfahrensgegenständlichen Taten, insbesondere die Entwicklung der sog. Judenfrage, die Entrechtung, Diskriminierung und Verfolgung der Juden sowie deren Ausrottung als Endziel der nationalsozialistischen Machthaber und die Art, wie dieses Ziel erreicht werden sollte, sowie die Mittel, deren man sich dazu bediente, ist geschichtsbekannt und offenkundig.

Soweit die Feststellungen über Aufbau, Zusammensetzung, Marschweg und Aufgaben der Einsatzgruppe D und des Einsatzkommandos 11 bzw. 11b nicht ebenfalls geschichtsbekannt und offenkundig sind und sich auch nicht aus den im Sachverhalt bereits angeführten Dokumenten ergeben, beruhen sie auf den Angaben der Angeklagten, den Aussagen der Zeugen He., Ar., Ber., Frö. und Ung., den eidesstattlichen Erklärungen des verstorbenen Ohlendorf sowie den verlesenen "Ereignismeldungen UdSSR" und "Meldungen aus den besetzten Ostgebieten" des Reichssicherheitshauptamtes.

Dass das Einsatzkommando 11 am 28.6.1941 von Düben in Richtung Osten abgerückt ist, hat der Zeuge He. bekundet. Diese Aussage ist glaubhaft, weil der Zeuge noch über damals gemachte Aufzeichnungen verfügt, in denen auch das Datum der Abfahrt vermerkt ist.

Bei der Frage, wann den Angeklagten der "Führerbefehl" bekannt geworden ist, hat das Schwurgericht deren Angaben seiner Überzeugungsbildung zugrunde gelegt.

4. Zum Fall 1 (Tighina)

Die insoweit getroffenen Feststellungen beruhen auf dem Geständnis des Angeklagten Schlu. und dem weitgehenden Geständnis des Angeklagten Win., die ergänzt werden durch Dokumente sowie durch die Aussagen der Zeugen Vog., T. und He.

Der Angeklagte Schlu. hat von Anfang an seine Beteiligung an der ersten Exekution von Juden eingeräumt, die das Einsatzkommando 11b durchgeführt hat. Er hat den Tatablauf so geschildert wie im Sachverhalt dargelegt. Ferner hat er wie bereits bei seinen früheren Vernehmungen auch in der Hauptverhandlung angegeben, er sei sicher und müsse um der Wahrheit willen dabei bleiben, dass Win. ebenfalls in der Reihe der SS-Führer gestanden sei, die mitgeschossen hätten; ein Irrtum insoweit sei ausgeschlossen. Offensichtlich unter dem Eindruck dieser mit grosser Sicherheit vorgebrachten Bekundung hat der Angeklagte Win., der bis dahin seine Beteiligung an der Exekution stets bestritten hatte, in der Hauptverhandlung seinen Tatbeitrag eingeräumt.

Bei dieser Gelegenheit hat Win. auch angegeben, Müller sei mit ihm zu einem Gelände gefahren, wo sich etwa 40 Leute aufgehalten hätten. Nunmehr sei ihm bewusst geworden, was ihm blühe. Gegen Ende der Hauptverhandlung hat er dagegen vorgebracht, er habe vor sich nur drei Männer gesehen, nachher habe er sich nicht mehr um etwaige weitere Opfer gekümmert. Kinder habe er jedenfalls nicht gesehen. Später sei davon gesprochen worden, dass 40 bis 50 Leute erschossen worden seien. Diese Einlassung hält das Schwurgericht für widerlegt. Es ist kein Grund ersichtlich, weshalb Win. zu Unrecht zugegeben haben sollte, bei der Ankunft an der Exekutionsstätte etwa 40 Leute gesehen zu haben. Das Schwurgericht ist daher von der Richtigkeit seiner ersten Einlassung überzeugt und geht deshalb davon aus, dass Win., als er sich entfernte, wusste, dass insgesamt etwa 40 Juden erschossen werden sollten. Nachdem er gesehen hatte, dass die Leichen der Jüdin und ihres Kindes vor dem Heranführen der sechs Opfer an den Panzergraben, auf die die SS-Führer schiessen mussten, nicht abgedeckt wurden, war ihm klar, dass auch die Leichen der nachfolgenden Opfer nicht abgedeckt und von den später herangeführten Opfern jeweils gesehen werden würden.

Win. räumt ein, einen Schuss in Richtung der Opfer abgegeben zu haben. Ob er ein Opfer getroffen habe, wisse er jedoch nicht. Dass dies der Fall war, wenngleich das Opfer möglicherweise nicht tödlich getroffen wurde, ergibt sich daraus, dass alle sechs Opfer, denen sechs Schützen gegenüberstanden, die jeweils nur einen Schuss abgaben, getroffen in den Panzergraben stürzten, wie auch Win. einräumt.

Aufgrund der Einlassung des Angeklagten Schlu. sowie der glaubhaften Aussagen der Zeugen Vog. und T., die aus der Mannschaft mitschiessen mussten, steht fest, dass unter den Opfern auch Frauen und Kinder waren.

Die Anzahl der Opfer hat Schlu. mit etwa 40 bis 50 angegeben. In der Ereignismeldung Nr.45 vom 7.8.1941 heisst es zwar als Meldung des Einsatzkommandos 11b: "Juden in Tighina konzentriert. 155 Juden als Vergeltung für Zeichendurchgabe an rote Armee liquidiert". Die dort genannte Anzahl der Opfer hat aber das Schwurgericht seiner Überzeugungsbildung nicht zugrunde gelegt, da nicht ausgeschlossen werden kann, dass diese Zahlenangabe überhöht ist und nicht den Tatsachen entspricht. Wie gerichtsbekannt ist, enthalten eine Reihe von Ereignismeldungen überhöhte Zahlenangaben der Opfer, die auf "frisierte" und "aufgebauschte" Meldungen der Einsatzkommandos und -gruppen zurückgehen. Nach dem Grundsatz "in dubio pro reo" ging das Schwurgericht von der Anzahl der Opfer aus, die die Angeklagten als Mindestzahl angegeben haben.

Die zeitliche Einordnung der Exekution wird bestimmt durch die Ereignismeldung Nr.39 vom 31.7.1941, die erstmals Tighina als Standort des Einsatzkommandos 11b erwähnt, was mit der Aussage des Zeugen He. in Einklang steht, der anhand seiner Aufzeichnungen bekundet hat, vom 29.7.bis 1.8.1941 mit dem Einsatzkommando in Tighina gewesen und dann mit einem Teilkommando von dort weggekommen zu sein, sowie durch die zitierte Ereignismeldung Nr.45. Damit konnte als Tatzeit Anfang August 1941 festgestellt werden.

Das Schwurgericht ist aufgrund folgender Umstände davon überzeugt, dass die Exekution entgegen dem Wortlaut der Ereignismeldung Nr.45 keine Vergeltungsaktion war, sondern dass die Juden allein ihrer Rasse wegen getötet wurden. Gegen eine Vergeltungsaktion spricht einmal, dass ausschliesslich Juden und auch Kinder erschossen wurden. Dagegen spricht weiter, dass der Kommandoführer unmittelbar vor der Exekution davon sprach, diese beruhe auf einem Befehl der Reichsregierung, sie müsse aus Staatsnotwendigkeit durchgeführt werden und es handle sich um eine "geheime Reichssache". Schliesslich spricht auch gegen eine Vergeltungsaktion der Ausspruch Müllers: "Ihr müsst sterben, damit wir leben können". Der Wortlaut der Ereignismeldung lässt sich zwanglos damit erklären, dass, wie sich auch aus anderen Ereignismeldungen ergibt, in den ersten Wochen der Ausführung des

"Führerbefehls" noch nach fadenscheinigen Begründungen für die durchgeführten Exekutionen von Juden gesucht wurde.

5. Zum Fall 2 (Odessa)

Die Angeklagten Schlu. und Esc. räumen den Sachverhalt, von dem das Schwurgericht ausgeht, im wesentlichen ein. Abweichend hiervon lässt sich Schlu. wie folgt ein: Dass unter den Opfern auch Kinder gewesen seien, habe er nicht in Erinnerung. Die Opfer hätten sich nicht vollständig, sondern nur bis auf die Unterwäsche entkleiden müssen. Sie hätten mit dem Gesicht zu den Schützen gestanden und seien von vorn erschossen worden. Abweichend von dem geschilderten Sachverhalt hat der Angeklagte Esc. lediglich angegeben, die Opfer seien Männer und mehrere Frauen gewesen, nur ein oder zwei Kinder seien dabei gewesen. Eine Handgranate habe er nicht in den Brunnen geworfen.

Der Zeitpunkt des Sprengstoffanschlags auf das Gebäude der rumänischen Stadtkommandantur steht aufgrund von zwei Dokumenten ziemlich genau fest. Nach der Ereignismeldung Nr.125 vom 26.10.1941 erfolgte die Sprengung am 22.10.1941 um 18.10 Uhr und nach dem Bericht der Abwehrstelle Rumänien vom 4.11.1941 am 22.10.1941 um 17.50 Uhr.

Ob das Einsatzkommando 11b die Exekution bereits am 23.10.1941 oder erst an einem der unmittelbar folgenden Tage durchgeführt hat, konnte nicht mit Sicherheit festgestellt werden. Aufgrund der Hauptverhandlung ist jedenfalls erwiesen, dass sie an einem der nächsten Tage nach dem 22.10.1941 stattgefunden hat.

Dass unter den Opfern auch eine grössere Anzahl Kinder war, haben die Zeugen Gre., Zi., Wal., Zah. und Ros. bekundet.

Aufgrund der Angaben des Angeklagten Esc. sowie der Zeugen Gre., Zi., Wal., Di., Ill., Ber. und Ros. steht fest, dass die Opfer sich teilweise vollständig, teilweise bis auf die Unterwäsche entkleiden mussten.

Das Vorbringen des Angeklagten Schlu., die Opfer hätten mit dem Gesicht zu den Schützen gestanden, beruht offensichtlich auf einem Irrtum bezüglich der Handhabung bei anderen Exekutionen. Der Angeklagte Esc. sowie die Zeugen Di., Ber., T., Ku., Ros. und Mer. haben übereinstimmend geschildert,in Odessa hätten sich die Opfer unmittelbar am Brunnenrand mit dem Gesicht zum Brunnen aufstellen oder hinknien müssen und seien dann von hinten erschossen worden.

Das Schwurgericht hat keine Bedenken, die von dem Angeklagten Esc. und den angeführten Zeugen in diesem Zusammenhang gemachten Angaben seinen Urteilsfeststellungen zugrunde zu legen. Der Angeklagte und die Zeugen waren bei ihrer Vernehmung zu den betreffenden Fragen sämtlich um Wahrheit bemüht. Ihr Wille wurde offenbar, nur das anzugeben, was sie noch sicher wussten.

Die Zeugen Zi., Ill., Ber., Ung. und Ros. haben übereinstimmend berichtet, während der Exekution seien mehrere Handgranaten in den Brunnen geworfen worden. Dass eine davon der Angeklagte Esc. geworfen hat, steht aufgrund der glaubhaften Angaben des Angeklagten Schlu. und des Zeugen Ku. fest. Beide sind sich insoweit sicher und halten einen Irrtum für ausgeschlossen. Das Schwurgericht ist zu dem Schluss gelangt, dass Esc. das nicht getan hat, um den Opfern dadurch zusätzliche Schmerzen zuzufügen, sondern, um sich und den Schützen zu ersparen, weiteres Stöhnen nicht tödlich getroffener Opfer anhören zu müssen.

Dass die nachfolgenden Opfer beim Heranführen an den Brunnen Blutspuren gesehen haben, erachtet das Schwurgericht aufgrund der Aussage des Zeugen Schu. für erwiesen, der bekundet hat, er habe sich nach der Exekution den Brunnen angesehen und dabei Blutspuren um diesen herum wahrgenommen. Diese Einzelheit ist dem Zeugen als besonders scheussliches Moment im Gedächtnis haften geblieben.

Das Schwurgericht ist auch hier zu der Überzeugung gelangt, dass die vom Einsatzkommando 11b durchgeführte Exekution keine Vergeltungsmassnahme für den Sprengstoffanschlag auf das Gebäude der rumänischen Stadtkommandantur war, sondern eine Tötung in Ausführung des Vernichtungsbefehls. Gegen eine Vergeltungsmassnahme spricht wiederum, dass ausschliesslich Juden und auch Kinder getötet wurden. Die Exekution wurde ferner nicht - wie bei einer Vergeltungsaktion der abschreckenden Wirkung wegen üblich - in der Öffentlichkeit durchgeführt, sondern auf einem abgesperrten Gelände am Stadtrand. Die Angeklagten berufen sich auch nicht darauf, der Auffassung gewesen zu sein, die Exekution sei eine Vergeltungsmassnahme gewesen.

Bezüglich der Anzahl der bei der Exekution getöteten Juden wurde die von den Angeklagten Schlu. und Esc. genannte Mindestzahl zugrunde gelegt.

6. Zu den Fällen 3 (Eupatoria)

Die insoweit getroffenen Feststellungen zum Tatgeschehen und zur Beteiligung des Angeklagten Esc. an den vier Exekutionen beruhen allein auf dessen rückhaltlosem und detailliertem Geständnis, an dessen Richtigkeit zu zweifeln kein Anlass besteht.

7. Zum Fall 4 (Tscherkessk)

Die Ablösung des Kommandoführers Dr. Braune durch SS-Obersturmbannführer Schultz etwa Anfang September 1942 ergibt sich aus dem Anlageband X zum Tätigkeitsbericht des Armeeoberkommandos 17 vom 14.8. bis 15.12.1942, in dem unter dem Datum des 9.9.1942 erwähnt ist, dass sich der Führer des SD-EK 11 Obersturmbannführer Schultz beim Ic gemeldet hat.

Die Angeklagten Schlu. und Esc. räumen das vom Schwurgericht für festgestellt erachtete Tatgeschehen und ihre Beteiligung an der Exekution weitgehend ein, letzterer, soweit er aus eigenem Wissen Angaben hat machen können. Der Angeklagte Schlu. bestreitet, die Erfassung der in Tscherkessk ansässigen Juden unter Vorspiegelung falscher Tatsachen veranlasst zu haben. Er lässt sich dahin ein, Esc. mit den Vorbereitungen der Aktion betraut und ihn zum Bürgermeister geschickt zu haben. Die Einzelheiten der Erfassung seien ihm nicht bekannt. Er sei in dieser Angelegenheit weder auf der Ortskommandantur noch auf dem Bürgermeisteramt gewesen. Diese Einlassung ist durch die Aussage des Zeugen Jac. widerlegt.

Der Zeuge Jac. hat bekundet, er sei mit dem Dienstgrad eines Oberleutnants Ordonnanzoffizier bei der Ortskommandantur I/920 und mit dieser vom 26.8.1942 bis 15.1.1943 in Tscherkessk stationiert gewesen. Eines Tages sei ein SS-Obersturmführer, dessen Namen er nicht erfahren habe, zur Ortskommandantur gekommen und habe mit dem Ortskommandanten in gedämpften Ton gesprochen. Beide hätten kurze Zeit hinter ihm im gleichen Raum gestanden. Er habe lediglich Gesprächsfetzen mitbekommen. Der SS-Offizier habe geäussert, man habe eine neue Art der Judenbehandlung. Auf Weisung des Kommandanten habe er - Jac. - im Anschluss an das Gespräch den Obersturmführer zur Gemeindeverwaltung begleiten müssen, wo sich auf dem Korridor fünf oder sechs jüdische Männer aufgehalten hätten. Diesen gegenüber habe der Obersturmführer geäussert, sie hätten nichts zu befürchten, aber er benötige eine Aufstellung über die in Tscherkessk ansässigen Juden, weil sie Lebensmittelmarken, Raucherkarten und eine ärztliche Versorgung erhalten sollten. Das sei zwischen dem 3. und 18.9.1942 gewesen, an welchem Tag er - Jac. - auf Heimaturlaub gefahren sei. Der SS-Führer habe eine schwarze oder feldgraue Uniform und glaublich einen braunen lederähnlichen Mantel getragen. Eindeutig könne er nicht mehr angeben, welche Farbe die Uniform gehabt habe. Er habe in Erinnerung behalten, dass der Obersturmführer sächsischen Dialekt gesprochen habe. Er habe ein rundes Gesicht und eine untersetzte Figur gehabt. Als er - Jac. - am 26.10.1942 aus dem Urlaub zurückgekommen sei, habe er erfahren, dass während seiner Abwesenheit alle Juden liquidiert worden seien. Man habe ihm gezeigt, wo sie beerdigt worden seien. Das Grab habe sich etwas ausserhalb der Stadt befunden. Es sei vom Einsatz des Gaswagens die Rede gewesen. Auf den Lichtbildern Anhang C. Nr.3 und Sch-1 der Lichtbildmappe (Lichtbilder des Angeklagten Schlu. aus der damaligen Zeit) erkenne er den Obersturmführer wieder, den er zur Gemeindeverwaltung habe begleiten müssen.

Das Schwurgericht hat den Zeugen Jac. zweimal vernommen. Bei seiner zweiten Vernehmung hat der Zeuge mit Hilfe mitgebrachter schriftlicher Unterlagen, nämlich damals niedergelegter Tagebuchnotizen und von Briefen an seine Ehefrau, die von ihm angegebenen Daten belegt.

Der Zeuge Jac., ein evangelischer Pfarrer im Ruhestand, hinterliess zwar den Eindruck einer gewissen Selbstgerechtigkeit, es besteht aber kein Zweifel an seiner Glaubwürdigkeit. Ein Bestreben, den Angeklagten Schlu. um jeden Preis zu belasten, war nirgends zu sehen. Jac. hat im Kern seiner Aussage und auch in den entscheidenden Details bei den beiden früheren Vernehmungen und in der Hauptverhandlung das gleiche bekundet. Er hat zwar bei seiner ersten polizeilichen Vernehmung vom 11.11.1968 zunächst von einem SS-Oberscharführer gesprochen, aber gleich erläuternd hinzugefügt, es habe sich um einen Mann im Oberleutnantsrang gehandelt. In der Hauptverhandlung hat er die falsche Bezeichnung damit erklärt, dass er sich in den Dienstbezeichnungen der SS nicht so ausgekannt habe. Es habe sich ganz sicher um einen SS-Offizier gehandelt.

Für die inhaltliche Richtigkeit der Aussage des Zeugen Jac. sprechen auch die Bekundungen des Zeugen Schw., der als Angehöriger des Teilkommandos an der Exekution beteiligt war. Dieser hat ausgesagt, die Juden seien aufgefordert worden, sich bei der Stadtverwaltung zu melden. Sie hätten einen Termin zur Entlassung bekommen und seien zum Güterbahnhof bestellt worden, wo sie dann freiwillig erschienen seien. Dort hätten sie ihre Kleidung ablegen müssen, die angeblich entlaust werden sollte. Ihnen sei auf Weisung Schlu.s gesagt worden, dass sie umgesiedelt werden sollten und vorher entlaust werden müssten.

Gegen die Glaubwürdigkeit des Zeugen Jac. sprechen nicht die Angaben des Zeugen Ku., eines Tages habe Esc. im Bürgermeisteramt von Tscherkessk einem Leutnant oder Oberleutnant, der im Zivilberuf Pfarrer gewesen sein solle und der Jac. geheissen haben könnte, Vorhaltungen gemacht, weil die Wehrmacht den Juden etwa 135.000 Rubel abgenommen gehabt habe. Sowohl der Zeuge Jac. als auch der Angeklagte Esc. haben nachdrücklich versichert, von einem solchen Vorfall nichts zu wissen.

Für den Angeklagten Schlu. wurde der Hilfsbeweisantrag gestellt, Erich E. [297], den früheren Kommandeur des SD von Kiew, als Zeugen darüber zu vernehmen, dass die ukrainische Miliz und deren Hilfskräfte schwarze Uniformen getragen haben. Dieser Hilfsbeweisantrag war abzulehnen, weil die behauptete Tatsache so behandelt werden kann, als wäre sie wahr. Diese Tatsache kann aber auf die Glaubwürdigkeit des Zeugen Jac. keinen Einfluss haben, denn dieser hat gerade nicht bekundet, er sei sicher, dass der SS-Führer eine schwarze Uniform getragen habe. Es erscheint auch ausgeschlossen, dass dem Zeugen als damaligem Oberleutnant die Verwechslung eines SS-Offiziers mit einem Angehörigen der ukrainischen Miliz oder einer Hilfskraft derselben unterlaufen würde.

[297] Siehe Lfd.Nr.526.

Der Zeuge Jac. hat vielmehr nach 32 Jahren Beurteilungskriterien genannt, die es unzweifelhaft erscheinen lassen, dass sich seine Aussage auf den Angeklagten Schlu. bezieht. Er hat als Merkmale des SS-Obersturmführers ein rundes Gesicht, eine untersetzte Figur und sächsischen Dialekt genannt, alles Merkmale, die damals auf Schlu. zugetroffen haben. Darüber hinaus hat er auch auf dessen Lichtbildern aus der damaligen Zeit den bewussten Obersturmführer wiedererkannt.

Aufgrund der Bekundungen des Zeugen Jac. in Verbindung mit der Aussage des Zeugen Schw. gelangte das Schwurgericht zu der Überzeugung, dass die Gaswagen-Aktion in der zweiten Septemberhälfte 1942 durchgeführt wurde und dass die Vorbereitungen hierzu so abgelaufen sind wie im Sachverhalt festgestellt.

Das Verhalten der Juden vor und bei dem Einsteigen in den Gaswagen hat der Angeklagte Esc. geschildert, auch das unterschiedliche Verhalten der ersten und zweiten Gruppe der Opfer.

Aus dem freiwilligen Einfinden der Juden am Bahnhof und ihrem anschliessenden Verhalten schliesst das Schwurgericht, dass sie die wahre Absicht ihrer Erfassung nicht erkannt und ihren Tod nicht erwartet haben. Es liegen auch keine Anhaltspunkte dafür vor, dass die Nachricht schon bis Tscherkessk, einem kleinen Städtchen im Nordkaukasus, gelangt war, die Deutschen würden die Juden mit Hilfe von Gaswagen töten.

Ferner hat der Angeklagte Schlu. vorgebracht, alle Opfer seien auf einmal in den Gaswagen eingestiegen. Eine zweite Fahrt habe es nicht gegeben.

Das Schwurgericht ist jedoch vor allem aufgrund der Angaben des Angeklagten Esc. davon überzeugt, dass der Gaswagen zweimal gefahren ist. Esc. hat die zwei Fahrten mit der unterschiedlichen Verhaltensweise der ersten und zweiten Gruppe der Opfer beim Einsteigen glaubhaft geschildert. Auch der Zeuge H. ist sich sicher, dass der Gaswagen auf alle Fälle zweimal gefahren ist. Ob er auch ein drittes Mal gefahren sei, könne er nicht mehr sagen. Dem Zeugen Schw. sind etwa drei bis vier Fahrten in Erinnerung.

Die Anzahl der Opfer wurde ebenfalls unterschiedlich angegeben. Der Angeklagte Schlu. hat in der Hauptverhandlung bekundet, es seien etwa 30 bis 40 Juden gewesen. Bei seiner staatsanwaltschaftlichen Vernehmung vom 16.5.1962 hat er dagegen die Anzahl der Opfer mit 50 bis 60 bezeichnet. Der Angeklagte Esc. hat angegeben, es seien 30 bis 50 Opfer gewesen. Er hat hinzugefügt, die erste Gruppe habe 20 bis 25 Männer und Frauen umfasst und nach deren Abfahrt seien etwa 20 Juden zurückgeblieben. Der Zeuge H. hat insgesamt etwa 80 Männer und Frauen in Erinnerung. Der Zeuge Schw. hat ausgesagt, sich bezüglich der Anzahl der Opfer nicht festlegen zu können. Aufgrund dieser Angaben und der Tatsache, dass der Gaswagen zweimal gefahren ist, ist das Schwurgericht der Überzeugung, dass mindestens 40 Juden den Tod fanden.

Zur Frage der Todesursache der Juden hat der Sachverständige Prof.Dr. Ger., geschäftsführender Direktor des Instituts für Rechtsmedizin der Universität Frankfurt/Main, im wesentlichen ausgeführt:

In den Motorabgasen sei Kohlenmonoxyd enthalten, je nach der Belastung des Motors zwischen 3 und 10%. Kohlenmonoxyd gehe eine Verbindung mit dem roten Blutfarbstoff ein und habe eine etwa 210 mal grössere Affinität als Sauerstoff. Dadurch falle roter Blutfarbstoff für den Transport von Sauerstoff aus. Bei 65 bis 70% abgebundenem rotem Blutfarbstoff trete im allgemeinen der Tod ein. Es komme zur inneren Erstickung; infolge Hirnlähmung, bedingt durch Sauerstoffmangel, trete der Tod ein.

Die Vergiftung durch Kohlenmonoxyd werde von den Opfern vielfach nicht wahrgenommen. Werde sie dann bemerkt, sei es vielfach schon zu spät, da der durch den Versuch der Rettung ausgelöste erhöhte Sauerstoffbedarf Bewusstlosigkeit herbeiführe. In anderen Fällen löse die Vergiftung jedoch ein heftiges Erstickungsgefühl aus. Erreiche die Beladung von rotem Blutfarbstoff mit Kohlenmonoxyd 25%, komme es zu Herzklopfen, Schwindel, Ohrensausen, Hämmern in den Schläfen und Kopfschmerzen. Weitere Beladung von rotem Blutfarbstoff mit Kohlenmonoxyd führe dann zu Übelkeit und Brechreiz, schliesslich zu Krämpfen, zu Erbrechen sowie Abgang von Urin und Kot.

Der Verlauf der Vergiftung der betreffenden Juden sei davon abhängig gewesen, wie gross der Raum in dem betreffenden Fahrzeug gewesen sei, wie viele Personen in diesen Raum verladen worden seien, wie hoch der Kohlenmonoxyd-Anteil der Motorabgase gewesen, mit welcher Geschwindigkeit es eingeleitet worden und wie hoch das Atemvolumen der Juden gewesen sei. Zusammenfassend sei festzuhalten, dass die Juden in dem "Gaswagen" mit Sicherheit nicht alle gleichzeitig, sondern vielmehr, je nach ihrer besonderen Situation, nacheinander gestorben seien. Es sei wahrscheinlich, dass einige Opfer bereits schwerste Vergiftungserscheinungen gezeigt hätten, während andere Opfer diese Erscheinungen, insbesondere die Krämpfe, das Erbrechen, Einkoten und Urinablassen bei noch relativ klarem Bewusstsein hätten miterleben können.

Diesen überzeugenden Ausführungen schloss sich das Schwurgericht an. Sie sind von Sachkunde getragen und enthalten keine Widersprüche. Sie werden zum Teil auch durch die Aussage des Zeugen Gre. bestätigt, der bekundet hat, bei einem Gaswageneinsatz in Simferopol beim Ausladen der Leichen gesehen zu haben, dass diese über und über mit Kot beschmiert gewesen seien.

Die Einlassung des Angeklagten Schlu., aufgrund eines vorherigen Gesprächs mit dem den Gaswagen begleitenden Untersturmführer sei er der Meinung gewesen, die Opfer würden von dem Erstickungstod nichts merken, und erst, als er beim Einleiten der Motorabgase das Trampeln und Poltern der Opfer im Wageninnern gehört habe, habe er sich gedacht, dass deren Sterben sehr hart sein müsse, begegnet zwar Zweifeln, lässt sich aber nicht mit der erforderlichen Sicherheit widerlegen. Dagegen erachtet das Schwurgericht die Einlassung des Angeklagten Esc., er sei in Tscherkessk erstmals mit einem Gaswagen konfrontiert worden und er habe sich nicht vorgestellt, dass die Opfer leiden könnten, durch die Aussagen der Zeugen Sal. und Wol. für widerlegt.

Der Zeuge Sal., der nach seinen Angaben einige Wochen nach der Besetzung Eupatorias durch die deutschen Truppen Chef der russischen Polizei in dieser Stadt wurde und bei dem SD-Kommando diente, dessen Führer der SS-Obersturmführer Kubiak war, hat ausgesagt, bei diesem Kommando habe auch Rudolf Esc. als Ermittlungsführer gedient, der von der Dolmetscherin Shukowskaja Rudi genannt worden sei. Er - Sal. - sei damals acht- oder zehnmal Augenzeuge bei der Vernichtung von Menschen in besonderen Wagen gewesen, die "Seelentöter" genannt worden seien. Die Menschen im Wageninnern seien an den Auspuffgasen zugrunde gegangen. Es seien jeweils die Menschen in den Wagen verladen worden, die sich im Kellergeschoss des SD befunden hätten. Bei der Verladung seien jedes Mal Kubiak oder Esc. und auf jeden Fall die Shukowskaja zugegen gewesen. Von dieser habe er erfahren, dass in die "Seelentöter"-Wagen diejenigen Leute zwecks Liquidierung verladen worden seien, die man schon vernommen gehabt habe, und dass diese Sache von Esc. geleitet worden sei.

Das Schwurgericht hat keine Bedenken, die Angaben des Zeugen Sal. der Urteilsfindung zugrunde zu legen. Dieser wurde durch die zuständigen sowjetischen Ermittlungsbeamten vernommen, wobei die berufsrichterlichen Mitglieder des Schwurgerichts, der Vertreter der Staatsanwaltschaft und der Verteidiger des Angeklagten Esc. Gelegenheit hatten, dem Zeugen

Fragen zu stellen und Vorhalte zu machen. Wie sich aus seiner Aussage entnehmen lässt, hat er an das damalige Geschehen noch eine sehr gute Erinnerung. Seine Schilderungen sind ausführlich, klar und bildhaft. Auch sind Widersprüche darin nicht zutage getreten.

Ferner wird die Aussage des Zeugen Sal. durch die Bekundungen des verstorbenen Zeugen Wol. bestätigt. Dieser hat bei seiner richterlichen Vernehmung vom 26.1.1972 ebenfalls von Liquidierungen durch Gaswagen in Eupatoria berichtet. Es sei richtig, dass Esc. den Gaswagen von Eupatoria begleitet habe, wobei er allerdings nicht wisse, ob das bei jeder Fahrt der Fall gewesen sei.

Aufgrund der Aussagen der Zeugen Sal. und Wol. gelangte das Schwurgericht zu der Überzeugung, dass der Angeklagte Esc. den Gaswagen bereits in Eupatoria im Einsatz erlebt hatte und deshalb zum Zeitpunkt der Exekution von Tscherkessk mindestens teilweise um die qualvollen Begleitumstände der auf diese Weise durchgeführten Tötungen wusste.

8. Politischer Werdegang der Angeklagten

Die Feststellungen zum politischen Werdegang der Angeklagten beruhen auf deren Angaben und auf Urkunden aus Personalakten des Reichssicherheitshauptamtes.

Der Inhalt der verlesenen Dokumente aus den über die Angeklagten im Reichssicherheitshauptamt angelegten Personalakten ist von ihnen grundsätzlich als richtig anerkannt worden. Win. hat ergänzend erklärt, er sei zwar in die NSDAP eingetreten, habe jedoch weder einen Ausweis erhalten noch Beiträge gezahlt. Esc. hat die Angaben in den Dokumenten insoweit berichtigt, als er nie Mitglied der SA gewesen sei. Das Gericht hatte keine Bedenken, diesen Einlassungen der Angeklagten zu folgen, denn es sind keine Anhaltspunkte ersichtlich, dass sie sich hier nicht um Wahrheit bemüht haben.

Dass jeder, der seit 1936 in die Sicherheitspolizei eingetreten ist, zuvor sorgfältig auf seine politische "Zuverlässigkeit" überprüft worden ist, ergibt sich schon aus der offenkundigen Tatsache, dass am 17.6.1936 das Amt eines "Chefs der Deutschen Polizei" neu geschaffen und mit dem des "Reichsführers SS" vereinigt worden ist. Der Zeuge Hot., ehemals Leiter des Referats für Nachwuchsangelegenheiten im Reichssicherheitshauptamt, hat glaubhaft bekundet, Heydrich habe Wert darauf gelegt, dass nur zuverlässige Nationalsozialisten Angehörige des Leitenden Dienstes geworden seien, die nach dessen Vorstellungen zu einem besonderen Führerkorps hätten herangebildet werden sollen.

9. Innere Einstellung zu den Straftaten

Alle drei Angeklagten haben eingeräumt, bei allen Exekutionen gewusst zu haben, dass jeweils Juden aus rassischen Gründen getötet worden sind.

Da die Angeklagten glaubhaft haben dartun können, selbst keine Judenhasser gewesen zu sein, und auch sonst bei ihnen kein persönliches Interesse an der Ausführung der Tötungshandlungen zum Ausdruck gekommen ist, steht zur Überzeugung des Schwurgerichts fest, dass sie nur auf Befehl gehandelt und keinen eigenen Tötungswillen entfaltet haben.

Alle drei Angeklagten haben auch zugestanden, erkannt zu haben, dass der "Führerbefehl" nicht rechtens war. Schlu. hat angegeben, bereits in Tighina gefühlt zu haben, dass es sich um Unrecht handelte. Er habe den Befehl für Unrecht gehalten. Win. hat erklärt, die Unrechtmässigkeit des Befehls habe er erkannt. Esc. hat betont, die Rechtswidrigkeit des Befehls erkannt zu haben, weil es ein Mordbefehl gewesen sei.

Aufgrund dieser skizzierten Äusserungen gewann das Schwurgericht die Überzeugung, dass die Angeklagten sicheres Wissen von dem verbrecherischen Zweck des "Führerbefehls" hatten.

Die innere Einstellung der Angeklagten zu dem konkreten Befehl des jeweiligen Kommando- oder Teilkommandoführers, an einer Judenexekution mitzuwirken, war zweifelsfrei die gleiche wie zu dem "Führerbefehl": Sie haben den einzelnen Befehl zur Judenvernichtung für unrechtmässig gehalten. Für sie war der Befehl des jeweiligen Kommando- oder Teilkommandoführers nur Ausfluss und Verwirklichungsform des generellen "Führerbefehls". Keiner der Angeklagten hat deshalb auch einen Unterschied geltend gemacht zwischen dem "Führerbefehl" und dem konkreten Befehl des jeweiligen Kommando- oder Teilkommandoführers, sich an einer Judenvernichtung zu beteiligen.

Die Einlassungen der Angeklagten zur Verbindlichkeit des "Führerbefehls" sind unterschiedlich. Schlu. hat vorgebracht, da für ihn jeder Führerbefehl Gesetz gewesen sei, habe er auch den Vernichtungsbefehl für bindend gehalten. Win. und Esc. haben dagegen erklärt, sie seien der Auffassung gewesen, dass selbst der "Führer" ihnen einen solchen Befehl nicht rechtmässig habe erteilen können.

Das Schwurgericht folgte diesen Einlassungen und ist deshalb davon überzeugt, dass Schlu. aus einer falsch verstandenen Gehorsams- oder Treuepflicht den "Führerbefehl" trotz des erkannten verbrecherischen Zwecks für bindend gehalten hat, während Win. und Esc. diesen Befehl für nicht bindend gehalten haben, weil sie sich bewusst waren, dass selbst ein Befehl Hitlers nicht die Tötung unschuldiger Menschen allein ihrer Rasse wegen rechtfertigt.

10. Motive zu den Straftaten

Alle drei Angeklagten berufen sich darauf, dem jeweiligen Befehl des Kommando- oder Teilkommandoführers, sich an einer Judenexekution zu beteiligen, nur nachgekommen zu sein, weil ihnen selbst Leibes - oder Lebensgefahr gedroht habe. Wenn sie sich dem Befehl entzogen hätten, dann hätten sie damit rechnen müssen, wegen Befehlsverweigerung oder Meuterei in ein Konzentrationslager oder eine Bewährungseinheit eingewiesen oder gar erschossen zu werden, sei es an Ort und Stelle auf Anordnung des Kommandoführers oder nach Verurteilung durch ein SS- und Polizeigericht.

Das Schwurgericht ist davon überzeugt, dass das Verhalten der Angeklagten in Südrussland nicht durch Leibes- oder Lebensangst motiviert gewesen ist.

Vorweg ist festzustellen, dass das Tatmotiv der einzelnen Befehlsempfänger sich nicht zu decken braucht mit dem Motiv derjenigen, die den Befehl erteilt haben. Es ist daher keine Bestätigung für die Behauptung der Angeklagten, bei ihrer Beteiligung an den Judenerschiessungen seien sie durch eine Gefahrenlage bestimmt worden, wenn sie versichert haben, persönlich hätten sie noch nie etwas gegen die Juden gehabt und wären daher auch nicht von eigenem Judenhass getragen gewesen wie Hitler, als er den "Führerbefehl" zur Ausrottung der Juden gab.

Bestätigung für das behauptete Tatmotiv der Lebensangst ist auch nicht, dass die Angeklagten die Judenexekutionen unangenehm und entsetzlich fanden. Es ist geschichtsbekannt, dass die für die Vernichtungsaktionen zuständigen oberen Organe, insbesondere auch Himmler, gar keine grausamen und einsatzfrohen Gehilfen bei den Judenausrottungen wollten. Dies hätte dem Bild von dem "überlegenen" deutschen Menschen widersprochen, der nicht verrohen könne. Die Vernichtung des Ostjudentums wurde als eine zwar "notwendige", zugleich aber auch scheussliche und furchtbare Massnahme angesehen.

Das Schwurgericht ist der Überzeugung, dass das Motiv, von dem der Angeklagte Schlu. bei der Mitwirkung an den Judenexekutionen geleitet war, ein irrgegangenes Pflichtgefühl war, die durch nationalsozialistische Ideologie und SS-Verstrickung anerzogene strenge Befehlstreue. Wer einen Befehl deshalb befolgt, weil er ihn für verbindlich hält, selbst wenn er die Begehung von Verbrechen ansinnt, handelt nicht unter dem Druck einer drohenden Lebensgefahr. Die von ihm nach der Exekution von Tighina unternommenen Schritte, sich der weiteren Mitwirkung an Judenexekutionen zu entziehen, waren Versuche, ethisch Missbilligtem zu entgehen.

Für die Motivierung des Angeklagten Win. kommt einmal seiner Karriere erhebliche Bedeutung zu. Er wurde von den NS-Machthabern für würdig befunden, im Rahmen des Leitenden Dienstes zur Führungselite herangezogen zu werden. Er liess sich auch nach seinem Russlandeinsatz beflissen weiter im Leitenden Dienst ausbilden, befördern und in eine nicht unbedeutende Stelle berufen. Dies spricht nicht dafür, dass er während der ganzen Zeit des Dritten Reiches oder auch nur während seines Einsatzes in Südrussland ein gezwungener, widerwilliger Mitarbeiter des NS-Regimes gewesen wäre. Vielmehr deutet dies darauf hin, dass das Verhalten Win.s getragen wurde von dem Bedürfnis nach opportunistischer Anpassung an die politischen Verhältnisse und von dem Verlangen, nicht aufzufallen und Unannehmlichkeiten dienstlicher Art zu vermeiden.

Bei der Beantwortung der Frage, von welcher Motivierung der Angeklagte Win. bei der Begehung seiner Tat getragen wurde, misst das Schwurgericht grosse Beweiskraft dem Punkt bei, ob er ernsthaft versuchte, sich der behaupteten Leibes- oder Lebensangst auf andere Weise als durch die Mitwirkung an Judenexekutionen zu entziehen.

Seine Äusserung gegenüber dem Adjutanten von Ohlendorf, dass sie schlimmere Dienste als Henker zu leisten hätten, lässt erkennen, dass es ihm in erster Linie darum ging, nicht bei irgendeiner Exekution persönlich anwesend sein zu müssen, weil er nicht gern "Henker" sein wollte. Die briefliche Bitte Win.s an den ihm gut bekannten Leiter der Grenzpolizeischule in Pretzsch, sich um seine Versetzung an die dortige Schule zu bemühen, wertet das Gericht nicht als ernsthaften Ausweichversuch. Denn mit diesem Mittel konnte eine sofortige Befreiung von dem Druck einer Zwangslage nicht erreicht werden. Es blieb der mögliche Gewissenskonflikt bezüglich aller bis zur Versetzung noch bevorstehenden Judenexekutionen bestehen. In Tighina selbst unternahm Win. keinen Versuch, der Teilnahme an der Exekution zu entgehen. Nachdem er erst am Abend vorher aus dem Lazarett geholt worden war, in dem er etwa 14 Tage wegen einer Art Typhus, Ruhr und einer Hauterkrankung gelegen hatte, hätte er - wie ihm auch bewusst war - zumindest versuchen können, seinen durch die vorangegangene Erkrankung noch geschwächten körperlichen Zustand vorzuschieben und den Kommandoführer eventuell dadurch geneigt zu machen, nicht auf seiner Teilnahme an der Exekution zu bestehen. Dieser Ausweg war naheliegend, zumutbar und nicht von vornherein aussichtslos. Dass Win. diesen Versuch nicht unternahm, lässt erkennen, dass er nicht durch eine lebensbedrohende Zwangslage motiviert wurde. Er kam dem Befehl Müllers vielmehr nach, um seine erfolgverheissende Laufbahn als Angehöriger des Leitenden Dienstes nicht zu gefährden. Die bereits in Piatra-Neamt geäusserte Bitte des Angeklagten Esc. um Versetzung zur Front wertet das Gericht ebenso wie die briefliche Bitte Win.s um Versetzung an die Grenzpolizeischule in Pretzsch.

Durch sein Verhalten bei der Erschiessung der Jüdin in der Nähe von Eupatoria bewies Esc. im übrigen seine Gleichgültigkeit gegenüber dem Los der Juden, seine Bereitwilligkeit und seinen Eifer bei der Durchsetzung des "Führerbefehls". Dieses Verhalten widerlegt, dass Motiv seines Handelns Leibes- oder Lebensangst war. Esc. bestreitet den von dem Zeugen Sal. geschilderten Vorfall. Das Schwurgericht hat jedoch aus den oben (Ziff.7) dargelegten Erwägungen keinen Zweifel an der Richtigkeit von dessen Aussage.

Für den Angeklagten Esc. wurde der Hilfsbeweisantrag gestellt, Beweis darüber zu erheben, dass die Einsatzgruppe D und ihre Angehörigen zu keiner Zeit über Parabellum-Pistolen verfügt haben, durch ein Gutachten des Sachverständigen Karl Pawlas in Nürnberg, hilfsweise durch ein Gutachten eines Sachverständigen vom Bundesverteidigungsministerium, hilfsweise durch ein Zeugnis des Angeklagten Win. als Sachverständigen. Dieser Hilfsbeweisantrag war abzulehnen, weil die behauptete Tatsache so behandelt werden kann, als wäre sie wahr. Die Wahrunterstellung dieser Tatsache führt aber nicht dazu, dass sich der Zeuge Sal. in diesem Punkt irren würde. Ausweislich des verlesenen Protokolls über seine Vernehmung vom 1.3.1974 hat er nämlich bekundet, bei der Pistole, die Esc. ihm in die Hand gedrückt habe, habe es sich wohl um eine Parabellum gehandelt. Der Zeuge hat also deutlich zum Ausdruck gebracht, insoweit nicht sicher zu sein.

Zugunsten des Angeklagten Esc. geht das Schwurgericht davon aus, dass er den Befehl zur Abholung und Erschiessung der Jüdin von dem Teilkommandoführer Kubiak erhalten hat. Daraus, dass er weder vorgab, die Jüdin nicht gefunden zu haben, noch sie auf der Dienststelle in Eupatoria ablieferte, sondern sie unterwegs durch Sal. erschiessen liess, lässt sich ersehen, dass er dem Befehl mit Bereitwilligkeit nachkam. Den Vorfall, bei dem Esc. vor einer Synagoge einem Juden grundlos eine Ohrfeige versetzte, bestreitet Esc. Seine Einlassung wird jedoch durch die Angaben des Zeugen T. widerlegt, der den Vorfall so geschildert hat, wie im Sachverhalt niedergelegt. Der Zeuge ist nach der Überzeugung des Schwurgerichts glaubwürdig. Er hat diesen Vorfall bereits bei seiner polizeilichen Vernehmung vom 11.6.1970 sowie bei seiner richterlichen Vernehmung vom 4.2.1972 geschildert und in der Hauptverhandlung das gleiche bekundet. Er hat ruhig und sachlich ausgesagt. Sein Wille wurde offenbar, nur das anzugeben, was er noch sicher wusste. Der Zeuge T. ist auch deshalb glaubwürdig, weil er sich selbst nicht geschont hat und in der Hauptverhandlung erstmals seine Beteiligung an der Exekution von Odessa von sich aus eingeräumt hat.

Wenn dieser Vorfall auch die Einstellung Esc.s gegenüber den Juden beleuchtet, hat das Schwurgericht dennoch auch hieraus keinen Schluss auf einen allgemeinen Judenhass des Angeklagten gezogen. Das Schwurgericht gelangte in Würdigung der beiden Vorfälle jedoch zu der Überzeugung, dass ein etwaiger Gedanke an die möglichen Folgen einer Befehlsverweigerung auf das Handeln des Angeklagten Esc. ohne Einfluss war.

IV. Die strafrechtliche Verantwortlichkeit der Angeklagten

Sämtliche Angeklagten waren zur Zeit der geschilderten Ereignisse für ihre Handlungen strafrechtlich voll verantwortlich.

Bei den Angeklagten Schlu. und Win. ergaben sich keine Anhaltspunkte für das Vorliegen des §51 Abs.1 oder 2 StGB. Das gilt für Schlu. auch bezüglich der Exekution in Tighina, da der in der vorangegangenen Nacht genossene Alkohol nicht zu einer Verminderung seiner Zurechnungsfähigkeit geführt hat. Er räumt selbst ein, zwar etwas unter Alkoholeinfluss gestanden zu haben, aber keineswegs betrunken gewesen zu sein.

Zur Frage der strafrechtlichen Verantwortlichkeit des Angeklagten Esc. hat das Schwurgericht den Sachverständigen Obermedizinaldirektor Dr. Dr. Dah., Landgerichtsarzt beim Landgericht München I und Facharzt für Nerven- und Gemütsleiden, gehört. Zusammenfassend führte dieser aufgrund der am 23.8.1973 durchgeführten Untersuchung des Angeklagten aus: Esc. sei allseits orientiert, es bestehe eine mässige Konzentrationsschwäche, die Merkfähigkeit sei eingeschränkt, das Altgedächtnis erscheine besser als das Neugedächtnis. Intellektuell sei er als durchschnittlich begabt anzusehen. Anzeichen für das Vorliegen einer Psychose hätten sich nicht gefunden, auch nicht im Rückbildungsalter. Die Röntgenaufnahmen des Schädels liessen keine Zeichen einer frischen oder älteren Knochenverletzung erkennen. Die Voraussetzungen des §51 Abs.1 oder 2 StGB seien somit nicht gegeben.

Diesen überzeugenden Ausführungen des Sachverständigen, dessen Sachkunde nicht zweifelhaft ist, hat sich das Schwurgericht angeschlossen. Es kam in Übereinstimmung mit Dr. Dr. Dah. zu der Überzeugung, dass der Angeklagte Esc. zur Tatzeit in seiner Zurechnungsfähigkeit nicht beeinträchtigt war.

V. Die rechtliche Würdigung

Die Geltung des deutschen Strafrechts für die auf dem Territorium der Sowjetunion von deutschen Staatsangehörigen begangenen Taten ergibt sich aus §3 StGB in der Fassung der Verordnung über den Geltungsbereich des Strafrechts vom 6.5.1940 (RGBl. I S.754).

A. Die Taten

Die unter II B festgestellten Judenexekutionen sind sieben Verbrechen des gemeinschaftlichen Mordes in 40, 300, 10, 10, 10, 10 und 40 Fällen nach den §§211, 47, 73, 74 StGB.

1. Anzuwendende Rechtsnorm

Für die rechtliche Beurteilung der Taten ist §211 StGB n.F. massgebend.

Zwar erfolgte die Planung und zum Teil auch die Durchführung der Taten (Fall II B 1, Tighina) bereits vor dem 4.9.1941, zu welchem Zeitpunkt die alte Fassung des §211 StGB durch die gegenwärtig noch geltende Fassung ersetzt wurde. §211 StGB n.F. ist jedoch das mildere Gesetz im Sinne von §2 Abs.2 Satz 2 StGB. Denn zu dem unbedingten Tötungsvorsatz des §211 StGB a.F. ("... mit Überlegung ausgeführt ..."), der bei Hitler und seinen Gesinnungsgenossen gegeben war, weil sie die Tötungen bis in die Einzelheiten ihrer Durchführung planten und vorbereiteten, muss nach der geänderten Vorschrift zur Tatbestandsverwirklichung mindestens noch ein weiteres der in Absatz 2 aufgeführten Tatbestandsmerkmale hinzukommen.

2. Niedrige Beweggründe

Die verfahrensgegenständlichen Exekutionen erfolgten aus niedrigen Beweggründen (§211 Abs.2 StGB).

Ein Beweggrund ist niedrig, wenn er nach allgemeiner sittlicher Wertung auf tiefster Stufe steht, durch hemmungslose, triebhafte Eigensucht bestimmt und deshalb besonders verwerflich, ja verächtlich ist (BGHSt. 3, 132). Die Tötung der Juden erfolgte allein wegen ihrer Rasse. Der Entschluss zur Tötung von Menschen nur wegen ihrer Rassezugehörigkeit wurzelte in einem von der nationalsozialistischen Ideologie erzeugten und genährten Rassenhass, der auf einer ungerechtfertigten Überbewertung der eigenen "germanischen" Rasse beruhte. Das Verhalten Hitlers und seiner Tatgenossen war somit von Vorstellungen getragen, die jeglichem gesundem menschlichem Empfinden Hohn sprechen und in besonderem Masse verwerflich sind. Solche Beweggründe sind als niedrig im Sinne des §211 Abs.2 StGB anzusehen.

3. Grausam

Sämtliche Exekutionen wurden auch grausam durchgeführt (§211 Abs.2 StGB).

Grausam tötet, wer seinem Opfer aus gefühlloser, unbarmherziger Gesinnung besondere Schmerzen oder Qualen körperlicher oder seelischer Art zufügt (BGHSt. 3, 180; 264). Im einzelnen ergibt sich das Tatbestandsmerkmal der Grausamkeit aus folgenden Umständen:

a) In Tighina (II B 1) konnten die wartenden Opfer die Erschiessung ihrer Leidensgefährten hören. Die nachfolgenden Opfer sahen auch kurz vor ihrem eigenen Tod die Leichen der bereits Erschossenen.

b) In Odessa (II B 2) mussten sich die Opfer angesichts ihres bevorstehenden Todes teilweise vollständig, teilweise bis auf die Unterwäsche entkleiden. Sie hörten auch das Krachen der Schüsse. Für die nachfolgenden Opfer waren Blutspuren am Brunnenrand deutliches Zeichen einer vorangegangenen Tötung. Ausserdem konnten die Opfer, nachdem sich der Brunnenschacht angefüllt hatte, die Leichen ihrer Leidensgefährten sehen und auch teilweise das Stöhnen nicht tödlich getroffener Opfer hören.

c) In Eupatoria (II B 3) hatten sich die Opfer ihrer Oberkleidung zu entledigen. Zum Warteplatz drangen die Schüsse des Exekutionskommandos. Für die nachfolgenden Opfer waren ferner teilweise die Leichen ihrer Leidensgefährten sichtbar, als sie zu ihrer eigenen Erschiessung an den Rand des Panzergrabens getreten waren. Diese Umstände treffen für alle vier Exekutionen zu.

d) In Tscherkessk (II B 4) wurden denjenigen Opfern, die den mit Krämpfen, Erbrechen, Urinablassen und Einkoten einhergehenden Todeskampf ihrer Leidensgefährten bei noch relativ klarem Bewusstsein miterlebten, übermässige Qualen zugefügt. Insbesondere wurde ihre Todesangst dadurch noch wesentlich erhöht.

Nur die objektiven Gegebenheiten dieser Tatumstände können dargestellt werden. Unbeschreiblich sind Gefühllosigkeit und Unbarmherzigkeit der Gesinnung, die aus ihnen sprechen. Unmenschliche Qualen erlitten die Opfer, die in der schrecklichen Gewissheit ihres bevorstehenden Todes sich durch teilweise vollständiges, teilweise bis auf die Unterwäsche erfolgtes Entkleiden erniedrigen mussten und die - manchmal über Stunden hinweg - das Krachen der Gewehrsalven hörten. Dieses Entsetzen erfuhr noch eine Steigerung, wenn die nachfolgenden Opfer im Panzergraben oder Brunnen die Leichen ihrer Leidensgefährten sahen.

Hitler und seine Gesinnungsgenossen waren sich bewusst, dass die von ihnen veranlassten Judentötungen für die Opfer zwangsläufig erhebliche seelische und auch körperliche Qualen mit sich bringen würden. Sie waren sich auch darüber im klaren, dass die Massentötungen unweigerlich in einer Weise vor sich gehen würden, bei der es zusätzlich zu allerlei Roheiten kommen würde. Gleichwohl liessen sie bedenkenlos und bar jeglichen menschlichen Empfindens die Vernichtungsmassnahmen durchführen, weil ihnen das Erreichen ihrer vom Rassedünkel getragenen Ziele höher stand als das Leben unschuldiger Menschen. Bei dieser Sachlage bedarf es keiner weiteren Ausführungen, dass die Anordnung zur Durchführung der Judentötungen einer gefühllosen und unbarmherzigen Gesinnung entsprang.

4. Heimtückisch

Die Exekution von Tscherkessk (II B 4) wurde auch heimtückisch begangen (§211 Abs.2 StGB).

Heimtückisch tötet, wer die Arg- und Wehrlosigkeit des Opfers zur Tat ausnutzt (BGHSt. 9, 385). Das Verhalten der Juden von Tscherkessk macht deutlich, dass sie die wahre Absicht ihrer Erfassung nicht erkannten, sich keines Angriffs auf ihr Leben versahen und somit arglos waren. Sie kamen freiwillig zum Güterschuppen und entledigten sich dort bereitwillig ihrer Kleidung. Im Vertrauen darauf, dass sie wegen der angeblich bevorstehenden Umsiedlung zur Entlausung gebracht würden und ihnen nichts geschehen werde, überlieferten sie sich der Wehrlosigkeit. Die erste Gruppe der Opfer stieg auch willig in den Gaswagen ein. Dass die zweite Gruppe unmittelbar vor dem Angriff auf ihr Leben wegen des leer zurückgekehrten Gaswagens misstrauisch geworden und danach nicht mehr arglos war, schliesst die Annahme von Heimtücke auch insoweit nicht aus (vgl. BGHSt. 22, 77, 79).

Hitler und seine Gesinnungsgenossen waren sich bewusst, dass bei den von ihnen veranlassten Judentötungen die Arg- und Wehrlosigkeit von Opfern zur Tat ausgenutzt werden würde. Das war schon deshalb von ihrem Vorsatz umfasst, weil es die reibungslose und möglichst geheimzuhaltende Vernichtung der Juden erleichterte, was ja ihren Vorstellungen entsprach.

5. Rechtswidrigkeit

Die von den NS-Machthabern befohlenen Vernichtungsaktionen zahlloser unschuldiger Menschen waren rechtswidrig.

Insbesondere waren die Exekutionen von Juden nicht deshalb rechtens, weil sie auf einer Willenskundgebung Hitlers beruhten. Die von Hitler mit dem Ziel der physischen Vernichtung des Judentums erlassenen Anordnungen konnten - auch unter Berücksichtigung der im Dritten Reich geltenden verfassungsrechtlichen Grundsätze - kein Recht schaffen, weil sie absolutes Unrecht zum Inhalt hatten (vgl. BGHSt. 2, 173, 177; 234, 238). Zwar vereinigte Hitler alle Staatsgewalt in seiner Hand. Seine umfassende Staatsgewalt wird durch zahlreiche, im Reichsgesetzblatt veröffentlichte Führererlasse, deren Gesetzeskraft nicht mehr bestritten wird, bezeugt und wurde in der deutschen Rechtslehre auch anerkannt (vgl. BGHSt. 5, 230, 232).

Diese für Führererlasse allgemeiner Art zutreffenden Erwägungen gelten jedoch nicht für den "Führerbefehl". Dieser sprach den elementarsten Grundsätzen der Humanität Hohn. Er hatte die Ausrottung einer ganzen Rasse zum Ziel. Er entsprach tiefer Missachtung gegenüber den, allen Kulturvölkern gemeinsamen Rechtsüberzeugungen von Wert und Würde der menschlichen Persönlichkeit sowie grenzenloser Verachtung des selbstverständlichen Anspruchs eines jeden Menschen auf sein Leben. Er strebte ferner die Gerechtigkeit nicht einmal mehr zum Schein an. Vielmehr wurde der Gedanke der Gleichheit aller bewusst verleugnet und den Opfern erbarmungslos jede rechtliche Sicherung, deren Mindestmass in dem Erlass wenigstens eines standgerichtlichen Urteils gelegen hätte, versagt.

Die Vernichtungsmassnahmen waren auch sonst unter keinem Gesichtspunkt gerechtfertigt. Irgendwelche Rechtfertigungsgründe, etwa der militärischen oder politischen Lage, sind nicht erkennbar. Wenn die Hinrichtungen auch als "Sonderbehandlung potentieller Gegner" oder ähnlich bezeichnet wurden, so ist es doch verfehlt, daraus etwa den Schluss zu ziehen, es habe sich um Notwehrakte zur Verhinderung von unmittelbar bevorstehenden Angriffen auf die Sicherheit der deutschen Wehrmacht oder der das rückwärtige Heeresgebiet verwaltenden Dienststellen gehandelt.

Hitler und seine Gesinnungsgenossen waren sich auch bewusst, dass die Vernichtung unschuldiger jüdischer Menschen jeglicher Rechtsgrundlage entbehrte. Ihr Unrechtsbewusstsein kommt in der strengen Geheimhaltung der Planung und Durchführung der Vernichtungsmassnahmen, die zur "Geheimen Reichssache" (höchster Grad der Geheimhaltung) erklärt wurden, klar zum Ausdruck.

6. Die Haupttäter

Die Taten wurden von Hitler in bewusstem und gewolltem Zusammenwirken mit Göring, Himmler, Heydrich und möglicherweise weiteren Personen, also gemeinschaftlich (§47 StGB) begangen. Als mittelbare Täter haben diese die Tötungshandlungen bis in die Einzelheiten geplant und vorbereitet. Zur Verwirklichung des Planes, die jüdische Bevölkerung Osteuropas auszurotten, wurden von den damaligen Machthabern die Einsatzgruppen und

-kommandos aufgestellt, das Einsatzkommando 11b bzw. 11 als Instrument nationalsozialistischer Judenvernichtung benutzt und den Angeklagten wie auch den anderen Kommandoangehörigen befohlen, die Juden in den einzelnen Ortschaften Südrusslands zu töten.

7. Konkurrenzen

In Tighina wurden mindestens 40 Juden ermordet, in Odessa mindestens 300, in Eupatoria viermal mindestens 10 und in Tscherkessk wiederum mindestens 40. Die bei den sieben Exekutionen entfalteten Tätigkeiten stellen sich jeweils als eine natürliche Handlungseinheit dar. Durch eine einheitliche Handlung wurden jeweils ebensoviele Gesetzesverletzungen begangen, wie Menschen getötet wurden. Zwischen den verschiedenen Tötungen innerhalb der sieben Exekutionen liegt jeweils gleichartige Tateinheit vor (§73 StGB).

Die sieben Exekutionen selbst stehen zueinander im Verhältnis der Tatmehrheit (§74 StGB). Da mittelbare Täterschaft unter Benutzung bösgläubiger Werkzeuge vorliegt, stellt die Beeinflussung der Werkzeuge nicht die eigentliche Tatbegehung der mittelbaren Täter dar. Bei bösgläubigen Werkzeugen beginnt die Ausführung der Tat erst mit deren Tatdurchführung. Die mittelbaren Täter müssen sich daher ebensoviele Handlungen anrechnen lassen, wie von den bösgläubigen Werkzeugen ausgeführt worden sind (vgl. Schönke-Schröder, StGB, 17.Aufl., Rdnr.21 zu §73).

Weder der "Führerbefehl" noch die Einheitlichkeit der Planung und des Zieles, die Juden zu vernichten, schaffen eine natürliche Handlungseinheit zwischen sämtlichen Vernichtungsmassnahmen. Der "Führerbefehl" war nur ein allgemeiner, im voraus gefasster Entschluss, eine Reihe gleichartiger Mordtaten begehen zu lassen, war jedoch nicht auf bereits konkretisierbare Taten gerichtet.

Auch die vier festgestellten Exekutionen in Eupatoria stehen nicht in einem so engen zeitlichen Zusammenhang, dass sie als eine Tat im Rechtssinn zu werten wären.

Es fehlt daher an den Voraussetzungen einer natürlichen Handlungseinheit, weshalb Tatmehrheit vorliegt.

B. Die Beteiligung der Angeklagten

Die Angeklagten leisteten zu den sieben gemeinschaftlich begangenen Verbrechen des Mordes gemeinschaftliche Beihilfe, und zwar Schlu. dreimal in 40, 300 und 40 Fällen, Win. einmal in 40 Fällen sowie Esc. sechsmal in 300, 10, 10, 10, 10 und 40 Fällen nach den §§211, 47, 49, 73, 74 StGB.

1. Beihilfe

Die Angeklagten wirkten bei den Judentötungen, an denen sie beteiligt waren, nicht als Täter, sondern als Gehilfen (§49 StGB) mit.

Gehilfe ist, wer die Tat nicht als eigene begeht, sondern nur als Werkzeug oder Hilfsperson bei fremder Tat mitwirkt. Massgebend dafür ist die innere Haltung zur Tat (BGHSt. 18, 87, 89). Diese ist aus dem Gesamtbild aller Tatumstände zu ermitteln. Dabei stellen ein eigenes Interesse an der Tat wie auch die Tatherrschaft Beweisanzeichen für Täterschaft dar. Insbesondere ist in der Regel, wenn auch nicht ausnahmslos, derjenige Täter, welcher die Tat eigenhändig begeht.

Dagegen ist für den Gehilfen die Unterwerfung unter einen fremden Willen kennzeichnend. Er will dem Haupttäter Hilfe leisten, dessen Tat fördern. Wer dabei allerdings einen besonderen einverständlichen Eifer zeigt, kann in aller Regel nicht geltend machen, nur Gehilfe zu sein. Wenn auch das Handeln auf Befehl nicht ausschliesst, dass der gehorchende Untergebene sich der Mittäterschaft schuldig macht, indem er die Tat gleichfalls als eigene will, so liegt doch grundsätzlich im Wesen des Handelns auf Befehl, dass der Untergebene nicht aus eigenem Willen zur Tat schreitet, sondern in Erfüllung einer Pflicht, wenn auch in Verkennung ihrer Grenzen, tätig werden will.

Unter Anwendung dieser Grundsätze gelangte das Schwurgericht zu der Überzeugung, dass alle drei Angeklagten bei den Judenexekutionen als Gehilfen mitwirkten.

Die Angeklagten liessen bei den ihnen zur Last gelegten Taten nicht erkennen, dass sie sich die Motivation der damaligen Machthaber zu eigen gemacht hätten und selbst von einem Hass auf die Juden getragen gewesen wären. Schlu. und Win. missbilligten vielmehr innerlich die Judenexekutionen. Als wichtiges Indiz dafür, dass die Angeklagten nur Gehilfen waren, sieht das Schwurgericht die Tatsache an, dass sie jeweils nur auf Befehl gehandelt haben. Die Angeklagten verdeutlichten dadurch, bei ihren Tatbeiträgen sich stets fremdem Willen unterworfen zu haben. Sie haben zu keinem Zeitpunkt von sich aus den Entschluss gefasst, Juden zu töten.

Das gilt für den Angeklagten Esc. auch bei Berücksichtigung der Erschiessung der Jüdin in der Nähe von Eupatoria, weil sich nicht ausschliessen lässt, dass ihm diese Aktion von dem Teilkommandoführer Kubiak befohlen worden war. Hier offenbarte Esc. allerdings Gleichgültigkeit gegenüber dem Los der Juden und bereitwilligen Eifer bei der Durchführung des Vernichtungsbefehls. Trotz insoweit erheblich belastender Momente vermochte sich das Schwurgericht bei Abwägung aller Tatumstände jedoch nicht davon zu überzeugen, dass Esc. eigenes Interesse an den Judentötungen von Eupatoria und Tscherkessk hatte, die mit der Erschiessung der Jüdin zeitlich etwa zusammenfielen bzw. nachfolgten.

Keiner der Angeklagten hatte bei den Exekutionen, an denen sie beteiligt waren, die Tatherrschaft. Schlu. leitete zwar die Exekution von Tscherkessk und veranlasste dabei mit, dass die Tatausführung heimtückisch erfolgte. Er hatte aber auch hier nur einen gewissen Spielraum für eigenverantwortliche Entscheidungen. Die Benutzung des Gaswagens war ihm von seinem Kommandoführer und der Einsatzgruppe vorgeschrieben. Damit war die Tatausführung in den wesentlichen Punkten, nämlich Art und Zeitpunkt der Tötung, durch andere festgelegt.

<u>2. Die Tatbeiträge der Angeklagten</u>

a) Der Angeklagte Schlu. erschoss in Tighina einen Juden. In Odessa war er an der Abholung der Opfer aus dem Gefängnis beteiligt und hatte bei deren Verbringung zum Exekutionsgelände die Aufsicht über den rückwärtigen Teil des Zuges der Opfer. Weiter oblag ihm die Einteilung der Absperrposten und die Bewachung der Juden während der gesamten Exekution. Schliesslich wurden auf seine Veranlassung aus der Gruppe der wartenden Opfer jeweils sechs zur Exekutionsstätte getrieben. In Tscherkessk war Schlu. mit der Vorbereitung der Exekution auf dem Bürgermeisteramt befasst und hatte auch deren Leitung.

b) Der Angeklagte Win. gab in Tighina einen Schuss in Richtung der Opfer ab. Dass er nicht gezielt auf ein bestimmtes Opfer schoss, ist für die rechtliche Würdigung unerheblich. Es genügt, wenn der Gehilfe zur Tatbestandsverwirklichung beiträgt. Win. förderte die Tötung der Juden, indem er den am Erschiessungsort versammelten Mannschaften zeigte, dass auch ein Führerdienstgrad auf Juden schiesst, wodurch er den anderen Mordgehilfen ein Beispiel gab.

c) Der Angeklagte Esc. erteilte in Odessa während etwa zwei Drittel der Exekution die Feuerbefehle, wobei er wiederholt abgelöst wurde. In Eupatoria war er mit der Vorbereitung der vier Exekutionen befasst und erteilte auch jeweils die Feuerbefehle. In Tscherkessk suchte Esc. eine zum Beladen des Gaswagens geeignete Örtlichkeit aus und überwachte das Entkleiden der Opfer und deren Einsteigen in den Gaswagen.

3. Wissentlich und gemeinschaftlich

a) Alle drei Angeklagten leisteten den Haupttätern zur Begehung der Exekutionen wissentlich, d.h. vorsätzlich Hilfe. Sie erbrachten ihren jeweiligen Tatbeitrag in dem Bewusstsein, dadurch die vorsätzliche Tötung von so vielen Juden zu fördern, wie jeweils getötet wurden. Die Angeklagten haben nicht nur Beihilfe zu so vielen Gesetzesverletzungen geleistet, wie sie selbst Menschen getötet haben oder in ihrer Anwesenheit an der Exekutionsstätte getötet wurden. Zur Beihilfe bedarf es nicht der persönlichen Mitwirkung bei der gesamten Ausführungshandlung, was sich schon aus dem Wortlaut des §49 Abs.1 StGB ergibt. Die Angeklagten haben als Teil einer Gruppe gehandelt und zur Erreichung des Gesamtzieles vorsätzlich mitgewirkt. Sie müssen sich daher den Gesamterfolg zurechnen lassen und haben somit die Tötung aller Juden der jeweiligen Exekution wissentlich gefördert.

Den Angeklagten war auch klar, dass die Juden allein ihrer Rasse wegen getötet wurden, dass deshalb die Anordnung ihrer Tötung auf niedrigen Beweggründen beruhte, ohne dass sie sich jedoch diese Beweggründe der Haupttäter zu eigen machten.

Weiter kannten die Angeklagten - mit Ausnahme von Schlu. im Fall Tscherkessk - die Umstände, welche alle Exekutionen, an denen sie mitwirkten, zu grausamen Taten machten. Sie wussten, dass den Opfern hierdurch besondere Qualen zugefügt wurden, die einer gefühllosen und unbarmherzigen Gesinnung der Haupttäter entsprungen waren. Ihnen selbst fehlte jedoch eine solche Gesinnung. Die Angeklagten Schlu. und Esc. wussten ferner im Fall Tscherkessk, dass die Arg- und Wehrlosigkeit der Opfer zur Tat ausgenutzt wurde. Schliesslich war allen Angeklagten bewusst, dass die Judenexekutionen und der Befehl hierzu, obwohl er von der obersten Staatsführung ausging, nicht rechtens waren.

b) Die drei Angeklagten handelten in bewusstem und gewolltem Zusammenwirken mit anderen Gehilfen. Die Judenexekutionen waren das Ergebnis zahlreicher Tatbeiträge verschiedener Angehöriger des Einsatzkommandos 11b bzw. 11, die daran als Gehilfen mitwirkten. In allen Fällen liegt daher ein Verbrechen der gemeinschaftlichen Beihilfe vor.

4. Konkurrenzen

Die Frage, ob Tateinheit oder Tatmehrheit vorliegt, ist für den Gehilfen unabhängig von der Haupttat zu beurteilen. Da die Tatbeiträge der Angeklagten Schlu. und Esc. zu den verschiedenen Judenexekutionen zeitlich sowie in den meisten Fällen auch örtlich getrennt voneinander erbracht wurden und ihnen jeweils ein neuer Willensentschluss zugrunde liegt, ist Tatmehrheit (§74 StGB) gegeben.

C. Die Schuld der Angeklagten

1. Befehlstat

Die Schuld der Angeklagten ist nicht deshalb ausgeschlossen, weil sie in Ausführung von Befehlen Strafgesetze verletzt haben. Den Angeklagten war nämlich bekannt, dass die Befehle Handlungen betrafen, welche allgemeine oder militärische Verbrechen bezweckten (§47 Abs.1 Satz 2 Nr.2 MilStGB).

Die Angeklagten unterstanden im Zeitpunkt der Taten dem Militärstrafrecht. Gemäss §§1 Nr.6, 2 Abs.1 Satz 2, 3 der Verordnung über eine Sondergerichtsbarkeit in Strafsachen für

Angehörige der SS und für die Angehörigen der Polizeiverbände bei besonderem Einsatz vom 17.10.1939 (RGBl. I S.2107) galten für den genannten Personenkreis und somit auch für die Angeklagten die Vorschriften des Militärstrafgesetzbuches. Das Gebiet des besonderen Einsatzes ist durch Erlass des Reichsführers SS und Chefs der Deutschen Polizei vom 9.4.1940 während des Krieges für unbeschränkt erklärt worden (vgl. BGHSt. 5, 239, 240).

Den Angeklagten war bekannt, dass ihnen die Begehung von Verbrechen befohlen wurde. Kenntnis des Untergebenen im Sinne des §47 Abs.1 Satz 2 Nr.2 MilStGB bedeutet dessen sicheres Wissen von dem verbrecherischen Zweck des ihm erteilten Befehls (BGH a.a.O.). Ein solches sicheres Wissen liegt vor, wenn der Befehlsempfänger bei Berücksichtigung aller Umstände erkannt hat, dass die befohlene Handlung in hohem Masse gegen das allgemeine sittliche Empfinden verstösst, dass sie nach der allgemeinen Rechtsüberzeugung etwas Unrechtes darstellt, schlechthin nicht in Ordnung ist. Eine genaue juristische Qualifikation der Tat ist nicht erforderlich.

Diese Kenntnis hatten alle drei Angeklagten, weil sie zu der Erkenntnis gelangt waren, dass die durch den "Führerbefehl" angeordnete Vernichtung des Ostjudentums und damit auch die ihnen befohlene Mitwirkung hieran nicht rechtens waren. Die gehorchenden Angeklagten trifft daher nach §47 Abs.1 Satz 2 Nr.2 MilStGB die Strafe des Teilnehmers.

2. Verbotsirrtum

Die Angeklagten befanden sich auch nicht in einem ihre Schuld ausschliessenden Verbotsirrtum.

Die Angeklagten Win. und Esc. haben nicht nur den verbrecherischen Zweck des "Führerbefehls" erkannt, sondern ihn auch für nicht bindend gehalten, weil sie sich bewusst waren, dass selbst ein Befehl Hitlers nicht die Tötung unschuldiger Menschen allein ihrer Rasse wegen rechtfertigt. Anders hingegen verhielt es sich bei dem Angeklagten Schlu. Dieser hielt aus falsch verstandener Gehorsams- oder Treuepflicht den "Führerbefehl" für bindend, war also der Meinung, die Vernichtungsbefehle trotz des erkannten verbrecherischen Zwecks befolgen zu müssen, weil er glaubte, Führerbefehlen unbedingten Gehorsam zu schulden, und daher annahm, die Befolgung der Befehle sei für seine Person gerechtfertigt. Ein solcher Irrtum betrifft einen von der Rechtsordnung nicht anerkannten Rechtfertigungsgrund. Er ist ein Verbotsirrtum, der nach den in BGHSt. 2, 194 ff. dargelegten Grundsätzen zu behandeln ist.

Der Verbotsirrtum des Angeklagten Schlu. war jedoch vermeidbar. In der Regel ist dem blind Gehorchenden gerade zum Vorwurf zu machen, dass er "blind", also ohne sein Gewissen zu prüfen, gehorcht hat. Ungeheuerlichkeiten, wie sie hier geschehen sind, müssen das Gewissen selbst eines im strengsten Gehorsam erzogenen Menschen ansprechen. Bei gehöriger Anspannung des Gewissens, d.h. bei dem Einsatz aller seiner geistigen Erkenntniskräfte und sittlichen Wertvorstellungen (BGHSt. 4, 1, 5) hätte Schlu., der aufgrund seiner Erziehung im christlichen Sinne auch zur Tatzeit über gefestigte Wertvorstellungen verfügte, die Rechtswidrigkeit seines anbefohlenen Verhaltens erkannt. Der Verbotsirrtum des Angeklagten Schlu. ist daher nicht entschuldigt, wurde jedoch vom Schwurgericht bei der Strafzumessung berücksichtigt.

3. Befehlsnotstand

Schliesslich handelte auch keiner der Angeklagten im Befehlsnotstand.

Bei ihrer Behauptung, sie hätten im Befehlsnotstand gehandelt, berufen sich die Angeklagten darauf, dass eine für Leib oder Leben drohende persönliche Gefahr bestanden habe, als sie bei den Judenexekutionen auf Befehl hätten mitwirken müssen. Die Frage, ob eine solche Gefahr bestanden hätte, wenn sich die Angeklagten entgegen den ihnen erteilten Befehlen geweigert hätten, sich an den Judenexekutionen zu beteiligen, kann jedoch dahingestellt bleiben. Der Schuldausschliessungsgrund des Befehlsnotstandes setzt nämlich weiter voraus, dass der Täter durch die Gefahr motiviert worden sein muss. Wer eine ihm angesonnene Handlung ausführt, braucht sie, auch wenn ihm für den Fall der Nichtausführung Leibes- oder Lebensgefahr droht, keineswegs deswegen auszuführen, um dieser Gefahr zu entgehen. Es können für ihn auch ganz andere Gründe bestimmend sein als das Bestreben, der Gefahr auszuweichen (BGHSt. 3, 271, 275). Dann scheidet aber ein Befehlsnotstand aus.

Das ist hier der Fall. Wie unter II C festgestellt und unter III 10 näher dargelegt wurde, war bei keinem der Angeklagten Motiv seines befehlsgemässen Handelns Leibes- oder Lebensangst. Sie sind daher nicht durch Befehlsnotstand entschuldigt. Dieser Schutz kann dem Angeklagten Schlu. schon deshalb nicht zugebilligt werden, weil er aus einer falsch verstandenen Gehorsams- oder Treuepflicht die Vernichtungsbefehle trotz des erkannten verbrecherischen Zwecks für bindend gehalten hat. Bei dieser Sachlage ist aber kein Raum für die Annahme, er habe unter dem Druck einer wirklich oder vermeintlich drohenden Lebensgefahr gehandelt (vgl. BGHSt. 2, 251, 258; BGH, Urteil vom 2.10.1963 - 2 StR 269/63 - [298]).

Das Schwurgericht brauchte deshalb nicht zu klären, ob der von den Angeklagten behauptete Befehlsnotstand rechtlich als Nötigungsstand (§52 StGB) oder als Notstand (§54 StGB) einzuordnen ist oder ob nur Putativnötigungsstand oder Putativnotstand gegeben sein könnte, da für jede der möglichen Formen des Befehlsnotstandes Voraussetzung ist, dass Beweggrund des Handelns die wirklich oder vermeintlich drohende Leibes- oder Lebensgefahr war, was für alle drei Angeklagten nicht zutrifft.

D. Verbrauch der Strafklage

Die Verurteilung des Angeklagten Esc. durch ein sowjetisches Militärgericht wegen seiner Zugehörigkeit zur Kriminalpolizei führt nicht nach Art.103 Abs.3 GG zu einem Verbrauch der Strafklage im vorliegenden Verfahren. Diese Wirkung kann nur von einem Urteil eines Gerichts der Bundesrepublik Deutschland ausgehen (BGH NJW 69, 1542). Ausserdem war die Beteiligung des Angeklagten an den verfahrensgegenständlichen Taten nicht Gegenstand der früheren Verurteilung.

E. Verjährung

Die Strafverfolgung der Verbrechen der Angeklagten ist nicht verjährt.

Die Verjährungsfristen richten sich nach der Höhe der angedrohten Strafe (§67 StGB). Für die von den Angeklagten begangenen Verbrechen der Beihilfe zum Mord sieht §49 Abs.2 in Verb. mit §211 StGB im Höchstmass lebenslange Freiheitsstrafe vor. Aufgrund des §4 der Verordnung gegen Gewaltverbrecher vom 5.12.1939 (RGBl. I S.2378) war Beihilfe zum Mord bereits zur Tatzeit im Höchstmass mit der Todesstrafe bedroht.

Die Verjährungsfrist der Straftaten der Angeklagten betrug ursprünglich nach §67 Abs.1 StGB a.F. 20 Jahre. Sie wurde durch das Neunte Strafrechtsänderungsgesetz vom 4.8.1969 (BGBl. I S.1065) auf 30 Jahre verlängert. Die Verjährung begann am 1.1.1950, weil sie nach §69 StGB zunächst bis zum 8.5.1945 und nach dem Gesetz über die Berechnung strafrechtlicher Verjährungsfristen vom 13.4.1965 (BGBl. I S.315) schliesslich bis zum

[298] Siehe Lfd.Nr.564b.

31.12.1949 geruht hat. Die Strafverfolgung der von den Angeklagten begangenen Straftaten ist daher nicht verjährt.

VI. Die Bestrafung der Angeklagten

1. Absehen von Strafe

Ein Absehen von Strafe nach §47 Abs.2 MilStGB kam bei keinem der Angeklagten in Betracht, weil ihre Schuld nicht gering ist.

Mit dieser Bestimmung soll die notstandsähnliche Konfliktslage berücksichtigt werden, in die der gehorchende Untergebene durch die Schuld des Vorgesetzten geraten ist. Ein Absehen von Strafe ist dann gerechtfertigt, wenn infolge des auf dem Untergebenen lastenden Befehlsdruckes jede Strafe als nicht mehr gerecht und als unerträgliche Härte erscheinen würde (BGHSt. 21, 139, 141). Die geringe Schuld im Sinne des §47 Abs.2 MilStGB muss aber auch nach der Schwere der Tat beurteilt werden (vgl. BGH, Urteil vom 26.1.1968 - 4 StR 570/67 - [299]). Bei keinem der Angeklagten sind Umstände zutage getreten, die eine Strafe als nicht mehr gerechtfertigt erscheinen liessen. Ihre Straftaten weisen einen hohen Unrechtsgehalt auf. Jeweils in vollem Bewusstsein der Tragweite ihres Handelns haben Schlu. und Esc. bei der Tötung von mindestens 380 Menschen Hilfe geleistet, Win. bei der von mindestens 40. Zu berücksichtigen ist hierbei auch die Dienststellung der Angeklagten Schlu. und Win. als SS-Obersturmführer, also von Führerdienstgraden. Zwar missbilligten diese innerlich die Judenexekutionen. Gleichwohl führten sie und auch der Angeklagte Esc. die ihnen erteilten Befehle unter Hintanstellung aller Bedenken aus Befehlstreue bzw. aus Anpassung durch, ohne dabei notstandsähnlich aus Angst zu handeln.

2. Strafzumessung

Bei der Strafzumessung waren im wesentlichen folgende Umstände massgebend:

a) Zugunsten aller drei Angeklagten wurde berücksichtigt, dass sie ohne ihr Zutun zum Einsatzkommando 11b gekommen sind und ihren Tatbeitrag jeweils nur auf Befehl erbracht haben. Sie haben sich strafbar gemacht in der besonderen Ausnahmesituation, in der sie sich als befehlsunterworfene Angehörige eines Einsatzkommandos in Südrussland befanden.

Unter Berücksichtigung dieser Umstände sah sich das Schwurgericht veranlasst, die Strafe jeweils gem. §§49 Abs.2, 44 Abs.2 StGB zu ermässigen, womit ein Strafrahmen von 3 bis 15 Jahren Freiheitsstrafe gegeben war.

Zugunsten aller Angeklagten wurde weiter berücksichtigt,
dass sie sich bisher straffrei geführt haben,
dass bei keinem von ihnen eine Resozialisierung erforderlich ist, da sie alle wieder in ein bürgerliches Leben zurückgefunden haben,
dass sie 32 Jahre nach der Tat durch ihren ständigen Gewissensdruck inzwischen vieles gebüsst haben,
dass sie wegen der langen Dauer des Ermittlungsverfahrens vermehrt einem seelischen Druck ausgesetzt waren,
dass sie sich in fortgeschrittenem Alter und in schlechtem gesundheitlichem Zustand befinden sowie
dass sie trotz dieses Zustandes sichtlich bemüht waren, die Hauptverhandlung durchzustehen.

[299] Siehe Lfd.Nr.718d.

b) Zugunsten des Angeklagten Schlu. wurden darüber hinaus berücksichtigt
sein nahezu umfassendes Geständnis, ohne das seine Überführung und die des Angeklagten Win. weitgehend unmöglich gewesen wäre,
seine beiden Versuche, der Teilnahme an weiteren Judenexekutionen zu entgehen,
seine innere ethische Missbilligung der Exekutionen, sein Leben im Untergrund in den Jahren von 1945 bis 1954, worüber auch seine Ehe zerbrach,
sowie das Element der Überrumpelung in Tighina und dass er bei dieser Exekution alkoholisch etwas enthemmt war.

Da der Angeklagte Schlu. von einem falsch verstandenen Pflichtgefühl gedrängt des Glaubens war, auch einem verbrecherischen Befehl des "Führers" Gehorsam zu schulden, ermässigte das Schwurgericht nach den Grundsätzen der Bestrafung bei vermeidbarem Verbotsirrtum nochmals entsprechend §44 Abs.3 StGB die sich aus Absatz 2 dieser Bestimmung ergebende Mindeststrafe.

c) Zugunsten des Angeklagten Win. wurde noch berücksichtigt, dass er sich letztlich zu einem weitgehenden Geständnis durchgerungen hat, dass er plötzlich vor die Situation gestellt wurde, an der Exekution von Tighina teilzunehmen und dass seine Widerstandskraft durch die vorangegangene Krankheit noch etwas geschwächt war sowie seine beiden Versuche, aus dem Einsatzkommando herauszukommen, und die innere ethische Missbilligung der Exekution.

d) Zugunsten des Angeklagten Esc. wurden zusätzlich berücksichtigt
sein weitgehendes Geständnis,
sein Versuch, der Teilnahme an Judenexekutionen zu entgehen,
seine mehrjährige Haft wegen seiner Zugehörigkeit zur Kriminalpolizei in sowjetischen Arbeitslagern unter schweren Bedingungen
sowie seine Dienststellung lediglich als Oberscharführer.

e) Strafschärfend fielen demgegenüber bei allen Angeklagten die Zahl der Opfer und das Ausmass des von ihnen mitbewirkten Unheils ins Gewicht. Gegen die Angeklagten sprach ferner, dass bei allen Straftaten zwei und bei der Exekution von Tscherkessk drei Mordmerkmale verwirklicht wurden, wovon sie - mit Ausnahme von Schlu. im Fall Tscherkessk bezüglich des Merkmals "grausam" - auch Kenntnis hatten.

f) Unter Abwägung aller für und gegen die Angeklagten sprechenden Umstände erachtete das Schwurgericht für den Angeklagten Win. eine Freiheitsstrafe von drei Jahren sowie für die anderen Angeklagten folgende Einzelstrafen als schuld- und tatangemessen:

aa) für den Angeklagten Schlu.:
Fall 1 (Tighina): 2 Jahre Freiheitsstrafe,
Fall 2 (Odessa): 3 Jahre Freiheitsstrafe,
Fall 4 (Tscherkessk): 3 Jahre Freiheitsstrafe;

bb) für den Angeklagten Esc.:
Fall 2 (Odessa): 3 Jahre Freiheitsstrafe,
Fälle 3 (Eupatoria): 3 Jahre Freiheitsstrafe,
3 Jahre Freiheitsstrafe,
3 Jahre Freiheitsstrafe,
3 Jahre Freiheitsstrafe,
Fall 4 (Tscherkessk): 3 Jahre Freiheitsstrafe.

Aus den Einzelstrafen war gem. §§74, 75 StGB jeweils eine Gesamtstrafe zu bilden. Die für die Festsetzung der Einzelstrafen wichtigsten Strafzumessungserwägungen waren zugleich die massgeblichen Gesichtspunkte, die auch bei der Festsetzung der Gesamtstrafe berücksichtigt wurden. Zugunsten von Esc. fielen nochmals seine mehrjährige Inhaftierung unter ungleich schwereren Bedingungen als in der Bundesrepublik und seine Dienststellung lediglich als Oberscharführer erheblich ins Gewicht.

Unter nochmaliger Berücksichtigung sämtlicher Strafzumessungsgründe hat das Schwurgericht gegen den Angeklagten Schlu. eine Gesamtfreiheitsstrafe von vier Jahren sechs Monaten und gegen den Angeklagten Esc. eine solche von fünf Jahren gebildet.

g) Die Anrechnung der erlittenen Untersuchungshaft auf die jeweils erkannte Strafe ergibt sich aus §60 Abs.1 StGB.

Die gegen den Angeklagten Esc. wegen seiner Zugehörigkeit zur Kriminalpolizei durch ein sowjetisches Militärgericht verhängte Strafe konnte nicht - soweit vollstreckt - nach §60 Abs.3 Satz 1 StGB auf die gegen ihn im vorliegenden Verfahren erkannte Strafe angerechnet werden, da die frühere Verurteilung nicht wegen derselben Tat erfolgt ist.

VII. Der Teilfreispruch des Angeklagten Win.

Dem Angeklagten Win. lag ferner zur Last:

Er sei auch an der Exekution von Odessa beteiligt gewesen. Als der Kommandoführer Müller und Schlu. noch am Abend des 22.10.1941 das gesprengte Gebäude der rumänischen Stadtkommandantur besichtigt hätten, sei auch Win. dabei gewesen. Dieser sei von Müller beauftragt worden, einen geeigneten Exekutionsort zu suchen. Nachdem er hinter der Unterkunft des Kommandos einen grösseren ausgetrockneten Brunnen als geeignete Exekutionsstätte erkundet gehabt habe, seien er und Schlu. am Morgen des nächsten Tages zu dem Gefängnis gefahren, wo die Rumänen Juden konzentriert gehabt hätten. Win. habe mit der rumänischen Gefängnisverwaltung verhandelt und die Herausgabe von mindestens 500 jüdischen Männern, Frauen und Kindern erreicht. Bei dem Verbringen dieser Juden zu dem für die Exekution vorgesehenen Gelände habe er mehrmals mit einer Peitsche auf sie eingeschlagen.

Der Angeklagte Win. bestreitet, zum Zeitpunkt der Exekution noch in Odessa gewesen zu sein. Er sei zwar noch mit dem Kommando in Odessa eingerückt, sei aber bereits in Grossliebental von SS-Obersturmführer St. abgelöst worden. Er habe sich höchstens dreieinhalb Tage in Odessa aufgehalten. Dann seien er und die übrigen Angehörigen des Leitenden Dienstes, die Führerdienstgrade beim Einsatzkommando 11b gewesen seien, mit zwei Pkw und einem LKW in die Heimat aufgebrochen. Am 26.10.1941 sei er in Berlin angekommen und am 1.November habe er dort sein Studium fortgesetzt. Von der Sprengung des rumänischen Kommandanturgebäudes und der anschliessenden Exekution von Juden durch das Einsatzkommando 11b habe er erst zu einem späteren Zeitpunkt in Deutschland erfahren.

Demgegenüber hat der Angeklagte Schlu. angegeben, als er und Müller am Abend des 22.10.1941 das gesprengte Kommandanturgebäude besichtigt hätten, sei auch Win. dabei gewesen. Dabei habe der Kommandoführer geäussert, sie würden sich auch Juden holen. Ob dieser Win. den Auftrag erteilt habe, einen geeigneten Exekutionsort zu suchen, wisse er - Schlu. - nicht mehr. Wenn er das früher angegeben habe, könne er sich insoweit irren. Am Morgen des nächsten Tages seien Müller, Win. und er zu einem Gefängnis in der Stadt gefahren. Während er draussen gewartet habe, seien Müller und Win. in das Gefängnis hineingegangen. Nach etwa einer Stunde seien sie wieder herausgekommen. Gleich darauf hätten auch die ersten Juden das Gefängnis verlassen. Müller und Win. seien dann an der Spitze des Zuges der Opfer gegangen, wie lange, wisse er natürlich nicht. An der Exekutionsstätte habe er Win. nicht gesehen. Wenn er das früher angegeben habe, habe er nicht bewusst die Unwahrheit gesagt. Heute könne er das aber nicht aufrechterhalten. Er sei sich heute vielmehr bewusst, Win. nicht an der Exekutionsstätte gesehen zu haben. Mit Sicherheit wisse er jedoch, dass dieser dabei gewesen sei, als sie die Juden vom Gefängnis abgeholt hätten.

Der Angeklagte Esc. hat angegeben, er meine, dass Win. bei der Exekution von Odessa anwesend gewesen sei. Das möchte er aber nur als Vermutung gelten lassen. Wenn er bei seiner Vernehmung vom 20.12.1971 vor dem Untersuchungsrichter angegeben habe, Win. sei an der Zisterne eine Zeitlang rechts neben ihm gestanden, könne er das heute nicht mehr mit Sicherheit aufrechterhalten. Sicher wisse er nur noch, dass es sich dabei um einen Brillenträger gehandelt habe, wobei jedoch von den Führerdienstgraden mindestens auch Müller und Moe. eine Brille getragen hätten.

Der Zeuge Sac., der die richterliche Vernehmung des Angeklagten Esc. vom 20.12.1971 durchgeführt hat, hat bekundet, er habe diesen damals dreimal nach einer Beteiligung Win.s an der Exekution von Odessa befragt, um sicher zu gehen. Auf Vorhalt der betreffenden Stellen aus dem Protokoll vom 20.12.1971 hat der Zeuge bestätigt, ausser der Bekundung, Win. sei an der Zisterne eine Zeitlang rechts neben ihm gestanden, habe Esc. noch angegeben, ob die Exekution von Win. organisiert worden sei, wisse er nicht und ferner, bei dieser Exekution sei auch Win. anwesend gewesen und habe sich an der Grube befunden. Weiter hat der Zeuge bekundet, weder den Eindruck gehabt zu haben, dass Esc. Hass auf Win. gehabt habe, noch, dass er diesen zu Unrecht belasten würde. Er habe lediglich das Gefühl gehabt, dass Esc. über die ihm vorgehaltene Einlassung Win.s, zum Zeitpunkt der Exekution nicht mehr in Odessa gewesen zu sein, etwas verärgert gewesen sei. Wenn er Esc. wohl auch kein Lichtbild Win.s gezeigt habe, sei es doch sein Eindruck gewesen, dass Esc. sehr wohl gewusst habe, wer Win. sei. Gleichwohl konnte das Schwurgericht letzte Zweifel hinsichtlich der dem Angeklagten Win. angelasteten Beteiligung an der Exekution von Odessa nicht ausräumen.

Nachdem der Mitangeklagte Esc. erstmals vor dem Untersuchungsrichter von einer Anwesenheit Win.s an der Exekutionsstätte berichtet hat, jedoch noch bei seiner staatsanwaltschaftlichen Vernehmung vom 23.6.1971 - also etwa sechs Monate vorher - angegeben hat, ob auch Win. an der Exekutionsstelle gewesen sei, wisse er nicht mehr, und schliesslich auch in der Hauptverhandlung eine Verwechslung Win.s mit einem anderen Führerdienstgrad nicht ausschliessen konnte, hat das Schwurgericht seinen Angaben insoweit keine Beweiskraft zuerkannt.

Die übrigen Angehörigen des Leitenden Dienstes, die Zeugen Ung., Frö., Ham., Hei. und Nen., bestreiten ebenfalls, zum Zeitpunkt der Exekution noch in Odessa gewesen zu sein. Sie haben sämtlich, wenn auch mehr oder minder bestimmt, das Vorbringen des Angeklagten Win. bestätigt, alle Angehörigen des Leitenden Dienstes hätten die Rückfahrt in die Heimat gemeinsam angetreten. Ihren Bekundungen kann jedoch kein entscheidender Beweiswert zukommen, da nicht ausgeschlossen werden kann, dass sie bestrebt waren, sich nicht etwa selbst zu belasten. Die Aussagen der Zeugen Wa., Kud., T., Di. und Böh. lassen es als möglich erscheinen, dass die Angehörigen des Leitenden Dienstes und damit auch Win. zum Zeitpunkt der Exekution von Odessa noch dem Einsatzkommando 11b angehörten. Keiner von ihnen hat jedoch etwas über die Beteiligung einer dieser Führerdienstgrade an der Exekution bekundet.

Letztlich hätte also nur auf die Angaben des Mitangeklagten Schlu. eine Verurteilung des Angeklagten Win. gestützt werden können. Im Hinblick darauf, dass die Angehörigen des Leitenden Dienstes, die auf die Einsatzgruppen und -kommandos aufgeteilt waren - von wenigen Ausnahmen abgesehen -, spätestens in der zweiten Oktoberhälfte des Jahres 1941 nach Deutschland zurückkehrten, was aus anderen Verfahren gegen Angehörige der Einsatzgruppe D gerichtsbekannt ist und was auch der Zeuge Hot. bekundet hat, und auch darauf, dass keiner der in der Hauptverhandlung als Zeugen vernommenen Kommandoangehörigen auch nur einen der sechs Angehörigen des Leitenden Dienstes als an der Massenexekution von Odessa in irgendeiner Form Beteiligten noch in Erinnerung hat, lässt sich jedoch nicht ausschliessen, dass Schlu., der sicherlich nicht bewusst die Unwahrheit gesagt hat, sich bezüglich der Person Win.s irrt.

Der Angeklagte Win. war daher insoweit freizusprechen.

Eines Eingehens auf den Hilfsbeweisantrag der Verteidigung des Angeklagten Win. vom 26.3.1974, der sich lediglich mit dem Fall in Odessa befasst, bedurfte es deshalb nicht.

VIII. Die Nebenentscheidungen

1. Der Ausspruch über die Aberkennung der Fähigkeit, für die Dauer von fünf Jahren öffentliche Ämter zu bekleiden, beruht auf Art.89 Abs.1 Satz 2 des 1.StrRG.

2. Soweit die Angeklagten verurteilt wurden, beruht die Kosten- und Auslagenentscheidung auf §§464, 465 StPO. Soweit der Angeklagte Win. freigesprochen wurde, beruht die Kosten- und Auslagenentscheidung auf §467 Abs.1 StPO.

Lfd.Nr.808

Tatkomplex
NS-Gewaltverbrechen in Haftstätten

Tatort
Oslo

Tatzeit
420517

Gerichtsentscheidungen
LG Hamburg vom 14.05.1974, (50) 7/74

INHALTSVERZEICHNIS

des unter Lfd.Nr.808 veröffentlichten Urteils

LG Hamburg vom 14.05.1974, (50) 7/74

(50) 7/74

Im Namen des Volkes

In der Strafsache gegen

1.) Gustav Barschdorf [300], geboren am 9.Mai 1908 in Peterswaldau bei Reichenbach,
2.) Felix Gru. [301], geboren am 9.Januar 1903 in Egglhofen/Krs.Mühldorf,

wegen gemeinschaftlichen Mordes (NSG),

hat das Landgericht Hamburg - Schwurgericht - in der Sitzung vom 14.Mai 1974 für Recht erkannt:

> Der Angeklagte Barschdorf wird wegen gemeinschaftlichen Mordes (§§211, 47 StGB) zu lebenslanger Freiheitsstrafe verurteilt.
> Der Angeklagte Gru. wird freigesprochen.
> Der Angeklagte Barschdorf trägt die ihn betreffenden Kosten des Verfahrens und notwendigen Auslagen.
> Die auf den Angeklagten Gru. entfallenden Kosten und notwendigen Auslagen trägt die Staatskasse.

GRÜNDE [302]

I. Feststellungen zur Person der Angeklagten

1.) Gru.

Der Angeklagte Felix Gru. wurde am 9.1.1903 in Egglhofen/Krs.Mühldorf geboren. Er wuchs im Hause seiner Eltern zusammen mit fünf Geschwistern auf, von denen nur noch eine Schwester lebt. Seine Mutter starb im Jahre 1922. Sein Vater war als Braumeister bei der Schlossbrauerei in Egglhofen angestellt. Er heiratete nach dem Tode seiner Frau zum zweiten Male und ist im Jahre 1944 verstorben.

Als Gru. sechs Jahre alt war, verzogen seine Eltern nach Pfaffenhofen an der Ilm. Dort besuchte er von 1909 bis 1916 die Volksschule, aus der er mit der "Note 1" entlassen worden sein will. Nach seiner Schulentlassung begann Gru. in Dingolfing/Niederbayern eine Lehre als Buchdrucker, die er 1920 mit der Gesellenprüfung an der Handwerkskammer in Landshut abschloss. Anschliessend arbeitete er noch etwa ein halbes Jahr bei seiner Lehrfirma und war dann als Hilfsarbeiter in einer Maschinenfabrik bei der Firma Hans Glas für ungefähr ein Jahr beschäftigt. Im Jahre 1922 wurde er dort wegen Arbeitsmangels entlassen und begab sich mit finanzieller Unterstützung des Buchdruckerverbandes für ca. ein Jahr auf Wanderschaft, die ihn u.a. durch die Städte Leipzig, Bremen und Essen führte.

[300] Dieses Urteil ist hinsichtlich Barschdorf rechtskräftig geworden durch Beschluss des BGH vom 27.12.1974, 5 StR 666/74.

[301] Dieses Urteil ist hinsichtlich Gru. rechtskräftig. Ein Rechtsmittel wurde nicht eingelegt bzw. zurückgenommen.

[302] Im Urteil fehlende Überschriften sind der dem Urteil beiliegenden Urteilsgliederung entnommen worden.

Durch einen früheren Arbeitskollegen bei der Firma Glas wurde Gru. auf die Idee gebracht, in den Polizeidienst einzutreten. Im Sommer 1923 bewarb er sich bei der Bayerischen Schutzpolizei. Am 1.September 1923 wurde er in den Dienst der Bayerischen Landespolizei übernommen und kam zur Ausbildung in die Max-II-Kaserne in München. Am 9.November 1923 wurde Gru. zur Niederschlagung des Hitler-Putsches für ca. 8 Tage eingesetzt. Dieser Einsatz will Gru. seelisch stark belastet haben, da auf der Seite der Hitler-Anhänger eine Reihe von jungen Leuten beteiligt waren, die er persönlich kannte und die als Zeitfreiwillige zuvor in den Reihen der Landespolizei gedient hatten.

Bis zum Frühjahr 1928 blieb Gru. bei der Bereitschaftspolizei. Während dieser Zeit nahm Gru. an zwei Kursen in München und in Eichstädt teil, die er erfolgreich abschloss. Vom 15.2.1928 bis 15.7.1928 besuchte er auf der Polizeischule in Fürstenfeldbruck einen Lehrgang, auf dem er für den Einzeldienst ausgebildet wurde. Danach wurde er am 1.8.1928 beim Polizeipräsidium München als Wachtmeister der Schutzpolizei eingestellt. Er war dort bis zum 15.1.1940 in verschiedenen Aufgabenbereichen tätig, u.a. längere Zeit im Verkehrsdienst. Am 1.9.1931 wurde er zum Oberwachtmeister der Schutzpolizei, am 1.10.1935 zum Hauptwachtmeister der Schutzpolizei befördert.

Als Beamter der Bayerischen Schutzpolizei nahm Gru. für einige Monate im Jahre 1938 am Einsatz in Österreich teil. Nach diesem Einsatz wurden alle Polizeibeamten aus dem Reichsgebiet, die in Österreich eingesetzt worden waren, im Spätsommer 1938 in München am Königlichen Platz zu einer Paradeaufstellung zusammengezogen. Himmler hielt dort eine Ansprache, in der er ankündigte, dass alle beteiligten Polizeibeamten ehrenhalber in die SS aufgenommen würden. Im Anschluss an diese Ansprache wurde Gru. zur Untersuchung bei einem SS-Arzt vorgeladen. Gru. wurde als nicht-SS-diensttauglich eingestuft mit der Begründung, er habe zu viele Haare am Körper und sähe deshalb nicht arisch genug aus. Auf seinen Einwand, dass er seit 16 Jahren bei der Polizei sei, wurde er dann aber doch für SS-diensttauglich erklärt und als SS-Anwärter eingestuft.

Im Jahre 1939 war Gru. als Angehöriger der Schutzpolizei München für etwa fünf Monate im Sudetenland und in der Tschechoslowakei eingesetzt. Er leitete dort eine Transportstaffel.

Noch vor seinem Einsatz im Sudetenland bewarb sich Gru. im Januar 1939 um die Übernahme zur Kriminalpolizei. Gru. bestand die Prüfung zum mittleren Dienst als Drittbester von 194 geprüften Kandidaten mit der "Note 2". Durch Verfügung des Reichssicherheitshauptamtes wurde er mit Wirkung vom 15.1.1940 als Kriminaloberassistent auf Probe der Staatspolizei-Leitstelle München zum Dienst zugewiesen. Bei der Gestapo in München trat er seinen Dienst bei der Abteilung E an. Zu seinen Aufgaben gehörten u.a. die Überwachung von Gastarbeitern und die Bearbeitung von kleineren Fällen Wirtschaftssabotage.

Im Mai 1940 meldete sich Gru. mit einem Kollegen zur Wehrmacht, weil ihm nach seinen Angaben bei der Gestapo "die ganze Richtung dort nicht gefiel". Dieses Übernahmegesuch wurde jedoch mit dem Bemerken abgelehnt, dass ihm Disziplinarmassnahmen drohen würden, wenn er noch einmal den Versuch machen würde, "sich wegzudrücken".

Etwa im September 1940 sollte Gru. nach Kattowitz versetzt werden. Dazu kam es jedoch mit Rücksicht auf seine Familie nicht. Am 18.Oktober 1940 wurde Gru. zum Befehlshaber der Sicherheitspolizei (BdS) nach Oslo abkommandiert. Er kam dort in der Abteilung IV (Gestapo) zum Einsatz, zunächst im Erkennungsdienst, später als stellvertretender Leiter des Referates A 1 (Bekämpfung des Kommunismus).

Am 17.4.1941 wurde er zum Kriminaloberassistenten, am 9.11.1942 zum Kriminalsekretär befördert.

Bei einem Einsatz gegen Mitglieder einer kommunistischen Widerstandsgruppe (Rotspanienkämpfer) wurde Gru. schwer verwundet. Er erhielt vier Einschüsse, und zwar einen in der Brust, einen Armdurchschuss mit Nerventrennung und zwei Steckschüsse im linken Oberschenkel. Nach längerem Krankenhausaufenthalt verliess er Norwegen Ende 1942. Im Reichsgebiet wurde er noch bis Mai 1943 in verschiedenen Lazaretten behandelt. Gru. war dann bis Kriegsende, da nicht mehr voll verwendungsfähig, im Innendienst der Staatspolizeileitstelle München, Abteilung N - Nachrichtendienst -, bei der Spionageabwehr tätig. Ihm oblag speziell die Überwachung der neutralen Konsulate in München.

Im Mai 1945 geriet Gru. zunächst in russische Gefangenschaft. Weil er Gestapo-Beamter gewesen war, hatte er sich einen anderen Namen zugelegt. Nach einiger Zeit gelang es ihm, über Kroatien nach Österreich zu fliehen. In Österreich wurde er erneut festgenommen, nach Serbien ausgeliefert und dort drei Jahre in Gefangenschaft gehalten. Im Dezember 1948 wurde er nach München entlassen.

In der Zeit vom 15.12.1948 bis zum 1.1.1969 arbeitete Gru. als Angestellter bei einer Versicherungsgesellschaft (Turingia) in München. Er übte dort verschiedene Funktionen aus. Zunächst war er in der Registratur, dann als Direktionsfahrer und schliesslich im Innendienst in der Vertrags- und Schadensabteilung tätig.

Seit seinem Ausscheiden bei der Versicherung ist Gru. nicht mehr berufstätig. Er erhält als ehemaliger Kriminalbeamter eine Pension und bezieht eine zusätzliche Rente von DM 200,- monatlich aus einer privaten Rentenversicherung. Ferner erhält er eine monatliche Kriegsversehrtenrente von DM 480,-. Im Zusammenhang mit dem vorliegenden Verfahren wurde ihm mit Bescheid vom 4.3.1974 die Pension entzogen. Gegen diesen Bescheid hat Gru. Rechtsmittel eingelegt.

Der NSDAP gehörte Gru. seit dem 1.10.1944 an. Seit 1938 war er SS-Anwärter und führte seit seiner Abordnung nach Norwegen im Oktober 1940 als Kriminaloberassistent den Angleichungsdienstgrad eines SS-Hauptscharführers, als Kriminalsekretär den Dienstrang eines SS-Sturmscharführers.

Gru. ist seit dem 28.4.1931 verheiratet. Er hat einen jetzt 38jährigen Sohn, der als Architekt in Bozen lebt. Gru. ist nicht vorbestraft.

Diese Feststellungen zur Person des Angeklagten Gru. beruhen auf seinen eigenen Angaben.

<u>2.) Barschdorf</u>

Der Angeklagte Gustav Barschdorf wurde am 9.5.1908 in Peterswaldau im Eulengebirge als zweites von fünf Kindern geboren. Ein Bruder ist im Alter von 1½ Jahren ertrunken; seine drei Schwestern leben noch. Sein Vater arbeitete als Weber in einer Fabrik. Er ist 1943 gestorben. Seine Mutter starb im Jahre 1952 oder 1953. Barschdorf besuchte die Volksschule in Ober-Mittel-Peterswaldau von 1914-1922. Er arbeitete anschliessend für kurze Zeit in der Landwirtschaft.

Auf Rat seines Vaters entschloss er sich, ebenfalls den Beruf eines Webers zu erlernen. In der Zeit vom 1.4.1922 bis zum 30.3.1927 war er bei der Firma Adam erst als Anlernling, dann als Fabrikweber beschäftigt. Die Textilfachschule in Langenbilau besuchte er vom 1.4.1927 bis zum 30.3.1928 und legte mit Erfolg die Prüfung zum Werkmeister ab. Anschliessend arbeitete er bis zum 30.9.1928 als Volontär bei der Firma Gierig in Langenbilau.

Am 4.10.1928 wurde Barschdorf auf Antrag in den Polizeidienst übernommen. Zur Ausbildung besuchte er bis zum 25.9.1929 die Polizeischule in Frankenstein/Schlesien, auf der er mehrere Prüfungen mit Erfolg ablegte. Anschliessend wurde er am 1.10.1929 als Wachtmeister zur Bereitschaftspolizei Beuthen - Schutzpolizeikommando Gleiwitz - versetzt und vom 15.8.1932 bis etwa Mitte 1933 zum Einsatz bei der Grenzpolizei Beuthen abkommandiert. Etwa im Jahre 1934 war Barschdorf aufgefordert worden, auf seine Rechte als Beamter bei der Schutzpolizei zu verzichten und Angehöriger der Wehrmacht zu werden. Er lehnte dies aber ab, weil er Beamter bleiben wollte. Bis zum 31.7.1935 tat er anschliessend wieder Dienst bei der Bereitschaftspolizei Beuthen. Am 11.5.1935 wurde er zum Oberwachtmeister der Schutzpolizei befördert. Am 1.8.1935 wurde Barschdorf nach Berlin zur Bereitschaftspolizei Berlin-Neukölln versetzt und ab 30.1.1936 dort als Revieroberwachtmeister der Schutzpolizei in einem Polizeirevier eingesetzt.

Da nach Ablauf von 7 Dienstjahren bei der Schutzpolizei die Möglichkeit bestand, zur Kriminalpolizei zu kommen, stellte Barschdorf Ende des Jahres 1936 ein Gesuch um Übernahme in die Kriminalpolizei. Er wurde daraufhin am 25.1.1937 als Kriminalbeamter auf Probe zum Geheimen Staatspolizeiamt (Gestapa) nach Berlin abkommandiert. Während einer neunmonatigen Probezeit absolvierte er zunächst für drei Monate einen Lehrgang auf dem Kriminalinstitut Berlin-Charlottenburg, auf dem er erkennungsdienstlich ausgebildet wurde. Im Herbst 1937 wurde er als Kriminalassistent von der Gestapo endgültig übernommen. Im Gestapa war er in der Abteilung IV, und zwar in dem Referat A 1 und für kurze Zeit im Referat A 4 (Bekämpfung des Kommunismus), tätig.

Am 9.5.1938 wurde Barschdorf als Exekutivbeamter in das Kommunisten-Referat IV A 1 der Staatspolizei-Leitstelle Wien zunächst abkommandiert, am 1.10.1939 dorthin versetzt. Zu seinem Aufgabenbereich gehörte ausschliesslich die Erfassung der österreichischen Rotspanienkämpfer. In Wien wurde er am 9.11.1939 zum Kriminalassistenten ernannt. Am 22.4.1940 wurde Barschdorf nach Oslo zum BdS Norwegen versetzt, wo er als Kriminaloberassistent (Ernennung am 9.11.1940) in der Abteilung IV Referat A 1 (Kommunismus) beschäftigt war.

Bei einem Einsatz gegen kommunistische Widerstandsgruppen wurde er im Jahre 1943 oder 1944 verwundet. Er erhielt einen Brustdurchschuss und musste etwa 14 Tage im Lazarett liegen. Etwa ein halbes Jahr später brach er sich bei einem Verkehrsunfall das Schlüsselbein.

Am 3.1.1945 kehrte er nach Deutschland zurück und war bis zum Ende des Krieges in der Abteilung IV (Gestapo) des am 27.9.1939 gegründeten Reichssicherheitshauptamtes (RSHA) tätig. Kurz vor Einmarsch der russischen Truppen bekam Barschdorf den Auftrag, in Schwerin und in Lübeck eine Ausweichstelle für die Gestapo zu schaffen. Dies gelang jedoch nicht.

Zum Zeitpunkt der Kapitulation befand sich Barschdorf in Flensburg. Er hatte sich dort falsche Ausweispapiere besorgt, die auf den Namen Gustav Opitz lauteten. Den Namen Opitz wählte er deshalb, weil sein Schwager, der in Russland gefallen war, so hiess. In der Hauptverhandlung befragt, warum er sich einen falschen Namen zugelegt habe, hat Barschdorf erklärt, "er habe keine Lust gehabt, als ehemaliger Gestapobeamter vor einem englischen Gericht zu stehen".

In Kiel-Holtenau wurde Barschdorf von den Engländern festgenommen. Er befand sich bis Juli 1945 in britischer Gefangenschaft. Nach seiner Entlassung am 4.7.1945 arbeitete er bis 1950 als Landarbeiter auf dem Gut Wulfsdorf bei Hamburg. Anschliessend war Barschdorf zwei Jahre lang auf verschiedenen Arbeitsstellen beschäftigt, u.a. als ungelernter Arbeiter bei der Firma Gustav Barmeister.

Etwa im Sommer 1951 erfuhr er, dass seine Angehörigen sich in Thüringen aufhielten. Er nahm - "um wieder geordnete Verhältnisse herzustellen" - seinen richtigen Namen wieder an und erstattete am 24.1.1952 gegen sich selbst Anzeige bei der Kriminalpolizei in Ahrensburg. Ein gegen ihn eingeleitetes Ermittlungsverfahren wegen falscher Namensführung wurde nach dem Straffreiheitsgesetz vom 31.12.1949 eingestellt.

Durch Vermittlung seines ehemaligen Referatsleiters im Reichssicherheitshauptamt, Kriminalrat Opitz, wurde Barschdorf am 1.11.1952 freier Mitarbeiter des Bundesamtes für Verfassungsschutz - Aussendienststelle Hamburg -. Am 1.2.1956 wurde er dort fest angestellt, und zwar ab 1.3.1958 auf unbestimmte Zeit. Als nach Aufdeckung der Spionagetätigkeit des Bundestagsabgeordneten Frenzel [303] für östliche Geheimdienste ehemalige Angehörige der Geheimen Staatspolizei aus dem Verfassungsschutz entfernt wurden, wurde Barschdorf am 1.10.1964 zum Statistischen Bundesamt - Aussenstelle Hamburg - abkommandiert. Diese Aussenstelle wurde 1966 aufgelöst. Barschdorf wurde daraufhin mit Wirkung vom 16.3.1966 zum Bundesamt für zivilen Bevölkerungsschutz - Technisches Hilfswerk Hamburg - zunächst abkommandiert und ab 1.1.1967 auch dorthin versetzt. Wegen Erreichens der Altersgrenze endete das Dienstverhältnis am 31.5.1973.

Der NSDAP gehörte Barschdorf seit dem 1.3.1933 an. Mitglied der allgemeinen SS war er nicht, jedoch SS-Anwärter seit etwa 1940. Beim BdS Norwegen führte er als Kriminaloberassistent den Angleichungsdienstgrad eines SS-Hauptscharführers, später als Kriminalsekretär den Dienstgrad eines SS-Sturmscharführers.

Barschdorf ist seit dem 11.5.1935 verheiratet. Er hat zwei verheiratete Töchter im Alter von 36 und 38 Jahren. Barschdorf bezeichnet seinen Gesundheitszustand als zufriedenstellend. Im Jahre 1973 erlitt er einen Herzinfarkt. Er ist nicht vorbestraft.

Diese Feststellungen zur Person des Angeklagten Barschdorf beruhen auf seinen eigenen Angaben sowie auf den mit ihm erörterten Personalunterlagen.

II. Feststellungen zur Sache

1.) Die deutsche Sicherheitspolizei in Norwegen

Am 9.April 1940 wurde Norwegen von deutschen Truppen besetzt (sogenannte "Operation Weserübung"). Norwegen blieb zwar unter einer Regierung der nationalsozialistischen Partei Norwegens formell souverän, die wirkliche Macht lag aber bei den unmittelbar nach der Besetzung eingerichteten Dienststellen der Zivilverwaltung, der SS und der Sicherheitspolizei. Zum Reichskommissar für das besetzte Norwegen wurde Terboven eingesetzt. Oberstes Organ der Sicherheitspolizei war der Befehlshaber der Sicherheitspolizei und des SD (BdS) Norwegen, der seinen Dienstsitz im Gebäude des früheren norwegischen Aussenministeriums in Oslo, Victoria-Terrasse 7, hatte. Der BdS war dem Reichssicherheitshauptamt (RSHA) unterstellt. BdS Norwegen war zunächst bis Ende 1940 SS-Oberführer Dr. Stahlecker, anschliessend bis zum Kriegsende der SS-Oberführer Heinrich Fehlis, der sich 1945 das Leben nahm. Leiter der Abteilung IV - Geheime Staatspolizei - war im Jahre 1942 der Zeuge SS--Sturmbannführer Rei.-Pat. [304]. Leiter des Referates A 1 (Kommunismus) war Kriminaldirektor und SS-Sturmbannführer Fritz Preiss, der am 21.August 1961 verstorben ist.

[303] Alfred Frenzel wurde am 28.Oktober 1960 wegen des Verdachts, wichtige Geheimnisse der Bundeswehr und der NATO dem tschechoslowakischen Geheimdienst verraten zu haben, verhaftet und später zu 15 Jahren Freiheitsstrafe verurteilt.

[304] Der Zeuge Rei.-Pat. ist identisch mit dem Angeklagten Rei. alias Pat. im Verfahren Nr.739

2.) Die personelle Besetzung des Referates IV A 1 in den Jahren 1942/43

Soweit in diesem Verfahren festgestellt werden konnte, gehörten in den Jahren 1942/1943 ausser Barschdorf und Gru. folgende deutsche Beamte dem Referat IV A 1 an:
1.) Fritz Preiss (Kriminaldirektor und SS-Sturmbannführer) Referatsleiter, verstorben am 21.8.1961,
2.) Eugen Fis. (Kriminalsekretär und SS-Untersturmführer) als Nachfolger es Angeklagten Gru. vom 10.1.1943 bis 5.10.1943 stellvertretender Referatsleiter,
3.) Wilhelm Hanke (Kriminalkommissar und SS-Obersturmführer) zeitweilig stellvertretender Referatsleiter, gefallen 1945 in Breslau,
4.) Kurt Lubinski (Kriminaloberassistent und SS-Hauptscharführer) Sachbearbeiter, gefallen am 11.12.1943 in Oslo,
5.) Walter Alois Köppel, früher Hlawiczka (Kriminaloberassistent und SS-Hauptscharführer) Sachbearbeiter, verstorben am 27.12.1966,
6.) Josef Sch. (Kriminaloberassistent und SS-Hauptscharführer) Sachbearbeiter,
7.) Gertrud Kar. (Kriminaloberassistentin) Dolmetscherin und Sachbearbeiterin,
8.) Hugo Wiese, Dolmetscher, verstorben am 28.7.1967.
Der Kriminalsekretär Erwin Mor. ist erst im Herbst 1942 zum BdS Norwegen versetzt worden und gehörte dort der Abteilung IV N (Gegenspionage) an. Er ist am 3.September 1973 verstorben. Hinzu kam der norwegische Dolmetscher Jan Möl.

2.1. Die Angeklagten Barschdorf und Gru. waren im Jahre 1942 als Kriminaloberassistenten in der Abteilung IV beim BdS Norwegen als Angehörige des Referates A 1 tätig. Beide waren als Sachbearbeiter zuständig für die Bekämpfung des Marxismus-Kommunismus und befassten sich seit Beginn des Russlandfeldzuges am 22.Juni 1941 mit der im verstärkten Masse zunehmenden Sabotagetätigkeit kommunistischer Widerstandsgruppen. Dabei konzentrierte sich die Haupttätigkeit des Referates A 1 darauf, an die Mitglieder des Zentralkomitees der kommunistischen Partei Norwegens, die unter Führung des Funktionärs Furubotten stand, heranzukommen. Die Arbeitsweise war dadurch gekennzeichnet, dass der Sicherheitsdienst zunächst durch V-Leute versuchte, Kontakt zu den Widerstandskämpfern aufzunehmen. Angehörige des Referates A 1 übernahmen dann die exekutive Bearbeitung der einzelnen Fälle indem sie Festnahmen, Durchsuchungen und Vernehmungen durchführten.

2.2. Um Häftlinge zur Aussage zu zwingen, waren bei den Vernehmungen der Geheimen Staatspolizei schwere Misshandlungen allgemein üblich. Sogenannte "Verschärfte Vernehmungen" waren in bestimmten Fällen offiziell als Vernehmungsmethode zugelassen, ihre Anwendung und Durchführung im einzelnen vorgeschrieben. Ein Beispiel hierfür ist der Erlass des Chefs der Sicherheitspolizei und des SD zur "Verschärften Vernehmung" vom 12.6.1942, der auf einen Erlass vom 1.7.1937, der nicht erhalten geblieben ist, Bezug nimmt. In diesem Erlass heisst es u.a. wie folgt:

> "Geheime Reichssache
>
> ...
>
> 1. Verschärfte Vernehmung darf nur angewendet werden, wenn auf Grund des Vorermittlungsergebnisses festgestellt ist, dass der Häftling über wichtige staats- oder reichsfeindliche Sachverhalte, Verbindungen oder Planungen Auskunft geben kann, seine Kenntnis aber nicht preisgeben will und im Ermittlungswege nicht feststellbar sind.
> 2. Die verschärfte Vernehmung darf unter dieser Voraussetzung nur angewendet werden gegen Kommunisten, Marxisten, Bibelforscher, Saboteure, Terroristen, Angehörige der Widerstandsbewegungen, Fallschirmagenten, Asoziale, politische oder sowjetrussische Arbeitsverweigerer oder Bummelanten. In allen übrigen Fällen bedarf es grundsätzlich meiner vorherigen Genehmigung.

3. Zur Herbeiführung von Geständnissen über eigene Straftaten darf die verschärfte Vernehmung nicht angewendet werden. Ebenso darf dieses Mittel nicht angewendet werden gegenüber Personen, die zeitweilig von der Justiz zwecks weiterer Ermittlungen überstellt worden sind. Ausnahmefälle bedürfen ebenfalls meiner vorherigen Genehmigung.
4. Die Verschärfung kann je nach Sachlage u.a. bestehen in:
Einfachste Verpflegung (Wasser und Brot),
Hartes Lager,
Dunkelzelle,
Schlafentzug,
Ermüdungsübungen,
aber auch in der Verabreichung von Stockhieben (bei mehr als 20 Stockhieben muss ein Arzt zugezogen werden).

In Vertretung
gez. Müller"

Der Erlass aus dem Jahre 1937, der mit dem vorerwähnten Erlass vom 12.6.1942 nach den Angaben Barschdorfs im wesentlichen inhaltlich übereinstimmt, war Barschdorf nach seinen eigenen Angaben während seiner Tätigkeit in Berlin im Jahre 1937 bekanntgegeben worden.

Solche Vorschriften wurden allerdings in der Praxis nur wenig beachtet. Brutale Folterungen fanden weitgehend Anwendung. Ihre Durchführung stand zumeist völlig im Ermessen einzelner Beamter der Sicherheitspolizei, Übergriffe wurden weitgehend toleriert. "Verschärfte Vernehmungen" sind auch in der Abteilung IV des BdS Norwegen, insbesondere im Referat IV E (Gegenspionage), das von dem 1947 in Norwegen hingerichteten Kriminalrat Fehmer geleitet wurde, aber auch in der Abteilung IV A 1 vielfach zur Anwendung gekommen. Dabei wurden Häftlinge ungewöhnlich grausam und brutal gefoltert. Schläge mit der flachen Hand und der Faust waren an der Tagesordnung. Zur Anwendung kamen auch besondere Folterungsmittel. So wurden u.a. mit Gummiknüppeln, die am Ende bleibeschwert waren, Rohrstöcken, Gummikabeln und Peitschen geprügelt. Benutzt wurden auch Beinklammern, die an den Waden des Häftlings angesetzt wurden und dabei einen starken Blutstau verursachten, was zur zeitweiligen Bewusstlosigkeit des Häftlings führen konnte. Viele Häftlinge erlitten schwerste Gesundheitsschäden. Todesfälle hat es insbesondere in der Abteilung IV E gegeben.

3.) Beweiswürdigung zu den unter II.1. und 2. getroffenen Feststellungen

Die Feststellungen über den Einmarsch der deutschen Truppen in Norwegen, die Einrichtung der Dienststellen der Zivilverwaltung sowie des BdS Norwegen sind als ein Teil des Jedermann zugänglichen zeitgeschichtlichen Wissens offenkundige Tatsachen.

Die Feststellungen über die personalmässige Besetzung des Referates A 1 der Abteilung IV (Gestapo) in den Jahren 1942/43 beruhen auf den übereinstimmenden glaubhaften Aussagen der Zeugen Rei.-Pat. [305], Fis., Sch., Gertrud Kar. und Mül. Diese Aussagen decken sich auch mit den Angaben Barschdorfs. Die Feststellung, dass der Kriminalsekretär Mor. erst im Herbst 1942 zum BdS Norwegen versetzt worden ist und dort der Abteilung IV N angehörte, beruht auf der verlesenen Aussage des verstorbenen Zeugen Mor. vom 16.9.1969. Der Angeklagte Barschdorf hat insoweit seine frühere Angabe, Mor. sei schon im Frühjahr 1942 in

[305] Der Zeuge Rei.-Pat. ist identisch mit dem Angeklagten Rei. alias Pat. im Verfahren Nr.739

der Abteilung IV gewesen, in der Hauptverhandlung berichtigt und erklärt, er habe Hlawiczka mit Mor. verwechselt.

Die Feststellungen über den Aufgabenbereich der Angeklagten Barschdorf und Gru. beruhen auf ihren eigenen insoweit glaubhaften Angaben. Bestätigt werden die Angaben von der Zeugin Kar., die als Dolmetscherin eng mit dem Angeklagten Barschdorf zusammenarbeitete. Sie hat erklärt, dass die Abteilung damit befasst gewesen sei, den Kommunismus zu bekämpfen. Man habe eine Kartei angelegt und Material bezüglich der Tätigkeit der kommunistischen Widerstandsgruppen gesammelt. Es sei zu Verhaftungen von Kurieren gekommen, die dann vernommen worden seien. Die Aufgabe von Barschdorf und Gru. sei es gewesen, die verhafteten Kuriere zu vernehmen und Material aufzuspüren. Sie selbst habe dann das gefundene Material ausgewertet.

Die Feststellungen über die näheren Einzelheiten bezüglich der sogenannten "Verschärften Vernehmungen" beruhen auf dem Erlass des Chefs der Sicherheitspolizei und des SD - B.Nr.IV - 223/42 Geh. NS - vom 12.Juni 1942, der verlesen worden ist.

Die Feststellungen, dass es auch im Referat A 1 der Abteilung IV laufend zu sogenannten "Verschärften Vernehmungen" gekommen ist, beruhen auf den verlesenen Niederschriften über die im Wege der Rechtshilfe richterlich eidlich vernommenen norwegischen Zeugen L., T., Edith Han., Boris Han. und Wilhelm Olaf Wi., sowie auf den verlesenen Aussagen der verstorbenen Zeugen Dan. und der dauernd vernehmungsunfähigen Zeugin Eil. vom 29.5.1972.

Der Angeklagte Barschdorf hat demgegenüber erklärt, dass in dem Referat A 1 mit Ausnahme von zwei Fällen während der gesamten Zeit seiner Anwesenheit in Oslo keine "Verschärften Vernehmungen" stattgefunden hätten. Insbesondere seien Gummiknüppel, Rohrstöcke und Wadenklammern weder eingesetzt noch vorhanden gewesen. Der Angeklagte Gru. hat sich dahingehend eingelassen, dass er sich an "Verschärfte Vernehmungen" im Referat A 1 nicht erinnern könne. Lediglich in einem Fall sei ihm von Rei. [306] befohlen worden, eine "Verschärfte Vernehmung" durchzuführen. Dazu sei es jedoch nicht gekommen, da der Mann vor Beginn der Vernehmung aus dem Fenster gesprungen und dabei zu Tode gekommen sei.

Das Schwurgericht sieht diese Einlassungen angesichts der übereinstimmenden Aussagen der oben genannten Zeugen als widerlegt an.

Die Zeugin L. berichtet davon, dass sie während eines mehrere Stunden andauernden Verhörs auf der Victoria-Terrasse mit der flachen Hand geschlagen worden sei.
Der Zeuge T. schildert, wie man ihm während eines Verhörs mit dem Bauch auf den Tisch gelegt und dann mit langen Keulen überall hin geschlagen habe. Man habe ihm auch eine Beinklemme mit Schrauben angesetzt. Er sei dann gezwungen worden, auf dem Bein zu stehen, an dem die Beinklemme angebracht gewesen sei; man habe ihm auch mit der Keule einen Schlag in die Geschlechtsteile versetzt. Später habe man ihm einen Kasten gezeigt, in dem Geräte zum Fingerbrechen und Nägel-Herausziehen gelegen hätten, deren Benutzung ihm angedroht worden seien.
Die Zeugin Edith Han. berichtet davon, wie sie getreten, mit der flachen Hand und mit Fäusten geschlagen worden sei. Auch der Zeuge Boris Han. berichtet von schweren Misshandlungen, denen er während eines Verhörs auf der Victoria-Terrasse ausgesetzt gewesen sei. Er sei geohrfeigt und mit Fäusten geschlagen worden. Man habe auch während der

[306] Der Zeuge Rei. ist identisch mit dem Angeklagten Rei. alias Pat. im Verfahren Nr.739

einzelnen Verhöre mit einer geflochtenen Peitsche und mit Gummiknüppeln, von denen er meint, dass sie mit Blei ausgelegt gewesen seien, auf ihn eingeschlagen.
Der Zeuge Wilhelm Olaf Wi. erwähnt ebenfalls, dass er mit einem Schlauch, an dessen Ende sich eine Kugel befunden habe, mehrfach misshandelt worden sei.
Die Zeugin Dan. schildert, wie man ihr Beinklammern angesetzt habe. Sie sei mit Gummiknüppeln, Keulen, sowie mit einer Art Rohr oder Spiralfedern, etwa 20 cm lang, gefoltert worden.
Der verstorbene Zeuge Wei., der Angehöriger der Abteilung IV N gewesen und dessen Aussage verlesen worden ist, bestätigt, dass ihm aus dem Referat A 1 Einzelheiten über eine zweimalige "Verschärfte Vernehmung", die man bei einer jungen Frau mit Namen Henriette Dan. durchgeführt habe, bekannt geworden seien.
Auch der Zeuge Hil. hat davon gehört, dass Henriette Dan. schweren Misshandlungen ausgesetzt gewesen sei.
Die Zeugin Eil. schildert, wie man sie mit der flachen Hand auf das Kinn geschlagen habe.

4.) Der Tod der Norwegerin Brynhild Ström am 17.5.1942 an den Folgen einer "Verschärften Vernehmung" im Referat A 1 der Abteilung IV BdS Norwegen

Im Frühjahr 1942 ermittelte die Sicherheitspolizei im Referat IV A 1 gegen eine illegale Gruppe norwegischer Kommunisten. Bei plötzlichen Hausdurchsuchungen konnte schon bald wertvolles Beweismaterial sichergestellt werden. Zahlreiche Personen wurden verhaftet, unter ihnen auch der kommunistische Funktionär Alf Christiansen, in dessen Wohnung man Material beschlagnahmte und Hinweise darauf fand, dass die Kurierin Brynhild Ström in der Valerengate 5 wohnte.

Die Norwegerin Brynhild Ström, geboren am 27.1.1903, wurde daraufhin in den Vormittagsstunden des 17.Mai 1942 - einem Sonntag, dem Nationalfeiertag der Norweger - zwischen 10.00 und 11.00 Uhr von Angehörigen des Referates IV A 1 in der Wohnung Valerengate 5 unter dem Verdacht der Widerstandstätigkeit gegen die deutsche Besatzungsmacht festgenommen und zur Vernehmung in das Dienstgebäude des BdS, Victoria-Terrasse 7, gebracht.

Frau Ström war den deutschen Sicherheitsbehörden schon seit längerer Zeit als Leiterin einer geheimen kommunistischen Kurierzentrale bekannt. Ihre überraschende Festnahme wurde als besonders wichtige Massnahme angesehen, da man hoffte, durch ihre Aussage endlich einen entscheidenden Schlag gegen den Kern des kommunistischen Widerstandes in Norwegen führen zu können.

Die Verhaftung von Frau Ström wurde durchgeführt von dem Angeklagten Barschdorf, den Referatsangehörigen Lubinski und Hlawiczka und der Zeugin Kar. Während Barschdorf sich in einem Wagen in der Nähe der Wohnung Valerengate 5 aufhielt und die Festnahmeaktion überwachte, wurde Brynhild Ström von Lubinski in ihrer Wohnung festgenommen. Nach ihrer Festnahme fuhren Barschdorf, Hlawiczka und Lubinski mit ihr zur Victoria-Terrasse 7, während die Zeugin Kar. die Wohnung nach Beweismaterial durchsuchte und die gefundenen Unterlagen, die für eine illegale Widerstandstätigkeit von Bedeutung waren, beschlagnahmte. Sachbearbeiter der gesamten Aktion gegen Brynhild Ström war der Angeklagte Barschdorf, der auch die Vorermittlungen geführt hatte und den bei der Festnahme Beteiligten die Anweisungen erteilte.

Nachdem Frau Ström zur Victoria-Terrasse 7 gebracht worden war, begannen Lubinski und Hlawiczka mit ihrer Vernehmung. Die Vernehmung fand statt in den Räumen des Referates A 1, und zwar im Dienstzimmer des Angeklagten Barschdorf. Nähere Feststellungen darüber, ob Barschdorf sich bereits zu diesem Zeitpunkt an der Vernehmung von Frau Ström beteiligte, konnten nicht getroffen werden. Jedenfalls hat er mehrmals sein Dienstzimmer während der Vernehmung von Frau Ström betreten.

Gegen 12.00 Uhr gingen Barschdorf und die Zeugin Kar. zum Mittagessen. Ab 13.00 Uhr leitete Barschdorf dann die weitere Vernehmung. Anwesend waren als Dolmetscher die Zeugin Kar. und der verstorbene Referatsangehörige Wiese sowie als Vernehmende die Gestapo-Beamten Lubinski und Hlawiczka. Frau Ström weigerte sich jedoch auszusagen. Als auch gutes Zureden von Seiten der Zeugin Kar. nichts half, ging man zur "Verschärften Vernehmung" über. Um Frau Ström zu zwingen, Namen von Angehörigen der Widerstandsgruppe preiszugeben, wurde sie brutal geschlagen. Sie erhielt Schläge mit der flachen Hand und mit der Faust. Als auch dies nichts nützte und Frau Ström weiterhin beharrlich schwieg, schlug man sie mit einem Gummiknüppel auf das Gesäss. Der Angeklagte Barschdorf hat sie mehrfach mit voller Kraft mit der flachen Hand ins Gesicht geschlagen. Feststellungen darüber, ob Barschdorf auch mit der Faust oder mit dem Gummiknüppel auf Frau Ström eingeschlagen hat, haben nicht getroffen werden können. Es ist auch nicht sicher, ob bei der Vernehmung Beinschrauben angewendet worden sind. Die Vernehmung wurde in der Form geführt, dass Frau Ström mehrere Stunden mit grösster Brutalität rücksichtslos auf das Schwerste misshandelt wurde. Barschdorf, Lubinski und Hlawiczka schlugen wechselweise auf Frau Ström ein, wobei Lubinski einen Gummiknüppel benutzte. Frau Ström wurde mehrfach bewusstlos, so dass sie zwei- bis dreimal mit Wasser erfrischt werden musste. Die Vernehmung wurde unter der Leitung von Barschdorf gegen 17.30 Uhr unterbrochen, weil Barschdorf und die Zeugin Kar. gemeinsam zum Abendessen gingen.

Der Zustand von Frau Ström war zu diesem Zeitpunkt bereits infolge der schweren Misshandlungen derart bedenklich, dass Barschdorf damit rechnete, Frau Ström werde sterben, wenn sie weiterhin in dieser Form misshandelt würde.

Während sich Barschdorf und die Zeugin Kar. beim Abendessen befanden, wurde die Vernehmung von Frau Ström fortgesetzt. Nach seiner Rückkehr gegen 19.00 Uhr übernahm Barschdorf wiederum die Leitung der Vernehmung. Anwesend waren wiederum Frau Kar., Lubinski und Hlawiczka. Es wurde weiter auf Frau Ström eingeschlagen, und zwar wahllos und mit äusserster Kraft.

Barschdorf war klar, dass Frau Ström, selbst wenn sie gewollt hätte, nicht mehr in der Lage war auszusagen.

Etwa in diesem Zeitpunkt - zwischen 19.00 und 19.30 Uhr - betrat der Zeuge Ku. das Vernehmungszimmer. Er sah, wie Frau Ström mit hochgezogenem Rock mit dem Oberkörper auf dem Schreibtisch lag, wobei man ihren Schlüpfer, der nass war, sehen konnte. Ku. bemerkte, wie einer (Lubinski oder Hlawiczka) Frau Ström festhielt, während der andere mit einem Gummiknüppel auf sie einschlug. Beide wechselten sich mit dem Schlagen ab. Ku. sagte daraufhin sinngemäss zu den Anwesenden: "die Frau bewegt sich ja nicht, sie ist ja bewusstlos". Ferner sagte er zu demjenigen, der gerade schlug, es habe doch keinen Zweck, so könne man doch von der Frau nichts erwarten. Man setzte daraufhin die bewusstlose Frau Ström auf einen Stuhl und goss ihr Wasser ins Gesicht. Sie schluckte, hustete und kam wieder zu sich. Ku. bemerkte, wie Frau Ström ihren linken Busen, der aus der Bluse oder dem Kleid herausgerutscht war, wieder unter die Kleidung schob. Als Ku. wenig später nochmals das Zimmer betrat, sah er wieder, wie Frau Ström auf dem Tisch lag und auf sie eingeschlagen wurde. Barschdorf sagte sinngemäss: "Das ist doch kein Schlagen, gib mal her, ich werde es Euch zeigen, wie man schlägt". Gegenüber Ku. äusserte er, er solle machen, dass er hinauskomme, er habe da nichts zu suchen. Barschdorf nahm dem einen der beiden Schlagenden einen breiten Gegenstand aus der Hand. Ob Barschdorf selbst mit diesem Gegenstand geschlagen hat, hat nicht festgestellt werden können. Wenig später, nachdem Ku. das Zimmer verlassen hatte, ging die Zeugin Kar., die die Misshandlungen der Frau Ström nicht mehr mit ansehen konnte, in das Zimmer des Angeklagten Gru., der dort sass und einen Brief schrieb. Gru. hatte bereits mittags im Kasino von der Aktion erfahren. Er wusste, dass

Barschdorf die Aktion leitete, wollte mit ihr aber nichts zu tun haben und war etwa gegen 18.15 Uhr in die Dienststelle zurückgekommen.

Die Zeugin Kar. sagte zu Gru., dass sie nicht mehr dabeibleiben werde und das nicht mehr aushalte. Währenddessen suchte Lubinski den Zeugen Sch. auf, der an diesem Tage von morgens bis abends Sonderdienst zur zusätzlichen Sicherung des Dienstgebäudes hatte und sich zu dieser Zeit in seinem Dienstzimmer aufhielt. Lubinski erkundigte sich nach Preiss und bemerkte, dass die Frau tot sei oder im Sterben liege. Sch. suchte daraufhin vergeblich Preiss, ging dann durch das Zimmer Barschdorfs, wo er Frau Ström sah, in das Zimmer von Gru. und berichtete Frau Kar. und Gru., was Lubinski ihm gesagt hatte. Sch. und Gru. haben dann gemeinschaftlich über eine längere Zeit - nach Angaben Gru.s etwa eine halbe Stunde lang - Wiederbelebungsversuche an Frau Ström gemacht.

Frau Ström ist etwa um 20.00 Uhr an den Folgen der ihr zugefügten schweren Verletzungen gestorben. Barschdorf wusste, dass Frau Ström infolge der starken und der langandauernden Misshandlungen schwere Leiden zugefügt worden waren. Er handelte gefühllos und aus unbarmherziger Gesinnung.

Unterdessen hatte Gru. veranlasst, den für die Dienststelle zuständigen Arzt Dr. Rietz telefonisch herbeizurufen. Dr. Rietz war jedoch nicht zu erreichen. Gru. telefonierte daraufhin nach dem Arzt vom Reichskommissariat Dr. Paris, der dann gegen 21.00 Uhr erschien und den Tod von Frau Ström feststellte.

Die Leiche wurde noch am selben Abend - wobei Barschdorf mithalf - in den Keller des Dienstgebäudes gebracht und am nächsten Morgen, dem 18.5.1942 in das Kriegslazarett Oslo überführt. Dort wurde sie gegen 12.00 Uhr zur Feststellung der Todesursache von dem verstorbenen Oberarzt, dem Zeugen Dr. Wäc., obduziert. Er stellte u.a. folgendes fest: Ausgedehnte Hämatome am Stamm und Extremitäten, besonders ausgeprägt an der Vorderseite der Oberschenkel und der Rückengesässgegend, Hämatome der linken Wange und des Unterlides des linken Auges, Blutung aus der Nase; ausgesprochene Anämie der inneren Organe; Abriss der Dornfortsätze der unteren Lendenwirbelsäule; Auseinanderklaffen des Darm-Kreuzbeingelenkes; einen Schädelbasisbruch durch die linke mittlere Schädelgrube sowie eine Fettembolie; besonders die Gesässmuskulatur wies erhebliche Unterblutungen auf. Der Tod von Frau Ström war infolge einer ausgedehnten inneren Verblutung und einer Fettembolie eingetreten.

Im Anschluss an die Obduktion wurde die Leiche zum Krematorium gebracht. Der Vorsteher des Krematoriums, der verstorbene Zeuge Axel Joh., wurde gebeten, die Leiche sofort zu verbrennen, was er jedoch mit dem Hinweis ablehnte, dass eine Verbrennung nur vorgenommen werden könne, wenn eine Sterbeurkunde vorgelegt werde. Nachdem die entsprechenden Unterlagen nachgeschickt worden waren, wurde die Leiche am 21.Mai 1942 verbrannt. Die Zeugen Axel Joh. und Oskar Wi. sowie der Zeuge Nor. stellten am Körper der Getöteten erhebliche Spuren von Misshandlungen fest.

Eine nach dem Tode der Frau Ström eingeleitete Untersuchung wurde sogleich abgebrochen. Sie hat zu keinen strafrechtlichen oder disziplinarischen Massnahmen geführt. Der Angeklagte Gru., der im Auftrag von Preiss einen Bericht über den Fall Ström schreiben musste, wurde etwa 14 Tage später zum Untersuchungsrichter des SS- und Polizeigerichts bestellt und musste einen von diesem vorbereiteten Revers unterschreiben, dass Frau Ström durch ungerechtfertigte Massnahmen zu Tode gekommen sei und dass so etwas nicht wieder vorkommen dürfe. Danach wurde ihm gesagt, dass es sich nur « um » eine Förmlichkeit handele, im übrigen könne man so weitermachen wie bisher.

Der Fall Ström war der erste Todesfall, der sich im Referat IV A 1 ereignete. Er unterlag strenger Geheimhaltung. Da gleichwohl Vermutungen über den Tod der Frau Ström bei den norwegischen Widerstandsgruppen entstanden, wurden von der Gestapo bei den norwegischen Gefangenen Gerüchte dahingehend verbreitet, dass Frau Ström nach Deutschland ins Konzentrationslager gekommen sei oder aber sich selbst mit Gift das Leben genommen habe.

III. Beweiswürdigung zu den unter II.4. getroffenen Feststellungen

1.) Einlassung des Angeklagten Gru.

Der Angeklagte Gru. hat sich wie folgt eingelassen:

Er sei an der Festnahme der Frau Ström nicht beteiligt gewesen und habe auch an der Vernehmung nicht teilgenommen. Am 17.5.1942 habe er mittags im Kasino erfahren, dass Barschdorf eine Aktion gestartet und eine Festnahme durchgeführt habe. Er habe den Sonntagnachmittag vermutlich damit verbracht, mit Freunden Karten zu spielen. Er sei dann gegen 18.15 Uhr in die Dienststelle gekommen und habe einen Brief an seine Familie geschrieben. Später sei dann Frau Kar. in sein Zimmer gekommen und habe ihm von Frau Ström berichtet. Kurz danach sei Lubinski oder Sch. gekommen und habe gesagt, dass die Frau tot oder ohnmächtig sei. Er - Gru. - sei dann sofort in das Vernehmungszimmer geeilt und habe dort eine Frau unbeweglich, mit den Armen nach unten, auf einem Stuhl sitzen sehen. Er habe die Frau zusammen mit Sch. in das Nebenzimmer getragen, auf den Boden gelegt und mit Wiederbelebungsversuchen begonnen. Dabei habe er den sogenannten Atemtest durchgeführt, indem er der Frau einen Spiegel vor die Nase gehalten habe, und die Herztöne abgehört. Er habe alles versucht, die Frau zu retten; seine Wiederbelebungsversuche hätten mindestens eine halbe Stunde in Anspruch genommen; sie seien aber vergeblich gewesen. Er habe dann darum gebeten, den Arzt zu verständigen. Da Dr. Rietz jedoch nicht zu erreichen gewesen sei, habe er dann die Telefonnummer von Dr. Paris, dem Arzt im Reichskommissariat, herausgesucht und diesen herbeirufen lassen. Dr. Paris sei etwa gegen 20.00 Uhr erschienen und habe den Tod von Frau Ström festgestellt, wobei er bemerkt habe, dass "die Frau ja schon Totenflecke habe". Er - Gru. - sei dann weggegangen und etwa gegen 21.00 Uhr in seiner Unterkunft gewesen.

Was den Zustand von Frau Ström anbetreffe, so habe er keine Verletzungen oder Blut, etwa an der Nase gesehen. Sie sei nur sehr blass gewesen und bei seinen Wiederbelebungsversuchen sei ihm aufgefallen, dass die Gelenke nur sehr schwer beweglich gewesen seien; er habe dies für Totenstarre gehalten. Am nächsten Tag habe er zu Preiss gehen und ihm darüber berichten müssen, was geschehen sei. Er - Gru. - habe ihm dann von seinen Wiederbelebungsversuchen erzählt. Er sei von Preiss beauftragt worden, darüber einen Bericht zu verfassen, was er auch getan habe. Etwa 14 Tage später seien er und Sch. zum Untersuchungsrichter des SS- und Polizeigerichts bestellt worden, der ein Schriftstück darüber vorgelesen habe, dass Frau Ström durch ungerechtfertigte Massnahmen zu Tode gekommen sei und dass so etwas nicht wieder vorkommen dürfe. Er habe dieses Schriftstück dann unterschreiben müssen. Dabei sei ihm bedeutet worden, es handele sich um eine Förmlichkeit, pflichtgemäss müsse man dies vorhalten, im übrigen könne man so weitermachen wie bisher. Später habe ihm Preiss Vorwürfe gemacht, weil er - Gru. - nicht gewartet habe, bis Dr. Rietz gekommen sei, der verhindert hätte, dass eine Obduktion durchgeführt worden wäre.

Angesichts dieser Einlassung des Angeklagten Gru., die nicht widerlegt werden konnte, und die in mehreren Punkten von den Zeugen Kar., Sch. sowie den Angaben des Angeklagten Barschdorf bestätigt wird, hat das Schwurgericht keine Feststellungen über eine Beteiligung Gru.s an der Tötung der Frau Ström treffen können.

Die Zeugin Kar. hat zwar in ihren polizeilichen Vernehmungen vom 9.August 1945 - Vernehmung vor der Landesverratsabteilung in Oslo - und 4.September 1968, sowie der staatsanwaltschaftlichen Vernehmung vom 2.August 1971 Gru. dahingehend belastet, dass er bei der Festnahme der Frau Ström dabeigewesen sei und sich auch an der "Verschärften Vernehmung" beteiligt habe. Diese Aussage hat die Zeugin Kar. dann aber später vor dem Untersuchungsrichter - Vernehmung vom 24.Januar 1972 - widerrufen. Auch in der Hauptverhandlung ist die Zeugin Kar. bei ihrer Aussage, die sie vor dem Untersuchungsrichter gemacht hat, auch nach eindringlichem Vorhalt ihrer früheren Aussagen geblieben. Sie hat diesen Widerspruch glaubhaft damit erklärt, dass sie Gru. mit Hlawiczka verwechselt habe. Das Schwurgericht hat von der Zeugin nicht den Eindruck gewonnen, dass sie Gru. bewusst schonen wollte, sondern im Bemühen um eine volle Aufklärung des Tatgeschehens ihre Aussage berichtigt hat.

Die Aussage der Zeugin Kar. deckt sich auch mit den insoweit glaubhaften Angaben des Angeklagten Barschdorf, der erklärt hat, dass er den Angeklagten Gru. weder bei der Festnahme der Frau Ström am Vormittag des 17.Mai 1942 noch am Nachmittag während der Vernehmung der Frau Ström in der Dienststelle gesehen habe. Er habe Gru. erst bemerkt, als dieser mit den Wiederbelebungsversuchen begonnen habe.

Auch der Zeuge Sch. hat erklärt, dass er zusammen mit Gru. Wiederbelebungsversuche gemacht und Gru. dann versucht habe, einen Arzt zu erreichen. Diese Angaben werden wiederum von der Zeugin Kar. bestätigt, die davon berichtet, dass Gru. sich um Frau Ström bemüht und dann nach dem Arzt vom Reichskommissariat, Dr. Paris, telefoniert habe.

Nach allem war der Angeklagte Gru. von dem Vorwurf des Mordes an Brynhild Ström freizusprechen.

2.) Einlassung des Angeklagten Barschdorf

Der Angeklagte Barschdorf hat sich wie folgt eingelassen:

Frau Brynhild Ström sei am 17.Mai 1942, dem Nationalfeiertag der Norweger, festgenommen worden. Sie sei ihm als Kurierin und Flugblattverteilerin der illegalen kommunistischen Partei in Norwegen bekannt gewesen. Zuständig für diesen Fall seien Lubinski und Hlawiczka gewesen. Auf seine Veranlassung sei daher die Verhaftung von Frau Ström vorgenommen worden. Er sei möglicherweise mit Frau Kar. zum Ort der Festnahme gefahren und habe dort sich in der Nähe aufgehalten; es sei auch möglich, dass er sich mit Frau Kar. an der Durchsuchung der Wohnung beteiligt habe. - Auf jeden Fall seien er und Frau Kar. zusammen gewesen. Frau Ström sei dann zur Dienststelle gebracht und in seinem Dienstzimmer von Hlawiczka und Lubinski vernommen worden. Sie habe sich schon dort befunden, als er zurückgekommen sei. Er habe zu Hlawiczka gesagt, er solle vorsichtig sein und nicht so arbeiten, als wie sie es sonst gewohnt seien. Hlawiczka habe ihm daraufhin erwidert, "er sei hier der Sekretär, er habe mehr zu sagen". Er - Barschdorf - sei am Vormittag, während Frau Ström von Lubinski und Hlawiczka vernommen worden sei, etwa drei- bis viermal in seinem Dienstzimmer gewesen. Zweck dieser Aufenthalte sei gewesen zu erfragen, ob die Vernehmung etwas ergeben habe. Als Dolmetscher seien Frau Kar. und Jan Möl. anwesend gewesen. Gegen 12.00 Uhr sei er dann mit Frau Kar. zum Mittagessen gegangen. Nach dem Mittagessen habe die eigentliche Vernehmung von Frau Ström, die auf einem Stuhl gesessen habe, begonnen. Sie sei nach Verbindungsleuten gefragt worden, habe aber beharrlich geschwiegen. Lediglich über ihre Person habe sie einige Angaben gemacht. Er habe das in ihrer Wohnung gefundene Material ausgewertet und ihr vorgehalten, wobei er das Material jeweils Hlawiczka und Lubinski mit der Aufforderung übergeben habe, dazu Fragen an Frau Ström zu stellen. Persönlich habe er in die Vernehmung nicht eingegriffen.

Er sei nur insoweit mit dem Fall befasst gewesen, als er gehofft habe, Material für seine Arbeit zu erhalten.

Die Vernehmung habe zunächst normal begonnen. Er habe dann während seiner zeitweiligen Aufenthalte im Vernehmungszimmer gesehen, wie Frau Ström von Hlawiczka und Lubinski mit der flachen Hand oder mit der Faust ins Gesicht geschlagen worden sei. Sie habe bei den Misshandlungen keinen Laut von sich gegeben. Hlawiczka sei bei der Vernehmung der Massgebende gewesen. Schlagwerkzeuge sowie Gummiknüppel oder Gummischläuche seien nicht benutzt worden. Als er wieder einmal in das Zimmer gekommen sei, habe er bemerkt, wie Hlawiczka Frau Ström den Mund aufgehalten habe, um ihr Wasser einzuflössen. Sie habe gegurgelt und gewürgt. Er habe daraufhin gesagt, dass er dies nicht mehr mit ansehen wolle und dass es doch keinen Sinn habe, so weiterzumachen. Hlawiczka habe ihn daraufhin wiederum mit den Worten angeherrscht: "Wer ist hier der Sekretär." Er - Barschdorf - habe die ganze Zeit, nachdem er gesehen habe, was mit der Frau angestellt worden sei, damit gerechnet, dass etwas schief gehen werde und die Frau sterben könne. Er habe noch, bevor er gegen 18.00 Uhr zum Abendessen gegangen sei, zu dem Vernehmenden geäussert, die Frau werde noch sterben.

Als er dann wieder zwischen 19.00 und 20.00 Uhr in die Dienststelle zurückgekommen sei, habe er Frau Ström auf dem Boden vorgefunden; sie habe nicht mehr geatmet. Es hätten Leute um sie herum gestanden und Wiederbelebungsversuche gemacht. Man habe dann versucht, den Arzt Dr. Rietz zu holen, der aber nicht erreichbar gewesen sei. Es sei dann aber doch ein Arzt von der Schutzpolizei gekommen. Dieser habe Frau Ström den Rock hochgezogen und bemerkt: Die Frau habe ja schon Totenflecke. Er - Barschdorf - habe sowohl an den Oberschenkeln als auch auf dem ganzen unteren Teil des Körpers blaue Flecke bemerkt. Der Arzt habe den Totenschein ausgestellt, sich aber über die Todesursache nicht geäussert. Bei der ärztlichen Untersuchung seien Gru., Lubinski, Hlawiczka und Frau Kar. zugegen gewesen. Er habe dann die Leiche zusammen mit Hlawiczka und Lubinski in den Keller gebracht; am nächsten Morgen sei sie dann von einem Bestattungsinstitut abgeholt worden. Es könne aber auch sein, dass auf Anweisung des Arztes die Leiche ins Kriegslazarett gebracht worden sei.

Hinsichtlich der Todesursache von Frau Ström sei er der Meinung gewesen, dass Frau Ström nicht an den Schlägen gestorben, sondern auf Grund des gewaltsamen Einflössens des Wassers erstickt sei. Von einer vom Untersuchungsrichter des SS- und Polizeigerichts eingeleiteten Untersuchung wisse er nichts.

2.1. Diese Einlassung wird durch das Ergebnis der Hauptverhandlung widerlegt.

Die Feststellung darüber, dass die Verhaftung am 17.5.1942 - dem norwegischen Nationalfeiertag - erfolgte, und Frau Ström noch am selben Tage verstarb, ergibt sich aus dem Leichenöffnungsbefundbericht der pathologisch-anatomischen Untersuchungsstelle beim Armeearzt Norwegen vom 18.5.1942 und dem Totenschein vom 18.5.1942, die beide verlesen worden sind, sowie den übereinstimmenden Aussagen der Zeugen Kar. und Möl. und den Aussagen der beiden Angeklagten Gru. und Barschdorf.

2.2. Die Feststellung darüber, dass die kommunistische Kurierin Brynhild Ström in den Vormittagsstunden des 17.5.1942 zwischen 10.00 und 11.00 Uhr in der Wohnung Valerengate 5 festgenommen worden ist, ergibt sich aus der Aussage der Zeugin Kar., sowie den Angaben des Angeklagten Barschdorf.

Die Zeugin Kar., die nach ihren Angaben sehr eng mit dem Angeklagten Barschdorf zusammengearbeitet hat und quasi "seine rechte Hand" war, hat sich hinsichtlich des zeitlichen Ablaufs der Verhaftung nicht mehr an Einzelheiten erinnern können. In der Hauptverhandlung hat sie zunächst erklärt, die Verhaftung habe wohl in den Nachmittagsstunden stattgefunden. Später hat sie die Aussage dann korrigiert und es für möglich gehalten, dass die Verhaftung vormittags gewesen sei. Diese letztere Zeitangabe deckt sich mit den Angaben des Angeklagten Barschdorf. Barschdorf hat erklärt, dass die Festnahme von Frau Ström am Morgen gewesen sei und die Vernehmung am Vormittag etwa 2-3 Stunden gedauert habe; gegen 12.00 Uhr sei er dann zum Mittagessen gegangen.

Das Schwurgericht ist daher davon überzeugt, dass Frau Ström etwa zwischen 10.00 und 11.00 Uhr in ihrer Wohnung festgenommen worden ist.

2.3. Die Feststellung, dass der Angeklagte Barschdorf bei der Verhaftung der Frau Ström anwesend war, beruht auf den eigenen insoweit glaubhaften Angaben Barschdorfs, die von der Zeugin Kar. bestätigt werden. Barschdorf bestreitet jedoch der Leiter der Gesamtaktion gewesen zu sein. Diese Einlassung wird jedoch widerlegt durch die übereinstimmenden glaubhaften Aussagen der Zeugin Kar. sowie der Zeugen Möl. und Sch.

Frau Kar. hat bekundet, dass Barschdorf den Fall aufgerollt habe; er habe auch die Vorermittlungen geführt, wobei die Unterlagen, die man bei Alf Christiansen gefunden habe, den Fall Ström ausgelöst hätten. Diese Aussage deckt sich auch mit den von ihr früher gemachten Angaben.

Der Zeuge Möl., der zeitweilig als Dolmetscher in der Abteilung IV A 1 tätig war, berichtet, er habe später auf der Dienststelle aus Gerüchten gehört, dass es Barschdorfs Bestreben gewesen sei, aus Frau Ström etwas herauszuholen; Barschdorf sei ein sehr fleissiger und aktiver Kommunistengegner gewesen und habe die Arbeitsweise der kommunistischen Untergrundbewegung sehr genau gekannt.

Der Zeuge Sch., der in der Dienststelle IV A 1 tätig war, berichtet, dass seiner Meinung nach Barschdorf die Festnahme geleitet habe und auch für die Gesamtaktion der massgebliche Mann gewesen sei.

Diese Aussagen der vorgenannten Zeugen werden auch von dem Angeklagten Gru. bestätigt, der mittags im Kasino erfahren haben will, dass Barschdorf eine Aktion gestartet habe.

2.4. Die Feststellungen darüber, dass Frau Ström in den Vormittagsstunden des 17.5.1942 in dem Dienstzimmer Barschdorfs zunächst nur von Lubinski und Hlawiczka vernommen wurde, beruhen auf den eigenen insoweit glaubhaften Angaben Barschdorf, der während der Vernehmung damals mehrmals das Zimmer betreten hat.

2.5. Die Feststellung über den weiteren Ablauf der Vernehmung der Frau Ström beruhen auf den glaubhaften Aussagen der Zeugin Kar., die nach dem Mittagessen als Dolmetscherin, bis auf eine kurze, durch das Abendessen von 17.30 bis gegen 19.00 Uhr bedingte Unterbrechung, während der gesamten Dauer der Vernehmung bis zum Tode von Frau Ström anwesend war. Die Zeugin Kar. hat folgendes bekundet:

Sie sei von Beginn der Vernehmung an nach dem Mittagessen dabei gewesen. Frau Ström sei nach Namen und Anschriften gefragt worden, wobei ihr die in ihrer Wohnung gefundenen Unterlagen vorgehalten worden seien. Sie - Frau Kar. - habe die Fragen übersetzt, zeitweise habe auch Wiese gedolmetscht. Frau Ström habe kaum geantwortet; sie habe auch geleugnet, illegal gearbeitet zu haben. Man sei zunächst nur mit Worten in sie gedrungen. Sie - Frau Kar. - habe beruhigend auf Frau Ström eingesprochen und ihr gesagt, dass sie sich nur selbst schade, wenn sie weiterhin nichts sage. Frau Ström habe jedoch überhaupt nicht reagiert. Frau Ström sei dann abwechselnd von Lubinski, Hlawiczka und Barschdorf geschlagen worden, und zwar habe Barschdorf mit der flachen Hand zugeschlagen, während Lubinski einen

Gummiknüppel benutzt habe. Dabei sei von allen mit äusserster Brutalität auf Frau Ström eingeschlagen worden. Sie habe aber weder geschrien noch irgendwelche Schmerzenslaute von sich gegeben. Allen Beteiligten sei im Laufe der Zeit klar gewesen, dass man das Äusserste habe befürchten müssen. Zwischendurch sei Frau Ström mehrfach bewusstlos geworden. Sie - Frau Kar. - habe ihr dann Wasser und auch Kaffee gereicht, um sie zu erfrischen. Frau Ström habe geschwitzt und ihr Gesicht sei rot angelaufen. Sie - Frau Kar. - halte es für möglich, dass sie gegen 17.30 Uhr mit Barschdorf und Lubinski zum Abendessen gegangen sei; währenddessen sei die Vernehmung fortgesetzt worden. Als sie gegen 19.00 Uhr vom Abendessen zurückgekommen seien, sei die Vernehmung in vollem Gange gewesen. Barschdorf habe dann die Vernehmung übernommen und Lubinski habe wiederum mit dem Gummiknüppel brutal auf Frau Ström eingeschlagen. Als es ihr zu schlimm geworden sei, sei sie hinausgegangen, weil sie dies nicht mehr habe mitansehen können.

Die Zeugin Kar. hat auf das Schwurgericht einen glaubwürdigen Eindruck gemacht. Das Schwurgericht hat nicht den Eindruck gewonnen, dass Frau Kar., die während ihres Aufenthaltes in Norwegen mit dem Angeklagten Barschdorf ein Liebesverhältnis gehabt hat, etwa auf Grund einer persönlichen Voreingenommenheit, aus Hass, Rache oder aus enttäuschter Liebe den Angeklagten Barschdorf zu Unrecht belastet hat. Sie hat - vom Gericht auf eine derartige Motivation angesprochen - dies spontan von sich gewiesen und erklärt, dass sie nicht verstehen könne, dass nach über 30 Jahren noch ein Verfahren gegen die Angeklagten durchgeführt werde. Gerade bei einer derartigen Einstellung hätte es - was das Gericht in NSG-Verfahren immer wieder erlebt - aber nahegelegen, keine den Angeklagten Barschdorf belastende Aussagen zu machen. Anhaltspunkte für eine Unglaubwürdigkeit der Zeugin Kar. ergeben sich nach Überzeugung des Schwurgerichts auch nicht daraus, dass Frau Kar. von einem norwegischen Gericht im April 1948 wegen Kollaboration mit der deutschen Besatzungsmacht zu 18 Jahren Zwangsarbeit verurteilt worden ist, die sie bis zum Jahre 1951 verbüssen musste.

Hervorzuheben ist ferner, dass ihre Aussage bei allen Vernehmungen im Kernbereich gleichbleibend geblieben ist. Der Umstand, dass Frau Kar. in ihren polizeilichen Vernehmungen den Angeklagten Gru. zunächst dahingehend belastet hat, dass auch er bei der Festnahme und der Vernehmung von Frau Ström dabeigewesen sei, diese Aussage dann aber vor dem Untersuchungsrichter und in der Hauptverhandlung mit dem Hinweis widerrufen hat, sie habe Gru. mit Hlawiczka verwechselt, zeigt, dass Frau Kar. ihre Aussage vorsichtig und differenzierend gemacht hat. Hinzu kommt, dass auch der Angeklagte Barschdorf bezüglich der Beteiligung Gru.s erklärt hat, dass Gru. weder bei der Festnahme am Vormittag des 17.Mai 1942 zugegen gewesen sei, noch sich an der Vernehmung von Frau Ström beteiligt habe, insoweit also auch seine Einlassung die Aussage der Zeugin bestätigt.

2.6. Die Feststellungen darüber, dass Frau Ström etwa zwischen 19.00 und 19.30 Uhr mit dem Oberkörper auf dem Schreibtisch lag und brutal mit einem Gummiknüppel auf sie eingeschlagen wurde, beruhen auf der glaubhaften Aussage des Zeugen Ku. Dieser Zeuge hat folgendes bekundet:

Er habe am 17.Mai 1942 in der Dienststelle unten auf der Wache Wachdienst gehabt. Etwa zwischen 19.00 und 20.00 Uhr habe er einen Anruf erhalten; jemand habe sich nach Hanke erkundigt und ihn gebeten, einmal nachzusehen, wo er sei. Er - Ku. - sei nach oben gegangen und habe Hanke durch die offene Tür eines Zimmers gesehen; er sei sich allerdings nicht sicher, ob es wirklich Hanke gewesen sei. Da er gerade oben gewesen sei, habe er die Gelegenheit benutzt, von Barschdorf die Schlüssel für eine beschlagnahmte Wohnung zu bekommen. Zu seinen Aufgaben habe es nämlich gehört, beschlagnahmte Wohnungen zu registrieren und zu inventarisieren. Er sei dann durch das Zimmer, in dem wahrscheinlich Hanke gewesen sei, in ein weiteres Zimmer gegangen. Dort habe er eine etwa 30-35jährige Frau mit hochgeschlagenem Rock mit dem Oberkörper auf dem Schreibtisch liegen sehen; er

habe den Schlüpfer gesehen, der ganz nass gewesen sei. In dem Zimmer seien Barschdorf, Lubinski, ein weiterer Mann und Frau Kar. gewesen. Während einer der beiden (Lubinski oder der andere Mann) die Frau festgehalten habe, habe der andere mit voller Kraft auf ihr Hinterteil geschlagen. Sie hätten sich mit dem Schlagen und dem Festhalten abgewechselt. Als er dies gesehen habe, habe er sinngemäss gesagt, es nütze doch nichts, dass sie schlügen, da die Frau ja bewusstlos sei. Man habe daraufhin die bewusstlose Frau auf einen Stuhl gesetzt, wobei man sie habe festhalten müssen, und ihr Wasser ins Gesicht geschüttet. Sie habe daraufhin geschluckt und gehustet und sei wieder zu sich gekommen. Dabei habe sie ihre linke Brust, die aus der Bluse oder dem Kleid gerutscht sei, wieder in die Kleidung geschoben. Dann sei er aus dem Zimmer gegangen. Kurze Zeit später habe er nochmals das Zimmer betreten und gesehen, wie die Frau, die wieder auf dem Schreibtisch gelegen habe, geschlagen worden sei. Barschdorf habe dabei sinngemäss geäussert: "Das ist doch kein Schlagen, gib mal her, ich werde es Euch zeigen, wie man schlägt." Barschdorf habe ihm - Ku. - gesagt, er solle machen, dass er hinauskäme, er hätte da nichts zu suchen. Er sei dann hinausgegangen und habe gesehen, wie Barschdorf einem der beiden Männer einen breiten Gegenstand, einen Riemen vielleicht, abgenommen habe. Ob Barschdorf dann mit diesem Riemen selbst geschlagen habe, könne er nicht mit Sicherheit sagen.
Am nächsten Morgen habe er Frau Kar. gefragt, ob sie von der Frau alles erfahren hätten, was sie hätten wissen wollen. Frau Kar. habe ihm geantwortet, dass Frau Ström nichts mehr ausgesagt habe und dass sie kurz darauf gestorben sei.

Das Schwurgericht ist von der Glaubwürdigkeit des Zeugen Ku. überzeugt. Ku.s Aussage ist in sich widerspruchsfrei und deckt sich in dem wesentlichen Geschehensablauf mit seinen früheren Angaben. Ku. hat auch keinen Grund gehabt, den Angeklagten Barschdorf bewusst zu belasten. Er ist nicht von einem norwegischen Gericht verurteilt worden; sein Name ist von norwegischen Zeugen im Zusammenhang mit Misshandlungen durch deutsche Gestapobeamte nie genannt worden. Die Tatsache, dass Ku. zum ersten Mal bei seiner Vernehmung in der Hauptverhandlung davon berichtet, Barschdorf habe gesagt: "Das ist doch kein Schlagen, gib mal her, ich werde es Euch zeigen, wie man schlägt", berührt nicht seine Glaubwürdigkeit. Ku. hat auf eindringliches Befragen des Gerichts, warum er diese Äusserung Barschdorfs nicht schon in seinen früheren Vernehmungen zu Protokoll gegeben habe, erklärt, dass er sich alles noch einmal habe durch den Kopf gehen lassen; er wolle es so sagen, wie es sich damals zugetragen habe und er entsinne mit absoluter Gewissheit, dass Barschdorf diese Äusserung gemacht habe.

Das Schwurgericht ist auch von der Richtigkeit dessen, was Ku. in der Hauptverhandlung bekundet hat, überzeugt. Seine Aussage ist plastisch und deckt sich in vielen Einzelheiten mit dem, was die Zeugin Kar. ausgesagt hat. So berichtet er von den brutalen Schlägen auf das Gesäss von Frau Ström; er schildert, wie man versuchte, Frau Ström mit Wasser zu erfrischen. Auch der Zeuge Sch. bestätigt diese Aussage indirekt insoweit, als er bei den von ihm mit Gru. durchgeführten Wiederbelebungsversuchen gesehen hat, dass die Kleidung von Frau Ström nass gewesen sei.

Ferner ist zu berücksichtigen, dass dieser Vorgang nach der Aussage Ku.s sich besonders stark seinem Gedächtnis eingeprägt hat, weil es sich um eine Frau gehandelt hat, die man auf das brutalste misshandelt hat.

2.7. Die Feststellungen darüber, dass Frau Kar. kurz nach dem Erscheinen Ku.s das Vernehmungszimmer verliess, sich zu Gru. begab, diesem von Frau Ström berichtete, und Sch. wenig später das Zimmer betrat, beruhen auf den übereinstimmenden Aussagen der Zeugin Kar., des Zeugen Sch. sowie den glaubhaften Angaben des Angeklagten Gru.

2.8. Die Feststellungen über die von Gru. und dem Zeugen Sch. durchgeführten Wiederbelebungsversuche beruhen auf den Aussagen der Zeugen Sch. und Möl., der Zeugin Kar., sowie den Angaben des Angeklagten Gru. Alle vorgenannten Zeugen berichten übereinstimmend davon, dass man sich über eine längere Zeit um Frau Ström bemüht habe.

2.9. Die Feststellungen darüber, dass etwa gegen 21.00 Uhr der Arzt Dr. Paris vom Reichskommissariat erschien und den Tod von Frau Ström feststellte, beruhen auf den Aussagen der Zeugin Kar., sowie den insoweit übereinstimmenden Angaben der Angeklagten Barschdorf und Gru. Barschdorf und Gru. berichten davon, dass der Arzt geäussert habe, dass Frau Ström ja schon Totenflecke habe. An diese Bemerkung erinnert sich auch die Zeugin Kar.

2.10. Die Feststellung darüber, dass Frau Ström etwa gegen 20.00 Uhr verstorben ist, beruht auf einer Schlussfolgerung des Gerichts, von dessen Richtigkeit es überzeugt ist. Das Schwurgericht kommt zu diesem Todeszeitpunkt, weil es nach der Aussage des Zeugen Sch. und nach den Angaben Gru.s etwa eine Stunde gedauert haben mag, bis der Arzt Dr. Paris erschien, und die Wiederbelebungsversuche von Sch. und Gru. eine längere Zeit in Anspruch nahmen.

2.11. Die Feststellungen darüber, dass der Leichnam von Frau Ström noch am selben Abend in den Keller des Dienstgebäudes gebracht und am nächsten Morgen in das Kriegslazarett Oslo überführt worden ist, beruhen auf der glaubhaften Aussage des Zeugen Sch., der die Leiche zusammen mit anderen Angehörigen des Referates IV A 1 in den Keller transportiert hat, sowie auf den Angaben Barschdorfs. Barschdorf erinnert sich daran, dass die Leiche zunächst in den Keller gebracht und dann am nächsten Morgen abgeholt worden ist.

2.12. Die Feststellungen darüber, dass Frau Ström an den Folgen der ihr zugefügten schweren Verletzungen verstorben ist, beruhen auf dem verlesenen Leichenöffnungsbefundbericht vom 18.5.1942 des verstorbenen sachverständigen Zeugen Dr. Wäc. und dem Gutachten des Sachverständigen Dr. Nae., der für das Gericht nachvollziehbar und überzeugend sein Gutachten erstattet hat.

Das Schwurgericht hat keine Bedenken gegen die Verwertung des Leichenöffnungsbefundberichtes gehabt. Dieser Bericht hat dem Schwurgericht zwar lediglich in einer Fotokopie vorgelegen. Das Krankenbuchlager Berlin hat aber in einem auf der Fotokopie befindlichen Vermerk vom 16.April 1974 die Übereinstimmung mit der Urschrift beglaubigt. Zweifel an der Echtheit des Berichtes ergeben sich auch nicht daraus, dass diesem die Unterschrift des obduzierenden Oberarztes Dr. Wäc. fehlt, sondern lediglich maschinenschriftlich dessen Namen aufweist. Angesichts zweier weiterer auszugsweise verlesener fotokopierter und beglaubigter Leichenöffnungsbefundberichte vom 18.5.1942 und 20.5.1942, die beide von Dr. Wäc. verfasst worden sind und seine Unterschrift tragen, erscheint dies mehr als eine Zufälligkeit, der keine Bedeutung beizumessen ist. Zu bemerken ist ferner, dass die Obduktion vom 18.5.1942 betreffend einen Günter Wuerdig um 10.30 Uhr durchgeführt worden ist und die Sektionsnummer 71/42 trägt. Die Obduktion von Frau Ström erfolgte um 12.00 Uhr und trägt die fortlaufende Sektionsnummer 72/42. Hinzu kommt, dass alle drei Leichenöffnungsbefundberichte in ihrem Aufbau und ihrer Anordnung sich ähneln. Das Schwurgericht ist daher davon überzeugt, dass Dr. Wäc. die Obduktion der Frau Ström am 18.5.1942 durchgeführt und den Leichenöffnungsbefundbericht verfasst hat.

In diesem Bericht hat Dr. Wäc. u.a. folgendes ausgeführt:

> "... die Leichenöffnung ergab ausgedehnte Weichteilblutungen am ganzen Körper (schwere äussere Gewalteinwirkung). Die inneren Organe waren stark anämisch, so dass nach diesem Befund eine ausserordentlich grosse Verblutung in die Weichteile stattgefunden haben muss. Die mikroskopische Untersuchung ergab eine ausgesprochene Fetteinschwemmung in die Lungen, sonst keine nennenswerten krankhaften Veränderungen. Wir können somit von einer soge-

nannten Fettembolie sprechen. Von allein ausschlaggebender Bedeutung ist diese Fettembolie aber nicht, die starke Verblutung in die Weichteile ist sicherlich für den tödlichen Ausgang von entscheidender Bedeutung. Die Fettembolie, sowie die Verblutung stehen beide in ursächlichem Zusammenhang mit der äusseren Gewalteinwirkung."

In Übereinstimmung mit diesem Befund hat der Sachverständige Dr. Nae., der seit 1951 als Gerichtsmediziner tätig ist und über eine grosse forensische Erfahrung verfügt, als Todesursache eine innere Verblutung in Verbindung mit einer Lungenfettembolie infolge schwerer äusserer Gewalteinwirkung festgestellt. Der Sachverständige hat mit Sicherheit ausgeschlossen, dass Frau Ström etwa infolge gewaltsamen Einflössens von Wasser erstickt ist. Für diese Annahme - so die Einlassung des Angeklagten Barschdorf - haben sich nach dem Gutachten Dr. Nae.s keinerlei Anhaltspunkte ergeben, da die Lunge von Frau Ström keine Veränderungen aufwies, die auf ein Ersticken hätten schliessen lassen.

2.13. Die Feststellungen darüber, dass die Leiche von Frau Ström im Anschluss an die Obduktion zum Krematorium gebracht und dann am 21.Mai 1942 verbrannt wurde, beruhen auf den verlesenen Aussagen der verstorbenen Zeugen Axel Joh. und Oskar Wi., sowie der verlesenen Niederschrift über die Vernehmung des Zeugen Per Nor. Der Zeuge Axel Joh., der Vorsteher des Krematoriums gewesen ist, hat bekundet, dass die Leiche von Frau Ström am 21.5.1942 auf Befehl der Deutschen verbrannt worden sei. Die Leiche sei einige Tage vor der Verbrennung gebracht worden. Er habe an der Leiche erhebliche Verletzungen bemerkt. Auch der Zeuge Oskar Wi., der als Assistent beim Krematorium angestellt war, hat von Verletzungen am ganzen Körper der Frau Ström berichtet. Der Zeuge Per Nor., der als Sänger am Krematorium angestellt war, erinnert, dass zwei Kisten zum Krematorium gebracht worden seien. In der einen Kiste habe der Leichnam von Frau Ström gelegen. Der Vorsteher des Krematoriums, der Zeuge Joh., habe sich zunächst geweigert, die Verbrennung vorzunehmen, da keine Sterbeurkunden vorgelegen hätten. Die Deutschen hätten diese dann später nachgeliefert. Er - Nor. - habe ebenfalls am Körper von Frau Ström starke Misshandlungen bemerkt.

2.14. Die Feststellungen darüber, dass eine nach dem Tode der Frau Ström eingeleitete Untersuchung sofort abgebrochen wurde, beruhen auf den glaubhaften Angaben des Angeklagten Gru.

Die Feststellungen darüber, dass der Fall Ström in der Dienststelle der strengen Geheimhaltung unterlag, beruhen auf der glaubhaften Aussage der Zeugin Kar., sowie auf den Angaben des Angeklagten Gru. Die Zeugin Kar. hat erklärt, es habe sozusagen eine stillschweigende Übereinkunft unter allen Beteiligten bestanden, nichts über die Sache zu sagen. Auch Gru. hat bekundet, dass über die Sache nichts habe gesagt werden dürfen.

2.15. Die Feststellungen darüber, dass von der Gestapo Gerüchte über den Tod von Frau Ström verbreitet wurden, beruhen auf den verlesenen Aussagen der norwegischen Zeugen Edith und Boris Han. Edith Han. hat bekundet, dass sie im norwegischen Gefängnis Grini gehört habe, dass Brynhild Ström Gift genommen habe. Boris Han. hat ebenfalls in Grini erfahren, dass Frau Ström nach schweren Misshandlungen aus Angst, "nicht länger dicht zu halten", eine Gifttablette genommen hätte. Boris Han. hält es für möglich, dass dieses Gerücht von der Gestapo selbst verbreitet worden ist.

3.) Beweiswürdigung zu den getroffenen subjektiven Feststellungen

Die Feststellungen darüber, dass der Zustand von Frau Ström um 17.30 Uhr, dem Zeitpunkt, als Barschdorf gemeinsam mit Frau Kar. zum Abendessen ging, infolge der schweren Misshandlungen derart bedenklich war, dass Barschdorf damit rechnete, Frau Ström würde sterben, wenn sie weiterhin in dieser Form misshandelt würde, beruhen auf der glaubhaften Aussage der Zeugin Kar., sowie dem überzeugenden Gutachten des Sachverständigen Dr. Nae.

Die Zeugin Kar. schildert, wie alle Beteiligten wechselweise mit äusserster Brutalität auf Frau Ström eingeschlagen hätten. Schon bevor sie gegen 17.30 Uhr zusammen mit Barschdorf zum Abendessen gegangen sei, sei Frau Ström zwei- bis dreimal bewusstlos gewesen. Alle Beteiligten - Barschdorf, Lubinski, Hlawiczka - hätten das Schlimmste befürchten müssen.

Diese Angaben werden von dem Sachverständigen Dr. Nae. bestätigt. Dr. Nae. hat ausgeführt, dass bereits einige Zeit vor dem Tod von Frau Ström deutlich erkennbare Anzeichen der bis dahin erlittenen Folgen schwerer äusserer Gewalteinwirkung vorgelegen haben müssen (z.B. Hautunterblutungen, Schmerzen, Benommenheit, zeitweise Bewusstlosigkeit). Diese Anzeichen seien auch für einen medizinischen Laien erkennbar gewesen und auch ein medizinischer Laie hätte zu diesem Zeitpunkt die Wahrscheinlichkeit eines tödlichen Ausgangs der Misshandlungen in Betracht ziehen müssen. Spätestens zu diesem Zeitpunkt hätte man die körperliche Misshandlung abbrechen und einen Arzt herbeirufen müssen.

Die Richtigkeit dieser Feststellungen wird auch von dem Angeklagten Barschdorf selbst bestätigt. Barschdorf hat nämlich sowohl in der Hauptverhandlung als auch in einer früheren Vernehmung vor dem Untersuchungsrichter vom 5.1.1972 erklärt, er habe die ganze Zeit damit gerechnet, dass etwas passieren werde.

Das Schwurgericht ist daher davon überzeugt, dass auch Barschdorf als medizinischem Laien klar war, Frau Ström werde sterben, wenn sie weiterhin misshandelt würde.

Die Feststellungen darüber, dass Barschdorf nach dem Abendessen nach weiteren brutalen Misshandlungen klar war, Frau Ström werde nicht mehr in der Lage sein etwas auszusagen, selbst wenn sie gewollt hätte, beruhen auf einer Schlussfolgerung des Gerichts, von dessen Richtigkeit es überzeugt ist. Hierbei ist zu berücksichtigen, dass die Vernehmung von Frau Ström unter der Leitung Barschdorfs gegen 13.00 Uhr begonnen hatte und schon bald mit äusserster Brutalität auf Frau Ström eingeschlagen wurde - die Misshandlungen sich also über einen langandauernden Zeitraum erstreckten und Frau Ström während der gesamten "Vernehmung" hartnäckig geschwiegen hatte. Der Leichenöffnungsbefundbericht sowie das Gutachten des Sachverständigen Dr. Nae. machen deutlich, dass sich insbesondere im Gesässbereich schwere Unterblutungen befanden, die sich bis in die grossen Labien erstreckten. Hervorzuheben ist ferner, dass die Dornfortsätze der unteren Wirbelsäule abgerissen sind - ein Umstand, der nach Ansicht des Sachverständigen Dr. Nae. nur auf eine Unzahl von Schlägen mit einem stumpfen Gegenstand zurückzuführen ist. Dr. Nae. hat ferner darauf hingewiesen, dass Frau Ström sich in der Endphase der Vernehmung in einem Zustand der Bewusstseinstrübung befunden hat.

Das Schwurgericht ist daher zu der Überzeugung gelangt, dass Frau Ström nach einer ca. sechsstündigen "Vernehmung", während der sie mehrfach bewusstlos wurde, physisch und psychisch nicht mehr in der Lage war, etwas auszusagen. Dies war auch Barschdorf, der die "Vernehmung" bis auf eine kurze Unterbrechung geleitet hatte, klar.

Die Feststellung darüber, dass Barschdorf den Tod von Frau Ström billigend in Kauf nahm, ergibt sich schon daraus, dass Barschdorf nach seiner Rückkehr vom Abendessen gegen 19.00 Uhr die "Vernehmung" mit unverminderter Härte fortgesetzt hat, obwohl er schon vor dem Abendessen mit der Möglichkeit rechnete, dass Frau Ström bei Fortsetzung der "Vernehmung" in der bisherigen Form sterben werde. Sie ergibt sich aber vor allem aus der Aussage des Zeugen Ku., der zufolge Barschdorf noch in der letzten Phase der "Vernehmung" Lubinski und Hlawiczka mit den Worten "das ist doch kein Schlagen, gib mal her, ich werde es Euch zeigen, wie man schlägt" zu einer Verschärfung der Vernehmung und zum Schlagen aufgefordert hat.

Das Schwurgericht hat angesichts der gesamten Tatumstände keinerlei Zweifel daran, dass der Angeklagte Barschdorf wusste, dass Frau Ström schwere körperliche Leiden zugefügt wurden und er aus gefühlloser und unbarmherziger Gesinnung handelte.

IV. Rechtliche Würdigung

1.) Verfahrensrechtliche Voraussetzungen - Verjährung der Strafverfolgung

Die Strafverfolgung ist nicht verjährt. Die Verjährungsfrist für Mord beträgt 20 Jahre (§67 Abs.I Ziff.1a a.F. StGB), nach dem 9.Strafrechtsänderungsgesetz vom 4.8.1969 (Bundesgesetzblatt I Seite 1065) 30 Jahre (§67 Abs.I Ziff.2 n.F. StGB), falls die Tat bei Inkrafttreten der Neufassung (6.8.1969) noch nicht verjährt war (Art.III des Gesetzes vom 4.8.1969). Die Verjährungsfrist für das dem Angeklagten Barschdorf zur Last gelegte Verbrechen des gemeinschaftlichen Mordes begann am 1.1.1950 zu laufen, sie hat bis zu diesem Zeitpunkt geruht (§69 Abs.I StGB i.V.m. §1 des Gesetzes über die Berechnung strafrechtlicher Verjährungsfristen vom 13.4 1965; Bundesgesetzblatt I Seite 315), sie endete also erst am 31.12.1979.

2.) Materiellrechtliche Würdigung

Der Angeklagte Barschdorf hat sich durch seine Mitwirkung an der "Verschärften Vernehmung" der Norwegerin Brynhild Ström des gemeinschaftlichen Mordes schuldig gemacht (§§211, 47 StGB). Barschdorf handelte als Mittäter. Er war für die Durchführung und den Ablauf des Verhörs in entscheidender Weise verantwortlich. Barschdorf muss sich das Verhalten der Mittäter Lubinski und Hlawiczka zurechnen lassen. Er billigte die Behandlungen der Frau Ström, weil er als verantwortlicher Beamter der Sicherheitspolizei auf diese Weise Beweismaterial gegen kommunistische Widerstandsgruppen zu bekommen erhoffte. Gegen fortgesetzte schwerste Misshandlungen, z.B. Schläge mit einem Gummiknüppel durch Lubinski und Hlawiczka, hat er weder Einspruch erhoben noch hat er sich von derartigen Vernehmungsmethoden distanziert. Barschdorf handelte mit bedingtem Tötungsvorsatz. Er hat im letzten Stadium der Vernehmung - nach dem Abendessen - billigend in Kauf genommen, dass Brynhild Ström durch die ihr weiter zugefügten Schläge getötet wurde. Der Angeklagte Barschdorf handelte auch grausam. Dem Opfer wurden grösste körperliche und seelische Schmerzen und Qualen zugefügt, die unnötig waren und über die blosse Vernichtung des Lebens hinausgingen. Das erkannte auch der Angeklagte Barschdorf. Er handelte, das zeigt sein gesamtes Verhalten, aus unbarmherziger und gefühlloser Gesinnung.

Der Angeklagte Barschdorf ist daher wegen Mordes nach 211 StGB zu lebenslanger Freiheitsstrafe zu verurteilen.

Der Angeklagte Gru. war freizusprechen.

3.) Kostenentscheidung

Die Kostenentscheidung beruht auf den §§465, 467 StPO.

Lfd.Nr.809

Tatkomplex
Kriegsverbrechen

Tatort
Mogilew

Tatzeit
43-44

Gerichtsentscheidungen
LG Kiel vom 14.06.1974, 2 Ks 2/74
BGH vom 15.04.1975, 5 StR 21/75

INHALTSVERZEICHNIS

des unter Lfd.Nr.809a veröffentlichten Urteils

LG Kiel vom 14.06.1974, 2 Ks 2/74

2 Ks 2/74

Im Namen des Volkes

Strafsache gegen

den Kriminalhauptkommissar a.D. Heinz Gerhard Günther Rie. [307], geboren am 6.Januar 1914 in Dessau, wohnhaft in Kiel,

wegen Verdacht des Mordes (NSG).

Das Schwurgericht beim Landgericht Kiel hat in der Hauptverhandlung am 23. und 24.April, 2., 6., 8., 9., 13. und 15.Mai 1974 in Kiel, am 21.5.1974 in München, am 22.5.1974 in Rosenheim, am 29.5., 4.6., 6.6., 10.6., 12.6. und 14.6.1974 in Kiel am 14.Juni 1974 für Recht erkannt:

> Der Angeklagte wird freigesprochen.
> Die Kosten des Verfahrens und die notwendigen Auslagen des Angeklagten trägt die Landeskasse.

GRÜNDE

I. « Zur Person des Angeklagten »

Der Angeklagte Heinz Gerhard Günther Rie. wurde am 6.Januar 1914 in Dessau geboren, wo er auch seine Kindheit und Schulzeit verbrachte. Seine Eltern sind mittlerweile verstorben. Sein Vater war kaufmännischer Angestellter und später Teilhaber einer Seifenfabrik. Der Angeklagte besuchte zunächst vier Jahre die Volksschule und kam dann auf das Reformrealgymnasium in Dessau, wo er 1934 das Abitur ablegte. Wegen einer Sportverletzung konnte er dem Berufswunsch, Sportlehrer zu werden, nicht nachkommen. Er arbeitete deshalb vorübergehend in dem Betrieb seines Vaters und kam dann von 1935 bis Anfang 1937 seiner Wehrpflicht bei einem Panzerregiment in Neuruppin nach. Am Ende der Wehrdienstzeit hatte er den Rang eines Feldwebels der Reserve. Nach einer weiteren Übung wurde er zum Leutnant der Reserve befördert. Nach seiner Entlassung vom Militär im Jahre 1937 arbeitete er einige Wochen bei der Volkswohlfahrt und trat dann auf eine Zeitungsannonce bei der Kriminalpolizei in Dessau im November 1937 als Kommissaranwärter ein. Nach einem Kommissarlehrgang in Berlin-Charlottenburg wurde er 1939 Hilfskommissar in Dessau und ab Sommer 1940 Hilfskommissar bei der KP-Stelle Erfurt. Hier wurde er Kommissar auf Probe und Inspektionsleiter. Im Juni 1941 kam er als Kommissar zur Kripostelle Metz. 1939 hatte der Angeklagte in erster Ehe geheiratet. 1937 war er Parteianwärter geworden, weil dies nach seiner Meinung Voraussetzung für die Ernennung zum Kriminalkommissar war. Aus ungeklärten Gründen ist der Angeklagte jedoch niemals Vollmitglied der NSDAP geworden. Er gehörte dem NS-Beamtenbund sowie dem Verein für Volkstum im Ausland an. Als Angehöriger der Kriminalpolizei war der Angeklagte formell ohne eigenes Zutun Mitglied der SS geworden und hatte auch einen SS-Dienstgrad. Auf dem Lehrgang 1939 hatte er auch die Uniform der SS getragen. Irgendeine Tätigkeit für die SS hat der Angeklagte jedoch niemals ausgeübt.

[307] Rechtskräftig durch Urteil des BGH vom 15.4.1975, 5 StR 21/75, Lfd.Nr.809b.

Während seiner Dienstzeit in Erfurt 1940 hatte der Angeklagte von den Einsätzen des Sicherheitsdienstes bei der Judenvernichtung gehört. Er beschloss, eine Versetzung zum Sicherheitsdienst unter allen Umständen zu vermeiden. Da er befürchten musste, nicht zur Wehrmacht eingezogen zu werden, da ihn seine Dienststelle nicht freigeben würde, befürchtete er, dass er zum Sicherheitsdienst abkommandiert werden würde, wie viele seiner Kollegen. Wiederum von Kollegen hörte er von der Einrichtung der geheimen Feldpolizei, die damals nach polizeilich ausgebildeten Kräften suchte. Daraufhin bewarb sich der Angeklagte 1940 beim Feldpolizeichef der Wehrmacht in Berlin. Im Frühjahr 1942 wurde er zur geheimen Feldpolizei als Feldpolizeikommissar nach Altenburg in Thüringen einberufen. Nach einem mehrwöchigen Ausbildungsaufenthalt in Altenburg kam er im Sommer 1942 zur GFP-Gruppe 707 als stellvertretender Einheitsführer. Bei dieser Gruppe und in dieser Funktion verblieb er bis Frühjahr 1943. Im Anschluss daran wurde er zu der damals in Roslawl stationierten GFP-Gruppe 570 versetzt, die er bis September 1944 als Einheitsführer leitete. Zu diesem Zeitpunkt wurde er bei einem Motorradunfall in der Nähe von Treuburg in Ostpreussen schwer verletzt. Der Angeklagte erlitt einen Schädelbasisbruch, der zur rechtsseitigen Taubheit und einer Augenverletzung führte. Er war zunächst 70% kriegsversehrt, ab 1952 bis jetzt zu 50%. Im Januar 1945 wurde er als dienstunfähig entlassen und konnte nach Dessau zurückkehren. Da er in seiner Dessauer Wohnung im Februar 1945 ausgebombt wurde, zog er nach Erfurt. Bis Kriegsende ging der Angeklagte keinem Beruf mehr nach, da er krankgeschrieben war und keinen Dienst tun konnte. Formell bekleidete er den Rang eines Kriminalkommissars in Erfurt. In dieser Eigenschaft wurde er einige Wochen nach der Kapitulation von den amerikanischen Besatzungsstreitkräften festgenommen und kam in verschiedene Internierungslager, darunter nach Dachau. Im Juni 1947 wurde er wegen seiner körperlichen Gebrechlichkeit aus der Internierung entlassen. Er arbeitete sodann in verschiedenen Berufen in Hamburg.

Seine Ehefrau wohnte nach wie vor in Erfurt. Im Oktober 1947 reiste er mit falschen Reisepapieren nach Erfurt, um seine Frau zur Übersiedlung in die Westzone zu bewegen. Die Ehefrau hatte jedoch eine günstige Arbeitsstelle und wollte nicht mitkommen. Am Tage vor seiner beabsichtigten Rückreise nach Hamburg wurde er von russischem Militär unter Spionageverdacht festgenommen, weil seine falschen Reisepapiere aufgefallen waren. Nach fünfwöchiger Gefangenschaft bei den Russen kam er zur politischen Polizei der Ostzone. Der Angeklagte unternahm in der Haft fünf Selbstmordversuche, die jedoch alle scheiterten. Er hatte Angst, man werde ihm seine Beteiligung bei der Ausgrabung der Gräber von Katyn, bei denen er mit seiner Truppe geholfen hatte, zur Last legen. Er wusste, dass die Russen zum damaligen Zeitpunkt nach lästigen Zeugen suchten, um sie auszuschalten. Seine GFP--Tätigkeit hatten ihm weder die Amerikaner vorgeworfen, noch kam ein solcher Vorwurf nunmehr von den Russen. Am 3.März 1948 gelang ihm schliesslich ein Gefängnisausbruch und der Angeklagte konnte in den Westen fliehen.

Nach Aufnahme seiner beruflichen Tätigkeit in Hamburg hatte sich der Angeklagte auch um die Übernahme in den Polizeidienst beworben. Im Juni 1950 wurde er in Pinneberg als Kriminalmeister eingestellt, wurde danach Leiter der Kripoaussenstelle in Oldenburg/Holstein und dort Kriminalobermeister. 1951 wurde er Kriminalkommissar und übernahm die Leitung der KP-Stelle in Bad Oldesloe für 4 Jahre. In der Folgezeit war er nacheinander Oberkommissar bei der KP-Stelle Schleswig, Hauptkommissar 1956 bis 1961 als Inspektionsleiter II bei der KP-Stelle Kiel und ab 1963 Inspektionsleiter III beim Landeskriminalpolizeiamt in Kiel. Bis zum 31.März 1974 war der Angeklagte als Kriminalhauptkommissar im Organisationsreferat des Innenministeriums des Landes Schleswig-Holstein beschäftigt. Er ist nunmehr pensioniert.

Bei seiner Einstellung bei der Polizei hatte er seine Tätigkeit bei der geheimen Feldpolizei nicht angegeben, weil er glaubte, die GFP sei als verbrecherische Organisation eingestuft worden. Als er Mitte der fünfziger Jahre erfuhr, dass dies nicht der Fall sei, berichtigte er 1956 seine Angaben.

Seine erste Ehe wurde 1949 geschieden, weil seine Ehefrau sich weigerte, zu dem Angeklagten in den Westen zu ziehen. Aus dieser Ehe ist eine jetzt volljährige Tochter hervorgegangen. 1950 heiratete der Angeklagte zum zweiten Mal. Aus dieser Ehe sind keine Kinder hervorgegangen.

Der Angeklagte ist bisher strafrechtlich nicht in Erscheinung getreten.

II. « Die Gruppe 570 der Geheimen Feldpolizei und ihre Tätigkeit in Russland » [308]

Gemäss den Heeresdienstvorschriften 150 g vom 14.September 1938 und 24.Juli 1939 war die geheime Feldpolizei (GFP) die Abwehrpolizei des militärischen Abwehrdienstes beim Feldheer und Bestandteil der Wehrmacht. Die GFP stand unter der Leitung des Feldpolizeichefs der Wehrmacht beim Oberkommando der Wehrmacht, dem verstorbenen Oberst Kriechbaum. Diesem unterstand der Heeresfeldpolizeichef beim Oberkommando des Heeres, der Oberst Kuno Schmidt. Ihm unterstanden gemäss den in Russland eingesetzten Heeresgruppen vier leitende Feldpolizeidirektoren. Die bisher genannten Stellen waren rein organisatorisch tätig. Die feldpolizeiliche Arbeit wurde im wesentlichen getragen von den sogenannten GFP-Gruppen. Diese bestanden gemäss dem Soll aus zwei Beamten im Offiziersrang, nämlich ausser dem Einheitsführer, einem Feldpolizeikommissar, noch aus einem weiteren Feldpolizeikommissar als Vertreter, aus neun Feldpolizeisekretären im Leutnantsrang, zwei Kriegsdolmetschern, 45 Hilfspolizeibeamten, 13 Soldaten als Ordonnanzen und Schreiber sowie einer Kraftfahrstaffel, bestehend aus 28 Unteroffizieren und Mannschaftsdienstgraden. Als militärische Einheit entsprach eine GFP-Gruppe etwa einer Kompanie der Wehrmacht.

Das Personal der GFP setzte sich überwiegend aus Kriminal- und Staatspolizeibeamten zusammen. Im Laufe des Krieges wurde jedoch in grösserem Umfange aus den Reihen der Wehrmacht Personal herangezogen, das den Rang von Hilfspolizeibeamten bekleidete.

Während ihres Einsatzes unterstand die GFP ausschliesslich der Wehrmacht. Die einzelnen Gruppen waren einem militärischen Stab zugeordnet. Dies war entweder ein Armeeoberkommando, eine Sicherungsdivision oder bisweilen auch eine einzelne Orts- bzw. Feldkommandantur. Die Zuordnung hing von den militärischen Gegebenheiten ab. Der Einsatzraum der GFP reichte vom Frontgebiet bis in das rückwärtige Heeresgebiet. Nach dem Heeresreglement hatte die GFP für die Sicherheit der Wehrmachtsverbände und ihre Einrichtungen Sorge zu tragen. Ihre Hauptaufgabe bestand demnach vor allem in der Abwehr von Spionage und Sabotage sowie der Bearbeitung kriminalpolizeilicher Vorgänge innerhalb der deutschen Truppen. Im Laufe des Krieges wurde sie in verstärktem Masse zur Partisanenerkundung eingesetzt. Die GFP-Gruppe 570 übernahm der Angeklagte im Frühjahr 1943. Das genaue Datum ist nicht bestimmt. Die Gruppe 570 war im Jahre 1939 aufgestellt worden. Sie nahm unter Führung der Kommissare Söchting und Jochum am Polen- und später am Frankreichfeldzug teil. Mit Beginn des Russlandfeldzuges rückte die Gruppe nach Osten vor. Sie gehörte von Kriegsbeginn bis Kriegsende zur Heeresgruppe Mitte und unterstand dem Stab des Armeeoberkommandos (AOK) 4. Zu ihr gehörte eine Russenkompanie aus Hilfswilligen, die auch in Zivil ihrer Erkundungsarbeit nachgingen.

[308] Die Tätigkeit der GFP-Gruppe 570 ist weiter Gegenstand des Strafverfahrens gegen Hugo Paland, einen Untergebenen des Angeklagten Rie. Paland wurde 1978 vom Stadtgericht Berlin zu einer lebenslänglichen Freiheitsstrafe verurteilt; siehe DDR-Justiz und NS-Verbrechen Lfd.Nr.1018.

Die GFP-Gruppe 570 erreichte auf ihrem Vormarsch in Russland im Juli 1941 Mogilew, später Smolensk und Wjasma und im Herbst 1941 Malajaroslawez in der Nähe von Moskau. Nach Beginn der russischen Gegenoffensive im Winter 1941 setzte sich die Gruppe nach Roslawl ab. Nach Stabilisierung der Front Anfang 1942 rückte sie nach Spas-Djemjenskoje vor. Nach ungefähr einjähriger Stationierung in diesem Ort kehrte sie im Februar oder März 1943 erneut nach Roslawl zurück und verblieb hier bis September 1943. Während dieser Stationierung in Roslawl kam der Angeklagte zur Gruppe und übernahm von Kommissar Jochum die Führung der Einheit. Nach dem russischen Grossangriff im Herbst 1943 zog sich die GFP-Gruppe 570 über Smolensk und Orscha nach Mogilew zurück. Sie bezog hier vom Frühjahr 1944 bis Ende Juni 1944 Quartier. Nach der Sommeroffensive 1944 kam sie über Minsk, Wilna, Grodno, Grajewo im August 1944 nach Lyck in Ostpreussen, setzte sich Anfang 1945 nach Mecklenburg ab und wurde hier aufgelöst. Die Tätigkeit der Gruppe 570 entsprach im wesentlichen der anderer Feldpolizeigruppen und richtete sich nach den militärischen Gegebenheiten beim Armeeoberkommando 4, dem sie unterstellt war. Zuständiger Befehlshaber war der 3.Generalstabsoffizier (Ic) beim Armeeoberkommando. Dies war von 1940 bis August 1942 Oberst im Generalstab Helmdach und von Oktober 1942 bis 30.Juni 1944 der Oberstleutnant im Generalstab von Reden. Bei den Armeeoberkommandos wurde der für die Feindlage zuständige dritte Generalstabsoffizier durch einen Abwehroffizier unterstützt. Dieser war dafür verantwortlich, dass nachrichtendienstliche Aktivitäten des Feindes erkannt und abgewehrt und die Sicherheit der Truppe, der Stäbe und des Nachschubs gewährleistet wurden. Abwehroffizier beim Ic des AOK 4 war von Dezember 1939 bis Juli 1943 der Oberstleutnant Hinterseer, von Dezember 1943 bis Januar 1944 der Oberstleutnant de Grotte und bis zum 19.August 1944 der Major Heinrich Harriers. Harriers und de Grotte sind verstorben. Den Abwehroffizieren waren spezielle Sachbearbeiter für einzelne Abwehrfragen zugewiesen. Der für den Einsatz der GFP zuständige Sachbearbeiter für Abwehrfragen beim Abwehroffizier des Ic des Armeeoberkommando 4 war von August 1940 bis Januar 1945 der Hauptmann der Reserve Dr. Fricke. Wie die militärischen Entscheidungen beim Stab des AOK 4 im einzelnen gefallen sind, konnte das Gericht nicht aufklären. Fest steht lediglich, dass für den Einsatz und die Arbeit der GFP-Gruppe 570 sowohl der Ic-Offizier wie dessen Abwehroffizier und dessen Sachbearbeiter Dr. Fricke zuständig waren und mitgewirkt haben. In den meisten Fällen sind Weisungen und Befehle des AOK 4 durch den Hauptmann Dr. Fricke an die GFP-Gruppe 570 durchgegeben worden.

Bei der Bekämpfung der Partisanen und Sabotagetätigkeit im Gebiet der Heeresgruppe Mitte wurde folgendermassen verfahren: Die der Partisanen-, Agenten- oder Sabotagetätigkeit verdächtigen russischen Zivilisten wurden entweder von Angehörigen der GFP-Gruppe 570, meist russischen Hilfswilligen, ermittelt oder auch von anderen Truppenteilen der Gruppe überstellt. Die festgenommenen Russen wurden sodann unter Einschaltung von Dolmetschern vernommen, und es wurde über die Vernehmung ein Protokoll erstellt. Entsprechend der heutigen Arbeit der Kriminalpolizei wurde nach Abschluss der Ermittlungen den Protokollen ein sachlicher Schlussbericht mit einer Charakterisierung des Beschuldigten und einer Verfahrensempfehlung beigefügt und der gesamte Vorgang vom Einheitsführer, also dem Angeklagten, abverfügt und an die Abteilung Ic - Abwehroffizier - des AOK 4 weitergeleitet. Die Empfehlung am Ende des Vorgangs konnte lauten auf: Freilassung, Verschickung zum Arbeitseinsatz nach Deutschland, Einweisung in ein Gefangenenlager oder Sonderbehandlung (Tötung).

Wie bei anderen Feldpolizeieinheiten hatte auch die GFP-Gruppe 570 Aussenkommandos eingerichtet, die an besonders gefährdeten Stellen oder an Orten mit besonders erheblicher Sabotagetätigkeit verhältnismässig selbständig unter Führung eines GFP-Sekretärs Ermittlungen anstellten. Die Vorgänge der Aussenkommandos wurden ebenfalls über den Einheitsführer der GFP-Gruppe an das Armeeoberkommando weitergeleitet. Die Behandlungsvorschläge stammten von den zuständigen Sachbearbeitern.

Nach dem Eingang der von der GFP-Gruppe gefertigten Ermittlungsvorgänge hatte der Abwehroffizier über das weitere Schicksal der beschuldigten Russen zu entscheiden. Gerichtsurteile gab es nicht. Bei klaren Fällen traf er diese Entscheidung alleine, und zwar meist im Sinne des Vorschlages der Feldpolizei. In fraglicheren Fällen beriet sich der Abwehroffizier mit seinem Sachbearbeiter Dr. Fricke oder auch mit dem Chef der Abteilung Ic. Je nach Schwere der Tat und Gefährlichkeit für die Truppe wurde sodann die von dem Abwehroffizier getroffene Entscheidung schriftlich in den Vorgang aufgenommen. Die Entscheidung wurde dann entweder schriftlich oder telefonisch meist durch den Hauptmann Dr. Fricke, bisweilen auch durch andere Offiziere, der GFP-Gruppe zur Ausführung mitgeteilt. Die Entscheidung des AOK wurde dem Angeklagten zur Durchführung vorgelegt.

Lautete der Befehl des AOK auf Tötung des Beschuldigten, gab der Angeklagte den Tötungsbefehl an den Kompaniefeldwebel der Gruppe 570, von November 1942 bis Dezember 1944 Oberfeldwebel Se., weiter. Dieser stellte sodann ein Exekutionskommando zusammen. Die angeordneten Erschiessungen wurden auf kürzeste Entfernung durch Genickschuss ausgeführt. Die Exekution fand in der Regel ausserhalb der Ortschaft statt, in der die Gruppe gerade stationiert war. Beim Herrichten der Gräber, dem Vergraben der Leichen und zur Bewachung waren auch russische Hilfswillige eingesetzt. Der Angeklagte hat unwiderlegt behauptet, er habe den Befehl gegeben, Se. solle den Delinquenten den Tötungsbefehl kurz vor der Hinrichtung mitteilen. Über die Art der Hinrichtung solle den Delinquenten nichts gesagt werden. Fest steht auch, dass das Wachpersonal des Feldpolizeigefängnisses von dem Exekutionsbefehl unterrichtet war. Dieses Personal hatte nämlich die Delinquenten zu den Fahrzeugen zu bringen, die die zum Tode Bestimmten an die Hinrichtungsstätte fahren sollten. Ob die Delinquenten tatsächlich von der bevorstehenden Tötung erfahren haben, liess sich weder feststellen noch ausschliessen.

III. « Sachverhalt und Beweiswürdigung »

Wie bereits ausgeführt, lag die GFP-Gruppe 570 in der ersten Jahreshälfte 1944 in Mogilew. Mogilew befand sich zu dieser Zeit hinter der Front, war jedoch zum festen Platz erklärt worden. Das Oberkommando der 4.Armee war im Waldlager Orscha stationiert, also etwa 100 km von Mogilew entfernt. Die Frontlage war im wesentlichen ruhig. Das militärische Bild wurde jedoch bestimmt von verstärkter Partisanentätigkeit. Mogilew liegt inmitten eines grossen Waldgebietes, das zur Operation von Partisanenverbänden vorzüglich geeignet ist. Die Partisanentätigkeit nahm in erheblichem Umfange zu. Die Partisanen operierten teilweise mit geschlossenen Verbänden, bedrohten die rückwärtigen Verbindungen und rückten immer dichter an die Stadt heran. Der GFP-Gruppe 570 war eine Verbindung mit ihren Aussenkommandos nur noch durch im Konvoi fahrende Fahrzeuggruppen möglich. Bis auf das Stadtgebiet von Mogilew selbst und die sogenannte Rollbahn, eine Nachschublinie nach Minsk, beherrschten die Partisanenverbände das Gelände. Für die geheime Feldpolizei wurde es aus diesem Grunde gefährlich, Erschiessungen ausserhalb des eigentlichen Stadtgebietes vorzunehmen. Die Gruppe 570 ging deshalb dazu über, Erschiessungen in alleinstehenden Häusern am Stadtrand vorzunehmen. In der Hauptverhandlung ist eine derartige Aktion im einzelnen festgestellt worden. In diesem Falle wurde in einem Haus am Stadtrand eine Grube ausgehoben, nachdem die Bodenbretter entfernt worden waren. Die Delinquenten wurden aus dem Lkw in das Haus geführt und erhielten beim Eintreten in das Haus einen Genickschuss. Bei dieser Aktion wurden etwa acht Partisanen hingerichtet. Einer der Delinquenten war durch den Genickschuss nicht getötet worden. Nach einiger Zeit begann er aus der Grube heraus zu schreien. Nach ihm waren bereits mehrere andere Partisanen erschossen worden. Man musste die über dem Verletzten liegenden Leichen hochheben und dem nicht getöteten Delinquenten den Gnadenschuss geben. Diese Szene verfehlte nicht ihre Wirkung auf das Exekutionskommando, die Wachen und insbesondere den Angeklagten, der die Exekution überwachte. Nachdem alle Partisanen erschossen waren, wurde die Grube zugeworfen und das Haus über dem Grab verbrannt. Man wollte auf diese Weise Spuren vermeiden, weil zu befürchten war, dass nach der zu erwartenden Einnahme der Stadt und der Gefangennahme der GFP-Gruppe Sanktionen der Roten Armee erfolgen würden. Mit der bevorstehenden Grossoffensive rechnete man damals auf deutscher Seite fest. Auch die Generalstabsoffiziere der 4.Armee hielten es im Frühsommer 1944 nur noch für eine Frage der Zeit, bis eine Offensive und ein Durchbruch der Roten Armee erfolgen würden.

In Mogilew war die Gruppe 570 in einem ehemaligen GPU-Gebäude untergebracht. Dieses geräumige, aus Steinen errichtete Bauwerk umfasste einen Flügel, in dem die Beamten und Soldaten der GFP-Gruppe 570 untergebracht waren, in einem weiteren Flügel befand sich das Gefängnis der geheimen Feldpolizei, ein dritter Flügel beherbergte andere Dienststellen der deutschen Wehrmacht. Die offene Seite des Gebäudekomplexes war mit einer Steinmauer gesichert, in der sich ein ständig bewachtes, geschlossenes Tor befand. Im Innenhof des Gebäudekomplexes waren die Fahrzeuge der GFP-Gruppe 570 abgestellt. Bei Exekutionen fuhr der zum Transport der Gefangenen bestimmte Lkw im Innenhof rückwärts bis dicht an die Tür des Gefängnistraktes heran, so dass die Delinquenten nur ein kurzes Stück vom Gebäude zum Lkw zurücklegen mussten.

Die Exekutionen wurden bis zum Januar 1944 meist von dem Unteroffizier Hunold geleitet, der sich für die Erschiessungen regelmässig freiwillig meldete. Am 8.Januar 1944 wurde er auf Betreiben des Angeklagten von der GFP-Gruppe 570 versetzt, weil er sich Übergriffe gegenüber russischen Gefangenen hatte zuschulden kommen lassen.

Die Durchführung der Exekutionen wurde für den Angeklagten im Frühjahr 1944 immer problematischer. Durch die Abkommandierung des zu Exekutionen stets bereiten Unteroffiziers Hunold war der Angeklagte gezwungen, andere, weniger zu Exekutionen bereite Soldaten einteilen zu lassen. Der oben beschriebene Vorgang, bei dem die Exekution nur unter besonderen grässlichen Umständen möglich gewesen war, hatte den Angeklagten ebenfalls sehr beeindruckt. Vor allem stellte sich für ihn aber die Frage, was aus ihm und seinen Leuten werden sollte, wenn die Russen, was immer mehr zu erwarten war, Mogilew einnehmen würden und die GFP-Gruppe 570 in Gefangenschaft geriet. Der Angeklagte war sich darüber im klaren, dass die Soldaten der Roten Armee mit Angehörigen der geheimen Feldpolizei kurzen Prozess machen würden. Er rechnete für den Fall der Gefangennahme mit dem sofortigen Tode aller Angehöriger der Gruppe. Ausserdem war, wie oben bereits ausgeführt, das Einsatzgebiet für Erschiessungen durch die Tätigkeit der Partisanenverbände grossenteils auf das Stadtgebiet von Mogilew beschränkt.

Dem Angeklagten war bekannt, dass der Sicherheitsdienst (SD) im Raume Mogilew in erheblichem Umfange und seit längerer Zeit Gaswagen zur Vernichtung von Juden benutzt hatte. Durch ein Gespräch mit einer nicht mehr festzustellenden Person, möglicherweise mit dem Festungskommandanten General von Erdmannsdorf, wurde er auf den Gedanken gebracht, für die Exekution zum Tode bestimmter Partisanen ebenfalls einen Gaswagen herrichten zu lassen und einzusetzen. Mindestens zwei Monate vor dem Abmarsch der Gruppe von Mogilew Ende Juni 1944 liess der Angeklagte einen russischen Lastkraftwagen der Marke Ford mit Benzinmotor zu einem Gaswagen umbauen. Der Umbau wurde durch namentlich nicht feststellbare Angehörige der GFP-Gruppe 570 vorgenommen. Dieses Fahrzeug war beim Vormarsch erbeutet und der GFP-Gruppe 570 zugewiesen worden. Es war im wesentlichen als Küchenwagen eingesetzt und diente bisweilen auch zum Transport der Versorgungsgüter und Marketenderwaren. Nachdem in Roslawl die Zeltplane, die die Ladefläche bedeckt hatte, zerstört worden und Ersatz nicht zu bekommen war, hatte der Angeklagte es noch in Roslawl mit einem aus Brettern bestehenden festen Aufbau versehen lassen. In Mogilew wurde der Wagen nunmehr mit Metallplatten abgedichtet und eine Vorrichtung geschaffen, die es ermöglichte, die Auspuffgase in das Innere des Kastenaufbaues zu leiten. Nach Betätigung eines Hebels im Fahrerhaus wurden die Auspuffgase durch ein Rohr in den Kastenaufbau geblasen.

Dieser Gaswagen ist mindestens einmal zum Töten von Menschen eingesetzt worden, wobei drei Männer und eine Frau umgebracht worden sind. An einem nicht mehr mit Sicherheit festzulegenden Tage im Sommer des Jahres 1944 gab der Angeklagte dem Zeugen Han. den Befehl, mit dem auf dem Hofe stehenden Wagen mitzufahren. Der Zeuge Han. setzte sich zu dem Zeugen Mei., der das Fahrzeug fuhr, in das Fahrerhaus. Zu dieser Zeit stand der Wagen im Hof mit der Rückseite vor der Gefängnistür. Drei Männer und eine Frau wurden in das Wageninnere gebracht. Der Wagen wurde dann hinten geschlossen und das Fahrzeug fuhr los und zwar mit einer Geschwindigkeit von etwa 30 bis 40 km/h etwa 15 bis 20 Minuten ohne anzuhalten. Als es hielt, holten litauische SS-Leute aus dem Wagen drei vergaste Männer und eine vergaste Frau. Diese wurden an Ort und Stelle begraben. Welche Taten den Getöteten vorgeworfen und nachgewiesen worden sind, konnte nicht festgestellt werden. Zugunsten des Angeklagten musste davon ausgegangen werden dass es sich um unter Kriegsbedingungen todeswürdige Verbrechen, wie etwa Sabotage, gehandelt hat.

Ob der Gaswagen noch zu anderen Fahrten eingesetzt worden ist, kann nur vermutet werden. Feststellungen über weitere Fahrten konnten mit der erforderlichen Sicherheit nicht gemacht werden. Der Zeuge Se. hat sich zwar ebenfalls an eine Fahrt des Gaswagens erinnert. Da dieser Zeuge bei der von ihm beschriebenen Fahrt lediglich hinter dem Gaswagen in einem Pkw herfuhr und die Insassen nicht gesehen hat, lässt sich nicht ausschliessen, dass es sich bei der von Se. beschriebenen Fahrt um die Fahrt gehandelt hat, an der der Zeuge Han. teilgenommen hat. Eine genauere Aufklärung dieser Fahrt durch weitere Vernehmungen des Zeugen Han. war nicht möglich, da der Zeuge mittlerweile verstorben ist.

Die Aussage des Mitangeklagten Mei., gegen den das Verfahren gemäss §205 StPO vorläufig eingestellt ist, hat ebenfalls keine sicheren Feststellungen über weitere Fahrten ermöglicht. Wegen des schlechten Gesundheitszustandes dieses Zeugen war das Gericht ausserstande, den Angeklagten Mei. eingehend zu befragen. Seine allgemeine Aussage, er werde bei der Polizei die Wahrheit gesagt haben, reicht für sichere Feststellungen nicht aus, da der Zeuge bei seiner Vernehmung durch den beauftragten Richter des Schwurgerichts einen ausserordentlich gebrechlichen Eindruck machte und nicht imstande war, die Vernehmung länger als circa 20 Minuten durchzustehen. Das Gericht war deshalb der Auffassung, dass auch durch diesen Zeugen, der allerdings vor der Polizei zugegeben hat, dass er einige Male den Gaswagen als Fahrer geführt hat, weitere Fahrten nicht nachgewiesen werden können.

Das Gericht hat also nur die eine von dem Zeugen Han. beschriebene Fahrt des Gaswagens feststellen können, bei der vier russische Gefangene durch Gas getötet worden sind. An der Richtigkeit der Aussage des Zeugen Han. hat das Schwurgericht keine Zweifel gehabt, obwohl der Zeuge, der mittlerweile verstorben ist, in der Hauptverhandlung nicht aussagen konnte. Han. hat die Fahrt jedoch geschildert, obwohl damals gegen ihn ein Ermittlungsverfahren lief. Der Zeuge hat seine polizeiliche Aussage vor dem Untersuchungsrichter am 23.Februar 1973 im wesentlichen wiederholt. Schliesslich hat er den Vorgang so detailliert beschrieben, dass das Schwurgericht an der Richtigkeit dieser Aussage keine Zweifel hat.

Der Angeklagte selbst hat nicht in Abrede gestellt, den Gaswagen gebaut und auch eingesetzt haben zu lassen. Über die Zahl der Fahrten und der durch den Gaswagen hingerichteten Personen konnte er jedoch keine Angaben machen. Seine Darstellungen stehen also insoweit den Feststellungen des Schwurgerichts nicht entgegen.

Das Schwurgericht ist also der Einlassung des Angeklagten im wesentlichen gefolgt. Nur in einem Punkt ist der Angeklagte widerlegt worden. Er hat sich folgendermassen eingelassen: Etwa 8-14 Tage vor Beginn der russischen Sommeroffensive des Jahres 1944, die am 22.Juni 1944 begann und wenige Tage später Mogilew erreichte, sei er zu dem Festungskommandanten General von Erdmannsdorf gegangen und habe ihn um die Erlaubnis gebeten, mit der GFP-Gruppe 570 die Stadt zu verlassen. Der General habe sich seinem Argument, das Leben der GFP-Angehörigen sei bei einer Besetzung der Stadt durch die Russen verwirkt, aufgeschlossen gezeigt, die Erlaubnis zum Abrücken jedoch davon abhängig gemacht, dass vorher alle zum Tode bestimmten Partisanen im Gewahrsam der GFP-Gruppe 570 hingerichtet werden müssten. Zu diesem Zeitpunkt seien noch einzelne Delinquenten im Gefängnis von Mogilew gewesen. In den nächsten Tagen seien von den Kampfverbänden noch weitere zum Tode bestimmte Partisanen überstellt worden. Da Erschiessungen zu diesem Zeitpunkt aus den genannten militärischen Gründen ausserhalb Mogilews nicht mehr möglich gewesen seien, ausserdem er wegen der psychischen Belastung seiner Untergebenen weitere Erschiessungen nicht mehr hätte verantworten können, habe er dem General diese Schwierigkeiten mitgeteilt. Der General habe ihm daraufhin geraten, einen Gaswagen zur Hinrichtung herzurichten und zu benutzen. Diesem Rat sei er dann gefolgt. Der Wagen sei etwa eine Woche, auf keinen Fall länger als zwei Wochen, eingesetzt worden. Dann sei der Verband in letzter Stunde über die Rollbahn vor der Besetzung der Stadt durch die Rote Armee abgezogen.

Die Einlassung des Angeklagten hinsichtlich des Zeitpunktes der Herrichtung des Gaswagens und der Dauer seines Einsatzes ist durch die Beweisaufnahme widerlegt worden. Die zahlreichen Angehörigen der GFP-Gruppe 570, die das Schwurgericht vernommen hat, erinnerten sich zwar daran, von dem Gaswagen gehört zu haben. Ein genauer Zeitpunkt seines Baues und seines Einsatzes konnte von ihnen jedoch nicht angegeben werden. Der Zeuge We., Schreibstubenfeldwebel der Gruppe, fuhr am 3.Juni 1944 in den Heimaturlaub. Er traf erst in Ostpreussen wieder mit der Gruppe zusammen. In einem nicht genau feststellbaren Zeitpunkt vor Beginn seines Urlaubs hat er mehrfach Gespräche über den Gaswagen in der Schreibstube gehört und geführt. Der Zeuge Dre. kam Ende März 1944 von einem Urlaub nach Mogilew zurück. Er meint, im April, auf jeden Fall mehrere Wochen vor dem Abmarsch aus Mogilew, von dem Gaswagen gehört zu haben. Der Zeuge Har. wurde im Mai oder Anfang Juni 1944 zu einer Sanitätseinheit nach Minsk versetzt. Auch er hatte vorher von dem Gaswagen gehört. Auch der Zeuge Spa. meint, etwa zwei Monate vor dem Abmarsch aus Mogilew Ende Juni 1944 von dem Gaswagen gehört zu haben. Der Zeuge Dr. Ti. kam Ende April oder spätestens Anfang Mai aus einem Heimaturlaub. Damals erfuhr er durch Kameraden, es sei jetzt ein Gaswagen bei der Einheit.

Aus all diesen Zeugenaussagen hat das Schwurgericht die sichere Überzeugung gewonnen, dass die Einlassung des Angeklagten nicht richtig ist. Der Gaswagen hat wesentlich mehr als ein bis zwei Wochen, nach der Überzeugung des Schwurgerichts mindestens zwei Monate existiert.

Das Schwurgericht ist indes nicht davon überzeugt, dass der Angeklagte wissentlich die Unwahrheit gesagt hat. Dies gilt vor allem deshalb, weil er sich von einer falschen Einlassung insoweit nichts versprechen konnte.

IV. « Rechtliche Würdigung »

Der Angeklagte hat durch den oben beschriebenen Einsatz des Gaswagens vier Menschen vorsätzlich töten lassen. Er ist jedoch kein Mörder.

Die Tötung der vier russischen Partisanen durch den Gaswagen war nicht grausam. Das Schwurgericht hat aufgrund der Darlegungen des Sachverständigen Professor Dr. Ste. festgestellt, dass die vier vergasten Delinquenten keine erheblichen oder längeren körperlichen oder seelischen Leiden erdulden mussten. Sie sind an Sauerstoffmangel gestorben. Beim Einatmen von Auspuffgasen eines Benzinmotors wird die Aufnahme von Sauerstoff in den roten Blutkörperchen verhindert, weil das im Auspuffgas enthaltene Kohlenmonoxyd eine stärkere Affinität zum Bluteisen hat als der Sauerstoff. Wird Monoxyd eingeatmet, verbindet sich das Hämoglobin des Blutes mit dem Monoxyd und nicht, wie zur Erhaltung der Lebensfunktionen notwendig, mit dem Sauerstoff. Der beim Einatmen von Kohlenmonoxyd entstehende

Sauerstoffmangel wird vom Körper vegetativ durch stärkeres Atmen auszugleichen versucht. Sobald 50-70% Monoxyd am Gasanteil im Hämoglobin enthalten sind, tritt der Tod ein. Bei einem Monoxydanteil am Hämoglobin von 25-50% wird der Betroffene jedoch bereits bewusstlos. Der Sauerstoffmangel führt regelmässig zu Krampfatmung, Erbrechen, Kotabgang und Kopfschmerzen. Auf der anderen Seite ist bisweilen eine Euphorie mit herabgesetzter Kritikfähigkeit unmittelbar nach dem ersten Einatmen von Kohlenmonoxyd zu beobachten. In diesem Stadium ist der Betroffene nicht imstande, seine Situation und damit auch den zu erwartenden Tod real einzuschätzen. Diese Euphorie, andererseits aber auch das verstärkte Atmen und bisweilen leichte Kopfschmerzen und ein Übelkeitsgefühl wird nicht immer, aber überwiegend vor Eintritt der Bewusstlosigkeit erlebt. Die Bewusstlosigkeit tritt nach etwa 60 bis 90 Sekunden ein. Der Tod folgt nach 5 bis 8 Minuten. Im Zustand der Bewusstlosigkeit tritt regelmässig die Krampfatmung, das Erbrechen und der Kotabgang ein. Abweichungen in der Reihenfolge der Symptome sind in der medizinischen Literatur beobachtet worden und hängen von der individuellen Disposition ab.

Im vorliegenden Fall hat das Schwurgericht festgestellt, dass alle Voraussetzungen für einen schnellen Eintritt der Bewusstlosigkeit vorgelegen haben. Zum einen hatten die Benzinmotoren der Kriegszeit keinen hohen Wirkungsgrad. Das bedeutet, dass im Auspuffgas derartiger Motoren ein ganz erheblich höherer Monoxydgehalt enthalten war, als das bei Motoren der heutigen Zeit der Fall wäre. Ausserdem steigt der Verbrennungswert nur bei Erhöhung der Geschwindigkeit des Fahrzeuges an. Bei langsamer Geschwindigkeit oder auch im Leerlauf ist der Monoxydgehalt im Auspuffgas besonders hoch. Der Rauminhalt des Wagenkastens ist vom Schwurgericht mit etwa 8-12 cbm errechnet worden. Nach den auf dem Sachverständigengutachten beruhenden Feststellungen des Gerichts war dieser verhältnismässig geringe Rauminhalt sehr schnell mit einem viel Monoxyd enthaltenen Gas angefüllt. Schliesslich war der Luftinhalt des Wagens durch die vier Wageninsassen noch mehr herabgesetzt. Das Gericht musste deshalb zugunsten des Angeklagten davon ausgehen, dass die Delinquenten nach etwa einer Minute bewusstlos waren und keine besonderen körperlichen oder seelischen Qualen erleiden mussten, bis die Bewusstlosigkeit eintrat. Im übrigen hat der Sachverständige dem Gericht dargelegt, dass bei den in einigen amerikanischen Bundesstaaten gesetzlich vorgesehenen Hinrichtungen in Gaskammern die Delinquenten den Sterbensvorgang in der gleichen Weise erleben, wie die in den Gaswagen verbrachten vier russischen Partisanen. Das bei den amerikanischen Hinrichtungen verwendete Gas ist zwar nicht Kohlenmonoxyd, sondern Blausäuregas. Der Delinquent erlebt das Sterben jedoch, was Dauer und körperliche Symptome angeht, in gleicher Weise.

Aus all dem hat das Schwurgericht die Überzeugung gewonnen, dass die Vergasung der vier russischen Partisanen nicht grausam gewesen ist. Der dem Angeklagten vorgeworfene Sachverhalt unterscheidet sich auch ganz wesentlich von den Feststellungen in anderen Verfahren, in denen der Tod durch Vergasen als grausame Tötung angenommen worden ist (BGH vom 8.11.1956 - 4 Str 359/56 [309]; Schwurgericht Kiel vom 26.November 1965 - 2 Ks 1/65 [310]; Schwurgericht Kiel vom 11.4.1969 - 2 Ks 1/68 [311]). Bei den genannten Entscheidungen handelt es sich um Fälle, bei denen die Opfer längere Zeit in qualvoller Erwartung des Todes harren oder den Todeskampf ihrer Familienangehörigen beobachten oder miterleben mussten.

Die Partisanen wurden auch nicht heimtückisch getötet. Heimtücke setzte voraus, dass das Opfer sich zur Tatzeit keines Angriffes auf sein Leben bewusst und deshalb besonders wehr-

[309] Siehe Lfd.Nr.446c.

[310] Siehe Lfd.Nr.603.

[311] Siehe Lfd.Nr.702.

los gewesen wäre. Das Schwurgericht ist der Auffassung, dass eine Erhöhung der Wehrlosigkeit der Delinquenten durch Arglosigkeit gar nicht herbeigeführt werden konnte. Die Partisanen waren innerhalb des Gefängnisses absolut wehrlos. Sie hatten keinerlei Möglichkeit, sich in den Zellen oder innerhalb des bewachten Gefängnisraumes gegen Angriffe auf ihr Leben zu wehren. Auch innerhalb des Gaswagens hatten sie keine Möglichkeit der Abwehr. Hinsichtlich des höchstens einige Meter betragenden Weges vom Gefängnistor zum Wageninneren war ebenfalls kein Widerstand oder Flucht möglich. Das Tor des abgeschlossenen Hofes war durch Posten besetzt. Die Verbringung der Delinquenten vom Gefängnisgebäude in den Wagen erfolgte ebenfalls unter Postenbewachung. Das Gericht hat deshalb überhaupt keine Widerstands- oder Fluchtmöglichkeit der Partisanen sehen können, sei sie auch noch so wenig erfolgversprechend gewesen.

Darüber hinaus liess sich jedoch auch eine Arglosigkeit der Opfer nicht feststellen. Zunächst einmal wussten die Partisanen bereits bei Beginn ihrer Tätigkeit, dass sie bei Festnahme durch die Wehrmacht dem Tode verfallen sein würden. Darüber waren sie nicht nur durch die Ortskommandanturen der deutschen Wehrmacht, durch Anschläge und Aufklärung seitens ihrer Bürgermeister aufgeklärt worden, sondern es war auch durch die Rote Armee und die Partisanenorganisationen selbst den Angehörigen des Widerstandes klargemacht worden, dass sie bei Festnahme mit dem Tode rechnen mussten. Unwiderlegt hat der Angeklagte in der Hauptverhandlung auch ausgesagt, er habe den Befehl gegeben, die Partisanen, die zum Tode bestimmt waren, vor der Exekution über ihr Schicksal aufzuklären. Das Gericht hat ebenfalls festgestellt, dass das Gefängnispersonal über die Exekutionen unterrichtet war. Unter diesen Umständen war zugunsten des Angeklagten anzunehmen, dass die Partisanen vor der Hinrichtung über ihren bevorstehenden Tod unterrichtet waren. Der Angeklagte will allerdings Se. nicht dahingehend angewiesen haben, den zum Tode Bestimmten auch die Exekutionsart mitzuteilen. Es ist deshalb möglich und sogar wahrscheinlich, dass die Partisanen davon ausgingen, am Ende der Fahrt mit dem Lkw erschossen zu werden. Das Schwurgericht hat jedoch nicht mit der erforderlichen Sicherheit ausschliessen können, dass die Partisanen von dem Gaswagen der GFP erfahren haben und deshalb beim Einsteigen in den Lkw mit der Vergasung rechneten. Von dem Gaswagen können sie dadurch erfahren haben, dass mehrere Fahrten durchgeführt worden sind. Dies liess sich, wie oben ausgeführt, nicht mit Sicherheit feststellen. Hier muss es jedoch zugunsten des Angeklagten angenommen werden. Ausserdem waren im Raume Mogilew bereits längere Zeit Gaswagen des Sicherheitsdienstes eingesetzt gewesen. Auch dadurch können die russischen Widerständler Kenntnis davon gehabt haben, dass auch sie durch den Einsatz eines Gaswagens hingerichtet werden sollten. Zugunsten des Angeklagten war deshalb davon auszugehen, dass sie beim Besteigen des Gaswagens nicht arglos waren, wodurch der Vorwurf der Heimtücke entfällt.

Schliesslich hätte das Schwurgericht auch bei anderen Feststellungen hinsichtlich der objektiven Seite des Heimtückebegriffs eine feindselige Haltung des Angeklagten im Ausnutzen der durch die Arglosigkeit gesteigerten Wehrlosigkeit nicht annehmen können. Das Schwurgericht hat die Überzeugung, dass der Angeklagte die Tötung durch Vergasen für vergleichsweise humaner hielt als die Exekutionen. Der Angeklagte hat dem Gericht geschildert, dass er den Gastod für besonders leicht gehalten habe, weil ihm aus seiner Ziviltätigkeit bei der Kriminalpolizei der friedliche und entspannte Ausdruck von Gasleichen aufgefallen sei.

Zusammenfassend hat das Schwurgericht eine heimtückische Tötung der vier vergasten russischen Partisanen nicht annehmen können.

Andere niedere Beweggründe des Angeklagten für die Wahl dieser Todesart sind ebenfalls nicht feststellbar gewesen, insbesondere kein allgemeiner "Russenhass".

Der Angeklagte konnte deshalb nicht wegen Mordes gemäss §211 StGB bestraft werden.

V. « Verjährung »

Das Schwurgericht hat in diesem Verfahren die Frage, ob der Angeklagte durch die ohne Gerichtsurteil erfolgte Tötung der Partisanen einen Totschlag gemäss §212 StGB begangen hat, nicht entscheiden können. Die Strafverfolgung hierfür ist inzwischen verjährt. Zur Tatzeit betrug die Verjährungsfrist 20 Jahre. Durch das dritte Strafrechtsänderungsgesetz vom 4.August 1953 wurde die Strafdrohung für Totschlag auf eine Höchststrafe von 15 Jahren herabgesetzt. Dadurch verkürzte sich die Verjährungsfrist auf 15 Jahre, denn derartige Änderungen wirken auch auf Taten zurück, die vorher begangen worden sind (Bundesverfassungsgericht in NJW 1969, 1059). Zwar ist vor der Aburteilung die Verjährungsfrist des §67 Abs.1 Ziff.2 StGB durch das neunte Strafrechtsänderungsgesetz vom 4.August 1969 auf 20 Jahre bemessen worden, jedoch nur für Taten, die am 6.August 1969 noch nicht verjährt gewesen sind. Das ist aber hier der Fall. Die Frist begann am 8.Mai 1945 (§3 der Verordnung zur Beseitigung nationalsozialistischer Eingriffe in die Strafrechtspflege vom 23.Mai 1947) und lief am 7.Mai 1960 ab, ohne dass inzwischen durch Gesetz diese Frist verlängert oder die Berechnung der Frist verändert wurde. Die Ermittlungen gegen den Angeklagten Rie. wurden jedoch erst im November 1968 aufgenommen. Zu diesem Zeitpunkt war die Strafverfolgung wegen Totschlages jedoch bereits verjährt.

Aus diesem Grunde konnte das Schwurgericht nicht entscheiden, ob der Angeklagte im Sommer 1944 an den vier vergasten russischen Partisanen einen Totschlag verübt hat, oder aber ob deren vorsätzliche Tötung rechtmässig gewesen ist.

Der Angeklagte musste deshalb in vollem Umfange freigesprochen werden.

Die Kostenentscheidung beruht auf §467 StPO.

5 StR 21/75

Im Namen des Volkes

In der Strafsache gegen

den Kriminalhauptkommissar a.D. Heinz Rie. aus Kiel, geboren am 6.Januar 1914 in Dessau,

wegen Mordes.

Der 5.Strafsenat des Bundesgerichtshofs hat in der Sitzung vom 15.April 1975 für Recht erkannt:

> Die Revision der Staatsanwaltschaft gegen das Urteil des Schwurgerichts bei dem Landgericht Kiel vom 14.Juni 1974 wird verworfen.
> Die Kosten der Revision einschliesslich der notwendigen Auslagen des Angeklagten werden der Landeskasse auferlegt.

GRÜNDE

Die Revision der Staatsanwaltschaft gegen das den Angeklagten vom Vorwurf des Mordes freisprechende Urteil des Schwurgerichts wird von dem Generalbundesanwalt aus folgenden Erwägungen nicht vertreten:

> "Wie aus den Urteilsgründen hervorgeht, hat das Schwurgericht die Überzeugung gewonnen, dass der Angeklagte die ihm zur Last gelegte Tötungsart für vergleichsweise humaner gehalten hat, als eine Exekution durch Erschiessen (UA S.21 [312]). Von diesem, seinerseits rechtlich fehlerfrei festgestellten Ausgangspunkt her gesehen, waren die von der Revision vermissten Beweiserhebungen zur Erforschung der Wahrheit nicht geboten. Die Aufklärungsrüge bleibt deshalb ohne Erfolg. Unter Berücksichtigung der festgestellten inneren Einstellung des Angeklagten zur Tat begegnet die Verneinung des Mordmerkmals der "Grausamkeit" auch keinen sachlichrechtlichen Bedenken.
>
> Die Ansicht des Schwurgerichts, auch das Tatbestandsmerkmal der "Heimtükke" sei nicht feststellbar, hält der rechtlichen Nachprüfung gleichfalls stand. Die Revision räumt selbst ein, dass die Verneinung der Heimtücke rechtlich vertretbar ist, wenn die fehlende Arglosigkeit der Opfer beim Betreten des Fahrzeugs nicht ausgeschlossen werden kann. Dieser tatsächliche Ausgangspunkt des Schwurgerichts (UA S.21 [313]) ist rechtlich nicht zu beanstanden.
> Er bot andererseits aber auch der von der Revision vermissten Wahlfeststellung zwischen den Mordmerkmalen der "Heimtücke" und der "Grausamkeit" keine Grundlage. Denn bei der festgestellten inneren Einstellung des Angeklagten zur Tat bleibt zur Annahme einer grausamen Tötung auch dann kein Raum, wenn die Todesangst der Opfer bereits beim Einstieg in das Fahrzeug eingetreten ist. Im übrigen ist dem Urteil hinreichend zu entnehmen, dass das Schwurgericht,

[312] = Seite 666 dieses Bandes.

[313] = Seite 666 dieses Bandes.

ohne den hierfür massgeblichen Rechtsbegriff zu verkennen, die inneren Voraussetzungen für eine bewusste Ausnutzung der Arg- und Wehrlosigkeit der Opfer nicht festzustellen vermochte".

Dem tritt der Senat bei.

Lfd.Nr.810

Tatkomplex
Andere Massenvernichtungsverbrechen

Tatort
Slonim

Tatzeit
4109-4110, 411114-4112, 420629-4207

Gerichtsentscheidungen
LG Hamburg vom 25.06.1974, (50) 19/72
BGH vom 16.09.1975, 5 StR 331/75

INHALTSVERZEICHNIS

der unter Lfd.Nr.810 veröffentlichten Urteile

LG Hamburg vom 25.06.1974, (50) 19/72

(50) 19/72

Im Namen des Volkes

In der Strafsache gegen

1.) den ehemaligen Gebietskommissar in Slonim, jetzigen Lehrer Gerhard Err. [314], geboren am 4.März 1901 in Mittenbrück/OS.,
2.) den ehemaligen Hauptwachtmeister der Gendarmerie, jetzigen Polizeimeister Lothar Schu. [315], geboren am 22.April 1909 in Kupferberg/Schl.,

wegen Mordes (NSG),

hat das Landgericht Hamburg - Schwurgericht - in der Sitzung vom 25.Juni 1974 für Recht erkannt:

> Der Angeklagte Err. ist des gemeinschaftlichen Mordes an 7.000 Menschen und der Beihilfe zum Mord an 8.000 Menschen schuldig. Er wird zu lebenslanger Freiheitsstrafe verurteilt. Im übrigen wird der Angeklagte Err. freigesprochen.
> Der Angeklagte Schu. wird wegen Beihilfe zum Mord an 8.000 Menschen und wegen Beihilfe zum Mord an 7.000 Menschen zu einer Gesamtfreiheitsstrafe von 3 (drei) Jahren verurteilt.
> Soweit der Angeklagte Err. freigesprochen worden ist, fallen die Kosten und die notwendigen Auslagen dieses Angeklagten der Staatskasse zur Last. Im übrigen tragen die Angeklagten die Verfahrenskosten und ihre notwendigen Auslagen. Der Angeklagte Schu. wird von der Mithaftung für die durch die Anhörung des Sachverständigen Dr. Sche. entstandenen Auslagen befreit.

GRÜNDE

Vorbemerkung

Den Angeklagten ist vorgeworfen worden, sich unter der Herrschaft des Nationalsozialismus an Judenvernichtungsmassnahmen während der Jahre 1941 und 1942 in den damals besetzten Ostgebieten beteiligt zu haben. Dem Angeklagten Err., seinerzeit Gebietskommissar von Slonim/Weissrussland, wird angelastet, an zwei in Slonim durchgeführten Massenliquidationen Mitte November 1941 und Ende Juni / Anfang Juli 1942 als Mittäter teilgenommen und eine kleinere Aktion, bei der vier Menschen getötet wurden, selbst angeordnet zu haben. Dem Angeklagten Schu., seinerzeit als Hauptwachtmeister bei der Gendarmerie, hat man Beteiligung als Gehilfe an den beiden zuvor genannten grossen Slonimer Aktionen zum Vorwurf gemacht.

[314] Nicht rechtskräftig gegen Err. soweit er verurteilt worden ist. Insoweit wurde dieses Urteil gegen diesen Angeklagten aufgehoben und die Sache zurückverwiesen durch Urteil des BGH vom 16.9.1975, 5 StR 331/75, Lfd.Nr.810b. Eine neue Hauptverhandlung fand nicht statt. Das Verfahren gegen Err. wurde vom LG Hamburg am 7.1.1977 wegen dauernder Verhandlungsunfähigkeit des Angeklagten eingestellt.

[315] Rechtskräftig gegen Schu. durch Urteil des BGH vom 16.9.1975, 5 StR 331/75, Lfd.Nr.810b.

Das Schwurgericht hat in der vom 2.April 1973 bis zum 25.Juni 1974 dauernden Hauptverhandlung die in der Sitzungsniederschrift im einzelnen bezeichneten Beweise erhoben, aufgrund des Beweismaterials die nachfolgenden Feststellungen getroffen und beide Angeklagte in dem in der Urteilsformel gekennzeichneten Umfange für schuldig befunden.

1.Abschnitt
Feststellungen zu den persönlichen Verhältnissen der Angeklagten

A. Werdegang des Angeklagten Err.

I. Feststellungen

Der im Zeitpunkt der Urteilsverkündung 73 Jahre alte Angeklagte Err. ist Sohn eines Lehrers. Er wuchs in seinem Elternhaus in Mittenbrück/Oberschlesien auf. Er hatte 3 Geschwister, von denen 2 noch leben. Seine Eltern verstarben früh, die Mutter als er 12 und der Vater, als der Angeklagte 21 Jahre alt war.

Der Angeklagte Err. besuchte von 1907 bis 1915 die Volksschule in Laurahütte und bis 1918 die Realschule in Myslowitz/ Oberschlesien. Anschliessend war er 3 Jahre lang auf einem Lehrerseminar, wo er im März 1921 die erste Lehrerprüfung ablegte. Er unterrichtete dann an der Schule in Gerolsdorf und bestand im Mai 1924 die zweite Lehrerprüfung. Anschliessend lehrte er an einer Polizeifortbildungsschule des Reichswasserschutzes in den Fächern Geschichte, Erdkunde und später auch Biologie. Gleichzeitig hörte er Vorlesungen in diesen Fächern an der Universität in Breslau. Er besuchte dann 1 Jahr lang die Preussische Hochschule für Leibesübungen in Berlin-Spandau, wo er Ostern 1928 die Abschlussprüfung als Turn- und Sportlehrer, Schwimm- und Ruderlehrer sowie Lehrer für orthopädisches Turnen ablegte. Anschliessend war er bis Oktober 1931 als Turn- und Sportlehrer am Gymnasium in Leobschütz tätig und nahm gleichzeitig an einer Arbeitsgemeinschaft für Mittelschullehrer teil. Nachdem er bis Anfang 1933 am Karolinum in Neisse und an der Polizeischule in Kosel unterrichtet hatte, will er am 1.April 1933 als Oberschullehrer zum Beamten auf Lebenszeit ernannt worden sein, unterrichtete jedoch in der folgenden Zeit an einem Privatgymnasium in Heiligkreuz bei Neisse.

Von Herbst 1933 bis 1934 war er als Gauausbildungsleiter an einer Gausportschule in Oberschlesien tätig und wurde dann Gauhauptstellenleiter bei der Gauleitung der NSDAP in Schlesien. Schon während seiner Ausbildung hatte sich der Angeklagte Err. politisch betätigt. So gehörte er von 1919 bis 1922 einem Grenz- und Selbstschutzfreikorps in Oberschlesien an und nahm an den Kämpfen um den Annaberg teil. Er erhielt den schlesischen Adler I. und II.Stufe. Von 1923 bis 1933 gehörte er zu den oberschlesischen Landesschützen. Ausserdem war er Anfang der 20er Jahre Mitglied im Stahlhelm (Jungstahlhelm). Im April 1933 wurde er infolge der Überführung der Landesschützen in die SA Mitglied dieser nationalsozialistischen Organisation. Er betätigte sich in der SA als Truppführer und Sportreferent.
Der nationalsozialistischen Bewegung schloss er sich im Jahre 1931 an. Er wurde aber zunächst nicht als Mitglied der NSDAP geführt, weil seine Zugehörigkeit zu dem der Reichswehr unterstellten Grenzschutzfreikorps "Oberschlesische Landesschützen" eine Parteimitgliedschaft ausschloss. Die Aufnahme in die NSDAP wurde dann auf den 1.Mai 1933 datiert, Parteinummer 3532894. Infolge seiner Tätigkeit bei der Gauleitung war er seit 1934 hauptamtlicher politischer Leiter in der NSDAP.

Nachdem der Angeklagte vom Leiter der DAF, Robert Ley, für die Funktion eines Stammführers an den NS-Ordensburgen ausgewählt worden war, nahm er 1936 an einem Sonderlehrgang teil, der von der NS-Ordensburg Vogelsang in Erwitte durchgeführt wurde. 1937 kam er dann an die Ordensburg Krössinsee. Dort wurde er als Kameradschaftsführer eingesetzt.

An den Ordensburgen, die in Krössinsee, Vogelsang und Sonthofen errichtet worden waren, sollten die späteren Führungskräfte für Partei und Staat ausgebildet werden. Die etwa 700 Schüler der Ordensburg Krössinsee nannten sich Ordensjunker. Sie kamen nur nach vorhergehender aktiver Betätigung in der NSDAP an die Burg. Die Ordensburg wurde von einem Burgkommandanten allein verantwortlich geführt. Die Junker waren in Bereitschaften zusammengefasst, die jeweils von einem Bereitschaftsführer geführt wurden. Vorgesehen waren 3 Bereitschaften, tatsächlich wurden in Krössinsee jedoch nur 2 Bereitschaften eingerichtet. Diese Einheiten waren in Hundertschaften eingeteilt, denen jeweils ein Hundertschaftsführer vorstand. Die Hundertschaften wiederum waren in Kameradschaften von 30 bis 40 Ordensjunkern unterteilt, an deren Spitze ein Kameradschaftsführer stand. Die Ordensjunker wurden unterrichtet in Rassenlehre, Geschichte, Weltanschauung und Philosophie, Kunst und Kultur, Wirtschafts- und Soziallehre sowie Wehrwissenschaft. Den Kameradschaftsführern oblag es, den Lehrstoff mit den Junkern durchzusprechen und zu vertiefen, wobei ihnen die weltanschauliche Ausrichtung der Junker im Sinne der Partei und Pflege des elitären Denkens als Aufgabe zufiel. Sie hatten mit den Junkern auch die Nürnberger Gesetze zu erörtern und über das Judentum im Sinne der nationalsozialistischen Gedankenwelt zu sprechen.
Der Angeklagte Err. widmete sich seiner Aufgabe an der Ordensburg mit grossem Eifer und Elan. Er war stolz darauf, dass seine Kameradschaft bei Besichtigungen der Burg als Muster vorgeführt wurde.

Diese Tätigkeit des Angeklagten Err. endete mit Beginn des Krieges 1939. Er wurde im Dezember 1939 eingezogen und leistete beim Infanterieregiment 246 Kriegsdienst, wo er zuletzt zum Feldwebel befördert wurde. Vom 17.Mai 1940 bis 22.Juli 1940 nahm er am Frankreichfeldzug teil. Im Juli 1941 forderte ihn das Ministerium Rosenberg zum Einsatz in den besetzten Ostgebieten an. Err. wurde im August 1941 Gebietskommissar in Slonim/-Weissruthenien. Gleichzeitig war er dort politischer Leiter der NSDAP. Diese Tätigkeit endete mit dem Rückzug der deutschen Truppen aus den besetzten Ostgebieten Ende Juli 1944. Die Handlungen, die den Gegenstand des vorliegenden Verfahrens bilden, fallen in diesen Zeitraum. Funktion und Tätigkeit des Angeklagten Err. in Slonim werden daher im Zusammenhang mit den Vorwürfen der Anklage näher dargestellt werden.

Im Herbst 1943 bewarb sich der Angeklagte Err. um die Mitgliedschaft in der SS. Auf besonderen Wunsch des SS-Gruppenführers und Generalleutnants der Polizei von Gottberg wurde er am 2.März 1944 in die Schutzstaffel aufgenommen und zum SS-Sturmbannführer ernannt. Von Gottberg bekleidete zu dieser Zeit die Stelle des Höheren SS- und Polizeiführers von Russland-Mitte und Weissruthenien und war als Generalkommissar von Weissruthenien Err.s Dienstvorgesetzter. In mehreren Schreiben an das SS-Personalhauptamt hatte von Gottberg darauf hingewiesen, dass der Übernahme Err.s in die SS wesentliche politische Bedeutung zukomme. Err. wurde dann im September 1944 von dem inzwischen zum SS--Obergruppenführer avancierten von Gottberg als VIa angefordert und nahm im September 1944 an dem Einweisungslehrgang teil. Er wurde zum Führer der 42.Standarte ernannt.
Im Februar 1945 übernahm ihn die Waffen-SS als SS-Führer für weltanschauliche Schulung. Bis zum Kriegsende bereiste er als NS-Führungsoffizier die Dienststellen des Zoll-Grenzschutzes, die zu diesem Zeitpunkt zur Sicherheitspolizei gehörten, und betreute die Angehörigen dieser Dienststellen mit nationalsozialistischer Propaganda und Durchhalteparolen.
Neben den bereits erörterten Mitgliedschaften gehörte Err. den folgenden nationalsozialistischen Gliederungen an: HJ (Unterbannführer beim Bann 23), NS-Lehrerbund, NS-Reichsbund für Leibesübungen, NSV und DAF.

Der Angeklagte Err. heiratete zweimal. Seine erste Ehe schloss er im Jahre 1928. Sie wurde im August 1943 geschieden. Im September 1943 ging er mit seiner jetzigen Ehefrau die Ehe ein. Seine beiden Kinder aus der ersten Ehe sind verstorben. Aus der zweiten Ehe hat er 3

Kinder, die noch leben. Sie wurden am 4.April 1942, 4.Juli 1943 und 22.Oktober 1944 geboren. Nach dem Kriege war er bis Januar 1948 interniert. Anschliessend arbeitete er 2 Jahre lang beim Hauni-Werk in Hamburg-Bergedorf. Im Januar 1950 wurde er als Lehrer im Hamburger Schuldienst eingestellt und am 23.August 1951 zum Beamten auf Lebenszeit ernannt. Er unterrichtete bis zu seiner Verhaftung am 11.Februar 1960 an Volksschulen in Hamburg--Bergedorf.

Am 22.Februar 1960 wurde er vorläufig des Dienstes enthoben und ein Disziplinarverfahren gegen ihn eingeleitet. Am 4.April 1961 widerrief die Freie und Hansestadt Hamburg seine Ernennung als Lehrer zum Beamten auf Lebenszeit, weil er bei seiner Bewerbung um Einstellung in den Schuldienst falsche Angaben über seine Mitgliedschaften in NS-Organisationen sowie seine politische Tätigkeit während der NS-Zeit gemacht hatte. Die von Err. hiergegen eingereichte Klage wurde vom Verwaltungsgericht abgewiesen. Das Oberverwaltungsgericht bestätigte diese Entscheidung durch Urteil vom 30.Mai 1963.
Err. unterrichtete von Pfingsten 1961 bis Ostern 1964 an der Internatsschule Schloss Blumendorf bei Bad Oldesloe, anschliessend am Privatgymnasium Jaenisch-Schule. 1966/1967 unterrichtete er ein Jahr lang an einer Fremdsprachenschule und ab 1.September 1967 bis Februar 1971 erneut an der Internatsschule Schloss Blumendorf bei Bad Oldesloe. Seither bezieht er Rente.

Der Angeklagte Err. befand sich vom 11.Februar 1960 bis 6.Juli 1960 und 18.Juni 1964 bis 17.Mai 1966 in Untersuchungshaft. Durch Beschluss des Hanseatischen Oberlandesgerichts vom 17.Mai 1966 wurde er gegen Auflagen vom weiteren Vollzug der Untersuchungshaft verschont.
Der Angeklagte Err. ist nicht vorbestraft.

II. Feststellungsgrundlagen zum Werdegang Err.s

Die Feststellungen zum Werdegang beruhen auf den Angaben des Angeklagten Err., soweit das Gericht ihnen zu folgen vermag, den über ihn im Berlin Document Center aufbewahrten Urkunden, soweit diese in der Hauptverhandlung verlesen worden sind, und der Aussage des Zeugen Joh. Der Angeklagte Err. hat sich zu seiner politischen Tätigkeit während der NS--Zeit sowie seiner Mitgliedschaft bei NS-Organisationen nach Vorhalt seiner Angaben aus den Jahren 1943/44 anlässlich seiner Bewerbung um Aufnahme in die SS wie folgt eingelassen:
Die Landesschützen seien 1934 oder 1935 geschlossen in die SA überführt worden. Er selbst sei aber niemals richtiges SA-Mitglied gewesen, habe auch niemals einen richtigen Ausweis, sondern nur einen Interimsausweis besessen. Er sei in der SA als Sportreferent tätig gewesen und ihm sei der Rang eines Truppführers verliehen worden, damit er die Sportausbildung innerhalb der SA habe durchführen können. Er sei niemals HJ-Mitglied gewesen, denn er habe weder Ausweis noch Uniform der HJ besessen. Zwar sei er als Sportreferent Unterbannführer gewesen, aber nur damit er seine sportliche Tätigkeit habe ausführen können.

In die NSDAP sei er erst 1935 eingetreten, habe aber ein umdatiertes Parteibuch erhalten. Er habe zwar den Antrag auf Parteiaufnahme schon 1933 gestellt, dieser sei aber verloren gegangen. Die Bemerkung im Parteibuch, dass er sich bereits 1931 zur nationalsozialistischen Bewegung bekannt habe, sei nachträglich eingetragen worden, weil er nicht als "Märzgefallener" habe gelten wollen. Sie beruhe auf einer Wirtshausdiskussion, bei der er in Gegenwart des Kreisleiters erklärt habe, dass er sich für die NSDAP entscheiden würde, falls er gezwungen werde, entweder in die NSDAP oder in die KPD einzutreten. Er habe in der Partei keinen Dienstrang besessen. Als Gauleiter habe er lediglich alle 14 Tage mit den politischen Leitern Sport treiben müssen.

Die SS-Mitgliedschaft sei ihm verliehen worden, weil er von Gottberg den Wunsch, SS-Mitglied zu werden, nicht habe abschlagen können. Ausserdem habe er vorwärtskommen wol-

len. Seine Tätigkeit für die SS habe aber lediglich darin bestanden, dass er einmal in Berlin ein halbstündiges Gespräch geführt habe.
Mangels Eignung sei er niemals NS-Führungsoffizier geworden. Er sei 1945 zur Waffen-SS gekommen und habe - aufgrund seiner Frontdienstuntauglichkeit - die Dienststellen des Zoll-- Grenzschutzes betreuen müssen.

Das Gericht vermag diesen Angaben des Angeklagten nur zu folgen, soweit sie mit den oben getroffenen Feststellungen übereinstimmen. Es folgt im übrigen den Angaben des Angeklagten, die dieser bei seiner Bewerbung um Aufnahme in die SS in den Jahren 1943/44 machte. Die Unterlagen hierüber lagern im Berlin Document Center und wurden in der Hauptverhandlung verlesen. Die damaligen Angaben des Angeklagten über Mitgliedschaften und Aktivitäten in der Partei und ihren Gliederungen sind richtig. Err. rechnete damals damit, dass seine Angaben überprüft werden. Er konnte sich daher keine falschen Angaben leisten. Die Tätigkeit des Angeklagten als NS-Führungsoffizier ist zudem vom Zeugen Joh. bestätigt worden.

Die Feststellungen über die Ordensburgen beruhen auf den Aussagen der Zeugen Ho., Had., Bo., Hans-Ulrich Mei., Walter Pe., Franz Kle. und Ottfried Sten. sowie dem verlesenen Abschnitt "Die Schulungsburgen der NSDAP und die Fachschulen der Gliederungen und Verbände" aus dem "Organisationsbuch der NSDAP", erschienen 1936 in München, Blatt 182 ff.

B. Werdegang des Angeklagten Schu.

I. Feststellungen

Der Angeklagte Lothar Schu. wurde am 22.April 1909 in Kupferberg/Schlesien geboren. Er wuchs zusammen mit 5 Geschwistern im Elternhaus auf. Seine Eltern sind verstorben. Der Vater war Förster von Beruf. Von 1915 bis 1923 besuchte der Angeklagte die Volksschule. Danach durchlief er eine kaufmännische Lehre in einem Dampfsägewerk, die er nach 2½ Jahren 1926 vorzeitig beendete. Anschliessend war der Angeklagte ein halbes Jahr lang arbeitslos. Er erhielt dann eine Anstellung bei einer Landwirtschafts- und Gewerbebank. Dort war er rund 3 Jahre lang bis zu deren Liquidation beschäftigt. Danach war er wiederum längere Zeit arbeitslos. Er begab sich daraufhin zu seinen Eltern nach Glatz/Schlesien. Hier gelang es ihm, beim Finanzamt mit zeitlichen Unterbrechungen zunächst eine Aushilfsstelle zu bekommen. Ab 1932 war er dort fest angestellt. Von 1934 bis Anfang 1937 arbeitete er bei der Allgemeinen Ortskrankenkasse in Glatz. Am 12.Juni 1935 heiratete der Angeklagte. Aus der Ehe gingen 3 Kinder hervor, die in den Jahren 1935, 1940 und 1944 geboren wurden und jetzt alle verheiratet sind. In Glatz wurde der Angeklagte 1928 Mitglied des Heimatgrenzschutzes im Verband des Festungskommandanten Glatz. In dieser Eigenschaft nahm er in den folgenden Jahren bis zu seiner Einstellung bei der Polizei häufig an Ausbildungskursen und Lehrgängen bei der sog. "schwarzen Reichswehr" teil. 1935 wurde er zum Unteroffizier der Reserve ernannt.

Der Angeklagte trat am 1.Februar 1929 in die NSDAP ein. Er erhielt die Mitgliedsnummer 136184. Gleichzeitig wurde er auch Mitglied in der SA. Im Oktober 1931 wechselte er von der SA zur allgemeinen SS über. Hier lautete seine Mitgliedsnummer 27041. 1933 wurde er zum SS-Hauptscharführer ernannt. Seiner Einstellung nach war der Angeklagte überzeugter Nationalsozialist. Er mochte die Juden nicht. Seinerzeit fand er es richtig, dass sie aus dem Wirtschaftsleben ausgeschaltet wurden.

Am 1.Februar 1937 wurde der Angeklagte als Oberwachtmeister auf Probe bei der Schutzpolizei in Glatz eingestellt. Nach erfolgreichem Abschluss eines Lehrgangs auf der Polizeischule in Jena wurde er zum Revieroberwachtmeister ernannt. In der sog. Reichskristallnacht des Jahres 1938 hatte er während seines Dienstes als Polizist ein Erlebnis, das sein weiteres Denken wesentlich bestimmte. Auf einem Streifengang durch die Strassen der Stadt Glatz wurde er bei der Synagoge gewahr, dass man in Gegenwart eines Sturmführers der SS und hochgestellter Persönlichkeiten der Stadt Benzinkanister herbeischaffte. Seine sofort erstattete Meldung sowohl bei dem Dienstführer des Reviers als auch bei der Gestapo führte zu keinem Einschreiten der Behörden. Ihm ging durch den Kopf: "Das bedeutet Führerbefehl!" Er selbst lehnte solche Gewalttaten ab. Im Juni 1939 wurde der Angeklagte vorübergehend zum Polizeibataillon 208 nach Holleschau abkommandiert, das im Protektorat Böhmen und Mähren Sicherungsaufgaben durchführte. Hierbei war er als Zugführer eingesetzt. Von Herbst 1939 bis zum Oktober 1941 verrichtete er in seinem Heimatstandort Glatz normalen Revierdienst. 1941 wurde er zum Hauptwachtmeister der Schutzpolizei befördert.

Am 2.Oktober 1941 wurde der Angeklagte zum Kommandeur der Gendarmerie (KdGend) nach Minsk/Weissruthenien abkommandiert. Von dort wurde er einige Tage darauf zur Gendarmerie nach Slonim/Weissruthenien versetzt. In der Stadt Slonim traf der Angeklagte am 11.Oktober 1941 ein. Er blieb in dem Gebiet Slonim bis zur Räumung, die etwa im Juli 1944 erfolgte. Während dieser Zeit nahm er von November 1942 bis März 1943 an einem Auswahllehrgang für Offiziersanwärter auf der Polizeischule Mariaschein im Kreis Teplitz/-Schönau teil, der wegen der schlechten Kriegslage abgebrochen wurde. Im Oktober 1943 wurde er zum Polizeimeister befördert. Von Slonim wurde der Angeklagte im Dezember 1943 als Führer des Gendarmeriepostens nach Byten im Kreis Slonim versetzt. Dieser Gendarmerieposten wurde Anfang 1944 in eine militärische Kompanie umgewandelt, deren Führung man dem Angeklagten übertrug.

Im Verlaufe des Rückzuges (Juli 1944) kam der Angeklagte zunächst nach Ostpreussen, wo er der zweiten russischen SS-Division zugeteilt wurde. Anschliessend war er bis Weihnachten 1944 in Frankreich eingesetzt. Er wurde dann nach Ulm verlegt und der 38.SS-Division (Nibelungen) zugeteilt. Bei dieser Einheit wurde er zum SS-Oberjunker befördert. Während des Krieges wurden dem Angeklagten das Eiserne Kreuz erster und zweiter Klasse sowie das Infanteriesturmabzeichen und das Kriegsverdienstkreuz mit Schwertern verliehen.

Am 29.April 1945 geriet der Angeklagte in amerikanische Kriegsgefangenschaft. Daraus entfloh er nach einigen Tagen und schlug sich zu seiner Familie nach Glatz durch. Im April 1946 wurde er zusammen mit seiner Familie aus Schlesien ausgewiesen. Er begab sich in die damalige britische Zone nach Stadthagen im Raum Minden. Hier fand er bei den englischen Besatzungstruppen in einer Offiziersmesse bis Oktober 1947 eine Anstellung zunächst als Aushilfskellner und später als Tellerwäscher. Während dieser Zeit lebte er in Bückeburg mit seiner Familie auf einem Zimmer. Ein Entnazifizierungsverfahren wurde gegen ihn nicht durchgeführt.

Nachdem er seine Tätigkeit bei den englischen Besatzungstruppen freiwillig aufgegeben hatte, arbeitete der Angeklagte insgesamt 7 Jahre lang zuerst als Schlepper, dann als Lehrhauer und Hauer in einem Kohlenbergwerk bei Minden unter Tage. Es gelang ihm dann, seine erneute Übernahme in den aktiven Polizeidienst zu erreichen. Am 1.November 1954 wurde er von der Kreispolizeibehörde Minden als Hauptwachtmeister wiedereingestellt. Diesen Dienstgrad bekleidete er bis zu seiner Verhaftung in dieser Sache. Nach dem Tode seiner ersten Ehefrau im Jahre 1962 heiratete der Angeklagte am 25.Oktober 1963 erneut.

In der vorliegenden Sache befand sich der Angeklagte vom 18.Juni bis zum 11.November 1964 in Polizei- und Untersuchungshaft. Mit dem Datum seiner Verhaftung wurde er vom Polizeidienst suspendiert. Nach der Haftentlassung nahm er ab 1.Dezember 1964 bei der Firma Edeka in Minden eine Arbeit als Lagerist auf. Diese Tätigkeit übte er bis zum Beginn der Hauptverhandlung aus. Sein Verdienst betrug DM 1.060,- im Monat; ausserdem erhielt er noch eine Prämie. Etwa 6 Monate vor Beginn der Hauptverhandlung erkrankte der Angeklagte an einer Lungenembolie. Seitdem ist er ununterbrochen krankgeschrieben. Er bezieht ein Krankengeld von DM 25,76 pro Tag sowie daneben 2/3 seiner Pension als Polizeibeamter, und zwar einen Betrag von DM 718,- monatlich. Nach seinen Angaben hat er keine Schulden.

Der Angeklagte ist nicht vorbestraft.

II. Feststellungsgrundlagen

Die vorstehenden Feststellungen zu den persönlichen Verhältnissen des Angeklagten Schu. und zu seinem militärischen sowie politischen Werdegang beruhen auf seinen glaubhaften Angaben, sowie auf den ihm vorgehaltenen und von ihm als richtig bestätigten Unterlagen, die über ihn im Berlin Document Center verwahrt werden.

2.Abschnitt
Feststellungen zu den Verhältnissen in Weissrussland während der deutschen Besetzung, insbesondere in der Stadt Slonim sowie zur Tätigkeit und zum Auftreten der Angeklagten zur Zeit ihres Einsatzes in der Stadt Slonim im allgemeinen

A. Deutsche Dienststellen und Behörden in der Stadt Slonim

I. Geographische, ökonomische und ethnographische Verhältnisse der Stadt Slonim

Slonim, eine Landstadt annähernd 100 km südwestlich von Minsk, hatte zur Zeit des Kriegsausbruches zwischen Deutschland und der UdSSR am 22.Juni 1941 ca. 25.000 Einwohner. Etwa zwei Drittel der Bevölkerung waren Juden, die zum Teil aus dem polnischen Raum auf der Flucht vor den Deutschen dorthin verschlagen worden waren. Die Juden bildeten in Slonim den Stamm der Handwerker - das Gerberhandwerk hatte eine gewisse Bedeutung -, aber auch in anderen Berufen, so in der ärztlichen Versorgung, nahmen die Juden ihren Platz ein. Das kulturelle Leben der Stadt bestimmte die jüdische Gemeinde mit. Im übrigen hatten Polen und Weissrussen in Slonim ihre Heimat. Slonim besass Sägewerke; angesichts seiner bäuerlichen Umgebung war die Stadt auch Handels- und Umschlagplatz für landwirtschaftliche Produkte.

II. Militärische Besatzung und Verwaltung

Gleich nach der schon in den letzten Junitagen des Jahres 1941 erfolgten Besetzung durch die deutsche Truppe wurden alle notwendigen Verwaltungsaufgaben der durch Kriegseinwirkung stark mitgenommenen Stadt Slonim für einige Wochen zunächst von der deutschen Militärverwaltung wahrgenommen. Die Militärkommandantur des Ortes war in unmittelbarer Nähe des Marktplatzes in einem Eckgebäude untergebracht. Von ihr ergingen Anordnungen an die Einwohner, auch der Arbeitseinsatz der Bevölkerung wurde über die Kommandantur geregelt. Als Ortskommandant residierte der Chef der jeweils in Slonim stationierten Wehrmachtseinheit; auch das notwendige Personal wurde von dieser Einheit gestellt. Vom Sommer 1941 bis in das Frühjahr 1942 war Ortskommandant der Oberleutnant Glück als Chef der 6.Kompanie des IR 727, ab Mitte Juni 1942 lag die 3.Kompanie des Landesschützenbataillons 915 unter Hauptmann Dr. Hunsberg in Slonim; dieser übernahm dann auch die Geschäfte des Ortskommandanten. Die Kompanien waren in Kasernen am Südrand der Stadt untergebracht, während das zur Ortskommandantur abgestellte Personal im Gebäude der Ortskommandantur seine Unterkünfte hatte.

III. Zivilverwaltung

1.) Aufbau der Zivilverwaltung im besetzten Ostgebiet im allgemeinen

Das von den deutschen Wehrmachtsverbänden nach Kriegsbeginn besetzte Land der UdSSR sollte möglichst bald nach den Vorstellungen des Nationalsozialismus verwaltet und gestaltet werden. In dem von den Heeresverbänden freigegebenen Raum wurde deshalb eine Zivilverwaltung eingerichtet, die von vornherein politisch ausgerichtet war. Unter dem 3.September 1941 hatte der Reichsminister für die besetzten Ostgebiete, Alfred Rosenberg, eine sogenannte "Braune Mappe" herausgegeben, in der die Organisationsbestimmungen, Arbeitsrichtlinien für die Zivilverwaltung und verschiedene Verordnungen und Erlasse der zuständigen Regierungsstellen zusammengefasst worden waren. Als Direktive ist in den Arbeitsrichtlinien für die Reichskommissare folgendes ausgeführt worden:

> "Die erste Aufgabe der Zivilverwaltung in den besetzten Ostgebieten ist, die Interessen des Reiches zu vertreten. ... Die Bestimmungen der Haager Landkriegsordnung, die sich mit der Verwaltung eines durch eine fremde Kriegsmacht besetzten Landes befassen, gelten nicht, da die UdSSR als aufgelöst zu betrachten ist und das Reich infolgedessen die Verpflichtung hat, im Interesse der Landesbewohner alle Regierungs- und sonstige Hoheitsbefugnisse auszuüben. Es sind daher auch alle Massnahmen zulässig, die der deutschen Verwaltung zur Führung dieser umfassenden Aufgabe erforderlich und geeignet erscheinen". (Zitat nach dem erstatteten Gutachten des Sachverständigen Dr. Sche.).

Stellung und Befugnisse der Zivilverwaltung im besetzten sowjetrussischen Gebiet wurden in einer Reihe von Erlassen geregelt, die sämtlich auf den Führererlass über die Verwaltung der neu besetzten Ostgebiete vom 17.Juli 1941 zurückgehen. An die Spitze der Zivilverwaltung trat der bereits genannte Reichsminister für die besetzten Ostgebiete, Alfred Rosenberg, der seinen Sitz in Berlin hatte. Ihm unterstanden die Reichskommissare für das Ostland und die Ukraine, zu denen die Gauleiter Hinrich Lohse - für das Ostland - mit Sitz in Riga und Erich Koch - für die Ukraine - mit Sitz in Kiew ernannt wurden. Die Reichskommissariate teilten sich in Generalbezirke, die Generalkommissare leiteten; auf der nachgeordneten Kreisebene wurden Stadt- und Gebietskommissariate gebildet, denen Stadt- bzw. Gebietskommissare an die Spitze gestellt wurden. Lediglich in dem zum Reichskommissariat Ostland gehörigen Generalbezirk Weissruthenien wurden Hauptkommissariate als eine Art Zwischeninstanz eingeführt. Der Hauptkommissar hatte abgesehen von einer gewissen nicht scharf abgegrenzten Aufsichtsfunktion über die ihm unterstellten Gebietskommissariate kaum Bedeutung. An der Spitze des im vorliegenden Verfahren im Blickpunkt stehenden Generalbezirks Weissruthenien stand der im Sommer 1943 einem Attentat erlegene Gauleiter Wilhelm Kube, später der SS-Obergruppenführer Curt von Gottberg. Der Generalkommissar hatte seinen Sitz in Minsk. Ihm unterstanden im Hauptkommissariat Baranowicze, welches von dem SA-Gruppenführer Fenz geleitet wurde, die Gebietskommissariate Baranowicze (Gebietskommissar war der Zeuge Wern.), Nowogrodek, Hancewicze, Lida sowie Slonim. Gebietskommissar für Slonim war der Angeklagte Err.

2.) Das Gebietskommissariat Slonim

a) Einrichtung, personelle und sachliche Ausstattung

Anfang September 1941 richtete sich die deutsche Zivilverwaltung auf der Ebene des Gebietskommissariats in Slonim ein. Der Aufbau vollzog sich angesichts erheblicher Schwierigkeiten und Engpässe auf dem personellen und sachlichen Sektor nur schleppend. Vielfach musste improvisiert werden. Wie im übrigen besetzten Ostgebiet hing Aufbau und Funktionstüchtigkeit der Verwaltung auch in Slonim wesentlich von der Initiative, der Entschlossenheit und dem Organisationstalent des eingesetzten Behördenleiters ab. Der Angeklagte Err. machte sich an diese Aufgabe mit Eifer heran. Standen ihm in der ersten Zeit nur zwei auf Ordensburgen politisch geschulte Kräfte, die Ordensjunker Hick und Stähle, sowie der Kraftfahrer und Dolmetscher Alfred Met. zur Seite, so konnte die Gebietsverwaltung Slonims im Laufe der nächsten Monate auf einen einigermassen ausreichenden Personalbestand gebracht werden. Der formelle Übergabeakt der Verwaltungsgeschäfte vom Militär auf das Gebietskommissariat vollzog sich zwar erst einige Zeit nach der Einrichtung des Kommissariats, tatsächlich machte sich die Zivilverwaltung aber nach den ihr gegebenen Weisungen so schnell es ging an die Arbeit.

Als Sitz des Gebietskommissariats diente ein Steingebäude in der Schlossstrasse - Zamkowa -. Im Erdgeschoss lagen die Räume der einzelnen Abteilungen, im ersten Geschoss hatte Err. seine Büro- und Wohnräume. Im übrigen war das Personal bis auf einige Sekretärinnen ausserhalb des Gebäudes untergebracht.
Für die Gliederung der Kommissariatsverwaltung war ein Organisationsschema in der Braunen Mappe vorgesehen. Mit unwesentlichen Abweichungen und Vereinfachungen sollte danach die innere Organisation eines Gebietskommissariats jener der vorgesetzten Behörden nachgebildet werden. Err. war die Braune Mappe geläufig.
Entsprechend dem Organisationsschema wurden in Slonim die Abteilungen Hauptbüro, Politik, Wirtschaft und Technik eingerichtet. Einige Referate, in die die einzelnen Abteilungen nach dem Schema der Braunen Mappe aufzugliedern waren, wurden nicht eingerichtet.

Dem Angeklagten Err. war als Gebietskommissar ein persönlicher Referent, genannt Stabsleiter, beigegeben. Diesen Posten bekleidete in Slonim der Ordensjunker Stähle, der zum Herbst 1942 durch den Ordensjunker Wolter ersetzt wurde. Die weiteren Abteilungen stattete man mit Personal aus dem Reich aus, welches zum Teil nur über geringe Verwaltungserfahrung verfügte. Die leitenden Posten in den Abteilungen waren für die hier in Betracht stehende Zeit - etwa Herbst 1941 bis Sommer 1942 - wie folgt besetzt: Das Hauptbüro leitete der verstorbene Mitbeschuldigte Koh., der etwa Ende 1941 in Slonim eintraf. Das in der Abteilung "Politik" eingerichtete, erhebliche Bedeutung besitzende Referat "Politik" wurde von dem Ordensjunker Hick verwaltet; im Referat "Allgemeine Verwaltung" war zunächst ebenfalls Koh., später der verstorbene Zeuge Pol. tätig; das Referat "Arbeit", kurz auch Arbeitsamt genannt, leitete der im Jahre 1950 hingerichtete Karl Seegel, ferner war dort der Zeuge Leh. tätig. Das Referat "Finanzwesen" nahm der Zeuge Sen. ein. Die Abteilung "Wirtschaft" leitete Ne., im Referat "Ernährung und Landwirtschaft" waren die als Sonderführer von der Wehrmacht abgestellten Zeugen Ec., Möl. und Gab. tätig. Als Dolmetscher fungierten neben dem nicht mehr lebenden Zeugen Alfred Met. der verstorbene frühere Mitbeschuldigte He. und der Zeuge Asi. Alfred Met. betätigte sich zeitweise auch im Referat "Gewerbliche Wirtschaft".

Das Gebietskommissariat Slonim verfügte über einen Fahrzeugpark, zu dem jedenfalls ein Lkw und zwei Pkw gehörten. Der Wagenpark und die angeschlossene Werkstatt unterstanden dem Zeugen Alfred Kle., der allerdings bereits im Februar 1942 zusammen mit seiner als Schreibkraft im Gebietskommissariat tätig gewesenen Ehefrau Anni geb. Sc. - Zeugin Anni Kle. - Slonim wieder verliess. Neben weiteren weiblichen Angestellten waren vorwiegend als Sekretärinnen des Gebietskommissariats die Zeuginnen Rog. und Buc.-Gac. geb. Rei. tätig.

Für die Angehörigen der Zivilverwaltung, die durchweg über die Ordensburg Krössinsee in den Osten geschickt wurden, war eine braune Uniform geschaffen worden, die jedoch nicht immer getragen wurde. Etliche Angehörige der Ostverwaltung bevorzugten es, ihren Parteianzug - SA-Uniform oder Uniform des politischen Leiters - zu verwenden. Von vielen Verwaltungsangehörigen wurden Hakenkreuzarmbinden getragen. Die Träger der braunen Uniform wurden im Landserjargon als "Goldfasane" bezeichnet.

b) Zuständigkeit des Gebietskommissariats im allgemeinen

Bei den Gebietskommissaren sollte nach den Richtlinien der Braunen Mappe das Schwergewicht der Verwaltung liegen. Das Kommissariat hatte sich danach mit polizeilichen Massnahmen, mit der Nutzbarmachung der wirtschaftlichen Kräfte des Landes für die Versorgung der Besatzungstruppe und für Zwecke der deutschen Kriegswirtschaft, mit der Sicherstellung der kriegs- und lebenswichtigen Vorräte und Einrichtungen aller Art, mit der Versorgung der Bevölkerung, mit der Funktionsfähigkeit aller öffentlichen Verkehrseinrichtungen, mit der Überwachung der Zivilbevölkerung und der Auflösung etwa noch vorhandener gegnerischer Organisationen zu befassen.

c) Der Stab Newel

Mit dem weiteren Vorrücken der Wehrmachtsverbände war vorgesehen, die neu errungenen Gebiete in die Zivilverwaltung einzugliedern. Um die in Stäben zusammengefassten Verwaltungskräfte, die in den neu zu bildenden Kommissariaten eingesetzt werden sollten, auf die künftigen Aufgaben vorzubereiten, wurden die einzelnen Stäbe bereits existierenden Gebietskommissariaten zugeordnet. Auf diese Weise wurde eine Gruppe, die für das Gebiet Newel ausgewählt worden war, dem Gebietskommissariat Slonim zugewiesen. Dieser Stab, unter Führung des für den Posten des Gebietskommissariats ausgesuchten SA-Standartenführers Müller, hielt sich von Oktober/November 1941 bis etwa August/September 1942 in Slonim auf; dem Stab gehörte auch der Zeuge Karl Su. an sowie die später im Gebietskommissariat Slonim tätige Sekretärin Ro. Der Gebietskommissar von Slonim hatte gegenüber diesem Stab kein Weisungsrecht. Mit einer ständigen Aufgabe im Bereich der Verwaltung des Gebietskommissariats Slonim wurde der Stab Newel nicht betraut.

IV. Gendarmerie

1.) Einrichtung der Dienststelle

Neben der Zivilverwaltung hatte in Slonim eine Dienststelle der Gendarmerie ihren Standort, die der Gendarmeriehauptmannschaft in Baranowicze unterstellt war. Diese wiederum war dem KdGend nachgeordnet, der in Minsk sass. Diesem war der KdO und - auf der Ebene des Reichskommissariats - der BdO vorgesetzt. Die Dienststelle in Slonim wurde etwa September / Anfang Oktober 1941 eingerichtet und stand bis Ende 1942 unter der Leitung des SS-Angehörigen und Revierleutnants der Schutzpolizei Walter Bonke. Dieser war für das Verwaltungsgebiet (Gebietskommissariat) Slonim der "SS- und Polizeigebietsführer", der dem Gebietskommissar nach dem Organisationsschema der Braunen Mappe unterstellt war. Danach besass der Gebietskommissar entsprechend dem Erlass vom 17.Juli 1941 gegenüber dem Führer der Polizeieinheit auf dem Gebiete des Polizeivollzugsdienstes ein fachliches Weisungsrecht. In der Praxis kam es allerdings zwischen den beiden Führungskräften wesentlich auf die persönliche Fühlungnahme und das Durchsetzungsvermögen des einzelnen an. Zwischen Err. und Bonke war die Zusammenarbeit gut, man verstand sich.
Das Dienstzimmer Bonkes lag zunächst im Gebäude des Gebietskommissariats. Später - etwa Anfang 1942 - bezog er ein eigenes Haus gegenüber dem Gebietskommissariat. Bonke unterstanden die einzelnen Gendarmerieposten, die in der Stadt Slonim und im gesamten Bereich des Gebietskommissariats an verschiedenen Orten eingerichtet waren. Jedem Gendarmerieposten war eine Schutzmannschaft zugeteilt, die sich aus einheimischen Hilfsgendarmen zusammensetzte. Sie trugen schwarze Uniformen mit hellen Aufschlägen und als Kopfbedekkung schwarze Käppis; diese Schutzmannschaft wurde deshalb auch "schwarze Polizei" genannt.

Der Führer des Gendarmeriepostens Slonim war der Meister der Schutzpolizei Hermann Hoc., sein Stellvertreter der aktive Hauptwachtmeister Reinert. Ausserdem gehörten diesem

Posten noch etwa 14 weitere deutsche Gendarmen an, darunter die Polizeimeister Win. und St., der aktive Hauptwachtmeister Meyer sowie die Wachtmeister Petzold, Renner, Claus, Symossek, Rue., Se., Jutrzenka und Golombek. Auch der Angeklagte Schu. war zunächst dem Gendarmerieposten Slonim zugeteilt.
Die deutschen Angehörigen der Gendarmerie trugen graugrüne Uniformen mit braunen Kragen und Ärmelaufschlägen. Der Rand der Schirmmütze war ebenfalls braun. Sie waren gemeinsam in Gebäuden schräg gegenüber vom Gebietskommissariat untergebracht. Der Sitz des Gendarmeriepostens befand sich unweit des Gebietskommissariats in der Schlossstrasse. Zusammen mit den einheimischen Hilfsgendarmen, die kaserniert in unmittelbarer Nähe der Unterkünfte für die deutschen Gendarmen lebten, betrug die Personalstärke des Gendarmeriepostens Slonim etwa 80 bis maximal 150 Mann.

In den Unterkunftsgebäuden der Gendarmen lagerten Waffen, die von dem Hauptwachtmeister Meyer verwaltet wurden. Jeder deutsche Gendarm war mit einer Pistole und einem Karabiner (K 98) ausgerüstet, dessen Magazin 5 Schuss fasste. Der Karabiner wurde überwiegend in der Unterkunft einsatzbereit aufbewahrt. Die Pistole trugen die Gendarmen immer bei sich. Ausserdem standen mehrere erbeutete russische Maschinenpistolen zur Verfügung, deren Magazintrommeln jeweils 72 Schuss enthielten. Sie wurden bei Einsätzen u.a. vorwiegend von Bonke, Reinert und Hoc. benutzt. Weiter konnten mehrere - insgesamt etwa 10 - Maschinengewehre sowie 3 Granatwerfer und Handgranaten eingesetzt werden. Die Bewaffnung der einheimischen Hilfsgendarmen bestand ebenfalls aus Pistolen und Karabinern, teilweise auch aus russischen Maschinenpistolen.

Für Transportzwecke stand dem Gendarmerieposten Slonim zunächst nur ein Lkw zur Verfügung, der normalerweise ca. 12 Mann fasste. Etwa im Sommer 1942 kamen ein weiterer Lkw und ein Mannschaftswagen hinzu, mit denen jeweils 12 bis 15 Mann transportiert werden konnten. Für die Partisanenbekämpfung konnte schliesslich noch ein erbeuteter gepanzerter Mannschaftswagen mit aufmontiertem Maschinengewehr eingesetzt werden.

2.) Zuständigkeit im allgemeinen

Der Gendarmerie in Slonim oblagen neben der Partisanenbekämpfung allgemeine polizeiliche Aufgaben wie u.a. Sicherungsmassnahmen, Objektschutz, Begleitung von Transporten und Kontrollen. Sie war auch für die Überwachung des Gefängnisses zuständig, das in der Nähe des Bahnhofs lag.

V. Die Dienststellen des Reichsführers der SS und Chefs der deutschen Polizei

1.) Polizeiführer

Mit dem Erlass Hitlers über die polizeiliche Sicherung der neu besetzten Ostgebiete vom 17.Juli 1941 wurde festgelegt, dass die polizeiliche Sicherung der Ostgebiete Sache des Reichsführers SS und Chefs der deutschen Polizei sein sollte. Auf der Ebene des Reichskommissariats war ein Höherer SS- und Polizeiführer (HSSPF), auf jener des Generalkommissars ein SS- und Polizeiführer (SSPF) und jener des Gebietskommissars ein Polizeigebietsführer vorgesehen. HSSPF im Bereich des Reichskommissars war bis zum 15.November 1941 der SS-Obergruppenführer Hans Adolf Prützmann, später der SS-Obergruppenführer Franz Jeckeln mit Sitz in Riga. SSPF auf der Ebene des Generalkommissars für Weissruthenien mit Sitz in Minsk war bis Juli 1942 der SS-Brigadeführer Carl Zenner [316], später der SS-Brigadeführer Walter Schimana und SS-Gruppenführer Curt von Gottberg. Polizeigebiets-

[316] Siehe Lfd.Nr.512.

führer für das Gebietskommissariat Slonim wurde durch Erlass vom 31.Januar 1941 der bereits erwähnte Revierleutnant der Schutzpolizei Walter Bonke, mit dem sich der Angeklagte Err. gut stand.

2.) Sicherheitspolizei und SD

Auf der Ebene des Reichskommissars Ostland wurde ferner ein Befehlshaber der Sicherheitspolizei und des SD (BdS) eingesetzt, dem für den Bereich Weissrutheniens ein Kommandeur der Sicherheitspolizei und des SD (KdS) mit Sitz in Minsk nachgeordnet worden war. KdS war hier bis Januar 1942 der Obersturmbannführer E. [317], für kurze Zeit danach der Obersturmbannführer Dr. Hoffmann und ab März 1942 der Obersturmbannführer Strauch. Die Dienststelle des KdS war nach dem Aufbau des Reichssicherheitshauptamtes organisatorisch gegliedert. Der Leiter der Abteilung IV (Gestapo), dem ein Referat für Judenangelegenheiten untergeordnet war (Abteilung IV b), war entsprechend der Bedeutung dieser Abteilung gleichzeitig Vertreter des Kommandeurs. Diesen Posten füllte zunächst Bur. und später - etwa ab Mitte Mai / Anfang Juni 1942 - der als Zeuge vernommene Obersturmbannführer Heuser [318] aus.
Der Dienststelle des KdS in Minsk unterstand für den Bereich des Hauptkommissariats Baranowicze eine Aussenstelle der Sicherheitspolizei und des Sicherheitsdienstes, die ebenfalls in Baranowicze ihren Sitz hatte; Leiter dieser Aussenstelle war der SS-Untersturmführer Amelung, später der Zeuge Ren. [319]. In Slonim war die Sicherheitspolizei und der SD zunächst durch einen Aussenposten, später - im Laufe des Jahres 1942 - durch eine Nebenstelle der Baranowiczer Dienststelle vertreten. Der Zeuge Brö. hatte diese Nebenstelle mit eingerichtet.

VI. Zuständigkeitsabgrenzungen

Alle Zuständigkeiten der polizeilichen Instanzen regelten sich nach einem Erlass Himmlers vom 9.August 1941, einer gemeinsamen Anweisung Himmlers und Rosenbergs vom 19.November 1941, denen noch ein weiterer Erlass Himmlers vom 16.Januar 1942 folgte. Über die Zuständigkeitsabgrenzungen zwischen den Behörden der Zivilverwaltung und den Dienststellen Himmlers gab es immer wieder Unklarheiten und Meinungsverschiedenheiten, die noch im Jahre 1942 zu weiteren Erlassen und gemeinsamen Absprachen führten. Trotz des sowohl im Führererlass vom 17.Juli 1941 und in dem Erlass vom 19.November 1941 fixierten unmittelbaren Unterstellungsverhältnisses der SS- und Polizeiführer jeweils unter den ihrer Ebene entsprechenden Zivilbehördenleiter, wie dies auch im Organisationsschema der Braunen Mappe für das Reichskommissariat Ostland und die diesem unterstellten General- und Gebietskommissariate ausdrücklich bestimmt worden war, sicherte sich Himmler uneingeschränkt sein Weisungsrecht an die Dienststellen der SS und der Polizei. Für die Zusammenarbeit zwischen der Zivilverwaltung und den Dienststellen Himmlers kam es entscheidend auf das Verständnis und die persönlichen Kontakte der Behördenchefs untereinander an. Die Zusammenarbeit zwischen der Dienststelle der Sicherheitspolizei und des SD in Slonim und dem Gebietskommissariat Slonim klappte reibungslos.

VII. Weitere deutsche Behörden in Slonim

In Slonim lag ferner eine Einheit der Organisation Todt, die an der Herstellung und Unterhaltung der Rollbahn zu arbeiten hatte. Zu ihrer Sicherung war in Slonim ein Zug des Polizeibataillons 69 unter Führung des als Zeugen gehörten Polizeihauptwachtmeisters Kr. statio-

[317] Siehe Lfd.Nr.526.

[318] Siehe Lfd.Nr.552.

[319] Siehe Lfd.Nr.617.

niert. Schliesslich gab es in Slonim auch deutsche Bahn- und Postverwaltung sowie eine Stelle der Zentralhandelsgesellschaft Ost (ZHO).

VIII. Grundlagen zu den Feststellungen unter A I. bis VI.

Die Feststellungen zu den vorgenannten Tatsachen beruhen auf den Angaben der Angeklagten, soweit ihnen gefolgt werden kann, und im übrigen

1.) hinsichtlich der Verhältnisse der Stadt Slonim (A.I.) auf den glaubhaften Bekundungen der Zeugen Dr. Eil., De., Dr. Kap., Os., Pyt., auf dem in Augenschein genommenen und mit den Angeklagten und Zeugen erörterten Kartenmaterial der Stadt Slonim und seiner Umgebung, ferner auf den Angaben des Gebietskommissars von Slonim im Bericht vom 25.Januar 1942 zur Slonimer Bevölkerungsstruktur und den wirtschaftlichen Verhältnissen des Gebiets (zum Beweiswert des Berichts siehe unten zu C. III. 2 b);

2.) hinsichtlich der militärischen Besatzung und Verwaltung (A.II.) auf den insoweit glaubhaften Bekundungen der Zeugen Aic., Hie., Mä., Mo., Näh., Nöl., Schm., Sto.;

3.) hinsichtlich des Aufbaus und der Zuständigkeit der Zivilverwaltung (A. III.), auf den überzeugenden Ausführungen des Sachverständigen Dr. Sche. sowie den insoweit glaubhaften Bekundungen der Zeugen Aic., Ec., Gab., Maria Koh., Leh., Möl., Na., Asi., Su., Sen., von Stc., Th., Wern., Za., den Angaben des früheren Mitbeschuldigten Koh., ferner den aus der "Braunen Mappe" verlesenen Bestimmungen, Richtlinien und Erlassen zur Organisation der Zivilverwaltung im besetzten Ostgebiet;

4.) hinsichtlich des Aufbaus der Gendarmerie, ihrer personalen und sachlichen Einrichtung sowie deren Aufgabenkreis (A. IV.) auf den überzeugenden Ausführungen des Sachverständigen Dr. Sche. und auf den Aussagen der Zeugen Hoc., Laa., Rue., St. und S., die im Kern übereinstimmen und insoweit glaubhaft sind;

5.) hinsichtlich der Dienststellen, die dem RFSS und Chef der deutschen Polizei (A. V.) nachgeordnet waren, soweit nicht offenkundig und als solche Tatsachen in die Verhandlung eingeführt, auf den überzeugenden Ausführungen des Sachverständigen Dr. Sche., den insoweit glaubhaften Bekundungen der Zeugen Ba., Dr. Brä., Brö., Heuser, Ren., Reus., von Rum. und auf den aus der Braunen Mappe verlesenen Erlassen zur Verwaltung, zur Einführung der Verwaltung und zur polizeilichen Sicherung der neu besetzten Ostgebiete;

6.) hinsichtlich der weiteren in der Stadt Slonim ansässig gewesenen deutschen Stellen und Einheiten (A. VI.) auf den insoweit glaubhaften Bekundungen der Zeugen Kr., Mat., Ot. und Rüc.

B. Entwicklung der Judenverfolgung in Weissrussland nach der Besetzung durch die deutsche Truppe, speziell im Bereich des Gebietskommissariats Slonim

I. Allgemeine Entwicklung der Judenverfolgung in Weissrussland

Der radikale Antisemitismus, der den Nationalsozialismus prägte und der im Dritten Reich zu Bestimmungen wie den Nürnberger Gesetzen von 1935 sowie einer Fülle diskriminierender Verordnungen, zu Mord und Gewalt und sonstigen Exzessen geführt hatte, wurde nach Ausbruch des Krieges mit der UdSSR unmittelbar hinter der vorrückenden Front auch in den besetzten Ostgebieten exerziert. Um das Endziel, die Ausrottung der Juden zu erreichen, bildete man zunächst Einheiten der Sicherheitspolizei und des Sicherheitsdienstes, sogenannte Einsatzgruppen, eingeteilt in Einsatzkommandos und Sonderkommandos. Grundlage der Tätigkeit dieser beweglichen Kader bildeten die Richtlinien des OKH auf Sondergebieten zur

Weisung Nummer 21 vom 13.März 1941 und der Befehl des OKH vom 28.April 1941 betreffend Regelung des Einsatzes der Sicherheitspolizei und des Sicherheitsdienstes im Verbande des Heeres. Im Gebiet Weissrusslands war die Einsatzgruppe B - zunächst unter Nebe, später unter Naumann - tätig. Für Weissrussland gingen die Aufgaben dieser Einsatzgruppen etwa Ende 1941 / Anfang 1942 auf die stationär gewordenen Dienststellen des Kommandeurs der Sicherheitspolizei und des SD über, wo sie speziell in der Abteilung IV b bearbeitet wurden. Unter Heranziehung ausgebildeter einheimischer Kräfte - Litauer, Letten und Ukrainer, sogenannter Hilfswilliger (Hiwis) - taten diese Dienststellen alles, um das Ziel, das Land - wie es im damaligen Sprachgebrauch hiess - "judenrein" zu machen, zügig zu erreichen. Zur Durchführung dieser Pläne bediente man sich jedoch nicht nur der Angehörigen der Dienststelle des KdS und der diesen zugeordneten Einheiten der Hilfswilligen; zuweilen wurde alles, was erreichbar war, in das Vernichtungswerk einbezogen.

II. Entwicklung der Verfolgungsmassnahmen im Bereich des Gebietskommissariats Slonim

Mit dem Einmarsch der deutschen Truppen in Slonim und der Einrichtung einer Militärkommandantur unterlag die jüdische Bevölkerung, die bis dahin verstreut ihre Häuser und Wohnungen in der Stadt besass, schon einschneidenderen Beschränkungen als die übrige Bevölkerung. Neben einer allgemeinen Ausgangsbeschränkung wurde den Juden verboten, Gehsteige zu benutzen; sie hatten sich mit einem gelben Flecken oder Stern auf der Brustseite und auf dem Rücken ihrer Kleidung zu kennzeichnen. Zeitweilig wurde ihnen auch zur Pflicht gemacht, die uniformierten Deutschen zu grüssen, was diesen wiederum nicht immer passte, so dass Verwirrung unter der Bevölkerung entstand. Arbeitszwang, Registrierung, Verpflichtungen zur Abgabe von Barmitteln, von Gold- und Schmucksachen folgten. Bald wurde ein Judenrat gebildet, der gegenüber den deutschen Behörden die jüdische Bevölkerung zu vertreten hatte. Schon Mitte Juli 1941, also nur wenige Wochen nach der Besetzung der Stadt, kam es in Slonim zu einer grösseren Mordaktion gegen die Juden; sie ist nicht Gegenstand dieses Verfahrens [320]. Das Einsatzkommando 8, unterstützt durch einheimische Hilfstruppen, trommelte die männlichen Juden auf dem Marktplatz zusammen. Über tausend Juden wurden aus der versammelten Menge abtransportiert und in der Nähe der Stadt durch das Einsatzkommando 8 umgebracht. Neben anderen Vorzeichen war diese Aktion für die gesamte jüdische Bevölkerung Slonims die erste unheilvolle Erfahrung mit den Deutschen.

III. Aufgaben der Zivilverwaltung im Rahmen der Verfolgungsmassnahmen und erste Inangriffnahme

1.) Aufgaben der Zivilverwaltung

Sofort mit dem Einzug der Zivilverwaltung in Slonim hatten die Juden in zunehmendem Masse in allen Lebensbereichen empfindliche Einbussen hinzunehmen.

Zu den Aufgaben der Zivilverwaltung gehörte es von vornherein, sich mit der jüdischen Bevölkerung des ihr unterstellten Gebietes konzentriert zu befassen. Die Erfüllung dieser Aufgabe war die entscheidende Vorarbeit für die bis dahin von den Einsatzgruppen unmittelbar hinter den vorrückenden Militärverbänden ergriffenen, nun aber systematisch durchgeführten Massnahmen zur Ausrottung der Juden des Landes.
Über die Zuständigkeit der Zivilverwaltung hinsichtlich der Behandlung der jüdischen Bevölkerung im Reichskommissariat Ostland wurden seit Ende Juli 1941 ausführliche Richtlinien den General- und Gebietskommissaren bekanntgegeben. Einer ersten mündlichen Information durch den Reichskommissar Lohse am 27.Juli 1941 in Riga folgten unter dem 13.August

[320] Zu dieser Aktion siehe Verfahren Nr.573, JuNSV Bd.XX S.171 ff.

1941 die von ihm herausgegebenen "Vorläufigen Richtlinien". In modifizierter Form haben sie auch als sogenannte Arbeitsrichtlinien für die Zivilverwaltung in der Braunen Mappe von Rosenberg Eingang gefunden. Die Richtlinien enthalten Bestimmungen über die Erfassung der Juden, die Kennzeichnungspflicht, Einschränkung der Bewegungsfreiheit, über Schul- und Berufsverbote, Vermögenserfassung etc. Den Gebietskommissaren oblag zunächst und vor allem der Arbeitseinsatz der Juden und die Einrichtung von Ghettobezirken, die später in einem Schreiben des Leiters der Abteilung Finanzen bei dem Reichskommissar Ostland vom 27.August 1944 ausdrücklich als "politische Massnahme" bezeichnet wurde.

2.) Massnahmen der Zivilverwaltung

Für die Juden auch in Slonim ergaben sich dementsprechend neben den bereits bestehenden Entbehrungen weitere Einschränkungen. Sie litten unter Hunger und Kälte; allgemeine Angst verbreitete sich. Verpflichtungen zur Ablieferung von Wertsachen liefen weiter oder wiederholten sich. Die Juden hatten - zwar schon beginnend mit der deutschen Besetzung - verstärkt jedoch unter der ab September 1941 spürbar werdenden Herrschaft des Gebietskommissariats ihre Wohnungen und Unterkünfte aufzugeben und in bestimmte Strassenzüge, die um den die Stadt durchziehenden Fluss Szczara herumlagen, umzuziehen. Diese Massnahme diente der Vorbereitung einer Ghettobildung. Auf kleinstem Raum mussten die Juden dort unter unwürdigen Bedingungen leben. Die jüdische Facharbeiterschaft sowie das jüdische Ärztepersonal war etwas besser dran. Auf sie war man - eine allgemeine Erscheinung in den besetzten Ostgebieten - zur Aufrechterhaltung kriegswirtschaftlich wichtiger Betriebe und nicht zuletzt auch aus eigensüchtigen Motiven der deutschen Dienststellen angewiesen. Man schätzte die gute handwerkliche Arbeit der Juden sowohl bei der Truppe als auch in der Zivilverwaltung, oft zum Verdruss der mit der Ausrottung der jüdischen Bevölkerung federführend beauftragten Dienststellen der Sicherheitspolizei, die in der Verwendung der Juden im Arbeitsprozess nur eine unnötige Verzögerung in den Plänen zur totalen Vernichtung der Juden erblickte. Auch beim Gebietskommissariat Slonim war man bemüht, qualifizierte jüdische Arbeitskräfte, die schlicht als "nützliche Juden" - im Gegensatz zu den "unnötigen Fressern" - bezeichnet wurden, abgesondert unterzubringen. Die Facharbeiterschaft wurde auf bestimmte Räume der Stadt konzentriert. Ärzte und Arztpersonal fand sich zunächst in der Apothekergasse, dann in der Bernardinska, zusammen. Die Ausgabe von Ausweisen an die privilegierten Arbeitskräfte stellte - wie noch erörtert werden wird - eine zusätzliche Massnahme dar.

Einige Zeit nach der im November 1941 durchgeführten grossen Aktion gegen die jüdische Bevölkerung Slonims wurde das jüdische Wohnviertel weiter eingeengt. Das Gebietskommissariat liess es etwa im Februar 1942 mit einem hohen Zaun aus Stacheldraht umgeben, so dass ein abgeschlossener Ghettobezirk entstand, der von einheimischen Schutzleuten und eigenem jüdischen Ordnungsdienst bewacht wurde. Wie Err. in seinem Bericht vom 25.Januar 1942, auf den noch näher eingegangen werden wird, gegenüber der vorgesetzten Stelle nach Minsk meldete, war aus Mangel an Material und Bewachungspersonal eine frühere Errichtung des Ghettos nicht möglich.

IV. Aufgaben der Polizei im Rahmen der Judenverfolgungsmassnahmen

Mit seiner Ernennung zum Reichskommissar unterstand dem Reichsführer SS und Chef der deutschen Polizei Himmler praktisch die gesamte Bevölkerungspolitik in den besetzten Gebieten, was vor allem im Hinblick auf die "rassische Säuberung" von ausschlaggebender Bedeutung war. Für diese Ziele konnten die örtlichen SS- und Polizeieinheiten und damit auch die Gendarmerieposten einer Ortschaft über die ihnen vorgesetzten Dienststellen - KdGend und KdO - oder auch auf dem Befehlsweg über den HSSPF und KdS, bei dem das Schwergewicht in der Durchführung der Judenverfolgung lag, eingesetzt werden.

In der Bearbeitung der Judenangelegenheiten wurde eine genaue Aufgabenabgrenzung zwischen der Zivilverwaltung und der Polizei nicht getroffen. Es kam vielmehr auf praktische und enge Zusammenarbeit an.

V. Grundlagen zu den Feststellungen unter B I. bis IV. einschliesslich Einlassung des Angeklagten Err. und Beweiswürdigung

Die Feststellungen zu den vorgenannten Tatsachen beruhen auf den Angaben der Angeklagten, soweit ihnen hat gefolgt werden können und im übrigen

1.) hinsichtlich der allgemeinen Entwicklung der Judenverfolgung (B.I.), soweit nicht allgemeinkundig und als solche Tatsachen in die Verhandlung eingeführt, auf den überzeugenden Ausführungen des Sachverständigen Dr. Sche. und verlesenen Teilen aus dem Bericht Dr. Stahleckers vom 15.Oktober 1941 (IMT 37/670 ff.);

2.) hinsichtlich der ersten Verfolgungsmassnahmen in Slonim (B.II.) auf den insoweit glaubhaften Bekundungen der Zeugen Cha., De., Abraham Do., Gel., Gri., Hol., Dr. Kap., Le., Lik., Mo., Näh., Orl., Os., Pyt., Re., R., Run., Jacob Sch., Seig., Dr. Wol. und Zir.;

3.) hinsichtlich der Aufgaben der Zivilverwaltung und Polizei im Rahmen der Verfolgungsmassnahmen (B.III.1. und B.IV.) auf den überzeugenden Ausführungen des Sachverständigen Dr. Sche. in Verbindung mit den verlesenen, in der Braunen Mappe zusammengefassten Richtlinien und Verordnungen (Richtlinien für die Behandlung der Judenfrage, Verordnung über die Einführung des Arbeitszwanges für die jüdische Bevölkerung vom 16.August 1941, Verordnung über das Verbot des betäubungslosen Schlachtens in den besetzten Ostgebieten vom 5.August 1941) sowie auf den vorläufigen Richtlinien für die Behandlung der Juden im Gebiet des Reichskommissariats Ostland vom 13.August 1941 (IMT XXVII/19);

4.) hinsichtlich der ersten Massnahmen im Gebietskommissariat Slonim gegenüber der jüdischen Bevölkerung (B.III.2.) auf den Bekundungen der Zeugen Cha., Cze., De., Abraham Do., Gel., Gri., Har., Hie., Hol., Dr. Kap., Krü., Lik., Mo., Ml., Orl., Pyt., Run., Jacob Sch., Seig. sowie auf den Ausführungen in den verlesenen Berichten des Gebietskommissars Slonim vom 25.Januar 1942 (Abschnitt Judentum, Blatt 9) und vom 26.September 1942 (Anlage zum Schreiben an den Reichsminister für das Ostland vom 8.Oktober 1942).

Der Angeklagte Err. will sich nicht daran erinnern können, die Richtlinien für die Behandlung von Juden schriftlich erhalten zu haben; er räumt jedoch ein, durch entsprechende Verfügungen seiner vorgesetzten Stelle in Minsk inhaltlich über diese Richtlinien orientiert worden zu sein. Dass der Angeklagte Err. darüber, wie er mit den Juden umzugehen hatte, genau orientiert war, ergeben überdies bereits seine Berichte vom 25.Januar 1942 und vom 26.September 1942, aber auch sein gesamtes Auftreten gegenüber der jüdischen Bevölkerung, wie es noch weiter unten dargestellt werden wird. In dem Bericht vom 25.Januar 1942 ist im Abschnitt "Judentum" (Seite 6) ausdrücklich davon die Rede, dass die Juden nach Zahl, Alter und Beruf unter Herausziehung aller Handwerker und Facharbeiter erfasst und in den Arbeitsprozess eingespannt worden seien, wo sie "willig aufgrund ständiger Todesangst" arbeiteten. In dem Bericht vom 26.September 1942, der auszugsweise im Schreiben an den Reichskommissar für das Ostland vom 8.Oktober 1942 wiedergegeben worden ist, wies der Gebietskommissar von Slonim ausdrücklich darauf hin, dass das "flache Land" seines Gebietes "judenfrei" und lediglich in der Stadt Slonim "ein Restbestand von etwa über 500 streng einghettisierten Handwerkern und Facharbeitern vorhanden" sei.

Der Angeklagte Err. leugnet auch nicht, die Einrichtung des Ghettos entsprechend einem Erlass des Generalkommissars angeordnet zu haben; seine Erklärung, ihm sei diese Massnahme unangenehm gewesen, der Hauptkommissar Fenz habe ihm ständig auf den Fersen gesessen, ist nicht plausibel, wenn man berücksichtigt, dass der Angeklagte in seinem Bericht vom 26.September 1942 darüber berichtete, er sei "froh" gewesen, "die ursprünglichen im Gebiet vorhanden gewesenen 25.000 Juden bis auf 500 zusammengeschmolzen zu sehen, die ja politisch noch immer eine gewisse Gefahr" bedeuteten, "aber aus zwingenden kriegswirtschaftlichen Erwägungen noch nicht" hätten "restlos beseitigt werden können".

Der Angeklagte Err. behauptet ferner, seine Behörde sei für die Ablieferung von Wertsachen der Juden nicht zuständig gewesen; hiermit sei ein Treuhänder beauftragt gewesen, der dem Gebietskommissariat nicht angehört habe, vielmehr sei diese Aufgabe in Personalunion vom Leiter der Wirtschaftsabteilung mit erfüllt worden. Der Angeklagte räumt aber immerhin ein, gelegentlich sich auch hiermit befasst zu haben; so habe er sich einmal von den Zeugen Sen. und Ne. eine Liste über abgelieferte Sachen anfertigen lassen, die nach Berlin weiterzugeben gewesen seien. Mit der Ablieferung nach Berlin habe er immer zwei Leute beauftragt. Dass ohne Rücksicht auf sachliche Zuständigkeiten sich das Gebietskommissariat intensiv damit befasste, den Juden Wert- und andere Gegenstände abzunehmen, haben nicht nur die Bekundungen der insoweit betroffenen jüdischen Zeugen selbst wie Cze., Abraham Do., Hol. und Seig. ergeben, sondern vor allem die Erklärungen des im Gebietskommissariat tätig gewesenen früheren Mitbeschuldigten Koh. gezeigt; danach sollen Err. und auch Hick den jüdischen Obmann fortgesetzt wegen der Abgabe von Gegenständen jeder Art, auch Gold, zu sich zitiert haben. Der Zeuge Sen. hat davon berichtet, er habe Wertgegenstände, die im Panzerschrank des Gebietskommissariats aufbewahrt worden seien, nach Berlin bringen müssen. Ferner hat auch der auf der Ortskommandantur eingesetzte Zeuge Schm., der durch ein auffallend gutes Gedächtnis imponierte und zuverlässig wirkte, glaubhaft bekundet, er habe an der Ecke gegenüber der Ortskommandantur in Slonim, und zwar dort, wo sonst der Wehrmachtsbericht zu hängen pflegte, einen Anschlag des Gebietskommissariats gesehen, auf dem zu lesen gewesen sei, dass die Juden von Slonim bis zu einem bestimmten Tage zwei Kilogramm Gold und 2.000 Edelsteine hätten abliefern müssen.

C. Tätigkeit des Angeklagten Err. in Slonim in seiner Eigenschaft als Gebietskommissar, insbesondere sein Auftreten gegenüber der jüdischen Bevölkerung der Stadt

I. Verhalten des Angeklagten Err. allgemein

Von dem den Junkern auf der Ordensburg anerzogenen dünkelhaften Bewusstsein, einer elitären Gemeinschaft anzugehören, war auch der Angeklagte nicht frei. Als Gebietskommissar in Slonim trat er entsprechend grossspurig auf, gab sich als Herrenmensch, überheblich, machtbewusst und gegenüber der einheimischen Bevölkerung unnahbar, auch - wie er selbst sagt - den Leuten seiner Dienststelle gegenüber Distanz haltend. In dem an seine vorgesetzte Dienststelle gerichteten Bericht vom 25.Januar 1942 brachte er diese Haltung zum Ausdruck:

> "Die Masse der Weissruthenen ist faul, dumm, verlogen und verstohlen, dem Bolschewismus zugeneigt, häufig partisanenhörig und nur zum ganz geringen Teil für eine selbständige Aufbauarbeit zu gebrauchen. Unter hartem Zwang und ständiger Aufsicht gehalten ducken sie sich unter der Faust und arbeiten wo man sie hinstellt, aber nur so lange sie unter Aufsicht sind. Es wird jahrelang mühsame Arbeit kosten, diese Sklavenseelen zu fleissigen Bauern und Handwerkern zu erziehen."

An anderer Stelle heisst es in dem Bericht:

> "Unser Gefolgschaftsheim vereinigt in getrennten Räumen bei gemeinsamen Mahlzeiten alle Gefolgschaftsmitglieder der deutschen Dienststellen einschl. Sonderführer und Polizei. Der äussere Zuschnitt ist so gehalten, dass auch Leute mit weniger Kinderstube bald zu Formen erzogen werden, die schon durch ihre äussere Haltung dem bedienenden einheimischen Personal Achtung vor deutschen Herrenmenschen aufzwingt."

Die auf Gängen durch die Strassen Slonims mitgeführte Reitpeitsche verlieh dem Angeklagten und seinen Ordensjunkern das dem Habitus eines Herrenmenschen angepasste Statussymbol. Von ihr wurde auch gegenüber der einheimischen Bevölkerung, insbesondere der jüdischen, Gebrauch gemacht.

Der Angeklagte war als Gebietskommissar gleichzeitig Gebietsleiter der NSDAP in Slonim. Auch insoweit entwickelte er Aktivitäten, wenn man seinen Ausführungen im "kritischen Erfahrungsbericht" vom 10.August 1944 folgt:

> "Eine Betreuung von Partei wegen war selbstverständlich vorhanden. Ich zog anfänglich 14täglich Schulungsabende auf, die aber später durch den häufigen Wehrbereitschaftsdienst und sonstiger auswärtiger Einsätze nur noch auf monatlich oder zweimonatlich beschränkt werden mussten. In meinem ganzen Gebiet waren überhaupt nur 240 Reichsdeutsche vorhanden, von denen ein Grossteil Eisenbahner auf die Stationen und Blockstellen verteilt waren und sowieso nicht teilnehmen konnten. Dafür wurde jeder nationale Feiertag zu einer Kundgebung ausgestaltet, in der die Reichsdeutschen wieder einmal Korsettstangen eingezogen bekamen."

II. Auftreten des Angeklagten Err. gegenüber der jüdischen Bevölkerung in der Stadt Slonim

1.) Die in schriftlichen Berichten niedergelegten Äusserungen des Angeklagten zum Judentum

Auf der Grundlage seiner nationalsozialistischen Erziehung und seines politischen Bewusstseins war der Angeklagte scharf gegen das Judentum und damit von vornherein gegenüber diesem Teil der Bevölkerung seines Gebiets eingestellt. Dafür liefert der bereits mehrfach zitierte Lagebericht vom 25.Januar 1942 an Deutlichkeit nicht zu überbietende Hinweise.

Unter dem Abschnitt "Judentum" des ausführlich über die ersten Monate der Kommissariatstätigkeit Auskunft gebenden Schriftwerks ist zu lesen:

> "Die vom SD am 13.11. durchgeführte Aktion befreite mich von unnötigen Fressern; und die jetzt vorhandenen ca. 7.000 Juden in der Stadt Slonim sind sämtlich in den Arbeitsprozess eingespannt, arbeiten willig auf Grund ständiger Todesangst und werden im Frühjahr genauestens für eine weitere Verminderung überprüft und aussortiert. Das flache Land wurde eine Zeitlang grosszügig von der Wehrmacht gesäubert; leider nur in Orten unter 1.000 Einwohnern. In den Rayonstädten wird nach der Durchführung der Hilfsarbeiten für die West--Ost-Bewegung das Judentum bis auf die notwendigsten Handwerker und Facharbeiter ausgemerzt werden. Da die Wehrmacht nicht mehr bereit ist, Aktionen auf dem flachen Lande durchzuführen, werde ich die gesamten Juden des Gebietes in zwei oder drei Rayonstädten zusammenfassen, nur in geschlossenen Arbeitskolonnen einsetzen, um damit endgültig Schleichhandel und Partisanenunterstützung durch Juden auszurotten. Die besten Fachkräfte unter den Juden müssen unter Aufsicht in meinen Handwerkerschulen ihre Kunst den intelligenten Lehrlingen weitergeben, um einmal den Juden auch im Handwerk entbehrlich zu machen und auszuschalten."

Es folgten diesem ersten Bericht - wohl nicht ganz regelmässig - in etwa monatlichen Abständen weitere Berichte, von denen nur wenige erhalten geblieben sind. Diese wenigen enthalten ähnliche Passagen. In dem Bericht des Gebietskommissars von Slonim vom 26.September 1942, der auszugsweise in einer Anlage zu einem Schreiben den Reichskommissar für das Ostland vom 8.Oktober 1942 wiedergegeben worden ist, lässt sich der Angeklagte wie folgt aus:

> "Ich bin froh, die ursprünglich im Gebiet vorhanden gewesenen 25.000 Juden bis auf 500 zusammengeschmolzen zu sehen, die ja politisch noch immer eine gewisse Gefahr bedeuten, aber aus zwingenden kriegswirtschaftlichen Erwägungen noch nicht restlos beseitigt werden können. ..."

und weiter:

> "Wie schon oben erwähnt, ist bis auf in Wäldern vagabundierende oder bei Partisanentruppen sich aufhaltende, geflüchtete Juden das flache Land judenfrei und in der Stadt Slonim ein Restbestand von etwas über 500 streng einghettisierten Handwerkern und Facharbeitern vorhanden ..."

und:

> "Auch die jüdischen Ärzte wurden auf Anordnung des Herrn Hauptkommissars in Baranowitsche bis auf einen Chirurgen, den die Gendarmerie für Operationen bei Verwundeten unbedingt behalten wollte, und zwei Zahnärzte, die in Wehrmachtsdiensten stehen, restlos beseitigt."

In dem "Tätigkeitsbericht" vom 10.August 1944 beurteilt Err. im Zusammenhang mit der Darstellung der Befriedung des Landes und der Menschenführung das Judentum wie folgt, nachdem er die Notwendigkeit der "Ausmerzung des Negativen und Förderung des Positiven" als Leitlinie herausgestellt hatte:

> "Das negativste politische Element, die Juden, beherrschten das gesamte Wirtschaftsleben. Die politische Notwendigkeit ihrer Ausschaltung musste mit einem möglichst raschen wirtschaftlichen Ersatz konform gehen ..."

Nachdem Err. das näher dargelegt hatte, geht es im Text wie folgt weiter:

> Dieses Vorhaben wurde ... durchgeführt und ohne wesentliche Schädigung der Kriegswirtschaft ca. 25.000 Juden ausgeschaltet ..."

2.) Mündliche Äusserungen Err.s zum Judentum

Aber nicht nur derartige Berichte an seine übergeordneten Dienststellen spiegeln die Einstellung Err.s zur jüdischen Bevölkerung wieder. In mündlichen Erklärungen verhielt er sich nicht anders:

a) Der Zeuge Schm., als Gefreiter der in Slonim stationierten 6.Kompanie auf der Ortskommandantur eingesetzt, musste sich von Err., als er den Judenrat mit den Worten "Die Herren vom Judenrat sind da" meldete, anschreien lassen: "Was, die Herren?"

b) Err. war darum bemüht, im Wettlauf mit anderen Gebietskommissariaten sein Gebiet schnellstens "judenrein" zu machen. Das brachte er inhaltlich nicht nur in dem zitierten Abschnitt über das "Judentum" seines Berichtes vom 25.Januar 1942 zum Ausdruck; er rühmte sich seiner Leistung auf diesem Sektor auch in Gesprächen.

c) Als sich der Zeuge Seip., der als Sanitätsdienstgrad in der 3.Kompanie des Landesschützenbataillons 915 Dienst tat, während der Aktion Ende Juni / Anfang Juli 1942 für die dringend benötigten jüdischen Ärzte einsetzte, und deshalb bei dem Angeklagten Err. vorstellig wurde, entgegnete ihm dieser: "Holen Sie sich Ihre dreckigen Juden".

d) Der auf Seip.s Bitten herbeigeeilte Bataillonsarzt Dr. Ise., der seinerseits die Bemühungen Seip.s zu unterstützen suchte, wurde wenig später von Err. belehrt: "Gehen Sie doch mal runter und sehen Sie sich das an; das sind doch gar keine Menschen".

3.) Handgreiflichkeiten des Angeklagten Err. gegenüber Juden

Err. schreckte auch nicht davor zurück, sich an Juden zu vergreifen. Anlässlich eines zeitlich nicht mehr bestimmbaren Besuches in der Schusterwerkstatt, in der er nach seinen Stiefeln fragte, schlug er einen alten Juden mit der Peitsche über den Rücken.

4.) Verhalten der Untergebenen des Angeklagten Err.

Err. liess es schliesslich auch hingehen, dass sich einige Angehörige seiner Dienststelle gegenüber den Juden erhebliche Exzesse erlaubten. Die Juden waren vogelfrei. Sie wurden auf den Strassen der Stadt und des Ghettos von Angehörigen des Kommissariats geschlagen. Vor allem der Ordensjunker Hick sowie der Dolmetscher Alfred Met. waren im Ghetto gefürchtet. Hick, der als Leiter des Referates Politik für "Judenangelegenheiten" verantwortlich war, tat sich hervor, die verängstigten und gedemütigten Menschen bei jeder passenden Gelegenheit erneut zu quälen. Err., dem dieses Treiben seiner Untergebenen nicht entging, widersprach dem nicht.

III. Einlassung des Angeklagten Err. und Feststellungsgrundlagen zu C.I. und II. einschliesslich Beweiswürdigung

1.) Einlassung des Angeklagten

Der Angeklagte Err. hat hinsichtlich seines Verhaltens insbesondere gegenüber der jüdischen Bevölkerung folgendes angegeben: Durch den an den Ordensburgen vermittelten Wissensstoff habe er sich in seiner Einstellung zum Judentum nicht beeinflussen lassen. Er habe niemals Hass oder eine Abneigung gegen Juden empfunden. Er sei mit Juden gross geworden. Juden hätten in seiner Familie verkehrt; seine Schwägerin sei Jüdin, der Hausarzt der Familie sei ein Jude gewesen.

Er habe sich in Slonim stets und wo nur irgend angängig schützend vor die Juden gestellt, auch angeordnet, dass sie von seinen Leuten anständig zu behandeln seien. Er habe streng untersagt, die Juden anzufassen. Manches habe er riskiert, um den Juden zu helfen. So habe er zum Beispiel zwei Mädel, bei denen es sich um Jüdinnen gehandelt haben könne, ins Reich vermittelt.

Zum Bericht des Gebietskommissars von Slonim vom 25.Januar 1942 hat Err. folgendes angegeben: Jeden Monat hätten Tätigkeitsberichte an den Generalkommissar nach Minsk geliefert werden müssen. In diesen Berichten sei vieles aus durchsichtigen Gründen ziemlich übertrieben worden. Der Bericht vom 25.Januar 1942 sei nicht von ihm abgefasst worden. Die Abteilungsleiter seines Kommissariats hätten, wie es in der Verwaltung üblich sei, den in ihre Zuständigkeit fallenden Teil selbständig geschrieben und sein Stabsleiter Stähle habe dann den Bericht zusammengefasst. Allenfalls der Anfang des Berichtes trage seine Handschrift, sonst höre sich alles nach dem Stile Stähles an. Er habe den Bericht - wenn überhaupt - auf keinen Fall sorgfältig durchgelesen, allenfalls überflogen, auf Stähle habe er sich verlassen können.

Nach anfänglich unklaren Erklärungen, etwa dahingehend, die Paraphe unter dem ihm vorgelegten Exemplar des Berichtes könne von ihm stammen, müsse es aber nicht, hat Err. auf erneuten Vorhalt zu einem späteren Zeitpunkt in der Hauptverhandlung eingeräumt, er habe den Bericht wohl doch unterschrieben. Er müsse aber bezweifeln, ob der Bericht überhaupt abgesandt worden sei. Der Abschnitt "Judentum" in diesem Bericht sei von Hick ausgearbeitet worden. Er empfinde die Äusserungen in diesem Abschnitt durchaus als unpassend und hätte dies, wenn ihm die Auslassungen aufgefallen wären, schon damals so beurteilt. Wenn er den Abschnitt gelesen hätte, wären solche Sätze von ihm geändert worden. Was mit "Vor-

bereitungen für eine künftige grössere Aktion" gemeint gewesen sei, wisse er nicht mehr. Damals habe ja alles "Aktion" geheissen. Den Ausdruck "unnötige Fresser" habe er vom Slonimer Bürgermeister gehört, der sich darüber beklagt habe, dass die Juden so viele Nahrungsmittel erhielten. Was ihm sonst in diesem Zusammenhang angelastet werde, müsse er entschieden zurückweisen.
Er habe nicht mehr in Erinnerung, sich bei der Vorstellung des Judenrates dem Zeugen Schm. gegenüber dahin ausgelassen zu haben: "Was, die Herren?"; wenn er so etwas gesagt haben sollte, könne es nur ironisch gemeint gewesen sein.

Sein Gebiet sei nicht als erstes "judenrein gewesen", er könne allenfalls einmal konstatiert haben, dass keine Juden mehr in seinem Gebiet vorhanden gewesen seien. Er entsinne nicht, sich damit gebrüstet zu haben.

Gegenüber dem Zeugen Seip. habe er nicht von "Scheissjuden" oder "dreckigen Juden" gesprochen. Zu Dr. Ise. habe er angesichts des erbarmungswürdigen Aussehens der Juden - es seien Elendsgestalten gewesen - gesagt, die Juden seien anders als wir, sie seien keine Menschen wie wir; damit habe er aber kein abwertendes Urteil abgeben wollen. Es sei nicht anders gemeint gewesen, als dass diese Menschen heruntergekommen seien und sich deshalb und dadurch von uns unterschieden.

Er habe niemals die vom Gebietskommissariat eingerichteten jüdischen Werkstätten betreten, so auch nicht die Schusterei. Er habe niemals einen Juden mit der Peitsche geschlagen.

Ihm sei unbekannt geblieben, dass sich Angehörige seiner Dienststelle an Juden vergriffen hätten. Gegen den Ordensjunker Rittmeyer, der allerdings einmal einen Juden in der Schneiderwerkstatt erschossen habe, habe er Meldung gemacht und mit Kube darüber gesprochen. Das habe indes nichts genützt. Da Rittmeyer Ordensjunker gewesen sei, habe man gewisse Rücksichten geübt. Hick sei zwar jähzornig gewesen; er, Err., wisse jedoch nichts davon, dass Hick Juden erschossen habe. Met. habe ihm von Anfang an nicht gefallen; er habe auch später dessen Versetzung durchgesetzt. Im übrigen habe er zu den Leuten seines Kommissariats Distanz gehalten.

2.) Feststellungsgrundlagen und Beweiswürdigung zu C.I. und II.

a) Allgemeine Bemerkungen zur Einlassung Err.s und zur Beweiswürdigung

(1) Die Einlassung des Angeklagten trägt in verschiedenen Punkten für sich den Stempel der Unwahrheit, wie es in seinen Angaben zum Tätigkeitsbericht vom 25.Januar 1942 schon deutlich geworden ist. Dass von den Angaben des Angeklagten nichts zu halten ist, hat ihm auch das Hamburgische Oberverwaltungsgericht in dem verlesenen Urteil vom 30.September 1963 bereits mit dem Hinweis bescheinigt, er habe sich durch unrichtige Angaben über seine politische Vergangenheit eine arglistige Täuschung zuschulden kommen lassen. Im einzelnen wird noch darzustellen sein, dass kaum ein wesentlicher Punkt seiner Einlassung unwiderlegt geblieben ist.

(2) Zum Erkenntniswert von Zeugenaussagen ist an dieser Stelle - gleichzeitig geltend für jede weitere in diesem Urteil angestellte Würdigung der Beweise - folgendes anzumerken:

Das Schwurgericht hat bei der Bewertung unterschieden zwischen Aussagen von Zeugen, die unmittelbar vor das Gericht getreten sind und hier ausgesagt haben und jenen, deren Vernehmung - aus welchen Gründen auch immer - durch Verlesung früherer Niederschriften in der Hauptverhandlung hat ersetzt werden müssen. Völlig unkontrollierbar zustande gekommene Berichte wie jene von Szl. und Mor. sind nicht verwertet worden, soweit sie sich gegen die Angeklagten auswirken konnten.

Die Kritik der Angeklagten hat sich vorwiegend auf jene Zeugen bezogen, die als Juden während der nationalsozialistischen Herrschaft in Slonim lebten, die indes dem Schicksal ihrer ums Leben gekommenen Leidensgenossen, oft naher Verwandter und Freunde, entrinnen konnten. Diese Menschen bilden den Kern der Belastungszeugen. Es hat in diesem Verfahren aber auch viele Zeugen gegeben, die der Beteiligung an den Taten, die den Gegenstand dieses Prozesses bilden, selbst verdächtig sind, mag es sich um Angehörige der Kommandos der Sicherheitspolizei oder anderer in die Vernichtungsmassnahmen eingespannter Einheiten gehandelt haben. Dass die Angaben dieser Zeugen entsprechend zu würdigen gewesen sind, liegt auf der Hand. Das Schwurgericht hat sich im übrigen in erster Linie auf den Eindruck des Zeugen verlassen, den dieser in der Hauptverhandlung gemacht hat; dabei hat es die besonderen Umstände - wie skizziert - im Auge behalten. Die von den Angeklagten geltend gemachten und auch sonst in Betracht kommenden Möglichkeiten eines Zweifels in der Bewertung der Aussagen der Belastungszeugen, aber auch jener, denen aus vordergründigen Interessen an einer ungerechtfertigten Entlastung der Angeklagten gelegen gewesen sein könnte, sind geprüft worden.

Was die Redlichkeit der Zeugen betrifft, so hat das Gericht aus der Hauptverhandlung den Eindruck gewonnen, dass sich die Zeugen, deren Angehörige den Kugeln der deutschen Mordkommandos zum Opfer fielen, bemerkenswert sachlich und diszipliniert verhalten haben. Das ist umso erstaunlicher, als während des oft mehrstündigen Verhörs für die Zeugen schreckliche Bilder der Vergangenheit auftauchen und lebendig werden mussten.

Es war weiter zu berücksichtigen, dass seit den Geschehnissen über drei Jahrzehnte verstrichen sind. Mag diese Zeitspanne zu einem beherrschten und Hassgefühle zurückdrängenden Denken der Zeugen beigetragen haben, so haben sich aus diesem Umstand für die Verwertbarkeit der Angaben naturgemäss auch Nachteile in Bezug auf ihre Zuverlässigkeit ergeben. Es ist nicht zu leugnen, dass der zeitliche Abstand zu den Ereignissen während der Jahre 1941 und 1942 in Slonim, an den Grenzen der menschlichen Erinnerungsfähigkeit gemessen, beträchtlich ist. So ist ohne weiteres erklärbar, dass manchem Zeugen eine zeitliche Einordnung der Ereignisse nicht mehr gelang oder schwer fiel. Bei den Juden, die im Ghetto Slonims lebten, ist zusätzlich zu berücksichtigen, dass ihnen - in ständiger Angst und Panik gehalten - jeder Massstab und Sinn für andere Dinge genommen sein musste.

Von besonderem Wert für die Prüfung der Zuverlässigkeit einer Aussage ist die Frage gewesen, ob der Zeuge lediglich über Ereignisse vom Hörensagen oder über eigene Erlebnisse berichtete. Dass die Intensität eines Erlebnisses für die Erinnerungsfähigkeit Bedeutung besitzt, hat sich in dem vorliegenden Verfahren wiederholt bestätigt.

Das Gericht hat ferner ein besonderes Augenmerk der Frage zugewandt, ob und inwieweit sich die einzelne Aussage mit denen anderer Zeugen hat in Einklang bringen lassen. Dabei hat es vielfach eine erstaunliche Übereinstimmung festgestellt. Dieser Konvergenz kommt ein hoher Beweiswert für die einzelnen Aussagen zu. Das Vorhandensein unwesentlicher Abweichungen hat das Gericht allgemein als Anhaltspunkt dafür genommen, dass die Zeugen ohne vorherige enge Kontaktaufnahme ihren Bericht geliefert haben.

Schliesslich hat das Gericht die Einzelaussage daraufhin überprüft, ob dem Zeugen bei der Bezeichnung eines Namens, insbesondere jener der Angeklagten, wirklich ein echtes Erinnerungsbild vor Augen stand, ob der Zeuge den Genannten selbst erlebt, insbesondere im Zusammenhang mit ihn belastenden Vorgängen wahrgenommen hat oder ob sich die Namen, deren Träger damals in Slonim in den Vorstellungen der jüdischen Bevölkerung zu den Funktionären der deutschen Verwaltung und Polizei gehörten, nur deshalb seinem Gedächtnis eingeprägt haben, weil sie in aller Munde waren, indes konkrete eigene Erlebnisse des Zeugen fehlten.

b) Grundlagen der unter C.I. und II. dargestellten Tatsachen einschliesslich Würdigung der Beweise

(1) Durch eine Vielzahl von Zeugen ist bekundet worden, dass sich nicht nur die dem Angeklagten Err. beigegebenen Ordensjunker, sondern auch er selbst während der Slonimer Zeit der Klasse der Herrenmenschen zugehörig fühlten, während insbesondere die Juden zu Untermenschen gestempelt wurden; nach dem, was durch den Zeugen Dr. Ise. verbürgt worden ist - darauf wird noch einzugehen sein - sprach Err. den Juden menschliches Wesen überhaupt ab. Die Bekundungen der Zeugen Sten., Nek., vor allem aber Ho., als ehemalige Kameraden von der Ordensburg nicht gerade darauf bedacht, den Angeklagten zu belasten, haben gezeigt, dass in den Absolventen der Ordensburg das Gefühl, als Herrenmenschen zu gelten, entwickelt werden sollte. Das stimmt mit dem überein, was in den verlesenen Kapiteln des Organisationsbuches der NSDAP über die Einrichtung der Ordensburgen festgelegt worden war. Zeugen, die Err. als Gebietskommissar erlebten, haben die weitere Entwicklung bestätigt. So ergibt sich aus den Bekundungen der Zeugen von Stc., Dr. W., Frau Elm., Krü. und des früheren Mitbeschuldigten He., dass Err. den Herrenmenschen hervorkehrte. Diese Zeugen haben übereinstimmend ausgesagt, Err., von der Ordensburg kommend, sei arrogant gewesen, habe über sie, die Zeugen, hinweggeschaut, sei unnahbar und selbstherrlich gewesen und habe keine andere Meinung neben der seinigen gelten lassen, sei wie ein kleiner Gott aufgetreten. Der Mitangeklagte Schu. hat sich dahingehend geäussert, Err. sei der ungekrönte König in Slonim gewesen. Der Angeklagte Err. führte nach den Angaben einer Reihe von Zeugen - Emilie Bra., Ec., Sen. - auf seinen Gängen durch Slonim eine Reitpeitsche mit sich.

(2) Als Folge der ihm zuteil gewordenen nationalsozialistischen Erziehung war der Angeklagte Err. eindeutig gegen das Judentum eingestellt. Er, der sich aktiv in der NSDAP einsetzte und in ihr seinen Lebensinhalt seinerzeit erblickte, verweigerte sich nicht dem zentral und rücksichtslos geführten Kampf des Regimes gegen das Judentum. Zuverlässige Bekundungen einer Reihe von Zeugen haben dies klar bestätigt. Mögen vorwiegend frühere Kameraden von der Ordensburg - die Zeugen Had., Ho., Hans-Ulrich Mei., Hermann Mei., Sten. und Pe. - aus plausiblen Gründen versucht gewesen sein, ein euphemistisches Bild über die Persönlichkeit Err.s zur damaligen Zeit zu entwerfen, so haben sich auf Grund der Angaben anderer Zeugen, die nicht alle ohne Wohlwollen Err. gegenüberstehen - es handelt sich um die Zeugen Reus., Ec., Koh., von Rum., auch Sen., Irmingard Pet., He., Schm. und To. - sichere Feststellungen treffen lassen, die die Erklärungen des Angeklagten widerlegen. Der Zeuge von Rum., dem während seiner Vernehmung deutlich anzumerken gewesen ist, dass er die Tätigkeit der Zivilverwaltung in den besetzten Ostgebieten gerade in Bezug auf die Judenfrage als möglichst geringfügig darstellen wollte, hat ausgesagt, Err. habe die Judenvernichtung innerlich gebilligt, die Abfassung des Berichtsabschnittes "Judentum", der dem Zeugen aus dem Bericht vom 25.Januar 1942 vorgehalten worden war, habe der damaligen Einstellung Err.s entsprochen. Der Zeuge Reus., während seiner Vernehmung ebenfalls bestrebt, über die Fragen nach der Rolle der Zivilverwaltung im Zusammenhang mit der Judenvernichtung hinwegzugehen, hat in ähnlicher Weise ausgesagt; Err. sei von der Ordensburg gekommen, und der Führernachwuchs auf der Ordensburg sei zu Judengegnern erzogen worden. Die Bekundungen der weiter genannten Zeugen gehen in die gleiche Richtung. Zwar finden sich in den Aussagen aller dieser Zeugen Werturteile und Überzeugungen, obwohl das Gericht immer wieder versucht hat, die meinungsbildenden Fakten herauszuhören. Das übereinstimmende Bild spricht immerhin für sich. Das von den Zeugen gelieferte Tatsachenmaterial findet im übrigen in den bereits zitierten Passagen der Berichte vom 25.Januar 1942, 26.September 1942 und 10.August 1944 (Tätigkeitsbericht) seine Bestätigung.

(3) Die gelegentlich in Zweifel gezogene Echtheit des Berichts vom 25.Januar 1942 steht nach dem Beweisergebnis ausser Frage. Der Angeklagte hat - wenn auch mit einigem Zögern - schliesslich eingeräumt, den Bericht unterzeichnet zu haben. Die maschinenschriftlich abge-

fasste Urkunde, die in beglaubigter Ablichtung in der Hauptverhandlung vorgelegen hat und verlesen worden ist, trägt die Paraphe Err.s; es handelt sich danach erkennbar um eine Durchschrift des nach Minsk abgesandten Originals. Nicht die geringsten Anhaltspunkte finden sich dafür, dass der Bericht gefälscht oder verfälscht sein könnte, was - wenn auch nicht weiter differenziert - von der Verteidigung des Angeklagten in den Raum gestellt wurde. Die im Kopf oben links eingetragene Nummer 40 bietet keinen geeigneten Anknüpfungspunkt zur Skepsis. Diese Zahl findet sich auch im Kopf eines Schreibens des Gebietskommissars vom 28.Mai 1943 an seinen Dolmetscher Met.; sie stellt ersichtlich die für das Gebiet Slonim benutzte Zahl einer durchlaufenden Numerierung aller zum Reichskommissariat Ostland gehörenden Gebietskommissariate dar. So trug das Gebietskommissariat Baranowicze die Nummer 43, wie das verlesene Schreiben vom 18.Dezember 1943 (Bundesarchiv R 6/27) bestätigt.

Der Bericht vom 25.Januar 1942 ist auch abgesandt worden und in Minsk eingetroffen, was im übrigen für die Bedeutung dieses Beweisstückes belanglos ist. Aus den Aussagen der als glaubhaft und zuverlässig anzusehenden Zeugen Rut. und von Rum. ist dem ungeachtet die Feststellung dieser Tatsache ohne weiteres zu gewinnen. Rut., der seinerzeit im Generalkommissariat Verschlusssachen zu registrieren hatte und gelegentlich auch einen Blick in die Schriftstücke riskierte, die unter "Geheime Reichssache" firmierten, hat bekundet, ihm sei ein Bericht Err.s, der ihm hinsichtlich der Darstellung der Judenbehandlung besonders "aufgestossen" sei, im Gedächtnis haften geblieben, vor allem habe er nicht die Worte "... ausgemerzt werden" vergessen. Auch die weitere Beschreibung, die der Zeuge zu diesem ersten Bericht gegeben hat, es sei ein sehr langer, typischer Lagebericht gewesen, der sich auch über andere Dinge ausgelassen habe und der - seiner Erinnerung nach - etwa im März oder April 1942 bei ihm eingegangen sei, trifft für den Bericht vom 25.Januar 1942 zu. Auch der Zeuge von Rum., dem - wie bereits hervorgehoben - nach seinem gesamten Auftritt in der Hauptverhandlung nicht an einer Belastung Err.s gelegen gewesen ist, der vielmehr die Qualitäten Err.s als Gebietskommissar - wie übrigens auch der Zeuge Reus. - hervorzuheben nicht versäumte, hat bekundet, den Bericht gelesen zu haben. Er erinnert sich daran, dass der Stil "ganz Err.s Diktion" entsprochen habe. Wenn der Zeuge auch auf Vorhalt angegeben hat, er sei bereits im Februar 1942 nicht mehr auf seinem Platz gewesen, könne also einen erst im März oder April eingegangenen Bericht nicht mehr zur Kenntnis genommen haben, so besagt das nichts. Die Zeitangaben des Zeugen Rut., der bereits im September auf Anregung des Zeugen von Rum. zum Generalkommissar abgeordnet worden war, sind keineswegs so sicher, dass sie einen früheren Eingang des Berichts ausschliessen.

Der Angeklagte Err. kannte den Inhalt des Berichtes genau, den er mit seiner Unterschrift zu seiner eigenen Erklärung machte. Seine Einlassung, der Bericht sei - mit Ausnahme des Anfangs - von Stähle abgefasst bzw. zusammengefasst worden, ohne dass er, Err., ihn vor der Unterzeichnung sorgfältig durchgelesen habe, hält das Gericht schon nach den Bekundungen des Zeugen Leh. für unrichtig. Dieser Zeuge hat ausgesagt: Es hätten auch von den einzelnen Referaten des Gebietskommissariats Berichte für den Generalkommissar geschrieben werden müssen. Err. habe diese Berichte sorgfältig durchgesehen und sie bei grammatikalischen Fehlern dem Verfasser mit Korrekturen zurückgereicht. Das Schwurgericht ist davon überzeugt, dass Err. - wenn er schon die Berichte seiner Referatsleiter sorgfältig überprüfte und verbesserte - erst recht bei Berichten, die er selbst zu unterzeichnen hatte, die von seinen Mitarbeitern verfassten Teile vor dem Unterschreiben genau durchlas und gründlich überarbeitete.

Darüber hinaus ist das Schwurgericht aber davon überzeugt, dass Err. die wichtigsten Teile des Lageberichtes vom 25.Januar 1942, und hierzu zählt alles, was politische Bedeutung hatte, mit eigener Feder verfasste; so auch den Abschnitt "Judentum" auf Seite 6 des Berichtes. Sowohl der Inhalt als auch die Formulierungen dieses Abschnitts stammen vom Angeklagten Err. selbst. Diese Überzeugung gewinnt das Gericht aus der Überlegung, dass es sich bei jenem Lagebericht um den ersten Bericht des Gebietskommissars Slonim handelte und dass Err. sich nach seinem von den Zeugen geschilderten Ehrgeiz keinesfalls die Gelegenheit entgehen liess, schon mit dem ersten Bericht bei seiner vorgesetzten Dienststelle als linientreuer Nationalsozialist und scharfer Judengegner aufzufallen.

Das ist ihm auch gelungen, wie die Aussage des Zeugen von Rum. ergibt. Dieser Zeuge, der vorübergehend die Hauptabteilung Politik beim Generalkommissar in Minsk leitete, hat - wie bereits erwähnt - bekundet, dass die Diktion des Abschnitts "Judentum" im Lagebericht der Diktion von Err. entsprochen habe; und der Inhalt dieses Abschnitts stimme mit der Überzeugung von Err. überein, wie er, der Zeuge, sie in der damaligen Zeit kennengelernt habe. Es widerspricht der Persönlichkeit von Err., wie sie von den Zeugen Hans Ulrich Mei., Had., Reus., von Rum., Koh. und Leh. geschildert worden ist, wenn er sich den wichtigen politischen Teil seines ersten Lageberichtes einschliesslich des Abschnitts "Judentum", von anderer Seite hätte verfassen lassen; denn dieser Bericht stellte eine entscheidende Grundlage für die Beurteilung seiner Leistungen im Gebiet dar.
Err. hätte auch gar keine geeigneten Leute gehabt, die er an seiner Stelle den Bericht hätte abfassen lassen. Stähle und Hick waren lediglich Ordensjunker. Ihr Können und Leistungsstand entsprach daher dem von Err.s Schülern auf der Ordensburg. Sowohl der Pflichteifer als auch der Ehrgeiz und die von den Zeugen immer wieder geschilderte Arroganz im Denken des Angeklagten Err. schliessen es nach der Überzeugung des Gerichts aus, dass er einen der in ihrem Rang und ihrem Können unter ihm stehenden Ordensjunker ein so wichtiges Dokument verfassen liess. Dementsprechend hat auch der Zeuge von Rum. bekundet, Err. habe seiner Meinung nach den Bericht selbst ausgearbeitet, denn er, Err., habe keine Leute gehabt, die einen solchen Bericht hätten schreiben können.

Die Versuche Err.s, einige im Text des Berichts verwendete Formulierungen in ihrer keiner Interpretation mehr bedürfenden Bedeutung herunterzuspielen und zu verharmlosen, etwa zum Begriff "weitere Aktion", "unnötige Fresser", "Ausschalten" sind absurd: Die Zeilen dieses Berichtes über die Behandlung der jüdischen Bevölkerung legen in Diktion und Ton Err.s damalige Gesinnung deutlich offen. Err.s Einstellung zur jüdischen Bevölkerung ist aber durch weitere Zeugen, die bestimmte Ereignisse geschildert haben, zusätzlich bestätigt worden.

Die gegenüber dem Zeugen Schm. anlässlich der Vorstellung des Judenrates in der Ortskommandantur gebrauchte Wendung, "Was, die Herren?" ist vom Zeugen Schm. bestimmt und glaubhaft bestätigt worden. Der Zeuge empfand die Rückfrage keineswegs als ironisch, war sehr erschreckt und sah in ihm die Belehrung, dass die Juden eben keine Herren seien. Aus den Bekundungen der Zeugen Gab. und Tub. geht übereinstimmend hervor, dass der Angeklagte durchaus darum bemüht war, sein Gebiet "judenrein" zu bekommen, und zwar so schnell wie möglich. Der verstorbene Zeuge Gab. hat dazu ausgesagt, Err. habe anlässlich einer Feierlichkeit mit Stolz erklärt, sein Gebiet sei als erstes "judenrein". Tub. weiss noch genau, dass Err. sich deswegen "gerühmt" habe. Auch die Aussage von Rum., der etwas elegant über diese Dinge hinwegzugehen bestrebt war, gibt - wenn auch schwache - Hinweise dahin, dass sich Err. ihm gegenüber in ähnlicher Form einmal geäussert habe. Das Bestreben Err.s, sich zügig aller Juden seines Gebietes zu entledigen, ist im übrigen aus den Berichten vom 25.Januar 1942 und 10.August 1944 (Tätigkeitsbericht) zu entnehmen.

Aus den zuverlässig wirkenden, verlesenen Aussagen des verstorbenen Zeugen Seip. ergibt sich, dass Err. ihm gegenüber von "Scheissjuden" oder "dreckigen Juden" sprach, als Seip. sich um die Freistellung ärztlichen Personals während der Aktion im Sommer 1942 bemühte. Die Angaben des Zeugen sind geschlossen, ohne Widerspruch. Allerdings legt das Gericht seinen Feststellungen nur die 2.Version - "dreckige Juden" - zugrunde, da diese dem Umgangston Err.s zur damaligen Zeit entsprach. Ihr Inhalt wird in der Tendenz durch die Bekundungen Dr. Ise.s untermauert. Es besteht kein Grund, dem Zeugen Seip., den das Gericht selbst nicht mehr vernehmen konnte, nicht zu glauben.

Die gegenüber dem Bataillonsarzt Dr. Ise., der sich ebenfalls auf Bitten Seip.s für die jüdischen Ärzte einsetzen wollte, geäusserte Meinung Err.s, die Juden seien doch keine Menschen, ist durch Dr. Ise. als Zeugen selbst belegt worden. Entgegen früheren Angaben im Ermittlungsverfahren hat Dr. Ise. zwar den Bedeutungsgehalt dieser Worte, aus der Sicht Err.s gesehen, abzumildern versucht: Err. habe sich vielleicht etwas vormachen müssen, um über die Dinge hinwegzukommen, Gehässigkeit sei nicht im Gespräch gewesen. Das Verständnis, welches der Zeuge für die damalige Situation Err.s zu wecken suchte, kann indes ebensowenig wie die eigene Deutung, die Err. seinen Worten geben möchte und die nahezu unverständlich ist, darüber hinwegtäuschen, dass Err. genau das aussprach, was seiner anerzogenen und eifrig vertretenen Auffassung entsprach.

Die Zeugin Bra. hat mit aller Sicherheit und Bestimmtheit das bekundet, was sie während eines kurzen Aufenthaltes in der Schusterei wahrgenommen hatte, nämlich dass Err. dem sich vorbeugenden jüdischen Vorarbeiter mit der Peitsche über den Rücken schlug, als er zu hören bekam, dass seine Stiefel noch nicht fertiggestellt worden waren. Das Gericht hat keinen Anlass, dieser Zeugin, die ein eigenes Erlebnis geschildert hat, nicht zu folgen.

Durch eine Vielzahl von Zeugen - sowohl solcher, die Err. alles andere als freundlich gesonnen sein können, als auch jener, die den Dingen neutral oder gar zurückhaltend gegenüberstehen - ist bewiesen worden, dass unter Err.s Herrschaft Juden brutal und willkürlich auch ausserhalb der grösseren Aktionen misshandelt und sogar getötet wurden. Es ist auf die Angaben der Zeugen Sen., Rolf Met., Leh., Laa., Hol., Klen., She., Seig., Os., Lik., Sok., Dr. Ats., Gran., Pyt., Dr. Eil., Krü., Cze., Cha. und Gol. zu verweisen. Nach den Aussagen aller dieser Zeugen und auch den Angaben des Mitangeklagten Schu. war es vor allem der Ordensjunker Hick, der sich gegenüber der jüdischen Bevölkerung Slonims brutal und rücksichtslos verhielt, indem er mit Hund und Peitsche durch die Strassen und das Ghetto Slonims lief und in aller Öffentlichkeit auf Juden einschlug. Auch der Dolmetscher Alfred Met., der sich zeitweise um die zur Zwangsarbeit herangezogenen Juden zu kümmern hatte, schlug nach den glaubhaften Angaben des Zeugen Seig. auf die zur Arbeit gehenden Juden ein. Bei aller Zurückhaltung gegenüber der einen oder anderen Aussage jener Zeugen, die zur Zeit der Amtsführung Err.s im Slonimer Ghetto ihr Leben fristen mussten, bieten ihre Schilderungen doch genügend zuverlässiges Material, um zu der sicheren Feststellung zu gelangen, dass die Angehörigen des Gebietskommissariats - wie Hick und Met. - im Umgang mit der jüdischen Bevölkerung brutal wüteten. Err. selbst ging dabei - wie der Bericht der Zeugin Bra. gezeigt hat - mit Beispiel voran.

Es ist auch gesichert, dass Err. vom Treiben seiner Untergebenen wusste, gleichwohl nichts unternahm, um solche Auswüchse zu unterbinden. Durch die Beschäftigung jüdischer Facharbeiter in Werkstätten des Gebietskommissariats und in Betrieben, die der Aufsicht der Zivilverwaltung unterstanden, sowie über die zentrale Steuerung des Arbeitseinsatzes durch das Kommissariat ergab es sich von selbst, dass die Angehörigen des Gebietskommissariats, besonders Hick als zuständiger Referent, laufend mit Juden in Berührung kamen. Dass Err. nichts über die Ausschreitungen seiner Leute erfahren haben will, ist absurd. Trotz aller eingehaltenen Distanz auch gegenüber seinen Untergebenen, sass Err. nicht isoliert an seinem Schreibtisch. Gerade mit den Ordensjunkern, Stähle und Hick, die als Stabsleiter und Leiter der Abteilung Politik Hauptfiguren des Kommissariats bildeten, hatte er laufend zu tun. Der verstorbene Zeuge Sen. hat das in seiner Aussage sehr plausibel dargestellt: Err. hätte ihn ausgelacht, falls er ihm über die Misshandlungen, die die Juden durch seine Leute erfuhren, berichtet hätte, wenn nicht Ärgeres geschehen wäre. Ebenso wie der Zeuge Leh. von Kollegen gehört haben will, dass Hick Juden misshandelt habe, ist es nach Überzeugung des Gerichts nicht vorstellbar, dass dem Angeklagten Err. derlei Ereignisse entgangen sind. Berücksichtigt man schliesslich, dass Err. gegenüber seinen Untergebenen Respektsperson war und mit Strenge regierte, so ist es mit dieser Amtsführung nicht vereinbar, dass sich die Leute seines Kommissariats etwas herausnahmen, was Err. nicht duldete. Vom verstorbenen Mitbeschuldigten Koh. ist in Übereinstimmung damit auch klar ausgesprochen worden, dass Hick stets im Rahmen der Weisungen seines Chefs handelte.

3.) Unbewiesene Behauptungen der Anklage

Die dem Angeklagten Err. von der Anklage ferner nachgesagten Entgleisungen sind auf Grund der erhobenen Beweise nicht nachgewiesen worden:

Dass Err. auf einen 17jährigen Juden namens Magit eingeschlagen haben soll, ist durch den Zeugen Rots. bekundet worden. Der Zeuge konnte nicht durch das Gericht vernommen werden, weil er verstorben ist. Seine Aussage enthält Irrtümer und Widersprüche in sich und im Vergleich mit anderen Zeugenangaben. Da eine insoweit nötige Überprüfung unmöglich geworden ist, ist der Beweiswert der Aussage dieses Zeugen in Frage gestellt.

Die Angaben des kommissarisch vernommenen Zeugen Kon. über das Erscheinen Err.s im Morgenmantel, während er, der Zeuge, mit vier Arbeitskameraden im Kommissariat einen Herd habe setzen müssen und darüber, dass Err. ihre Erschiessung angeordnet habe, sind nicht genügend zuverlässig. Dass es Err. war, will der Zeuge über einen weissruthenischen Koch erfahren haben. Da sich die Begebenheit während oder am Beginn einer Aktion abgespielt haben soll, ist nicht auszuschliessen, dass der Zeuge Err. mit einem zu diesem Zeitpunkt im Kommissariat sich aufhaltenden Funktionär anderer Einheiten verwechselte.

Der Zeuge Pol., der seinem Leben kurz vor der Vernehmung als Zeuge im Ermittlungsverfahren selbst ein Ende gesetzt hatte, hat eine schriftliche Darstellung über seine Erlebnisse in Slonim hinterlassen. Die Persönlichkeit dieses Mannes hat das Gericht nicht erfassen können. Es bieten sich Anzeichen dafür, dass er ein Sonderling war. Seine Mitteilungen darüber, Err. habe - nachdem er einen Juden getötet habe - gesagt, wenn man es einmal gemacht habe, dann sei es so leicht, als ob man über einen Strohhalm springe, vermag das Gericht nicht ohne weiteres zu verwerten.

Was der Zeuge De. darüber bekundet hat, dass Err. einen 15jährigen Knaben, der sich bei einem Appell nicht still verhalten habe, mit einer Peitsche über den Kopf geschlagen haben soll, ist nicht sicher genug. In der Hauptverhandlung hat der Zeuge sich nicht daran erinnern können, dass Err. jemanden geschlagen habe. Erst auf wörtlichen Vorhalt seiner früheren Angaben hat er lakonisch die Richtigkeit seiner Angaben bestätigt. Zweifel bleiben, ob dem Zeugen De., der Err. auf vorgelegten Lichtbildern nicht identifiziert hat, eine Verwechslung unterlaufen ist, und er bei seiner Vernehmung - nur um nicht unglaubhaft zu wirken - schlicht seine früheren Angaben aufrechterhielt.

Die verlesenen Angaben des verstorbenen Zeugen Loy. darüber, dass der Angeklagte Err. Bauern auf der Strasse geschlagen habe, sind ebenfalls nicht verwertbar. Das Protokoll, im Jahre 1966 in der UdSSR aufgenommen, gibt nur einen sehr pauschalen Eindruck über den Inhalt der Vernehmung wieder. So heisst es, er, der Zeuge, habe Err. "gut" gekannt, er habe "Offiziersuniform" getragen. Angesichts der wenig differenzierten Angaben bleiben Bedenken, diese zu verwerten.

D. Tätigkeit des Angeklagten Schu. in Slonim, speziell sein Auftreten gegenüber der jüdischen Bevölkerung

I. Tätigkeit in Slonim

Nach seiner Ankunft in Slonim am 11.10.1941 wurde dem Angeklagten Schu. bei dem Gendarmerieposten die Erledigung von Büroarbeiten allgemeiner Art übertragen. Ausserdem teilte er auf Weisung Hoc.s die Angehörigen des Postens für den Dienst ein. Im Rahmen seines Auftrages konnte er den Wachtmeistern auch Befehle erteilen.
Im November 1941 - kurze Zeit nach der Aktion vom 14.November 1941 - kam der Angeklagte als geschäftsführender Hauptwachtmeister zum Polizeigebietsführer Bonke. Dort hatte er die Aufgaben eines "Spiesses" wahrzunehmen; er war für den inneren Dienstbetrieb der Gendarmerie zuständig. Daneben hatte er Befehle zu schreiben sowie Lageberichte an den Kommandeur der Gendarmerie (KdGend) zu fertigen. Im Rahmen dieser Tätigkeiten gab er die Anordnungen Bonkes weiter. Während dieser Zeit wurden ihm wiederholt auch auswärtige Aufgaben zur eigenverantwortlichen Durchführung übertragen.

II. Dienstliches Auftreten und Einstellung gegenüber den Juden

Der Angeklagte Schu. war, gerade auch während seines Aufenthaltes in Slonim, ein diensteifriger, ehrgeiziger und schneidiger junger Polizeibeamter, der vorwärtskommen wollte. Aus dieser Haltung erfüllte er seinen Beruf. Zugleich war er ein guter und stets hilfsbereiter Kamerad. Er war aber auch ein Mann, der unter dem, was ihm als Polizeibeamten im Rahmen der Vernichtungsaktionen gegenüber der jüdischen Bevölkerung zugemutet wurde, seelisch litt. Bereits vor seiner Ankunft in Slonim hatte er in Minsk von Judenaktionen gehört. Auch von Bonke, zu dem er ein gutes Verhältnis hatte, erfuhr er alsbald nach seinem Eintreffen, dass im Zuge der Besetzung Slonims Judenaktionen durchgeführt worden waren. Gegenüber der jüdischen Bevölkerung von Slonim verhielt sich der Angeklagte Schu. ausserhalb seiner noch zu schildernden Beteiligung an den beiden Aktionen zurückhaltend. Allerdings schlug er einmal während seines dortigen Aufenthaltes einen Juden mit der Reitpeitsche, entschuldigte sich bei diesem jedoch alsbald dafür. Weitere Vorfälle dieser oder ähnlicher Art, die ihm von der Anklage vorgeworfen worden sind, haben sich nicht feststellen lassen.

III. Feststellungsgrundlagen

Die Feststellungen zur Tätigkeit und Persönlichkeit des Angeklagten beruhen auf seinen insoweit glaubhaften Angaben und den Bekundungen der Zeugen Se., Asi., Hoc., Laa., Rue., St. und Küp., die unabhängig voneinander im wesentlichen übereinstimmend ausgesagt und dabei die Einlassung des Angeklagten weitgehend bestätigt haben.

Hinsichtlich seines Verhaltens gegenüber den Juden von Slonim hat der Angeklagte - wie festgestellt - eingestanden, einmal einen Juden mit der Reitpeitsche geschlagen zu haben. Weiteres habe er sich - entgegen der Anklage - während seines Slonimer Aufenthaltes ausserhalb der beiden Aktionen gegenüber den Juden nicht zuschulden kommen lassen. Das ist dem Angeklagten nicht zu widerlegen.

IV. Weitere Vorwürfe der Anklage, die nicht nachgewiesen worden sind

Soweit ihm vorgeworfen worden ist, ausserhalb der beiden Aktionen mehr als nur einmal Juden misshandelt und gequält zu haben, fehlt es an ausreichendem Beweis. Den Angaben der Zeugin Abr., die gesehen haben will, wie der Angeklagte einen Juden auf der Strasse Zamkowa bzw. auf dem Hof des Gebietskommissariats schlug, vermag das Gericht mangels Zuverlässigkeit dieser Bekundungen nicht zu folgen; denn die Zeugin hatte im Gegensatz zu ihren späteren Angaben zunächst erklärt, sie habe nicht beobachtet, dass Schu. Juden auf der Strasse geschlagen habe. Im übrigen könnte es sich bei dem von der Zeugin geschilderten Vorfall möglicherweise um denjenigen handeln, den der Angeklagte selbst zugegeben hat.

Die Bekundungen des Zeugen Kon. in seiner kommissarischen Vernehmung aus dem Jahre 1973, dass er von Schu. zweimal, davon einmal unter Mitwirkung von Met. geschlagen worden sei, sind unsicher. Bei seiner ersten kommissarischen Vernehmung zur Sache im Jahre 1963 hat der Zeuge von dem Angeklagten Schu. überhaupt nichts berichtet. Es kann nicht ausgeschlossen werden, dass der Zeuge diesen als einen jetzt zur Verantwortung gezogenen Repräsentanten der damaligen Macht am Orte - möglicherweise im guten Glauben - unberechtigt belastet.

Der von dem Zeugen Shabtaj Mos. berichtete Vorfall mit der Uniform, die sich der Angeklagte unmittelbar vor der Aktion - von der er offensichtlich schon wusste - vom Schneider abgeholt haben soll, sowie mit dem Doppelbett, welches er sich sichern wollte, wirkt zwar herz- und taktlos. Er besitzt jedoch im vorliegenden Zusammenhang keine Relevanz, um eine judenfeindliche Gesinnung des Angeklagten anzuzeigen.

Schliesslich hat zwar der Zeuge Fel. detailliert einen Vorfall im Winter 1942 bekundet, bei dem sein Schwiegervater Rafael Charlaf - ein Holzschnitzer - von dem Angeklagten selbst bzw. auf dessen Anordnung hin in seiner Wohnung anlässlich einer Reparatur schwer misshandelt worden sein soll. Die verlesene Aussage des Zeugen vermag das Gericht jedoch nicht zu übernehmen, da ihm kein persönlicher Eindruck über die Zuverlässigkeit des Zeugen vorliegt. Eines solchen hätte es bedurft, um die Schilderung eines derart exzessiven Vorfalls den Feststellungen zugrundezulegen, zumal ein solches Verhalten dem Angeklagten Schu. nach dessen Persönlichkeit und seinem sonstigen Auftreten, wie es von anderen Zeugen geschildert worden ist, kaum zuzutrauen ist. Nach den im wesentlichen übereinstimmenden Aussagen der Zeugen Hoc., Laa., Se., Rue. und St. - alles ehemalige Kameraden des Angeklagten - war dieser kein Judengegner oder Judenhasser. Ähnlich schildert der Zeuge Asi. - ein damaliger Angehöriger des Gebietskommissariats - den Angeklagten als "korrekt" und "zurückhaltend", wenn auch sehr diensteifrig. Aus der Sicht des jüdischen Zeugen Lik., der in einem engen Arbeitskontakt zu dem Angeklagten stand, tat sich dieser ebenfalls nicht durch ein judenfeindliches Verhalten hervor.

<u>3.Abschnitt</u>
Die Taten der Angeklagten

<u>A. Vorwurf der Anklage, der Angeklagte Err. habe die Tötung von mindestens 3 Juden und einer Jüdin durch den Zug Kr. angeordnet</u>

<u>I. Feststellungen</u>

Im Gebietskommissariat Slonim wurden zu einem nicht genauer feststellbaren Zeitpunkt Ende September oder Anfang Oktober 1941 mindestens 3 Männer und 1 Frau gefangen gehalten, als der Zeuge Kr., Zugführer eines Zuges der 3.Kompanie des Polizei-Reservebataillons 69 (Batl. Todt) zum Gebietskommissariat bestellt wurde. Dort befahl der Ordensjunker Hick dem Zeugen Kr., diese Leute zu exekutieren. Hick erklärte Kr., dass es sich bei den Opfern um Saboteure handele, die von einem Kriegsgericht zum Tode verurteilt worden seien. Als Hick den Auftrag erteilte und ihn näher erläuterte, war der Angeklagte Err. anwesend. Zwischen ihm und Hick bestand über die Erteilung und die Durchführung des Befehles Einverständnis.
Hick und Kr. gingen anschliessend in den Keller des Gebietskommissariats oder in ein zu diesem gehörendes Nebengebäude, wo den Opfern ein in polnischer Sprache abgefasstes Schriftstück vorgelesen wurde. Hick sagte zu Kr., dass es sich hierbei um das Todesurteil

handele. Spätestens am nächsten Morgen holte Kr. mit etwa 10 Leuten seines Zuges, unter denen sich der Zeuge Ot. befand, die Opfer mit dem Mannschaftslastkraftwagen des Zuges vom Gebietskommissariat ab. Als die Opfer - mindestens 3 Männer und eine Frau - vom Grundstück des Gebietskommissariats geführt wurden, standen Err. und ein Ordensjunker neben dem Gebietskommissariat und schauten dem Abtransport der Opfer zu.
Die Opfer wurden in ein Strauchgelände unweit der Chaussee gefahren, die nach Baranowicze führt. Dieses Gelände hatte Hick dem Zeugen Kr. im Beisein des Angeklagten Err. als Exekutionsgelände vorgeschrieben. Dort wurden bereits vorhandene Mulden im Erdreich zu Gräbern erweitert, wobei die Opfer mithelfen mussten. Die Opfer hatten sich bis auf die Unterwäsche zu entkleiden. Anschliessend wurden sie von den Leuten des Zuges Kr. erschossen. Den Feuerbefehl erteilte Kr., der auch mit seiner Pistole Nachschüsse auf die Opfer abgab.
Nach der Erschiessung fuhr Kr. mit seinen Leuten zum Gebietskommissariat zurück und erstattete Hick Vollzugsmeldung. Vor dem Gebäude des Gebietskommissariats standen einige gut gekleidete Frauen, die weinten, als sie sahen, dass sich keines der Opfer mehr auf dem Lkw befand, mit dem diese vorher abtransportiert worden waren.

II. Einlassung und Feststellungsgrundlagen einschliesslich Beweiswürdigung

Dieser Sachverhalt ergibt sich aus den Bekundungen der Zeugen Kr. und Ot. Ihre Aussagen widerlegen die Einlassung des Angeklagten Err. Dieser hat behauptet, er habe Kr. nicht gekannt und niemals gewusst, dass sich ein Zug des Polizei-Reserve-Bataillons 69, das die Arbeiten der Organisation Todt schützen solle, in Slonim befände. Er habe weder einen derartigen Erschiessungsbefehl erteilt, noch habe er davon gehört, dass Hick jemals befohlen habe, 3 Männer und 1 Frau zu erschiessen.
Das Gericht hält die Zeugen Ot. und Kr. in den hier wesentlichen Punkten für glaubwürdig. Das gilt insbesondere für den Zeugen Ot., der den Eindruck eines mit wenig Phantasie ausgestatteten Mannes vermittelt und nach der Überzeugung des Gerichts nicht mehr erzählt hat, als sich damals zutrug.

Der Zeuge Kr. hat nach den Umständen nicht von sich aus die Opfer erschiessen lassen, sondern ihm wurde dies befohlen. Für die Erteilung eines solchen Befehls kommt nur das Gebietskommissariat in Betracht. Im übrigen bekundet auch Ot., dass die Opfer vom Grundstück des Gebietskommissariats abgeholt wurden und dass der Angeklagte Err. bei ihrem Abtransport dabei war. Hierdurch wird die Aussage Kr.s unterstützt, dass die Anordnung zur Erschiessung von einem Angehörigen des Gebietskommissariats ausging. Da eine solche Anordnung als politische Massnahme zum Referat Politik gehörte, das Hick leitete, ist die Angabe von Kr. glaubhaft, Hick habe die Erschiessungen befohlen.

Dass Hick den Befehl, die 4 Menschen zu erschiessen, vorher mit Err. abgesprochen hatte, ergibt sich bereits aus dem Verhältnis, das zwischen Err. und Hick bestand. Err. war Behördenchef und musste als solcher über einen derartigen, aus dem normalen Dienstbetrieb herausfallenden Vorgang zuvor orientiert werden. Zudem hat Kr. berichtet, dass Err. anwesend gewesen sei, als Hick ihm befohlen habe, die Delinquenten zu erschiessen. Err. führte in seiner Dienststelle ein straffes Regiment, wie der Zeuge von Rum. berichtet hat, und die Ordensjunker hielten sich nach der Aussage von Koh. stets im Rahmen seiner Weisungen. Das Schwurgericht hält es danach für ausgeschlossen, dass der Ordensjunker Hick dem Zeugen Kr. in Anwesenheit des Gebietskommissars Err. den Befehl erteilte, Menschen zu erschiessen, ohne vorher dessen Einverständnis eingeholt zu haben.

Die Verteidigung hat die These aufgestellt, nicht Err., sondern der Gebietskommissar Müller sei bei der Befehlsausgabe an Kr. zugegen gewesen. Sie stützt dies auf die Beschreibung des Gebietskommissars durch den Zeugen Rüc.: SA-Uniform, Eichenblatt im Kragenspiegel, krumme Beine. Diese Beschreibung trifft auf den Angeklagten Err. nicht zu. Das Gericht ist

jedoch davon überzeugt, dass Kr. den Gebietskommissar Err. richtig erkannt hat. Kr. kannte Err. schon vorher, weil er sich bei ihm anlässlich seines Dienstantritts in Slonim im September 1941 vorgestellt hatte. Der Zeuge Rüc. war bei der Erteilung des Erschiessungsbefehls an Kr. nicht zugegen. Er gehörte zwar zum Zug Kr., war aber an der Exekution der Opfer nicht beteiligt. Es ist möglich, dass er nicht den Gebietskommissar beschrieben hat, in dessen Gegenwart Kr. die Erschiessungen befohlen wurden, sondern Müller vom Stab Newel. Hieraus kann jedoch nicht auf eine Verwechslung zwischen beiden durch Kr. geschlossen werden.
Die Vertreter der Staatsanwaltschaft haben die Angabe Kr.s, Err. sei bei der Befehlserteilung zugegen gewesen, ebenfalls angezweifelt. Diese Zweifel leiten sie aus der Zeitangabe von Kr. her, die Erschiessungen hätten sich Ende Oktober / Anfang November 1941 ereignet, zu einem Zeitpunkt also, zu dem Err. nicht in Slonim war, wie sich aus den verlesenen Notizen im Tagebuch des Dr. Kl. und den Bekundungen der Zeugen Dr. Kl., Rog., Anni Kle. und Kuk. ergibt.

Die Zeitangabe von Kr. stimmt jedoch nicht. Er hat bei seinen früheren Vernehmungen andere zeitliche Angaben gemacht und war auch in der Hauptverhandlung hinsichtlich der Zeitfrage unorientiert. Ausserdem hat der Zeuge Ot. bekundet, dass er Ende August oder Anfang September 1941 nach Slonim gekommen sei und sich dort 19 Tage lang aufgehalten habe. Nach dieser Aussage haben sich die Erschiessungen während der 19 Tage seines Slonimer Aufenthaltes, also im September 1941, spätestens jedoch Anfang Oktober 1941, ereignet. Dieser Zeitpunkt verträgt sich mit der Aussage von Kr., nach der Err. ihn um Übernahme der Polizeiaufgaben für das Gebietskommissariat bat, solange noch keine Gendarmerie in Slonim war. Die Gendarmerie kam Ende September oder Anfang Oktober 1941 nach Slonim, so dass sie dann für derartige Aufgaben zuständig wurde. Die schriftliche Anklage nimmt ebenfalls September 1941 als Zeitpunkt der Erschiessungen durch den Zug Kr. an. Im übrigen hat nicht nur Kr., sondern auch der Zeuge Ot. davon berichtet, dass er Err. in zeitlichem Zusammenhang mit der Erschiessung der Opfer auf dem Grundstück des Gebietskommissariats in Slonim gesehen habe.

III. Rechtliche Würdigung

Für die festgestellte Erschiessung der 4 Menschen durch den Zug Kr. ist der Angeklagte Err. nach den §§212, 357 StGB verantwortlich: Hick befahl dem Zeugen Kr. die Erschiessungen und täuschte ihn über die Rechtmässigkeit der Tötungen (oder versuchte ihn zu täuschen). Er muss sich folglich die von Kr. durchgeführten Erschiessungen als mittelbarer Täter (oder Mittäter) anrechnen lassen. Hick erteilte den Befehl "in Ausübung seines Amtes" als Referent im Gebietskommissariat. Err. liess die Erteilung des Befehls, die Opfer zu erschiessen, zumindest wissentlich geschehen. Er ist deshalb als Leiter der Behörde, der Hick angehörte, für die Erschiessungen gemäss §357 StGB in gleichem Umfang wie Hick selbst verantwortlich.
Dass die Erschiessungen der Opfer widerrechtlich geschahen, ergibt sich schon aus der Tatsache, dass das Gebietskommissariat für die Vollstreckung von Todesurteilen nicht zuständig war. Es braucht daher nicht näher darauf eingegangen zu werden, ob überhaupt ein rechtmässig zustande gekommenes Todesurteil vorlag, was wenig wahrscheinlich ist.

IV. Vorwürfe der Anklage, die über die getroffenen Feststellungen hinausgehen

Die schriftliche Anklage wirft indes Err. vor, des Mordes nach §211 StGB schuldig zu sein. Sie scheint davon auszugehen, dass die Mordmerkmale "grausam" und "aus niedrigen Beweggründen" vorliegen. Diese beiden Merkmale sind jedoch nicht nachweisbar.

1.) Hinsichtlich des Merkmals "aus niedrigen Beweggründen" gilt folgendes: Dieses Mordmerkmal könnte dann vorliegen, wenn die Opfer Mitglieder des Judenrates gewesen wären, über deren Erschiessung eine Vielzahl von Zeugen (Dr. Kap., Abr., Kre., Schm., He., Hol., A. Do., Zwi She. und Jacob Sch.) berichtet hat. Denn soweit Mitglieder des Judenrates getötet wurden, geschah dies aus Rassenhass, einem niedrigen Beweggrund, da die Liquidation des Judenrates die Massentötungen vom 14.November 1941 vorbereiten sollte. Es ist aber nicht feststellbar, dass die Opfer zum Judenrat gehörten. Hierüber liegt nur die vage Aussage von Kr. vor, ihm sei während der Vernehmungen für dieses Verfahren - beim Überdenken von Gesprächen, die er damals mit jüdischen Einwohnern Slonims geführt habe -, die Vermutung gekommen, die Opfer seien Mitglieder des Judenrates gewesen. Hierauf allein kann aber keine Feststellung gestützt werden.

In diesem Zusammenhang ist der Inhalt eines Telefongespräches zu erwähnen, dass am 31.März 1960 zwischen dem Zeugen Mä. und dem - die Ermittlungen in diesem Verfahren führenden - Zeugen Pau. stattfand. Nach den Bekundungen des Zeugen Pau. hat ihm Mä. nach dessen Vernehmung fernmündlich mitgeteilt, dass am 29.Oktober 1941 der Judenrat von Slonim, bestehend aus einer Frau und 2 Männern, deportiert worden sei. Der Zeuge Mä. konnte aber schon damals keinerlei Auskünfte darüber erteilen, wer die Deportation und die anschliessende Liquidation durchgeführt hatte und wer dafür verantwortlich war. Bei seiner kommissarischen Vernehmung vom 30.April 1974 ist er ausführlich danach befragt worden. Er vermochte sich aber nicht einmal mehr an die Tatsachen zu erinnern, die er gegenüber dem Zeugen Pau. angegeben hatte. Zudem ist die Identität dieser Judenratsmitglieder mit den Opfern des Zuges Kr. schon deshalb auszuschliessen, weil Err. nach dem Ergebnis der Beweisaufnahme am 29.Oktober 1941 nicht in Slonim war.

Im übrigen ist der Angeklagte Err. wegen des Vorwurfs, die Erschiessung von 12 Mitgliedern des 1.Judenrates Ende Oktober 1941 veranlasst zu haben, auf Antrag der Staatsanwaltschaft durch Beschluss vom 21.März 1973 ausser Verfolgung gesetzt worden. Die Zeugenaussagen über die Tötung des Judenrats beziehen sich jedoch fast ausschliesslich auf diesen rechtskräftig eliminierten Vorwurf.

Allerdings hat der Zeuge Hol. bekundet, dass ein weiterer, später eingesetzter Judenrat, dem Dr. Smo. angehört habe, am 7.November 1941 getötet worden sei, wobei man Dr. Smo. habe loskaufen können. Diese Angaben sind aber wenig konkret. Sie werden von dem 1962 konsularisch vernommenen Zeugen Dr. Sma. (früher Dr. Smo.), der inzwischen verstorben ist, nicht bestätigt. Jedenfalls erwähnt Dr. Sma. in seiner Aussage nichts davon, dass die übrigen Mitglieder des Judenrates, dem er angehörte, getötet worden seien. Darüber hinaus hat sich in der Hauptverhandlung nicht einmal mit letzter Sicherheit feststellen lassen, dass es sich bei den vom Zug Kr. erschossenen Menschen um Juden handelte. Kr. hat nämlich bekundet, dass er damals nicht gewusst habe, ob die Opfer Juden waren, da sie keinen Judenstern getragen hätten. Hick habe nicht davon gesprochen, dass die Opfer Juden seien. Auch Ot. hat in der Hauptverhandlung zunächst - übereinstimmend mit Kr. - bekundet, es sei von Kr. nicht mitgeteilt worden, ob die Opfer Juden oder Polen seien. Erst auf Vorhalt seiner anderslautenden Aussage nach dem Protokoll vom 9.Mai 1965 hat er eingeräumt, es sei möglich, dass Kr. von Juden gesprochen habe. Er meine, dass er vor den Erschiessungen durch Kr. erfahren habe, die Opfer seien Juden.

Selbst wenn sich nach dieser nicht sehr sicheren Aussage des Zeugen Ot. die Überzeugung bilden liesse, dass die Opfer Juden waren, ist an der Tatsache nicht vorbeizukommen, dass Kr., Ot. und auch Rüc. ausgesagt haben, die Opfer hätten Sabotage verübt und die Exekution sei wegen ihrer Sabotageakte erfolgt. Nach diesen Aussagen kann nicht mit letzter Sicherheit ausgeschlossen werden, dass es einen vom Rassenhass unabhängigen Grund gab, die Opfer vor der Aktion vom 14.November 1941 erschiessen zu lassen.

2.) Die Umstände, unter denen die Opfer getötet worden sind, waren grausam. Wie der Zeuge Ot. bekundet hat, mussten die Opfer mithelfen, ihre eigenen Gräber auszuschaufeln.

Hierbei haben sie übermässige psychische Schmerzen ertragen. Der Erschiessungsauftrag hätte auch durchgeführt werden können, ohne die Opfer mit diesem seelischen Leid zu belasten. Das Exekutionskommando verhielt sich folglich gegenüber den Opfer gefühllos und unbarmherzig.
Es hat sich jedoch in der Beweisaufnahme nicht feststellen lassen, ob dem Angeklagten Err. der Umstand bekannt war, dass die Opfer ihre Gräber selbst mit herrichten mussten. Da für Hick gleiches gilt, kann Err. dieser Umstand nicht zugerechnet werden.

Es sind somit für die Täter keine Mordmerkmale nachweisbar. Der Angeklagte Err. kann deshalb in diesem Fall nicht wegen Mordes (§211 StGB) bestraft werden.

V. Rechtliche Folgerungen

Die Verfolgung der Tat als einer widerrechtlichen Tötung nach den §§212, 357 StGB, die hier allein nach dem festgestellten Sachverhalt in Betracht zu ziehen wäre, ist seit dem 9.Mai 1960 verjährt, weil die ab 9.Mai 1945 laufende Verjährungsfrist von 15 Jahren (§67 StGB in der bis zum 5.August 1969 geltenden Fassung) nicht unterbrochen worden ist. Der am 10.Februar 1960 gegen den Angeklagten Err. ergangene Haftbefehl, dessen Erlass durch den Richter gemäss §68 StGB eine Unterbrechung hätte bewirken können, umfasst diese Handlung nicht, weil Err. in diesem nur wegen der Organisation und Überwachung von Massentötungen, die im Rahmen der Endlösung der Judenfrage geschahen, als tatverdächtig bezeichnet worden ist.

Das Gesetz über die Berechnung strafrechtlicher Verjährungsfristen vom 13.April 1965 (Bundesgesetzblatt I, S.315) wonach die Zeit vom 8.Mai 1945 bis 31.Dezember 1949 beim Lauf der Verjährungsfrist ausser Ansatz bleibt, gilt nicht für die Verfolgung von Verbrechen, die - wie der Totschlag - mit einer zeitigen Freiheitsstrafe bedroht sind. Von der Verlängerung der Verjährungsfrist für Totschlag auf 20 Jahre durch das 9.Strafrechtsänderungsgesetz vom 4.August 1969 (BGBl. I. S.1065) wird die Handlung des Angeklagten Err. nicht erfasst, da diese Verlängerung nach Art.3 des StÄndG für früher begangene Taten nur dann gilt, wenn die Verfolgung beim Inkrafttreten des Gesetzes - also am 6.August 1969 - noch nicht verjährt war.

Da infolge der inzwischen eingetretenen Verjährung der Verfolgung dieser Tat ein Verfahrenshindernis entgegensteht (§66 StGB), kann insoweit keine Sachentscheidung ergehen. Falls die Anklage auf Totschlag oder wissentliche Duldung des Totschlags durch einen Untergebenen (§§212, 357 StGB) gelautet hätte, wäre das Verfahren im Falle der Erschiessung durch den Zug Kr. nach §260 Abs.3 StPO einzustellen.
Die Anklage lautet jedoch auf Mord. Dieser Vorwurf belastet den Angeklagten erheblich schwerer als der nach dem Ergebnis der Beweisaufnahme allein feststellbare Vorwurf eines Verbrechens nach den §§212, 357 StGB. Das Verfahrenshindernis ist auch nicht behebbar, so dass Err. wegen wissentlicher Duldung des Totschlags durch einen Untergebenen nicht mehr bestraft werden kann.

Nach der in der Rechtsprechung und Lehre herrschenden Meinung bestimmt der schwerer wiegende Vorwurf den Urteilsspruch, wenn der Vorwurf der Anklage nicht nachweisbar ist und einer anderen Straftat, die sich aus dem nachgewiesenen Sachverhalt ergibt, endgültig ein Verfahrenshindernis entgegensteht (vgl. Löwe-Rosenberg, Anm.9c zu §260, RG 66, 51 ff.; BGHSt. 1, 231 (235); 7, 256 (261); BGH in GA 59, 17; Hans. OLG in NJW 64, 2435). Das Schwurgericht folgt dieser Auffassung. Der Angeklagte Err. ist daher von der auf Mord lautenden Anklage im Falle der Erschiessungen durch den Zug Kr. freizusprechen.

B. Die Aktion vom 14.November 1941

I. Verlauf der Aktion und Beteiligung des Angeklagten Err.

1.) Feststellungen

Etwa ab Ende Oktober 1941 stellte das Gebietskommissariat auf Anweisung des Angeklagten Err. Ausweise für "nützliche Juden" aus, d.h. für Juden, die für deutsche Dienststellen arbeiteten. Auf diesen auf gelbem Karton hergestellten Ausweisen waren der Inhaber und seine Familienangehörigen benannt. Die Ausweise trugen den Stempel des Gebietskommissariats. Ein Teil der Scheine war von Err. unterzeichnet, wobei nicht geklärt werden konnte, ob sie von ihm selbst unterschrieben waren oder seinen Namenszug nur als Faksimile aufwiesen. Andere Ausweise trugen die Unterschrift von Stähle. Möglicherweise ermächtigte das Gebietskommissariat auch weitere deutsche Dienststellen, Ausweise für die bei ihnen beschäftigten Juden auszustellen.
Die jüdischen Einwohner der Stadt hatten bereits unter der Militärverwaltung in ein jüdisches Wohnviertel ziehen müssen. Das Gebietskommissariat veranlasste ausserdem, dass die sogenannten nützlichen Juden in besonderen Vierteln zusammen wohnten, so auf der Zabinka, einer aus den beiden Szczara-Armen gebildeten Insel inmitten der Stadt, und in der Gegend um die Strassen Kreta und Nowa im westlichen Stadtteil.

Sowohl mit der Ausgabe von Ausweisen als auch mit der Ansiedlung der "nützlichen Juden" in besonderen Stadtbezirken wollte der Angeklagte Err. eine künftige Massenvernichtung der jüdischen Einwohner vorbereiten. Denn hierdurch sollte eine einfache Absonderung derjenigen Menschen ermöglicht werden, deren Arbeitskraft er für die Zeit nach der Aktion erhalten wollte. Mit beiden Massnahmen strebte er daher an, dass bei einer kommenden Aktion gegen die Juden die als unbrauchbar betrachteten Menschen möglichst schnell zusammengetrieben werden konnten.

Im Oktober oder Anfang November 1941 hoben Soldaten der in Slonim stationierten 6.Kompanie des Infanterieregiments 727 in der Nähe der nach Baranowicze führenden Chaussee in der Gegend des Dorfes Czepielow Gruben aus, die bei der kommenden Massenexekution als Gräber der Juden dienen sollten.

Am Abend des 13.November 1941 fand im Gebietskommissariat eine Besprechung statt, an der u.a. der Leiter der Aussenstelle des SD in Baranowicze, SS-Untersturmführer Amelung, der Chef der in Slonim stationierten 6.Kompanie des Infanterieregiments 727, Oberleutnant Glück, der Führer des in Slonim stationierten Zuges des Bataillons Todt, Polizeihauptwachtmeister Kr., und der Gebietskommissar Err. teilnahmen. Es wurde der Ablauf der auf den nächsten Tag angesetzten Aktion gegen die jüdischen Einwohner Slonims durchgesprochen und der Einsatz der einzelnen Kräfte festgelegt.
Der Angeklagte Err. erteilte am 13.November einzelnen Angehörigen seiner Dienststelle, insbesondere allen weiblichen Angestellten, für den folgenden Tag ein Ausgehverbot.

Zur Durchführung der Aktion waren die Angehörigen der SD-Stelle in Baranowicze unter Führung von SS-Untersturmführer Amelung, ferner eine Einheit fremdvölkischer Hilfswilliger (Letten oder Litauer) nach Slonim gekommen. Neben diesen Kräften wurden fast alle Angehörige der in Slonim stationierten 6.Kompanie des Infanterieregiments 727, die abkömmlichen Kräfte des Zuges Kr., die Angehörigen des Gendarmeriepostens Slonim, die beim Gendarmeriegebietsführer beschäftigten Gendarme und die weissruthenische Schutzmannschaft eingesetzt. Der Angeklagte Err. stellte einzelne Angehörige des Gebietskommissariats, zumindest Hick und Met., für eine Beteiligung an der Aktion ab.

Am frühen Morgen des 14.November 1941 fand erneut eine Besprechung beim Gebietskommissar statt, an der u.a. Oberleutnant Glück, Revierleutnant Bonke, der Führer des Gendarmeriepostens Slonim namens Hoc., Amelung vom SD sowie die Führer der Einheit der fremdvölkischen Hilfswilligen teilnahmen. Nach dieser Besprechung gab Bonke im Hof des Gebietskommissariatsgebäudes den Angehörigen der Gendarmerie bekannt, dass eine Aktion gegen die Juden durchgeführt werde. Hoc. wies dann den Angehörigen des Gendarmeriepostens Slonim sowie den diesem unterstellten einheimischen Schutzleuten die Aufgaben zu, die sie im Rahmen der Aktion auszuführen hatten.

Die Aktion gegen die jüdischen Einwohner von Slonim begann in den frühen Morgenstunden. Angehörige der 6.Kompanie des Infanterieregiments 727 und andere Kräfte bildeten einen Ring um die Stadt und das jüdische Wohnviertel, das sie abriegelten, so dass niemand heraus und niemand hinein konnte. Die Juden wurden von den Letten, Gendarmen und einheimischen Schutzleuten aus ihren Häusern getrieben. Hieran beteiligte sich - zumindest zeitweise - auch Hick. Einigen Juden wurde erklärt, dass sie umgesiedelt würden und deshalb warme Sachen mitnehmen sollten. Wer den gelben Ausweis vorzeigen konnte, durfte zu Hause bleiben. Die Juden ohne gelben Ausweis wurden auf dem Marktplatz gesammelt und dort auf Lastkraftwagen getrieben. Von den Angehörigen des Gebietskommissariats half zumindest Met. mit, die Menschen auf die Fahrzeuge zu treiben. Es waren jedoch noch einzelne andere Angehörige des Gebietskommissariats auf dem Marktplatz anwesend. Auch der Angeklagte Err. erschien zusammen mit weiteren Angehörigen des Gebietskommissariats auf dem einige Meter nördlich vom Marktplatz gelegenen freien Platz vor der Ortskommandantur. Er hielt sich dort kurze Zeit auf. Er und die Angestellten vom Gebietskommissariat schauten dabei dem Verladen von Juden auf Lastkraftwagen zu. Sie sahen auch, dass sich ein Angehöriger des Gebietskommissariats daran beteiligte.

Die Juden wurden mit Lastkraftwagen über die nach Baranowicze führende Chaussee zu den bei Czepielow vorbereiteten Gruben transportiert. Hierfür waren sowohl Fahrzeuge der 6.Kompanie des Infanterieregiments 727 mit ihren Fahrern, der Mannschaftslastkraftwagen des Zuges Kr. mit Fahrer, der Lkw der Gendarmerie als auch der Lkw des Gebietskommissariats mit Met. als Beifahrer eingesetzt. Da nicht genügend Fahrzeuge vorhanden waren, musste ein grosser Teil der jüdischen Einwohner in Kolonnen über die Strasse der Roten Armee und die südlichste Szczarabrücke, andere Kolonnen über die Ulanska und die Zwirki Wigori zu der nach Baranowicze führenden Chaussee marschieren, auf der sie unter Bewachung von Letten, einheimischen Schutzleuten, Gendarmen, aber auch einzelnen Angehörigen der Zivilverwaltung zu den Gruben bei Czepielow laufen mussten.

In der Nähe der Gruben wurden die Juden zunächst auf eine Wiese getrieben. Dort mussten sie ihre Oberbekleidung ablegen, alle Wertsachen abgeben und sich auf zurückbehaltene und versteckte Wertsachen untersuchen lassen. Die Kleidung und die Wertsachen wurden in Haufen geschichtet. Bei diesen Sachen hielten sich zeitweise auch Angehörige der Zivilverwaltung auf, von denen zumindest einer darauf achtete, dass keine Sachen weggenommen wurden.

Die Juden wurden gruppenweise an die Gruben getrieben und mussten sich am Rande der Grube aufstellen. SD-Leute, Letten und einzelne Angehörige der 6.Kompanie des IR 727 schossen dann überwiegend aus Maschinenpistolen auf die Menschen, die getroffen in die Grube fielen. Anschliessend wurde die nächste Gruppe an die Grube getrieben. Die nachfolgenden Menschen sahen die Leichen ihrer Landsleute und wussten, dass sie sogleich ebenfalls erschossen in die Grube fallen werden. Vereinzelt fielen auch Lebende in die Grube, die verletzt oder überhaupt nicht getroffen worden waren. Die Schützen tranken reichlich Alkohol. Die Schüsse waren weithin, und zwar bis in die östlichen Randbezirke der Stadt Slonim hörbar.

Die Aktion endete am späten Nachmittag. Es wurden mindestens 8000 jüdische Menschen getötet.

Während der Nacht mussten Angehörige der 6.Kompanie des Infanterieregiments 727 die Gruben bewachen. Es gelang aber trotzdem einigen Juden, aus den Gruben zu entkommen und nach Slonim oder in benachbarte Dörfer zu flüchten. Einige von ihnen begaben sich ins städtische Krankenhaus. Sie wurden von dort aus ins jüdische Krankenhaus verlegt, das sich innerhalb des jüdischen Wohnviertels befand. Aus diesem Krankenhaus wurden sie alsbald von Gendarmen und einheimischen Schutzleuten abgeholt und erschossen.
Der Gebietskommissar Err. wusste von diesen Erschiessungen, wandte aber nichts dagegen ein.

Die Gruben bei Czepielow sind dann in den auf die Aktion folgenden Tagen abgedeckt worden.

2.) Zusammengefasste Darstellung der Beteiligung des Angeklagten Err. an der Aktion vom 14.November 1941

a) Der Angeklagte Err. leistete folgende Beiträge zu dieser Aktion:
1. Einige Wochen vor der Aktion erteilte er die Anweisung, an "nützliche Juden" Ausweise auszugeben und sie in besonderen Wohnbezirken von der übrigen jüdischen Bevölkerung abzusondern, was auch geschah.
2. Er stellte seine Diensträume für die Einsatzbesprechungen am Vorabend und unmittelbar vor der Aktion zur Verfügung und beteiligte sich selbst an diesen Besprechungen.
3. Er liess einzelne Angehörige des Gebietskommissariats, mindestens Hick und Met., an der Aktion teilnehmen und zwar beim Heraustreiben der Juden aus den Häusern, beim Herauftreiben auf Lastkraftwagen sowie beim Transport der Juden an die Erschiessungsgruben und stellte hierfür den Lkw des Gebietskommissariats zur Verfügung.
4. Er billigte die Erschiessung der aus den Gruben geflüchteten Juden, die sich im jüdischen Krankenhaus aufhielten, obwohl er als Chef der Zivilverwaltung für den Schutz der Bevölkerung verantwortlich war und ihm möglich und zumutbar gewesen wäre, diese Erschiessungen zu verhindern.

b) Bei diesen Handlungen war sein Wille darauf gerichtet, die von der Sicherheitspolizei durchgeführte Aktion zur Vernichtung eines Teils der jüdischen Einwohner der Stadt Slonim zumindest zu unterstützen. Als Antisemit stimmte Err. mit der Zielsetzung der NSDAP überein, die alle Juden aus dem politischen, wirtschaftlichen und gesellschaftlichen Leben des Staates ausschalten wollte, weil sie einer anderen Rasse angehörten. Dieser Rassenhass ging bei ihm soweit, dass er auch mit der Ermordung der Juden einverstanden war. Auf Grund seiner antisemitischen Einstellung wollte er in seinem Amtsbereich dazu beitragen, dass die Pläne von Hitler, Himmler und Göring verwirklicht werden, die darauf zielten, die jüdische Rasse - soweit wie möglich - physisch auszurotten.

3.) Einlassung des Angeklagten Err.

Der Angeklagte Err. lässt sich über seine Beteiligung an der Aktion vom 14.November 1941 in folgender Weise ein:

Er wisse, dass vor dem Winter eine grosse Aktion gegen die Juden stattgefunden habe. An das Datum könne er sich aber nicht mehr erinnern. Er habe von den Erschiessungen nichts gesehen. Er sei nämlich erst am Abend vor der Aktion, also am 13.November 1941, aus Berlin nach Slonim zurückgekehrt. Wegen einer Gallenkolik habe er unter starken Schmerzen gelitten und sich sogleich ins Bett gelegt. Man habe ihm zwar bei seiner Ankunft in Slonim eröffnet, dass am nächsten Tag eine Aktion gegen die Juden stattfinden werde. Er habe aber

sogleich erklärt, dass er sich um keine Dienstgeschäfte kümmern könne. Er habe den Hauptkommissar Fenz benachrichtigen lassen, der auch am nächsten Morgen in Slonim gewesen sei.
Er, der Angeklagte Err., habe dann noch am Abend angeordnet, dass Ausweise für die jüdischen Arbeiter des Gebietskommissariats ausgestellt werden sollten, was auch geschehen sei. Er habe hierdurch seinen Arbeitern helfen wollen. Gegenüber den anderen Juden sei für ihn eine Hilfeleistung unmöglich gewesen, selbst wenn er es gewollt hätte.
Er habe dann während des gesamten nächsten Tages unter starken Schmerzen im Bett gelegen. Wegen der Einnahme von Opiaten habe er sich zeitweise in einem Dämmerzustand befunden. Es sei auch ein Arzt bei ihm gewesen.
Am Tage nach der Aktion oder 1-2 Tage später, jedenfalls nach einer ärztlichen Behandlung, sei er nach Minsk gefahren. Dort habe er Kube über die Erlebnisse seiner Berlinreise sowie auch über die Ereignisse in Slonim berichtet. Ausserdem habe er Kube einen Brief von Gauleiter Meyer in Berlin übergeben. Er habe Kube auch erklärt, dass er unter den bestehenden Umständen nicht länger auf seinem Posten in Slonim bleiben könne. Kube habe ihm das sehr verübelt und einen Weggang als Fahnenflucht bezeichnet.

4.) Feststellungsgrundlagen und Beweiswürdigung

a) Würdigung der Einlassung des Angeklagten Err.

Die Einlassung des Angeklagten Err. über sein Verhalten während der Aktion vom 14.November 1941 ist widerlegt.

Seiner Behauptung, er habe während der Aktion im Bett gelegen, kann nicht gefolgt werden. Hiergegen spricht einmal die Aussage des Zeugen Hie., der Err. während der Aktion in Slonim gesehen haben will, und zwar am Vormittag auf dem Platz vor der Ortskommandantur, als dort Juden auf Lastwagen getrieben wurden. Hie. ist bei seinen Vernehmungen in den Jahren 1960 und 1961 nach klarer Aussage des Zeugen Pau. absolut sicher gewesen, dass er Err. gesehen habe. Eine Verwechslung hat er mit Sicherheit ausgeschlossen, da ihm Err., den er vorher schon öfters gesehen habe, gut bekannt gewesen sei. Er hat Err. auch bei einer Gegenüberstellung unter 5 Herren gleichen Alters und gleicher Grösse spontan richtig erkannt. Demgegenüber war Hie. bei seiner Aussage in der Hauptverhandlung zurückhaltender. Hier hat er erklärt, er habe seiner Erinnerung nach Err. während der Aktion auf dem Platz vor der Ortskommandantur gesehen, das könne aber auch eine Verwechslung sein. Nach Vorhalt seiner früheren Angaben hat er erklärt, dass diese stimmen müssten, er könne es heute aber nicht mehr so sicher sagen und wolle niemanden falsch belasten.

Das Schwurgericht ist davon überzeugt, dass der Zeuge bei seinen früheren Vernehmungen die Wahrheit auch insoweit bekundet hat, als er sich damals absolut sicher gewesen ist, den Angeklagten Err. tatsächlich während der Aktion gesehen zu haben. Der Zeuge hinterliess in der Hauptverhandlung den Eindruck eines stark gealterten Mannes, der nicht mehr in der Lage ist, sich detailliert zu erinnern und seine Erinnerung prägnant wiederzugeben. Es musste in ihn gedrungen werden, um überhaupt von ihm Einzelheiten über das Geschehen in Slonim zu erfahren. Er berichtete dann nur brockenweise. Der Zeuge Pau. hat dagegen die Persönlichkeit des Zeugen Hie. nach seinem Eindruck bei den früheren Vernehmungen völlig anders geschildert: Hie. habe ihm durch exakte und bestimmte Aussage imponiert. Er habe über seine Erlebnisse auch von sich aus und im Zusammenhang berichtet.

Das Schwurgericht ist der Auffassung, dass bei dem Zeugen Hie. inzwischen altersbedingt Lücken im Erinnerungsvermögen an frühere Erlebnisse eingetreten sind. Diese Erfahrung hat der Zeuge - wie er selbst angibt - nunmehr hinsichtlich vieler Erlebnisse aus früherer Zeit gemacht. Er ist sich daher jetzt seines Gedächtnisses nicht mehr so sicher, sondern sagt sich, dass die Dinge auch anders abgelaufen sein können, als er sie noch erinnert. Als verantwortungsvoller und sorgfältiger Mensch hat er bei seiner Aussage in der Hauptverhandlung diese bei ihm eingetretene Unsicherheit gegenüber Erinnerungsbildern aus früherer Zeit zum Ausdruck gebracht, indem er nunmehr abweichend von seinen Bekundungen vor 12 und 13 Jahren die Möglichkeit einer Verwechslung Err.s mit einer anderen Person nicht mit letzter Sicherheit ausgeschlossen hat. Der inzwischen eingetretene altersbedingte Abbau bei diesem Zeugen, der in der Hauptverhandlung zu beobachten gewesen ist, verringert zwar den Beweiswert seiner Aussage in der Hauptverhandlung, vermag jedoch den Wahrheitsgehalt seiner Bekundungen im Vorverfahren nicht zu entwerten.

Gegen die Einlassung des Angeklagten Err., er habe am 14.November 1941 krank im Bett gelegen, spricht ferner die Tatsache, dass keiner der vernommenen ehemaligen Angestellten des Gebietskommissariats, Anni Kle., Alfred Kle. und Gerda Rog., diese Krankheit bestätigt hat. Diese hätte den Zeugen jedoch auffallen müssen. Zumindest die Zeugin Rog., die in einem solchen Fall das Essen auf Err.s Zimmer gebracht hätte (ihre spätere Kollegin Adelgunde Ro. gehörte damals noch zum Stab Newel), müsste seine Krankheit bemerkt haben, was aber nach ihrer glaubhaften Bekundung nicht der Fall war. Es kann dem Angeklagten auch nicht abgenommen werden, dass er erst unmittelbar vor der Aktion in Slonim ankam und unmittelbar danach wieder abfuhr. Zwar haben die verstorbenen Zeugen Dr. Ble. und Dr. Be., deren Aussagen verlesen wurden, bei ihren Vernehmungen im Jahre 1960 bekundet, Err. sei ab Anfang November 1941 mehrere Wochen lang in Berlin gewesen. Dr. Be. will mit Err. an den Wochenenden 8./9.11. und 15./16.11.1941 gesprochen haben. Diese Zeugen sind aber bei ihren späteren Vernehmungen durch den Untersuchungsrichter hinsichtlich ihrer früheren Datenangaben sehr unsicher gewesen. Dr. Ble. hat bekundet, dass er Err. ebenso gut im November 1942 in Berlin zahnärztlich behandelt haben könnte und Dr. Be. hat ausgesagt, er habe mit Err. an zwei Wochenenden, etwa 6-8 Wochen vor Weihnachten, gesprochen, das könne auch Ende Oktober oder Anfang November 1941 gewesen sein.
Die Zeugin Ilse Höh. erinnert sich - ebenso wie ihre Tochter Rosemarie Höh. - daran, dass Err. während eines Geburtstages ihres Vaters, am 4.November, in Berlin war. Beide Zeuginnen wissen aber nicht mehr, ob das am Geburtstag im Jahre 1941 oder im Jahre 1942 war.

Die unsicheren Zeitangaben aller dieser Zeugen besagen nichts darüber, dass sich Err. unmittelbar vor dem 14.November 1941 noch in Berlin aufhielt. Seine Einlassung hierüber wird durch das übrige Ergebnis der Beweisaufnahme widerlegt.

Aus den Notizen im Kalender von Dr. Kl. sowie der verlesenen Aussage dieses verstorbenen Zeugen ergibt sich, dass Err. am 24.Oktober 1941 und am 27.Oktober 1941 bei dem Zeugen in Berlin vorgesprochen hat. Err. hielt sich folglich Ende Oktober 1941 in Berlin auf. Hiermit stimmt die Aussage des Zeugen Kuk. überein, der Ende Oktober 1941 Slonim verliess und sich erinnert, dass Err. zu diesem Zeitpunkt nicht in Slonim war, so dass er sich von dessen Vertreter Stähle verabschiedete. Die Zeugin Anni Kle. erinnert sich daran, dass Err. im Zeitpunkt, als Met. sie und ihren Verlobten Alfred Kle. für den Dienst im Gebietskommissariat anwarb, ebenfalls in Berlin war und dann etwa zur gleichen Zeit wie sie, jedoch mit einem anderen Wagen, nach Slonim fuhr. Anni Kle. trat nach der Stammliste der Gefolgschaftsmitglieder des Gebietskommissariats Slonim ihren Dienst in Slonim am 7.November 1941 an. Aus ihren Angaben folgt somit, dass Err. um den 7.November 1941 wieder in Slonim war. Diese Folgerung wird durch die Aussage der Zeugin Gerda Rog. bestätigt, die bekundet hat, Err. sei etwa 8 Tage nach ihrem Dienstantritt aus dem Reich, wo er irgendwelche Sachen besorgt habe, nach Slonim zurückgekehrt. Da die Zeugin Rog. den Dienst im Gebietskommissariat in Slonim am 1.November 1941 antrat, ergibt sich auch nach ihrer Aussage, dass Err. am 8.November, spätestens jedoch am 9.November 1941 in Slonim zurück war. Die Zeugin Rog. war zunächst als Sekretärin für den Gebietskommissar Err. tätig. Es erscheint dem Gericht als glaubhaft, dass sie die Abwesenheit ihres Chefs bei ihrem Dienstantritt sowie den Zeitpunkt seiner Rückkehr und damit den Beginn ihrer Tätigkeit für und mit diesem auch nach so langer Zeit noch richtig erinnert, zumal sie hierzu bereits im Vorverfahren mehrmals vernommen worden ist, und zwar zu Zeitpunkten, zu denen die Ereignisse noch nicht so weit zurücklagen.

Die Aussage der Zeugin Rog. widerlegt die Bekundung der Zeugin Elise Pe., Err. habe sie am 11.November 1941 in Dramburg besucht, denn es wäre der Zeugin Rog. aufgefallen, wenn Err. alsbald nach seinem Eintreffen in Slonim erneut ins Reich gereist wäre. Die Aussage der Zeugin Pe. ist allerdings ohnehin nicht sehr glaubwürdig. Die Zeugin hat angegeben, dass sie sich an das Datum des Besuchs von Err. deshalb erinnere, weil sie an diesem Tag einen "nicht sehr netten Brief" von ihrem Ehemann erhalten habe, in dem er ihr angekündigt habe, dass er sich von ihr trennen wolle. Erstaunlicherweise wusste sie aber nicht, wann sie sich dann mit ihrem Ehemann wieder versöhnte und ob er das Weihnachtsfest des Jahres 1941 bei ihr verbrachte, das nur sechs Wochen nach diesem Brief folgte. In ihrer Aussage vom 11.März 1965, die der Zeugin insoweit vorgehalten worden ist, hat sie eingeräumt, dass sie sich nicht mehr daran erinnern könne, ob Err. sie am 11.November 1941 besuchte. Sie wisse nur noch, dass dieser Besuch einige Zeit vor dem 1.Advent stattfand. Das Datum "11.11.1941" müsse ihr genannt worden sein, und sie habe darauf vertraut, dass es stimme. In der Hauptverhandlung hat sie bestätigt, dass der frühere Anwalt Err.s ihr diesen Zeitpunkt des Besuchs von Err. genannt habe.
Das Schwurgericht ist davon überzeugt, dass die Zeugin Pe. das mit dem 11.11.1941 angegebene Datum des Besuchs von Err. nicht mehr aus eigenem Erleben erinnert, auch wenn sie sich inzwischen einbilden mag, dass Err. sie tatsächlich zu diesem Zeitpunkt besucht habe.

Im übrigen kann die Einlassung von Err., er sei vom Generalkommissar Kube nach Berlin geschickt worden, um dort bei Gauleiter Meyer vorzusprechen, und er habe Kube dann unmittelbar nach dem 14.November 1941 in Minsk einen Brief von Meyer übergeben, schon deswegen nicht stimmen, weil Kube etwa vom 10. bis 20.November 1941 selbst in Berlin war und dort auch mit dem Gauleiter Meyer Unterredungen führte, wie sich aus der in der Hauptverhandlung verlesenen Korrespondenz von Kube ergibt (Blätter 20, 22, 23, 26, 27 und 41 der Akte des Bundesarchivs Koblenz, Band R 6/27).
Darüber hinaus hat auch der Mitangeklagte Schu. glaubhaft berichtet, dass er den Gebietskommissar Err. sowohl in den Tagen vor als auch nach der Aktion in Slonim gesehen habe.

<u>b) Beweiswürdigung zu den übrigen Feststellungen</u>

Die Feststellung, dass der Angeklagte Ausweise für Handwerker und Facharbeiter ausstellen liess und diese Menschen in besonderen Wohnbezirken unterbrachte, beruht auf den glaubwürdigen Aussagen der Zeugen Dr. Kap., Orl., Dr. Eil., N. und Anni Kle. Ferner berichtet Err. hiervon in seinem Lagebericht vom 25.Januar 1942. Aus diesem Lagebericht ergibt sich darüber hinaus, dass der Angeklagte Err. mit diesen Massnahmen eine künftige Aktion zur Vernichtung eines Teils der jüdischen Bevölkerung vorbereiten wollte. Err. führt in jenem Bericht nämlich aus, dass er von vornherein Vorbereitungen für eine künftige Aktion getroffen habe. Deshalb habe er u.a. die Handwerker und Facharbeiter aus der übrigen jüdischen Bevölkerung herausgezogen, sie gesondert untergebracht und mit besonderen Ausweisen versehen. Die Umstände ergeben, dass Err. diese Massnahmen noch vor seiner Berlinreise anordnete.

Über das Ausheben von Gruben in der Nähe der nach Baranowicze führenden Rollbahn haben die Zeugen Lel., Grax., Gre., Gel., Karl Mü., Nig., Fis. und Has. berichtet.
Nach den Aussagen von Nig., Hol., Jakob Sch., Orl., Dr. Kap. und Dr. Eil. sind hierzu auch jüdische Arbeitskräfte eingesetzt worden. Ausserdem geben die Zeugen Dr. Eil., Hol. und Jakob Sch. an, dass beim Judenrat 60 jüdische Männer für diese Erdarbeiten angefordert, diese Männer dann als die ersten an den Gruben erschossen und in ihnen begraben worden seien. Diese Aussagen beruhen aber darauf, was die Zeugen von Bauern der Umge-

bung gehört haben, sowie auf Schlussfolgerungen, wie Jakob Sch. bekundet hat. Da kein Augenzeuge vorhanden ist, können insoweit keine sicheren Feststellungen getroffen werden. Die Zeugen Anni und Alfred Kle. sowie Gerda Rog. haben glaubhaft bekundet, dass der Angeklagte Err. ihnen am Abend vor der Aktion ein Ausgehverbot für den folgenden Tag erteilt habe. Dieses Verbot habe für alle weiblichen und einen Teil der männlichen Angestellten gegolten, die nicht an der Aktion beteiligt gewesen seien, wie die Zeugin Kle. berichtet hat.

Dass am Abend vor der Aktion beim Gebietskommissar eine Besprechung über den Ablauf der Aktion und die Einteilung der einzelnen Kräfte stattfand, ergibt die Aussage des Zeugen Kr., die von Rüc. bestätigt wird. Kr. nennt allerdings nicht die Namen Glück und Amelung. Er spricht vielmehr von Offizieren der Wehrmacht und der SS. Bei diesen kann es sich jedoch nur um Glück und Amelung gehandelt haben, da nach den glaubhaften Zeugenaussagen - eindrucksvoll hat hierüber insbesondere der Zeuge Josef Schm. berichtet - zu diesem Zeitpunkt keine anderen deutschen Einheitsführer in Slonim waren. Im übrigen bestätigt der Angeklagte Schu., dass Amelung vor der Aktion beim Gebietskommissar gewesen sei.

Die Zeugen Jum. und Dit. haben bekundet, dass die in Baranowicze stationierte Einheit der Sicherheitspolizei und des SD unter Führung von Amelung die Aktion in Slonim durchführte. Zwar hat Dit. berichtet, dass die Angehörigen der Dienststelle erst am Morgen des Aktionstages nach Slonim abgerückt seien. Seine Aussage gibt aber nichts über den Zeitpunkt her, zu dem Amelung in Slonim eintraf. Das gleiche gilt für die Aussage des Zeugen Jum.

Die Beteiligung der Angehörigen der 6.Kompanie des IR 727 an der Aktion ist nach den Aussagen der Zeugen Le., Mo., Näh., Nöl., R., Schm., Ac., Nig., K. Mü., Fis. und Aic. festgestellt worden. Über die Beteiligung der Gendarmerie liegen Aussagen des Mitangeklagten Schu. und der Zeugen Laa., Win., Hoc. und Rue. vor.

Die erneute Besprechung am Morgen des Aktionstages im Gebietskommissariat ist nach der Aussage des Mitangeklagten Schu. festgestellt worden, der auch glaubwürdig darüber berichtet hat, dass die Angehörigen der Gendarmerie und die Schutzleute im Hofe des Gebietskommissariats zu ihren Aufgaben während der Aktion eingeteilt wurden.

Dass einigen Juden beim Heraustreiben aus den Häusern gesagt wurde, sie würden umgesiedelt und sollten deshalb warme Sachen mitnehmen, hat Dr. Kap. einleuchtend bekundet. Die Zeugen Dr. Eil., Orl., Jakob Sch., Klen. und She. haben glaubhaft ausgesagt, dass die Inhaber der gelben Karten mit ihren Angehörigen von der Aktion verschont blieben.

Die Feststellungen über das Geschehen an der Grube beruhen im wesentlichen auf der Aussage von Jakob Sch. Seine Aussage wird von den Bekundungen der Zeugen Lel., Mo., Grax., Pr., Gel., Gre., Pac., Ac., Aic., Dr. Kap. und Dr. Eil. bestätigt. Allerdings geben diese Zeugen keinen umfassenden Überblick über das Geschehen an der Grube, da sie sich teilweise nur für Augenblicke dort aufhielten, teilweise die Ereignisse auch nur aus den Erzählungen anderer kennen. Die Übereinstimmung der Bekundungen dieser Zeugen mit der Aussage von Jakob Sch. ist jedoch erstaunlich. Da er im wesentlichen nur das ausgesagt hat, was auch andere, insbesondere die bei ihrer Aussage sehr zurückhaltenden deutschen Zeugen, berichtet haben, ist das Gericht von der Glaubwürdigkeit dieses Zeugen sowie der Zuverlässigkeit seiner Aussage überzeugt. Dass die Schüsse an den Gruben bis in die Randbezirke von Slonim zu hören waren, haben die Zeugen Re., Vri. und K. Mü. berichtet.

Über die Anwesenheit und Beteiligung von Angehörigen des Gebietskommissariats beim Heraustreiben der Juden aus den Häusern, beim Aufladen der Menschen auf Lastkraftwagen und bei der Begleitung der Opfer zu der Erschiessungsstätte haben Hie., Schm., Nöl., Gran.

und Met. ausgesagt. Das Gericht bezweifelt nicht, dass die Angaben der Zeugen hierzu richtig sind.

Allerdings ist bei der Würdigung der Aussage von Met. Vorsicht geboten. Zwar ist diese Aussage verwertbar, da sie nicht unter Zwang oder anderen unzulässigen Vernehmungsmethoden entstanden ist. Das Gericht hat über die Umstände der Vernehmung Met.s den Zeugen Alfred Str. gehört, der als amerikanischer CI Officer Met. im Jahre 1947 mehrfach vernommen hat. Str. hat bekundet, Met. habe frei von sich aus seine Erlebnisse und Taten sowie über die Aktionen in Slonim berichtet. Er habe hierdurch sein Gewissen entlasten wollen. Ausserdem sei Met. froh gewesen, vor einem Amerikaner und nicht vor Polen auszusagen. Zwang oder andere unzulässige Vernehmungsmethoden, wie sie Met. im Schreiben vom 10.August 1948 an das Bezirksgericht in Warschau angegeben hat, seien gegen ihn nicht angewandt worden. Das sei bei der Redefreudigkeit Met.s auch gar nicht nötig gewesen.

Das Gericht hält die Aussage des Zeugen Str. für richtig. Zwar mag sich Str. bei einigen Angaben über Einzelheiten der Vernehmung von Met. täuschen. So hält es das Gericht z.B. trotz der anders lautenden Bekundung des Zeugen Str. für möglich, dass Met. zunächst in Gegenwart der jüdischen Menschen informatorisch befragt worden ist, die ihn erkannt und zu der amerikanischen Behörde gebracht hatten. Andere unrichtige Einzelheiten hat Str. nach Vorhalt der Protokolle über die Vernehmungen des Met. selbst berichtigt. Es ist verständlich, dass ein Zeuge von Vernehmungen, die 27 Jahre zurückliegen, nicht mehr alle Einzelheiten richtig erinnert. Die Frage, ob Zwang oder andere unzulässige Vernehmungsmethoden angewandt worden sind, betrifft dagegen einen wesentlichen Bestandteil der Vernehmungen und es ist im Eingang der Protokolle als Aussage von Met. aufgenommen worden, dass er seine Angaben ohne Trug, Zwang oder Versprechungen mache. Das Gericht ist der Meinung, dass sich der Zeuge bei seiner Aussage zu dieser Frage richtig erinnert hat. Er hat den Eindruck vermittelt, dass es sich bei ihm um einen glaubwürdigen und zuverlässigen Mann handelt.

Für die Richtigkeit der Aussage des Zeugen Str. zur Frage, ob bei der Vernehmung des Met. unzulässige Vernehmungsmethoden angewandt worden sind, sprechen zusätzlich folgende Überlegungen: Die amerikanischen Behörden waren nach dem Krieg daran interessiert, die Wahrheit über den nationalsozialistischen Terror zu erfahren. Die Anwendung von Zwang und anderen unzulässigen Vernehmungsmethoden ist jedoch in der Regel nicht geeignet, wahre Aussagen herbeizuführen. Es ist daher wenig wahrscheinlich, dass die amerikanischen Offiziere unzulässige Vernehmungsmethoden anwandten. Ausserdem enthalten die Erklärungen Met.s Einzelheiten, die nur Met. selbst bekannt gewesen sein können. Auch die Namen, die in seinen Erklärungen erwähnt werden, können nur von ihm stammen. Das Gericht hält es für ausgeschlossen, dass die Juden die Met. zu den amerikanischen Behörden brachten, Str. diese Einzelheiten berichtet haben: Sie stammten aus Baranowicze, kannten und wussten daher über die dortigen Massenvernichtungen Bescheid, während ihnen die Einzelheiten über die Aktionen in Slonim, z.B. über Besprechungen im Gebietskommissariat Slonim, unbekannt waren. Das ist auch ihren eidesstattlichen Erklärungen zu entnehmen. Die Zeugen aus Slonim, Fel. und Ch., haben Met. erst später gesehen und ihre eidesstattlichen Versicherungen stammen auch erst vom 19.9.1947, wurden also nach der ausführlichen Vernehmung Met.s vom 18.9.1947 aufgenommen. Da sie besondere Erklärungen über die Taten Met.s vor der jüdischen Gemeinde abgaben, ist das Gericht der Überzeugung, dass sie von der amerikanischen Behörde nicht - jedenfalls nicht ausführlich - angehört wurden und deshalb die Niederlegung ihrer Kenntnisse in besonderen Urkunden für erforderlich hielten. Hieraus folgert das Gericht, dass Str. von ihnen keine der von Met. bekundeten Einzelheiten erfuhr und nur das in den Niederschriften aufgenommen wurde, was Met. aus eigenem Antrieb berichtete.

Das Gericht wertet die Darstellung Met.s über seine Vernehmungen durch die amerikanischen Behörden im Schreiben vom 10.August 1948 an das Bezirksgericht Warschau als

Schutzbehauptungen. Mit diesen wollte er in dem Strafverfahren, das gegen ihn in Polen durchgeführt wurde, von der Belastung durch seine Angaben vor der amerikanischen Behörde freikommen.

Die Aussagen Met.s können jedoch nicht in vollem Umfange als inhaltlich wahr bewertet werden. Sie enthalten an vielen Stellen falsche Angaben. So nennt Met. z.B. unrichtige Daten für die einzelnen Aktionen und erwähnt Angestellte des Gebietskommissariats als Teilnehmer an einer Besprechung nach der ersten Aktion, wie He., Koh. und Schöps, die nach dem übrigen Ergebnis der Beweisaufnahme im Zeitpunkt dieser Aktion noch nicht in Slonim waren. Die Vernehmungsprotokolle vom 18.9.1947 und 16.10.1947 drängen nach Inhalt und Diktion zudem den Verdacht auf, dass Met. sich durch umfassende Angaben bei der amerikanischen Besatzungsbehörde anbiedern wollte. Es ist deshalb nicht auszuschliessen, dass er leichtfertig Beschuldigungen ausgesprochen und mit seinen Angaben übertrieben hat. Das Gericht hält daher lediglich den wesentlichen Kern der Aussagen von Met. für richtig, insbesondere soweit es seine eigene Beteiligung an den Aktionen vom 14.November 1941 und 29.Juni 1942 betrifft, zumal die Beteiligung Met.s an diesen Aktionen von anderen Zeugen bestätigt wird. So hat der Zeuge Kre. bekundet, er habe Met. während der Aktion vom 14.November 1941 gesehen, als dieser in einem Kraftwagen herumgefahren sei.
Die Zeugen haben wenige Angehörige des Gebietskommissariats als Teilnehmer an der Aktion namentlich benannt; nur die Namen Hick - so der Zeuge Gran. - und Met. sind in der Beweisaufnahme gefallen. Das kann darauf beruhen, dass sich neben Hick und Met. niemand vom Gebietskommissariat an der Aktion beteiligte; denn das Gebietskommissariat verfügte damals nur über einen kleinen Mitarbeiterstab.

Der Angeklagte Err. befahl Hick und Met. die Beteiligung an der Aktion. Diese Feststellung beruht einmal auf den Bekundungen der Zeugin Rog., die ausgesagt hat, dass einzelne Angehörige des Gebietskommissariats von dieser Dienststelle zur Teilnahme an der Aktion "abkommandiert" worden seien. Das Gericht ist davon überzeugt, dass dies auf einer Anweisung des Angeklagten Err. beruhte, da er der Behördenchef war und als solcher über den Einsatz von Angehörigen des Gebietskommissariats an der Aktion zu entscheiden hatte.

Zum anderen hat der Zeuge Hie. bekundet, dass Err. auf dem Platz vor der Ortskommandantur dem Aufladen der Juden auf Lastkraftwagen zugeschaut und dass sich zu diesem Zeitpunkt ein Angehöriger des Gebietskommissariats hieran beteiligt habe. Da Err. hiergegen nichts unternahm, folgt hieraus, dass er auch mit dieser Beteiligung einverstanden war. Nach den Bekundungen der Zeugen Le., Lel., Sac., Grax. und R., sie hätten "Braununiformierte" an der Erschiessungsstätte oder auf dem Weg dorthin gesehen, vermag das Gericht nur festzustellen, dass sich Angehörige der Zivilverwaltung dort aufhielten. Das kann dem Angeklagten Err. jedoch nicht angelastet werden. Es lässt sich nicht ausschliessen, dass es sich hierbei um Angehörige des Stabes Newel handelte, denen Err. keine Befehle erteilen konnte.

Vom Einsatz der Lastkraftwagen der 6.Kompanie des IR 727 haben Le., Sac., Grax. und R. berichtet. Über den Einsatz des Mannschaftslastkraftwagens des Zuges Kr. hat Pac. ausgesagt. Dass der Lkw des Gebietskommissariats zur Durchführung der Aktion eingesetzt wurde, ist nach den insoweit glaubhaften Angaben von Met. und dem Zeugen Alfred Kle. festgestellt worden. Met. hat zudem berichtet, dass er als Beifahrer die Transporte der Juden begleitet habe. Wie bereits ausgeführt, folgt das Gericht seiner Aussage, soweit sie seine eigene Beteiligung betrifft. Das Gericht ist auch davon überzeugt, dass der Angeklagte Err. diesen Einsatz des Lastkraftwagens anordnete. Das Gebietskommissariat war damals noch eine überschaubare Behörde mit wenigen Mitarbeitern. Es besass nur den einen Lkw, über den Err. nach der glaubhaften Aussage des Zeugen Alfred Kle. allein verfügte.

Die Zeugen Ac., Jakob Sch., Dr. Eil., Dr. Kap., Hol., Pak., She., Gol., A. Do., Sok., Cze., Cha., Lik., Golda Do., Dr. Wi., Zir., Fel. haben bekundet, dass Juden aus den Gräbern von Czepielow entkamen.

Dr. Ats. hat berichtet, dass er zugegen war, als die Juden, die sich nach der Flucht aus den Gräbern im jüdischen Krankenhaus aufhielten, von dort abgeholt wurden. Er hat sich daran erinnert, dass 2 Gendarmen und 1 Mann vom Gebietskommissariat zum Abholen der Verwundeten gekommen seien und hat (den Mitangeklagten) Schu. als den Angehörigen des Gebietskommissariats benannt. Da er erklärt hat, dass er sich hinsichtlich der Uniform auch täuschen könne, geht das Gericht zugunsten des Angeklagten Err. davon aus, dass alle 3 Deutsche die im Krankenhaus erschienen, zur Gendarmerie gehörten. Diese Feststellung wird von den Zeugen Dr. Kap. und Sok. bestätigt, die diesen Vorfall allerdings nur aus den Erzählungen anderer erfuhren.

Der Angeklagte Err. wusste von diesen Erschiessungen und billigte sie. Als sie geschahen, befanden sich keine fremden Mordkommandos in Slonim. Err. war für alle Ereignisse in der Stadt wieder allein verantwortlich. Das Gericht ist davon überzeugt, dass Bonke diese jüdischen Flüchtlinge nicht abholen liess, ohne den Gebietskommissar zuvor zu unterrichten, da Bonke täglich zu Besprechungen beim Gebietskommissar war, wie der Mitangeklagte Schu. glaubhaft angegeben hat. Err. wandte gegen diese Erschiessungen nichts ein, denn Bonke hätte die Verwundeten bei einem Widerspruch des Gebietskommissars nicht erschiessen lassen. Hiervon ist das Gericht ebenfalls bereits aufgrund der Schilderung des Mitangeklagten Schu. über das Verhalten Bonkes und des auf enger Zusammenarbeit aufgebauten Verhältnisses zwischen Bonke und dem Angeklagten Err. überzeugt.

Die Zahl der Opfer hat das Gericht nach dem Lagebericht vom 25.1.1942 festgestellt. Es heisst dort, dass vor der Aktion 16.000, danach noch 7.000 Juden in Slonim wohnten. Die Zahl der Erschossenen errechnet sich somit auf 9.000. Da nach dem erwähnten Lagebericht alle jüdischen Einwohner registriert und erfasst waren, liegt ihm genaues Zahlenmaterial zugrunde. Allerdings wurden die Zahlenangaben erkennbar auf volle Tausender auf- oder abgerundet. Es kamen danach jedenfalls 8.000 Menschen in der Aktion ums Leben.

Aus den getroffenen Feststellungen zum Werdegang Err.s ergibt sich, dass er mit den Zielen der NSDAP - also auch mit deren Einstellung zum Judentum sowie deren Plänen über die Behandlung der Juden - übereinstimmte. Err. war nicht nur Mitläufer, er zeichnete sich vielmehr durch besondere Aktivität innerhalb der Partei aus, was dazu geführt hatte, dass er als Kameradschaftsführer an einer Ordensburg - also zum Lehrer und Betreuer der künftigen Parteiführer - ausersehen worden war. Hierfür kamen nur aktive und treue Mitglieder in Betracht, die mit allen Zielen der Partei übereinstimmten. Die Lageberichte spiegeln darüber hinaus deutlich den Hass wider, den Err. gegen die jüdische Rasse hegte. Für ihn waren Juden nur "unnötige Fresser". Insbesondere aus dem Abschnitt über das Judentum im Lagebericht vom 25.Januar 1942 hat das Gericht die Überzeugung gewonnen, dass Err. bereits zu Beginn seiner Tätigkeit als Gebietskommissar in Slonim mit den Mordplänen Hitlers, Himmlers und Görings einverstanden war und sie weitgehend unterstützen wollte.

5.) Weitergehende Vorwürfe der Anklage

Der Vorwurf der Anklage geht über die getroffenen Feststellungen hinaus. Sie legt dem Angeklagten zusätzlich folgende Tatbeiträge zur Last:

(1) Err. habe sowohl den Chef der 6.Kompanie des IR 727, Oberleutnant Glück, als auch den Gendarmeriekreisführer, Revierleutnant Bonke, sowie den Polizeihauptwachtmeister Kr. bewogen, mit den ihnen unterstellten Kräften an der Aktion teilzunehmen.

(2) Err. habe die Erschiessung der Juden veranlasst, die sich aus den Gruben bei Czepielow ins jüdische Krankenhaus gerettet hatten.

(3) Err. habe sämtliche Beiträge zur Aktion vom 14.November 1941 mit Täterwillen geleistet.

Zu (1):

Dass Err. Oberleutnant Glück zur Teilnahme an der Aktion bestimmt habe, folgert die Anklage einerseits aus den Bekundungen der Zeugen Na., Dr. Gsc., Grei., von Mau. genannt Bec. und Pa. Diese Zeugen hätten ausgeschlossen, dass Glück einen Befehl zur Beteiligung an den Judenaktionen von seinen vorgesetzten Dienststellen der Wehrmacht erhalten habe. Die Beweisaufnahme in der Hauptverhandlung hat hinsichtlich dieser Zeugen zu keinem wesentlich abweichenden Ergebnis geführt. Das Gericht ist aber nicht mit letzter Sicherheit davon überzeugt, dass diese Zeugen objektiv richtig ausgesagt haben. Abweichende Bekundungen hätten bei einigen Zeugen zu einer strafrechtlichen Verfolgung führen können. Eine gewisse Skepsis gegen die Aussagen dieser Zeugen ist schon auf Grund des Lageberichts vom 25.Januar 1942 geboten, in dem von Massnahmen der Wehrmacht gegen die jüdische Bevölkerung berichtet wird. Im Zusammenhang mit der Judenvernichtung heisst es dort: "... Das flache Land wurde eine Zeitlang grosszügig von der Wehrmacht gesäubert ...". Dementsprechend berichten auch Angehörige der 6.Kompanie des IR 727 (so Sto., Gre., Pr., Re., R. und Le.), dass Leute der Einheit an Aktionen gegen die jüdischen Einwohner in kleineren Ortschaften der Umgebung von Slonim beteiligt gewesen seien. Auch das am 17.Juli 1969 gegen Windisch ergangene Urteil des Schwurgerichts Mainz (3 Ks 1/67 [321]) stellt fest, dass Angehörige des IR 727 (12.Kompanie) in Tschutschin, Zoludek und Wasiliski Aktionen gegen Juden durchführten.

Ferner ist auf das gegen L. ergangene Urteil des Schwurgerichts Kassel vom 3.Januar 1963 (3a Ks 1/61 [322]) hinzuweisen, indem als unwiderlegt festgestellt worden ist, dass der Ia der 707.Infanteriedivision, zu der das Infanterieregiment 727 gehörte, mit Billigung des Divisionskommandeurs, Generalmajor Freiherr von Mau. genannt Bec., dem Kommandeur des Reservebataillons 11, den Hauptmann L., der ebenfalls dem Divisionskommandeur unterstellt war, Einsätze gegen Juden befohlen hatte. Desgleichen hat der Zeuge Dr. Gsc. bei seiner Vernehmung auf die Möglichkeit hingewiesen, dass zwischen Division und den Kompanien unmittelbar Unterredungen stattfanden, die eine Beteiligung an den Aktionen gegen Juden zum Gegenstand gehabt haben könnten.

Die Anklage begründet ihren Vorwurf andererseits mit den Aussagen der Zeugen Schm. und Hie.

Der Zeuge Hie. hat bei seinen Vernehmungen 1960 und 1965 bekundet, Oberleutnant Glück habe am Vortage der Aktion nach einer Unterredung mit dem Gebietskommissar geschimpft, er gebe seine Leute nicht zum Erschiessen her. Oberleutnant Glück sei sich aber dann mit Err. darüber einig geworden, dass die Kompanie Absperrdienste leiste. Der Zeuge hat diese Aussage auf entsprechenden Vorhalt in der Hauptverhandlung nicht in vollem Umfang bestätigt. Das Gericht könnte auch aus der früheren Aussage des Zeugen Hie. nicht die gleichen Schlüsse wie die Anklage ziehen. Die Aussage lässt nämlich offen, ob Glück erst von Err. zur Teilnahme an der Aktion bestimmt wurde oder ob die Unterredung zwischen ihnen lediglich die Art und Weise der Beteiligung der Soldaten betraf.

[321] Siehe Lfd.Nr.712.

[322] Siehe Lfd.Nr.546.

Der Zeuge Schm. hat bekundet, er nehme an, dass sich das Generalkommissariat und der Divisionskommandeur dahin geeinigt hätten, dass die Kompanie bei Judenvernichtungsaktionen nur absperren solle; ein solcher Befehl sei auf dem Dienstweg zur Kompanie gekommen. Er hat ausserdem über ein dienstliches Schreiben des Bataillons berichtet, in dem es geheissen habe, dass die Wehrmacht bei einer Aktion gegen Juden in einem westlich von Slonim gelegenen Ort Absperrdienste leisten solle. Diese Aussage des Zeugen Schm. spricht dafür, dass die Teilnahme der Angehörigen der 6.Kompanie des IR 727 von Wehrmachtsdienststellen befohlen wurde.

Nach diesem Ergebnis der Beweisaufnahme lässt sich nicht mit der erforderlichen Sicherheit feststellen, dass es der Angeklagte Err. war, der Oberleutnant Glück zur Teilnahme an der Aktion bewog.

Der Annahme der Staatsanwaltschaft, Err. sei auch für die Beteiligung des Zeugen Kr. verantwortlich, kann das Schwurgericht ebenfalls nicht beipflichten, da der Zeuge Kr. in der Hauptverhandlung - im Gegensatz zu seiner früheren Aussage - nicht mehr angegeben hat, vom Gebietskommissar zur Teilnahme an der Aktion befohlen worden zu sein. Er hat vielmehr ausdrücklich betont, Err. sei bei der Besprechung am Vorabend der Aktion nicht sein Gesprächspartner gewesen. Zwar hat Rüc. von einer Absprache zwischen Kr. und dem Gebietskommissar berichtet. Nach dieser Absprache habe sich der Zug Kr. an keinen Massnahmen gegen die jüdische Bevölkerung zu beteiligen brauchen. Diese Bekundung ist falsch, da sowohl Kr. als auch Pac. die Beteiligung von Angehörigen des Zuges Kr. bei dieser Aktion zugegeben haben. Das Gericht vermag daher auf die Aussage von Rüc. allein keine Feststellungen zu stützen, um damit Err. zu belasten.

Weiterhin geht die Anklage davon aus, der Angeklagte Err. habe auch Bonke zum Einsatz der Gendarmerie bei der Aktion befohlen. Sie folgert diesen Vorwurf aus der Tatsache, dass Err. gegenüber der Gendarmerie weisungsbefugt war.

Wie bereits ausgeführt stimmt das Gericht mit der Auffassung der Anklage überein, dass Err. gegenüber Bonke ein Weisungsrecht zustand. Err. selbst bestätigt sein Weisungsrecht gegenüber dem Gendarmerieführer im Lagebericht vom 25.Januar 1942 sowie im kritischen Erfahrungsbericht vom 10.August 1944. Ausserdem haben die Zeugen von Rum., Reus., Wern., Ba., Eib., To. und Ren. [323] bekundet, dass die Gendarmerieführer in den Gebieten Weissrutheniens die Weisungen der Gebietskommissare befolgt hätten.

Aus der Feststellung einer allgemeinen Weisungsbefugnis des Gebietskommissars folgt aber nicht, dass auch im konkreten Fall eine Weisung von diesem erteilt wurde. Der Gendarmeriekreisführer Bonke unterstand ausserdem - wie bereits erörtert - unmittelbar dem Gendarmeriehauptmannschaftsführer in Baranowicze, dem wiederum der Kommandeur der Gendarmerie (KdGend) in Minsk vorgesetzt war. Dieser konnte nach dem bereits Ausgeführten sowohl vom Kommandeur der Ordnungspolizei (KdO) als auch vom SSPF Weisungen erhalten. Es kann nicht mit Sicherheit ausgeschlossen werden, dass Bonke den Befehl zum Einsatz bei der Aktion auf diesem Dienstweg erhielt.

Zu (2):

Die Anklage leitet den weiteren Vorwurf gegen den Angeklagten Err., er habe die Erschiessung der Juden befohlen, die sich nach der Aktion aus den Gräbern gerettet hatten und sich im jüdischen Krankenhaus aufhielten, ebenfalls aus dem Unterstellungsverhältnis des Gendar-

[323] Siehe Lfd.Nr.617.

merieführers gegenüber dem Gebietskommissar sowie daraus her, dass auch Angehörige des Gebietskommissariats diese Menschen aus dem Krankenhaus abgeholt hätten.
In der Beweisaufnahme hat sich jedoch nicht feststellen lassen, dass neben den Angehörigen der Gendarmerie auch ein Angestellter des Gebietskommissariats die verwundeten Juden abholten. Die Aussage des Zeugen Dr. Ats. zu diesem Punkt ist bereits erörtert worden. Die anderen Aussagen hierzu (Gol., She. und Kre.) beruhen nicht auf eigenen Wahrnehmungen (so die Aussage des Zeugen Gol.), enthalten Widersprüche (Aussage des Zeugen She.) oder sind sehr allgemein gehalten (Aussage des Zeugen Kre.), so dass auf diese keine Feststellungen gegründet werden können. Aus dem Unterstellungsverhältnis Bonkes allein kann nicht mit Sicherheit hergeleitet werden, dass Err. die Erschiessung der aus den Gräbern geflohenen Juden veranlasste. Falls Bonke den Befehl zum Einsatz bei der Aktion am 14.November 1941 über die Gendarmeriehauptmannschaft in Baranowicze erhalten haben sollte, könnte er sich aus eigener Initiative auf Grund dieses Befehles veranlasst gesehen haben, auch die aus den Gruben geflohenen und damit ursprünglich zur Vernichtung vorgesehenen Juden zu töten. Das Gericht kann aus der Unterstellung Bonkes lediglich das folgern, was es auch anhand des persönlichen Verhältnisses feststellt, das zwischen Err. und Bonke bestanden hat, nämlich dass Bonke den Gebietskommissar Err. über die bevorstehenden Erschiessungen der Juden orientierte und dass dieser nichts dagegen einwandte. Die weitergehende Behauptung der Anklage, Err. habe die Massnahme veranlasst, ist jedoch nicht nachweisbar.

Zu (3):

Das Schwurgericht konnte sich auch nicht mit letzter Sicherheit davon überzeugen, dass der Angeklagte Err. seine Tatbeiträge an der Aktion vom 14.November 1941 mit Täterwillen leistete. Die festgestellten Tatbeiträge sind eher untergeordneter Natur und lassen die Möglichkeit offen, dass Err. sich während dieser Aktion nicht als Herr des Geschehens fühlte, sondern in dieses nur unterstützend eingreifen wollte. Diese Überlegung wird durch folgendes unterstrichen:

Der Lagebericht vom 25.Januar 1942 zeigt zwar, dass Err. als Antisemit von vornherein die Tötung eines erheblichen Teils der jüdischen Bevölkerung von Slonim anstrebte und die Ausrottung der jüdischen Einwohner im Rahmen seiner Kompetenzen auch vorbereiten und unterstützen wollte. Wie weit er sich bei der Ausführung dieser Pläne selbst massgeblich zu beteiligen suchte, sagt der Bericht dagegen nicht. Zwar ergibt die scharfe Diktion des Verfassers einen einverständlichen Eifer mit dem Ziele der nationalsozialistischen Ausrottungspolitik. Trotzdem ist nicht auszuschliessen, dass Err. mit der Formulierung "... die vom SD am 13.11. durchgeführte Aktion ..." habe ihn von "unnötigen Fressern" befreit, für den Zeitpunkt der Aktion selbst noch andere - nämlich die Leute vom SD - als Täter betrachtet haben könnte, denen er zwar Hilfe hatte geben wollen, mit deren Handeln er sich aber damals noch nicht voll identifizierte. Der Bericht ist unter einem Datum abgefasst worden, zu dem mehr als 2 Monate seit der Aktion verstrichen waren.

Zugunsten des Angeklagten geht das Gericht davon aus, dass der Bericht weitgehend Err.s Einstellung erst für die auf die Aktion vom 14.November 1941 folgende Zeit wiedergibt. Es ist nicht mit letzter Sicherheit auszuschliessen, dass sich Err. erst, nachdem er das Geschehen der Aktion im November erlebt und verkraftet hatte, dazu entschied, selbst bei dem Massenmord unmittelbar an entscheidender Stelle mitzuwirken und durch eigenes Handeln einen massgeblichen Einfluss auf diesen auszuüben. Obwohl ihm die physische Vernichtung der Juden in Slonim auch schon vor und während der Novemberaktion ein Anliegen war, zauderte er möglicherweise noch und schreckte davor zurück, selbst Juden zu ermorden. Vielleicht war er zunächst noch froh, dass andere die Tat ausführten, die er unterstützen wollte, und kämpfte dann erst später alle Bedenken seines Gewissens nieder, die der eigenen Täterschaft bei einem derartig grauenvollen Geschehen natürlicherweise entgegenstehen.
Auch das bereits erörterte Verhalten des Angeklagten gegenüber der jüdischen Bevölkerung

in Slonim und seine Äusserungen über die Juden stammen überwiegend aus der Zeit nach der Novemberaktion. Zu seinem Gunsten nimmt das Gericht an, dass er erst allmählich zu der inneren Einstellung gelangte, die sein späteres Verhalten widerspiegelt.

II. Beteiligung des Angeklagten Schu. an der Aktion vom 14.November 1941

1.) Feststellungen

Schon einige Zeit vor dem 14.November 1941 hatte Leutnant Bonke die Postenführer seines Gebiets zusammengerufen und mit ihnen die kommenden Ereignisse besprochen. Ob auch der Angeklagte Schu. an dieser Besprechung teilnahm, hat sich nicht feststellen lassen. Jedenfalls erfuhr er über den Postenführer Hoc., dass "dicke Luft und etwas im Gange" sei. Dabei liess Hoc. durchblicken, dass in Slonim alsbald eine Judenaktion stattfinden solle. Der Angeklagte verstand, was gemeint war. In Gedanken beschäftigte er sich damit, ob er eine Teilnahme an solchen Einsätzen, die er für Unrecht hielt, verweigern könne. Er sah jedoch keinen Weg sich herauszuhalten. Den dann erteilten Befehl hielt er für verbindlich. Befehl war Befehl, darüber gab es für ihn keine Diskussion.

Frühmorgens am 14.November 1941 versammelten sich fast alle Gendarmeriebeamten im Gebietskommissariatsgebäude, darunter der Angeklagte, Hoc. und auch Bonke. Die Zugführer der Schutzmannschaften waren ebenfalls erschienen. Während die Gendarmen in einem Raum des Erdgeschosses warteten, fand in den oberen Räumen die bereits erwähnte Konferenz statt, an der auch Bonke und Hoc. teilnahmen. Die unten wartenden Gendarmen wurden anschliessend in den Hof gerufen. Dort gab - wie bereits geschildert - Bonke bekannt, dass eine Aktion gegen die Juden durchgeführt werde. Ob hierbei ausdrücklich erläutert wurde, dass die Juden getötet werden sollten, hat sich nicht feststellen lassen. Jedenfalls hatten alle verstanden, dass es so kommen würde. Dann erteilte Hoc. seinen Leuten und den Schutzmännern den Befehl, bestimmte Strassen im Wohnbezirk der Juden abzusperren. Dadurch sollte ein Ausbrechen der jüdischen Bevölkerung und zugleich eine Plünderung der jüdischen Häuser durch die einheimische Bevölkerung verhindert werden. Weiter sollten die Gebäude von den Juden geräumt und jene Juden, die sich noch versteckt hielten, aufgespürt und notfalls mit Gewalt zum Marktplatz, der Sammelstelle zum Abtransport der Juden an den Erschiessungsort in Czepielow, getrieben werden. Ob auch befohlen war, widerstrebende oder flüchtende Juden zu erschiessen, ist nicht festzustellen gewesen.
Hoc. teilte die Kräfte der Gendarmerie in 3 Züge ein, die einschliesslich der zugeordneten Schutzleute etwa je 30 Mann stark waren. Jeder Zug umfasste 3 Gruppen. Als Gruppenführer wurden deutsche Gendarmen eingeteilt, Zugführer waren die aktiven Hauptwachtmeister Meyer, Reinert und der Angeklagte Schu., der den 2.Zug übernahm.

Gegen 7.00 Uhr riegelten die Züge die ihnen zugewiesenen jüdischen Wohnviertel ab. Die Juden wurden aus den Häusern getrieben, soweit nicht bereits die mit der Gruppe der Sicherheitspolizei eingetroffenen Einheiten der Letten oder Litauer dies erledigt hatten. Es war eine Nachlese, die die Gendarmerie durchzuführen hatte. Vorwiegend die Schutzleute durchsuchten die Häuser nach versteckten Juden. Aufgespürten Juden, die Schwierigkeiten machten, wurde mit Gewalt nachgeholfen. Gruppenweise trieb man die Menschen dann zum Marktplatz.

Der Angeklagte Schu. führte die Räumung in seinem Bereich befehlsgemäss durch. Er setzte die ihm unterstellten Leute zur Absperrung und Durchsuchung der Häuser ein. Dabei ging er auch selbst in die Häuser hinein, um die ordnungsmässige Erledigung seiner Anordnungen zu kontrollieren. In einer nicht mehr feststellbaren Anzahl wurden durch seinen Zug Juden aufgefunden und zum Marktplatz gebracht. Ob bei diesem Einsatz durch den Angeklagten oder durch Leute seines Zuges auch Juden erschossen wurden, hat sich nicht feststellen lassen.

Der Einsatz der Gendarmerie dauerte bis in den späten Nachmittag. Anschliessend gab es eine Besprechung dieses Einsatzes beim Gendarmerieposten.

Der Angeklagte Schu. wusste, dass die auf dem Marktplatz gesammelten Juden mit Lastkraftwagen oder in Kolonnen zu Fuss an die Gruben bei Czepielow gebracht und dort massenweise erschossen wurden. Ihm war im ganzen auch klar, dass bei diesen Massenexekutionen die Opfer auf ihren Tod warten mussten, bis sie an der Reihe waren, während ihre Leidensgenossen bereits erschossen in der Grube lagen.

2.) Einlassung

Der Angeklagte Schu. hat sich zu den Vorwürfen der Anklage allgemein dahin eingelassen, es sei leider wahr, dass er an Judenerschiessungen teilgenommen habe. Dazu sei er indes auf bindenden Befehl und unter der Leitung eines Offiziers veranlasst worden. Aus Rassenhass habe er nicht gehandelt, auch wenn er die Juden nicht gemocht habe.
Seine Beteiligung an der Aktion vom 14.November 1941 hat der Angeklagte in dem festgestellten Umfang eingestanden. Einen Einsatz der Gendarmerie unter seiner Mitwirkung während dieser Aktion an den Erschiessungsgruben von Czepielow, wie ihm die Anklage darüber hinaus vorwirft, hat er dagegen bestritten. Es müsse sich um eine Verwechslung handeln. Er sei an einem anderen Tage an anderer Stelle bei Erschiessungen von Juden zugegen gewesen. Während der Aktion im November 1941 sei er mit seinem Zug lediglich in der Stadt Slonim eingesetzt worden.

3.) Feststellungsgrundlagen

Das Geständnis des Angeklagten Schu. über seinen Einsatz bei der Aktion vom 14.November 1941 in der Stadt Slonim ist glaubhaft. Seine Angaben sind durch die Zeugen Laa., Win. und Hoc. bestätigt worden, die insoweit im wesentlichen übereinstimmen.

4.) Weitergehende Vorwürfe der Anklage

Soweit die Anklage dem Angeklagten Schu. darüber hinaus angelastet hat, bei den Erschiessungsgruben auch Absperrdienste geleistet zu haben, ist der Beweis nicht erbracht worden. Nach den Angaben der Zeugen Laa. und Hoc., die insoweit allerdings nur vom Hörensagen bekunden, soll zwar die Gendarmerie zur Bewachung der zu Fuss in Marsch gesetzten Kolonnen von Juden nach Czepielow und zu Absperrdiensten unmittelbar an den dortigen Gruben herangezogen worden sein. Ähnliches bekunden auch die Zeugen Dan. und Sok. Ob indes auch der Angeklagte Schu. dazu gehörte und evtl. Einsätze für die Absperrung organisierte, ist nicht sicher nachgewiesen worden. Die Anklage stützt sich dafür auf die Angaben des Zeugen St., der ebenfalls zum Gendarmerieposten Slonim gehörte und der eine Beteiligung des Angeklagten an den Erschiessungsgruben von Czepielow bekundet hat.

Das Gericht kann sich jedoch nicht entschliessen, die Bekundungen des Zeugen St. zur Grundlage seiner Feststellungen zu machen. Der Staatsanwaltschaft ist zwar darin zuzustimmen, dass die mit dem Zeugen durchgesprochenen früheren Angaben in Bezug auf die Aktion vom November 1941 schlüssig wirken. Nach dem Ergebnis der Vernehmung und dem Eindruck des Zeugen in der Hauptverhandlung bestehen aber bei diesem, zur Zeit der Anhörung 74-jährigen Mannes Vorbehalte, die die objektive Zuverlässigkeit seiner Angaben betreffen. Es sind Zweifel verblieben, die auch auf seine früheren, scheinbar in sich geschlossenen Angaben zurückwirken:

Entscheidend ist, ob der Zeuge St. den Angeklagten bereits im November 1941 an den Erschiessungsgruben erlebt hat. Dass sich dieser dort später - sogar mehrfach - im Rahmen der Gefängnisentleerungsaktionen Anfang Juli 1942 aufhielt und auch bei Erschiessungen mitwirkte, wird von ihm selbst nicht bestritten. Die Angaben des Zeugen zu diesem Punkt sind jedoch hin und her gegangen. Im Zusammenhang mit Schilderungen, die sich auf die Aktion vom November 1941 beziehen konnten, will er von einer Anwesenheit des Angeklagten nichts gewusst haben. Dessen Mitwirkung an den Exekutionen hat er mit seiner Erinnerung an die Gefängnisentleerungsaktionen verbunden. Zu solchen kam es jedoch noch nicht während der Aktion im November 1941. In den weiteren Bekundungen, die der Zeuge unter Vorhalt seiner früheren Aussagen im Ermittlungsverfahren gemacht hat, entscheidet er sich dann wieder anders. Schliesslich hat der Zeuge selbst Zweifel dahingehend geäussert, dass er möglicherweise die Aktion vom 14.November 1941 mit Vorfällen im Rahmen der Aktion vom 29.Juni 1942 und den folgenden Tagen verwechsele. All das, was der Zeuge bekundet hat, lässt sich daher trotz der scheinbaren Klarheit seiner früheren Aussagen, zu denen sich auch noch der die Ermittlungen führende Staatsanwalt Dr. Ku. als Zeuge bestätigend geäussert hat, nicht mehr zusammenfügen. Die Tatsache, dass der Zeuge St. 2 Aktionen geschildert hat, besagt für sich allein nichts, da im Laufe des Jahres 1942 weitere Aktionen folgten, davon eine bereits im letzten Drittel des Monats August 1942. Der Zeuge könnte auch hieran teilgenommen und sich deshalb in der Schilderung der zeitlichen Reihenfolge der Aktionen geirrt haben, wobei allerdings merkwürdig ist, dass er von einer Aktion im November berichtet hat. Jedoch bleibt hier wieder zu bedenken, dass er nach seinen mit Urkunden untermauerten Angaben möglicherweise genau zur Zeit der Aktion vom 14.November 1941 in Heimaturlaub war, wofür auch die Aussage des Zeugen Klu. spricht.

Die Angaben des Zeugen Rue., dass der Angeklagte stets die Einsätze bestimmt, die Exekutionskommandos zusammengestellt und auch Erschiessungen geleitet habe, belasten den Angeklagten zwar erheblich. Die Bekundungen des Zeugen sind aber nur allgemein gehalten. Zu der hier im Vordergrund stehenden Frage, in welchem Umfang der Angeklagte an der Aktion vom 14.November 1941 teilnahm, hat auch der Zeuge Rue. nichts Konkretes beizutragen vermocht. Er hat lediglich auf Vorhalt frühere Angaben vor der Polizei bestätigt, die allerdings auch keinen Aufschluss bringen.

C. Die Aktion vom 29.Juni 1942

I. Verlauf der Aktion und Beteiligung des Angeklagten Err.

1.) Feststellungen

Am 27. oder 28.Juni 1942 rückten fremde Einheiten in Slonim ein, und zwar die Angehörigen der Dienststelle des SD in Baranowicze - Aussenstelle des KdS in Minsk - unter Führung des SS-Untersturmführers Amelung, Angehörige der Dienststelle des KdS in Minsk unter Führung des KdS Strauch, Angehörige der Waffen-SS aus Minsk - sogenannte Gruppe Arlt - sowie fremdvölkische Einheiten (Hiwis): Letten oder Litauer. Die genaue Zahl der nach Slonim gekommenen Kräfte hat sich nicht feststellen lassen. Es war geplant, das Ghetto von Slonim zu räumen, indem alle Juden bis auf die für die deutschen Dienststellen unentbehrlichen Arbeitskräfte getötet werden sollten.
Damit die Truppenkonzentration keinen Argwohn bei der jüdischen Bevölkerung hervorrief, wurde von Angehörigen des Gebietskommissariats verbreitet, diesmal wolle man gegen die polnische Bevölkerung vorgehen. Es wurden im Laufe des 28.Juni 1942 tatsächlich auch einzelne Polen im nichtjüdischen Teil der Stadt festgenommen. Die Nachricht verbreitete sich im Ghetto.
An einer an diesem Tage abgehaltenen Besprechung der von auswärts eingerückten Truppen nahmen auch Angehörige der Zivilverwaltung teil.

In der Nacht zum 29.Juni 1942 wurden die Gendarmerie sowie einzelne Angehörige der in Slonim stationierten 3.Kompanie des Landesschützenbataillons 915 zu einem Einsatz gegen

Partisanen aus Slonim herausgeschickt, von dem sie im Laufe des 29.Juni 1942 zurückkehrten. Die Gendarmerie kam erst am späten Nachmittag dieses Tages zurück.

Am frühen Morgen des 29.Juni 1942 umstellten die nach Slonim eingerückten Kräfte sowie Angehörige des Landesschützenbataillons 915 das Ghetto und riegelten es ab. Es wurden Maschinengewehre auf das Ghetto gerichtet. Hauptmann Dr. Hunsberg, Chef der 3.Kompanie des Landesschützenbataillons 915, war vom Gebietskommissar Err. dazu bestimmt worden, Teile seiner Kompanie zum Absperren bei der Aktion einzusetzen.
Die männlichen Angehörigen des Gebietskommissariats versammelten sich mit ihrem Karabiner auf dem Hof des Kommissariatsgebäudes. Dort teilte Err. ihnen mit, dass eine Aktion gegen die Juden bevorstehe. Auf Anordnung von Err. wurden ihnen einzelne Aufgaben im Rahmen dieser Aktion zugewiesen. Einige Leute des Gebietskommissariats mussten sich daraufhin an den Absperrmassnahmen beteiligen.

Eine Gruppe von Angehörigen des Gebietskommissariats, unter denen sich Err. und Hick befanden, begab sich zum Ghettotor an der Kreuzung der Ulanskastrasse mit der Operowa. Am Ghettotor trat Gerschon Kwint, der Leiter des jüdischen Arbeitsamtes, auf sie zu, um sie zu begrüssen. In diesem Augenblick wurde er von dem Ordensjunker Rittmeyer erschossen. Nach diesem Schuss flüchteten alle Juden, die sich in der Nähe befanden.
Die Kunde, dass Kwint erschossen worden sei, verbreitete sich blitzartig im Ghetto. Die Juden hatten schon lange eine neue Aktion befürchtet und sich aus diesem Grunde Verstecke gebaut, unter den Häusern, hinter Öfen, zwischen doppelten Wänden, in Holzschuppen, auf Speichern usw. Der Schuss auf Kwint wurde von ihnen als Zeichen für den Beginn einer neuen Aktion gewertet und sie flüchteten daher in die vorbereiteten Verstecke.

Nun machten sich die zur Durchführung dieser Aktion nach Slonim gekommenen Kräfte, aber auch Angehörige des Gebietskommissariates daran, die Juden zusammenzutreiben. Die Häuser wurden nach versteckten Juden durchsucht. Aufgestöberte Juden jagte man auf die Strasse und dann zur Damba, eine am Fluss Szczara entlang führenden Strasse. Am Fluss wurden die Juden gesammelt. Dabei bewachten sie auch Angehörige des Gebietskommissariats, u.a. Ne. und Met. Auf Juden, die zu flüchten versuchten, wurde auch von Angehörigen des Gebietskommissariats geschossen. So erschoss Ne. einen älteren Mann. Ferner schoss Met. auf 2 Juden, die sich ins Wasser retten wollten.

Die Juden wurden dann kolonnenweise unter Bewachung über die Mostowa, vorbei an der im Nordosten der Stadt gelegenen katholischen Kirche auf dem Trakt Wilenski in Richtung Pietralewicze getrieben. In einem etwas erhöhten Gelände, ein oder zwei Kilometer nördlich von Slonim, waren Gruben vorbereitet, an denen die Juden in der gleichen Weise erschossen wurden, wie es bereits zur Aktion vom 14.November 1941 festgestellt worden ist. Es ist möglich, dass ausserdem auch an diesem Tage schon bei den Gruben in der Nähe von Czepielow auswärtige Kommandos Juden erschossen. Einige Juden wurden mit Lastkraftwagen zu den Erschiessungsgruben befördert. Die Erschiessungen führten fremdvölkische Hilfswillige und die nach Slonim gekommenen SD-Leute durch. Eine unmittelbare Beteiligung von Angehörigen des Gebietskommissariates an den Exekutionen bei den Gruben hat sich nicht feststellen lassen.

An der katholischen Kirche, an der die Kolonnen der Juden vorbeigetrieben wurden, standen die Leiter der Betriebe in Slonim und Angehörige deutscher Dienststellen, auch des Gebietskommissariats. Sie zogen ihre Arbeitskräfte aus den Reihen der vorbeiziehenden Menschen heraus. Hier standen u.a. Met., Ne., Hick und zeitweilig auch der Angeklagte Err. Sie beteiligten sich am Heraussuchen von Arbeitskräften. Auf Anweisung von Err. wurden Frauen, die sich unter den zum Überleben ausgesonderten Juden befanden, wieder in die Kolonne der zum Tode bestimmten Menschen zurückgeschickt. Auf Err.s Befehl hin nahm Win. eine Frau aus der Gruppe um den Zeugen Lik. heraus und schickte sie zu den für die Vernichtung bestimmten Menschen. Diese Frau hatte sich vorher der Gruppe angeschlossen, ohne dass sie jemand als Fachkraft ausgewählt hatte. Der Mitarbeiter des Gebietskommissariats, der die Gruppe bewachte, hatte dabei so getan, als bemerke er das nicht. Die Juden, die von den Deutschen als nützliche Arbeitskräfte ausgesondert worden waren, mussten sich mit dem Gesicht zur Wand im Hof bei der katholischen Kirche aufstellen.

Da es in Slonim kaum nichtjüdische Ärzte gab, entschloss sich der Zeuge Seip., Sanitätsgefreiter bei der 3.Kompanie des Landesschützenbataillons 915, die jüdischen Ärzte des Ortes zu retten. Er begab sich deshalb zum Gebietskommissariat, wo er den Gebietskommissar Err. traf. Er erklärte ihm, dass es unbedingt erforderlich sei, die jüdischen Ärzte von der Aktion auszunehmen, weil es sonst nicht möglich sei, die Bevölkerung medizinisch zu versorgen. Nach einem längeren Disput erklärte ihm Err., er solle sich seine Ärzte herausholen, wobei er - wie bereits in anderem Zusammenhang ausgeführt - von "dreckigen Juden" sprach. Seip. bemühte sich daraufhin, die jüdischen Ärzte und deren Angehörige an der am Szczara-Ufer gelegenen Sammelstelle der Juden herauszusuchen und sorgte dafür, dass sie nicht unter die zur Liquidation bestimmten Opfer gerieten. Der Zeuge Za. setzte sich beim Gebietskommissar Err. erfolgreich dafür ein, dass der Arzt Dr. Kargan die Aktion überleben dürfte.

Da man beim Durchsuchen der Häuser verhältnismässig wenig Juden fand, wurden die Häuser des Ghettos angezündet, um die Juden zu zwingen, ihre Verstecke zu verlassen. Es wurden auch Handgranaten in die Häuser des Ghettos geworfen. Da die Häuser grösstenteils aus Holz gebaut waren, brannten sehr bald weite Teile des Ghettos. Juden liefen brennend aus den Häusern. Einige versuchten, in die Szczara zu fliehen. Auf den Brücken standen Posten, die auf die flüchtenden Juden schossen. An dem Schiessen auf die fliehenden Menschen beteiligten sich auch Angehörige der Zivilverwaltung.

Am Nachmittag des 29.Juni 1942 kam der Angeklagte Err. mit anderen Deutschen, darunter auch Angestellten des Gebietskommissariats auf das Anwesen der jüdischen Familie Sch. in der Michailowskistrasse. Dieses Anwesen lag am Südrand des Ghettos. Das Gelände fällt dort zum Fluss Szczara hin ab, so dass von dem Grundstück aus die Umgebung gut zu überblicken ist. Auf diesem Anwesen hatten die Bewohner zwei Verstecke vorbereitet. Ein Versteck befand sich unter dem Haus. In diesem hielt sich der Zeuge Zwi She., vormals Sch., mit Angehörigen auf. Das zweite Versteck befand sich in einem mit Holz gefüllten Anbau am Stall, wo 2 Holzstösse so geschichtet waren, dass zwischen ihnen ein von aussen nicht sichtbarer Gang entstanden war. In diesem Versteck befand sich der Zeuge Jacob Sch. mit anderen Verwandten. Von diesem Versteck aus konnte man das auf das Grundstück führende Tor und 2 Fronten des Wohnhauses beobachten.

Als sich Err. auf dem Grundstück der Sch.s befand, wurden Handgranaten in das Wohnhaus geworfen und dieses dadurch in Brand gesetzt. Ein Soldat wollte auch den Holzschuppen anzünden. Err. hielt ihn jedoch davon ab. Im Wohnhaus befanden sich noch einige Bewohner, die nicht mit in die Verstecke gegangen waren, weil in diesen nicht genügend Raum war. Die Grossmutter der Zeugen Sch. und She., die ursprünglich mit ins Versteck gegangen war, hatte dieses im Laufe des Tages verlassen. Als das Wohnhaus der Sch.s brannte, verliessen nacheinander einige Bewohner das Haus. Es wurde sofort auf sie geschossen. So sprang einer der Söhne Garnowski aus dem brennenden Haus. Ein Litauer erschoss ihn. Nach seinem Schuss applaudierte Err. dem Litauer, indem er lobte: "Bravo Litauer". Auch die Grossmutter Scha. verliess das Wohnhaus. Ihre Kleider brannten. Als sie brennend auf die Gruppe um Err. zulief und kein anderer zu schiessen wagte, weil alle vom Anblick der brennenden alten Frau erschreckt oder fasziniert waren, gab Err. 3 Schüsse aus seiner Pistole auf sie ab, durch die sie getötet wurde.

Am Abend des 29.Juni 1942 oder am folgenden Tage verliessen die auswärtigen Kräfte Slonim. Bis dahin waren etwa 4000 Juden an den Gruben von Pietralewicze erschossen worden. Darüber hinaus waren viele Menschen in den Flammen der brennenden Häuser umgekommen oder in der Stadt selbst erschossen worden. Die Aktion gegen die Juden ging jedoch in den anschliessenden Tagen weiter. Das Ghetto wurde systematisch von weissruthenischen Schutzleuten, den in Slonim stationierten deutschen Gendarmen und von Angehörigen des Gebietskommissariats nach versteckten Juden durchsucht. Aus den aufgefundenen Juden wurden diejenigen aussortiert, die als nützlich angesehene Arbeitskräfte am Leben bleiben sollten. So wurde am Morgen des 30.Juni 1942 eine Gruppe von etwa 30 Männern auf die Bernardinskistrasse geführt. Mehrere Angehörige des Gebietskommissariats, unter ihnen auch Err., traten an diese Männer heran und malten denjenigen, die als Arbeitskräfte überleben sollten, mit Kreide Kreuze auf Brust und Rücken. In dieser Weise kennzeichnete auch der Angeklagte Err. persönlich den Zeugen Do.

In unmittelbarer Nähe dieser Gruppe wurde auf ausdrücklichen Befehl von Err. der Rabbiner Singer mit seiner Familie (Ehefrau und mehreren Kindern) erschossen. Mit anderen Juden, die man nicht als Arbeitskräfte benötigte, wurde in gleicher Weise verfahren. Auch von den Angehörigen des Gebietskommissariats wurden Juden in den Tagen nach dem 29.Juni 1942 erschossen. So erschoss Hick einmal 7-8 Juden, die von einheimischen Schutzleuten bewacht wurden. Ein weiteres Mal erschoss er zusammen mit einem anderen Angehörigen des Gebietskommissariats 12 Juden. Das geschah am 4.Tag der Aktion.

Der überwiegende Teil der Juden wurde jedoch ins Gefängnis gebracht. Bevor sie dort hinkamen und im Gefängnis selbst wurden sie nach Geld und anderen Wertsachen durchsucht, die sie abgeben mussten. Hieran beteiligten sich auch Angehörige des Gebietskommissariats. Im Gefängnis wurden wiederum die nützlichen Juden aussortiert, u.a. von Met. und Ne. Die Juden, die nicht überleben durften, wurden aus dem Gefängnis mit Lastkraftwagen zu den Erschiessungsgruben bei Czepielow, östlich von Slonim an der Chaussee nach Baranowicze, transportiert. Dort wurden sie erschossen. Diese sogenannte "Gefängnisentleerung" führten die Gendarmerie in Slonim und einheimische Schutzleute durch. Hierüber ist im Zusammenhang mit den Vorwürfen, die den Angeklagten Schu. betreffen, ausführlicher zu berichten.

An die zum Überleben bestimmten Juden wurden quadratische Karten aus gelbem Karton verteilt, die den Stempel des Gebietskommissariats Slonim (Rundstempel mit Hoheitsadler) trugen und mit einer laufenden Nummer versehen waren. Diese Karten galten als Bescheinigung für den Inhaber, dass er berechtigt sei, weiterzuleben. Sie wurden deshalb von den Juden "Lebensscheine" genannt.
Die Juden, die überleben durften, mussten zunächst das Ghetto aufräumen. Sie hatten die Leichen der Erschossenen zu sammeln und zu beerdigen. Ausserdem mussten sie alles für die deutschen Behörden brauchbare Material aus den Häusern des Ghettos schaffen, wie Möbel, Holz, Rohre, Elektrizitätsmaterial.

Nachdem die zum Überleben bestimmten Juden zunächst in den Fabriken oder im Beutelager untergebracht waren, liess Err. ihnen gegen Ende der Aktion den nördlich der Mostowa bis zur Eisenbahnlinie reichenden Teil der Szczara-Insel als Wohnplatz (Ghetto Brückenstrasse) zuweisen. Err. bestimmte auch, dass in dem südlich der Mostowa gelegenen Ghettoteil fortan keine Juden mehr leben sollten, dieser Stadtteil also aufhören sollte, Ghetto zu sein. Um diesen Teil der Stadt völlig von Juden zu "säubern", wurde dort nach verborgenen Juden gesucht, die - wie bereits geschildert - entweder sofort oder nach einem Aufenthalt im Gefängnis erschossen wurden.

Das Suchen nach versteckten Juden und die Erschiessungen der aufgefundenen Opfer dauerten bis etwa Mitte Juli 1942 an. Insgesamt sind bei dieser Aktion einschliesslich der Opfer des 29.Juni 1942 mindestens 7000 Menschen getötet worden.

2.) Die Einstellung des Angeklagten Err. bei dieser Aktion

Der Angeklagte Err. verfolgte die Vernichtung der jüdischen Bevölkerung Slonims im Zusammenwirken mit den Kräften der Sicherheitspolizei und des SD als eigenes Ziel. Sein Wille während der Aktion war nicht nur darauf gerichtet, die Massnahmen jener Kommandos zu unterstützen. Es ging ihm vielmehr darum, in Zusammenarbeit mit den nach Slonim eingerückten Einheiten die Pläne Hitlers, Himmlers und Görings zur "Endlösung der Judenfrage" in seinem Amtsbereich zu verwirklichen. Dabei wollte er selbst einen weitgehenden Einfluss auf den Ablauf der Aktion ausüben. Im Rahmen einer sich aus Organisation und Funktion der Beteiligten sinnvoll ergebenden Arbeitsteilung überliess er zwar die Erschiessungen an den Gruben den auswärtigen Mordkommandos. Das Geschehen im Ghetto von Slonim wollte er aber durch eigene Beteiligung und durch den Einsatz der Angehörigen seines Gebietskommissariats mitlenken und mitbeherrschen. Hierbei handelte er aus Rassenhass.

Mit seinen Schüssen auf die Witwe Scha. wollte er ein Beispiel setzen und seine Begleiter hierdurch zu ähnlichem Handeln anfeuern. Err. empfand es als peinlich, dass die brennende alte Frau auf ihn und seine Begleiter zulief und niemand auf sie schoss. Diese Situation wollte er beenden. Gleichzeitig wollte er seinen Begleitern verdeutlichen, dass man sich von Gefühlen nicht überwältigen lassen darf, derartige Situationen vielmehr schnelles und hartes Handeln erfordern. Dabei fiel es ihm nicht schwer, seine Hemmungen zu überwinden, die er an sich davor empfand, einen Menschen zu erschiessen. Das Opfer gehörte zur jüdischen Rasse, die er verachtete. Frau Scha. war in seinen Augen als Jüdin "eigentlich gar kein Mensch" und musste deshalb erschossen werden.

Nach dem Abrücken der auswärtigen Kräfte, also in den Tagen nach dem 29.Juni 1942 war ihm darum zu tun, durch den weiteren Einsatz seiner Leute sowie der Tätigkeit der Gendarmerie und der einheimischen Schutzmannschaften den bisherigen jüdischen Wohnbezirk - das Ghetto - mit Ausnahme des nördlich der Mostowa gelegenen Teils der Szczara-Insel, "Ghetto-Brückenstrasse", von allen Juden "gereinigt" zu sehen. Nur die Handwerker, Facharbeiter und Ärzte, die zur Zeit noch nicht entbehrlich waren und die eine Erlaubnis zum Aufenthalt in "Ghetto-Brückenstrasse" erhalten sollten, durften nach seinem Willen am Leben bleiben, die übrigen jüdischen Einwohner Slonims sollten getötet werden. Es entsprach seiner Absicht, das alle versteckten Juden aufgespürt und - soweit es sich nicht um nützliche Fachkräfte handelte - erschossen wurden.

3.) Einlassung des Angeklagten Err. zu dieser Aktion

Der Angeklagte Err. lässt sich über sein Verhalten vor und während dieser Aktion im wesentlichen wie folgt ein:

Er sei in der Zeit vor der Aktion zunächst auf Krankheitsurlaub im Reich (bis Anfang Juni), anschliessend mit von Gottberg in Minsk bei Kube gewesen. Während seines Urlaubs habe ihn Ehrenleitner vertreten, der an seiner Stelle in Slonim als Gebietskommissar habe eingesetzt werden wollen und gegen ihn intrigiert habe. Deshalb sei er, Err., vorzeitig zurückgekehrt und habe mit von Gottberg bei Kube vorgesprochen. Er habe sich erst seit dem letzten oder vorletzten Tage vor der Aktion wieder in Slonim aufgehalten.
Am Abend vor dem Aktionstage habe ihn der KdS Strauch in seinem Dienstzimmer aufgesucht und erklärt, dass er beauftragt worden sei, das Ghetto auszuräumen. Er, der Angeklagte Err., habe hiergegen protestiert. Strauch habe ihm aber erklärt, im Ghetto seien Waffen versteckt, es sei dort eine unterirdische Festung angelegt worden. Die Räumung des Ghettos sei daher zur Aufrechterhaltung der Sicherheit erforderlich. Er, der Angeklagte, könne aus diesem Grunde nichts gegen die Ghettoräumung einwenden. Er, Strauch, könne sich hierfür auch die Angehörigen der Dienststelle des Gebietskommissariats unterstellen und er beschlag-

nahme sein, Err.s, Dienstzimmer. Er, Err., habe hiergegen nichts unternehmen können. Er habe sich aber von Strauch zusichern lassen, dass die Arbeitskräfte verschont würden, die zur Versorgung der Wehrmacht und für die Aufrechterhaltung der Industrie erforderlich seien.
Man habe dann in letzter Minute Ausweiskarten für diese Arbeitskräfte hergestellt. Diese hätten aber nicht ausgereicht. Er habe deshalb angeordnet, weitere Arbeitskräfte einfach durch Kreidekreuze kenntlich zu machen. Diese Leute seien dann zu ihrer Sicherheit ins Gefängnis gekommen. Mit dem Heraussuchen der Handwerker habe er Met. beauftragt. Auch die Betriebsleiter hätten sich ihre Arbeitskräfte herausgesucht. Er selbst habe sich jedoch hieran nicht beteiligt.
Er habe den weiblichen Angestellten des Gebietskommissariats Ausgehverbot erteilt. Ob die übrigen Angestellten in der Stadt gewesen und wo sie gegebenenfalls herumgelaufen seien, habe er nicht gewusst. Wahrscheinlich seien sie zur Brandbekämpfung eingesetzt gewesen. Er habe das Kommissariatsgebäude nur einmal verlassen, nämlich nachdem er von dem Brand gehört habe. Er sei an den Rand des Ghettos gegangen, weil er sich davon habe überzeugen wollen, dass alles Erforderliche geschehe, um ein Übergreifen des Brandes vom Ghetto auf die anderen Stadtteile zu verhindern. Dabei sei er noch einmal Strauch begegnet und habe mit ihm erneut um die Verschonung von Arbeitskräften gekämpft.
Er habe weder die Witwe Scha. erschossen noch überhaupt jemals in seinem Leben auf Menschen geschossen. Auch habe er keine Anordnung zur Tötung von Juden erteilt. Nachdem Strauch mit seinen Leuten einschliesslich der Letten Slonim noch am Abend des 29.Juni 1942 verlassen hätte, sei das Ghetto lediglich gesäubert worden. Man habe Verwundete und Leichen beseitigt. Im übrigen habe er nicht gewusst, was sich im Ghetto ereignet hätte. Er sei auch nicht dort gewesen.

4.) Beweiswürdigung zur 2.Aktion

Das Gericht vermag dieser Einlassung des Angeklagten Err. nur in sehr beschränktem Umfange zu folgen und wertet sie zum grössten Teil als Schutzbehauptung.

a) Es bedarf keiner Erörterung, wielange vor dieser Aktion Err. in Slonim war, da ihm nicht widerlegt werden kann, dass er vom Zeitpunkt der Aktion überrascht wurde. Allerdings erinnert er sich hinsichtlich der Gründe seiner Rückkehr nach Slonim falsch, denn Ehrenleitner vertrat ihn nicht im Zeitraum vor der Aktion, sondern erst Anfang des Jahres 1943, wie aus dem verlesenen Bericht Ehrenleitners über seine Tätigkeit in Slonim hervorgeht. Das Gericht entnimmt diesem Bericht, dass Ehrenleitner den Angeklagten Err. in der Zeit vom 16.Februar 1943 bis 16.März 1943 zum ersten Mal vertrat. Ausserdem war Err. nicht vor der Sommeraktion zusammen mit von Gottberg bei Kube, weil von Gottberg erst im Herbst 1942 in die besetzten Ostgebiete kam, wie sich aus den verlesenen DC-Unterlagen über von Gottberg ergibt. Vor seiner Versetzung nach Weissruthenien bestand für einen Besuch von Gottbergs mit Err. bei Kube kein Anlass.

Der Aussage des Zeugen Leh. könnte allerdings entnommen werden, dass Err. während dieser Aktion überhaupt nicht in Slonim war. Denn Leh. hat bekundet, dass er am 28.Juni 1942 nach Slonim gekommen sei und mit seiner Tätigkeit dort am 1.Juli 1942 begonnen habe; zu dieser Zeit sei Err. nicht in Slonim gewesen. Dieser Aussage des Zeugen Leh. kann jedoch nicht gefolgt werden. Nach der Stammliste der Gefolgschaftsmitglieder des Gebietskommissariats Slonim trat Leh. seinen Dienst in Slonim bereits am 21.Mai 1942 an. Er war auch schon am 29.Juni 1942 in Slonim tätig und beteiligte sich an der Aktion, wie der Zeuge Za. glaubhaft bekundet hat. Die Zeugin Th., die nach der Stammliste der Gefolgschaftsmitglieder ihren Dienst in Slonim ebenso wie der Zeuge Leh. am 21.Mai 1942 antrat, hat bekundet, Err. sei bei ihrem Dienstantritt im Mai 1942 auf Urlaub gewesen; er sei dann aber bald nach Slonim zurückgekehrt. Leh. erinnert sich danach richtig daran, dass Err. bei seinem, des Zeugen, Dienstantritt nicht in Slonim war. Der Zeuge gibt jedoch ein falsches Datum für seinen Dienstantritt an.

Dem Tätigkeitsbericht des SS-Unterscharführers Arlt vom 3.August 1942, der in der Hauptverhandlung verlesen worden ist, lassen sich dafür Anhaltspunkte entnehmen, dass Err. vom Zeitpunkt der Aktion überrascht worden sein könnte. Nach diesem Bericht könnte die Aktion in Slonim im Rahmen eines negativ verlaufenen Einsatzes gegen Partisanen im Raume Baranowicze durchgeführt worden sein. Bei dieser Situation könnte sich der KdS kurzfristig zu der Aktion entschlossen haben. Hierfür spricht ausserdem die Tatsache, dass vom Gebietskommissariat bei Beginn der Aktion keine oder zumindest nicht genügend Ausweise für die Arbeitskräfte vorbereitet worden waren, die verschont werden sollten.
Dass Err. von der Aktion überrascht wurde, ist aber lediglich hinsichtlich des Zeitpunktes, zu dem sie durchgeführt wurde, nicht widerlegbar. Er rechnete an sich seit langem mit einer weiteren Aktion gegen die jüdische Bevölkerung Slonims, wie der Abschnitt "Judentum" des Lageberichts vom 25.Januar 1942 ergibt. Das Gericht ist auch davon überzeugt, dass Err. nicht erst am Vorabend, sondern schon einige Tage vor Beginn der Aktion über diese orientiert wurde. Denn es war üblich, dass die Gebietskommissare, in deren Amtsbereich eine Aktion stattfinden sollte, angemessene Zeit vorher hiervon unterrichtet wurden, wie die Zeugen Ren. [324] und Heuser [325] bekundet haben. Der Zeuge von Rum., dem als Leiter der Hauptabteilung II (Politik) beim Generalkommissar auch das Referat "Judentum" unterstand, hat ausgesagt, dass hierüber eine Anordnung bestanden habe.

b) Der vom Angeklagten Err. geschilderte Inhalt seiner Auseinandersetzung mit dem KdS Strauch ist nicht glaubhaft. Zwar kann Err. - trotz der anderslautenden Bekundung des Zeugen Wel. - nicht widerlegt werden, dass der KdS Strauch selbst in Slonim war und die Aktion leitete, weil der Zeuge Schl. [326] dies bekundet hat. Ausserdem hat es der Zeuge Ru. allerdings mit der Einschränkung bestätigt, dass Strauch im Zuge des vorangegangenen Partisaneneinsatzes nach Slonim gekommen, dort aber nicht mehr bei den Erschiessungen dabeigewesen sei. Es ist auch möglich, dass Err. vor oder während der Aktion mit Strauch oder einem anderen SD-Offizier über die Zahl der Arbeitskräfte diskutierte, die am Leben bleiben sollten, und dass er sich dabei für eine höhere Anzahl einsetzte, als der SD ihm zubilligen wollte. Hierfür spricht insbesondere die Aussage des verstorbenen Zeugen Win.

Das Gericht ist aber auf Grund der Einstellung des Angeklagten Err. davon überzeugt, dass er nicht gegenüber Strauch gegen die Durchführung der Aktion protestierte. Err. billigte das Ziel der "Endlösung der Judenfrage" in vollem Umfang und war bestrebt, dieses so weit zu fördern, wie ihm möglich war. Diese Einstellung geht aus den Lageberichten vom 25.Januar 1942 und 26.September 1942 mit unüberbietbarer Deutlichkeit hervor. Bei dieser Einstellung des Gebietskommissars Err. hatte es der KdS Strauch nicht nötig, Err. durch Berufung auf sicherheitspolizeiliche Aufgaben zur Duldung der Aktion zu bewegen. Nach der sachlichen und personellen Ausstattung der Dienststelle des KdS in Weissruthenien und wegen der laufenden Reibereien zwischen dem KdS und dem Generalkommissar in Minsk hält das Gericht auch die Darstellung des Angeklagten Err. für unrichtig, Strauch habe ihm angedroht, sich die Angehörigen des Gebietskommissariats zu unterstellen, und sein, Err.s, Dienstzimmer beschlagnahmt. Beides war für Strauch nicht erforderlich, zumal eine SD-Nebenstelle in Slonim bestand. Strauch hätte mit einer derartigen Handlung ohne Not seine Kompetenzen überschritten. Er war jedoch bemüht, mit allen Dienststellen zunächst im Guten auszukommen, wie der Zeuge Ren. bekundet hat. Zudem widerspricht die Darstellung von Err. den

[324] Siehe Lfd.Nr.617.

[325] Siehe Lfd.Nr.552.

[326] Siehe Lfd.Nr.552.

Gepflogenheiten des KdS Strauch. Wie der Zeuge Heuser bekundet hat, ging Strauch niemals allein zu anderen Dienststellen. Da er Zeugen für seine Unterredungen haben wollte, nahm er stets einen oder mehrere Begleiter mit. Danach ist es unwahrscheinlich, dass Strauch allein im Dienstzimmer von Err. erschien, wie dieser angegeben hat.

c) Im übrigen wird die Einlassung Err.s über den überraschenden Besuch von Strauch sowie seinen Protest gegen die Judenaktion dadurch widerlegt, dass Err. bereits vor der Aktion Vorbereitungen für diese traf. Err. bestimmte nämlich den Chef der 3.Kompanie des Landesschützenbataillons 915 ein oder mehrere Tage vor der Aktion, Soldaten seiner Kompanie während der Aktion zum Absperren des Ghettos einzusetzen. Diese Feststellung beruht auf den Bekundungen der Zeugen Nieh., We. und Jac.

Der sehr überlegsam und verantwortungsbewusst aussagende Zeuge Nieh. hat berichtet, er habe am 30.Juni 1942 einen Brief von Dr. Hunsberg an den Regimentskommandeur Oberst Frommelt geschrieben. In diesem Brief habe sich Dr. Hunsberg wegen des Einsatzes der Soldaten während der Aktion damit gerechtfertigt, dass ihm erklärt worden sei, - und zwar auf einer Besprechung am Tage vor der Aktion, zu der er vom Gebietskommissar gerufen worden sei -, das Ghetto müsse durchkämmt werden, denn es hätten sich Partisanen ins Ghetto eingeschlichen; hierbei müsse er eine Gruppe zum Absperren stellen. Nieh. vermochte nicht zu sagen, ob Dr. Hunsberg tatsächlich vom Gebietskommissar getäuscht wurde oder ob er seinem Vorgesetzten eine solche Täuschung wahrheitswidrig zur eigenen Rechtfertigung vorspiegelte.

Der Zeuge We. hat bekundet, dass er 2 oder 3 Tage nach der Aktion ein Telefongespräch zwischen Dr. Hunsberg und Oberst Frommelt mitgehört habe. In diesem Gespräch sei Dr. Hunsberg zurechtgewiesen worden. Dr. Hunsberg habe vergeblich versucht, sich damit zu rechtfertigen, dass er über den Zweck der Aktion getäuscht worden sei. Oberst Frommelt habe ihm in schärfster Form gesagt, die Wehrmacht habe sich aus Judenaktionen herauszuhalten. Da Dr. Hunsberg den Einsatz seiner Leute gegenüber dem Regimentskommandeur damit zu rechtfertigen versuchte, er sei über den Zweck der Aktion getäuscht worden, kann ausgeschlossen werden, dass seine militärischen Vorgesetzten die Beteiligung seiner Leute an der Aktion gegen Juden gewünscht oder befohlen hatten. Dr. Hunsberg kann daher nur auf örtlicher Ebene, d.h. durch eine Dienststelle in Slonim zum Einsatz der Soldaten bewogen worden sein. Da er sich in seinem Schreiben an Oberst Frommelt auf den Gebietskommissar bezog und auch nur dieser in Slonim eine Dienststelle innehatte, die einen näheren Kontakt mit ihm möglich machte, ist das Gericht davon überzeugt, dass der Angeklagte Err. den Hauptmann Dr. Hunsberg dazu bestimmte, einzelne Leute der 3.Kompanie für die Aktion abzustellen.
Der Zeuge We. hat in den Jahren 1963 und 1966 bekundet, er habe am Vortage der Aktion ein Telefongespräch zwischen dem Gebietskommissariat und Dr. Hunsberg mitgehört, in dem Dr. Hunsberg um Teilnahme an der Ghettoräumung gebeten worden sei, weil Russen und Agenten im Ghetto seien. Bei seiner kommissarischen Vernehmung vom 30.Januar 1974 hat der Zeuge diese Angaben nicht in dieser eindeutigen Form wiederholt. Er hat zunächst gemeint, dieses Telefongespräch sei zwischen der SD-Stelle und Dr. Hunsberg geführt worden, wie er auch schon bei einer Vernehmung im Jahre 1965 angegeben hatte. Erst nach Vorhalt aller seiner früheren Bekundungen hat er gesagt: "Ich halte es für am wahrscheinlichsten, dass das Gespräch von einem Fernsprechanschluss aus dem Gebäude des Gebietskommissariats kam, ohne dass ich mich darauf festzulegen vermag." Er hat bei dieser Vernehmung darauf hingewiesen, er leide an Cerebralsklerose und sein Gedächtnis weise inzwischen Erinnerungslücken auf.

Das Gericht ist der Auffassung, dass die Angaben des Zeugen aus den Jahren 1963 und 1966 richtig sind, und zwar aus den schon aufgezeigten Gründen: Falls Dr. Hunsberg vom SD zum Einsatz seiner Leute bestimmt worden wäre, hätte er sich im Schreiben an Oberst Frommelt auf diesen und nicht auf den Gebietskommissar bezogen. Ausserdem lassen es der niedrige Dienstgrad der damaligen Angehörigen der SD-Stelle in Slonim (Nebenstelle der Aussenstelle in Baranowicze, besetzt mit den SS-Rottenführern Jörn und Brö.) wenig wahrscheinlich sein, dass ein Angehöriger dieser Stelle an Hauptmann Dr. Hunsberg herantrat, um ihn zum Einsatz seiner Kräfte zu bewegen.

Diese Überlegungen werden durch die Aussage des verstorbenen Zeugen Jac. unterstützt, der Oberfeldwebel in der 3.Kompanie des Landesschützenbataillons 915 war. Er hat am 9.Juli 1963 bekundet, Dr. Hunsberg habe ihm klar gesagt, der Befehl zur Beteiligung der Soldaten an der Aktion sei vom Gebietskommissar gekommen. Allerdings hat Jac. diese Aussage bei seiner erneuten Vernehmung am 12.Februar 1965 dahin abgeschwächt, dass Dr. Hunsberg ihm ein oder zwei Tage vor der Aktion lediglich gesagt habe, es sei an ihn das Ansinnen gestellt worden, Leute der Kompanie zum Absperren einer Strasse einzusetzen. Er, der Zeuge, könne es sich nicht anders vorstellen, als dass das Gebietskommissariat Dr. Hunsberg hierzu veranlasst habe. Er erinnere jedoch nicht, ob Dr. Hunsberg ihm das damals erklärt habe. Zwar ist nach dieser Aussage nicht sicher, ob Jac. tatsächlich von Dr. Hunsberg erfuhr, dass der Gebietskommissar Dr. Hunsberg zum Einsatz bewogen hatte. Der Zeuge Jac. hatte aber als Vertreter von Dr. Hunsberg in dessen Funktion als Ortskommandant zu diesem einen näheren Kontakt. Der Meinung des Zeugen darüber, wie es zum Einsatz der Soldaten kam, liegen nach der Überzeugung des Gerichts zuverlässige Tatsachen zu Grunde. Da er bei seiner Vernehmung vom 12.Februar 1965 bereits 70 Jahre alt war, erscheint es verständlich, dass diese Tatsachen seinem Gedächtnis entfallen sind.

Die Feststellung, dass Soldaten der 3.Kompanie des Landesschützenbataillons 915 während des 1.Aktionstages im Ghetto absperrten, beruht auf den glaubhaften Aussagen der Zeugen Nieh., We., Jac., Zie., Bur. und Schü.

d) Die Einlassung Err.s, er sei während der Aktion nicht im Ghetto gewesen, wird durch die glaubhaften Aussagen der Zeugen Jacob Sch. und Abraham Do. widerlegt. Beide Zeugen bekunden, dass sie den Angeklagten am 29. bzw. am 30.Juni 1942 im Ghetto gesehen hätten. Es wollen auch noch weitere Zeugen an diesen Tagen Err. im Ghetto begegnet sein, so die Zeugen Zwi She., Abr. und Rots.

Das Schwurgericht hat sich eingehend überlegt, ob und gegebenenfalls welche Aussagen über persönliche Erlebnisse dieser Zeugen mit dem Angeklagten im Ghetto es seinen Feststellungen zu Grunde legen kann. Hinsichtlich des Geschehens auf dem Anwesen der Sch.s am Nachmittag des 29.Juni 1942 ist es zu dem Ergebnis gekommen, dass die Aussage des Zeugen Jacob Sch. glaubhaft ist, die Aussage von Zwi She. jedoch nur in eingeschränktem Umfang. Dieser Zeuge, der mit Akribie die Einzelheiten geschildert hat, die er beobachtet haben will, hat bei seinen verschiedenen Vernehmungen abweichende Darstellungen gegeben. So will er z.B. früher bei seiner Vernehmung durch den Untersuchungsrichter alle Vorgänge des 29.Juni 1942 durch Rohre beobachtet haben, die zur Luftversorgung durch das Erdreich (ein Kartoffelfeld) in das Versteck führten, obwohl dies aus technischen Gründen kaum möglich erscheint. In der Hauptverhandlung hat er dagegen bekundet, nur das Geschehen auf der Damba durch die Rohre, die Ereignisse auf dem Anwesen der Sch.s jedoch durch Ritzen zwischen den Balken beobachtet zu haben. Das Gericht hält diese Darstellung nach den auch vom Zeugen Jacob Sch. geschilderten Umständen für glaubhaft. Die unrichtige Schilderung She.s vor dem Untersuchungsrichter deutet aber darauf hin, dass der Zeuge dazu neigt, Lücken seiner Erinnerung nicht einzugestehen, vielmehr bestrebt ist, seine Erklärungen "dicht" zu machen.

Zwi She. hat im Slonimer Gedenkbuch über seine Beobachtungen am 29.Juni 1942 berichtet. In dem Artikel "Im Schatten des Todes", als dessen Verfasser er im Gedenkbuch bezeichnet ist, hat er Err. nicht erwähnt. Er erzählt dort nur von Deutschen aus dem Gebietskommis-

sariat, die am Nachmittag des 29.Juni 1942 auf das Anwesen der Sch.s in der Michailowskistrasse gekommen seien, um dort nach Juden zu suchen. An einer anderen Stelle des Artikels bezeichnet er nicht Err., sondern einen "Steller" als Gebietskommissar. Das Schwurgericht ist danach nicht davon überzeugt, dass er den Gebietskommissar Err. damals in Slonim wirklich gekannt und ihn auch am 29.Juni 1942 wiedererkannt hat. Es kann nicht ausschliessen, dass She. bei seinen Beobachtungen am 29.Juni 1942 nicht gewusst hat, wer der Deutsche des Gebietskommissariats war, über dessen Verhalten er in seinem Artikel eine Schilderung abgibt, die in den wesentlichen Punkten mit dem übereinstimmt, was er in der Hauptverhandlung über Err.s Verhalten bekundet hat. Der Zeuge kann die Überzeugung, er habe Err. beobachtet, auch erst im nachhinein auf Grund von Erzählungen anderer gewonnen haben, ohne dass er diese ursprüngliche Lücke seines Erinnerungsbildes sich und anderen zugibt.
Das Schwurgericht hält von seiner Aussage in der Hauptverhandlung daher lediglich die Bekundung für brauchbar, dass am Nachmittag des 29.Juni 1942 Leute vom Gebietskommissariat auf das Anwesen der Sch.s in der Michailowskistrasse kamen, dort nach Juden suchten und auf jüdische Menschen schossen. Insoweit betrachtet es seine Aussage als eine Bestätigung der Angaben des Zeugen Jakob Sch.

Dass der Angeklagte Err. unter diesen Leuten war, ergibt sich zur Überzeugung des Gerichts aus den Bekundungen von Jacob Sch. Das Gericht vermag bei diesem Zeugen keine Umstände zu erkennen, die darauf hindeuten, dass er unrichtig ausgesagt haben könnte. Die von ihm geschilderten Situationen, bei denen er Err. erkannt haben will, nämlich sowohl die Schüsse auf die Grossmutter als auch die Belobigung des Schusses, den ein Litauer abgab, sind einprägsam und das Gericht bezweifelt nicht, dass der Zeuge diese Situationen nach Ablauf von 31 Jahren noch erinnert. Der Zeuge kannte den Angeklagten Err. auch schon vor dem 29.Juni 1942. Die Angaben über die Umstände im Beutelager, unter denen der damals 20-jährige Zeuge Sch. den Angeklagten Err. kennengelernt haben will, erscheinen dem Gericht ebenfalls als glaubhaft.
Der Zeuge will dem Gebietskommissar Err. ausserdem einmal im Ghetto begegnet sein, als dieser auf einem Pferde geritten sei. Auch diese Bekundung ist glaubhaft. Die Zeugen Anni Kle. und Ec. haben ausgesagt, dass sie sich mit Sicherheit daran erinnern, Err. zu Pferde gesehen zu haben. Die Zeugin Kle. hat bekundet, dass sie zusammen mit Err. und anderen Angehörigen des Gebietskommissariats ausgeritten sei. Ec. schenkte zusammen mit den anderen Landwirtschaftsführern Err. zu dessen Geburtstag am 4.März 1942 ein Reitpferd. Er sah ihn ausserdem damit reiten. Beide Zeugen haben somit für ihre Aussage besondere Anhaltspunkte. Die Zeugin Bra. hat ebenfalls bekundet, dass Err. in Slonim geritten sei. Sie habe ihn allerdings nicht selbst reiten gesehen, sondern nur beobachtet, dass er mehrfach in Reitzeug und zusammen mit Fräulein Rei. das Gebietskommissariat verlassen habe. Die anderen Angestellten hätten dann immer gesagt: "Die reiten aus, und wir müssen arbeiten". Durch diese Zeugenaussagen wird die Einlassung Err.s widerlegt, er habe in Slonim niemals auf einem Pferd gesessen. Da Err. ritt, kann ihn auch der Zeuge Jacob Sch. zu Pferde gesehen haben.
Es liegen keine Anhaltspunkte dafür vor, dass der Zeuge den Angeklagten Err. mit dem Gebietskommissar Müller verwechselt haben könnte, wie die Verteidigung meint. Der Zeuge Jacob Sch. hat den Angeklagten auch auf mehreren Lichtbildern, die ihm in der Hauptverhandlung vorgelegt worden sind, richtig bezeichnet.

Das Gericht ist nach eingehender Würdigung der Persönlichkeit des Zeugen Jacob Sch. und seiner Aussage davon überzeugt, dass er Err. am 29.Juni 1942 richtig wiedererkannt hat und dass Err. sich so verhielt, wie es der Zeuge bekundet hat. Hierbei misst es der von den Zeugen Hen. und Det. geschilderten Gegenüberstellung des Zeugen mit dem Angeklagten Err., den er - allerdings erst nach einem gescheiterten Versuch - unter 9 Personen richtig bezeichnete, keine Bedeutung zu. Es ist nicht auszuschliessen, dass der Zeuge bei der erneuten Gegenüberstellung Err. vor allem deshalb wiedererkannte, weil er in dem Augenblick, als er vor Err. stand, allen im Saal Anwesenden eine besondere Spannung anmerkte, die dadurch verstärkt wurde, dass sich die Zeugin Wei. neben den Zeugen Sch. stellte, um seine Worte zu übersetzen.

Nach der Aussage des Zeugen Jacob Sch. ergibt sich, dass Err. die Witwe Scha. erschoss. Hiergegen spricht nicht die hohe Stellung und die sonst allgemein bekundete Zurückhaltung Err.s bei der Erledigung unangenehmer Aufgaben. Es stimmt mit seinem sonstigen Verhalten überein, wenn er der vom Zeugen geschilderten Situation - plötzliche Pause der allgemeinen Schiesserei, alles starrt gebannt auf die brennende alte Frau - ein Ende bereiten wollte, weil er sie als peinlich empfand und weil er den übrigen Anwesenden zeigen wollte, dass niemals gezaudert werden darf, vielmehr alle Gefühle mit hartem Handeln zu überwinden sind.

e) Die Aussage des Zeugen Abraham Do., er sei im Rahmen einer Selektion am 30.Juni 1942 von Err. persönlich mit Kreidekreuzen gekennzeichnet worden und Err. habe während dieser Selektion befohlen, den Rabbiner Singer mit Familie zu erschiessen, ist ebenfalls glaubhaft. Dieser Zeuge hat ohne sichtbare Emotionen ausgesagt. Er hat durch ein gutes Erinnerungsvermögen imponiert, insbesondere durch sein Personengedächtnis. Er hat eine Menge Einzelheiten bekundet, die auch mit den Aussagen anderer Zeugen übereinstimmen. Der Umstand, dass Err. ihn durch die Zeichnung mit Kreuzen zum Überleben bestimmte, stellt für den Zeugen ein sehr wichtiges, schicksalhaftes Erlebnis dar. Zwar hat er in der Hauptverhandlung Err. nur auf einem Lichtbild richtig bezeichnet, während er ihn auf anderen nicht erkannt und ihn einmal mit Bonke verwechselt hat. Das Gericht vermag aber aus der falschen Identifizierung von Personen, die der Zeuge vor 31 Jahren sah, weder herzuleiten, dass er sich an diese Personen nicht richtig erinnert noch dass er sie auch früher nicht gekannt hat; denn Lichtbild und wirkliche Erscheinung weichen vielfach voneinander ab. Auch die Beschreibung, die der Zeuge von Err. abgegeben hat: Err. sei hoch und breit gewesen, ca. 40 Jahre alt mit langem, breiten Gesicht, das gerötet gewesen sei, bäuchig, weshalb die Hose bei ihm nicht so elegant wie bei Hick und Stähle gesessen hätte, mit auffallendem Nacken, kann durchaus auf den früheren Gebietskommissar Err. zutreffen. Zudem hat Err. selbst angegeben, dass Juden mit Kreidekreuzen gekennzeichnet worden seien. Das Gericht ist der Überzeugung, dass diese Angabe auf einer echten Erinnerung beruht. Eine solche Erinnerung des Angeklagten spricht aber dafür, dass ihr auch ein besonderes Erlebnis zu Grunde liegt.
Das Gericht sieht danach keine vernünftigen Gründe, den Wahrheitsgehalt der Aussage des Zeugen Do. in Zweifel zu ziehen.

Dagegen vermag es der Aussage der Zeugin Abr. nicht zu folgen, Err. habe sie beim Heraustreiben aus ihrem Wohnhaus mit einer Peitsche geschlagen. Bedenken gegen die Richtigkeit dieser Aussage ergeben sich schon aus dem Umstand, dass Err. hierbei nach der Aussage dieser Zeugin einen Stahlhelm getragen haben soll. Err. bestreitet, jemals in Slonim einen Stahlhelm getragen zu haben. Es hat auch kein anderer Zeuge ausgesagt, Err. jemals mit einem Stahlhelm gesehen zu haben. Die Zeugen, die ihn während der Aktion sahen, geben übereinstimmend an, dass er eine Schirmmütze als Kopfbedeckung getragen habe.

Der Aussage des Zeugen Rots., Err. habe auf der Mostowa-Strasse aus einem Pkw heraus 4 Schüsse abgegeben und damit des Zeugen Ehefrau und eines seiner Kinder getroffen, vermag das Gericht ebenfalls nicht zu folgen. Dieser Zeuge hat bei seiner Aussage viele Dinge in einer Weise geschildert, die sowohl von den Bekundungen anderer Zeugen als auch von seinen eigenen früheren Bekundungen abweichen, wie der Zeuge Det. berichtet hat. Diese Widersprüche lassen sich nicht mehr klären, weil der Zeuge verstorben ist. Das Gericht konnte aus diesem Grunde keinen persönlichen Eindruck von dem Zeugen Rots. erlangen, so dass es sich kein Urteil darüber zu bilden mag, inwieweit der Zeuge glaubwürdig ist.

f) Weiterhin widerlegt die Bekundung des Zeugen Jor. die Einlassung Err.s, er habe das Kommissariatsgebäude erst verlassen, nachdem er vom Brand im Ghetto gehört habe. Dieser Zeuge, der als Desinfektor beim Gebietskommissariat in Slonim arbeitete, hat ausgesagt, dass er Err. am frühen Morgen des Aktionstages mit anderen Angehörigen des Gebietskommissariats, darunter Hick, zum Ghetto habe gehen gesehen. Einen Brand und Schiessereien hatte der Zeuge zu diesem Zeitpunkt noch nicht bemerkt.

Auch der Zeuge Laa. hat bei seiner Vernehmung vom 14.März 1962 bekundet, er habe vor Ausbruch des Brandes und dem Beginn der Schiessereien gesehen, dass Err. mit anderen Angehörigen des Gebietskommissariats vom Gebietskommissariat zum Ghetto ging. Allerdings hat er bei seiner Vernehmung am 27.Oktober 1964 ausgesagt, er habe bemerkt, dass es in der Richtung des Ghettos brannte; etwas später habe er dann 4-5 Angehörige des Gebietskommissariats, darunter Err., gesehen, die zum Ghetto gingen. Diese beiden Aussagen von Laa. sind widersprüchlich. Da der Zeuge nicht mehr vernehmungsfähig ist, lassen sich die Widersprüche nicht klären. Nach seiner Aussage lässt sich daher nur feststellen, dass Err. am Morgen des 29.Juni 1942 zum Ghetto ging.

g) Die Feststellung, dass Kwint am Morgen des 29.Juni 1942 beim Ghettotor erschossen wurde, beruht auf den glaubhaften Aussagen der Zeugen Lik., Cze., Hol., De., Os., Alp., Gri., Cha., Sok., Dr. Wi., Zir., Dr. Kap., Pak. sowie der verstorbenen Mitbeschuldigten He. und Koh. Sie haben teilweise die Erschiessung des Kwint selbst beobachtet, wie die Zeugen Lik., Cze., Hol. und De., teilweise den toten Kwint am Ghettotor liegen gesehen, wie der Zeuge Dr. Kap. und der frühere Mitbeschuldigte Koh., oder sie wissen hiervon aus den Erzählungen anderer. Dass Rittmeyer den tödlichen Schuss auf Kwint abgab, haben die Zeugen Dr. Kap., Alp., He., Cha. und Sok. bekundet. Obwohl die Zeugen diesen Schuss nicht selbst beobachteten, sondern dieses Ereignis ihnen von anderen berichtet wurde, steht es zur Überzeugung des Gerichtes fest.
Nach den Aussagen des früheren Mitbeschuldigten Koh. sowie der Zeugen Cze., Hol. und Run. ist das Gericht davon überzeugt, dass Err. bei der Erschiessung des Kwint durch Rittmeyer am Ghettotor zugegen war.

Koh. hat angegeben, er habe Err. und Wolter innerhalb des Ghettos, seitlich des Ghettoeingangs, stehen gesehen. Neben beiden habe der jüdische Obmann am Boden gelegen. Wolter habe an seiner Pistolentasche genestelt und er, Koh., habe daraus entnommen, dass Wolter gerade seine Pistole in die Tasche zurück stecke, mit der er zuvor den jüdischen Obmann erschossen habe. Die gesamte Situation sei so gewesen, dass nach seinem, Koh.s, Eindruck, nur Err. oder Wolter den Kwint erschossen haben könnten. Koh. benennt allerdings einen Tag im Herbst 1942 als Zeitpunkt dieses Ereignisses. Das Schwurgericht ist jedoch davon überzeugt, dass Koh. sich bei dieser Zeitangabe täuscht. Nach den Aussagen der bereits genannten Zeugen wurde Kwint nicht im Herbst 1942, sondern am 29.Juni 1942 erschossen. Nach ihm hat es keinen jüdischen Obmann mehr gegeben, wie He. glaubhaft bekundet hat. Ausserdem gibt Koh. an, dass am Tage der Erschiessung des jüdischen Obmanns auch das Ghetto gebrannt habe. Wie die Zeugen Dr. Kap., Abraham Do., Jacob Sch., Zwi She., Kon., Os., Pak., Seig., Dr. Wol., Janina Wola., Rue., Lac., Wel., Za., Sen., N., Orl. und Sok. glaubhaft berichtet haben, ereignete sich der Ghettobrand am 29.Juni 1942. Zudem hat Koh. erklärt, er habe am Tage der Erschiessung des jüdischen Obmanns das Ghetto überwachen müssen, und zwar sei er für das Viertel am Bankgebäude eingeteilt gewesen. Dort hat jedoch lediglich bis zur Aktion vom 29.Juni 1942 das Ghetto bestanden.

Das Gericht ist auch davon überzeugt, dass die Mitteilung Koh.s, er habe neben dem jüdischen Obmann und Err. den Angehörigen des Gebietskommissariats Wolter gesehen, auf einer Täuschung beruht. Nach der Stammliste der Gefolgschaftsmitglieder des Gebietskommissariats ist Wolter erst im November 1942 nach Slonim gekommen. Es wird auch von anderen bestätigt, dass Wolter seinen Dienst erst im Herbst 1942 angetreten habe (z.B. von

He.). Koh. kann demzufolge Wolter nicht bei der Aktion vom Sommer 1942 gesehen haben, verwechselt ihn vielmehr mit Rittmeyer. Eine Verwechslung dieser beiden Angehörigen des Gebietskommissariats im Erinnerungsbild ist leicht möglich, und zwar auch dann, wenn beide von verschiedener Körpergrösse gewesen sein sollten. Beide trugen als Ordensjunker die gleiche Uniform. Rittmeyer hielt sich nur während einiger Tage in Slonim auf, so dass sich Koh. an ihn nicht erinnert hat. Diese Gedächtnislücke hat Koh. unbewusst ausgefüllt, indem er sich eingebildet hat, den ihm aus späterer Zeit gut bekannten Wolter neben Kwint gesehen zu haben. Dass Koh. hinsichtlich des Angeklagten Err. einer gleichen Verwechslung erlegen sein könnte, scheidet schon auf Grund der herausragenden dienstlichen Stellung des Gebietskommissars Err. als Behördenchef aus.

Die Zeugen Cze., Hol. und Run. haben glaubhaft angegeben, dass ihnen damals während und nach der Aktion von der Anwesenheit Err.s bei der Erschiessung des Kwint am Ghettotor erzählt worden sei. Das Gericht ist auch nach diesen Zeugenaussagen davon überzeugt, dass Err. bei der Erschiessung des Kwint durch Rittmeyer anwesend war.

h) Dass Err. - entgegen seiner Einlassung - zumindest zeitweise bei den Selektionen an der katholischen Kirche zugegen war, ergeben die Aussagen der Zeugen Lik. und Bra. Lik. kann Err. nicht mit Müller vom Stab Newel verwechselt haben, wie die Verteidigung meint. Denn Müller war nach der Aussage des Zeugen Su. im Zeitpunkt dieser Aktion auf Urlaub im Reich. Diese Angabe des Zeugen Su. ist glaubwürdig. Sie ist eher geeignet, den Zeugen zu belasten, da er Müller während dieser Zeit vertrat. Im Falle einer Feststellung der Beteiligung von Angehörigen des Stabes Newel an der Aktion, mit der Su. rechnen musste, hätte er sich deswegen noch vor Müller strafrechtlich verantworten müssen. Dieser Gefahr hätte sich der Zeuge niemals ausgesetzt, wenn er sich nicht sicher an die Abwesenheit von Müller erinnert hätte. Nach der Überzeugung des Gerichts irrt sich Lik. danach nicht bei seiner Angabe, den Angeklagten Err. während der Selektion gesehen zu haben, vielmehr beruht seine Angabe über das Eichenblatt im Kragenspiegel des Gebietskommissars auf einer falschen Erinnerung.
Die Angaben des Zeugen Lik. werden von der Zeugin Bra. bestätigt. Diese Zeugin hat allerdings die Beteiligung Err.s an der Selektion nicht selbst beobachtet, wie sie in der Hauptverhandlung zunächst angegeben hatte. Die Bekundung der Zeugin, über die Beteiligung Err.s von Wee. gehört zu haben, was sie bei ihren früheren Vernehmungen und dann auch in der Hauptverhandlung ausgesagt hat, erscheint jedoch glaubwürdig. Dem widerspricht nicht, dass der verstorbene Zeuge Wee. selbst nichts über Selektionen im Beisein von Err. berichtet hat. Als Leiter des Sägewerks in Slonim beteiligte er sich ebenfalls an der Selektion. Das hat zudem der Zeuge Do. glaubhaft bekundet. Um sich nicht zu belasten, hat Wee. nach der Überzeugung des Gerichts im Ermittlungsverfahren vorgeschützt, über die Selektion nichts mehr zu wissen.

Nach der glaubhaften Aussage des Zeugen Lik. befahl Err. bei dieser Selektion, dass die Frauen, die sich unter den Gruppen der zum Überleben bestimmten Juden befanden, in die Kolonne der Juden zurück mussten, die zu den Erschiessungsgruben marschierten. Auf der Aussage von Lik. beruht auch die Feststellung über das Schicksal der Frau, die in der Gruppe um diesen Zeugen stand.

Die Zeugen Do., Dr. Kap. und Gri. haben glaubhaft bekundet, die als Arbeitskräfte ausgesonderten Juden hätten sich mit dem Gesicht zur Wand im Hof bei der katholischen Kirche aufstellen müssen. Zwar haben diese Zeugen den Gebietskommissar Err. dort nicht gesehen, sie sind aber auch erst später als Lik. zum Hof bei der katholischen Kirche gebracht worden.

Dass der Angeklagte Err. dem Zeugen Seip. nach einigem Zögern erlaubt hat, jüdische Ärzte auszusondern, ergeben die Aussagen dieses Zeugen. Die Bekundungen von Seip. werden zum Teil von Dr. Kap. bestätigt. Sie sind glaubhaft. Da Seip. der Sanitätsgefreiter bei der

3.Kompanie des Landesschützenbataillons 915 war, nicht aus eigener Macht jüdische Ärzte aussondern konnte, benötigte er hierfür die Ermächtigung durch den Gebietskommissar. Das Gericht vermag demgegenüber den Bekundungen Dr. Ise.s nicht zu folgen, soweit er ausgesagt hat, die Bemühungen Seip.s um eine Unterredung mit dem Gebietskommissar seien ohne Ergebnis geblieben. Da das Gespräch Dr. Ise.s mit dem Gebietskommissar erfolglos verlief, erscheint seine Annahme verständlich, der ihm unterstellte Sanitätsunteroffizier habe sich ebenfalls ergebnislos um Ärzte bemüht. Dr. Ise. ist auch der Meinung gewesen, die von Seip. ohne Genehmigung des Gebietskommissars ausgesonderten Ärzte seien doch noch der Aktion zum Opfer gefallen. Diese Annahme Dr. Ise.s ist jedoch unrichtig, was die Tatsache erhellt, dass von Seip. ausgesonderte Ärzte die Aktion überlebt haben, wie z.B. Dr. Kap. und Dr. Smo.

Die Feststellung, dass Err. erlaubte, Dr. Kargan dürfe überleben, beruht auf der glaubhaften Aussage des Zeugen Za.: Auf seine Bitte habe ihm Err., den er am Aktionstag irgendwo im Ghetto angetroffen habe, gestattet, dass Dr. Kargan zurückbleiben dürfe.

i) Die Feststellung, dass sich Angestellte des Gebietskommissariats aktiv an der Aktion gegen die jüdische Bevölkerung beteiligten, trifft das Gericht nach den glaubhaften Bekundungen der Zeugen Ser., Cze., Orl., Ostr., Hol., Dr. Wi., Dr. Wol., Janina Wola., Abraham Do., Alp., Dr. Kap., Gri., Lik., Cha., Gr., Met., Za. und Sen. sowie den Angaben des Mitangeklagten Schu. und der früheren Mitangeschuldigten He. und Koh.

Der Zeuge Do. hat bekundet, dass Met. und Ne. die am Fluss zusammengetriebenen Juden bewacht hätten. Do. sah, dass Ne. dort einen älteren Mann erschoss. Auch Met. hat in seiner Aussage vom 18.September 1947 angegeben, dass er zusammen mit Muck auf 2 Juden geschossen hätte, die ins Wasser zu flüchten versuchten. Diese Menschen seien dann nicht mehr an der Wasseroberfläche erschienen. Zwar nennt Met. als Zeitpunkt dieser Aktion Herbst 1943. Seine Aussage kann sich jedoch nach den von ihm geschilderten Einzelheiten nur auf die Aktion vom 29.Juni 1942 beziehen.
Ferner hat Gri. angegeben, dass er von einem Angehörigen des Gebietskommissariats bewacht worden sei, als er mit anderen Juden am Fluss auf der Uferstrasse gestanden habe. Der Angehörige des Gebietskommissariats habe dort einen Juden erschossen, der fliehen wollte. Der Zeuge Alp. sah, wie Angehörige des Gebietskommissariats Juden zusammentrieben. Auch der frühere Mitangeschuldigte He. hat in seiner Vernehmung vom 10.April 1968 angegeben, er habe gesehen, dass einzelne Angehörige des Gebietskommissariats Juden zu dem Fluss Szczara trieben. Obwohl He. bei seinen früheren Vernehmungen hierüber nichts berichtet hat, ist diese Aussage glaubhaft. He. hat bei seinen Aussagen mit seinem Wissen sehr zurückgehalten und mit Sicherheit nicht mehr über die Beteiligung von Angehörigen des Gebietskommissariats ausgesagt, als er tatsächlich erinnert hat. He. hat auch angegeben, dass er den früheren Mitangeschuldigten Koh. an der Ghettogrenze gesehen habe, als dieser dort absperrte. Hiermit stimmt die Aussage von Koh. überein, in der allerdings der Zeitpunkt falsch angegeben worden ist.

Der Zeuge Za. hat bekundet, dass er in der Nähe des Sozialamtes abgesperrt habe, um Ausbruchsversuche von Juden zu verhindern. Der Zeuge Sen. hat in der Vernehmung vom 8.Februar 1965 bekundet, er wisse aus den Erzählungen von anderen, dass die Angehörigen des Gebietskommissariats beim Absperren und beim Heraustreiben von Juden eingesetzt wurden. Der Zeuge Jor. hat bekundet, er habe Leute vom Gebietskommissariat gesehen, die sich bei einem Maschinengewehr am Ghettoeingang aufhielten.

Dass sich Angehörige des Gebietskommissariats bei den Selektionen an der katholischen Kirche beteiligten, haben die Zeugen Lik., Ostr., Bra. und Do. bekundet. Lik. hat dort neben dem Angeklagten Err. den Ordensjunker Hick gesehen sowie einen Angestellten des

Gebietskommissariates, der sehr gut russisch sprach. Do. sah 5-6 Angehörige der Zivilverwaltung, unter denen sich Met., Ne. und Wee. befanden.
Ostr. hat am 15.März 1966 bekundet, dass er dort Angehörige des Gebietskommissariats gesehen habe. Bei seiner kommissarischen Vernehmung vom 21.November 1973 hat er darüber hinaus angegeben, dass er unter den Leuten vom Gebietskommissariat Met. und Hick erkannt habe. Da der Zeuge bei dieser Vernehmung aus Gesundheitsgründen nicht in vollem Umfang vernehmungsfähig gewesen ist, legt das Gericht seinen Feststellungen - soweit sie den Angeklagten Err. belasten - nur die Aussage des Zeugen nach dem Protokoll des Amtsgerichts Haifa vom 15.März 1966 zugrunde, die in der Hauptverhandlung verlesen worden ist und die der Zeuge bei seiner Vernehmung vom 21.November 1973 als richtig bestätigt hat.

Dr. Kap. hat angegeben, dass Stähle ihm am 2.Aktionstag einen Lebensschein ausgehändigt habe. Nachdem er die Nacht im Beutelager verbracht habe, sei er mit anderen in zwei Reihen an Stähle vorbeigegangen, der am Ghettotor gestanden und die gelben Karten ausgegeben habe.

Die Zeugen Hol., Dr. Wi., Dr. Wol. und Janina Wola. haben übereinstimmend bekundet, dass sie nach dem Verlassen ihres Verstecks von Koh. selektiert worden seien. Dr. Wi., Dr. Wol. und Janina Wola. haben berichtet, dass dies nicht am ersten Tag der Aktion gewesen sei, während Hol. sich nicht mehr an den Zeitpunkt erinnert hat. Das Gericht ist danach davon überzeugt, dass Koh. entsprechend seiner Aussage während des ersten Aktionstages am Ghetto absperrte, sich aber an einem späteren Tag an der Selektion beteiligte.
Der Zeuge Ser. hat berichtet, dass ihn Hick am 2.Aktionstag aus dem Versteck geholt habe. Der Zeuge Orl. hat bekundet, er sei am 3.Tag der Aktion von Stähle aus dem Versteck geholt und ins Gefängnis gebracht worden. Die Zeugin Gr. hat ebenfalls ausgesagt, dass sie von einem Angehörigen des Gebietskommissariats aus dem Versteck geholt und ins Gefängnis gebracht worden sei, und zwar am 5.Aktionstag.

Der Zeuge Ostr. hat berichtet: Der Desinfektor Jor. habe ihn am 3.Tag der Aktion aus dem Versteck geholt und ihm einen Lebensschein gegeben. Dabei habe er ihn vor Met. geschützt, der zusammen mit weissrussischen Polizisten versteckte Juden aus den Häusern herausgetrieben hätte. Er, der Zeuge, habe beobachtet, wie Hick zusammen mit einem anderen Angehörigen des Gebietskommissariats am 4.Aktionstag 12 Juden durch Genickschuss tötete. Er, der Zeuge, habe anschliessend die Leichen der Opfer aufsammeln und auf den jüdischen Friedhof schaffen müssen.
Der Zeuge Cze. hat bekundet: Er sei zwei bis drei Tage lang versteckt gewesen. Nach Verlassen des Verstecks habe Met. ihn zu der Gruppe der Juden geschickt, die überleben sollten und habe ihm die gelbe Karte gegeben. Er, der Zeuge, habe beobachtet, dass Hick zusammen mit 3-4 weissrussischen Polizisten 7-8 Juden befahl, sich an die Wand zu stellen, und sie dann eigenhändig mit einer Pistole erschoss.
Die Aussage des Zeugen Sok., er habe gesehen, wie Met., Ne., Stähle und Hick in seiner Nähe Juden erschossen hätten, vermag das Gericht den Feststellungen nicht zugrunde zu legen, da der Zeuge keine näheren Einzelheiten angegeben hat.

Die Zeugen Cha. und Alp. haben bekundet, dass Ne. im Gefängnis selektiert habe. Der Mitangeklagte Schu. hat berichtet, dass Met. bei der Durchsuchung des Ghettos nach versteckten Juden eingesetzt gewesen sei und mit dem Lkw des Gebietskommissariats Juden transportiert habe. Angestellte des Gebietskommissariats beteiligten sich während der Aktion ferner nach der Aussage von Orl. an der Wertsachenkontrolle sowie an der Sicherstellung von brauchbarem Material aus den Häusern der Juden, wie die Zeugin Pak. bekundet hat.

j) Der Einlassung des Angeklagten Err., er habe von dieser Beteiligung der Angestellten des Gebietskommissariats nichts gewusst, vermag das Schwurgericht nicht zu folgen. Es ist vielmehr nach dem Ergebnis der Beweisaufnahme davon überzeugt, dass die Beteiligung der Angehörigen des Gebietskommissariats an der Aktion auf einer Anordnung des Angeklagten Err. beruhte. Dies ergibt sich bereits daraus, dass Err. am Morgen des 29.Juni 1942 vor den männlichen Angestellten des Gebietskommissariats einen Appell abhielt, währenddessen die Angestellten zu ihren Aufgaben in der Aktion eingeteilt wurden.

Nach der Aussage des Zeugen Za. versammelten sich die männlichen Angestellten des Gebietskommissariats am Morgen des Aktionstages mit ihren Karabinern auf dem Hof des Kommissariatsgebäudes. Koh. hat ebenfalls hiervon berichtet, wobei er allerdings - entsprechend seiner Täuschung über den Zeitpunkt der Aktion, an der er teilnahm - angegeben hat, dieser Appell habe am Morgen einer Aktion im Herbst 1942 stattgefunden. Dass diese Zeitangabe nicht richtig ist, ist bereits ausgeführt worden. Koh. und Za. haben übereinstimmend angegeben, bei diesem Appell seien jedem einzelnen bestimmte Aufgaben für den Aktionstag übertragen worden. Zwar war sich Za. in der Hauptverhandlung nicht mehr sicher, ob Err. an dem Appell teilnahm. Das hatte er bei seiner ihm vorgehaltenen Vernehmung vom 12.Januar 1965 noch als sicheres Wissen angegeben. Koh. hat jedoch von einer Ansprache durch Err. berichtet. Das Schwurgericht ist nach der Aussage von Koh. überzeugt, dass Err. diesen Appell selbst abhielt.
Es ist allerdings möglich, dass Err. den Angestellten die Aufgaben, die sie während der Aktion ausführen sollten, durch einen anderen zuweisen liess, was jedoch auf Grund einer Anordnung von Err. geschah, der als Behördenchef darüber zu entscheiden hatte, ob und in welchem Umfang sich die einzelnen Angestellten des Gebietskommissariats an der Aktion beteiligen sollten.

Auch aus den Bekundungen der Zeugen Lik. und Jacob Sch. über das Verhalten des Angeklagten Err. am 1.Aktionstage ergibt sich, dass er von der Beteiligung der Mitarbeiter des Gebietskommissariats wusste und sie wünschte. So beobachtete Err. nach der Aussage von Lik. die Beteiligung seiner Leute an der Selektion bei der katholischen Kirche, in die er - wie bereits ausgeführt - selbst eingriff. Ferner zeigte er den Angehörigen seiner Dienststelle, die ihn zum Anwesen der Sch.s begleiteten, dass er eine forsche, vor nichts zurückschrekkende Beteiligung an der Aktion wünschte. Denn nach der Aussage des Zeugen Sch. lobte er einen Litauer wegen dessen gelungenem Schuss auf einen Juden. Ausserdem erschoss er selbst die Witwe Scha., um seine Begleiter zu ähnlichem Handeln anzufeuern.
Dass er von der Beteiligung der Angestellten des Gebietskommissariats wusste und diese wünschte, ist ausserdem dadurch erwiesen, dass er Met. am Abend des 29.Juni 1942 für seine Teilnahme an der Aktion lobte, wie Met. im Protokoll vom 18.September 1947 glaubhaft berichtet hat.

Das Gericht ist nach den angeführten Zeugenaussagen davon überzeugt, dass den männlichen Angestellten des Gebietskommissariats Aufgaben während der Aktion zugewiesen waren und diese sich deshalb an der Aktion zur Vernichtung der jüdischen Bevölkerung insoweit beteiligten, als sie nicht andere dringende Aufgaben zu erledigen hatten. Für diesen Einsatz war der Angeklagte Err. als Behördenchef verantwortlich.
Allerdings ist nicht mit der erforderlichen Sicherheit nachweisbar, dass Err. auch für die Erschiessungen durch Rittmeyer verantwortlich ist, von denen mehrere Zeugen, wie Dr. Kap. und Zir., berichtet haben. Denn es hat sich in der Beweisaufnahme nicht feststellen lassen, ob Rittmeyer dem Gebietskommissar Err. unterstellt war. Zwar haben Zeugen den Ordensjunker Rittmeyer als Angehörigen des Gebietskommissariats bezeichnet, weil er die gleiche Uniform wie andere Leute dieser Dienststelle trug. Seine Uniform besagt jedoch nichts über die Zugehörigkeit zu dieser Behörde. Denn Hick und Stähle waren ebenfalls Ordensjunker und Rittmeyer trug ebenso wie diese die Uniform der Ordensburg. Die Zeugin End. hat einen Sonderausweis ihres früheren Ehemannes Rittmeyer vom 3.Juli 1942 in der Hauptverhandlung vorgelegt, aus dem sich nur ergibt, dass dieser damals der Organisation Todt

angehörte. Auf der Stammliste der Gefolgschaftsmitglieder des Gebietskommissariats ist Rittmeyer nicht verzeichnet.
Zwar drängt sich die Vermutung auf, dass Rittmeyer eigens zur Hilfe bei der Aktion nach Slonim kam, wie die Zeugin Th. bekundet hat, und für diese Zeit dem Gebietskommissar unterstellt war. Hierfür spricht auch die Einlassung Err.s, dass Rittmeyer im Jahre 1942 einige Wochen bei ihm gewesen sei, allerdings ohne ein eigenes Dienstzimmer zu haben. Er, Err., habe sich an Kube gewandt und um Ablösung von Rittmeyer gebeten, was dann auch geschehen sei. Das Gericht vermag auf diese Einlassung von Err. jedoch keine Feststellung zu gründen. Es kann eine Schutzbehauptung sein, die auf keiner Erinnerung beruht und deshalb nicht gegen ihn zu verwenden ist.
Da nicht feststeht, ob Rittmeyer dem Gebietskommissar Err. unterstellt war, lässt sich auch nicht nachweisen, dass dieser Rittmeyers Beteiligung an der Aktion anordnete.

Soweit Zeugen von Erschiessungen durch Angehörige des Gebietskommissariats berichtet haben, ohne diese namentlich zu bezeichnen, und es sich nach den Umständen um Erschiessungen durch Rittmeyer gehandelt haben könnte, wie bei den von den Zeugen Bia. und Seip. bekundeten Erschiessungen, gründet das Gericht auf diese Aussagen ebenfalls keine Feststellungen, die den Angeklagten Err. belasten.

Das Gericht hat weiterhin nach den Aussagen von Zeugen keine den Angeklagten belastenden Feststellungen getroffen, die lediglich bekundet haben, dass sie Braununiformierte oder Leute in Parteiuniform während der Aktion beobachtet hätten, die ohne eigentliche Funktion herumgestanden und dabei auch auf Juden geschossen hätten. So hat der Zeuge Me. angegeben, er habe 2-3 Parteileute in brauner Uniform beobachtet, die von der Brücke auf Juden geschossen hätten. Das Gericht vermag hier nur festzustellen, dass sich Angehörige der Zivilverwaltung an diesen Schiessereien beteiligten. Das könnten aber auch Leute vom Stab Newel gewesen sein, gegenüber denen dem Angeklagten keine Befehlsbefugnis zustand.

k) Entgegen seiner Einlassung wusste der Angeklagte Err., was sich in den Tagen nach dem 29.Juni 1942 im Ghetto ereignete. Er bestimmte dieses Geschehen durch seine Anordnungen weitgehend mit. Dies ergibt schon die bereits erwähnte Bekundung des Zeugen Abraham Do., Err. sei am 30.Juni 1942 mit anderen Angehörigen der Zivilverwaltung auf der Bernardinska erschienen und habe sich dort an der Selektion beteiligt.
Err. traf ferner die Bestimmung, dass der südlich der Mostowa-Strasse gelegene Stadtbezirk fortan kein Ghetto mehr sein solle, die Juden vielmehr nur in dem Stadtbezirk wohnen dürften, der zwischen der Eisenbahnlinie, der Mostowa-Strasse und den beiden Szczara-Armen liegt. Denn Err. war für die Ghettoisierung der Juden in Slonim allein zuständig. Dies entnimmt das Schwurgericht den bereits erwähnten vorläufigen Richtlinien für die Behandlung der Juden im Reichskommissariat Ostland. Der Sachverständige Dr. Sche. hat ebenfalls überzeugend die Zuständigkeit der Gebietskommissare in Weissruthenien für die Ghettoisierung der Juden dargelegt. Dass Err. um diese Zuständigkeit wusste, sich für die Ghettoisierung verantwortlich fühlte und diese durchführte, ergeben die oben bereits zitierten Stellen aus seinen Lageberichten vom 25.Januar 1942 und 26.September 1942.

Diese von ihm gewollte strenge Ghettoisierung der Juden im Ghetto Brückenstrasse konnte nur mit einer gründlichen Durchsuchung der früheren Ghettoteile nach versteckten Juden erreicht werden. Das Schwurgericht ist deshalb davon überzeugt, dass jedenfalls der Umfang der "Ghettosäuberungen" in den Tagen nach dem 29.Juni 1942 auf einer Bestimmung durch den Angeklagten Err. beruhte. Falls Err. nämlich die gesamte Szczara-Insel weiterhin als Wohnbezirk der Juden hätte bestehen lassen, wäre es nicht erforderlich gewesen, dort noch nach dem Abrücken der auswärtigen Einheiten nach versteckten Juden zu suchen, um alle Juden aus diesem Stadtteil zu entfernen.

Die Aussage des Zeugen Laa., es sei am Tage nach dem 29.Juni 1942 ein Befehl von der Hauptmannschaft in Baranowicze eingetroffen, dass die Gendarmerie die Bereinigung des Ghettos durchzuführen habe (was im Kern auch vom Mitangeklagten Schu. bestätigt worden ist), steht zu diesen Feststellungen in keinem Widerspruch. Bonke kann den Befehl zum Einsatz in den kommenden Tagen von einer anderen Stelle als dem Gebietskommissar erhalten haben; die Anordnung, wo und in welchem Umfang die Ghettosäuberung durchzuführen sei, oblag jedoch dem Gebietskommissar Err., weil er das Ghetto zu organisieren und die Ghettogrenze zu bestimmen hatte. Wenn er das bis dahin bestehende Ghetto weiterhin als jüdischen Wohnbezirk beibehalten hätte, wäre Bonke nach dem Befehl aus Baranowicze zwar verpflichtet gewesen, für die Entfernung von verwundeten und toten Juden zu sorgen. Eine gründliche Durchsuchung der früheren Ghettoteile nach versteckten Juden hätte sich aber erübrigt.

Der Einsatz der Angehörigen des Gebietskommissariats in den Tagen nach dem 29.Juni 1942, der bereits erörtert ist, geht ebenfalls auf eine Anweisung von Err. als dem dafür zuständigen Behördenchef zurück. Da keine auswärtigen Kräfte in Slonim vorhanden waren, mussten die Angestellten des Gebietskommissariats der Gendarmerie und der weissruthenischen Schutzmannschaft bei der Durchsuchung des Ghettos helfen. Hierbei oblag ihnen nach den aufgeführten Zeugenaussagen insbesondere die Aufgabe, Handwerker und sonstige Fachkräfte, die überleben sollten, herauszusuchen und sie mit Ausweisen zu versehen, sowie die Sicherstellung von brauchbarem Material aus den Häusern der Juden.

l) Die Feststellung, dass Angehörige des Gebietskommissariats vor der Aktion verbreiteten, diesmal richteten sich die Massnahmen gegen die polnische Bevölkerung, beruht auf der glaubhaften Aussage des Zeugen Hol., die zum Teil von De. und Dr. Kap. bestätigt wird. Darüber hinaus haben die Zeugen Do., She. und Orl. bekundet, dass vor der Aktion Polen im nichtjüdischen Teil der Stadt festgenommen worden seien.
Dass sich Angehörige der Zivilverwaltung an einer Besprechung vor der Aktion beteiligten, hat der Zeuge Ru. glaubhaft berichtet.

m) Der Partisaneneinsatz, zu dem die Gendarmerie am 29.Juni 1942 ausrückte, ergibt sich aus den Aussagen der Zeugen Se., Laa., Win., Rue., Hoc., Dr. Kap. und des Mitangeklagten Schu. Der Partisaneneinsatz von Soldaten der 3.Kompanie des Landesschützenbataillons 915 ist nach den Aussagen des Zeugen Nieh. sowie des früheren Mitangeklagten Ni. festgestellt worden.

n) Dass am 29.Juni 1942 das Ghetto abgesperrt wurde, ergeben die Aussagen von Koh., Za., She., De., N., Jacob Sch., Wee., Hol. und Alp. Die Zeugen Zwi She. und Abraham Do. haben ausserdem berichtet, dass Maschinengewehre auf das Ghetto gerichtet gewesen seien.

o) Die Zeugen Cze., De., Abraham Do., Golda Do., Hol., Dr. Wi., Kon., Gri., Cha., N., Orl., Run., Alp., Sok., Janina Wola., Dr. Wol., Zir., Dr. Kap., Pak., Gr. und Seig. haben glaubhaft bekundet, dass sich die Juden nach dem Schuss auf Kwint versteckten und zum Teil tagelang unter schrecklichen Bedingungen in ihren Verstecken hausten. Die Zeugin Run. hat beispielsweise glaubhaft berichtet: Man habe den Liegeplatz hinter dem grossen russischen Ofen mit 2 Mauern umgebaut und dadurch ein Versteck erhalten. In dieses Versteck habe man nur von oben durch den Kamin gelangen können. Während der Aktion hätten sich 6 Menschen zwischen den beiden Mauern versteckt. Es sei dort sehr eng gewesen und man habe nur stehen können. Es sei auch unmöglich gewesen, sich zu drehen. Es sei beschlossen worden, dass niemand schreien dürfe, auch wenn jemand durch ein ins Versteck gestossenes Bajonett verletzt würde. Am 3.Tag im Versteck sei ein Leidensgefährte durchgedreht. Seine Ehefrau habe gebeten, ihn zu erwürgen, weil er sonst mit seinem Schreien das Versteck verraten würde. Man habe ihm dann Tücher in den Mund gestopft, damit er nicht schreien könne. Sie, die Zeugin Run., habe sich etwa 8 Tage lang in diesem Versteck aufgehalten.

Von den Personen, die mit ihr verborgen gewesen seien, hätte lediglich noch ein Herr Steinberg die Aktion überlebt. Der Zeuge Pesach Alp. hat glaubhaft bekundet, er habe es wegen des Rauchs in seinem ersten Versteck nicht mehr aushalten können. Deshalb sei er zusammen mit seinem Sohn auf dem Bauch zu einem Abort gekrochen und habe sich in der Fäkaliengrube unter dem Abort versteckt. Sie seien dort von einem Deutschen entdeckt worden, der seinen Sohn erschossen habe. Er habe dann noch weitere 4 Tage zusammen mit 5 Menschen in einem engen Kasten unter der Erde gehockt.

p) Die Feststellungen darüber, dass die Juden an den Fluss getrieben wurden, von dort aus entweder mit Lastkraftwagen oder zu Fuss an der katholischen Kirche vorbei zu den Gruben bei Pietralewicze gebracht oder getrieben wurden, beruhen auf den glaubhaften Angaben der Zeugen Gri., Lik., She., Dr. Kap., He., We., Abraham Do. und Seip. Von den Erschiessungsgruben bei Pietralewicze haben die Zeugen Dr. Kap., Ru., Seip., Bra. und Alp. berichtet. Dass an diesen Gruben etwa 4000 Menschen erschossen wurden, ergibt der Tätigkeitsbericht des SS-Unterscharführers Arlt vom 3.August 1942, in dem es heisst, dass seine Gruppe vom 29.Juni 1942 in Slonim etwa 4000 Juden "der Erde übergeben" habe.

q) Über die Durchsuchung des Ghettos an den auf den 29.Juni 1942 folgenden Tagen haben der Mitangeklagte Schu. und die Zeugen Run., Dr. Kap., Ostr., Ser., Zir., Pak., Gr., Cze., Cha., Orl., Hoc. und Alp. glaubhaft berichtet.

r) Dass die aufgefundenen Juden ins Gefängnis kamen, ergeben u.a. die Bekundungen der Zeugen Dr. Kap., Cha., N., De., Sok., Janina Wola., Hol., Alp., Hoc. und die Angaben des Mitangeklagten Schu.

s) Die Zeugen Ostr., Jor., Ser., Sok. und Cze. haben glaubhaft bekundet, dass Juden die Leichen ihrer erschossenen Landsleute aus dem Ghetto wegschaffen mussten.

t) Die Feststellungen über die Aushändigung von Lebensscheinen beruhen auf den glaubhaften Aussagen der Zeugen Cze., N., Fel., Run., Dr. Kap., Abraham Do., Jor., Ser., Alp. und der insoweit glaubhaften Angabe des Zeugen De.

u) Die Zeugen Orl., Dr. Kap., Ostr. und Os. haben glaubhaft ausgesagt, dass die Aktion etwa 2 Wochen lang dauerte.

Die Feststellungen über die Zahl der Opfer dieser Aktion trifft das Gericht auf Grund des Schreibens von Kube an Lohse vom 31.Juli 1942, in dem es heisst, dass während der letzten 10 Wochen 55.000 Juden in Weissruthenien liquidiert worden seien, davon 8.000 in Slonim. Da es sich bei dieser Angaben um eine auf- oder abgerundete Zahl handelt, geht das Gericht davon aus, dass die Aktion jedenfalls 7.000 Opfer kostete. Von diesen wurden etwa 4.000 Menschen am 29.Juni 1942 an den Gruben bei Pietralewicze erschossen. Darüber hinaus wurden unzählige Menschen entweder im Ghetto erschossen, wie Met. berichtet hat, oder kamen in den Flammen des brennenden Ghettos um. Ausserdem wurden sehr viele Menschen in den Tagen nach dem 29.Juni 1942 bei den Gruben von Czepielow erschossen. Es ist möglich, dass auch schon am 29.Juni 1942 ein Exekutionskommando an diesen Gruben jüdische Menschen erschoss. Denn der Zeuge Ste. hat berichtet, ihm seien auf seinem Weg zum Bahnhof Kolonnen von Juden entgegengekommen, die auf die Rollbahn (in Richtung Baranowicze) getrieben wurden. Ferner will der Zeuge Ec. am 29.Juni 1942 die Erschiessungen von Juden bei den Gruben in der Nähe der Rollbahn nach Baranowicze beobachtet haben.

v) Die Feststellungen darüber, welche innere Einstellung der Angeklagte Err. während dieser Aktion gegen die jüdische Bevölkerung hatte, beruhen auf den im ersten Abschnitt unter A.I. niedergelegten Feststellungen zu seinem Werdegang, den Ausführungen in seinen Lageberichten, die im 2.Abschnitt unter C II 1. zitiert worden sind, seinem Verhalten gegenüber der jüdischen Bevölkerung in Slonim, das im 2.Abschnitt unter C II 2.-4. erörtert worden ist, sowie auf seinem soeben dargestellten Verhalten während dieser Aktion.

Sein Werdegang und seine Äusserungen über die Juden in Slonim, die in seinen Lageberichten und von Zeugen übermittelt worden sind, lassen keine Zweifel offen, dass Err. Antisemit war und dass er die Juden seines Amtsbereichs wegen ihrer "Rassenzugehörigkeit" umbringen lassen wollte. Das Schwurgericht hat auf Grund dieser Äusserungen des Angeklagten Err. sowie nach seinem intensiven Tatbeitrag während der Aktion auch keinen Zweifel daran, dass Err. nicht lediglich die nach Slonim eingerückten auswärtigen Kräfte unterstützen wollte, sondern es ist danach überzeugt, dass er sich das Ziel der Aktion - die physische Vernichtung der jüdischen Einwohner Slonims - in vollem Umfang zu eigen gemacht hatte und dass er diese Aktion durch seine Beiträge mitlenken und mitbeherrschen wollte.

II. Beteiligung des Angeklagten Schu.

1.) Feststellungen

Einige Tage vor dem 29.Juni 1942 munkelte man unter den Gendarmen über eine neue Aktion gegen die Juden. Auch der Angeklagte Schu. bemerkte, dass wiederum "etwas im Gange" war. Er sah auswärtige Einheiten nach Slonim kommen, was er als Zeichen einer zu erwartenden Aktion wertete.

In der Nacht vom 28. auf den 29.Juni 1942 wurde die in Slonim stationierte Gendarmerie zu einem Partisaneneinsatz im Raume Dereczin alarmiert. Mit Ausnahme eines Reservezuges, der in Slonim zurückblieb, sowie den Gendarmen Win. und Laa. rückten die übrigen Angehörigen der Gendarmerie, auch der Angeklagte Schu., unter dem Kommando des Leutnants Bonke mit den angeschlossenen Schutzmannschaften aus. Am späten Nachmittag des 29.Juni kehrte die Gendarmerie vom Einsatz zurück. Schon von weitem war Rauch über Slonim zu sehen. Bonke meinte daraufhin zu seinen Leuten: "Das ist die Aktion." Gleich nach der Ankunft in Slonim begab sich Bonke mit dem Angeklagten in das umzäunte Ghetto, welches teilweise niedergebrannt war. Leichen lagen herum, einzelne Juden wurden noch während des nur kurzen Aufenthaltes der beiden Polizeibeamten im Ghetto von den eingesetzten Litauern aufgegriffen. Die Gendarmeriebeamten, die tagsüber im Einsatz gewesen waren, wurden an diesem Tage zur Aktion nicht mehr herangezogen.

Am folgenden oder übernächsten Tage erhielt der Angeklagte Schu. von Bonke den Auftrag, die Gendarmerieangehörigen zusammenzurufen und zwei Lastkraftwagen bereitzustellen. Bonke, der sich zuvor beim Gebietskommissar gemeldet hatte, gab bekannt, dass sämtliche Juden erschossen werden sollten. Er erteilte den Befehl, das Ghetto zu durchkämmen und aufgefundene Juden ins Gefängnis zu bringen. Auf sich weigernde oder flüchtende Juden sollte sofort geschossen werden.

Unter den versammelten Gendarmeriebeamten, die an der Aktion teilnehmen sollten, befanden sich auch die Zeugen Rue. und Hoc. sowie einheimische Schutzmänner. Es wurden zwei Züge mit insgesamt sechs Gruppen gebildet. Zu Zugführern bestimmte Bonke, der den Einsatz selbst leitete, den Angeklagten Schu. und den Hauptwachtmeister Reinert. Jedem Zug wurde ein bestimmter Bereich im Ghetto zugewiesen. Anschliessend begann die "Säuberung" des Ghettos. In die Häuser wurden vor allem die einheimischen Schutzleute geschickt, die sich am besten mit den Versteckmöglichkeiten in den Häusern auskannten.

Als Zugführer erteilte der Angeklagte Schu. an die ihm untergeordneten Gruppenführer Anordnungen. Bei der Stunden andauernden Durchsuchung des Ghettos wurden auch von den Angehörigen seines Zuges Juden aufgespürt und unter Bewachung zum Gefängnis gefahren. Dorthin begleitete der Angeklagte zumindest einmal einen Transport. Etliche sogenannte

nützliche Juden waren bereits im Ghetto - wie im Zusammenhang mit der Schilderung des den Angeklagten Err. betreffenden Sachverhalts beschrieben - von den Angehörigen des Gebietskommissariats aussortiert worden.
Während dieses Einsatzes war sich der Angeklagte Schu. von vornherein darüber klar, dass die aufgespürten und ins Gefängnis eingelieferten Menschen erschossen werden sollten und dass diese Erschiessungen in Massenexekutionen erfolgen würden, bei denen das einzelne Opfer in sicherer Todeserwartung mitansehen musste, wie die Leidensgefährten erschossen in die Grube fielen oder dort vor ihm bereits erschossen lagen.

Am ersten Tag der Säuberungsaktion im Ghetto wurden von den Gendarmen insgesamt etwa 50 Juden zusammengebracht und im Gefängnis abgeliefert, welches bald überfüllt war. Die Juden - Männer, Frauen und auch Kinder - wurden rücksichtslos und dicht gedrängt in den Zellen eingepfercht. Die Durchsuchungen des Ghettos dauerten mehrere Tage an. Erst etwa Mitte Juli 1942 war die Ghettodurchkämmung abgeschlossen. Ob der Angeklagte Schu. ausser am ersten Tag auch an den folgenden Tagen weiter bei der "Säuberung" des Ghettos eingesetzt war, ist nicht festzustellen gewesen, desgleichen nicht, ob er oder ein Angehöriger seines Zuges während der Räumung Juden erschoss.

An mindestens fünf Tagen der ersten Julihälfte wurde das mit aufgegriffenen Juden voll belegte Gefängnis entleert. So entstand Platz für die neu eingelieferten Opfer. Die Entleerung des Gefängnisses nahm folgenden Gang:

Auf Befehl Bonkes stellten der Postenführer Hoc. und der Hauptwachtmeister Meyer etwa 60 Mann - Gendarmerie und Schutzmannschaft - sowie zwei Lastkraftwagen bereit. Dann fuhr Bonke mit den Leuten zum Gefängnis. Allen war klar, dass die dort einsitzenden Juden nunmehr exekutiert werden sollten. Im Gefängnis befahl Bonke alle Juden auf den Hof. Dort wurden zunächst wieder Selektionen nach nützlichen Juden durchgeführt. Zum Teil verlud man die Juden aber auch sofort auf die beiden Lastkraftwagen der Gendarmerie. Auf jeden Wagen wurden etwa 20 bis 25 Menschen getrieben. Als Bewachung fuhren auf der Ladefläche jeweils drei Schutzmänner mit. Bonke fuhr zusammen mit dem Angeklagten in seinem Personenwagen dem Transport voraus. Ihm folgte der Mannschaftswagen mit den übrigen Gendarmeriebeamten und Schutzleuten, etwa 20 Mann. Als Erschiessungsstätten waren vorher frisch ausgehobenen Gruben vorgesehen, die sich etwa 3 bis 5 km ausserhalb Slonims in einem sandigen Gelände rechts an der Rollbahn in Richtung Baranowicze bei dem Dorf Czepielow befanden.
Am Exekutionsort wurden zunächst Gendarmeriebeamte als Posten für die äussere Absperrung eingeteilt. Ausserdem bildeten die Gendarmen ein Spalier zur Grube hin, um ein Ausbrechen der antransportierten Juden zu verhindern. Die im Pendelverkehr eintreffenden Wagen drehten vor der Grube so, dass sie mit dem Heck zur Grube standen. Die Juden - Männer, Frauen und Kinder - wurden sofort in die Grube gejagt, teilweise mussten sie vorher ihre Sachen und Kleidung vor der Grube ablegen und zusammenwerfen. Die Opfer leisteten keinen Widerstand, sie fügten sich apathisch ihrem Schicksal. Schon im Gefängnis wussten sie, was ihnen bevorstand. In der Grube mussten sie sich hinlegen. Dann wurden sie sofort von den Gendarmeriebeamten und Schutzleuten durch Genickschuss mit Maschinenpistolen und Karabinern getötet. Es wurde ohne besonderes Kommando geschossen.

Der Einsatz der Gendarmerie an den Gruben dauerte an den einzelnen Tagen etwa 3 bis 4 Stunden. Insgesamt wurden mindestens 600 Menschen während der 5 Tage, an denen die Exekutionen stattfanden, getötet.

Zu den Erschiessungen der Juden wurden die meisten Gendarmeriebeamten des Postens Slonim, jedenfalls die Aktiven, herangezogen. Der Zeuge St. blieb als Fourier zurück, Claus hatte die Fahrzeuge zu beaufsichtigen, auch Petzold war nicht darunter. Der Reservist Laa. machte ebenfalls nicht mit. Er hatte auch schon bei einer früheren gegen die Juden gerichteten Aktion Bonkes Befehl zur Teilnahme verweigert. Daraufhin musste er seine Waffen abgeben, erhielt diese aber nach etwa 3 Tagen wieder zurück. Bonke kommentierte damals, dass er keine Folgerungen aus der Weigerung Laa.s ziehen wolle.

Der Angeklagte Schu., dem gelehrt worden war, grundsätzlich jeden Befehl auszuführen, war sich darüber klar, dass die Anordnung Bonkes zur Erschiessung der im Gefängnis gesammelten Juden Unrecht darstellte. Gleichwohl hatte er die Vorstellung, dass er einem Befehl, der "von oben" kam, gehorchen müsse; ein solcher Befehl sei bindend. Den Befehl seines Vorgesetzten zu plündern, hätte er allerdings nicht befolgt; das war ihm auf der Polizeischule beigebracht worden. Der Angeklagte erwog nun in Gedanken, wie er sich da herauswinden könne. Dabei dachte er an den Fall eines Polizeimeisters Nebel und an einen anderen Vorfall in Iwazewicze, wo jeweils ein Gendarmerieangehöriger plötzlich nach Differenzen mit der SS bzw. dem SD unversehens ums Leben gekommen war. Er sah schliesslich nur die Möglichkeit, auf gütlichem Wege eine Befreiung von der Teilnahme durch Bonke zu erreichen. In einem Gespräch noch vor dem Beginn der Exekution bat er deshalb Bonke, ihn freizustellen. Dieser lehnte es mit dem Hinweis ab, dass sich dann auch alle anderen drücken würden; er, Bonke, komme auch nicht daran vorbei, er müsse von seinen engsten Mitarbeitern unbedingten Gehorsam verlangen; er gebe keinen Pardon. Im Falle einer Befehlsverweigerung werde er dafür sorgen, dass der Betreffende die Folgen zu tragen habe. Wie der Angeklagte annahm, meinte Bonke damit ein Kriegsgerichtsverfahren oder die Abkommandierung zu einem Sonderkommando. Damit war für den Angeklagten die Sache erledigt. Er glaubte, einen solchen Befehl seines Vorgesetzten als für ihn bindend befolgen zu müssen, nachdem er auf gütlichem Wege bei Bonke nichts erreicht hatte.

Am ersten Tag der Exekutionen stand der Angeklagte oben auf dem Grubenrand, während Bonke, gleich nachdem sich die Juden auf sein Geheiss hingelegt hatten, mit seiner Maschinenpistole unten in der Grube schoss. Bonke rief dem Angeklagten dann energisch zu: "Schu., jetzt aber los, runter". Daraufhin sprang der Angeklagte ebenfalls in die Grube und schoss seinen Karabiner auf die liegenden Juden leer. Mit jedem Schuss aus dem Magazin tötete er einen Juden durch Genickschuss, insgesamt 5 Menschen. Dann trat er zurück. Statt seiner schossen andere Gendarmen weiter. Von dem Geschehen und seinem Handeln schokkiert lief der Angeklagte kopflos zu den abgestellten Fahrzeugen, nahm Bonkes Wagen und wollte losfahren. Er blieb jedoch im Sand stecken. Bonke kam mit seiner Maschinenpistole oder Pistole in der Hand nachgelaufen, schlug dem Angeklagten ins Gesicht und schrie ihn an: "Sofort weg, sofort zurück; los jetzt Schu., ran ... oder Du gehst denselben Weg wie die dort." Dabei wies er mit der Hand in Richtung Grube und redete noch etwas von Kriegsrecht. Bonke dachte nicht daran, die Drohung zu verwirklichen, den Angeklagten im Falle einer Befehlsverweigerung in die Grube zu schicken und auf der Stelle zu erschiessen.

Durch diese energische Aufforderung Bonkes überwand der Angeklagte seinen Schock und kehrte befehlsgemäss an die Grube zurück. Er nahm allerdings nicht an, Bonke werde seine Drohung, ihn auf der Stelle zu erschiessen, wahrmachen, falls er sich weiter weigern würde. Mit der Befolgung des Befehls glaubte er, seinen Gehorsamspflichten nachzukommen. Obwohl ihn Bonke an der Grube nicht an Verfahren und Strafversetzungen erinnerte, dachte er daran, dass ihm eine Gehorsamsverweigerung dienstliche Nachteile, vielleicht sogar ein Gerichtsverfahren oder eine Abkommandierung zu einem Sonderkommando einbringen könne, was in seiner Vorstellung eine gewisse Gefahr für Leib oder Leben bedeuten mochte. In der Grube erschoss der Angeklagte mit einem Magazin weitere 5 Juden. Insgesamt wurden bei diesem Einsatz mindestens 80 Menschen durch die Gendarmerie liquidiert.

Am Abend dieses Tages hielt Bonke vor seinen Leuten eine Ansprache. Auch der Angeklagte war dabei. Bonke brachte zum Ausdruck, es sei furchtbar, was sie zu tun hätten, aber sie könnten sich nicht davor drücken. In den nächsten Tagen wurde der Angeklagte von der Teilnahme an den Exekutionen verschont. Nachdem zwei Juden von der Grube geflohen waren, worüber sich Bonke sehr erregte, musste der Angeklagte an zwei weiteren Tagen wieder teilnehmen. Dabei erschoss er insgesamt mindestens noch 8 Juden. An den drei Tagen, an denen der Angeklagte beteiligt war, wurden mindestens 200 Menschen umgebracht, davon zumindest 18 eigenhändig durch den Angeklagten.

Das Verhältnis zwischen dem Angeklagten und Bonke, sonst immer sehr gut, war aufgrund des Vorfalls zunächst gespannt, lockerte sich aber schnell wieder. In der Folgezeit war der Angeklagte mit den Nerven herunter. Er konnte nur noch schlecht schlafen und fing an zu trinken.

2.) Einlassung

Der Angeklagte Schu. hat seine Beteiligung an der Durchsuchung des Ghettos von Slonim Anfang Juli 1942 und an den anschliessend bei Czepielow vollzogenen Exekutionen im festgestellten Umfang eingeräumt. Er bestreitet jedoch den Vorwurf der Anklage, im Ghetto habe er und hätten Angehörige seines Zuges aufgefundene Juden erschossen.
Bei den Exekutionen habe er auf Befehl Bonkes gehandelt. Dieser habe die Aktion geleitet. Bonke sei stets an den Gruben gewesen. Entgegen der Darstellung der Anklage habe er, Schu., nie ein selbständiges Exekutionskommando geführt. Am ersten Tage habe er die Nerven verloren, nachdem er 5 Juden durch Genickschuss getötet habe. Bonkes massive Drohung habe ihn dann zum Weitermachen gezwungen. Er habe keine andere Möglichkeit gesehen, als wieder zur Grube zurückzukehren. Dabei habe er gedacht, es bleibe ihm keine andere Wahl, wenn er nicht auch in die Grube gehen wolle.
Ferner hat der Angeklagte bestritten, dass bei den Exekutionen auch jüdische Frauen und Kinder getötet worden seien: Diese habe man bereits vorher aussortiert. Unwahr sei schliesslich auch, dass er einen Arzt Dr. Bregmann im Gefängnishof gemeinsam mit anderen zu Tode geprügelt habe und dass er sich gegenüber den Opfern an der Grube besonders grausam verhalten habe.

3.) Feststellungsgrundlagen einschliesslich Beweiswürdigung

Das Geständnis des Angeklagten Schu. über seine Beteiligung bei der Durchsuchung des Ghettos von Slonim und den sich anschliessenden Exekutionen bei Czepielow ist mit den noch darzulegenden Einschränkungen glaubhaft. Zahlreiche Zeugen - u.a. Kög., Dr. Kap., Laa., Win., Se., Rue., St., Alp., Orl., Janina Wola., Sok., Seig., Hoc. und Lik. - haben aus verschiedener Sicht die Angaben des Angeklagten, die den Feststellungen des Gerichts über den äusseren Ablauf des Geschehens entsprechen, bestätigt.

Dem Angeklagten ist nicht zu widerlegen, dass weder von ihm persönlich noch von Angehörigen seines Zuges bei der Ghettosäuberung aufgefundene Juden erschossen wurden. Kein Zeuge hat bekundet, bei dieser Gelegenheit Erschiessungen durch den Zug des Angeklagten bemerkt zu haben. Desgleichen kann dem Angeklagten nicht nachgewiesen werden, dass er mehr als 18 bis 20 Menschen, davon 10 am ersten Tag seines Einsatzes, in der Grube eigenhändig erschoss.

Berücksichtigt man die Dauer des gesamten Einsatzes der Gendarmerie während der Gefängnisentleerungsaktion - jedesmal etwa 3 bis 4 Stunden -, ferner, dass die Opfer im Pendelverkehr mit zwei Lastkraftwagen vom Gefängnis zu der nur 3 bis 5 km entfernt liegenden Grube transportiert wurden, wobei jeder Wagen ca. 20 bis 25 Menschen aufnahm, so ergibt sich zur Überzeugung des Gerichts, dass von der Gendarmerie an den fünf hier in Betracht stehenden Einsatztagen insgesamt mindestens 600 Juden getötet wurden. Gemessen hieran erscheinen die Angaben des Angeklagten Schu. zur Anzahl der von seiner Hand Getöteten allerdings äusserst zurückhaltend. Mangels solcher Beweismittel, die zu diesem Punkt sichere Feststellungen zulassen, muss indes von den Angaben des Angeklagten ausgegangen werden.

Dem Angeklagten kann dagegen widerlegt werden, es seien nur Männer, keine Frauen und Kinder getötet worden. Verschiedene Umstände, durch Zeugenaussagen belegt, beweisen das Gegenteil seiner Darstellung. Dass sich nur Männer im Ghetto versteckt gehalten haben, und dann - aufgespürt - zum Gefängnis gebracht wurden, hat selbst der Angeklagte nicht behauptet. Es finden sich auch keine Anhaltspunkte dafür, dass die Frauen und Kinder schon sofort nach dem Aufspüren ausgesondert und erschossen wurden. Vor allem beweisen aber die glaubhaften Aussagen der Zeugen Janina Wola., N. und Seig., die im Ghetto lebten, sowie die Bekundungen der Gendarmeriebeamten Rue. und Se., dass tatsächlich auch Frauen und Kinder ins Gefängnis eingeliefert und anschliessend erschossen wurden.

Schliesslich kann dem Angeklagten die Einlassung hinsichtlich seiner Auseinandersetzung mit Leutnant Bonke am ersten Exekutionstag nur eingeschränkt abgenommen werden. Dass sich ein Vorfall der behaupteten Art nach dem äusseren Geschehen ereignete, ist ihm allerdings nicht zu widerlegen, wenn seine Darstellung auch nicht sehr wahrscheinlich ist. Keiner seiner ehemaligen Kameraden hat sie mit brauchbaren Hinweisen gestützt. Die Zeugen Rue., Se., Win. und Laa. erinnern einen derartigen Vorfall nicht. Lediglich der Zeuge Hoc. will vom Angeklagten selbst einmal erfahren haben, dass ihm Bonke eine Ohrfeige verpasst habe; Hoc. kann dieses Ereignis jedoch zeitlich nicht mehr einordnen. Die Tatsache, dass der Zeuge Laa. mit seiner Befehlsverweigerung bei Bonke Erfolg hatte und dann nicht mehr mitzumachen brauchte, wie es nach den eigenen Angaben des Angeklagten Schu. auch für den Koch St., den Fahrer Claus und für Petzold galt, spricht ebenfalls gegen die Version des Angeklagten wie endlich die von den Zeugen Laa., St. und Win. geschilderte eine Seite der Persönlichkeit Bonkes, der als Vorgesetzter ein recht gutes Verhältnis zu seinen Leuten, insbesondere zu dem Angeklagten Schu. gehabt haben soll. Es bieten sich aber auch Anhaltspunkte, die die vom Angeklagten behauptete Auseinandersetzung zwischen ihm und Bonke nicht schlechthin als Schutzbehauptung erscheinen lassen. Mit der gesamten Grundhaltung des Angeklagten, die von den ehemaligen Kameraden als nicht sehr hart, eher weichherzig geschildert worden ist, ist es in Einklang zu bringen, dass Schu. die eigenhändige Erschiessung von Menschen besonders schwer fiel, so dass er am ersten Tag für einen Augenblick tatsächlich die Nerven verlor. Dass es daraufhin zu einer Auseinandersetzung mit Bonke kam und dieser - mit Erfolg - die Rückkehr seines Untergebenen zur Grube verlangte, entspricht der von den Zeugen Hoc., Se. und auch von dem früheren Mitbeschuldigten He. bestätigten strengen Haltung, die dieser Vorgesetzte in dienstlichen Dingen andererseits einnahm; er erwartete danach von seinen nächsten Untergebenen unbedingten Gehorsam und Disziplin. Das Gericht geht deshalb in seinen Feststellungen zugunsten des Angeklagten davon aus, dass Schu. trotz seiner allgemeinen Beflissenheit im täglichen Dienst mit der grausamen Realität, der er sich plötzlich gegenübersah, nicht fertig wurde, sich ihr zu entziehen suchte und dann eine Auseinandersetzung mit seinem Vorgesetzten folgte, wie er sie geschildert hat.

Das Gericht folgt dem Angeklagten Schu. jedoch nicht darin, dass Bonke ihn im Falle einer Weigerung an Ort und Stelle erschossen hätte, oder auch nur, dass der Angeklagte dies ernsthaft annahm. Nach Überzeugung des Gerichts hätte sich Bonke als Mann von Disziplin eine solche Zügellosigkeit nicht erlaubt. Der Angeklagte wusste auch, dass Bonke nicht auf ihn schiessen werde, sondern dass es sich insoweit lediglich um eine nicht ernstgemeinte Drohung handelte. Die dienstliche Haltung seines Vorgesetzten, zu dem er sonst in einem guten Verhältnis stand, war ihm ebenso bekannt wie die Tatsache, dass sich anlässlich der Befehlsverweigerung seines Kameraden Laa. keine nennenswerten dienstlichen Nachteile ergeben hatten. Auch der Umstand, dass Bonke den Angeklagten an den folgenden Tagen von den weiter laufenden Exekutionen befreite, zeigt, dass Bonke für die seelischen Konflikte seiner Untergebenen Verständnis besass, wie es auch in seiner Ansprache am Abend nach der Auseinandersetzung zum Ausdruck kam.

Das Schwurgericht ist deshalb davon überzeugt, dass den Angeklagten Schu. nicht etwa die Furcht, im Fall der Gehorsamsverweigerung sofort erschossen zu werden, bestimmte, an die

Grube zurückzukehren; dass er sich überwand und entschloss, das Tötungswerk - wenn auch widerstrebend - fortzusetzen und damit dem ihm erteilten Befehl Bonkes zu entsprechen, beruhte vielmehr in erster Linie auf seinem von den Kameraden bekundeten Pflichteifer und dem Streben, seinen Vorgesetzten, dessen rechte Hand er war, nicht zu enttäuschen. Nach der nicht widerlegbaren Einlassung des Angeklagten mag gleichzeitig auch der Gedanke eine Rolle gespielt haben, dass im Falle der Weigerung dienstliche Nachteile, etwa ein Verfahren oder eine Strafversetzung auf ihn zukommen könnten, die in seiner Vorstellung möglicherweise eine gewisse Gefahr für Leib oder Leben mit sich bringen mochten.

4.) Weitergehende Vorwürfe der Anklage

Soweit dem Angeklagten vorgeworfen worden ist, er habe im Rahmen der Gefängnisentleerungen selbständig ein Exekutionskommando geführt, hat die Hauptverhandlung keinen ausreichenden Beweis erbracht. Brauchbare Anhaltspunkte für eine den Schützen an der Grube übergeordnete Tätigkeit, die Bonke dem Angeklagten überlassen haben könnte, haben sich nicht ergeben, auf jeden Fall aber nicht dafür, dass der Angeklagte ein Exekutionskommando leitete. Die Angaben des Zeugen Se. deuten zwar auf eine hervorgehobene Stellung hin. Aus ihnen kann aber nur entnommen werden, dass der Angeklagte gewisse Einteilungen vornahm. Ähnlich hat der Zeuge Rue. dem Angeklagten nachgesagt, dass die Einsätze stets von ihm geleitet wurden. Die Bekundungen dieses Zeugen sind indes allgemein und undifferenziert geblieben. Sie geben für die Gefängnisentleerungsaktion, bei der auch nach seinen Angaben Bonke die Leitung gehabt haben soll, nichts Bestimmtes her. Ebenso wenig konkret sind die Bekundungen des Zeugen St. Hinsichtlich seiner Angaben ist Zurückhaltung geboten, da dem Zeugen in der zeitlichen Orientierung Verwechslungen unterlaufen sein können, auf die bereits hingewiesen worden ist. Schliesslich haben auch die Angaben des Zeugen Lik., der den Angeklagten zwar deutlich auf vorgelegten Lichtbildern wiedererkannt hat, diesen Punkt nicht aufklären können. Nach der Stellung des Angeklagten im Verhältnis zu Bonke spricht zwar einiges dafür, dass ihm dieser gelegentlich eine herausgehobene Position einräumte. Die insoweit vorhandenen Ansatzpunkte reichen aber nicht aus, um sichere Feststellungen im Sinne der Anklage treffen zu können.

Für den weiteren Vorwurf der Anklage, der Angeklagte habe gemeinsam mit anderen den Kinderarzt Dr. Bregmann im Gefängnishof zu Tode geprügelt, hat sich ebenfalls kein ausreichender Beweis ergeben. Der Hauptbelastungszeuge Sok. hat seine früheren Bekundungen nicht aufrechterhalten. Die Angaben des Zeugen Kon. vermag das Gericht aus den bereits dargelegten Gründen nicht zu übernehmen. Soweit die Zeugen Janina Wola., Dr. Kap. und Orl. zu diesem Punkt berichtet haben, sind deren Bekundungen zu unsicher und zu allgemein, als dass man hierauf sichere Feststellungen stützen könnte. Aus den eingangs zur Beweiswürdigung gegebenen Hinweisen (S.51 [327]) können auch auf die Darstellung im Szl.-- Bericht über das grausame Verhalten des Polizeibeamten Schu. keine Feststellungen gegründet werden.

4.Abschnitt
Rechtliche Beurteilung der Taten

A. Prozessuale Fragen, speziell zur Verfolgungsverjährung

Die Verfolgung der den Angeklagten zur Last gelegten Taten ist noch nicht verjährt.

[327] = Seite 697 dieses Bandes.

Die Verjährungsfrist für Mord, auf den der Vorwurf der Anklage lautet, betrug nach §67 Abs.1 StGB in der bis zum Inkrafttreten des 9.StrÄndG vom 4.August 1969 geltenden Fassung 20 Jahre. Hierbei ist es unerheblich, ob die Angeklagten als Täter oder als Gehilfen des Mordes schuldig sind. Denn zur Tatzeit (Oktober/November 1941 und Juni/Juli 1942) war auch die Beihilfe zum Mord mit dem Tode oder mit lebenslangem Zuchthaus als Regelstrafe bedroht. Dies ergibt sich aus §211 StGB in der damals geltenden Fassung in Verbindung mit §4 der Gewaltverbrecherverordnung vom 5.Dezember 1939 (RGBl. I, 2378). Nach dieser Vorschrift war bestimmt, dass für Beihilfe allgemein diejenige Strafe zulässig sei, die das Gesetz für die vollendete Tat vorsieht. Das ist durch die Verordnung vom 29.Mai 1943 (RGBl. I, 341) nochmals klargestellt worden (vgl. hierzu BGH in NJW 1962, 2209 ff.). An dieser Rechtslage hat sich durch die Neufassung des §50 Abs.2 StGB durch das EGOWiG vom 24.Mai 1968 (BGBl. I, 503) nichts geändert. Beiden Angeklagten wird vorgeworfen, jeweils am grausamen Mord mitgewirkt zu haben. Da das Mordmerkmal der Grausamkeit tatbezogen ist, gehört es nicht zu den besonderen persönlichen Merkmalen im Sinne von §50 Abs.2 StGB (vgl. hierzu BGH 22, 375). Die Verjährungsfrist von 20 Jahren begann am 9.Mai 1945; denn bis zu diesem Tage stand einer Strafverfolgung der Wille der nationalsozialistischen Staatsführung entgegen, so dass die Verjährung nach dem Grundgedanken des §69 StGB ruhte (vgl. hierzu BGH 18, 367).
Gegen den Angeklagten Err. wurde am 10.Februar 1960 und am 4.Juni 1964, gegen den Angeklagten Schu. am 4.Juni 1964 richterlicher Haftbefehl erlassen, und zwar wegen der hier in Betracht stehenden Taten. Hierdurch wurde gemäss §68 StGB die Verjährungsfrist unterbrochen. Eine neue Verjährungsfrist hat damit zu laufen begonnen.

Die Taten sind somit auch unabhängig von dem Gesetz über die Berechnung strafrechtlicher Verjährungsfristen vom 13.April 1965 (BGBl. I, 315) sowie der Verlängerung der Verjährungsfristen, die durch das 9.StrÄndG vom 4.August 1969 (BGBl. I, 1065) erfolgte, noch nicht verjährt. Es braucht daher nicht auf die rechtlichen Bedenken eingegangen zu werden, welche die Verteidigung des Angeklagten Err. gegen diese Gesetze zur Verlängerung der Verjährungsfristen für früher begangene Taten vorgetragen hat.

B. Beurteilung der Taten des Angeklagten Err.

I. Aktion vom 14.November 1941

Err. ist nach den getroffenen Feststellungen im Falle der Aktion vom 14.November 1941 wegen Beihilfe zum Mord schuldig (§211 StGB in der seit dem 15.September 1941 geltenden Fassung, §49 StGB). Während dieser Aktion wurden 8.000 jüdische Menschen von den Exekutionskommandos liquidiert. Täter dieser Massentötungen sind Hitler, Himmler und Göring, die den Befehl zur Ausrottung der jüdischen Bevölkerung in ihrem Machtbereich erteilten und damit auch die physische Vernichtung der jüdischen Einwohner Slonims befahlen. Möglicherweise sind darüber hinaus einzelne Führer der nach Slonim eingerückten Einheiten - etwa Amelung - Täter; hierauf kommt es bei der Beurteilung der Strafbarkeit des Angeklagten Err. nicht an.

Der Angeklagte Err. unterstützte den Massenmord an den jüdischen Einwohnern der Stadt Slonim, indem er Hick und Met. zur Teilnahme an der Aktion abstellte, die Juden aus den Häusern jagten, sie auf Lastkraftwagen trieben und zu den Erschiessungsgruben begleiteten. Err. wusste hiervon und billigte diese Handlungen der beiden Angehörigen seiner Behörde. Ausserdem stellte er den Lastkraftwagen des Gebietskommissariats für den Transport der Juden an die Erschiessungsgruben zur Verfügung, womit er einen weiteren Beitrag zu der Aktion leistete. Nach der festgestellten Willensrichtung wollte der Angeklagte Err. mit diesen Beiträgen auch die Durchführung der Aktion unterstützen.

Bei der Erschiessung der Juden, die sich ins Krankenhaus gerettet hatten, leistete er Beihilfe durch Unterlassen. Mit einem energischen Hinweis gegenüber Bonke darauf, dass die Aktion mit dem Abrücken der fremden Kräfte aus Slonim beendet sei und jetzt nicht weiter gemordet werden dürfe, hätte er den Polizeigebietsführer davon abgehalten, diese Juden umzubringen. Als Gebietskommissar, der für das Geschehen in Slonim verantwortlich war, oblag ihm die Sorge für das Leben aller Einwohner Slonims. Er hätte sich deshalb dafür einsetzen müssen, diese Menschen zu retten. Dieser Pflicht ist er jedoch nicht nachgekommen. Weiterhin leistete er vor der Aktion einen für diese wesentlichen Beitrag, indem er Handwerker und Fachkräfte mit Ausweisen ausstattete und sie gesondert unterbringen liess. Diese "vorgezogene Selektion" ist nicht als Täterhandlung zu werten. Zwar sind hierdurch Juden ausgesondert worden, die überleben sollten und damit wurde die Durchführung der Aktion erleichtert. Mit dieser Selektion ist jedoch nicht endgültig über das Schicksal der übrigen Juden entschieden worden.

Da etwa 16.000 jüdische Menschen in Slonim lebten, war es nur möglich, einen Teil dieser Bevölkerung in einer Aktion zu liquidieren. Es hing im wesentlichen von dem "Leistungsvermögen" der Mordkommandos des SD und ihrer Helfer sowie von zufälligen Gegebenheiten ab, wieviel und welche Juden in der Aktion umkamen. Dass Err. hierauf einen massgeblichen Einfluss hatte, ist nicht festgestellt worden. Im Gegensatz zu einer während der Aktion durchgeführten Selektion, bei welcher der Selektierende die letzte Entscheidung über Leben oder Tod des einzelnen Opfers trifft, und damit auch die Todeskandidaten bestimmt, fehlt es bei der hier zu beurteilenden Aussonderung an dieser Bestimmung der Todeskandidaten. Sie stellt daher nur eine vorbereitende Massnahme dar; sie ist deshalb ebenfalls als Beihilfehandlung zu werten.

Die Täter des Mordes, Hitler, Himmler und Göring, wollten aufgrund ihres Hasses gegen die jüdische Rasse diese in ihrem Einflussbereich und damit auch in Slonim ausrotten. Dieser Rassenhass stellt einen niedrigen Beweggrund nach §211 StGB dar. Err. teilte diesen Beweggrund. Auch er wollte die Ermordung der Juden, weil er meinte, dass sie einer minderwertigen Rasse angehörten, die auszurotten sei.

Die Opfer wurden auf grausame Art und Weise getötet. Überwiegend wussten die Juden zwar zu Beginn der Aktion noch nicht, dass sie getötet werden sollten. Die meisten hörten aber nach Verlassen der Stadt Slonim Schüsse und erfuhren hierdurch welches Schicksal auf sie wartete. Mit dieser Erkenntnis mussten sie ihrem Tod entgegen marschieren. Sie erduldeten dabei schwere Leiden seelischer Art. An den Erschiessungsgruben hatten sie sich zunächst zu entkleiden und sahen dort die erschossenen Leiber ihrer Landsleute in den Gruben liegen. Sie wussten, dass sie demnächst ebenfalls tot in die Grube fallen werden. Viele Opfer wurden nicht tödlich getroffen. Nach Überzeugung des Gerichts wurden dabei auch einige von ihnen so schwer verletzt, dass sie sich nicht aus der Grube retten konnten und unter körperlichen Qualen auf ihren Tod warteten, der entweder durch die Verletzungen eintrat, oder durch Ersticken, weil die Gruben abgedeckt wurden.

Hitler, Himmler und Göring, die als Täter die Vernichtung der Juden befohlen hatten, handelten aus gefühlloser und unbarmherziger Gesinnung. Sie wussten, dass es bei derartigen Vernichtungsaktionen zu Grausamkeiten der geschilderten Art kommt, weil sie sich bei Erschiessungen dieses Umfangs nicht vermeiden lassen. Err. kannte den Ablauf der Aktion schon aufgrund der Vorbesprechungen, an denen er teilgenommen hatte. Ihm waren daher auch die grausamen Umstände der Massentötungen im wesentlichen bekannt.

Die Ermordung der Juden geschah rechtswidrig. Der Führerbefehl, der die Vernichtung der Juden anordnete, vermag diese nicht zu rechtfertigen. Er entbehrt wegen seines verbrecherischen Inhalts jede rechtliche Wirkung. Zudem wurde er geheimgehalten und erlangte somit schon aus formellen Gründen nie die Wirkung eines Gesetzes, das Morde rechtfertigen könnte.

Der Angeklagte Err. handelte schuldhaft; denn es sind keine Gründe ersichtlich, die seine Schuld ausschliessen. Es deutet nichts darauf hin, dass er einem Verbotsirrtum unterlag. Seine Einlassung ergibt im Gegenteil, dass er über ein normales Gewissen verfügte und die Ermordung der jüdischen Bevölkerung durchaus als Unrecht empfand. Er handelte nicht auf Befehl und befand sich auch nicht in einem wirklichen oder vermeintlichen Not- oder Nötigungsstand.

Die Aktion, in der die 8.000 Opfer getötet wurden, stellt eine natürliche Handlungseinheit dar. Es liegt daher hinsichtlich aller Einzelmorde gleichartige Idealkonkurrenz nach §73 StGB vor.

Der Angeklagte Err. ist somit wegen Beihilfe zum Mord an mindestens 8.000 Menschen nach den §§211, 49 StGB zu bestrafen.

II. Aktion vom 29.Juni 1942

Der Angeklagte Err. hat sich durch sein Verhalten während der Aktion vom 29.Juni 1942 und an den folgenden Tagen wegen gemeinschaftlich begangenen Mordes an mindestens 7.000 Menschen strafbar gemacht (§§211, 47 StGB). Er ist Mittäter, und zwar zusammen mit Hitler, Himmler und Göring, die den Mord an den Juden und damit auch an der jüdischen Bevölkerung Slonims anordneten und vorplanten.
Ebenso wie seine Mittäter wollte der Angeklagte die jüdischen Menschen deshalb töten, weil sie zur jüdischen Rasse gehörten, deren physische Ausrottung auch nach seinen Vorstellungen geboten war.

Die Juden wurden während dieser Aktion auf unvorstellbar grausame Art und Weise getötet: Ein Teil der Opfer lief brennend aus den Häusern und wurde zum Schiessobjekt von Deutschen, Letten und Einheimischen, die sich an der Jagd auf die in höchster Lebensnot fliehenden Menschen ergötzten. Andere Juden kamen in den Flammen der brennenden Häuser um. Die an der Erschiessungsstätte getöteten Opfer hatten vor ihrem Tod sowohl in Slonim als auch auf dem Weg zu den Gruben stundenlang auf diesen gewartet. Seitdem sich die Nachricht von der Erschiessung des Kwint im Ghetto verbreitet hatte, war den Juden klar, welches Schicksal ihrer harrte. Sie hörten zudem die Schüsse auf dem Weg zu den Erschiessungsgruben. Dort sahen sie die Leichen ihrer Leidensgefährten und wussten, dass sie demnächst ebenfalls tot in der Grube liegen werden. Die Opfer der "Gefängnisentleerung" in den Tagen nach dem 29.Juni 1942 haben teilweise in ihren Verstecken unter menschenunwürdigen Bedingungen, teilweise im Gefängnis tagelang auf ihren Tod gewartet. Ihre seelischen Qualen im Versteck, im Gefängnis, während des Transports auf den Lastkraftwagen zur Erschiessungsstätte und dort vor den Gruben sind unermesslich.

Der Angeklagte Err. kannte diese Umstände. Er hat das grauenvolle Geschehen im Ghetto weitgehend selbst beobachtet. Er leistete erhebliche Beiträge zu diesem Mord:
1. Mit eigener Hand erschoss er die Witwe Scha.
2. Er beteiligte sich selbst an Selektionen.
3. Er bewog den Chef der 3.Kompanie des Landesschützenbataillons 915, Soldaten zum Absperren bei der Aktion abzustellen. Ferner setzte er die männlichen Mitarbeiter des Gebietskommissariats bei der Durchführung der Aktion ein. Ausserdem bestimmte er, in welchen Bezirken die Stadt von Juden "gereinigt" werden müsse.

Jeder dieser drei Beiträge ist bereits für sich allein als Mittäterschaft zum Mord zu werten.

Zu 1.

Indem der Angeklagte Err. die Witwe Scha. erschoss, ermordete er aus eigenem Antrieb eines der 7.000 Opfer.

Für diese Handlung des Angeklagten bestand keine dienstliche oder andere Notwendigkeit. Er tötete die Frau, weil er meinte, dass sie aufgrund ihrer Zugehörigkeit zur jüdischen Rasse kein Recht zum Weiterleben hätte. Wie bereits ausgeführt, wollte er darüber hinaus seinen Begleitern zeigen, dass derartige Situationen hartes Handeln erfordern. Indem er hierdurch seine Begleiter anfeuern wollte, ebenfalls emotionslos auf jüdische Menschen zu schiessen, bezweckte er mit seinen Schüssen zugleich, die Aktion gegen die Juden Slonims voranzutreiben. Er wollte durch die eigenhändige Tötung der Frau Scha. darauf hinwirken, dass das Aktionsziel erreicht werde: eine möglichst umfassende Vernichtung aller Juden der Stadt Slonim. Hieran hatte er ein eigenes Interesse, da er die Stadt sobald wie möglich "judenrein" haben wollte. Das ergibt sich aus seinen Äusserungen, die von den Zeugen Gab. und Tub. übermittelt worden sind, sowie aus allen Stellen in seinen Lageberichten, die sich mit den Juden beschäftigen (vgl. oben, 2.Abschnitt, sub C.II.1. und 2.)

Zu 2.

Die festgestellte Beteiligung des Angeklagten Err. an den Selektionen stellt ebenfalls Mittäterschaft zum Mord dar.

Durch die während der Aktion durchgeführten Selektionen wurden nicht lediglich einzelne Juden zum Leben ausgesondert, wie die Verteidigung meint. Bei den Selektionen wurde vielmehr die Bestimmung darüber getroffen, welche Menschen als "unnötige Juden" zu erschiessen waren. Die Selektion stellte nach den getroffenen Feststellungen eine im Plan über die Aktion von vornherein vorgesehene Massnahme dar, die zur Zeit noch notwendigen Arbeitskräfte auszusondern, damit die Ausrottung der Juden nicht der Kriegswirtschaft schade:

Die Lageberichte Err.s zeigen eindeutig, dass auch in Slonim die Selektionen nicht aus humanitären Gründen erfolgten, sondern dazu dienten, alle "unnötigen Fresser" den Mordkommandos auszuliefern. Wie bereits zitiert, schreibt Err. im Bericht vom 26.September 1942, die noch vorhandenen 500 jüdischen Handwerker und Facharbeiter bedeuteten zwar politisch eine gewisse Gefahr, sie könnten aber aus zwingenden kriegswirtschaftlichen Erwägungen noch nicht restlos beseitigt werden. Dass er diese restlose Beseitigung bereits seit längerer Zeit als Fernziel ansteuerte, ergibt der Lagebericht vom 25.Januar 1942, in dem es heisst, die besten Fachkräfte unter den Juden müssten ihre Kunst in den Handwerkerschulen des Gebietskommissars intelligenten Lehrlingen weitergeben, um einmal den Juden auch im Handwerk entbehrlich zu machen und auszuschalten.

Für das Opfer in den Kolonnen der Juden, das am Ort der Selektion - dem Platz neben der katholischen Kirche - vorbeigezogen war, ohne vom Angeklagten oder einem der Angehörigen des Gebietskommissariats herausgeholt worden zu sein, bedeutete diese Entscheidung den Tod. Das erkannten die Juden sehr deutlich und mancher warf sich den Angehörigen des Gebietskommissariats vor die Füsse, z.B. mit den Rufen "ich bin Gelbgiesser", wie der Zeuge We. bekundet hat, um als wertvolle Fachkraft anerkannt und herausgestellt zu werden.

Nach der Rechtsprechung hat derjenige, der auf die Auswahl der Opfer einer Erschiessungsaktion entscheidenden Einfluss nehmen kann, die Tatmitherrschaft, so dass sein Tatbeitrag als Mittäterschaft zu werten ist (vgl. BGH 5 StR 114/65 [328] und 5 StR 399/67 [329]). Err. beteiligte sich zwar nicht an allen Selektionen, die in Slonim während der beiden Aktionswochen durchgeführt wurden und er war auch am 29.Juni 1942 nicht die ganze Zeit über bei den Selektionen an der katholischen Kirche anwesend. Aufgrund der dienstlichen Stellung, die er bekleidete, kam seiner Teilnahme aber trotzdem erhebliche Bedeutung zu. Als Gebietskommissar überwachte er die Tätigkeit der Angehörigen seiner Behörde. Er wirkte schon durch seine blosse Anwesenheit darauf hin, dass diese bei der Auswahl von Fachkräften strenge Massstäbe anlegten und sich nicht von Gefühlen hinreissen liessen, auch entbehrliche Juden auszusondern. Dass Err. diese Funktion wahrnahm, ergibt der Vorfall, der nach der Aussage des Zeugen Lik. festgestellt worden ist, nämlich dass Win. auf Err.s Anweisung eine Frau aus der Gruppe der zum Überleben bestimmten Menschen herausnahm, bei der vorher ein Angestellter des Gebietskommissariats ein Auge zugedrückt hatte. Darüber hinaus zeigen die Freistellungen Slonimer Ärzte durch den Angeklagten Err., dass er die letzte Entscheidung über Leben und Tod der Juden zu treffen hatte und dass sowohl die Mitarbeiter des Gebietskommissariats als auch die Angehörigen anderer deutscher Dienststellen hiervon ausgingen.

Err. übte durch seine Anwesenheit und sein Eingreifen einen entscheidenden Einfluss auf die Selektion aus, was seiner Absicht entsprach. Er wirkte folglich auch hierdurch darauf hin, sein Ziel zu erreichen, nämlich dass durch die Aktion "das Judentum bis auf die notwendigsten Handwerker und Facharbeiter ausgemerzt" werde.

Zu 3.

Indem Err. den Chef der 3.Kompanie des Landesschützenbataillons 915 dazu bewog, Soldaten zum Absperren des Ghettos abzustellen, die männlichen Angehörigen seiner Behörde bei der Aktion einsetzte und auch bestimmte, welche Stadtbezirke fortan nicht mehr zum Ghetto gehören sollten, zeigte er deutlich, dass er sich nicht nur an Teilstücken der Aktion beteiligte. Vielmehr griff er sowohl bei der Planung als auch bei der Durchführung der Aktion massgeblich steuernd und lenkend ein:

Damit die auswärtigen Kräfte möglichst lückenlos für die Erschiessungen an den Gruben eingesetzt werden konnten, sorgte er dafür, dass eine ausreichende Anzahl anderer Leute im Ghetto absperrte, nämlich die Soldaten der 3.Kompanie sowie Angehörige des Gebietskommissariats. Mitarbeiter seiner Dienststelle hatten ferner die unentbehrlichen Handwerker und Fachkräfte aus den Opfern herauszusuchen, damit dann die Erschiessungen reibungslos durchgeführt werden konnten. Er liess Leute seiner Behörde die Juden an den Sammelstellen bewachen, um das Überleben von unnötigen Juden zu verhindern.

Nachdem die fremden Kräfte abgezogen waren, bestimmte er einen sehr kleinen Teil der Stadt zum neuen Ghetto und gab damit fast alle im früheren Ghetto noch lebenden Juden der Vernichtung preis. Damit bestimmte er den Umfang der "Säuberungen" in den Tagen nach dem 29.Juni 1942. In diesen 2 Wochen sorgte er durch den Einsatz seiner Leute bei den Selektionen, bei Wertsachenkontrollen, aber auch beim Heraustreiben und dem Transport der Juden dafür, dass möglichst alle unnötigen Juden der Stadt Slonim getötet wurden. Es ist somit auch schon dieser Tatbeitrag für sich allein als Mittäterschaft zum Mord zu werten.

Bereits jede einzelne der unter 1.-3. aufgeführten Beteiligungen des Angeklagten Err. an der Aktion, umsomehr jedoch die Gesamtheit seiner Beiträge verdeutlicht, dass er fanatisch

[328] Siehe Lfd.Nr.579.

[329] Siehe Lfd.Nr.638.

bestrebt war, mit der Aktion eine Vernichtung aller unnötigen Juden von Slonim zu erreichen und dass er sich als Herr dieses Geschehens fühlte, welches er an entscheidender Stelle beeinflusste und in das er immer wieder steuernd und lenkend eingriff. Er ist deshalb Mittäter am Mord von 7.000 Menschen.

Die Ermordung der jüdischen Einwohner Slonims war rechtswidrig. Der Führerbefehl zur "Endlösung der Judenfrage" stellt keinen Rechtfertigungsgrund dar, da er schon wegen seines verbrecherischen Inhalts jeder rechtlichen Wirkung entbehrt und zudem geheimgehalten wurde.

Der Angeklagte Err. handelte schuldhaft. Auch bei dieser Aktion deutet nichts darauf hin, dass er einem Verbotsirrtum erlag. Seine Einlassung ergibt auch hier, dass er über ein normales Gewissen verfügte und dass er die Ermordung der jüdischen Bevölkerung als Unrecht empfand. Er handelte auch bei dieser Aktion weder auf Befehl noch befand er sich in einem wirklichen oder vermeintlichen Not- bzw. Nötigungsstand.

Die Ermordung der 7.000 jüdischen Menschen in Slonim während der Sommeraktion stellt einen einheitlichen Vorgang dar, zu dem auch die Tötung der Witwe Scha. gehört. Diese Handlung ist nicht als Exzesstat zu werten. Nach der festgestellten Willensrichtung des Angeklagten Err. bedeutete sie vielmehr einen Beitrag, den er zu der Aktion leistete. Da es sich bei dieser Aktion um einen einheitlichen Vorgang handelt, durch den 7.000 Menschen getötet wurden, liegt gleichartige Idealkonkurrenz (§73 StGB) vor.

C. Beurteilung der Taten des Angeklagten Schu.

Nach dem festgestellten Sachverhalt hat der Angeklagte Schu. während der Aktion vom 14.November 1941 und der Aktion Ende Juni / Anfang Juli 1942 jeweils Beihilfe zum Mord in der Form der grausamen Tötung geleistet (§§211, 49 Abs.1, 74 StGB).

I. Zur Abgrenzung der Teilnahme

Die Tätigkeit des Angeklagten Schu. ist in beiden Fällen nicht als Täterschaft zu werten. Er handelte zu keinem Zeitpunkt aus eigenem Antrieb und entwickelte keinerlei Eigeninitiative. Vielmehr lag all seinem Handeln jeweils ein - wie er glaubte bindender - Befehl zugrunde. Bei seiner - insgesamt betrachtet - untergeordneten Stellung besass er keine Möglichkeit, die Aktionen in irgendeiner Weise abzuwenden oder deren Verlauf nachhaltig zu beeinflussen. Er identifizierte sich nicht mit den Plänen zur Vernichtung der Juden, lehnte diese innerlich ab. Der Angeklagte beugte sich als Befehlsempfänger fremdem Täterwillen nur widerstrebend und unterwarf sich der Autorität der damaligen politischen Führung wider sein Gewissen. Er besass deshalb keinen Täterwillen.

II. Beihilfe zum Mord

Während beider Aktionen leistete der Angeklagte Schu. Beihilfe zum Mord.

1.) Tatbeiträge

Er war arbeitsteilig in den Gang der Vernichtungsaktionen eingeschaltet. In der Aktion vom 14.November 1941 hatte er mit einem Zug der Gendarmerie den jüdischen Wohnbezirk abzusperren und nach versteckten Juden zu suchen, die zur Tötung auf dem Marktplatz von Slonim gesammelt wurden. Während der Sommeraktion 1942 hatte er ebenfalls mit einem ihm unterstellten Zug das Ghetto geräumt, die aufgefundenen Juden zum Gefängnis, dem Sammelplatz für die nachfolgenden Erschiessungen, gebracht und schliesslich selbst an den Exekutionen teilgenommen. All dieses waren notwendige, auf den Gesamtplan ausgerichtete

Handlungen, die die Tötung der Juden bei den Vernichtungsaktionen ermöglichten, wobei der Angeklagte Schu. diesen Taterfolg im Sommer 1942 durch die eigenhändige Erschiessung von mindestens 18 Juden teilweise selbst unmittelbar verwirklichte.

Durch seine Beiträge förderte der Angeklagte Schu. die Mordtaten Hitlers, Himmlers, Görings und anderer. Dass die Haupttaten, die er unterstützte, jeweils Mord in Form der grausamen Tötung darstellten, ist im Zusammenhang mit der rechtlichen Wertung der Taten des Angeklagten Err. dargelegt worden. Auf die entsprechenden Ausführungen wird insoweit verwiesen (S.185, 187 [330]).

2.) Gehilfenvorsatz

Der Angeklagte Schu. handelte in beiden Fällen mit Gehilfenvorsatz. Er kannte bei der Aktion im November 1941 alle Umstände, aufgrund derer die Tötungen der Juden als grausam zu werten sind. Ihm war bei der Räumung des jüdischen Wohnbezirks bekannt, dass die aufgefundenen Juden erschossen werden sollten. Ihren Tod sah er als sichere Folge seines Handelns voraus. Auch war er sich im ganzen darüber klar, dass diese Juden in einer Massenexekution liquidiert werden sollten und dass damit stets Umstände einhergehen, die eine grausame Tatbegehung bedingen, wie z.B. das Warten der Opfer auf den sicheren Tod an der Grube und die menschenunwürdige Form der Exekutionen.

Während der Aktion im Sommer 1942 war sich der Angeklagte Schu. ebenfalls der grausamen Begleitumstände bewusst. Er nahm unmittelbar an den grauenvollen Erschiessungen der Juden teil, nachdem diese unter seiner Mitwirkung wie Vieh im Gefängnis zusammengetrieben worden waren, wo sie - wie Schu. wusste - teils tagelang auf das ihnen bekannte sichere Schicksal warten mussten. Dabei soll auch gesagt werden, dass der Angeklagte Schu. in beiden Fällen selbst nicht aus einer unbarmherzigen und gefühllosen Haltung heraus handelte, vielmehr durch das Geschehen in seelische Konflikte geriet. Das vermag jedoch mit Rücksicht darauf, dass das Mordmerkmal "grausam" tatbezogen ist, seinen Gehilfenvorsatz nicht in Frage zu stellen.

III. Zur Rechtswidrigkeit der Taten

Die Beihilfehandlungen des Angeklagten sind nicht gerechtfertigt. Insoweit gilt auch hier das für den Angeklagten Err. Gesagte.

IV. Zur Schuldfrage

Der Angeklagte Schu. handelte auch in beiden Fällen schuldhaft.

1.) Verantwortlichkeit nach §47 Abs.1 MilStGB

Nach §47 Abs.1 MilStGB i.d.F. vom 10.Oktober 1940 ist sein Verhalten nicht zu entschuldigen.

Die Vorschrift ist durch die Verordnung über die Sondergerichtsbarkeit in Strafsachen für Angehörige der Polizeiverbände bei besonderem Einsatz vom 17.Oktober 1939 (RGBl. I 2107) auf die Taten des Angeklagten anwendbar. Es handelte sich bei den ihm erteilten Befehlen auch um solche in Dienstsachen.

[330] = Seite 751 f. dieses Bandes.

Die nach §47 Abs.1 MilStGB grundsätzlich gegebene Alleinverantwortlichkeit des Vorgesetzten gilt nach Abs.1 Satz 2, 2.Alternative nicht, wenn dem gehorchenden Untergebenen bekannt war, dass der Befehl eine Handlung betraf, welche ein allgemeines oder militärisches Verbrechen bezweckte. Für den Angeklagten Schu. trifft dies zu. Er wusste in beiden Fällen, dass durch den ihm erteilten Befehl Menschen umgebracht werden sollten, und zwar nur ihrer Rasse wegen. Sowohl bei der Aktion im November 1941 als auch bei der Sommeraktion 1942 hielt er die jeweils befohlene Handlung für Unrecht. Das hatte er nach seinen geistigen Fähigkeiten klar erkannt.

2.) Verbotsirrtum

Der Angeklagte Schu. befand sich bei beiden Taten wohl in einem Verbotsirrtum, der ihn jedoch nicht entschuldigt.

Im Bereich des §47 MilStGB ist die Anwendung der für den Verbotsirrtum entwickelten Rechtssätze nicht ausgeschlossen, wenn der Befehlsunterworfene den verbrecherischen Zweck eines Befehls zwar erkannt, aber gleichwohl geglaubt hat, den Befehl ausführen zu müssen, weil er aus falsch verstandener Gehorsams- oder Treuepflicht auch Befehle für bindend hielt, die ihm die Begehung strafbarer Handlungen ansannen (vgl. BGHSt. 22, 223 ff.). Einem solchen Irrtum unterlag der Angeklagte Schu. bei beiden Aktionen. Er hielt jeweils den Einsatzbefehl Bonkes, der nicht verbindlich war, aufgrund der von ihm angenommenen unbedingten Gehorsamspflicht für bindend.

Dieser Verbotsirrtum war indessen für den Angeklagten in beiden Fällen vermeidbar. Er machte sich keine Gedanken über die Frage, ob die ihm erteilten Befehle zur Mordteilnahme überhaupt verbindlich sein können, wie sein wiederholt - zuletzt im Schlusswort - vorgetragener Standpunkt zeigt, Befehl sei Befehl gewesen, da habe es keine Diskussion gegeben. Für ihn waren auch Befehle, die Unrechtscharakter trugen, unantastbar. Er sah lediglich die Möglichkeit, auf gütlichem Weg, nämlich durch Einigung mit seinem Vorgesetzten, sich den bevorstehenden Einsätzen zu entziehen. Eine solche Einstellung kann jedoch angesichts der Schwere von Verbrechen dieser Art nicht gebilligt werden. Nach der Rechtsprechung des Bundesgerichtshofes, wie sie in mehreren zu dieser Frage ergangenen Entscheidungen zum Ausdruck kommt (vgl. BGHSt. 2, 194; 22, 223) und die das Gericht für richtig hält, vermag sich keiner seiner strafrechtlichen Verantwortung dadurch zu entziehen, dass er kritiklos gehorcht. Ungeheuerlichkeiten, wie sie hier geschehen sind, müssen die Einstellung und Haltung selbst eines im strengsten Gehorsam erzogenen Menschen ansprechen.

3.) Zur Frage eines Not- und Nötigungsstandes

Schliesslich ist der Angeklagte Schu. auch nicht wegen wirklichen oder vermeintlichen Notstandes oder Nötigungsstandes im Sinne der §§52, 54 StGB entschuldigt.

Ein wirklicher Not- oder Nötigungsstand liegt nach dem festgestellten Sachverhalt in beiden Fällen nicht vor. Weder der Umstand, dass der Angeklagte in einer diktatorischen Staatsform lebte, noch die Tatsache, dass er allgemein befehlsunterworfen war, begründete für ihn eine Notstandssituation.

Für einen vermeintlichen Nötigungsstand, der zu prüfen bleibt, liegen im Falle der Aktion vom 14.November 1941 überhaupt keine Anhaltspunkte vor. Auch der Angeklagte hat sich insoweit nicht darauf berufen, aus einer Zwangslage heraus gehandelt zu haben. Er folgte dem Befehl zum Einsatz, weil er diesen für verbindlich hielt, nachdem er lediglich aufgrund eines Gewissenskonfliktes in Gedanken erwogen hatte, wie er seine Mitwirkung umgehen könne.

Desgleichen fehlt es an echten oder vermeintlichen Entschuldigungsgründen dieser Art bei der Sommeraktion 1942. Nach den getroffenen Feststellungen handelte der Angeklagte in erster Linie, weil er aus überzogenem Pflichteifer den Unrechtsbefehlen gehorchen wollte. Aufgrund der Äusserungen Bonkes sowohl vor den Gefängnisentleerungen als auch bei der Auseinandersetzung an der Grube glaubte der Angeklagte ausserdem, er habe im Falle der Weigerung mit einem Verfahren oder mit einer Versetzung zu einem Sonderkommando zu rechnen, ohne dass er sich - so vor allem an der Grube - darüber klar wurde, was ihn tatsächlich erwarten könnte. In der Vorstellung des Angeklagten mag dies eine gewisse Gefahr für Leib oder Leben bedeutet haben. Ob er diese Gefahr für gegenwärtig hielt, ist aber schon zweifelhaft. Dies kann auch dahingestellt bleiben. Denn einmal hatte der Angeklagte bereits vor der Auseinandersetzung mit Bonke an der Grube bei der Durchkämmung des Ghettos mitgewirkt und schon in der Grube gestanden und fünfmal geschossen. Zum anderen setzt sowohl wirklicher als auch vermeintlicher Not- oder Nötigungsstand voraus, dass der Täter die Straftat begeht, um der wirklichen oder vermeintlichen gegenwärtigen Gefahr für Leib oder Leben zu entgehen, und dass diese Gefahr nicht auf andere Weise abzuwenden ist. So kann sich auf die hier in Betracht stehenden Entschuldigungsgründe nur jener berufen, der sich nach besten Kräften bemüht, der tatsächlichen oder vermeintlichen Gefahr auf eine die Straftat vermeidende Weise zu entgehen, ohne einen Ausweg zu finden (BGH vom 7.4.1970 - 5 StR 308/69 [331]; 12.10.1971 - 5 StR 103/71 [332]). Je schwerer dabei die abgenötigte Straftat ist, umso strengere Anforderungen sind an diese Prüfung zu stellen. Bei aussergewöhnlich wertvollen Rechtsgütern wie dem Menschenleben muss dem Einzelnen deshalb sogar zugemutet werden, ein gewisses, wenn auch nicht lebensgefährliches Risiko einzugehen (BGH vom 6.11.51 - 1 StR 27/51).

Gemessen an diesen in der Rechtsprechung herausgebildeten Grundsätzen, denen das Gericht folgt, genügt das von dem Angeklagten Schu. festgestellte Verhalten nicht, um ihn aus dem Gesichtspunkt des vermeintlichen Nötigungsstandes als entschuldigt anzusehen. Der Angeklagte hatte lediglich einen ungenügenden und viel zu späten Versuch unternommen, um sein Mitwirken an einer Straftat zu vermeiden, als er vor Beginn der Gefängnisentleerungen an Bonke herantrat und um seine Freistellung nachsuchte. Bereits vor der ersten Aktion im November 1941, zumindest aber unmittelbar danach war ihm klar, was weiter auf ihn zukam oder zukommen könnte. In den verbliebenen 7 Monaten hätte er auf Mittel und Wege sinnen können und müssen, um nicht an verbrecherischen Handlungen mitzuwirken, die er mit seinem Gewissen nicht in Einklang bringen konnte. So hätte er schon vor oder jedenfalls kurz nach der ersten Aktion an Bonke herantreten müssen, zu einem Zeitpunkt, der für die Erreichung eines solchen Ziels besser geeignet gewesen wäre, als unmittelbar vor Beginn der Gefängnisentleerungen. Der Angeklagte hätte ferner um seine Versetzung bei Bonke oder dem nächsten Vorgesetzten mit ehrlichen oder vorgetäuschten Gründen nachsuchen können. Dabei wäre ihm - gemessen an dem Rechtsgut, dessen Verletzung in Frage stand - auch ohne weiteres zuzumuten gewesen, dienstliche Nachteile in Kauf zu nehmen. Der Angeklagte hat indes - abgesehen von dem zaghaften Versuch unmittelbar vor der Aktion - nichts in dieser Hinsicht unternommen. Für ihn hatte unbedingter Gehorsam, falsch verstandener Pflichteifer, verbunden mit Karrierestreben Vorrang vor dem Bemühen, einer Situation, die er auf sich zukommen sah und die ihn in Schuld verstricken werde, rechtzeitig auszuweichen.

<u>4.) Zu §47 Abs.2 MilStGB</u>

Die Schuld des Angeklagten Schu. ist auch in keinem der beiden Fälle als gering im Sinne des §47 Abs.2 MilStGB zu werten. Von einer Strafe kann deshalb nicht abgesehen werden.

[331] Siehe Lfd.Nr.670.

[332] Siehe Lfd.Nr.727b.

§47 Abs.2 MilStGB trägt der notstandsähnlichen Konfliktlage Rechnung, in die der gehorchende Untergebene durch die Schuld des Vorgesetzten gerät. Der Schuldvorwurf kann infolge des auf dem Untergebenen lastenden Befehlsdruckes gelegentlich so sehr gemildert sein, dass jede Strafe als nicht mehr gerecht und als unerträgliche Härte erscheinen muss. Dies trifft für den Angeklagten Schu. weder für die Aktion vom November 1941 noch für die Sommeraktion 1942 zu. Er befand sich zwar jeweils in einer Konfliktsituation und hat auch die Taten nicht mit besonderem Eifer ausgeführt. Demgegenüber ist jedoch zu berücksichtigen, dass er bei beiden Einsätzen als Hauptwachtmeister und in der Dienststellung eines Zugführers mit nicht unwichtigen Aufgaben betraut war und dabei auch eigene Kommandogewalt und gewisse Entscheidungsbefugnis besass. Sein Tatbeitrag war in beiden Fällen nicht unbedeutend, bei der Sommeraktion 1942 sogar erheblich. Auch im Rahmen der Aktion vom November 1941 wurden durch seinen Einsatz eine Vielzahl von Menschen dem Tod ausgeliefert.

Bei Abwägung dieser Umstände kann der Schuldvorwurf für jede Beihilfehandlung nicht derart gemildert angesehen werden, dass die Mindeststrafe von je 9 Monaten nicht mehr angemessen erscheint.

V. Konkurrenzen

Die Beteiligung des Angeklagten Schu. an den beiden Aktionen stellt sich jeweils als eine Handlungseinheit dar. Deshalb bedarf es im Fall der Sommeraktion 1942 auch keines besonderen Freispruchs hinsichtlich des nicht nachgewiesenen Vorwurfs, der Angeklagte habe mit anderen den Kinderarzt Dr. Bregmann zu Tode geprügelt. Dieser Vorwurf ist auf jene Aktion bezogen, die für die Beteiligung des Angeklagten Schu. als ein einheitlicher Vorgang anzusehen ist. Die Beihilfehandlungen stehen zueinander im Verhältnis der Tatmehrheit nach §74 StGB.

5.Abschnitt
Strafzumessung

A. Zur Strafe des Angeklagten Err.

I. Erwägungen zur Aktion vom 14.11.1941

Für die Beihilfe zum Mord, die der Angeklagte Err. bei der Aktion vom 14.November 1941 leistete, droht das Gesetz nach den §§211, 49, 44 StGB eine Strafe an, die zwischen drei Jahren und lebenslangem Freiheitsentzug liegt.

Bei der Bemessung der Strafe ist zu berücksichtigen, dass der Angeklagte nicht vorbestraft ist und dass wegen der veränderten politischen Verhältnisse, aber auch schon infolge seines Lebensalters keine Wiederholungsgefahr besteht. Die Strafe hat hier nur die Aufgabe, das damals begangene Unrecht zu sühnen und gegenüber der Öffentlichkeit zu verdeutlichen, dass derartiges Unrecht nicht ungeahndet bleiben kann. Es sind damit die Gesichtspunkte der allgemeinen Abschreckung und der Sühne bei der Strafzumessung entscheidend, nicht jedoch die Strafzwecke einer persönlichen Abschreckung und der Resozialisierung des Täters. Da hier das Unrecht schon wegen der Anzahl der Opfer ein unvorstellbares Ausmass hatte, kann die Strafe nicht dem unteren Bereich des aufgezeigten Rahmens entnommen werden. Ausserdem wirkt sich straferhöhend aus, dass nicht nur ein Mordmerkmal erfüllt wurde. Neben dem tatbezogenen Merkmal "grausam" liegt zugleich ein persönliches Merkmal vor, indem die Täter aus Rassenhass handelten und der Angeklagte diesen niedrigen Beweggrund teilte. Es verstösst nicht gegen das Doppelverwertungsverbot des §13 Abs.3 StGB, wenn strafschärfend berücksichtigt wird, dass die Tat, zu der Err. Beihilfe leistete, sowohl nach dem Be-

weggrund als auch infolge der Tatausführung Mord ist (vgl. Schönke-Schröder, Anm.43a zu §13 und BGH in MDR 1971, 363).
Dass der Druck des Verfahrens nunmehr seit 14 Jahren auf dem Angeklagten lastet, kann nicht strafmildernd berücksichtigt werden. Denn das Verfahren zog sich infolge der wechselnden Einlassungen des Angeklagten, die umfangreiche Ermittlungen ausgelöst haben, derartig in die Länge.

Das Gericht erkennt danach auf eine Freiheitsstrafe von acht Jahren, die es im Hinblick auf die Schwere der Schuld, die der Angeklagte durch seine Beteiligung an der Tötung so vieler Menschen auf sich geladen hat, sowie unter Berücksichtigung aller in §13 Abs.2 aufgeführten Umstände als angemessen erachtet.

II. Zur Aktion vom 29.6.1942

Für den gemeinschaftlichen Mord, dessen sich der Angeklagte Err. durch sein Verhalten während der Aktion schuldig gemacht hat, die am 29.Juni 1942 und in den folgenden Tagen stattfand, kennt das Gesetz nur eine Strafe: lebenslangen Freiheitsentzug. Hierzu ist der Angeklagte Err. gemäss den §§211, 47, 73 StGB zu verurteilen.
Da er neben dieser Strafe keine weitere Freiheitsstrafe verbüssen kann, erscheint die zeitige Freiheitsstrafe, auf die wegen der Beteiligung des Angeklagten an der Aktion vom 14.November 1941 erkannt worden ist, neben der lebenslangen Freiheitsstrafe nicht im Urteilstenor (§260 Abs.4 Satz 3 StPO).

B. Zur Strafe des Angeklagten Schu.

Für den Angeklagten Schu. ergibt sich in beiden Fällen der Beihilfe zum Mord unter Berücksichtigung der doppelten Milderungsmöglichkeit einmal aufgrund der §§49 Abs.2, 44 Abs.2 StGB und ferner der Tatsache, dass er sich in einem - vermeidbaren - Verbotsirrtum befand (über §51 Abs.2 in Verbindung mit §44 Abs.3 StGB) eine untere Strafandrohung von 9 Monaten Freiheitsentzug. Von der zweifachen Milderungsmöglichkeit hat das Gericht in beiden Fällen Gebrauch gemacht.

Bei der Strafzumessung ist zunächst allgemein zu beiden Fällen folgendes erwogen worden: Der Angeklagte Schu. ist mit Ausnahme der Taten, die den Gegenstand dieses Verfahrens bilden, niemals mit den Strafgesetzen in Konflikt geraten. Das Gericht hat auch den Eindruck gewonnen, dass er unter seinem früheren Versagen leidet und nach seinen heutigen Erfahrungen derartigen Mordbefehlen nicht mehr gehorchen würde. Da keine Wiederholungsgefahr besteht, ist der Gesichtspunkt der persönlichen Abschreckung bedeutungslos. Was für den Mitangeklagten Err. bereits gesagt wurde, gilt es auch für Schu. zu wiederholen: Der Strafe kommt keine Resozialisierungsfunktion zu. Ihr entscheidender Zweck liegt in der Sühne für begangenes Unrecht; zudem ist im öffentlichen Bewusstsein wach zu halten, dass solch ungeheuerliches Unrecht nicht ungeahndet bleibt.
Mildernd wirkt sich aus, dass der sozial eingeordnet lebende Angeklagte besonders strafempfindlich ist. Der Druck dieses Verfahrens lastet nunmehr über ein Jahrzehnt auf ihm und hat zu einer erheblichen Beeinträchtigung seines persönlichen und beruflichen Daseins geführt. Die nach vielen Jahren der Mühe und Arbeit wieder errungene berufliche und wirtschaftliche Existenz ist zunichte. Weiter ist dem Angeklagten auch zugute zu halten, dass er in das von der Staatsführung geplante und befohlene Unrecht verstrickt worden ist, ohne zunächst die Ereignisse vorausgesehen zu haben. Auch seine Geständnisbereitschaft ist ihm positiv angerechnet worden.

Für die einzelnen Straftaten sind darüber hinaus folgende Gesichtspunkte berücksichtigt worden:

I. Erwägungen zur Aktion vom 14.11.1941

Bei der Aktion im November 1941 wurde der Angeklagte, kurz nachdem er in Slonim eingetroffen war, zum ersten Mal mit der Judenvernichtung konfrontiert. Die Hemmungen, sich an seinen Vorgesetzten zu wenden, den er noch nicht näher kannte, mögen deshalb stärker gewesen sein als zu einem späteren Zeitpunkt. Das ist ihm ebenso zugute gehalten worden wie der Umstand, dass er sich selbst ohne jeden Eifer an dem Einsatz beteiligte. Er handelte dabei nicht aus einer gefühllosen unbarmherzigen Gesinnung gegenüber den Opfern. Auf der anderen Seite leistete der Angeklagte aber an einer Tat seinen Anteil, bei der 8.000 Menschen umkamen. Sein Tatbeitrag als Zugführer war nicht gering. Er wurde durch den Einsatzbefehl nicht überrascht, so dass ihm eine Überlegungsfrist blieb, sich anders zu entscheiden oder nach Auswegmöglichkeiten zu suchen. Bei Abwägung der für und gegen den Angeklagten Schu. sprechenden Umstände erscheint eine Freiheitsstrafe von einem Jahr für diesen Fall schuldangemessen.

II. Erwägungen zur Aktion vom 29.6.1942

Hinsichtlich der Aktion im Sommer 1942 ist dem Angeklagten positiv angerechnet worden, dass er immerhin einen kleinen Versuch unternahm, aus der Sache durch das Gespräch mit Bonke herauszukommen. Auch ist ihm zugute zu halten, dass er an der Grube selbst, nachdem er allerdings bereits ein Magazin seines Karabiners leer geschossen hatte, noch einen weiteren Versuch, geboren unter dem unmittelbaren Eindruck des grauenvollen Geschehens, unternahm. Der erhebliche Tatbeitrag vor allem an der Grube - mindestens 18 Menschen sind von ihm eigenhändig erschossen worden - wiegt dagegen schwer zu seinem Nachteil. Unter Berücksichtigung aller Umstände ist eine Freiheitsstrafe von zwei Jahren und sechs Monaten für diese Tatbeteiligung erforderlich, aber auch ausreichend.

III. Zur Gesamtstrafenbildung

Gemäss den §§74, 75 StGB ist eine Gesamtfreiheitsstrafe von drei Jahren gebildet worden, die - ebenfalls unter Berücksichtigung der in §13 Abs.2 StGB genannten Umstände - zum Ausgleich für das begangene Unrecht angemessen erscheint. Dabei hat das Gericht schliesslich auch dem Umstand Rechnung getragen, dass dem Angeklagten Schu. durch die fast 15 Monate andauernde Hauptverhandlung das begangene Unrecht immer wieder vor Augen gehalten worden ist und der Angeklagte hierunter erkennbar gelitten hat.

6.Abschnitt
Nebenentscheidungen

Die Untersuchungshaft der Angeklagten ist auf die zeitigen Freiheitsstrafen anzurechnen (§60 Abs.1 StGB).

Soweit die Angeklagten verurteilt wurden, ergibt sich die Kostenentscheidung aus den §§464 Abs.1 und 2, 465 Abs.1 Satz 1, 466 Abs.2 StPO. Da das auf Antrag der Verteidigung des Angeklagten Err. eingezogene Gutachten des Sachverständigen Dr. Sche. ausschliesslich diesen Angeklagten betrifft, befreit das Gericht den Angeklagten Schu. von der Mithaftung. Soweit der Angeklagte Err. freigesprochen wurde, folgt die Kostenentscheidung aus §467 StPO.

5 StR 331/75

Im Namen des Volkes

In der Strafsache gegen

1. den ehemaligen Gebietskommissar in Slonim, jetzigen Lehrer Gerhard Err. aus Hamburg, geboren am 4.März 1901 in Mittenbrück (Oberschlesien),
2. den ehemaligen Hauptwachtmeister der Gendarmerie, jetzigen Polizeimeister Lothar Schu. aus Barkhausen a.d.Porta, geboren am 22.April 1909 in Kupferberg (Schlesien),

wegen Mordes.

Der 5.Strafsenat des Bundesgerichtshofs hat in der Sitzung vom 16.September 1975 für Recht erkannt:

> Auf die Revision des Angeklagten Err. wird das Urteil des Schwurgerichts in Hamburg vom 25.Juni 1974, soweit der Angeklagte Err. verurteilt worden ist, mit den Feststellungen aufgehoben. In diesem Umfang wird die Sache an das Landgericht (Schwurgerichtskammer) zurückverwiesen, das auch über die Kosten des Rechtsmittels des Angeklagten Err. zu entscheiden hat.
> Die Revision des Angeklagten Schu. wird verworfen. Der Angeklagte Schu. hat die Kosten seines Rechtsmittels zu tragen.

GRÜNDE

I. Zur Revision des Angeklagten Err.

Die auf §338 Nr.1 StPO gestützte Verfahrensrüge des Angeklagten Err. hat Erfolg.

1. Die Rüge ist in zulässiger Form erhoben worden. Sie genügt den Anforderungen, die an die Bestimmtheit und Vollständigkeit der gemäss §344 Abs.2 Satz 2 StPO anzugebenden Tatsachen gestellt werden müssen. Nach Ansicht des Beschwerdeführers hätte das für die 8.Tagung des Geschäftsjahres 1972 bestimmte Schwurgericht die Hauptverhandlung, die am 2.April 1973 begonnen hat, nicht durchführen dürfen. In der Revisionsbegründung des Angeklagten Err. heisst es einleitend "Das Gericht war nicht zuständig" (S.1) und abschliessend "Für den Beginn der Hauptverhandlung im April 1973 war daher das Schwurgericht der 8.Tagung des Jahres 1972 mit seinen Hauptgeschworenen für das Geschäftsjahr 1972 Nr.43-48 nicht mehr zuständig" (S.4). Die Revisionsbegründung legt weiter dar, "dass die ernannten richterlichen Mitglieder und die ausgelosten Hauptgeschworenen grundsätzlich nur in dem Geschäftsjahr tätig werden können, für das ihre Ernennung oder Auslosung gilt" (S.3) und dass von diesem Grundsatz nur dann abgewichen werden darf, wenn die Hauptverhandlung in dem Geschäftsjahr, für das das Schwurgericht berufen worden ist, begonnen hat (S.3, 4). Gerügt wird demnach nicht nur die Mitwirkung einzelner Mitglieder des Schwurgerichts; in einem solchen Fall hätten die von der Rüge betroffenen Richter namentlich genannt werden müssen. Hier ist der Revisionsbegründung dagegen die Behauptung zu entnehmen, dass keines der Mitglieder des erkennenden Gerichts an der Hauptverhandlung hätte mitwirken dürfen.

Unter diesen Umständen hätte es der Vorschrift des §344 Abs.2 Satz 2 StPO genügt, wenn der Beschwerdeführer lediglich die Tatsachen angegeben hätte, aus denen folgt, dass das erkennende Gericht für das Geschäftsjahr 1972 berufen war und die Hauptverhandlung erst nach Ablauf des Jahres 1972 begonnen hat.

Die Verfahrensrüge ist nicht wegen Verstosses gegen §344 Abs.2 Satz 2 StPO unzulässig, weil sie im Hinblick auf die Hauptgeschworenen darüber hinaus Angaben macht, die den Anforderungen des §344 Abs.2 Satz 2 StPO im Hinblick auf Vollständigkeit und Eindeutigkeit möglicherweise nicht genügen.

2. Die Rüge des Angeklagten Err. ist auch begründet. Der Angeklagte ist nämlich von einem Schwurgericht abgeurteilt worden, das als Schwurgericht für die 8.Tagung des Geschäftsjahres 1972 berufen war. Den Zusammentritt dieses Schwurgerichts zum 23.Mai 1972 hat der Landgerichtspräsident gemäss §87 GVG in der damals geltenden Fassung mit Verfügung vom 19.Mai 1972 bestimmt. Tatsächlich ist das Schwurgericht nicht im Geschäftsjahr 1972, sondern erst im April 1973 zusammengetreten. Das war unzulässig. Die Tagung hätte über das Ende des Jahres 1972 hinaus nur fortdauern dürfen, wenn die Hauptverhandlung während des Jahres 1972 begonnen worden wäre. In allen anderen Fällen, mithin auch hier, endete die Tagung spätestens mit dem Ablauf des Jahres 1972. Denn nach dem Gesetz (§83 Abs.1-3, §86 GVG in der bis zum 31.Dezember 1974 geltenden Fassung) waren die richterlichen Mitglieder und die Hauptgeschworenen (Hauptschöffen) für das jeweilige Geschäftsjahr bestimmt worden (vgl. BGHSt. 19, 382, 383); im Ergebnis war auch die Berufung der Hilfsschöffen (§49 i.V. mit §84 GVG a.F.) auf das laufende Geschäftsjahr bezogen, weil ihre Berufung den Ausfall eines für das Geschäftsjahr bestimmten Hauptgeschworenen (Hauptschöffen) voraussetzte. Es lag nicht im Ermessen des Schwurgerichtsvorsitzenden, eine Tagung des Schwurgerichts in der Weise in das neue Geschäftsjahr zu erstrecken, dass er den Termin zur Hauptverhandlung auf einen Zeitpunkt in dem neuen Geschäftsjahr festsetzte (BGH 5 StR 555/74 vom 28.Januar 1975; BGHSt. 19, 382, 384). Dies galt nicht nur in Fällen, in denen das Schwurgericht innerhalb seines Geschäftsjahrs schon in anderen Sachen verhandelt hatte (vgl. BGHSt. 19, 382, 384), sondern auch, wenn in diesem Geschäftsjahr überhaupt keine Hauptverhandlung vor dem betroffenen Schwurgericht stattgefunden hatte.

Der in der Verfügung des Landgerichtspräsidenten vom 19.Mai 1975 enthaltene Satz "Die Tagung dauert bis zum Ende der Hauptverhandlung gegen Err. u.a. ((650) 19/72)" konnte an diesem Rechtsgrundsatz nichts ändern. Eine eigenständige Bedeutung hatte jener Satz nur insofern, als er das Schwurgericht daran hinderte, nach Abschluss der Hauptverhandlung in der Sache Err. <u>während des Jahres 1972</u> weitere Verfahren zu übernehmen. Im übrigen ergab sich schon aus dem Gesetz (vgl. §89 GVG a.F.), dass die Hauptverhandlung gegen Err. u.a., sofern sie 1972 begonnen hätte, auch nach dem Ende des Jahres 1972 hätte fortgesetzt werden dürfen.

Der Verfahrensfehler führt zur Aufhebung des Urteils und zur Zurückverweisung.

<u>II. Zur Revision des Angeklagten Schu.</u>

Die Verfahrensrüge des Angeklagten Schu., die sich ebenfalls auf §338 Nr.1 StPO stützt, ist unzulässig. Sie hätte innerhalb der Revisionsbegründungsfrist erhoben werden müssen. Dies ist nicht geschehen.

Die Nachprüfung des Urteils auf die allgemeine Sachrüge ergibt keinen den Angeklagten Schu. beschwerenden Rechtsfehler.

Lfd.Nr.811

Tatkomplex
Andere Massenvernichtungsverbrechen

Tatort
Kopyczynce

Tatzeit
430612

Gerichtsentscheidungen
LG Mannheim vom 05.07.1974, 1 Ks 1/70

INHALTSVERZEICHNIS

des unter Lfd.Nr.811 veröffentlichten Urteils

LG Mannheim vom 05.07.1974, 1 Ks 1/70

1 Ks 1/70

Im Namen des Volkes

In der Strafsache gegen

den am 25.6.1912 in Hermannstadt/Rumänien geborenen, in Stuttgart-Feuerbach 30 wohnhaften, ledigen Arbeiter Richard P. [333]

wegen NS-Gewaltverbrechen

hat das Landgericht - Schwurgericht - Mannheim in den Sitzungen vom 11.November 1971 bis 5.Juli 1974 am 5.Juli 1974 für Recht erkannt:

> Der Angeklagte Richard P. aus Hermannstadt wird vom Vorwurf der Tötung des Ruwen Hal. freigesprochen.
> Die Kosten des Verfahrens einschliesslich der notwendigen Auslagen des Angeklagten trägt die Staatskasse.

GRÜNDE

I. « Die Anklage »

Dem Angeklagten Richard P. wurde vorgeworfen, am 12.6.1943 in Kopyczynce/Galizien den Judenrat Ruwen Hal. getötet zu haben. Hal. sei allgemein von ihm beauftragt gewesen, in Kopyczynce ein Lager zu verwalten, in welchem Möbel und Hausrat der Juden sichergestellt gewesen sei. Als P. ihn am Tattage im Judenratsgebäude angetroffen habe, habe er zu ihm gesagt: "Hal., was machst du hier, dein Platz ist nicht hier." Ohne eine Antwort abzuwarten habe er ihn sodann aufgefordert, sich umzudrehen, was Hal. auch getan habe. Danach habe er seine Pistole hervorgeholt und ihn mit einem Schuss in den Hinterkopf getötet.

Anklage und Eröffnungsbeschluss würdigten den Tatvorwurf als Mord, strafbar nach §211 StGB, da der Angeklagte vorsätzlich und aus niedrigen Beweggründen getötet habe.

II. « Der festgestellte Sachverhalt »

Das Schwurgericht hat nach umfangreicher und eingehender Beweisaufnahme klären können, dass der angeklagte Vorfall sich ereignet hat; es konnte sich aber nicht davon überzeugen, dass der Angeklagte P. der Täter war, obwohl die Verdachtsmomente, die dafür sprachen, sehr erheblich waren.

Folgenden Sachverhalt hat das Schwurgericht festgestellt:

1. Der Angeklagte, 1912 in Hermannstadt/Siebenbürgen geboren, kam 1938 über den VDA von Rumänien nach Deutschland, wo er sich im Herbst 1939 zur SS-Standarte Germania meldete, der er sodann bis November angehörte. Im Juni 1940 wurde er zur Waffen-SS einberufen, jedoch wenig später von der Volksdeutschen Mittelstelle (Vomi) übernommen, in

[333] Siehe auch Verfahren Lfd.Nr.853.

deren Auftrag er - im Rang eines SS-Mannes - ab Februar 1942 in Czortkow/Galizien als Kreisbeauftragter tätig war.

Vor Beginn der Massenvernichtungsaktionen gegen die Juden im Kreis Czortkow im August 1942 war dem Angeklagten auch die Aufgabe zugewiesen worden, die Hinterlassenschaften der von einer Aktion Betroffenen sicherzustellen und einstweilen zu lagern. Demgemäss liess er jeweils im Anschluss an eine Aktion unter seiner persönlichen Überwachung die leerstehenden Häuser der Juden durchsuchen und die dort vorgefundenen Möbel, Kleider, Hausrats- und sonstigen Vermögensgegenstände einsammeln und in ein Gebäude am Ort bringen, das er als Lagerhaus bestimmt hatte. Das Hauptlager des Angeklagten befand sich in Czortkow in der Nossa-Strasse; es war allgemein als P.-Lager bekannt, in welchem etwa 50 bis 100 meist handwerklich vorgebildete Juden u.a. mit der Pflege und Ausbesserung der erfassten Gegenstände beschäftigt waren.

Aber auch in Kopyczynce unterhielt der Angeklagte ein kleines Magazin, in welchem Juden - es mögen anfänglich etwa 20 bis 30 gewesen sein - arbeiten mussten. Wahrscheinlich wurde dieses Lager nach der Aktion im September 1942 eingerichtet; es bestand bis mindestens Juni 1943. Der Angeklagte kam in jener Zeit, in der mehrere Erschiessungsaktionen stattfanden, öfter nach Kopyczynce, einmal um nach den Aktionen gem. seinem Auftrag das jüdische Vermögen einzusammeln, zwischendurch aber auch, um in seinem Lager nach dem Rechten zu sehen und den Judenrat aufzusuchen.

2. Der Judenrat hatte seinen Sitz im Gebäude des Mehlhändlers Schapira, einem Eckhaus, das mit der Frontseite zum Marktplatz stand und dort Ladengeschäfte aufwies, dessen Eingang aber in einer kleinen Seitenstrasse lag, die nach links zum Marktplatz führte. Nach einigen Stufen gelangte man in den Korridor des Erdgeschosses; rechts davon lag ein Zimmer, das für den jüdischen Ordnungsdienst bestimmt war, links ein weiteres, das zur Verteilung von Brot oder Brotkarten an die jüdische Bevölkerung diente. Am Ende des Korridors befand sich eine Treppe, die zum Obergeschoss führte. Dort gelangte man über einen Flur in ein grosses Zimmer, in welchem die Judenräte der Stadt arbeiteten und sich aufhielten. Im Anschluss daran lag der wesentlich kleinere und nur mit dem Judenratszimmer durch eine Türe verbundene Raum des Judenratsvorsitzenden Roller.

3. Angehöriger des Judenrats war auch der frühere Eierhändler Ruwen Hal., den der Angeklagte mit Arbeit im Magazin betraut hatte, in welchem u.a. auch Kleidungsstücke der ermordeten Juden sortiert wurden. Am 12.6.1943 hielt sich Hal. um die Mittagszeit - die genaue Tageszeit war nicht mehr feststellbar - im Zimmer des Judenrats bei seinem Schreibtisch auf, als ein korpulenter uniformierter SS-Mann im Zimmer erschien und sich an ihn wandte. Es entstand ein kurzer Wortwechsel, der von dem SS-Mann laut geführt wurde. Zum Schluss sagte er zu dem Juden in Deutsch: "Hal., was machst du hier? Dreh dich um." Diesen Satz hörte auch noch der inzwischen im Zimmer erschienene Sohn des Ruwen Hal., der Zeuge Izchak Hal. Ausserdem waren noch weitere Juden anwesend; einige, darunter die Zeugin Var., hielten sich vor dem Raum, wahrscheinlich in einem Wartezimmer, auf.

Hal., der neben seinem Schreibtisch stand, folgte dem Befehl. Der Deutsche, etwa 2 Schritte von dem Juden entfernt, zog daraufhin seine Pistole und schoss ihm in den Hinterkopf. Danach steckte er die Waffe weg und verliess den Raum. Hal. - damals etwa 52 Jahre alt - brach zusammen und starb noch an Ort und Stelle an den Folgen der Schussverletzung, die auch stark blutete. Er wurde wenig später aus dem Haus getragen, auf einen bereitgestellten Wagen gelegt und zum Friedhof gefahren, wo er noch am gleichen Tag beerdigt wurde. Danach wurde unter der jüdischen Bevölkerung von Kopyczynce davon gesprochen, dass der Täter P. gewesen sei.

III. « Einlassung des Angeklagten »

Der Angeklagte hat seine Täterschaft bestritten. Er erklärte, Ruwen Hal., den er überhaupt nicht gekannt habe, sei - vorausgesetzt, dass die Tat begangen worden sei - jedenfalls nicht von ihm getötet worden. Das Judenratsgebäude sei ausserdem kein Haus gewesen, sondern eine ebenerdige, 6 x 12 m grosse Baracke, in welcher vormals eine Gastwirtschaft untergebracht gewesen sei und in der sich noch die Theke nebst Bierhahn befunden hätten. Ein etwa 2,5 x 2,5 m grosser Holzverschlag an der vom Eingang her gesehen linken Wand der Baracke habe dem Obmann des Judenrats als Arbeitsraum gedient. Die Baracke habe er letztmals im Oktober 1942 gesehen. Sein kleines Lager im jüdischen Gemeindehaus in Kopyczynce, in welchem nie gearbeitet bzw. sortiert worden sei, habe er im November 1942 räumen und die Gegenstände nach Czortkow bringen lassen; zurückgeblieben seien nur einige wertlose Sachen, die unter Verschluss gehalten worden seien. Danach sei er noch einmal im August 1943 in Kopyczynce gewesen, um sich von einem Volksdeutschen zu verabschieden. Des weiteren habe er sich im Juni 1943 auf Urlaub bei seiner Patin in Wien befunden. Auch deshalb könne er am 12.6.1943 nicht den Judenrat Hal. getötet haben.

IV. « Beweismittel »

Zu der dem Angeklagten zur Last gelegten Tat hat das Schwurgericht 5 Zeugen gehört, die alle bekundeten, Augenzeuge des Vorfalls zu sein. Ein weiterer Zeuge - Orn. - bekundete, unmittelbar nach dem Vorfall an der Flurtür vorbeigegangen zu sein, in das Judenratszimmer gesehen und den Täter von hinten als den in Kopyczynce stationierten deutschen Gendarmen namens Sturm, den man auch Papa genannt habe, erkannt zu haben. Jene 5 Zeugen aber: Izchak Hal., Emil Gob., Zygmund Gob., Nathan Dre. und Fania Kip. gaben übereinstimmend an, in dem Täter den Angeklagten erkannt zu haben. Die Zeugin Henia Var. schliesslich hielt sich während der Tat vor dem Judenratszimmer auf; auch sie bezeichnete P. als Täter, den sie gesehen habe, als er den Raum, in dem die Tat geschehen sei, verlassen habe. Dennoch konnte sich das Gericht - wie die folgende Würdigung der Aussagen dieser Zeugen im einzelnen und in ihrem Gesamtzusammenhang zeigen wird - nicht von der Täterschaft des Angeklagten überzeugen, wenn es auch gelang, ihn in seiner übrigen Einlassung zu widerlegen. Für die Zweifel des Gerichts war die Behauptung des Angeklagten, im Juni 1943 in Wien gewesen zu sein, allerdings ohne jeden Einfluss; denn der angebliche Urlaub des Angeklagten im Jahre 1943 liess sich durch Urkunden nicht belegen und die zu seinem Vorbringen gehörten Zeugen konnten ihn auch nicht bestätigen. So meinte die Zeugin Bär., die Patin des Angeklagten, er habe sie zwar in Wien aufgesucht, sie wisse aber nicht die genaue Zeit, der Besuch sei im Sommer 1943 gewesen, vielleicht auch 1942. Die Zeugin Cel. konnte sich ebenfalls nicht an das Jahr erinnern. Sie glaubte, dass der Angeklagte im Sommer oder Herbst 1943 in Wien gewesen sei. Diese Aussagen konnten den Angeklagten mithin nicht entlasten.

V. « Würdigung der Aussage des Zeugen Izchak Hal. »

1. Am stärksten belastet wurde er von Izchak Hal., dem Sohn des Getöteten. Dieser bekundete bei seiner Vernehmung am 24. und 25.7.1972 vor dem Schwurgericht, er sei dabeigewesen, als P. seinen Vater am 12.6.1943 im Judenratsgebäude zu Kopyczynce erschossen habe. Die Tat sei in dem grossen, für die Judenräte bestimmten Zimmer im Obergeschoss des Hauses, das Schapira gehört habe, geschehen. Nie habe der Judenrat in einem anderen Anwesen seinen Sitz gehabt. An das Aussehen des Gebäudes und seine innere räumliche Aufteilung könne er sich nicht mehr genau erinnern. Er meine aber, dass am Ende des Korridors im Erdgeschoss eine steinerne Treppe mit einer halben Wendung zum Obergeschoss geführt habe, wo man von einem Podest aus in eine Art Korridor gelangt sei, der an seinem Beginn und an seinem Ende je mit einer zweiflügeligen Tür versehen gewesen sei. Dieser habe zu dem grossen Zimmer geführt, in welchem die Judenräte ihre Arbeit verrichtet hätten

und in welchem auch 3 bis 4 m vom Eingang entfernt der Schreibtisch seines Vaters gestanden sei. Der Korridor habe seiner Erinnerung nach als Wartezimmer für die Juden gedient; er meine, dass in ihm Bänke aufgestellt gewesen seien.

Als er am 12.6.1943 - er meine, es sei später Vormittag gewesen - das grosse Zimmer des Judenrats betreten habe, sei P. anwesend gewesen. Ihn habe er zu diesem Zeitpunkt schon sehr gut gekannt. Er habe ihn zuvor schon öfter im Judenrat gesehen, wo er - Hal. - als Vermittler zwischen dem Judenrat und dem Ordnungsdienst gearbeitet habe. P. sei damals ein bisschen korpulent gewesen, habe ein rundes Gesicht gehabt und blonde Haare. Über seine genaue Grösse könne er heute keine Angaben mehr machen. Bilder von P. aus der damaligen Zeit seien ihm erst vor der Hauptverhandlung in Mannheim vorgelegt worden; zuvor habe er nie welche gesehen.

Mindestens einmal wöchentlich sei P. in Kopyczynce gewesen. Er sei von der Gestapo abgeordnet gewesen, die Habseligkeiten der Juden zu regeln. Er sei Herr über Leben und Tod in Kopyczynce gewesen. P. habe oft private Bestellungen aufgegeben. So habe er Leder für Stiefel bestellt, Ringe, eine gute Flasche Schnaps. Befehle habe er aber nur bezüglich des Magazins in Kopyczynce gegeben. Lange vor dem Tod seines Vaters habe er den Angeklagten erstmals gesehen. P. habe in Kopyczynce nicht als besonders schlimm gegolten, es habe viel schlimmere gegeben. Mit seinem Vater habe P. oft Spass gemacht. Er habe manchmal gesagt, er (Ruwen Hal.) sei ein anständiger Mensch, er bleibe leben.

Als er am Tattage in das Judenratszimmer gekommen sei, hätten sich dort auch noch andere Juden aufgehalten. So erinnere er sich an Seidenberg, auch an Dre., der warnend den Finger auf den Mund gelegt habe, als er - Hal. - dazugekommen sei. P. - der einen lichtgrauen Anzug mit braunen Streifen getragen habe - und sein Vater seien sich neben dem Schreibtisch gegenübergestanden. P. habe zu seinem Vater gesprochen. Er habe ihn sagen hören: "Hal. was machst du hier? Dein Platz ist im Magazin, dreh dich um".

Nachdem sich sein Vater auf die Aufforderung hin umgedreht habe, habe P. mit der rechten Hand nach links unter die Jacke gegriffen und dort eine Pistole hervorgeholt, die er, wie er glaube, an einem Gürtel getragen habe. Wenn P. an diesem Tag eine Uniform angehabt hätte, hätte er den Gürtel nicht unter der Jacke getragen. Dass P. die Jacke erst geöffnet habe, habe er gesehen. Zwar habe er ihn bis zu diesem Zeitpunkt nur von hinten gesehen. Aus der Bewegung der Jacke aber habe er geschlossen, dass P. sie erst geöffnet habe. P. habe nun seinen Vater in den Hinterkopf geschossen. Zum Zeitpunkt der Abgabe des Schusses habe er die Waffe nicht klar gesehen, da ihm die Sicht verstellt gewesen sei. Dass P. seinen Vater töten würde, habe niemand erwartet. Keiner habe damit gerechnet, da er sich ja zu seinem Vater immer gut verhalten habe. Der Vorfall habe deshalb auf ihn - Hal. - auch einen sehr grossen Eindruck hinterlassen.

Nach Abgabe des Schusses sei P., den er auch früher schon in Zivil gesehen habe, gleich weggegangen. Sein Vater sei am Kopf sehr blutig und tot gewesen. Noch am gleichen Tage habe man ihn beerdigt. Wer bei der Beerdigung dabeigewesen sei, wisse er nicht. Er habe darauf nicht geachtet. Über die Erschiessung seines Vaters sei danach viel geredet worden. Alle hätten davon gesprochen. Es seien auch viele Gerüchte im Umlauf gewesen.

Das Datum des Todestages seines Vaters wisse er noch genau. Er habe es wenige Tage nach dem Vorfall auf ein Zeugnis seiner Braut aus dem Jahre 1938, das er zufällig in der wie stark geplündert aussehenden Wohnung noch gefunden habe, notiert (99 V 200/201). Heute erinnere er sich noch daran, dass die Tat 3 Tage nach dem Laubhüttenfest geschehen sei.

Nachdem sein Vater niedergeschossen worden sei, sei er sehr verstört gewesen. Was Dre. nach dem Schuss getan habe, wisse er nicht. Emil Gob. und Fania Kip. habe er in dem

Raum nicht gesehen. Er kenne Frau Kip. und habe sie auch in Israel getroffen. Sie denke immer an die Nazizeit und erfinde Beschuldigungen, um zu Gericht kommen zu können. Sie habe sich auch einmal an ihn gewandt und ihm gesagt, dass man den Mörder seines Vaters habe, er solle sich melden. Er habe ihr erwidert, dass ihm die ganze Sache aus dem Kopf sei und er nichts mehr damit zu tun haben wolle. Sie habe ihn aber doch bewegen können, auszusagen. Gleichwohl habe er mit dem Prozess nichts zu tun haben wollen, weil er sich gefragt habe, was ihm das helfen solle. Er sei nicht nach Mannheim gekommen, um Rache zu nehmen. Er hasse P. nicht, habe seit 1943 auch vieles vergessen, wolle aber dennoch sagen, was er heute noch wisse.

Wenn ihm aus seiner Aussage von 1965 (V, 134) vorgehalten werde, damals bekundet zu haben, ausser Roller sei Nathan Dre. anwesend gewesen und plötzlich sei unerwartet P. hereingekommen, so müsse er nun erklären, dass er im Augenblick nicht mehr wisse, was richtig sei, ob also P. schon da gewesen sei, als er das Zimmer betreten habe oder nicht. Als er 1965 von der Israel-Polizei vernommen worden sei, sei er noch gleichgültig eingestellt gewesen und habe noch nicht genau nachgedacht. Inzwischen habe er sich jedoch mehr besonnen und er glaube, das, was er heute gesagt habe, sei richtig. Nunmehr sei er sich sicher, dass P. schon im Zimmer gewesen sei, als er - Hal. - dorthin gelangt sei. Wenn ihm weiter vorgehalten werde, früher ausgesagt zu haben, die Äusserung P.s habe gelautet: "Hal., was machst du hier, dein Platz ist nicht hier", so müsse er dazu sagen, dass dies schlecht protokolliert sei. P. habe gesagt: "Dein Platz ist im Magazin."

2. Nach der Überzeugung des Schwurgerichts ist die Aussage des Zeugen Izchak Hal. zum Tatgeschehen bis auf die Frage der Täteridentifizierung objektiv richtig; mit hoher Wahrscheinlichkeit hat der Zeuge aber auch hierzu zuverlässige Angaben gemacht. An seiner Aussageehrlichkeit, seinem Bestreben also, nur seiner Erinnerung gemäss zu berichten, gab seine Aussage keinen vernünftigen Anlass zu Bedenken.

a) Allgemein lässt sich zur Glaubwürdigkeit des Zeugen Hal. feststellen, dass er vor dem Schwurgericht in Mannheim insgesamt sachlich und ruhig aussagte. Anhaltspunkte für ein besonderes Interesse an einer Verurteilung des Angeklagten, das ihn bewogen haben könnte, unrichtig auszusagen, bestehen nicht. Insbesondere kann ein solches Interesse nicht darin gesehen werden, dass der Zeuge fast 2 Jahre nach seiner Vernehmung in Mannheim von der gesetzlichen Möglichkeit Gebrauch machte, sich dem Verfahren als Nebenkläger anzuschliessen. Ursprünglich hatte er sich auch nicht von sich aus bereitgefunden, gegen P. auszusagen; vielmehr tat er dies erst - wie er glaubhaft angab - auf Drängen der Zeugin Kip. und nach längerem Zögern. Es sind auch keine Anzeichen dafür ersichtlich, dass er sich bei seiner Aussage sonst von negativen Empfindungen gegenüber dem Angeklagten, die er durchaus gehabt haben mag, hätte beeinflussen lassen. Andererseits sind jedoch Umstände für seinen Willen festzustellen, die Ereignisse allein seinem Gedächtnis entsprechend darzustellen, nicht zu übertreiben und Erinnerungslücken nicht auf Kosten der Wahrheit zu schliessen.

Im Verlauf seiner Vernehmung hat der Zeuge des öfteren erklärt, an bestimmte Umstände keine Erinnerung mehr zu haben, oder aber er hat einleitend - wie bei der Schilderung des Judenratsgebäudes - betont, dass man nach so langer Zeit eine genaue Darstellung des Gebäudes und seiner inneren Aufteilung von ihm heute nicht mehr erwarten könne. Er tat nichts dafür, um vor dem Schwurgericht das Bild eines perfekten Zeugen erscheinen zu lassen, der alles weiss und auf den man sich deshalb hundertprozentig verlassen könne. Er relativierte sich selbst bzw. das Gewicht seiner Aussage immer wieder durch gewisse Einschränkungen. Er verhielt sich damit selbstkritisch und verantwortungsbewusst, als ein Mann, der gewillt ist, jede Leichtfertigkeit zu vermeiden und auf Bedenken gegen sich selbst aufmerksam zu machen. Dass er etwa auf die eigene Unzuverlässigkeit in Randfragen hingewiesen habe, in der Erwartung, dass ihm dadurch zum Kerngeschehen mehr geglaubt werde, erscheint abwegig. Dafür fehlt jeder Anhalt. Eine solche Raffinesse ist ihm auch sonst nicht zuzutrauen.

Durch - teilweise auch spontane - Äusserungen von ihm wurde im Gegenteil immer wieder klar, dass es allein sein Bestreben gewesen ist, das zu schildern, woran er sich auch noch tatsächlich erinnerte. So hat er auf Vorhalt seiner Angaben vor der Israel-Polizei vom 27.4.65 (5, 134), er sei vor P. im grossen Zimmer gewesen, nach längerer Denkpause zunächst erklärt, jetzt wisse er nicht mehr was richtig sei, und damit eine - ganz natürliche - augenblickliche Unsicherheit seines Gedächtnisses auf einen Vorhalt hin freimütig offenkundig werden lassen. Für einen Zeugen, der auf eine nach aussen hin gewollte Zuverlässigkeit abzielt, hätte es näher gelegen, solche Unsicherheit zu vertuschen und sich sofort auf eine "Version" festzulegen, mag sie nun stimmen oder nicht. Auch wäre es ihm mühelos möglich gewesen, vor seiner Reise nach Mannheim die Protokolle seiner früheren Vernehmungen bei der Israel-Polizei durchzulesen, um seine Aussagen konform zu gestalten. Nach israelischem Recht wäre die Einsichtnahme in die Protokolle zur Auffrischung des Gedächtnisses des Zeugen zulässig gewesen. Er hat indessen nach seiner durchaus glaubhaften Erklärung vom 3.4.1973 (H 7 IV 38) von dieser Möglichkeit keinen Gebrauch gemacht.

Charakteristisch für den Willen des Zeugen nach grösstmöglicher Objektivität ist auch seine Entgegnung auf die Frage, wie der Haarwuchs P.s gewesen sei. Hier wäre es ihm ein Leichtes gewesen, zur Unterstreichung seiner Glaubwürdigkeit ganz einfach die Beobachtungen zu schildern, die er gemacht hatte, als ihm vor Beginn der Schwurgerichtssitzung Fotografien P.s aus damaliger Zeit vorgelegt wurden. Dennoch aber erklärte er, durch eben die in Augenscheinnahme der Bilder nun voreingenommen zu sein, womit er ausdrücken wollte, dass sein Erinnerungsbild nunmehr durch die jetzigen Beobachtungen überschattet sein könnte. Dieses Mass an gewollter Unparteilichkeit gegenüber einem Mann, der nach der Überzeugung des Zeugen dessen Vater getötet hat, ist aussergewöhnlich, dennoch aber unbedenklich. Durch seine Einstellung wird des weiteren sein Verhalten gegenüber der Zeugin Kip. im Jahre 1965 verständlich und einfühlbar. Von dieser Zeugin behauptete er übrigens, dass sie dazu neige, Beschuldigungen zu erfinden. Er bekundete dies, ohne näher nach dem Charakter dieser Zeugin gefragt worden zu sein. Ginge es ihm darum, P. der Wahrheit zuwider zu belasten, läge es doch nahe, dass er bestrebt ist, einen Zeugen, der auch etwa über P. zu wissen behauptet, nicht von sich aus blosszustellen, sondern nach einer Übereinstimmung mit dessen Aussage zu trachten. Dass der Zeuge Hal. durch sein Aussageverhalten nur die Absicht verfolgt haben könnte, durch Vorspiegelung grosser Gewissenhaftigkeit seine eigene Glaubwürdigkeit zu untermauern, kann nicht angenommen werden; dazu fehlt jeder vernünftige Anhalt. Im übrigen hatte das Schwurgericht nie Grund anzunehmen, dass der Zeuge auch nur in einem einzigen Fall versucht hätte, eine vorhandene Erinnerungslücke durch bewusst unrichtige Bekundungen zu schliessen.

Bei den Vorhalten, die dem Zeugen gemacht wurden, war allgemein festzustellen, dass er seine bisherige in der Hauptverhandlung erstattete Aussage noch einmal überdachte. Er hielt nicht etwa in spontaner starrsinniger Weise an ihr fest. Beim Vorhalt anderer Zeugenaussagen war ein Konformitätsstreben nicht sichtbar. Das Schwurgericht gewann nie den Eindruck, dass er - um seine Glaubwürdigkeit zu stützen - sich darum bemühte, seine Aussage - entgegen seinem Erinnerungsbild - mit der anderer Zeugen in Einklang zu bringen.

Als unrichtig wies er die ihm vorgehaltene Aussage des Zeugen Nathan Dre. zurück, im grossen Zimmer des Judenrats habe sich eine Trennwand befunden. Es hätte nahegelegen, dass er sich diese Behauptung zu Eigen gemacht hätte, wenn es ihm darum gegangen wäre, mit anderen Zeugen möglichst übereinzustimmen, um P. auf diese Weise wirkungsvoller belasten zu können. Denn einmal behauptete er selbst, dass Dre. am Tatort gewesen sei; ausserdem war ihm bekannt, dass jener den Tatvorgang gesehen haben will. Gleichwohl scheute er sich nicht, den "Widerspruch" hervorzuheben und sogar - ohne gezielt danach befragt worden zu sein - zu bekunden, dass ihm die Behauptung Dre.s über die Trennwand bekannt sei, da er mit ihm in Tel Aviv über das Judenratsgebäude gesprochen habe, und zwar zu einer Zeit, die nach der Vernehmung des Zeugen Dre. vor dem Schwurgericht in

Mannheim gelegen sei. Es ist verständlich und naheliegend, dass die beiden in Israel lebenden Juden, die durch gemeinsame Erlebnisse während der Verfolgungszeit miteinander verbunden sind, sich bei ihren zufälligen Zusammentreffen auch über den Vernehmungsgegenstand, der Teil ihres persönlichen Schicksals ist, unterhalten haben. Zu mutmassen, beide hätten ihre Aussagen - untereinander oder mit anderen Zeugen - abgesprochen, ist jedoch blosse Theorie; es gibt dafür kein hinreichendes Indiz. Andererseits zeigen die unterschiedlichen Aussagen der Zeugen, dass eine solche Absprache eben nicht stattfand. Wäre eine Verabredung über einen bestimmten Aussageinhalt getroffen worden, hätte es für Hal. auch nahegelegen, das Gespräch mit dem Zeugen Dre. zu verschweigen. Das aber tat er gerade nicht. Ohne Zögern machte er vielmehr seinen Kontakt offenkundig. Seine in der Hauptverhandlung geäusserte Meinung über die Zeugin Kip. macht des weiteren deutlich, dass es ihm fernliegt, sich zu Lasten des Angeklagten mit möglicherweise unsachlichen Interessen Dritter zu verbinden. Es mag vorgekommen sein, dass sich jüdische Zeugen in NS-Prozessen abgesprochen haben. Die daraus hergeleitete Behauptung, dass dies allgemein geschehe, verlässt jedoch den Boden sachlicher Argumentation und bedarf daher keiner Erörterung.

Ein Gespräch derart, wie es der Zeuge Hal. führte, ist für die Würdigung einer Aussage indessen nicht ohne Belang. Es kann einerseits Erinnerungen wecken oder wachhalten, andererseits auch zu einer Veränderung des Erinnerungsbildes führen, schliesslich zu seiner Verfälschung. Endlich mag es dazu kommen, dass ein Zeuge, mitbedingt durch die grosse Zeitdistanz, nicht mehr zu unterscheiden weiss, was er selbst erlebt und wovon er nur gehört hat, dass er - ungewollt - das Gehörte mit dem Erlebten vermengt. Solcher Möglichkeiten war sich das Schwurgericht bewusst; bei der Beurteilung der Aussagen wurde sie auch stets erwogen.

b) Das Schwurgericht glaubt dem Zeugen Hal., dass er bei der Tötung seines Vaters anwesend gewesen ist. Den Tathergang hat er detailliert und plastisch geschildert. Die Darstellung enthält keine Unwahrscheinlichkeiten. Die Behauptung des Zeugen, dass P. erst seine Jacke geöffnet habe, ehe er an die Pistole gegriffen habe, stellt deutlich eine Schlussfolgerung dar und keine eigene Wahrnehmung. Keine von dem Zeugen geschilderte Einzelheit zum Kerngeschehen widerspricht der Lebenserfahrung oder wirkt gekünstelt. Ein Motiv, die Tat selbst zu erfinden, oder wenigstens seine Anwesenheit am Tatort zu begründen, ist überhaupt nicht erkennbar. Selbst die Suche nach theoretischen Möglichkeiten begegnet hier grossen Schwierigkeiten. In einfühlbarer Weise konnte der Zeuge auch seine Betroffenheit und sein Verhalten nach Abgabe des Schusses verständlich machen.

Seine Aussage zum Tatgeschehen ist nicht etwa deshalb zweifelhaft, weil er im Gegensatz zu seinen Angaben von 1965 nunmehr bekundete, erst nach dem Täter in das grosse Judenratszimmer gekommen zu sein. Denn die Frage, ob der Täter vor ihm am Tatort war, betrifft hier nur das Randgeschehen. Die Umstände, die - wenn auch unmittelbar - vor dem eigentlichen Vorfall lagen, mussten für ihn keine Bedeutung haben. Das Entscheidende geschah in seiner Anwesenheit. Es entspricht aber der Erfahrung, dass sich mit zunehmender zeitlicher Distanz zu einem Ereignis das Erinnerungsbild an dessen Randumstände wandeln kann. Dieser Wandel mag hier darauf zurückzuführen sein, dass der Zeuge bei seiner Vernehmung 1965 gleichgültig eingestellt war und sein Gedächtnis in Detailfragen nicht in dem gebotenen Masse bemühte, während er in der Zwischenzeit gründlicher nachdachte. Vielleicht war auch von Einfluss, dass er sich nun daran zu erinnern glaubt, Dre. habe ihn bei seiner Ankunft durch eine Geste gewarnt; es liegt nahe, hieraus zu folgern, dass der Täter dann schon anwesend gewesen sein müsse. Dies näher zu erforschen, ist jedoch weder nötig noch möglich. Gegen die persönliche Zuverlässigkeit und Aussageehrlichkeit des Zeugen zum Geschehenskern lässt sich hieraus jedenfalls nichts herleiten.

Vernünftige Zweifel an seiner Anwesenheit am Tatort lassen sich auch nicht aus dem Widerspruch begründen, der darin besteht, dass der Zeuge früher angegeben hatte, P. habe geäussert: "Hal. was machst du hier, dein Platz ist nicht hier", während er vor dem Schwurgericht in bestimmter Weise bekundete, der Ausruf, den er noch genau wisse und auch immer im Gedächtnis gehabt habe, habe gelautet: "Hal., was machst du hier, dein Platz ist im Magazin." Indessen besteht hier ein Widerspruch nur den Worten nach. Der sachliche Gehalt beider Äusserungen ist im wesentlichen gleich. Der Widerspruch gewinnt auch nur deshalb Bedeutung, weil der Zeuge Hal. den genauen Wortlaut nie vergessen haben will und erklärte, damals habe man das, was er gesagt habe, schlecht aufgenommen. Es ist jedoch möglich und auch wahrscheinlich, dass der Zeuge sich hier in seiner Fähigkeit, genau zu reproduzieren, täuschte. Dies umsomehr, als er ja selbst bekundete, er habe zu dem Geschehen Abstand gewinnen wollen. Damit liegt es auch nahe, dass er sich die Formulierung, die der Täter wählte, nicht ständig in das Gedächtnis zurückrief. Möglich ist, dass er erst durch die näheren Überlegungen, die er aus Anlass seines Erscheinens vor Gericht anstellte, zur Überzeugung gelangte, der Wortlaut der Aufforderung sei so, wie er ihn vor dem Schwurgericht auch mitteilte, während er früher eben anderer Meinung war. Dabei mag jetzt bei ihm auch der Gedanke eine Rolle gespielt haben, dass sein Vater von P. in dem Magazin eingesetzt gewesen ist, der Täter also auch nur meinen konnte, dass Ruwen Hal. dorthin gehöre und nicht ins Judenratsgebäude. Das Schwurgericht vermag daher dem abweichenden Wortlaut der Äusserungen keine die Zuverlässigkeit des Zeugen Hal. in Frage stellende Bedeutung beizumessen. Freilich lässt der "Widerspruch" keine Feststellung mehr darüber zu, ob der Täter zu Ruwen Hal. sagte: "Dein Platz ist nicht hier!" oder "dein Platz ist im Magazin!" Das Schwurgericht ist jedoch davon überzeugt, dass der Zeuge Izchak Hal. den übrigen Wortlaut zutreffend erinnert hat.

Ein Grund zu bezweifeln, dass Ruwen Hal. erschossen wurde, weil er sich im Judenrat befand, ist auch nicht aus den Bekundungen des Zeugen Dr. Mark Hal. herzuleiten. Dieser gab - wie auch schon vorher - bei seiner Vernehmung vom 9.2.1973 in London an, von seinem Bruder, dem Zeugen Izchak Hal., immer nur erfahren zu haben, der SS-Mann P. habe ihren Vater getötet, weil er nicht genügend Gold habe geben können. Der Zeuge Izchak Hal. vermerkte hierzu, dass er dies zwar seinem Bruder mitgeteilt habe, womit er aber nur die Vermutung ausgedrückt habe, dass hierin das Tatmotiv zu suchen sei. Es ist glaubhaft, dass sich Izchak Hal. gegenüber seinem Bruder früher nur über den von ihm als massgeblich angenommenen Beweggrund äusserte, Dr. Hal. aber meinte, dass der Täter diesen auch ausgesprochen habe. Ein solcher Irrtum des Zeugen Dr. Hal. wird auch noch dadurch erhärtet, dass Izchak Hal. noch in seinem Brief vom 20.6.1972 (H 7 III 193) an Dr. Hal. als Grund für die Tötung anführte, dass der Vater "das Magazin mit den Sachen verlassen" habe, während er 3 Zeilen danach meinte, höchstwahrscheinlich habe P. ihn getötet, weil er - Ruwen Hal. - das Gold und die bestellten wertvollen Sachen nicht habe liefern können. Eine widersprüchliche Aussage des Zeugen Izchak Hal. zu den Worten, die der Täter vor Abgabe des Schusses sprach, ist mithin auch nicht aus Bekundungen zu gewinnen, die er über den Vorfall Dritten gegenüber machte.

Fragwürdig wäre die Behauptung des Zeugen Izchak Hal. allerdings dann, wenn festzustellen wäre, dass es am Tattage, dem 12.6.1943 (vgl. unten c)) kein Magazin in Kopyczynce gab, in welchem jüdisches Eigentum lagerte und in dem auch gearbeitet wurde. Eine solche Feststellung konnte nicht getroffen werden. Für sie wäre an sich nur die Einlassung des Angeklagten anzuführen. Durch die Beweisaufnahme wurde diese aber widerlegt. So haben z.B. die Zeugen Henia Var., Jacob Bre., Nathan Dre., Janina Hal., Zygmund Gob. und Stanislaw Orn. angegeben, dass in dem Magazin gearbeitet, Sachen der Juden jedenfalls sortiert wurden. Zwar spricht der Zeuge Orn. nicht davon, dass dieses Lager P. zuzuordnen gewesen sei. Doch weist die Aufgabe, die P. im Bezirk Czortkow zugefallen war, eindeutig darauf hin, dass es ihm unterstand. Begründete Anhaltspunkte dafür, dass ein anderer für das Magazin verantwortlich gewesen sein könnte, fehlen. Dass die genannten Zeugen zur Frage, ob in dem Magazin gearbeitet wurde, die Unwahrheit gesagt haben könnten, ist auszuschliessen. Ein Motiv dafür wäre allenfalls als blosse Theorie konstruierbar, nicht aber zu belegen. Auch ein Irrtum der Zeugen ist nicht anzunehmen. Denn die Zeugen Var. und Janina Hal. haben bekundet, selbst in dem Magazin gearbeitet zu haben, berichteten also über Ereignisse, die sie unmittelbar berührten. Sie unterstützten damit auch die Bekundungen der anderen Zeugen. Zwar ist aus den Aussagen der Zeugen kein eindeutiges Bild darüber zu gewinnen, wie lange das Magazin bestand. Aus ihnen kann jedoch eindeutig entnommen werden, dass es über den vom angeklagten Zeitpunkt hinaus seiner Bestimmung diente. Denn der Zeuge Orn., dessen Aussage hierzu verlässlich erscheint, kam erst um Weihnachten 1942 nach Kopyczynce. Er gab auch an, dass nach jeder Aktion im Magazin sortiert und gearbeitet worden sei. Aktionen aber fanden bis mindestens Juni 1943 statt, was durch eine Reihe von Zeugen belegt ist, die anzuführen hier nicht erforderlich erscheint. Dass das Lager während der Zeit der Aktionen bestand, folgt auch klar aus der Aussage der Zeugin Var., die bekundete, dass die dort Beschäftigten "nach jeder Aktion ... weniger" wurden. Im übrigen war auch nach jeder Aktion Anlass und Raum für die Sammlung der den Juden gehörenden Sachen, also für ein Handeln des Angeklagten, um den ihm erteilten generellen Auftrag auszuführen.

Den Worten des Täters an Ruwen Hal. widersprechen mithin nicht objektive Gegebenheiten.

Gegen die Anwesenheit des Zeugen Hal. bei der Tötung seines Vaters kann auch nicht die Tatsache angeführt werden, dass er bei seiner richterlichen Vernehmung vom 13.6.1974 (H 7 IV 207/208) angab, P. sei in Uniform gewesen, während er sich 1972 bei seiner Anhörung vor dem Schwurgericht genau daran zu erinnern glaubte, dass der Täter Zivil getragen habe. Der Zeuge hat P. öfter sowohl in Zivil als auch in Uniform gesehen. Weder das eine noch das andere musste für ihn daher bei der Beobachtung der Tat besonders auffällig wirken, sich damit in das Gedächtnis dauerhaft einprägen. Die Art der Kleidung ist für den Beobachter in der Regel gleichgültig, es sei denn, dass ihr irgendeine Bedeutung im Rahmen der Tathandlung zukommt. Das war hier aber nicht der Fall. Die Veränderung des peripheren Erinnerungsbildes bzw. der Wandel seiner Überzeugung zur Uniformfrage erschüttert seine Zuverlässigkeit in der Tatbeobachtung daher nicht. Dass Randereignisse insbesondere nach langen Zeitabständen oft nicht konstant erinnert werden, entspricht der Erfahrung. Hier gilt nicht etwa deshalb etwas anderes, weil der Zeuge Hal. näher beschrieben hat, wie der Täter bekleidet war. Denn diese Beschreibung stellt nichts weiter dar als eine Schlussfolgerung, wie sich aus der Bemerkung des Zeugen ergibt, wenn P. in Zivil gekommen sei, habe er immer einen lichtgrauen Anzug mit dunkelbraunen Streifen getragen. Im Grunde hatte er schon damals nur im Gedächtnis, dass der Täter Zivil getragen habe, ohne noch ein genaues Vorstellungsbild davon zu haben.

Dass Izchak Hal. die Tötung seines Vaters miterlebte, wird auch durch Zeugenaussagen bestätigt. So erklärte die Zeugin Henia Var. bei ihrer richterlichen Vernehmung vom 15.10.1971, sie sei im Wartezimmer des Judenrats gesessen, als ein SS-Mann hereingekommen sei, von dem sie glaube, dass es P. gewesen sei. Er sei sofort in das angrenzende Judenratszimmer gegangen; von dort habe sie einen Wortwechsel gehört und anschliessend einen Schuss. Danach sei der Deutsche wieder aus dem Zimmer gegangen. Sie sei nun zur Verbindungstüre zwischen Warteraum und Judenratszimmer gegangen. Von hier aus habe sie den ihr bekannten Ruwen Hal. gesehen, der am Boden gelegen und dessen weisser Kopf voll Blut gewesen sei. Der Sohn Hal.s sei in dem Zimmer gewesen. Sie erinnere sich noch an ihn. Er habe auch geholfen, seinen Vater wegzutragen.

Dass die Zeugin Var. die Anwesenheit des Zeugen Izchak Hal. bekundet haben könnte, um dessen Aussage zu untermauern, hält das Schwurgericht für ausgeschlossen. Eine solche Absicht würde bei der Zeugin voraussetzen, dass es ihr darum ginge, den Angeklagten zu belasten. Dann aber hätte es für sie viel näher gelegen zu behaupten, dass sie P. im Judenrat klar erkannt habe, anstatt anzugeben, sie sei sich beim Anblick des Täters über die Person zunächst nicht ganz sicher gewesen, habe diese Sicherheit vielmehr erst erlangt, als im Gespräch mit anderen ihre Auffassung, dass der SS-Mann P. gewesen sei, bestätigt worden sei. Kein Anhalt besteht, dass sie die Angaben Hal. gekannt haben könnte; auch dadurch erhellt, dass es nicht ihr Bestreben gewesen sein kann die Aussage des Zeugen zu stützen. Auf Vorhalte aus seiner Aussage reagierte sie vielmehr kritisch; die Angabe des Zeugen, auch der Judenrat Roller sei anwesend gewesen, bezeichnete sie als ihrer "Meinung nach nicht richtig." Damit zeigte sie weiter, dass es ihr fernlag, auf eine Übereinstimmung ihrer Aussage mit den ihr jetzt bekanntgegebenen Bekundungen Hal.s hinzuwirken.

Der Zeuge Hal. hat ausgesagt, dass er die Zeugin Var. nur einmal 1957 getroffen, seither aber keine Verbindung mehr mit ihr bestanden habe. Das ist durch Tatsachen nicht in Frage zu stellen. 1957 aber war ein Strafverfahren gegen den Angeklagten noch nicht akut. Auch deshalb erscheint eine Absprache mit der Zeugin irreal. Bemerkenswert ist freilich, dass der Zeuge Hal., der seiner Aussage zufolge so verstört gewesen ist, dass er nicht einmal sagen konnte, wer den Leichnam nach unten getragen hat, die Zeugin Var. unter der Tür stehen gesehen haben will, während er über das Verhalten der übrigen Anwesenden nichts mehr in Erinnerung hatte. Doch kann hierin kein Indiz dafür gefunden werden, dass er möglicherweise die Aussage der Zeugin durch die Bestätigung ihrer Anwesenheit absichern wollte; vielmehr ist eine eingeschränkte Erinnerung der bekundeten Art zu - aus der damaligen Sicht des Zeugen unwesentlichen - am Rande sich abspielenden Geschehnissen durchaus möglich.

Die Glaubwürdigkeit beider Zeugen lässt sich nicht etwa deshalb mit Erfolg angreifen, weil sich nach der Darstellung Hal.s die Tat im Obergeschoss des Judenratsgebäudes ereignete, während die Zeugin meinte, der Vorfall habe sich im Erdgeschoss zugetragen. Beide hatten keine verschiedenen Tatorte im Auge. Im Kern stimmt ihre Schilderung darin überein, dass Ruwen Hal. im Judenratsgebäude, und zwar im Zimmer der Judenräte, das an den Warteraum angrenzte, erschossen wurde. Das ist allein wesentlich. Eine Erinnerungstäuschung darüber, in welchem Stockwerk sich das Judenratszimmer befand, berührt nicht die Substanz eines Erlebnisses, die in ihrer Reproduktion auch nach langer Zeitspanne gleich wiedergegeben werden muss, soll an der Fähigkeit des Zeugen, einen Geschehenskern richtig in der Erinnerung zu bewahren, nicht gezweifelt werden. Eine Täuschung ist hier auch deshalb möglich, weil der Judenrat sowohl im Erdgeschoss als auch im Obergeschoss Räume inne hatte, was ausser diesen beiden Zeugen auch noch andere glaubhaft bekundeten. Es ist mithin ohne Belang, wo genau das Tatzimmer lag. Für die Aussage des Zeugen Hal., die auch durch andere Aussagen unterstützt wurde, spricht, dass er sehr oft zum Judenrat kam, und auch eine Zeitlang dem Ordnungsdienst angehörte. Von ihm sind daher eher verlässliche Kenntnisse und Erinnerungen zu erwarten, als beispielsweise von der Zeugin Var., oder dem Zeugen Orn., der ebenfalls meinte, Hal. sei im Erdgeschoss getötet worden.

Allerdings stehen die Aussagen dieser Zeugen im Widerspruch zur Einlassung des Angeklagten, nach der das Judenratsgebäude kein zweigeschossiges Wohnhaus, vielmehr eine ebenerdige Baracke, noch ausgestattet mit Schanktheke und Bierhahn, gewesen sei. Zu dieser Behauptung des Angeklagten, die, falls sie richtig gewesen wäre, die Schilderung des Zeugen Hal. hätte zweifelhaft erscheinen lassen, hat das Schwurgericht viele Zeugen gehört. Die meisten erklärten in Übereinstimmung mit den Zeugen Var. und Hal., dass der Judenrat in dem zweigeschossigen Gebäude des Schapira, das als Eckhaus am Marktplatz gestanden sei, untergebracht gewesen sei (Jacob Bre., Nathan Dre., Isidor Di., Dora Sch., Isidor Ha., Klara Mi., Edward We., Simon Go.). Einige wussten nur noch, dass es sich um ein zweistöckiges Haus am Markt gehandelt habe (Benio Baz., Zygmund Gob., Miriam Ka., Stanislaus Orn.). Ein Zeuge (Norbert Kal.) hatte ein ein- oder zweistöckiges Eckhaus in Erinnerung. Kein Grund ist dafür ersichtlich, der Zuverlässigkeit dieser Zeugen zum Aussehen des Judenratsgebäudes zu misstrauen. Anhaltspunkte für eine Absprache fehlen. Die Einlassung des Angeklagten ist damit widerlegt. Zwar gab der Zeuge Emil Gob. 1968 (45, 139 f.) bei seiner konsularischen Vernehmung an, die ihm vorgelegte und vom Untersuchungsrichter gefertigte Grundrissskizze des Judenratsgebäudes (Bl.143 a) stimme mit seiner Erinnerung überein, das Gebäude habe kein oberes Stockwerk gehabt. Aber abgesehen davon, dass der Angeklagte selbst diese Skizze als unrichtig bezeichnete, kann dieser Bekundung auch deshalb kein die Einlassung des Angeklagten unterstützender Beweiswert beigemessen werden, weil der Zeuge durch die Skizzenvorlage mit hoher Wahrscheinlichkeit suggestiv beeinflusst wurde. Das folgt schon daraus, dass er, als ihm zu Beginn seiner Vernehmung vom 14.9.1973 - und nicht im Rahmen seiner Befragung zu dem Judenratsgebäude - diese Skizze noch mal vorgelegt wurde, sich nicht denken konnte, was sie darstellen sollte. Nach seiner weiteren Bekundung war das Gebäude auch keine Baracke, sondern ein dem Schapira gehörendes Steinhaus, das allerdings seiner Erinnerung nach nur ein Erdgeschoss gehabt habe. Die Frage, ob die nachgewiesene Unrichtigkeit der Einlassung des Angeklagten zum Judenratsgebäude ein Indiz für seine Täterschaft sein kann, wird später erörtert.

Die Zeugin Var. ist in Kopyczynce aufgewachsen und lebte dort bis 1945. Es ist glaubhaft, dass sie Ruwen Hal. gekannt, ihn auch als Tatopfer erkannt hat. Nichts spricht dagegen, dass sie sich in dem Opfer getäuscht haben könnte. Kein Zeuge berichtete davon, dass im Judenratsgebäude ausser Ruwen Hal. noch ein Jude ausserhalb einer Aktion getötet worden sei. Dass sie einen anderen Fall beobachtet haben könnte, ist deshalb auszuschliessen. Dafür, dass sie jedoch diesen einen Fall - wenn auch am Rande - tatsächlich miterlebt hat, spricht ihre detaillierte, stimmige und in sich widerspruchsfreie Aussage. Fraglich ist freilich, ob sie sich nicht darin täuscht, dass Izchak Hal. geholfen habe, den Leichnam wegzutragen. Hal. verneinte dies. Ein solcher "Widerspruch" könnte ihre Glaubwürdigkeit zu den hier wesentlichen Tatsachen indessen nicht berühren. Zu fordern, dass nach vielen Jahren die Beobachtungen von Zeugen auch in allen Nebenpunkten zusammenpassen müssten, um ihnen insgesamt vertrauen zu können, erscheint lebensfremd.

Nach alledem steht fest, dass Ruwen Hal. im Beisein seines Sohnes im Judenratsgebäude zu Kopyczynce von einem SS-Mann erschossen wurde.

c) Das Schwurgericht hält auch die Aussage des Zeugen zum Todeszeitpunkt für zuverlässig. Einmal ist nicht einzusehen, warum der Zeuge die Tatzeit derart exakt fingiert haben sollte. Davon hätte er keinen Vorteil. Wollte er die Unwahrheit über die Person des Täters sagen, setzte er sich damit nur der Gefahr seiner Widerlegung aus. Denn es liegt auf der Hand, dass ein Beschuldigter sich erfolgreicher verteidigen kann, wenn der Tattag festliegt - etwa durch Benennung eines Alibizeugen für eben diesen Tag oder durch Urkunden - als wenn für die Tat ein Tag innerhalb eines Zeitraums von mehreren Wochen in Frage kommen kann. Das Schwurgericht glaubt dem Zeugen auch, dass er den Todeszeitpunkt wenige Tage nach der Tat vermerkte. Die Schilderung des Zeugen zum Auffinden des Zeugnisses in der wie stark geplündert aussehenden Wohnung wirkt für die damalige Zeit lebensnah; sie ist andererseits aber auch nicht so naheliegend, dass sie sich bei der Erfindung eines Vorgangs aufdrängen musste. Jenes Zeugnis an seine frühere Braut ist am 1.4.1938 ausgestellt. Es bis heute aufzubewahren hatte nur dann einen gewichtigen Sinn, wenn er es als Merkblatt für den Todeszeitpunkt seiner Eltern zu benötigen glaubte. Kein Anhaltspunkt besteht dafür, dass dieses Zeugnis der "Gewerblichen Schule für Zuschneiden" in Wien zunächst allein als Andenken an seine Braut für ihn wichtig gewesen sein könnte, dass er es 1957 mit nach Israel nahm und es dann - als das Verfahren gegen den Angeklagten bekannt wurde (1965) - zur Fixierung eines Todeszeitpunktes benutzte, um durch das Alter des Zeugnisses die Richtigkeit seiner Angaben zu unterstreichen und noch dadurch zu verstärken, dass er auch gleich den Todestag der Mutter notierte. Einer solchen Ansicht steht schon der Brief des Zeugen, den er unter dem 29.9.1964 an seinen Bruder, Dr. Mark Hal., geschrieben hat, entgegen. Darin teilte er ihm neben anderen persönlichen Nachrichten mit, dass der Vater am 12.6.1943 von P. getötet worden sei (H 7 III 196). Am 29.9.1964 aber war gegen den Angeklagten noch kein Ermittlungsverfahren in Gange von welchem der Zeuge wissen konnte.

Für die Ansicht der Verteidigung, dass dieser Brief gefälscht sein könnte, bestehen keine Anhaltspunkte. Dass der Zeuge Dr. Hal. gerade dieses Schreiben aus früherer Zeit noch besitzt, alle anderen Briefe aber nicht mehr, macht seine Aussage nicht unglaubwürdig; dass er den Brief von 1964 nicht auch bei seinen früheren Erklärungen als Erinnerungsstütze zum Todestag seines Vaters benutzte, dort vielmehr sich hierzu unterschiedlich äusserte, hat der Zeuge damit erläutert, dass er den Brief erst jetzt wieder gefunden habe. Das Gericht sah keinen Grund, diese Aussage anzuzweifeln.

Die Angaben des Zeugen Izchak Hal. zum Todestag werden auch nicht dadurch fragwürdig, dass er bei seiner Vernehmung vor dem Schwurgericht weiterhin bekundete, sein Vater sei drei Tage nach dem Laubhüttenfest erschossen worden. Er denke, dass es ein Sonnabend gewesen sei, jedenfalls aber sei die Tat drei Tage nach dem Feiertag geschehen. Richtig ist zwar, dass das Laubhüttenfest 1943 am 14.10. gefeiert wurde. Drei Tage vor der Tat - nämlich am 9. u. 10.6.1943 - waren jedoch die jüdischen Feiertage Schawuot. Damit wird offensichtlich, dass dem Zeugen bei seiner Aussage allein ein Versehen in der Bezeichnung der Festtage unterlaufen ist. Sein zusätzlicher Erinnerungsansatz an diesen Festtag macht es weiter deutlich, dass er das Todesdatum richtig wiedergegeben hat.

d) Gegen die Zuverlässigkeit des Zeugen Izchak Hal. lassen sich auch in seinen Entschädigungs- und Rückerstattungsakten keine hinreichenden Anhaltspunkte finden:

aa) In der Entschädigungsakte 394318 des Bezirksamts für Wiedergutmachung in Koblenz befindet sich auf Blatt 5 eine maschinenschriftliche eidesstattliche Versicherung vom 31.1.1958, die mit dem Namen "Hal. Ignaci" unterzeichnet ist. Darin ist unter anderen ausgeführt, er (Hal.) habe zu Beginn der Verfolgung in Sanok gelebt, sei 1940 in das Ghetto Lipiskigo-Koschowa gekommen, und danach in das Arbeitslager Zaslav überführt worden. 1942 sei es ihm gelungen zu entfliehen; mit anderen habe er sich danach in den Wäldern der Karpaten bis zur Befreiung durch die Russen im Jahre 1945 unter menschenunwürdigen Bedingungen versteckt halten müssen. In einer weiteren eidesstattlichen Versicherung (zur Begründung des Anspruchs auf Elternrente) vom 4.4.1961 (Bl.26) - ebenfalls in Maschinenschrift und mit dem Namen Hal. Ignaci unterschrieben -, wird erklärt, dass Hal. 1936 in Sanok mit Esther Ro. die Ehe geschlossen habe. Sein 1937 geborener Sohn und seine Frau seien von den Deutschen umgebracht worden.

Der Zeuge Izchak Hal. behauptete, er habe diese Angaben, die sämtlich falsch seien, im Entschädigungsverfahren nicht gemacht, solche Versicherungen auch nie unterschrieben. Nachdem er 1957 nach Israel gekommen sei, habe ihn der Sohn eines Rechtsanwalts Co. aufgesucht und mitgeteilt, dass er und seine Frau Janina Entschädigungen bekommen würden. Davon habe er bisher nichts gewusst. Er habe dem Sohn nun erzählt, was er durchgemacht habe; anschliessend habe er mehrere Formulare, die Co. mit Bleistift ausgefüllt habe, unterschrieben. Nach 5 bis 6 jahren hätten er und seine Frau etwas Geld bekommen.

Die Beweisaufnahme hat ergeben, dass der Zeuge Izchak Hal. in Dr. Co. - welchem Wiedergutmachungsschwindel ganz grossen Ausmasses zur Last gelegt wird und gegen den Haftbefehl besteht - einem Betrüger zum Opfer gefallen ist. Nach dem überzeugenden Gutachten des Schriftsachverständigen - auf das nicht näher eingegangen werden muss, da es die Nebenklage nicht belastet - sind die Unterschriften des Zeugen unter den eidesstattlichen Versicherungen gefälscht. Echt ist nur die Unterschrift im Antrag vom 25.12.1957. In diesem aber sind die oben wiedergegebenen Behauptungen aus den eidesstattlichen Versicherungen nicht enthalten. In der eidesstattlichen Versicherung vom 31.1.1958 ist zwar "notariell" bestätigt, dass Hal. die Erklärung vor ihm - dem Notar - abgegeben und unterschriftlich vollzogen habe. Die sich daran anschliessende Unterschrift des Notars Dr. Miklos Rados ist jedoch ebenfalls nachgemacht, was der Schriftsachverständige Wez. unangreifbar darstellte. Der Notar Jack Mas., der die eidesstattliche Versicherung vom 4.4.1961 beurkundet haben soll, erklärte bei seiner Vernehmung, dass seine Unterschrift gefälscht sei. Dies wurde ebenso durch den Gutachter bestätigt wie die weitere Bekundung des Zeugen, dass auch ein falscher Stempel bei der Urkunde verwendet worden sei (der Zeuge hatte seine Stempel zu Vergleichsabdrücken zur Verfügung gestellt). Nach dem überzeugenden, die Angaben des Zeugen Hal. und Mas. bestätigenden Gutachten sind des weiteren die Unterschriften unter der eidesstattlichen Verfügung vom 1.2.1960, in welcher der Zeuge Hal. vom Notar Mas. die Wahrheit seiner Versicherung vor dem Notar Dr. Rados bekräftigte, klare Fälschungen, ebenso der verwendete Notariatsstempel. Soweit Schlomo und Maria Pla. in eidesstattlichen Versicherungen vom 31.1.1958 die eidesstattlichen Erklärungen vom 31.1.1958, die Hal. abgegeben haben soll, stützen, haben sich auch deren Unterschriften und die des Notars als Fälschungen erwiesen. Damit erscheint die Behauptung Hal.s glaubwürdig, dass er gegenüber Co. nie die Angaben gemacht hat, die in den eidesstattlichen Versicherungen enthalten sind. Seine Unterschrift hätte nicht nachgemacht werden müssen, wenn die Behauptungen tatsächlich von ihm aufgestellt worden wären. Aus dem Fälscherwerk lassen sich jedenfalls Bedenken gegen seine Zuverlässigkeit nicht herleiten; ein verständiger Grund, sie in Frage zu stellen, lässt sich nicht finden.

bb) Der Zeuge Izchak Hal. hat am 20.9.1965 - eingegangen bei der Sondervermögensverwaltung beim Landesfinanzamt Berlin am 2.12.1965 - einen Antrag auf Härteausgleich nach dem Bundesrückerstattungsgesetz gestellt. In diesem Antrag, der von ihm unterschrieben ist, hat Hal. erklärt, dass seine Eltern 1942 bei einer Ausrottungsaktion erschossen worden seien und dass diese Tat in Hosiatyn, Kreis Tarnopol, geschehen sei (Bl.2 u. 2 R in den Akten V 360/518761). In seiner eidesstattlichen Versicherung vom 12.10.1965 (Bl.7) erklärte Hal., er habe bei Beginn des Krieges in Hosiatyn gewohnt und sein Vater sowie seine Mutter seien durch die Gestapo während einer Ausrottungsaktion im Jahre 1942 erschossen worden. In der Erbscheinsverhandlung vom 10.4.1968 vor dem Notar Dr. Li. (Bl.15) ist als Äusserung des Izchak Hal. folgender Satz enthalten: "Meine Eltern wurden im Jahre 1942 in Hosiatyn, Kreis Tarnopol, durch die Gestapo erschossen." Die eidesstattliche Versicherung und die Urkunde über die Erbscheinsverhandlung hat der Zeuge ebenfalls unterschrieben.

In den Rückerstattungsakten ist ausserdem eine vor dem Notar Dr. Li. abgegebene eidliche Erklärung des Zeugen Jacob Gol. vom 18.12.1966 (Bl.13), in welcher zunächst zu den angegebenen Vermögensverhältnissen der Eltern des Zeugen Hal. Stellung genommen wurde; am Ende versicherte der Zeuge, er wisse ganz genau, dass die Eltern des Herrn Hal., und zwar Rubin und Pepa Hal., bei einer Ausrottungsaktion im Jahre 1942 erschossen worden seien.

Die in den Urkunden enthaltenen Erklärungen des Zeugen Hal. widersprechen seiner Aussage vor dem Schwurgericht. So bestehen (1.) klare Differenzen zum Wohnort während der Verfolgungszeit; ausserdem (2.) stimmt die Schilderung des Tathergangs nicht überein; schliesslich (3.) ist jetzt als Tatzeit 1942 genannt und nicht etwa der 11.6.1943, der das genaue Todesdatum sein soll.

Diese aufgezeigten Widersprüche finden jedoch eine hinreichende Erklärung, weshalb sie im Ergebnis auch keine vernünftigen Zweifel an der Richtigkeit der Darstellung des Zeugen Izchak Hal. im vorliegenden Strafverfahren aufkommen lassen.

<u>Zu 1.</u>

Der Zeuge Hal. hat bei seiner Vernehmung am 10.12.1973 bestritten, gegenüber dem Notar Dr. Li. über den Aufenthaltsort von ihm und seiner Familie während der Deutschen Besetzung Galiziens andere Angaben gemacht zu haben als im Strafverfahren. Diese Erklärung des Zeugen ist nicht zu widerlegen. An ihr bestehen auch keine Zweifel, denn es ist nicht einzusehen, warum er über den Aufenthaltsort falsche Angaben gemacht haben sollte. Die von der Verteidigung angestellte Erwägung, er habe damit vom Wiedergutmachungsverfahren ablenken wollen, ist nicht stichhaltig, da er mit den Fälschungen nichts zu tun hatte. Der weiter angedeutete Gedanke, dass der Behörde durch die falsche Ortsbezeichnung die Aussicht genommen werden sollte, Zeugen zu finden, welche die möglicherweise unwahren Vermögensangaben des Antragstellers aufdecken könnten, ist als Überlegung des Zeugen Hal. ebenfalls wenig naheliegend, da er sich andererseits sagen musste, dass dann, wenn die Behörde Nachforschungen für angezeigt halten sollte, solche in Hosiatyn durchgeführt würden, wobei dann mit grösster Wahrscheinlichkeit festgestellt werden könnte, dass er nie dort gewohnt hat. Die Angabe in den Entschädigungsakten, wonach sich der Zeuge Hal. in Hosiatyn aufgehalten habe, findet zwanglos in der Aussage des Notars eine hinreichende Erklärung. Der Zeuge Dr. Li. hat nämlich bekundet, es sei durchaus möglich, dass er - als er die Informationen des Zeugen Hal. notiert habe - zwischen Geburtsort und Aufenthaltsort nicht unterschieden habe, da es für die Durchsetzung der Ansprüche ohne Bedeutung gewesen sei, wo sich die Taten im einzelnen abgespielt hätten. Insoweit waren also Fehler möglich, die nicht auf falschen Mitteilungen der Antragsteller beruhten.

Es mag sein, dass der Zeuge Hal. entgegen seiner Behauptung die beim Notar gefertigten Urkunden vor ihrer Unterzeichnung auf Aufforderung nochmals durchgesehen hat. Dass er dies aber so gründlich getan hätte, dass ihm etwaige Fehler auffallen mussten, kann nicht festgestellt werden, dafür spricht keine Vermutung. Im Gegenteil pflegt der in Rechtsangelegenheiten Unerfahrene, der mit einem Notar sein Anliegen erörtert hat, darauf zu vertrauen, dass dieser die zur Anspruchsbegründung wesentlichen Tatsachen richtig wiedergeben werde. Er sieht deshalb in der Regel keinen Anlass, die Arbeit des Notars in dessen Büro nochmals genau zu überprüfen.

Dass Izchak und auch Ruwen Hal. während der Deutschen Besetzung in Kopyczynce lebten, wird im übrigen auch durch viele Zeugen (u.a. z.B. Henia Var., Nathan Dre., Stanislav Gro., Anna Gro.) bestätigt. Es besteht kein Anlass, deren Aussagen insoweit anzuzweifeln. Des weiteren hat auch der Zeuge Orn. zuverlässig bekundet, dass Ruwen Hal., in dessen Geschäft er gearbeitet hatte und den er kannte, sich in Kopyczynce aufgehalten hat. Aus den Erklärungen im Rückerstattungsverfahren lassen sich mithin keine Zweifel am Tatort herleiten.

Zu 2.

Bei seiner Vernehmung am 10.12.1973 hat Izchak Hal. angegeben, er habe dem Notar geschildert, dass sein Vater am 12.6.1943 in Kopyczynce von P. erschossen worden sei. Der Notar habe aber erklärt, dass es nicht wichtig sei, wer seinen Vater getötet habe, weil ja darüber kein Gerichtsurteil vorliege. Der Notar müsse ihn auch falsch verstanden haben, denn er spreche auch davon, dass seine beiden Eltern zusammen erschossen worden seien, während dies in Wirklichkeit ja nicht der Fall gewesen sei.

Diese Aussage des Zeugen Hal. wurde wenigstens teilweise durch den Zeugen Dr. Li. bestätigt, weshalb sie auch als glaubhaft angesehen werden kann. Dr. Li. äusserte, dass Hal. ihm damals berichtet habe, seine Eltern seien durch die Gestapo vernichtet worden. Im Rückerstattungsverfahren musste der Zeuge Izchak Hal. die Tötung der Eltern keineswegs detaillierter angeben, da dies unwesentlich war. Auf näheres Befragen erklärte der Zeuge Dr. Li. anschliessend auch noch, dass er sich an die Äusserung Hal.s deswegen erinnere, weil dieser ihm damals den Namen des Täters genannt habe. Er habe darauf zu Hal. gesagt, dass er den Namen nicht aufnehmen werde, da der Mann ja noch nicht verurteilt worden sei, dass er vielmehr nur aufnehmen würde, seine Eltern seien durch die Gestapo umgebracht worden.

Somit wird deutlich, dass die allgemein gehaltene Formulierung ausschliesslich auf dem Gespräch mit dem Notar beruht, nicht aber eine Inkorrektheit des Zeugen Hal. darstellt. Es ist möglich, dass Dr. Li. den Zeugen dahingehend verstand, dass die Tötung durch den Gestapomann anlässlich einer allgemeinen Aktion gewesen sei. Dies näher aufzuklären, bestand für ihn jedoch kein Anlass, da es für dem Rückerstattungsanspruch unwesentlich war, auf welche Weise (Massen- oder Einzelaktion) der Vermögensinhaber ums Leben gekommen ist. Der Mitteilung der Tötung bedurfte es nur, um die Erbfolge klarzustellen. Dazu genügte auch eine pauschale Behauptung.

Aus alledem folgt, dass die in den Rückerstattungsakten vorhandene Darstellung über die Tötung des Ruwen Hal. die Schilderung des Zeugen Izchak Hal. im Strafverfahren nicht in Frage stellen kann. Die Angaben des Zeugen Hal. vor dem Schwurgericht werden auch noch durch Zeugen bestätigt; so haben die Zeugen Henia Var., Nathan Dre. und Stanislav Orn. glaubwürdig berichtet, dass Ruwen Hal. ausserhalb einer Massenaktion im Judenratsgebäude zu Kopyczynce getötet wurde.

Die Vernehmung des Zeugen Gol. am 11.12.1973 ergab, dass er aus unmittelbarem Erleben nichts zum Tode Ruwen Hal.s sagen kann und kaum etwas zu dem, was sonst Gegenstand seiner eidlichen Erklärungen in den Rückerstattungsakten geworden ist. Die Erklärung Gol.s vom 18.12.1966 kann mithin nicht gegen die spezielle Glaubwürdigkeit des Zeugen Hal. ins Feld geführt werden.

Zu 3.

Izchak Hal. behauptete, den Notar gegenüber das richtige Todesjahr - nämlich 1943 - genannt zu haben. Der Notar konnte dies nicht bestreiten, aber auch nicht bestätigen. Die Darstellung Hal.s ist mithin nicht zu widerlegen. Die Tatsache, dass in den Rückerstattungsakten das Jahr 1942 genannt ist, vermag die Überzeugung des Gerichts von der Zuverlässigkeit der Angaben Hal.s zum Todeszeitpunkt, die er vor dem Schwurgericht machte, nicht zu erschüttern. Wahrscheinlich ist, dass der Zeuge Izchak Hal. im Verfahren nach dem Bundesrückerstattungsgesetz die Vermögensverhältnisse seiner Eltern übertrieben positiv beurteilt hat, dass er in Einzelpunkten hierzu wohl auch die Unwahrheit gesagt hat. Es wäre sonst eigentlich unerklärlich, warum er zur Bestätigung der Vermögenssituation seiner Eltern gerade einen Zeugen - Gol. - wählte, der aus eigener Anschauung seiner Aussage zufolge hierzu nichts bekunden kann, während nach der in den Rückerstattungsakten enthaltenen Erklärungen jenes Zeugen der Eindruck erweckt wird, als könne er aufgrund eigener Kenntnisse die Vermögensangaben bezeugen. Jedoch ist die - hier unterstellte - Tatsache, dass der Zeuge Izchak Hal. zu einer der Höhe nach unberechtigten Entschädigung kommen wollte, für die Beurteilung seiner Wahrheitsliebe bei der Schilderung des Tatherganges bedeutungslos. Das Schwurgericht hält es nicht für gerechtfertigt, ja für lebensfremd, aus unrichtigen Angaben in einer Vermögensangelegenheit schon an sich Zweifel an der speziellen Glaubwürdigkeit eines Zeugen zu einem hiermit nicht im Zusammenhang stehenden Tötungsdelikt herleiten zu wollen.

e) Auch die Bekundungen des Stanislav Gro. rechtfertigen es nicht, die Aussage Izchak Hal.s anzuzweifeln.

Der Zeuge Gro. gab bei seiner Vernehmung am 2.2.1974 an, Izchak Hal. sei im Oktober oder November 1943 zu ihm gekommen und habe ihn gebeten, ihn - Hal. - zu verstecken. Dabei habe Hal. zu ihm gesagt, dass sein Vater nicht mehr lebe, er sei während einer Aktion getötet worden.

Aus der weiteren Anhörung des Zeugen wurde jedoch klar, dass er keine echte Erinnerung mehr an das hatte, was Hal. ihm über den Tod seines Vaters berichtet hatte. Denn seine Bekundung: Soweit er sich erinnere habe Izchak Hal. von einer Aktion gesprochen, während der sein Vater umgekommen sei, denn nach seiner (Gro.s) Meinung habe er nur bei einer Aktion umkommen können, weist deutlich daraufhin, dass er den Tötungszusammenhang nur schlussfolgerte und aus der Schlussfolgerung zu der von ihm wiedergegebenen Überzeugung kam. Die Tatschilderung des Zeugen Hal. lässt sich hierdurch jedoch nicht ernsthaft in Frage stellen. Ob es freilich objektiv richtig ist, dass Hal., wie er behauptete, überhaupt nicht mit dem Zeugen Gro. über den Tod seines Vaters gesprochen habe, ist zweifelhaft, kann jedoch dahinstehen.

f) Izchak Hal. hat den Angeklagten gekannt. Die Beschreibung, die er von ihm gab, kann auf ihn zutreffen. Nach den DC-Unterlagen (Sonderband 42) war der Angeklagte im August 1940 86 kg schwer und 176,5 cm gross. Vergleicht man seine Grösse mit seinem Gewicht, liegt der Schluss nahe, dass man ihn schon damals nicht mehr als schlank bezeichnen konnte. Dass er in der Zeit, in der er in Czortkow stationiert war und offenbar keine Not litt, abgemagert haben sollte, kann nicht angenommen werden; es gibt dafür keine Anhaltspunkte.

Wenn der Zeuge den Angeklagten mithin als korpulent bezeichnete, wird diese Wertung durch die vorhandenen Unterlagen entscheidend gestützt. Ausserdem wurde der Angeklagte von einer Vielzahl von Zeugen aus dem Bezirk Czortkow als zumindest korpulent geschildert. Dass man das Gesicht des Angeklagten damals schon als rund bzw. rundlich ansehen konnte, wird durch die vorhandenen Fotografien bestätigt, die eine solche Ansicht ohne weiteres zulassen. Die Beschreibung des Angeklagten durch Hal. ist also auch zur Gesichtsform zutreffend. Ferner hat er die Grösse P.s annähernd richtig angegeben. Seine Schätzung mit 170 bis 172 cm liegt nur geringfügig unter der wahren Grösse des Angeklagten; sie kennzeichnet diesen noch als mittelgrossen Mann.

Die Beschreibung, die der Zeuge Hal. von dem von ihm als P. angesehenen Mann gab, passt folglich auf den Angeklagten. Ausserdem hat er ihn auf den beiden Kopfbildern Nr.3 und 11 in Sonderband 115, die ihn aus der damaligen Zeit darstellen, wiedererkannt. Vor dem Tag seiner Vernehmung in Mannheim waren dem Zeugen noch keine Lichtbilder des Angeklagten vorgelegt worden. Die Identifizierung geschah also aus der unmittelbaren Erinnerung an die Person P.s heraus. Anhaltspunkte für eine Personenverwechslung sind bei ihm nicht ersichtlich. Hinzu kommt noch, dass er den Angeklagten auch seiner Funktion nach richtig dargestellt hat. Es entsprach dem Auftrag des Angeklagten, für die Hinterlassenschaften der Juden und damit für die Verwaltung des Magazins in Kopyczynce zu sorgen. Der Zeuge Hal. hat nach alledem das Schwurgericht davon überzeugt, dass er den Angeklagten gekannt und in Kopyczynce gesehen hat. Ihm war auch zu glauben, dass er P. oft im Judenratsgebäude sah. Dass er, Hal., sich vielfach dort aufhielt, konnte mit seiner Rolle als Mittler zwischen Ordnungsdienst und Judenrat erklären [334]. Seine häufigen Besuche im Judenrat ermöglichten ihm mithin einigermassen zuverlässige Beobachtungen darüber, wie oft der Angeklagte dort erschien. Dass P. jedoch wöchentlich etwa zweimal nach Kopyczynce gekommen sein sollte, dürfte genauso überzeichnet sein, wie manche negative Charakterisierung, die er ihm anlastete, etwa Herrscher über Leben und Tod gewesen zu sein.

g) Die Überzeugung Hal.s von der Täterschaft des Angeklagten, die er übrigens schon im Schreiben vom 29.9.1964 zum Ausdruck brachte, konnte das Schwurgericht jedoch nicht teilen. Es hatte geringe, aber unüberwindbare Zweifel daran, dass der Täter, von dem Hal. glaubte, dass es P. sei, tatsächlich auch P. gewesen ist.

Freilich lassen sich solche Zweifel nicht schon entscheidend aus der Aussage des Zeugen Orn. herleiten, der vor dem Schwurgericht am 6. und 7.5.1974 folgendes bekundete.

[334] Sic!

Er habe, nachdem er im Dezember 1942 nach Kopyczynce zurückgekehrt sei, bei einer deutschen Firma gearbeitet, die mit Gemüse gehandelt habe und deren Geschäft am Marktplatz gelegen sei. Auf Anweisung habe er oft Gemüse, Obst und Butter zu dem ukrainischen Arzt Dr. Kornow bringen müssen, der mit seiner Familie im Obergeschoss des Judenratsgebäudes gewohnt habe, das am Markt gelegen sei und einem gewissen Schapir [335] gehört habe. Als er an einem ihm nicht mehr erinnerlichen Tag - das Wintergetreide sei schon abgeerntet gewesen - wieder einmal im Judenratsgebäude gewesen sei, habe er plötzlich zwei Schüsse gehört. Zu diesem Zeitpunkt sei er - von der Wohnung Kornows kommend - gerade die Treppe nach unten gegangen. Er sei erschrocken, dann aber in normaler Gangart weitergelaufen. Im Korridor sei er an der etwa halb offen stehenden Tür zum Judenratszimmer vorbeigekommen. Ohne seinen Schritt zu verzögern, habe er in den Raum gesehen. Dabei habe er einen dicken SS-Mann bemerkt, der gerade seine Pistolentasche zugemacht habe. Dieser Mann sei Deutscher und der Kommandant der Polizei von Kopyczynce gewesen; man habe ihn Papa genannt. Obwohl dieser ihm den Rücken zugekehrt habe, habe er ihn an seinen Bewegungen erkannt. Er habe den Dicken, der in SS-Uniform gewesen sei, auch sehr gut gekannt; Papa habe ihn nämlich einmal erschiessen wollen. Seither sei er ihm aus dem Weg gegangen.

Im Judenratszimmer habe er insgesamt 5 oder 6 SS-Leute wahrgenommen. Ausserdem habe er den toten Ruwen Hal. gesehen, der mit dem Kopf auf dem Schreibtisch gelegen sei. Von seinem Kopf sei Blut auf den Tisch und von dort zum Fussboden gelaufen. Papa sei etwa einen halben Schritt von Hal. entfernt gestanden. Auch Roller habe er bei Hal. gesehen. Den Getöteten habe er an seiner Stirnglatze und seinem hellgrauen Anzug, den er regelmässig getragen habe erkannt.

Noch am Tattage habe er Ruwen Hal. gesehen, als er in Richtung des Judenratsgebäudes gegangen sei. Etwa 1 Stunde nach der Tat sei Roller an ihm auf dem Marktplatz - wo er gearbeitet habe - besonders schnell vorbeigelaufen. Er habe ihm zugerufen, warum er es so eilig habe, worauf Roller geantwortet habe, man habe Hal. getötet. Den Täter habe Roller nicht genannt.

Es muss davon ausgegangen werden, dass der Zeuge Orn. im Judenratsgebäude war, als Ruwen Hal. getötet wurde, und dass er einen Blick in das Judenratszimmer, in welchem die Tat geschehen war, werfen konnte. Aus seiner Aussage ging klar hervor, dass er das Judenratsgebäude kannte. Ausserdem konnte er seine Anwesenheit in dem Haus schlüssig und detailliert erklären. Man gewann nicht den Eindruck, dass er den Anlass über seinen Aufenthalt im Judenratsgebäude konstruiert habe. Freilich wäre denkbar, dass er am Tattag gar nicht dort war, vielmehr den gewöhnlichen Anlass, der ihn in das Haus führte, nur benutzte, um für seine - falschen - Behauptungen zur Tötung Hal.s einen glaubhaften Rahmen zu haben. Doch konnte das Gericht keinen hinreichenden Anhaltspunkt für eine bewusst unrichtige Aussage finden.

Die Bekundungen Orn.s sind nicht schon deshalb als vollständig widerlegt anzusehen, weil sie den Angaben der Zeugen Hal. und Var. insoweit widersprechen, als diese Zeugen angegeben haben, nur ein SS-Mann habe sich in dem Raum befunden. Bei seiner Aussage, mehrere SS-Leute gesehen zu haben, war Orn. ersichtlich äusserst unsicher. Damit bleibt möglich, dass die anderen Personen, die er gesehen zu haben glaubt, Zivilisten waren und seine Meinung, dass auch sie SS-Männer gewesen seien, eine Vermutung oder Schlussfolgerung - unbewusst abgeleitet aus der von ihm wahrgenommenen zentralen Figur des dicken Uniformierten - darstellt. Das liegt auch deshalb nahe, weil der Zeuge für den Bruchteil einer Se-

[335] Gemeint ist wohl: Schapira.

kunde, der ihm einen Blick auf die Situation erlaubte, kaum exakte Beobachtungen in dem von ihm dargelegten Umfang machen konnte. So will der Zeuge in dem kurzen Augenblick - der einer Momentaufnahme gleichkommt - den Uniformierten "Dicken" nicht nur gesehen, vielmehr auch eine Bewegung von ihm (das Hantieren an der Pistolentasche) wahrgenommen und ihn dadurch als Papa erkannt haben. Ausserdem will er sein Augenmerk auf den Toten und seine Lage gerichtet sowie bemerkt haben, dass vom Kopf Blut auf den Tisch und auf den Boden geflossen sei. Daneben habe er ferner Roller erkannt.

Das Schwurgericht glaubt nicht, dass der Zeuge in der Kürze der ihm zur Verfügung stehenden Zeit all das genau wahrnehmen konnte, was er beobachtet zu haben schilderte. Es ist deshalb wahrscheinlich, dass seine Erinnerung an das Ereignis mit Schlussfolgerungen und Vermutungen belastet ist, die er heute als solche nicht mehr trennen kann, vielmehr als erlebt empfindet. Eine Rolle mag hierbei noch mitspielen, dass der Zeuge erstmals nach 30 Jahren sich wieder mit seinem Erlebnis beschäftigen, es in das Gedächtnis zurückrufen musste. Wie sehr sich seine Erinnerung an die Tat jedoch schon innerhalb kurzer Zeit zu wandeln vermochte, zeigt der Beweisantrag Nr.66/74 der Verteidigung, in welchem Rechtsanwalt Wi. die Angaben Orn.s bei der Befragung durch ihn in wörtlicher Rede wiedergab. Diese Angaben - Orn. will danach sogar den Tathergang selbst gesehen haben - weichen wesentlich von dem ab, was er in der Hauptverhandlung bekundete.

Ist aber schon die Fähigkeit des Zeugen, die Tatortdetails in der Kürze der Zeit zuverlässig zu registrieren, äusserst unwahrscheinlich, kann aus seiner Aussage auch kein verständiger Zweifel an den Angaben der Zeugen Hal. und Var. hergeleitet werden, andererseits kann aber mit deren Bekundungen nicht widerlegt werden, dass dem Zeugen Orn. diese kurze Beobachtungsmöglichkeit nicht doch offen stand. Dadurch, dass nach der glaubhaften Aussage der Zeugen Hal. und Var. feststeht, dass nur ein SS-Mann im Zimmer war, ist dem Zeugen Orn. nur die teilweise Unrichtigkeit dessen nachzuweisen, was er zu sehen glaubte, nicht aber, dass er überhaupt sehen konnte.

Gegen den Zeugen kann nicht angeführt werden, dass er meinte, der Vorfall habe sich im Erdgeschoss zugetragen. Abgesehen davon, dass auch die Zeugin Var. der Ansicht ist, das Judenratszimmer sei im Erdgeschoss gelegen, ist das Schwurgericht - wie bereits bemerkt - der Auffassung, dass der angeblichen Erinnerung an bestimmte örtliche Gegebenheiten deshalb kein besonderer Wert für die spezielle Glaubwürdigkeit eines Zeugen beigemessen werden kann, weil sie im Laufe der Zeit verblasst, gar erlischt, möglicherweise bildhaft nicht mehr besteht und so möglichen Irrtümern freien Raum lässt. Dies mag gewiss dort anders sein, wo z.B. für die Tatbeobachtung die Örtlichkeit wesentlich ist. Ob der Flur aber im Erdgeschoss oder im Obergeschoss war, von dem aus die Tür zum Judenratszimmer führte, ist für die Wahrnehmung und Erinnerung völlig unbedeutend, ist später kein Umstand, an welchen man anknüpfen muss, um sich das Ereignis vergegenwärtigen zu können. Dass der Zeuge Orn. glaubte, die Tat sei im Erdgeschoss geschehen, spricht mithin genausowenig gegen ihn, wie seine Auffassung über den Tatort gegen den Zeugen Hal. ins Feld geführt werden kann. Der Zeuge Orn. hat übrigens nicht in Abrede gestellt, dass der Judenrat Räume im Obergeschoss inne hatte. Dass der Zeuge seine Beobachtungen dort machte, bleibt nach alledem möglich.

Die Aussage der Zeugin Var. - ähnlich ist auch die des Zeugen Izchak Hal. zu verstehen -, in das Tatzimmer habe vom Flur aus keine Tür geführt, der Zugang sei nur über einen Warteraum möglich gewesen, erschüttert die Aussage Orn.s ebenfalls nicht. Das Schwurgericht kann nicht ausschliessen, dass die Zeugin die Örtlichkeit nicht mehr genau in Erinnerung hatte, also doch noch eine Tür direkt zum Judenratszimmer vorhanden war, zumal beispielsweise auch der Zeuge Nathan Dre. im Gegensatz zu ihr bekundete, dass es einen solchen unmittelbaren Zugang gegeben habe und diesen auch in seine Tatortskizze einzeichnete. Soweit die Zeugen unterschiedliche Angaben zur Lage der Leiche machten, gelten gegen die

Bekundungen des Zeugen Orn. die gleichen Bedenken, wie sie schon oben zu seinen "Detailwahrnehmungen" ausgeführt wurden.

Er erscheint allerdings wenig wahrscheinlich, dass der ukrainische Arzt Dr. Kornow gerade im Judenratsgebäude gewohnt haben sollte. Denn ausser dem Zeugen Orn. hat dies kein anderer Zeuge angegeben. Der Zeuge Tar. (H 7 IV 224) hat sogar bekundet, Dr. Kornow habe in einem Haus in der Jablonowski-Strasse gewohnt und - zwar schon im Jahre 1941, als er - der Zeuge - in eben dieses Haus eingezogen sei; auch die Frau des Arztes habe dort gelebt. Das Schwurgericht konnte jedoch nach der Aussage des Zeugen Tar. nicht hinreichend sicher ausschliessen, dass Dr. Kornow in der Jablonowski-Strasse nicht etwa nur seine Praxis hatte. Es bleibt daher möglich, dass er mit seiner Familie im Judenratsgebäude wohnte, bis der Vorfall sich ereignete. Mit der Aussage des Zeugen Tar. können die Bekundungen des Zeugen Orn. mithin auch nicht widerlegt werden.

Dass sich die Angaben Orn.s auf die Tötung des Ruwen Hal. beziehen, erscheint dem Schwurgericht nicht zweifelhaft. Nicht nur die Beobachtung des Zeugen, dass das Opfer am Kopf blutete, sondern auch die Bemerkung Rollers etwa eine Stunde nach der Tat sprechen klar dafür. Das Schwurgericht glaubt allerdings nicht, dass der Zeuge Ruwen Hal. schon im Judenratsgebäude als Opfer erkannt hat, vielmehr erst nach der Erklärung Rollers über die Person des Getöteten im Klaren war. Aus den Bekundungen der bisher gehörten Zeugen lässt sich auch kein Anhaltspunkt dafür gewinnen, dass im Judenratsgebäude zu Kopyczynce ausser Ruwen Hal. zu irgendeiner Zeit noch ein anderer Jude erschossen worden sei. Dass Orn. meinte, zwei Schüsse gehört zu haben, steht nicht entgegen. Eine Erinnerungstäuschung ist insoweit genauso möglich, wie die falsche Einschätzung des Widerhalls als zweiter Schuss.

Die Täterschaft P.s wird jedoch durch die Aussage Orn.s keineswegs fraglicher als ohne sie. Der Zeuge hat nichts weiter wahrgenommen, als einen SS-Mann, der ihm in dem kurzen Augenblick, in welchem er ihn sehen konnte, dick erschien. Der Zeuge kannte indessen nur einen deutschen Uniformierten, der dick gewesen ist und den er für einen SS-Mann hielt: Den Angehörigen der Gendarmerie in Kopyczynce namens Sturm, der zuweilen auch Papa genannt wurde. Aus der Sicht des Zeugen musste sich deshalb der Schluss geradezu aufdrängen, dass jener Dicke niemand anders als Papa gewesen sein konnte. Das Schwurgericht hält es für ausgeschlossen, dass die Überzeugung Orn.s von der Täterschaft des Gendarmeriebeamten Papa auf etwas anderem als eben dieser Schlussfolgerung beruht. Der Zeuge erklärte zwar, den Täter an seiner Bewegung beim Öffnen und Schliessen der Pistolentasche erkannt zu haben. Was an dieser Bewegung jedoch für Papa typisch gewesen sei, vermochte er nicht zu erklären, war auch sonst nicht ersichtlich, ungeachtet der Frage, ob bei einer solch kurzen Momentaufnahme, in der sich dem Zeugen die "Szene" darbot, eine Handbewegung an einer Pistolentasche überhaupt zwingend auf eine bestimmte Person hindeuten kann. Bei dem Zeugen Orn. kommt hinzu, dass er Papa zwar gut kannte, weil dieser ihn bedroht hatte, dass er danach aber Begegnungen mit ihm mied, folglich schwerlich Gelegenheit hatte, Persönlichkeit und Eigentümlichkeiten des Gendarmen so gründlich zu studieren, wie es Voraussetzung wäre, um schon eine an sich unbedeutende Handbewegung einem bestimmten Menschen zuordnen zu können. Wenn der Zeuge gleichwohl meinte, Papa daran erkannt zu haben, so versuchte er damit nur, seine Überzeugung zu begründen, ohne dass er sich heute noch über die Umstände, die seine Ansicht in Wirklichkeit bildeten, im Klaren wäre.

Die Aussage Orn.s könnte nur dann die Täterschaft des Angeklagten zweifelhaft erscheinen lassen, wenn dieser seiner damaligen Statur nach eindeutig - auch bei einem flüchtigen Blick - nicht als dick hätte bezeichnet werden können. Anderenfalls hätte der Zeuge Orn. nämlich auch den Angeklagten gesehen haben können. Dann aber wäre zur Frage der Täterschaft der Aussage des Zeugen nichts konkretes zu entnehmen, es sei denn die an sich selbstverständliche Mahnung, zu bedenken, ob nicht auch ein anderer als Täter in Frage kommen kann.

Die gehörten Zeugen haben indessen ganz überwiegend den Angeklagten als dick bzw. korpulent bezeichnet: Der Zeuge Mar., Kreisjudenrat in Czortkow, hatte ihn als korpulent und rundgesichtig in Erinnerung; der Zeuge Leon Win., ebenfalls Kreisjudenrat in Czortkow, erklärte, P. sei dick gewesen und habe ein rundes, volles Gesicht gehabt. Es besteht nicht der geringste Zweifel daran, dass diese Zeugen den Angeklagten gekannt haben, was von diesem auch nicht bestritten wird. Der Zeuge Sc., die "rechte Hand" des Angeklagten in seinem Czortkower Lager, sagte aus, dass man zu P. "Dicker" gesagt habe. Der Angeklagte sei nicht so dick wie jetzt gewesen, meinte der Zeuge Leon Bil. Gegenwärtig hat der Angeklagte aber einen ausserordentlich grossen Leibesumfang. Die Aussage des Zeugen zeigt klar, dass er damals P. schon als dick bewertet hat. Der Zeuge Son. meinte, P. sei ein fester Mann gewesen; der Zeuge Fre., der von Beruf Schneider ist, und bei dem auch P. Kunde war, bezeichnete ihn allerdings nur als untersetzt und stämmig. Als dick wurde der Angeklagte aber wiederum von Chaim Br. bezeichnet, ebenso von Emil Gob.; der in New York gehörte Zeuge Abraham Mor. hatte ihn "mehr dicklich" in Erinnerung; der Zeuge Jacob Bre. meinte, der Angeklagte sei "nicht so fett wie jetzt" gewesen, er habe nicht "so einen Bauch" gehabt.

Aus all diesen Aussagen - die sich noch durch weitere ergänzen liessen - hat das Schwurgericht die Überzeugung gewonnen, dass der Angeklagte bei einem flüchtigen Blick, wie er dem Zeugen Orn. auf die Person des SS-Mannes allein möglich war, durchaus als so korpulent angesehen werden konnte, dass er mit einem anderen dicken Uniformträger in der gegebenen Situation verwechselt werden konnte.

Die Aussage Orn.s dient mithin nicht zur Entlastung des Angeklagten. Durch sie ist im Gegenteil deutlich geworden, dass der Angeklagte durchaus als Täter in Frage kommt.

h) Das Schwurgericht hält es jedoch für möglich - wenn auch für wenig wahrscheinlich -, dass der Zeuge Izchak Hal. den Täter nicht genau beobachten konnte, er ihn mithin nicht zuverlässig zu identifizieren vermag.

Als der Zeuge Izchak Hal. den Raum betrat, war seiner Aussage vor dem Schwurgericht zufolge der Täter schon im Zimmer und sprach mit Ruwen Hal. Der Täter wandte dabei dem Zeugen Hal. den Rücken zu. Auch als er die Pistole hervorholte, sah der Zeuge Hal. ihn nur von hinten. Das bekundete er einmal ganz deutlich; zum anderen folgt dies auch aus seiner weiteren Aussage, er habe von hinten wahrgenommen, dass sich die Jacke P.s beim Aufknöpfen bewegt habe; ferner gab er an, als P. geschossen habe, habe er ihm mit seinem Rücken die Sicht auf die Pistole versperrt. Vor Abgabe des Schusses hat der Zeuge den Täter mithin nicht von vorn gesehen. Jedenfalls ist zu Gunsten des Angeklagten nach der Aussage Izchak Hal.s hiervon auszugehen.

Allerdings ist möglich, dass Izchak Hal. dem Täter ins Gesicht sehen konnte, als er nach dem Schuss sich umwandte und den Raum verliess. Aber der Zeuge war, wie er selbst bemerkte, durch die Tötung seines Vaters, die vor seinen Augen geschah, äusserst erschreckt und verstört. Es ist zwar nicht zwingend, aber doch sehr wohl möglich, dass der Zeuge nach Abgabe des Schusses in seiner Betroffenheit und aus Sorge ausschliesslich nach seinem Vater sah und sich um ihn kümmerte, dem Täter also kein Augenmerk schenkte, was insbesondere dann der Fall gewesen sein mag, wenn er zuvor schon glaubte, ihn zu kennen. Nicht unerheblich ist in diesem Zusammenhang die Inkonstanz der Aussage des Zeugen Hal. zur Frage, wie der Täter gekleidet war; denn die Änderung der Aussage kann darauf beruhen, dass er den Täter nur flüchtig beobachtet hat, weshalb sich das Äussere jenes SS-Mannes sich nicht nachhaltig bei ihm einprägte. Damit wäre die Möglichkeit als solche erhärtet, dass der Zeuge dem Täter nach der Tat keine Aufmerksamkeit mehr zuwandte, er sein Gesicht also nicht sah. Die Zweifel, die sich aus der Möglichkeit ergeben, dass sich die wahrscheinlich nach der Tat bestehende eingeschränkte Wahrnehmung des Zeugen Hal. auf die Täteridentifizierung auswirkte, lassen sich nach Meinung des Schwurgerichts auch nicht durch den auf P. hinweisenden Satz des Täters "Hal., was machst du hier, dein Platz ist im Magazin", ausräumen. Denn diese Äusserung kann von jemandem herrühren, der wusste, welche Aufgabe Ruwen Hal. von P. zugewiesen worden war. Auch dass die Figur des Täters den Angeklagten eher ein- als ausschliesst, konnte das Schwurgericht nicht von der Täterschaft P.s überzeugen, also die vorhandenen Zweifel beseitigen. Keine ausreichenden Anhaltspunkte bestehen schliesslich dafür, dass der Zeuge Izchak Hal. den Angeklagten so gut kannte, dass er ihn - was an sich möglich wäre - auch von hinten in einer jede Verwechslung ausschliessenden Weise hätte identifizieren können. Dass er am Tattag P. zu erkennen glaubte, ist dem Zeugen abzunehmen. Es ist nur natürlich, dass er sich über die Person, die mit seinem Vater redete, Gedanken machte, und dass er auch zu einem bestimmten Schluss kam. Ob er diesen objektiv zurecht zog, ist aber nicht mehr aufklärbar. Das Schwurgericht hat bei seinen Überlegungen zur Täteridentifizierung deutlich die Grenzen erkennen müssen, die der Wahrheitsfindung nach so langer Zeitdistanz zum Tatgeschehen gezogen sind.

Die Bedenken des Schwurgerichts, P. als Täter anzusehen, wurden auch nicht durch die unrichtige Einlassung des Angeklagten zerstreut. Es wird nicht verkannt, dass Straftäter vielfach falsche Erklärungen zur Sache abgeben, um ihre Überführung zu erschweren. Andererseits kann es aber auch vorkommen, dass ein Unschuldiger lügt, weil er meint, dass die ermittelten Tatsachen bedrohlich gegen ihn sprechen, er deshalb ein Fehlurteil befürchtet, dem er nur durch falsche Behauptungen ausweichen zu können glaubt. Dahinstehen kann, ob sich der Angeklagte zu jedem Punkt bewusst falsch einliess; zweifelhaft mag dies bei seiner Darstellung des Judenratsgebäudes sein. Es kann aber nicht ausgeschlossen werden, dass dort, wo der Angeklagte die Unwahrheit sagte, die zuletzt angesprochenen Motive dafür bestimmend waren.

Aufgrund der Aussage des Zeugen Izchak Hal. kann der Angeklagte sonach nicht als überführt angesehen werden, Ruwen Hal. am 12.6.1943 erschossen zu haben. Vielleicht waren gewisse körperliche Ähnlichkeiten und/oder die Stimme des Täters sowie der von ihm überlieferte Satz für die Überzeugung Izchak Hal.s bestimmend, P. vor sich zu haben. Es ist auch nicht auszuschliessen, dass er erst nach der Tat hörte, P. sei der Täter gewesen und daraufhin glaubte, ihn auch erkannt zu haben. Nach den von den Zeugen mitgeteilten Tatsachen konnte das Schwurgericht die Überzeugung des Zeugen von der Täterschaft des Angeklagten letztlich nicht teilen.

VI. « Würdigung der Aussage der Zeugin Var. »

Die nach den Bekundungen des Zeugen Hal. verbliebenen Zweifel an der Täterschaft des Angeklagten konnten durch die Aussage der Zeugin Var. nicht beseitigt werden. Die Zeugin hat bei ihrer Vernehmung am 15.10.1971 (H 7 I 11) bekundet, sie habe P. gut gekannt; ihn habe sie mehrfach gesehen, u.a. in dem Magazin, in welchem das Eigentum der Juden gesammelt und verwaltet worden sei. Sie sei an dem Tag, als Ruwen Hal. getötet worden sei, im Wartezimmer gewesen, als P. in Uniform hereingekommen und sofort in das Zimmer des Obmannes gegangen sei. Die Verbindungstür habe er geschlossen. Sie habe P. beim Durchlaufen des Wartezimmers nicht von vorn gesehen, sondern nur seine Silhouette. Sie habe zu jenem Zeitpunkt auch nur geglaubt, der Besucher scheine P. zu sein. Sicher sei sie sich nicht gewesen. Nachdem P. im Zimmer des Obmanns verschwunden gewesen sei, habe sofort ein Wortwechsel begonnen. Sie habe zunächst eine laute, fast schreiende Stimme gehört, danach eine leise Stimme, die einen bittenden, flehenden Ton an sich gehabt habe, danach wieder die laute Stimme. Anschliessend sei ein Schuss gefallen. Danach sei der Deutsche wieder aus dem Zimmer herausgekommen. Sie habe ihn jetzt mehr von vorn gesehen und sich dabei gesagt, dass das doch P. sein müsse. Ganz sicher sei sie aber erst gewesen, als die anderen im Judenrat Anwesenden ihr bestätigt hätten, dass der Besucher P. gewesen sei.

Die Zeugin hat den Angeklagten mithin nicht wiedererkannt. Wer ihr sagte, dass der Täter P. gewesen sei, wusste sie nicht mehr. Das Gericht konnte deshalb nicht prüfen, ob derjenige, der den Angeklagten als Täter bezeichnete, sich nicht geirrt haben kann. Ohne eine solche Prüfung aber lässt sich keine Feststellung über die Person des Täters treffen. Dass die Zeugin beim zweiten Anblick des Deutschen - also noch bevor der Name P. erwähnt worden war - sich sagte, dass der Mann, (den sie bis dahin möglicherweise nie gesehen hat) doch P. sein müsse, bedeutet nur, dass er in ihren Augen P. sehr ähnlich schien. Dieser Eindruck vermag aber auch in Verbindung mit der Aussage Hal.s nicht die erforderliche Gewissheit - die, wie das Schwurgericht nicht verkannt hat, keine jeden Einwand ausschliessende sein muss - über die Person des Täters zu schaffen.

Die Zeugin Var. bekundete weiterhin, dass ihr Personen, die im Zimmer des Obmanns gewesen seien, den Inhalt des Wortwechsels berichtet hätten. Danach habe sich der Täter beschwert, dass niemand im Magazin sei und habe Arbeitskräfte gewollt. Ruwen Hal. habe ihm darauf erwidert, dass sich die Leute aus Angst vor einer Aktion versteckt hätten; er habe um ein paar Tage Frist gebeten. P. habe ihm daraufhin befohlen, sich umzudrehen und habe ihn sodann erschossen.

Dieser von der Zeugin mitgeteilte Wortwechsel steht nicht in Widerspruch zu der Äusserung, die der Täter nach Aussage des Zeugen Izchak Hal. machte, ehe er Ruwen Hal. erschoss, er ergänzt diese vielmehr nur, was bei einem Vergleich ohne weiteres erhellt. Verstärkt weist damit der Gesprächszusammenhang im ersten Anschein auf P. hin, der für die im Magazin lagernden Hinterlassenschaften der Juden verantwortlich war. Die Zweifel des Schwurgerichts wurden aber auch hierdurch nicht ausgeräumt; denn abgesehen von den Bedenken, die sich daraus ergeben, dass nach der Lebenserfahrung die Wiedergabe dessen, was man von einem Dritten hörte, oft mit inhalts- und sogar sinnverändernden Abweichungen behaftet ist, ein langer Zeitablauf ferner die Gefahr einer unrichtigen Wiedergabe des Gehörten steigert, lässt sich nicht ausräumen, dass der Täter, dem die Verhältnisse aus welchen Gründen auch immer (etwa: Eigene Beobachtungen; Mitteilungen durch Dritte) bekannt gewesen sein mögen, nur einen Anlass zur Tötung Hal.s suchte. Der Zeuge Hal. meinte selbst - allerdings auf P. hinweisend - das wahre Motiv heisse Gold. Dass am Tattag überhaupt niemand im Magazin gearbeitet habe, behauptete übrigens der Zeuge Hal. selbst nicht.

VII. « Würdigung der Aussage des Zeugen Nathan Dre. »

1. Ein weiterer Zeuge, der bekundete, bei der Tötung Ruwen Hal.s anwesend gewesen zu sein und P. als Täter erkannt zu haben, ist Nathan Dre., der am 8.6.1972 bei seiner Vernehmung vor dem Schwurgericht folgendes aussagte:

Die Tat sei im Sommer 1943 im Obergeschoss des Judenratsgebäudes in Kopyczynce geschehen; in dem zweistöckigen Haus, das dem Mehlkaufmann Schapiro [336] gehört habe, sei er insgesamt nur etwa 4 bis 5 mal gewesen, weshalb er das Innere nicht genau beschreiben könne; ihm scheine, dass dem Judenrat oben zwei Zimmer zur Verfügung gestanden hätten. Das eine davon sei ein grosses Zimmer gewesen, das gleichzeitig als Wartezimmer gedient habe und in welchem auch der Schreibtisch Ruwen Hal.s gestanden sei. Das andere, kleinere Zimmer, habe der Judenratsälteste Roller innegehabt.

Einige Zeit später erklärte der Zeuge auf Vorhalt der Aussage Var., ihm scheine, dass das grosse, rechteckige Zimmer durch eine wahrscheinlich aus Brettern bestehende Zwischenwand abgeteilt gewesen sei. Er meine, dass die Trennwand einen 2 bis 3 Meter breiten

[336] Gemeint ist wohl: Schapira.

Durchgang, der nicht mit einer Türe versehen gewesen sei, gehabt habe. Das grosse Zimmer habe vom Flur aus zwei Eingänge an der einen Längswand gehabt, zwischen beiden habe die zur anderen Seitenwand, in welcher sich Fenster befunden hätten, führende Trennwand gelegen. Gegenüber dem in der Mitte dieser Trennwand ausgesparten Durchgang habe sich der Zugang zum Zimmer Rollers befunden. Der erste Teil des durch die Zwischenwand aufgegliederten Zimmers habe als Wartezimmer gedient. Im zweiten Teil - gleichsam der mittlere Raum - sei nahe der Wand zum Zimmer Rollers, und zwar vom Durchgang kommend rechts, der Schreibtisch Ruwen Hal.s gestanden. Zu der ihm vorgehaltenen, von der Zeugin Var. gefertigten Skizze könne er sagen, dass er seine Zeichnung (99 IV 190) für richtig halte, sei sich aber nicht sicher. Keinerlei Zweifel habe er an der Erschiessung Hal.s durch P. Zu anderen Fragen, auch zu den Räumlichkeiten im Judenrat, sei er nicht mehr so sicher.

Als die Tat geschehen sei, habe er sich im Wartezimmer in der Nähe der Türe (zum Flur) aufgehalten. Den Vorgang im Nebenraum habe er beobachten können, da der breite Durchgang ihm den Blick zum Schreibtisch, vor dem die Tat sich ereignet habe, freigegeben habe. Vor dem Schreibtisch habe der Judenrat Ruwen Hal. gestanden, ihm gegenüber P. Seine Entfernung zu den beiden habe etwa 4 bis 5 Meter betragen. P. habe seine Uniform angehabt. Wenn ihm aus seiner Aussage vom 5.4.1965 vorgehalten werde, dass er damals bekundet habe, P. sei in Zivil gewesen, so müsse er heute dazu sagen, dass ein Irrtum des Protokollanten vorliegen müsse. Als P. den Judenrat betreten habe, sei er - der Zeuge - schon im Wartezimmer gestanden. P. habe sich gleich an Hal., der sich vom Schreibtisch erhoben habe, gewandt und mit ihm ein paar Minuten laut gesprochen. Was im einzelnen gesagt worden sei, wisse er nicht mehr; er könne sich heute nur noch daran erinnern, dass ein Mangel an Arbeitskräften gewesen sei; derartiges habe er aus dem Gespräch verstanden. Ob auch Hal. gesprochen habe, wisse er nicht mehr. Auf Anordnung P.s habe sich nun Hal. zur Wand umgedreht und P. habe einen Schuss auf Hal. abgegeben. Nach dem Schuss sei Hal. zu Boden gefallen. An Blut könne er sich nicht mehr erinnern. Gesehen habe er, dass P. die Pistole in Richtung des Kopfes seines Opfers gehalten habe. Er habe bemerkt, wie P. die Pistole hochgehoben habe. P. habe Hal. oben ins Genick geschossen. Dabei sei der Täter etwa 1 Meter von Hal. entfernt gestanden. Dass Ruwen Hal. tot gewesen sei, wisse er. Denn er sei noch am gleichen Tag beerdigt worden. Er, Dre., sei selbst mit bei der Beerdigung gewesen. Auch Izchak Hal. habe daran teilgenommen, sowie andere Personen, an die er sich nicht mehr erinnere. Bei der Beerdigung habe man auch davon gesprochen, dass P. den Hal. in den Kopf geschossen habe. Zu einem späteren Zeitpunkt äusserte der Zeuge, er wisse nicht mehr, ob der Name P. nochmals vor, bei oder gleich nach der Beerdigung gefallen sei. Auf Vorhalt seiner vorhergehenden Aussage erklärte er, dass er keine Erinnerung mehr habe, wann der Name P. gefallen sei. Wenn er zunächst erklärt habe, den Namen P. bei der Beerdigung gehört zu haben, dann stimme das so.

Bei dem Vorfall seien mehrere Juden anwesend gewesen, so Roller, der nach P. erschienen sei. Er erinnere sich auch noch an Talko Schindler und Kupferberg, die dem Ordnungsdienst angehört hätten. Er glaube auch, dass der Sohn des Ruwen Hal., Izchak Hal., im Zimmer gewesen sei, als P. den tödlichen Schuss abgegeben habe. Sicher sei er sich insoweit aber nicht (im weiteren Verlauf der Vernehmung behauptete er dann doch in bestimmter Weise, Izchak Hal. dabei gesehen zu haben). Ihm scheine des weiteren, dass beim Auftauchen P.s auch Frauen im Wartezimmer gewesen seien. Er könne nicht sagen, ob unter ihnen Henia Var. und Fania Kip. gewesen seien. Ausserdem habe er keine Erinnerung daran, ob Emil oder Siegmund Gob., die er alle kenne, sich zur Tatzeit im Judenrat aufgehalten hätten.

Nach dem Schuss sei er gleich geflohen. Er habe nur etwa 1 Meter von der Türe entfernt gestanden. Ob auch andere noch geflohen seien, habe er nicht bemerkt. Vor Abgabe des Schusses sei er etwas weiter im Vorzimmer gestanden und habe sich nach dem Erscheinen P.s etwas zur Türe hin zurückgezogen. Wenn ihm vorgehalten werde, dass er am 10.5.1972 im Verfahren gegen Trautner zu Protokoll erklärt habe, er wisse nicht mehr, ob P. schon im

Judenrat gewesen sei, als er, der Zeuge, dorthin gelangt sei, so könne er darauf erwidern, er wisse genau, dass P. den Ruwen Hal. erschossen habe. Heute erinnere er sich daran, dass P. nach ihm - dem Zeugen - gekommen sei.

P. habe er schon gekannt, bevor dieser Ruwen Hal. erschossen habe. Er habe deshalb auch keinen Zweifel, dass P. der Täter gewesen sei. P. sei von mittlerer Gestalt und breit gebaut gewesen. Er habe ein rundliches Gesicht gehabt. Er sei ein schöner Mann gewesen und habe nicht den Eindruck eines Mörders hinterlassen. Nach dem Vorfall mit Ruwen Hal. sei er P. nicht mehr begegnet. Bevor dieser Ruwen Hal. erschossen habe, habe er ihn insgesamt zweimal gesehen.

Die erste Begegnung sei Ende Oktober 1942 am Tag nach der Aktion gewesen. Die Habseligkeiten jüdischer Bürger seien an diesem Tag auf Pferdefuhrwerken zum Magazin gefahren worden. Auf Anordnung Rollers habe er helfen müssen, die Gegenstände abzuladen und in das Gebäude zu tragen. Als er auf der Strasse gerade etwas gebeugt dagestanden sei, sei ein uniformierter Deutscher gekommen, der ihn angesprochen und zu ihm gesagt habe, wenn er etwas stehle, werde er erschossen. Er habe sich aufgerichtet und dem Deutschen dann voll ins Gesicht gesehen. Er könne nicht sagen, woher dieser Uniformierte gekommen sei. Dieser sei dann auch in Richtung des Judenrates weggegangen. Er, Dre., habe die ganze Zeit über allein gearbeitet. Als der Uniformierte jedoch verschwunden gewesen sei, sei ein Jude gekommen, der ihm auf Befragen erklärt habe, dies sei P. gewesen. Er glaube nicht, dass an diesem Tag noch weitere Uniformierte in der Stadt gewesen seien. Er meine, er habe dem Juden den Mann auch etwa beschrieben, der Jude habe aber, soweit er sich erinnere schon vor der Beschreibung gesagt, dass es sich um P. gehandelt habe. Auf Vorhalt seiner Aussage vom 22.8.1969, P. habe ihn im Magazin angesprochen, müsse er sagen, er erinnere sich heute, dass dies vor dem Magazin gewesen sei.

Am darauffolgenden Tag sei er P. das zweite Mal begegnet. Er habe gesehen, dass P. einen 11- bis 13-jährigen Jungen namens Schwarz erschossen habe. Dies sei der erste von ihm beobachtete Mordfall gewesen. Er, Dre., sei damals auf der Bahnhofstrasse gelaufen, als ihm der Junge, verfolgt von P., entgegengekommen sei. Die Art der Verfolgung könne er nicht mehr beschreiben; vielleicht habe P. ein paar Schritte hinter dem Jungen hergemacht. Zwei oder drei Ordnungsdienstleuten, die sich in der Nähe aufgehalten hätten, habe P. befohlen, den Jungen einzufangen. Diese hätten dann das Kind, das in eine Seitenstrasse gelaufen sei, verfolgt. Auch er, Dre., sei hinter den Ordnungsdienstleuten hergegangen. Nachdem sie den Jungen gefasst hätten, habe er die Polizisten angefleht, das Kind doch freizulassen, da es sonst erschossen würde. Sie hätten das jedoch nicht getan, den Jungen vielmehr zu P. geführt, in dem er klar denjenigen wiedererkannt habe, der ihn am Vortag mit dem Tode bedroht habe, falls er etwas stehle. Er habe dann gesehen, dass P. das Kind erschossen habe. Er habe keinerlei Zweifel daran, dass es sich bei dem Täter um P. gehandelt habe. Durch die Anwesenden sei sein Name ebenfalls genannt worden. Wenig später äusserte der Zeuge, bei dem Vorfall habe ihm kein Ordnungsdienstmann gesagt, jedenfalls erinnere er sich nicht mehr daran, dass es sich bei dem Täter um P. gehandelt habe. Er habe den Täter ja gekannt. Auf Vorhalt seiner vorhergehenden Bekundungen äusserte der Zeuge sodann, er erinnere sich nicht mehr daran, ob ihm auch die Ordnungsdienstleute den Namen P.s genannt hätten. Gesehen habe er aber, wie der Junge von P. erschossen worden sei.

2. Die Bekundungen des Zeugen haben bei dem Schwurgericht Zweifel darüber hinterlassen, dass er den Tötungsvorgang gesehen und den Deutschen, den er im Judenrat bemerkte, als P. erkannt bzw. wiedererkannt hatte. Damit war seine Aussage auch nicht geeignet, die gegen die Angaben Hal.s noch bestehenden Bedenken auszuräumen.

Der Zeuge Dre. begann den Sachverhalt zunächst recht oberflächlich zu schildern. Auf Befragen teilte er dann Einzelheiten mit, relativierte diese aber nach weiterem Nachforschen und stellte sie teilweise auch anders dar, so dass er sich mit seinen vorhergehenden Aussagen in Widerspruch setzte. Selten einmal stellte er von sich aus seine eigene Erinnerung von Anfang an und nicht erst auf Vorhalt hin in Frage, so beispielsweise bei der Schilderung der Räumlichkeiten des Judenratsgebäudes. Tatsächlich waren seine Bekundungen zur inneren Gestaltung des Gebäudes auch unterschiedlich. Wohl im Hinblick darauf, dass er überhaupt nur 4 bis 5 mal im Judenratsgebäude gewesen ist, äusserte er schliesslich nochmals, dass er alles nicht mehr so genau sagen könne, ausser einem: Hal. sei von P. erschossen worden. Seine Angaben zum Innern des Hauses können mithin nicht als zuverlässig angesehen werden.

Recht häufig führten Vorhalte zu einer Änderung oder Abschwächung der Sachverhaltsschilderung und damit auch zu Widersprüchen mit seinen früheren Bekundungen, was durch einige Beispiele verdeutlicht werden soll:

a) Der Zeuge hat bei seinen früheren Vernehmungen 1965 (5, 120), 1967 (41, 203), 1969 (82, 41) und 1972 (Sonderband 119, 50) zwar davon gesprochen, dass es im Obergeschoss zwei Zimmer gegeben habe, wovon eines Roller und das andere Hal. innegehabt habe. Von einer Aufteilung eines Zimmers durch eine Trennwand war darin aber nie die Rede, wurde übrigens auch von keinem anderen Zeugen behauptet. Erst als dem Zeugen die Aussage Var. vorgehalten wurde, glaubte er, sich an eine solche Wand erinnern zu können, deren Beschaffenheit er dann auch genau zu beschreiben wusste.

b) Am 22.8.1969 gab der Zeuge an, er habe im Magazin gearbeitet, als P. ihm gedroht habe, er werde ihn erschiessen, wenn er etwas stehle. Das gesagt zu haben räumte er zwar ein, stellte aber eine Begegnung im Magazin in Abrede und behauptete, sie habe beim Abladen eines Fuhrwerks auf der Strasse stattgefunden. Erwähnt werden mag hier auch noch, dass er 1969 bekundete, der Junge Schwarz sei am Tag dieser Begegnung getötet worden, während er diesen Vorfall in der Hauptverhandlung auf den Tag danach legte.

c) Bei seiner richterlichen Vernehmung vom 10.5.1972 im Verfahren gegen den Beschuldigten Trautner äusserte Nathan Dre., er habe schon einige Male mit P. gesprochen. Nur vier Wochen später erklärte der Zeuge vor dem Schwurgericht, vor dem Vorfall mit Hal. P. überhaupt nur zweimal gesehen zu haben, wobei P. auch nur bei der ersten Begegnung mit ihm gesprochen habe.

d) In der gleichen Vernehmung im Trautner-Verfahren gab er an, er wisse nicht mehr, ob P. schon im Judenratszimmer gewesen sei, als er den Raum betreten habe. Auf Vorhalt dieser Bekundung erklärte er, genau zu wissen, dass P. Ruwen Hal. erschossen habe; heute erinnere er sich daran, dass er vor P. im Zimmer gewesen sei.

e) Vor dem Schwurgericht gab er zunächst an, die Ordnungsdienstmänner im Falle Schwarz hätten ihm gesagt, dass es sich bei dem SS-Mann um P. gehandelt habe. Wenig später aber äusserte der Zeuge, wer der Täter gewesen sei, habe ihm niemand gesagt, auch kein Ordnungsdienstmann, er habe P. ja gekannt. Als ihm hier nur seine vorangegangene, anders lautende Darstellung vorgehalten wurde, erklärte der Zeuge schlicht, er erinnere sich nicht mehr genau, wie es gewesen sei.

f) Ähnlich verhielt er sich auch zur Frage, ob bei der Beerdigung P. noch einmal als Täter genannt wurde. Nachdem er dies zunächst bejaht hatte, schränkte er seine Aussage zu einem späteren Zeitpunkt auf Vorhalt dahingehend ein, dass er nicht mehr wisse, wann der Name P. erwähnt worden sei. Seine darauffolgende Festlegung, ihn bei der Beerdigung vernommen zu haben, war klar erkennbar willkürlich.

g) Über den früheren Mitangeklagten Brs. bekundete er auch zunächst, er habe gesehen, wie dieser den Juden Backfahn erschossen habe. Einige Zeit darauf äusserte er, als Brs. geschossen habe, habe er nicht hingesehen, aber den Schuss gehört. Nachdem ihm dann aus seiner Aussage von 1965 vorgehalten wurde, er habe damals geäussert, dass er Brs. aus einer Entfernung von 2 bis 3 Metern habe schiessen sehen, meinte der Zeuge, nun ja, diese Aussage sei richtig; jetzt sei es ihm wieder eingefallen. Dies ist zwar durchaus möglich, erklärt aber nicht den Aussagewechsel innerhalb der Hauptverhandlung zu einer doch recht wesentlichen Frage.

Im Hinblick auf den dem Angeklagten P. zur Last gelegten Vorgang sind die Aussagedifferenzen zwar nur solche, die mit dem unmittelbaren Geschehenskern nichts zu tun haben. Sie zeigen aber doch, dass der Zeuge nicht im erforderlichen Masse den Willen zur selbstkritischen und unvoreingenommenen Erlebnisschilderung aufbrachte, ein Umstand, der seine Aussagefähigkeit allgemein betrifft, also nicht nur bei der Zuverlässigkeitsprüfung des Zeugen zu den mehr peripheren Ereignissen beachtet werden muss.

Zum Randgeschehen erscheint die Aussage des Zeugen aufgrund der vielen Aussageänderungen in hohem Masse fragwürdig. Ihre Richtigkeit kann nur dort bejaht werden, wo sie mit den Angaben anderer glaubwürdiger Zeugen übereinstimmt. Aus sich heraus vermag sie nicht zu überzeugen. Mitursächlich für die Zweifel des Schwurgerichts ist dabei auch die Erklärung des Zeugen Dre., dass er nur noch sicher an die Erschiessung Ruwen Hal.s durch P. Erinnerung habe. Mit seiner Erklärung meinte der Zeuge nicht etwa nur, dass man theoretisch Bedenken gegen seine Aussage haben könne, von deren Richtigkeit er jedoch überzeugt sei. Seinen Bekundungen war vielmehr klar zu entnehmen, dass seine Zweifel sich auf das Erinnerte selbst bezogen und ihn nicht überzeugt sein liessen, dass es auch richtig sei.

Das Schwurgericht hat erwogen, ob die erwähnten Aussagedifferenzen in Verbindung mit der Tatsache, dass der Zeuge sich nur noch sicher an den eingeengten Tatkern der Erschiessung als solche zu erinnern behauptete, nicht bedeuten könnten, dass er eine Überprüfung seiner Aussagen scheute, sie vereiteln wollte, um in einer von ihm erfundenen Darstellung einen glaubwürdigen Kern zu retten. Es wäre vorstellbar, dass der Zeuge von dem Vorfall mit Ruwen Hal. insgesamt nur gehört hat und diesen nun, um den Angeklagten P. zu belasten, als selbsterlebt wiedergibt. Bei der Vernehmung des Zeugen traten jedoch keine zureichenden Anhaltspunkte für eine gezielte Falschaussage zu Tage. Zwar war im Verlauf der Hauptverhandlung schon bald feststellbar, dass er starke Abneigungen gegenüber dem Angeklagten empfand. Es sind aber keine Umstände vorhanden, die ernstlich darauf hinweisen, dass er ihn deshalb bewusst falsch belasten könnte. Dagegen spricht u.a., dass er sich weder auf eine bestimmte Darstellung der Randumstände starr festlegte, noch Aussageänderungen in einer Weise zu rechtfertigen suchte, die auf eine Erhaltung und Absicherung einer konstruierten Geschichte schliessen liessen.

Das Schwurgericht hält es für glaubhaft, dass der Zeuge Dre. sich im Judenratszimmer aufhielt, bevor Ruwen Hal. getötet wurde. Zwar hat er auch hierzu ohne zu überlegen als erstes erklärt, er sei vom Erscheinen P.s an immer nur an der gleichen Stelle gestanden und sei von dort aus nach dem Schuss geflohen. Nach Vorhalt seiner Aussage vom 21.11.1967 (41, 203) wonach er zunächst etwas weiter im Vorzimmer gestanden sei, sich im Verlauf des Gesprächs zwischen Ruwen Hal. und dem Angeklagten aber etwas zur Tür zurückgezogen habe, äusserte er jedoch, dass er sich jetzt wieder daran erinnere, dass das, was er 1967 hierzu ausgesagt habe, richtig sei. Es ist zwar im allgemeinen im Hinblick auf die mit der Zeit nachlassenden Gedächtnisleistungen eines Menschen und dem zunehmenden, auf der zeitlichen Distanz beruhenden Schwierigkeiten bei der Reproduktion eines Geschehens an sich ein normaler Vorgang, dass Vorhalte die Erinnerung beleben, den Aussagenden zum näheren Nachdenken zwingen, ihm die Möglichkeit geben, das, was er gesagt hat, zu prüfen, was schliesslich dazu führen kann, dass sich die Erinnerung des Zeugen nun mit dem deckt, was er früher zu dem Vernehmungsgegenstand angab. Ein solcher Erinnerungsprozess gibt grundsätzlich keinen Anlass zu besonderen Bedenken. Im Hinblick auf die bereits skizzierte Unzuverlässigkeit des Zeugen könnten jedoch auch hier Zweifel an der Richtigkeit des Erinnerten begründet sein. Dem steht aber entgegen, dass die Antwort des Zeugen in diesem Punkt ausnahmsweise lebhaft und spontan kam, man den Eindruck gewann, dass er aus einer neubelebten bildhaften und plastischen Erinnerung schöpfte. Ausserdem deckt sich diese Angabe des Zeugen mit den Bekundungen des Zeugen Izchak Hal. Das Schwurgericht ist deshalb davon überzeugt, dass der Zeuge Dre. im Judenratszimmer war, als auch der Täter sich dort aufhielt, und dass er sich etwas vor ihm zurückgezogen hat.

Nicht auszuschliessen ist jedoch, dass der Zeuge gar nicht mehr die Tat selbst beobachtet hat, vielmehr - vielleicht weil er sich vor dem SS-Mann fürchtete oder aus dem Gespräch des Täters mit Ruwen Hal. kommendes Unheil vorhersah - noch während jenes Gesprächs den Raum verliess. Denn das, was der Zeuge als eigene Beobachtung zur Tatausführung von sich aus und ohne Vorhalte mitteilte, war - ungeachtet der Tatsache, dass er selbst eine exakte Erinnerung an die Einzelheiten in Frage stellte - einmal zu wenig detailliert. Aber auch die Art der Darstellung gibt zu Bedenken Anlass. So bekundete der Zeuge bei seiner zusammenhängenden Darstellung zu Beginn seiner Vernehmung, nachdem P. Hal. befohlen habe, sich umzudrehen, sei ein Schuss gefallen. Dass er die Vorgänge bis zur Abgabe des Schusses genau beobachtet habe, gab er nicht an; bei seiner Vernehmung bestand auch eher der Eindruck, dass er vielleicht einen Schuss gehört hat, aber keine Einzelheiten hierzu sagen kann. Auf die Frage, wo Hal. verletzt worden sei, erklärte er später, man habe davon gesprochen, dass P. Hal. in den Kopf geschossen habe. Anschliessend meinte er nach weiterem Befragen, er habe ja auch gesehen, wie P. die Pistole in Richtung des Kopfes seines Opfers gehalten und auch in den Kopf geschossen habe; kurz danach konkretisierte er dann auf neuen Vorhalt: P. habe Hal. in den Hals geschossen, wobei er demonstrierte, dass der Schuss im oberen Teil des Genicks getroffen habe. Es wäre naheliegender gewesen, zunächst einmal diese Beobachtungen zu schildern, da er ja, was er auch erkannte, dazu aufgerufen war, seine Wahrnehmungen bei dem Vorfall genau darzustellen. Es hätte sich doch dann eigentlich aufdrängen müssen, erst den eigenen vorliegenden Eindruck wiederzugeben und dann das Gehörte. Seine Aussagefolge hinterliess den Eindruck, dass er sich durch Fragen unbewusst zu Schlussfolgerungen zwingen liess, die sich auf Umstände zum näheren Geschehenskern beziehen.

Das Schwurgericht hatte nach alledem - wenn auch geringe - Zweifel, ob der Zeuge die Tathandlung wahrgenommen, ob er also zu diesem Zeitpunkt überhaupt noch im Zimmer gewesen ist. Es hält es für möglich, dass Nathan Dre. unbewusst das nach dem Vorfall gehörte im Laufe der Zeit als selbsterlebt vor Augen hat, wofür spricht, dass er sich auf den engen "Erlebnisausschnitt": P. habe Hal. getötet, beruft, den er allein noch sicher zu erinnern behauptet. Dagegen lässt sich nicht etwa einwenden, Dre. habe auch über den Befehl P.s an Hal., sich umzudrehen, berichtet, was eindeutig auf seine Anwesenheit - jedenfalls bis zu diesem nahen Zeitpunkt vor dem Schuss - hinweise. Dass der Täter diese Aufforderung an Hal. gerichtet hatte, hat z.B. auch die Zeugin Var. bekundet, die nicht behauptete, im Tatzimmer gewesen zu sein und die Worte gehört zu haben. Über Einzelheiten des Tathergangs wurde also geredet. Damit aber kann auch Nathan Dre. jenes Detail erfahren haben. Worauf seine möglicherweise verfälschte Erinnerung beruht, kann nicht geklärt werden.

3. Nach den Bekundungen des Zeugen Dre. ist davon auszugehen, dass er - bevor er sich aus dem Judenratszimmer zurückzog - den Täter gesehen hat. Fraglich musste aber nach seiner Aussage bleiben, ob er in ihm den Angeklagten erkannt hat. Da der Zeuge Dre. Unsicherheiten in seinen Gedächtnisleistungen zeigte - er hat vier Wochen vor seiner Vernehmung vor dem Schwurgericht noch angegeben, nicht mehr zu wissen, ob er vor P. dagewesen sei - muss zu Gunsten des Angeklagten davon ausgegangen werden, dass der Täter vor ihm anwesend war und bereits mit Ruwen Hal. sprach. Seiner Darstellung zufolge hat der Täter ihm

bei diesem Gespräch den Rücken zugewendet. Weder hat es Dre. behauptet, noch ist es sonst wahrscheinlich, dass er von diesem Zeitpunkt an dem SS-Mann je hat in das Gesicht sehen können. Der Zeuge sagt selbst, dass er nach Abgabe des Schusses aus Angst gleich geflüchtet sei. Damit ist es auch ausgeschlossen, dass er - seiner Behauptung zufolge - weitere Reaktionen des Täters abgewartet haben könnte, etwa bis jener sich zum Weggehen umwandte.

Ist aber die Möglichkeit nicht auszuschliessen, dass der Zeuge Dre. den Täter allein von hinten gesehen hat, bleiben Zweifel daran, ob er ihn - falls er ihn zuvor überhaupt gekannt hat - zutreffend wiedererkennen konnte. Der Zeuge bekundete, dass er P., den er für den Täter hält, nur zweimal gesehen hat, und zwar an aufeinanderfolgenden Tagen nach der Aktion. Dafür, dass jener SS-Mann auch tatsächlich der Angeklagte gewesen ist, sprechen folgende Erwägungen: Der Zeuge Dre. war mit den Hinterlassenschaften der Juden beschäftigt, wobei dahingestellt bleiben kann, ob dies auf der Strasse oder im Magazin gewesen ist. Um die Habe der Juden hatte sich aber der Angeklagte zu kümmern. Dass ein anderer den Zeugen vor einem "Diebstahl" gewarnt haben sollte, ist weniger wahrscheinlich. Dre. hat den Angeklagten ferner auf dem Lichtbild Nr.3 in Sonderband 115 identifiziert. Es ist verständlich und einfühlbar, dass er sich das Gesicht des Angeklagten genau eingeprägt hat. Schliesslich hing in damaliger Zeit das Leben eines Juden auch davon ab, dass er sich die SS-Leute aufmerksam ansah, von denen er glaubte, dass sie zu Einzelerschiessungen fähig seien. Merkte man sich die Gesichter genau, konnte man unter Umständen eine Begegnung mit einem als besonders gefährlichen SS-Mann vermeiden und so der potenziellen Bedrohung ausweichen. Die in Czortkow stationierten SS-Leute Rosenow, Rux und Brs. standen beispielsweise in dem Ruf, in Einzelaktionen Juden getötet zu haben; gleiches wurde übrigens auch über den Angeklagten verbreitet. Dass sich ein Jude im wesentlichen darauf konzentriert haben mag, das Gesicht eines SS-Mannes zu merken, ist auch verständlich, da die SS-Uniform oder die Statur eines Uniformierten weniger geeignet erscheinen, Menschen zuverlässig zu unterscheiden und somit eine Lebensgefahr rechtzeitig zu erkennen.

Die Tat an Ruwen Hal. geschah erst ungefähr 9 Monate nach den beiden Begegnungen des Zeugen Dre. mit P. Dass der Zeuge den Täter nur aus dessen Rückansicht als den Angeklagten zuverlässig erkannt haben könnte, hält das Schwurgericht angesichts des Umstandes, dass er ihn Ende Oktober 1942 jeweils nur kurz sah, für nahezu ausgeschlossen. Hinzukommt, dass Nathan Dre. den Täter zwar als in den Schultern breit, im übrigen aber als von normaler Gestalt schilderte. P. war aber in jener Zeit mindestens als korpulent anzusehen, was oben bereits ausgeführt wurde. Ob er den SS-Mann überhaupt genau ansah, der in das Gespräch mit Ruwen Hal. verwickelt war, ist auch deshalb zweifelhaft, weil er - wie er aussagte - sich ganz darauf konzentrierte, davonzukommen.

Das Schwurgericht konnte nach alledem nicht die Überzeugung erlangen, dass Nathan Dre. den Täter zuverlässig erkennen konnte. Seine Aussage belastet zwar den Angeklagten, lässt ihn aber nicht als Täter überführt erscheinen. Damit bleibt auch bei ihm - und zwar nach den gegebenen Umständen in verstärktem Masse - die Möglichkeit, dass er später, vielleicht bei der Beerdigung, von der Täterschaft P.s gehört hat und danach mit der Zeit auch glaubte, dass dies mit seinen eigenen Wahrnehmungen übereinstimme. Dass P. den Ruwen Hal. getötet habe, war ja nach der Tat allgemeine Meinung. Die an der Aussage des Izchak Hal. verbliebenen Zweifel konnten mithin auch durch den Zeugen Nathan Dre. nicht behoben werden. Für ausgeschlossen hält es das Schwurgericht, dass der Zeuge Dre. wider besseres Wissen behauptet haben könnte, der Täter sei P. gewesen.

VIII. « Würdigung der Aussage des Zeugen Zygmund Gob. »

1. Der Zeuge Zygmund Gob., der vor dem Schwurgericht am 19.10.1972 aussagte, behauptete ebenfalls, Augenzeuge der Tötung des Ruwen Hal. gewesen zu sein. Er bekundete:

Die Tat sei im zweiten Stock des am Marktplatz gelegenen Judenratsgebäudes gewesen. Eines Nachmittags im Sommer 1943 sei er zum Judenrat gegangen, warum wisse er nicht mehr, er sei ab und zu dorthin gekommen. Als er ins zweite Obergeschoss gelangt sei, habe er gesehen, dass P. und Ruwen Hal. in dem etwa 12 x 12 Fuss grossen Zimmer eine Unterredung gehabt hätten. P. habe nun Ruwen Hal. befohlen, sich umzudrehen. Nachdem Hal. diesem Befehl nachgekommen sei, habe P. seine Pistole gezogen und Hal. in den Hinterkopf geschossen. Hal. sei zu Boden gefallen. Blut habe er, der Zeuge, nicht gesehen. Er sei sicher, dass er nach dem Schuss gleich davongerannt sei. Ob Hal. noch am gleichen Tag beerdigt worden sei, wisse er nicht.

Die Erschiessung sei am Vormittag gewesen. Auf Vorhalt seiner vorhergehenden Aussage müsse er sagen, sie sei am Tag geschehen; er könne heute nicht mehr sagen, ob Vormittags oder Nachmittags. Als er, Gob., ins Judenratszimmer gekommen sei, habe Hal. hinter seinem Schreibtisch - es seien nur etwa 1 oder 2 Schreibtische vorhanden gewesen - gesessen und mit P. gesprochen. Gleich darauf erklärte der Zeuge: Hal. habe hinter seinem Schreibtisch gestanden und mit P. gesprochen. Er wisse aber nicht, ob Hal. dabei mit dem Gesicht zur Türe, durch die er den Raum betreten habe, geblickt habe. Der Tisch, vor dem Hal. gestanden habe, sei nicht ganz mitten im Zimmer aufgestellt gewesen. Es seien mehrere Schreibtische vorhanden gewesen. Wo deren Platz gewesen sei, erinnere er nicht. Möglicherweise seien noch mehrere Menschen im Raum gestanden. Er habe jedoch nur Hal. und P. gesehen. P. habe er bei der Tat klar erkennen können. Von welcher Seite er ihn gesehen habe, wisse er heute nicht mehr. Er habe ihn einige Minuten lang beobachtet. Er wisse, dass P. der Mann gewesen sei, der Ruwen Hal. erschossen habe. Das übrige habe er vergessen. Das einzige, was er von der Unterredung der beiden Männer verstanden habe, seien die Worte P.s gewesen: "Dreh dich um, Jude." Dann habe P. auch schon seine Pistole gezogen. In diesem Augenblick habe der Hinterkopf Hal.s zu P. gezeigt. Die Distanz zwischen den beiden habe etwa 2 Fuss betragen. P. habe mit ausgestrecktem Arm geschossen, und zwar in den Hinterkopf. Gesehen habe er nur, dass P. in Richtung des Kopfes geschossen habe. Ferner habe er wahrgenommen, dass Ruwen Hal. hingefallen sei.

Wenn ihm nun vorgehalten werde, dass er 1966 bekundet habe, er sei bereits im Zimmer gewesen, als P. hereingekommen sei, so müsse er erklären, dass er heute dies nicht mehr wisse, er wisse nur noch, dass er im Zimmer gewesen sei, als der Schuss gefallen sei.

Vor der Tat habe er P. schon oft gesehen. Er sei vor ihm gewarnt worden. Es habe geheissen, man sollte sich vor diesem verstecken. Es sei der bekannteste Mann in der Stadt gewesen und sei sehr oft von Czortkow gekommen. Auch andere, etwa Rux, seien in Kopyczynce erschienen. P. sei jedoch der bekannteste Mann gewesen, weil er ein Mörder gewesen sei. Auf die Frage, welche Pflichten P. wohl gehabt habe, müsse er sagen, er sei gekommen, um Juden zu töten. Er glaube, P. habe einer Elite-Einheit angehört, einer von Mördern. Er wisse nicht, ob P. von der SS oder der Gendarmerie gewesen sei. Wenn er 1966 gesagt habe, P. habe eine SS-Uniform angehabt, so habe er keine Erinnerung mehr daran. P. sei ein schwerer, kräftiger Mann gewesen, nicht fett. Er habe ein breites Gesicht gehabt, sein Haar sei dunkelblond gewesen. Seine Mission: Die Juden zu töten. Er erinnere sich daran, dass P. nach Erschiessungen die Kleider der Erschossenen habe sammeln und sortieren lassen. Die Sachen seien in das jüdische Gemeindehaus gebracht worden, in welchem sie verpackt worden seien.

Während der deutschen Okkupation sei er auch einmal ins Zwangsarbeitslager Kamionka gewesen; zeitliche Angaben könne er dazu nicht machen. Es sei ihm gelungen, von Kamionka wegzulaufen; er sei nicht entlassen worden. Zwar habe er - wie ihm jetzt aus seiner konsularischen Vernehmung (85, 83) vorgehalten werde - 1969 angegeben, sein Vater habe ihn freigekauft, er sei entlassen worden. Das stimme aber nicht. Warum er eine solche Aussage gemacht habe, könne er sich nicht erklären. Richtig sei, dass er in seinem Wiedergutmachungsverfahren erklärt habe, von 1941 bis 1944 in Kamionka gewesen zu sein. Diese Erklärung sei aber unzutreffend. Er habe damals gelogen, um zu Geld zu kommen. Auf seine Aussage von 1966 (16, 162) angesprochen, wonach er bekundet habe, mit dem Zeugen Bre. nach Aushebung einer Grube geflohen zu sein, könne er sagen, dass er dies wohl angegeben, sich aber schlecht ausgedrückt habe. Er sei überhaupt nicht dabeigewesen.

2. Die Aussage des Zeugen lässt Zweifel daran offen, ob er tatsächlich die Tötung Ruwen Hal.s unmittelbar miterlebt hat.

Bedenklich stimmt nicht schon der Umstand, dass er in seinem Wiedergutmachungsantrag wegen Schadens an Freiheit vom 26.1.1950 (84, 93) angegeben hat, von November 1941 bis Januar 1944 im KZ Kamionka gewesen zu sein, eine Behauptung, die er bereits am 11.11.1949 eidesstattlich versichert hatte (84, 100). Denn in der Hauptverhandlung hat er glaubhaft bekundet, in seinem Wiedergutmachungsverfahren unrichtige Angaben gemacht zu haben, um zu Geld zu kommen. Verwandte des Zeugen haben zwar im Wiedergutmachungsverfahren seine und ihre Anwesenheit in Kamionka in der fraglichen Zeit bestätigt. Offenbar aber haben die Beteiligten sich gegenseitig durch inhaltlich unwahre Zeugnisse unterstützt, um aus der Wiedergutmachung Leistungen zu erhalten. Dies folgt deutlich aus den Bekundungen des Zeugen Emil Gob., des Vaters des Zeugen Zygmund Gob., der in seinem Wiedergutmachungsverfahren - durch dieselben Zeugen wie sein Sohn gestützt - ebenfalls eidesstattlich versichert hatte, von November 1941 bis Januar 1944 in Kamionka gewesen zu sein. Bei seiner richterlichen Vernehmung vom 13./14.9.1973 (H 7 IV 85) räumte auch er ein, dass seine Angaben, die er im Entschädigungsverfahren gemacht hat, unrichtig seien. Auf das Motiv angesprochen äusserte der Zeuge Emil Gob., die - falschen - Angaben seien gemacht worden, weil er zu Beginn der Zeit, in der Wiedergutmachung gewährt worden sei, gehört habe diejenigen, die nur in Verstecken gelebt hätten, kämen für eine Wiedergutmachung nicht in Betracht, dagegen seien Lagerhäftlinge berechtigt. Seine Meinung, dass auch er entschädigt werden müsse, hat ihn mithin dazu gebracht, im Wiedergutmachungsverfahren nicht bei der Wahrheit zu bleiben. Dieses Motiv ist glaubhaft, zumal die von dem Zeugen genannte Differenzierung auch alles andere als einleuchtend oder gar gerecht ist. Daraus folgt weiter, dass die von dem Schwurgericht erwogene Möglichkeit, ob die Zeugen Gob. nicht im Interesse einer Verurteilung des Angeklagten ihre Angaben im Wiedergutmachungsverfahren als falsch bezeichnet haben könnten, auszuschliessen ist. Jene Erklärungen der Zeugen über die Dauer ihres Aufenthalts in Kamionka stehen mithin ihrer Behauptung, im Zeitpunkt der Tötung Ruwen Hal.s in Kopyczynce gewesen zu sein, nicht entgegen. Dass Zygmund Gob. im Wiedergutmachungsverfahren, in welchem es um seine finanziellen Interessen ging, falsche Daten nannte, indiziert nicht seine Unzuverlässigkeit auch in einem Mordfall. Die Motivationen, die dort zu Falschaussagen führen, sind in der Regel nicht gleich oder ähnlich denen, die in ein Vermögensdelikt münden.

Bei näherer Untersuchung der Aussage des Zeugen Zygmund Gob. zum Geschehenskern ergeben sich jedoch Momente, die Misstrauen an seiner Behauptung, die Tat selbst beobachtet zu haben, erwecken. So war er im Verlauf seiner Aussage nicht widerspruchsfrei. Während er eingangs seiner Vernehmung noch bekundet hatte, die Tat habe sich nachmittags ereignet, erklärte er im Verlauf seiner weiteren Anhörung plötzlich, sie sei vormittags geschehen. Auf die Divergenz hingewiesen, gab er schliesslich an, er könne eigentlich nur noch sagen, dass die Tat am Tag begangen worden sei. Bei der näheren Befragung zum Tathergang hatte er auch zunächst ausgesagt, er habe beim Betreten des Judenratszimmers gesehen, dass Ruwen Hal. gesessen sei, als dieser mit P. gesprochen habe; kurz danach behauptete er dann - was auch wahrscheinlicher ist -, Ruwen Hal. habe stehend mit P. gesprochen. Dabei meinte er zuerst, Hal. sei hinter einem Schreibtisch gestanden; wenig später glaubte er sich daran zu erinnern, dass er vor jenem Tisch gestanden sei. Auf Vorhalt seiner Angaben von 1966, schon vor P. in dem Raum gewesen zu sein, bekundete er lapidar, heute nicht mehr sagen zu können, ob er vor oder nach P. dagewesen sei; er wisse nur, dass er bei Abgabe des Schusses im Zimmer gewesen sei.

Sein mangelndes Bemühen um eine korrekte und konzentrierte Zeugenaussage, seine oft unkritische und oberflächliche Schilderung zeigte sich des weiteren auch darin, dass er z.B. zunächst darlegte, im Tatzimmer hätten sich ein bis zwei Schreibtische befunden, während er kurz darauf von mehreren Schreibtischen sprach. Auch behauptete er anfänglich, es sei 12 x 12 Fuss gross gewesen. Als jedoch der Zeuge, der selbständiger Bauunternehmer ist, dieses Zimmer zu skizzieren begann, zeichnete er deutlich ein Rechteck im Verhältnis 1 zu 2. Auf den Widerspruch zwischen Zeichnung und Aussage hingewiesen erklärte er ungehalten, er habe ja angegeben, es sei etwa 12 x 12 Fuss gross gewesen.

Gewichtige Zweifel daran, dass er Augenzeuge war, rief jedoch die Art seiner Tatschilderung hervor. In ihrem Kern ist sie darauf beschränkt und fixiert, er habe gesehen, dass sich P. und Ruwen Hal. gegenüberstanden. Danach habe er vernommen, dass P. Hal. aufgefordert habe, sich umzudrehen. Anschliessend habe P. Hal. mit einem Schuss aus einer Pistole niedergestreckt. Weitere Details fehlen völlig. Soweit sie der Zeuge in einem oder anderen Falle angegeben hat, hat er sie relativiert etwa dadurch, dass er einen möglichen Irrtum betonte, oder aber er hat sich schlechthin auf mangelnde Erinnerung berufen. Seiner auf das Zentralgeschehen zugespitzten Darstellung fehlte jede Farbigkeit. Man gewann nie den Eindruck, dass er hierzu real Erlebtes wiedergab. Gerade die Detailarmut seines Berichtes hebt seine Schilderung eigentlich nicht über die eines Zeugen vom Hörensagen hinaus. Die Möglichkeit, dass er die Tat überhaupt beobachtet hat [337], wird noch dadurch unterstützt, dass er nicht sagen konnte, ob ausser P. und Hal. weitere Menschen im Zimmer gewesen sind oder nicht. Es spricht eine gewisse Wahrscheinlichkeit dafür, dass er noch andere Personen bemerkt hätte, wenn er tatsächlich dort gewesen wäre. Weitere Bedenken erweckte auch seine Aussage, P. habe höflich mit Hal. gesprochen, er habe Hal. gebeten, sich umzudrehen. Zuvor erinnerte er sich zwar nicht mehr an das Gespräch, aber an die knappe Aufforderung: "Dreh dich um, Jude." Dass diese Formulierung im Ton einer höflichen Bitte gehalten gewesen sei, ist doch kaum anzunehmen. Durch die Aussagen der Zeugen Var. und Izchak Hal. steht im übrigen auch fest, dass zwischen dem Täter und Ruwen Hal. alles andere als eine höfliche Unterredung stattfand.

Das Schwurgericht konnte danach nicht die Überzeugung gewinnen, dass der Zeuge Zygmund Gob. am Tatort gewesen ist, als Ruwen Hal. erschossen wurde. Es waren auch sonst keine besonderen Umstände ersichtlich, welche die erheblichen Zweifel des Schwurgerichts hätten beseitigen können. Richtig ist zwar, dass der Zeuge durch seine Aussage den Sachverhalt aufdeckte, der zur unberechtigten Auszahlung der Wiedergutmachung an ihn führte. Naheliegend ist auch, dass derjenige, der Gelder nur durch unwahre Behauptungen erlangt hat, eher schweigen wird, als seine Manipulationen dadurch offenzulegen, dass er sich in die Rolle eines Augenzeugen in einem Tötungsfall drängt. Die Tatsache, dass er Angaben zu dem Vorfall machte, spricht mithin deutlich dafür, dass er nicht nur in Kopyczynce war, vielmehr auch die Tat miterlebt hatte. Das Argument ist jedoch nicht zwingend und auch nicht von solchem Gewicht, dass es die Bedenken gegen seine Aussage ausräumen könnte. Einmal kann nicht davon ausgegangen werden, dass er bei seiner ersten Aussage überhaupt erkannt hat, dass die Wiedergutmachungsakten zur Überprüfung seiner Bekundungen beigezogen werden könnten. Ausserdem hat er auch später nicht damit gerechnet, dass er den zu unrecht empfangenen Betrag werde zurückzahlen müssen. Ersichtlich ging er in der Hauptverhandlung davon aus, dass er jenen Betrag behalten könne. Er hat auch nie Anstalten für eine Rückerstattung getroffen.

[337] Gemeint ist wohl: "dass er die Tat überhaupt nicht beobachtet hat".

Die Zuverlässigkeit des Zeugen wird des weiteren fragwürdig, wenn man die widersprüchliche Darstellung bedenkt, die er zu einem Ereignis gab, welches im Leben eines hieran Beteiligten eine zentrale Stellung eingenommen haben dürfte: Bei seiner früheren Vernehmung im vorliegenden Verfahren hat er behauptet, mit dem Zeugen Jacob Bre. nach Ausheben eines Massengrabes durch die Flucht dem Tode durch Erschiessen entronnen zu sein. Er räumt zwar in der Hauptverhandlung ein, dass jene Angaben unrichtig seien; warum er aber überhaupt bekundet hatte, an jener Flucht beteiligt gewesen zu sein, bei der nach der in der Hauptverhandlung erstatteten Aussage des Zeugen Bre. die Liquidationskommandos die wenigen Juden, die davonsprangen, bis auf ihn (Bre.) und Henek Bergmann doch noch niederschiessen konnten, vermochte er nicht zu erklären. Seine frühere Aussage zeigt jedoch, dass es ihm nicht wesensfremd ist, sich mit Erlebnissen zu identifizieren oder ihr Augenzeuge zu sein, von denen er nur gehört hat. Er machte in der Hauptverhandlung keinen Hehl daraus, dass er mit Bre. über die früheren Ereignisse schon öfter gesprochen hatte.

Ob der Zeuge Zygmund Gob. den Vorfall der Tötung Ruwen Hal.s objektiv richtig dargestellt hat, musste daher fragwürdig bleiben. Sicherlich reichen die Bedenken, die gegen seine Aussage bestehen, nicht aus, ihm eine Falschaussage vorzuwerfen; sie hinderten aber die Überzeugung des Schwurgerichts schon daran, dass er die Tathandlung gesehen hat. Dass daneben auch noch zweifelhaft ist, dass er von seinem angeblichen Standpunkt aus in der Lage war, den Täter zu identifizieren, bedarf daher keiner Diskussion mehr. Die Aussage des Zeugen Zygmund Gob. kann den Angeklagten folglich weder überführen, noch die Aussage der Zeugen Izchak Hal. und Nathan Dre. entscheidend verstärken.

IX. « Würdigung der Aussage des Zeugen Emil Gob. »

1. Das gleiche gilt für die Angaben des Zeugen Emil Gob., der bei seiner letzten richterlichen Vernehmung in Anwesenheit von Prozessbeteiligten folgendes bekundete.

Im Auftrag des Judenrats von Kopyczynce sei er gelegentlich nach Kamionka gefahren, um Brot zu verteilen. Seine Funktion habe es mit sich gebracht, mit dem Judenrat in Kontakt zu stehen. Zu dem Zeitpunkt, als Hal. getötet worden sei, sei er im Judenratszimmer gewesen. Was er dort zu tun gehabt habe, wisse er nicht mehr. Er sei Augenzeuge der Tat gewesen. Hal. sei von dem Gestapobeamten P. aus Czortkow erschossen worden. Er, Gob., sei schon beim Judenrat gewesen, als P. angekommen sei. Mit Ruwen Hal. habe jener einige Worte gewechselt; was gesprochen worden sei, erinnere er nicht mehr. Hal. sei an seinem Schreibtisch gestanden. Sein Abstand zu P. habe etwa 2 m betragen. Hal. habe sich nun umgedreht und P. habe ihm mit seiner Pistole in den Nacken geschossen. Danach sei P. weggegangen. Er, Gob., habe geholfen, Ruwen Hal. aus dem Judenratsgebäude zu tragen. Noch am gleichen Tag sei dieser beerdigt worden.

Die Tat sei im Sommer gewesen, an Jahr und Monat könne er sich nicht mehr erinnern. In dem Zimmer, in welchem sie geschehen sei, seien noch andere Menschen gewesen, so sein Sohn Zygmund und der Sohn des Getöteten. An weitere Personen könne er sich nicht mehr erinnern. P. habe er gekannt; er sei oft nach Kopyczynce mit einem Auto gekommen. Wieso er gewusst habe, dass jener Mann P. gewesen sei, könne er heute nicht mehr erläutern, er sei sich jedoch über die Person P.s hundertprozentig sicher gewesen. P. sei ein Sadist, ein Auswurf der Menschheit gewesen.

Er habe nur gesehen, wie P. den Ruwen Hal. getötet habe. Weitere Tötungshandlungen von ihm habe er nicht mit eigenen Augen beobachtet. Bei der Erschiessung der Juden an der Grube im Wald habe er ihn auch gesehen. Jedoch seien alle Gestapo-Beamten dort gewesen, damit sicher auch er. Wenn er bei seinen früheren Aussagen angegeben habe, selbst gesehen zu haben, dass P. die Jüdin Jetty Fest sowie die Juden Weisberg und Klein getötet habe, ferner, dass er ihn bei der Aktion an der Grube auch gesehen habe, so könne er dazu sagen: P. habe er nur bei der Tötung des Ruwen Hal.s beobachtet.

2. Bereits bei der Würdigung der Aussage des Zeugen Zygmund Gob. wurde erwähnt, dass auch Emil Gob. in seinem Wiedergutmachungsverfahren - u.a. in eidesstattlichen Versicherungen vom 11.11.1949 und 30.1.1950 - angegeben hatte, von November 1941 bis Januar 1944 im Zwangsarbeitslager Kamionka gewesen zu sein. Dass jene Angaben bewusst falsch waren, hält das Schwurgericht für erwiesen. Insoweit wird auf die Erörterung der Aussage des Zeugen Zygmund Gob. (oben VIII 2) Bezug genommen. Der Zeuge Emil Gob. konnte seinen Aufenthalt in Kopyczynce mit seiner Funktion als Fahrer auch glaubhaft erklären.

Bedenken bestehen jedoch an seiner Behauptung, die Tat an Ruwen Hal. selbst gesehen zu haben. Die Angaben des Zeugen hierzu sind - verglichen mit seinen früheren Angaben - nicht ohne Widerspruch. So hat er beispielsweise bei seiner konsularischen Vernehmung 1967 bekundet, P. sei schon im Judenratsgebäude gewesen, als er hinzugekommen sei. In jener Vernehmung äusserte er auch des weiteren, dass er nach dem Schuss gleich weggelaufen sei. Damit unvereinbar ist seine jetzige Aussage, wonach er nach dem Schuss geholfen habe, Ruwen Hal. auf die Strasse zu tragen. Es ist schwerlich einzusehen, dass er das Weglaufen mit einer Hilfeleistung verwechselt haben könnte. Da beide Handlungen auch keine gemeinsame Berührungspunkte haben, ist eine blosse Veränderung der Erinnerung in dem Sinne, dass für ihn nunmehr andere Erlebnisse einen Schwerpunkt einnehmen und sein Gedächtnis beherrschen, kaum anzunehmen. Eher liegt der Verdacht nahe, dass er mangelnde Erlebnisse durch Konstruktionen verbergen will. Auf den Widerspruch angesprochen erklärte er auch nur, er erinnere sich jetzt nicht mehr. Seine Tatschilderung war detailarm. Die wenigen Einzelheiten, die er zum engeren Geschehen mitteilte, konnte er ohne weiteres vom Hörensagen kennen. Dass er sich mit anderen über die Tat unterhalten hatte, ist erwiesen. Beispielsweise konnte er von seinem Sohn das, was er bekundete, erfahren haben. Der Zeuge Zygmund Gob. hat klar ausgesagt, mit seinem Vater schon öfter über die Tötung Ruwen Halberns gesprochen zu haben. Zygmund Gob. erklärte aber weiter, er sei sich sicher, dass sein Vater den Vorfall nicht beobachtet habe. Wäre er Augenzeuge gewesen, hätte er dies bei den Gesprächen über den Fall mit ihm - Zygmund Gob. - doch mitgeteilt. Das habe er aber nie getan. Ganz bestimmt habe sein Vater die Sache nicht gesehen, vielmehr habe er sie ihm erst erzählt.

Es ist äusserst naheliegend, dass Emil Gob. bei den Gesprächen, die sein Sohn mit ihm über den Vorfall führte, zu erkennen gegeben hätte, ebenfalls Augenzeuge gewesen zu sein, wenn er die Tötung Ruwen Hal.s tatsächlich miterlebt hätte. Dass er nur deshalb darüber geschwiegen haben könnte, um seinen Sohn nicht in Verlegenheit bringen zu müssen, weil wohl er selbst, nicht aber Zygmund Gob. am Tatort gewesen sei, er diesen jedenfalls dort nicht gesehen habe, ist nur theoretischer Natur. Mithin spricht die Tatsache, dass er seinem Sohn gegenüber nie erwähnte, auch Augenzeuge zu sein, schwerwiegend dafür, dass er über die Tötung Hal.s nur über Dritte erfahren hat.

Damit wirft sich die Frage auf, warum der Zeuge Emil Gob. objektiv der Wahrheit zuwider angegeben haben könnte, die Tat miterlebt zu haben. Hierbei ist einerseits zu bedenken, dass er den Gestapo-Beamten P. als einen grossen Sadisten ansah und ihn als einen der Schlimmsten schilderte. Diese Einschätzung mag bewirkt haben, dass er aus aufgestautem Hass gegenüber P. Belastungstendenzen nachgegeben hat. Einen Beweis dafür bietet seine Aussage, die er 1967 und 1968 gegeben hat. Danach hat er angeblich P. noch bei weiteren Tötungshandlungen beobachtet. Heute räumte er ein, dass dies unrichtig sei, er P. nur bei der Tötung Hal.s gesehen habe. Es ist deshalb davon auszugehen, dass seine frühere Aussage teilweise unrichtig gewesen ist, er also P. zu unrecht weiterer Tötungshandlungen beschuldigt hat. Damit muss auch zu Lasten des Zeugen angenommen werden, dass er sich bei seinen Aussagen gegenüber dem Angeklagten in seiner persönlichen Antipathie nicht zu kontrollieren weiss, unkritisch wird und seinen Hass, den er haben mag, nicht im Interesse einer trotz aller erfahrenen Leiden abgewogenen und fairen Schilderung der Ereignisse zurückdrängen kann. Es ist demnach auch nicht die Möglichkeit auszuräumen, dass er sich, um den Angeklagten zu belasten, als Augenzeuge der Tötung Ruwen Hal.s ausgegeben hat. Sehr wahrscheinlich ist dies jedoch deshalb nicht, weil der Zeuge bei Fortbestehen einer Belastungstendenz an sich keinen Grund hatte, nunmehr zu bestreiten, z.B. auch Augenzeuge der Tötung der Jetty Fest gewesen zu sein. Daraus, dass der Zeuge nur noch angab, zu Ruwen Hal. näheres zu wissen, könnte man auch folgern, dass er nunmehr kritischer geworden und im Stande sei, Gehörtes von Selbsterlebtem zu trennen und damit die übrigen Fälle als Augenzeuge auszuscheiden, dass er mit anderen Worten jetzt fähig sei, seine Impulse und Strebungen, die auf eine objektiv nicht gerechtfertigte Belastung P.s hinauslaufen, kritisch zu erfassen und zurückzudrängen. Letzte Klarheit wird man zu diesen Fragen jedoch nach der Aussage dieses Zeugen nicht gewinnen können. Es bleibt die durch seine Widersprüche und die Aussage seines Sohnes begründete Möglichkeit, dass der Zeuge nicht Augenzeuge war, vielmehr Gehörtes als Selbsterlebtes wiedergab, wobei er dies durchaus unbewusst getan haben mag. Mit der Aussage des Zeugen Emil Gob. war der Angeklagte mithin ebenfalls nicht zu überführen.

X. « Würdigung der Aussage der Zeugin Fania Kip. »

1. Augenzeugin bei der Ermordung Ruwen Hal.s gewesen zu sein, hat schliesslich auch die Zeugin Fania Kip. angegeben. Sie hat bei ihrer richterlichen Vernehmung am 21. und 26.Februar 1973 in Tel Aviv bekundet, dass der Vorfall, wie sie glaube, im Juni 1943 gewesen sei. Sie sei an dem fraglichen Tag mit ihrer Freundin zum Judenrat gegangen um sich zu erkundigen, wer bei der vorherigen Aktion leben geblieben sei. Sie sei in ein Zimmer links des Korridors gegangen, in welchem sich noch andere Juden aufgehalten hätten. Ob dieses Zimmer im Erd- oder Obergeschoss gelegen sei, wisse sie nicht mehr. Auf der anderen Seite des Flurs habe sich ebenfalls ein Zimmer befunden, in das sie habe hineinsehen können, da die einander gegenüberliegenden Türen offengestanden seien. Plötzlich habe sie in jenem Zimmer P. in Uniform gesehen. Er habe mit Ruwen Hal., der bei einem Schreibtisch gestanden sei, gesprochen. Wann P. gekommen sei, habe sie nicht bemerkt. Was beide gesprochen hätten, habe sie nicht gehört. Auch im Flur seien noch Leute gestanden. Als sie gemerkt habe, dass die Leute ihren Platz verlassen hätten, habe sie das Gefühl gehabt, dass etwas geschehen werde. Plötzlich sei es ganz still geworden. Dann habe sie gesehen, wie P. den Ruwen Hal. erschossen habe. Ruwen Hal. sei zusammengebrochen, zuerst auf die Tischkante gefallen, dann auf den Boden. Sie habe gesehen, dass Blut aus der Brust Hal.s gekommen sei, es sei aber alles so schnell gegangen, dass sie nicht genau habe beobachten können. Sie glaube, dass in jenem Zimmer ausser P. und Ruwen Hal. keine weiteren Personen mehr gewesen seien. Nachdem sie gesehen habe, dass Hal. zusammengebrochen sei, sei sie auf die Strasse gelaufen. P. habe sie nicht weggehen sehen. Später habe sie auch gesehen, dass Ruwen Hal. heruntergetragen und auf einen Wagen gelegt worden sei.

Auf Vorhalt ihrer Angaben vom 4.7.1965 und 8.2.1966, P. sei in Zivil gewesen, sage sie heute, er habe eine Uniform angehabt. Auf Vorhalt ihrer Angaben vom 4.7.1965, sie sei im grossen Zimmer gewesen, in dem sich schon P. befunden habe, und ihrer Aussage vom 1.12.1967, sie sei in dem Zimmer gewesen, in welchem Hal. erschossen worden sei, könne sie erklären, dass sie sich damals nicht richtig ausgedrückt habe. Das, was sie jetzt gesagt habe, sei zutreffend. Es sei dort so eng gewesen, dass praktisch alles im selben Raum geschehen sei.

Sie habe P. gekannt; er sei dicklich gewesen, habe ein volles Gesicht gehabt; sein Alter: 25 bis 28 Jahre. Von ihm sei bekannt gewesen, dass er die Sachen der Juden nach den Aktionen gesammelt habe. Erstmals habe sie ihn im Oktober 1942 in Chorostkow gesehen.

Bisher habe sie immer geglaubt, P. habe in Kopyczynce auch die alte Frau im Hausflur erschossen. Heute sei sie sich nicht mehr so sicher, ob der Täter P. oder Lu. [338] gewesen sei. Auf einen späteren Vorhalt ihrer Angaben vom 8.10.1961, wonach Lu. die alte Frau getötet habe, äusserte sie, bei anderen Gelegenheiten seien P. und Lu. immer zusammen gewesen. Deshalb habe sie beide belastet.

Sie habe im Lager Borki-Stupki beobachtet, dass sieben Juden erschossen worden seien. Täter sei der Hauptsturmführer Raebel [339] gewesen, den sie ebenso wie Thomanek [340] gekannt habe. Befragt, warum sie in ihrer eidesstattlichen Versicherung vom 31.5.1960 Thomanek der Tötung der sieben beschuldigt habe: Thomanek habe mehr als sieben Juden erschossen. Als sie in Hagen vor Gericht erschienen sei, habe sie gesehen, dass der Angeklagte Thomanek nicht jener Hauptsturmführer gewesen sei, den sie bei anderen Mordtaten gesehen und der auch wie ein Mörder ausgesehen habe. Belastet habe sie ihn gleichwohl, da er nicht nur sechs, sondern 6600 getötet habe. Sie habe nur über die sechs Getöteten ausgesagt, obwohl sie gewusst habe, dass er vielmehr getötet habe. Heute gebe sie zu, dass sie vor dem Gericht in Hagen nicht die Wahrheit gesagt habe, als sie Thomanek die Erschiessung der sechs Juden zur Last gelegt habe. Sie sehe das aber nicht als Lüge an; denn Thomanek habe mehr Getötete auf dem Gewissen.

2. Diese Zeugenaussage, die - wie auch die anderen - nur grob skizziert werden konnte, enthält viele Unstimmigkeiten. Eine Reihe von Widersprüchen sind zu anderen Angaben festzustellen, welche die Zeugin im vorliegenden und anderen NSG-Verfahren gemacht hat. Allein ihre früheren Bekundungen liessen ihre Glaubwürdigkeit recht bedenklich erscheinen, weshalb die Staatsanwaltschaft ihre Anhörung als Zeugin erst gar nicht beantragt hatte. Die Vernehmung der Zeugin, die aufgrund eines Beweisantrags der Verteidigung am 21./26.2.1973 gleichwohl durchgeführt werden musste, zeigte denn auch, dass ihren Angaben nicht allein zu den Randereignissen, sondern auch zum Tatkern tatsächlich nicht gefolgt werden kann.

Es erscheint nicht notwendig, alle wesentlichen Umstände, die gegen ihre Glaubwürdigkeit sprechen, darzustellen und anhand ihrer Aussage auch die Punkte zu umreissen, die allgemein ihr Bemühen, überlegt, kritisch und objektiv richtig auszusagen, vermissen lassen. Zum letzteren wäre beispielsweise anzuführen, dass sie gleich zu Beginn ihrer Vernehmung darlegte, P. schon 1942 aus Chorostkow gekannt zu haben, ihr sei damals gesagt worden, dass einer der drei, die immer aus Czortkow kämen P. sei. Später gab sie dann an, ihn zwar im Oktober 1942 in Chorostkow gesehen zu haben, seinen Namen habe sie aber erst in Kopyczynce erfahren, nachdem sie ihn dort im April 1943 wiedergesehen habe.

Für die Zweifel des Schwurgerichts an ihrer Zuverlässigkeit zum Tatgeschehen waren letztlich folgende Erwägungen bestimmend: Die Zeugin hat sich zur Frage, von wo aus sie den Vorfall beobachtet habe, widersprochen. Eine Erinnerungstäuschung darüber, ob sie in demselben Zimmer gewesen ist, in welchem die Erschiessung stattfand, ober aber in einem anderen, ist wenig wahrscheinlich. Ihre Erklärung auf den Vorhalt ihres Widerspruchs hin, dass wegen der bestehenden Enge praktisch alles im selben Raum geschehen sei, wirkt fadenscheinig und stimmt auch nicht mit dem überein, was sie zuvor zu den Örtlichkeiten angab. Die Zeugin will weiterhin gesehen habe, dass Hal. in die Brust getroffen worden sei, was sie auch schon früher bekundet hatte. Demgegenüber steht aber fest, dass sich Hal. zunächst umdrehen musste und anschliessend durch Genick- oder Kopfschuss getötet wurde. Dass sie

[338] Siehe Lfd.Nr.440, 515, 550 und 597.

[339] Siehe Lfd.Nr.634.

[340] Siehe Lfd.Nr.455 und 498.

diesen an sich einprägsamen Vorgang anders darstellt, spricht gegen ihre Tatbeobachtung. Zwar äusserte sie noch, alles sei so schnell gegangen, dass sie nicht genau habe wahrnehmen können. Andererseits sah sie aber doch lange genug hin um feststellen zu können, dass Hal. zunächst auf die Tischkante gefallen sei. Auf den Vorgang selbst wurde sie ihrer Schilderung zufolge auch schon aufmerksam, ehe der Täter schoss. Sie gab an, sich noch auf die Bewegung zu besinnen, mit der der Täter die Pistole hervorgeholt habe.

Die grössten Bedenken gegen ihre Zuverlässigkeit liegen jedoch darin begründet, dass sie einmal sowohl den SS-Angehörigen Lu. [341], als später auch P. der Tötung der alten Frau beschuldigt hatte, zum anderen den ab 1942 ebenfalls in Czortkow stationierten SS-Mann Paul Thomanek Tötungsdelikte anlastete, die er nicht verübt hatte. Die Erklärung, die sie für ihr Verhalten im Prozess gegen Thomanek [342] gab, macht es wahrscheinlich, dass sie Angehörige der SS, von denen sie glaubt, dass sie Juden getötet haben, bestimmter Tötungen beschuldigt, um eine Verurteilung zu erreichen und so ihre Vorstellungen von Gerechtigkeit durchzusetzen. Es kann nicht ausgeschlossen werden, dass die Zeugin - wie viele andere auch - davon hörte, P. habe Ruwen Hal. im Judenratsgebäude getötet, dennoch aber behauptete, sie sei Augenzeugin gewesen und habe P. erkannt, um so seine von ihr erstrebte Bestrafung zu erreichen. Sie gab zwar an, die Motive, die für ihre Aussage im Thomanek-Verfahren bestimmend gewesen seien, träfen auf P. nicht zu, da sie von diesem - anders als bei Thomanek - zuvor noch keine Mordtaten gesehen habe. Diese Erklärung ist aber angesichts ihrer merkwürdigen Auffassung darüber, was eine Lüge sei, keine Bedeutung beizumessen. Im übrigen gab sie bei ihrer Vernehmung an, sie habe schon immer geglaubt, P. habe die alte Frau getötet. Dieser Vorfall aber - den sie auch selbst beobachtet haben will - soll sich ihren Angaben vom 8.2.1966 zufolge etwa 2 Wochen vor der Tötung Ruwen Hal.s ereignet haben. Jetzt allerdings will sie sich nicht mehr daran erinnern können, ob die alte Frau vor oder nach Ruwen Hal. umgebracht wurde.

Das Schwurgericht konnte nach alledem der Aussage der Zeugin Kip. nicht folgen.

XI. « Freisprechung des Angeklagten P. »

Die Zweifel an der Täterschaft des Angeklagten, die nach den Bekundungen des Zeugen Izchak Hal. noch verblieben, konnten durch die anderen Zeugen mithin nicht beseitigt werden. Das Schwurgericht hat nicht verkannt, dass sehr viele Umstände für die Zuverlässigkeit des Zeugen Hal. - und auch des Zeugen Dre. - sprechen. Die heute noch bestehenden wenigen Zweifel, die sich allein auf die Frage der Identifizierung des Täters beziehen, vermochte es jedoch nicht zu überwinden. Die Tatsache, dass man nach dem Vorfall P. allgemein als Täter bezeichnet hat, hielt das Gericht für unbedeutend; ein solches "Gerücht" kann bereits durch einen Irrtum eines Einzelnen ausgelöst worden sein.

Der Angeklagte war daher vom Vorwurf des Mordes an Ruwen Hal. freizusprechen.

XII. « Kostenentscheidung »

Die Kostenentscheidung folgt aus §467 der StPO.

[341] Siehe Lfd.Nr.440, 515, 550 und 597.

[342] Siehe JuNSV Bd.XVI S.759 (Verfahren Nr.498); siehe dazu auch Bd.XXIV S.205.

Lfd.Nr.812

Tatkomplex
Andere Massenvernichtungsverbrechen

Tatort
Bialystok, Krasnik, Warschau,
ZAL Budzyn

Tatzeit
42-43

Gerichtsentscheidungen
LG Hamburg vom 25.07.1974, (50) 23/73

INHALTSVERZEICHNIS

des unter Lfd.Nr.812 veröffentlichten Urteils

LG Hamburg vom 25.07.1974, (50) 23/73

(50) 23/73

Im Namen des Volkes

In der Strafsache gegen [343]

1.) Georg Mic., geboren am 13.September 1906 in Wendrin/Oberschl.,
2.) Otto Hantke, geboren am 21.Januar 1907 in Katscher/Oberschl.,

wegen Mordes (NSG),

hat das Landgericht Hamburg - Schwurgericht - in der Sitzung vom 25.Juli 1974 für Recht erkannt:

> Der Angeklagte Mic. wird wegen Beihilfe zum Mord in zwei Fällen zu einer Gesamtfreiheitsstrafe von 12 Jahren verurteilt, Verbrechen gemäss §§211, 49, 74 StGB.
> Der Angeklagte Hantke wird wegen Mordes in 4 Fällen, davon in einem Falle gemeinschaftlich handelnd zu einer lebenslangen Freiheitsstrafe verurteilt - Verbrechen gemäss §§211, 47, 74 StGB. Im übrigen wird er freigesprochen.
> Der Angeklagte Mic. trägt die ihn betreffenden Kosten des Verfahrens sowie seine notwendigen aussergerichtlichen Auslagen.
> Der Angeklagte Hantke trägt die ihn betreffenden Kosten des Verfahrens soweit er verurteilt worden ist, im übrigen trägt sie die Staatskasse.
> Soweit der Angeklagte Hantke verurteilt worden ist, trägt er seine notwendigen aussergerichtlichen Auslagen, im übrigen trägt sie die Staatskasse.

GRÜNDE

<u>A. Lebensläufe der Angeklagten</u>

<u>I. Mic.</u>

<u>1.) Allgemeiner Werdegang</u>

Der Angeklagte Mic. wurde am 13.September 1906 in Wendrin/Oberschlesien geboren und wuchs dort zusammen mit 6 Geschwistern auf. Sein Vater war Volksschullehrer. Der Angeklagte hiess zunächst Mi. Dieser Name wurde erst im Jahre 1940 oder 1941 auf Betreiben eines Bruders abgeändert. Von 1912 bis 1920 besuchte Mic. die Volksschule, die er glatt durchlief. Seine Eltern konnten ihm aus finanziellen Gründen eine weitergehende Schulbildung nicht ermöglichen. Zwei seiner Brüder waren Lehrer geworden. Mic. begann eine Lehre bei einem Rechtsanwalt, die er im Jahre 1923 ohne Abschluss abbrach, weil er zu wenig Geld verdiente. Einige Monate später wurde er Volontär beim Verband Oberschlesischer Genossenschaften in Oppeln. Dort wurde er als Buchhalter ausgebildet und übte diese Tätigkeit anschliessend bis 1926 bei der Landwirtschaftlichen Ein- und Verkaufsgenossenschaft in Oberglogau aus. In der Folgezeit war er bis zum Kriegsbeginn an mehreren Unternehmen als Buchhalter tätig. Wegen seiner Tüchtigkeit und Zuverlässigkeit war er auch in der Zeit der allgemeinen Arbeitslosigkeit nicht arbeitslos. Der Angeklagte heiratete im Jahre

[343] Rechtskräftig hins. beider Angeklagten durch Beschluss des BGH vom 16.12.1975, 5 StR 475/75.

1940. Aus der Ehe ist eine Tochter hervorgegangen, die in Hamburg wohnt und ihrerseits Kinder hat.

Bei Kriegsende geriet der Angeklagte in englische Gefangenschaft, aus der er 1948 entlassen wurde. Er wohnte zunächst bei seiner Schwägerin in Oldenburg (Oldb). Bei der Entnazifizierung wurde er in Gruppe 3 eingestuft. In Oldenburg arbeitete er ein Jahr als Bauarbeiter. Im Jahre 1949 traf er mit seiner Familie zusammen, mit der er fortan wieder zusammenlebte. Nach zeitweiliger Arbeitslosigkeit und Aushilfstätigkeit mit geringem Verdienst siedelte Mic. im Mai 1950 nach Hamburg über. Bis zu seiner Verhaftung am 24.Januar 1961 war er als Buchhalter beim Bauverein der Elbgemeinden tätig. Am 3.April 1964 wurde Mic. von dem weiteren Vollzug der Untersuchungshaft verschont. Seit September 1964 bis Oktober 1973 arbeitete er dann als Buchhalter in dem Baugeschäft Nagel-Heier. Seitdem ist er Rentner.

2.) Der Werdegang des Angeklagten Mic. im nationalsozialistischen Staat

Mic. trat früh dem Jungstahlhelm bei. Im Jahre 1928 ging er mit einem Bruder, der der SA angehörte, zu einer SA-Versammlung. Dort kam es zu einer Schlägerei mit Kommunisten. Mic. kam seinem Bruder zu Hilfe. Er liess sich daraufhin bewegen, zwar nicht der SA beizutreten, wohl aber der NSDAP, deren Kassenwart und Schriftführer in der Ortsgruppe er bald wurde. Ausserdem gehörte Mic. der SA-Reserve an. Am 10.Januar 1932 trat er der allgemeinen SS bei. Ausserdem gehörte er vor und nach 1933 dem Oberschlesischen Grenzschutz an, der mit der SS nichts zu tun hatte. Dort erhielt Mic. auch eine militärische Ausbildung.

Mic. hielt die SS für etwas besseres als die SA, deren Uniform ihm auch nicht gefiel. Bei der SS gab es, wie er es beschreibt, keine "Rabauken". Er erfuhr durch die SS eine formale Ausbildung und machte Aufmärsche und Absperrungen mit. Der Sturm in Oppeln betrug bis zur Machtergreifung etwa 50 Mann. Nach der Machtergreifung wuchs er auf 500 Mann an. Dienst tat der Angeklagte in der SS einmal wöchentlich, nämlich am Sonntagvormittag. Mic. gibt hierzu an, er habe die NSDAP als eine Art Notgemeinschaft gegen die Arbeitslosigkeit aufgefasst. Über den Antisemitismus habe er sich keine Gedanken gemacht, in Oppeln habe er mehrere Juden gut gekannt. Mic. gibt weiter an, er habe den "Stürmer" nicht gelesen. In der Reichskristallnacht im Jahre 1938 sei in Oppeln nur die SA, nicht aber die SS tätig gewesen. Er habe sich schon damals bemüht, an den Ausschreitungen nicht teilzunehmen und möglichst an ihnen vorbeizuleben. Am 9.November 1934 wurde Mic. zum Untersturmführer ernannt. Er war bei der Geldverwaltung der SS in Oppeln tätig.

Bei Kriegsausbruch im Jahre 1939 wurde Mic. zur Radfahrschwadron Schweidnitz eingezogen. Die SS veranlasste jedoch, dass die Einberufung zurückgenommen wurde. Mic. wollte sodann einen Offizierslehrgang absolvieren. Dies wurde von der SS wiederum verhindert, ebenso wie eine unmittelbar darauf folgende Einberufung zur Polizei. Da er auf Drängen der SS auch nicht zu einer Flakbatterie, zu der er sich melden wollte, gehen durfte, befand er sich am 5.September 1939 noch in der Heimat. Dann wurden jedoch alle SS-Leute zusammengefasst und in einer Schule versammelt. Mic. kam nach Polen, und zwar nach Czenstochau. Dort wurde er mit 75 Mann nach Petrikau verlegt. Diese Gruppe folgte der kämpfenden Truppe und nahm im Hinterland Polizeiaufgaben wahr. Mic. war inzwischen Obersturmführer (F) der allgemeinen SS geworden. Im Jahre 1940 kam er dann zu Globocnik nach Lublin in Polen. Bis April 1941 war er krank und lag zeitweise im Lazarett. Danach beschäftigte er sich zunächst mit der Deutschen Treuhandstelle für die Auflassung von Grundstücken umgesiedelter Volksdeutscher im Bezirk Lublin. Danach hatte er SS- und Polizeistützpunkte auf abgelegenen Gütern mit Verpflegung und Munition zu versorgen. Im Rahmen dieser Tätigkeit und einer Bauinspektion, die Einrichtungsgegenstände für Unterkünfte besorgte, kam er im Jahre 1941 nach Riga. Dort blieb er bis Ende Mai 1942. Hier erlebte Mic. erstmals die planmässige Verfolgung jüdischer Menschen. Die SS-Leute hatten sogenannte "Hausjuden", die ihnen zur Arbeitsleistung zugeteilt worden waren, Mic. selbst war ein jüdischer Rechtsanwalt zum Maschinenschreiben zugeteilt worden. Im Spätherbst 1941 erlebte Mic. in Riga, dass dort etwa 20.000 jüdischer Menschen - Männer, Frauen und Kinder - in der Nähe der Stadt erschossen wurden. Es bestand ein Befehl, wonach sich jeder Angehörige der SS zumindest einen Teil dieses Vorgangs anzusehen habe. Diesem Befehl kam auch Mic. nach, hielt sich aber nur kurze Zeit an der Erschiessungsstätte auf. Er hielt, wie er hierzu angibt, diese Aktion für eine eigenmächtige Handlung des damaligen HSSPF Jeckeln. Zweifel, die ihm hieran angesichts des Umfangs und der Bedeutung des grausamen Geschehens kamen, suchte er u.a. mit der Erwägung zu beschwichtigen, dass dies Teil und Folge des Krieges sei. Der sich aufdrängenden Erkenntnis, dass hier schwere Verbrechen vom Staat befohlen oder zumindest geduldet würden, verschloss er sich bewusst.

Mic. ist nicht vorbestraft. Er befand sich in dieser Sache vom 24.1.1961 bis zum 3.4.1964 in Untersuchungshaft.

II. Hantke

1.) Allgemeiner Werdegang

Der Angeklagte Hantke wurde am 21.Januar 1907 in Katscher/Oberschlesien geboren. Sein Vater war gelernter Webermeister. Hantke wuchs mit 11 Geschwistern, 6 Brüder und 5 Schwestern auf. Er besuchte die Volksschule von 1913 bis 1921 und machte dann erfolgreich eine dreijährige Lehre als Verkäufer im Textilhandel durch. Bis 1929 arbeitete er in seinem erlernten Beruf, danach begleitete er seinen Vater, der als umherreisender Textilhändler Geld verdiente. Zu den Verhältnissen in seinem Elternhaus erklärt Hantke, es sei oftmals sehr knapp gewesen, wenn man auch nicht regelrecht gehungert habe, später, als der Vater gereist sei, sei es besser geworden.

Hantke wurde gleich zu Beginn des Krieges eingesetzt. Bei Kriegsende wurde er von den Kanadiern verhaftet und in das Lager Neuengamme eingeliefert. Er kam dann nach Belgien und England. Dort blieb er 2½ Jahre und arbeitete in der Landwirtschaft. Im Mai 1948 wurde er entlassen. Bis etwa Mitte 1954 arbeitete er in mehreren Stellungen, wurde aber immer wieder arbeitslos. Alsdann zog er nach Duisburg. Dort fand er mit Hilfe der Umsiedlungskommission eine Unterkunft und arbeitete als Kontrolleur und Materialprüfer bei Rheinstahl. Am 25.Januar 1961 wurde er in dieser Sache verhaftet. Am 1.September 1967 wurde er aus der Untersuchungshaft entlassen. Er begab sich erneut nach Duisburg und arbeitete bis kurz vor Beginn der Hauptverhandlung als Hilfsarbeiter im Stahl- und Metallbau. Eine frühere Nebentätigkeit als Vertreter für die Allianz-Versicherung nahm er nicht wieder auf. Im Laufe der Hauptverhandlung bekam er einen Rentenbescheid, wonach er Rente erhält.

Hantke ist seit 1933 verheiratet. Seine beiden inzwischen erwachsenen Töchter sind ebenfalls verheiratet und haben Kinder. Hantke ist nicht vorbestraft.

2.) Werdegang des Angeklagten Hantke im nationalsozialistischen Staat

Hantke trat im Jahre 1933 nach der Machtübernahme in die allgemeine SS ein. In die NSDAP trat er erst am 1.Mai 1937 ein, vorher galt er als Parteianwärter. Zur SS kam Hantke durch zwei Freunde aus der Nachbarschaft. Er war von ihrer schwarzen Uniform beeindruckt, besuchte dann auch probeweise eine Veranstaltung der SS und liess sich insgesamt von dem Bestreben leiten, dabei zu sein. Dienst machte er nur unregelmässig, da er durch seine ambulante Tätigkeit hieran gehindert wurde.
Hantke war von Haus aus nicht antijüdisch eingestellt. Er las aber gelegentlich den "Stürmer" im öffentlichen Aushang und liess sich auch von der antijüdischen Propaganda beeinflussen. Im übrigen war er politisch nicht interessiert. Die Erinnerung an die Reichskristall-

nacht im Jahre 1938 beschreibt er nicht als besonderes Erlebnis. Er befand sich damals in seiner geschäftlichen Tätigkeit in Kreuzburg.

Bei Kriegsausbruch wurde Hantke von der SS einberufen und mit den übrigen Mitgliedern der SS nach Oppeln gebracht. Einen Tag später wurde er mit etwa 40 bis 50 Mann nach Wielun verladen. Hantke selbst wurde dort zu kaufmännischer Tätigkeit in einer Warenhandelsgenossenschaft eingesetzt. Er blieb in Wielun bis in den Winter hinein, dann kam er für etwa 2 Wochen nach Radom und anschliessend nach Lublin. Dort machte er Wachdienst beim SS- und Polizeiführer, beim Gouverneur und Aussendienst am Gefängnis, ausserdem begleitete er Kohlenzüge von Oberschlesien nach Lublin. Anschliessend wurde er beauftragt, eine Draht- und Nagelfabrik in Lublin in Gang zu setzen. Etwa Mitte 1940 kam er in ein jüdisches Arbeitslager in der Lipowastrasse in Lublin, das sogenannte Lipowa-Lager. Dort half er beim Aufbau des Lagers und bei der Besorgung von Materialien. Er blieb im Lipowa-Lager zunächst bis zum Beginn des Russlandfeldzuges. Hantke beschreibt die Zustände im Lipowa-Lager wie folgt: Es sei zunächst nur ein loses Gefüge gewesen, die jüdischen Arbeitskräfte seien anfangs abends noch nach Hause gegangen. Erst als jüdisch-polnische Kriegsgefangene ins Lager gekommen seien, seien die Lagerinsassen kaserniert worden. Im Lager seien viele Handwerker gewesen. Es seien Handwerksbetriebe eingerichtet worden. Misshandlungen von Häftlingen seien in den Jahren 1940/41 ganz selten gewesen. Es habe aber gute und schlechte Kommandos gegeben; einige der Häftlinge hätten deshalb versucht, die Stellen zu tauschen. Er habe sie dann aufgefordert, sofort zurückzugehen. Wenn sie das nicht getan hätten, habe er sie "am Kragen genommen". Dann sei es bei der Arbeitseinteilung auch zu Tätlichkeiten gekommen.

Zu Beginn des Russlandfeldzuges wurde Hantke mit anderen SS-Leuten nach Minsk beordert. Er wurde zu Kurierdiensten eingesetzt. Er gibt an, von Erschiessungen jüdischer Menschen habe er in Minsk nichts gehört. Hantke blieb bis Anfang 1942 in Minsk, dann kam er nach Lublin zurück. Im Frühjahr 1942 wurde der Angeklagte zum ersten Mal in einer sogenannten Aussiedlungsaktion eingesetzt. Die eigentliche Aussiedlung war schon beendet, als er eingesetzt wurde. Seine Aufgabe war es, Material aus leerstehenden jüdischen Wohnungen zu holen. Dass der Begriff "Aussiedlung" Transport ins Vernichtungslager bedeuten konnte, erfuhr der Angeklagte nicht. Zeichen von Gewalttätigkeiten habe er, so erklärt er, nicht gesehen. Der geräumte Ort sei ein Marktflecken in Richtung Warschau gewesen.

Hantke war bei Kriegsbeginn als Sturmmann eingerückt. Er wurde bei der allgemeinen SS bis zum Oberscharführer befördert. In die Waffen-SS wurde er zunächst als Sturmmann übernommen. Im Sommer 1942 wurde er anlässlich eines Besuches von Himmler in Lublin zum Unterscharführer der Waffen-SS befördert. Später wurde er bis Kriegsende nicht mehr befördert.

Diese Feststellungen zur Person der Angeklagten beruhen auf ihren eigenen Angaben.

B. Sachverhaltsfeststellungen

I. Die nationalsozialistische Judenvernichtung im Generalgouvernement (GG)

Um die Vorgänge, die Gegenstand dieses Verfahrens sind, würdigen zu können, müssen sie im Gesamtrahmen der nationalsozialistischen Judenpolitik im Generalgouvernement gesehen werden. Daher wird im folgenden ein kurzer Überblick über Entstehung und Aufbau dieses Gebietes und die Entwicklung der dort von den NS-Machthabern bis zur sogenannten "Endlösung" betriebenen Judenpolitik gegeben. Die hierzu getroffenen Feststellungen sind allgemein bekannt. Jedermann kann sich von ihrer Richtigkeit durch allgemein zugängliche Quellen unterrichten. Das Gericht hat den Prozessbeteiligten durch teilweise Verlesung des Urteils des

Landgerichts Düsseldorf im Verfahren gegen Franz u.a. - Az.: 8 I Ks 2/64 - vom 3.September 1965 [344] die Tatsachen bekanntgegeben, die es als allgemein bekannt ansieht.

1.) Die Zeit von Ende 1939 bis Anfang 1941

Am 1.September 1939 begann Hitler den Angriff auf Polen. Am 27.September 1939 kapitulierte das eingeschlossene Warschau und am 1.Oktober 1939 ergaben sich die polnischen Truppen auf der Halbinsel Hela. Bereits am 18.September 1939 waren gemäss einem geheimen Zusatzprotokoll zum deutsch-sowjetischen Wirtschafts- und Nichtangriffspakt vom 23.August 1939 russische Truppen in Ostpolen eingerückt. Von dem durch deutsche Streitkräfte besetzten polnischen Gebiete gliederte Hitler die neugeschaffenen Reichsgaue Westpreussen mit Danzig als Hauptstadt und Warthegau mit Posen als Hauptstadt dem Deutschen Reich ein. Ausserdem vergrösserte er die Provinz Ostpreussen durch den Regierungsbezirk Ziechenau (Ciechanow) und den sogenannten "Suwalki-Zipfel" sowie die Provinz Schlesien, die später in die Provinz Niederschlesien (Hauptstadt Breslau) und Oberschlesien (Hauptstadt Kattowitz) aufgeteilt wurde, durch Ostoberschlesien und eine Reihe kongresspolnischer und galizischer Kreise.

Aus dem dann noch verbliebenen Restgebiet bildete Hitler durch einen Erlass vom 12.Oktober 1939 das sogenannte Generalgouvernement (GG) mit Krakau als Hauptstadt und den Distrikten Warschau, Radom, Krakau, Galizien und Lublin. Zum Generalgouverneur bestellte Hitler den Reichsminister Dr. Frank, der ihm unmittelbar verantwortlich war. Zugleich ordnete er jedoch an, dass neben dem Generalgouverneur auch der Ministerrat für die Reichsverteidigung und der Beauftragte für den Vierjahresplan Recht setzen könne. Darüber hinaus ermächtigte er den Vorsitzenden des Ministerrats für die Reichsverteidigung und Beauftragten für den Vierjahresplan sowie die Obersten Reichsbehörden, alle Anordnungen auch für das Generalgouvernement zu treffen, die für die Planung des deutschen Lebens- und Wirtschaftsraumes erforderlich waren.

Vorsitzender des Ministerrates für die Reichsverteidigung und Beauftragter für den Vierjahresplan war Hermann Göring. Er konnte demgemäss auch für das Gebiet des Generalgouvernements mit seinem die Wannseekonferenz auslösenden Schreiben vom 31.Juli 1941 den Chef der Sicherheitspolizei und des SD Reinhard Heydrich anweisen, die Endlösung der Judenfrage im gesamten deutschen Einflussgebiet, also auch in Polen, vorzubereiten.
Als Chef einer Obersten Reichsbehörde, nämlich als Reichsführer SS und Chef der Deutschen Polizei, und ausserdem als Reichskommissar für die Festigung des deutschen Volkstums war Himmler neben Göring ebenfalls befugt, Anordnungen für das Generalgouvernement zu erlassen. Himmler bediente sich zur Durchführung seiner Anordnungen des in Krakau residierenden Höheren SS- und Polizeiführers (HSSPF) in Generalgouvernement, des SS-Obergruppenführers Friedrich Krüger. Dieser war durch Führererlass vom 7.Mai 1942 gleichzeitig zum Staatssekretär für das Sicherheitswesen in der Zivilregierung des Generalgouvernements ernannt worden. Himmler konnte ihm damit umso besser auf dem Gebiete des Sicherheitswesens und der Festigung deutschen Volkstums unmittelbar Weisungen erteilen.

Dieser Höheren SS- und Polizeiführer Ost (HSSPF) hatte ebenso wie der an der Spitze der Zivilverwaltung des Generalgouvernements stehende Generalgouverneur, der sich zur Erfüllung seiner Aufgaben der sogenannten Regierung des Generalgouvernements bediente, seinen Sitz in Krakau. Ihm unterstanden die SS- und Polizeiführer (SSPF) in den im Generalgouvernement geschaffenen Distrikten Warschau, Radom, Krakau, Galizien und Lublin. Dem Gene-

[344] Siehe Verfahren Nr.596.

ralgouverneur Frank waren in den genannten Distrikten auf dem Gebiete der Zivilverwaltung die Distriktsgouverneure unterstellt. Obwohl der Höhere SS- und Polizeiführer Krüger gleichzeitig Staatssekretär für das Sicherheitswesen in der Zivilregierung des Generalgouverneurs Frank war, gelang es Frank nicht, den SS- und Polizeiapparat seiner Zivilverwaltung zu unterstellen. Der SS- und Polizeiapparat konnte somit selbständig handeln.

Bereits unmittelbar nach Kriegsbeginn rückten besondere SS- und Polizeiformationen nach Polen ein. Diese sogenannten Einsatzgruppen hatten insbesondere folgende Aufgaben:
1.) Die Festnahme von einzelnen Juden aufgrund des Sonderfahndungsbuches 1939;
2.) Die Festnahme von Juden, die "verdächtig" erschienen, worunter man keine Kriegs- oder Aufstandshandlungen, sondern den Verdacht der Preissteigerung, Warenhortung und auch das blosse Herumstehen auf der Strasse verstand;
3.) die bereits am 6.September 1939 begonnene Einsetzung von jüdischen Kommissaren zur Vorbereitung der Ghettobildung;
4.) die Aufstellung von Verzeichnissen der jüdischen Bewohner;
5.) die Aufstellung von Vermögensbestandsaufnahmen der Juden;
6.) die Vorbereitung und zum Teil auch schon die Durchführung von sogenannten "Auswanderungen" und "Abschiebungen" von Juden in den Osten.

Nach 3 Wochen Polenfeldzug wurden am 21.September 1939 alle Einsatzgruppenführer in das Reichssicherheitshauptamt gerufen, wo ihnen Richtlinien für die Endlösung erteilt wurden. Das Ergebnis dieser Besprechungen ist in einem Schnellbrief vom 21.September 1939 enthalten, den Heydrich den Chefs aller Einsatzgruppen der Sicherheitspolizei unter Hinweis auf die Besprechung vom 21.September 1939 im Hinblick auf die Judenmassnahmen im besetzten Gebiet übersandte. In diesem Schnellbrief unterschied Heydrich zwischen dem längere Fristen beanspruchenden Endziel und den kurzfristig durchzuführenden Abschnitten der Vorbereitung des Endzieles. Als erste Voraussetzung für das Endziel galt nach dem Schnellbrief die Konzentrierung der Juden vom Lande in den grösseren Städten. Hierbei sollten zunächst die Gaue Danzig-Westpreussen, Wartheland und Oberschlesien judenfrei gemacht werden, zumindest aber sollten die Juden in nur wenigen Konzentrierungsstädten zusammengefasst werden. Anschliessend sollten die übrigen besetzten Gebiete Polens folgen. Zudem sollten die noch im Reich verbliebenen Juden und die restlichen 30000 Zigeuner von Deutschland mit Güterzügen nach Polen geschafft werden.

Ähnlich den Verhältnissen nach 1933 im Altreich gingen auch der physischen Vernichtung der Juden in Polen Massnahmen zu ihrer persönlichen Entrechtung und Diffamierung voraus. Als Massnahmen dieser Art sei aus der Vielzahl der Anordnungen nur die Verordnung vom 23.November 1939 hervorgehoben, wonach alle jüdischen Einwohner Polens, sofern sie das zehnte Lebensjahr überschritten hatten, vom 1.Dezember 1939 ab am rechten Ärmel der Kleidung einen mindestens 10 cm breiten Streifen mit dem Zionstern zu tragen hatten.

Im Zuge der Konzentrierung der jüdischen Bevölkerung mussten viele, insbesondere kleinere Orte, von Juden vollständig geräumt werden. Der Umzug der Juden in die Judenwohnbezirke und Ghettos erfolgte anfangs noch nicht unter der später üblichen scharfen polizeilichen Kontrolle. Ebenso waren bei diesen Wohnsitzveränderungen der Juden Tötungen grösseren Ausmasses noch nicht zu beobachten. Im allgemeinen wurden die Juden Polens bis zum Frühjahr 1941 aus ihren Wohnbezirken und Ghettos heraus zu einem grossen Teil für Wehrmachtsarbeiten sowie für Arbeiten in der Wehrwirtschaft und sonst kriegswichtige Arbeiten in Anspruch genommen. Dieser verhältnismässig friedliche Zustand änderte sich sehr schnell mit dem wahrscheinlich Anfang 1941 erfolgten Erlass des Endlösungsbefehls Hitlers.

2.) Die sogenannte "Endlösung" der Judenfrage im Generalgouvernement

Der Endlösungsbefehl Hitlers machte sich im Generalgouvernement zunächst in personellen Umbesetzungen bemerkbar. Als erstes wurden die bislang nur schwach besetzten Dienststellen der SS- und Polizeiführer in den Distrikten durch weiteres Verwaltungspersonal vergrössert. Ferner fand eine nicht unerhebliche Umbesetzung der SS- und Polizeiführer in den einzelnen Distrikten statt, und zwar in erster Linie mit dem Ziele, zu weiche und damit für die neuen Aufgaben nicht befähigte Personen zu entfernen. Im Distrikt Krakau wurde der SS- und Polizeiführer SS-Oberführer Schwedler durch den robusten und rigorosen SS-Oberführer Scherner ersetzt und im Distrikt Warschau der SS-Oberführer Wig. [345] durch den SS-Brigadeführer Dr. von Sammern-Frankenegg. Den von besonders vielen Juden bevölkerten Distrikt Galizien übernahm anstelle des SS-Oberführers Oberg der als rücksichtslos bekannte SS-Brigadeführer Katzmann, der bisher den Distrikt Radom geführt hatte. In Radom trat an seine Stelle der SS-Oberführer Böttcher. Die abgelösten SS-Oberführer Oberg, Schwedler und Wig. verliessen das Generalgouvernement. Lediglich der SS- und Polizeiführer im Distrikt Lublin, der SS-Gruppenführer Odilo Globocnik, verblieb auf seinem Posten. Er wurde zur Zentralfigur bei der Endlösung der Judenfrage im Generalgouvernement. Sie wurde im Distrikt Lublin - wahrscheinlich in Anlehnung an den Vornamen des damaligen Chefs des Reichssicherheitshauptamtes Reinhard Heydrich - unter der Tarnbezeichnung "Aktion Reinhard" oder auch "Einsatz Reinhard" durchgeführt.

Dass Globocnik den Auftrag zur Massenvernichtung der jüdischen Bevölkerung des Generalgouvernements erhielt, ergibt sich aus folgendem Schreiben des Oberdienstleiters Viktor Brack in Hitlers Parteikanzlei an den Reichsführer SS und Chef der Deutschen Polizei vom 23.Juni 1942:

> "Geheime Reichssache
>
> Sehr geehrter Reichsführer!
>
> Ich habe dem Brigadeführer Globocnik auf Anweisung von Reichsleiter Bouhler für die Durchführung seiner Sonderaufgabe schon vor längerer Zeit einen Teil meiner Männer zur Verfügung gestellt. Aufgrund einer erneuten Bitte von ihm habe ich nunmehr weiteres Personal abgestellt. Bei dieser Gelegenheit vertrat Brigadeführer Globocnik die Auffassung, die ganze Judenaktion so schnell wie nur irgend möglich durchzuführen, damit man nicht eines Tages mitten drin stecken bliebe, wenn irgendwelche Schwierigkeiten ein Abstoppen der Aktion notwendig machen. Sie selbst, Reichsführer, haben mir gegenüber seinerzeit schon die Meinung geäussert, dass man schon aus Gründen der Tarnung so schnell wie möglich arbeiten müsse. Beide Auffassungen, die ja im Prinzip das gleiche Ergebnis zeitigen, sind nach meinen Erfahrungen mehr als berechtigt ..."

Dass Globocnik diesen Auftrag auch durchführte, ergibt sich aus dem von ihm in den Jahren 1943 und 1944 mit Himmler geführten Schriftverkehr. So schrieb Globocnik am 4.November 1943 von Triest aus an Himmler wie folgt:

[345] Siehe Verfahren Nr.875.

"Reichsführer!

Ich habe mit dem 19.10.1943 die Aktion Reinhard, die ich im Generalgouvernement geführt habe, abgeschlossen und alle Lager aufgelöst.

Als Abschlussdarstellung erlaube ich mir, beiliegende Mappe, Ihnen, Reichsführer, zu überreichen.

Meine Feststellungen in Lublin haben ergeben, dass es sich im Generalgouvernement um einen besonderen Ausstrahlungsherd gehandelt hat und versuchte ich daher diese Gefahrenmomente bildlich festzuhalten. Es wird vielleicht für die Zukunft sich zweckmässig erweisen, auf die Ausschaltung dieser Gefahr hinweisen zu können. Andererseits aber habe ich versucht, eine Darstellung über den Arbeitseinsatz zu geben, aus dem nicht nur die Arbeitsmenge zu ersehen ist, sondern auch mit wie wenig Deutschen dieser Grosseinsatz ermöglicht wurde. Er ist jedenfalls so angewachsen, dass sich namhafte Industrien hierfür interessieren.
Ich habe mittlerweile diese Arbeitslager an SS-Obergruppenführer Pohl übergeben.

Ich bitte, Reichsführer, diese Mappe durchzusehen.
Bei einem Besuch haben mir Reichsführer in Aussicht gestellt, dass für die besonderen Leistungen dieser harten Aufgabe einige EK's nach Abschluss der Arbeiten verliehen werden könnten. Ich bitte, Reichsführer, um Mitteilung, ob ich hierfür Vorschläge unterbreiten darf.

Ich darf mir erlauben darauf hinzuweisen, dass für den Warschauer-Einsatz, der einen verhältnismässig kleinen Teil der Gesamtarbeit ausgemacht hat, an die Kräfte des dortigen SS- und Polizeiführers ebenfalls eine solche Verleihung bewilligt wurde.

Ich wäre Ihnen, Reichsführer, für eine positive Entscheidung diesbezüglich sehr dankbar, als ich gerne die harte Arbeit meiner Männer belohnt sehen möchte."

In einer Meldung über den wirtschaftlichen Teil der Aktion Reinhard, die Globocnik einem an Himmler gerichteten Schreiben vom 5.Januar 1944 beifügte, führte Globocnik unter anderem folgendes aus:

"Die gesamte Aktion Reinhard zerfällt in 4 Gebiete:

A) die Aussiedlung selbst
B) die Verwertung der Arbeitskraft
C) die Sachverwertung
D) die Einbringung verborgener Werte und Immobilien.

A. Die Aussiedlung
Sie ist erledigt und abgeschlossen.
Die Voraussetzung hierbei war, durch eine methodisch richtige Behandlung, mit den schwachen zur Verfügung stehenden Kräften, die Menschen zu erfassen und möglichst wenig wirtschaftlichen Schaden an der Kriegsproduktion anzurichten. Im Grossen und Ganzen ist dies gelungen.
Ein grösserer Schaden ist nur in Warschau entstanden, wo aus Verkennung der Sachlage der Abschluss methodisch falsch durchgeführt wurde.

> Die Abwicklung Litzmannstadt konnte von mir aus wegen der Versetzung nicht mehr durchgeführt werden.
> Die für diese Aktion aus anfallenden Mitteln, die jedoch als Reichsmittel aufzufassen sind, erstellten Einrichtungen sind zur Gänze weggeräumt. Aus Überwachungsgründen ist in den Lagern je ein kleiner Bauernhof entstanden, der von einem Fachmann besetzt ist. An ihn muss laufend eine Rente gezahlt werden, um den Bauernhof erhalten zu können."

Nachdem er den Auftrag zur Durchführung der Aktion Reinhard erhalten hatte, gliederte Globocnik seiner Dienststelle eine neue entsprechend benannte Hauptabteilung an, welcher der durch Selbstmord aus dem Leben geschiedene Sturmbannführer Hermann Höf. vorstand. Der spätere SS-Sturmbannführer und ehemalige aus Württemberg stammende Kriminalobersekretär Christian Wirth wurde erster Kommandant des Vernichtungslagers Belzec, später Inspekteur der drei Vernichtungslager Belzec, Sobibor und Treblinka. Ihm stand als Adjutant der aus Bayern stammende spätere SS-Untersturmführer Josef Oberhauser [346] zur Seite. Darüber hinaus forderte Globocnik nach und nach eine grössere Anzahl von Kräften zum Einsatz in den geplanten Vernichtungs- und Arbeitslagern an. Er erhielt solche Kräfte, die fast ausschliesslich an der sogenannten Euthanasieaktion mitgewirkt hatten und von denen zu erwarten war, dass sie sich ohne Skrupel an der "Aktion Reinhard" beteiligen würden.

Ein erstes, aus etwa 30 Chemikern, Ärzten und Pflegern bestehendes Kommando begann im Herbst 1941 mit dem Ausbau des Lagers Belzec, das in der Nähe der Stadt Tomaszow an der südlichen Grenze des Distrikts Lublin gelegen war. Es folgten das in der Nähe der Stadt Wlodawa an der östlichen Grenze des Distrikts Lublin gelegene Tötungslager Sobibor und schliesslich das Vernichtungslager Treblinka, das jedoch im Gegensatz zu den Lagern Belzec und Sobibor nicht mehr im Distrikt Lublin, sondern bereits im Distrikt Warschau lag, ungeachtet dessen aber Globocnik und nicht dem SS- und Polizeiführer in Warschau unterstand. Als erstes dieser Lager nahm Belzec im März 1942 seine Tätigkeit mit der Vernichtung von etwa 35000 Juden aus dem Ghetto der Stadt Lublin auf. Im Mai 1942 war dann das Lager Sobibor voll in Betrieb, und im Juli 1942 folgte schliesslich das Lager Treblinka. Die Vernichtung der Juden in allen drei Lagern erfolgte in der Weise, dass sie in Gaskammern getrieben und dort durch Motorenabgase getötet wurden.

Durch die Aktion Reinhard, die mit dem 19.Oktober 1943 ihren offiziellen Abschluss fand, haben schätzungsweise 1.500.000 Juden allein in den drei Vernichtungslagern Treblinka, Belzec und Sobibor den Tod gefunden.

Die bei der Aktion Reinhard angefallenen und in den drei Vernichtungslagern Belzec, Sobibor und Treblinka sichergestellten Sachwerte, die dem SS-Wirtschafts- und Verwaltungshauptamt in Berlin zur Verfügung gestellt wurden, machen nach einem von Globocnik unterzeichneten, für dieses Amt in Berlin bestimmten Bericht über die verwaltungsmässige Abwicklung der Aktion Reinhard den Betrag von DM 178.745.960,59 aus, der sich wie folgt aufgliedert:

Abgelieferte Geldmittel Zl- und RM-Noten	RM 73.852.080,74
Edelmetalle	RM 8.973.651,60
Devisen in Noten	RM 4.521.224,13
Devisen in gemünztem Gold	RM 1.736.554,12
Juwelen und sonstige Werte	RM 43.662.450,-
Spinnstoffe	RM 46.000.000,-
	RM 178.745.960,59

[346] Siehe Verfahren Nr.585 sowie das ostdeutsche Verfahren Nr.1551.

Die abgelieferten Geldmittel betrugen eigentlich sogar RM 85.741.903,28. Von diesem Betrag sind die Ausgaben für die Aktion Reinhard in Höhe von RM 11.889.822,54 bereits abgezogen worden, so dass die als erster Posten in der Aufstellung aufgeführte "Reineinnahme" von RM 73.852.080,74 verblieb.

Nach dem Abschluss der Aktion Reinhard wurden die einzelnen Lager abgeräumt und die Bauten und sonstigen Einrichtungen sorgfältig beseitigt. Auf dem jeweiligen Lagergelände wurde je eine landwirtschaftliche Siedlerstelle mit einem Bauernhaus geschaffen, die mit je einem ehemaligen Mitglied des ukrainischen Wachpersonals besetzt wurde. Globocnik und Wirth wurden bereits im August 1943 nach Italien versetzt, wobei Globocnik zum Höheren SS- und Polizeiführer für das adriatische Küstenland mit dem Sitz in Triest ernannt wurde. Die übrigen Angehörigen der Aktion Reinhard verlegte man gegen Ende 1943 ebenfalls zum grössten Teil nach Oberitalien, Istrien und Dalmatien. Hier wurden sie bis zum Kriegsende eingesetzt. Ein Teil von ihnen ist umgekommen.

II. Komplex Warschau Sommer 1942

1.) Allgemeines

Im Sommer 1942 bestand in Warschau das grösste Ghetto des Generalgouvernements. Dieses Ghetto beherbergte mindestens 370.000 Juden. Diese Zahl ist wahrscheinlich zu tief gegriffen, da die Zeugen übereinstimmend eine höhere Bewohnerzahl angeben. Zu Gunsten der Angeklagten soll aber davon ausgegangen werden.

Das Ghetto war vom übrigen Warschau durch eine von jüdischen Bautrupps eingerichtete Mauer getrennt. Nur wenige Tore, die streng kontrolliert wurden, verbanden das Ghetto mit der Stadt. Die Kontrolle an diesen Toren wurde durch polnische Polizei, jüdischen Ordnungsdienst, deutsche Sicherheitspolizei und SD-Einheiten ausgeübt. Nur Juden mit Passierscheinen durften das Ghetto verlassen, um sich zu ausserhalb des Ghettos gelegenen Arbeitsstellen zu begeben und um abends geschlossen zurückzukehren. Nichtjuden brauchten Passierscheine, wenn sie das Ghetto betreten wollten. Diese wurden zunächst von der Transferstelle, später von der sogenannten "Befehlsstelle" ausgegeben. Die Transferstelle sicherte den Warenverkehr zwischen dem Ghetto und der Aussenwelt. Sie wurde im Zuge der Räumung des Ghettos aufgelöst. Ihre Aufgaben übernahm dann die "Befehlsstelle".

Die Verbindung zur Aussenwelt wurde weiterhin durch den Umschlagplatz aufrechterhalten. Dies war ein grosser Platz vor einer Bahnrampe, der von einer Mauer umgeben war, deren Verlauf unregelmässig war und auf dem ein altes Krankenhaus - das Stawkikrankenhaus - stand. Die genaue Grösse des Platzes konnte nicht sicher festgestellt werden, er erreichte aber mindestens die Ausmasse eines Fussballplatzes. Auf diesem Platz wurden im Ghetto gefertigte Waren verladen und Lebensmittel und Rohstoffe für die Fabrikationsstätten ausgeladen. Im Ghetto gab es mehrere Betriebe, die in der Hauptsache für die Bedürfnisse der deutschen Wehrmacht arbeiteten. Die grössten dieser Betriebe waren die Firma Schultz, die hauptsächlich Pelzwaren herstellte oder bearbeitete, und die Firma Toebbens, die in der Hauptsache Textilien und Lederwaren herstellte. Diese Firmen wurden von Wehrmachtsangehörigen, die von der Rüstungsinspektion beauftragt worden waren, bewacht und spielten für die Versorgung der deutschen Armeen im Osten eine bedeutende Rolle.

Die Lebensbedingungen im Ghetto waren besonders schlecht. Die Lebensmittelzuteilungen waren minimal. Es herrschte Flecktyphus. Die Sterblichkeit war sehr hoch, besonders unter den Juden, die aus Deutschland und anderen westlichen Ländern in das Ghetto verlegt worden waren. Es gab viele Selbstmorde. Zum gewohnten Strassenbild im Ghetto gehörten Leichen, die nackt auf dem Boden lagen und nur mit Zeitungspapier zugedeckt waren, und der Anblick halbverhungerter Menschen und in Lumpen gekleideter bettelnder Kinder. Auf der anderen Seite gab es für reiche Juden genug Lebensmittel auf dem schwarzen Markt sowie Lokale, in denen für viel Geld alles zu haben war.

Das Ghetto wurde vom sogenannten Judenrat, dem 24 Mitglieder angehörten, verwaltet. Er ging aus der jüdischen Kultusgemeinde hervor, Vorsitzender war ein Ingenieur namens Czerniakow. Der Judenrat bemühte sich, das Leben für die Ghettoinsassen erträglicher zu machen. Es gab Konzerte, bei denen viel Mendelssohn gespielt wurde. Fürsorgeinstitutionen kümmerten sich um die Armen. Ferner gab es Waisenhäuser, Kindergärten und Krankenhäuser sowie eine motorisierte Ambulanz, die im Besitz eines alten Peugeot war und für Notfälle in Bereitschaft stand. Die Deutschen überliessen die Juden im Ghetto weitgehend sich selbst, traten aber durch Geldforderungen und Gewalttaten immer wieder in Erscheinung, so dass die Ghettobewohner immer mehr verängstigt und demoralisiert wurden.

Im Rahmen der Endlösung der Judenfrage war beschlossen worden, auch das Ghetto in Warschau aufzulösen und die jüdische Bevölkerung nach Treblinka zu bringen, um sie dort durch Autoabgase zu töten. Nur die Arbeiter rüstungswichtiger Betriebe, hauptsächlich der Firmen Schultz und Toebbens, sollten zunächst kaserniert in Warschau bleiben.

Zuständig für das Ghetto in Warschau war der SSPF Dr. von Sammern-Frankenegg und der KdS Dr. Ludwig Hahn [347] (Kommandeur der Sicherheitspolizei). Da aber der SSPF für den Bezirk Lublin, Brigadeführer Globocnik, für die Durchführung des "Einsatz Reinhard" im gesamten Generalgouvernement zuständig war, nahm er auf die Räumung entscheidenden Einfluss, wenn auch Dr. von Sammern-Frankenegg die formelle Oberaufsicht führte.

Mitte Juli 1942 fand eine Besprechung bei dem SSPF in Lublin statt, an der Globocnik und der Sturmbannführer Höf. teilnahmen. Ob auch der Angeklagte Mic. an der Zusammenkunft teilnahm, konnte nicht festgestellt werden. Bei dieser Besprechung erhielt Höf. den Auftrag, mit einem Kommando nach Warschau zu fahren und in Zusammenarbeit mit den dortigen Behörden das Ghetto zu räumen.

<u>2.) Ablauf der Räumungsaktion</u>

<u>a) Die erste Phase der Räumung</u>

aa) Kurz vor dem 22.Juli 1942 traf das Lubliner Kommando unter der Leitung Höf.s in Warschau ein. Dem Kommando gehörten der Angeklagte Mic. als Vertreter von Höf. sowie auch der Angeklagte Hantke an. Zu dem Kommando gehörten weiter u.a. die Zeugen Se. und Le., Zuc. und Wor. [348]. Se. stiess allerdings erst etwas später zu der Gruppe. Es handelte sich um ungefähr 15 Mann aus Lublin. Diesem Kommando wurden ukrainische Hilfswillige aus dem SS-Ausbildungslager Trawniki beigegeben. Die genaue Zahl dieser Hilfswilligen konnte nicht festgestellt werden. Im Verlaufe der Aktion wurden die zunächst eingesetzten mit anderen Kompanien aus Trawniki ausgetauscht. Bei der Räumung des Ghettos wurden ausserdem Kräfte aus Warschau unter der dortigen direkten Führung eingesetzt. Diese wurden zur Verstärkung und wegen ihrer Ortskenntnisse zur Verfügung gestellt. Sie sollten mit den Lubliner Kräften zusammenarbeiten. Auch den Warschauer Kräften standen Hilfswillige lettischer und litauischer Herkunft zur Verfügung, die von den Juden als "Schaulisten" bezeichnet wurden.

[347] Siehe Verfahren Nr.795 und 821.

[348] Siehe Verfahren Nr.826.

Zur Vorbereitung der Aktion hatten Warschauer Dienststellen eine Anzahl von Mitgliedern des Judenrats als Geiseln verhaftet, so dass der Judenrat nur noch aus 10 bis 12 Mitgliedern bestand. Gleich nach der Ankunft des Lubliner Kommandos in Warschau fand eine Besprechung bei der Dienststelle des SSPF in Warschau statt. An der Besprechung nahmen Höf., Wor., Jes., Dr. Hahn und Dr. von Sammern-Frankenegg teil. Es konnte nicht festgestellt werden, ob Mic. an dieser Besprechung teilnahm. Gegenstand der Besprechung war die Regelung des Abtransportes der Juden "in den Osten".

Am 22.Juli 1942 bezog das Lubliner Kommando im Ghetto im Hause Zelasnastrasse 103 Quartier. Von dieser "Befehlsstelle" aus wurde die Ghettoräumung geleitet. Am Morgen des gleichen Tages begaben sich Höf., Mic. und Wor. zu dem Gebäude des Judenrates. Während Mic. unten im Hofe blieb, eröffnete Höf. im Gebäude dem Obmann des Judenrates, Czerniakow, dass die Juden in den Osten umgesiedelt werden sollten. Der Judenrat habe täglich 6.000 Mann mit Hilfe des jüdischen Ordnungsdienstes zum Umschlagplatz zu bringen, wo sie verladen würden. Ausgenommen von der Umsiedlung sei der Judenrat und seine Angestellten samt Angehörigen, die Arbeiter der kriegswichtigen Betriebe samt Angehöriger und der Ordnungsdienst mit seinen Angehörigen. Höf. erteilte hierzu genaue Anweisungen, auf deren Wortlaut es hier nicht ankommt. Er machte den Judenrat für die reibungslose Durchführung der Umsiedlungsaktion verantwortlich.

Diese begann noch am selben Tage. Sie lief zunächst reibungslos, da nur wenige Juden das Schicksal, das ihnen bestimmt war, ahnten. Eine Anzahl sehr armer Juden liess sich von einer versprochenen Lebensmittelzuteilung von 3 Kilo Brot und 1 Eimer Marmelade verlocken und begab sich freiwillig zum Umschlagplatz. Ausserdem wurden in den ersten Tagen das Gefängnis, Alters- und Kinderheime geleert und die Insassen von der jüdischen Ordnungspolizei zum Umschlagplatz gebracht, in Güterwagen verladen, nach Treblinka gefahren und dort durch Gas getötet.

Während dieser ersten Tage traten die Deutschen nach aussen wenig in Erscheinung. Sie beschränkten sich auf die Oberaufsicht. Die Insassen des am Umschlagplatz gelegenen Stawkikrankenhauses wurden an Ort und Stelle erschossen. Wer dafür verantwortlich war, konnte nicht festgestellt werden.

Juden, die zum Umschlagplatz gebracht worden waren und in den Waggons keinen Platz mehr fanden, oder die zum Umschlagplatz kamen, nachdem die Züge bereits abgefahren waren, mussten im Stawkikrankenhaus bis zum nächsten Tag warten. Es kam auch vor, dass das Stawkikrankenhaus von Einheiten Hilfswilliger nach Juden durchsucht wurde, die sich nicht zu den Zügen begeben hatten, um so der "Aussiedlung" zu entgehen. Diese Juden wurden dann von den Räumkommandos erschossen.

bb) Es konnte nicht festgestellt werden, dass der Angeklagte Mic. in diesen ersten Tagen schon wusste, dass die ausgesiedelten Juden getötet werden sollten. Seine Tätigkeit beschränkte sich während dieser Zeit auf eine Oberaufsicht in seiner Stellung als Vertreter Höf.s.

cc) Der Angeklagte Hantke hielt sich in diesen ersten Tagen am Umschlagplatz auf, um arbeitsfähige Leute für das Arbeitslager in Lublin auszusuchen. Da aber nur alte und gebrechliche Leute oder Kinder kamen, stand er zumeist beschäftigungslos herum.
Auch der Angeklagte Hantke wusste zunächst nicht, dass die abtransportierten Juden getötet werden sollten.

b) Zweite Phase der Räumungsaktion

aa) Schon zu Anfang der Räumungsaktion glaubten nicht alle Juden an die "Umsiedlung in den Osten". Die Art der Verladung und die dort herrschende Roheit sprachen dagegen. Am Umschlagplatz wurden die Juden zu mehr als 150 Personen in die Wagen gepfercht, in die etwa 60 Personen unter erträglichen Bedingungen gepasst hätten. Auch die Tatsache, dass zuerst die Alten und Gebrechlichen und die Insassen der Waisenhäuser abtransportiert wurden, sprach eher für eine Vernichtungsaktion. Als dies der Obmann des Judenrates Czerniakow erkannte und seine Unterschrift zu noch höheren Tagesquoten oder zur Räumung eines weiteren Waisenhauses geben sollte, beging er durch Einnahme von Gift Selbstmord.

Nach einigen Tagen kamen die ersten Nachrichten über das Schicksal der nach Treblinka Verbrachten in das Ghetto. Es gelang Juden, vom Transport zu fliehen. Polnische Eisenbahner berichteten und Juden notierten die Wagennummern. An der schnellen Rückkunft der Wagen merkten sie, dass der Transport nicht in ferner gelegene Orte im Osten gehen konnte. Bald wusste jeder Jude, dass die Transporte in den Tod führten, wobei einige schon richtig von Vergasung sprachen, während andere an eine chemische Verarbeitung glaubten.
Auch die Angeklagten Mic. und Hantke erfuhren auf diese Weise, dass die zur "Aussiedlung" fortgebrachten Juden getötet wurden. Das geschah spätestens Anfang August 1942. Als die Juden den wahren Zweck der Aussiedlung erkannt hatten, meldeten sie sich nicht mehr freiwillig zum Umschlagplatz.

Die Deutschen traten jetzt mehr in Erscheinung. Sie übernahmen die Umsiedlung zusammen mit ihren Hilfswilligen selbst. Der Charakter der Aktion wurde immer brutaler. Nach einem auf der Befehlsstelle von Höf. und dem Angeklagten Mic. ausgearbeiteten Plan wurden in sogenannten "Blockaden" systematisch Strassen und Häuserzüge geräumt, die anschliessend von den Juden nicht mehr betreten werden durften. Dazu wurden Räumkommandos gebildet, die sich aus jüdischer Ordnungspolizei, deutscher Sicherheitspolizei, Ukrainern oder Letten und SS-Leuten zusammensetzten. Führer eines solchen Kommandos war entweder ein Angehöriger des Lubliner Kommandos oder ein Angehöriger der Warschauer Sicherheitspolizei. Die Kommandos sperrten den zur Räumung ausgewählten Strassenzug oder den Häuserblock ab. Um die Bewohner einzuschüchtern, gaben die Ukrainer oder Letten Schüsse ab. Dann forderte ein Angehöriger des Kommandos mit dem Ruf "Juden raus" oder "Alles rauskommen!" die Bewohner zum Verlassen ihrer Wohnungen auf. Draussen mussten sich die Juden aufstellen, während die Wohnungen nach versteckten oder zurückgebliebenen Juden durchsucht wurden. Meistens genügte das Erscheinen eines uniformierten deutschen Polizisten oder SS-Mannes, um die verängstigten Juden zum Verlassen ihrer Wohnung zu veranlassen. Wenn Türen verschlossen waren oder es nicht schnell genug ging, wurde geschossen oder von der Peitsche, mit der alle SS-Angehörigen ausgerüstet waren, Gebrauch gemacht. Auf der Strasse mussten die Juden, die von der "Aussiedlung" nicht betroffen waren, ihre Arbeitsausweise vorzeigen. Sie wurden dann entlassen. Bisweilen erkannte der Kommandoführer die Ausweise nicht an und die Inhaber dieser Ausweise mussten dann mit zum Umschlagplatz. Von dort ging es in den Güterwaggons nach Treblinka in die Gaskammer. Die Firmenchefs der Firmen Schultz und Toebbens bemühten sich in den Fällen, in denen ihnen Arbeitskräfte so weggefangen wurden, diese am Umschlagplatz vor der Verladung freizubekommen. Das gelang bisweilen. Wer bei dem Weg vom Räumungsort zum Umschlagplatz zu fliehen versuchte, wurde von einem Angehörigen der Begleitmannschaft erschossen. Wer "Widerstand" leistete, wurde ebenfalls erschossen. Widerstand war schon der Versuch, die Wohnung nicht zu verlassen oder der Versuch, von der Gruppe der zum Umschlagplatz bestimmten Juden in die Gruppe der Juden, die Arbeitsausweise hatten, zu gelangen.

Es konnte nicht festgestellt werden, dass der allgemeine Befehl bestand, Kranke und Gehunfähige in der Wohnung zu erschiessen. Vielmehr war es so, dass schon aus Tarnungsgründen und um die Juden über ihr Schicksal im Ungewissen zu lassen, die Kranken und Gehunfähi-

gen zum Teil auf sogenannten Pritschen oder in Fahrradrikschas zum Umschlagplatz gebracht wurden. Aus dem gleichen Grunde befand sich dort auch meistens die motorisierte Ambulanz.
Ein geräumter Strassenzug durfte nicht mehr betreten werden. So verkleinerte sich das Ghetto durch die fortschreitende Räumung.

bb) Der Angeklagte Mic. stellte die Räumungspläne auf, wenn Höf. nicht in Warschau war. Dies war des öfteren der Fall, da Höf. in Lublin viel zu tun hatte. Er war von seinen übrigen Aufgaben nicht freigestellt worden. In solchen Vertretungsfällen erstattete der Angeklagte Mic. auch dem SSPF Warschau Dr. von Sammern-Frankenegg Bericht. Bisweilen leitete Mic. selbst einen Räumungseinsatz. Wie oft das geschah, konnte nicht mehr festgestellt werden. Dabei sah Mic., wie geprügelt wurde. Seine Anwesenheit verhinderte aber grössere Ausschreitungen. Er sah, dass die Türen aufgestossen und die Juden ohne Begründung zum Verlassen der Wohnung aufgefordert wurden. Die Juden wussten, dass sie zur Tötung abtransportiert werden sollten. Mic. trug eine Peitsche. Um sich die Juden vom Leibe zu halten, schlug er auch damit, zumindest am Anfang.

Mic. befand sich öfter am Umschlagplatz. Er sah, dass dort geschossen wurde und dass es Tote gab. Er kannte die Gesamtzahl der Toten im Ghetto aus den täglichen Berichten an den SSPF Warschau Dr. von Sammern-Frankenegg. Mic.s Aufgabe am Umschlagplatz und im Büro in der Zelasnastrasse 103 war es u.a., den Betriebsangehörigen die von ihnen reklamierten Juden wieder freizugeben. Er entschied endgültig über deren Freigabe. Der Angeklagte Mic. sah auch die grausamen Vorkommnisse bei der Verladung in die Waggons; so zum Beispiel, wie die Verladenen sich bemühten, die Türen zu den Waggons zu öffnen, um die Toten herauszuwerfen. Es gab bei der Verladung viele Selbstmorde. Juden schnitten sich die Kehlen durch oder vergifteten sich; auch das sah der Angeklagte Mic.

cc) Der Angeklagte Hantke nahm in einer nicht mehr feststehenden Zahl von Fällen an Räumkommandos teil, und zwar früh am Morgen oder am Nachmittag, wenn es am Umschlagplatz nichts für ihn zu tun gab. Bei diesen Räumkommandos ging es "forsch" zu, wie Hantke sich selbst ausdrückte. Es wurde mit Peitschen geschlagen oder es gab beim Herausholen aus den Wohnungen Fusstritte. Damit sich die Juden nicht durch unterirdische Gänge retten konnten, begann man gleichzeitig an mehreren Stellen mit der Räumung. Es kam auch vor, dass Pioniere einige Häuser sprengten. In mindestens einem Falle schoss Hantke durch eine verbotswidrig geschlossene Tür, wobei er damit rechnete, dass er eine hinter der Tür befindliche Person treffen konnte. Der Angeklagte Hantke sah bei den Räumungen, an denen er teilnahm, Leichen herumliegen. Er führte in einer nicht mehr feststehenden Zahl von Fällen die Juden in Fünferreihen zum Umschlagplatz, wo sie sich in Zehnerblocks hinsetzen mussten, um die Verladung nach Treblinka abzuwarten. Er sah auch, dass, zumeist von Letten, Leute auf der Strasse erschossen wurden, ohne dass er den Versuch unternahm, es zu verhindern. Er sah, wie Familien auseinandergerissen wurden und wie jüdische Betriebsangehörige schreiend herbeigelaufen kamen, um Familienmitglieder zu retten. Hantke empfand das auch als grausam.

Meistens hielt er sich am Umschlagplatz auf und überwachte die Verladung der Juden. Er empfing die ankommenden Trupps und begleitete sie zu den Waggons. Mit der Peitsche zwang er die Juden zur Eile und schlug auf sie ein. Wenn Familienangehörige kamen, um versehentlich mitgenommene Arbeitskräfte freizubekommen, entschied er über die Freigabe. Meistens gab er den Bitten nach.

Einige Zeit nach Beginn der Räumungsaktionen befand sich der Angeklagte Hantke wieder einmal auf dem Umschlagplatz. Eine Kolonne Juden wurde zum Abtransport herangeführt. Beim Betreten des Umschlagplatzes gab es eine Störung, weil die Fünferreihen der herangeführten Juden nicht durch das Tor passten, so dass sich die Menschenmenge staute. In der

Kolonne befand sich der Jude David Chajkin, der, vermutlich infolge einer Verwundung, gehbehindert war. Dadurch störte er noch mehr den Ablauf. Der Angeklagte Hantke sprang hinzu und erschoss den Juden, der schon durch das Tor auf den Umschlagplatz gelangt war, mit seiner Pistole. Die Leiche wurde von Angehörigen des jüdischen Ordnungsdienstes auf einen Leichenhaufen geworfen.

c) Die dritte Phase der Räumungsaktion

aa) Da die Letten zu grausam waren und auf Arbeitsbescheinigungen keine Rücksicht nahmen, wurden sie bald abgelöst. Die Trawnikileute blieben.
Um sich zu retten, drängten die Juden zunehmend in die Betriebe. Da sie auf dem Wege von der Arbeit zur Wohnung und umgekehrt oft von Räumkommandos weggefangen wurden, begannen sie, mit ihren Familien in den Betrieben zu wohnen. Sie brachten auch Freunde mit. Es gab viele gefälschte Arbeitspapiere. Auch schlossen deutsche Firmeninhaber, die damit viel Geld verdienten, mit zahlungskräftigen Juden Scheinarbeitsverträge ab.
Um die Züge voll zu bekommen und so Vorwürfen durch die Ostbahn und den SSPF Warschau zu entgehen, begannen die Räumkommandos nunmehr, in den Firmen zu selektieren, d.h. nicht-arbeitsfähige Juden für den Abtransport auszusuchen. Es erschien gewöhnlich ein Kommando. Alle Juden wurden aufgefordert, die Arbeitsplätze zu verlassen und sich auf der Strasse vor dem Betriebe oder auf dem Hofe der Firma aufzustellen. Dort wurden die Arbeitsausweise geprüft. Diejenigen Juden, die keine Ausweise hatten, oder deren Ausweise unecht waren, hatten sich nach links zu begeben und wurden dann zum Umschlagplatz geführt. Die Juden mit gültigen Papieren kamen nach rechts und wieder zur Arbeit. Viele Juden versuchten, sich zu verstecken, um so der Selektion zu entgehen. Sie wurden erschossen oder mit der Peitsche in die Gruppe zurückgetrieben. Auch die deutschen Firmenleiter trugen Peitschen und benutzten sie.

bb) Auch in dieser Phase der Räumung stand der Angeklagte Mic. im Mittelpunkt des Geschehens. Wie vorher sah er als Vertreter Höf.s darauf, dass die Räumung der Strassenzüge weiter voran ging. Er sorgte auch dafür, dass die Betriebsarbeiter neue Arbeitsausweise erhielten, um sie von den Inhabern gefälschter Ausweise unterscheiden zu können. Für die Leiter der rüstungswichtigen Betriebe war Mic. der massgebliche Gesprächspartner. Er gab zuweilen die Erlaubnis, schon zum Umschlagplatz verbrachte Juden wieder zurückzuholen. Bisweilen verweigerte er dies aber auch. Deswegen kam es vor, dass sich ein deutscher Firmenleiter gar nicht mehr an Mic. wendete, sondern durch untergeordnete Dienstgrade versuchte, seine Leute frei zu bekommen. In einem Falle wollte der Angeklagte Mic. eine Röntgenanlage für die Deutschen sichern und den Eigentümer Dr. Brand, einen bekannten jüdischen Arzt und Röntgenologen, mit seiner Familie als Spezialisten auf seinem Gebiet retten. Der Angeklagte Mic. telefonierte deshalb mit dem SS-Arzt in Lublin, dem Zeugen Dr. Sic., und bot ihm die Anlage an. Er stellte dabei die Bedingung, den jüdischen Arzt und dessen Familie zu übernehmen. Dr. Sic. akzeptierte das Angebot. Der Angeklagte Mic. sorgte sodann für den Transport der Ausrüstung und des Arztes mit seiner Familie nach Lublin.
Es kam auch vor, dass der Angeklagte Mic. auf der Strasse einem Trupp Arbeiter begegnete, der sich auf dem Wege von der Arbeitsstätte zur Wohnung oder zurück befand. Mic. hielt ihn dann an und kontrollierte die Ausweise. Wer keine gültigen Arbeitspapiere hatte, wurde von Mic. zum Umschlagplatz gebracht. Wie oft dies geschah, konnte nicht festgestellt werden. Es geschah aber in einigen wenigen Fällen.

cc) Der Angeklagte Hantke nahm an Selektionen bei den Firmen des öfteren neben seiner übrigen Tätigkeit auf dem Umschlagplatz teil. So war er mehrere Male bei der Firma Toebbens und sonderte die Juden, die keine Arbeitsausweise hatten oder ihm arbeitsunfähig erschienen, für den Abtransport aus. Wie oft er dies tat, war nicht festzustellen. Es waren jedoch mehrere Male. Auch bei anderen kleinen Firmen sonderte der Angeklagte Hantke jüdische Menschen aus. Dabei nahm er auf Familienbande keine Rücksicht. Bei den Selektionen benutzte er die Peitsche und schoss auch. Hantke selbst schliesst nicht aus, dass ein von ihm abgegebener Warnschuss in ein Fenster eines gegenüberliegenden Wohnblocks gegangen sein kann. Durch sein brutales Vorgehen bei den Räumungen, bei den Selektionen in den Betrieben und auf dem Umschlagplatz gewann Hantke einen solchen Ruf, dass alle Juden Angst bekamen, wenn sie nur seinen Namen hörten. Auch bei den Deutschen sprach es sich herum, dass Hantke die Peitsche mehr als andere benutzte.

Anlässlich einer Räumung und Selektion im August oder Anfang September 1942 bei der Firma Toebbens in der Lesznostrasse 52-54 sonderte der Angeklagte Hantke Juden für den Abtransport nach Treblinka aus. 600 bis 700 Juden sammelten sich auf der Strasse vor dem Betrieb, die durch Postenketten abgesperrt war. Die motorisierte Ambulanz, die von der Firma Toebbens übernommen worden war, stand - um der Sache einen humanen Anstrich zu geben und so die Juden über das Ziel der "Aussiedlung" zu täuschen - in Bereitschaft. Die zur Arbeit selektierten Juden standen auf der Seite. Die Alten und die Frauen, die für Treblinka bestimmt waren, sassen auf der Strasse. Eine Jüdin mittleren Alters, die eine Herrenjacke trug, bewegte sich langsam zum Rande der auf der Strasse sitzenden Gruppe und zu den Leuten, die in den Betrieb zurück sollten. Der Angeklagte sah dies. Er schlug die Frau mit dem Griff seiner Peitsche zu Boden und schoss sie mit der Pistole in den Kopf. Die ausgesonderten Juden wurden zum Umschlagplatz getrieben. Die Leiche der von Hantke erschossenen Frau blieb am Boden liegen. Hantke forderte den Zeugen Ro. und dessen Begleiter, die zur Ambulanz gehörten, mit den Worten: "Nehmen Sie den Dreck weg!" auf, die Leiche zu entfernen. Das geschah dann auch.
Soweit Hantke vorgeworfen wird, anlässlich der Räumung im Sommer 1942 noch mehr Juden erschossen zu haben, ist dies trotz starker Verdachtsmomente nicht mit letzter Sicherheit nachzuweisen.

Der Angeklagte rettete dem Zeugen Kap. das Leben. Der Zeuge kam zum Umschlagplatz, um nach Treblinka gebracht zu werden. Auf dem Platze befand sich auch Hantke. Mit Peitschenschlägen und Schüssen trieben Litauer, Ukrainer und SS die Juden in die Waggons. Der Zeuge Kap. hielt sich am Ende der Gruppe auf, um seine Verladung herauszuzögern. Ebenso am Ende der Gruppe befand sich der Angeklagte Hantke, um die Verladung zu überwachen. Hantke sah den Zeugen Kap. und rief "Halt!, der kann arbeiten". Ein jüdischer und ein polnischer Polizist führten den Zeugen dann über die Quarantänestation in das Ghetto zurück. Unwiderlegt erklärte der Angeklagte Hantke, er habe in einem weiteren Fall eine Jüdin mit ihrer Tochter gerettet.

d) Schluss der Räumungsaktion

aa) Da sich die Juden der Aussiedlung widersetzten, sich mit Scheinarbeitsverhältnissen tarnten und da der jüdische Ordnungsdienst nicht zuverlässig genug mitarbeitete, sollte die Räumungsaktion mit einer grossen mehrtägigen Selektion beendet werden. Die Firmen erhielten feste Arbeiterkontingente, so die Firma Toebbens 8.000 Juden, die Firma Schultz ebenfalls 8.000 Juden zugebilligt. Um nun zu erreichen, dass im Ghetto Warschau nur noch die Juden verblieben, die den Firmen als Arbeitskräfte zugeteilt worden waren, hatten sich alle zu versammeln. Die zugeteilten Arbeitskräfte sollten selektiert, die übrigen nach Treblinka abtransportiert und dort getötet werden. Diese Schlussaktion wurde unter dem Namen "Kessel an der Mila" bekannt. Sie schloss die Räumungsaktion des Sommers 1942 ab. Die Aktion begann am 5.September 1942 und dauerte mindestens 3 Tage. Die Juden mussten sich nach Firmenangehörigkeit in verschiedenen abgeriegelten Strassenzügen versammeln und, nachdem sie dort zum Teil die Nacht verbracht hatten, an einer Sperre, die von SS-Leuten kontrolliert wurde, vorbeimarschieren. Dabei mussten sie ihre Ausweise, die vorher neu ausgegeben worden waren, hochhalten. Die Arbeitskräfte, die in Warschau bleiben durften, marschierten geschlossen in die Betriebe zurück, die vorher nach Verborgenen durchsucht wor-

den waren. Die übrigen wurden zum Umschlagplatz gebracht und von dort nach Treblinka gefahren und getötet.
Bei der Selektion wurden Familienangehörige roh mit Peitschenhieben voneinander getrennt. Wer aus der Reihe trat, wurde, zumeist von Ukrainern, erschossen. Rucksäcke wurden durchsucht. In mindestens zwei Fällen tötete ein Kontrollierender ein Kind, das in einem Rucksack verborgen war, mit dem Bajonett bzw. erschoss es mit der Pistole. Verzweifelt versuchten die Juden ihre Familien zusammenzuhalten und zur Arbeit zurückbehalten zu werden, um so ihr Leben zu verlängern.

Nach dieser Schlussaktion verblieben legal im Ghetto 30.000 Juden in den Betrieben. Illegal untergetaucht lebten weitere ca. 30.000 Juden im Ghetto, die sich der Räumungsaktion entziehen konnten.

Wenn man von der Anfangszahl von 370.000 Juden im Warschauer Ghetto ausgeht, kommt man zu einer Zahl von 300.000 Juden, die vom 22.Juli 1942 bis Mitte September 1942 nach Treblinka transportiert und dort vergast wurden. Dies ist die unterste Grenze unter Berücksichtigung der Menschen, die während der Aktion an Hunger, Krankheit und Alter starben oder während der Aktion erschossen wurden. Folgende Zahlen sind bekannt:

Es wurden abtransportiert
am 23.Juli 1942 6.000 Personen,
am 24.Juli 1942 6.000 Personen,
am 25.Juli 1942 7.000 Personen,
am 26.Juli 1942 7.000 Personen,
am 28.Juli 1942 7.000 Personen,
am 29.Juli 1942 5.500 Personen,
am 30.Juli 1942 7.000 Personen,
am 31.Juli 1942 6.000 Personen,
am 1.August 1942 6.220 Personen,
am 2.August 1942 6.276 Personen,
am 3.August 1942 6.458 Personen,
am 4.August 1942 6.588 Personen,
am 5.August 1942 6.623 Personen,
am 6.August 1942 10.085 Personen,
am 7.August 1942 10.672 Personen,
am 8.August 1942 7.304 Personen,
am 9.August 1942 6.292 Personen,
am 10.August 1942 2.148 Personen,
am 11.August 1942 7.725 Personen,
am 12.August 1942 4.688 Personen,
am 13.August 1942 4.513 Personen,
am 14.August 1942 5.148 Personen,
am 15.August 1942 3.683 Personen,
am 16.August 1942 4.095 Personen,
am 17.August 1942 4.160 Personen,
am 18.August 1942 3.976 Personen.

Vom 19. bis zum 24.August 1942 fanden keine Abtransporte statt. Der Angeklagte Mic. war während dieser Zeit mit anderen Leuten des Kommandos im Bezirk Warschau tätig.

Es wurden weiter abtransportiert
am 25.August 1942 3.002 Personen,
am 27.August 1942 2.464 Personen,
am 3.September 1942 4.609 Personen,
am 4.September 1942 1.669 Personen,
am 6.September 1942 3.634 Personen,

am 7.September 1942 6.840 Personen,
am 8.September 1942 13.596 Personen,
am 9.September 1942 6.616 Personen,
am 10.September 1942 5.199 Personen,
am 12.September 1942 4.806 Personen,
am 21.September 1942 2.196 Personen.

Die Differenz zwischen dieser Zahl von 235.389 deportierten Juden und der Gesamtzahl von 300.000 getöteten Warschauer Juden erklärt sich daraus, dass für einige Tage die Transportzahlen fehlen oder unvollständig sind.

bb) Der Angeklagte Mic. gab den Firmen Toebbens und Schultz die Zahl der Juden, die ihnen zugebilligt worden waren, bekannt. Diese Zahlen wurden nicht von ihm ermittelt und festgesetzt, sondern er erhielt sie von der Rüstungsinspektion und gab sie an die Firmen weiter.
Es konnte nicht festgestellt werden, ob der Angeklagte Mic. an der Planung des "Kessels an der Mila" beteiligt war. Er stand aber in der Menge und sah die grausamen Szenen, die sich bei der Selektion abspielten. Vor Beginn der Schlussaktion am 5.September 1942 begab er sich zu der Firma Schultz und erklärte dem Zeugen Ne.: "Jetzt ist es aus mit der Geduld, morgen kriegt ihr 8.000 heraus, der Rest wird abtransportiert". Damit spielte der Angeklagte Mic. auf die Scheinarbeitsverhältnisse an. Noch am selben Tage hatte der Zeuge Ne. eine zweite Unterredung mit Mic. In dieser Besprechung wies der Zeuge Ne. den Angeklagten darauf hin, er könne die Firma nicht völlig ohne Arbeiter lassen. Diese seien wegen des Feuerschutzes notwendig, da dort unersetzliche Wehrmachtsgüter lagerten. Zur Bewachung seien nur er - der Zeuge - und vier Wehrmachtsangehörige vorhanden. Der Angeklagte Mic. erlaubte daraufhin über das Kontingent von 8.000 hinaus 30 oder 36 Mann zum Schutz des Betriebes auszusuchen. Dies tat der Zeuge. Mit den Ausgesuchten feierte er dann am Abend in der Firma ein "Freudenfest".

cc) Bei der Selektion in der Milastrasse spielte der Angeklagte Hantke eine wichtige Rolle. Zumindest einen Teil der Zeit stand er an der Sperre und entschied mit der Peitsche, wer nach rechts zur Arbeit oder nach links in den Tod sollte. Dabei ging er brutal vor. Er schlug die Leute mit der Peitsche und trennte rücksichtslos Eheleute und Eltern von ihren Kindern. Er sah die Leichen und hörte die Schüsse, unternahm aber nichts, um den Auswüchsen zu steuern.
Die Firma Toebbens benötigte weitere 300 Mann über die zugebilligten 8.000 Juden, um eine Giesserei aufzubauen. Diese 300 Mann wurden ihr mittels einer Bescheinigung von dem verstorbenen Zeugen Jes., der zum Stabe des SSPF Warschau gehörte, zugebilligt. Hantke genehmigte sofort diese Anzahl und betonte nur gegenüber dem Zeugen Fli. "Wenn Du nur einen einzigen Juden auswählst, der nicht auf dieser Liste steht, wirst Du erschossen". Tatsächlich kontrollierte er die Auswahl nicht, so dass der Zeuge Fli. sogar Kinder unter die 300 Mann nehmen konnte.

dd) Der Angeklagte Mic. nahm an der Räumungsaktion in Warschau teil, weil es ihm befohlen worden war. Er hatte kein Mitleid mit den Juden. Deren Schicksal war ihm gleichgültig. Die Tätigkeit, die er in Warschau verrichten musste, empfand er als belastend. Er wertete sie als negativ und nichtaufbauend. Es war keine Arbeit für einen Mann, wie er erklärte. Mic. bemühte sich aber, die Arbeit möglichst gut zu machen und nicht als schwach zu erscheinen, da dies in der SS als Schande galt.

Der Angeklagte Hantke war durch die antijüdische Propaganda beeinflusst. Deswegen bejahte er die Vernichtungsmassnahmen der damaligen Staatsführung gegen die Juden, nachdem er von dem Zweck der Aussiedlung bzw. Räumung erfahren hatte. Dementsprechend führte er die ihm erteilten Befehle ohne Zögern und ohne inneren Vorbehalt durch. Ausserhalb der Räumungsaktionen, in einer gewissen Distanz zum Geschehen, im Alltagsumgang mit jüdischen Arbeitskräften, etwa im Lipowa-Lager in Lublin vor der Aktion in Warschau oder danach im Arbeitslager Poniatowa, war er gelegentlich auch eines geordneten bis freundlichen Umgangs mit jüdischen Menschen fähig.

III. Das Verhalten des Angeklagten Hantke in Krasnik und Budzyn

1.) Allgemeines

Der Ort Budzyn liegt im Südwesten des Distrikts Lublin, etwa 5 km nördlich von Krasnik. Die Heinkel-Werke hatten dort in den Gebäuden einer ehemaligen polnischen Fabrik eine Niederlassung errichtet, in der Flugzeugteile repariert wurden. Als Arbeitskräfte waren Juden aus Krasnik eingesetzt, die anfangs täglich nach Budzyn geführt wurden und abends nach Krasnik in ihre Wohnungen im dortigen Ghetto zurückkehren durften.
In der Nähe der Heinkel-Werke lag ein altes Barackenlager, das aus einer Reihe von Pferdebaracken bestand. Einige Zeit bevor im Herbst 1942 - der genaue Zeitpunkt hat sich in der Hauptverhandlung nicht feststellen lassen - der jüdische Wohnbezirk der Stadt Krasnik aufgelöst wurde, bauten jüdische Arbeitskräfte dieses Barackenlager in ein Zwangsarbeitslager aus und um. Es entstanden mehrere, mindestens 6 nebeneinander liegende Unterkunftsbaracken und eine Küche. Das gesamte Gelände, in dem Raum für einen Appellplatz einbezogen war, wurde mit Stacheldraht umzäunt und an allen vier Ecken durch Wachttürme abgesichert. Ausserhalb des Lagers in der Nähe des Eingangstores wurden eine Wachstube und Unterkunftsräume für die Lager- und Bewachungsmannschaften errichtet. Zum Lager führte ein unbefestigter Weg, der von der Strasse nach Krasnik abzweigte.

Der Angeklagte Hantke war der erste Kommandant dieses Lagers. Er erhielt, nachdem er Mitte September mit dem Lubliner Kommando Warschau verlassen hatte und darauf etwa 1-2 Wochen im Lipowa-Lager in Lublin geblieben war, in der 2.Septemberhälfte vom SSPF Globocnik den Befehl, das Lager Budzyn zu übernehmen und auszubauen. Als der Angeklagte zusammen mit dem verstorbenen Zeugen Gro., damals Scharführer, in Budzyn eintraf, waren die Baracken, die Umzäunung und die Wachttürme bereits im wesentlichen fertig; es waren auch schon einige Polizisten als Wache dort, jedoch noch keine Häftlinge.

2.) Tötung des Juden Baruch Krumholz in Krasnik im Herbst 1942

Kurze Zeit, nachdem der Angeklagte Hantke das Lager in Budzyn übernommen hatte,- der genaue Zeitpunkt konnte nicht festgestellt werden - wurde der jüdische Wohnbezirk der Stadt Krasnik aufgelöst. Bei dieser sogenannten Aktion "Judenrein" wurden die noch in der Stadt verbliebenen Juden auf dem Marktplatz zusammengetrieben und dann in Kolonnen zum Bahnhof geführt, wo Güterwaggons für ihren Abtransport bereitstanden.
Hier suchte der Angeklagte Hantke aus ihnen Arbeitskräfte für das Lager Budzyn aus. Eine Gruppe von ca. 150 Juden war bereits als arbeitsfähig herausgesucht und abgezählt worden. Als diese Juden begannen, in 2 leere Waggons hineinzugehen, wurden sie von Hantke zurückgerufen und mussten sich noch einmal in einer Kolonne aufstellen. Hantke erklärte, es sei bei dieser Gruppe noch "zuviel Scheisse dabei" und führte eine erneute Selektion durch, bei der weitere 50 Leute als zur Arbeit ungeeignet ausgesondert wurden.
Der Rest, ca. 100 Juden, zu denen die Zeugen En. und Rob. sowie der 17-18jährige Jude Baruch Krumholz gehörten, wurde wiederum abgezählt und sollte dann nach Budzyn abmarschieren. Dem Angeklagten fiel hierbei Baruch Krumholz auf, der sich vergeblich bemühte, ein Paar Stiefel anzuziehen. Ein Ukrainer hatte ihm zuvor seine neuen Stiefel abgenommen und ihm dafür ein Paar gebrauchte und zu kleine Stiefel zurückgegeben. Der Angeklagte trat auf Krumholz, der aus der Sicht des Angeklagten den Ablauf der Aktion störte, zu und fragte ihn, was los sei. Als dieser ihm sagte, er könne die Stiefel nicht anziehen und von dem Vorfall mit dem Ukrainer berichten wollte, erschoss der Angeklagte ihn aus geringer Entfernung mit seiner Pistole.

Die übrigen Juden, darunter die Zeugen En. und Rob., die die Erschiessung des Krumholz aus nächster Nähe miterlebt hatten, marschierten anschliessend zu Fuss in das Lager Budzyn.

3.) Tötung des Juden Symcha Borenstein in Budzyn

Im Herbst 1942 - der genaue Zeitpunkt konnte nicht festgestellt werden - wurden arbeitsfähige Juden mit Lastkraftwagen aus Krasnik nach Budzyn gebracht. Das Barackenlager Budzyn war zu diesem Zeitpunkt im wesentlichen fertiggestellt. Unter den nach Budzyn gebrachten arbeitsfähigen Juden befand sich auch Symcha Borenstein, ein junger Mann von etwa 16 bis 19 Jahren, dessen genaues Alter nicht festgestellt werden konnte. Kurz vor der Ankunft in Budzyn oder als der LKW auf einem freien Platz vor dem Lager angekommen war, stürzte Borenstein von der Ladefläche und verletzte sich am Bein oder am Fuss. Bald danach wurde Borenstein durch den Angeklagten Hantke selbst oder auf Grund dessen Befehls an Ort und Stelle oder in unmittelbarer Nähe des Unfallortes erschossen.

4.) Erschiessung von 4 typhuskranken Juden in Budzyn im Herbst 1942

Kurz nachdem der Angeklagte Hantke die Leitung des Lagers Budzyn übernommen hatte - ein genauer Zeitpunkt liess sich auch in diesem Falle nicht feststellen - bemerkte er, dass 4 jüdische Häftlinge an Typhus erkrankt waren. Er beschloss, diese Kranken zu töten, weil sie infolge ihrer Krankheit nicht arbeitsfähig waren und ihr Leben deshalb in seinen Augen keinen Wert mehr hatte. Ausserdem erschien ihm die Tötung als das einfachste Mittel, ein Ausbreiten der Krankheit zu verhindern.
Hantke liess die Kranken aus dem Lager herausschaffen und erschoss sie dann im Beisein des verstorbenen Zeugen Gro. an einer vorbereiteten Grube ausserhalb des Lagers. Die Leichen wurden anschliessend von jüdischen Lagerhäftlingen auf Hantkes Befehl begraben.

5.) Freispruch im Fall der Erhängung des Juden Rosenbusch

Die Anklage wirft dem Angeklagten Hantke vor, im Herbst 1942 im Lager Budzyn den etwa 13 Jahre alten Juden Rosenbusch erhängt zu haben, weil dieser versucht hatte, Lebensmittel in das Lager einzuschmuggeln.
Dieser Anklagevorwurf ist in der Hauptverhandlung nicht sicher festgestellt worden.

Der Angeklagte bestreitet die Tat. Er hat erklärt, während seiner Zeit im Lager sei kein Jude erhängt worden.

Der Zeuge Daw. will nach seiner in der Hauptverhandlung verlesenen beschworenen Aussage die Erhängung allerdings selbst gesehen haben. Danach soll der etwa 12-13 Jahre alte Jude Rosenbusch, den er aus Krasnik gekannt habe, während eines Morgenappells in Anwesenheit aller Arbeiter im Lager an einem Galgen neben einer Baracke aufgehängt worden sein. Hantke habe bei diesem Appell erklärt, dass Rosenbusch aufgehängt werde, weil er fortgelaufen sei. Die Erhängung sei dann auf Befehl Hantkes durch einen Volksdeutschen durchgeführt worden. Hantke habe daneben gestanden. Mittags, als sie von der Arbeit zurückgekommen seien, habe der Junge nicht mehr am Galgen gehangen. Der Vorfall habe auf ihn, den Zeugen, einen besonderen Eindruck gemacht, weil er zum ersten Mal gesehen habe, wie ein Mensch aufgehängt worden sei. Später sei das im Lager Budzyn öfter vorgekommen.

Obwohl nach dieser Schilderung alle Arbeiter Augenzeugen der Erhängung hätten sein müssen, haben die Zeugen Josef und Szamai Ko. in ihren ebenfalls verlesenen beschworenen Aussagen bekundet, sie hätten den Vorgang des Erhängens nicht selbst beobachtet. Die Aussagen dieser Zeugen weichen untereinander wiederum ab. Nach der Erinnerung Josef Ko.s war Rosenbusch bereits aufgehängt, als der Morgenappell stattfand, nach der Darstellung seines Zwillingsbruders Szamai Ko. muss die Erhängung nach dem Appell vorgenommen worden sein.

Die in der Hauptverhandlung vernommenen Zeugen Jar. und Os. haben eine Erhängung selbst ebenfalls nicht beobachtet, sie wollen aber einen Jungen hängen gesehen haben. Hantke habe sie an dem Erhängten vorbeigeführt und erklärt, jeder, der aus dem Lager fliehe, werde ebenso aufgehängt. Ähnlich hat sich der Zeuge Brat. in der Hauptverhandlung geäussert. Er konnte sich nach seiner beschworenen Darstellung daran erinnern, dass er einen Jungen habe hängen sehen, als er abends von der Arbeit ins Lager zurückgekommen sei. Die Zeugen Fur. und Cha. haben zu diesem Fall keine eigenen Beobachtungen gemacht, sondern haben lediglich von anderen gehört, dass der Angeklagte Hantke einen Juden habe hängen lassen.

Der Zeuge Ede. will zwar nach seiner verlesenen Aussage Augenzeuge einer Erhängung gewesen sein. Der Inhalt seiner Aussage lässt jedoch erkennen, dass sich bei dem heute 73jährigen Zeugen das Erinnerungsbild von den damaligen Vorgängen so entscheidend verschoben hat, dass seine Aussage wertlos ist. Der Zeuge will gesehen haben, wie zwei junge Juden, die aus dem Lager geflohen waren, nach ihrer Ergreifung im Lager getötet worden sind. Dieser Vorgang soll sich so abgespielt haben, dass der jüngere von den beiden, dem eine Schlinge um den Hals gelegt worden sei, auf die Schultern des älteren habe steigen müssen. Der Ältere sei dann vom Angeklagten Hantke erschossen worden. Hierdurch habe sich die Schlinge um den Hals des Jüngeren zugezogen, so dass dieser erdrosselt worden sei. Es könne sein, dass der Name des jüngeren Juden Süssberg und der des älteren Rosenbusch gewesen sei. Obwohl dem Zeugen seine frühere Aussage vom 22.Dezember 1966 vorgehalten worden ist, nach der in seiner Abwesenheit ein Junge an einem Telegrafenmast im Lager aufgehängt worden sein soll, blieb der Zeuge Ede. bei seiner Schilderung.

Auf Grund der Zeugenaussagen lässt sich nicht mit Sicherheit feststellen, dass der Angeklagte den Rosenbusch aufgehängt oder seine Erhängung angeordnet hat. Die Zeugen Daw. und die Brüder Ko. kannten nach ihrer Aussage im Gegensatz zu den anderen Zeugen den Rosenbusch zwar aus Krasnik. Sie haben auch bekundet, dass dies der einzige Fall gewesen sei, wo der Angeklagte Hantke einen Juden erhängt habe, während dies später unter dem Lagerleiter Feix häufiger vorgekommen sei. Letztlich bleibt jedoch ein nicht aufklärbarer Widerspruch in der Schilderung des äusseren Tatablaufs. Wenn Rosenbusch tatsächlich, wie es der Zeuge Daw. bekundet hat, beim Morgenappell in Anwesenheit aller Arbeiter erhängt worden ist, hätten dies nicht nur die Brüder Ko., sondern auch alle anderen Zeugen sehen müssen, was jedoch offenbar nicht der Fall war.

Dieser Umstand weckt Zweifel an der Aussage des Zeugen Daw. Es lässt sich nicht ausschliessen, dass er diesen Vorfall doch mit einer späteren Erhängung unter dem Lagerleiter Feix verwechselt. Die Aussagen der übrigen Zeugen, die den Vorgang des Erhängens und die Beteiligung des Angeklagten Hantke daran nicht selbst gesehen haben, reichen zu einer Verurteilung nicht aus.

Der Angeklagte ist in diesem Fall daher freizusprechen.

IV. Freispruch des Angeklagten Hantke in weiteren Anklagepunkten

1.) « November 1942 »

Dem Angeklagten Hantke wird mit der Anklage weiterhin zur Last gelegt, in Warschau im November 1942 im Ghetto in der Dzielnastrasse einen Juden erschossen zu haben, der auf dem Wege zum Verladeplatz aus einer Gruppe von Juden, die von der Firma Toebbens abgeholt worden war, geflüchtet war und sich in einem Hauseingang versteckt hatte. Der

Angeklagte Hantke bestreitet, im November 1942 in Warschau gewesen zu sein und dort einen Juden erschossen zu haben.

Als einziger Zeuge dieses Vorfalls stand dem Schwurgericht der Geschäftsleiter Ted Aaron B. zur Verfügung. Der Zeuge bekundet in seiner eidlichen Aussage, am 11.November 1942 anlässlich einer Selektion mitgenommen worden zu sein. In der Dzielnastrasse sei ein Jude aus der Kolonne fortgelaufen. Hantke sei ihm nachgelaufen und habe den Juden in einem Toreingang erschossen. Er, der Zeuge, habe die Schüsse gehört. Nur Hantke habe der Täter sein können.
Der Zeuge kann Hantke genau identifizieren. Er kannte seinen Ruf und sah ihn schon anlässlich der Aktion im Sommer 1942. Später sah er ihn oft in Poniatowa und beurteilte ihn dort gut. Die Kolonne Juden, die im November 1942 abgeholt wurde, kam nach Lublin in das Lipowalager und später nach Poniatowa. Der Zeuge machte hinsichtlich dieser Tatschilderung einen guten Eindruck. Das Schwurgericht ist überzeugt, dass sich die Tat wirklich so abgespielt hat und dass Hantke auch der Täter war. Es passt auch zur Person Hantkes, einen fliehenden Juden zu erschiessen und entsprach der damals allgemeinen Übung. Bedenken hat das Gericht aber hinsichtlich der zeitlichen Einordnung. Der Zeuge erklärt, er habe sich den 11.November 1942 daran gemerkt, dass es sich um den Yom Kippurtag gehandelt habe. Auf Vorhalt seiner früheren Aussage meinte er, es sei der polnische Nationalfeiertag gewesen. Dies zeigt, dass doch Unsicherheit in der zeitlichen Einordnung besteht. Auch bei den Aussagen, die der Zeuge in anderem Zusammenhang im Hinblick auf den Angeklagten Mic. machte, zeigten sich Ungenauigkeiten. Es hat den Anschein, dass der Zeuge bei Punkten, die er nicht mehr genau weiss, die naheliegenden Zweifel selbst nicht genügend berücksichtigt. Deshalb ist es nicht ausgeschlossen, dass sich der vom Zeugen geschilderte Vorfall auch im Sommer 1942 abgespielt haben kann und damit unter den dort abgeurteilten Sachverhalt fällt.

2.) April 1943

Dem Angeklagten Hantke wird in der Anklage weiterhin zur Last gelegt, im April oder Mai 1943 während der sogenannten "Stroop-Aktion" auf dem Umschlagplatz in Warschau ein etwa 6 Jahre altes Kind mit einem Pistolenschuss getötet zu haben, nachdem er es vorher mit freundlichen Worten angelockt und dann zur Mutter zurückgeschickt hatte.

Der Angeklagte Hantke gibt zu, am 19.April 1943, dem ersten Tag der "Stroop-Aktion", in Warschau gewesen zu sein, bestreitet aber, sich auf dem Umschlagplatz aufgehalten und dort ein Mädchen getötet zu haben.

Der Zeuge Now. bekundete in seiner eidlichen Aussage, er habe am 22.April 1943 bei einer Selektion auf dem Umschlagplatz in Warschau Hantke gesehen. Die Älteren und Schwachen seien abseits geführt worden, dann habe er Schüsse gehört. Bei der Selektion habe Hantke eine Mutter von ihrer etwa 18 Jahre alten Tochter getrennt. Das Mädchen habe "Mutter, Mutter!" gerufen. Hantke habe es dann erschossen.
Auf diese Aussage kann eine Verurteilung nicht gestützt werden, da die Identifizierung Hantkes unsicher ist. Der Zeuge stützt seine Behauptung, der Schütze sei Hantke gewesen darauf, dass Hantke im Sommer 1942 auf dem Umschlagplatz besonders aktiv gewesen sei. Bei der Verladung am 22.April 1943 hätten, wie er angibt, Leute gerufen, es sei alles hoffnungslos, Hantke sei da. Das reicht zur Identifizierung des Angeklagten nicht aus. Es ist nicht auszuschliessen, dass die Leute den Schützen irrtümlich als Hantke bezeichneten, weil sie ihn besonders fürchteten.

Dem Gericht stehen als Beweismittel weiterhin die in der Hauptverhandlung verlesenen Aussagen des verstorbenen Zeugen Alfred Poz. vom 3.September 1964, 24.November 1965 und 12.Januar 1970 zur Verfügung. In seiner ersten Aussage schilderte der Zeuge die Tötung eines kleinen Mädchens. In der zweiten Aussage nahm er auf die erste Aussage Bezug, in der dritten Aussage schilderte der Zeuge wiederum die Tötung des Mädchens, erwähnte aber nicht mehr wie in der ersten Aussage, dass Hantke es vorher angelockt habe. Erst auf Vorhalt seiner früheren Aussage bestätigte er diese, nachdem er vorher erklärt hatte, er habe nicht bemerkt, dass Hantke vor der Erschiessung mit der Frau oder dem Mädchen gesprochen habe. Solche Widersprüche in den Aussagen können sich aus dem langen Zeitraum zwischen den Vernehmungen ohne weiteres erklären. Da aber der Zeuge Now. das Mädchen als wesentlich älter schildert, reichen die verlesenen Aussagen des Zeugen Poz. zur Überzeugungsbildung des Schwurgerichts nicht aus. Das Gericht kann sich keinen persönlichen Eindruck von dem Zeugen verschaffen und keinen Eindruck davon gewinnen, wie er auf die Vorhalte seiner früheren Aussage reagierte. Die verlesenen Aussagen reichen allein für eine Verurteilung nicht aus, wenn auch hier die Identifizierung Hantkes sicher ist. Der Zeuge Poz. kannte ihn nämlich persönlich seit längerer Zeit aus dem Ghetto. Insoweit wird auf die Würdigung der Aussage des Zeugen Poz. in anderem Zusammenhang verwiesen. Die Aussage des Zeugen Now. reicht zur Unterstützung der verlesenen Aussagen nicht, da nicht auszuschliessen ist, dass der Zeuge Now. einen anderen Fall schildert, den unter Umständen Hantke überhaupt nicht begangen hat.

Der Angeklagte Hantke war daher von diesem Anklagepunkt freizusprechen.

V. Die Mitwirkung des Angeklagten Mic. bei der Räumung von Bialystok im August 1943

1.) Allgemeines

Der Bezirk Bialystok liegt in der Nordostecke des heutigen Polen. Er wurde im Jahre 1939 zunächst von deutschen Truppen besetzt. Diese zogen sich dann jedoch auf Grund einer Vereinbarung mit der Sowjetunion aus dem grössten Teil des Gebietes wieder zurück. Unmittelbar nach dem Ausbruch des Krieges mit Russland wurde der Bezirk Ende Juni 1941 erneut von den Deutschen besetzt.
Nach einem Führererlass vom 17.Juli 1941 wurde er verwaltungsmässig nicht dem Generalgouvernement angegliedert, sondern unterstand dem damaligen Oberpräsidenten und Gauleiter von Ostpreussen Erich Koch als Chef der Zivilverwaltung. Dieser ernannte einen Zivilkommissar, als dessen Vertreter in der Stadt Bialystok der verstorbene Zeuge Dr. Br. tätig war. Der Aufbau der Verwaltung entsprach der eines preussischen Regierungsbezirkes. Der Bezirk wurde in Kreiskommissariate und Amtskommissariate aufgeteilt, die im wesentlichen den preussischen Kreisen und Ämtern entsprachen. Die Stadt Bialystok wurde ähnlich wie eine kreisfreie Stadt in Preussen Stadtkommissariat.

Wie im Reichsgebiet bestanden auch im Bezirk Bialystok verschiedene Polizeiorgane. Die Ordnungspolizei gliederte sich in die Schutzpolizei und die Gendarmerie. An ihrer Spitze stand im Bezirk der Kommandeur der Ordnungspolizei (KdO). Die staatspolizeilichen Aufgaben wurden anfangs von der Staatspolizeistelle Allenstein aus wahrgenommen. In der ersten Hälfte des Jahres 1942 wurde dann auch hier, wie es bereits in den anderen besetzten Gebieten geschehen war, die Dienststelle eines Kommandeurs der Sicherheitspolizei und des SD (KdS) geschaffen. Diese gliederte sich wie das Reichssicherheitshauptamt in Berlin; den dortigen Ämtern entsprachen hier die Abteilungen.

Abteilung	I	Verwaltung
	II	Recht
	III	SD
	IV	Gestapo
	V	Kripo

Der KdS im Bezirk Bialystok war dem Inspekteur der Sicherheitspolizei und des SD (IdS) in Königsberg unterstellt.

Bis zum Mai 1943 wurde die Dienststelle des KdS von dem Zeugen Dr. Alt. [349] geleitet. Sein Nachfolger im Amt des Kommandeurs wurde im Juni 1943 der verstorbene damalige SS-Sturmbannführer Dr. Z. [350]. In dem für dieses Verfahren bedeutsamen Zeitraum (August 1943) leitete der verstorbene Zeuge Hei. [351], seinerzeit SS-Hauptsturmführer, die Abteilung IV. Ihm unterstand als Leiter des Referats IV b (Judenreferat) der ehemalige SS--Hauptsturmführer Friedel. Mitarbeiter des Referats IV b waren die Zeugen Err. [352] und Dib. [353], früher SS-Haupt- und Obersturmführer.
SS- und Polizeiführer (SSPF) des Bezirks Bialystok war im Jahre 1943 der verstorbene Zeuge Hel., damals SS-Brigadeführer und Generalmajor der Polizei. Er unterstand dem Höheren SS- und Polizeiführer Nord-Ost in Königsberg.

Der Bezirk Bialystok hatte einen hohen jüdischen Bevölkerungsanteil, der sich vor allem in den grösseren Städten Bialystok, Grodno, Bielsk, Wolkowysk, Lomza und Sokolka konzentrierte. Im Protokoll der Wannseekonferenz vom 20.Januar 1942 wurde die Zahl der im Bezirk lebenden Juden mit 400.000 angegeben. Schon bald nach der deutschen Besetzung begannen Aktionen gegen die jüdische Bevölkerung.

Bereits Ende Juli 1941 wurde das jüdische Ghetto im Zentrum der Stadt Bialystok geschaffen, wo alle jüdischen Bürger auf engem Raum zusammenleben mussten. Sie mussten wie im Generalgouvernement den Davidstern tragen und durften das eingezäunte Ghetto nur mit besonderen Passierscheinen verlassen. Sie wurden zu Zwangsarbeiten herangezogen, dabei jedoch ganz unzureichend ernährt und waren überdies zahlreichen Requirierungen und Kontributionsmassnahmen ausgesetzt. Es gab von Anfang an eine jüdische Selbstverwaltung durch den Judenrat, den die Deutschen für die Durchführung ihrer Anordnungen verantwortlich machten.

Bis in den Herbst 1942 unterstand das Ghetto von Bialystok der deutschen Zivilverwaltung; es wurde bewacht durch die örtliche Schutzpolizei. Dann erhielt der KdS vom Reichssicherheitshauptamt (RSHA) den Befehl, die Juden des ganzen Bezirks in einigen wenigen Ghettos zu konzentrieren und die volle Verantwortung für die Judenangelegenheiten einschliesslich der Versorgung und der Bewachung der Ghettos zu übernehmen. Bis zum Frühjahr 1943 wurden schliesslich alle Ghettos des Bezirks bis auf das in der Stadt Bialystok geräumt.

Die Lebensverhältnisse der Ghettobewohner in Bialystok waren wie die der Warschauer Juden sehr schlecht. Die einzige Überlebenschance bestand für sie darin, sich den Deutschen durch ihre Arbeit unentbehrlich zu machen. Es gab im Ghetto Bialystok zahlreiche Werkstätten, die hauptsächlich für die Wehrmacht arbeiteten. Darunter war eine Waschanstalt, die das gesamte Drillichzeug der deutschen Ostfront wusch und reparierte.

Im Februar 1943 fand eine erste teilweise Ghettoräumung durch die örtliche Sicherheitspolizei statt, bei der 5.000 bis 10.000 Juden in das Vernichtungslager Treblinka transportiert und dort getötet wurden. An dieser Aktion hat der SS-Sturmbannführer Günther vom RSHA mitgewirkt; die Aktion wird daher auch als Günther-Aktion bezeichnet.

[349] Siehe Verfahren Nr.648.

[350] Siehe Verfahren Nr.487 und 402.

[351] Siehe Verfahren Nr.648.

[352] Siehe Verfahren Nr.648.

[353] Siehe Verfahren Nr.648.

Diese die Vorgeschichte der endgültigen Ghettoräumung von Bialystok im August 1943 betreffenden Tatsachen sind, soweit sie sich auf die verwaltungsmässige Gliederung des Bezirks und die Konzentration der darin lebenden Juden in Ghettos beziehen, offenkundig. Jedermann kann sich von ihrer Richtigkeit auf Grund allgemein zugänglicher Quellen überzeugen. Im übrigen beruhen die festgestellten Tatsachen hinsichtlich der Dienststelle des KdS auf der uneidlichen Aussage des in der Hauptverhandlung vernommenen Zeugen Dib., der verlesenen eidlichen Aussage des Zeugen Dr. Alt. sowie der verlesenen uneidlichen Aussagen der verstorbenen Zeugen Dr. Br., Hei. und Hel., die inhaltlich übereinstimmen und insoweit glaubhaft sind.
Die Feststellungen zur Situation der Juden im Ghetto Bialystok und zur ersten Teilräumung des Ghettos im Februar 1943 beruhen auf den glaubhaften eidlichen Aussagen der in der Hauptverhandlung vernommenen Zeugen Q., Uga. und Per. sowie den damit im wesentlichen übereinstimmenden verlesenen Angaben der Zeugen Dr. Alt., Dr. Br., Hei. und Hel.

2.) Die endgültige Räumung des Ghettos von Bialystok im August 1943

a) Ablauf der Räumungsaktion

Die Räumung des Ghettos von Bialystok wurde in der Zeit vom 16. bis 23.August 1943 durchgeführt. Zu dieser Zeit hatte das Ghetto noch mindestens 25.000 Bewohner. Wie es zum Einsatz des sogenannten Lubliner Kommandos unter Führung des Angeklagten Mic. kam, lässt sich nicht sicher feststellen. Es spricht vieles dafür, dass der SSPF von Lublin, Globocnik, von Himmler für diese ausserhalb seines Bereichs gelegene Ghettoräumung wegen seiner besonderen Aufgabe bei der "Endlösung" der Judenfrage im Rahmen der "Aktion Reinhard" herangezogen wurde; zum anderen wohl auch deshalb, weil er die noch arbeitsfähigen Juden Bialystoks in seine Arbeitslager übernehmen sollte. Schliesslich hatte Globocnik auch die auf Ghettoräumungen spezialisierten Fachkräfte.
An der Räumung beteiligt waren neben dem Kommando aus Lublin die örtliche Sicherheitspolizei, Kräfte des Polizeiregiments 26, das sich auf dem Weg von den Karpaten zum Mittelabschnitt der Ostfront befand, sowie "fremdvölkische" Hilfswillige. Die Räumung des Ghettos vollzog sich ähnlich dem Warschauer Muster.

In der Nacht zum 16.August 1943 wurde das Ghetto durch Angehörige des Polizeiregiments 26 hermetisch abgeriegelt. Am nächsten Morgen gegen 4.00 Uhr wurde der Judenrat zusammengerufen und von der geplanten Räumung unterrichtet. Es hiess, die Juden sollten zur Arbeit nach Lublin kommen. Der Judenrat wurde aufgefordert, mit Hilfe der jüdischen Ordnungspolizei dafür zu sorgen, dass sich alle Ghettoinsassen an bestimmten Punkten des Ghettos zum Abtransport einfänden. Die meisten Juden kamen der Aufforderung freiwillig nach und wurden von den Sammelplätzen unter starker Bewachung zu einer ausserhalb des Ghettos gelegenen grossen Wiese getrieben; hierfür war vorher eine Bresche in die Ghettoumzäunung geschlagen worden.
Die von den Bewohnern verlassenen Teile des Ghettos wurden von Angehörigen der Sicherheitspolizei und des ersten Bataillons des Polizeiregiments 26 systematisch durchsucht. Zurückgebliebene und sich versteckende Juden, darunter häufig Alte und Kranke, wurden mit Gewalt hinausgetrieben und zum Sammelplatz gebracht, zum Teil auch in den Wohnungen erschossen. Nach der Räumung eines Strassenzuges wurde dieser von dem noch bewohnten Teil des Ghettos abgeriegelt.
Im Verlaufe der Räumung leisteten vereinzelt Juden Widerstand, der jedoch schnell gebrochen wurde. Einige Juden, die auf Angehörige des bei der Aktion eingesetzten Polizeiregiments aus einem Haus geschossen hatten, wurden durch Handgranaten getötet.

Da sich die Bereitstellung der zum Abtransport bestimmten Züge verzögerte, mussten die Juden auf der ausserhalb des Ghettos gelegenen Wiese bei glühender Hitze ohne Wasser jeweils länger als 24 Stunden bleiben, ehe sie zum Bahnhof in die dort stehenden Güterwagen getrieben wurden. Schon auf der Wiese waren zuvor arbeitsfähige Juden ausgesondert und von den anderen getrennt worden. Dabei wurde, wie schon beim Heraustreiben aus den Wohnungen und beim Transport von den Sammelplätzen zur Wiese, mit Peitschen und Knüppeln auf die Juden eingeschlagen, es wurden rücksichtslos Familien auseinander gerissen und auch gezielte Schüsse auf die Juden abgegeben, durch die eine erhebliche Anzahl getötet wurde.

Schon zu Beginn der Aktion waren von der Sicherheitspolizei zahlreiche Kinder von ihren Eltern getrennt und zusammen mit jüdischen Kinderpflegerinnen in einem besonderen Kindertransport in das Konzentrationslager Theresienstadt gebracht worden. Die Leitung dieses Transportes hatte der Zeuge Dib. Die Kinder sind wenig später im Oktober 1943 nach Auschwitz weitertransportiert und dort getötet worden.

Die Juden Bialystoks wussten von dem ihnen zugedachten Schicksal. Sie hatten zum Teil von der Räumung des Warschauer Ghettos und aller umliegenden kleineren Ghettos des Bezirks Bialystok erfahren und gehört, dass die Bewohner in Vernichtungslager gebracht und dort getötet worden waren. Endgültig klar wurde ihnen ihr Schicksal, als nach der Teilräumung des Bialystoker Ghettos im Februar 1943 Kleider mit dem Judenstern aus Treblinka in die Textilfabriken des Ghettos zur Aufarbeitung zurückkamen. An den noch in den Kleidern befindlichen Papieren erkannten die in den Textilfabriken arbeitenden Juden, dass es sich um Kleidungsstücke ihrer in Treblinka getöteten Angehörigen handelte.

Am 23.August 1943 war das Ghetto vollständig geräumt. Seine Bewohner wurden in Güterwaggons zusammengepfercht teils in die Arbeitslager des Bezirks Lublin, teils in die Vernichtungslager Treblinka und Auschwitz abtransportiert. Mindestens 15.000 der Ghettobewohner sind in den Vernichtungslagern umgebracht worden.

b) Die Beteiligung des Angeklagten Mic.

Der Angeklagte Mic. war massgeblich schon an der Vorbereitung der Räumungsaktion beteiligt. Anfang August 1943 erhielt er von Globocnik den Befehl, nach Bialystok zu fahren und mit der dortigen Sicherheitspolizei die Aktion vorzubereiten. Kurz vorher hatte er mit dem SS-Hauptsturmführer von Mohrenschildt, mit dem er in Lublin ein gemeinsames Dienstzimmer hatte und der ihm trotz gleichen Dienstranges vorgesetzt war, ein Gespräch über seine weitere Arbeit geführt. Der Angeklagte hatte von Mohrenschildt dabei erklärt, dass er nicht mehr bei negativer Tätigkeit - gemeint waren Einsätze gegen die Juden - eingesetzt werden wolle. Er wünsche sich eine aufbauende, positive Tätigkeit. Einsätze dieser Art fände er scheusslich. Von Mohrenschildt, mit dem sich Mic. duzte, war wiederum ein Duzfreund von Globocnik. Mit diesem sprach er über die Bitte des Angeklagten und teilte dann Mic. als Ergebnis mit, es sei insoweit in Ordnung, als er, Mic., aus dem Generalgouvernement heraus und mit Globocnik nach Triest käme. Vorher müsse er aber noch bei der Räumung von Bialystok tätig werden, das sei bereits fest geplant.

Nachdem Mic. den entsprechenden Befehl von Globocnik erhalten hatte, begab er sich zusammen mit dem verstorbenen SS-Obersturmführer Claasen nach Bialystok und entwickelte im Rahmen einer Vorbesprechung, die beim KdS Dr. Z. stattfand, seine Vorschläge zur Durchführung der Räumung. Es wurde insbesondere über die Heranziehung der erforderlichen Hilfskräfte und über die Beschaffung des notwendigen Transportraums gesprochen. Bei der Besprechung wurde ausserdem vereinbart, dass Mic. aufgrund seiner Erfahrungen die faktische Leitung der Räumung übernehmen sollte. Mic. kehrte daraufhin für kurze Zeit nach Lublin zurück.

Am Tag vor dem Beginn der Räumung, der auf den 16.August 1943 festgesetzt worden war, traf Mic. mit einem ihm unterstellten Kommando von 8 bis 10 SS-Angehörigen aus Lublin, darunter dem genannten Obersturmführer Claasen sowie den Zeugen Hüb. und Han., erneut in Bialystok ein. Am Abend des 15.August nahm er an einer Einsatzbesprechung bei Dr. Z. teil, bei der weitere Einzelheiten der Räumung besprochen und die zur Verfügung stehenden Kräfte entsprechend dem Gesamtplan eingewiesen wurden. Mic. machte bei dieser Gelegenheit wiederum Vorschläge für die Durchführung der Aktion, die im wesentlichen akzeptiert wurden.

Am Morgen des 16.August suchte Mic. gegen 4.00 Uhr das im Ghetto gelegene Gebäude des Judenrats auf und teilte dem Vorsitzenden des Judenrats mit, dass der jüdische Wohnbezirk am gleichen Tag geräumt werden sollte. Der Judenrat habe mit Hilfe des jüdischen Ordnungsdienstes die Aktion durchzuführen und sei für ihren reibungslosen Ablauf verantwortlich.
Während der Dauer der Ghettoräumung bezog Mic. im Gebäude des Judenrats einen Dienstraum und leitete von hier aus die Aktion. Wie in Warschau überliess er in der Anfangsphase dem jüdischen Ordnungsdienst das Zusammentreiben der Ghettobewohner. Durch die Leute seines Kommandos liess er arbeitsfähige Juden aussondern und die Verladung der Juden am Bahnhof getrennt nach arbeits- und nach nichtarbeitsfähigen Juden überwachen. Als sich nicht mehr genügend Juden freiwillig auf den Sammelplätzen im Ghetto einfanden, setzte Mic. Räumtrupps aus Angehörigen der Sicherheitspolizei und des Polizeiregiments 26 ein, die das Ghetto systematisch durchkämmten und die Juden aus ihren Wohnungen zu den Sammelplätzen trieben. Der Angeklagte kontrollierte das Vorgehen dieser Räumkommandos mehrfach auch an Ort und Stelle. Als sich gleich zu Beginn der Aktion herausstellte, dass die für den Abtransport der Juden angeforderten Eisenbahnwagen nicht rechtzeitig kamen, entsandte Mic. den Zeugen Hüb. zusammen mit dem Zeugen Err. von der örtlichen Sicherheitspolizei zur zuständigen Reichsbahndirektion nach Königsberg.
Der Angeklagte berichtete dem KdS Dr. Z., der sich selbst kaum im Ghetto aufhielt, täglich über den Stand der Räumungsaktion. Dies geschah gewöhnlich beim Abendessen im Kasino der Dienststelle des KdS.

Mic. wusste, dass ausser den noch als Arbeitskräfte brauchbaren Juden alle anderen Ghettobewohner in Vernichtungslager gebracht und dort getötet werden sollten. Er hat miterlebt, unter welchen äusseren Umständen die Räumung durchgeführt wurde. Eigene Gewalttaten hat er jedoch nicht begangen. Er hat sich auch nicht den Rassenhass der für die Judenvernichtung verantwortlichen nationalsozialistischen Machthaber zu eigen gemacht.

C. Beweiswürdigung

I. Allgemeines zum Geschehen in Warschau

Die Feststellungen zum Gesamtgeschehen der Ghettoräumung in Warschau in der Zeit vom 22.Juli 1942 bis zum 15.September 1942 beruhen auf den glaubwürdigen Angaben beider Angeklagter und nahezu aller Zeugen, die hierzu gehört worden sind.

Beide Angeklagten haben ihre Kommandierung zum sogenannten Lubliner Kommando, den Befehlsempfang in Warschau und die Durchführung der Ghettoräumung in den drei beschriebenen Abschnitten übereinstimmend und allenfalls in Nuancen voneinander abweichend beschrieben. Allerdings hat Hantke erst zum Schluss der Hauptverhandlung eingeräumt, die als "Kessel an der Mila" bekanntgewordene Schlussphase miterlebt zu haben. Beide Angeklagten haben auch übereinstimmend behauptet, das wahre Ziel der Räumung, nämlich die Vernichtung der jüdischen Bevölkerung, nicht von vornherein, sondern erst etwa zwei Wochen nach Beginn der Aktion erfahren zu haben. Auch diese Angaben hält das Schwurgericht jedenfalls insoweit für glaubwürdig, als es den Angeklagten abnimmt, dass sie sich der Erkenntnis, was in Warschau geschehen sollte, zunächst bewusst verschlossen: Dass ihnen bei der Kommandierung zum Lubliner Kommando in Lublin noch nichts gesagt worden ist, ist glaubhaft; es gibt in der Gesamtheit aller gehörten oder verlesenen Aussagen keinen Anhaltspunkt dafür, dass die Angeklagten hier bereits voll informiert wurden. Zwar ergaben sich aus den bisherigen Erfahrungen erhebliche Verdachtsmomente: Mic. hatte in Riga im Jahre 1941 die Erschiessung von mehr als 20.000 Juden erlebt und Hantke hatte mehr als gerüchtweise aus Majdanek gehört, dass dort Juden getötet und verbrannt würden. Beide Angeklagte haben hierzu aber glaubwürdig und einleuchtend erklärt, dass sich die positive Einstellung zu dem nationalsozialistischen Staat tief in sie eingeprägt hatte und dass sie nicht bereit waren, erlebte oder gehörte unmenschliche Handlungsweisen diesem Staat zur Last zu legen, sie sich vielmehr gegen die Erkenntnis, dass sie sich hiermit gegen die Wahrheit sperrten, so lange als möglich wehrten. Das hat der Angeklagte Mic. im Hinblick auf seine Erlebnisse in Riga einleuchtend dargestellt und der Angeklagte Hantke hat sich - entsprechend seinen geringeren Ausdrucksmöglichkeiten - für Lublin und Warschau entsprechend eingelassen.

Es ergibt sich aus den Angaben der Angeklagten und aus fast allen hierzu in der Hauptverhandlung gemachten und verlesenen Aussagen, dass die Räumung in den ersten Tagen überwiegend geordnet vor sich ging. Im zweiten Abschnitt des Geschehens wurden die Juden mit Gewalt aus den Häusern getrieben, dabei misshandelt und teilweise auch erschossen. Dabei kam es zu erheblichen Ausschreitungen. Die Räumung wurde durch die Schlussaktion in der Nähe des Umschlagplatzes - in der Milastrasse - beendet. Soweit etwa die Aussagen der Zeugen Wor. [354], Höf., Le. und Se. hiervon abweichen, sind sie unglaubwürdig, weil diese selbst schwer belasteten Zeugen ihre Aussagen in dem erkennbar gewordenen Bestreben gemacht haben, sich zu verteidigen und stehen überdies im Gegensatz auch zu den Schilderungen der Angeklagten Mic. und Hantke. Alle anderen Zeugen, die die Räumung in Warschau erlebt und aus der Erinnerung beschrieben haben, weichen deshalb nicht von der Darstellung der Angeklagten ab, sondern ergänzen sie und machen zugleich deutlich, im Rahmen welchen Gesamtgeschehens die Angeklagten tätig geworden sind.

II. Beweiswürdigung zur Räumung des Warschauer Ghettos im einzelnen

1.) Hinsichtlich des Zustandes des Warschauer Ghettos zur Zeit vor der Räumung und der Lebensbedingungen der jüdischen Menschen im Ghetto folgt das Schwurgericht den insoweit ohne Einschränkung glaubwürdigen Aussagen der Zeugen Frau Dam., R.-R. und Ne., sowie den verlesenen Aussagen der Zeugen Dr. Has., Kli., Ba. und Toe. Diese Aussagen stimmen in ihrem wesentlichen Kern überein.

2.) Die Feststellungen zur Zahl der Ghettobewohner im Sommer 1942 - vor Beginn der Aktion - und den hier bedeutsamen Gegebenheiten im Ghetto beruht auf den überzeugenden Angaben des Sachverständigen Dr. Sche., denen das Schwurgericht folgt. Der Sachverständige führte aus, dass die Zahl nur berechnet werden könne, wenn man von der Zahl der "ausgesiedelten Juden" ausgehe. Nach den Berichten des Generals Stroop sind vom 22.Juli 1942 bis zum 3.Oktober 1942 310.000 Juden ausgesiedelt worden. Dem General Stroop standen die Zahlen des SSPF Warschau zur Verfügung. Der Angeklagte Mic. bestätigte glaubhaft in der Hauptverhandlung, dass sie während der Aktion täglich die Zahl der "Ausgesiedelten" an den SSPF Warschau gemeldet hätten. Nach einem Bericht des Warschauer Distriktsgouverneurs sind im gesamten Distrikt Warschau 400.000 Juden ausgesiedelt worden. Wenn man weiter berücksichtigt, dass im Januar 1943 gemäss Stroop-Bericht 6.000 und im April 1943 während der Stroop-Aktion 60.000 Juden ausgesiedelt worden sind, kommt man, unter Berücksichtigung einer Sicherheitsmarge, zu einer Zahl von 370.000 Juden, die im Sommer 1942 im Ghetto lebten. Diesen Feststellungen schliesst sich das Schwurgericht schon deshalb an, weil die Berechnung des Sachverständigen eine Mindestzahl zugrundelegt und alle Zeu-

[354] Siehe Verfahren Nr.826.

gen, die dazu befragt wurden, von höheren Zahlen ausgehen. Der vernehmungsunfähig erkrankte Kaufmann Ba. erwähnte in der verlesenen Aussage vom 17.Mai 1961 die Zahl von 600.000 Juden, erklärte aber, es handle sich um eine Schätzung. Der Zeuge R.-R. sprach von 500.000 Juden. Er bezeichnete diese Zahl aber nur als Richtpunkt. Seine Aussage hat deshalb Gewicht, weil er als Angestellter des Judenrats einen gewissen Überblick hatte. Der Zeuge Ne. schätzte die Zahl der Juden auf 400.00. Der Zeuge Kap., der seine Aussage ebenfalls beeidete, schätzte die Zahl auf 450.000 Juden, der Zeuge Sam Hof. in seiner eidlichen Aussage auf 500.000 Juden. Die Aussage dieses Zeugen ist deshalb von besonderer Bedeutung, weil er bei der jüdischen Gemeinde an der Erstellung einer Kartei arbeitete, die die Juden, ihre Berufe und deren Besitz an Maschinen und ähnlichen Anlagen erfasste. Der Zeuge, der auf das Gericht einen guten Eindruck machte, bekundete, dass seine Schätzung an der Erinnerung an die Kartei orientiert sei. Schliesslich schätzte die Zeugin Halina Bor. in ihrer eidlichen Aussage die Zahl der Juden auf 600.000, ohne hierfür jedoch nähere Anhaltspunkte zu haben. Der Angeklagte Mic. meinte, sie seien damals von 350.000 Juden ausgegangen. Der Angeklagte Hantke hat keine Gesamtzahl angegeben.

Dies alles zeigt, dass der Sachverständige Dr. Sche. bei seiner Berechnung sehr vorsichtig vorging, besonders, da die beiden Zeugen R.-R. und Sam Hof., die damals im Judenrat arbeiteten, höhere Zahlen nennen. Zu Gunsten der beiden Angeklagten folgt das Gericht deshalb den Ausführungen des Sachverständigen. Die Zahl der 60.000 übriggebliebenen Juden in Warschau beruht auf dem überzeugenden Gutachten des Sachverständigen, der vom Stroopbericht ausgeht.

Die Feststellungen über das Aussehen des Umschlagplatzes beruhen auf folgenden Zeugenaussagen:

Der Zeuge Ho. berichtete in seiner glaubhaften uneidlichen Aussage, dass sich auf dem Umschlagplatz ein altes Krankenhaus und eine Schule befunden habe, ausserdem eine Bahnrampe, an die die Züge herangefahren seien. Ein Zug habe ungefähr 30 Waggons mit einer Länge von je 10 m gehabt. Das Gelände sei rechtwinklig umzäunt gewesen. Der Zeuge Ro. erklärte in seiner beeideten Aussage, der Umschlagplatz habe bei dem Stawkikrankenhaus gelegen. Er sei ummauert gewesen und habe ungefähr die Grösse eines Fussballplatzes gehabt. Die Zeugin Helena Lan. schilderte in ihrer Aussage die Mauer als nicht gerade, sondern winklig. Der Platz sei recht tief und nicht symmetrisch gewesen.

Der Angeklagte Mic. hielt damit übereinstimmend den Umschlagplatz ebenfalls für mehr tief als breit. Rechts hätten sich zwei Gebäude, darunter das Stawkikrankenhaus, befunden. Vom Platze aus habe man nur die letzten Wagen der Züge sehen können. Der Angeklagte Hantke meinte, der Platz sei 70 Meter tief und etwa 50 Meter breit gewesen.

Der verstorbene Ingenieur Has. bezeichnete in seiner verlesenen Aussage vom 8.Juni 1962 das Gebäude am Umschlagplatz als alte Schule. Er machte keine Angaben zur Grösse und zum sonstigen Aussehen des Platzes. Der vernehmungsunfähig erkrankte Kli. sprach in seiner verlesenen Aussage vom 6.Mai 1963 ebenfalls von dem Krankenhaus am Umschlagplatz. Er erwähnte auch, dass man von zwei Eingängen auf den Platz gelangen konnte. Der verstorbene Zeuge Poz. erklärte in seiner verlesenen Aussage vom 24.November 1965, dass sich auf dem Umschlagplatz das Stawkikrankenhaus befunden habe. Dieses sei in früheren Zeiten eine Schule gewesen.

Die Feststellungen über die motorisierte Ambulanz beruhen auf den übereinstimmenden glaubwürdigen und beeideten Aussagen der Zeugen Jerzy Ro. und Dr. Jed. Beide Zeugen, die nicht in Verbindung miteinander stehen, schilderten bis in Einzelheiten das Bestehen dieser Ambulanz. Sie erwähnten den Autotyp (Peugeot) und die Kleidung der Sanitäter. Demgegenüber erklärte der Zeuge R.-R., es habe keine Ambulanz gegeben. Der einzige

Wagen im Ghetto sei der des Obmanns des Judenrates gewesen. Der Zeuge R.-R. hat sich insoweit geirrt. Er war nicht im Gesundheitswesen tätig, sondern Sekretär des Judenrates. Der Zeuge Dr. Jed. hingegen war Arzt, der Zeuge Ro. Sanitäter. Die beiden Zeugen hatten deshalb grössere Kenntnisse über das Gesundheitswesen im Ghetto als R.-R. Beiden Zeugen glaubt das Schwurgericht.

3.) Die Feststellungen über die Vorbereitung der Räumung des Ghettos beruhen auf den insoweit übereinstimmenden und glaubwürdigen Aussagen des Angeklagten Mic., der verlesenen Aussage des verstorbenen Zeugen Jes. vom 2.Oktober 1963 und der verlesenen Aussage des verstorbenen Zeugen Höf. vom 20.Juli 1961 ff.

4.) Die Feststellungen über den Beginn der Räumungsaktion, die Beteiligung der Warschauer Kräfte und die Weisungen an den Judenrat, sowie über den Selbstmord des Obmanns des Judenrates beruhen auf den Angaben beider Angeklagten sowie auf den glaubwürdigen Aussagen folgender Zeugen:

Der Zeuge Ho., der nicht beeidet wurde, gehörte dem KdS Warschau an. Er berichtete über die Mitwirkung des KdS Warschau unter Dr. Hahn [355] und die Fahrt zum Judenrat sowie die ihnen auferlegte Geheimhaltungsverpflichtung. Der vereidigte Zeuge R.-R. schilderte den Beginn der Aktion am 22.Juli 1942, die Weisungen, die dem Judenrat erteilt wurden und den Selbstmord des Obmanns des Judenrates Czerniakow. Auch der Zeuge Wor. [356], der nicht beeidet wurde und dessen Aussage nicht verwertet werden kann, soweit sie ihn selbst betrifft, da er dann offensichtlich seiner Verteidigung den Vorzug vor der Wahrheit gibt, schilderte den Beginn der Aktion am 22.Juli 1942, die Beteiligung der Kräfte des KdS Warschau und eine Eingangsbesprechung bei dem KdS Warschau. Die beeideten Zeugen Kap., Lan., Hof. und Ro. schildern übereinstimmend den Beginn der Aktion am 22.Juli 1942. Ro. berichtet darüber hinaus vom Selbstmord Czerniakows.

In seiner verlesenen Aussage vom 8.Juni 1962 schilderte der verstorbene Ingenieur Dr. Has., wie die Aktion begann und dass die arbeitsfähigen Juden in den Betrieben von der Räumung ausgenommen wurden. Aus der verlesenen Aussage des verstorbenen Zeugen He. vom 17.Mai 1963 geht ebenfalls der Beginn der Räumungsaktion hervor. Der verstorbene Zeuge Poz. schilderte in der verlesenen Aussage vom 24.November 1965, wie das Lubliner Kommando im Hause Zelasnastrasse 103 Quartier bezog und die Mitwirkung der Ukrainer; den zeitlichen Beginn der "Aussiedlung" konnte er nicht genau bezeichnen. Er meinte in seiner ebenfalls verlesenen Aussage vom 12.Januar 1970, es sei das Frühjahr 1942 gewesen. Der Zeuge Ka., dessen Aussage vom 8.November 1973 verlesen wurde, sprach vom Sommer 1942 als dem Beginn der Aussiedlung, desgleichen der verstorbene Zeugen Toe. in der verlesenen Aussage vom 14.Februar 1963. Der vernehmungsunfähig erkrankte Zeuge Kli. kannte das Datum des 22.Juli 1942. In seiner verlesenen Aussage vom 6.Mai 1963 erklärte dieser Zeuge, dass er sich den ersten Tag besonders gemerkt habe, weil die Aussiedlung ihn sehr beeindruckt habe. Der verstorbene Zeuge Höf. schilderte in seiner verlesenen Aussage vom 28.Juli 1961 ff. den Beginn der Aktion, die Vorbesprechungen und die Mitwirkung der Warschauer Kräfte. Er schilderte weiterhin die Weisungen, die dem Judenrat gegeben wurden und das Quartier in der Zelasnastrasse 103. Insoweit ist der Zeuge glaubwürdig, weil seine Aussagen mit den Bekundungen anderer Zeugen und der Angeklagten übereinstimmen. Höf. ist nur dann als unglaubwürdig zu betrachten, wenn er Tatsachen bekunden soll, durch die er sich selbst zu belasten glaubt. Der Zeuge Elp. schilderte in seiner verlesenen Aussage

[355] Siehe Verfahren Nr.795 und 821.

[356] Siehe Verfahren Nr.826.

vom 6.Juni 1974 den Beginn der Aktion am 22.Juli 1942. Er hat sich den Tag gemerkt, da es ein jüdischer Feiertag war.

5.) Die Feststellungen über die Durchführung der Räumung beruhen, wie bereits ausgeführt, zunächst auf den Angaben der Angeklagten selbst. Der Angeklagte Mic. bekundete, zunächst sei alles reibungslos verlaufen. Die jüdische Polizei habe die auszusiedelnden Juden selbst gestellt. Pro Zug sollten 5.000 Juden abgefahren werden. Manchmal seien zwei Züge am Tage gefahren. Es sei aber nicht immer gelungen, die Züge voll zu bekommen. Die Juden hätten zuerst diejenigen gebracht, die sie selbst los werden wollten. Zunächst hätten sie auch Gepäck mitnehmen dürfen. In den Wagen habe es Eimer mit Marmelade und Wasser gegeben. Der Angeklagte Hantke bekundete, an den ersten Tagen seien die Züge alle Tage gefahren, bisweilen zweimal am Tage. Mit einem Zug hätten 5.000 Personen transportiert werden können.

Die Aussagen der Zeugen bestätigen diese Angaben der Angeklagten. Folgende Zeugen haben zu dem ersten Teil der Aktion Angaben gemacht:

Der Zeuge Marcel R.-R. hat bekundet, dass täglich 6.000 Juden deportiert worden seien und zwar zunächst die Alten, Gebrechlichen und Krüppel, da diese nicht arbeiten konnten. Dadurch sei ihm der Vernichtungscharakter der Aktion sofort klar geworden. Der Zeuge Ho. berichtete, dass die friedliche Phase der Aktion ungefähr 3 bis 4 Wochen gedauert hätte. Die meisten Juden seien während dieser Zeit noch freiwillig gekommen und zum Umschlagplatz gebracht worden. Der Zeuge Jerzy Ro. erklärte ebenfalls, dass bei der Aktion zuerst die armen Leute, und zwar die Bettler und Waisenkinder, weggekommen seien. Freiwilligen sei 1 Pfund Brot und Marmelade versprochen worden. Auch der Zeuge Kap. berichtete über das Versprechen von Brot und Marmelade für diejenigen, die sich freiwillig meldeten. Am Anfang hätten sich auch Freiwillige gemeldet, weil diese glaubten, sie kämen in ein Arbeitslager. Diese Phase habe ungefähr zwei Wochen gedauert. Die Zeugin Helena Lan. schilderte in ihrer beeideten Aussage, dass zuerst die Kranken-, Waisenhäuser, Alters- und Kinderheime geräumt worden seien. Diese Aussiedlungen habe noch die jüdische Ordnungspolizei vorgenommen. Diese Phase habe aber nur einige Tage gedauert. Der Zeuge Hof. erklärte in seiner beeideten Aussage, dass die Juden zunächst sogar freiwillig zum Umschlagplatz gekommen seien, da sie den Versprechungen auf den Plakaten geglaubt hätten und auf die besten Plätze bei den neuen, ihnen versprochenen Arbeitsstellen hofften. Allerdings seien an den ersten Tagen auch schon Leute wahllos auf der Strasse gegriffen worden. Die Zeugin Halina Bor. bekundete in ihrer beeideten Aussage, dass zunächst die Alten und Waisenkinder abtransportiert worden seien. Auch sie wusste von dem Versprechen von Brot und Marmelade für diejenigen, die sich freiwillig meldeten.
Die Aussagen dieser Zeugen stimmen mit den Angaben der Angeklagten überein bzw. ergänzen sie. Zweifel an der Glaubwürdigkeit ergeben sich nicht, sind auch von den Angeklagten nicht geäussert worden.

Diese Feststellungen werden durch folgende im Wege der Verlesung eingeführte Angaben bestätigt:

In seiner Aussage vom 28.Juli 1961 räumte der verstorbene Zeuge Höf. ein, dass täglich 6.000 Juden deportiert und dass in einem Wagen 150 Personen abtransportiert werden sollten. Der verstorbene Zeuge Poz. bekundete in seiner Aussage vom 12.Januar 1970, dem Judenrat sei zunächst erklärt worden, eine bestimmte Anzahl unproduktiver Juden aus dem Ghetto müsse in den Osten umgesiedelt werden, um dort zu arbeiten. Der Zeuge glaubte, es sei von ungefähr 8.000 Juden täglich die Rede gewesen, die umzusiedeln seien. Die Aussiedlung sei zunächst ziemlich reibungslos verlaufen. Viele Leute seien so verhungert gewesen, dass sie sich allein wegen der Aussicht, etwas zu Essen zu bekommen, zum Umschlagplatz begeben hätten. Der verstorbene Zeuge He. berichtete in seiner Aussage vom 7.Mai

1963, dass die Umsiedlungsaktion im Sommer 1942 für sie völlig überraschend gekommen sei. Zunächst sei ganz glaubhaft das Gerücht verbreitet worden, dass alle Juden, die nicht in den Rüstungsbetrieben tätig seien, nach dem Osten in grosse Lager umgesiedelt würden. Der Judenrat hätte die Aufgabe bekommen, diese Transporte von sich aus zu organisieren und die Leute bereitzustellen. In der ersten Zeit sei dies auch verhältnismässig reibungslos verlaufen.

6.) Die Tatsache, dass die Warschauer Juden in Treblinka vergast wurden, ist offenkundig und geschichtsbekannt. Jedermann kann sich aus allgemein zugänglichen Quellen darüber informieren. Den Prozessbeteiligten wurde dieser Ausgangspunkt vorher bekanntgegeben. Auch die Angeklagten geben zu, im Verlaufe der Aktion gehört zu haben, dass die Juden in Treblinka vergast wurden und dass sie dies damals geglaubt hatten.

Trotz einiger Bedenken glaubt das Schwurgericht den Angeklagten, dass sie zum Beginn der Aktion noch keine positive Kenntnis vom Vernichtungscharakter der Aktion hatten.

Bei dem Angeklagten Mic. spricht zwar die Tatsache, dass er die Massenerschiessung in Riga Ende 1941 erlebt hatte, dafür, dass er in seiner Stellung als Vertreter Höf.s den wahren Charakter der Aktion erkannt hatte. Dennoch glaubt das Schwurgericht dem Angeklagten. Mic. hat in der Hauptsache immer die Wahrheit gesagt und sich selbst nicht geschont. Erst in der Hauptverhandlung schwächte er seine Angaben teilweise etwas ab. Es ist nicht einzusehen, warum er in diesem aus seiner Sicht nicht sehr ins Gewicht fallenden Punkte die Unwahrheit sagen sollte. Es ist zu seinen Gunsten davon auszugehen, dass der Angeklagte Mic. die Erkenntnis der wahren Situation verdrängt hat, obwohl sich diese ihm aufdrängen musste. Er kannte aus der Propaganda und aus Riga die Stellung der NS-Führung zu den Juden. Er wusste, dass Kinder, Alte und Schwache zuerst "umgesiedelt" wurden. Er hätte sich sagen müssen, dass unter diesen Umständen eine wahre Umsiedlung zur Arbeit und in bessere Lebensbedingungen nicht vorliegen konnte.

Für den Angeklagten Hantke spricht, dass er Massenvernichtungsaktionen bisher nicht erlebt hatte und in keiner herausragenden Führungsposition stand. Gegen ihn spricht, dass er die Existenz des Lagers Majdanek kannte und auch wusste, dass Arbeitsunfähige aus dem Lipowa-Lager dort getötet wurden. Er sah am Umschlagplatz die Alten und Schwachen, die in den "Osten" umgesiedelt wurden. Auch er hätte sich sagen müssen, dass die Fahrt der Juden nur in den Tod gehen konnte. Das Schwurgericht nimmt an, dass er sich wie Mic. dieser Erkenntnis verschlossen hat.

Die Feststellungen über die Tatbeteiligung der Angeklagten in dieser ersten Periode der Aussiedlung beruhen allein auf ihren Angaben, die hinsichtlich ihrer Kenntnis vom Vernichtungscharakter nicht zu widerlegen und im übrigen auch glaubhaft sind, da sie in den Ablauf des Gesamtgeschehens passen.

7.) Die Feststellungen darüber, dass die Juden das ihnen zugedachte Schicksal erkannten, beruhen zunächst auf den Angaben der Angeklagten selbst. Der Angeklagte Mic. gibt zu, nach ungefähr einer Woche bis 14 Tagen von den Vergasungen in Treblinka gehört und dies auch geglaubt zu haben. Nun hätten seine früheren Erfahrungen, seine Beobachtungen in Verbindung mit dem Gehörten, ihn zur Gewissheit über das Schicksal der Juden gebracht. Spätestens nach 14 Tagen hätte auch jeder andere das Ziel der Aktion gekannt. Der Angeklagte Hantke gab ebenfalls zu, nach einiger Zeit durch geflüchtete Juden von Treblinka und den dort stattfindenden Vergasungen gehört zu haben. Er habe dies dann mit früheren Beobachtungen in Einklang gebracht und fest an die Vernichtung geglaubt.

Die Juden selbst erkannten das ihnen zugedachte Schicksal schon bald nach Beginn der "Umsiedlungsaktion". Dies geht schon aus der Aussage des Angeklagten Hantke hervor, Juden hätten ihm von Vergasungen und Treblinka erzählt. Auch der Angeklagte Mic. räumte ein, dass die Juden ihr Schicksal kannten. Er bekundete, bei Räumungen von Häusern sei nicht geklingelt worden. Eine Begründung für die Aufforderung zum Verlassen der Wohnungen sei nicht gegeben worden. Dies sei überflüssig gewesen, da jeder Bescheid gewusst habe. Folgende Zeugen berichteten davon, dass das Schicksal der Juden bei Juden und Deutschen bekannt war:

Der unvereidigt gebliebene deutsche Zeuge Thi. bekundete, bei der Räumung in Warschau sei vom Schicksal der Juden gesprochen worden. Der Zeuge Le. berichtete ebenfalls, dass sich unter den Juden die Kunde von Vernichtungslagern herumgesprochen habe und dass die Juden sich deshalb geweigert hätten, freiwillig zur Räumung mitzukommen. Der vereidigte Zeuge R.-R. bekundete, dass es schon vor der "Umsiedlung" im Ghetto Gerüchte über Vergasungen gegeben habe, die aber von niemand geglaubt worden seien. Nach Beginn der Aktion sei aber der Vernichtungscharakter rasch deutlich geworden, da die arbeitsunfähigen Juden sofort abtransportiert worden seien, so dass Vernichtung nur der einzige Sinn sein konnte. Während der Aktion habe man dann gewusst, dass die Gruppe aus Lublin gekommen sei, um die Juden auszurotten. Das Ziel Treblinka sei bald, aber nicht sofort bekannt geworden. Sie hätten schnell gemerkt, dass die Züge nicht weit in den Osten gingen, sie seien nämlich bald wieder gekommen. Sie hätten sich die Nummern der Wagen notiert. Der Zeuge Ro. erklärte in seiner eidlichen Aussage, kurze Zeit nach Beginn der Aktion sei das Ziel der Transporte bekannt geworden. Da sich deshalb keiner freiwillig mehr gemeldet habe, sei Jagd auf die Juden gemacht worden. Der Zeuge Kap. bekundete in seiner eidlichen Aussage, dass das Ziel der Umsiedlung etwa 2 Wochen nach Beginn der Aktion bekannt geworden sei, weil es Flüchtlinge von den Transporten gegeben habe, die von Treblinka und den Tötungen berichtet hätten. Freiwillige habe es dann nicht mehr gegeben. Der Zeuge Hof. berichtete in seiner eidlichen Aussage, es habe schon vor der Aktion Gerüchte über Vergasungen oder Judenvernichtungen gegeben, die die Bevölkerung nicht ernst genommen habe. 10 Tage bis 2 Wochen nach Beginn der Aktion hätten aber alle gewusst, dass das Ziel der Transporte Treblinka und dies der sichere Tod sei. So habe ein Zahnarzt aus Treblinka geschrieben, dass er dort viel mit dem Zahnausreissen zu tun hätte. Ein polnischer Eisenbahner habe diesen Brief in das Ghetto geschmuggelt. Die Eisenbahner hätten auch sehr viel darüber erzählt, dass sie die Wagen mit Chlor desinfizieren müssten und dass es auf den Transporten viele Tote gegeben habe. Es seien sogar zynische Witze über Judenseife durch Verarbeiten von Knochen der Juden gemacht worden. Den genauen Tötungsvorgang in Treblinka hätten sie nicht gekannt. Sie hätten vielmehr geglaubt, dass man sie in einer chemischen Fabrik verarbeiten werde. Der Zeuge Dr. Jed. berichtete in seiner eidlichen Aussage, er habe bald gemerkt, dass seine Arbeit auf dem Umschlagplatz rein fiktiv gewesen sei und der Beschwichtigung diente. Bei Beginn der Aktion sei er noch Optimist gewesen. Das habe sich aber bald geändert. Schon nach 2 oder 3 Tagen habe er an einigen Vorfällen den Vernichtungscharakter der Aktion erkannt. In einem Waggon am Umschlagplatz habe er mehr als 10 Säuglinge unbeaufsichtigt liegen gesehen. Einige seien wahrscheinlich schon tot gewesen, andere hätten - vermutlich aus Hunger - furchtbar geschrien. Es sei ein heisser Tag gewesen. Fliegen hätten im Gesicht der Kinder gesessen, die sich nicht dagegen hätten wehren können, da ihre Hände miteingewickelt gewesen seien. Die Zeugin Halina Bor. berichtete in ihrer eidlichen Aussage, ihnen sei von Anfang an klar gewesen, dass die Anschläge, auf denen von Umsiedlung die Rede war, falsch seien und dass Treblinka das Ziel sei. Sie habe schon vorher durch die polnische Untergrundpresse vom Schicksal der Lubliner Juden erfahren und sei nun überzeugt gewesen, dass jetzt die Warschauer Juden an der Reihe seien.

Die verlesenen Aussagen folgender verstorbener bzw. vernehmungsunfähig kranker Zeugen bestätigen dieses Bild:

Der verstorbene deutsche Zeuge He. berichtet in seiner Aussage vom 14.August 1964, die Aktion im Sommer 1942 sei für sie rasch durchschaubar gewesen. Die Juden hätten ihnen genau berichtet, wie sie vernichtet würden. Der Zeuge sah am Umschlagplatz, wie die

Transportzüge ankamen und abfuhren. Er hörte auch, dass in einem Zuge zwischen 2.000 bis 3.000 Juden abtransportiert würden. Er sah die Juden in Sechser-, Achter- oder Zehnerreihe anstehen. Sie wurden von lettischen Hilfswilligen bewacht. Die Leerzüge kamen nach etwa 3½ Stunden aus Treblinka zurück. Bei dieser Gelegenheit erfuhr der Zeuge, dass die Juden dort vernichtet wurden. Bei einer Unterhaltung erfuhr der Zeuge weiterhin, wie er berichtete, dass sich der Kreishauptmann des Kreises, zu dem Treblinka gehörte, wiederholt beim Warschauer Gouverneur Fischer darüber beschwert hatte, dass der Zivilbevölkerung in der Umgebung von Treblinka ein Wohnen infolge dichter Rauchwolken praktisch unmöglich gemacht worden war. In dieser Unterhaltung erfuhr der Zeuge, wie dort tausende von Juden verbrannt wurden. Schliesslich meinte der Zeuge, dass die Judenvernichtung in Warschau Tagesgespräch gewesen sei. Der verstorbene Zeuge Jes. berichtete in seiner verlesenen Aussage vom 17.Oktober 1961, er habe gerüchtweise gehört, dass die Juden getötet würden. Darüber sei in Warschau gesprochen worden. Das Gericht hat bei dieser Aussage des selbst schwer belasteten Zeugen den Eindruck, dass er sein sicheres Wissen nur als Gerücht zugab. Der in Israel kommissarisch vernommene Zeuge Aharon Fli. erklärte in der verlesenen Aussage vom 1.Oktober 1973, dass die Namen Treblinka und Majdanek im Verlaufe der Umsiedlungsaktion für sie Begriffe geworden seien, da es einigen Juden gelungen sei, zu fliehen. Den Berichten der Flüchtlinge habe man zuerst nicht einmal geglaubt. Der verstorbene Zeuge Poz. berichtete in der verlesenen Aussage vom 12.Januar 1970, dass schon aus Lublin Gerüchte über das Schicksal der dort ausgesiedelten Juden zu ihnen gedrungen seien, die man jedoch nicht geglaubt habe. 5 bis 6 Wochen nach Beginn der Aussiedlung seien die Gerüchte über die Tötungen immer stärker geworden. Als zivilisierte Menschen hätten sie die Wahrheit aber immer noch nicht glauben wollen. Erst die Berichte Geflohener und die Kontrolle der Wagenlaufzeiten hätten ihnen Gewissheit gebracht. Der vernehmungsunfähig erkrankte Zeuge Kli. berichtete in seiner verlesenen Aussage vom 6.Mai 1963, dass die Juden schon am ersten Tage der Aussiedlung auf dem Umschlagplatz Angst bekommen hätten, als sie merkten, dass zwischen 5.000 und 6.000 Mann abtransportiert wurden. Der vernehmungsunfähig erkrankte Zeuge Ba. berichtete in seiner verlesenen Aussage vom 17.Mai 1961, dass sich die Juden bald nicht mehr freiwillig zum Umschlagplatz meldeten, da sie von den umgesiedelten Juden nichts mehr hörten. Durch Flüchtlinge und jüdische Spitzel hätten sie dann von dem Schicksal der Deportierten erfahren und seien von der Massenvernichtung überzeugt gewesen. Der verstorbene Zeuge Dr. Has. bekundete in seiner verlesenen Aussage vom 8.Juni 1962, dass schon zu Beginn der Aktion einige Herren der Rüstungsinspektion die Vermutung geäussert hätten, die Juden würden vernichtet. Zwei Wochen nach Beginn der Räumung hätte er das Schicksal der Juden erkannt, da immer dieselbe Zuggarnitur in kurzer Zeit nach Warschau zurückgekehrt sei. Aus der Schnelligkeit, mit der die Züge nach Warschau zurückgekehrt seien, hätten sie feststellen können, dass diese unmöglich bis nach Russland gefahren sein konnten. Innerhalb des Rüstungskommandos sei dann auch über das Schicksal der Juden gesprochen worden.

8.) Die Feststellungen zur zweiten Phase der Räumungsaktion beruhen zunächst auf den Angaben der Angeklagten. Der Angeklagte Mic. berichtete, dass die Letten mit Gewalt die Leute zusammentrieben, als die Anlieferung durch den jüdischen Ordnungsdienst nicht mehr klappte. Die Juden seien dann in die Betriebe gedrängt, wo sie mit ihren Familien gewohnt hätten. Auf den Strassen hätten sie sich nicht mehr blicken lassen. Nachts sei viel geschossen worden. Die Letten seien dann als zu grausam durch die Ukrainer abgelöst worden. Deren Zahl gibt Mic. mit 250 an. Gehunfähige seien mit Rikschas zum Umschlagplatz gefahren worden. Es seien auch Leute erschossen worden. Befehlsgemäss sei es aber nur gewesen, auf Flüchtlinge zu schiessen oder auf Juden, die sich der Räumung widersetzten. Sie hätten schliesslich dazu übergehen müssen, das Ghetto systematisch nach Strassenzügen zu räumen. Er habe viele Tote gesehen und auch bemerkt, wie geprügelt wurde. Bei der Verladung auf dem Umschlagplatz sei es grausam zugegangen. Bevor der Zug abfuhr, habe es Tote, so zum Beispiel durch Selbstmord gegeben. Es sei dort auch geschlagen worden.

Auch in den Häusern hätten Tote herumgelegen, zum Beispiel Juden, die sich selbst erschossen hätten. Bei Räumungen habe man die Strassen mit Stacheldraht abgesperrt. Drei Mann seien in die Häuser gegangen und hätten "Alles raus!" gerufen. Dann seien die Häuser durchsucht worden. Die normale Bewaffnung sei die Maschinenpistole gewesen. Er und der Angeklagte Hantke hätten nur gewöhnliche Pistolen bei sich gehabt.

Der Angeklagte Hantke berichtete ebenfalls, dass die Juden sich nach Bekanntwerden ihres Schicksals in die Rüstungsbetriebe begaben, auch wenn sie dort nichts zu tun hatten. Öfters hätten sie dort Leute herausgeholt. Bei Räumungsaktionen sei geschlagen worden. Es hätte auch Fusstritte gegeben, und zwar ziemlich forsch. Bei Räumungsaktionen habe man auf drei Seiten begonnen, um die Juden an der Flucht zu hindern. Es sei geschossen worden und es habe auch Leichen gegeben. Die Juden hätten Kanäle unter den Strassen gebaut, so dass das technische Hilfswerk Häuser sprengen musste. Der Angeklagte Hantke bestätigte, dass der Befehl bestand auf fliehende Juden zu schiessen. Die Ukrainer hätten Gewehre, SS und Polizei Pistolen gehabt. Alle, die zu einem Räumkommando gehörten, hätten Peitschen getragen. Maschinenpistolen hätten sie auf der Dienststelle gehabt, aber nicht in Einsatz gebracht.
Bei den Räumungen habe die jüdische Polizei die Hauptarbeit geleistet. Sie habe die Transporte zur Bahn gebracht und die Juden zum Verlassen der Wohnungen aufgefordert. Die Häuser seien dann durch Trawnikileute, Polizei und SS durchkämmt worden. In Fünferreihen seien die Juden auf der Strasse gesammelt und zum Umschlagplatz gebracht worden. Dort hätten sie in Zehnerreihen warten müssen, bis genug beisammen waren.
In den Betrieben sei selektiert worden, wenn die Firmenchefs sich beschwerten, dass sie zuviele Juden hätten. Leute mit Arbeitsbescheinigungen seien in die Betriebe zurückgeschickt worden. Wer keine Bescheinigung hatte, sei zum Umschlagplatz gekommen. Dort seien die Juden mit Peitschen und Gewehrkolben in die Waggons getrieben worden. Es sei dabei auch geschossen worden. Es könne sein, dass Tote einfach mit verladen worden seien. Juden, die aufgegriffen worden seien, als die Züge schon fort waren, seien bis zum nächsten Tage in das Gebäude am Stawkiplatz gekommen. Die Szenen seien oft so grausam gewesen, dass sich ihm der Magen zusammengekrampft habe. Familien seien bei den Selektionen auseinandergerissen worden. Leute aus den Betrieben seien herangestürmt, um ihre Familienangehörigen schreiend zurückzureissen. Sie hätten sich dann dagegen gewehrt. Es seien Juden zumeist durch Letten erschossen worden. Kranke und Gehunfähige seien durch ihre Angehörigen oder die jüdische Polizei auf Rikschas zum Umschlagplatz mitgenommen worden.

Zu dem äusseren Ablauf dieser zweiten Phase und zu den Vorgängen und Geschehnissen auf dem Umschlagplatz haben folgende Zeugen Angaben gemacht:

Der Zeuge R.-R. erklärte in seiner beeideten Aussage: Es sei ein grosses Risiko gewesen, auf die Strasse zu gehen. Aber auch wenn man sich dauernd im Büro aufgehalten habe, sei man in Selektionen geraten. Zu diesen habe man auf den Hof gehen müssen. Dort habe dann jemand in SS-Uniform mit einer Reitpeitsche nach links oder rechts gewiesen. Schiessen sei an der Tagesordnung gewesen. Dies habe zum Leben im Ghetto gehört. Der deutsche, selbst belastete, Zeuge Ho. berichtete in seiner beeideten Aussage, er habe auch die Aufgabe gehabt, Häuserblocks von Juden zu räumen. Die Juden hätten soviel Gepäck mitnehmen dürfen, wie sie tragen konnten. Vor den Häusern seien Ausweiskontrollen durchgeführt worden. Die Juden, die in kriegswichtigen Betrieben arbeiteten, hätten zurückbleiben dürfen. Der jüdische Ordnungsdienst habe unten gerufen: "Alle Juden sollen herauskommen!" Die meisten Juden seien dann auch freiwillig gekommen und in einem Zug zum Umschlagplatz gebracht worden. Dort seien sie dann von anderen SS-Leuten übernommen worden. Bei den Räumungen habe es auch Widerstand gegeben. Es sei dann erforderlich gewesen, energischer aufzutreten. Wenn sie aber bewaffnet in den Wohnungen erschienen seien, seien die Juden meistens freiwillig gekommen. Widerstand sei es schon gewesen, wenn die Juden nicht freiwillig gekommen seien. Im Stawkikrankenhaus seien die Juden geblieben, die nicht mehr in den Zügen mitkamen. Dort sei dann auch einiges passiert, wie sich der Zeuge vorsichtig ausdrückte. Die

Letten seien nicht sehr zimperlich gewesen. Im Ghetto hätten Leichen herumgelegen. Ob diese erschossen, verhungert oder an Typhus gestorben seien, wisse er nicht. Alte, Kranke und nicht gehfähige Personen seien mit Rikschas zum Umschlagplatz gebracht worden. Der Zeuge schilderte sodann den Anblick der jüdischen Leichenwagen, auf denen die Leichen nackt in Schichten kreuz und quer lagen. Die Todesursache habe er nicht erkannt, da er nicht genau hingeschaut habe, eine Leiche sei nämlich kein schöner Anblick gewesen. Der deutsche Zeuge Zuc. erwähnte in seiner unbeeideten Aussage nur den Einsatz der Ukrainer im Ghetto. Mehr will er nicht gewusst haben. Der jüdische Zeuge Jerzy Ro. schilderte in seiner beeideten Aussage, dass er während seiner Tätigkeit bei der jüdischen Ambulanz viel gesehen habe. Als Ambulanz seien sie vor einem Abtransport geschützt gewesen. Sie seien deswegen häufig zum Umschlagplatz gefahren, um Leute zu retten. In den Ambulanzwagen seien höchstens vier Personen hineingegangen. Bei der Wegfahrt seien sie nicht kontrolliert worden, weil sie den Posten erzählt hätten, sie hätten Fleckfieberkranke im Wagen. Der Zeuge Kap. bekundete in seiner beeideten Aussage, wie er auf den Umschlagplatz gebracht worden sei und dort versucht habe, immer der Letzte zu sein. Die Juden seien mit Hunden, Peitschen und Schüssen in die Waggons getrieben worden. Als er dicht vor einem Waggon gewesen sei, habe der Angeklagte Hantke plötzlich gerufen: "Halt! Der kann arbeiten". So sei er gerettet worden. Am Umschlagplatz sei geschlagen, gestossen und geschossen worden. Die Schüsse seien sowohl in die Luft als auch in die Menschenmasse abgegeben worden. Bei den Razzien und Blockaden im Ghetto habe er überall Leichen und auch Erschiessungen gesehen. Die Räumung sei durch die SS mit Hilfe von Litauern und Ukrainern durchgeführt worden. Die Zeugin Helena Lan. erklärte in ihrer beeideten Aussage: Bei den Kontrollen in den Häusern und Strassenrazzien seien die ergriffenen Leute auf LKWs verladen und zum Umschlagplatz transportiert worden. Diese Razzien seien von Tag zu Tag verschärft worden. Sie selbst habe versucht, sich bei jeder Aktion zu verstecken, da ihre Arbeitsbescheinigung später nicht mehr gültig gewesen sei. Bei einer Aktion habe sie in einem Treppenhaus einen Ukrainer getroffen. Dieser habe sich gegen sie mit seinem Gewehrkolben gewandt, der mit Blut und Hirn beschmutzt gewesen sei. Dieser Ukrainer habe unmittelbar vorher einen Menschen erschlagen, sie habe selbst die Leiche gesehen. Sie habe sich vor dem Ukrainer nur dadurch retten können, dass sie ihn in seiner Sprache ansprach. Der Ukrainer habe sie dann für eine Landsmännin gehalten und zu den Leuten im Hof geführt, die bereits kontrolliert waren und im Ghetto bleiben durften. Ein anderes Mal sei sie vor der Aussiedlung nur dadurch gerettet worden, dass ein älterer Deutscher sie herausgezogen und erklärt habe, sie sehe so sauber aus wie eine Tiroler Touristin. So habe sie weggehen können. Wieder ein anderes Mal habe sie sich nur durch die Flucht über das Dach vor der Aussiedlung retten können. Ein SS-Mann habe hinter ihr hergeschossen. Vor dem Abtransport habe sie sich schliesslich nur dadurch retten können, dass sie mit einem jüdischen Ordnungspolizisten eine Scheinehe schloss. Der Zeuge Sam Hof. erklärte in seiner beeideten Aussage, dass es schliesslich gefährlich gewesen sei, von der Wohnung zur Arbeitsstelle zu gehen, so dass er in seiner Werkstatt habe wohnen müssen. Er habe gehört, dass es auf dem Umschlagplatz schrecklich zugegangen sei. Er habe auch mehrfach gesehen, wie die Juden zum Umschlagplatz geführt worden seien. Ältere und kranke Juden seien auf Rikschas befördert worden. Die Züge seien von Ukrainern bewacht gewesen. Unter den Juden habe er auch Bekannte, so zum Beispiel einen Rechtsanwalt, gesehen. Die Juden seien geschlagen und zur Eile angetrieben worden. Der Zeuge Ted-Aron B. erklärte in seiner beeideten Aussage, dass die jüdische Hilfspolizei zunächst noch allein gearbeitet habe. Als diese aber nicht mehr genug Juden geliefert habe, seien die SS und die Ukrainer gekommen. Der selbst schwer belastete Zeuge Wor. [357] hat in seiner uneidlichen Aussage eingeräumt, dass die Juden auf dem Umschlagplatz mit gewissem Nachdruck zu den Waggons gebracht und in diese zu mehr als 100 Mann "hineingepfercht" wurden. Auch der ursprünglich mitangeklagte Zeuge Se. räumte in seiner

[357] Siehe Verfahren Nr.826.

uneidlichen Aussage ein, dass die Juden auf dem Umschlagplatz deprimiert in grosse Viehwagen unter Assistenz von jüdischer Ordnungspolizei stiegen. Die Askaris (als solche bezeichnete man in Warschau die ukrainischen Hilfswilligen) hätten bisweilen, so zum Beispiel, wenn man die Verdunklung vergass, in die Fenster geschossen, bis die Lampen aus gewesen seien. Dieser Zeuge schwächte ersichtlich ab und war angeblich nicht in der Lage, weitere Erinnerungen wiederzugeben. Die Zeugin Halina Bor. schilderte in ihrer beeideten Aussage mehrere Selektionen, die sie miterlebt habe; auf diese wird später näher einzugehen sein. Der selbst belastete, ursprünglich mitangeklagte Zeuge Le. schilderte in seiner uneidlichen Aussage, wie die Juden sich weigerten, freiwillig mitzukommen, nachdem ihnen ihr Schicksal bekannt wurde. Er berichtete, wie er mit ukrainischen Hilfswilligen in die Häuser gegangen sei, um sie nach versteckten Juden zu durchsuchen. Er habe gesehen, wie die Ukrainer wahllos Menschen erschossen und rücksichtslos von der Peitsche und vom Gewehrkolben Gebrauch gemacht hätten, um die Juden zum Umschlagplatz in die Waggons zu treiben. Der nicht beeidete Zeuge Thi. räumte nur ein, einmal zwei Leichen gesehen zu haben. Zu weiteren Aussagen war dieser körperlich sehr behinderte Zeuge aus Angst und vermutlich auch wegen echter Erinnerungslücken nicht in der Lage.

Die in der Hauptverhandlung verlesenen Aussagen bestätigen dieses einheitliche Bild. Im einzelnen sind die Aussagen folgender verstorbener, vernehmungsunfähiger oder kommissarisch vernommener Zeugen zu berücksichtigen:

In seiner verlesenen Aussage vom 8.Juni 1962 schilderte der verstorbene Zeuge Dr. Has., dass die Inhaber der Firmen Schultz und Toebbens sich oft Leute für die Betriebe vom Umschlagplatz zurückgeholt hätten. Die Juden seien beim Verladen aus dem Gebäude am Stawkiplatz heraus und an ihnen vorbei zu den Waggons geführt worden. Wenn sie Schultz oder Toebbens gesehen hätten, seien sie schreiend auf ihre Betriebsführer zugelaufen und hätten sie gebeten, sie herauszuholen. Dies sei dann Schultz und Toebbens auch wiederholt gelungen. Er selbst habe dabei ebenfalls mitgewirkt. Sie hätten in solchen Fällen die Tatsache herausgestellt, dass sie diese Leute für die Rüstungsbetriebe gebraucht hätten. Weiterhin meinte der Zeuge, die Letten seien so gefährlich gewesen, dass sich selbst die Deutschen vor ihnen hätten vorsehen müssen. Der verstorbene Zeuge Ric. schilderte in seiner Vernehmung vom 22.April 1964, er habe gesehen, wie ein SS-Mann einer jüdischen Frau einen Peitschenhieb ins Gesicht versetzt habe. Eines Tages habe man ihm gesagt, dass der Zeuge Aharon Fli. auf dem Umschlagplatz gebracht worden sei. Er habe sich dorthin begeben und gefragt, wer die Leitung dort habe. Man habe ihn dann an eine Person verwiesen, in der er jetzt Höf. erkenne. Er sei sicher, dass es sich um Höf. gehandelt habe. Diesen habe er gebeten, Fli. freizugeben. Höf. habe das dann auch gemacht. Auf dem Umschlagplatz habe er tausende von Menschen gesehen. Er habe es aber nicht erlebt, dass jemand auf dem Umschlagplatz oder in den Strassen des Ghettos erschossen worden sei. Die Juden hätten ihm aber so etwas berichtet. Ein anderes Mal habe er, anlässlich einer Selektion, gesehen, wie ein Zivilist mit aufgekrempelten Ärmeln und einer Peitsche bei einem Block jüdischer Arbeiter stand. Auf seine Frage, warum er denn da mit der Peitsche herumstehe, habe dieser Zivilist ihm gesagt, das sei so üblich hier. Der kommissarisch vernommene Zeuge Aharon Fli. schilderte in seiner verlesenen Aussage vom 1.Oktober 1973, dass er zum Umschlagplatz gebracht worden sei, dass es aber dem Zeugen Ric. gelungen sei, ihn dort frei zu bekommen. Auf den in diesem Zusammenhang nicht interessierenden Widerspruch zwischen den Aussagen der Zeugen Ric. und Fli. über die Art der Freigabe des Zeugen Fli. wird an anderer Stelle eingegangen werden. Der verstorbene Zeuge Henryk Bor., Ehemann der in der Hauptverhandlung gehörten Zeugin Halina Bor., bestätigte in seiner verlesenen Aussage vom 23.März 1961 die Angaben seiner Frau, die diese schon damals gemacht hatte.

Der Zeuge He., der ebenfalls verstorben ist, schilderte in seiner verlesenen Vernehmung vom 14.August 1964, er habe auf dem Umschlagplatz mit Sicherheit Angehörige der Warschauer Gestapo erkannt. Er erinnere sich auch an einen Einzelfall. Als eine ihm bekannte

Jüdin verladen worden sei, habe er sich an einen beaufsichtigenden SD-Mann gewandt mit dem Bemerken, man habe die Frau wohl aus Versehen mit auf den Transport genommen, sie arbeite doch für einen deutschen Rüstungsbetrieb. Der SD-Mann habe ihm etwa sinngemäss geantwortet: "Sie ist sicher auf der Strasse herumgelaufen und alles, was auf der Strasse herumläuft, wird mitgenommen". In einer weiteren Vernehmung vom 17.Mai 1963 erklärte der verstorbene Zeuge He., er habe verschiedentlich Züge ausgesiedelter Juden auf dem Marsch zur Bahn gesehen. Hierbei sei es ruhig zugegangen. Nach seiner Kenntnis sei täglich jedoch eine so grosse Zahl von Leichen zum jüdischen Friedhof transportiert worden, dass man annehmen müsse, diese Menschen könnten unmöglich alle eines natürlichen Todes gestorben sein. Einmal sei er ausserhalb des Ghettos einem SS-Mann begegnet, der mit erhobener Pistole den ihm bekannten Juden Dr. Wundheiler bedrohte, obwohl dieser einen ordnungsgemässen Passierschein hatte. Er habe sich dann gegenüber der SS ausgewiesen und Dr. Wundheiler aufgefordert, seinen Passierschein zu zeigen. Diesen habe sich der SS-Mann bis dahin noch gar nicht angesehen. Es sei ihm dann gelungen, Dr. Wundheiler zu sich in den Wagen zu nehmen und ihn zur Transferstelle zu bringen. Er sei überzeugt gewesen, dass Dr. Wundheiler ohne sein Dazukommen von dem SS-Mann erschossen worden wäre.
Auch der verstorbene schwer belastete Zeuge Jes. gab in seiner Vernehmung vom 2.Oktober 1962 zu, er habe gehört, dass die Juden in die Wagen "gestopft" worden seien. Es habe sich herumgesprochen, dass die Waggons erheblich über das normale Fassungsvermögen hinaus besetzt worden seien.

Der verstorbene Zeuge Poz. schilderte in seiner Aussage vom 12.Januar 1970, dass der Widerstand gegen die Aussiedlung allmählich gewachsen sei und im zunehmenden Umfange die Häuser und Blocks gewaltsam hätten geräumt werden müssen.

Der kommissarisch vernommene und zurückhaltend aussagende Zeuge Schi. räumte in seiner verlesenen Aussage vom 8.Oktober 1973 immerhin ein, dass an der Räumung eine Einheit aus Trawniki teilgenommen hat, die später abgelöst wurde. Insoweit ist die Aussage glaubwürdig, da auch andere Zeugen diesen Punkt bestätigen. Im übrigen ist die Aussage dieses Zeugen unglaubwürdig. Er bemühte sich offensichtlich, sich selbst zu entlasten.

Der verstorbene Zeuge Toe. schilderte in der verlesenen Aussage vom 14.Februar 1963, er habe sich eines Tages auf den Umschlagplatz begeben, um die Mutter eines Berliner Juden zu retten. Auf dem Wege zum Umschlagplatz habe er gesehen, wie man Juden aus den Häusern holte. Ein Teil sei auf ein Pferdefuhrwerk verladen worden und habe auf den Abtransport gewartet. Die Juden hätten ihn erkannt und unter Vorzeigen von Ausweisen der Firma Toebbens ihn um Rettung gebeten. Er habe aber im Augenblick nichts machen können. Die SS sei noch dabei gewesen, die Häuser durchzukämmen. Er habe dann einen deutschen SS-Angehörigen gesehen, der aus Mutwillen versucht habe, mit seiner Maschinenpistole einen Juden zu erschiessen, der in einem Hause am Fenster stand. Er habe versucht, rückwärts über die Schulter zu schiessen. Da ihm dies nicht gelungen sei, habe er den Juden dann mit einem gezielten Schuss niedergestreckt. Die SS-Leute hätten sodann gemerkt, dass etwa 20 Juden in einen Raum geflüchtet seien, der an der Strasse lag. Sie hätten eine geballte Ladung aus mehreren Handgranaten zusammengestellt und diese in den Raum geworfen, in dem sich die Juden befunden hätten. Es habe eine fürchterliche Detonation gegeben. Auf Befragen hätten ihm die SS-Leute gesagt, sie machten so etwas nur, wenn es sich lohne.
Am Umschlagplatz selbst habe er sich vergeblich bemüht, die Mutter des Berliner Juden zu retten. Er habe dort gesehen, wie eine Polin von einem Polizeiangehörigen mit der Pistole erschossen worden sei, als sie sich an die Absperrung begab. Ein anderes Mal habe er sich im Auftrage von Herrn Toebbens zum Umschlagplatz begeben, um zu versuchen, eine Kolonne Zuschneider, die dringend benötigt wurde, frei zu bekommen. Am Umschlagplatz habe er gesehen, wie ein Jude mit einer Rikscha ein altes schwächliches Mütterchen heranfuhr.
Ein junger SS-Offizier habe diese Frau in der Rikscha fotographiert und dann mit dem Fuss die Rikscha umgestossen, so dass die alte Frau in eine Pfütze auf der Strasse fiel. Der SS--

Offizier habe dann zwei jüdischen Ghettopolizisten die Anweisung gegeben, die alte Frau in einen Waggon zu schleifen. Bei dem Versuch, die Zuschneider frei zu bekommen, sei er von dem SS-Offizier mit dem Bemerken verscheucht worden, wenn er nicht unverzüglich den Platz verlasse, würde er Gebrauch von der Schusswaffe machen. Ein paar Mal habe er es auch erlebt, dass in den Ghettostrassen SS und Litauer wahllos umhergeschossen hätten. Er habe dann aber nicht mehr gesehen, dass Juden erschossen worden seien. Ein anderes Mal habe er in den Ghettostrassen eine sog. "Greifaktion" erlebt. Bei dieser habe er eine Mutter gesehen, die rechts und links an der Hand je ein kleines Kind führte. Zwei SS-Leute hätten die Kinder mit Gewehrkolben niedergeschlagen, und zwar so dass das Gehirn umhergespritzt sei. Dann hätten sie die Frau auf ein Pferdefuhrwerk geworfen, das bereit stand, die Juden abzutransportieren. Er habe des öfteren bemerkt, dass die Juden nicht zum Umschlagplatz marschierten, sondern auf Wagen verladen wurden, weil sie sonst aus der Reihe liefen oder Fluchtversuche unternahmen.
Der verstorbene Zeuge Kon. schilderte in seiner verlesenen Aussage vom 23.Juli 1961 wie er sah, dass Häuser geräumt wurden.

Der vernehmungsunfähig erkrankte Zeuge Kli. berichtete in seiner verlesenen Aussage vom 6.Mai 1963, wie er versuchte, vom Umschlagplatz Arbeiter der Firma Schultz zu retten. Plastisch schilderte er das Durcheinander und das brutale Vorgehen durch die SS. Er schilderte auch weiter, wie im Stawkikrankenhaus geschossen wurde, nachdem die Juden dort hinaus mussten, um sich zu den Zügen zu begeben. Später habe er gehört, dass im Krankenhaus diejenigen Juden erschossen worden seien, die sich an diesem Tage dort versteckt hatten. Dieser Punkt der Aussage deckt sich mit den Bekundungen des Zeugen Dr. Jed.
Der Zeuge erklärte weiterhin, dass am Umschlagplatz geschossen worden sei, er habe aber nicht sehen können, ob es Warn- oder Schreckschüsse gewesen seien oder ob gezielt auf Menschen geschossen worden sei. Auf dem Umschlagplatz habe er viele Selektionen erlebt. Es sei aber nicht immer so gewesen, dass sie an einer bestimmten Stelle die Möglichkeit gehabt hätten, die Juden an sich vorbei defilieren zu lassen und ihre Leute auszusuchen. Die Juden seien oft schon zu grossen Haufen zusammengestellt gewesen und sie hätten dann versuchen müssen, ihre Leute aus dem Haufen auszusuchen. In zwei Fällen habe er mit Sicherheit Leichen gesehen. Es seien höchstens zwischen 10 und 15 gewesen. Sie hätten in der Nähe des Gleises auf dem Umschlagplatz auf einem Haufen übereinander gelegen. Vor diesem Anblick habe er die Flucht ergriffen. Im zweiten Fall seien es ungefähr 5 bis 7 Leichen, ebenfalls auf dem Umschlagplatz, in einer Nische gewesen, die von Gebäudeteilen gebildet wurde. Er könne in beiden Fällen nicht sagen, ob es sich um gewaltsam getötete Personen oder um die Leichen Verstorbener gehandelt habe.
In einer weiteren Vernehmung vom 30.Oktober 1963, die ebenfalls verlesen wurde, berichtete der Zeuge Kli., bei den grossen Selektionen habe die Peitsche geradezu "zum Anzug gehört", es sei dabei auch häufig geschossen worden. Ausserdem seien wilde und wahllose Erschiessungen vorgekommen, die er selbst nie gesehen, von denen er aber durch Juden gehört habe. Bei den Selektionen seien seines Wissens die Juden erschossen worden, die sich versteckt gehalten hätten. Im Ghetto habe er wiederholt Leichen gesehen, allerdings wisse er nicht, ob es sich um erschossene Personen gehandelt habe oder solche, die wegen Entkräftung oder aus anderen Gründen tot zusammengebrochen seien. Er könne sich nicht mehr an alle Fälle erinnern. Die Leichen in den Strassen seien meistens zugedeckt gewesen.

Der vernehmungsunfähig erkrankte Zeuge Ba. berichtete in seiner verlesenen Vernehmung vom 17.Mai 1961, er habe den Beginn der Räumungsaktion in Warschau nicht erlebt. Als er von einer Geschäftsreise aus Deutschland kommend nach Warschau zurückgekehrt sei, sei dort die Hölle los gewesen. Dies sei ungefähr 8 Tage nach Beginn der Aktion gewesen. Die Juden, die weggebracht werden sollten, seien auf dem Umschlagplatz gesammelt worden. Das Sammeln sei so vor sich gegangen, dass die jüdische Polizei zunächst angewiesen worden sei, eine bestimmte Strasse abzuriegeln. Darauf sei die jüdische Polizei in die Strasse gegangen und habe alle Leute, die sich auf den Strassen befanden, in die Häuser hineingejagt. Sodann seien sämtliche Hauseingänge von den jüdischen Polizisten besetzt worden, meistens vor jeder Haustür zwei Polizisten. Nunmehr seien die bewaffneten Ukrainer und Letten in die Strasse eingerückt, hätten diese abgeriegelt und die Häuser systematisch durchgekämmt, die Leute herausgeholt und zum Umschlagplatz geführt. Die Betriebe seien in dieser Zeit noch weitgehend unbehelligt geblieben. Dies habe sich jedoch im Verlaufe von zwei Monaten geändert. Nun seien auch die Betriebsleute auf der Strasse eingefangen oder nachts aus den Häusern geholt und zur Verladung gebracht worden. Dies habe zur Folge gehabt, dass ihre Leute zeitweilig nachts gar nicht mehr aus den Betrieben weggegangen seien, sondern versucht hätten auf dem Betriebsgelände zu übernachten. Auf Befragen, wieviele Personen in einem Waggon kämen, habe man ihm 80 gesagt. In Wirklichkeit seien es aber 150 Personen pro Waggon gewesen. Es sei sogar - wie er gehört habe - vorgekommen, dass die Türen der Waggons geplatzt und die Leute herausgefallen seien. Von diesen seien einige entkommen, obwohl von dem Zugbegleitpersonal auf die Fliehenden geschossen worden sei. Beim Zusammentreiben der Leute, die abtransportiert werden sollten, sei es laufend zu Erschiessungen gekommen. Wer nicht mitgehen konnte oder zu langsam ging oder sich auf die Erde warf oder versucht habe, im Haus zurückzubleiben, sei auf der Stelle erschossen worden. Die Juden hätten die Leichen aufsammeln müssen. Er selbst habe die Leichenwagen in Tätigkeit gesehen. Es sei jeweils ein flacher Planwagen gewesen. In der Mitte habe sich ein Kasten befunden. Die auf der Strasse erschossenen Personen seien noch angezogen gewesen. Sie seien daher auch neben dem Kasten offen auf dem Wagen gelegt worden. Es seien mehrere solcher Wagen in Betrieb gewesen. Die Fahrer hätten, abgesehen von den Erschossenen, auch die täglich auf den Strassen herumliegenden Verstorbenen abzufahren gehabt. Es hätten täglich Leichen von Erfrorenen oder vor Schwäche oder Hunger verstorbenen Personen auf den Strassen gelegen.

Sogar Höf. räumte in seinen verlesenen Aussagen vom 20.Juli 1961 ff. ein, dass pro Wagen 150 Juden abtransportiert worden sein könnten. Die Aussage Höf.s ist in solchen Punkten glaubwürdig, da er meinte, sich dadurch nicht zu belasten. Höf. räumte auch ein, dass die Räumung systematisch nach Häusern, Häuserblocks, Strassen, Strassenzügen, Stadtteilen und Bezirken vorgenommen worden sei und dass er, wenn er anwesend gewesen sei, die Reihenfolge der Aussiedlung bestimmt habe. Die Auswahl der Personen und die Bestimmung der Reihenfolge von Personengruppen bei der Aussiedlung sei in erster Linie Aufgabe des Judenrates gewesen.

9.) Die Feststellungen zur Beteiligung des Angeklagten Mic. in dieser Phase der Räumung beruhen auf folgenden Grundlagen:

Der Angeklagte Mic. ist weitgehend geständig. Er führte folgendes aus: Bei Widerstand sei geschossen worden. Die Juden hätten sich verkrochen. Insgesamt hätten sie ungefähr 200.000 Juden aus dem Ghetto herausgeräumt. Um das Ghetto verkleinern zu können, seien sie zu systematischen Räumungen übergegangen. Dies sei deswegen notwendig gewesen, weil sich die Juden in schon geräumte Häuser zurückbegeben hätten, so dass sie jede Übersicht verloren. Sie hätten aus diesem Grunde systematisch Strassen mit Stacheldraht absperren und die Strassenzüge durchräumen müssen. Er selbst sei auch ab und zu mitgegangen und habe einen Räumungseinsatz geleitet. Seine Gegenwart habe Ausschreitungen verhindert. Er habe Tote gesehen und er habe auch gesehen wie geprügelt und wie am Umschlagplatz geschossen worden sei. Mic. räumte ein, selbst auch eine Peitsche gehabt zu haben und zumindest am Anfang geschlagen zu haben, um sich die Juden vom Leibe zu halten. Im letzten Drittel der Aussiedlung habe er die Räumung überwacht. Das habe ungefähr 3 Wochen gedauert. Er habe gesehen, wie in zwei Fällen Juden erschossen worden seien. Ein Rikschafahrer habe jemandem Geld weggenommen und sei geflohen, ein SS-Mann habe ihn erschossen. An den zweiten Fall erinnere er sich nicht mehr.
Globocnik sei zweimal in Warschau gewesen. Höf. habe ihm immer berichtet. Er selbst habe nicht geschossen. Sie hätten auch nicht viele Tote haben sollen. Das Ghetto habe ein trauri-

ges Bild geboten. Kranke, schwache und halbverhungerte Leute seien herumgelaufen. Dies seien nicht die heutigen Israelis gewesen. Wenn es diese gewesen wären, dann wären sie aus dem Ghetto herausgeflogen. Höf. sei dauernd zwischen Lublin und Warschau hin und hergefahren. Höf. sei sein Chef gewesen. Von Sammern-Frankenegg sei berichtet worden; jeden Tag um 9.00 Uhr morgens musste ihm mitgeteilt werden, was am Vortage geschehen sei. Beim Durchkämmen der Häuser hätten sie alle Juden auf die Strasse gebracht, unten gesammelt und seien dann Haus um Haus durchgegangen. Wenn sie genug Juden zusammen hatten, hätten sie sie zum Umschlagplatz gebracht. Die geräumten Strassen hätten sie dann mit Stacheldraht abgegrenzt. Auf einem grossen Plan habe er die zu räumenden Strassen selbst eingezeichnet. Die Sicherheitspolizei sei morgens in die Befehlsstelle in der Zelasnastrasse gekommen und habe gefragt, was los sei. Ihr seien dann die Pläne gezeigt worden. Wenn er bei einer Räumung dabei gewesen sei, habe er nicht viel zu sagen brauchen, da die Räumtrupps ihre Aufgaben besser kannten als er selbst. Auch die Sicherheitspolizei habe oft genug Vorschläge für die Räumung gemacht.
Die Aktion selbst habe er für ein Unrecht gehalten. Es sei ihm klar gewesen, dass Unrecht befohlen worden sei. In der Hektik habe er sich aber nicht intensiv genug mit der Sache befasst. Der Krieg habe die Menschen auf eine niedrigere Stufe gebracht. Er habe aber auch Leuten geholfen, so z.B. dem jüdischen Arzt Dr. Brand.
Die Peitschen hätten nicht zur Ausrüstung gehört. Als sie geimpft worden seien, habe man ihnen geraten, sich die Juden vom Leibe zu halten, um sich nicht anzustecken. Aus diesem Grunde habe er später die Peitsche gelegentlich gebraucht. Es seien Reitpeitschen aus Leder gewesen. Auch die Deutschen in den Rüstungsbetrieben hätten alle diese Peitschen getragen. Er selbst habe nie einen Juden erschossen und würde dies auch nicht getan haben, wenn es ihm befohlen worden wäre. Einige Tage später wich der Angeklagte Mic. von diesem Punkte etwas ab und meinte, dass seine Antwort spontan aus der heutigen Einstellung heraus gekommen sei. Er könne jetzt nicht mehr sagen, ob er damals auf Befehl einen Juden erschossen haben würde. Er hätte es wahrscheinlich tun müssen.

Der Angeklagte Mic. erklärte dann, er habe keine Juden auf der Strasse zusammengetrieben. Auf Vorhalt seiner früheren Aussage, wenn er durchs Ghetto gefahren sei und dabei einen wilden Haufen gesehen habe, habe er diesen schon mitgenommen, nicht aber Arbeiter der Rüstungsbetriebe, erklärte der Angeklagte, dass er dies damals zwar gesagt habe. Er sei aber mit den Nerven fertig gewesen.
In Warschau habe er in der Hauptsache die Büroarbeiten gemacht, sei aber auch draussen tätig gewesen. Besonders die vielen Ausweise, für die er verantwortlich gewesen sei, hätten Arbeit gemacht. Als die jüdische Polizei die Kontingente nicht mehr habe stellen können, hätten sie die Ghettoräumung systematisch nach dem Stadtplan durchgeführt. Höf., er oder Claasen hätten von Sammern-Frankenegg jeweils die Berichte gebracht. Mit der Verkleinerung des Ghettos sei die Räumung immer einfacher geworden. Es sei auch seine Aufgabe gewesen, die Ghetto-Übersichtskarte der Befehlsstelle auf dem Laufenden zu halten. Er habe sie aber nicht erfunden. Die Zahl der Räumkommandos habe geschwankt, da die Warschauer Sicherheitspolizei nicht immer dieselbe Anzahl von Polizisten geschickt habe. In den Berichten an von Sammern-Frankenegg seien auch die besonderen Vorkommnisse und die Zahl der Abtransportierten mitgeteilt worden. Dazu habe auch die Zahl der Toten gehört, soweit sie erfasst worden seien. Die Zahlen seien aufgeschrieben worden, sonst sei nur mündlich berichtet worden. Schliesslich sei er noch für den Arbeitseinsatz in den Betrieben zuständig gewesen. Deshalb habe er sich auch immer an die Betriebe gewandt und sei dort besonders bekannt gewesen.

Die Zeugin Helena Lan. berichtete, sie kenne den Angeklagten Mic. nicht, habe aber gehört, dass er zum Lubliner Kommando gehört habe, er solle angeblich der grosse Organisator gewesen sein. Der sonst nicht glaubwürdige Zeuge Wor. [358] bekundete, Mic. sei die rechte Hand von Höf. gewesen. Jedenfalls sei dies sein Eindruck gewesen. Insoweit ist der Zeuge Wor. glaubwürdig, da Mic. dies selbst einräumt. Der Zeuge Le., der Mic. schon aus Riga kannte, sagte nach der Überzeugung des Gerichts die Unwahrheit, als er bekundete, er wisse nicht, wer das Kommando geführt habe, wenn Höf. nicht da gewesen sei.

Der Zeuge Ne., der auf das Gericht einen sehr guten und glaubwürdigen Eindruck machte, berichtete, er habe Mic. nie bei einer Aktion gesehen. Er habe ihn aber als entscheidenden Mann kennengelernt. Es habe immer geheissen, man müsse zu Mic. gehen, um eine Entscheidung zu erhalten. Mic. sei in seiner Dienststellung für sie die höchsterreichbare Stufe gewesen. Höf. sei schon zu hoch gewesen. Man habe mit Mic. relativ vernünftig sprechen können, es sei aber schon riskant gewesen, ihm einen Schnaps anzubieten. Juden seien für Mic. nur Objekte gewesen. Er habe lediglich seinen Auftrag ausgeführt, ohne dass bei ihm besondere Brutalität oder Antisemitismus im Spiel gewesen sei. Wenn Mic. in den Betrieb gekommen sei, hätten die Juden nicht um ihr Leben zittern müssen, wie es bei anderen SS--Leuten der Fall gewesen sei. Der Zeuge Zuc. berichtete, er habe einmal während einer Fahrt den Angeklagten Mic. auf die Behandlung der Juden angesprochen und gemeint, dass diese nicht richtig sei. Mic. habe geantwortet, er hielte es auch nicht für richtig; Befehl sei aber Befehl. Der Zeuge Zuc. hat diese Aussage auch in früheren Vernehmungen von sich aus gemacht, so dass sie für glaubhaft gehalten werden muss, obwohl es merkwürdig berührt, dass ein einfacher Fahrer und Volksdeutscher, der dem Sonderdienst angehörte, gegenüber einem Hauptsturmführer ein solch heikles Gesprächsthema angeschnitten haben soll, auf das der Offizier auch einging.

Der Zeuge Stre. bekundete, er habe sich nach der Warschauer Aktion in Trawniki mit dem Angeklagten Mic. mehrfach über das Problem der Judenvernichtung unterhalten. Sie hätten beide diese als unmenschlich angesehen und sie innerlich abgelehnt. Der Zeuge Stre. ist Hauptangeklagter in einem Parallelprozess [359] als ehemaliger Chef der Ukrainereinheiten des Lagers Trawniki. Seine Aussagen müssen aus diesem Gesichtspunkt gewürdigt werden. Dennoch kann seine Bekundung über die innere Einstellung des Angeklagten Mic., soweit sie diesen allein betrifft, nicht einfach als unglaubwürdig behandelt werden, da dies mit der erwähnten Aussage des Zeugen Zuc. übereinstimmt.

Der Zeuge Dr. Sic. bestätigte die Angaben des Angeklagten Mic. über die Lieferung der Röntgenstation und die Übernahme des jüdischen Arztes Dr. Brand mit seiner Familie. Der Zeuge Dr. Sic. machte auf das Schwurgericht einen glaubwürdigen Eindruck. Er wurde vereidigt.

Der Zeuge Wip. bekundete in seiner eidlichen Aussage, er habe in Lublin einmal in der Halle des Hauses von Globocnik Mic. und Höf. getroffen, die beide sehr angetrunken gewesen seien. Beide hätten erzählt, sie hätten eine neue Sache mitgemacht und ausprobiert, bei der durch Autoabgase Menschen umgebracht werden könnten. Er habe das Gefühl gehabt, dass die beiden damit ausdrücken wollten, dass sie sich Verdienste erworben hätten. Wer der Wortführer gewesen sei, wisse er heute nicht mehr. Einer von den beiden habe gesagt, diese Sache könne man wertvoll auswerten. Als er daraufhin erwidert habe, dies sei keine Heldentat, hätten ihn beide angegriffen. Es sei das erste Mal gewesen, dass er von einem niederen Dienstgrad angegriffen worden sei. Er habe seine Waffe gezogen, Globocnik sei aber darüber hinzugekommen und habe den Streit geschlichtet. Globocnik habe ihm hinterher gesagt, die beiden hätten nur angegeben. Dabei blieb der Zeuge trotz Vorhalts einer früheren Aus-

[358] Siehe Verfahren Nr.826.

[359] Siehe Verfahren Nr.833.

sage, in der er angegeben hatte, Globocnik habe die Angaben Mic.s und Höf.s bestätigt. Der Zeuge meinte nunmehr, dass sei falsch verstanden worden, so etwas habe er nicht gesagt. Er sei sich sicher, das Mic. bei diesem Vorfall dabei gewesen sei.
Das Gericht ist überzeugt, dass sich der vom Zeugen geschilderte Vorfall wirklich so abgespielt hat. Er kann aber nicht zum Nachteil des Angeklagten Mic. verwertet werden, da nicht geklärt werden konnte, ob Mic. oder Höf. die Angaben über die Versuche mit dem Gaswagen machte. Wenn aber Höf. die Angaben machte, ist es nicht auszuschliessen, dass Mic. sie später infolge seiner starken Trunkenheit nicht bewusst aufgenommen und vergessen hat. Infolgedessen kann aus diesem Vorfall nicht geschlossen werden, dass Mic. schon vor der Warschauer Aktion Kenntnis von der Vernichtung der Juden durch Gaswagen hatte.

Folgende verstorbene, vernehmungsunfähig erkrankte oder kommissarisch vernommene Zeugen haben Angaben über die Tatbeteiligung des Angeklagten Mic. oder seine innere Einstellung zu seiner Tatbeteiligung gemacht.

Der verstorbene Zeuge Gro. ist am 14.Februar 1963, am 2.Juni 1965 und am 2.August 1965 vernommen worden. Aus diesen verlesenen Aussagen geht nur hervor, dass er den Angeklagten Mic. aus Riga kannte. Seine übrigen Aussagen sind unglaubwürdig, da aus ihnen deutlich das Bestreben hervorgeht, sich selbst zu schützen. Der am 8.November 1973 kommissarisch vernommene Zeuge Samuel Ka. erklärte in seiner verlesenen Aussage, nach der Aussiedlung im September 1942 hätte er im Ghetto den Angeklagten Mic. gesehen. Ein Rottenführer Dörr hätte ihm Mic. gezeigt und dessen Namen genannt. Mic. hätte mit mehreren SS-Leuten im Keller versteckte Frauen und Kinder gesucht und auch mitgenommen. Es sei auch möglich, dass er Mic. daher kenne, dass dieser in die Druckerei, in der er, der Zeuge, gearbeitet habe, gekommen sei und Visitenkarten bestellt habe. Die Aussage ist nicht verwertbar. Die Identifizierung des Angeklagten Mic. ist zu unsicher, insbesondere, da der Zeuge zwei Möglichkeiten offen lässt, wie er Mic. kennengelernt haben will. In dem übrigen hier nicht interessierenden Teil der Aussage widerspricht sich der Zeuge. Vermutlich hat sein Alter und sein schweres Schicksal zu Lücken und Verschiebungen in der Erinnerung geführt.

Auch der verstorbene Zeuge He. kannte Mic. Er war Referent und Abteilungsleiter der Transferstelle und hatte somit guten Einblick in die Verhältnisse des Ghettos. In der verlesenen Aussage vom 14.August 1964 erklärte er, dass ihm der Name Mic. geläufig sei, ja, dass es möglich sei, dass er ihn kenne. Mic. sei häufig in der Firma Schultz gewesen. Er habe eine leitende Funktion gehabt. Sein Name sei bei der Firma Schultz häufig gefallen. Der Zeuge glaubte sich zu erinnern, dass Mic. für die spätere Verlagerung der Firmen nach Trawniki und Poniatowa verantwortlich gewesen sei. Auch in seiner früheren ebenfalls verlesenen Aussage vom 17.Mai 1963 erwähnte der Zeuge He. den Angeklagten Mic. Er erinnerte sich an den Namen und meinte, Mic. sei bei der Umsiedlung sehr aktiv gewesen. Genaueres wusste der Zeuge aber nicht. Dies spricht nicht gegen seine Glaubwürdigkeit. Schon bei der ersten Vernehmung erinnerte er sich an den Angeklagten Mic. Es ist durchaus einleuchtend, dass er sich später weitergehend an ihn erinnerte, als er sich mit der Sache beschäftigte und das Interesse an seinen Erinnerungen und Kenntnissen bemerkte. Im übrigen stimmen die Angaben des Zeugen weitgehend mit denen des Angeklagten Mic. überein.

Der kommissarisch vernommene Zeuge Ler. bezeichnete in seiner verlesenen Aussage vom 12.Oktober 1973 Mic., so wie er ihn erinnere, als sehr genauen Beamten. Mic. habe eine strenge Dienstauffassung gehabt und sei persönlich eher verschlossen und unzugänglich gewesen. Er, der Zeuge, glaube nicht, dass Mic. Vorschriften oder Gesetze überschritten hätte. Wenn auch Ler. im übrigen ein durchaus unglaubwürdiger Zeuge ist, der seine Beteiligung an den damaligen Vorgängen in unglaubhafter Weise abschwächte und abstritt, so ist das Schwurgericht dennoch davon überzeugt, dass der Zeuge Ler. in Bezug auf die Charakterisierung des Angeklagten Mic. die Wahrheit sagte, da seine Schilderung insoweit voll mit dem Eindruck übereinstimmte, den das Gericht in der über acht Monate dauernden Hauptverhandlung vom Angeklagten gewonnen hat und diese Frage für Ler. gleichgültig ist.

Der vernehmungsunfähig erkrankte Zeuge Kli. gab in seinen Vernehmungen ein Bild von der Tätigkeit und Einstellung des Angeklagten Mic., das zum Teil mit dem Bild übereinstimmt, welches der Zeuge Ne. von Mic. zeichnete. In seiner verlesenen Vernehmung vom 6.Mai 1963 erwähnte der Zeuge Kli., der damals bei der Firma Schultz beschäftigt war, Mic. sei des öfteren ihr Gesprächspartner gewesen. Von ihm hätten sie die Erlaubnis bekommen, Juden, die zum Umschlagplatz gebracht worden waren, wieder mitzunehmen. Bei ihm hätten sie einmal sichergestellte Wertsachen abgegeben. Mic. sei mit Leib und Seele an der Aktion beteiligt gewesen. Er habe eine Peitsche getragen und mit dieser und mit der Handkante auf Menschen geschlagen. Auf dem Umschlagplatz habe er Mic. des öfteren gesehen. Mic. müsse dort auch Leichen gesehen haben. In seiner späteren Vernehmung vom 30.Oktober 1963 erwähnte der Zeuge wieder, wie er Mic. in der Befehlsstelle bei der Ablieferung der sichergestellten Wertgegenstände getroffen habe, und meinte ausserdem, dass Mic. zu den Leuten gehört habe, die man nicht habe ansprechen können. Vor Mic. hätten die Juden besondere Angst gehabt.
Die Aussagen des Zeugen Kli. erscheinen dem Schwurgericht überwiegend glaubwürdig. Allerdings muss bei der Würdigung berücksichtigt werden, dass der Zeuge andere Interessen als die SS hatte. Er war an der Erhaltung der Arbeitskraft der Juden aus sicher eigennützigen Gründen interessiert, und musste daher das Bestreben der SS, die Juden möglichst zahlreich "umzusiedeln", als unvereinbar mit seinen Absichten ansehen. Im Interesse des Angeklagten kann deshalb seine Äusserung, Mic. sei mit Leib und Seele an der Aktion beteiligt gewesen, nur so gedeutet werden, dass aus der Sicht des Zeugen Mic. ohne erkennbares Zögern und ohne inneren Vorbehalt in Warschau tätig wurde.
Im übrigen decken sich die Angaben des Zeugen zum Teil mit denen des Angeklagten. Mic. gibt zu, zu Anfang der Aktion eine Peitsche getragen und diese auch benutzt zu haben. Dass er für die Firmen zuständig war, räumt er ebenfalls ein. Da andere Zeugen nicht bestätigen, dass Mic. mit der Handkante schlug, und da Mic. dies bestreitet, sieht das Schwurgericht diesen Punkt nicht als bewiesen an. Es vermag nicht zu entscheiden, ob der in der Gesamtheit seiner Angaben glaubwürdig wirkende Kli. damals die Wahrheit berichtete oder ob Mic., der sich im übrigen kaum geschont hat, in diesem Punkte im Bestreben, sich zu schützen, die Unwahrheit sagte.

Auch der vernehmungsunfähig erkrankte Zeuge Ba. - damals Betriebsleiter der Firma Toebbens - erinnerte sich in seiner verlesenen Aussage vom 17.Mai 1961 an den Angeklagten Mic. Er bekundete, Mic. sei in der Befehlsstelle beschäftigt gewesen. Er habe Juden auf der Strasse zusammengefangen und zum Umschlagplatz gebracht. Es sei damals verboten gewesen, dass sich die Juden unnötig auf der Strasse aufhielten. Deshalb habe Mic. alles eingefangen, was sich auf der Strasse zeigte, darunter auch Leute, die Arbeitsausweise der Firma Toebbens hatten. Er - der Zeuge - habe sich dann vergeblich bei Mic. bemüht, die Leute freizubekommen. Mic. habe dies mit der Begründung abgelehnt, die Juden seien bereits verladen, da sei nichts mehr zu machen. Auch später habe Mic. Juden, die sich auf dem Wege zur Arbeit befanden, aufgegriffen. Nur über untergeordnete SS-Leute habe er, der Zeuge, einige frei bekommen. Mic. habe eine Freigabe strikt abgelehnt und nur bemerkt, "Ausweise kann ich Ihnen von Ihrer Firma hunderte geben, die sind alle gefälscht." Auch in der verlesenen Aussage vom 26.Oktober 1961 berichtete der Zeuge Ba., er habe Mic. in unangenehmer Erinnerung, weil dieser Arbeitskräfte weggefangen habe.
Der Angeklagte Mic. hat ursprünglich im Vorverfahren zugegeben, wenn er einen "wilden Haufen" auf der Strasse gesehen habe, diesen zum Umschlagplatz geschickt zu haben. In der Hauptverhandlung stritt er dies - wie schon erwähnt - ab, um es erst auf Vorhalt seiner früheren Aussagen eingeschränkt wieder einzuräumen und zuzugeben, dies früher gesagt zu haben. Diesen Punkt sieht das Schwurgericht als bewiesen an.

Bei der Würdigung der Aussagen des Zeugen Ba. ist ebenfalls davon auszugehen, dass dieser der SS nicht freundlich gegenüber stand, da diese die Betriebe ihrer Arbeitskräfte beraubte und die Schiebungen, wie sie der Zeuge Ne. freimütig schilderte, nicht dulden wollte. Infolgedessen kann das Gericht zu Gunsten des Angeklagten Mic. nur von seiner eigenen früheren Aussage ausgehen, dass er einige wenige Male Juden auf der Strasse angehalten, sie dann kontrolliert und zum Umschlagplatz geschickt hat, wenn sie ohne Arbeitsausweise waren oder wenn er die Papiere für gefälscht hielt.

Der durch Selbstmord aus dem Leben geschiedene Höf. bestätigte schliesslich in seinen verlesenen Aussagen vom 20.Juli 1961 ff., dass Mic. sein Vertreter war. Er bekundete (Aussage vom 3.August 1961), dass er selbst im Zusammenhang mit der Räumung des Warschauer Ghettos die Gesamtleitung hatte. Mic. habe ihn als sein Stellvertreter im Falle der Verhinderung vertreten. Wenn er von Warschau abwesend gewesen sei, habe Mic. als sein Vertreter von selbst die Befehlsgewalt gehabt. Mic. habe keine eigenen Spezialaufgaben gehabt. In einer weiteren Aussage (vom 20.Oktober 1961) erklärte Höf., dass er während der Ghettoräumung oft aus Warschau abwesend gewesen sei, um seinen übrigen dienstlichen Aufgaben nachzukommen. In dieser Zeit sei er von Mic. vertreten worden.
Insoweit ist die Aussage des Zeugen Höf.s glaubwürdig. Soweit er sich sonst über Mic. äussert, ist dies unglaubwürdig und unverwertbar, da er ersichtlich bestrebt ist, zum Zwecke seiner eigenen Verteidigung Mic. zu belasten.

10.) Die Feststellungen über die Geschehnisse im sogenannten "Kessel an der Mila" und die Beteiligung der Angeklagten beruhen auf folgenden Grundlagen:

Der Angeklagte Mic. konnte sich nicht mehr genau erinnern, räumte aber als möglich ein, mitten in der Menschenmenge gestanden zu haben. Der Angeklagte Hantke bestritt zunächst, überhaupt dabei gewesen zu sein, um schliesslich unter dem Eindruck der Beweise, insbesondere der Aussage des Zeugen Dr. Jed. zuzugeben, dass es so gewesen sein könne.

Folgende Zeugen haben zu diesem Komplex Angaben gemacht:

Der Zeuge Sam Hof. bekundete unter Eid, sie seien aus den Werkstätten zur Milastrasse getrieben worden und hätten dort warten müssen. Dann sei Herr Toebbens gekommen. Es habe eine Selektion stattgefunden. Die Arbeiter seien dann in die Arbeitsstätten zurückgeführt worden. In der Milastrasse habe er erschossene Menschen gesehen. Die Leichen hätten reihenweise dort gelegen. Die Strasse sei voller Blut gewesen. Die SS habe bei der Selektion die Leute einfach niedergeschossen. Es seien nur SS bzw. Sicherheitspolizei da gewesen. Die Juden seien in Reihen zu sechs bis acht Leuten zusammengetreten und aus der Tiefe der Strasse zur Sperre gekommen. An der Sperre habe Toebbens gestanden. Wer aus der Reihe getreten sei, um z.B. zu seiner Frau, seinem Mann oder zu seinen Kindern zu gehen, sei einfach niedergeschossen worden. Jede Störung habe genügt, um einen zu erschiessen.

Die Zeugin Helena Lan. bekundete in ihrer eidlichen Aussage, auch sie habe an der Selektion im "Kessel an der Mila" teilgenommen. Dieser Teil der Selektion habe in der Sochachewska-Strasse stattgefunden. Männer und Frauen seien getrennt worden. Die Männer seien zuerst weggeführt worden. Ein kleiner Teil der Männer, darunter auch ihr Schein-Ehemann, sei mit Ausweisen für sich selbst und die Ehefrauen zurückgekommen. Sie hätten in der genannten Strasse zweieinhalb Tage warten müssen. Anschliessend seien sie durch den "Kessel an der Mila" geführt worden. Als sie auf den Abmarsch gewartet hätten, sei eine Gruppe von SS-Leuten mit Brandt gekommen. Sie habe ein Geräusch in den Reihen hinter sich gehört. Ein junger Gehilfe von Brandt habe eine ihr bekannte Frau mit einem Rucksack aus der Reihe gezogen. Er habe sie angeschrien, ihr den Rucksack abgenommen und sie habe diesen dann auf seinen Befehl geöffnet. Dabei habe ein Kinderkopf aus dem Rucksack herausgeschaut. Der Gehilfe habe auf das Kind und die Mutter geschossen. Sie als Beobachter dieser

Szene seien wie versteinert gewesen. Bei dieser Aktion habe sie auch Hantke gesehen. An einem mit Kisten und Brettern geschaffenen Durchgang seien die Ausweise kontrolliert worden. Dort habe auch Hantke gestanden. In diesem Durchgang habe sie keine Toten gesehen, wohl aber, wie geschlagen und gestossen worden sei. Hantke habe sehr laut geschrien und die Leute gestossen. Mehr von ihm habe sie nicht bemerkt.

Die Zeugin Helga Dam. bekundete in ihrer eidlichen Aussage: An ihrem 12.Geburtstag, dem 8.September 1942, habe sie sich in der Milastrasse einfinden müssen. Alle, die Marken mit grünen Nummern hatten, hätten sich dort sammeln sollen. Ihr sei ein Holztor aufgefallen. Wer durch dieses Tor hindurch komme, sei gerettet, so sei damals gesagt worden. Sie hätten sich in Reihen zu fünf oder sechs aufstellen müssen. Sie selbst und ihre Schwester seien zum Schein als Boten bei der Firma Schultz angestellt gewesen und hätten ebenfalls Nummern gehabt. Die Eltern hätten aber inzwischen erfahren, dass vorzugsweise Kinder und Greise ausgesondert würden. Ihr Vater habe ihnen deshalb gesagt, sie sollten nicht zusammen gehen. Ihre Schwester sei zwei Reihen vor und sie zwei Reihen hinter den Eltern gegangen. Rechts habe sie eine scharf bewachte Gruppe sitzen sehen, darunter viele Kinder. Später habe sie erfahren, dass diese zum Umschlagplatz gebracht werden sollten, um später vernichtet zu werden. Ihre Schwester und sie seien auch zu der sitzenden Gruppe herübergedrängt worden. Der Vater sei dann in strammer Haltung an einen SS-Mann herangetreten und habe ihm gesagt, sie seien freiwillig hier und gehörten eigentlich gar nicht in das Ghetto. Der SS-Mann sei betrunken gewesen. Er habe ein Zeichen mit der Hand gemacht, dass sie durchgehen könnten. Sie hätten noch einen Jungen, den Sohn eines Zahnarztes, mit sich nehmen können. Dessen Eltern hätten schon rechts bei der Gruppe gesessen. Ihre Mutter habe noch furchtbare Schläge von einem Ukrainer bekommen. Ihr Vater habe aber auf den SS-Mann gezeigt, der ihnen das Zeichen gegeben hatte, so seien sie durchgekommen. Während der Aktion in der Milastrasse habe sie viele Tote gesehen. Manche seien verhungert gewesen, einige auch blutig. In einem Fall habe sie selbst gesehen, wie ein Ukrainer in einen Rucksack gestochen hätte, in dem sich ein Kind befunden habe. Sie habe die Familie gekannt, auch gewusst, dass das Kind der Familie in dem Rucksack war. Viele Eltern hätten ihren kleinen Kindern Schlafmittel gegeben und dann versucht, sie in den Rucksäcken herauszubringen.

Der Zeuge Rudolf Ne. bekundete in seiner beeideten Aussage, er habe Hantke zum zweiten Mal am 6.September 1942 an der Mila gesehen. Hantke sei dort der massgebende Mann gewesen. Sie hätten sich aus der Zahl der Juden 8.000 Mann herausholen können. Seinerzeit hätten zur Firma Schultz legal mindestens 15.000 Menschen gehört. Schultz habe nämlich fast alle eingestellt. Die Juden, die sich auf der Milastrasse sammeln mussten, hätten sich keine Illusionen mehr über ihr Schicksal gemacht. Am 5.September 1942, als er nur mit Mühe in das Ghetto gekommen sei, habe er den Betrieb fast menschenleer gefunden. Es seien nur noch die Soldaten vom Wachkommando dort gewesen. Einige Zeit später sei dann Mic. gekommen und habe gesagt: "Jetzt ist es aus mit der Geduld. Morgen kriegt Ihr 8.000 raus, der Rest wird abtransportiert." Am selben Tage habe er noch eine zweite Unterhaltung mit Mic. gehabt. Er habe ihm erklärt, dass in den Betrieben Millionenwerte an Wehrmachtseigentum lagerten. Zur Bewachung seien nur er und vier Soldaten da. Er könne unter diesen Umständen nicht die Verantwortung übernehmen, wenn z.B. Feuer ausbreche. Mic. habe ihm dann erlaubt, 30 oder 36 Juden auszusuchen, um den Betrieb zu sichern. Tatsächlich seien für den Betrieb nur die Hälfte unbedingt nötig gewesen. Um diese 30 oder 36 Leute auszusuchen, sei er zur Milastrasse gegangen. Die Juden hätten ihn dort wie einen Engel begrüsst. Er sei für die der erste Lichtblick gewesen. Eng gedrängt hätten sie sich dort seit 5 Uhr morgens befunden und den Tod in der Gaskammer erwartet. Mit den Geretteten sei dann abends bei der Firma Schultz ein Freudenfest gefeiert worden. Der Zeuge Leh. (Vater der vorerwähnten Zeugin Dam.) habe nicht zu diesen 30 Leuten gehört. Er sei erst am nächsten Tag in den Betrieb zurückgekommen.

Er, der Zeuge, habe wegen der Kinder von Herrn Leh. mit Hantke an der Mila gesprochen. Hantke habe zu ihm ungefähr gesagt: "Köpfchen ist Köpfchen, es kommt nur auf die Zahl 8.000 an". Er, der Zeuge, sei immer recht ängstlich gewesen und habe damals keine besonderen Mutproben ablegen wollen. Er sei deshalb sofort mit den ersten 100 ausgewählten Juden in den Betrieb abgezogen. Die anderen Gruppen seien dann nach und nach gekommen. Neben sich habe er die beiden Leh.-kinder gehabt. Ein Ukrainer sei auf ihn zugekommen und habe offensichtlich die Kinder kassieren wollen. Er habe zu ihm auf russisch gesagt, Hantke hätte es erlaubt, die Kinder mitzunehmen. Daraufhin habe der Ukrainer ihn mit den Kindern passieren lassen. Die Leh.-kinder seien allein gewesen, es sei kein drittes Kind dabei gewesen. Die Eltern Leh. seien mit im ersten Hunderterblock gewesen.
Als dem Zeugen nunmehr die abweichende Aussage von Frau Dam. vorgehalten wurde, erklärte er, das verstünde er nicht, Leh. habe ihm 1946 schriftlich bestätigt, dass er seine Töchter gerettet habe. Auf den Vorhalt, dass Hantke bestreite, an der Mila gewesen zu sein, bestätigte der Zeuge Ne. deutlich, dass Hantke an der Mila war. Dem Ukrainer habe er ausdrücklich den Namen von Hantke genannt. Dieser sei für ihn ein Begriff gewesen. Der Name Mic. hätte dem Ukrainer nichts gesagt, da dieser viel zu hoch für ihn gewesen sei.
Bei der Prüfung der Glaubwürdigkeit ist zu berücksichtigen, dass hier ein Widerspruch zur Aussage der Zeugin Helga Dam. besteht. Der Zeuge Ne. schilderte die Rettung anders. Das Gericht folgt der Aussage des Zeugen Ne. Die Zeugin Dam. war zur Tatzeit ein 12-jähriges Kind. Sie kann sich deshalb durch den Zeitablauf und die damaligen Aufregungen bedingt über die Umstände ihrer Rettung irren. Sie belastete die Angeklagten nicht direkt. Ihre Schilderungen über die allgemeinen Umstände bei dem "Kessel an der Mila" hält das Gericht für glaubwürdig und einleuchtend.

Der Zeuge Dr. Jed. schilderte in seiner eidlichen Aussage, er habe Hantke im "Kessel an der Mila" gesehen. Dort hätte dieser geschlagen. Der "Kessel an der Mila" habe am 5.oder 6.September 1942 begonnen. Es sei der Befehl ergangen, dass alle die Wohnungen zu verlassen hatten und sich zur Milastrasse zu begeben hätten. Gleichzeitig sei angedroht worden, alle auf der Stelle zu erschiessen, die in der Wohnung blieben. Seine Mutter sei dennoch im Keller der Wohnung und dadurch bis zum Aufstand am Leben geblieben. Es sei fast unmöglich für die SS gewesen, alle Häuser gründlich zu kontrollieren. Die Furcht der meisten sei aber so gross gewesen, dass ungefähr 99% der Juden in die Milastrasse gegangen seien. Dort hätten die Angehörigen der einzelnen Werkstätten Karten mit Nummern bekommen. Die Inhaber der Nummern hätten sich dann in Reihen aufstellen müssen und seien so hinausgeführt worden. Der Rest sollte abtransportiert werden. Es hätten sich furchtbare Szenen abgespielt, als man die Eltern von ihren Kindern und die Frauen von ihren Männern trennte. Er erinnere sich noch an einen Vater, der sein Kind im Rucksack versteckt und gehofft habe, es so herauszubringen. Das sei aber vergeblich gewesen. Manche, die keine Nummer abbekommen hätten, hätten versucht, sich in die Reihen der Leute mit Nummern zu drängen. Wenn die SS das gemerkt habe, habe sie die Leute herausgezogen und erschossen. Er meine, dass auch Hantke darunter gewesen sei. Er selbst habe eine Nummer gehabt, seine Schwägerin mit ihrem 4-jährigen Kind sei im Kessel geblieben. Auf nochmaliges Befragen erklärte der Zeuge, ihm scheine es, dass Hantke dabei gewesen sei.
Der Zeuge ist glaubwürdig. Er machte seine Aussage mit grosser Vorsicht. So erklärte er nur, es scheine ihm, dass Hantke bei dem "Kessel an der Mila" dabei gewesen sei. Er ist sich nicht sicher, ihn 1943 [360] am Umschlagplatz gesehen zu haben. Der Zeuge stuft also deutlich in seiner Erinnerung ab. Aus der gesamten Vernehmung hat das Gericht aber die Überzeugung gewonnen, dass sich der Zeuge Dr. Jed. sicher war, Hantke zumindest bei dem "Kessel an der Mila" gesehen zu haben. Auch Hantke selbst muss dieses gemerkt haben, da

[360] Gemeint ist wohl: 1942.

er nach dieser Aussage einräumte, beim "Kessel an der Mila" möglicherweise doch dabei gewesen zu sein.

Das Bild, dass sich aus den Zeugenaussagen ergibt, wird durch die verlesenen Aussagen der vernehmungsunfähig erkrankten, kommissarisch vernommenen und verstorbenen Zeugen erhärtet. Folgende verlesene Aussagen liegen zu diesem Komplex vor:

Der kommissarisch vernommene Zeuge Elp. erklärte in seiner verlesenen Aussage vom 5.Juni 1974: Am 6.September 1942 habe im Terrain des Ghettos eine Blockade begonnen. Er erinnere sich daran, dass alle hinausgeführt worden seien. Dabei sei eine Frau ohnmächtig geworden und hingefallen, ein Deutscher habe sie dann erschossen. Diejenigen, die für Treblinka bestimmt gewesen seien, hätten sich hinsetzen müssen, während der Rest stehen geblieben sei. Toebbens habe auf Fachleute gezeigt. Diese seien dann herausgeholt worden. Hantke sei anwesend gewesen. Am 6.September hätten sie mit der Arbeit um 7.00 Uhr begonnen. Um 10.00 Uhr seien die Deutschen, Ukrainer und Litauer erschienen. Sie hätten ihren Betrieb, der zur Firma Toebbens gehörte und in dem 800 Mann beschäftigt waren, umzingelt. Dann hätten SS-Männer den Betrieb betreten und ihm befohlen, hinauszugehen. Die Selektion hätte einige Stunden gedauert. Er wisse aber nicht mehr genau, wie lange. Während der Selektion hätten sich die Deutschen abgelöst. Übrig geblieben seien von ihren Betrieben zwischen 500 bis 600. Hauptsächlich seien die Frauen weggeholt worden. Ausser in ihrem Betrieb seien auch in anderen Betrieben Menschen selektiert worden. Hantke habe bei Toebbens gestanden. Die Selektion sei von den Deutschen ausgeführt worden. Toebbens habe nur gesagt, wer Fachmann sei, sofern sie einen solchen wegnehmen wollten. Neben Hantke hätten noch andere Deutsche gestanden. Hantke sei eine wichtige Person gewesen, er wisse aber nicht, ob die Wichtigste. Hantke habe sich oft mit Toebbens unterhalten. Nach der Selektion sei ihm, dem Zeugen, befohlen worden, in den Betrieb zu gehen. Der Rest sei gesammelt und zum Umschlagplatz getrieben worden.
Da diese Aussage im Widerspruch zu anderen Bekundungen steht, ist nicht auszuschliessen, dass der Zeuge eine andere frühere vor der Mila Aktion stehende Begebenheit schildert.

Der vernehmungsunfähig erkrankte Zeuge Kli. erklärte in seiner verlesenen Aussage vom 6.Mai 1963: Schon einige Tage vor der Aktion sei unter ihnen besprochen worden, dass der Firma einige tausend Juden, es könnten 8.000 gewesen sein, zugebilligt würden. Die Betriebsleiter seien aufgefordert worden, den notwendigen Bestand an Arbeitskräften anzugeben. Daraus sei dann die Zahl der den einzelnen Betrieben zugeteilten Juden errechnet worden. Kurz vor Beginn der Aktion sei der Plan gefasst worden, Kennmarken auszugeben, Grüne Marken hätten diejenigen Leute bekommen, die besonders wichtig waren, braune Marken seien reservehalber für die anderen Arbeitskräfte ausgegeben worden. Es seien dann auch von Juden Marken gefälscht worden. Am Abend vor der Selektion hätten sich die Juden auf der Milastrasse sammeln müssen. Sie seien die ganze Nacht dort geblieben. In ihrer Abwesenheit seien die Häuser des Wohnbezirks von der SS nach zurückgebliebenen Juden durchsucht worden. Ob welche gefunden wurden, wisse er nicht. Vorne an der Milastrasse hätten dann bei der Selektion mehrere SS-Leute gestanden. Die Leitung der SS-Leute habe Hantke gehabt. Die deutschen Betriebsangehörigen hätten in der Nähe der SS-Leute gestanden, um darauf zu achten, dass auch tatsächlich die Arbeiter mit den grünen Marken zu ihnen zurückkämen. Soweit er wisse, seien auch Angehörige der Wehrmachtswache da gewesen, die die ausgewählten Juden zurücktransportieren sollten. In der ersten Stunde sei die Selektion ruhig, reibungslos, man könne fast sagen, planmässig verlaufen. Leute mit kleinen Kindern hätten aus Angst, dass man ihnen die Kinder wegnehmen könne, versucht, sich zunächst nach hinten wegzudrängen. So sei nach und nach hinten ein Andrang entstanden. Er erinnere sich noch, dass verschiedene Leute versucht hätten, in die links und rechts liegenden Häuser zu flüchten, um sich zu verstecken. Er selbst habe noch drei oder vier Leute zurückgeholt, weil für diese kein Grund zur Flucht vorgelegen habe. Diejenigen Juden, welche die Selektion passiert hätten und zum Verbleib bei der Firma Schultz ausgewählt worden seien, hätten sich auf die Strasse setzen müssen. Wenn eine grössere Gruppe zusammen gewesen sei, seien sie schubweise zum Betrieb zurückgeführt worden. In dieser ersten Phase der Selektion seien von etwa 500 Leuten, die zum Verbleib bestimmt waren, nur 50 bis 60 Personen zum Abtransport weggestellt worden.

Nunmehr hätten sie bemerkt, dass die Juden teilweise gefälschte grüne Marken hatten. Da die SS ziemlich genau gezählt habe und da sie Angst gehabt hätten, dass sie nun mehr als die zugebilligten 8.000 Mann bekommen würden, hätte sich für sie die Besorgnis ergeben, dass am Schluss noch eine Gruppe von Juden übrig bleiben würde, unter denen Inhaber echter Marken seien, die sie nicht mehr würden mitbekommen können. Aus diesem Grunde hätten sie auf die Echtheit der Nummern geachtet und die gefälschten Nummern abgenommen. Die grünen Nummern seien jedenfalls zu Beginn von der SS noch fast 100%ig respektiert worden. Erst später hätten sich, besonders bei Leuten mit Kindern, Schwierigkeiten ergeben. Die SS habe auf dem Standpunkt gestanden: "Ihr bekommt eine bestimmte Zahl von Juden und wenn Ihr Kinder nehmt, dann habt Ihr eben weniger brauchbare Arbeitskräfte." Später sei die Aktion zunehmend schwieriger verlaufen. Es sei ein Durcheinander entstanden, so dass er keine Übersicht gehabt habe, welche Leute zum Abtransport weggenommen worden seien. Die Juden hätten stark gedrängt und sich zum Teil gegenseitig die grünen Nummern weggerissen. Die ganze Aktion habe seines Erachtens bis Nachmittag 14.00 oder 15.00 Uhr gedauert. Abgesehen von grossen Unterbrechungen, in denen er zum Betrieb gefahren sei, um dort zu kontrollieren, sei er bis zum Schluss in der Milastrasse gewesen. Als er zurückgekommen sei, habe unter den zurückgekehrten Juden grosse Freude geherrscht. Andererseits seien aber auch bei dem Zeugen Ne. im Büro schon Juden gewesen, die gejammert und geweint hätten, weil dieser oder jener trotz grüner Nummer nicht mit durchgekommen sei. Er sei daraufhin noch zweimal zum Umschlagplatz gefahren, um zu versuchen, weitere Leute herauszuholen. Jedesmal habe er vier bis fünf Leute mitgebracht. Die Herausgabe sei durch Mic. erfolgt. Er habe selbst nicht mit Mic. gesprochen. Vielmehr habe er eine Namensaufstellung mitgehabt, die ihm von irgendjemand abgenommen worden sei und er habe dann die Erlaubnis bekommen, namentlich bezeichnete Leute herauszuholen. Er wisse nicht mehr, ob die Leute von Schultz und die Leute von Toebbens am selben Tag selektiert worden seien. Wenn es am selben Tag gewesen sei, dann müsse es an einer anderen Stelle gewesen sein. Er habe von Juden gehört, dass es bei der Toebbensselektion hart hergegangen sei. Es solle dort Verluste an Menschen gegeben haben. Es könne sein, dass sie sich am Tage vor der Selektion 30 oder 40 Leute aus den schon versammelten Juden herausgeholt hätten. Er erinnere sich noch, am Abend vorher an der Mila gewesen zu sein.

Der kommissarisch vernommene Zeuge She. schilderte in seiner verlesenen Aussage vom 7.November 1973, er habe Hantke im September 1942 in der Milastrasse gesehen. Dieser habe die Juden auf grobe Weise zu schnellerem Gehen angetrieben. Gingen sie ihm nicht schnell genug, so habe er sie mit seiner Pistole erschossen. Er habe Juden ferner erschossen, wenn sie keine grüne Nummer hatten, die sie als Arbeitskräfte auswiesen, oder wenn sie sich zwischen denjenigen versteckten, die eine grüne Nummer trugen. Grüne Nummern hätten nur die Arbeitskräfte von Schultz gehabt. Hantke habe schliesslich solche Juden erschossen, die ihm aus irgend einem Grunde aufgefallen seien oder ihm nicht gefallen hätten. Er habe bei dieser Gelegenheit ungefähr 30 Juden erschossen, darunter einen guten Freund des Zeugen. Dieser Freund habe nicht so schnell gehen können, weil er einen Rucksack getragen habe, in dem ein kleines Kind verborgen gewesen sei.
Die Identifizierung Hantkes ist in diesem Fall nicht sicher, da der Zeuge angegeben hat, Hantke schon vor dem 22.Juli 1942 in Warschau gesehen zu haben. Hantke ist nach dem Ergebnis der Beweisaufnahme jedoch vor dem Beginn der Räumungsaktion nicht in Warschau gewesen. Der Zeuge hat ausserdem erklärt, Hantke habe nie zum Lubliner Kommando gehört. Auch dies trifft nicht zu. Hingegen können die allgemeinen Umstände, die der Zeuge geschildert hat, als richtig angesehen werden.

Der kommissarisch vernommene Zeuge Aharon Fli. erklärte in seiner verlesenen Aussage vom 1.Oktober 1973, an einem Morgen sei ihm gleich gesagt worden, dass eine Aktion bevorstehe, die ihm grosse Gefahr bringe. Bald darauf hätten sie Stimmen und laute Rufe gehört. In der Lesznostrasse hätten tausende von Juden gestanden, die von SS, jüdischer Hilfspolizei und vielleicht auch von Ukrainern bewacht worden seien. Ein jüdischer Hilfspolizist habe ihm erklärt, ein SS-Mann namens Hantke wähle die jüdischen Menschen aus. Er habe Hantke noch vor Augen. Es sei ein grosser, kräftig gebauter Mann mit rotem Gesicht und einer Peitsche gewesen. Er habe die Auswahl durchgeführt, indem er einen Teil der Juden nach links, einen anderen nach rechts befohlen habe. Die Weisung "nach links" habe Umschlagplatz und damit Tod bedeutet. Ric. habe eine Liste von 300 jüdischen Namen aufgestellt. Diese habe er Hantke übergeben und ihm erklärt, die Menschen brauche er als Arbeitskräfte für seine Giesserei. Hantke habe zugestimmt. Die Auswahl der 300 Juden nach der Liste sei ihm, dem Zeugen, übertragen worden. Dabei habe Hantke zu ihm gesagt: "Wenn Du auch nur einen einzigen Juden auswählst, der nicht auf dieser Liste steht, dann wirst Du erschossen". Hantke habe dann aber die Auswahl nicht überwacht. Unter dem Schutz von zwei Wehrmachtssoldaten habe er ungefähr 300 Juden fortführen können, darunter auch Kinder. Die Liste sei von Juden aufgestellt worden, die den Betrieb der Giesserei mitfinanziert hätten. Hantke habe mit der Peitsche geschlagen, überwiegend diejenigen Leute, die nach links ausgesondert worden seien. So habe er z.B. ein ihm, dem Zeugen, bekanntes Ehepaar Elper getrennt, indem er die Frau nach links geschickt habe. Dieser Frau habe er mit der Peitsche ins Gesicht geschlagen. Er - der Zeuge - habe die Frau dann aufgehoben und aufgrund der Liste mit den 300 Namen mitgenommen. Die Frau selbst habe ihm erzählt, dass der "Mann" - gemeint war Hantke - sie geschlagen habe.
Die Aussage des Zeugen Fli. ist glaubwürdig. Es muss aber berücksichtigt werden, dass in seiner Aussage eine zeitliche Verschiebung vorliegt. Der Zeuge schilderte die grosse Selektion ("Kessel an der Mila") vor der zweiten Begegnung mit Hantke. Dies kann nicht richtig sein und ist nur durch die weit zurückliegende Zeit erklärlich. Es hat aber keinen Einfluss darauf, dass der Zeuge den Ablauf der Selektion zutreffend schildert. Da Hantke selbst eingeräumt hat, am "Kessel an der Mila" teilgenommen zu haben, erscheint die Identifizierung Hantkes bei diesem Zusammentreffen des Zeugen mit ihm sicher, obwohl der Zeuge ihn auf dem Photo nicht wieder erkannte, nachdem er vorher erklärt hatte, er werde ihn sicher wieder erkennen. Auch dies erklärt sich aus der langen zurückliegenden Zeit.

Die Aussage des Zeugen Fli. wird schliesslich durch die Aussage des verstorbenen Zeugen Ric. vom 1.August 1966 bestätigt. Der Zeuge bekundete in der damaligen Aussage, er habe die Genehmigung erhalten, seine 300 Leute zurückzuholen. Er habe deswegen mit einem SS-Mann verhandelt. Dies sei vielleicht Hantke gewesen, er könne sich aber nicht auf einen Namen festlegen, weil er daran keine Erinnerung mehr habe. Auch nach Vorlage des Photos konnte der Zeuge Hantke nicht identifizieren. Der Zeuge hat weiter erklärt, es könne auch durchaus richtig sein, wenn der Zeuge Fli. aussage, dass die Wehrmachtswache eingesetzt worden sei, als die 300 Mann zurückgeholt worden seien. Immerhin bestätigte der Zeuge Ric., dass damals tatsächlich 300 Juden für die Giesserei vom Umschlagplatz gerettet worden sind.

11.) Die Feststellungen über das Verhalten des Angeklagten Hantke im Verlauf der weiteren Räumung und seine Einschätzung durch andere beruhen auf folgenden Grundlagen:

Der Angeklagte Hantke räumte selbst folgendes ein:

Nachdem die Juden von dem Vernichtungslager erfahren hätten, seien sie in die Rüstungsbetriebe gegangen, obwohl sie dort nichts zu tun hatten. Öfter seien dort Leute herausgeholt worden, so bei den Firmen Toebbens und Schultz. Er habe auch dann und wann in den Strassen bei Räumkommandos teilgenommen, und zwar morgens früh und am frühen Nachmittag, wenn noch keine Leute am Umschlagplatz gewesen seien. Er sei dort hingegangen, wo die ersten Juden herausgeholt worden seien. SS und Polizei aus Warschau sei dabei gewesen. Beim Herausholen aus den Wohnungen sei geschlagen worden. Die Juden habe man dabei auch ziemlich "forsch" mit Fusstritten traktiert. Er selbst sei auch dann und wann in den Wohnungen gewesen. Es sei ihm jetzt klar gewesen, dass die Leute in den Tod gingen. Es sei aber Krieg gewesen und ohne Krieg sei so etwas ja nicht durchgeführt worden. Als kleiner Mann habe er nicht zu entscheiden gehabt, was durchgeführt worden sei. In Warschau habe er keinen Juden erschossen. Es stimme nicht, dass er einen gehbehinderten Juden am Umschlagplatz erschossen habe. Es treffe auch nicht zu, dass er an einer Erschiessung in der Lesznostrasse bei Toebbens beteiligt gewesen sei. Er sei allerdings bei Toebbens gewesen und habe dort Leute mitgenommen. Zu Toebbens seien sie gegangen, wenn sich die Betriebsleitung an der Dienststelle beschwert hätte, dass zuviele Leute im Betriebe seien. Toebbens sei ein grosser Betrieb gewesen mit vielen tausend Mitarbeitern. Dort sei er des öfteren gewesen. Bei den Selektionen habe er keine gezielten Schüsse abgegeben, sondern nur in die Luft geschossen. Es sei allerdings möglich, dass er bei einem Räumkommando einmal durch die Türen geschossen habe. Die Türen seien dadurch aber meistens nicht aufgegangen, sie hätten sie dann auftreten müssen. Es könne auch sein, dass ein Schuss bei einem Häuserblock einmal in die Fensterscheiben gegangen sei. Er habe seine Peitsche gebraucht. Ob er in kurzer Zeit mehrere Peitschen zerschlagen habe, wisse er allerdings nicht. Das Schlagen sei Befehl gewesen. Einmal sei er bei der Erschiessung eines Juden zugegen gewesen. Dabei habe es sich um ein Missverständnis gehandelt. Er habe einmal von der Firma Toebbens einen jüdischen Werkmeister abholen und zu einem anderen Ort begleiten sollen. Der Mann sei schon nach unten gegangen. Er habe von oben ein Handzeichen gegeben, dass der Jude festgehalten werden solle, bis er selbst komme. Ein Wachmann habe dieses Handzeichen aber offenbar missverstanden und den Juden erschossen.

Es sei vorgekommen, dass die Juden mit Peitschen und Kolben in die Viehwagen getrieben worden seien. Beim Verladen sei auch geschossen worden. Die Toten, wenn es sie gegeben habe, seien wohl mit verladen worden. Juden, die aufgegriffen worden seien, nachdem die Züge schon weggefahren seien, seien in ein Gebäude am Stawkiplatz gekommen. Bei den Selektionen in den Betrieben sei dort die Trennung nach Arbeitsfähigen und Nichtarbeitsfähigen sofort vorgenommen worden. Wenn sie Häuserblocks durchgingen, hätten sie in den Wohnungen nur sehr wenig Leute mit Arbeitsbescheinigungen gefunden. Bei Juden, die auf der Strasse aufgegriffen worden seien, sei die Selektion und die Trennung auf dem Umschlagplatz erfolgt. Seine Aufgabe sei es gewesen, die Arbeitsfähigen von den Nichtarbeitsfähigen zu trennen und die Leute zusammenzuhalten, bis die Züge kamen und genug Juden da gewesen seien. Es seien auch Leute aus den Betrieben gekommen und hätten ihn gebeten, Juden freizulassen. Er habe vor dem Tor gestanden. Dann und wann sei er auch bei den Waggons gewesen. Er habe gesehen, dass Juden erschossen worden seien, und zwar sowohl in der Nähe des Umschlagplatzes als auch auf den Strassen. Meistens seien die Täter Letten gewesen. Den Anlass für die Schüsse kenne er nicht. Er habe auch nicht versucht, dies zu verhindern. Er sei durch das ganze Elend nervlich so abgestumpft gewesen, dass er die Gefühle heute nicht wiedergeben könne. Familien seien oft auseinandergerissen worden. Auf dem Umschlagplatz habe es jedes Mal grossen Wirrwarr gegeben, wenn die deutschen Angestellten aus den Betrieben gekommen seien, um Leute herauszuholen. Es hätten sich dann nicht nur die Arbeiter der betreffenden Betriebe gemeldet, sondern auch andere Juden. Es sei ihm dann nichts anderes übrig geblieben, als mit der Peitsche dazwischen zu schlagen. Ausser in dem von dem Zeugen Kap. geschilderten Fall habe er einmal noch eine Frau mit ihren zwei Töchtern aus dem Waggon hervorgeholt.

Er sei von zu Hause her zu Gehorsam erzogen worden. Als Soldat sei es ihm selbstverständlich gewesen, jeden Befehl zu befolgen. Er hätte später auch nicht versucht, dort wegzukommen, da es ihm klar gewesen sei, dass dies aussichtslos gewesen wäre. Das Geschehen sei eine grosse Belastung für ihn gewesen, so dass er alles automatisch ohne Überlegung gemacht habe. Bei den schrecklichen Szenen habe er auch an seine eigene Familie gedacht. Er sei nur ein kleiner Soldat gewesen. Es seien doch viele Führer da gewesen, die auch nichts gegen das Elend unternommen hätten.

Der Angeklagte Mic. hat zögernd und ersichtlich ungern eingeräumt, dass der Angeklagte Hantke den Ruf hatte, mehr zu schlagen, als es nötig war. Hantke habe dabei "humoristische" Bemerkungen gemacht und die Juden zum Tempo mit Rufen wie: "Mach' mal, Mach' mal!" angefeuert.

Folgende Zeugen berichten über den Angeklagten Hantke:

Der Zeuge R.-R. hörte den Namen Hantke oft, kann sich aber nicht erinnern, ihn je gesehen zu haben. Der eidlich vernommene Zeuge Ted-Aaron B. sah Hantke bei einer Selektion ungefähr 10 Tage nach Beginn der Räumungsaktion, ohne damals jedoch seinen Namen zu kennen. Sein Vater und sein Bruder hätten Arbeitsausweise gehabt und seien so mit dem Leben davon gekommen. Die Aussage ist insoweit glaubwürdig. Hantke bestreitet nicht, an Selektionen teilgenommen zu haben. Zu berücksichtigen ist weiterhin, dass der Zeuge Hantke später in Poniatowa wieder sah. Der Zeuge Ro. sah nach seiner Aussage Hantke viele Male. Hantkes Name sei für sie wie "der Tod" gewesen. Er habe wie ein Bauer ausgesehen, der schwere Arbeit verrichtete, und eine Peitsche und eine Pistole getragen. Der Zeuge hat Hantke früher auf einem Bild und auch jetzt im Gerichtssaal wiedererkannt. Er kannte Hantke, da dieser ihn später nach Poniatowa geschickt hat. Dabei sei es, wie der Zeuge berichtete, dann ordentlich zugegangen. Die Waggons seien nicht geschlossen und sie seien nicht geschlagen worden. Auf eine Würdigung seiner Aussage wird zu einem späteren Punkt genauer einzugehen sein. Der Zeuge beeidete seine Aussage.

Der Zeuge Kap. schildert in seiner eidlichen Aussage, er hätte Hantke am Umschlagplatz gesehen. Sie seien zu den bereitstehenden Zügen getrieben worden. Es seien dort sehr viele Leute gewesen. Er habe immer versucht, der Letzte zu sein. Die Juden seien mit Hunden, Peitschen und Schüssen in die Waggons getrieben worden. Als er dicht vor einem Waggon gewesen sei, hätte Hantke plötzlich gerufen "Halt! Der kann arbeiten". Nach ein bis zwei Stunden Wartezeit hätten ihn dann ein jüdischer und ein polnischer Polizist zur Quarantänestation gebracht. Hantke habe im Ghetto keinen guten Namen gehabt. Er sei der Chef vom Umschlagplatz gewesen und habe alle Leute verladen. Niemand habe verstehen können, dass ausgerechnet Hantke ihn gerettet habe. Er habe keine Erschiessungen durch Hantke gesehen, aber allgemein davon gehört. Er sei der einzige gewesen, den Hantke gerettet habe. Es sei ein reiner Zufall gewesen.
Die Aussage des Zeugen ist glaubwürdig. Hantke räumt diesen Vorfall ein, wenn er sich auch daran nicht erinnern kann. Er bestätigte weiterhin, dass er mit dem Rest der Juden zu den Waggons gegangen sei, damit keiner zurückblieb. Der Zeuge machte auf das Gericht einen sehr guten Eindruck. Er schilderte einen für den Angeklagten günstigen Vorfall. Dies zeigt, dass er sich trotz aller schrecklicher Vorfälle seine Objektivität bewahrt hatte.

Die Zeugin Helena Lan. - von Beruf Rechtsanwältin - berichtete, dass sie Hantke bei fast allen Aktionen gesehen habe. Schon in den ersten Tagen der Räumungsaktion sei sein Name genannt worden. Es habe geheissen, er sei aus Lublin gekommen. An den Aktionen habe Hantke immer mit einer fast sadistischen Grausamkeit teilgenommen. Er habe mit der Reitpeitsche geschlagen und ein Vergnügen daran gehabt, die Leute herumzustossen. Sie habe Hantke dadurch gekannt, dass ihr Schein-Ehemann jüdischer Ordnungspolizist gewesen sei. Dieser habe mit Hantke zusammen arbeiten müssen. und habe ihr Hantke gezeigt. Bei den Aktionen habe es immer geheissen: "Achtet auf Hantke".
Die Zeugin beeidete ihre Aussage. Sie machte einen guten und glaubwürdigen Eindruck. Auf diesen Punkt wird an anderer Stelle näher eingegangen werden müssen.

Der Zeuge Sam Hof. berichtete in seiner eidlichen Aussage, er habe gehört, dass Hantke der grösste "Bandit" gewesen sei. Wenn er auf dem Umschlagplatz gewesen sei, habe man nichts machen können. Auch die Deutschen hätten dies gesagt. Er habe Hantke in Warschau allerdings nicht gekannt. Später, in Poniatowa, habe er von Hantke zwei Peitschenschläge ins Gesicht erhalten. Die Aussage des Zeugen ist glaubwürdig. Obwohl er Hantke gegenüber nicht freundlich eingestellt ist, berichtete er nur vom Rufe Hantkes in Warschau und dichtete ihm keine Untaten an, wie es sicher möglich gewesen wäre, wenn er sich hätte rächen wollen. In seiner ganzen sehr überzeugenden Aussage unterschied der Zeuge scharf zwischen Erlebtem und Gehörtem. Er bemühte sich sichtlich um äusserste Genauigkeit, ohne seine feindlichen Gefühle der SS gegenüber zu verbergen.

Die Zeugin Halina Bor. lernte Hantke kennen, als sie bei Toebbens arbeitete. Sie berichtete in ihrer beeideten Aussage davon, wie Hantke ihren Mann und einen anderen nahm, um sie mit den Köpfen zusammenzustossen. Ein zweites Mal erlebte sie nach ihrer Aussage im August eine Selektion bei der Firma Toebbens. Bei dieser sei geschossen worden und es habe Leichen gegeben. Hantke habe die Selektion mit der Peitsche und der Pistole durchgeführt. Zu der Mutter der Zeugin habe er bemerkt: "Scheisse, Du hast genug gelebt!" Versteckte Juden, die sich so der Selektion entziehen wollten, seien erschossen worden. Bei einer weiteren Selektion seien Hantke und SS-Leute wieder mit Peitsche und Pistole erschienen. Hantke habe angeordnet, dass die jüdischen Schneider selbst die Juden selektieren sollten. Einer habe jedoch gefehlt, so dass ein jüngerer genommen worden sei. Dieser habe zu Hantke gesagt, die Schneider seien bestochen worden. Er habe gehofft, auf diese Weise frei zu kommen. Hantke habe daraufhin alle in den Betrieb zurückbefohlen und eine Untersuchung angeordnet. Zwei Schneidern habe Hantke ins Gesicht geschlagen und ihnen befohlen, sich mit dem Gesicht zur Wand zu stellen. Hantke habe sie gefragt, wieviel sie für ihre Arbeit bekämen. Sie hätten damals nur eine Suppe und ein Stückchen Brot erhalten. Sie habe persönlich gesehen, wie Hantke auf die Schneider geschossen habe. Während er schoss, sei sie geflüchtet. Erst später habe sie die Leichen gesehen. Andere SS-Leute habe sie nicht schiessen sehen.
Soweit die Zeugin Erschiessungen durch Hantke schildert, sind diese vom Gericht nicht als erwiesen angesehen worden, da sie von anderen Zeugen nicht bestätigt worden sind und da nicht auszuschliessen ist, dass andere SS-Leute in diesem Fall die Juden erschossen haben. Die Aussagen der Zeugin zu der Frage, ob auch andere SS-Leute neben Hantke geschossen haben, sind widersprüchlich und unsicher. Es ist möglich, dass die Opfer durch die Kugeln anderer SS-Leute starben. Die Zeugin mag in dem Durcheinander und in der Aufregung die Vorfälle nicht richtig erfasst haben. Soweit sie aber das Verhalten Hantkes bis auf die Erschiessung schildert, folgt das Gericht der Zeugin, da das Geschehen insoweit einprägsam ist und solche Verhaltensweise Hantkes auch von anderer Seite vielfach geschildert wird. Soweit in der Aussage der Zeugin Ungenauigkeiten vorkommen, so zum Beispiel in der Schilderung der falschen Uniform Hantkes oder in der Existenz jüdischer Ordnungspolizei aus Lublin in Warschau, erklärt sich dies aus der lange zurückliegenden Zeit. Weitere Ungenauigkeiten zum Zeitablauf der Vorgänge beruhten deutlich auf ungenauer Fragestellung und Missverständnissen, die sich aufklärten. Dies alles berührt nicht die Glaubwürdigkeit der Schilderung zu den allgemeinen Vorgängen in Warschau.

Der Zeuge Dr. Jed. - Dozent für Medizin an der Universität in Warschau - berichtete in seiner eidlichen Aussage, er habe Hantke viele Male auf dem Umschlagplatz gesehen. Einmal habe er ihn auch in der Fabrik von Schultz gesehen, in der zwei Brüder, zwei Schwestern und zwei Schwager von ihm gearbeitet hätten. Ein anderes Mal, als er seine Mutter aus einer Wohnung in eine andere brachte, sei Hantke auf einer Rikscha an ihm vorbeigefahren. Hantke habe seine Mutter angesehen, ihr aber nichts getan. Tötungen durch Hantke habe er nicht miterlebt. Er habe aber gesehen, dass dieser auf dem Umschlagplatz geschlagen habe. Hantke sei der Schrecken des Ghettos gewesen. Sein Name sei mit dem Tod gleichzusetzen gewesen. Der Vorfall mit seiner Mutter habe sich in einer relativ ruhigen Zeit abgespielt.

Der Ruf Hantkes sei aber so gewesen, dass man Angst hätte haben müssen, von ihm auf der Strasse erschossen zu werden.
Der Zeuge machte auf das Gericht einen hervorragenden Eindruck. Er belastete Hantke nicht konkret, bestätigte aber glaubhaft dessen üblen Ruf im Warschauer Ghetto. Bezeichnend für den Ruf Hantkes ist es, dass dem Zeugen als bemerkenswert in Erinnerung geblieben ist, dass Hantke dessen Mutter nicht erschossen hat.

Der deutsche Zeuge Ne. - Angestellter der Firma Schultz -, der ebenfalls beeidet wurde, erkannte Hantke in der Hauptverhandlung. Plastisch und überzeugend erklärte er, niemand, der ihn einmal erlebt habe, vergesse Hantke. Positiv über Hantke äusserte sich der deutsche Zeuge Zuc., der gemäss §60 Ziff.2 StPO nicht vereidigt wurde. Er bekundete, Hantke sei zu den Leuten des Sonderdienstes streng gewesen, nicht aber zu den Juden. Er habe sogar zugelassen, dass Juden, die mit ihm mitfuhren, in den Dörfern Lebensmitteln getauscht hätten.

Folgende Aussagen verstorbener und vernehmungsunfähig erkrankter oder kommissarisch vernommener Zeugen enthalten Bemerkungen über das Verhalten des Angeklagten Hantke zu diesem Komplex:

Der verstorbene Zeuge Bor. berichtete in seiner Aussage vom 23.März 1961: Seit Anfang August 1942 sei Hantke des öfteren in die Fabrik Jan Serkowski & Co, in der er, der Zeuge, gearbeitet habe, erschienen, um dort mit ihm unterstellten Kräften eine Auslese durchzuführen. In dem Augenblick, wo die SS-Männer den Betrieb betreten hätten, seien Juden geflüchtet und hätten sich versteckt, da Hantke und seine Untergebenen gleichzeitig auch Schüsse abgefeuert hätten. Dabei hätten sie viele getötet. Er habe selbst gesehen, wie durch Schüsse von Hantke und seinen Untergebenen Menschen tot umgefallen seien, die die Arbeiter der Fabrik dann hätten wegschaffen müssen. Einmal seien Juden in die Latrinengrube gesprungen. Hantke und die SS-Männer seien dann zum Klosett gelaufen und hätten in die Latrinengrube geschossen. Nach jeder Aktion, die von Hantke auf dem Fabrikgelände durchgeführt worden sei, habe er Leichen gesehen. Die Juden, die in der Werkstatt von Toebbens arbeiteten, seien dann auf dem Fabrikhof zusammengetrieben worden. Hantke habe persönlich, mit Peitsche und Revolver in der Hand, die Auslese durchgeführt. Vor allem habe er Kinder von den Eltern getrennt. Bei einer Auslese habe er einem jungen Ehepaar zwei Kinder weggenommen. Die Menschen seien Hantke zu Füssen gefallen und hätten um Mitleid gebeten. Mit der Peitsche habe Hantke die Menschen geschlagen und die Kinder weggenommen. Dann habe Hantke für den Tod vor allem ältere Leute ausgewählt, auch die Mutter des Zeugen. Ein anderes Mal habe er ihn mit einem anderen Juden gepackt und die Köpfe gegeneinander gestossen. Bis zum nächsten Tag hätten sie dann in der Zelasnastrasse gewartet; nachdem Toebbens zum SS-Stab gegangen sei, seien sie wieder frei gelassen worden.
Diese Aussagen stimmen mit den Angaben der Zeugin Halina Bor. - der Ehefrau des verstorbenen Henryk Bor. - überein. Soweit Erschiessungen durch Hantke darin geschildert werden, sieht das Gericht diese nicht als bewiesen an, da nicht auszuschliessen ist, dass die Opfer von anderen anwesenden SS-Leuten getötet worden sind.

Der kommissarisch vernommene Zeuge Ka. schildert in seiner Aussage vom 8.November 1973, Hantke habe den 9-jährigen Sohn seiner Schwester mitgenommen. Durch Mitwirkung eines jüdischen Polizisten, dem sie eine goldene Uhr gegeben hätten, sei der Junge aber lebend zurückgebracht worden. Er glaube, dass es im Oktober 1942 gewesen sei, wisse es aber nicht mehr genau. Hantke habe auch einen Juden namens Rochmann am selben Tage, als er seinen Neffen abholte, erschossen. Er, der Zeuge, habe es selbst gesehen. Auf Vorhalt früherer Aussagen räumte der Zeuge dann ein, es könne sein, dass Mende der Täter gewesen sei und dass er ihn mit Hantke verwechsle. Die Aussage ist daher nicht verwertbar.

Der kommissarisch vernommene Zeuge Jack She. schildert in seiner verlesenen Aussage vom 7.November 1973, zwischen Januar und Juli 1942 sei Hantke gelegentlich in der Fabrik von

Schultz erschienen, um sich Schuhe für sich und seine zwei Kinder machen zu lassen. Er sei immer freundlich gewesen. Sie hätten ihn für einen guten Deutschen gehalten. Er sei dort als Hantke angesprochen worden.
Diese Aussage kann nicht verwertet werden. Die Identifizierung Hantkes ist zu unsicher. Der Zeuge behauptet, Hantke schon vor der Aussiedlung im Sommer 1942 in Warschau gesehen zu haben, daher kenne er ihn. Nach dem Ergebnis der Beweisaufnahme trifft dieses nicht zu, so dass angenommen werden muss, dass die Person, die der Zeuge dann als während der Aussiedlung später, insbesondere während des Kessels an der Mila tätig schildert, nicht Hantke ist.

Der kommissarisch vernommene Zeuge Aharon Fli. schilderte in seiner verlesenen Aussage vom 1.Oktober 1973, er sei einmal mit der Rikscha ins kleine Ghetto gefahren, um aus seiner Wohnung ein Bügeleisen zu holen. Auf der Rückfahrt sei er von einem SS-Mann angehalten worden. Diesem habe er ein Schreiben gezeigt, dass er bei Toebbens arbeite und freigestellt sei. Der SS-Mann habe dies nicht anerkannt und ihn zum Umschlagplatz gebracht. Es sei ihm gelungen, den Zeugen Ric. davon zu benachrichtigen. Dieser hätte ihn freibekommen. Auf dem Umschlagplatz hätte sich Ric. an Höf. gewandt. Höf. sei bereit gewesen, ihn gehen zu lassen, Hantke hätte sich aber zunächst geweigert. Zwischen beiden sei es zu einer Diskussion gekommen. Er hätte den Eindruck gehabt, dass Höf. davor zurückgeschreckt sei, aufgrund seines hohen Dienstgrades seine Freistellung durchzusetzen. Es sei richtig, dass Hantke für die Juden in Warschau ein Begriff gewesen sei. Sein Name allein habe Angst und Schrecken verbreitet. Er sei der Typ des Mörders gewesen.
Es bestehen Zweifel daran, dass sich der Zeuge Fli. richtig daran erinnert, bei dieser Situation auf dem Umschlagplatz Hantke gesehen zu haben. Es ist mehr als unwahrscheinlich, dass Höf. mit dem erheblich rangniederen Hantke über eine Freigabe diskutiert haben soll. Insoweit muss eine Verwechslung vorliegen.

Der verstorbene Zeuge Ric. erinnert sich in seiner verlesenen Aussage vom 22.April 1964 an den Zeugen Aharon Fli. Er bestätigte, dass ihm Nachricht überbracht worden sei, dass Fli. auf den Umschlagplatz gebracht wurde. Er habe sich dorthin gewandt und mit einer Person, von der er nach Vorlage einer Fotographie sicher sei, dass es Höf. gewesen sei, verhandelt. Höf. habe Fli. dann freigegeben. Von Hantke berichtet der verstorbene Zeuge in diesem Zusammenhang nichts.

Der verstorbene Zeuge Poz. schilderte in seiner Aussage vom 3.September 1964, dass Hantke mit Juden immer brutal umgegangen sei. Er habe ihn öfters im Ghetto gesehen. In seiner Aussage vom 12.Januar 1970 schilderte er, dass Hantke bei allen Aktionen im Ghetto dabeigewesen sei und ständig geschossen habe. Er habe es mehr geliebt zu schiessen, als andere SS-Männer. Hantke sei aktiv geworden, als der passive Widerstand der Juden gegen die Aussiedlung gewachsen sei. Er habe Hantke genau gekannt, da dieser ihm diverse Aufträge gegeben habe. So habe Hantke ihn einmal beauftragt, Schallplatten mit russischer Musik für die Ukrainer zu besorgen, einmal habe er ihm seine lederne Pistolentasche zur Reparatur gegeben. In der Tasche habe sich noch die Waffe befunden, Hantke habe aber das Magazin entfernt gehabt. Mit eigenen Augen habe er gesehen, wie Hantke 10 bis 12 Juden erschossen habe. An Einzelheiten könne er sich aber nicht erinnern.
Die Aussage des Zeugen ist glaubwürdig. Die Identifizierung Hantkes ist sicher. Dennoch können die Erschiessungen nicht als bewiesen angesehen werden, da sie zu allgemein geschildert sind.

Der kommissarisch vernommene Zeuge Elp. schilderte in seiner verlesenen Aussage vom 5.Juni 1974, dass Hantke der Schrecken des Ghettos gewesen sei. Er sei gross und breitknochig gewesen, habe wie ein Schlachter ausgesehen und keinen intelligenten Gesichtsausdruck gehabt. Wenn Hantke zu Toebbens gekommen sei, so habe er keine Menschen wegge-

holt. Er, der Zeuge, habe aber wiederholt gehört, dass Hantke an den Blockaden beteiligt gewesen sei.
Die Aussage des Zeugen ist glaubwürdig. Auch die Identifizierung des Angeklagten Hantkes ist sicher. Der Zeuge arbeitete lange bei der Firma Toebbens. Der Angeklagte Hantke gibt selbst zu, dort oft gewesen zu sein. Es erscheint dem Gericht eindeutig, dass dem Zeugen Hantke vom Aussehen und dem Namen nach bekannt geworden sein muss, umsomehr, als das Leben der Juden von diesen SS-Männern abhing. Soweit der Zeuge meint, dass Hantke damals keine Glatze hatte, muss ein durch den langen Zeitablauf bedingter Irrtum vorliegen, der auf den Wahrheitsgehalt der übrigen Aussage keinen Einfluss hat.

Der vernehmungsunfähig erkrankte Zeuge Kli. berichtete in seiner verlesenen Aussage vom 6.Mai 1963: Er habe Hantke auf dem Umschlagplatz kennengelernt. Hantke habe eine Peitsche in der Hand gehabt und mit dieser in die Menschen hineingeschlagen, um sie anzutreiben. In den zwei Stunden, in denen er neben Hantke auf dem Umschlagplatz gestanden habe, habe er gesehen, wie Hantke drei bis vier geflochtene Lederpeitschen zerschlagen habe. Wenn Frauen mit ihren Kindern gekommen seien, so habe Hantke sie nicht beiseite treten lassen, auch wenn es Leute der Firma Schultz gewesen seien, sondern er habe sie mit Fusstritten weggejagt. Leute mit Kindern seien als Rüstungsarbeiter nicht gut angesehen gewesen. Ihnen von der Firma Schultz sei von Hantke und von anderen immer wieder vorgehalten worden, ihre Rüstungsarbeiter seien ja erst 6 Jahre alt. Die Schiessereien auf dem Umschlagplatz hätten Hantke nicht beeindruckt. Besonders in den ersten Tagen der Umsiedlung sei Hantke häufig auf dem Umschlagplatz gewesen. Ob das später noch der Fall gewesen sei, wisse er nicht. Hantke habe er auch bestimmt mehrmals bei Selektionen im Ghetto gesehen. Der Name sei von den Juden besonders gefürchtet worden. Er habe sich unter ihnen wie ein Lauffeuer verbreitet.
Diese Aussage ist glaubwürdig, soweit sie Hantke als Mann schildert, der ohne Rücksicht auf menschliches Leid tätig wurde. Insoweit ergänzt sie das Bild, das andere Zeugen, wie vorstehend ausgeführt, von Hantke gezeichnet haben.

12.) Dass der Angeklagte Hantke am Umschlagplatz in Warschau den Juden David Chajkin erschossen hat, glaubt das Schwurgericht der Zeugin Helena Lan.; dass er in der Lesznostrasse eine jüdische Frau erschossen hat, hält das Schwurgericht auf Grund der Aussage des Zeugen Ro. für erwiesen.

Für diese Würdigung war die Persönlichkeit des Angeklagten Hantke massgebend. Diese ergibt sich einmal aus der Mehrheit der vorstehend geschilderten Aussagen und aus den Bemerkungen seines Mitangeklagten Mic. (a) und seinen eigenen Angaben. Sie folgt aber auch aus der Gesamtwürdigung aller Umstände, die den Angeklagten Hantke in Warschau, Budzyn und Krasnik nach den Aussagen dieser und weiterer Zeugen zu den Tötungshandlungen getrieben haben (b). Schliesslich spielte bei der Gesamtwürdigung der Zeugenaussagen der Umstand eine Rolle, dass für eine bewusst oder unbewusst falsche Beschuldigung Hantkes durch die Zeugen - von der der Angeklagte nach seiner Behauptung überzeugt ist - jeder Anhaltspunkt fehlt. Vielmehr spricht die differenzierte und vorsichtige Art der Aussagen für die Glaubwürdigkeit der Zeugen.

a) Der Angeklagte Hantke ist ein einfach strukturierter Mann, der eigenen Überlegungen dahingehend, wie er sich zu der menschenunwürdigen Behandlung der Juden und später zu ihrer Vernichtung stellen sollte, möglichst aus dem Wege ging. Soweit er angesichts der ihm befohlenen Mitwirkung bei der Vernichtung jüdischer Menschen in einen Konflikt geraten sein sollte, löste er diesen jedenfalls im Sinne der Befehlsgeber, die für ihn den NS-Staat repräsentierten. Er verbot es sich, Zweifeln an der (auch) moralischen Autorität des Staates Raum zu geben. Dabei ist ihm zunächst der Umstand zu Hilfe gekommen, dass er aus einer Familie stammte, in der, wie er es glaubwürdig beschrieb, Gehorsam verlangt wurde und herrschte, dass er von der antijüdischen Propaganda beeinflusst worden war und sich auf diese Weise innere Hemmnisse gegen eine so unmenschliche Handlungsweise abgebaut hatten und dass er während der Aktionen um sich herum weder bei Offizieren noch sonst bei Kameraden Zweifel daran feststellen konnte, ob das, was hier geschah, von einem Staat befohlen werden durfte. Hantke hat hierzu, wie bereits erwähnt, mit Nachdruck erklärt, um ihn herum seien doch "die hohen Offiziere" anwesend gewesen, sie hätten ebenfalls das ganze Elend gesehen und nichts dagegen unternommen. - Im übrigen war Hantke weder bereit noch in der Lage, eine innere oder äussere Distanz vom NS-Staat oder von der SS, der er sich innerlich ohne jeden Vorbehalt verbunden fühlte, auch nur zu erwägen. Er lebte im Kameradenkreise der SS voll angepasst und eingeordnet, erkannte deren hierarchische Struktur und die hieraus sich ergebende unzweifelhafte Verbindlichkeit jeden "von oben kommenden" Befehls an und fühlte sich ihr ohne Vorbehalt zugehörig. Dem entspricht es, dass Hantke bei seiner persönlichen Vernehmung zu Beginn der Hauptverhandlung von seinen Vorgesetzten nur mit Dienstgrad und von seinen gleich- und untergeordneten SS-Angehörigen nur als von Kamerad ... sprach. Dass Hantke als unauffälliger Soldat und freundlich hilfsbereiter Kamerad bekannt war, hat der Zeuge Mohwinkel [361] insoweit glaubwürdig bekundet. Dieses Zugehörigkeitsgefühl zur SS und seine uneingeschränkte Loyalität wurden auch nicht dadurch in Zweifel gestellt, dass Hantke in der SS nicht gerade Karriere machte, sondern während des Krieges nur einmal im echten Sinne befördert wurde, nämlich zum Oberscharführer am 19.Juli 1942, unmittelbar vor der Aktion in Warschau. Dass sein Dienstgrad seinen Fähigkeiten entsprach und er sich nicht unbillig benachteiligt gefühlt habe, hat er in der Hauptverhandlung auf Frage seines Verteidigers Dr. Sem. glaubhaft erklärt. Seiner Treue zur SS und zum nationalsozialistischen Staat kam es zustatten, dass er die antijüdische Einstellung des NS-Staates, wie er zugibt, teilte, wenn er sich von der antijüdischen Propaganda beeinflussen liess. Diese Einstellung gegenüber den Juden ergibt sich deutlich daraus, dass drei Zeugen - ganz unabhängig voneinander und im Rahmen des eigentlichen Themas ihrer Aussage eher beiläufig - bekundet haben, dass Hantke jüdische Menschen als "Scheisse" (Halina Bor., En.) oder "Dreck" (Ro.) bezeichnet hat.

Dieser angepassten und bejahenden Haltung zum NS-Staat und zur SS entspricht es, dass Hantke sich innerlich voll auf den Boden der ihm erteilten Befehle stellte. Er ging bei der Räumung selbst mit der Brutalität vor, die nach seinem Dafürhalten zur schnellen Erreichung des befohlenen Zwecks, der Räumung des jüdischen Wohnviertels, der Aussonderung arbeitsfähiger jüdischer Menschen und der Verladung der Opfer zum Abtransport nach Treblinka, erforderlich war. Seine unmenschliche Handlungsweise liess keinerlei Respekt vor familiärem Zusammenhalt und der Menschenwürde der Opfer erkennen. Dass Hantke in Warschau als brutaler, unmenschlicher und gefährlicher SS-Mann berüchtigt war, ergibt sich nicht nur aus den Aussagen der zum Komplex Warschau gehörten Zeugen, sondern auch aus der Äusserung Mic.s, Hantke sei in Warschau unter SS-Leuten dafür bekannt gewesen, dass er mehr geschlagen habe als notwendig. Diese Handlungsweise des Angeklagten Hantke ist nicht die eines SS-Mannes, der widerstrebend einen für verbrecherisch gehaltenen Befehl ausführt, sondern eines nach Befehlsempfang aus eigenem Antrieb und eigener Überzeugung Handelnden, der sich nicht an den durch den Befehl gesteckten Rahmen hielt. Danach war nämlich eine schonende und die Gebote der Menschenwürde und Menschlichkeit in bescheidenem Rahmen achtende Behandlung der Opfer nicht ausgeschlossen.

Diesem Persönlichkeitsbilde des Angeklagten Hantke widerspricht es nicht, dass er - wie bereits erwähnt - ausserhalb einer Vernichtungsaktion sich auch jüdischen Menschen gegenüber geordnet, in Einzelfällen sogar freundlich gegenüber verhalten konnte, wie der Zeuge Zuc. aus Lublin und der Zeuge Ted Aron B. aus Poniatowa berichtet haben, und dass er, was auf Grund der eidlichen Aussage des Zeugen Kre. als erwiesen anzusehen ist, zeitweise

[361] Siehe Verfahren Nr.813.

erheblich unter Gewissensbelastung litt. Der Zeuge Kre., von Beruf Oberamtsanwalt und mit dem Angeklagten weitläufig verschwägert, hat sich ersichtlich um eine ausgewogene Darstellung der ihm bekannten Vorgänge bemüht. Dass er den Angeklagten, von dem er als "Onkel Otto" sprach, für schwer belastet hielt, ergibt sich aus seiner Bemerkung, sein inzwischen verstorbener Vater, dem sich "Onkel Otto" in Gewissensnot anvertraut habe, sei über die Massen erstaunt gewesen, dass Hantke nach dem Kriege nach Westdeutschland zurückgekehrt sei und hier unter richtigem Namen lebe. Der Zeuge hat glaubwürdig weiter bekundet, dass Hantke sich seinem, des Zeugen, Vater anvertraut habe, dass ihm, dem Zeugen, zwar der genaue Inhalt dieses Gespräches nicht bekannt sei, dass sein Vater aber während des Krieges im Familienkreise spontan geäussert habe, niemand wisse, was Onkel Otto durchmache. Diese Äusserung war als Erwiderung auf eine Bemerkung gefallen, die sinngemäss dahin lautete, dass Hantke, obwohl ein kräftiger, gesunder Mann, gewissermassen in der Etappe lebe.

Der Angeklagte Hantke wusste, dass in Warschau unmenschliches Unrecht geschah. Es gelang ihm zwar während seiner Tätigkeit im Rahmen der Aktionen selbst und auch, wenn er in Krasnik und Budzyn "Ordnung schuf", dieses Empfinden mit seinem eigenen Rassenhass und mit Hilfe seiner Befehlstreue zu überdecken, aber ausserhalb solcher Aktionen, bei ruhigem Nachdenken, wurde ihm der Charakter der über alle normalen Vorstellungen geordnet lebender Menschen hinausgehenden Unmenschlichkeit des Geschehens klar. Dieses Bewusstsein belastete sein Gewissen und liess ihn nach Möglichkeiten suchen, das Erlebte und die eigene Handlungsweise dabei zu verarbeiten. Diese Gewissensbelastung wurde nicht nur in seiner Beichte gegenüber dem Vater des Zeugen Kre., sondern auch während seiner Vernehmung zur Sache in der Hauptverhandlung deutlich, bei der ihn die Erinnerung an das damalige Geschehen erkennbar schwer belastete.

b) In allen Fällen, in denen das Schwurgericht Hantke der eigenhändigen Tötung jüdischer Menschen in Warschau, Krasnik und Budzyn für überführt hält, hat Hantke in einer jeweils vergleichbaren und ihren Faktoren nach ähnlichen Situation gehandelt. Er hat jüdische Menschen erschossen, weil sie durch ihre Handlungsweise oder ihren Gesundheitszustand die Ordnung oder den reibungslosen Ablauf eines befohlenen Geschehens störten oder gefährdeten. Das gilt in Warschau zunächst für die jüdische Frau, die sich der Selektion durch unauffällige Flucht entziehen wollte und für David Chajkin, der durch seine Gehbehinderung den Weitermarsch der Juden am Umschlagplatz behinderte, das gilt für den jungen Baruch Krumholz in Krasnik, der den Abmarsch nach Budzyn störte, weil er vergeblich versuchte, die zu kleinen Stiefel anzuziehen, für Symcha Borenstein in Budzyn, der infolge seines Sturzes vom LKW nicht mehr laufen konnte und schliesslich für die typhuskranken Juden in Budzyn, die Hantke tötete, weil sie als Kranke nicht arbeitsfähig waren und wegen der Krankheit eine Gefahr für die anderen Lagerinsassen bildeten.

c) Das Schwurgericht glaubt den jüdischen Zeugen, die Hantke wegen der genannten Taten belasten.

aa) Für eine unrichtige Belastung des Angeklagten Hantke auf Grund Verabredung, Rachsucht oder Hass hat sich kein Anhaltspunkt ergeben. Den Gedanken an eine zu seinen Lasten verabredete unrichtige Belastung durch jüdische Zeugen hat der Angeklagte zwar zu Beginn der Hauptverhandlung noch geäussert, angesichts der in wesentlichen Einzelheiten divergierenden Aussagen der einzelnen Zeugen jedoch selbst nicht aufrechterhalten können. Insoweit ist auf die zahlreichen Widersprüche in der Sachschilderung auch solcher Zeugen zu verweisen, die einander nahe verwandt sind und auf den Vorhalt der jeweils anderen Aussage mit der ungeduldigen Bemerkung reagierten, der andere müsse sich eben geirrt haben oder erinnere sich nach so langer Zeit nicht mehr richtig.

Gegen eine aus allgemeinem Hass oder Rachsucht unrichtige Bezichtigung spricht weiterhin, dass die jüdischen Zeugen sehr klar zwischen der Handlungsweise Hantkes und anderer Beteiligter - auch des Angeklagten Mic. - unterschieden haben. Mic. ist - von einem, für die Würdigung nicht erheblichen Fall abgesehen - von keinem Zeugen brutaler oder sonst auffälliger Handlungsweise bezichtigt worden. Seine im Ermittlungsverfahren gemachte und in der Hauptverhandlung bestätigte Äusserung, er sei wahrscheinlich der einzige SS-Mann, der in Warschau keinen Juden erschossen habe, entspricht dem Bild, das die Gesamtheit der Aussagen (auch) der jüdischen Zeugen von ihm geben. Eine gezielte Rache auch nur eines Teiles der jüdischen Zeugen an einem hochgestellten SS-Führer, der im Range deutlich über Hantke stand, hätte es nahegelegt, ihn gleichsam wahllos zu belasten. Mic. erscheint in den Zeugenaussagen jedoch so, wie er sich selbst beschreibt: Der unauffällig und dem Befehl gemäss Handelnde, der sich nicht durch brutale Handlungsweise exponiert. Demgegenüber ist die Schilderung, die die Zeugen von Hantke geben, auch bei manchen Abweichungen im Detail, doch im Kern erkennbar einheitlich und entspricht der obigen Kennzeichnung. Hantke wird nämlich nahezu einhellig - wie ausgeführt - als ein brutaler und gefährlicher SS-Mann bezeichnet. Dabei wird aber von den Zeugen sehr sorgfältig danach differenziert, ob sie lediglich von Hantkes Ruf berichten können, ihn selbst aber nicht in Tätigkeit gesehen haben und danach, ob sie selbst Hantke bei seiner Tätigkeit beobachtet und ihn sicher erkannt haben.

bb) Dass Hantke auf dem Umschlagplatz in Warschau im August 1942 den Juden David Chajkin erschossen hat, hält das Schwurgericht auf Grund der glaubwürdigen Aussage der Zeugin Helena Lan. für bewiesen. Die von der Zeugin beschriebene Handlungsweise passt zu dem Bild, dem auch die anderen für bewiesen erachteten Tötungshandlungen des Angeklagten entsprechen. Hantke war dafür verantwortlich, dass die Juden ohne Störung schnell zu den Waggons gebracht wurden. Der gehbehinderte David Chajkin störte den Ablauf der Verladeaktion. Um diese Störung zu beseitigen und den ungestörten Ablauf zu sichern, erschoss Hantke ihn. Die Zeugin Helena Lan. schildert den Tatablauf so, wie er festgestellt wurde. Auch in ihren früheren Vernehmungen hat sie stets dieselben Angaben gemacht.

Die Verteidigung wendet sich gegen die Glaubwürdigkeit ihrer Aussage in der Hauptsache mit der Begründung, die Schilderung ihres Entkommens vom Umschlagplatz sei völlig unwahrscheinlich und somit unglaubwürdig.

Die Zeugin schilderte ihr Entkommen folgendermassen: Sie habe sich an der Mauer entlang geschoben und hinter einem Knick dieser Mauer eine Vertiefung in der Erde entdeckt. Durch diese sei sie unter der Mauer hindurchgekrochen und durch Kanäle zurück in ihre Wohnung gelangt. Die Mauer sei nicht gerade gewesen, sondern habe einen Knick gehabt. Nach der Erschiessung ihres Vetters habe sie versucht, sich an der Mauer wegzudrücken. Hinter einem Knick habe man sie nicht mehr sehen können. Dort habe sie dann die lockere Stelle gefühlt und sich unter der Mauer durchschieben können. Sie habe damals 36 kg gewogen. Aus der Kolonne sei sie unbemerkt herausgekommen, weil an der Mauer Schatten gewesen sei. Dort habe sie sich aufgehalten. Zuerst habe sie sich hingehockt und sei dann auf der Erde an der Mauer entlanggekrochen. Sie selbst habe gar nicht mit einem Gelingen der Flucht gerechnet, sondern sich auf jeden Fall vor dem Verladen drücken wollen. Sie habe sich am äussersten Rand der Kolonne aufgehalten.
Diese Art des Entkommens ist nicht unwahrscheinlich. Die Mauer wurde flüchtig und schnell von den Juden selbst gebaut; es ist deshalb gut möglich, dass sie nicht überall ein festes Fundament hatte. Es ist auch nicht unwahrscheinlich, dass sich die Zeugin in dem auf dem Umschlagplatz herrschenden Durcheinander von der Gruppe trennen konnte. Auf das Gericht hat die Zeugin einen ohne Einschränkung glaubwürdigen Eindruck gemacht.

Der Angeklagte Hantke hat dagegen, um sich zu verteidigen, wiederholt unrichtige Angaben gemacht. So räumte er erst unter dem Eindruck der Aussage des Zeugen Dr. Jed. ein, an dem "Kessel an der Mila" teilgenommen zu haben, nachdem er dies bisher in der Hauptverhandlung mit Nachdruck bestritten hatte. Desgleichen gab er erst nach Vorhalt einer Landkarte zu, den Ort Konska-Wola [362] zu kennen, von dem er vorher nie gehört haben wollte. Auch die Tatsache, dass sich die Zahl der Typhuskranken im Laufe seiner Aussagen verringerte, zeigt, dass seinem Bestreiten kein Beweiswert zuzumessen ist.

cc) Die Feststellungen zur Erschiessung einer Jüdin auf der Strasse vor dem Toebbens-Betrieb Lesznostrasse 52-54 durch den Angeklagten Hantke beruhen auf den glaubwürdigen Angaben des Zeugen Ro. Der Zeuge schilderte die Tat so, wie sie das Gericht festgestellt hat.
Der Angeklagte bestreitet die Tat. Die Verteidigung wendet zur Begründung der Unglaubwürdigkeit der Aussage des Zeugen zunächst ein, dass es eine motorisierte Ambulanz im Ghetto nicht gegeben und der Zeuge somit etwas Unrichtiges gesagt habe. Sie stützt sich insoweit auf den Zeugen R.-R.
Das Gericht ist überzeugt, dass sich der Zeuge R.-R. in diesem Punkt geirrt hat. Der Zeuge Dr. Jed. bestätigte nämlich - wie schon erwähnt -, dass es eine motorisierte Ambulanz gab. Die Verteidigung meint weiterhin, der Zeuge Ro. sei unter Umständen nicht voll glaubwürdig, weil er über die Vorgänge im Ghetto ein Buch geschrieben habe und die Gefahr bestehe, dass er in seiner nunmehrigen Aussage Dichtung und Wahrheit vermenge. Sie weist darauf hin, dass der Zeuge in seinem Werk über das Ghetto Hantke als den Hauptschuldigen am "Kessel an der Mila" dargestellt habe. In der Hauptverhandlung zeigte es sich zur Überzeugung des Gerichts, dass der Zeuge bereit und in der Lage war, Erlebtes, Gehörtes und Geschriebenes voneinander zu trennen. So schilderte er, dass er Hantke am "Kessel an der Mila" in Wahrheit überhaupt nicht erlebt habe. Er habe um des literarischen Ausdrucks willen eine Person gezeichnet und ihr den Namen Hantke gegeben, weil dieser bekannt gewesen sei, und Hantke nach seiner Auffassung damit kein Unrecht geschehe, wenn er als solche Person in dem Buch geschildert werde.

III. Tötung jüdischer Menschen in Krasnik und Budzyn durch den Angeklagten Hantke im Herbst 1942

1.) Erschiessung des Baruch Krumholz in Krasnik

Der Angeklagte bestreitet diese Tat. Er gibt an, er könne sich an einen solchen Fall nicht erinnern. Er sei auch niemals zu dem Zweck in Krasnik gewesen, sich dort Arbeitskräfte zu holen, sondern habe dort lediglich zu tun gehabt, wenn er zur Post gegangen sei. Von einer Aktion "Judenrein" in Krasnik wisse er nichts. Im übrigen sei er schon am 5.Oktober 1942 von Budzyn in das Lager Poniatowa versetzt worden. Damals habe ihn Mic. aus Budzyn abgeholt.
Diese Einlassung des Angeklagten ist durch die Beweisaufnahme widerlegt.

Die Zeugen En. und Rob. haben die Erschiessung des Krumholz durch den Angeklagten im wesentlichen übereinstimmend in der festgestellten Weise geschildert. Ihre Angaben sind glaubhaft. Anhaltspunkte dafür, dass sie den von ihnen geschilderten Fall mit einem anderen Vorfall verwechseln oder sich in der Person des Angeklagten geirrt haben, bestehen nicht. Beide Zeugen kannten Baruch Krumholz aus Krasnik; er war ein Schulfreund des Zeugen En. Sie haben den Vorgang der Erschiessung aus nächster Nähe miterlebt. Bei der Geschichte mit den Stiefeln handelt es sich auch um einen recht markanten Vorgang, der sich deshalb trotz vieler anderer schrecklicher Erlebnisse den Zeugen besonders eingeprägt hat.

[362] Gemeint ist wohl: Konskowola.

Die Zeugen haben den Vorfall zwar zeitlich verschieden eingeordnet. Der Zeuge En. spricht vom 17.November 1942, der Zeuge Rob. von Mitte September 1942. Dies spricht jedoch nicht dagegen, dass sie den Vorgang selbst richtig schildern. Bei einem Tatgeschehen, das inzwischen über 30 Jahre zurückliegt, sind derartige relativ geringe zeitliche Differenzen nicht verwunderlich. Sie berühren nicht das Kerngeschehen, den eigentlichen Tötungsvorgang, der von beiden Zeugen übereinstimmend geschildert wird.
Dem Zeugen En. war der Angeklagte Hantke im Zeitpunkt der Tat allerdings noch nicht bekannt. Er hat ihn jedoch später im Lager Budzyn kennengelernt und ihn zweifelsfrei als den SS-Mann erkannt, der am Bahnhof in Krasnik den Krumholz erschossen hat. Der Zeuge Rob. hatte den Angeklagten schon kurz vor der Aussiedlung in Krasnik bei einer Besprechung mit der dortigen Polizei gesehen; er erfuhr den Namen des Angeklagten ebenfalls später im Lager Budzyn.

Es ist nichts dafür ersichtlich, dass die Zeugen den Angeklagten zu Unrecht belasten. Beide haben in ihrer Aussage durchaus differenziert und angegeben, sie hätten lediglich diese eine Tötung durch den Angeklagten gesehen. Der Zeuge En. hat bekundet, Hantke sei im Lager Budzyn zwar gefürchtet, sein Nachfolger Feix sei aber ungleich schlimmer gewesen.
Zweifel daran, ob der Zeuge En. den von ihm geschilderten Vorfall wirklich selbst miterlebt hat oder nur vom Hörensagen kennt, ergeben sich in diesem Fall auch nicht aus dem Umstand, dass der Zeuge - wie er in der Hauptverhandlung von sich aus berichtete - dem Verein ehemaliger Krasniker Juden angehört und an einem Buch über die damaligen Ereignisse in Krasnik mitgearbeitet hat. Anders als im noch zu schildernden Fall Borenstein hat der Zeuge in diesem Fall nämlich von Anfang an eine im wesentlichen gleichlautende Schilderung des Geschehens gegeben und den Namen des Baruch Krumholz bereits bei seiner ersten Vernehmung genannt.

Das von den Zeugen Rob. und En. bekundete Tatgeschehen passt auch zu der sonstigen Verhaltensweise des Angeklagten. Die Situation ähnelt den beiden Fällen in Warschau, in denen das Gericht den Angeklagten für überführt hält, jeweils einen Menschen eigenhändig getötet zu haben. Auch hier kam es zu einer plötzlichen, für den Angeklagten unerwarteten Störung seiner Aktion; Baruch Krumholz, der seine Stiefel nicht anziehen konnte, verzögerte den von dem Angeklagten befohlenen Abmarsch nach Budzyn. Der geistig schwerfällige und unbewegliche Angeklagte sah in der Erschiessung des Krumholz wie in den beiden Warschauer Fällen die einfachste und schnellste Möglichkeit, die Störung zu beseitigen und damit allen auftretenden Schwierigkeiten aus dem Weg zu gehen.

Neben dieser für den Angeklagten typischen Reaktion spricht auch seine sonstige Einlassung gegen ihn. Soweit er nämlich behauptet, er sei ausser zum Postholen nie in Krasnik gewesen und habe von der dortigen Aktion "Judenrein" nichts gewusst, wird dies ausser von den Zeugen En. und Rob. auch durch andere Zeugen widerlegt. Der Zeuge Josef Pin. hat angegeben, Hantke sei der erste Lagerkommandant gewesen, der Juden aus Krasnik geholt habe. Nach der Darstellung seines Bruders Hermann Pin. hat dieser den Angeklagten in Krasnik zwar nicht selbst gesehen, wohl aber von ihm gehört, dass er der Leiter der Räumungsaktion gewesen sei. Der Zeuge Fre. hat in seiner verlesenen Aussage bekundet, der Angeklagte sei ihm schon aus Krasnik bekannt, er sei dort sehr gefürchtet gewesen. Nach der ebenfalls verlesenen Aussage des Zeugen Bla. ist der Angeklagte der Organisator der Aktion "Judenrein" in Krasnik gewesen. Der Zeuge schilderte, wie er zu Beginn der Aktion zum Abtransport auf einen Platz getrieben worden sei und dort den Angeklagten gesehen habe. Dieser sei der einzige SS-Mann dort gewesen, die übrige Arbeit hätten Ukrainer gemacht.

Schliesslich sprechen die vom Angeklagten selbst geschilderten Umstände, unter denen er das Lager Budzyn übernahm, dafür, dass er auch anlässlich der Räumung Krasniks dort Arbeitskräfte ausgesucht hat. Nach der insoweit glaubhaften Einlassung des Angeklagten hat er nämlich das Lager praktisch leer vorgefunden. Es war also seine Hauptaufgabe, sich zunächst einmal Arbeitskräfte zu beschaffen. Er beschränkte sich dabei nicht auf die bereits von Krasnik aus in den Heinkelwerken beschäftigten jüdischen Arbeiter, sondern er hat, wie er im Laufe der Hauptverhandlung einräumen musste, auch aus dem mehr als 30 km entfernt liegenden Kriegsgefangenenlager Konskowola bei Pulawy Arbeitskräfte in sein Lager gebracht. Unter diesen Umständen liegt es zumindestens sehr nahe, dass der Angeklagte sich auch aus der nur ca. 5 km vom Lager entfernten Stadt Krasnik anlässlich der restlosen Auflösung des dortigen Ghettos weitere jüdische Arbeitskräfte beschaffte.

Obwohl der genaue Zeitpunkt, an dem Baruch Krumholz erschossen worden ist, in der Hauptverhandlung nicht geklärt werden konnte, steht nach dem Ergebnis der Beweisaufnahme fest, dass die Tat jedenfalls geschah, bevor der Angeklagte aus Budzyn in das Lager Poniatowa gekommen ist.

Die Behauptung des Angeklagten, er sei bereits am 5.Oktober in das Lager Poniatowa versetzt worden, Mic. habe ihn seinerzeit abgeholt, ist durch die in der Hauptverhandlung eidlich vernommenen Zeugen Heu. und Bia. widerlegt.

Der Zeuge Heu. hat glaubhaft bekundet, er sei von Mitte November bis zum 12.Dezember 1942 im Lager Poniatowa gewesen und habe den Angeklagten dort nicht gesehen. Wenn der Angeklagte tatsächlich zu dieser Zeit im Lager gewesen wäre, hätte der Zeuge ihn aber sehen müssen, da das Lager Poniatowa erst im Aufbau war. Es waren nach der glaubhaften Angabe des Zeugen nur einige Angehörige der SS-Standortverwaltung aus Lublin, zu denen auch der Zeuge Heu. selbst gehörte, dort, um die Verwaltung des Lagers aufzubauen. Es gab noch keine Werkstätten und erst wenige Juden aus Opole, einem kleinen Ort im Distrikt Lublin. Der Zeuge Heu. hat auch plausibel erklären können, warum er sich noch so genau an die Daten seines Aufenthaltes in Poniatowa erinnern konnte. Er hatte - wie er in der Hauptverhandlung berichtete - im Flughafenlager in Lublin Gruppen von völlig ausgemergelten und kranken Juden gesehen und wollte deshalb so schnell wie möglich von Lublin weg. Seine Beförderung zum Unteroffizier am 9.November 1942 bot ihm die willkommene Gelegenheit, sich zu einer Führerschule zu bewerben. Kurz nach seiner Beförderung kam er nach Poniatowa. Am 2.Januar 1943 begann ein Vorbereitungslehrgang für seine Führerausbildung in Dachau. Hierfür erhielt er 14 Tage vorher Urlaub, so dass sein Aufenthalt in Poniatowa Mitte Dezember 1942 endete.

Die Angaben des Zeugen Heu. werden bestätigt durch die Aussage des Zeugen Bia., der ebenfalls der Standortverwaltung in Lublin angehörte. Auch dieser Zeuge, der nach seiner glaubhaften Angabe im Spätherbst oder Winter, frühestens Ende Oktober nach Poniatowa gekommen und dort etwa ein Jahr geblieben ist, hat bekundet, anfangs seien im Lager nur seine Kameraden von der Standortverwaltung, Schubert, Hug, Strogaly und Heu. gewesen; der Angeklagte Hantke sei erst später gekommen. Der Mitangeklagte Mic. schliesslich konnte sich nicht daran erinnern, Hantke zu irgendeiner Zeit aus dem Lager Budzyn abgeholt zu haben.

Da der Angeklagte Hantke, wie er insoweit glaubhaft angibt, direkt von Budzyn nach Poniatowa gekommen ist, folgt hieraus, dass er bis Mitte Dezember 1942 in Budzyn gewesen sein muss, also auch noch am 17.November 1942, an dem nach der Aussage des Zeugen En. die Aktion "Judenrein" in Krasnik und die Erschiessung des Baruch Krumholz stattgefunden haben soll. Von anderen Zeugen aus Krasnik wird allerdings ein früherer Zeitpunkt für die Auflösung des dortigen jüdischen Wohnbezirks genannt. Der Zeuge Bla. spricht vom Spätsommer 1942, man habe seinerzeit noch Sommerkleidung getragen; der Zeuge We. gibt als Termin Mitte Oktober und der Zeuge Suk. Ende Oktober / Anfang November 1942 an. Der Zeitpunkt Mitte Oktober 1942 ist am wahrscheinlichsten. Mitte September, wie es der Zeuge Rob. bekundet hat, ist mit Sicherheit zu früh, da der Angeklagte Hantke zu dieser Zeit erst Warschau verlassen und dann noch 1-2 Wochen im Lipowa-Lager in Lublin verbracht hat.

2.) Erschiessung des Juden Symcha Borenstein

Das Schwurgericht hat zu diesem Fall keine weitergehenden Feststellungen treffen können, als dies oben ausgeführt worden ist. Es ist jedoch der Auffassung, dass diese Feststellungen für eine Verurteilung des Angeklagten Hantke wegen Mordes - begangen als Täter - ausreichen.
Der Angeklagte hat hierzu - wie hinsichtlich der anderen, zum Tatort Budzyn angeklagten Taten - lediglich erklärt, er habe in Budzyn wie auch sonst in Polen ausser den Typhuskranken und einem Fall in Lublin, wo er auf Befehl des Zeugen Mohwinkel [363] einen Juden erschossen habe, keinen Juden getötet. Hantke bezweifelt aber nicht, dass er zu dem fraglichen Zeitpunkt die Funktion eines Lagerleiters ausgeübt hat und nach Sachlage derjenige gewesen wäre, der für einen solchen Tötungsbefehl oder eine solche Handlung zuständig gewesen wäre.

Die hierzu vernommenen Zeugen haben sich zur Frage des Zeitpunktes, der Identität des Opfers, des Anlasses und der Ausführung der Tat wie folgt geäussert:

Die Erschiessung des jungen Mannes hat nach Angaben der Zeugen We., Brat. und Wi. an dem Tag stattgefunden, als die Juden aus den Heinkelwerken im Lager Budzyn kaserniert wurden; nach Darstellung der Zeugen Bla., Suk. und Fre. unmittelbar nach der Aktion "Judenrein" in Krasnik, nach Angabe des Zeugen Daw. kurz vor der Fertigstellung des Lagers. Ferner ist den Zeugen Bla., Suk., Wi., Daw. und Brat. nach ihrer Aussage nicht nur der Name des verletzten Juden, nämlich Symcha Borenstein, sondern dieser selbst auch aus Krasnik von Person her bekannt gewesen.
Hinsichtlich des äusseren Tatablaufs haben die Zeugen sich wie folgt geäussert: Der Zeuge We. hat erklärt, Borenstein sei beim Aufsteigen auf einen haltenden LKW, der nach Krasnik zurückfahren sollte, heruntergefallen. Nach Angabe des Zeugen Daw. ist Borenstein von einem fahrenden, aus Krasnik kommenden LKW gefallen, als dieser vor dem Lager wendete. Die Zeugen Suk. und Bla. haben dagegen bekundet, Borenstein habe sich beim Abspringen von einem haltenden LKW ein Bein verletzt. Nach der Schilderung des Zeugen Wi. hat Borenstein anschliessend heftig geschrien und die Hände auf seinen Bauch gepresst. Demgegenüber hat der Zeuge We. ausgesagt, Borenstein habe nicht geklagt, es habe eigentlich ganz harmlos ausgesehen.

Das weitere Geschehen wird von den Zeugen in drei Versionen geschildert:

Der Zeuge Daw. hat bekundet, er habe sogleich, nachdem Borenstein verletzt liegengeblieben sei, einen Schuss gehört. Er habe zwar nicht gesehen, wer geschossen habe, es könne jedoch nur Hantke gewesen sein, denn dieser habe vorne neben dem Chauffeur gesessen und das Kommando gehabt. Von den Kriegsgefangenen, die bei ihnen Kapos gewesen seien, sei Borenstein dann fortgebracht und begraben worden. Ähnlich hat sich der Zeuge Wi. geäussert. Er habe gesehen, wie Borenstein in der Nähe ihres auf einem Haufen liegenden Gepäcks auf dem Boden gesessen und vor Schmerzen geschrien habe. Als einige Juden ihm hätten helfen wollen, habe Hantke das verboten und den Borenstein dann erschossen. Dies sei am frühen Morgen geschehen, er, der Zeuge, habe dabei nur etwa 2 m entfernt gestanden. Anschliessend habe er selbst auf Befehl Hantkes die Leiche zusammen mit 3 anderen Juden in ein nahe gelegenes Wäldchen getragen, wo Borenstein begraben worden sei.
Der Zeuge Fre. hat angegeben, er habe miterlebt, wie ein jüdischer Junge oder junger Mann vom Wagen gefallen und anschliessend erschossen worden sei. Ob der Angeklagte Hantke dabei gewesen sei und ob er den Jungen erschossen habe, wisse er jedoch nicht mehr. Der

[363] Siehe Verfahren Nr.813.

Zeuge En. schliesslich hat bekundet, Borenstein sei vom Wagen gefallen und dann erschossen worden; ob von Hantke, habe er nicht gesehen, da er zu weit entfernt gestanden habe.

Dieser ersten Version, nach der Borenstein sogleich im Anschluss an seine Verletzung erschossen worden ist, steht als zweite Version die verlesene Aussage des Zeugen Bla. gegenüber. Danach hat der verletzte Borenstein viele Stunden neben dem Gepäck gelegen, das von dem Zeugen Bla. und 2 anderen Juden bewacht wurde, während alle anderen ins Lager gingen. Gegen Abend sei, so bekundet der Zeuge, der Angeklagte Hantke mit zwei ukrainischen Wachmännern gekommen. Als einer der Ukrainer Hantke gefragt habe, was sie mit dem Verletzten machen sollten, habe Hantke erwidert, das werde er erledigen. Der Angeklagte sei dann von hinten auf den liegenden Borenstein zugetreten und habe ihn mit seiner Pistole in den Kopf geschossen. Dies werde er, der Zeuge, nie vergessen, denn es sei das erste Mal gewesen, dass er die Tötung eines Menschen gesehen habe. Er sei zu diesem Zeitpunkt ca. 4-5 m von dem Geschehen entfernt gewesen. Borenstein sei dann auf Befehl Hantkes von ihm und den beiden anderen Juden im nahe gelegenen Wäldchen begraben worden.
Der Zeuge Bla. ist bei dieser Darstellung geblieben, obwohl ihm, wie sich aus der Vernehmungsniederschrift ergibt, vorgehalten worden ist, dass eine Reihe jüdischer Zeugen andere Angaben gemacht haben.

Eine dritte Version des Geschehens ergibt sich aus den Aussagen der Zeugen Suk., Brat. und We.
Nach der Schilderung des Zeugen Suk. soll der am Boden liegende Borenstein auf Befehl Hantkes von einem Ukrainer aufgerichtet und am Arm in das Wäldchen geführt worden sein. Der Angeklagte sei mitgegangen und man habe gleich darauf einen Pistolenschuss gehört. Es sei klar gewesen, dass Hantke den Borenstein erschossen habe, da der Ukrainer nur eine Flinte getragen habe; er, der Zeuge, sei in der Lage, den Knall einer Pistole von dem einer Flinte zu unterscheiden. Der Zeuge Brat. hat ausgesagt, er habe gehört, wie einer der SS--Leute Hantke gefragt habe, was mit dem verletzt am Boden liegenden Borenstein geschehen solle. Der Angeklagte habe daraufhin gesagt: "Ich mach ihn schon gesund". Nachdem alle anderen ins Lager gegangen seien, habe Hantke 2 Juden befohlen, Borenstein in das kleine Wäldchen zu tragen. Er, der Zeuge, habe Borenstein nicht wiedergesehen. Ob Schüsse gefallen seien, wisse er nicht mehr. Ähnlich hat sich der Zeuge We. geäussert. Borenstein habe zunächst auf der Erde gesessen und sei dann auf Befehl Hantkes in ein nahe liegendes Gebüsch getragen worden. An Schüsse könne er, der Zeuge, sich nicht mehr erinnern. Jedenfalls habe niemand Borenstein wiedergesehen. Alle hätten gesagt, er sei das erste Opfer.

Bei der Würdigung dieser Aussagen ist zunächst der Verteidigung zuzugeben, dass die drei geschilderten Sachdarstellungen, nimmt man sie wörtlich, einander ausschliessen. Indessen kann nicht unberücksichtigt bleiben, dass die Aussagen aller 8 Zeugen einen gleichen Kern enthalten. Er besteht in der Darstellung, dass ein junger Jude, der aus Krasnik kam, wegen einer Verletzung, die er sich im Zusammenhang mit dem Transport zugezogen hatte, von einem SS-Mann erschossen worden ist. Im Hinblick auf diesen Kernbereich des Geschehens ist keine Darstellung eines der genannten Zeugen mit der eines anderen unvereinbar. Angesichts der besonderen Umstände, unter denen die Zeugen diesen Vorfall erlebt und verarbeitet haben und im Hinblick auf die im übrigen bekannte und erwiesene Handlungsweise des Angeklagten Hantke genügen dem Schwurgericht diese Aussagen für die getroffenen Feststellungen:

Die Zeugen, die in der Hauptverhandlung gehört worden oder deren Aussagen in der Hauptverhandlung verlesen worden sind, sind subjektiv glaubwürdig. Das ergibt sich zunächst aus dem Umstand, dass jeder dieser Zeugen, dem die jeweils abweichenden Angaben anderer Zeugen vorgehalten worden sind, bei seiner Darstellung geblieben ist, obwohl ihm vorgehalten wurde oder ohnehin klar war, dass diese Widersprüche den Wert der Einzeldarstellung schmälern könne. Damit scheidet eine Verabredung dieser Zeugen, die Aussagen zum Nachteil Hantkes aufeinander abzustimmen, ebenso aus wie eine mögliche Versuchung, die eigene Sachdarstellung nachträglich zum Nachteil des Angeklagten den anderen Darstellungen anzugleichen. Der Zeuge En., dessen Aussage im Laufe der Zeit bestimmter und inhaltsreicher geworden ist, hat dies freimütig mit dem Umstand erklärt, dass er an einem Buch über das Schicksal der Krasniker Juden entscheidend mitgearbeitet habe und seine Erinnerung in diesem Punkte hiervon wesentlich bestimmt sein könne. Die Glaubwürdigkeit der Zeugen ergibt sich ferner daraus, dass keiner von ihnen in undifferenzierter Weise den Angeklagten Hantke belastet hat. Sie alle haben ausgesagt, dass Hantke zwar gefürchtet war und einen gewissen Ruf hatte, dass aber eine ganz willkürliche oder gar sadistische Handlungsweise bei ihm nicht bekannt gewesen sei. Insoweit stand die Erinnerung an den Angeklagten deutlich im Schatten der Erinnerung an seinen Nachfolger Feix, der eine Schreckensherrschaft bisher von diesen Zeugen nicht gekannten Ausmasses ausübte und der sehr oft ohne erkennbaren Anlass jüdische Lagerinsassen tötete und im übrigen durch aussergewöhnlich sadistische Handlungsweise berüchtigt wurde.

Diese für die Zeugen mit dem Lager Budzyn verbundene Erinnerung an das Wirken von Feix macht zugleich erklärlich, dass und warum die Erinnerung an die Tötung Borensteins so ungenau geworden ist: Zwar hatte die Erschiessung von Borenstein insofern für sie eine gewisse Bedeutung, als er das erste jüdische Opfer im Zusammenhang mit dem Lager Budzyn war - was von dem Zeugen We. auch besonders hervorgehoben wurde. Im Lichte des späteren Geschehens in Budzyn verblasst aber dieser Vorgang bis zur Bedeutungslosigkeit jedenfalls für diejenigen Zeugen (Fre., We., En.), die Borenstein oder dessen Familie nicht bereits aus Krasnik kannten oder gar mit ihm befreundet waren. Denn Borenstein wurde - gemessen an den damaligen Regeln für die Behandlung jüdischer Menschen - nicht willkürlich oder gar sadistisch behandelt: Sie waren als arbeitsfähig ausgesondert und nach Budzyn verbracht worden; unter diesem Gesichtspunkt war es nicht aussergewöhnlich, dass ein verletzter Jude getötet wurde. Angesichts dieser besonderen Situation der Zeugen, die im Anschluss an das hier in Frage stehende Geschehen ähnliche, überwiegend aber weit schlimmere Handlungsweisen deutscher SS-Leute miterlebt haben und ständig um ihr Leben fürchteten, hält das Schwurgericht die in ihrer Kennzeichnung Hantkes vorsichtigen und differenzierten und auch hinsichtlich der übrigen Einzelheiten des Geschehens erkennbar um Objektivität und Wahrheit bemühten Darstellungen der genannten Zeugen jedenfalls insoweit für zutreffend, wie der hier festgestellte Kern des Geschehens reicht.

3.) Erschiessung der Typhus-Kranken

In seinen früheren Aussagen während des Ermittlungsverfahrens vom 22.Juni 1961 (Bl.1060), 1.März 1962 (Bl.2950), 7.März 1963 (Bl.5954) und 7.April 1964 (Bl.8786), die ihm vorgehalten und von ihm nicht bestritten worden sind, hat der Angeklagte gestanden, vier typhuskranke Juden erschossen zu haben. Erst in seiner Vernehmung vom 23.Februar 1970 (Bl.18959) vor dem Untersuchungsrichter hat er die Zahl der von ihm Erschossenen auf zwei reduziert.
Auch in der Hauptverhandlung hat er nur von zwei Kranken gesprochen und zu den Umständen der Tötung folgendes angegeben: Die Kranken seien schon da gewesen, als er in das im übrigen noch leere Lager gekommen sei. Es habe sich um ältere Leute gehandelt, die nur noch "Gerippe" gewesen seien und schon im Koma gelegen hätten. Jüdische Ärzte seien an ihn herangetreten und hätten ihn gebeten, die Kranken, denen nicht mehr geholfen werden könne, von ihrem Leiden zu erlösen. Er habe daraufhin ein Telefongespräch mit der Dienststelle des SSPF in Lublin, vermutlich mit dem verstorbenen Zeugen Höf., geführt und von den Zuständen im Lager, insbesondere auch von den Typhuskranken und dem Gespräch mit den Ärzten berichtet. Von Lublin aus habe er dann den Befehl erhalten, die Kranken zu liquidieren. Dies habe er schliesslich getan, um sie von ihren Leiden zu erlösen.

Diese Angaben des Angeklagten sind, soweit sie von dem festgestellten Sachverhalt abweichen, widerlegt. Das Gericht ist auf Grund der früheren Aussagen des Angeklagten davon überzeugt, dass er nicht nur zwei, sondern vier Typhuskranke erschossen hat. Der Angeklagte hat trotz eindrücklichen Befragens in der Hauptverhandlung keinerlei einleuchtenden Grund für die Änderung seiner Angaben nennen können. Er meinte lediglich, er könne sich seine unterschiedlichen Aussagen selbst nicht erklären. Sein Gedächtnis sei früher allerdings besser gewesen. Gerade deshalb und weil er seinerzeit den Fall der Typhuskranken von sich aus ohne Vorhalte geschildert und diese Schilderung über Jahre hinweg bei 4 Vernehmungen aufrechterhalten hat, spricht alles für die Richtigkeit der ersten Aussagen des Angeklagten, dass er nämlich vier Kranke erschossen hat. Es ist nichts dafür ersichtlich, warum der Angeklagte, der alle anderen ihm in der Anklage vorgeworfenen Straftaten abgestritten hat, ausgerechnet in dem einzigen von ihm zugegebenen Fall ursprünglich eine höhere Zahl von Opfern angegeben haben sollte als es dem tatsächlichen Sachverhalt entsprach.

Die heutige Einlassung des Angeklagten wird eindeutig davon bestimmt, sein früheres Geständnis abzuschwächen, um die Tat dadurch in milderem Licht erscheinen zu lassen. Das kommt ausser bei der Zahl der Opfer sehr deutlich bei den weiteren Umständen der Tötung zum Ausdruck. Auch insoweit hat der Angeklagte seine früheren Angaben, wie er in der Hauptverhandlung auf Vorhalt zugegeben hat, im Laufe der Zeit erheblich geändert.
So hat er bei seiner ersten Vernehmung von einem vorherigen Gespräch mit jüdischen Ärzten, obwohl dies nahegelegen hätte, nichts erwähnt. Erst bei der zweiten Vernehmung am 1.März 1962 (Bl.2950) gab er an, eine Person des Lagersanitätspersonals - ob es ein Arzt oder Sanitäter war, wusste er damals nicht mehr - habe ihm erklärt, es seien schon so viele gestorben und es bestehe Ansteckungsgefahr durch die Kranken. In der Vernehmung vom 7.April 1964 (Bl.8786) wollte sich der Angeklagte auf einmal daran erinnern, dass er von dem damaligen jüdischen Lagerarzt ausdrücklich um die Erschiessung dieser Kranken gebeten worden sei. In der Hauptverhandlung waren es schliesslich mehrere jüdische Ärzte, mit denen der Angeklagte gesprochen haben will. Ausserdem lagen die Kranken, über deren näheres Befinden er bei seinen früheren Vernehmungen nichts gesagt hatte, jetzt bereits im Koma.

Ähnlich verhält es sich mit der Behauptung des Angeklagten, er habe auf Befehl gehandelt. In seiner ersten Vernehmung (Bl.1060) hat er dies von sich aus nicht angegeben, obwohl es auch aus seiner Sicht nahegelegen hätte. Auf die erste Frage des Vernehmenden, ob er einen Befehl zur Liquidierung der Kranken gehabt habe, hat der Angeklagte ganz allgemein erklärt, er habe im Lager Ordnung schaffen und verhindern sollen, dass die Epidemie weiter um sich griffe. Auf die erneute Frage, ob er einen konkreten Erschiessungsbefehl erhalten habe, antwortete der Angeklagte, er habe in Lublin angerufen, die Lage geschildert und auch mitgeteilt, dass Flecktyphus ausgebrochen sei. Was er für einen genauen Befehl bekommen habe, wisse er nicht mehr. Er sei dann vom Telefon zurückgekommen und habe mit Gro. zusammen überlegt, was sie machen sollten. Sie hätten sich darauf entschlossen, die Leute zu erschiessen. Erst auf eine nochmalige Frage des Vernehmenden hat der Angeklagte schliesslich abweichend von seinen bisherigen Angaben erklärt, er habe bei dem Telefongespräch mit Lublin den Befehl erhalten, die Flecktyphuskranken zu liquidieren.

Diese Einlassung des Angeklagten ist schon wegen der dargestellten Entwicklung seiner Aussage unglaubhaft; sie ist es ausserdem auch den äusseren Umständen nach. Die jüdischen Häftlinge der Zwangsarbeitslager waren seinerzeit nur vorläufig von der Vernichtung ausgenommen worden, weil man zuvor noch ihre Arbeitskraft ausbeuten wollte. Sobald sie nicht mehr arbeitsfähig waren, hatten sie aus damaliger Sicht endgültig ihre Existenzberechtigung verloren. Ihr Schicksal lag dann in der Hand des Lagerkommandanten; dieser hatte selbständig darüber zu entscheiden, was mit ihnen geschehen sollte. Dies wusste auch der Angeklagte Hantke. Gerade er, der kurz zuvor 7 Wochen lang an der Räumung des Warschauer Ghettos mitgewirkt, dabei zahllose Grausamkeiten und Erschiessungen miterlebt und sich hieran zum Teil auch selbst beteiligt hatte, wäre als Leiter des Lagers Budzyn niemals auf den Gedanken gekommen, wegen des Schicksals einiger nach seiner eigenen Angabe todkranker Häftlinge bei der Dienststelle des SSPF in Lublin anzurufen.

Das Gericht glaubt dem Angeklagten auch nicht, dass es sich bei der Erschiessung der Kranken um eine Art von Gnadentod handelte, wie er es heute hinstellen will. Dagegen spricht einmal wiederum die vorher dargestellte Entwicklung seiner eigenen Aussage. Zum anderen haben alle danach befragten Zeugen nahezu übereinstimmend glaubhaft bekundet, dass es zur Zeit des Angeklagten im Lager Budzyn noch gar keine jüdischen Ärzte gegeben habe. Nach den beschworenen Angaben der in der Hauptverhandlung vernommenen Zeugen En., Os. und Hermann Pin. sind Ärzte erst nach der Ablösung Hantkes ins Lager gekommen. Ebenso hat der Zeuge Wi. in seiner eidlichen kommissarischen Vernehmung, die in der Hauptverhandlung verlesen wurde, erklärt, dass der Angeklagte nicht mehr im Lager gewesen sei, als die ersten Ärzte kamen. Nach Darstellung der in der Hauptverhandlung eidlich vernommenen Zeugen Josef Pin. und Brat. sind später 2 Wiener Ärzte, Dr. Förster und Dr. Becker gekommen. Auch der Zeuge We. berichtet in seiner in der Hauptverhandlung abgegebenen beschworenen Aussage von Dr. Förster, der ihm unter Feix, dem Nachfolger des Angeklagten, das Leben gerettet habe; zur Zeit Hantkes habe er diesen Arzt im Lager jedoch noch nicht gesehen.

Aus allem ergibt sich, dass der Angeklagte - wie von ihm anfangs gestanden - vier typhuskranke jüdische Häftlinge aus eigener Initiative ohne einen Befehl hierzu erhalten zu haben und ohne vorherige Rücksprache mit Lublin oder mit jüdischen Ärzten erschossen hat. Aus der Fassung der Anklageschrift geht eindeutig hervor, dass dieser vom Angeklagten zugegebene Fall angeklagt ist. Eine Reihe von Zeugen hat zwar ebenfalls davon berichtet, dass der Angeklagte in Budzyn Typhus-Kranke erschossen habe. Ihre Schilderungen weichen jedoch, was den Tatverlauf und die Zahl der Erschossenen angeht, so weit untereinander und von dem vom Angeklagten eingeräumten Fall ab, dass nicht sicher ist, ob es sich dabei um dieselbe angeklagte Tat handelt oder ob es zur Zeit des Angeklagten in Budzyn mehrere gleichartige Vorfälle gegeben hat, von denen ein Teil nicht angeklagt ist.

Im einzelnen ist zu den Zeugenaussagen folgendes zu sagen:

Eine Gruppe von Zeugen ist aus dem Kriegsgefangenenlager Konskowola nach Budzyn gekommen. Hierzu gehören die Zeugen Jar., Os., Cha., Fur. und Me. Von ihnen haben Jar. und Os. ausgesagt, 7 Kranke, die sie aus Konskowola mitgebracht hätten, seien vom Angeklagten aus dem Lager herausgeführt und dann erschossen worden. Cha. hat die Zahl von 6 oder 7 Kranken angegeben, die jedoch in einem Pferdewagen vom Angeklagten aus dem Lager herausgefahren worden sein sollen. Das Herausfahren mit dem Pferdewagen wird von Fur. bestätigt; nach dessen Angaben soll es sich aber nur um 5 Kranke gehandelt haben, deren Erschiessung durch den Angeklagten dieser Zeuge selbst gesehen haben will. Der Zeuge Me., der in einer früheren, ihm vorgehaltenen Vernehmung von 6 erschossenen Typhuskranken gesprochen hatte, vermochte sich heute an die Geschehnisse nicht mehr genau zu erinnern.

Eine andere Gruppe von Zeugen ist seinerzeit aus Krasnik in das Lager Budzyn gekommen. Hierzu gehören die Zeugen Hermann und Josef Pin., We. und Bla. Während die beiden letztgenannten von der Erschiessung von Kranken nur gehört haben und keine genaueren Angaben darüber machen können, haben die Brüder Pin. einen Vorfall geschildert, bei dem der Angeklagte anlässlich eines Morgenappells 6 Kranke erschossen haben soll, die nicht aus ihrer Baracke herausgekommen waren. Nach Angabe von Hermann Pin. sind die Kranken alle in der Baracke, nach Darstellung seines Bruders teils in, teils vor der Baracke erschossen worden. Die äusseren Umstände dieses Falles weichen so deutlich von demjenigen ab, den die Zeugen aus Konskowola schildern, dass die Vermutung nahe liegt, es handle sich hier um eine ganz andere Tat. Dafür spricht auch einerseits die Aussage des Zeugen Hermann Pin., die Kranken seien aus Krasnik gekommen, sowie andererseits die Angabe des aus Konskowola gekommenen Zeugen Cha., die Brüder Pin. seien noch gar nicht im Lager gewesen, als die aus seinem Kriegsgefangenenlager mitgebrachten Kranken erschossen worden seien.

Dem äusseren Hergang nach entspricht der Fall, den die Zeugen aus Konskowola schildern, wobei die Kranken ausserhalb des Lagers erschossen worden sind, noch am ehesten dem vom Angeklagten zugegebenen Fall. Da die Angaben des Angeklagten jedoch wenig konkret sind, kann die Identität dieser Fälle nicht mit der erforderlichen Sicherheit festgestellt werden. Erst recht gilt das für den von den Zeugen Pin. aus Krasnik geschilderten Fall, der nach dem Tatverlauf ganz anders liegt.

Es kann daher für die in der Anklage aufgeführte und auf Grund der früheren Angaben des Angeklagten vom Gericht als erwiesen angesehene Tat nur von den eigenen Angaben des Angeklagten, nicht von den Zeugenaussagen ausgegangen werden.

Das Gericht ist nach dem vom Angeklagten geschilderten Tatablauf davon überzeugt, dass er die Kranken erschossen hat, weil es sich um nicht mehr arbeitsfähige und daher in seinen Augen nutzlose Juden handelte und weil er in ihrer Beseitigung die einfachste Möglichkeit sah, eine Ansteckung anderer Häftlinge oder des Bewachungspersonals zu verhindern. Die Feststellung dieser subjektiven Einstellung des Angeklagten steht nicht damit im Widerspruch, dass er diesen Vorfall von sich aus und ohne Vorhalte gestanden hat. Daraus ist nämlich nur zu schliessen, dass er sein Verhalten in diesem Fall nicht für allzu belastend hielt. Er meinte, in der Krankheit der jüdischen Häftlinge im Gegensatz zu allen anderen ihm in der Anklage zur Last gelegten Taten einen sachlichen Grund für die Erschiessung zu haben. Insofern ist der Angeklagte jedoch einem rechtlich unbeachtlichen Subsumtionsirrtum unterlegen.

Es trifft allerdings zu, dass, wie vom Verteidiger des Angeklagten unter Beweis gestellt und vom Gericht als wahr unterstellt wurde, Flecktyphus unter entkräfteten, in menschenunwürdigen Verhältnissen lebenden Menschen eine furchtbare Wirkung hat. Dennoch war es für den Angeklagten nicht notwendig, die Kranken zu erschiessen; er hätte sie auch in einer getrennten Baracke oder ausserhalb des Lagers unterbringen können. Der Angeklagte sah in der Erschiessung nur deshalb die einfachste Möglichkeit, weil es sich um kranke Juden handelte, die nicht mehr arbeitsfähig waren.

IV. Die Räumung des Ghettos Bialystok

1.) Ablauf der Aktion

Der Angeklagte Mic. hat die Vorbereitung und den äusseren Ablauf der Räumungsaktion eingehend geschildert und auch seine eigene Beteiligung daran in dem festgestellten Umfang zugegeben, obwohl bis auf die mit ihm aus Lublin gekommenen Zeugen Hüb. und Han. kein anderer Zeuge auch nur seinen Namen gekannt hat, eine Überführung ohne seine eigenen Angaben also kaum möglich gewesen wäre. Dies spricht entscheidend für die Glaubwürdigkeit des Angeklagten. Seine Angaben sind ausserdem in der Beweisaufnahme weitgehend bestätigt worden.

Der Zeuge Q., der heute als Wirtschaftsberater in Israel tätig ist und auf das Gericht einen gewandten und intelligenten Eindruck machte, hat bekundet, die grosse Aktion in Bialystok habe am 16.August 1943 begonnen. Bereits in der Nacht zuvor sei das Ghetto abgesperrt worden. Als er, der Zeuge, am Morgen am Hause des Judenrats vorbeigekommen sei, habe er auf einer dort angeschlagenen Bekanntmachung gelesen, alle Juden sollten ihre Häuser verlassen und sich auf der Strasse aufstellen; sie sollten zur Arbeit nach Lublin. Sammelplatz

sei auf einer grossen Wiese ausserhalb des Ghettos gewesen. Am zweiten Tage habe von dort der Abmarsch zu den Eisenbahnwaggons begonnen.
Der Zeuge hat erklärt, er habe selbst nicht gesehen, wie die Leute aus ihren Wohnungen geholt worden seien, auch Erschiessungen habe er selbst bis auf einen Fall, wo man seinen Freund erschossen habe, nicht miterlebt. Er habe jedoch auf dem Wege von der Wiese zu den Waggons viele Leichen gesehen, man habe auch überall Schüsse gehört. Am ersten Tage der Räumung habe er sich bei einem SS-Mann als Freiwilliger gemeldet. Er habe Säuglinge und kleine Kinder, die von ihren Müttern fortgeworfen worden seien, aufsammeln und auf Fuhrwerke legen müssen. Was aus ihnen geworden sei, wisse er nicht. Später habe er auch Leichen aufheben und ebenfalls auf Pferdefuhrwerke legen müssen. Es seien einige Mädchen darunter gewesen. Die Erschossenen hätten wohl fliehen wollen und seien deshalb getötet worden. Er selbst sei dann zusammen mit seinem Vater und 120 Mann herausgesucht und in das Gefängnis von Bialystok gebracht worden. Ein oder zwei Tage später sei Friedel von der Gestapo zur Selektion gekommen. Als dieser gehört habe, dass der Zeuge und sein Vater zusammengehörten, habe er sie getrennt. Er, der Zeuge, habe seinen Vater wie auch seine Mutter und Schwester nicht wieder gesehen. Bei der Verladung sei er in einem der vorderen Waggons gekommen, in den die kräftigeren, arbeitsfähigen Juden gewesen seien. Diese seien nach Lublin gefahren, die hinteren Waggons habe man dagegen in Treblinka abgehängt.
Die Aussage des Zeugen ist insgesamt glaubhaft. Sie deckt sich in vielem mit den Angaben des Angeklagten und den Bekundungen anderer Zeugen. Zweifelhaft ist nur die Angabe des Zeugen, während der Räumung habe ein Flugzeug das Ghetto bombardiert. Dies erscheint bei der damaligen Situation als sehr unwahrscheinlich, der Einsatz eines Flugzeuges ist auch von keinem anderen Zeugen aus eigener Kenntnis bestätigt worden.

Der Zeuge Uga., Schuhmacher von Beruf und seinerzeit bei der jüdischen Feuerwehr im Ghetto eingesetzt, machte den Eindruck eines geistig sehr einfach strukturierten Mannes. Er brachte die Ereignisse, soweit es sich um Zahlenangaben handelte, offensichtlich zum Teil durcheinander. So soll die Räumungsaktion nach seiner Angabe bereits Anfang August 1943, am 1. oder 5.August, begonnen haben. Am 16.August will er dann nach Lublin gekommen sein. Für den sonstigen Geschehensablauf bleibt seine Aussage jedoch von Bedeutung, soweit sie auch von anderen Zeugen bestätigt wird. Dies gilt für die Bekundung des Zeugen, auf Anschlägen sei den Juden versprochen worden, sie kämen zur Arbeit nach Lublin; die Maschinen aus den Ghettobetrieben sollten mitkommen, sie selbst würden am Leben bleiben. Die meisten Juden seien, wie der Zeuge angibt, freiwillig aus ihren Häusern herausgekommen, einige hätten sich jedoch versteckt. Bei der Suche nach Versteckten seien viele Juden erschossen worden. Es sei auch zu Bränden und Widerstandshandlungen gekommen. Er selbst habe Angeschossene gesehen, die noch gelebt, aber infolge der Brände schon an den Schultern Feuer gefangen hätten. Er habe sie vom Feuer weggezogen.

Die Zeugin Per. hat ein besonders schweres Schicksal erlitten, da sie bei der Räumungsaktion auf grausame Weise ihre beiden Kinder und ihre Mutter verloren hat; ihr Mann war bereits bei einer früheren Aktion umgekommen. Obwohl sie aus diesem Grunde von verständlichem Hass auf die damaligen Deutschen erfüllt war, machte sie doch bei ihrer Aussage einen glaubwürdigen Eindruck. Die Zeugin schilderte, dass sie bei der Gestapo ausserhalb des Ghettos gearbeitet habe. Dabei habe man sie nicht schlecht behandelt. Im August 1943 habe man ihr die Arbeitsbescheinigung weggenommen; ein Gestapoangehöriger namens Schultz habe sie auf die bevorstehende Aussiedlung hingewiesen. Am 16.August 1943, einem Montag, habe die Aktion begonnen. Die Juden hätten sich, von Ukrainern, Weissrussen und Leuten aus Lublin aus ihren Wohnungen getrieben, auf der Strasse versammeln müssen. Von allen Seiten sei geschossen worden, Menschen seien umgefallen, es sei schrecklich anzusehen gewesen. Sie selbst sei mit ihren Kindern und ihren Eltern zunächst noch in ihrer Wohnung geblieben. Am 18.August in der Frühe seien Ukrainer und Weissrussen in ihre Wohnung eingedrungen. Ihre kleine Tochter und ihre Mutter habe man dabei getötet, sie selbst sei mit ihrem etwas älteren Jungen aus dem Fenster gesprungen. Sie seien dann nach Grodno und

weiter nach Lomza transportiert worden. Im Lager Lomza habe man ihr ihren Sohn weggenommen und getötet. Aus Erzählungen habe sie erfahren, dass Leute aus Lublin an der Aussiedlung in Bialystok beteiligt waren. An der Eingangstür beim Judenrat habe ein SS--Offizier auf sie geschossen, die Kugel habe sie aber nicht getroffen. Ihr sei später erzählt worden, dies sei der Leiter des Lubliner Kommandos gewesen. Ihre Furcht und ihr Schrekken seien jedoch zu gross gewesen, um sich diesen genauer anzusehen. In der Hauptverhandlung hat die Zeugin den Angeklagten Mic. nicht als denjenigen SS-Offizier wieder erkannt, der damals auf sie geschossen hat.
Da es andere Zeugen für den von der Zeugin Per. geschilderten Vorfall nicht gibt, kann hieraus gegen den Angeklagten Mic. nichts Belastendes hergeleitet werden.

Der Zeuge Joh., der seinerzeit als Oberleutnant im Verwaltungsdienst beim Kommandeur der Gendarmerie in Bialystok tätig war, schilderte, dass er bei der Augusträumung, an der er selbst nicht aktiv teilgenommen habe, drei bis vier erschossene Juden gesehen habe, die sich in unterirdischen Gängen verschanzt und gekämpft hätten. Er habe dies von den Polen erfahren, bei denen er gewohnt habe. In einer Mulde ausserhalb des Ghettos habe er 2000 bis 3000 wartende Juden gesehen, die von schussbereiten Ukrainern bewacht wurden. Im Hintergrund habe er eine Rampe bemerkt, an der Güterwagen standen, in die die Juden verladen wurden. Er habe aus Erzählungen gehört, dass die Türen der Waggons zugeschlagen wurden, gleichgültig, ob noch eine Hand herausschaute oder nicht. Von der Existenz eines Lubliner Kommandos wusste der Zeuge nichts. Die Räumung fand nach seiner Angabe durch Gendarmerie und Schutzpolizei unter Führung des SD statt.
Der Zeuge macht einen etwas naiven Eindruck. Seine Angaben erschienen dennoch glaubhaft, insbesondere auch die von ihm geäusserte Opposition gegenüber der SS und seine Furcht vor dem SD, da der Zeuge damals mit einer Halbjüdin befreundet war, die er nach dem Krieg auch geheiratet hat. Diese Verbindung war für den Zeugen unter den damaligen Umständen in Bialystok lebensgefährlich.

Der Zeuge Schn., seinerzeit in der Ausbildung als Inspektorenanwärter bei der Schutzpolizei in Bialystok, konnte sich an den genauen Termin der Ghettoräumung nicht mehr erinnern. Es war jedoch, wie er angab, im Sommer, er habe damals keinen Mantel getragen. Eines morgens auf seinem Weg zur Dienststelle habe er Schüsse gehört, mehrere Häuser im Ghetto hätten gebrannt. Sein Verwaltungsausbilder habe ihm gesagt, das Ghetto werde geräumt. Im Laufe des Tages habe er von seinem Chef, Polizeirat Friedrich, den Auftrag erhalten, Möbel aus dem Ghetto zu holen. Sie hätten Sekretärinnen erwartet und für diese habe Friedrich unter Umgehung des Verwaltungsweges schnell Möbel herbeischaffen wollen. Er sei dann mit einem LKW und polnischen Arbeitern durch einen Nebeneingang in das Ghetto hineingefahren. An diesem Eingang sei nicht kontrolliert worden, es habe aber auch dort eine Postenkette der äusseren Absperrung gestanden. Im Ghetto habe er viele bewaffnete Polizisten auf der Strasse gesehen. Juden seien zu Marschkolonnen zusammengestellt und abtransportiert worden. Es hätten Leichen auf der Strasse gelegen, an denen Blut zu sehen gewesen sei. Er habe beobachtet, wie ein Angehöriger der Sicherheitspolizei namens Plaumann mit einem Ochsenziemer auf die Juden eingeschlagen habe. Seinen Auftrag, aus dem Ghetto Möbel zu beschaffen, habe er nicht ausführen können, da beim Aufladen ein Obersturmführer dazwischengetreten sei und ihm vorgeworfen habe, er plündere. Aus dieser heiklen Situation habe ihn Kriminalrat Hei. [364], der ihn gekannt habe, schliesslich befreit. Mit leerem Wagen sei er aus dem Ghetto wieder herausgefahren und habe von seinem Chef später verlangt, bei künftigen Aktionen einen schriftlichen Befehl zu bekommen. Auf ihrer Dienststelle hätten sie stundenlang über die Ghettoräumung diskutiert. Im Kameradenkreis sei auch über das Schicksal der Juden geredet worden. Einige hätten gesagt, die Juden würden getötet. Offiziell

[364] Siehe Verfahren Nr.648.

habe es geheissen, sie würden in eine andere Stadt verlegt. Das habe er sich jedoch nicht vorstellen können, da die Juden in den dortigen Betrieben gut eingearbeitet gewesen seien, was ihm der Inspektor Klein von der Sicherheitspolizei einmal gezeigt habe. Daher sei er auf die andere Möglichkeit gekommen, nämlich, dass die Juden getötet würden.
Der Zeuge Schn. machte einen guten und glaubwürdigen Eindruck. Er bemühte sich sichtlich um eine wahrheitsgemässe Schilderung. Das Gericht hatte deshalb keine Bedenken, seinen Angaben zu folgen.

Der Zeuge Schö., seinerzeit Polizeiinspektor im Wirtschaftsverwaltungsdienst in Bialystok, wirkte ebenfalls insgesamt glaubwürdig, obwohl er in seiner Aussage nicht so freimütig war wie der Zeuge Schn. Nach seiner Angabe hatten sie damals in der Wirtschaftsabteilung 300 Juden als Arbeiter, die jeden Morgen aus dem Ghetto kamen. Diese seien ganz hervorragende Handwerker gewesen. Der Zeuge hat geschildert, wie die Juden bei der Räumungsaktion in langen Zügen zum Bahnhof getrieben wurden. Es sei ein wilder Haufen gewesen, die Juden seien mit Gewehrkolben und "Hopp-Hopp-Rufen" angetrieben worden. Einer ihrer jüdischen Handwerker habe ihn um Hilfe angerufen, er habe aber nichts für ihn tun können. Man habe die Juden auf einer grossen Wiese nahe der Bahn gesammelt, es seien tausende gewesen. Sie hätten wenig Gepäck bei sich gehabt. Am Schluss der Räumung habe er nach den Möbeln in ihrer Ghettotischlerei sehen wollen. Er sei jedoch gar nicht bis dorthin gekommen. Die Strassen seien von eingestürzten Häusern versperrt gewesen. Auf der kurzen Strecke, die er im Ghetto gefahren sei, habe er viele Leichen liegen sehen. Erschiessungen habe er jedoch selbst nicht miterlebt. Gepanzerte Fahrzeuge habe er nur ausserhalb des Ghettos gesehen.

Der Zeuge Dib. war damals als SS-Obersturmführer im Judenreferat des KdS tätig. Er ist bereits 1967 u.a. wegen seiner Teilnahme an der Augusträumung vom Schwurgericht Bielefeld zu einer mehrjährigen Freiheitsstrafe verurteilt worden [365]. Der Zeuge wirkte sehr verbittert und machte seine Aussage nur äusserst widerstrebend. Das Gericht geht davon aus, dass das Wenige, was dieser Zeuge eingeräumt hat und was ihn zugleich selbst belastet, der Wahrheit entspricht. Es wird auch von anderen Zeugen weitgehend bestätigt.
Der Zeuge Dib. berichtete, an der Ghettoräumung seien die Schutzpolizei und die Angehörigen aller Dienststellen in Bialystok beteiligt gewesen. Er selbst habe seine Einsatzbefehle von Macholl und Friedel bekommen, die auf der Befehlsstelle im Judenrat ein Zimmer gehabt hätten. Der Angeklagte Mic. sei ihm unbekannt, er habe mit ihm nichts zu tun gehabt. Während der Räumung hätten die Juden überall "Widerstand" geleistet. Sie hätten sich nämlich in Brunnen, Kellern und unterirdischen Leitungsschächten versteckt. Wenn sie aus ihren Verstecken nicht freiwillig hervorgekommen seien, habe man sie erschossen. Diese Handhabung hielt der Zeuge, der noch in der Hauptverhandlung empört schien, dass die Juden es überhaupt wagten, sich zu verstecken, auch heute noch für gerechtfertigt.
Der Zeuge Dib. räumte ein, dass es auch bei dem weiteren Verlauf der Räumung Misshandlungen und Tote gegeben habe. Es sei aber, wie er erklärte, gar nicht so schlimm gewesen, bei so viel tausend Menschen könne so etwas schon einmal vorkommen. Einige Juden hätten auch Selbstmord begangen.

Der Zeuge Err. war damals Kriminalkommissar in der Dienststelle des KdS. Er ist wie der Zeuge Dib. u.a. wegen seiner Beteiligung an der Augusträumung vom Schwurgericht Bielefeld zu einer mehrjährigen Freiheitsstrafe verurteilt worden [366]. Nach seiner Aussage kam er im März 1943 von der Aussenstelle Grodno nach Bialystok. Hier hat er, wie er angibt, die Aufgabe gehabt, eine weissruthenische Schutzmannschaft aufzustellen und auszubilden.

[365] Siehe Verfahren Nr.648.

[366] Siehe Verfahren Nr.648.

Zwei Wochen vor der Augusträumung habe er Globocnik gesehen, der Grund seiner Anwesenheit in Bialystok sei ihm jedoch nicht bekannt gewesen. Am ersten Tage der Räumung habe ihm der Zeuge Hei. in aller Frühe befohlen, zur Dienststelle zu kommen, die direkt neben dem Ghetto lag. Er habe dort gehört, dass er mit einem Untersturmführer zur Reichsbahndirektion nach Königsberg fahren solle. Erst in Königsberg habe er von der Räumung erfahren und davon, dass Sonderzüge bereitgestellt werden sollten. Noch am selben Tag seien sie nach Bialystok zurückgefahren. Von der Räumung habe er dann gar nichts beobachtet. Am ersten Tage sei die weissruthenische Schutzmannschaft zur Absperrung am Ghettozaun angesetzt worden, danach habe sie wieder normalen Dienst gemacht. Bei der Räumung sei ein Kommando aus Lublin, ein Polizeiregiment und ein Bataillon Ukrainer eingesetzt gewesen. Den Angeklagten Mic. habe er erst in seinem Verfahren in Bielefeld kennengelernt.
Die Angaben des Zeugen sind bis auf die Schilderung seiner eigenen Teilnahme an der Ghettoräumung glaubhaft. Die Fahrt nach Königsberg wird auch vom Angeklagten und dem Begleiter des Zeugen Err., dem Zeugen Hüb., bestätigt. Unglaubhaft ist aber, dass der Zeuge in seiner hohen Stellung bei der Sicherheitspolizei an der Räumung selbst nicht mitgewirkt haben soll und dass die ihm unterstellten Weissruthenen nur am ersten Tage eingesetzt worden sein sollen.

Der Zeuge Han. leitete seinerzeit die Forschungsstelle für Ostunterkünfte in Lublin im Range eines SS-Obersturmführers. Er gehörte dem Lubliner Kommando an, das unter Führung des Angeklagten Mic. nach Bialystok fuhr. Soweit er den allgemeinen Ablauf der Räumungsaktion schildert, stimmt seine Aussage mit der der meisten anderen Zeugen überein und ist daher glaubhaft.
Der Zeuge hat ausgesagt, er habe im Ghetto eine Schiesserei gehört und dann einen Polizeioffizier mit einem Oberschenkelschuss auf einer Bahre liegen sehen. Er habe auch selbstgebastelte Waffen der Juden gesehen. Auf einem kleinen Platz habe eine Anzahl erschossener Juden gelegen, es habe sich dabei um eine Vergeltungsaktion für den verletzten Polizeioffizier gehandelt. Am zweiten oder dritten Tag der Aktion seien die Juden auf einen abgesperrten freien Platz ausserhalb des Ghettos gekommen. Dort habe man sie zu grösseren Trupps zusammengestellt und dann zum Bahnhof abtransportiert. Es sei furchtbar heiss gewesen in diesen Tagen. Wasser habe es am Bahnhof aus einem Hydranten gegeben. Bei der Verladung am Bahnhof sei alles sehr schnell gegangen, es seien Polizei und SS-Unterführer dabeigewesen, auf den Trittbrettern der Züge hätten fremdvölkische Einheiten in erdbraunen Uniformen gesessen.
Soweit der Zeuge seine eigene Rolle bei der Räumung schildert, ist seine Darstellung unglaubhaft und dient ersichtlich dem Zweck, sich selbst zu schützen. Nach Angabe des Zeugen will er ohne Auftrag und Funktion in Bialystok gewesen sein. Er will auf Wunsch Globocniks lediglich den Zeugen Hüb. begleitet haben, der einmal ein Ghetto von innen sehen wollte. Diese Einlassung ist schon nach der damaligen Situation, in der jeder Mann für den Einsatz gebraucht wurde, gänzlich unglaubhaft. Auch der Angeklagte Mic. liess deutlich erkennen, dass der Zeuge Han. sich nicht auf eine reine Beobachtertätigkeit beschränkte, ohne diesen jedoch konkret zu belasten. Schliesslich ist die Version des Zeugen auch von dem Zeugen Hüb. nicht bestätigt worden.

Der Zeuge Lo. war seinerzeit im Range eines Kriminalobersekretärs in der Fahrzeugabteilung beim KdS tätig. Seine Dienststelle ist an der Räumung nach seiner Angabe nicht beteiligt gewesen. Er gab jedoch zu, einmal den Zeugen Hei. ins Ghetto gefahren zu haben, der sich dort den Verlauf der Räumung ansehen wollte. Bei dieser Gelegenheit habe er, der Zeuge, einen oder zwei offene Wagen mit Leichen darauf gesehen. Auf Vorhalt seiner früheren Aussage, wo er von 200 Leichen gesprochen hatte, meinte der Zeuge zunächst, das sei wohl ein Hörfehler gewesen; er räumte dann aber ein, dass er sich als alter Polizeibeamter das Protokoll seiner früheren Vernehmung vor seiner Unterschrift sicher durchgelesen habe. Bei der Räumung ist, wie der Zeuge weiter bekundet hat, heftig geschossen worden. Einzel-

heiten will er aber nicht gesehen haben. Der Zeuge will auch nicht gewusst haben, wohin die Juden kamen. Er hat sich nach seiner Angabe auch keine Gedanken darüber gemacht, da er mit seinen Fahrzeugen alle Hände voll zu tun gehabt habe.
Nach Auffassung des Gerichts ist es jedoch ganz unglaubhaft, dass der Zeuge als Gestapoangehöriger nichts von dem Ziel der Ghettoräumung gewusst haben will. Es spricht vieles dafür, dass der Zeuge Lo. doch erheblich stärker an der Räumung beteiligt war, als er es zugegeben hat.

Der Zeuge Lud., der auf das Gericht einen glaubwürdigen Eindruck machte, war seinerzeit Kompaniechef im 1.Bataillon des an der Räumung beteiligten Polizeiregiments 26. Er hat ausgesagt, dass das Regiment gerade einen Partisanenkampf in den Karpaten hinter sich hatte, als es auf dem Weg zur Ostfront überraschend nach Bialystok beordert worden sei. Erst dort hätten sie erfahren, dass das Ghetto geräumt werden sollte. Das 2.Bataillon ihres Regiments habe das Ghetto aussen abgesperrt, während das 1.Bataillon, dem er angehörte, einen Teilabschnitt des Ghettos selbst zu räumen und die aus ihren Wohnungen kommenden Juden zur Wiese ausserhalb des Ghettos zu bringen hatte. Gepanzerte Fahrzeuge hätten sie nicht bei sich gehabt.
Nach der glaubhaften Angabe des Zeugen wusste er anfangs nichts über das Ziel der Aktion. Man habe ihm gesagt, die Juden des Ghettos sollten wegen der heranrückenden Front zurückverlegt werden. Der Zeuge hat dann sehr plastisch geschildert, wie ihm aufgrund der Umstände der Räumung schon nach kurzer Zeit klar wurde, welches Schicksal die Juden tatsächlich erwartete und wie er empört darüber war, dass sie als reiner Kampfverband für eine solche Aufgabe eingesetzt wurden.
Der Zeuge hat im einzelnen hierzu bekundet, er habe mehrere Wagen mehrschichtig mit Leichen bedeckt zum Friedhof fahren sehen. Die Toten seien aus dem Krankenhaus gekommen. Wie sie zu Tode gekommen seien, wisse er allerdings nicht. Aus dem Krankenhaus, in das sie sich wohl geflüchtet hätten, seien auch sehr viele Menschen zur Wiese ausserhalb des Ghettos transportiert worden. Beim Herausbringen habe man sie mit Knüppeln traktiert. Auf einem Balkon des Krankenhauses sei eine Frau splitternackt erschienen und habe sich herunterstürzen wollen; er habe ihr zugerufen, sie solle zurückgehen, was sie dann auch getan habe. Bei der Aktion sei viel geschossen worden. Er habe eine erschossene ältere Frau gesehen, die quer auf der Strasse gelegen habe. Von seinem Melder habe er erfahren, sie sei vom Begleitkommando erschossen worden, weil sie nicht schnell genug laufen konnte. Er habe über diesen Fall wie auch über andere Vorfälle dienstlich Meldung gemacht. Einen seiner Leute vom Begleitkommando habe er herausgenommen, weil dieser auf die Juden einschlug. Er habe ihm gesagt, das sei nicht ihre Sache. Deswegen habe er, der Zeuge, noch eine Rüge erhalten. Jemand habe ihn gefragt, ob er auch zu denen gehöre, die einen anständigen Juden kennen. In einem Haus am Marktplatz habe er im Obergeschoss drei tote junge Juden gefunden. Sie hätten zuvor mit MP aus dem Haus geschossen und seien durch Handgranaten getötet worden.

Der Zeuge Re., seinerzeit als Major Kommandeur des 1.Bataillons und damit Vorgesetzter des Zeugen Lud., versuchte im Gegensatz zu diesem seine Mitwirkung an der Räumung deutlich abzuschwächen. Auch er bestätigte jedoch, dass ein Bataillon des Polizeiregiments für die äussere Absperrung des Ghettos gesorgt habe, während sein eigenes Bataillon für die, wie er sich ausdrückte, innere Absperrung zuständig gewesen sei. Sie hätten dafür sorgen müssen, dass die schon durch andere Einheiten geräumten Häuser nicht wieder von Juden besetzt würden. Deswegen seien sie den Räumkommandos gefolgt und hätten stichprobenartige Kontrollen in den Häusern gemacht, dort aber keine Juden mehr vorgefunden. Wo die Juden hinkamen, will der Zeuge nicht gewusst haben, auch Tote will er bis auf die drei durch Handgranaten getöteten Juden, von denen der Zeuge Lud. ebenfalls berichtet hat, nicht gesehen haben, obwohl sein Befehlsstand nach seinen eigenen Angaben mitten im Ghetto lag. Dies und seine weitere Bekundung, dass er auf seinem Befehlsstand nicht einmal Schüsse gehört habe, was im Widerspruch zu fast allen anderen Zeugenaussagen steht, machen seine Aussage insoweit gänzlich unglaubhaft.

Der Zeuge Bit. gehörte als einfacher Dienstgrad ebenfalls dem 1.Bataillon des Polizeiregiments, das im Ghetto eingesetzt war, an. Seine Aussage war ebenso wie die des Zeugen Re. deutlich von dem Bestreben gekennzeichnet, sich nicht selbst zu belasten. Er räumte ein, dass sie den Auftrag hatten, die Häuser im Ghetto zu durchsuchen und die Juden herauszuholen. Die Häuser, in die sie mit drei oder vier Mann hineingegangen seien, seien zum Teil noch richtig bewohnt gewesen. Ob es beim Hinausbringen der Juden Misshandlungen gegeben habe, wisse er nicht mehr. Der Zeuge vermochte nicht zu erklären, warum er in seiner früheren, ihm vorgehaltenen Aussage vom 4.September 1964 (Bl.15427 f. d.A.) demgegenüber ausgesagt hatte, dass die Juden mit Schlägen oder Kolbenhieben aus ihren Wohnungen getrieben worden seien, wenn sie nicht von sich aus auf die Strasse gingen. Er äusserte sich auch nicht zu der Frage, ob er meine, damals die Wahrheit gesagt zu haben. Von dem den Juden bestimmten Schicksal will der Zeuge Bit. wie der Zeuge Re. nichts gewusst haben. Er habe gedacht, die Juden kämen zu einem Arbeitseinsatz. Damit, dass sie umgebracht werden könnten, habe er damals nicht gerechnet. Beim Heraustreiben aus den Wohnungen hätten zwar viele geweint, er habe aber nicht darüber nachgedacht, er sei ja auch noch sehr jung gewesen (der Zeuge war damals 23 Jahre alt).

Die in Israel vernommene Zeugin Bracha Fer. hat in ihrer in der Hauptverhandlung verlesenen Aussage bekundet, sie erinnere sich daran, dass die Aktion am Montag, dem 16.August 1943 begonnen habe. Sie habe damals für den Zeugen Hei. gearbeitet und deshalb schon einen Tag vorher von der bevorstehenden Räumung erfahren. Am Montagmorgen sei das Ghetto umstellt gewesen und niemand sei mehr herausgekommen. Diejenigen, die wie sie selbst für die Deutschen arbeiteten, sollten sich beim Judenrat melden. Sie sei mit ihrer Familie dort hingegangen und dann für zwei Tage in einer Fabrik untergebracht worden. Von der Fabrik aus habe sie den Vorgang der Aussiedlung beobachten können. Sie habe gesehen, wie die Menschen durch die Strassen zum Umschlagplatz auf der Wiese getrieben wurden. Dabei sei auch geschossen worden und es hätten Tote auf den Strassen gelegen. Nach zwei Tagen, am Mittwoch, sei sie selbst zum Umschlagplatz gebracht und nach Grodno transportiert worden. Ihre Familie sei in Treblinka umgekommen. Auch am Umschlagplatz habe sie blutige Tote gesehen, die nicht an Krankheiten gestorben seien. Obwohl es in den Tagen der Räumung sehr heiss gewesen sei, habe es kein Wasser für die Juden gegeben.
Die Aussage der Zeugin ist in sich schlüssig und auch glaubhaft, da sie sich mit den Angaben vieler anderer, auch nichtjüdischer Zeugen deckt.

Der in Österreich vernommene Zeuge Hüb. war seinerzeit wie sein Vorgesetzter, der Zeuge Han., in der Forschungsstelle für Ostunterkünfte, und zwar im Range eines SS-Untersturmführers tätig. In seiner verlesenen Aussage bekundete der Zeuge, Han. habe ihm im August 1943 befohlen, sich am nächsten Tag fahrbereit zu halten. Später, er meine, erst während der Fahrt, habe er dann erfahren, dass es nach Bialystok ging. Auf der dortigen Befehlsstelle habe er den Befehl erhalten - ob von dem Angeklagten Mic., wisse er nicht mehr - mit einem Obersturmführer der Sicherheitspolizei zur Reichsbahndirektion nach Königsberg zu fahren, um Transportraum zu beschaffen. Dabei sei ihm auch der Zielort der Transporte angegeben worden. Er meine sich zu erinnern, dass u.a. von Lublin und Treblinka die Rede gewesen sei. Dass Treblinka ein Vernichtungslager war, habe er damals aber nicht gewusst. In Königsberg sei ihm der verlangte Transportraum verweigert worden. Man habe ihm gesagt, es sei unmöglich, in so kurzer Zeit Züge zu stellen. Bei seiner Rückkehr aus Königsberg am selben Tage sei das Ghetto bereits geräumt gewesen.
Die Juden hätten auf einer Wiese vor der Stadt gesessen und einen schlechten Eindruck gemacht. Es hätten auch Leichen umher gelegen; wieviel, könne er heute nicht mehr sagen. Die Juden seien dann zum Bahnhof geführt worden. Sie hätten wenig oder gar kein Gepäck bei sich gehabt. Erschiessungen oder Grausamkeiten an Juden will der Zeuge selbst weder

gesehen noch davon gehört haben. Er will damals in erster Linie den Gedanken gehabt haben, dass die Juden in Arbeitslager gebracht wurden.
Insoweit hat der Zeuge sicher nicht die volle Wahrheit gesagt. Als Angehöriger des Lubliner Kommandos wird ihm das Ziel der Räumung nicht verborgen geblieben sein. Die sonstigen Angaben des Zeugen sind jedoch glaubhaft und stimmen überein mit den Aussagen des Angeklagten und vieler anderer Zeugen.

Der verstorbene Zeuge Hei. war seinerzeit als SS-Hauptsturmführer Leiter der Abteilung IV (Gestapo) beim KdS in Bialystok. Er ist u.a. wegen seiner Beteiligung an der Augusträumung vom Schwurgericht Bielefeld 1967 zu einer 9-jährigen Freiheitsstrafe verurteilt worden [367]. Der Zeuge hat in seinen verlesenen Aussagen bekundet:
Einige Zeit vor der Räumung sei Globocnik in Bialystok erschienen und habe ihm mitgeteilt, dass das Ghetto auf höchste Weisung hin endgültig geräumt werden sollte. So hätten nicht nur der dortige SSPF Hel. und der Chef der Zivilverwaltung Dr. Br., sondern auch der KdS Dr. Z. [368] erfahren, dass ihre bisherigen Interventionen, das Ghetto von Bialystok zu erhalten, erfolglos geblieben waren.
Da es sich bei der Augustaktion um die grösste Sache gehandelt habe, die jemals in Bialystok und im ganzen Bezirk abgewickelt worden sei, seien sämtliche verfügbare Kräfte der Dienststelle zum Einsatz gekommen, auch die Angehörigen der Verwaltungsabteilungen und die Kraftfahrer. Er selbst habe im Rahmen seiner dienstlichen Stellung an der Aktion teilgenommen. In den vorangegangenen Besprechungen habe man auch einen zu erwartenden Widerstand der Juden berücksichtigt. Die eingesetzten Kräfte seien dazu angehalten worden, bei jeder Form des Widerstandes kompromisslos durchzugreifen.
Während der gesamten Zeit der Räumungsaktion seien Tag und Nacht Schiessereien zu hören gewesen. Jeder, der damals in Bialystok gewesen sei, müsse dies wahrgenommen haben. Es seien infolge der Schiessereien sicher auch Menschen getötet worden, eine konkrete Erinnerung an Leichenhaufen oder grössere Gruppen von erschossenen Personen habe er jedoch nicht mehr. Ein ausdrücklicher Befehl, kranke und nichttransportfähige Juden zu erschiessen sei höchstwahrscheinlich nicht gegeben worden. Die Durchführung einer solchen Massnahme habe man aber mehr als geduldet, d.h., die Handlungsweise der Ausführenden sei im Rahmen der Aktion als erforderlich angesehen und durch die Führung der Dienststelle gedeckt worden, weil sich damit eine praktikable Lösung des Problems von selbst ergeben habe.
Diese wenig konkreten, für den Schusswaffengebrauch bei der Aktion jedoch aufschlussreichen Angaben des Zeugen sind glaubhaft. Er hat sich zu dieser Aussage, die ihn selbst schwer belastet, erst nach längerer Zeit durchgerungen, wie seine in der zeitlichen Reihenfolge verlesenen früheren Vernehmungen ergeben. Die Aussage wird teilweise auch durch Angaben des Angeklagten und andere Zeugen bestätigt.

Der verstorbene Zeuge Hel. war damals SSPF in Bialystok im Range eines SS-Brigadeführers und Generalmajors der Polizei. Er hat in seiner verlesenen Aussage angegeben, einige Zeit vor der Augusträumung habe Himmler Gauleiter Koch und ihm oder dem KdS Dr. Z. fernschriftlich mitgeteilt, dass die Insassen des Bialystoker Ghettos in das rückwärtige polnische Gebiet verlagert werden sollten. Nachdem alle für das Ghetto zuständigen Instanzen, der Chef der Zivilverwaltung, die Wehrmacht und die Polizei, sich gegen eine Räumung ausgesprochen hätten, habe Himmler in einem weiteren Fernschreiben erklärt, dass es bei der Räumung bleibe und dass er Globocnik mit der Durchführung dieser Massnahme beauftragt und ihm sämtliche Vollmachten erteilt habe. Etwa 14 Tage vor der Räumung sei dann Globocnik in Bialystok erschienen und habe seine Vollmachten vorgewiesen. Globocnik habe auch an einer Besprechung bei dem Chef der Zivilverwaltung teilgenommen, in welcher die

[367] Siehe Verfahren Nr.648.

[368] Siehe Verfahren Nr.487 und 402.

Ghettoräumung erörtert wurde und bei der auch er, der Zeuge, und Dr. Z. anwesend gewesen seien. Im Rahmen dieser Besprechung habe Dr. Br. Globocnik die Frage gestellt, ob die Juden des Ghettos in ein Vernichtungslager oder zu welchem Zweck sie sonst nach Polen gebracht werden sollten. Globocnik habe damals versichert, die Juden kämen in ein grosses Arbeitslager in Polen, wo eine besonders kriegswichtige Fertigung durch das Wirtschafts- und Verwaltungshauptamt des Reichsführers SS ins Leben gerufen worden wäre. Dort mangle es an Fachkräften und die Juden aus dem Ghetto Bialystok würden dort dringender gebraucht als in Bialystok selbst. Vom späteren Verlauf der Räumung will der Zeuge nichts mitbekommen haben. Er sei lediglich einmal nachts von Dr. Br. angerufen und befragt worden, was für eine Knallerei im Bezirk des Ghettos im Gange wäre. Von einer Polizeistreife, die er deshalb ausgeschickt habe, sei ihm gemeldet worden, nach Auskunft des Kommandoführers der Globocniktruppe im Ghetto lägen keine besonderen Vorkommnisse vor.
Dieser Teil der Aussage des Zeugen ist unglaubhaft und offensichtlich von dem Bestreben getragen, sich nicht selbst zu belasten. Es ist ganz unwahrscheinlich, dass der Zeuge in seiner besonders hervorgehobenen Stellung als SSPF keine eigenen Kenntnisse über die Räumungsaktion gehabt hat.

Der verstorbene Zeuge Dr. Br., seinerzeit Chef der Zivilverwaltung in Bialystok, hat in seiner verlesenen Aussage bestritten, an einer vorbereitenden Besprechung mit dem Zeugen Hel., Dr. Z. und Globocnik teilgenommen zu haben. Nach seiner Angabe ist die Augusträumung für die Zivilverwaltung völlig überraschend gekommen, wenngleich etwas Derartiges in der Luft gelegen habe. Angaben über den Verlauf der Räumung hat der Zeuge Dr. Br. nicht gemacht.

Der verstorbene Zeuge Bra., damals Angehöriger des Polizeiregiments 26, hat in seiner verlesenen Aussage bekundet, er sei während der Zeit der Ghettoräumung auf Heimaturlaub gewesen. Aus eigener Kenntnis konnte er daher keine Angaben über die Räumungsaktion machen. Von Kameraden will er später gehört haben, dass die Juden bei der Ghettoräumung Widerstand geleistet und vier Polizeiangehörige erschossen hätten. Aufgrund dieser Vorfälle hätten sich seine Kameraden gewehrt, es solle Tote und Verwundete unter den Ghettobewohnern gegeben haben.

Die Kenntnis der Juden von dem ihnen zugedachten Schicksal ergibt sich aus den Angaben des Angeklagten sowie den Aussagen der Zeugen Q., Joh., Schö. und Schn.

Der Angeklagte Mic. hat angegeben, man habe bei der Augusträumung allgemein gewusst, wohin es mit den Juden ging, es sei ja inzwischen 1943 gewesen. Auch die Juden selbst, insbesondere die Widerständler, hätten es wissen müssen.

Der Zeuge Q. hat in seiner eidlichen Aussage bekundet, die Juden hätten von der Existenz des Vernichtungslagers Treblinka zuerst nach der Warschauer Ghettoräumung im April 1943 gehört, und zwar von Leuten, die aus den kleinen Städten der Umgebung geflohen waren. Der Zeuge Joh. hat unter Eid angegeben, in seiner Dienststelle bei der Gendarmerie hätten Juden als Elektriker gearbeitet. Einer dieser Juden habe ihm kurz vor der Augusträumung weinend erklärt, dass sie alle sterben müssten, seine Angehörigen seien bereits umgekommen. Der Jude habe ihm erzählt, Kleider mit dem Judenstern seien aus Treblinka in die Textilfabriken in Bialystok zur Aufarbeitung zurückgekommen. An den Kleidungsstücken und an den darin noch befindlichen Papieren hätten die in den Textilfabriken arbeitenden Juden das Schicksal ihrer bei der Februarräumung abtransportierten Angehörigen erkannt. Diese Darstellung ist von dem Zeugen Schö. in seiner beeideten Aussage bestätigt worden. Der Zeuge Schn. hat in seiner eidlichen Aussage geschildert, wie zwei jüdische Mädchen, die in seiner Wohnung arbeiteten, ihn um Hilfe baten. Er habe sie zu beruhigen versucht und ihnen gesagt, sie würden woanders arbeiten. Daraufhin habe das jüngere der Mädchen erwidert: "Das glauben Sie doch selbst nicht, Herr Inspektor".

Die Feststellungen zum Kindertransport nach Theresienstadt beruhen auf den Angaben des Angeklagten, den Aussagen der Zeugen Q., Dib. [369], Fer., Lud. und Re. sowie den Angaben des Sachverständigen Dr. Sche.

Der Angeklagte hat erklärt, zu allererst seien von Angehörigen der örtlichen Sicherheitspolizei Kinder ausgesondert und in einem besonderen Transport zusammen mit jüdischen Kinderpflegerinnen weggebracht worden. Die Familien hätten ihre Kinder alle abgeben müssen, dies sei bereits am frühen Morgen des ersten Tages geschehen.

Der Zeuge Q. hat bekundet, am zweiten Tage seien 150 Kinder mit Begleitpersonen vom Sammelplatz weggebracht worden. Es habe geheissen, sie sollten in ein Heim. Später habe er gehört, dass sie alle in Auschwitz vergast worden seien. Der Zeuge Dib. hat eingeräumt, von Dr. Z. beauftragt worden zu sein, einen Kindertransport nach Theresienstadt zu bringen. Der Transport sei bei seinem Eintreffen schon fertig gewesen, er habe aus Personenwagen bestanden, die Türen seien abgeschlossen gewesen. Sogleich nachdem er den Transport in Theresienstadt abgeliefert habe, sei er nach Bialystok zurückgekehrt. Nach der Aussage der Zeugin Fer. hat diese am Montagmorgen, als die Aktion begann, vom Gebäude des Judenrats aus gesehen, wie ein Zug von Kindern fortgebracht worden ist. Der Zeuge Lud. hat bekundet, in einer Schule gegenüber dem Krankenhaus seien viele Kinder untergebracht worden. Auf seine Frage, was mit den Kindern geschehen werde, habe ihm Hauptmann Menneken erklärt, diese Kinder sollten gegen deutsche Kinder in England ausgetauscht werden. Dies hat zwar kein anderer Zeuge bestätigt, es ist aber nicht unwahrscheinlich, da hierin ein plausible Erklärung für den anschliessenden Transport der Kinder nach Theresienstadt liegen würde. Der Zeuge Re. hat bekundet, er habe am letzten Tag der Räumung in einem grossen Gebäude etwa 25 bis 30 Kinder gesehen, bei denen erwachsene Frauen gewesen seien. Diese seien zusammen aus dem Gebäude herausgeführt worden.
Schliesslich hat der Sachverständige Dr. Sche. erklärt, aus den vorhandenen schriftlichen Unterlagen der Reichsbahndirektion ergebe sich, dass am 24.August 1943 ein Transport von 1260 jüdischen Kindern von Bialystok nach Theresienstadt gegangen ist. Diese Kinder seien im Oktober 1943 nach Auschwitz gebracht und dort vergast worden.

Die Feststellungen über die Zahl der ausgesiedelten Juden beruhen auf den Angaben des Angeklagten, den Aussagen der Zeugen Q., Uga., Joh., Schö., Dr. Alt. [370], Fer. und Hei. [371] sowie den Angaben des Sachverständigen Dr. Sche.

Der Angeklagte, der als faktischer Leiter der Aktion einen besonders guten Überblick auch über die Zahl der von der Räumung erfassten Juden hatte, spricht von 20.000 bis 25.000 Juden, die sich im August 1943 im Bialystoker Ghetto befunden hätten. Von diesen seien etwa 15.000 in Treblinka vergast, die übrigen für die Betriebe im Bezirk Lublin ausgesondert worden. Dies deckt sich im grossen und ganzen mit den Angaben des Sachverständigen Dr. Sche., der allerdings von etwas höheren Zahlen ausgeht. Danach haben im August 1943 im Ghetto Bialystok noch etwa 28.000 bis 30.000 Juden gelebt, von denen etwa 20.000 nach Treblinka und Auschwitz, der Rest in die Lager des Bezirks Lublin transportiert worden sind.

Der Sachverständige hat die Zahl der in die Vernichtungslager verbrachten und dort vergasten Juden anhand der erhaltenen Unterlagen der Reichsbahndirektion - Wagenzettel, Bahndiensttelegramme und Fahrplananordnungen - ermittelt. Daraus ergibt sich, wie der Sachver-

[369] Siehe Verfahren Nr.648.

[370] Siehe Verfahren Nr.648.

[371] Siehe Verfahren Nr.648.

ständige im einzelnen darlegte, dass der Abtransport in mindestens 14 Zügen erfolgte, von denen 12 in das Vernichtungslager Treblinka und 2 in das Konzentrationslager Auschwitz fuhren. Von Bialystok nach Malkinia, dem Zugangsbahnhof von Treblinka, verkehrten am 17.August die Züge mit der Bezeichnung Pj 200 und Pj 201, am 18.August die Züge Pj 202 und Pj 203, am 19.August und am 20.August die Züge Pj 204, Pj 205 und Pj 206, am 21.August die Züge Pj 207 und Pj 208, am 22.August die Züge Pj 209 und Pj 210 und am 23.August der Zug Pj 211. Die als arbeitsfähig ausgesonderten Juden wurden jeweils in besonderen Waggons mitgeführt. Auf dem Bahnhof Malkinia wurden diese Waggons von den Zügen abgehängt und nach Lublin weitergeleitet. Die anderen Juden wurden im Vernichtungslager Treblinka in den Gaskammern getötet. Die in zwei Zügen am 29. und 31.August 1943 nach Auschwitz gebrachten Juden wurden dort noch einmal selektiert. Aus dem am 29.August eingetroffenen Transport wurden noch 210 Männer und 17 Frauen und aus dem am 31.August in Auschwitz eingetroffenen Zug noch 280 Männer und 795 Frauen als arbeitsfähig ausgesondert und in dem Konzentrationslager zur Zwangsarbeit eingesetzt. Alle anderen Juden wurden getötet.

Da sich die Zahl der in den einzelnen Zügen transportierten Juden nur schätzen lässt, geht das Gericht zu Gunsten des Angeklagten von dessen eigenen Angaben aus, dass nämlich 15.000 Juden in den Vernichtungslagern getötet worden sind. Diese Zahl kann aufgrund der noch um 5.000 darüberliegenden Schätzung des Sachverständigen Dr. Sche. als gesichert gelten, sie stellt eine Mindestzahl dar.

Dass vor der Augusträumung das Ghetto Bialystok noch mindestens 25.000 Bewohner hatte, ergibt sich auch aus den Aussagen der Zeugen Joh., Schö., Dr. Alt., Fer. und Uga. Der Zeuge Dr. Alt. hat angegeben, zur Zeit seiner Ablösung als KdS im Mai 1943 hätten im Ghetto noch etwa 30.000 Juden gelebt. Nach der Aussage des Zeugen Schö. hatte Bialystok damals etwa 60.000 Bewohner, von denen fast die Hälfte Juden waren. Der Zeuge Joh. schätzte die Zahl der Ghettobewohner auf etwa 25.000, der Zeuge Uga. auf 40.000, während die Zeugin Fer. ebenso wie der Zeuge Hei. meinte, im Ghetto hätten etwa 35.000 bis 40.000 Juden gelebt. Lediglich der Zeuge Q. hat von etwa 100.000 Ghettobewohnern gesprochen, was angesichts der übrigen Aussagen jedoch nicht zutreffen kann.

2.) Beitrag des Angeklagten Mic.

Die Feststellungen über die Beteiligung des Angeklagten an der Ghettoräumung beruhen ausschliesslich auf seinen eigenen Angaben. Wie bereits ausgeführt, hat bis auf die mit ihm aus Lublin gekommenen Zeugen Hüb. und Han. kein anderer Zeuge den Namen des Angeklagten gekannt, nicht einmal diejenigen Zeugen, die wie Dib., Err. und Hei. in führender Stellung der Bialystoker Sicherheitspolizei angehörten.

Die Angaben des Angeklagten sind glaubhaft. Er hat allerdings im Laufe der Hauptverhandlung versucht, seine massgebliche Rolle bei der Räumung gegenüber seinen früheren, ihm vorgehaltenen Aussagen etwas abzuschwächen mit der Behauptung, es sei seine Hauptaufgabe gewesen, Arbeitskräfte für Lublin auszusuchen. Die Leitung der Aktion habe bei Dr. Z., nicht bei ihm gelegen. Diese aus der Verteidigungssituation des Angeklagten heraus verständliche Wertung seiner damaligen Rolle wird jedoch durch die von ihm selbst in der Hauptverhandlung eingeräumten Tatsachen und seine ihm vorgehaltenen und von ihm inhaltlich nicht bestrittenen früheren Angaben widerlegt. Daraus ergibt sich nämlich, dass Mic. die faktische Leitung bei der Ghettoräumung hatte und die Auswahl von Arbeitskräften für Lublin nur eine unter mehreren Aufgaben für ihn gewesen ist.
Der KdS Dr. Z. war zwar ranghöher als der Angeklagte und konnte als solcher, zumal die Aktion in seinen Zuständigkeitsbereich fiel, von Mic. nicht übergangen werden. Seine Tätigkeit beschränkte sich aber auf die formelle Oberleitung. Für den tatsächlichen Ablauf der Aktion war hingegen der Angeklagte verantwortlich. Er hatte, wie er selbst einräumt, auf-

grund seiner leitenden Mitwirkung an der Warschauer Ghettoräumung die entsprechende Erfahrung, er entwickelte bei der Vorbesprechung die dann auch akzeptierten Vorschläge für die Durchführung der Aktion, er leitete und überwachte schliesslich die Räumung und erstattete Dr. Z., der sich selbst kaum im Ghetto aufhielt, jeweils abends Bericht über den Stand der Aktion. Dies alles hat der Angeklagte eingeräumt. Wenn er sich zum Beweis für seine untergeordnete Funktion im Verhältnis zu Dr. Z. darauf beruft, dass er die Räumungsaktion nicht von sich aus hätte abbrechen können, so besagt dies nichts gegen seine Verantwortlichkeit für den tatsächlichen Ablauf der Räumung, da eine solche Möglichkeit überhaupt nicht zur Debatte stand. Auch Dr. Z. hätte es gegenüber seiner vorgesetzten Dienststelle kaum wagen können, die Räumung vorzeitig abzubrechen, wenn er dies, wofür nicht der geringste Anhaltspunkt vorliegt, tatsächlich gewollt hätte.
Der Inhalt des Gesprächs mit seinem Vorgesetzten von Mohrenschildt vor dem Beginn der Aktion ist vom Schwurgericht als wahr unterstellt worden.

D. Rechtliche Würdigung
Räumungen in Warschau und Bialystok

1. Warschau

Die Verbringung jüdischer Menschen von Warschau nach Treblinka und ihre Tötung dort durch Autoabgase war Mord im Sinne des §211 StGB in der auch zur Tatzeit (Sommer 1942) geltenden Fassung. Sie geschah aus niedrigen Beweggründen der Haupttäter Hitler, Himmler und Globocnik, da die Juden lediglich um ihrer rassischen Zugehörigkeit willen getötet wurden und zugleich grausam, weil den Opfern aus gefühlloser unbarmherziger Gesinnung besondere Qualen zugefügt wurden, indem sie mit brutaler Gewalt aus ihren Wohnungen, von ihren Arbeitsplätzen oder von der Strasse in die Güterwagen getrieben, dort zusammengepfercht und sodann nach Treblinka gebracht wurden, wo sie, wie die Opfer seit Anfang August 1942 wussten, durch Gas getötet wurden.
Das Schwurgericht geht nach den Angaben des Angeklagten, die den glaubwürdigen Aussagen anderer Zeugen entsprechen (oben S.72-79 [372]) davon aus, dass sowohl die Angeklagten als auch die zur "Aussiedlung" bestimmten Juden spätestens ab 10.August 1942 wussten, dass die Opfer nach Treblinka zur Tötung durch Gas gebracht wurden. Von diesem Zeitpunkt an haben beide Angeklagten bewusst an der Tötung jüdischer Menschen mitgewirkt. Zieht man von der Gesamtzahl der insgesamt getöteten Juden von 300.000 (oben S.39 [373]) die bis zum 10.August 1942 abtransportierten knapp 120.000 ab (oben S.38 [374]), so ergibt sich, dass die Angeklagten an der Tötung von mindestens 180.000 jüdischen Menschen mitgewirkt haben.

2. Bialystok

Die Verbringung von mindestens 15.000 jüdischen Menschen von Bialystok nach Treblinka und Auschwitz und ihre Tötung durch Gas in diesen Vernichtungslagern war ebenfalls und aus den gleichen Gründen, wie oben zu Warschau ausgeführt, Mord im Sinne des §211 StGB (oben S.56 bis 58 [375]). Die Juden wussten hier vor Beginn der Aktion, dass sie dem Tod durch Gas zugeführt werden sollten.

[372] = Seite 838-840 dieses Bandes.

[373] = Seite 824 dieses Bandes.

[374] = Seite 823 dieses Bandes.

[375] = Seite 831 f. dieses Bandes.

I. Mic. als Gehilfe

Der Angeklagte Mic. hat durch zwei Handlungen, nämlich in Warschau und in Bialystok, Beihilfe zum Mord geleistet. Das Schwurgericht wertet seine oben beschriebene Mitwirkung bei der Vernichtung jüdischer Menschen in Warschau in der Zeit vom 10.August 1942 bis zum 15.September 1942 und in Bialystok in der Zeit vom 16. bis 23.August 1943 jeweils als eine Beihilfehandlung, weil sein Verhalten im natürlichen Sinne jeweils eine, wenn auch über längere Zeit sich hinweg fortsetzende Handlung war. Das entspricht nicht nur dem von Mic. erkannten Zweck der jeweiligen Aktion - Abtransport jüdischer Menschen zur Tötung in etwa nach Zahl und Zeitraum vorher bestimmter Weise, sondern auch seiner inneren Einstellung zu den beiden Räumungen, die er als in sich abgeschlossene abgrenzbare Vorgänge erkannte, zu deren Gelingen er entsprechend seinem vorher gefassten Entschluss beitrug in der Weise, dass er nicht während der Aktion täglich neu Hemmungen überwinden musste, sondern ohne Übergang weitermachte.

Das Schwurgericht hat den Angeklagten Mic. in beiden Fällen nur der Beihilfe zum Mord für schuldig befunden. Dafür waren folgende Erwägungen massgebend:

Mic. hat auf Befehl gehandelt. Das steht nach der glaubwürdigen Einlassung Mic.s, die von keiner Zeugenaussage in Zweifel gezogen wird, fest. Dies ist bereits ein wesentliches Indiz für das Fehlen von Täterwillen. Mic. hat sich auch im Rahmen des ihm erteilten Befehls gehalten. Es ist - wie bereits dargestellt - nicht festgestellt worden, dass Mic. eigenhändig Juden erschossen hat. Ebensowenig ist festgestellt worden, dass er unter Überschreitung des Befehls Juden, die er als arbeitsfähig erkannt hat, ohne Notwendigkeit und entgegen dem Sinn und Zweck des ihm erteilten Befehls, in den Tod nach Treblinka geschickt hat. Eine solche Eigeninitiative, die über das Ziel des erhaltenen Befehls hinausging, liegt auch nicht im Wesen dieses Angeklagten. Der Zeuge Ler. hat Mic. als "Beamtentyp" bezeichnet, der einen Befehl korrekt ausführt. Das entspricht dem Eindruck, den Mic. auf das Schwurgericht gemacht hat und der Kennzeichnung, die nahezu alle Zeugen von ihm gegeben haben.

Gegen die Annahme von Beihilfe und für Verurteilung als Täter spricht nicht, dass Mic. den organisatorischen Ablauf der Räumung in Warschau - bei Abwesenheit von Höf. - zu einem wesentlichen Teil und in Bialystok ganz in Händen hatte. Er entschied damit zwar über das Wie der Räumung, nämlich darüber, in welcher Reihenfolge nach Strassenzügen die Wohnungen geräumt wurden, er hatte auch massgeblichen Einfluss auf die Art und Weise des Abtransportes der jüdischen Opfer zum Umschlagplatz in Warschau bzw. zur Bahnstation in Bialystok, und er entschied auch darüber, wie lange im Zuge der einzelnen Aktion den Betrieben arbeitsfähige und sonstige dort untergekommene Juden belassen wurden. Insoweit kann ihm eine gewisse Teilhabe an der Tatherrschaft nicht abgesprochen werden. Aber diese Einwirkungsmöglichkeit macht ihn - für sich gesehen - nicht zum Täter. Sie war zur praktischen Durchführung des ihm erteilten Befehls erforderlich und stand inhaltlich ganz im Rahmen dieses Befehls, der hier nur generell im Hinblick auf das Ziel präzise gegeben werden konnte und sich aus Gründen der Durchführbarkeit hinsichtlich der einzelnen Ausführungen auf Richtlinien beschränken musste. Die organisatorische Tätigkeit, die Mic. in diesem Rahmen entfaltete, diente lediglich der Ausfüllung des Befehlsrahmens.

Spricht somit das äussere Verhalten des Angeklagten Mic. und seine Tätigkeit im Rahmen der Befehlshierarchie für die Annahme von Beihilfe, so hätte die Annahme von Täterschaft vorausgesetzt, dass Mic. sich den Rassenhass der Befehlsgeber zu eigen gemacht und selbst aus niedrigen Beweggründen (§211 StGB) gehandelt hat. Auch eine dahingehende Feststellung konnte in der Hauptverhandlung nicht getroffen werden. Insoweit kommen dem Angeklagten letzte Zweifel zugute.

Für eine solche Einstellung Mic.s spricht zunächst die verlesene Aussage des Zeugen Kli., der bekundet hat, Mic. sei "mit Leib und Seele dabeigewesen", er habe die Juden mit der Peitsche und der Handkante geschlagen und die Juden hätten vor ihm besonders Angst gehabt. Dafür, dass Mic. den Rassenhass der NS-Gewalthaber teilte, könnte ferner angeführt werden, dass er in der Ausführung der ihm gestellten Aufgabe keinerlei Zögern erkennen liess, dass er selbst Gruppen von Juden, die er im Ghetto von Warschau antraf, zum Umschlagplatz schickte, dass er es offensichtlich gar nicht erwog, offen oder unter einem Vorwand Teile der jüdischen Menschen zu verschonen, indem er selbst versuchte, die den deutschen Firmen verbleibenden Kontingente zu erhöhen oder bei unrichtigen Zählungen ein Auge zuzudrücken. In diesem Zusammenhang kann auch nicht unbeachtet bleiben, dass seine Anwesenheit zwar - wie er glaubwürdig angibt - für den Augenblick Ausschreitungen verhinderte, dass er es aber unterliess, durch generelle Hinweise und Befehle darauf hinzuwirken, dass auch von seinen Untergebenen Ausschreitungen unterlassen und verhindert würden. Für eine positive Einstellung zur Vernichtung der jüdischen Menschen könnte schliesslich seine unprovozierte und spontane Äusserung in der Hauptverhandlung sprechen, er würde einem Befehl eines Vorgesetzten, einen Juden, "der nichts getan hat" auf der Strasse zu erschiessen, verweigert haben.

Hinsichtlich des Zeugen Kli. hat sich das Schwurgericht nicht in der Lage gesehen, diesen Teil seiner Aussage gegen den Angeklagten Mic. zu verwerten. Der Zeuge ist nicht vernehmungsfähig, seine Aussage musste verlesen werden. Damit ist das Schwurgericht ausserstande, sich einen persönlichen Eindruck von dem Zeugen zu verschaffen und durch Rückfragen sowie durch eine Gegenüberstellung mit Mic. zu vertiefen. Überdies ist anzumerken, dass Kli. mit seiner Formulierung, Mic. sei mit Leib und Seele dabeigewesen, ersichtlich die Formulierung des Vernehmenden aufnimmt und dass Mic. selbst zugibt, er habe Juden geschlagen, um sich ihres Andranges zu erwehren, wenn sie von ihm Rettung erhofft hätten. In der Reihe der zur Person und zur Handlungsweise Mic.s vernommenen Zeugen steht diese Aussage vereinzelt da, die Mehrheit der vernommenen Zeugen schildert Mic. als einen zwar zielstrebigen und in seiner Verhaltensweise unangefochtenen, nicht aber als übereifrigen und unmenschlichen SS-Führer. Das Bild des formal korrekt Handelnden und insgesamt eher unauffälligen Vollstreckers des Räumungsbefehls herrscht in den Aussagen der Zeugen vor und entspricht auch dem Eindruck, den das Schwurgericht jetzt von dem Angeklagten erhalten hat.

Die übrigen Umstände sprechen nicht zwingend dafür, dass Mic. sich mit seiner Aufgabe in der Weise identifiziert hat, dass er als Täter betrachtet werden muss. Sie sprechen insgesamt für eine Haltung, die Gehorsam ausdrückt, jeder eigenen kritischen Stellungnahme ausweicht und sich in der Befehlsausführung jede Abweichung vom Befehl als unkorrekt verbietet. Aus den eigenen Einlassungen Mic.s zu diesen Fragen hat das Schwurgericht den Eindruck gewonnen, dass er sich an den Befehl gebunden fühlte, sich jede innere Distanzierung hiervon selbst verbot und seiner geistigen und seelischen Struktur nach gar nicht in der Lage war, durch Menschlichkeit, d.h. durch Rettung wenigstens einiger jüdischer Menschen durch gelegentliches Nichthinsehen oder Nichthinhören das Ziel des ihm erteilten Befehls - Räumung mit den genau genannten Einschränkungen - auch nur im geringsten in Frage zu stellen. Dabei ist ihm der Umstand zu Hilfe gekommen, dass ihm die Juden und ihr Schicksal gleichgültig waren. Hier mag die nationalsozialistische Propaganda nicht ohne Wirkung gewesen sein. Aber sichere Anzeichen dafür, dass Mic. selbst aus Rassenhass handelte, haben sich in der Hauptverhandlung nicht ergeben. Sie folgen auch nicht aus seiner unbedachten Äusserung in der Hauptverhandlung, er würde einen einzelnen Juden, der nichts getan habe, auch auf Befehl nicht erschossen haben: Mic. hat hierzu die zwar nicht einleuchtende, aber auch nicht unverständliche Erläuterung gegeben, dass die eigenhändige Tötung eines Menschen nicht einer Tätigkeit vergleichbar sei, die durch Räumung und Verladung von Menschen zwar deren Tod vorbereitet und mitverursacht, nicht aber unmittelbar herbeiführt.

Das Schwurgericht hat sich schliesslich die Frage gestellt, ob sich nicht allein aus der widerspruchslos durchgeführten Mitwirkung an hoher Stelle an einem so unmenschlichen und lang andauernden Geschehen ergibt, dass Mic. den Rassenhass teilte; und dabei erwogen, ob er nicht, wenn Angehörige eines anderen Volkes oder einer anderen Rasse in dieser Weise vernichtet werden sollten, seine Mitwirkung versagt hätte. Aber diese hypothetische Fragestellung führt hier nicht weiter. Es ging hier um die Vernichtung jüdischer Menschen, und die innere Möglichkeit einem solchen Befehl zu folgen, war durch jahrelange Propaganda vorbereitet, auch wenn sie nicht das Ergebnis hatte, dass Mic. Rassenhass empfand.

Mic. handelte, wie sich aus Vorstehendem ergibt, auch nicht selbst grausam, d.h. aus eigener gefühlloser, roher Gesinnung. Er erkannte aber, dass die Tötung jüdischer Menschen unter den gegebenen Umständen sowohl in Warschau als auch in Bialystok grausam war und dass diese Grausamkeit auf gefühlloser, roher Gesinnung der nationalsozialistischen Gewalthaber, die Urheber dieses Geschehens waren, beruhte.

II. Hantke

Der Angeklagte Hantke hat durch insgesamt 4 Handlungen Mord aus niedrigen Beweggründen begangen. Das Schwurgericht wertet das Verhalten des Angeklagten Hantke in Warschau im Sommer 1942, nämlich seine Mitwirkung bei Räumungen und Selektionen, sein entsprechendes Verhalten am Umschlagplatz und die eigenhändige Erschiessung des David Chajkin am Umschlagplatz sowie die Erschiessung einer jüdischen Frau in der Lesznostrasse, als eine Handlung. Der Angeklagte hat, nachdem er Zweck und Ziel der Räumung erkannt hatte, seine gesamte Tätigkeit in den Dienst dieser Aktion gestellt. Seine Mitwirkung hieran war für ihn eine Aufgabe, die sich zeitlich über mehrere Wochen erstreckte, in deren Verlauf er aber nicht jeweils erneut sich entschlossen hat, an der Tötung der auszusiedelnden jüdischen Menschen mitzuwirken. Dagegen wertet das Schwurgericht die weiteren Taten des Angeklagten Hantke, nämlich die Tötung des Baruch Krumholz in Krasnik, die Tötung des Symcha Borenstein und der 4 Typhuskranken in Budzyn jeweils als eine Handlung, weil der Angeklagte sich hier jeweils erneut auf Grund einer besonderen Situation zur Tötung jüdischer Menschen entschloss und sie selbst durchführte oder durchführen liess.

Aus der Handlungsweise des Angeklagten ergibt sich, dass er den Rassenhass der NS-Gewalthaber teilte. Ihm war in keinem hier zur Aburteilung stehenden Fall befohlen worden, jüdische Menschen selbst zu töten. Indem er es in den oben genannten 4 Fällen gleichwohl tat, überschritt er die Grenzen des ihm erteilten Befehls. Dass er die jüdischen Menschen entsprechend der nationalsozialistischen Propaganda als lebensunwert betrachtete und zum Gegenstand seines Hasses machte, ergibt sich auch mit Deutlichkeit daraus, dass er bei zwei Gelegenheiten jeweils eine Gruppe jüdischer Menschen, die er für arbeitsunfähig hielt, als "Scheisse" oder "Dreck" bezeichnete, und zwar einmal vor (Baruch Krumholz) und einmal unmittelbar nach (jüdische Frau in Warschau) der Tötung eines jüdischen Menschen.

III. Keine Rechtfertigung durch Befehl

1.) Die Handlungsweise des Angeklagten Mic. war nicht durch Befehl gerechtfertigt. Als Rechtfertigungsgrund käme insoweit nur der sogenannte Führerbefehl zur Endlösung der Judenfrage in Betracht. Ein solcher Erlass Hitlers stellte jedoch kein die Handlungsweise des Angeklagten Mic. rechtfertigendes Gesetz dar, weil es sich um einen geheimgehaltenen Erlass handelte, dem schon deshalb der formelle Charakter eines Gesetzes fehlte. Unabhängig hiervon entbehrt er seiner verbrecherischen Zielsetzung wegen jeder rechtlichen Wirkung (Urteil des BGH vom 25.11.1964 - 2 StR 71/64 S.18 der Urteilsgründe [376]).

2.) Eine Rechtfertigung der Handlungsweise des Angeklagten Hantke durch Befehl kommt nicht in Betracht, weil Hantke den Rahmen des ihm erteilten Befehls überschritten hat. Das gilt sowohl für seine Beteiligung an der Räumung in Warschau, bei der er durch brutale Handlungsweise selbst bei der SS von sich reden machte, als auch hinsichtlich seiner Tötungshandlungen in Krasnik und Budzyn. Weder die Angeklagten noch die Zeugen haben angegeben, dass die eigenhändige Tötung von Juden in Warschau, Krasnik oder Budzyn, wie sie von Hantke vorgenommen worden ist, im Einsatzbefehl enthalten war. Dass Hantke, wie er angibt, die Tötung der Typhuskranken befohlen worden ist, sieht das Schwurgericht, wie ausgeführt, als widerlegt an.

IV. Keine Entschuldigungsgründe

1.) Das Verhalten des Angeklagten Mic. ist nicht deswegen entschuldigt, weil er einem Befehl gehorcht hat (§47 Militärstrafgesetzbuch von 1940), ferner nicht wegen Verbotsirrtums oder wegen tatsächlichen oder vermeintlichen Notstandes entschuldigt.

a) Der Angeklagte Mic. war nicht gemäss §47 Abs.1 Satz 2 Militärstrafgesetzbuch von 1940 entschuldigt, weil er einem "Befehl nachgekommen ist". Ihm war bekannt, dass der Befehl ein bürgerliches Verbrechen zum Inhalt hatte. Er wusste, dass die Juden, an deren Tötung er mitwirkte, lediglich um ihrer Rasse willen getötet wurden.

b) Mic. ist auch nicht durch Verbotsirrtum entschuldigt. In der Hauptverhandlung hat sich nichts dafür ergeben, dass Mic. den ihm erteilten Befehl irrtümlich für verbindlich hielt. Er hat es nämlich unterlassen, über die Frage der Verbindlichkeit des Befehls überhaupt nachzudenken. Hiervon ist das Schwurgericht auf Grund der Gesamtheit der Äusserungen des Angeklagten und seiner in Warschau und Bialystok gezeigten Handlungsweise überzeugt. Mic. hat weder im Ermittlungsverfahren noch in der Hauptverhandlung jemals eine Bemerkung gemacht, aus der zu schliessen ist, dass er sich über den Charakter der ihm erteilten Befehle Gedanken gemacht hat. Das Schwurgericht ist überzeugt davon, dass Mic., der im gesamten Verfahren einen geständigen und zur Sühne bereiten Eindruck gemacht hat, gegebenenfalls in seinen Aussagen Hinweise dafür hätte erkennen lassen, dass er damals im Hinblick auf die Verbindlichkeit des Befehls nachgedacht oder gar einen inneren Konflikt erlebt habe. Auch die Aussage des Zeugen Zuc., wonach Mic. einmal im Auto geäussert habe, was mit den Juden gemacht werde, sei eine Schweinerei, ergibt nichts anderes. Sie zeigt nur, dass Mic. den verbrecherischen Charakter des Geschehens erkannt und für sich selbst zutreffend gewürdigt hat. Die von ihm selbst im einzelnen beschriebene Handlungsweise, nämlich das Bestreben, den befohlenen Aussiedlungserfolg in organisatorisch optimaler Weise herbeizuführen und sicherzustellen, ist im Zusammenhang mit seinen Aussagen ein weiteres Indiz dafür, dass Mic. über die Verbindlichkeit des ihm erteilten Befehls nicht im Sinne einer Konfliktshaltung Erwägungen angestellt hat.

c) Mic. hat nicht zur Rettung aus einem unverschuldeten, auf andere Weise nicht zu beseitigenden Notstandes im Sinne des §54 StGB gehandelt. Eine solche Situation ergab sich nicht bereits dadurch, dass er in einer diktatorischen Staatsform lebte oder dass er allgemein innerhalb der SS befehlsunterworfen war.

[376] = JuNSV Bd.XXI S.352 (Verfahren Nr.594).

d) Mic. hat schliesslich auch nicht im Nötigungsstand im Sinne des §52 StGB gehandelt. Er ist weder durch unwiderstehliche Gewalt noch durch eine Drohung, welche mit einer gegenwärtigen auf andere Weise nicht abwendbaren Gefahr für Leib oder Leben verbunden war, zu seinen Handlungen gezwungen worden. Für eine entsprechende Annahme hat sich in der Hauptverhandlung keinerlei Anhaltspunkt ergeben. Da Mic. einen Fall von Befehlsverweigerung nicht erlebt und eine solche Handlungsweise auch nicht selbst versucht hat, konnte er selbst nicht behaupten - und hat dies auch nicht getan - sich in einer entsprechenden Situation befunden zu haben.

e) Daraus ergibt sich zugleich, dass Mic. eine solche (Befehls-)Notstandssituation auch nicht irrtümlich als gegeben angesehen hat. Das Schwurgericht ist - wie bereits ausgeführt - überzeugt davon, dass Mic. zur Zeit der Einsatzbefehle für Warschau und Bialystok und als er in Warschau den wahren Zweck und Charakter der Aussiedlungsaktion erkannt hatte, eine Befehlsverweigerung nicht erwogen hat. Mic. hat sich im gesamten Ermittlungsverfahren und in der Hauptverhandlung weitgehend zur vollständigen Schilderung seiner äusseren und inneren Situation bereitgefunden. Er hat weder im Ermittlungsverfahren noch in der Hauptverhandlung auch nur eine Andeutung von sich gegeben, die darauf schliessen lässt, dass er eine Befehlsverweigerung als für ihn denkbar und möglich erwogen hat. In der Hauptverhandlung ist diese Frage mehrfach an ihn gerichtet worden und er hat hierzu wiederholt nur angegeben, dass er die ihm und seinen Kameraden gestellten Aufgaben als eines Angehörigen der SS unwürdig und als negativ und nicht aufbauend empfunden hat und deshalb vor dem Einsatz in Bialystok bestrebt war, solche Einsätze nicht mehr durchführen zu müssen. Er hat auch hierzu nur behauptet, dass er seinen Zimmergenossen und Kameraden von Mohrenschildt um Vermittlung bei Globocnik gebeten hat, man möchte ihn aus diesen Gründen nicht mehr zu Einsätzen gegen Juden heranziehen. Diese Behauptung hat das Schwurgericht als wahr unterstellt, weil sie glaubhaft und glaubwürdig ist: Sie entspricht der angepassten Gesamthaltung des Angeklagten, der sich trotz seines Widerwillens gegen solche Einsätze seine bejahende und loyale Haltung gegenüber dem NS-Staat bewahrte und für den eine andere Art, sich solchen Einsätzen zu entziehen, als in vorsichtig-diplomatischer Weise durch Vermittlung eines hierfür geeigneten Kameraden eine Bitte zu äussern, nicht in Betracht kam. In einem Putativ-Notstand, der für seine Handlungsweise ursächlich geworden ist, hat sich Mic. nicht befunden.

2.) Eine Entschuldigung des Angeklagten Hantke wegen vermeintlicher Verbindlichkeit der ihm erteilten Befehle oder wegen tatsächlichen oder angenommenen Notstandes kommt ebenfalls nicht in Betracht. Hantke hat sich, wie bereits ausgeführt, nicht nur innerlich ohne Vorbehalt auf den Boden der ihm erteilten Befehle gestellt, er ist auch über ihren Inhalt hinausgegangen, indem er, wie im einzelnen ausgeführt, mit grosser Brutalität gegen die Juden vorgegangen und in den genannten Fällen selbst jüdische Menschen getötet hat. Hantke hat dementsprechend auch niemals behauptet, eine Befehlsverweigerung erwogen zu haben.

V. Verjährung

Die Straftaten der Angeklagten sind nicht verjährt. Für die Verjährung der Taten gilt gemäss §67 Abs.1 Ziff.1 StGB die 30jährige Verjährungsfrist. Die von den Angeklagten begangenen Taten waren zur Tatzeit (Mic.: Anfang August 1942 bis Mitte September 1942 und August 1943; Hantke: Anfang August 1942 bis Jahresende 1942) mit dem Tode oder mit lebenslangem Zuchthaus als Regelstrafe bedroht. Das gilt sowohl für die Täterschaft (Hantke) als auch für die Beihilfe (Mic.). Das ergibt sich aus der Strafdrohung des §211 StGB in der damals geltenden Fassung in Verbindung mit §4 der Gewaltverbrecherverordnung vom 5.Dezember 1939. In dieser Vorschrift war bestimmt, dass für die Beihilfe allgemein diejenige Strafe zulässig war, die das Gesetz für die vollendete Tat vorsieht. Die Gleichstellung der Strafdrohung galt, wie das Wort "allgemein" zeigt, nicht nur für Gewaltverbrechen, sondern für den gesamten Bereich des Strafrechts. Dagegen spricht nicht, dass nach den §§49, 44, 211 in

Verbindung mit §14 StGB in der damals geltenden Fassung die Höchststrafe für Beihilfe zum Mord nur 15 Jahre Zuchthaus betrug und dass der Wortlaut der §§44, 49 StGB ausdrücklich erst durch Art.1 und 2 der DVO vom 29.Mai 1943 (Reichsgesetzblatt I, 341), also teilweise erst nach den hier in Frage stehenden Taten, geändert worden ist. Angesichts der genannten Regelung in §4 der Gewaltverbrecherverordnung vom 5.Dezember 1939 stellte die DVO vom 29.Mai 1943 nur klar, was auf Grund der Gewaltverbrecherverordnung bereits Rechtens geworden war (vgl. zum Ganzen BGH, Urteil vom 22.Mai 1962 [377] - NJW 1962, 2209 ff.).
Die Gewaltverbrecherverordnung vom 5.Dezember 1939 ist wirksam erlassen worden. Angesichts der nunmehr ständigen Rechtsprechung des Bundesgerichtshofes zu dieser Frage (Urteil vom 2.10.1963 - 2 StR 269/63 [378]; Urteil vom 25.11.1964 - 2 StR 71/64 [379] und das im vorigen Absatz zitierte Urteil des 5.Senats) erübrigt sich eine weitere Stellungnahme hierzu.

Die Verjährungsfrist begann gemäss §§67 ff. StGB am 9.Mai 1945. Der als Gesetz erachtete Führerwille stand einer Strafverfolgung im Sinne des §69 StGB entgegen. Das ist in der Rechtsprechung allgemein anerkannt. (vgl. Urteil des BGH vom 28.5.1963 [380]; BGHSt. 18, 367). Die Verjährung der Taten der Angeklagten ist hiernach rechtzeitig, nämlich hinsichtlich Mic. durch Haftbefehl vom 23.Januar 1961, hinsichtlich Hantke durch Haftbefehl vom 24.Januar 1961 unterbrochen worden.

E. Strafzumessung

I. Mic.

Bei der Strafzumessung hinsichtlich des Angeklagten Mic. geht das Schwurgericht aus Rechtsgründen davon aus, dass eine lebenslange Freiheitsstrafe nicht in Betracht kommt. Eine zu erwartende Revisionsverhandlung würde erst im Jahre 1975 stattfinden. Das Revisionsgericht wird gemäss §§354a StPO in Verbindung mit §2 StGB das dann geltende, mildere Recht anzuwenden haben. Dieses wird in §27 II 2 StGB eine Milderung der Strafe für den Gehilfen zwingend vorschreiben, so dass gemäss §49 I Ziff.1 StGB von einem Strafrahmen von 3 bis 15 Jahren Freiheitsstrafe auszugehen ist.

Eine Verurteilung zu lebenslanger Freiheitsstrafe wäre auch nach dem zur Zeit der Urteilsverkündung geltenden Recht nicht in Betracht gekommen. Das Schwurgericht würde auch hiernach von der Möglichkeit Gebrauch gemacht haben, die Strafe gemäss §§49, 44 StGB in der zum Zeitpunkt der Urteilsverkündung geltenden Fassung zu mildern. Denn für den geständigen Angeklagten Mic., der ersichtlich bemüht war, seine Tatbeteiligung auch dort wahrheitsgemäss darzustellen, wo andere Beweismittel für sein Verhalten nicht zur Verfügung gestanden hätten, wäre eine lebenslange Freiheitsstrafe nicht angemessen (§13 II a.F., 46 II n.F. StGB). Dieses "Verhalten nach der Tat", nämlich im Ermittlungsverfahren und in der Hauptverhandlung, muss sich in erheblichem Masse zugunsten des Angeklagten Mic. auswirken.

Bei der Bemessung der hiernach zu verhängenden zeitigen Freiheitsstrafe muss der Gesichtspunkt der persönlichen Abschreckung des Täters (Spezialprävention) unberücksichtigt blei-

[377] Siehe Verfahren Nr.511.

[378] Siehe Verfahren Nr.564.

[379] Siehe Verfahren Nr.594.

[380] Siehe Verfahren Nr.526.

ben. Denn der Angeklagte steht nicht in der Gefahr, strafbares Verhalten der hier verurteilten Art zu wiederholen. Auch das "Vorleben" des Angeklagten (§13 II StGB), nämlich sein Verhalten bis zum Zeitpunkt, in dem er erkannte, dass er Beihilfe zum Mord leistete, kann nicht zu Lasten des Angeklagten berücksichtigt werden. Als Mic. im Jahre 1933 der SS beitrat, lag ihm nichts ferner als der Gedanke, einer Organisation beizutreten, die - 9 Jahre später - verbrecherische Befehle auszuführen haben würde. Eine solche Entwicklung und eine solche Handlungsweise des NS-Staates war für Mic. im Jahre 1933 - und später - sowenig voraussehbar wie für nahezu alle anderen Deutschen einschliesslich der jüdischen Mitbürger. Zwar hätte Mic. im Jahre 1941, als er die Ermordung jüdischer Menschen in Riga miterlebte, sich sagen müssen, dass er mit seiner Zugehörigkeit zur SS einer Organisation nahestand, der eine solche Handlungsweise möglicherweise befohlen werden würde. Denn Mic. wusste, dass der nach seiner Meinung alleinige Urheber dieses Verbrechens, der HSSPF Jeckeln, ebenfalls Befehlsgewalt über SS-Angehörige hatte. Aber auch dieser Anlass zu beginnender Bösgläubigkeit gegenüber dem NS-Staat kann nicht zu Lasten Mic.s verwertet werden: Selbst unmittelbar gefährdete jüdische Menschen im damaligen Polen hielten eine geplante und organisierte Vernichtungsaktion, wie sie in dem hier bedeutsamen Zusammenhang in Warschau und Bialystok stattgefunden hat, noch im Frühjahr 1942 für unmöglich. Dem Angeklagten muss deshalb zugute gehalten werden, dass er auch angesichts erheblicher Verdachtsmomente sich den Glauben daran bewahrte, dass er einer "Elitetruppe" angehörte, der Verbrechen dieser Art und dieses Ausmasses nicht befohlen werden würden.

Dagegen muss sich die Notwendigkeit allgemeiner Abschreckung bei der Strafzumessung zu Lasten des Angeklagten Mic. auswirken. Zwar ist nicht zu erwarten, dass in Deutschland jüdischen Mitbürgern oder anderen Rassen- oder Volksgruppen eine staatlich gelenkte und befohlene Vernichtung droht, wie sie unter der Herrschaft des NS-Staates stattgefunden hat. Aber auch heute ist es notwendig, deutlich zu machen, dass das Strafgesetz auch für denjenigen gilt, der sich im Dienste einer politischen Partei oder Überzeugung zur Ausführung von Verbrechen missbrauchen lässt.

Gegen den Angeklagten muss sich schliesslich bei der Strafzumessung die Zahl der Opfer sowie der Umstand auswirken, dass er über seine akute Gegenwart hinaus nichts getan hat, um allgemein das Schicksal und die Behandlung der jüdischen Opfer zu mildern. Allgemeine und im Einzelfall gezielte Hinweise darauf, dass brutale und grausame Behandlung der jüdischen Menschen zu vermeiden sei, wären für Mic. möglich und zumutbar gewesen, weil sie weder dem Inhalt des ihm erteilten Befehls noch dem Zweck der Räumungsaktion widersprochen hätten. Dass Mic. die hierfür notwendige Befehlsgewalt zustand, steht ausser Zweifel und dass er von ständigen Ausschreitungen wusste, hat er ebenfalls selbst erklärt.

Das Schwurgericht ist der Auffassung, dass für beide Beihilfehandlungen von Mic. - Warschau und Bialystok - unter Abwägung der gemäss §13 II StGB massgeblichen Umstände eine Einsatzstrafe von je 10 Jahren Freiheitsstrafe angemessen ist. Es hat dabei erwogen, dass in Warschau die Zahl der Opfer zwar mehr als zehnmal so gross war wie in Bialystok, dass Mic. in Warschau aber - für ihn überraschend - in ein Geschehen hineingestellt worden ist, dessen Charakter als befohlenes Verbrechen ihm nicht von vornherein bewusst war, und dass er in Warschau weder formell noch in der Sache den Ablauf der Aktion als Organisator und Befehlsgeber voll in Händen hatte. Wenn demgegenüber in Bialystok die Zahl der Opfer ungleich geringer war, so wiegt die persönliche Verantwortung - das Ausmass seiner Pflichtwidrigkeit im Sinne des §13 II StGB - doch insofern erheblich schwerer, als Mic. von diesem Einsatz geraume Zeit vor der Räumung selbst erfuhr, sich im Hinblick auf die Möglichkeiten, dem Einsatz zu entgehen in Ruhe Gedanken machen konnte und dass er in Bialystok die Räumung im tatsächlichen Sinne organisierte und leitete.

Unter nochmaliger Abwägung aller für und gegen den Angeklagten sprechenden Umstände hat das Schwurgericht aus diesen Einsatzstrafen gemäss §74 StGB eine Gesamtstrafe von 12

Jahren Freiheitsstrafe gebildet, worauf dem Angeklagten nach dem Gesetz die erlittene Untersuchungshaft anzurechnen ist (§60 StGB).

II. « Hantke »

Der Angeklagte Hantke hat sich des Mordes in 4 Fällen schuldig gemacht. Er war deshalb viermal zu lebenslänglicher Freiheitsstrafe zu verurteilen.

Gemäss §465 StPO hat der Angeklagte Mic. die ihn betreffenden Kosten des Verfahrens ein schliesslich seiner notwendigen Auslagen zu tragen. Entsprechendes gilt für den Angeklagten Hantke, soweit er verurteilt worden ist. Soweit der Angeklagte Hantke freigesprochen ist, treffen die Kosten gemäss §467 StPO einschliesslich der notwendigen Auslagen die Staatskasse.

ABKÜRZUNGSVERZEICHNIS

«...»	Die Wörter zwischen diesen Zeichen sind von den Bearbeitern in den Urteilstext eingefügt worden
~...~	Auslassungszeichen für nicht veröffentlichte, nicht-rechtskräftige Teile eines Urteils
→	siehe
14 f 13	Tarnbezeichnung für die Euthanasie in den KL
a.	am
A- und E-Bataillon	Ausbildungs- und Ersatzbataillon
a.A.	am Anfang; anderer Ansicht
a.a.O.	am angeführten Ort
AA	Auswärtiges Amt
A.A.	auf Anordnung
AAR	Allgemeine Anweisungen an Richter
a.B., A.B.	auf Befehl
ABA	Armee-Bekleidungsamt
abgedr.	abgedruckt
AbKdo.	Arbeitskommando
ABl.	Amtsblatt
ABlAHK	Amtsblatt der Alliierten Hohen Kommission in Deutschland
ABlKR	Amtsblatt des Kontrollrats in Deutschland
ABN	Antibolschewistisches Block der Nationen
Abs.	Absatz
Abschn.	Abschnitt
Abt., Abtl., Abtlg.	Abteilung
Abw.	Abwehr
a.d.	an / aus der (dem, den)
a.D.	ausser Dienst
a.d.D.	an der Donau
Adj	Adjutant
AdO	Admiral der Ostsee
Adr.	Adresse
ADSt.	Aussendienststelle
a.E.	am Ende
AEG	Allgemeine Elektrizitäts-Gesellschaft
AEL	Arbeitserziehungslager
ärztl.	ärztlich
AES	Allgemeine Erlass Sammlung
a.F.	alte Fassung
AfV	Amt für Volksgesundheit

AG	Aktiengesellschaft; Amtsgericht; Ausführungsgesetz
AGBGB	Ausführungsgesetz zum BGB
A.Geb.	Armeegebiet
AGR	Amtsgerichtsrat
AGRat	Amstgerichtsrat
AHK	Alliierte Hohe Kommission
AHKABl.	Amtsblatt der Alliierten Hohen Kommission in Deutschland
AHKG, AHKGes.	Gesetz der AHK
AK	Armeekorps
Akdo.	Aussenkommando
a.Kr.	auf Kriegsdauer
AKR	Alliierter Kontrollrat
Aktenz.	Aktenzeichen
a.L	an der Lahn
AL	Arbeitslager
All.	Alliierte
allgem.	allgemein
Allg.Anw. an Richter	Allgemeine Anweisungen an Richter
a.M.	anderer Meinung
AMA	Allgemeines Marineamt
amtl.	amtlich
Amtsbl.	Amtsblatt
AMT	Amerikanisches Militärtribunal
angef.	angeführt
Angekl.	Angeklagte
Anl., Anlg.	Anlage
AnlBd.	Anlageband
Anm.	Anmerkung
Anmerk.	Anmerkung
anschl.	anschliessend
Anw.	Anwärter
ao.	ausserordentlich
AO	Abwehroffizier; Anordnung; Auslandsorganisation (der NSDAP)
AOK	Allgemeine Ortskrankenkasse; Armeeoberkommando
ap., apl.	ausserplanmässig
AP	Aussenposten
Art.	Artikel
Artl.	Artillerie
a.S.	auf Seite
Aso	Asozialer
ASR	Asozialen (KL)
atü	Atmosphärenüberdruck
Aufl.	Auflage
Ausb.	Ausbildung

Ausf.	Ausführungs-
ausl.	ausländisch
AV	Allgemeine Verfügung
a.W.	auf Widerruf
Az.	Aktenzeichen
a.zit.O.	am zitierten Orte
a.zul.a.O	am zuletzt angegebenen Ort
AZR	Arbeitszwang Reich
b., b/	bei
BA	Beiakten
bad.	badisch
Bakt.	Bakteriologisch
BASF	Badische Anilin- und Sodafabrik
BAT	Bundes-Angestelltentarifvertrag
Batl.	Bataillon
Batle	Bataillone
bay., bayer.	bayerisch
BayAhndungsG	Gesetz Nr.22 zur Ahndung nationalsozialistischer Straftaten (Bayern)
BayBS	Bayerische Sammlung des bereinigten Landesrechts
BayObLG, Bay.Ob.LG.	Bayerisches Oberstes Landesgericht
BayObLGSt.	Entscheidungen des Bayer. Obersten Landesgerichts in Strafsachen
BayVerf.	Verfassung des Freistaats Bayern
BayVfGH	Bayerischer Verfassungsgerichtshof
B.B., BBs	Blockadebrechers
Bd.	Band
BDC	Berlin Document Center
Bde	Bände
BDM	Bund Deutscher Mädel
BdU	Befehlshaber der Unterseeboote
BdO	Befehlshaber der Ordnungspolizei
BdS	Befehlshaber der Sicherheitspolizei und des SD
BdW	Wehrmachtbefehlshaber
BE	Berichterstatter
Bedeis	Befehlshaber der Eisenbahnpioniere
befehlsh.	Befehlshaber
Befh.	Befehlshaber
BefrG	Gesetz zur Befreiung von Nationalsozialismus und Militarismus (Befreiungsgesetz)
beg.	begangen
BEG	Bundesentschädigungsgesetz
Begl.	beglaubigt
Begr.	Begründung
Bek.	Bekanntmachung
Bem.	Bemerkung
Ber.	Bericht
bes.	besonders
Beschl.	Beschluss
Bes.Teil	Besonderer Teil
Best.	Bestimmung
betr.	betreffend
Bew.St.	Beweisstück
Bez.	Bezirk
bez., bezgl.	bezüglich
bezw.	beziehungsweise
BfA	Bundesversicherungsanstalt für Angestellte
BG	Bezirksgericht (DDR)
BGB	Bürgerliches Gesetzbuch
BGBl.	Bundesgesetzblatt
BGE	Entscheidungen des schweizerischen Bundesgerichts
BGH	Bundesgerichtshof; Entscheidungen des Bundesgerichtshofes
BGHSt.	Entscheidungen des Bundesgerichtshofes in Strafsachen
BGHZ	Entscheidungen des Bundesgerichtshofes in Zivilsachen
BGs	Aktenzeichen für einzelne Anordnungen des Ermittlungsrichters beim BGH
BHE	Bund der Heimatvertriebenen und Entrechteten
Bhf.	Bahnhof
Bifo.	Bibelforscher
BJM	Bundesjustizministerium
Bl.	Blatt; Block
Bln.	Berlin
BlutSchG	Gesetz zum Schutze des deutschen Blutes und der deutschen Ehre (Blutschutzgesetz)
BNSDJ	Bund nationalsozialistischer Deutscher Juristen
Br., Brit.	Britische
BRD	Bundesrepublik Deutschland
B.R.H.	Befehlshaber rückwärtiges Heeresgebiet
Brigf.	Brigadeführer
Brsg.	Breisgau
BRT	Bruttotonnen
BrZ	Britische Zone

Bs	Registerzeichen von Privatklagen vor dem Amtsgericht
BS	Sammlung des Bereinigten Landesrechts
BSG	Gesetz zum Schutze des deutschen Blutes und der deutschen Ehre (Blutschutzgesetz)
BSW	Bratskoje Soieszwendske Wojestrennich (Brüderliche Vereinigung der (russischen) Kriegsgefangenen)
BT	Bundestag
Btl.	Bataillon
Btsmt.	Bootsmannsmaat
bürg.	bürgerlich
bulg.	bulgarisch
BuV	Bevölkerungswesen und Fürsorge
BV	Verfassung des Freistaats Bayern
BV, BVer	Berufsverbrecher (KZ-Jargon)
BV/Jug	Berufsverbrecher Jugoslawien
BVerfG	Bundesverfassungsgericht
BVerfGE	Entscheidungen des Bundesverfassungsgerichts
BVerwG	Bundesverwaltungsgericht
BVFG	Gesetz über die Angelegenheiten der Vertriebenen und Flüchtlinge (Bundesvertriebenengesetz)
BVG	Bundesverfassungsgericht, Bundesversorgungsgesetz, Bundesvertriebenengesetz, Berliner Verkehrsgesellschaft
BVGE	Entscheidungen des Bundesverfassungsgerichts
BvTO	Bevollmächtigter Transportoffizier
b.w.	bitte wenden
BWGöD	Gesetz zur Regelung der Wiedergutmachung nationalsozialistischen Unrechts für Angehörige des öffentlichen Dienstes
BZ	Britische Zone
bzgl.	bezüglich
bzw.	beziehungsweise
ca.	circa, zirka
Capt.	Captain
cbm	Kubikmeter
CdS	Chef der Sicherheitspolizei und des SD
CdZ	Chef der Zivilverwaltung
CCG (BE)	Control Commission for Germany (British Element)
ChdDtPol.	Chef der Deutschen Polizei
ChdSPudSD	Chef der Sicherheitspolizei und des SD
chem.	chemisch
Chef P	Chef Persönlicher Stab Reichsführer SS
ChSipo	Chef der Sicherheitspolizei
ChSiPouSD	Chef der Sicherheitspolizei und des SD
CI	Counter Intelligence
C.I.C., CIC	Counter Intelligence Corps (militärischer Abwehrdienst, USA)
CID	Criminal Investigation Department
CIO	Counter Intelligence Organisation
Col.	Colonel
Cpt.	Captain, Capitaine (Hauptmann)
Cs	Registerzeichen von Strafbefehlen
CSA	Christlich-soziale Arbeitsgemeinschaft
CSR, CSSR	Tschechoslowakei
CSSD	Chef der Sicherheitspolizei und des SD
CVJM	Christlicher Verein junger Männer
D 4	Durchgangsstrasse 4 (von Lemberg über Tarnopol nach Osten)
d.A.	der Akten
dAdV	der (Straf)Akten dieses Verfahrens
DAF	Deutsche Arbeitsfront
DAW	Deutsche Ausrüstungswerke
dBdV	der Beiakten dieses Verfahrens
DBG	Deutsches Beamtengesetz
DC	Document Center (Berlin)
DDR	Deutsche Demokratische Republik
Degesch	Deutsche Gesellschaft für Schädlingsbekämpfung m.b.H.
Degussa	Deutsche Gold- und Silberscheideanstalt
dergl.	dergleichen
ders.	derselbe
DEST	Deutsche Erd- und Steinwerke
"DF"	"der Führer"
d.G.	des Generalstabes
DG 4, Dg.4	Durchgangsstrasse 4 (von Lem-

	berg über Tarnopol nach Osten)
d.Gend.	der Gendarmerie
dgl.	dergleichen
d.h.	das heisst
dHdV	der Hauptakten dieses Verfahrens
DHV	Deutschnationaler Handlungsgehilfenverband
d.i.	das ist
DIN	Deutsche Industrie Norm
d.Inf.	der Infanterie
Dipl.	Diplom; Diplomatie
Dir.	Direktor
Diss	Dissertation
Div.	Division
d.J., d.Js.	dieses Jahres
DJ	Deutsche Justiz; Deutsche Jugend ("Jungvolk")
DJuNSV	DDR-Justiz und NS-Verbrechen. Sammlung ostdeutscher Strafurteile wegen nationalsozialistischer Tötungsverbrechen
DJZ	Deutsche Juristenzeitung
d.L.	der Luftwaffe
DLs	Registerzeichen von Verbrechenssachen vor dem Amtsgericht
d.M., d.Mts., ds.Mts	dieses Monats
DNB	Deutscher Nachrichtenbüro
DNSAP	Deutsche Nationalsozialistische Arbeiterpartei (in der CSSR)
DNVP	Deutschnationale Volkspartei
Doc.	Dokument
Doc.Center	Document Center Berlin
Dok.	Dokument
Dok.B.	Dokumentenbuch
dort.	dortig
Doz.	Dozent
DP	Displaced Person
DPD	Demokratische Partei Deutschlands
Dpf.	Pfennig
d.R.	der Reserve
DR	Deutsches Recht, Zentralorgan des National-Sozialistischen Rechtswahrerbundes
"DR"	"Das Reich"
DR Sch	Deutsches Reich, Schutzhäftling
Dr.	Doktor
Dres.	Doktores
DRiG	Deutsches Richtergesetz
DRiZ	Deutsche Richterzeitung
DRK	Deutsches Rotes Kreuz
DRsp., DRspr.	Deutsche Rechtsprechung
DRZ	Deutsche Rechts-Zeitschrift
Ds	Registerzeichen von Vergehenssachen vor dem Amtsgericht
D.S.	Dienstsiegel; Dienststempel
d.Sch.	der Schutzpolizei
DStR	Deutsches Strafrecht
Dt.	Deutsch
dto.	dito
DU	Dienstuntauglich(keit)
Dulag	Durchgangslager (für Kriegsgefangene)
Durchf.	Durchführungs-
DV	Deutsche Vereinigung
DV, DVO	Durchführungsverordnung
DVO	Dienst-Vollzugsordnung
DWB	Deutsche Wirtschaftsbetriebe GmbH
Dz.	Dozent
E	Entscheidung
(E)	Ersatz
E-Kost	Einfache Kost
E-Offizier	Ersatz-Offizier
E-Polen	Eindeutschungsfähige Polen
E-Werk	Elektrizitätswerk
EB	Eröffnungsbeschluss
ebd.	ebenda
EG	Einführungsgesetz; Einsatzgruppe; Entschädigung
EGB	Einsatzgruppe B
EGOWiG	Einführungsgesetz zum Ordnungswidrigkeitengesetz
EGr.	Einsatzgruppe
EheG	Ehegesetz
ehel.	ehelich; eheliches Kind
eh., ehem.	ehemalig
eidl.	eidlich
Einf.	Einführung
Einf.Ges.	Einführungsgesetz
Eings.	Eingangs
Einl.	Einleitung
einschl.	einschlägig; einschliesslich
Eintr.	Eintragung
Eisb.-Pi.-Kp	Eisenbahnpionierkompanie
EK	Einsatzkommando
EK I (II)	Eisernes Kreuz I. (II.) Klasse
EK's	Eiserne Kreuze
EKG	Elektrokardiogramm
EM	Ereignismeldung UdSSR des Chefs der Sipo und des SD

EMRK	Europäische Menschenrechtskonvention
EKs	Einsatzkommandos
engl.	englisch
entl.	entlassen
Entsch.	Entscheidung
Entschl.	Entschliessung; Entschluss
entspr.	entsprechend
Entw.	Entwurf
Erg.	Ergänzung
ErgVO	Ergänzungsverordnung
Erl.	Erlass; Erläuterung
ers.	ersatz
EStA	Erster Staatsanwalt
E.u.A.Batl.	Ersatz- und Ausbildungsbataillon
ev., evgl.	evangelisch
e.V.	eingetragener Verein
evtl.	eventuell
EWZ	Einwandererzentrale
f.	für; und 1 folgende
F	Front; Fachführer
F-Träger	Fluchtverdächtiger Häftling
Fa.	Firma
FA	Führeranwärter
FAB	Freiheitsaktion Bayern
FAD	Freiwilliger Arbeitsdienst
FAOK	Fallschirm-Armeeoberkommando
F.d.R.	Für die Richtigkeit
F.d.R.d.A.	Für die Richtigkeit der Ausfertigung
F.d.S.	Führer der Schnellboote
Feldgend	Feldgendarmerie
Feldpol.	Feldpolizei
Festg.	Festgabe
ff.	und folgende
Ffm	Frankfurt am Main
FGM	Faschismus-Getto-Massenmord
FK	Feldkommandantur
FKL	Frauenkonzentrationslager
Fl.	Flieger
Flak	Flugzeug-Abwehrkanone
fmdl	ferndmündlich
folg.	folgende
Forts.	Fortsetzung
FPSt	Feldpost
fr.	Franc; früher
freiw.	freiwillig
Frh.	Freiherr
Frl.	Fräulein
FS	Fernschreib(er); Freiwilliger Schutzdienst
FSS	Field Security Service
FT	Funktelegramm
FU	Freie Universität (Berlin)
Fü	Führer
Fw.	Feldwebel
G-Leute	Gestapospitzel
G-wagen	Güterwagen
GA	Goltdammers Archiv für Strafrecht; Generalakten
GASt.	Grenzaufsichtstelle
GBl.	Gesetzblatt
Gde.	Gemeinde
geb.	geboren
Geb.	Gebirgs-; Geburts-
Gedob	Generaldirektion der Ostbahn
gef.	gefangen; gefährlich
Gef.	Gefangener
Gef.B.Nr.	Gefangenenbuchnummer
gefl.	gefällig
Gef.Nr.	Gefangenennummer
Gefr.	Gefreiter
Gef.Std.	Gefechtsstand
geg.	gegen
geh.	geheim
Geh.Rat	Geheimer Rat
Gekrat	Gemeinnützige Krankentransportgesellschaft
gem.	gemäss, gemeinschaftlich
gen.	genannt
Gen.	Genehmigung; Genesenden; General; Genosse
GenA	Generalakten
Gend.	Gendarmerie
Gen.Dir.	Generaldirektor
genes.	genesenden; genesungs
Gen-Gouv.	Generalgouvernement
Gen.Kdo.	Generalkommando
Gen.Qu.	Generalquartiermeister
Gen.Komm.	Generalkommissar
GenQ, Gen.Qu.	Generalquartiermeister
Gen.Sekr.	Generalsekretär
Gen.StA	Generalstaatsanwalt(schaft)
GenStdH	Generalstab des Heeres
Ges.	Gesetz, Gesandter
gesch.	geschieden
Gesch.	Geschütz
gest.	gestorben
Gestapa	Geheimes Staatspolizeiamt
Gestapo	Geheime Staatspolizei
Gewaltverbr VO	Gewaltverbrecherverordnung
gewerbl.	gewerblich

GewVVO	Gewaltverbrecherverordnung
gez.	gezeichnet
GFP	Geheime Feldpolizei
gg.	gegen
GG	Generalgouvernement; Grundgesetz der BRD
ggf., ggfls., ggfs.	gegebenenfalls
ggl.	gottgläubig
GK	Generalkommando; Generalkonsul
gk	geheime Kommandosache
gKdos	geheime Kommandosache
GKG	Gerichtskostengesetz
Gks.	Generalkonsul
GmbH	Gesellschaft mit beschränkter Haftung
Gns	Registerzeichen für Gnadensachen (StA)
Goltd.Arch.	Goltdammer's Archiv für Strafrecht
gottgl.	gottgläubig
GP	Grenzpolizei
GPK	Grenzpolizeikommissariat
GPP	Grenzpolizeiposten
GPU	politische Polizei der Sowjetunion
Gr.	Gross; Gruppe
Greko	Grenzpolizeikommissariat
Gren.Regt.	Grenadierregiment
Grenzpo	Grenzpolizei
gRs, g.R.s., g.Rs	Geheime Reichssache
Gr.S., Gr.Sen.	Grosser Senat
Gr.Strafk.	Grosse Strafkammer
Grudokeis	Kommandeur der Eisenbahnpioniere bei der Heeresgruppe West
Gruf.	Gruppenführer
GrundG	Grundgesetz der BRD
Gs	Registerzeichen von einzelnen richterl. Anordnungen in Strafsachen
GS	Gesetz-Sammlung für die Preussischen Staaten
GSG	Bundesgrenzschutzgruppe
GSSt.	Registerzeichen des Grossen Senats des Bundesgerichtshofes in Strafsachen
GStA	Generalstaatsanwalt(schaft)
GUS	Gemeinschaft Unabhängiger Staaten (eh. UdSSR ohne baltische Staaten)
GVBl.	Gesetz- und Verordnungsblatt
GVG	Gerichtsverfassungsgesetz
gvH, g.v.H.	garnisonsverwendungsfähig in der Heimat
h.	Uhr
HA	Hauptamt
HA, H.A.	Hauptakten
Häftl.	Häftling
Hann.Rpfl.	Hannoversche Rechtspflege
hans.	hanseatisch
HAOp, HAOrpo	Hauptamt Ordnungspolizei
HAPAG	Hamburg-Amerikanische Paketfahrt-Actien-Gesellschaft
HASAG	Hugo Schneider AG
HASipo	Hauptamt Sicherheitspolizei
Hauptverh.	Hauptverhandlung
HBd, H'Bd	Hauptband
Hbf.	Hauptbahnhof
H.B.M.	His Britannic Majesty
HCN	Zyklon B (Mischung von Kieselgur und flüssiger Blausäure)
Hd., Hdn.	Händen
HDStO	Heeresdisziplinarstrafordnung
HDv.	Heeresdienstvorschrift
h.E.	hiesigen Erachtens
hess.	hessisch
HESt.	Höchstrichterliche Entscheidungen, Sammlung von Entscheidungen der Oberlandesgerichte und der Obersten Gerichte in Strafsachen
hftl.	Häftling(s)
Hfw	Hauptfeldwebel
Hg.	Hydrargyrum (Quecksilber)
H.G.	Heeresgruppe
HGr.	Heeresgruppe
HIAG	Hilfsgemeinschaft auf Gegenseitigkeit der ehemaligen Angehörigen der Waffen-SS
Hicoc	US High Commissioner for Germany
hies.	hiesig
Higas	Hilfsgrenzschutzangestellter
hins.	hinsichtlich
Hiwi	Hilfswillige
HJ	Hitlerjugend
HK	Hohe Kommission
HKB	Häftlingskrankenbau
HKL	Hauptkampflinie
HKP	Heereskraftfahrzeugpark
h.L.	herrschende Lehre

hl., hlg.	heilig
HLKO	Haager Landkriegsordnung
h.M.	herrschende Meinung
Hn.	Herrn
HNW	Heeresnachrichtenwesen
HO	staatliche Handelsorganisation der DDR
Hpt.	Haupt
Hptfw.	Hauptfeldwebel
Hptm.	Hauptmann
HQ	Hauptquartier; Headquarters
HRR	Höchstrichterliche Rechtsprechung
Hrsg.	herausgegeben; Herausgeber
HS	Haftstätte
Hschaf, Hschf.	Hauptscharführer
HSP	Hauptsanitätspark
HSSPF, HSS und PF, HSSuPf	Höherer SS- und Polizeiführer
HStF, Hstf.	Hauptsturmführer
Hstuf., H'Stuf	Hauptsturmführer
HStV	Heeresstandortverwaltung
HuPa	Heil- und Pflegeanstalt
HV	Hauptverhandlung
HVA	Heeresverpflegungsamt
HVBl.	Heeres-Verordnungsblatt
HVM	Heeresverpflegungsmagazin
HV-Platz	Hauptverbandplatz
HV-Prot.	Protokoll der Hauptverhandlung
HZ, HZA	Hauptzollamt
i.	in
i.A.	im Amt; im Auftrag
Ia	Erster Generalstabsoffizier
Ib	Zweiter Generalstabsoffizier
IBV	Internationale Bibelforschervereinigung
Ic	Dritter Generalstabsoffizier
i.d.	in der (dem, den)
ID, I.D.	Infanteriedivision
i.d.F.	in der Fassung
IdO	Inspekteur der Ordnungspolizei
IdS	Inspekteur der Sicherheitspolizei und des SD
i.d.U.	in der Urschrift
I.d.V., i.d.V.	in der Vorlage
i.e.S.	im eigentlichen Sinne
i.G.	im Generalstab
IG, IG-Farben	Interessengemeinschaft der

	deutschen Farbenindustrie AG Hoechst
IIa	Adjutant
i.J.	im Jahre
IL, I.L.	Im Lager
IMG, IMGH, IMT	Internationales Militärtribunal (Nürnberg); Der Prozess gegen die Hauptkriegsverbrecher vor dem Internationalen Militärgerichtshof. Bd.I-XLII. Nürnberg 1947/1949
Inf.	Infanterie
Ing.	Ingenieur
Inh.	Inhaber
Inl.	Inland
insb., insbes.	insbesondere
Insp.	Inspektor
Insp.d.KZL.	Inspekteur der Konzentrationslager
Inst.	Institut
i.O.	in Oldenburg
i.P.	in Pommern
i.R.	im Rückfall; im Ruhestand
IR	Infanterieregiment
IRK	Int. Rotes Kreuz
IRO	International Refugee Organisation
i.S.	in Sache; im Sinne
i.S.d.	im Sinne der (der)
ISD, ITS	International Tracing Service (Int. Suchdienst des Internationalen Komitees vom Roten Kreuz)
i.V.	im Vertretung; im Vogtland
i.V.m.	in Verbindung mit
i.W.	im Wartestand; in Wörtern
i.w.S.	im weiteren Sinne
J-Kinder	Judenkinder
Jabo	Jagdbomber
JbAkDR	Jahrbuch der Akademie für Deutsches Recht
JBl.	Justizblatt
JBV	→ IBV
JD	→ ID
JDP	Jungdeutsche Partei
Jg.	Jahrgang
JG	Jagdgeschwader
JGG	Jugendgerichtsgesetz vom 16.2.1923 bzw. 4.8.1953; s.a. RJGG
Jhrs.	Jahres

JM	Justizminister
JMBl.	Justizministerialblatt
JME	Justizministerialerlass
JO	Journal Officiel du Commandement en Chef Français en Allemagne
JR	Juristische Rundschau
JR	→ IR (Infanterieregiment)
JRM	Judenratsmeldungen
JRP	Judenratsprotokolle
Js	Registerzeichen von Vorverfahren in Strafsachen bei der StA
JSS	Jüdische Soziale Selbsthilfe
JU	Junker
jug.	Jugend(kammer)
Julag	Judenlager
JuNSV	Justiz und NS-Verbrechen, Sammlung deutscher Strafurteile wegen nationalsozialistischer Tötungsverbrechen
JuV, JustuVerw.	Justiz und Verwaltung
JVBl., JverwBl., JVerw.Bl.	Justizverwaltungsblatt
JW	Juristische Wochenschrift
JZ	Juristenzeitung
(K)	Kriegsexamen
K-Leute	Kontrolleute
K-Staffel	Kraftfahrzeugstaffel
Kal.	Kaliber
Kap.	Kapitel
Kapo	KL-Häftling mit einer einem Vorarbeiter ähnlichen Stellung
kath.	katholisch
kaufm.,	kaufmännisch
Kav.	Kavallerie
KB	Krankenbau; Kriegsbeschädigte
KB-Rente	Kriegsbeschädigtenrente
Kd.	Kommandeur
Kdeur	Kommandeur
KdF	Kanzlei des Führers; "Kraft durch Freude" der DAF
KdG, KdGend.	Kommandeur der Gendarmerie
Kdo.	Kommando
KdO	Kommandeur der Ordnungspolizei
Kdr.	Kommandeur
Kds.	Kommandos
KdS	Kommandeur der Sicherheitspolizei und des SD
KdSch.	Kommandeur der Schutzpolizei
Kdt.	Kommandant
Kdtr-Stab	Kommandanturstab
kfm.	kaufmännisch
Kfm.	Kaufmann
Kfz	Kraftfahrzeug
KG	Kammergericht; Kampfgeschwader; Kommanditgesellschaft
Kgf.	Kriegsgefangenen
kgl.	königlich
KGL	Kriegsgefangenenlager
KGV	Kriegsgefangenen-Dienstvorschrift
KI	Kriminalinspektor
KK	Kriminalkommissar
Kl.	Klasse
KL	Konzentrationslager (offizielle Abkürzung)
K.L.M., KLM	Konzentrationslager Mauthausen
KLs	Registerzeichen von Verbrechenssachen vor der Grossen Strafkammer
KLV	Kinderlandverschickung
KM	Kriegsmarine
KMR	Kleinknecht-Müller-Reitberger, Kommentar zur StPO
KMs	Registerzeichen von Vergehenssachen vor der Grossen Strafkammer
KOAss.	Kriminaloberassistent
Kodeis	Kommandeur der Eisenbahnpioniere
KOM	Kriminalobermeister
kom., komm.	kommissarisch; kommunistisch
Komm.	Kommentar
Komp.	Kompanie
Konf.	Konfession
kons.	konsularisch
KonsG	Konsulargesetz
KonzLager	Konzentrationslager
Korück, Korrück	Kommandeur des rückwärtigen Armeegebiets
KP	Kriminalpolizei; Kommunistische Partei
KPD	Kommunistische Partei Deutschlands
KPdSU	Kommunistische Partei der Sowjet Union
KPJ	Kommunistische Partei Jugoslawiens

KPL	Kriminalpolizeileitstelle
KPM	Kriminalpolizeimeister
KPst.	Kriminalpolizeistelle
Kr.	Kreis
KR	Kontrollrat
Krad.	Motorrad
Krb.	Kriminalbeamte(r)
KR-Fernschreiben	Kurierfernschreiben
KRG, KRGes.	Kontrollratsgesetz
krim.	kriminal
Krim.Komm	Kriminalkommissar
Krim.Sekr.	Kriminalsekretär
Kripo	Kriminalpolizei
KRProkl.	Kontrollratsproklamation
Krs.	Kreis
Ks	Registerzeichen von Strafsachen vor dem Schwurgericht
Ks.	Konsulat
KS	Kriminalsekretär
KSSVO	VO über das Sonderstrafrecht im Kriege und bei besonderem Einsatz
KStVO	VO über das militärische Strafverfahren im Kriege und bei besonderem Einsatz (Kriegsstrafverfahrensordnung)
KTB	Kriegstagebuch
KTI	Kriminaltechnisches Institut des RKPA
Ktnsn., Ktsn.	Kenntnisnahme
k.u.k.	königlich(e) und kaiserlich(e)
kv, k.v.	kriegsverwendungsfähig
KVA	Kraftfahrzeugtechnische Versuchsabteilung
KVK	Kriegsverdienstkreuz
KWVO	Kriegswirtschaftsverordnung
KZ	Konzentrationslager (inoffizielle Abkürzung)
Kzl.Ang.	Kanzlei-Angestellte(r)
LÄ	Lagerältester
LAH	Leibstandarte Adolf Hitler
landw.	landwirtschaftlich
LAPO	Landespolizei
lebensl.	lebenslänglich
led.	ledig
Lehrkomm.	Lehrkommentar
Leipz. Komm.	Leipziger Kommentar
LeipzZ	Leipziger Zeitschrift für Deutsches Recht

Lett.	Lettisch
Lfd, Lfde	laufende
Lfd.Nr.	Laufende Nummer
LG	Landgericht
LGDir	Landgerichtsdirektor
LGR	Landgerichtsrat
L.I.	Leutnant-Ingenieur
Lief.	Lieferung
lit.	littera; litauisch
LK	Leipziger Kommentar
LKA	Landeskriminalamt
LKO	→ HLKO
Lkrs.	Landkreis
LKW	Lastkraftwagen
LM, L-M, L/M	Nachschlagewerk des Bundesgerichtshofes, herausgegeben von Lindenmaier-Möhring
LM (StS)	Lindenmaier-Möhring, Sammlung von Urteilen in Strafsachen
LMG	leichtes Maschinengewehr
Ln.	Luftnachrichten
LO	Leitzordner
Lothr.	Lothringen
LP	Landespolizei, Leerzug, Leerpark
LpzK	Leipziger Kommentar
LR	Legaltionsrat; Löwe-Rosenberg
Ls	Registerzeichen von Verbrechenssachen vor dem Schöffengericht
LS	Legationssekretär; Luftschutz; Registrierzeichen von Dokumenten des IMT
LSSAH	SS-Leibstandarte Adolf Hitler
lt.	laut
Lt., Ltn.	Leutnant
Ltd.	Leitend
LVA	Landesversicherungsanstalt
LVBl.	Luftwaffen-Verordnungsblatt
LZ	Leipziger Zeitschrift für Deutsches Recht
m.	mit
M-Stammlager	Mannschaftsstammlager
MA	Marine; Marine-Artillerie
Maj.	Major
MAN	Maschinenfabrik Augsburg-Mannheim AG
Mat.	Material
Matr.	Matrose
M.Att.	Marineattaché

m.a.W.	mit anderen Worten
MBl.	Ministerialblatt
MBliV	Ministerialblatt des Reichs- und Preussischen Ministeriums des Innern
MD	Ministerialdirektor
m.d.B.	mit der Bitte
m.d.F.b	mit der Führung beauftragt
m.d.L.b	mit der Leitung beauftragt
MdR	Mitglied des Reichstages
MDR	Monatschrift für deutsches Recht
m.E.	meines Erachtens
med.	medizinisch; medizinal
Med.Rat	Medizinalrat
MEZ	Mitteleuropäische Zeit
MG	Maschinengewehr
MiG, M.i.G.	Militärbefehlshaber im Generalgouvernement
mil., milit.	militär(isch)
Milorg	Militärorganisation (Geheimarmee norwegischer Offiziere)
MilReg.	Militärregierung
MilRegGes.	Militärregierungsgesetz
MilRegVO	Militärregierungsverordnung
MilStGB	Militärstrafgesetzbuch
MilStGO	Militärstrafgerichtsordnung
MilStPO	Militärstrafprozessordnung
Min.	Minute
MinDir.	Ministerialdirektor
MinDirig.	Ministerialdirigent
Mitgl.Nr.	Mitglied-Nummer
mkg.	Meterkilogramm
Mme	Madame
Mob-Fall	Mobilmachungsfall
Mob-Plan	Mobilmachungsplan
MOD	Memeldeutscher Ordnungsdienst
MOK	Marine Oberkommando
mot.	motorisiert
MP	Militärpolizei
MP, MPi	Maschinenpistole
MR	Marine Rechtsamt; Militärregierung
MRABl.	Amtsblatt der Militärregierung Deutschland
MRG	Militärregierungsgesetz
MRK	Europäische Menschenrechtskonvention
MRVO	Militärregierungsverordnung
Ms	Registerzeichen von Strafsachen vor dem Schöffengericht
MschrKrimPsych.	Monatsschrift für Kriminalpsychologie und Strafrechtsreform
m.Schw.	mit Schwertern
MS-Flottille	Minensuchflottille
MStGB	Militärstrafgesetzbuch
MStGO	Militärstrafgerichtsordnung
mündl.	mündlich
m.W.	meines Wissens
MW	Mittelwerk
MWD	Ministerium des Innern der UdSSR (auch: Bezeichnung der russ. politischen Geheimpolizei)
m.w.N.	mit weiteren Nachweisen
N	Nachrichten
nachf.	nachfolgend
Nachw.	Nachweis
NAPOLA	Nationalpolitische Erziehungsanstalt
NdsRpfl.	Niedersächsische Rechtspflege
n.F.	neue Fassung; neue Folge
N.F.	nouveaux Francs
NG	Registrierzeichen von Dokumenten der Nürnberger (Nachfolge) Prozessen
Niederschr.	Niederschrift
Nieders. Rpfl.	Niedersächsische Rechtspflege
NJ	Neue Justiz
NJW	Neue Juristische Wochenschrift
NKWD	Narodny Komissariat Wnutrennich Del (Bezeichnung für die russische politische Geheimpolizei)
NN	Nacht und Nebel
NO	Nordost
NO, NOKW	Registrierzeichen von Dokumenten des IMT
Nr.	Nummer
Nrn.	Nummern
NRW	Nordrhein-Westfalen
NS	Nationalsozialistisch
NSBO	Nationalsozialistische Betriebszellen-Organisation
NSDAP	Nationalsozialistische Deutsche Arbeiterpartei
NSDoB	Nationalsozialistischer Dozentenbund
NSDStB	Nationalsozialistischer Deutscher Studentenbund
NSF	Nationalsozialistische Frauenschaft
NSFK	Nationalsozialistisches Flieger-

	korps
NSFO	Nationalsozialistischer Führungsoffizier
NSG	Nationalsozialistische Gauleitung; Nationalsozialistische Gewaltverbrechen
NS-Hago	Nationalsozialistische Handwerks-, Handels und Gewerbeorganisation
NSKK	Nationalsozialistisches Kraftfahrerkorps
NSKOV	Nationalsozialistische Kriegsopferversorgung
NSLB	Nationalsozialistischer Lehrerbund
NSRB	Nationalsozialistischer Rechtswahrerbund
NSRL	Nationalsozialistischer Reichsbund für Leibesübungen
NSV	Nationalsozialistische Volkswohlfahrt
Nürnb.Dok.	Der Prozess gegen die Hauptkriegsverbrecher vor dem Internationalen Militärgerichtshof. Bd.I-XLII. Nürnberg 1947/1949
Nürnb.Prot.	→ Nürnb.Dok.
Nürnb. Protokolle	→ Nürnb.Dok.
NW	Nordrhein-Westfalen
NZ	Nichtzigeuner
o.	oben
o.a.	oben angeführt
o.ä.	oder ähnliche
Ob.	Ober
OB	Oberbefehlshaber
Obb.	Oberbayern
ObdH, OB.d.H.	Oberbefehlshaber des Heeres
ObdL	Oberbefehlshaber der Luftwaffe
Oberost	Oberbefehlshaber Ost
Oberstlt.	Oberstleutnant
Oberstubaf.	Obersturmbannführer
Oberstuf.	Obersturmführer
Ob.Gef.	Obergefreiter
Obkdo.	Oberkommando
ObLG	Bayerisches Oberstes Landesgericht
ObLGSt.	Entscheidungen des Bayer. Obersten Landesgerichts in Strafsachen
Oblt., Obltn	Oberleutnant
Obstuf.	Obersturmführer
od.	oder
Od.	Oder
OD	Ordnungsdienst
Odenw., Odw.	Odenwald
o.e.	oben erwähnt
Oest.	Oesterreichisch
ÖStPO	Oesterreichische Strafprozessordnung
ÖTV	Gewerkschaft Öffentliche Dienste, Transport und Verkehr
Offlag	Offizierskriegsgefangenlager
Offz.	Offizier
Ofr.	Oberfranken
Ofw.	Oberfeldwebel
OGH	Oberster Gerichtshof für die Britische Zone; Entscheidungen des Obersten Gerichtshofes für die Britische Zone
OGHBZ	Oberster Gerichtshof für die Britische Zone
OGHSt.	Entscheidungen des Obersten Gerichtshofes für die Britische Zone in Strafsachen
OGruf.	Obergruppenführer
OJs	Aktenzeichen für erstinstanzliche Strafsachen bei der Generalstaatsanwaltschaft
OK	Ortskommandantur
OKH	Oberkommando des Heeres
OKL	Oberkommando der Luftwaffe
OKM	Oberkommando der Kriegsmarine
OKW	Oberkommando der Wehrmacht
Old., Oldg., Oldbg., Oldenbg.	Oldenburg
OLG	Oberlandesgericht
OMGUS	Office of Military Government for the US-Zone
OP	Operations-
Opf.	Oberpfalz
Opr.	Ostpreussen
Ord.	Ordonnanz
Orgesch	Organisation Escherich (vgl. JuNSV Bd.VII, S.364, Fussnote 1)
Org.Todt	Organisation Todt
Orpo	Ordnungspolizei
ORR	Oberregierungsrat
O/S, OS	Oberschlesien
Oschf.	Oberscharführer
OSpG	Oberster Spruchgerichtshof

OStA	Oberstaatsanwalt
OStF	Obersturmführer
Ostfr.	Ostfriesland
Osti	Ostindustrie
Ostpr.	Ostpreussen
Ostub., Ostubaf.	Obersturmbannführer
Ostuf., O'Stuf	Obersturmführer
ostw.	ostwärts
OT	Organisation Todt
OU, O.U.	Ortsunterkunft
O.v.D.	Offizier vom Dienst
OVG	Oberverwaltungsgericht
OviA, O.v.i.A.	oder Vertreter im Amt
OWM	Oberwachtmeister
P	Pole
P-Wagen	Personenwagen
PA	Politische Abteilung
Pak	Panzerabwehrkanone
Par.	Paragraph (§)
Pat.	Patient
P.D.	Panzerdivision
PDV	Polizei-Dienstvorschrift
Pers.	Personen
PF	Polizeiführer
Pfd.	Pfund
Pg.	Parteigenosse (im allgemeinen: der NSDAP)
PH	Politischer Häftling (KZ-Jargon); Pädagogische Hochschule
Pi.Ers.Batl.	Pionierersatzbataillon
Pi-Lager	Pionierlager
Pi-Zug	Pionierzug
Pj	polnische Juden
PK	Propagandakompanie
PKs	Registerzeichen von Strafsachen vor dem Schwurgericht
Pkt.	Punkt
PKW	Personenkraftwagen
PO	Politische Organisation der NSDAP
Pol.	Polizei
Pol.Ang.	Polizei-Angestellte(r)
Politruk	politischer Truppenkommissar (UdSSR)
poln.	polnisch
Pom.	Pommern
pp.	et cetera
PPK	Polizei-Pistole (kurz)
Pr.	Preussen, preussisch
Präs.	Präsident

prakt.	praktisch
preuß., preuss.	preussisch
Pr.Ges.	Preussiche Gesetzsammlung
Prokl.	Proklamation
Prop.	Propaganda
Prot.	Protokoll
Prov.	Provinz
PrOVG	Preussisches Oberverwaltungsgericht
Proz.	Prozess(e)
P.Sch.	polnischer Schutzhäftling
PS	Registrierzeichen von Dokumenten des IMT
PVG	Polizeiverwaltungsgesetz
Pz.	Panzer
Pzkw	Panzerkraftwagen
qKm	Quadratkilometer (Km²)
Q-Staffel	Quartiermeisterstaffel
Qltg	Querleitung
R.	Rückseite
R-A-Kinder	Reichsausschusskinder
R-Abzeichen	Rüstungsabzeichen
RA	Rechtsanwalt; Rechtsabteilung
RAD	Reichsarbeitsdienst
RAe	Rechtsanwälte
RAF	Royal Air Force
RAG	Reichsarbeitsgemeinschaft Heil- und Pflegeanstalten
RAM	Reichsaussenminister
RAO	Rechtsanordnung
R.a.s., R.a.S.	Rassenschänder
RASS	Reichsarzt SS
RBD	Reichsbahndirektion
RBG	Reichsbahngesetz; Reichsbeamtengesetz; Reichsbürgergesetz
RBürgG	Reichsbürgergesetz
rd.	rund
RD	Reichsdeutscher
RdErl.	Runderlass
Rdn., Rdnr.	Randnummer
RDStO	Reichsdienststrafordnung
Rdz.	Randziffer
Recht	Das Recht. Beilage zum Zentralblatt für Handelsrecht, ab 1935 zur Deutsche Justiz
Rechtspr.	Rechtsprechung
Ref.	Referat
Refa	Reichsausschuss für Arbeitsstudien
Reg.	Regierung; Register

RegBl. Regierungsblatt
Reg(t). Regiment
REinhG Gesetz zur Wiederherstellung der Rechtseinheit auf dem Gebiete der Gerichtsverfassung, der bürgerlichen Rechtspflege, des Strafverfahrens und des Kostenrechts (Rechtseinheitgesetz)
ReichsBG Reichsbürgergesetz
Res. Reserve
Rev. Revier; Revision
Rev.Begr. Revisionsbegründung
RF Reichsführer SS; Reichsführung
RFB Rotfrontkämpferbund
RFSS, RF-SS Reichsführer SS
RFSSuChdDtPol. Reichsführer SS und Chef der Deutschen Polizei
RG Reichsgericht; Entscheidungen des Reichsgerichts
RgBl. Regierungsblatt
RGBl. Reichsgesetzblatt
RGFestg. Festgabe für das Reichsgericht
RGRanz. Entscheidungen des Reichsgerichts, abgedruckt in der Beilage zum Deutschen Reichs- und Preussischen Staatsanzeiger
RGRechtspr., RGRspr. Rechtsprechung des deutschen Reichsgerichts in Strafsachen (1879-1888)
RGSt., RGStr. Entscheidungen des Reichsgerichts in Strafsachen
Rgt. Regiment
Rgt.St.Qu. Regimentsstabsquartier
RGZ Entscheidungen des Reichsgerichts in Zivilsachen
Rh. Rhein
Rhld. Rheinland
RIM Reichsministerium des Innern
RiStV Richtlinien für das Strafverfahren
RJGG Reichsjugendgerichtsgesetz vom 6.11.1943; s.a. JGG
RJM Reichsminister(ium) der Justiz
RK Reichskommissar
RK.f.d.F.d.V., RK.f.d.F.d.dt.V., RKF, Reichskommissar für die Festigung des deutschen Volkstums
RKG Reichskriegsgericht; Entscheidungen des Reichskriegsgerichts
RKPA Reichskriminalpolizeiamt
RLB Reichsluftschutzbund
RLM Reichsluftfahrtministerium
RM Reichsmark; Reichsminister(ium)
RMBl. Reichsministerialblatt
RMBliV Ministerialblatt des Reichs- und Preussischen Ministeriums des Innern
RMdI Reichsministerium des Innern
RMdJ Reichsministerium der Justiz
RMG Reichsmilitärgericht; Entscheidungen des Reichsmilitärgerichts
Rn., Rndnr. Randnummer
ROA Reserveoffiziersanwärter
ROB Reserve-Offizier-Bewerber
Roem römisch
ROW Recht in Ost und West. Zeitschrift für Rechtsvergleichung und interzonale Rechtsprechung
Rpfl Rechtspflege
Rs, RS Rückseite
RSHA, RSiHA Reichssicherheitshauptamt
RStAG Reichs- und Staatsangehörigkeitsgesetz
RStGB → StGB
RStPO → StPO
rückw. rückwärtig
RüIn Rüstungsinspektion
RuK Rüstung und Kriegsproduktion
RuPrMdJ Reichs- und Preussisches Ministerium der Justiz
RuS Rasse- und Siedlungshauptamt
russ. russisch
RV Reichsverteidigung
RVD Reichsverkehrsdirektion
RVK Reichsverteidigungskommissar
RVO Reichsversicherungsordnung; Reichsstrassenverkehrsordnung
RWE Rheinisch-Westfälische Elektrizitätswerke
RWM Reichswehrminister; Reichswirtschaftsminister
Rz Randzeichen

s. siehe
S. Seite; Satz
(S) Stabsführer
S-Boot Schnellboot
S-Wagen Sonderwagen

s.a.	siehe auch
Sa.	Summa (Summe)
SA	Sturmabteilung der NSDAP
SAG	Starkstromanlagen AG
San.	Sanitäts
Sanka	Sanitätskraftwagen
SAW	Sonderaktion Wehrmacht
S.B., SB	Sonderband; Sonderbehandlung
SBZ	Sowjetische Besatzungszone Deutschlands
sc.	scilicet (nämlich)
Sch.	Schutzhäftling
Scharf.	Scharführer
SchlHA	Schleswig-Holsteinische Anzeigen
SchP.	Schutzpolizei
Schr.	Schreiben
Schuma	Schutzmannschaft
Schumabtl.	Schutzmannschaftsbataillon
Schupo	Schutzpolizei
schwäb., schwb.	schwäbisch
SchwG	Schwurgericht
SchwGVO	(Bayer.) Schwurgerichtsverordnung
SD	Sicherheitsdienst der SS
SDG	Sanitätsdienstgrad
SDP	Sudetendeutsche Partei
s.E.	seines Erachtens
SED	Sozialistische Einheitspartei Deutschlands
Sekr.	Sekretär
SG	Sondergericht
SHAEF	Supreme Headquarters of the Allied Expeditionary Forces
SHD	Sicherheits- und Hilfsdienst
SHW	Schutzhäftling Wehrmacht
Sich.-Brig.	Sicherungsbrigade
Sipo	Sicherheitspolizei (Gestapo und Kripo)
SJZ	Süddeutsche Juristenzeitung
SK	Sonderkommando; Strafkommando; Schuhläuferkommando (KL)
Skdo.	Sonderkommando
SKL	Seekriegsleitung
SMA	Sowjetische Militäradministration
SMAD	Sowjetische Militäradministration in Deutschland
SMG	schweres Maschinengewehr
s.o.	siehe oben
SOE	Special Operations Executive
sof.	sofortig

sog., sogen.	sogenannt
SOG	Gesetz zum Schutz der öffentlichen Sicherheit und Ordnung
SoldG	Soldatengesetz
Sovog	Sozialistische Volksgemeinschaft
Sp.	Spalte
SP	→ Sipo
SPD	Sozialdemokratische Partei Deutschlands
spez.	speziell
SpJs	Registerzeichen von Vorverfahren in Spruchgerichtssachen
SpLS	Registerzeichen von Verfahren vor dem Spruchgericht
SPN	Sonderdienst politischer Nachrichten
SprK	Spruchkammer
SpSS	Registerzeichen von Verfahren vor dem Obersten Spruchgericht
SRJ	Sonderreferat J (Juden)
Ss	Registerzeichen von Revisionsverfahren in Strafsachen vor dem Oberlandesgericht
SS	Schutzstaffel der NSDAP
SS-Brif.	SS-Brigadeführer
SS-Staf.	SS-Standartenführer
SSD	Staatssicherheitsdienst
SSFHA	SS-Führungshauptamt
SSPF	SS- und Polizeiführer
SSPFn	SS- und Polizeiführern
SSPolGerVO	VO über eine Sondergerichtsbarkeit in Strafsachen für Angehörige der SS und für die Angehörige der Polizeiverbände bei besonderem Einsatz
SSS	Sozialistische Sport Stafette
St.	Sankt; Stück
StA	Staatsanwalt(schaft)
St.A.	Staatsangehörigkeit
StÄG	Strafrechtsänderungsgesetz
städt.	städtisch
Stalag	Stammlager (für Kriegsgefangene)
Stapo	→ Gestapo
Stapoleit	Stapoleitstelle
StAZ	Zeitschrift für Standesamtswesen (bis 1944); Das Standesamt (ab 1948)
StbF	Sturmbannführer
Std.	Stunden
stdg.	ständig
StE	Registerzeichen von Verfahren

	in erstinstanzlichen Strafsachen beim BGH
STEG	Staatliche Erfassungsgesellschaft für öffentliches Gut
stellv.	stellvertretend
Sten.Ber.	Stenographischer Bericht
StFG	Straffreiheitsgesetz
StGB	Strafgesetzbuch
StGVG	Strafgerichtsverfassungsgesetz
StKs	Registerzeichen von Strafsachen nach Befehl 201 vor der kleinen Strafkammer des Landgerichts (DDR)
STL	Stapoleitstelle
StM	Staatsministerium
StMdJ	Staatsministerium der Justiz
StPÄG	Gesetz zur Änderung der StPO und des GVG
StPO	Strafprozessordnung
StR	Registerzeichen von Revisionsverfahren in Strafsachen vor dem Bundesgerichtshof
StrafRpflO	Strafrechtspflegeordnung
StRÄndG, StrÄndG	Strafrechtsänderungsgesetz
StrEG	Gesetz über die Entschädigung von Strafrechtsverfolgungsmassnahmen
StrFG, StrFrG, StrFrGes.	Straffreiheitsgesetz
Strm.	Steuermann
StrRG	Gesetz zur Reform des Strafrechts
StS	Strafsachen; Registerzeichen von Revisionsverfahren in Strafsachen vor dem Obersten Gerichtshof für die Britische Zone
St.S	Staatssekretär
StrVollzO	Strafvollzugsordnung
Stubf., Stubaf.	Sturmbannführer
Stuka	Sturzkampfflugzeug
stv.	stellvertretend
StVG	Strassenverkehrsgesetz
StVO	Strafvollzugsordnung
StVollstrO	Strafvollstreckungsordnung
StVZO	Strassenverkehrszulassungsordnung
s.u.	siehe unten
Sud.	Sudeten
Sv	Sicherungsverwahrung
SV, SVer	Sicherungsverwahrter
SV/DR	Sicherungsverwahrter Deutsches Reich
s.Z., s.Zt.	seinerzeit
t.	Tonne
T.	Teil
T 4	Tiergartenstrasse 4 (Tarnname für die Erwachseneneuthanasie)
T-Empfänger	Tornisterempfänger
tätl.	tätlich
TB	Totenbuch
Tel.	Telegramm
Tgb.	Tagebuch
Thrg.	Thüringen
TKdo.	Teilkommando
TN	Technische Nothilfe
to.	Tonne
Ts	Taunus
TTT	Tagebuch Tenenbaum Tamaroff
türk.	türkisch
TV	SS-Totenkopfverband
TWL	Truppenwirtschaftslager
Tz.	Teilzahl
u.	und; unter
u.a.	und andere; unter anderem (anderer)
UA	Urteilsausfertigung
u.ä.	und ähnliche(s)
u.ä.m.	und ähnliches mehr
u.a.m.	und andere(s) mehr
ÜbV	Überleitungsvertrag
UdSSR	Union der Sozialistischen Sowjetrepubliken
ÜV	Überleitungsvertrag
ü.M.	über dem Meeresspiegel
Ufa	Universum Film AG
Uffz.	Unteroffizier
Ufr.	Unterfranken
U-haft	Untersuchungshaft
uk, u.k.	unabkömmlich
Ukdo.	Unterkommando
ukr.	ukrainisch
ULRA	Wohlfahrtsorganisation der Amerika-Litauer
Umschl	Umschlag
unbek.	unbekannt
uneidl.	uneidlich
ung.	ungarisch
Univ.	Universitäts-
UNRRA	United Nations Relief and Rehabilitation Administration
Unterf.	Unterführer

Unterstuf.	Untersturmführer
Untf.	Unterführer
UNWCC	United Nations War Crimes Commission
UR	Untersuchungsrichter
Urk.	Urkunde
URO	United Restitution Organisation
urschr., urschriftl.	urschriftlich
Urt.	Urteil
Uscha, USchF	Unterscharführer
Uschla	Untersuchungs- und Schlichtungsausschuss
usf.	und so fort
USP	Unabhängige Sozialistische Partei
USt., USt.S U.St.S.	Unterstaatssekretär
UStF	Untersturmführer
Ustuf., U'Stuf	Untersturmführer
u.U.	unter Umständen
UvD	Unteroffizier vom Dienst
UVollzO	Untersuchungshaftvollzugsordnung
UWG	Gesetz gegen den unlauteren Wettbewerb
UWZ	Umwandererzentrale
UZwG	Gesetz über den unmittelbaren Zwang bei Ausübung öffentlicher Gewalt durch Vollzugsbeamte des Bundes
v.	von, vom
V-	Vertrauens-; Vergeltungs-
V-Mann	Verbindungsmann, Vertrauensmann
V-Waffen	Vergeltungswaffen
V1, V2, V3	Vergeltungswaffen
VA	Verwaltungsakt; Verwaltungsanordnung; Versorgungsamt
VAA	Vertreter des Auswärtigen Amtes
VB	Vorbeugungshäftling
VBl.	Verordnungsblatt
VBlGG	Verordnungsblatt für das Generalgouvernement
v.D.	vom Dienst
VDA	Volksbund für das Deutschtum im Ausland
Veranl.	Veranlassung
verb.	verbunden
Verb.	Verbindung

Vereinf.	Vereinfachung
Verf.	Verfassung
VerfGE	Entscheidungen des Bundesverfassungsgerichts
vergl.	vergleiche
verh.	verheiratet
Verh.	Verhandlung(en)
verl.	verlesen
vers.	versuchte
Verschl.VO	Verschlussverordnung
verst.	verstärkt; verstorben
verw.	verwitwet
Vf.	Verfahren
Vfg.	Verfügung
VfGHG	Gesetz über den Verfassungsgerichtshof (Bayern)
Vg.	Volksgenosse
V.G.D.	Volksgrenadierdivision
VGH	Volksgerichtshof
VGHG	Gesetz über den Verfassungsgerichtshof (Bayern)
vgl.	vergleiche
Vgn.	Volksgenossen
v.g.u.	vorgelesen, genehmigt und unterschrieben
v.H.	%
VH	Vorbeugungshäftling
VL	Vernichtungslager
VLR	Vortragender Legationsrat
v.M.	vorigen Monats
v.o.	von oben
VO	Verordnung
VOBl., VOBlatt	Verordnungsblatt
VOBl.BrZ, VOBlBZ	Verordnungsblatt für die Britische Zone
VOBl. GG	Verordnungsblatt des Generalgouvernements
Vomi	Volksdeutsche Mittelstelle
Vorb., Vorbem.	Vorbemerkung
Vorg.	Vorgang
vorgen.	vorgenannt
vorl.	vorliegend
VoStO	Volkssturmstrafgerichtsordnung
VoStVO	Volkssturmstrafrechtsverordnung
VPS	verstärkter Polizeischutz
VRs	Registerzeichen für Strafvollstreckungssachen (StA)
VRS	Verkehrsrechtssammlung
VRStVO	Verbrauchsregelungsstrafver-

	ordnung
VS-Vertr.	Verschlusssache - Vertraulich
VS-Ver-zeichnis	Verschlußsachenverzeichnis
v.u.	von unten
VU	Voruntersuchung
VVN	Vereinigungen der Verfolgten des Naziregimes
VVO	Verordnung gegen Volksschädlinge
VwA	Verwaltungsanordnung
VWHA	Verwaltungs- und Wirtschafts-hauptamt
W-Juden	Wehrmachtjuden
W-Lager	Wehrmachtjudenlager
WASt.	Deutsche Dienststelle für die Benachrichtigung der nächsten Angehörigen von Gefallenen der ehemaligen deutschen Wehrmacht
WBK	Wehrbezirkskommando
WBN	Wehrmachtsbefehlshaber Niederlande
WBU	Wehrmachtsbefehlshaber für die Ukraine
WCP	War Criminal Prison
WDStO	Wehrmachtsdisziplinarstraf-ordnung
westl.	westlich
WehrStrG	Wehrstrafgesetz
Weim. Verf.	(Weimarer) Verfassung des Deutschen Reiches vom 11.8.1919
Westf.	Westfalen
WFA	Wehrmacht-Führungsamt
WFSt	Wehrmacht-Führungsstab
WGK	Wiedergutmachungskammer
WGO	Die wichtigsten Gesetzgebungs-akte in den Ländern Ost-, Südosteuropas und in den ost-asiatischen Volksdemokratien
WHA	Wirtschafts-Verwaltungs-Hauptamt
WHW	Winterhilfswerk
WIFO	Wirtschaftliche Forschungsstelle
W.i.G., WiG	Wehrkreisbefehlshaber im Generalgouvernement
WiK	Wiedergutmachungskammer
WIM	Württembergisches Innenmini-sterium
WK	Wachkompanie; Wehrkeis
Wm.	Wachtmeister
WMA	Wehrmeldeamt
WO	Wachoffizier
wohnh.	wohnhaft
wr.	weissruthenisch
WRV	→ Weim. Verf.
Ws	Registerzeichen von Beschwer-den in Strafsachen vor dem Oberlandesgericht
WStG	Wechselsteuergesetz; Wehr-steuergesetz; Wehrstrafgesetz
WSW	Westdeutsche Sperrholzwerke WiedenbrückWttbg.,
Württbg., Württembg	Württemberg
württ.	württembergisch
WuG	Waffen und Geräte
Wv.	Wiedervorlage; Wiederver-wendung
Wvl.	Wiedervorlage
WVHA	Wirtschafts-Verwaltungs-Hauptamt
Wwe.	Witwe
Wzbg.	Würzburg
z.	zu (zum, zur)
Z.	Zeile; Ziffer
ZA	Zentralabteilung
zahlr.	zahlreich
ZAkDR	Zeitschrift der Akademie für deutsches Recht
ZAL	Zwangsarbeitslager
ZALfJ	Zwangsarbeitslager für Juden
z.B., z.Bsp.	zum Beispiel
z.b.V., zbV	zur besonderen Verwendung
z.d.A.	zu den Akten
Zf.	Ziffer
ZfH	Zubringer für das Heer
z.g.Kts.	zur gefälligen Kenntnisnahme
z.H., z.Hd., z.Hdn.	zu Händen
ZHO	Zentrale Handelsorganisation Ost
Ziff.	Ziffer
zit.	zitiert
Zit.	Zitat
ZJA	Zentraljustizamt für die Briti-sche Zone
ZJBl.	Zentral-Justizblatt für die Briti-sche Zone
z.Kts.	zur Kenntnis(nahme)
Zl	Zloty
ZM	Zigeunermischling
z.N.	zum Nachteile

ZO	Zivile Handelsorganisation
ZPO	Zivilprozessordnung
z.Pr.	zur Probe
z.S.	zur See
ZStW	Zeitschrift für die gesamte Strafrechtswissenschaft
z.T.	zum Teil
Ztg.	Zeitung
Ztr.	Zentner
zu Hd.	zu Händen
zul.	zulässig; zuletzt
z.V.	zur Verfügung; zur Vergeltung; zur Verwendung
ZVO	Zuständigkeitsverordnung
z.W.	zur Wiederverwendung
ZwehrR	Zeitschrift für Wehrrecht
z.Wv.	zur Wiederverwendung
ZZP	Zeitschrift für Prozessrecht
z.Z., z.Zt.	zur Zeit

RANGTAFEL

HJ	DJ	BDM	JM
Reichsjugendführer			
Stabschef			
Obergebietsführer			
Gebietsführer		Obergauführerin (Gebietsführerin)	
Hauptbannführer		Gauführerin (Hauptmädelführerin)	
Oberbannführer			
Bannführer		Untergauführerin (Bannmädelführerin)	
Oberstammführer	Oberjungstammführer		
Stammführer	Jungstammführer	Mädelringführerin	Jungmädelringführerin
Hauptgefolgschaftsführer	Hauptfähnleinführer		
Obergefolgschaftsführer	Oberfähnleinführer		
Gefolgschaftsführer	Fähnleinführer	Mädelgruppenführerin	Jungmädelgruppenführerin
Oberscharführer	Oberjungzugführer		
Scharführer	Jungzugführer	Mädelscharführerin	Jungmädelscharführerin
Oberkameradschaftsführer	Oberjungenschaftsführer		
Kameradschaftsführer	Jungenschaftsführer	Mädelschaftsführerin	Jungmädelschaftsführerin
Rottenführer	Oberhordenführer		
	Hordenführer		
Hitlerjunge	Pimpf	Mädel	Jungmädel